॥ श्रीगणेशाय नमः ॥

श्रीराधाकृष्णाभ्यां नमः

श्रीगर्ग-संहिता

गोलोकखण्डसे विज्ञानखण्डतक नौ खण्डकी अध्यायक्रमसे विषय-सूची

द्वारकाखण्ड

अध्याय	विषय	पृष्ठ-संख्या

विश्वजित्‌खण्ड

श्रीगोविन्दस्तोत्रम्

चिन्तामणिप्रकारसद्मसु कल्पवृक्ष-
लक्षावृतेषु सुरभीरभिपालयन्तम्।
लक्ष्मीसहस्रशतसम्भ्रमसेव्यमानं
गोविन्दमादिपुरुषं तमहं भजामि॥ १॥

मैं उन आदिपुरुष भगवान् गोविन्द (श्रीकृष्ण)-की शरण लेता हूँ, जिनकी लाखों कल्पवृक्षोंसे आवृत एवं चिन्तामणिसमूहसे निर्मित भवनोंसे लाखों लक्ष्मी-सदृश युवतियोंके द्वारा निरन्तर सेवा होती रहती है और जो स्वयं वन-वनमें घूम-घूमकर गौओंकी सेवा करते हैं।

वेणुं क्वणन्तमरविन्ददलायताक्षं
बर्हावतंसमसिताम्बुदसुन्दराङ्गम्।
कंदर्पकोटिकमनीयविशेषशोभं
गोविन्दमादिपुरुषं तमहं भजामि॥ २॥

जो वंशीमें स्वर फूँक रहे हैं, कमलकी पँखुड़ियोंके समान बड़े-बड़े जिनके नेत्र हैं, जो मोरपंखका मुकुट धारण किये रहते हैं, मेघके समान श्यामसुन्दर जिनके श्रीअङ्ग हैं, जिनकी विशेष शोभा करोड़ों कामदेवोंके द्वारा भी स्पृहणीय है, उन आदिपुरुष भगवान् गोविन्दका मैं भजन करता हूँ।

आलोलचन्द्रकलसद्वनमाल्यवंशी-
रत्नाङ्गदं प्रणयकेलिकलाविलासम्।
श्यामं त्रिभङ्गललितं नियतप्रकाशं
गोविन्दमादिपुरुषं तमहं भजामि॥ ३॥

जो हवासे अठखेलयाँ करते हुए मोरपंख, सुन्दर वनमाला, वंशी एवं रत्नमयं बाजूबंदसे सुशोभित हैं, जो प्रणयकेलि-कला-विलासमें दक्ष हैं, जिनका त्रिभङ्गललित श्यामसुन्दर विग्रह है और जिनका प्रकाश कभी फीका नहीं होता—सदा स्थिर रहता है, उन आदिपुरुष भगवान् गोविन्दका मै आश्रय लेता हूँ।

अङ्गानि यस्य सकलेन्द्रियवृत्तिमन्ति
पश्यन्ति पान्ति कलयन्ति चिरं जगन्ति।
आनन्दचिन्मयसदुज्ज्वलविग्रहस्य
गोविन्दमादिपुरुषं तमहं भजामि॥ ४॥

जिनका सच्चिदानन्दमय प्रकाशयुक्त श्रीविग्रह है तथा सम्पूर्ण इन्द्रिय-वृत्तियोंसे युक्त जिनके श्रीअङ्ग दीर्घकालतक विभिन्न लोकोंपर दृष्टि रखते हैं, उनकी रक्षा करते हैं तथा उनका ध्यान रखते हैं, उन आदिपुरुष भगवान् गोविन्दका मैं आश्रय ग्रहण करता हूँ।

अद्वैतमच्युतमनादिमनन्तरूप-
माद्यं पुराणपुरुषं नवयौवनं च।
वेदेषु दुर्लभमदुर्लभमात्मभक्तौ
गोविन्दमादिपुरुषं तमहं भजामि॥ ५॥

जो द्वैतसे रहित हैं, अपने स्वरूपसे कभी च्युत नही होते जो सबके आदि हैं, परंतु जिनका कहीं आदि नहीं है और जो अनन्त रूपोंमें प्रकाशित हैं, जो पुराण (सनातन) पुरुष होते हुए भी नित्य नवयुवक हैं, जिनका स्वरूप वेदोंमें भी प्राप्त नहीं होता (निषेधमुखसे ही वेद जिनका वर्णन करते हैं,) किंतु अपनी भक्ति प्राप्त हो जानेपर जो दुर्लभ नहीं रह जाते—अपने भक्तोंके लिये जो सुलभ हैं, उन आदिपुरुष भगवान् गोविन्दकी मैं शरण ग्रहण करता हूँ।

पन्थास्तु कोटिशतवत्सरसम्प्रगम्यो
वायोरथापि मनसो मुनिपुंगवानाम्।
सोऽप्यस्ति यत्प्रपदसीम्न्यविचिन्त्यतत्त्वे
गोविन्दमादिपुरुषं तमहं भजामि॥ ६॥

(भगवत्प्राप्ति) जिस मार्गको बड़े-बड़े मुनि प्राणायाम तथा चित्तनिरोधके द्वारा अरबों वर्षोंमें प्राप्त करते हैं, वही मार्ग जिनके अचिन्त्य महात्म्ययुक्त चरणोंके अग्रभागकी सीमामें स्थित रहता है, उन आदिपुरुष भगवान् गोविन्दका मैं आश्रय ग्रहण करता हूँ।

एकोऽप्यसौ रचयितुं जगदण्डकोटिं
यच्छक्तिरस्ति जगदण्डचया यदन्तः।
अण्डान्तरस्थपरमाणुचयान्तरस्थं
गोविन्दमादिपुरुषं तमहं भजामि॥ ७॥

जो यद्यपि सर्वथा एक हैं—उनके सिवा दूसरा कोई नहीं है, फिर भी जो(अपनी महिमासे) करोड़ों ब्रह्माण्डोंको रचनेकी शक्ति रखते हैं—यही नहीं, ब्रह्माण्डोंके समूह जिनके भीतर रहते हैं; साथ ही जो ब्रह्माण्डोंके भीतर रहनेवाले परमाणु-समूहके भी भीतर स्थित रहते हैं, उन आदिपुरुष भगवान् गोविन्दको मैं भजता हूँ।

यद्भावभावितधियो मनुजास्तथैव
सम्प्राप्य रूपमहिमासनयानभूषाः।
सूक्तैर्यमेव निगमप्रथितैः स्तुवन्ति
गोविन्दमादिपुरुषं तमहं भजामि॥ ८॥

जिनकी भक्तिसे भावित बुद्धिवाले मनुष्य उनके रूप, महिमा, आसन, यान (वाहन) अथवा भूषणोंकी झाँकी प्राप्त करके वेदप्रसिद्ध सूक्तों (मन्त्रों) द्वारा स्तुति करते हैं, उन आदिपुरुष भगवान् गोविन्दका मैं भजन करता हूँ।

आनन्दचिन्मयरसप्रतिभाविताभि-
स्ताभिर्य एव निजरूपतया कलाभिः।
गोलोक एव निवसत्यखिलात्मभूतो
गोविन्दमादिपुरुषं तमहं भजामि॥ ९॥

जो सर्वात्मा होकर भी आनन्दचिन्मयरसप्रतिभावित अपनी ही स्वरूपभूता उन प्रसिद्ध कलाओं (गोप, गोपी एवं गौओं)-के साथ गोलोकमें ही निवास करते हैं,उन आदिपुरुष गोविन्दकी मैं शरण ग्रहण करता हूँ।

प्रेमाञ्जनच्छुरितभक्तिविलोचनेन
सन्तः सदैव हृदयेऽपि विलोकयन्ति।
यं श्यामसुन्दरमचिन्त्यगुणस्वरूपं
गोविन्दमादिपुरुषं तमहं भजामि॥१०॥

संतजन प्रेमरूपी अञ्जनसे सुशोभित भक्तिरूपी नेत्रोंसे सदा-सर्वदा जिनका अपने हृदयमें ही दर्शन करते रहते हैं, जिनका श्यामसुन्दर विग्रह है तथा जिनके स्वरूप एवं गुणोंका यथार्थरूपसे चिन्तन भी नहीं हो सकता, उन आदिपुरुष भगवान् गोविन्दका मैं आश्रय ग्रहण करता हूँ।

रामादिमूर्तिषु कलानियमेन तिष्ठन्
नानावतारमकरोद्भुवनेषु किंतु।
कृष्णः स्वयं समभवत् परमः पुमान् यो
गोविन्दमादिपुरुषं तमहं भजामि॥११॥

जिन्होंने श्रीरामादि-विग्रहोंमें नियत संख्याकी कलारूपसे स्थित रहकर भिन्न-भिन्न भुवनोंमें अवतार ग्रहण किया, परंतु जो परात्पर पुरुष भगवान् श्रीकृष्णके रूपमें स्वयं प्रकट हुए, उन आदिपुरुष भगवान् श्रीकृष्णका मैं भजन करता हूँ।

यस्य प्रभा प्रभवतो जगदण्डकोटि-
कोटिष्वशेषवसुधादिविभूतिभिन्नम्।
तद्ब्रह्म निष्कलमनन्तमशेषभूतं
गोविन्दमादिपुरुषं तमहं भजामि॥१२॥

जो कोटि-कोटि ब्रह्माण्डोंमें पृथवी आदि समस्त विभूतियोंके रूपमें भिन्न-भिन्न दिखायी देता है, वह निष्कल (अखण्ड), अनन्त एवं अशेष ब्रह्म जिन सर्वसमर्थ प्रभुकी प्रभा है, उन आदिपुरुष भगवान् गोविन्दको मैं भजता हूँ।

माया हि यस्य जगदण्डशतानि सूते
त्रैगुण्यतद्विषयवेदवितायमाना ।
सत्त्वावलम्बिपरसत्त्वविशुद्धसत्त्वं
गोविन्दमादिपुरुषं तमहं भजामि॥१३॥

सत्त्व, रज एवं तमके रूपमें उन्हीं तीनों गुणोंका प्रतिपादन करनेवाले वेदोंके द्वारा विस्तारित जिनकी माया सैकड़ों ब्रह्माण्डोंको सर्जन करती है, उन सत्त्वगुणका आश्रय लेनेवाले, सत्त्वसे परे एवं विशुद्धसत्त्वस्वरूप आदिपुत्र भगवान् गोविन्दकी मैं शरण ग्रहण करता हूँ।

आनन्दचिन्मयरसात्मतया मनस्सु
यः प्राणिनां प्रतिफलन् स्मरतामुपेत्य।
लीलायितेन भुवनानि जयत्यजस्रं
गोविन्दमादिपुरुषं तमहं भजामि॥१४॥

जो स्मरण करनेसवाले प्राणियोंके मनोंमें अपने आनन्द-चिन्मयरसात्मक-स्वरूपसे प्रतिबिम्बित होते हैं तथा अपने लीलाचरित्रके द्वारा निरन्तर समस्त भुवनोंको वशीभूत करते रहते हैं, उन आदिपुरुष भगवान् गोविन्दका मैं आश्रय ग्रहण करता हूँ।

गोलोकनाम्नि निजधाम्नि तले च तस्य
देवीमहेशहरिधामसु तेषु तेषु च।
ते ते प्रभावनिचया विहिताश्च येन
गोविन्दमादिपुरुषं तमहं भजामि॥१५॥

जिन्होंने गोलोक नामक अपने धाममें तथा उसके नीचे स्थित देवीलोक, कैलास तथा वैकुण्ठ नामक विभिन्न धामोंमें विभिन्न ऐश्वर्योंकी सृष्टि की, उन आदिपुरुष भगवान् गोविन्दको मैं भजता हूँ।

सृष्टिस्थितिप्रलयसाधनशक्तिरेका
छायेव यस्य भुवनानि बिभर्ति दुर्गा।
इच्छानुरूपमपि यस्य च चेष्टते सा
गोविन्दमादिपुरुषं तमहं भजामि॥१६॥

सृष्टि, स्थिति एवं प्रलयकारिणी शक्तिरूपा भगवती दुर्गा, जिनकी छायाकी भाँति समस्त लोकोंका धारण-पोषण करती हैं और जिनकी इच्छाके अनुसार चेष्टा करती हैं, उन आदिपुरुष भगवान् गोविन्दका मैं भजन करता हूँ।

क्षीरं यथा दधिविकारविशेषयोगात्
संजायते नहि ततः पृथगस्ति हेतोः।
यः शम्भुतामपि तथा समुपैति कार्याद्
गोविन्दमादिपुरुषं तमहं भजामि॥१७॥

जावन आदि विशेष प्रकारके विकारोंके संयोगसे दूध जैसे दहीके रूपमें परिवर्तित हो जाता है, किंतु अपने कारण (दूध) से फिर भी विजातीय नहीं बन जाता, उसी प्रकार जो (संहाररूप) प्रयोजनको लेकर भगवान् शंकरके स्वरूपको प्राप्त हो जाते हैं, उन आदिपुरुष भगवान् गोविन्दकी मैं शरण ग्रहण करता हूँ।

दीपार्चिरेव हि दशान्तरमभ्युपेत्य
दीपायते विवृतहेतुसमानधर्मा।
यस्तादृगेव च विष्णुतया विभाति
गोविन्दमादिपुरुषं तमहं भजामि॥१८॥

जैसे एक दीपककी लौ दूसरी बत्तीका संयोग पाकर दूसरा दीपक बन जाती है, जिसमें अपने कारण (पहले दीपक) के गुण प्रकट हो जाते हैं,उसी प्रकार जो अपने स्वरूपमें स्थित रहते हुए ही विष्णुरूपमें दिखायी देने लगते हैं,उन आदिपुरुष भगवान् गोविन्दका मैं आश्रय ग्रहण करता हूँ।

यः कारणार्णवजले भजति स्म योग-
निद्रामनन्तजगदण्डसरोमकूपः ।
आधारशक्तिमवलम्ब्य परां स्वमूर्तिं
गोविन्दमादिपुरुषं तमहं भजामि॥१९॥

आधारशक्तिरूपा अपनी (नारायणरूप) श्रेष्ठ मूर्तिको धारण करके जो कारणार्णव जलमें योगनिन्द्राके वशीभूत होकर स्थित रहते हैं और उस समय उनके एक-एक रोमकूपमें अनन्त ब्रह्माण्ड समाये रहते हैं, उन आदिपुरुष भगवान् गोविन्दको मैं भजता हूँ।

यस्यैकनिश्श्वसितकालमथावलम्ब्य
जीवन्ति लोमविलजा जगदण्डनाथाः।
विष्णुर्महान् स इह यस्य कलाविशेषो
गोविन्दमादिपुरुषं तमहं भजामि॥ २०॥

जिनके रोमकूपोंसे प्रकट हुए विभिन्न ब्रह्माण्डोंके स्वामी (ब्रह्मा, विष्णु, महेश) जिनके एक श्वास-जितने कालतक ही जीवन धारण करते हैं तथा सर्वविदित महान् विष्णु जिनकी एक विशिष्ट कलामात्र हैं,उन आदिपुरुष भगवान् गोविन्दका मैं भजन करता हूँ।

भास्वान् यथाश्मसकलेषु निजेषु तेजः
स्वीयं कियत् प्रकटयत्यपि तद्वदत्र।
ब्रह्मा य एष जगदण्डविधानकर्ता
गोविन्दमादिपुरुषं तमहं भजामि॥ २१॥

जैसे सूर्य सूर्यकान्त नामक सम्पूर्ण मणियोंमें अपने तेजका किंचित् अंश प्रकट करते हैं, उसी प्रकार एक ब्रह्माण्डका शासन करनेवाले ब्रह्मा भी अपने अंदर जिनके तेजका किंचित् अंश प्रकट करते हैं, उन आदिपुरुष भगवान् गोविन्दकी मैं शरण ग्रहण करता हूँ।

यत्पादपल्लवयुगं विनिधाय कुम्भ-
द्वन्द्वे प्रणामसमये स गणाधिराजः।
विघ्नान् निहन्तुमलमस्य जगत्त्रयस्य
गोविन्दमादिपुरुषं तमहं भजामि॥ २२॥

प्रणाम करते समय जिनके चरणयुगलको अपने मस्तकके दोनों भागोंपर रखकर सर्वसिद्धि भगवान् गणपति इन तीनों लोकोंके विघ्नोंका विनाश करनेमें समर्थ होते हैं, उन आदिपुरुष भगवान् गोविन्दका मैं आश्रय ग्रहण करता हूँ।

अग्निर्महीगगनमम्बुमरुद्दिशश्च
कालस्तथाऽऽत्ममनसीति जगत्त्रयाणि।
यस्माद् भवन्ति विभवन्ति विशन्ति यं च
गोविन्दमादिपुरुषं तमहं भजामि॥ २३॥

अग्नि, पृथिवी, आकाश, जल, वायु एवं चारों दिशाएँ; काल, बुद्धि, मन, पृथिवी, अन्तरिक्ष एवं स्वर्गरूप तीनों लोक जिनसे उत्पन्न होते हैं, समृद्ध (पुष्ट) होते हैं तथा जिनमें पुनः लीन हो जाते हैं, उन आदिपुरुष भगवान् गोविन्दको मैं भजता हूँ।

यच्चक्षुरेव सविता सकलग्रहाणां
राजा समस्तसुरमूर्तिरशेषतेजाः।
यस्याज्ञया भ्रमति सम्भृतकालचक्री
गोविन्दमादिपुरुषं तमहं भजामि॥ २४॥

जिनके नेत्ररूप सूर्य, जो समस्त ग्रहोंके अधिपति,सम्पूर्ण देवताओंके प्रतीक एवं सम्पूर्ण तेजःस्वरूप तथा कालचक्रके प्रवर्तक होते हुए भी जिनकी आज्ञासे लोकोंमें चक्कर लगाते हैं, उन आदिपुरुष भगवान् गोविन्दको मैं भजता हूँ।

धर्मोऽथ पापनिचयः श्रुतयस्तपांसि
ब्रह्मादिकीटपतगावधयश्च जीवाः।
यद्दत्तमात्रविभवप्रकटप्रभावा
गोविन्दमादिपुरुषं तमहं भजामि॥ २५॥

धर्म एवं पाप-समूह, वेदकी ऋचाएँ, नाना प्रकारके तप तथा ब्रह्मासे लेकर कीट-पतङ्गतक सम्पूर्ण जीव जिनकी दी हुई शक्तिके द्वारा ही अपना-अपना प्रभाव प्रकट करते हैं, उन आदिपुरुष भगवान् गोविन्दका मैं भजन करता हूँ।

यस्त्विन्द्रगोपमथवेन्द्रमहो स्वकर्म-
बद्धानुरूपफलभाजनमातनोति।
कर्माणि निर्दहति किंतु च भक्तिभाजां
गोविन्दमादिपुरुषं तमहं भजामि॥ २६॥

जो एक वीरबहूटीको एवं देवराज इन्द्रको भी अपने-अपने कर्म-बन्धनके अनुरूप फल प्रदान करते हैं, किंतु जो अपने भक्तोंके कर्मोंको निःशेषरूपसे जला डालते हैं, उन आदिपुरुष भगवान् गोविन्दकी मैं शरण ग्रहण करता हूँ।

यं क्रोधकामसहजप्रणयादिभीति-
वात्सल्यमोहगुरुगौरवसेव्यभावैः।
संचिन्त्य तस्य सदृशीं तनुमापुरेते
गोविन्दमादिपुरुषं तमहं भजामि॥ २७॥

क्रोध, काम, सहज स्नेह आदि, भय, वात्सल्य, मोह (सर्वविस्मृति), गुण-गौरव (बड़ोंके प्रति होनेवाली गौरव-बुद्धिके सदृश महान् सम्मान) तथा सेव्य-बुद्धिसे (अपनेको दास मानकर) जिनका चिन्तन करके लोग उन्हींके समान रूपको प्राप्त हो गये,उन आदिपुरुष भगवान् गोवन्दिका मैं आश्रय ग्रहण करता हूँ।

श्रीगर्ग-संहिताका संक्षिप्त परिचय

श्रीगर्ग-संहिता यदुकुलके महान् आचार्य महामुनि श्रीगर्गकी रचना है। यह सारी संहिता अत्यन्त मधुर श्रीकृष्णलीलासे परिपूर्ण है। श्रीराधाकी दिव्य माधुर्यभावमिश्रित लीलाओंका इसमें विशद वर्णन है। श्रीमद्भागवतमें जो कुछ सूत्ररूपमें कहा गया है, गर्ग-संहितामें वही विशद वृत्तिरूपमें वर्णित है। एक प्रकारसे यह श्रीमद्भागवतोक्त श्रीकृष्णलीलाका महाभाष्य है। श्रीमद्भागवतमें भगवान् श्रीकृष्णकी पूर्णताके सम्बन्धमें महर्षि व्यासने 'कृष्णस्तु भगवान् स्वयम्'—इतना ही कहा है, महामुनि गर्गाचार्यने—

यस्मिन् सर्वाणि तेजांसि विलीयन्ते स्वतेजसि।
तं वदन्ति परे साक्षात् परिपूर्णतमं स्वयम्॥

—कहकर श्रीकृष्णमें समस्त भागवत-तेजोंके प्रवेशका वर्णन करके श्रीकृष्णकी परिपूर्णतमताका वर्णन किया है।

श्रीकृष्णकी मधुरलीलाकी रचना हुई है दिव्य 'रस' के द्वारा रसका रासमें प्रकाश हुआ है। श्रीमद्भागवतमें उस रासके केवल एक बारका वर्णन पाँच अध्यायोंमें किया गया है; किंतु इस गर्ग-संहितामें वृन्दावनखण्डमें, अश्वमेधखण्डके प्रभासमिलनके समय और उसी अश्वमेधखण्डके दिग्विजयके अनन्तर लौटते समय—यों तीन बार कई अध्यायोंमें उसका बड़ा सुन्दर वर्णन है। परम प्रेमस्वरूपा, श्रीकृष्णसे नित्य अभिन्नस्वरूपा शक्ति श्रीराधाजीके दिव्य आकर्षणसे श्रीमथुरानाथ एवं श्रीद्वारकाधीश श्रीकृष्णने बार-बार गोकुलमें पधारकर नित्यरासेश्वरी, नित्यनिकुञ्जेश्वरीके साथ महारासकी दिव्य लीला की है—इसका विशद वर्णन है। इसके माधुर्यखण्डमें विभिन्न गोपियोंके पूर्वजन्मोंका बड़ा ही सुन्दर वर्णन है। और भी बहुत-सी नयी-नयी कथाएँ हैं।

यह संहिता भक्त-भावुकोंके लिये परम समादरकी वस्तु है; क्योंकि इसमें श्रीमद्भागवतके गूढ तत्त्वोंका स्पष्ट रूपमें उल्लेख है। आशा है 'कल्याण'के पाठकगण इससे विशेष लाभ उठायेंगे।

॥ श्रीहरिः ॥

श्रीदामोदर हृषीकेश वासुदेव नमोऽस्तु ते

श्रीगर्ग-संहिता

(गोलोकखण्ड)

पहला अध्याय

शौनक-गर्ग-संवाद; राजा बहुलाश्वके पूछनेपर नारदजीके द्वारा अवतार-भेदका निरूपण

नारायणं नमस्कृत्य नरं चैव नरोत्तमम्।
देवीं सरस्वतीं व्यासं ततो जयमुदीरयेत्॥
शरद्विकचपङ्कजश्रियमतीवविद्वेषकं
मिलिन्दमुनिसेवितं कुलिशकंजचिह्नावृतम्।
स्फुरत्कनकनूपुरं दलितभक्ततापत्रयं
चलद्द्युतिपदद्वयं हृदि दधामि राधापतेः॥
वदनकमलनिर्यद् यस्य पीयूषमाद्यं
पिबति जनवरोऽयं पातु सोऽयं गिरं मे।
बदरवनविहारः सत्यवत्याः कुमारः
प्रणतदुरितहारः शार्ङ्गधन्वावतारः॥

'भगवान् नारायण, नरश्रेष्ठ नर, देवी सरस्वती तथा महर्षि व्यासको नमस्कार करनेके पश्चात् जय (श्रीहरिकी विजय-गाथासे पूर्ण इतिहास-पुराण) का उच्चारण करना चाहिये। मैं भगवान् श्रीराधाकान्तके उन युगल-चरणकमलोंको अपने हृदयमें धारण करता हूँ, जो शरद्-ऋतुके प्रफुल्लित कमलोंकी शोभाको अत्यन्त नीचा दिखानेवाले हैं, मुनिरूपी भ्रमरोंके द्वारा जिनका निरन्तर सेवन होता रहता है, जो वज्र और कमल आदिके चिह्नोंसे विभूषित हैं, जिनमें सोनेके नूपुर चमक रहे हैं और जिन्होंने भक्तोंके त्रिविध तापका सदा ही नाश किया तथा जिनसे दिव्य ज्योति छिटक रही है। जिनके मुख-कमलसे निकली हुई आदि-कथारूपी सुधाका बड़भागी मनुष्य सदा पान करता रहता है, वे बदरीवनमें विहार करनेवाले, प्रणतजनोंका ताप हरनेमें समर्थ, भगवान् विष्णुके अवतार सत्यवतीकुमार श्रीव्यासजी मेरी वाणीकी रक्षा करें—उसे दोषमुक्त करें'॥ १—३॥

एक समयकी बात है, ज्ञानिशिरोमणि परमतेजस्वी मुनिवर गर्गजी, जो योगशास्त्रके सूर्य हैं, शौनकजीसे मिलनेके लिये नैमिषारण्यमें आये। उन्हें आया देख मुनियोंसहित शौनकजी सहसा उठकर खड़े हो गये और उन्होंने पाद्य आदि उपचारोंसे विधिवत् उनकी पूजा की॥ ४-५॥

शौनकजीने कहा—साधुपुरुषोंका सब ओर विचरण धन्य है; क्योंकि वह गृहस्थ-जनोंको शान्ति प्रदान करनेका हेतु कहा गया है। मनुष्योंके भीतरी अन्धकारका नाश महात्मा ही करते हैं, न कि सूर्य। भगवन्! मेरे मनमें यह जिज्ञासा उत्पन्न हुई है कि भगवान्‌के अवतार कितने प्रकारके हैं। आप कृपया इसका निवारण कीजिये॥ ६-७॥

श्रीगर्गजी कहते हैं—ब्रह्मन्! भगवान्‌के गुणानुवादसे सम्बन्ध रखनेवाला आपका यह प्रश्न बहुत ही उत्तम है। यह कहने, सुनने और पूछनेवाले—तीनोंके कल्याणका विस्तार करनेवाला है। इसी प्रसङ्गमें एक प्राचीन इतिहासका कथन किया जाता है, जिसके श्रवणमात्रसे बड़े-बड़े पाप नष्ट हो जाते हैं। पहलेकी बात है, मिथिलापुरीमें बहुलाश्व नामसे विख्यात एक प्रतापी राजा राज्य करते थे। वे भगवान् श्रीकृष्णके परम भक्त, शान्तचित्त एवं अहंकारसे रहित थे। एक दिन मुनिवर नारदजी

आकाशमार्गसे उतरकर उनके यहाँ पधारे। उन्हें उपस्थित देखकर राजाने आसनपर बिठाया और भलीभाँति उनकी पूजा करके हाथ जोड़कर उनसे इस प्रकार पूछा॥ ८—११॥

श्रीजनकजी बोले—महामते! जो भगवान् अनादि, प्रकृतिसे परे और सबके अन्तर्यामी ही नहीं, आत्मा हैं, वे शरीर कैसे धारण करते हैं? (जो सर्वत्र व्यापक है, वह शरीरसे परिच्छिन्न कैसे हो सकता है?) यह मुझे बतानेकी कृपा करें॥ १२॥

नारदजीने कहा—गौ, साधु, देवता, ब्राह्मण और वेदोंकी रक्षाके लिये साक्षात् भगवान् श्रीहरि अपनी लीलासे शरीर धारण करते हैं। [अपनी अचिन्त्य लीलाशक्तिसे ही वे देहधारी होकर भी व्यापक बने रहते हैं। उनका वह शरीर प्राकृत नहीं, चिन्मय है।] जैसे नट अपनी मायासे मोहित नहीं होता और दूसरे लोग मोहमें पड़ जाते हैं, वैसे ही अन्य प्राणी भगवान्‌की माया देखकर मोहित हो जाते हैं, किंतु परमात्मा मोहसे परे रहते हैं— इसमें लेशमात्र भी संशय नहीं है॥ १३-१४॥

श्रीजनकजीने पूछा—मुनिवर! संतोंकी रक्षाके लिये भगवान् विष्णुके कितने प्रकारके अवतार होते हैं? यह मुझे बतानेकी कृपा करें॥ १५॥

श्रीनारदजी बोले—राजन्! व्यास आदि मुनियोंने अंशांश, अंश, आवेश, कला, पूर्ण और परिपूर्णतम— ये छः प्रकारके अवतार बताये हैं। इनमेंसे छठा— परिपूर्णतम अवतार साक्षात् भगवान् श्रीकृष्ण ही हैं। मरीचि आदि 'अंशांशावतार', ब्रह्मा आदि 'अंशावतार', कपिल एवं कूर्म प्रभृति 'कलावतार' और परशुराम आदि 'आवेशावतार' कहे गये हैं। नृसिंह, राम, श्वेतद्वीपाधिपति हरि, वैकुण्ठ, यज्ञ और नर-नारायण—ये 'पूर्णावतार' हैं एवं साक्षात् भगवान् श्रीकृष्ण ही 'परिपूर्णतम' अवतार हैं। असंख्य ब्रह्माण्डोंके अधिपति वे प्रभु गोलोकधाममें विराजते हैं। जो भगवान्‌के दिये सृष्टि आदि कार्यमात्रके अधिकारका पालन करते हैं, वे ब्रह्मा आदि 'सत्' (सत्स्वरूप भगवान्) के अंश हैं। जो उन अंशोंके कार्यभारमें हाथ बटाते हैं, वे 'अंशांशावतार' के नामसे विख्यात हैं। परम बुद्धिमान् नरेश! भगवान् विष्णु स्वयं जिनके अन्तःकरणमें आविष्ट हो, अभीष्ट कार्यका सम्पादन करके फिर अलग हो जाते हैं, राजन्! ऐसे नानाविध अवतारोंको 'आवेशावतार' समझो। जो प्रत्येक युगमें प्रकट हो, युगधर्मको जानकर, उसकी स्थापना करके, पुनः अन्तर्धान हो जाते हैं, भगवान्‌के उन अवतारोंको 'कलावतार' कहा गया है। जहाँ चार व्यूह प्रकट हों— जैसे श्रीराम, लक्ष्मण, भरत तथा शत्रुघ्न एवं वासुदेव, संकर्षण, प्रद्युम्न और अनिरुद्ध, तथा जहाँ नौ रसोंकी अभिव्यक्ति देखी जाती हो एवं जहाँ बल-पराक्रमकी भी पराकाष्ठा दृष्टिगोचर होती हो, भगवान्‌के उस अवतारको 'पूर्णावतार' कहा गया है। जिसके अपने तेजमें अन्य सम्पूर्ण तेज विलीन हो जाते हैं, भगवान्‌के उस अवतारको श्रेष्ठ विद्वान् पुरुष साक्षात् 'परिपूर्णतम' बताते हैं। जिस अवतारमें पूर्णका पूर्ण लक्षण दृष्टिगोचर होता है और मनुष्य जिसे पृथक्-पृथक् भावके अनुसार अपने परम प्रिय रूपमें देखते हैं, वही यह साक्षात् 'परिपूर्णतम' अवतार है। [इन सभी लक्षणोंसे सम्पन्न] स्वयं परिपूर्णतम भगवान् श्रीकृष्ण ही हैं, दूसरा नहीं; क्योंकि श्रीकृष्णने एक कार्यके उद्देश्यसे अवतार लेकर अन्यान्य करोड़ों कार्योंका सम्पादन किया है। जो पूर्ण, पुराण पुरुषोत्तमोत्तम एवं परात्पर पुरुष परमेश्वर हैं, उन साक्षात् सदानन्दमय, कृपानिधि, गुणोंके आकर भगवान् श्रीकृष्णचन्द्रकी मैं शरण लेता हूँ।* यह सुनकर राजा

* श्रीनारद उवाच

अंशांशोंऽशस्तथाऽऽवेशः कला पूर्णः प्रकथ्यते। व्यासाद्यैश्च स्मृतः षष्ठः परिपूर्णतमः स्वयम्॥
अंशांशस्तु मरीच्यादिरंशा ब्रह्मादयस्तथा। कलाः कपिलकूर्माद्या आवेशा भार्गवादयः॥
पूर्णो नृसिंहो रामश्च श्वेतद्वीपाधिपो हरिः। वैकुण्ठोऽपि तथा यज्ञो नरनारायणः स्मृतः॥
परिपूर्णतमः साक्षाच्छ्रीकृष्णो भगवान् स्वयम्। असंख्यब्रह्माण्डपतिर्गोलोके धाम्नि राजते॥
कार्याधिकारं कुर्वन्तः सदंशास्ते प्रकीर्तिताः। तत्कार्यभारं कुर्वन्तस्तेंऽशांशा विदिताः प्रभोः॥

सौन्दर्य-माधुर्य-निधि भगवान् श्रीकृष्ण

क्षीरसागरमें लक्ष्मीरूपिणी राधाके साथ शेषशायी अष्टभुज श्रीकृष्णाका दर्शन

ब्रह्माजीद्वारा श्रीराधा-कृष्णका विवाह

कदली वनमें वियोगव्यथित श्रीराधा-कृष्णका मिलन

हर्षमें भर गये। उनके शरीरमें रोमाञ्च हो आया। वे प्रेमसे विह्वल हो गये और अश्रुपूर्ण नेत्रोंको पोंछकर नारदजीसे यों बोले॥ १६—२८॥

राजा बहुलाश्वने पूछा—महर्षे! साक्षात् परिपूर्णतम भगवान् श्रीकृष्णचन्द्र सर्वव्यापी चिन्मय गोलोकधामसे उतरकर जो भारतवर्षके अन्तर्गत द्वारकापुरीमें विराज रहे हैं—इसका क्या कारण है? ब्रह्मन्! उन भगवान् श्रीकृष्णके सुन्दर बृहत् (विशाल या ब्रह्मस्वरूप) गोलोकधामका वर्णन कीजिये। महामुने! साथ ही उनके अपरिमेय कार्योंको भी कहनेकी कृपा कीजिये। मनुष्य जब तीर्थयात्रा तथा सौ जन्मोंतक उत्तम तपस्या करके उसके फलस्वरूप सत्सङ्गका सुअवसर पाता है, तब वह भगवान् श्रीकृष्णचन्द्रको शीघ्र प्राप्त कर लेता है। कब मैं भक्तिरससे आर्द्रचित्त हो मनसे भगवान् श्रीकृष्णके दासका भी दासानुदास होऊँगा? जो सम्पूर्ण देवताओंके लिये भी दुर्लभ हैं, वे परब्रह्म परमात्मा आदिदेव भगवान् श्रीकृष्ण मेरे नेत्रोंके समक्ष कैसे होंगे?[1] ॥ २९—३२॥

श्रीनारदजी बोले—नृपश्रेष्ठ! तुम धन्य हो, भगवान् श्रीकृष्णचन्द्रके अभीष्ट जन हो और उन श्रीहरिके परम प्रिय भक्त हो। तुम्हें दर्शन देनेके लिये ही वे भक्तवत्सल भगवान् यहाँ अवश्य पधारेंगे। ब्रह्मण्यदेव भगवान् जनार्दन द्वारकामें रहते हुए भी तुम्हें और ब्राह्मण श्रुतदेवको याद करते रहते हैं। अहो! इस लोकमें संतोंका कैसा सौभाग्य है!॥ ३३—३४॥

इस प्रकार श्रीगर्गसंहितामें गोलोकखण्डके अन्तर्गत नारद-बहुलाश्व-संवादमें 'श्रीकृष्णमाहात्म्यका वर्णन' नामक पहला अध्याय पूरा हुआ॥ १॥

दूसरा अध्याय

ब्रह्मादि देवोंद्वारा गोलोकधामका दर्शन

श्रीनारदजी कहते हैं—जो जीभ पाकर भी कीर्तनीय भगवान् श्रीकृष्णका कीर्तन नहीं करता, वह दुर्बुद्धि मनुष्य मोक्षकी सीढ़ी पाकर भी उसपर चढ़नेकी चेष्टा नहीं करता।[2] राजन्! अब इस वाराहकल्पमें धराधामपर जो भगवान् श्रीकृष्णका पदार्पण हुआ है और यहाँ उनकी जो-जो लीलाएँ हुई हैं, वह सब मैं तुमसे कहता हूँ; सुनो। बहुत पहलेकी बात है— दानव, दैत्य, आसुर-स्वभावके मनुष्य और दुष्ट राजाओंके भारी भारसे अत्यन्त पीड़ित हो, पृथ्वी गौका रूप धारण करके, अनाथकी भाँति रोती-बिलखती हुई अपनी आन्तरिक व्यथा निवेदन करनेके लिये ब्रह्माजीकी शरणमें गयी। उस समय उसका शरीर काँप रहा था। वहाँ उसकी कष्टकथा सुनकर ब्रह्माजीने उसे धीरज बँधाया और तत्काल समस्त देवताओं तथा शिवजीको साथ लेकर वे भगवान् नारायणके वैकुण्ठ-धाममें गये। वहाँ जाकर ब्रह्माजीने चतुर्भुज भगवान् विष्णुको प्रणाम करके अपना सारा अभिप्राय निवेदन किया। तब लक्ष्मीपति भगवान् विष्णु उन उद्विग्न

येषामन्तर्गतो विष्णुः कार्यं कृत्वा विनिर्गतः। नानवेशावतारांश्च विद्धि राजन् महामते॥
धर्मं विज्ञाय कृत्वा यः पुनरन्तरधीयत। युगे युगे वर्तमानः सोऽवतारः कला हरेः॥
चतुर्व्यूहो भवेद्यत्र दृश्यन्ते च रसा नव। अतः परं च वीर्याणि स तु पूर्णः प्रकथ्यते॥
यस्मिन् सर्वाणि तेजांसि विलीयन्ते स्वतेजसि। तं वदन्ति परे साक्षात् परिपूर्णतमः स्वयम्॥
पूर्णस्य लक्षणे यत्र यं पश्यन्ति पृथक् पृथक्। भावेनापि जनाः सोऽयं परिपूर्णतमः स्वयम्॥
परिपूर्णतमः साक्षाच्छ्रीकृष्णो नान्य एव हि। एक कार्यार्थमागत्य कोटिकार्यं चकार ह॥
पूर्णः पुराणः पुरुषोत्तमोत्तमः परात्परो यः पुरुषः परेश्वरः। स्वयं सदाऽऽनन्दमयं कृपाकरं गुणाकरं तं शरणं व्रजाम्यहम्॥
(गर्ग०, गोलोक० १। १६—२७)

१. श्रीकृष्णदासस्य च दासदासः कदा भवेयं मनसाऽऽर्द्रचित्तः। यो दुर्लभो देववरैः परात्मा स मे कथं गोचर आदिदेवः॥
(गर्ग०, गोलोक० १। ३२)

२. जिह्वां लब्ध्वापि यः कृष्णं कीर्तनीयं न कीर्तयेत्। लब्ध्वापि मोक्षनिःश्रेणीं स नारोहति दुर्मतिः॥
(गर्ग०, गोलोक० २। १)

देवताओं तथा ब्रह्माजीसे इस प्रकार बोले॥ १—६॥

श्रीभगवान्‌ने कहा—ब्रह्मन्! साक्षात् भगवान् श्रीकृष्ण ही अगणित ब्रह्माण्डोंके स्वामी, परमेश्वर, अखण्डस्वरूप तथा देवातीत हैं। उनकी लीलाएँ अनन्त एवं अनिर्वचनीय हैं। उनकी कृपाके बिना यह कार्य कदापि सिद्ध नहीं होगा, अत: तुम उन्हींके अविनाशी एवं परम उज्ज्वल धाममें शीघ्र जाओ*॥ ७॥

श्रीब्रह्माजी बोले—प्रभो! आपके अतिरिक्त कोई दूसरा भी परिपूर्णतम तत्त्व है, यह मैं नहीं जानता। यदि कोई दूसरा भी आपसे उत्कृष्ट परमेश्वर है, तो उसके लोकका मुझे दर्शन कराइये॥ ८॥

श्रीनारदजी कहते हैं—ब्रह्माजीके इस प्रकार कहनेपर परिपूर्णतम भगवान् विष्णुने सम्पूर्ण देवताओंसहित ब्रह्माजीको ब्रह्माण्ड-शिखरपर विराजमान गोलोकधामका मार्ग दिखलाया। वामनजीके पैरके बायें अँगूठेसे ब्रह्माण्डके शिरोभागका भेदन हो जानेपर जो छिद्र हुआ, वह 'ब्रह्मद्रव' (नित्य अक्षय नीर) से परिपूर्ण था। सब देवता उसी मार्गसे वहाँके लिये नियत जलयानद्वारा बाहर निकले। वहाँ ब्रह्माण्डके ऊपर पहुँचकर उन सबने नीचेकी ओर उस ब्रह्माण्डको कलिङ्गबिम्ब (तूँबे) की भाँति देखा। इसके अतिरिक्त अन्य भी बहुत-से ब्रह्माण्ड उसी जलमें इन्द्रायण-फलके सदृश इधर-उधर लहरोंमें लुढ़क रहे थे। यह देखकर सब देवताओंको विस्मय हुआ। वे चकित हो गये। वहाँसे करोड़ों योजन ऊपर आठ नगर मिले, जिनके चारों ओर दिव्य चहारदीवारी शोभा बढ़ा रही थी और झुंड-के-झुंड रत्नादिमय वृक्षोंसे उन पुरियोंकी मनोरमता बढ़ गयी थी। वहीं ऊपर देवताओंने विरजानदीका सुन्दर तट देखा, जिससे विरजाकी तरंगें टकरा रही थीं। वह तटप्रदेश उज्ज्वल रेशमी वस्त्रके समान शुभ्र दिखायी देता था। दिव्य मणिमय सोपानोंसे वह अत्यन्त उद्भासित हो रहा था। तटकी शोभा देखते और आगे बढ़ते हुए वे देवता उस उत्तम नगरमें पहुँचे, जो अनन्तकोटि सूर्योंकी ज्योतिका महान् पुञ्ज जान पड़ता था। उसे देखकर देवताओंकी आँखें चौंधिया गयीं। वे उस तेजसे पराभूत हो जहाँ-के-तहाँ खड़े रह गये। तब भगवान् विष्णुकी आज्ञाके अनुसार उस तेजको प्रणाम करके ब्रह्माजी उसका ध्यान करने लगे। उसी ज्योतिके भीतर उन्होंने एक परम शान्तिमय साकार धाम देखा। उसमें परम अद्भुत, कमलनालके समान धवल-वर्ण हजार मुखवाले शेषनागका दर्शन करके सभी देवताओंने उन्हें प्रणाम किया। राजन्! उन शेषनागकी गोदमें महान् आलोकमय लोकवन्दित गोलोकधामका दर्शन हुआ, जहाँ धामाभिमानी देवताओंके ईश्वर तथा गणनाशीलोंमें प्रधान कालका भी कोई वश नहीं चलता। वहाँ माया भी अपना प्रभाव नहीं डाल सकती। मन, चित्त, बुद्धि, अहंकार, सोलह विकार तथा महत्तत्त्व भी वहाँ प्रवेश नहीं कर सकते हैं; फिर तीनों गुणोंके विषयमें तो कहना ही क्या है! वहाँ कामदेवके समान मनोहर रूप-लावण्य-शालिनी, श्यामसुन्दरविग्रहा श्रीकृष्णपार्षदा द्वारपालका कार्य करती थीं। देवताओंको द्वारके भीतर जानेके लिये उद्यत देख उन्होंने मना किया॥ ९—२०॥

तब देवता बोले—हम सभी ब्रह्मा, विष्णु, शंकर नामके लोकपाल और इन्द्र आदि देवता हैं। भगवान् श्रीकृष्णके दर्शनार्थ यहाँ आये हैं॥ २१॥

श्रीनारदजी कहते हैं—देवताओंकी बात सुनकर उन सखियोंने, जो श्रीकृष्णकी द्वारपालिकाएँ थीं, अन्त:पुरमें जाकर देवताओंकी बात कह सुनायीं। तब एक सखी, जो शतचन्द्रानना नामसे विख्यात थी, जिसके वस्त्र पीले थे और जो हाथमें बेंतकी छड़ी लिये थी, बाहर आयी और उनसे उनका अभीष्ट प्रयोजन पूछा॥ २२-२३॥

---

*श्रीभगवानुवाच—

कृष्णं स्वयं विगणिताण्डपतिं परेशं साक्षादखण्डमतिदेवमतीवलीलम्।
कार्यं कदापि न भविष्यति यं विना हि गच्छाशु तस्य विशदं पदमव्ययं त्वम्॥

(गर्ग०, गोलोक० २।७)

शतचन्द्रानना बोली—यहाँ पधारे हुए आप सब देवता किस ब्रह्माण्डके निवासी हैं, यह शीघ्र बताइये। तब मैं भगवान् श्रीकृष्णको सूचित करनेके लिये उनके पास जाऊँगी॥ २४॥

देवताओंने कहा—अहो! यह तो बड़े आश्चर्यकी बात है, क्या अन्यान्य ब्रह्माण्ड भी हैं? हमने तो उन्हें कभी नहीं देखा। शुभे! हम तो यही जानते हैं कि एक ही ब्रह्माण्ड है, इसके अतिरिक्त दूसरा कोई है ही नहीं॥ २५॥

शतचन्द्रानना बोली—ब्रह्मदेव! यहाँ तो विरजा नदीमें करोड़ों ब्रह्माण्ड इधर-उधर लुढ़क रहे हैं। उनमें भी आप-जैसे ही पृथक्-पृथक् देवता वास करते हैं। अरे! क्या आपलोग अपना नाम-गाँवतक नहीं जानते? जान पड़ता है—कभी यहाँ आये नहीं हैं; अपनी थोड़ी-सी जानकारीमें ही हर्षसे फूल उठे हैं। जान पड़ता है, कभी घरसे बाहर निकले ही नहीं। जैसे गूलरके फलोंमें रहनेवाले कीड़े जिस फलमें रहते हैं, उसके सिवा दूसरेको नहीं जानते, उसी प्रकार आप-जैसे साधारण जन जिसमें उत्पन्न होते हैं, एकमात्र उसीको 'ब्रह्माण्ड' समझते हैं॥ २६—२८॥

श्रीनारदजी कहते हैं—राजन्! इस प्रकार उपहासके पात्र बने हुए सब देवता चुपचाप खड़े रहे, कुछ बोल न सके। उन्हें चकित-से देखकर भगवान् विष्णुने कहा॥ २९॥

श्रीविष्णु बोले—जिस ब्रह्माण्डमें भगवान् पृश्निगर्भका सनातन अवतार हुआ है तथा त्रिविक्रम (विराट्-रूपधारी वामन) के नखसे जिस ब्रह्माण्डमें विवर बन गया है, वहीं हम निवास करते हैं॥ ३०॥

श्रीनारदजी कहते हैं—भगवान् विष्णुकी यह बात सुनकर शतचन्द्राननाने उनकी भूरि-भूरि प्रशंसा की और स्वयं भीतर चली गयी। फिर शीघ्र ही आयी और सबको अन्त:पुरमें पधारनेकी आज्ञा देकर वापस चली गयी। तदनन्तर सम्पूर्ण देवताओंने परमसुन्दर धाम गोलोकका दर्शन किया। वहाँ 'गोवर्धन' नामक गिरिराज शोभा पा रहे थे। गिरिराजका वह प्रदेश उस समय वसन्तका उत्सव मनानेवाली गोपियों और गौओंके समूहसे घिरा था, कल्पवृक्षों तथा कल्पलताओंके समुदायसे सुशोभित था और रास-मण्डल उसे मण्डित (अलंकृत) कर रहा था। वहाँ श्यामवर्णवाली उत्तम यमुना नदी स्वच्छन्द गतिसे बह रही है। तटपर बने हुए करोड़ों प्रासाद उसकी शोभा बढ़ाते हैं तथा उस नदीमें उतरनेके लिये वैदूर्यमणिकी सुन्दर सीढ़ियाँ बनी हैं। वहाँ दिव्य वृक्षों और लताओंसे भरा हुआ 'वृन्दावन' अत्यन्त शोभा पा रहा है; भाँति-भाँतिके विचित्र पक्षियों, भ्रमरों तथा वंशीवटके कारण वहाँकी सुषमा और बढ़ रही है। वहाँ सहस्रदल कमलोंके सुगन्धित परागको चारों ओर पुन:-पुन: बिखेरती हुई शीतल वायु मन्द गतिसे बह रही है। वृन्दावनके मध्यभागमें बत्तीस वनोंसे युक्त एक 'निज निकुञ्ज' है। चहारदीवारियाँ और खाइयाँ उसे सुशोभित कर रही हैं। उसके आँगनका भाग लाल वर्णवाले अक्षयवटोंसे अलंकृत है। पद्मरागादि सात प्रकारकी मणियोंसे बनी दीवारें तथा आँगनके फर्श बड़ी शोभा पाते हैं। करोड़ों चन्द्रमाओंके मण्डलकी छवि धारण करनेवाले चँदोवे उसे अलंकृत कर रहे हैं तथा उनमें चमकीले गोले लटक रहे हैं। फहराती हुई दिव्य पताकाएँ एवं खिले हुए फूल मन्दिरों एवं मार्गोंकी शोभा बढ़ाते हैं। वहाँ भ्रमरोंके गुञ्जारव संगीतकी सृष्टि करते हैं। तथा मत्त मयूरों और कोकिलोंके कलरव सदा श्रवणगोचर होते हैं। वहाँ बालसूर्यके सदृश कान्तिमान् अरुण-पीत कुण्डल धारण करनेवाली ललनाएँ शत-शत चन्द्रमाओंके समान गौरवर्णसे उद्भासित होती हैं। स्वच्छन्द गतिसे चलनेवाली वे सुन्दरियाँ मणिरत्नमय भित्तियोंमें अपना मनोहर मुख देखती हुई वहाँके रत्नजटित आँगनोंमें भागती फिरती हैं। उनके गलेमें हार और बाँहोंमें केयूर शोभा देते हैं। नूपुरों तथा करधनीकी मधुर झनकार वहाँ गूँजती रहती है। वे गोपाङ्गनाएँ मस्तकपर चूड़ामणि धारण किये रहती हैं। वहाँ द्वार-द्वारपर कोटि-कोटि मनोहर गौओंके दर्शन होते हैं। वे गौएँ दिव्य आभूषणोंसे विभूषित हैं और श्वेत पर्वतके समान प्रतीत होती हैं। सब-की-सब दूध देनेवाली तथा नयी अवस्थाकी हैं। सुशीला, सुरुचा तथा सद्गुणवती हैं। सभी सवत्सा और पीली पूँछकी हैं। ऐसी भव्य

रूपवाली गौएँ वहाँ सब ओर विचर रही हैं। उनके घंटों तथा मञ्जीरोंसे मधुर ध्वनि होती रहती है। किङ्किणीजालोंसे विभूषित उन गौओंके सींगोंमें सोना मढ़ा गया है। वे सुवर्ण-तुल्य हार एवं मालाएँ धारण करती हैं। उनके अङ्गोंसे प्रभा छिटकती रहती है। सभी गौएँ भिन्न-भिन्न रंगवाली हैं—कोई उजली, कोई काली, कोई पीली, कोई लाल, कोई हरी, कोई ताँबेके रंगकी और कोई चितकबरे रंगकी हैं। किन्हीं-किन्हींका वर्ण धुँए-जैसा है। बहुत-सी कोयलके समान रंगवाली हैं। दूध देनेमें समुद्रकी तुलना करनेवाली उन गायोंके शरीरपर तरुणियोंके करचिह्न शोभित हैं, अर्थात् युवतियोंके हाथोंके रंगीन छापे दिये गये हैं। हिरनके समान छलाँग भरनेवाले बछड़ोंसे उनकी अधिक शोभा बढ़ गयी है। गायोंके झुंडमें विशाल शरीरवाले साँड़ भी इधर-उधर घूम रहे हैं। उनकी लंबी गर्दन और बड़े-बड़े सींग हैं। उन साँड़ोंको साक्षात् धर्मधुरंधर कहा जाता है। गौओंकी रक्षा करनेवाले चरवाहे भी अनेक हैं। उनमेंसे कुछ तो हाथमें बेंतकी छड़ी लिये हुए हैं। और दूसरोंके हाथोंमें सुन्दर बाँसुरी शोभा पाती है। उन सबके शरीरका रंग श्यामल है। वे भगवान् श्रीकृष्णचन्द्रकी लीलाएँ ऐसे मधुर स्वरोंमें गाते हैं कि उसे सुनकर कामदेव भी मोहित हो जाता है॥ ३१—४८॥

इस 'दिव्य निज निकुञ्ज' को सम्पूर्ण देवताओंने प्रणाम किया और भीतर चले गये। वहाँ उन्हें हजार दलवाला एक बहुत बड़ा कमल दिखायी पड़ा। वह ऐसा सुशोभित था, मानो प्रकाशका पुञ्ज हो। उसके ऊपर एक सोलह दलका कमल है तथा उसके ऊपर भी एक आठ दलवाला कमल है। उसके ऊपर चमचमाता हुआ एक ऊँचा सिंहासन है। तीन सीढ़ियोंसे सम्पन्न वह परम दिव्य सिंहासन कौस्तुभ-मणियोंसे जटित होकर अनुपम शोभा पाता है। उसीपर भगवान् श्रीकृष्णचन्द्र श्रीराधिकाजीके साथ विराजमान हैं। ऐसी झाँकी उन समस्त देवताओंको मिली। वे युगलरूप भगवान् मोहिनी आदि आठ दिव्य सखियोंसे समन्वित तथा श्रीदामा प्रभृति आठ गोपालोंके द्वारा सेवित हैं। उनके ऊपर हंसके समान सफेद रंगवाले पंखे झले जा रहे हैं और हीरोंसे बनी मूँठवाले चँवर डुलाये जा रहे हैं। भगवान्‌की सेवामें करोड़ों ऐसे छत्र प्रस्तुत हैं, जो कोटि चन्द्रमाओंकी प्रभासे तुलित हो सकते हैं। भगवान् श्रीकृष्णके वामभागमें विराजित श्रीराधिकाजीसे उनकी बायीं भुजा सुशोभित है। भगवान्‌ने स्वेच्छापूर्वक अपने दाहिने पैरको टेढ़ा कर रखा है। वे हाथमें बाँसुरी धारण किये हुए हैं। उन्होंने मनोहर मुसकानसे भरे मुखमण्डल और भ्रुकुटि-विलाससे अनेक कामदेवोंको मोहित कर रखा है। उन श्रीहरिकी मेघके समान श्यामल कान्ति है। कमल-दलकी भाँति बड़ी विशाल उनकी आँखें हैं। घुटनोंतक लंबी बड़ी भुजाओंवाले वे प्रभु अत्यन्त पीले वस्त्र पहने हुए हैं। भगवान् गलेमें सुन्दर वनमाला धारण किये हुए हैं, जिसपर वृन्दावनमें विचरण करनेवाले मतवाले भ्रमरोंकी गुंजार हो रही है। पैरोंमें घुँघरू और हाथोंमें कङ्कणकी छटा छिटका रहे हैं। अति सुन्दर मुसकान मनको मोहित कर रही है। श्रीवत्सका चिह्न, बहुमूल्य रत्नोंसे बने हुए किरीट, कुण्डल, बाजूबंद और हार यथास्थान भगवान्‌की शोभा बढ़ा रहे हैं।* भगवान् श्रीकृष्णके ऐसे दिव्य दर्शन प्राप्तकर सम्पूर्ण देवता आनन्दके समुद्रमें गोता खाने लगे। अत्यन्त हर्षके कारण उनकी आँखोंसे आँसुओंकी धारा बह चली। तब सम्पूर्ण देवताओंने हाथ जोड़कर विनीत-भावसे उन परम पुरुष श्रीकृष्णचन्द्रको प्रणाम किया॥ ४९—५७॥

इस प्रकार श्रीगर्गसंहितामें गोलोकखण्डके अन्तर्गत नारद-बहुलाश्व-संवादमें 'श्रीगोलोकधामका वर्णन' नामक दूसरा अध्याय पूरा हुआ॥ २॥

---

* ज्योतिषां मण्डलं पद्मं सहस्रदलशोभितम्॥
तदूर्ध्वं षोडशदलं ततोऽष्टदलपङ्कजम्। तस्योपरि स्फुरद्दीर्घं सोपानत्रयमण्डितम्॥
सिंहासनं परं दिव्यं कौस्तुभैः खचितं शुभम्। ददृशुर्देवतास्तत्र श्रीकृष्णं राधया युतम्॥

तीसरा अध्याय

भगवान् श्रीकृष्णके श्रीविग्रहमें श्रीविष्णु आदिका प्रवेश; देवताओंद्वारा भगवान्‌की स्तुति; भगवान्‌का अवतार लेनेका निश्चय; श्रीराधाकी चिन्ता और भगवान्‌का उन्हें सान्त्वना-प्रदान

श्रीजनकजीने पूछा—मुने! परात्पर महात्मा भगवान् श्रीकृष्णचन्द्रका दर्शन प्राप्तकर सम्पूर्ण देवताओंने आगे क्या किया, मुझे यह बतानेकी कृपा करें॥ १॥

श्रीनारदजी कहते हैं—राजन्! उस समय सबके देखते-देखते अष्ट भुजाधारी वैकुण्ठाधिपति भगवान् श्रीहरि उठे और साक्षात् भगवान् श्रीकृष्णके श्रीविग्रहमें लीन हो गये। उसी समय कोटि सूर्योंके समान तेजस्वी, प्रचण्ड पराक्रमी पूर्णस्वरूप भगवान् नृसिंहजी पधारे और भगवान् श्रीकृष्णके तेजमें वे भी समा गये। इसके बाद सहस्र भुजाओंसे सुशोभित, श्वेतद्वीपके स्वामी विराट् पुरुष, जिनके शुभ्र रथमें सफेद रंगके लाख घोड़े जुते हुए थे, उस रथपर आरूढ़ होकर वहाँ आये। उनके साथ श्रीलक्ष्मीजी भी थीं। वे अनेक प्रकारके अपने आयुधोंसे सम्पन्न थे। पार्षदगण चारों ओरसे उनकी सेवामें उपस्थित थे। वे भगवान् भी उसी समय श्रीकृष्णके श्रीविग्रहमें सहसा प्रविष्ट हो गये। फिर वे पूर्णस्वरूप कमललोचन भगवान् श्रीराम स्वयं वहाँ पधारे। उनके हाथमें धनुष और बाण थे तथा साथमें श्रीसीताजी और भरत आदि तीनों भाई भी थे। उनका दिव्य रथ दस करोड़ सूर्योंके समान प्रकाशमान था। उसपर निरन्तर चँवर डुलाये जा रहे थे। असंख्य वानरयूथपति उनकी रक्षाके कार्यमें संलग्न थे। उस रथके एक लाख चक्कोंसे मेघोंकी गर्जनाके समान गम्भीर ध्वनि निकल रही थी। उसपर लाख ध्वजाएँ फहरा रही थीं। उस रथमें लाख घोड़े जुते हुए थे। वह रथ सुवर्णमय था। उसीपर बैठकर भगवान् श्रीराम वहाँ पधारे थे। वे भी श्रीकृष्णचन्द्रके दिव्य विग्रहमें लीन हो गये। फिर उसी समय साक्षात् यज्ञनारायण श्रीहरि वहाँ पधारे, जो प्रलयकालकी जाज्वल्यमान अग्निशिखाके समान उद्भासित हो रहे थे। देवेश्वर यज्ञ अपनी धर्मपत्नी दक्षिणाके साथ ज्योतिर्मय रथपर बैठे दिखायी देते थे। वे भी उस समय श्यामविग्रह भगवान् श्रीकृष्णचन्द्रमें लीन हो गये। तत्पश्चात् साक्षात् भगवान् नर-नारायण वहाँ पधारे। उनके शरीरकी कान्ति मेघके समान श्याम थी। उनके चार भुजाएँ थीं, नेत्र विशाल थे और वे मुनिके वेषमें थे। उनके सिरका जटा-जूट कौंधती हुई करोड़ों बिजलियोंके समान दीप्तिमान् था। उनका दीप्तिमण्डल सब ओर उद्भासित हो रहा था। दिव्य मुनीन्द्रमण्डलोंसे मण्डित वे भगवान् नारायण अपने अखण्डित ब्रह्मचर्यसे शोभा पाते थे। राजन्! सभी देवता आश्चर्ययुक्त मनसे उनकी ओर देख रहे थे। किंतु वे भी श्यामसुन्दर भगवान् श्रीकृष्णमें तत्काल लीन हो गये। इस प्रकारके विलक्षण दिव्य दर्शन प्राप्तकर सम्पूर्ण देवताओंको महान् आश्चर्य हुआ। उन

दिव्यैरष्टसखीसंघैर्मोहिन्यादिभिरन्वितम् । श्रीदामाद्यैः सेव्यमानमष्टगोपालसेवितम्॥
हंसाभैर्व्यजनान्दोलचामरैर्वज्रमुष्टिभिः । कोटिचन्द्रप्रतीकाशैः सेवितं छत्रकोटिभिः॥
श्रीराधिकालंकृतवामबाहुं स्वच्छन्दवक्रीकृतदक्षिणाङ्घ्रिम्।
वंशीधरं सुन्दरमन्दहासं भ्रूमण्डलामोहितकामराशिम्॥
घनप्रभं पद्मदलायतेक्षणं प्रलम्बबाहुं बहुपीतवाससम्।
वृन्दावनोन्मत्तमिलिन्दशब्दैर्विराजितं श्रीवनमालया हरिम्॥
काञ्चीकलाकङ्कणनूपुरद्युतिं लसन्मनोहारिमहोज्ज्वलस्मितम्।
श्रीवत्सरत्नोत्तमकुन्तलप्रियं किरीटहाराङ्गदकुण्डलत्विषम्॥
(गर्ग०, गोलोक० ४९—५६)

सबको यह भलीभाँति ज्ञात हो गया कि परमात्मा श्रीकृष्णचन्द्र स्वयं परिपूर्णतम भगवान् हैं। तब वे उन परमप्रभुकी स्तुति करने लगे॥ २—१४॥

देवता बोले—जो भगवान् श्रीकृष्णचन्द्र पूर्णपुरुष, परसे भी पर, यज्ञोंके स्वामी, कारणके भी परम कारण, परिपूर्णतम परमात्मा और साक्षात् गोलोकधामके अधिवासी हैं, इन परम पुरुष श्रीराधावरको हम सादर नमस्कार करते हैं। योगेश्वर लोग कहते हैं कि आप परम तेजःपुञ्ज हैं; शुद्ध अन्तःकरणवाले भक्तजन ऐसा मानते हैं कि आप लीलाविग्रह धारण करनेवाले अवतारी पुरुष हैं; परंतु हमलोगोंने आज आपके जिस स्वरूपको जाना है, वह अद्वैत—सबसे अभिन्न एक अद्वितीय है; अतः आप महत्तम तत्त्वों एवं महात्माओंके भी अधिपति हैं; आप परब्रह्म परमेश्वरको हमारा नमस्कार है। कितने विद्वानोंने व्यञ्जना, लक्षणा और स्फोटद्वारा आपको जानना चाहा; किंतु फिर भी वे आपको पहचान न सके; क्योंकि आप निर्दिष्ट भावसे रहित हैं। अतः मायासे निर्लेप आप निर्गुण ब्रह्मकी हम शरण ग्रहण करते हैं। किन्हींने आपको 'ब्रह्म' माना है, कुछ दूसरे लोग आपके लिये 'काल' शब्दका व्यवहार करते हैं। कितनोंकी ऐसी धारणा है कि आप शुद्ध 'प्रशान्त' स्वरूप हैं तथा कतिपय मीमांसक लोगोंने तो यह मान रखा है कि पृथ्वीपर आप 'कर्म' रूपसे विराजमान हैं। कुछ प्राचीनोंने 'योग' नामसे तथा कुछने 'कर्ता' के रूपमें आपको स्वीकार किया है। इस प्रकार सबकी परस्पर विभिन्न ही उक्तियाँ हैं। अतएव कोई भी आपको वस्तुतः नहीं जान सका। (कोई भी यह नहीं कह सकता कि आप यही हैं, 'ऐसे ही' हैं।) अतः आप (अनिर्देश्य, अचिन्त्य, अनिर्वचनीय) भगवान्की हमने शरण ग्रहण की है। भगवन्! आपके चरणोंकी सेवा अनेक कल्याणोंको देनेवाली है। उसे छोड़कर जो तीर्थ, यज्ञ और तपका आचरण करते हैं, अथवा ज्ञानके द्वारा जो प्रसिद्ध हो गये हैं; उन्हें बहुत-से विघ्नोंका सामना करना पड़ता है; वे सफलता प्राप्त नहीं कर सकते। भगवन्! अब हम आपसे क्या निवेदन करें, आपसे तो कोई भी बात छिपी नहीं है; क्योंकि आप चराचरमात्रके भीतर विद्यमान हैं। जो शुद्ध अन्तःकरणवाले एवं देहबन्धनसे मुक्त हैं, वे (हम विष्णु आदि) देवता भी आपको नमस्कार ही करते हैं। ऐसे आप पुरुषोत्तम भगवान्को हमारा प्रणाम है। जो श्रीराधिकाजीके हृदयको सुशोभित करनेवाले चन्द्रहार हैं, गोपियोंके नेत्र और जीवनके मूल आधार हैं तथा ध्वजाकी भाँति गोलोकधामको अलंकृत कर रहे हैं, वे आदिदेव भगवान् आप संकटमें पड़े हुए हम देवताओंकी रक्षा करें, रक्षा करें। भगवन्! आप वृन्दावनके स्वामी हैं, गिरिराजपति भी कहलाते हैं। आप व्रजके अधिनायक हैं, गोपालके रूपमें अवतार धारण करके अनेक प्रकारकी नित्य विहार-लीलाएँ करते हैं। श्रीराधिकाजीके प्राणवल्लभ एवं श्रुतिधरोंके भी आप स्वामी हैं। आप ही गोवर्धनधारी हैं, अब आप धर्मके भारको धारण करनेवाली इस पृथ्वीका उद्धार करनेकी कृपा करें*॥ १५—२२॥

नारदजी कहते हैं—इस प्रकार स्तुति करनेपर

---

* श्रीदेवा ऊचुः—

कृष्णाय पूर्णपुरुषाय परात्पराय यज्ञेश्वराय परकारणकारणाय। राधावराय परिपूर्णतमाय साक्षाद् गोलोकधामधिषणाय नमः परस्मै॥

योगेश्वराः किल वदन्ति महः परं त्वं तत्रैव सात्वतजनाः कृतविग्रहं च। अस्माभिरद्य विदितं यददोऽद्वयं ते तस्मै नमोऽस्तु महतां पतये परस्मै॥

व्यङ्ग्येन वा न न हि लक्षणया कदापि स्फोटेन यच्च कवयो न विशन्ति मुख्याः।
निर्देश्यभावरहितं प्रकृतेः परं च त्वां ब्रह्म निर्गुणमलं शरणं व्रजामः॥

त्वां ब्रह्म केचिदवयन्ति परे च कालं केचित् प्रशान्तमपरे भूवि कर्मरूपम्।
पूर्वे च योगमपरे किल कर्तृभावमन्योक्तिभिर्न विदितं शरणं गताः स्मः॥

श्रेयस्करीं भगवतस्तव पादसेवां हित्वाथ तीर्थयजनादि तपश्चरन्ति।
ज्ञानेन ये च विदिता बहुविघ्नसंघैः संताडिताः किल भवन्ति न ते कृतार्थाः॥

विज्ञाप्यमद्य किमु देव अशेषसाक्षी यः सर्वभूतहृदयेषु विराजमानः।
देवैर्नमद्भिरमलाशयमुक्तदेहैस्तस्मै नमो भगवते पुरुषोत्तमाय॥

गोकुलेश्वर भगवान् श्रीकृष्णचन्द्र प्रणाम करते हुए देवताओंको सम्बोधित करके मेघके समान गम्भीर वाणीमें बोले—॥ २३ ॥

श्रीकृष्णभगवान्‌ने कहा—ब्रह्मा, शंकर एवं (अन्य) देवताओ! तुम सब मेरी बात सुनो। मेरे आदेशानुसार तुमलोग अपने अंशोंसे देवियोंके साथ यदुकुलमें जन्म धारण करो। मैं भी अवतार लूँगा और मेरे द्वारा पृथ्वीका भार दूर होगा। मेरा वह अवतार यदुकुलमें होगा और मैं तुम्हारे सब कार्य सिद्ध करूँगा। वेद मेरी वाणी, ब्राह्मण मुख और गौ शरीर है। सभी देवता मेरे अङ्ग हैं। साधुपुरुष तो हृदयमें वास करनेवाले मेरे प्राण ही हैं। अतः प्रत्येक युगमें जब दम्भपूर्ण दुष्टोंद्वारा इन्हें पीड़ा होती है और धर्म, यज्ञ तथा दयापर भी आघात पहुँचता है, तब मैं स्वयं अपने-आपको भूतलपर प्रकट करता हूँ॥ २४—२७ ॥

श्रीनारदजी कहते हैं—जिस समय जगत्पति भगवान् श्रीकृष्णचन्द्र इस प्रकार बातें कर रहे थे, उसी क्षण 'अब प्राणनाथसे मेरा वियोग हो जायगा' यह समझकर श्रीराधिकाजी व्याकुल हो गयीं और दावानलसे दग्ध लताकी भाँति मूर्च्छित होकर गिर पड़ीं। उनके शरीरमें अश्रु, कम्प, रोमाञ्च आदि सात्त्विक भावोंका उदय हो गया॥ २८ ॥

श्रीराधिकाजीने कहा—आप पृथ्वीका भार उतारनेके लिये भूमण्डलपर अवश्य पधारें; परंतु मेरी एक प्रतिज्ञा है, उसे भी सुन लें—प्राणनाथ! आपके चले जानेपर एक क्षण भी मैं यहाँ जीवन धारण नहीं कर सकूँगी। यदि आप मेरी इस प्रतिज्ञापर ध्यान नहीं दे रहे हैं तो मैं दुबारा भी कह रही हूँ। अब मेरे प्राण अधरतक पहुँचनेको अत्यन्त विह्वल हैं। ये इस शरीरसे वैसे ही उड़ जायँगे, जैसे कपूरके धूलिकण॥ २९-३० ॥

श्रीभगवान् बोले—राधिके! तुम विषाद मत करो। मैं तुम्हारे साथ चलूँगा और पृथ्वीका भार दूर करूँगा। मेरे द्वारा तुम्हारी बात अवश्य पूर्ण होगी॥ ३१ ॥

श्रीराधिकाजीने कहा—(परंतु) प्रभो! जहाँ वृन्दावन नहीं है, यमुना नदी नहीं है और गोवर्धन पर्वत भी नहीं है, वहाँ मेरे मनको सुख नहीं मिलता॥ ३२ ॥

नारदजी कहते हैं—(श्रीराधिकाजीके इस प्रकार कहनेपर) भगवान् श्रीकृष्णचन्द्रने अपने धामसे चौरासी कोस भूमि, गोवर्धन पर्वत एवं यमुना नदीको भूतलपर भेजा। उस समय सम्पूर्ण देवताओंके साथ ब्रह्माजीने परिपूर्णतम भगवान् श्रीकृष्णको बार-बार प्रणाम करके कहा॥ ३३-३४ ॥

श्रीब्रह्माजीने पूछा—भगवन्! मेरे लिये कौन स्थान होगा? आप कहाँ पधारेंगे? तथा ये सम्पूर्ण देवता किन गृहोंमें रहेंगे और किन-किन नामोंसे इनकी प्रसिद्धि होगी?॥ ३५ ॥

श्रीभगवान्‌ने कहा—मैं स्वयं वसुदेव और देवकीके यहाँ प्रकट होऊँगा। मेरे कलास्वरूप ये 'शेष' रोहिणीके गर्भसे जन्म लेंगे—इसमें संशय नहीं है। साक्षात् 'लक्ष्मी' राजा भीष्मकके घर पुत्रीरूपसे उत्पन्न होंगी। इनका नाम 'रुक्मिणी' होगा और 'पार्वती' 'जाम्बवती' के नामसे प्रकट होंगी। यज्ञपुरुषकी पत्नी 'दक्षिणा देवी' वहाँ 'लक्ष्मणा' नाम धारण करेंगी। यहाँ जो 'विरजा' नामकी नदी है, वही 'कालिन्दी' नामसे विख्यात होगी। भगवती 'लज्जा' का नाम 'भद्रा' होगा। समस्त पापोंका प्रशमन करनेवाली 'गङ्गा' 'मित्रविन्दा' नाम धारण करेगी। जो इस समय 'कामदेव' हैं, वे ही रुक्मिणीके गर्भसे 'प्रद्युम्न' रूपमें उत्पन्न होंगे। प्रद्युम्नके घर तुम्हारा अवतार होगा। उस समय तुम्हें 'अनिरुद्ध' कहा जायगा, इसमें कुछ भी संदेह नहीं है। ये 'वसु' जो 'द्रोण' के नामसे प्रसिद्ध हैं, व्रजमें 'नन्द' होंगे और

यो राधिकाहृदयसुन्दरचन्द्रहारः श्रीगोपिकानयनजीवनमूलहारः।
गोलोकधामधिषणध्वज आदिदेवः स त्वं विपत्सु विबुधान् परिपाहि पाहि॥
वृन्दावनेश गिरिराजपते व्रजेश गोपालवेषकृत नित्यविहारलील।
राधापते श्रुतिधराधिपते धरां त्वं गोवर्द्धनोद्धरण उद्धर धर्मधाराम्॥

(गर्ग०, गोलोक० ३। १५—२२)

स्वयं इनकी प्राणप्रिया 'धरा देवी' 'यशोदा' नाम धारण करेंगी। 'सुचन्द्र' 'वृषभानु' बनेंगे तथा इनकी सहधर्मिणी 'कलावती' धराधामपर 'कीर्ति' के नामसे प्रसिद्ध होंगी। फिर उन्हींके यहाँ इन श्रीराधिकाजीका प्राकट्य होगा। मैं व्रजमण्डलमें गोपियोंके साथ सदा रासविहार करूँगा॥ ३६—४१॥

इस प्रकार श्रीगर्गसंहितामें गोलोकखण्डके अन्तर्गत श्रीनारद-बहुलाश्व-संवादमें 'भूतलपर अवतीर्ण होनेके उद्योगका वर्णन' नामक तीसरा अध्याय पूरा हुआ॥ ३॥

चौथा अध्याय

नन्द आदिके लक्षण; गोपीयूथका परिचय; श्रुति आदिके गोपीभावकी प्राप्तिमें कारणभूत पूर्वप्राप्त वरदानोंका विवरण

भगवान्ने कहा—ब्रह्मन्! 'सुबल' और 'श्रीदामा' नामके मेरे सखा नन्द तथा उपनन्दके घरपर जन्म धारण करेंगे। इसी प्रकार और भी मेरे सखा हैं, जिनके नाम 'स्तोककृष्ण', 'अर्जुन' एवं 'अंशु' आदि हैं, वे सभी नौ नन्दोंके यहाँ प्रकट होंगे। व्रजमण्डलमें जो छः वृषभानु हैं, उनके गृहमें विशाल, ऋषभ, तेजस्वी, देवप्रस्थ और वरूथप नामके मेरे सखा अवतीर्ण होंगे॥ १-२॥

श्रीब्रह्माजीने पूछा—देवेश्वर! किसे 'नन्द' कहा जाता है और किसे 'उपनन्द' तथा 'वृषभानु' के क्या लक्षण हैं?॥ ३॥

श्रीभगवान् कहते हैं—जो गोशालाओंमें सदा गौओंका पालन करते रहते हैं एवं गो-सेवा ही जिनकी जीविका है, उन्हें मैंने 'गोपाल' संज्ञा दी है। अब तुम उनके लक्षण सुनो। गोपालोंके साथ नौ लाख गायोंके स्वामीको 'नन्द' कहा जाता है। पाँच लाख गौओंका स्वामी 'उपनन्द' पदको प्राप्त करता है। 'वृषभानु' नाम उसका पड़ता है, जिसके अधिकारमें दस लाख गौएँ रहती हैं, ऐसे ही जिसके यहाँ एक करोड़ गौओंकी रक्षा होती है, वह 'नन्दराज' कहलाता है। पचास लाख गौओंके अध्यक्षकी 'वृषभानुवर' संज्ञा है। 'सुचन्द्र' और 'द्रोण'—ये दो ही व्रजमें इस प्रकारके सम्पूर्ण लक्षणोंसे सम्पन्न गोपराज बनेंगे और मेरे दिव्य व्रजमें सुन्दर वस्त्र धारण करनेवाली शतचन्द्रानना गोप-सुन्दरियोंके सौ यूथ होंगे॥ ४—८॥

श्रीब्रह्माजीने कहा—भगवन्! आप दीनजनोंके बन्धु और जगत्के कारण (प्रकृति) के भी कारण हैं। प्रभो! अब आप मेरे समक्ष यूथके सम्पूर्ण लक्षणोंका वर्णन कीजिये॥ ९॥

श्रीभगवान् बोले—ब्रह्माजी! मुनियोंने दस कोटिको एक 'अर्बुद' कहा है। जहाँ दस अर्बुद होते हैं। उसे 'यूथ' कहा जाता है। यहाँकी गोपियोंमें कुछ गोलोकवासिनी हैं, कुछ द्वारपालिका हैं, कुछ शृङ्गार-साधनोंकी व्यवस्था करनेवाली हैं और कुछ शय्या सँवारनेमें संलग्न रहती हैं। कई तो पार्षदकोटिमें आती हैं और कुछ गोपियाँ श्रीवृन्दावनकी देख-रेख किया करती हैं। कुछ गोपियोंका गोवर्धन गिरिपर निवास है। कई गोपियाँ कुञ्जवनको सजाती-सँवारती हैं तथा बहुतेरी गोपियाँ मेरे निकुञ्जमें रहती हैं। इन सबको मेरे व्रजमें पधारना होगा। ऐसे ही यमुना-गङ्गाके भी यूथ हैं। इसी प्रकार रमा, मधुमाधवी, विरजा, ललिता, विशाखा एवं मायाके यूथ होंगे। ब्रह्माजी! इसी प्रकार मेरे व्रजमें आठ, सोलह और बत्तीस सखियोंके भी यूथ होंगे। पूर्वके अनेक युगोंमें जो श्रुतियाँ, मुनियोंकी पत्नियाँ, अयोध्याकी महिलाएँ, यज्ञमें स्थापित की हुई सीता, जनकपुर एवं कोसलदेशकी निवासिनी सुन्दरियाँ तथा पुलिन्दकन्याएँ थीं तथा जिनको मैं पूर्ववर्ती युग-युगमें वर दे चुका हूँ, वे सब मेरे पुण्यमय व्रजमें गोपीरूपमें पधारेंगी और उनके भी यूथ होंगे॥ १०—१७॥

श्रीब्रह्माजीने पूछा—पुरुषोत्तम! इन स्त्रियोंने कौन-सा पुण्य-कार्य किया है तथा इन्हें कौन-कौन-से वर मिल चुके हैं, जिनके फलस्वरूप ये व्रजमें निवास

करेंगी? कारण, आपका वह स्थान तो योगियोंके लिये भी दुर्लभ है॥ १८॥

श्रीभगवान् बोले—पूर्वकालमें श्रुतियोंने श्वेतद्वीपमें जाकर वहाँ मेरे स्वरूपभूत भूमा-(विराट् पुरुष या परब्रह्म)का मधुर वाणीमें स्तवन किया। तब सहस्रपाद विराट् पुरुष प्रसन्न हो गये और बोले॥ १९॥

श्रीहरिने कहा—श्रुतियो! तुम्हें जो भी पानेकी इच्छा हो, वह वर माँग लो। जिनके ऊपर मैं स्वयं प्रसन्न हो गया, उनके लिये कौन-सी वस्तु दुर्लभ है?॥ २०॥

श्रुतियाँ बोलीं—भगवन्! आप मन-वाणीसे नहीं जाने जा सकते; अतः हम आपको जाननेमें असमर्थ हैं। पुराणवेत्ता ज्ञानीपुरुष यहाँ जिसे केवल 'आनन्दमात्र' बताते हैं, अपने उसी रूपका हमें दर्शन कराइये। प्रभो! यदि आप हमें वर देना चाहते हों तो यही दीजिये॥ २१ $\frac{1}{2}$ ॥

श्रुतियोंकी ऐसी बात सुनकर भगवान्‌ने उन्हें अपने दिव्य गोलोकधामका दर्शन कराया, जो प्रकृतिसे परे है। वह लोक ज्ञानानन्दस्वरूप, अविनाशी तथा निर्विकार है। वहाँ 'वृन्दावन' नामक वन है, जो कामपूरक कल्पवृक्षोंसे सुशोभित है। मनोहर निकुञ्जोंसे सम्पन्न वह वृन्दावन सभी ऋतुओंमें सुखदायी है। वहाँ सुन्दर झरनों और गुफाओंसे सुशोभित 'गोवर्धन' नामक गिरि है। रत्न एवं धातुओंसे भरा हुआ वह श्रीमान् पर्वत सुन्दर पक्षियोंसे आवृत है। वहाँ स्वच्छ जलवाली श्रेष्ठ नदी 'यमुना' भी लहराती है। उसके दोनों तट रत्नोंसे बँधे हैं। हंस और कमल आदिसे वह सदा व्याप्त रहती है। वहाँ विविध रास-रङ्गसे उन्मत्त गोपियोंका समुदाय शोभा पाता है। उसी गोपी-समुदायके मध्यभागमें किशोर वयसे सुशोभित भगवान् श्रीकृष्ण विराजते हैं। उन श्रुतियोंको इस प्रकार अपना लोक दिखाकर भगवान् बोले—'कहो, तुम्हारे लिये अब क्या करूँ? तुमने मेरा यह लोक तो देख ही लिया, इससे उत्तम दूसरा कोई वर नहीं है'॥ २२—२७॥

श्रुतियोंने कहा—प्रभो! आपके करोड़ों कामदेवोंके समान मनोहर श्रीविग्रहको देखकर हममें कामिनी-भाव आ गया है और हमें आपसे मिलनेकी उत्कट इच्छा हो रही है! हम विरह-ताप-संतप्त हैं—इसमें संदेह नहीं है। अतः आपके लोकमें रहनेवाली गोपियाँ आपका सङ्ग पानेके लिये जैसे आपकी सेवा करती हैं, हमारी भी वैसी ही अभिलाषा है॥ २८-२९॥

श्रीहरि बोले—श्रुतियो! तुमलोगोंका यह मनोरथ दुर्लभ एवं दुर्घट है; फिर भी मैं इसका भलीभाँति अनुमोदन कर चुका हूँ, अतः वह सत्य होकर रहेगा। आगे होनेवाली सृष्टिमें जब ब्रह्मा जगत्‌की रचनामें संलग्न होंगे, उस समय सारस्वत-कल्प बीतनेपर तुम सभी श्रुतियाँ व्रजमें गोपियाँ होओगी। भूमण्डलपर भारतवर्षमें मेरे माथुरमण्डलके अन्तर्गत वृन्दावनमें रासमण्डलके भीतर मैं तुम्हारा प्रियतम बनूँगा। तुम्हारा मेरे प्रति सुदृढ़ प्रेम होगा, जो सब प्रेमोंसे बढ़कर है। तब तुम सब श्रुतियाँ मुझे पाकर सफल-मनोरथ होओगी॥ ३०—३३॥

श्रीभगवान् कहते हैं—ब्रह्माजी! पूर्व कल्पमें मैंने वर दे दिया है, उसीके प्रभावसे वे श्रुतियाँ व्रजमें गोपियाँ होंगी। अब अन्य गोपियोंके लक्षण सुनो॥ ३४॥

त्रेतायुगमें देवताओंकी रक्षा और राक्षसोंका संहार करनेके लिये मेरे स्वरूपभूत महापराक्रमी श्रीरामचन्द्रजी अवतीर्ण हुए थे। कमललोचन श्रीरामने सीताके स्वयंवरमें जाकर धनुष तोड़ा और उन जनकनन्दिनी श्रीसीताजीके साथ विवाह किया। ब्रह्माजी! उस अवसरपर जनकपुरकी स्त्रियाँ श्रीरामको देखकर प्रेमविह्वल हो गयीं। उन्होंने एकान्तमें उन महाभागसे अपना अभिप्राय प्रकट किया—'राघव! आप हमारे परम प्रियतम बन जायँ।' तब श्रीरामने कहा—'सुन्दरियो! तुम शोक मत करो। द्वापरके अन्तमें मैं तुम्हारी इच्छा पूर्ण करूँगा। तुमलोग परम श्रद्धा और भक्तिके साथ तीर्थ, दान, तप, शौच एवं सदाचारका भलीभाँति पालन करती रहो। तुम्हें व्रजमें गोपी होनेका सुअवसर प्राप्त होगा।' इस प्रकार वर देकर धनुर्धारी करुणानिधि श्रीरामने अयोध्याके लिये प्रस्थान कर दिया। उस समय मार्गमें अपने प्रतापसे उन्होंने भृगुकुलनन्दन परशुरामजीको परास्त कर दिया था। कोसल-जनपदकी स्त्रियोंने भी राजपथसे जाते हुए

उन कमनीय-कान्ति रामको देखा। उनकी सुन्दरता कामदेवको मोहित कर रही थी। उन स्त्रियोंने श्रीरामको मन-ही-मन पतिके रूपमें वरण कर लिया। उस समय सर्वज्ञ श्रीरामने उन समस्त स्त्रियोंको मन-ही-मन वर दिया—'तुम सभी व्रजमें गोपियाँ होओगी और उस समय मैं तुम्हारी इच्छा पूर्ण करूँगा॥ ३५—४२॥

फिर सीता और सैनिकोंके साथ रघुनाथजी अयोध्या पधारे। यह सुनकर अयोध्यामें रहनेवाली स्त्रियाँ उन्हें देखनेके लिये आयीं। श्रीरामको देखकर उनका मन मुग्ध हो गया। वे प्रेमसे विह्वल हो मूर्च्छित-सी हो गयीं। फिर वे श्रीरामके व्रतमें परायण होकर सरयूके तटपर तपस्या करने लगीं। तब उनके सामने आकाशवाणी हुई—'द्वापरके अन्तमें यमुनाके किनारे वृन्दावनमें तुम्हारे मनोरथ पूर्ण होंगे, इसमें संदेह नहीं है॥ ४३—४५॥

जिस समय श्रीरामने पिताकी आज्ञासे दण्डकवन-की यात्रा की, सीता तथा लक्ष्मण भी उनके साथ थे और वे हाथमें धनुष लेकर इधर-उधर विचर रहे थे। वहीं बहुत-से मुनि थे। उनकी गोपाल-वेषधारी भगवान्के स्वरूपमें निष्ठा थी। रासलीलाके निमित्त वे भगवान्का ध्यान करते थे। उस समय श्रीरामकी युवा अवस्था थी—वे हाथमें धनुष-बाण धारण किये हुए थे। जटाओंके मुकुटसे उनकी विचित्र शोभा थी। अपने आश्रमपर पधारे हुए श्रीराममें उन मुनियोंका ध्यान लग गया। (वे ऋषिलोग गोपाल-वेषधारी भगवान्के उपासक थे) अतः दूसरे ही स्वरूपमें आये हुए श्रीरामको देखकर सबके मनमें अत्यन्त आश्चर्य हो गया। उनकी समाधि टूट गयी और देखा तो करोड़ों कामदेवोंके समान सुन्दर श्रीराम दृष्टिगोचर हुए। तब वे बोल उठे—'अहो! आज हमारे गोपालजी वंशी एवं बेंतके बिना ही पधारे हैं।'—इस प्रकार मन-ही-मन विचारकर सबने श्रीरामको प्रणाम किया और उनकी उत्तम स्तुति करने लगे॥ ४६—५०॥

तब श्रीरामने कहा—'मुनियो! वर माँगो।' यह सुनकर सभीने एक स्वरसे कहा—'जिस भाँति सीता आपके प्रेमको प्राप्त हैं, वैसे ही हम भी चाहते हैं'॥ ५१॥

श्रीराम बोले—यदि तुम्हारी ऐसी प्रार्थना हो कि जैसे भाई लक्ष्मण हैं, वैसे ही हम भी आपके भाई बन जायँ, तब तो आज ही मेरेद्वारा तुम्हारी अभिलाषा पूर्ण हो सकती है; किंतु तुमने तो 'सीता' के समान होनेका वर माँगा है। अतः यह वर महान् कठिन और दुर्लभ है; क्योंकि इस समय मैंने एकपत्नी-व्रत धारण कर रखा है। मैं मर्यादाकी रक्षामें तत्पर रहकर 'मर्यादापुरुषोत्तम' भी कहलाता हूँ। अतएव तुम्हें मेरे वरका आदर करके द्वापरके अन्तमें जन्म धारण करना होगा और वहीं मैं तुम्हारे इस उत्तम मनोरथको पूर्ण करूँगा॥ ५२—५४॥

इस प्रकार वर देकर श्रीराम स्वयं पञ्चवटी पधारे। वहाँ पर्णकुटीमें रहकर वनवासकी अवधि पूरी करने लगे। उस समय भीलोंकी स्त्रियोंने उन्हें देखा। उनमें मिलनेकी उत्कट इच्छा उत्पन्न होनेके कारण वे प्रेमसे विह्वल हो गयीं। यहाँतक कि श्रीरामके चरणोंकी धूल मस्तकपर रखकर अपने प्राण छोड़नेकी तैयारी करने लगीं। उस समय श्रीराम ब्रह्मचारीके वेषमें वहाँ आये और इस प्रकार बोले—'स्त्रियो! तुम व्यर्थ ही प्राण त्यागना चाहती हो; ऐसा मत करो। द्वापरके शेष होनेपर वृन्दावनमें तुम्हारा मनोरथ पूर्ण होगा।' इस प्रकारका आदेश देकर श्रीरामका वह ब्रह्मचारी रूप वहीं अन्तर्हित हो गया॥ ५५—५८॥

तत्पश्चात् श्रीरामने सुग्रीव आदि प्रधान वानरोंकी सहायतासे लङ्कामें जाकर रावण-प्रभृति राक्षसोंको परास्त किया। फिर सीताको पाकर पुष्पक विमान-द्वारा अयोध्या चले गये। राजाधिराज श्रीरामने लोकापवादके कारण सीताको वनमें छोड़ दिया। अहो! भूमण्डलपर दुर्जनोंका होना बहुत ही दुःखदायी है। जब-जब कमललोचन श्रीराम यज्ञ करते थे, तब-तब विधिपूर्वक सुवर्णमयी सीताकी प्रतिमा बनायी जाती थी। इसलिये श्रीराम-भवनमें यज्ञ-सीताओंका एक समूह ही एकत्र हो गया। वे सभी दिव्य चैतन्य-घनस्वरूपा होकर श्रीरामके पास गयीं। उस समय श्रीरामने उनसे कहा—'प्रियाओ! मैं तुम्हें स्वीकार नहीं कर सकता।' वे सभी प्रेमपरायणा सीता-मूर्तियाँ दशरथनन्दन श्रीरामसे कहने लगीं—'ऐसा

क्यों? हम तो आपकी सेवा करनेवाली हैं। हमारा नाम भी मिथिलेशकुमारी सीता है और हम उत्तम व्रतका आचरण करनेवाली सतियाँ भी हैं; फिर हमें आप ग्रहण क्यों नहीं करते? यज्ञ करते समय हम आपकी अर्धाङ्गिनी बनकर निरन्तर कार्योंका संचालन करती रही हैं। आप धर्मात्मा और वेदके मार्गका अवलम्बन करनेवाले हैं, यह अधर्मपूर्ण बात आपके श्रीमुखसे कैसे निकल रही है? यदि आप स्त्रीका हाथ पकड़-कर उसे त्यागते हैं तो आपको पापका भागी होना पड़ेगा'॥ ५९—६५॥

श्रीराम बोले—सतियो! तुमने मुझसे जो बात कही है, वह बहुत ही उचित और सत्य है। परंतु मैंने 'एकपत्नीव्रत' धारण कर रखा है? सभी लोग मुझे 'राजर्षि' कहते हैं। अतः नियमको छोड़ भी नहीं सकता। एकमात्र सीता ही मेरी सहधर्मिणी है। इसलिये तुम सभी द्वापरके अन्तमें श्रेष्ठ वृन्दावनमें पधारना, वहीं तुम्हारी मनःकामना पूर्ण करूँगा॥ ६६-६७॥

भगवान् श्रीहरिने कहा—ब्रह्मन्! वे यज्ञ-सीता ही व्रजमें गोपियाँ होंगी। अन्य गोपियोंका भी लक्षण सुनो॥ ६८॥

इस प्रकार श्रीगर्गसंहितामें गोलोकखण्डके अन्तर्गत भगवद् ब्रह्म-संवादमें 'अवतारके उद्योगविषयक प्रश्नका वर्णन' नामक चौथा अध्याय पूरा हुआ॥ ४॥

पाँचवाँ अध्याय

भिन्न-भिन्न स्थानों तथा विभिन्न वर्गोंकी स्त्रियोंके गोपी होनेके कारण एवं अवतार-व्यवस्थाका वर्णन

भगवान् श्रीहरि कहते हैं—वैकुण्ठमें विराजने-वाली रमादेवीकी सहचरियाँ, श्वेतद्वीपकी सखियाँ, भगवान् अजित (विष्णु) के चरणोंके आश्रित ऊर्ध्व-वैकुण्ठमें निवास करनेवाली देवियाँ तथा श्रीलोकाचलपर्वतपर रहनेवाली, समुद्रसे प्रकटित श्रीलक्ष्मीकी सखियाँ—ये सभी भगवान् कमलापति-के वरदानसे व्रजमें गोपियाँ होंगी। पूर्वकृत विविध पुण्योंके प्रभावसे कोई दिव्य, कोई अदिव्य और कोई सत्त्व, रज, तम—तीनों गुणोंसे युक्त देवियाँ व्रजमण्डलमें गोपियाँ होंगीं॥ १—३ $\frac{१}{२}$॥

रुचिके यहाँ पुत्ररूपसे अवतीर्ण, द्युलोकपति रुचिरविग्रह भगवान् यज्ञको देखकर देवाङ्गनाएँ प्रेम-रसमें निमग्न हो गयीं। तदनन्तर वे देवलजीके उपदेशसे हिमालय पर्वतपर जाकर परम भक्तिभावसे तपस्या करने लगीं। ब्रह्मन्! वे सब मेरे व्रजमें जाकर गोपियाँ होंगी॥ ४-५॥

भगवान् धन्वन्तरि जब इस भूतलपर अन्तर्धान हुए, उस समय सम्पूर्ण ओषधियाँ अत्यन्त दुःखमें डूब गयीं और भारतवर्षमें अपनेको निष्फल मानने लगीं। फिर सबने सुन्दर स्त्रीका वेष धारण करके तपस्या आरम्भ की। चार युग व्यतीत होनेपर भगवान् श्रीहरि उनपर अत्यन्त प्रसन्न हुए और बोले—'तुम सब वर माँगो।' यह सुनकर स्त्रियोंने उस महान् वनमें जब आँखें खोलीं, तब उन श्रीहरिका दर्शन करके वे सब-की-सब मोहित हो गयीं और बोलीं—'आप हमारे पतितुल्य आराध्यदेव होनेकी कृपा करें'॥ ६—८॥

भगवान् श्रीहरि बोले—ओषधिस्वरूपा स्त्रियो! द्वापरके अन्तमें तुम सभी लतारूपसे वृन्दावनमें रहोगी और वहाँ रासमें मैं तुम्हारा मनोरथ पूर्ण करूँगा॥ ९॥

श्रीभगवान् कहते हैं—ब्रह्मन्! भक्तिभावसे परिपूर्ण वे बड़भागिनी वराङ्गनाएँ वृन्दावनमें 'लता-गोपी' होंगी। इसी प्रकार जालंधर नगरकी स्त्रियाँ वृन्दापति भगवान् श्रीहरिका दर्शन करके मन-ही-मन संकल्प करने लगीं—'ये साक्षात् श्रीहरि हम सबके स्वामी हों।' उस समय उनके लिये आकाशवाणी हुई—'तुम सब शीघ्र ही रमापतिकी आराधना करो; फिर वृन्दाकी ही भाँति तुम भी वृन्दावनमें भगवान्की प्रिया गोपी होओगी।' मत्स्यावतारके समय मत्स्यविग्रह

श्रीहरिको देखकर समुद्रकी कन्याएँ मुग्ध हो गयी थीं। श्रीमत्स्यभगवान्‌के वरदानसे वे भी व्रजमें गोपियाँ होंगी॥ १०—१४॥

मेरे अंशभूत राजा पृथु बड़े प्रतापी थे। उन महाराजने सम्पूर्ण शत्रुओंको जीतकर पृथ्वीसे सारी अभीष्ट वस्तुओंका दोहन किया था। उस समय बर्हिष्मती नगरीमें रहनेवाली बहुत-सी स्त्रियाँ उन्हें देखकर मुग्ध हो गयीं और प्रेमसे विह्वल हो अत्रिजीके पास जाकर बोलीं—'महामुने! समस्त राजाओंमें श्रेष्ठ महाराजा पृथु बड़े ही पराक्रमी हैं। ये किस प्रकारसे हमारे पति होंगे? यह बतानेकी कृपा कीजिये'॥ १५-१६॥

अत्रिजीने कहा—तुम सब शीघ्र ही आज इस गौको दुहो। यह सम्पूर्ण पदार्थोंको धारण करनेवाली धारणामयी धरणी देवी है। तुम्हारे सारे मनोरथोंको—चाहे वे समुद्रके समान अगाध, अपार एवं दुर्गम ही क्यों न हों—अवश्य पूर्ण कर देंगी॥ १७॥

ब्रह्मन्! तब उन स्त्रियोंने मनको दोहन-पात्र बनाकर अपने मनोरथोंका दोहन किया। इसी कारणसे वे सब-की-सब वृन्दावनमें गोपियाँ होंगी। बहुत-सी श्रेष्ठ अप्सराएँ, जिनका रूप अत्यन्त मनोहर था और जो कामदेवकी सेनाएँ थीं, भगवान् नारायण ऋषिको मोहित करनेके लिये गन्धमादन पर्वतपर गयीं। परंतु उन्हें देखकर वे भी अपनी सुध-बुध खो बैठीं। उनके मनमें भगवान्‌को पति बनानेकी इच्छा उत्पन्न हो गयी। तब सिद्धतपस्वी नारायण मुनिने कहा—'तुम व्रजमें गोपियाँ होओगी और वहीं तुम्हारा मनोरथ पूर्ण होगा'॥ १८—२०॥

ब्रह्मन्! सुतल-देशकी स्त्रियाँ भगवान् वामनको देखकर उन्हें पानेके लिये उत्कट इच्छा प्रकट करने लगीं। फिर तो उन्होंने तपस्या आरम्भ कर दी। अत: वे भी वृन्दावनमें गोपियाँ होंगी। जिन नागराज-कन्याओंने शेषावतार भगवान्‌को देखकर उन्हें पति बनानेकी इच्छासे उनकी सेवा-समाराधना की हैं, वे सब बलदेवजीके साथ रासविहार करनेके लिये व्रजमें उत्पन्न होंगी॥ २१-२२॥

कश्यपजी वसुदेव होंगे। परम पूजनीया अदिति देवकीके रूपमें अवतार लेंगी। प्राण नामक वसु शूरसेन और 'ध्रुव' नामक वसु देवक होंगे। 'वसु' नामके जो वसु हैं, उनका उद्धवके रूपमें प्राकट्य होगा। दयापरायण दक्ष प्रजापति अक्रूरके रूपमें अवतार लेंगे। कुबेर हृदीक नामसे और जलके स्वामी वरुण कृतवर्मा नामसे प्रसिद्ध होंगे। पुरातन राजा प्राचीनबर्हि गद एवं मरुत देवता उग्रसेन बनेंगे। उन उग्रसेनको मैं विधानत: राजा बनाऊँगा और उनकी भलीभाँति रक्षा करूँगा। भक्त राजा अम्बरीष युयुधान और भक्तप्रवर प्रह्लाद सात्यकिके नामसे प्रकट होंगे। क्षीरसागर शंतनु होगा। वसुओंमें श्रेष्ठ द्रोण साक्षात् भीष्मपितामहके रूपमें उत्पन्न होंगे। दिवोदास शलके रूपमें एवं भग नामके सूर्य धृतराष्ट्रके रूपमें अवतीर्ण होंगे। पूषा नामसे विख्यात देवता पाण्डु होंगे। सत्पुरुषोंमें आदर पानेवाले धर्मराज ही राजा युधिष्ठिरके रूपमें अवतार लेंगे। वायु देवता महान् पराक्रमी भीमसेनके तथा स्वायम्भुव मनु अर्जुनके वेषमें प्रकट होंगे। शतरूपाजी सुभद्रा होंगी और सूर्यनारायण कर्णके रूपसे अवतार लेंगे। अश्विनीकुमार नकुल एवं सहदेव होंगे। धाता महान् बलशाली बाह्लीक नामसे विख्यात होंगे। अग्निदेवता महान् प्रतापी द्रोणाचार्यके रूपमें अवतार लेंगे। कलिका अंश दुर्योधन होगा। चन्द्रमा अभिमन्युके रूपमें अवतार लेंगे। पृथ्वीपर द्रोणपुत्र अश्वत्थामा साक्षात् भगवान् शंकरका रूप होगा। इस प्रकार तुम सब देवता मेरी आज्ञाके अनुसार अपने अंशों और स्त्रियोंके साथ यदुवंशी, कुरुवंशी तथा अन्यान्य वंशोंके राजाओंके कुलमें प्रकट होओ। पूर्व समयमें मेरे जितने अवतार हो चुके हैं, उनकी रानियाँ रमाका अंश रही हैं। वे भी मेरी रानियोंमें सोलह हजारकी संख्यामें प्रकट होंगी॥ २३—३२॥

श्रीनारदजी कहते हैं—राजन्! कमलासन ब्रह्मासे यों कहकर भगवन् श्रीहरिने दिव्यरूपधारिणी भगवती योगमायासे कहा॥ ३३॥

भगवान् श्रीहरि बोले—महामते! तुम देवकी-के सातवें गर्भको खींचकर उसे वसुदेवकी पत्नी रोहिणीके गर्भमें स्थापित कर दो। वे देवी कंसके

डरसे व्रजमें नन्दके घर रहती हैं। साथ ही तुम भी ऐसे अलौकिक कार्य करके नन्दरानीके गर्भसे प्रकट हो जाना॥ ३४-३५॥

श्रीनारदजी कहते हैं—परमश्रेष्ठ राजन्! भगवान् श्रीकृष्णके वचन सुनकर सम्पूर्ण देवताओं-के साथ ब्रह्माजीने परात्पर भगवान् श्रीकृष्णको प्रणाम किया और अपने वचनोंद्वारा पृथ्वीदेवीको धीरज दे, वे अपने धामको चले गये। मिथिलेश्वर जनक! तुम भगवान् श्रीकृष्णचन्द्रको साक्षात् परिपूर्णतम परमात्मा समझो। कंस आदि दुष्टोंका विनाश करनेके लिये ही ये इस धराधामपर पधारे हैं। शरीरमें जितने रोएँ हैं, उतनी जिह्वाएँ हो जायँ, तब भी भगवान् श्रीकृष्णके असंख्य महान् गुणोंका वर्णन नहीं किया जा सकता। महाराज! जिस प्रकार पक्षीगण अपनी शक्तिके अनुसार ही आकाशमें उड़ते हैं, वैसे ही ज्ञानीजन भी अपनी मति एवं शक्तिके अनुसार ही भगवान् श्रीकृष्णचन्द्रकी दिव्य लीलाओंका गायन करते हैं॥ ३६—३९॥

इस प्रकार श्रीगर्गसंहितामें गोलोकखण्डके अन्तर्गत नारद-बहुलाश्व-संवादमें 'अवतार-व्यवस्थाका वर्णन' नामक पाँचवाँ अध्याय पूरा हुआ॥ ५॥

छठा अध्याय

कालनेमिके अंशसे उत्पन्न कंसके महान् बल-पराक्रम और दिग्विजयका वर्णन

राजा बहुलाश्वने कहा—देवर्षिशिरोमणे! यह महान् बल और पराक्रमसे सम्पन्न कंस पहले किस दैत्यके नामसे विख्यात था? आप इसके पूर्वजन्मों और कर्मोंका विवरण मुझे सुनाइये॥ १॥

श्रीनारदजी कहते हैं—राजन्! पूर्वकालमें समुद्र-मन्थनके अवसरपर महान् असुर कालनेमिने भगवान् विष्णुके साथ युद्ध किया। उस युद्धमें भगवान्ने उसे बलपूर्वक मार डाला। उस समय शुक्राचार्यजीने अपनी संजीवनी-विद्याके बलसे उसे पुनः जीवित कर दिया। तब वह पुनः भगवान् विष्णुसे युद्ध करनेके लिये मन-ही-मन उद्योग करने लगा। उस समय वह दानव मन्दराचल पर्वतके समीप तपस्या करने लगा। प्रतिदिन दूबका रस पीकर उसने देवेश्वर ब्रह्माकी आराधना की। देवताओंके कालमानसे सौ वर्ष बीत जानेपर ब्रह्माजी उसके पास गये। उस समय कालनेमिके शरीरमें केवल हड्डियाँ रह गयी थीं और उसपर दीमकें चढ़ गयी थीं। ब्रह्माजीने उससे कहा—'वर माँगो'॥ २—५॥

कालनेमिने कहा—इस ब्रह्माण्डमें जो-जो महाबली देवता स्थित हैं, उन सबके मूल भगवान् विष्णु हैं। उन सम्पूर्ण देवताओंके हाथसे भी मेरी मृत्यु न हो॥ ६॥

ब्रह्माजीने कहा—दैत्य! तुमने जो यह उत्कृष्ट वर माँगा है, वह तो अत्यन्त दुर्लभ है; तथापि किसी दूसरे समय तुम्हें यह प्राप्त हो सकता है। मेरी वाणी कभी झूठी नहीं हो सकती॥ ७॥

श्रीनारदजी कहते हैं—राजन्! फिर वही कालनेमि नामक असुर पृथ्वीपर उग्रसेनकी स्त्री (पद्मावती) के गर्भसे उत्पन्न हुआ। कुमारावस्थामें ही वह बड़े-बड़े पहलवानोंके साथ कुश्ती लड़ा करता था। (एक समयकी बात है—) मगधराज जरासंध दिग्विजयके लिये निकला। यमुना नदीके निकट इधर-उधर उसकी छावनी पड़ गयी। उसके पास 'कुवलयापीड़' नामका एक हाथी था, जिसमें हजार हाथियोंके समान शक्ति थी। उसके गण्डस्थलसे मद चू रहा था। एक दिन उसने बहुत-सी साँकलोंको तोड़ डाला और शिविरसे बाहरकी ओर दौड़ चला। शिविरों, गृहों और पर्वतीय तटोंको तोड़ता-फोड़ता हुआ वह उस रङ्गभूमि (अखाड़े) में जा धमका, जहाँ कंस भी कुश्ती लड़ रहा था। उसके आनेपर सभी शूरवीर भाग चले। उसे आया देख कंसने उस हाथीकी सूँड़ पकड़ी और पृथ्वीपर गिरा दिया। इसके बाद

कंसने कुवलयापीड़को पुनः दोनों हाथोंसे पकड़कर घुमाया और जरासंधकी सेनामें, जो वहाँसे बहुत दूर थी, फेंक दिया। मगधनरेश जरासंध कंसके इस अद्‌भुत बलको देखकर अत्यन्त प्रसन्न हुआ और उसने 'अस्ति' तथा 'प्राप्ति' नामकी अपनी दो परमसुन्दरी कन्याओंका विवाह उसके साथ कर दिया। उस जरापुत्रने एक अरब घोड़े, एक लाख हाथी, तीन लाख रथ और दस हजार दासियाँ कंसको दहेजमें दीं॥ ८—१५॥

कंस द्वन्द्वयुद्धका प्रेमी था। अपने बाहुबलके मदसे अकेला ही द्वन्द्वयुद्धके लिये उन्मत्त रहता था। वह प्रचण्डपराक्रमी वीर माहिष्मतीपुरीमें गया। माहिष्मतीनरेशके पाँच पुत्र प्रख्यात मल्ल थे और मल्लयुद्धमें विजय पानेका हौंसला रखते थे। उनके नाम थे—चाणूर, मुष्टिक, कूट, शल और तोशल। कंसने सामनीतिका आश्रय ले प्रेमपूर्वक उनसे कहा—'तुमलोग मेरे साथ मल्लयुद्ध करो। यदि तुम्हारी विजय हो जायगी तो मैं तुम्हारा सेवक होकर रहूँगा; और कदाचित् मेरी विजय हो गयी तो तुम सबको भी मैं अपना सेवक बना लूँगा।' वहाँ जितने भी नागरिक महान् पुरुष थे, उन सबके सामने कंसने इस प्रकारकी प्रतिज्ञा की और विजय पानेकी इच्छा रखनेवाले उन वीरोंके साथ मल्लयुद्ध आरम्भ कर दिया। ज्यों ही चाणूर आया, यादवेश्वर कंसने उच्चस्वरसे गर्जना करते हुए उसे पकड़कर पृथ्वीपर दे मारा। उसी क्षण मुष्टिक भी वहाँ आ गया। वह रोषसे मुक्का ताने हुए था। कंसने उसे भी एक ही मुक्केसे धराशायी कर दिया। अब कूट आया, कंसने उसके दोनों पैर पकड़ लिये और जमीनपर दे मारा। फिर ताल ठोंकता हुआ शल भी दौड़कर आ पहुँचा। कंसने उसे एक ही हाथसे पकड़ा और जमीनपर पटककर घसीटने लगा। इसके बाद कंसने तोशलके दोनों हाथ बलपूर्वक पकड़ लिये और जमीनपर पटक दिया। फिर तत्काल उठाकर दस योजनकी दूरीपर फेंक दिया। इस प्रकार यादवेश्वर कंस उन सभी वीरोंको अपना सेवक बनाकर, मेरे (नारदजीके) कहनेसे उन योद्धाओंके साथ उसी क्षण श्रेष्ठ पर्वत प्रवर्षणगिरिपर जा पहुँचा। वहाँ वह वानर द्विविदको अपना अभिप्राय बताकर उसके साथ बीस दिनोंतक अविराम युद्ध करता रहा। द्विविदने पर्वतकी चट्टान उठाकर उसे कंसके मस्तकपर फेंका, किंतु कंसने उस शिलाखण्डको पकड़कर उसीके ऊपर चला दिया। तब द्विविद कंसपर मुक्केसे प्रहार करके आकाशमें उड़ गया। कंसने भी उसका पीछा करके उसे पकड़ लिया और लाकर जमीनपर पटक दिया। कंसके प्रहारसे द्विविदको मूर्च्छा आ गयी। उसकी सारी उत्साह-शक्ति जाती रही। हड्डियाँ चूर-चूर हो गयीं। फिर तो वह भी कंसका सेवक बन गया॥ १६—२९॥

तदनन्तर कंस द्विविदके साथ वहाँसे ऋष्यमूक-वनमें गया। वहाँ 'केशी' नामसे विख्यात एक महादैत्य रहता था, जिसकी घोड़ेके समान आकृति थी। वह बादलके समान गर्जता था। उसे मुक्कोंकी मारसे अपने वशमें करके कंस उसपर सवार हो गया। इस प्रकार वह महान् पराक्रमी कंस महेन्द्रगिरिपर जा पहुँचा। दानवराज कंसने उस पर्वतको सौ बार उखाड़कर ऊपरको उठा लिया। फिर वहाँ रहनेवाले मुनिवर परशुरामजीके, जिनके नेत्र क्रोधसे लाल थे और जो प्रलयकालके सूर्यकी भाँति तेजस्वी थे, चरणोंमें मस्तक झुकाया और बार-बार उनकी प्रदक्षिणा की। फिर उनके दोनों चरणोंमें वह लेट गया। तब अत्यन्त उग्र दृष्टिवाले परशुरामजीकी क्रोधाग्नि शान्त हो गयी। वे बोले—'रे कीट! रे बँदरियाके बच्चे! तू मच्छरके समान तुच्छ है। तू बलके घमंडमें चूर रहनेवाला दुष्ट क्षत्रिय है। मैं आज ही तुझे मौतके मुखमें भेजता हूँ। देख, मेरे पास यह महान् धनुष है। इसकी गुरुता लाख भार (लगभग तीन लाख मन) के बराबर है। त्रिपुरासुरसे युद्धके समय भगवान् विष्णुने यह धनुष भगवान् शंकरको दिया था। फिर क्षत्रियोंका विनाश करनेके लिये यह शंकरजीके हाथसे मुझे प्राप्त हुआ। यदि तू इसे चढ़ा सका, तब तो कुशल है; यदि नहीं चढ़ा सका तो तेरे सारे बलका विनाश कर दूँगा।' परशुरामजीकी बात सुनकर कंसने उस धनुषको, जो सात ताड़के बराबर लंबा था, उठा लिया और परशुरामजीके देखते-देखते उसे लीलापूर्वक चढ़ा दिया। फिर कानतक

खींच-खींचकर उसे सौ बार फैलाया। उसकी प्रत्यञ्चाके खींचनेसे बिजलीकी गड़गड़ाहटके समान टंकार शब्द होने लगा। उसकी भीषण ध्वनिसे सातों लोकों और पातालोंके साथ पूरा ब्रह्माण्ड गूँज उठा, दिग्गज विचलित हो गये और तारागण टूट-टूटकर जमीनपर गिरने लगे। फिर कंसने धनुषको नीचे रख दिया और परशुरामजीको बारंबार प्रणाम करके कहा— 'भगवन्! मैं क्षत्रिय नहीं हूँ। मैं आपका सेवक दैत्य हूँ। आपके दासोंका दास हूँ। पुरुषोत्तम! मेरी रक्षा कीजिये।' कंसकी ऐसी प्रार्थना सुनकर परशुरामजी प्रसन्न हो गये। फिर वह धनुष उन्होंने कंसको ही दे दिया॥ ३०—४२॥

परशुरामजीने कहा—यह धनुष भगवान् विष्णुका है। इसे जो तोड़ देगा, वही यहाँ साक्षात् परिपूर्णतम पुरुष है। उसीके हाथसे तुम्हारी मृत्यु होगी॥ ४३॥

श्रीनारदजी कहते हैं—राजन्! तदनन्तर बलके मदसे उन्मत्त रहनेवाला कंस मुनिवर परशुरामजीको प्रणाम करके भूतलपर विचरने लगा। किन्हीं राजाओंने उसके साथ युद्ध नहीं किया—सबने उसे कर देना स्वीकार कर लिया। अब कंस समुद्रके तटपर गया। वहाँ 'अघासुर' नामक एक दानव रहता था, जो सर्पके आकारका था। वह फुफकारता और लपलपाती जीभसे चाटता-सा दिखायी देता था। वह आकर कंसको डँसने लगा। यह देख पराक्रमी दैत्यराजने निर्भयतापूर्वक उसे पकड़ा और धरतीपर पटक दिया। फिर उसे अपने गलेकी माला बना लिया। उन दिनों पूर्वदिशावर्ती बंगदेशमें 'अरिष्ट' नामक दैत्य रहता था, जिसकी आकृति बैलके समान थी। उस दैत्यके साथ कंस इस प्रकार जा भिड़ा जैसे एक हाथीके साथ दूसरा हाथी लड़ता है। वह दानव अपनी सींगोंसे बड़े-बड़े पर्वतोंको उठाता और कंसके मस्तकपर पटक देता था। कंस भी उसी पर्वतको हाथमें लेकर अरिष्टासुरपर दे मारता था। उस युद्धमें दैत्यराज कंसने मुक्केसे अरिष्टासुरपर प्रहार किया, जिससे वह दानव मूर्च्छित हो गया। इस प्रकार उस अरिष्टासुरको पराजित करके उसके साथ ही कंस उत्तर दिशाकी ओर चल दिया। प्राग्ज्योतिषपुरके स्वामी महाबली भूमिपुत्र 'नरक' के पास जाकर युद्धार्थी कंसने उससे कहा—'दैत्येश्वर! तुम मुझे युद्ध करनेका अवसर दो। यदि संग्राममें तुम्हारी जीत हो गयी तो मैं तुम्हारा सेवक बन जाऊँगा। साथ ही मुझे विजय प्राप्त होनेपर तुम सबको मेरा भृत्य बनना पड़ेगा॥ ४४—५१॥

श्रीनारदजी कहते हैं—राजन्! प्राग्ज्योतिषपुरमें सर्वप्रथम महापराक्रमी प्रलम्बासुर कंसके साथ इस प्रकार युद्ध करने लगा, जैसे किसी पर्वतपर एक उद्भट सिंहके साथ दूसरा उद्भट सिंह लड़ता हो। कंसने उस मल्लयुद्धमें प्रलम्बासुरको पकड़ा और पृथ्वीपर दे मारा। फिर उसे उठाकर प्राग्ज्योतिषपुरके स्वामी भौमासुरके पास फेंक दिया। तदनन्तर 'धेनुक' नामसे विख्यात दानवने आकर कंसको रोषपूर्वक पकड़ लिया। उसने दारुण बलका प्रयोग करके कंसको दूरतक पीछे हटा दिया। तब कंसने भी धेनुकासुरको बहुत दूर पीछे ढकेल दिया और सुदृढ़ घूँसोंसे मारकर उसके शरीरको चूर-चूर कर दिया। तदनन्तर भौमासुरकी आज्ञासे 'तृणावर्त' कंसको पकड़कर लाख योजन ऊपर आकाशमें ले गया और वहीं युद्ध करने लगा। कंसने अपनी अनन्तशक्ति लगाकर बलपूर्वक उस दैत्यको आकाशसे खींचकर पृथ्वीपर पटक दिया। उस समय तृणावर्तके मुँहसे खूनकी धार बह चली। इसके बाद महाबली 'बकासुर' आकर अपनी चोंचसे कंसको निगल जानेकी चेष्टा करने लगा। कंसने वज्रके समान कठोर मुक्केसे प्रहार करके उसे भी धराशायी कर दिया। बलवान् बकासुर फिर उठ गया। उसके पंख सफेद थे। वह मेघके समान गम्भीर गर्जना करता था। क्रोधपूर्वक उड़कर तीखी चोंचवाले उस बकासुरने कंसको निगल लिया। कंसका शरीर वज्रकी भाँति कठोर था। निगले जानेपर उसने उस दानवके गलेकी नलीको रूँध दिया। फिर महान् बली बकासुरने कण्ठ छिद जानेके कारण कंसको मुँहसे बाहर उगल दिया। तदनन्तर कंसने उस दैत्यको पकड़कर जमीनपर पटका और दोनों हाथोंसे घुमाता हुआ उसे वह युद्धभूमिमें घसीटने लगा। बकासुरकी एक बहन थी। उसका नाम था—'पूतना'। वह भी युद्ध करनेके

लिये उद्यत हो गयी। उसे उपस्थित देखकर कंसने हँसते हुए कहा—'पूतने! मेरी बात सुन लो। तुम स्त्री हो, मैं तुम्हारे साथ कभी भी लड़ नहीं सकता। अब यह बकासुर मेरा भाई और तुम बहन होकर रहो।' तदनन्तर महान् पराक्रमी कंसको देखकर भौमासुरने भी पराजय स्वीकार कर ली। फिर देवताओंसे युद्ध करनेके समय सहायता प्रदान करनेके लिये वह कंसके साथ सौहार्दपूर्ण बर्ताव करने लगा॥ ५२—६४॥

इस प्रकार श्रीगर्गसंहितामें गोलोकखण्डके अन्तर्गत नारद-बहुलाश्व-संवादमें 'कंसके बलका वर्णन' नामक छठा अध्याय पूरा हुआ॥ ६॥

सातवाँ अध्याय

कंसकी दिग्विजय—शम्बर, व्योमासुर, बाणासुर, वत्सासुर, कालयवन तथा देवताओंकी पराजय

श्रीनारदजी कहते हैं—राजन्! तदनन्तर कंस पहलेके जीते हुए प्रलम्ब आदि अन्य दैत्योंके साथ शम्बरासुरके नगरमें गया। वहाँ उसने अपना युद्ध-विषयक अभिप्राय कह सुनाया। शम्बरासुरने अत्यन्त पराक्रमी होनेपर भी कंसके साथ युद्ध नहीं किया। कंसने उन सभी अत्यन्त बलशाली असुरोंके साथ मैत्री स्थापित कर ली। त्रिकूट पर्वतके शिखरपर व्योमनामक एक बलवान् असुर सो रहा था। कंसने वहाँ पहुँचकर उसके ऊपर लात चलायी। उसके प्रहारसे व्योमासुरकी निद्रा टूट गयी और उसने उठकर सुदृढ़ बँधे हुए जोरदार मुक्कोंसे कंसपर आघात किया। उस समय उसके नेत्र क्रोधसे लाल हो रहे थे। कंस और व्योमासुरमें भयंकर युद्ध छिड़ गया। वे दोनों एक-दूसरेको मुक्कोंसे मारने लगे। कंसके मुक्कोंकी मारसे व्योमासुर अपनी शक्ति और उत्साह खो बैठा। उसको चक्कर आने लगा। यह देख कंसने उसको अपना सेवक बना लिया। उसी समय मैं (नारद) वहाँ जा पहुँचा। कंसने मुझे प्रणाम किया और पूछा—'हे देव! मेरी युद्धविषयक आकाङ्क्षा अभी पूरी नहीं हुई है। मुझे शीघ्र बताइये, अब मैं कहाँ, किसके पास जाऊँ?' तब मैंने उससे कहा—'तुम महाबली दैत्य बाणासुरके पास जाओ।' मुझे तो युद्ध देखनेका चाव रहता ही है। मेरी इस प्रकारकी प्रेरणासे प्रेरित हो बाहुबलके मदसे उन्मत्त रहनेवाला कंस शोणितपुर गया॥ १—७॥

कंसकी युद्धविषयक प्रतिज्ञाको सुनकर महाबली बाणासुर अत्यन्त कुपित हो उठा। उसने मेघके समान गम्भीर गर्जना करके पृथ्वीपर बड़े जोरसे लात मारी। उसका वह पैर घुटनेतक धरतीमें धँस गया और पातालके निकटतक जा पहुँचा। ऐसा करके बाणने कंससे कहा—'पहले मेरे इस पैरको तो उठाओ!' उसकी यह बात सुनकर मदोन्मत्त कंसने दोनों हाथोंसे उसके पैरको उखाड़कर ऊपर कर दिया। उसका पराक्रम बड़ा प्रचण्ड था। जैसे हाथी गड़े हुए कठोर दण्ड या खंभेको अनायास ही उखाड़ लेता है, उसी प्रकार कंसने बाणासुरके पैरको खींचकर ऊपर कर दिया। उसके पैरके उखड़ते ही पृथ्वीतलके लोक और सातों पाताल हिल उठे, अनेक पर्वत धराशायी हो गये और सुदृढ़ दिग्गज भी अपने स्थानसे विचलित हो उठे। अब बाणासुरको युद्धके लिये उद्यत हुआ देख भगवान् शंकर स्वयं वहाँ आ गये और सबको समझा-बुझाकर युद्धसे रोक दिया। फिर उन्होंने बलिनन्दन बाणसे कहा—'दैत्यराज! भगवान् श्रीकृष्णको छोड़कर भूतलपर दूसरा कोई ऐसा वीर नहीं है, जो युद्धमें इसे जीत सकेगा। परशुरामजीने इसे ऐसा ही वर दिया है और अपना वैष्णव धनुष भी अर्पित कर दिया है॥ ८—१३॥

श्रीनारदजी कहते हैं—राजन्! यों कहकर साक्षात् महेश्वर शिवने कंस और बाणासुरमें तत्काल बड़ी शान्तिके साथ मनोरम सौहार्द स्थापित कर दिया।

तदनन्तर पश्चिम दिशामें महासुर वत्सका नाम सुनकर कंस वहाँ गया। उस दैत्यराजने बछड़ेका रूप धारण करके कंसके साथ युद्ध छेड़ दिया। कंसने उस बछड़ेकी पूँछ पकड़ ली और उसे पृथ्वीपर दे मारा। इसके बाद उसके निवासभूत पर्वतको अपने अधिकारमें करके कंसने म्लेच्छ-देशोंपर धावा किया। मेरे मुखसे महाबली दैत्य कंसके आक्रमणका समाचार सुनकर कालयवन उसका सामना करनेके लिये निकला। उसकी दाढ़ी-मूँछका रंग लाल था और उसने हाथमें गदा ले रखी थी। कंसने भी लाख भार लोहेकी बनी हुई अपनी गदा लेकर यवनराजपर चलायी और सिंहके समान गर्जना की। उस समय कंस और कालयवनमें बड़ा भयानक गदा-युद्ध हुआ। दोनोंकी गदाओंसे आगकी चिनगारियाँ बरस रही थीं। वे दोनों गदाएँ परस्पर टकराकर चूर-चूर हो गयीं। तब कंसने कालयवनको पकड़कर उसे धरतीपर दे मारा और पुनः उठाकर उसे पटक दिया। इस तरह उसने उस यवनको मृतक-तुल्य बना दिया। यह देख कालयवनकी सेना कंसपर बाणोंकी वर्षा करने लगी। तब बलवान् दैत्यराज कंसने गदाकी मारसे उस सेनाका कचूमर निकाल दिया। बहुत-से हाथियों, घोड़ों, उत्तम रथों और वीरोंको धराशायी करके गदा-युद्ध करनेवाला वीर कंस समराङ्गणमें मेघके समान गर्जना करने लगा॥ १४—२२॥

फिर तो सारे म्लेच्छ सैनिक रणभूमि छोड़कर भाग निकले। कंस बड़ा नीतिज्ञ था; उसने भयभीत होकर भागते हुए म्लेच्छोंपर आघात नहीं किया। कंसके पैर ऊँचे थे, दोनों घुटने बड़े थे, जाँघें खंभोंके समान जान पड़ती थीं। उसका कटिप्रदेश पतला, वक्षःस्थल किवाड़ोंके समान चौड़ा और कंधे मोटे थे। उसका शरीर हृष्ट-पुष्ट, कद ऊँचा और भुजाएँ विशाल थीं। नेत्र प्रफुल्ल कमलके समान प्रतीत होते थे। सिरके बाल बड़े-बड़े थे, देहकी कान्ति अरुण थी। उसके अङ्गोंपर काले रंगका वस्त्र सुशोभित था। मस्तकपर किरीट, कानोंमें कुण्डल, गलेमें हार और वक्षपर कमलोंकी माला शोभा दे रही थी। वह प्रलयकालके सूर्यकी भाँति तेजस्वी जान पड़ता था। खड्ग, तूणीर, कवच और मुद्गर आदिसे सम्पन्न धनुर्धर एवं मदमत्त वीर कंस देवताओंको जीतनेके लिये अमरावती पुरीपर जा चढ़ा। चाणूर, मुष्टिक, अरिष्ट, शल, तोशल, केशी, प्रलम्ब, वक, द्विविद, तृणावर्त, अघासुर, कूट, भौम, बाण, शम्बर, व्योम, धेनुक और वत्स नामक असुरोंके साथ कंसने अमरावतीपुरीपर चारों ओरसे घेरा डाल दिया॥ २३—२८॥

कंस आदि असुरोंको आया देख, त्रिभुवन-सम्राट् देवराज इन्द्र समस्त देवताओंको साथ ले रोषपूर्वक युद्धके लिये निकले। उन दोनों दलोंमें भयंकर एवं रोमाञ्चकारी तुमुल युद्ध होने लगा। दिव्य शस्त्रोंके समूह तथा चमकीले तीखे बाण छूटने लगे। इस प्रकार शस्त्रोंकी बौछारसे वहाँ अन्धकार-सा छा गया। उस समय रथपर बैठे हुए सुरेश्वर इन्द्रने कंसपर विद्युत्के समान कान्तिमान् सौ धारोंवाला वज्र छोड़ा। किंतु उस महान् असुरने इन्द्रके वज्रपर मुद्गरसे प्रहार किया। इससे वज्रकी धारें टूट गयीं और वह युद्ध-भूमिमें गिर पड़ा। तब वज्रधारीने वज्र छोड़कर बड़े रोषके साथ तलवार हाथमें ली और भयंकर सिंहनाद करके तत्काल कंसके मस्तकपर प्रहार किया। परंतु जैसे हाथीको फूलकी मालासे मारा जाय और उसको कुछ पता न लगे, उसी प्रकार खड्गसे आहत होनेपर भी कंसके सिरपर खरोंचतक नहीं आयी। उस दैत्यराजने अष्टधातुमयी मजबूत गदा, जो लाख भार लोहेके बराबर भारी थी, लेकर इन्द्रपर चलायी। उस गदाको अपने ऊपर आती देख नमुचिसूदन वीर देवेन्द्रने तत्काल हाथसे पकड़ लिया और उसे उस दैत्यपर ही दे मारा। इन्द्रके रथका संचालन मातलि कर रहे थे और देवेन्द्र शत्रुदलका दलन करते हुए युद्धभूमिमें विचर रहे थे। कंसने परिघ लेकर असुरद्रोही इन्द्रके कंधेपर प्रहार किया। उस प्रहारसे देवराज क्षणभरके लिये मूर्च्छित हो गये॥ २९—३७॥

उस समय समस्त मरुद्गणोंने गीधके पंखवाले चमकीले बाणसमूहोंसे कंसको उसी तरह ढक दिया, जैसे वर्षाकालके सूर्यको मेघमालाएँ आच्छादित कर देती हैं। यह देख एक हजार भुजाओंसे युक्त बलवान् वीर बाणासुरने बारंबार धनुषकी टंकार करते हुए अपने

बाण-समूहोंसे उन मरुद्गणोंको घायल करना आरम्भ किया। बाणासुरपर भी वसु, रुद्र, आदित्य तथा अन्यान्य देवता एवं ऋषि चारों ओरसे टूट पड़े और नाना प्रकारके शस्त्रोंद्वारा उसपर प्रहार करने लगे। इतनेमें ही प्रलम्ब आदि असुरोंके साथ गर्जना करता हुआ भौमासुर आ पहुँचा। उसके उस भयानक सिंहनादसे देवतालोग मूर्च्छित होकर भूमिपर गिर पड़े। उस समय देवराज इन्द्र शीघ्र ही उठ गये और लाल आँखें किये ऐरावत हाथीपर आरूढ हो उस मदमत्त गजराजको कंसकी ओर उसे कुचल डालनेके लिये प्रेरित करने लगे। अङ्कुशकी मारसे कुपित हुआ वह गजराज शत्रुओंको अपने पैरोंसे मार-मारकर युद्धभूमिमें गिराने लगा। उसके गलेमें घंटे बँधे हुए थे, वह किङ्किणीजाल तथा रत्नमय कम्बलसे मण्डित था। गोरोचन, सिन्दूर और कस्तूरीसे उसके मुख-मण्डलपर पत्ररचना की गयी थी। कंसने निकट आनेपर उस महान् गजराजके ऊपर सुदृढ़ मुक्केसे प्रहार किया। साथ ही उसने समराङ्गणमें देवराज इन्द्रपर भी दूसरे मुक्केका प्रहार किया। उसके मुक्केकी मार खाकर इन्द्र ऐरावतसे दूर जा गिरे। ऐरावत भी धरतीपर घुटने टेककर व्याकुल हो गया। फिर तुरंत ही उठकर गजराजने दैत्यराज कंसपर दाँतोंसे आघात किया और उसे सूँड़पर उठाकर कई योजन दूर फेंक दिया। कंसका शरीर वज्रके समान सुदृढ़ था। वह उतनी दूरसे गिरनेपर भी घायल नहीं हुआ। उसके मनमें किंचित् व्याकुलता हुई; किंतु रोषसे ओठ फड़फड़ाता अत्यन्त जोशमें भरकर वह पुनः युद्धभूमिमें जा पहुँचा॥ ३८—४९॥

कंसने नागराज ऐरावतको पकड़कर समराङ्गणमें धराशायी कर दिया और उसकी सूँड़ मरोड़कर उसके दाँतोंको चूर-चूर कर दिया। अब तो ऐरावत हाथी उस समराङ्गणसे तत्काल भाग चला। वह बड़े-बड़े वीरोंको गिराता हुआ देवताओंकी राजधानी अमरावती पुरीमें जा घुसा। तदनन्तर दैत्यराज कंसने वैष्णव धनुषपर प्रत्यञ्चा चढ़ाकर बाण-समूहों तथा धनुषकी टंकारोंसे देवताओंको खदेड़ना आरम्भ किया। कंसकी मार पड़नेसे देवताओंके होश उड़ गये और वे चारों दिशाओंमें भाग निकले। कुछ देवताओंने रणभूमिमें अपनी शिखाएँ खोल दीं और 'हम डरे हुए हैं (हमें न मारो)'—इस प्रकार कहने लगे। कुछ लोग हाथ जोड़कर अत्यन्त दीनकी भाँति खड़े हो गये और अस्त्र-शस्त्र नीचे डालकर उन्होंने अपने अधोवस्त्रकी लाँग भी खोल डाली। कुछ लोग अत्यन्त व्याकुल हो युद्धस्थलमें राजा कंसके सम्मुख खड़े होनेतकका साहस न कर सके । इस प्रकार देवताओंको भगा हुआ देख वहाँके छत्र-युक्त सिंहासनको साथ लेकर नरेश्वर कंस समस्त दैत्योंके साथ अपनी राजधानी मथुराको लौट आया॥ ५०—५५॥

इस प्रकार श्रीगर्गसंहितामें गोलोकखण्डके अन्तर्गत नारद-बहुलाश्व-संवादमें 'कंसकी दिग्विजय' नामक सातवाँ अध्याय पूरा हुआ॥ ७॥

आठवाँ अध्याय

सुचन्द्र और कलावतीके पूर्व-पुण्यका वर्णन, उन दोनोंका वृषभानु तथा कीर्तिके रूपमें अवतरण

श्रीगर्गजी कहते हैं—शौनक! राजा बहुलाश्वका हृदय भक्तिभावसे परिपूर्ण था। हरिभक्तिमें उनकी अविचल निष्ठा थी। उन्होंने इस प्रसङ्गको सुनकर ज्ञानियोंमें श्रेष्ठ एवं महाविलक्षण स्वभाववाले देवर्षि नारदजीको प्रणाम किया और पुनः पूछा॥ १॥

राजा बहुलाश्वने कहा—भगवन्! आपने अपने आनन्दप्रद, नित्य वृद्धिशील, निर्मल यशसे मेरे कुलको पृथ्वीपर अत्यन्त विशद (उज्ज्वल) बना दिया; क्योंकि श्रीकृष्णभक्तोंके क्षणभरके सङ्गसे साधारण जन भी सत्पुरुष—महात्मा बन जाता है। इस विषयमें

अधिक कहनेसे क्या लाभ। देवर्षे! श्रीराधाके साथ भूतलपर अवतीर्ण हुए साक्षात् परिपूर्णतम भगवान्‌ने व्रजमें कौन-सी लीलाएँ कीं—यह मुझे कृपापूर्वक बताइये। देवर्षे! ऋषीश्वर! इस कथामृतद्वारा आप त्रिताप-दुःखसे मेरी रक्षा कीजिये॥ २-३॥

श्रीनारदजी कहते हैं—राजन्! वह कुल धन्य है, जिसे परात्पर श्रीकृष्णभक्त राजा निमिने समस्त सद्‌गुणोंसे परिपूर्ण बना दिया है और जिसमें तुम-जैसे योगयुक्त एवं भव-बन्धनसे मुक्त पुरुषने जन्म लिया है। तुम्हारे इस कुलके लिये कुछ भी विचित्र नहीं है। अब तुम उन परमपुरुष भगवान् श्रीकृष्णकी परम मङ्गलमयी पवित्र लीलाका श्रवण करो। वे भगवान् केवल कंसका संहार करनेके लिये ही नहीं, अपितु भूतलके संतजनोंकी रक्षाके लिये अवतीर्ण हुए थे। उन्होंने अपनी तेजोमयी पराशक्ति श्रीराधाका वृषभानुकी पत्नी कीर्ति-रानीके गर्भमें प्रवेश कराया। वे श्रीराधा कलिन्दजाकूलवर्ती निकुञ्जप्रदेशके एक सुन्दर मन्दिरमें अवतीर्ण हुईं। उस समय भाद्रपदका महीना था। शुक्लपक्षकी अष्टमी तिथि एवं सोमका दिन था। मध्याह्नका समय था और आकाशमें बादल छाये हुए थे। देवगण नन्दनवनके भव्य प्रसून लेकर भवनपर बरसा रहे थे। उस समय श्रीराधिकाजीके अवतार धारण करनेसे नदियोंका जल स्वच्छ हो गया। सम्पूर्ण दिशाएँ प्रसन्न—निर्मल हो उठीं। कमलोंकी सुगन्धसे व्याप्त शीतल वायु मन्दगतिसे प्रवाहित हो रही थी। शरत्पूर्णिमाके शत-शत चन्द्रमाओंसे भी अधिक अभिराम कन्याको देखकर गोपी कीर्तिदा आनन्दमें निमग्न हो गयीं। उन्होंने मङ्गलकृत्य कराकर पुत्रीके कल्याणकी कामनासे आनन्ददायिनी दो लाख उत्तम गौएँ ब्राह्मणोंको दान कीं। जिनका दर्शन बड़े-बड़े देवताओंके लिये भी दुर्लभ है, तत्त्वज्ञ मनुष्य सैकड़ों जन्मोंतक तप करनेपर भी जिनकी झाँकी नहीं पाते, वे ही श्रीराधिकाजी जब वृषभानुके यहाँ साकाररूपसे प्रकट हुईं और गोप-ललनाएँ जब उनका लालन-पालन करने लगीं, तब सर्वसाधारण लोग उनका दर्शन करने लगे। सुवर्णजटित एवं सुन्दर रत्नोंसे खचित, चन्दननिर्मित तथा रत्नकिरण-मण्डित पालनेमें सखीजनोंद्वारा नित्य झुलायी जाती हुई श्रीराधा प्रतिदिन शुक्लपक्षके चन्द्रमाकी कलाकी भाँति बढ़ने लगीं। श्रीराधा क्या हैं—रासकी रङ्गस्थलीको प्रकाशित करनेवाली चन्द्रिका, वृषभानु-मन्दिरकी दीपावली, गोलोक-चूड़ामणि श्रीकृष्णके कण्ठकी हारावली। मैं उन्हीं पराशक्तिका ध्यान करता हुआ भूतलपर विचरता रहता हूँ॥ ४—१२॥

राजा बहुलाश्वने पूछा—मुने! वृषभानुजीका सौभाग्य अद्भुत है, अवर्णनीय है; क्योंकि उनके यहाँ श्रीराधिकाजी स्वयं पुत्रीरूपसे अवतीर्ण हुईं। कलावती और सुचन्द्रने पूर्वजन्ममें कौन-सा पुण्यकर्म किया था, जिसके फलस्वरूप इन्हें यह सौभाग्य प्राप्त हुआ॥ १३॥

श्रीनारदजी कहते हैं—राजन्! राजराजेश्वर महाभाग सुचन्द्र राजा नृगके पुत्र थे। परम सुन्दर सुचन्द्र चक्रवर्ती नरेश थे। उन्हें साक्षात् भगवान्‌का अंश माना जाता है। पूर्वकालमें (अर्यमा-प्रभृति) पितरोंके यहाँ तीन मानसी कन्याएँ उत्पन्न हुई थीं। वे सभी परम सुन्दरी थीं। उनके नाम थे—कलावती, रत्नमाला और मेनका। पितरोंने स्वेच्छासे ही कलावतीका हाथ श्रीहरिके अंशभूत बुद्धिमान् सुचन्द्रके हाथमें दे दिया। रत्नमालाको विदेहराजके हाथमें और मेनकाको हिमालयके हाथमें अर्पित कर दिया। साथ ही विधि-पूर्वक दहेजकी वस्तुएँ भी दीं। महामते! रत्नमालासे सीताजी और मेनकाके गर्भसे पार्वतीजी प्रकट हुईं। इन दोनों देवियोंकी कथाएँ पुराणोंमें प्रसिद्ध हैं। तदनन्तर कलावतीको साथ लेकर महाभाग सुचन्द्र गोमतीके तटपर 'नैमिष' नामक वनमें गये। उन्होंने ब्रह्माजीकी प्रसन्नताके लिये तपस्या आरम्भ की। वह तप देवताओंके कालमानसे बारह वर्षोंतक चलता रहा। तदनन्तर ब्रह्माजी वहाँ पधारे और बोले—'वर माँगो।' राजाके शरीरपर दीमकें चढ़ गयी थीं। ब्रह्मवाणी सुनकर वे दिव्य रूप धारण करके बाँबीसे बाहर निकले। उन्होंने सर्वप्रथम ब्रह्माजीको प्रणाम किया और कहा—'मुझे दिव्य परात्पर मोक्ष प्राप्त हो।' राजाकी बात सुनकर साध्वी रानी कलावतीका मन दुःखी हो गया। अतः उन्होंने

ब्रह्माजीसे कहा—'पितामह! पति ही नारियोंके लिये सर्वोत्कृष्ट देवता माना गया है। यदि ये मेरे पतिदेवता मुक्ति प्राप्त कर रहे हैं तो मेरी क्या गति होगी? इनके बिना मैं जीवित नहीं रहूँगी। यदि आप इन्हें मोक्ष देंगे तो मैं पतिसाहचर्यमें विक्षेप पड़नेके कारण विह्वल हो आपको शाप दे दूँगी॥ १४—२२॥

ब्रह्माजीने कहा—देवि! मैं तुम्हारे शापके भयसे अवश्य डरता हूँ; किंतु मेरा दिया हुआ वर कभी विफल नहीं हो सकता। इसलिये तुम अपने प्राणपतिके साथ स्वर्गमें जाओ। वहाँ स्वर्गसुख भोगकर कालान्तरमें फिर पृथ्वीपर जन्म लोगी। द्वापरके अन्तमें भारतवर्षमें, गङ्गा और यमुनाके बीच, तुम्हारा जन्म होगा। तुम दोनोंसे जब परिपूर्णतम भगवान्‌की प्रिया साक्षात् श्रीराधिकाजी पुत्री-रूपमें प्रकट होंगी, तब तुम दोनों साथ ही मुक्त हो जाओगे॥ २३-२४॥

श्रीनारदजी कहते हैं—इस प्रकार ब्रह्माजीके दिव्य एवं अमोघ वरसे कलावती और सुचन्द्र—दोनोंकी भूतलपर उत्पत्ति हुई। वे ही 'कीर्ति' तथा 'श्रीवृषभानु' हुए हैं। कलावती कान्यकुब्ज देश (कन्नौज) में राजा भलन्दनके यज्ञकुण्डसे प्रकट हुईं। उस दिव्य कन्याको अपने पूर्वजन्मकी सारी बातें स्मरण थीं। सुरभानुके घर सुचन्द्रका जन्म हुआ। उस समय वे 'श्रीवृषभानु' नामसे विख्यात हुए। उन्हें भी पूर्वजन्मकी स्मृति बनी रही। वे गोपोंमें श्रेष्ठ होनेके साथ ही दूसरे कामदेवके समान परम सुन्दर थे। परम बुद्धिमान् नन्दराजजीने इन दोनोंका विवाह-सम्बन्ध जोड़ा था। उन दोनोंको पूर्वजन्मकी स्मृति थी ही, अतः वह एक-दूसरेको चाहते भी थे और दोनोंकी इच्छासे ही यह सम्बन्ध हुआ। जो मनुष्य वृषभानु और कलावतीके इस उपाख्यानको श्रवण करता है, वह सम्पूर्ण पापोंसे छूट जाता है और अन्तमें भगवान् श्रीकृष्णचन्द्रके सायुज्यको प्राप्त कर लेता है॥ २५—३०॥

इस प्रकार श्रीगर्गसंहितामें गोलोकखण्डके अन्तर्गत नारद-बहुलाश्व-संवादमें 'श्रीराधिकाके पूर्वजन्मका वर्णन' नामक आठवाँ अध्याय पूरा हुआ॥ ८॥

नवाँ अध्याय

गर्गजीकी आज्ञासे देवकका वसुदेवजीके साथ देवकीका विवाह करना; विदाईके समय आकाशवाणी सुनकर कंसका देवकीको मारनेके लिये उद्यत होना और वसुदेवजीकी शर्तपर उसे जीवित छोड़ना

श्रीनारदजी कहते हैं—राजन्! एक समयकी बात है, श्रेष्ठ मथुरापुरीके परम सुन्दर राजभवनमें गर्गजी पधारे। वे ज्यौतिष-शास्त्रके बड़े प्रामाणिक विद्वान् थे। सम्पूर्ण श्रेष्ठ यादवोंने शूरसेनकी इच्छासे उन्हें अपने पुरोहितके पदपर प्रतिष्ठित किया था। मथुराके उस राजभवनमें सोनेके किवाड़ लगे थे, उन किवाड़ोंमें हीरे भी जड़े गये थे। राजद्वारपर बड़े-बड़े गजराज झूमते थे। उनके मस्तकपर झुंड-के-झुंड भौंरे आते और उन हाथियोंके बड़े-बड़े कानोंसे आहत होकर गुञ्जारव करते हुए उड़ जाते थे। इस प्रकार वह राजद्वार उन भ्रमरोंके नादसे कोलाहलपूर्ण हो रहा था। गजराजोंके गण्डस्थलसे निर्झरकी भाँति झरते हुए मदकी धारासे वह स्थान समावृत था। अनेक मण्डप-समूह उस राजमन्दिरकी शोभा बढ़ाते थे। बड़े-बड़े उद्भट वीर कवच, धनुष, ढाल और तलवार धारण किये राजभवनकी सुरक्षामें तत्पर थे। रथ, हाथी, घोड़े और पैदल—इस चतुरङ्गिणी सेना तथा माण्डलिकोंकी मण्डलीद्वारा भी वह राजमन्दिर सुरक्षित था॥ १—३॥

मुनिवर गर्गने उस राजभवनमें प्रवेश करके इन्द्रके सदृश उत्तम और ऊँचे सिंहासनपर विराजमान राजा उग्रसेनको देखा। अक्रूर, देवक तथा कंस उनकी सेवामें खड़े थे और राजा छत्रचँदोवेसे सुशोभित थे तथा उनपर चँवर ढुलाये जा रहे थे। मुनिको उपस्थित देख राजा उग्रसेन सहसा सिंहासनसे उठकर खड़े हो

गये। उन्होंने अन्यान्य यादवोंके साथ उन्हें प्रणाम किया और सुभद्रपीठपर बिठाकर उनकी सम्यक् प्रकारसे पूजा की। फिर स्तुति और परिक्रमा करके वे उनके सामने विनीतभावसे खड़े हो गये। गर्ग मुनिने राजाको आशीर्वाद देकर समस्त राजपरिवारका कुशल-मङ्गल पूछा। फिर उन महामना महर्षिने नीतिवेत्ता यदुश्रेष्ठ देवकसे कहा॥ ४—६॥

श्रीगर्गजी बोले—राजन्! मैंने बहुत दिनोंतक इधर-उधर ढूँढ़ा और सोचा-विचारा है। मेरी दृष्टिमें वसुदेवजीको छोड़कर भूमण्डलके नरेशोंमें दूसरा कोई देवकीके योग्य वर नहीं है। इसलिये नरदेव! वसुदेवको ही वर बनाकर उन्हें अपनी पुत्री देवकीको सौंप दो और विधिपूर्वक दोनोंका विवाह कर दो॥ ७॥

श्रीनारदजी कहते हैं—मिथिलेश्वर! गर्गजीके उक्त आदेशको ही शिरोधार्य करके समस्त धर्मधारियोंमें श्रेष्ठ श्रीदेवकने सगाईके निश्चयके लिये पानका बीड़ा भेज दिया और गर्गजीकी इच्छासे मङ्गलाचारका सम्पादन करके विवाहमें वसुदेव-वरको अपनी पुत्री अर्पित कर दी। विवाह हो जानेपर विदाईके समय वसुदेवजी घोड़ोंसे सुशोभित अत्यन्त सुन्दर रथपर सुवर्ण-निर्मित एवं रत्नमय आभूषणोंकी शोभासे सम्पन्न नववधू देवकराज-कन्या देवकीके साथ आरूढ़ हुए॥ ८-९॥

वसुदेवके प्रति कंसका बहुत ही स्नेह और कृपाभाव था। वह अपनी बहिनका अत्यन्त प्रिय करनेके लिये चतुरङ्गिणी सेनाके साथ आकर गमनोद्यत घोड़ोंकी बागडोर अपने हाथमें ले स्वयं रथ हाँकने लगा। उस समय देवकने अपनी पुत्रीके लिये उत्तम दहेजके रूपमें एक हजार दासियाँ, दस हजार हाथी, दस लाख घोड़े, एक लाख रथ और दो लाख गौएँ प्रदान कीं। उस विदाकालमें भेरी, उत्तम मृदङ्ग, गोमुख, धन्धुरि, वीणा, ढोल और वेणु आदि वाद्योंका और साथ जानेवाले यादवोंका महान् कोलाहल हुआ। उस समय मङ्गलगीत गाये जा रहे थे। और मङ्गलपाठ भी हो रहा था। उसी समय आकाशवाणीने कंसको सम्बोधित करके कहा—'अरे मूर्ख कंस! घोड़ोंकी बागडोर हाथमें लेकर जिसे रथपर बैठाये लिये जा रहा है, इसीकी आठवीं संतान अनायास ही तेरा वध कर डालेगी—तू इस बातको नहीं जानता।' कंस सदा दुष्टोंका ही साथ करता था। स्वभावसे भी वह अत्यन्त खल (दुष्ट) था। लज्जा तो उसे छू नहीं गयी थी। वह निर्दय होनेके कारण बड़े भयंकर कर्म कर डालता था। उसने तीखी धारवाली तलवार हाथमें उठा ली, बहिनके केश पकड़ लिये और उसे मारनेका निश्चय कर लिया। उस समय बाजेवालोंने बाजे बंद कर दिये। जो आगे थे, वे चकित होकर पीछे देखने लगे। सबके मुँहपर मुर्दनी छा गयी। ऐसी स्थितिमें सत्पुरुषोंमें श्रेष्ठ श्रीवसुदेवजीने कंससे कहा॥ १०—१५॥

श्रीवसुदेवजी बोले—भोजेन्द्र! आप इस वंशकी कीर्तिका विस्तार करनेवाले हैं। भौमासुर, जरासंध, बकासुर, वत्सासुर और बाणासुर—सभी योद्धा आपसे लड़नेके लिये युद्धभूमिमें आये; किंतु उन्होंने आपकी प्रशंसा ही की। वे ही आप तलवारसे बहिनका वध करनेको कैसे उद्यत हो गये? बकासुरकी बहिन पूतना आपके पास आकर लड़नेकी इच्छा करने लगी; किंतु आपने राजनीतिके अनुरूप बर्ताव करनेके कारण स्त्री समझकर उसके साथ युद्ध नहीं किया। उस समय शान्ति-स्थापनके लिये आपने पूतनाको बहिनके तुल्य बनाकर छोड़ दिया। फिर यह तो आपकी साक्षात् बहिन है। किस विचारसे आप इस अनुचित कृत्यमें लग गये? मथुरानरेश! यह कन्या यहाँ विवाहके शुभ अवसरपर आयी है। आपकी छोटी बहिन है। बालिका है। पुत्रीके समान दयनीय—दयापात्र है। यह सदा आपको सद्भावना प्रदान करती आयी है। अतः इसका वध करना आपके लिये कदापि उचित नहीं है। आपकी चित्तवृत्ति तो दीन-दुःखियोंके दुःख दूर करनेमें ही लगी रहती है॥ १६—१८॥

श्रीनारदजी कहते हैं—राजन्! इस प्रकार वसुदेवजीके समझानेपर भी अत्यन्त खल और कुसङ्गी कंसने उनकी बात नहीं मानी। तब वसुदेवजी, यह भगवान्‌का विधान है, अथवा कालकी ऐसी ही गति है—यह समझकर भगवत्-शरणापन्न हो, पुनः कंससे बोले॥ १९॥

श्रीवसुदेवजीने कहा—राजन्! इस देवकीसे

तो आपको कभी भय है नहीं। आकाशवाणीने जो कुछ कहा है, उसके विषयमें मेरा विचार सुनिये। मैं इसके गर्भसे उत्पन्न सभी पुत्र आपको दे दूँगा; क्योंकि उन्हींसे आपको भय है। अतः व्यथित न होइये॥ २०॥

श्रीनारदजी कहते हैं—मिथिलेश! कंसने वसुदेवजीके निश्चयपूर्वक कहे गये वचनपर विश्वास कर लिया। अतः उनकी प्रशंसा करके वह उसी क्षण घरको चला गया। इधर वसुदेवजी भी भयभीत हो देवकीके साथ अपने भवनको पधारे॥ २१॥

इस प्रकार श्रीगर्गसंहितामें गोलोकखण्डके अन्तर्गत नारद-बहुलाश्व-संवादमें 'वसुदेवके विवाहका वर्णन' नामक नवाँ अध्याय पूरा हुआ॥ ९॥

दसवाँ अध्याय

कंसके अत्याचार; बलभद्रजीका अवतार तथा व्यासदेवद्वारा उनका स्तवन

श्रीनारदजी कहते हैं—राजन्! कंसने सोचा, वसुदेवजी भयभीत होकर कहीं भाग न जायँ—ऐसा विचार मनमें आते ही उसने बहुत-से सैनिक भेज दिये। कंसकी आज्ञासे दस हजार शस्त्रधारी सैनिकोंने पहुँचकर वसुदेवजीका घर घेर लिया। वसुदेवजीने यथासमय देवकीके गर्भसे आठ पुत्र उत्पन्न किये, वे क्रमशः एक वर्षके बाद होते गये। फिर उन्होंने एक कन्याको भी जन्म दिया, जो भगवान्‌की सनातनी माया थी। सर्वप्रथम जो पुत्र उत्पन्न हुआ, उसका नाम कीर्तिमान् था। वसुदेवजी उसे गोदमें उठाकर कंसके पास ले गये। वे दूसरेके प्रयोजनको भी अच्छी तरहसे समझते थे, इसलिये वह बालक उन्होंने कंसको दे दिया। वसुदेवजीको अपने सत्यवचनके पालनमें तत्पर देख कंसको दया आ गयी। साधुपुरुष दुःख सह लेते हैं, परंतु अपनी कही हुई बात मिथ्या नहीं होने देते। सचाई देखकर किसके मनमें क्षमाका भाव उदित नहीं होता?॥ १—४॥

कंसने कहा—वसुदेवजी! यह बालक आपके साथ ही घर लौट जाय, इससे मुझे कोई भय नहीं है। परंतु आप दोनोंका जो आठवाँ गर्भ होगा, उसका वध मैं अवश्य करूँगा—इसमें कोई संशय नहीं है॥ ५॥

श्रीनारदजी कहते हैं—राजन्! कंसके यों कहनेपर वसुदेवजी अपने पुत्रके साथ घर लौट आये, परंतु उस दुरात्माके वचनको उन्होंने तनिक भी सत्य नहीं माना। उस समय आकाशसे उतरकर मैं वहाँ गया। उग्रसेनकुमार कंसने मुझे मस्तक झुकाकर मेरा स्वागत-सत्कार किया, और मुझसे देवताओंका अभिप्राय पूछा। उस समय मैंने उसे जो उत्तर दिया, वह मुझसे सुनो। मैंने कहा—'नन्द आदि गोप वसुके अवतार हैं और वृषभानु आदि देवताओंके। नरेश्वर कंस! इस व्रजभूमिमें जो गोपियाँ हैं, उनके रूपमें वेदोंकी ऋचाएँ आदि यहाँ निवास करती हैं। मथुरामें वसुदेव आदि जो वृष्णिवंशी हैं, वे सब-के-सब मूलतः देवता ही हैं। देवकी आदि सम्पूर्ण स्त्रियाँ भी निश्चय ही देवाङ्गनाएँ हैं। सात बार गिन लेनेपर सभी अङ्क आठ ही हो जाते हैं। तुम्हारे घातककी संख्यासे गिना जाय तो यह प्रथम बालक भी आठवाँ हो सकता है; क्योंकि देवताओंकी 'वामतो गति' है॥ ६—१०॥

श्रीनारदजी कहते हैं—मिथिलेश्वर! उससे यों कहकर जब मैं चला आया, तब देवताओंद्वारा किये गये दैत्यवधके लिये उद्योगपर कंसको बड़ा क्रोध हुआ। उसने उसी क्षण यादवोंको मार डालनेका विचार किया। उसने वसुदेव और देवकीको मजबूत बेड़ियोंसे बाँधकर कैद कर लिया और देवकीके उस प्रथम-गर्भजनित शिशुको शिलापृष्ठपर रखकर पीस डाला। उसे अपने पूर्वजन्मकी घटनाओंका स्मरण था, अतः भगवान् विष्णुके भयसे तथा अपने दुष्ट स्वभावके कारण भी उसने इस भूतलपर प्रकट हुए देवकीके प्रत्येक बालकको जन्म लेते ही मार डाला। ऐसा करनेमें उसे तनिक भी हिचक नहीं हुई। यह सब

देखकर यदुकुल-नरेश राजा उग्रसेन उस समय कुपित हो उठे। उन्होंने वसुदेवजीकी सहायता की और कंसको अत्याचार करनेसे रोका। कंसके दुष्ट अभिप्रायको प्रत्यक्ष देख महान् यादव वीर उसके विरुद्ध उठ खड़े हुए। वे उग्रसेनके पीछे रहकर, खड्गहस्त हो उनकी रक्षा करने लगे। उग्रसेनके अनुगामियोंको युद्धके लिये उद्यत देख कंसके निजी वीर सैनिक भी उनका सामना करनेके लिये खड़े हुए। राजसभाके मण्डपमें ही उन दोनों दलोंका परस्पर युद्ध होने लगा। राजद्वारपर भी उन दोनों दलोंके वीरोंमें परस्पर युद्ध छिड़ गया। वे सब लोग खुलकर एक-दूसरेपर खड्गका प्रहार करने लगे। इस संघर्षमें दस हजार मनुष्य खेत रहे। तदनन्तर कंसने गदा हाथमें लेकर पिताकी सेनाको कुचलना आरम्भ किया। उसकी गदासे छू जानेसे ही कितने ही लोगोंके मस्तक फट गये, कितनोंके पाँव कट गये, नख विदीर्ण हो गये, बाँहें कट गयीं और उनकी आशापर पानी फिर गया। कोई औंधे मुँह और कोई उतान होकर अस्त्र-शस्त्र लिये क्षणभरमें धराशायी हो गये। बहुत-से वीर खून उगलते हुए मूर्च्छित हो कालके गालमें चले गये। वहाँ इतना रक्त प्रवाहित हुआ कि सारा सभामण्डप रँग गया॥ ११—२०॥

राजराजेश्वर! इस प्रकार दुष्ट एवं मदमत्त कंसने कुपित हो उद्भट शत्रुओंको धराशायी करके अपने पिताको कैद कर लिया। उन्हें राजसिंहासनसे उतारकर उस दुष्टने पाशोंसे बाँधा और उनके मित्रोंके साथ उन्हें भी कारागारमें बंद कर दिया। मधु और शूरसेनकी सारी सम्पत्तिओंपर अधिकार करके कंस स्वयं सिंहासनपर जा बैठा और राज्यशासन करने लगा। समस्त पीड़ित यादव सम्बन्धीके घरपर जानेके बहाने तुरंत चारों दिशाओंमें विभिन्न देशोंके भीतर जाकर रहने लगे और उचित अवसरकी प्रतीक्षा करने लगे। देवकीका सातवाँ गर्भ उनके लिये हर्ष और शोक दोनोंकी वृद्धि करनेवाला हुआ, उसमें साक्षात् अनन्त-देव अवतीर्ण हुए थे। योगमायाने देवकीके उस गर्भको खींचकर व्रजमें रोहिणीकी कुक्षिके भीतर पहुँचा दिया। ऐसा हो जानेपर मथुराके लोग खेद प्रकट करते हुए कहने लगे—'अहो! बेचारी देवकीका गर्भ कहाँ चला गया? कैसे गिर गया?' व्रजमें उस गर्भको गये पाँच ही दिन बीते थे कि भाद्रपद शुक्ला षष्ठीको, स्वाती नक्षत्रमें, बुधके दिन वसुदेवकी पत्नी रोहिणीके गर्भसे अनन्तदेवका प्राकट्य हुआ। उच्चस्थानमें स्थित पाँच ग्रहोंसे घिरे हुए तुला लग्नमें, दोपहरके समय बालकका जन्म हुआ। उस जन्मवेलामें जब देवता फूल बरसा रहे थे और बादल वारिबिन्दु बिखेर रहे थे, प्रकट हुए अनन्तदेवने अपनी अङ्गकान्तिसे नन्दभवनको उद्भासित कर दिया। नन्दरायजीने भी उस शिशुका जातकर्मसंस्कार करके ब्राह्मणोंको दस लाख गौएँ दान कीं। गोपोंको बुलाकर उत्तम गान-विद्यामें निपुण गायकोंके संगीतके साथ महान् मङ्गलमय उत्सवका आयोजन किया। देवल, देवरात, वसिष्ठ, बृहस्पति और मुझ नारदके साथ आकर श्रीकृष्णद्वैपायन व्यास भी वहाँ बैठे और नन्दजीके दिये हुए पाद्य आदि उपहारोंसे अत्यन्त प्रसन्न हुए॥ २१—३०॥

नन्दरायजीने पूछा—महर्षियो! यह सुन्दर बालक कौन है, जिसके समान दूसरा कोई देखनेमें नहीं आता? महामुने! इसका जन्म पाँच ही दिनोंमें कैसे हुआ? यह मुझे बताइये॥ ३१॥

श्रीव्यासजी बोले—नन्द! तुम्हारा अद्भुत सौभाग्य है, इस शिशुके रूपमें साक्षात् सनातन देवता शेषनाग पधारे हैं। पहले तो मथुरापुरीमें वसुदेवसे देवकीके गर्भमें इनका आविर्भाव हुआ। फिर भगवान् श्रीकृष्णकी इच्छासे इनका देवकीके उदरसे कल्याणमयी रोहिणीके गर्भमें आगमन हुआ है। नन्दराय! ये योगियोंके लिये भी दुर्लभ हैं, किंतु तुम्हें इनका प्रत्यक्ष दर्शन हुआ है। मैं महामुनि वेदव्यास इनके दर्शनके लिये ही यहाँ आया हूँ, अतः तुम शिशुरूप-धारी इन परात्पर देवताका हम सबको दर्शन कराओ॥ ३२—३४॥

श्रीनारदजी कहते हैं—राजन्! तदनन्तर नन्दने विस्मित होकर शिशुरूपधारी शेषका उन्हें दर्शन कराया। पालनेमें विराजमान शेषजीका दर्शन करचके सत्यवतीनन्दनने उन्हें प्रणाम किया और उनकी स्तुति की—॥ ३५॥

श्रीव्यासजी बोले—भगवन्! आप देवताओंके भी अधिदेवता और कामपाल (सबका मनोरथ पूर्ण करनेवाले) हैं, आपको नमस्कार है। आप साक्षात् अनन्तदेव शेषनाग हैं, बलराम हैं; आपको मेरा प्रणाम है। आप धरणीधर, पूर्णस्वरूप, स्वयंप्रकाश, हाथमें हल धारण करनेवाले, सहस्र मस्तकोंसे सुशोभित तथा संकर्षणदेव हैं, आपको नमस्कार है। रेवती-रमण! आप ही बलदेव तथा श्रीकृष्णके अग्रज हैं। हलायुध एवं प्रलम्बासुरके नाशक हैं। पुरुषोत्तम! आप मेरी रक्षा कीजिये। आप बल, बलभद्र तथा तालके चिह्नसे युक्त ध्वजा धारण करनेवाले हैं; आपको नमस्कार है। आप नीलवस्त्रधारी, गौरवर्ण तथा रोहिणीके सुपुत्र हैं; आपको मेरा प्रणाम है। आप ही धेनुक, मुष्टिक, कुम्भाण्ड, रुक्मी, कूपकर्ण, कूट तथा बल्वलके शत्रु हैं। कालिन्दीकी धाराको मोड़नेवाले और हस्तिनापुरको गङ्गाकी ओर आकर्षित करनेवाले आप ही हैं। आप द्विविदके विनाशक, यादवोंके स्वामी तथा व्रजमण्डलके मण्डन (भूषण) हैं। आप कंसके भाइयोंका वध करनेवाले तथा तीर्थयात्रा करनेवाले प्रभु हैं। दुर्योधनके गुरु भी साक्षात् आप ही हैं। प्रभो! जगत्की रक्षा कीजिये, रक्षा कीजिये। अपनी महिमासे कभी च्युत न होनेवाले परात्पर देवता साक्षात् अनन्त! आपकी जय हो, जय हो। आपका सुयश समस्त दिगन्तमें व्याप्त है। आप सुरेन्द्र, मुनीन्द्र और फणीन्द्रोंमें सर्वश्रेष्ठ हैं। मुसलधारी, हलधर तथा बलवान् हैं; आपको नमस्कार है। जो इस जगत्में सदा ही इस स्तवनका पाठ करेगा, वह श्रीहरिके परमपदको प्राप्त होगा। संसारमें उसे शत्रुओंका संहार करनेवाला सम्पूर्ण बल प्राप्त होगा। उसकी सदा जय होगी और वह प्रचुर धनका स्वामी होगा*॥ ३६—४४॥

श्रीनारदजी कहते हैं—राजन्! पराशरनन्दन विशाल-बुद्धि बादरायण मुनि सत्यवतीकुमार श्रीकृष्णद्वैपायन वेदव्यास उन मुनियोंके साथ बलरामजीको सौ बार प्रणाम और परिक्रमा करके सरस्वती नदीके तटपर चले गये॥ ४५॥

इस प्रकार श्रीगर्गसंहितामें गोलोकखण्डके अन्तर्गत श्रीनारद-बहुलाश्व-संवादमें 'बलभद्रजीके जन्मका वर्णन' नामक दसवाँ अध्याय पूरा हुआ॥ १०॥

---

* श्रीव्यास उवाच—

देवाधिदेव भगवन् कामपाल नमोऽस्तु ते। नमोऽनन्ताय शेषाय साक्षाद्रामाय ते नमः॥
धराधराय पूर्णाय स्वधाम्ने सीरपाणये। सहस्रशिरसे नित्यं नमः संकर्षणाय ते॥
रेवतीरमण त्वं वै बलदेवोऽच्युताग्रजः। हलायुधः प्रलम्बघ्नः पाहि मां पुरुषोत्तम॥
बलाय बलभद्राय तालाङ्काय नमो नमः। नीलाम्बराय गौराय रौहिणेयाय ते नमः॥
धेनुकारिर्मुष्टिकारिः कुम्भाण्डारिस्त्वमेव हि। रुक्म्यरिः कूपकर्णारिः कूटारिर्बल्वलान्तकः॥
कालिन्दीभेदनोऽसि त्वं हस्तिनापुरकर्षकः। द्विविदारिर्यादवेन्द्रो व्रजमण्डलमण्डनः॥
कंसभ्रातृप्रहन्तासि तीर्थयात्राकरः प्रभुः। दुर्योधनगुरुः साक्षात् पाहि पाहि प्रभो जगत्॥
जय जयाच्युत देव परात्पर स्वयमनन्त दिगन्तगतश्रुत।
सुरमुनीन्द्रफणीन्द्रवराय ते मुसलिने बलिने हलिने नमः॥
इह पठेत्सततं स्तवनं तु यः स तु हरेः परमं पदमाव्रजेत्।
जगति सर्वबलं त्वरिमर्दनं भवति तस्य जयः स्वधनं धनम्॥

(गर्ग०, गोलोक० १०। ३६—४४)

ग्यारहवाँ अध्याय

भगवान्‌का वसुदेव-देवकीमें आवेश; देवताओंद्वारा उनका स्तवन; आविर्भावकाल; अवतार-विग्रहकी झाँकी; वसुदेव-देवकीकृत भगवत्-स्तवन; भगवान्‌द्वारा उनके पूर्वजन्मके वृत्तान्तवर्णनपूर्वक अपनेको नन्दभवनमें पहुँचानेका आदेश; कंसद्वारा नन्दकन्या योगमायासे कृष्णके प्राकट्यकी बात जानकर पश्चात्तापपूर्वक वसुदेव-देवकीको बन्धनमुक्त करना, क्षमा माँगना और दैत्योंको बाल-वधका आदेश देना

श्रीनारदजी कहते हैं—मिथिलेश्वर! तदनन्तर परात्पर एवं परिपूर्णतम साक्षात् भगवान् श्रीकृष्ण पहले वसुदेवजीके मनमें आविष्ट हुए। भगवान्‌का आवेश होते ही महामना वसुदेव सूर्य, चन्द्रमा और अग्निके समान महान् तेजसे उद्भासित हो उठे, मानो उनके रूपमें दूसरे यज्ञनारायण ही प्रकट हो गये हों। फिर सबको अभय देनेवाले श्रीकृष्ण देवी देवकीके गर्भमें आविष्ट हुए। इससे उस कारागृहमें देवकी उसी तरह दिव्य दीप्तिसे दमक उठीं, जैसे घनमालामें चपला चमक उठती है। देवकीके उस तेजस्वी रूपको देखकर कंस मन-ही-मन भयसे व्याकुल होकर बोला—'यह मेरा प्राणहन्ता आ गया; क्योंकि इसके पहले यह ऐसी तेजस्विनी नहीं थी। इस शिशुको जन्म लेते ही मैं अवश्य मार डालूँगा।' यों कहकर वह भयसे विह्वल हो उस बालकके जन्मकी प्रतीक्षा करने लगा। भयके कारण अपने पूर्वशत्रु भगवान् विष्णुका चिन्तन करते हुए वह सर्वत्र उन्हींको देखने लगा। अहो! दृढ़तापूर्वक वैर बँध जानेसे भगवान् कृष्णका भी प्रत्यक्षकी भाँति दर्शन होने लगता है। इसलिये असुर श्रीकृष्णकी प्राप्तिके उद्देश्यसे ही उनके साथ वैर करते हैं। जब भगवान् गर्भमें आविष्ट हुए, तब ब्रह्मादि देवता तथा अस्मदादि (नारद-प्रभृति) मुनीश्वर वसुदेवके गृहके ऊपर आकाशमें स्थित हो, भगवान्‌को प्रणाम करके उनकी स्तुति करने लगे॥ १—७॥

देवता बोले—जाग्रत्, स्वप्न आदि अवस्थाओंमें प्रतीत होनेवाले विश्वके जो एकमात्र हेतु होते हुए भी अहेतु हैं, जिनके गुणोंका आश्रय लेकर ही ये प्राणिसमुदाय सब ओर विचरते हैं तथा जैसे अग्निसे निकलकर सब ओर फैले हुए विस्फुलिङ्ग (चिनगारियाँ) पुनः उसमें प्रवेश नहीं करते, उसी प्रकार महत्तत्त्व, इन्द्रियवर्ग तथा उनके अधिष्ठाता देव-समुदाय जिनसे प्रकट हो पुनः उनमें प्रवेश नहीं पाते, उन परमात्मा आप भगवान् श्रीकृष्णको हमारा सादर नमस्कार है। बलवानोंमें भी सबसे अधिक बलिष्ठ यह काल भी जिनपर शासन करनेमें समर्थ नहीं है, माया भी जिनपर कोई प्रभाव नहीं डाल सकती तथा नित्यशब्द (वेद) जिनको अपना विषय नहीं बना पाता, उन परम अमृत, प्रशान्त, शुद्ध, परात्पर पूर्ण ब्रह्मस्वरूप आप भगवान्‌की हम शरणमें आये हैं। जिन परमेश्वरके अंशावतार, अंशांशावतार, कलावतार, आवेशावतार तथा पूर्णावतारसहित विभिन्न अवतारोंद्वारा इस विश्वके सृष्टिपालन आदि कार्य सम्पादित होते हैं, उन्हीं पूर्णसे भी परे परिपूर्णतम भगवान् श्रीकृष्णको हम प्रणाम करते हैं। प्रभो! अतीत, वर्तमान और अनागत (भविष्य) मन्वन्तरों, युगों तथा कल्पोंमें आप अपने अंश और कलाद्वारा अवतार-विग्रह धारण करते हैं। किंतु आज ही वह सौभाग्यपूर्ण अवसर आया है, जब कि आप अपने परिपूर्णतम धाम (तेज:पुञ्ज) का यहाँ विस्तार कर रहे हैं! अब इस परिपूर्णतम अवतारद्वारा भूतलपर धर्मकी स्थापना करके आप लोकमें मङ्गल (कल्याण) का प्रसार करेंगे। आनन्दकंद! देवकीनन्दन! आपकी जो चरणरज विशुद्ध अन्तःकरणवाले योगियोंके लिये भी दुर्लभ और अगम्य है, वही उन बड़भागी भक्तोंके लिये परम सुलभ है, जो अपने निर्मल हृदयमें भक्तियोग धारण करके, सदा प्रीतिरसमें निमग्न हो, द्रवित-चित्त रहते हैं। शिशुरूपमें मन्द-मन्द विचरनेवाले आपके चरणारविन्दोंके मकरन्द एवं परागको हम सानुराग सिरपर धारण करें, यही हमारी आन्तरिक अभिलाषा है। आप पहलेसे ही परम कमनीय कलेवरधारी हैं

और यहाँ इस अवतारमें भी उसी कमनीय रूपसे आप सुशोभित होंगे। आपका रूप कोटिशत कामदेवोंको भी मोहित करनेवाला और परम अद्भुत है। आप गोलोकधाममें धारित दिव्य दीप्ति-राशिको यहाँ भी धारण करेंगे। सर्वोत्कृष्ट धर्मधनके धारयिता आप श्रीराधावल्लभको हम प्रणाम करते हैं*॥ ८—१३॥

उस समय मुनियोंसहित ब्रह्मा आदि सब देवता श्रीहरिको नमस्कार करके उनकी महिमाका गान तथा स्वभावकी प्रशंसा करते हुए प्रसन्नतापूर्वक अपने-अपने धामको चले गये। मिथिला-सम्राट् बहुलाश्व! तदनन्तर जब श्रीहरिके प्राकट्यका समय आया, आकाश स्वच्छ हो गया। दसों दिशाएँ निर्मल हो गयीं। तारे अत्यन्त उद्दीप्त हो उठे। भूमण्डलमें प्रसन्नता छा गयी। नदी, नद, सरोवर और समुद्रके जल स्वच्छ हो गये। सब ओर सहस्रदल तथा शतदल कमल खिल उठे। वायुके स्पर्शसे उनके सुगन्धयुक्त पराग सब दिशाओंमें फैलने लगे। उन कमलोंपर भ्रमर गुंजार करने लगे। शीतल, मन्द, सुगन्ध वायु बहने लगी। जनपद और ग्राम सुख-सुविधासे सम्पन्न हो गये। बड़े-बड़े नगर तो मङ्गलके धाम बन गये। देवता, ब्राह्मण, पर्वत, वृक्ष और गौएँ—सभी सुख-सामग्रीसे परिपूर्ण हो गये। देवताओंकी दुन्दुभियाँ बज उठीं। साथ ही जय-जयकारकी ध्वनि सब ओर व्याप्त हो गयी। महाराज! जहाँ-तहाँ सब जगह सबका परम मङ्गल हो गया। गायन-कलामें निपुण विद्याधर, गन्धर्व, सिद्ध, किंनर तथा चारण गीत गाने लगे। देवता लोग स्तोत्र पढ़कर उन परम पुरुषका स्तवन करने लगे। देवलोकमें गन्धर्व तथा विद्याधरियाँ आनन्दमग्न होकर नाचने लगीं। मुख्य-मुख्य देवता पारिजात, मन्दार तथा मालतीके मनोरम फूल बरसाने लगे और मेघ गर्जना करते हुए जलकी वृष्टि करने लगे। भाद्रपद मास, कृष्णपक्ष, रोहिणी-नक्षत्र, हर्षण-योग तथा वृष लग्नमें अष्टमी तिथिको आधी रातके समय चन्द्रोदय-कालमें, जब कि जगत्‌में अन्धकार छा रहा था, वसुदेव-मन्दिरमें देवकीके गर्भसे साक्षात् श्रीहरि प्रकट हुए—ठीक उसी तरह, जैसे अरणिकाष्ठसे अग्निका आविर्भाव होता है॥ १४—२४॥

कण्ठमें प्रकाशमान स्वच्छ एवं विचित्र मुक्ताहार, वक्षपर शोभा-प्रभा-समन्वित सुन्दर कौस्तुभ-मणि तथा रत्नोंकी माला, चरणोंमें नूपुर तथा बाहोंमें बाजूबंद धारण किये भगवान् मण्डलाकार प्रभापुञ्जसे उद्भासित हो रहे थे। मस्तकपर किरीट तथा कानोंमें कुण्डल-युगल बालरविके सदृश उद्दीप्त हो रहे थे। कलाइयोंमें प्रज्वलित अग्निके समान कान्तिमान् अद्भुत कङ्कण हिल रहे थे। कटिकी करधनीमें जो डोर या जंजीर लगी थी, उसकी प्रभा विद्युत्‌के समान सब ओर व्याप्त हो रही थी। कण्ठदेशमें कमलोंकी माला शोभा पाती थी, जिसके ऊपर मधु-लोलुप मधुकर मँड़रा रहे थे। उनके श्रीअङ्गोंपर जो दिव्य पीतवस्त्र था, वह नूतन (तपाये हुए) जाम्बूनद (सुवर्ण)की शोभाको तिरस्कृत कर रहा

---

* यज्जागरादिषु भवेषु परं ह्यहेतुर्हेतुः स्विदस्य विचरन्ति गुणाश्रयेण।
नैतद् विशन्ति महदिन्द्रियदेवसंघास्तस्मै नमोऽग्निमिव विस्तृतविस्फुलिङ्गाः॥
नैवेशितुं प्रभुरयं बलिनां बलीयान् माया न शब्द उत नो विषयी करोति।
तद्ब्रह्म पूर्णममृतं परमं प्रशान्तं शुद्धं परात्परतरं शरणं गताः स्मः॥
अंशांशकांशककलाद्यवतार वृन्दैरावेशपूर्णसहितैश्च परस्य यस्य।
सर्गादयः किल भवन्ति तमेव कृष्णं पूर्णात्परं तु परिपूर्णतमं नताः स्मः॥
मन्वन्तरेषु च युगेषु गतागतेषु कल्पेषु चांशकलया स्ववपुर्बिभर्षि।
अद्यैव धाम परिपूर्णतमं तनोषि धर्मं विधाय भुवि मङ्गलमातनोषि॥
यद्दुर्लभं विशदयोगिभिरप्यगम्यं गम्यं द्रवद्भिरमलाशयभक्तियोगैः।
आनन्दकंद चरतस्तव मन्दयानपादारविन्दमकरन्दरजो दधामः॥
पूर्वं तथात्र कमनीयवपुष्मयं त्वां कंदर्पकोटिशतमोहनमद्भुतं च।
गोलोकधामधिषणद्युतिमादधानं राधापतिं धरमधुर्यधनं दधानम्॥

(गर्ग०, गोलोक० ११। ८—१३)

था। श्यामसुन्दर विग्रहपर सुशोभित वह पीताम्बर विद्युद्विलाससे विलसित नीलमेघके सौभाग्यपूर्ण सौन्दर्यको छीने लेता था। मुखके ऊपर शिरोदेशमें काले-काले घुँघराले केश शोभा पाते थे। मुखचन्द्रकी चञ्चल रश्मियाँ वहाँका सम्पूर्ण अन्धकार दूर किये देती थीं। वह परम सुन्दर शुभद आनन प्रफुल्ल इन्दीवर-सदृश युगल नेत्रोंसे सुशोभित था। उसपर विचित्र रीतिसे मनोहर पत्ररचना की गयी थी, जिससे मण्डित अभिराम मुख सदैव करोड़ों कामदेवोंको मोहे लेता था। वे परिपूर्णतम परात्पर भगवान् मधुर ध्वनिसे वेणु बजानेमें तत्पर थे*॥ २५—२८॥

ऐसे पुत्रका अवलोकन करके यदुकुलतिलक वसुदेवजीके नेत्र भगवान्‌के जन्मोत्सवजनित आनन्दसे खिल उठे। फिर उन्होंने शीघ्र ही ब्राह्मणोंको एक लाख गो-दान करनेका मन-ही-मन संकल्प किया। सूतिकागारमें प्रभुका आविर्भाव प्रत्यक्ष हो गया, इससे वसुदेवजीका सारा भय जाता रहा। वे अत्यन्त विस्मित हो, हाथ जोड़कर आदि-अन्तरहित श्रीहरिको प्रणाम करके, स्तोत्रोंद्वारा उनका स्तवन करने लगे॥ २९-३०॥

श्रीवसुदेवजी बोले—भगवन्! जो एकमात्र अद्वितीय हैं, वे ही परब्रह्म परमात्मा आप प्रकृतिके सत्त्वादि गुणोंके कारण अनेक रूपोंमें प्रतीत होते हैं। आप ही संहारक, आप ही उत्पादक तथा आप ही इस जगत्‌के पालक हैं। हे आदिदेव! हे त्रिभुवनपते परमात्मन्! जैसे स्फटिकमणि औपाधिक रंगोंसे लिप्त नहीं होती, उसी प्रकार आप देहके वर्णोंसे निर्लिप्त ही रहते हैं। ऐसे आप परमेश्वरको मेरा नमस्कार है॥ ३१॥

जैसे ईंधनमें आग छिपी रहती है, उसी तरह आप अव्यक्तरूपसे इस सम्पूर्ण जगत्‌में विद्यमान हैं; तथा जैसे आकाश सबके भीतर और बाहर भी रहता है, उसी प्रकार आप सबके भीतर और बाहर भी स्थित हैं। आप ही पृथ्वीकी भाँति इस समस्त जगत्‌के आधार हैं, सबके साक्षी हैं तथा वायुकी भाँति सर्वत्र जानेकी शक्ति रखते हैं। आप गौ, देवता, ब्राह्मण, अपने भक्तजन तथा बछड़ोंके पालक हैं और उद्भट भूभारका हरण करनेके लिये ही मेरे घरमें अवतीर्ण हुए हैं। इस भूतलपर समस्त पुरुषोंत्तमोंसे भी उत्तम आप ही हैं। भुवनपते! पापी कंससे मुझे बचाइये†॥ ३२-३३॥

श्रीनारदजी कहते हैं—मिथिलापते! सर्व-देवतास्वरूपिणी देवकीको भी यह ज्ञात हो गया कि मेरे घरमें परिपूर्णतम भगवान् साक्षात् श्यामसुन्दर श्रीकृष्णका आविर्भाव हुआ है। अतः वे भी उन्हें नमस्कार करके बोलीं॥ ३४॥

देवकीने कहा—हे सच्चिदानन्दघन श्रीकृष्ण! हे अगणित ब्रह्माण्डोंके स्वामी! हे परमेश्वर! हे गोलोक-धाममन्दिरकी ध्वजा! हे आदिदेव! हे पूर्णरूप ईश्वर! हे परिपूर्णतम परमेश! हे प्रभो! आप पापी कंसके

---

* स्फुरदच्छविचित्रहारिणं विलसत्कौस्तुभरत्नहारिणम्। परिधिद्युतिनूपुराङ्गदं धृतबालार्क किरीटकुण्डलम्॥
चलदद्भुतवह्निकङ्कणं चलदूर्जद्गुणमेखलाचितम्। मधुभृद्ध्वनिपद्ममालिनं नवजाम्बूनददिव्यवाससम्॥
सतडिद्घनदिव्यसौभगं चलनीलालकवृन्दभृन्मुखम्। चलदंशुतमोहरं परं शुभदं सुन्दरमम्बुजेक्षणम्॥
कृतपत्रविचित्रमण्डनं सततं कोटिमनोजमोहनम्। परिपूर्णतमं परात्परं कलवेणुध्वनिवाद्यतत्परम्॥
(गर्ग०, गोलोक० ११। २५—२८)

† श्रीवसुदेव उवाच—
एको यः प्रकृतिगुणैरनेकधासि हर्ता त्वं जनक उतास्य पालकस्त्वम्।
निर्लिप्तः स्फटिक इवाद्य देहवर्णस्तस्मै श्रीभुवनपते नमामि तुभ्यम्॥
एधस्सु त्वनल इवात्र वर्तमानो योऽन्तःस्थो बहिरपि चाम्बरं यथा हि।
आधारो धरणिरिवास्य सर्वसाक्षी तस्मै ते नम इव सर्वगो नभस्वान्॥
भूभारोद्भटहरणार्थमेव जातो गोदेवद्विजनिजवत्सपालकोऽसि।
गेहे मे भुवि पुरुषोत्तमोत्तमस्त्वं कंसान्मां भुवनपते प्रपाहि पापात्॥
(गर्ग०, गोलोक० ११। ३१—३३)

भयसे मेरी रक्षा कीजिये, रक्षा कीजिये*॥ ३५॥

श्रीनारदजी कहते हैं—राजन्! पिता-माताकी ओरसे किया गया वह स्तवन सुनकर पापनाशन साक्षात् परिपूर्णतम भगवान् श्रीकृष्ण मन्द-मन्द मुस्कराते हुए देवकी तथा वसुदेवजीसे बोले—॥ ३६॥

श्रीभगवान्ने कहा—पूर्वसृष्टिमें ये माता पतिव्रता पृश्नि थीं और आप प्रजापति सुतपा। आप दोनोंने संतानके लिये ब्रह्माजीकी आज्ञासे अन्न और जलका त्याग करके बड़ी भारी तपस्या की थी। एक मन्वन्तरका समय बीत जानेपर भी प्रजाकी कामनासे आपकी तपस्या चलती रही, तब मैं आप दोनोंपर प्रसन्न होकर बोला—'आपलोग कोई उत्तम वर माँग लें।' मेरी बात सुनकर आप तत्काल बोले—'प्रभो! हम दोनोंको आपके समान पुत्र प्राप्त हो।' उस समय 'तथास्तु' कहकर जब मैं चला आया, तब आप दोनों दम्पति अपने पुण्यकर्मके फलस्वरूप प्रजापति हुए। संसारमें मेरे समान तो कोई पुत्र है नहीं—यह विचारकर मैं स्वयं परमेश्वर ही आपका पुत्र हुआ। उस समय भूतलपर मैं 'पृश्निगर्भ' नामसे विख्यात हुआ। फिर दूसरे जन्ममें जब आप कश्यप और अदिति हुए, तब मैं आपका पुत्र वामन आकारवाला उपेन्द्र हुआ। उसी प्रकार इस वर्तमान जन्ममें भी मैं परात्पर परमेश्वर आप दोनोंका पुत्र हुआ हूँ। पिताजी! अब आप मुझे नन्दभवनमें पहुँचा दें। इससे आप दोनोंको कंससे कोई भय नहीं होगा। नन्दरायकी पुत्रीको यहाँ ले आकर आप सुखी होइयेगा॥ ३७—४१॥

श्रीनारदजी कहते हैं—राजन्! यों कहकर भगवान् वहाँ मौन हो, उन दोनोंके देखते-देखते वर्तमान स्वरूपको अदृश्य करके, बालरूप हो पृथ्वीपर पड़ गये—जैसे किसी नटने क्षणभरमें वेष-परिवर्तन कर लिया हो। शिशुको पालनेमें सुलाकर ज्यों ही वसुदेवजी ले जानेको उद्यत हुए, त्यों-ही महावनमें नन्दपत्नीके गर्भसे योगमायाने स्वतः जन्मग्रहण किया। उसीके प्रभावसे सब लोग सो गये। पहरेदार भी नींद लेने लगे। सारे दरवाजे मानो किसीने खोल दिये। साँकल और अर्गलाएँ टूट-फूट गयीं। श्रीकृष्णको माथेपर लिये जब वसुदेवजी गृहसे बाहर निकले, उस समय उनके भीतरका अज्ञान और बाहरका अँधेरा स्वतः दूर हो गया—ठीक उसी तरह, जैसे सूर्योदय होनेपर अन्धकारका तत्काल नाश हो जाता है। आकाशमें बादल घिर आये और वे जलकी वृष्टि करने लगे। तब सहस्र मुखवाले स्वयंप्रकाश शेषनाग अपने फनोंसे छत्रछाया करके गिरती हुई जलकी धाराओंका निवारण करते हुए उनके पीछे-पीछे चलने लगे। उस समय यमुनामें जलके वेगसे बहनेके कारण ऊँची लहरें उठतीं और भँवरें पड़ रही थीं। वे सिंह और सर्पादि जन्तुओंको भी बहाये लिये जाती थीं; किंतु सरिताओंमें श्रेष्ठ उन कलिन्दनन्दिनी यमुनाने वसुदेवजीको तत्काल मार्ग दे दिया। नन्दरायजीका सारा व्रज गाढ़ी नींदमें सो रहा था। वहाँ पहुँचकर वसुदेवजीने अपने परम शिशुको यशोदाजीकी शय्यापर शीघ्र सुलाकर उस दिव्य कन्याको देखा। यशोदाजीकी उस कन्याको गोदमें लेकर वसुदेवजी पुनः अपने घर लौट आये। वे यमुनाजीको पार करके पूर्ववत् अपने घरमें स्थित हो गये॥ ४२—४९॥

उधर गोपी यशोदाको इतना ही ज्ञात हुआ कि उसे कोई पुत्र या पुत्री हुई है। वे प्रसव-वेदनाके श्रमसे अत्यन्त थकी होनेके कारण अपनी शय्यापर आनन्दकी नींद लेती हुई सो गयी थीं। इधर बालकके रोनेकी आवाज सुनकर पहरेदार राजभवनमें उपस्थित हुए और जाकर वीर कंसको बालकके जन्मनेकी सूचना दी। यह समाचार कानमें पड़ते ही कंस भयसे कातर हो तुरंत सूतीगृहमें जा पहुँचा। उस समय सती-साध्वी बहिन देवकी दीनकी तरह रोती हुई भाईसे बोलीं॥ ५०—५२॥

देवकीने कहा—भैया! आप दीन-दुःखियोंके प्रति स्नेह और दया करनेवाले हैं। मैं आपकी बहिन हूँ, तथापि कारागारमें डाल दी गयी हूँ। मेरे सभी पुत्र मार डाले गये हैं। मैं वह अभागिनी माँ हूँ, जिसके

---

*हे कृष्ण हेऽविगणिताण्डपते परेश गोलोकधामधिषणध्वज आदिदेव।
पूर्णेश पूर्ण परिपूर्णतम प्रभो मां त्वं पाहि पाहि परमेश्वर कंसपापात्॥
(गर्ग०, गोलोक०, ११। ३५)

बेटोंका वध कर दिया गया है। एकमात्र यह बेटी बची है, इसे मुझे भीखमें दे दीजिये। यह स्त्री है, इसका वध करना आप-जैसे वीरके योग्य नहीं है। कल्याणकारी भाई! इस कल्याणी कन्याको तो मेरी गोदमें दे ही दीजिये। यही आपके योग्य कार्य होगा॥ ५३-५४॥

श्रीनारदजी कहते हैं—राजन्! देवकीके मुँहपर आँसुओंकी धारा बह रही थी। उसने मोहके कारण बेटीको आँचलमें छिपाकर बहुत विनती की—वह बहुत रोयी-गिड़गिड़ायी; तो भी उस दुष्टने बहिनको डाँट-डपटकर उसकी गोदसे वह कन्या छीन ली। वह यदुकुलका कलङ्क एवं महानीच था। सदा कुसङ्गमें रहनेके कारण उसका जीवन पापमय हो गया था। उस दुरात्माने अपनी बहिनकी बच्चीके दोनों पैर पकड़कर उसे शिलापर दे मारा। वह कन्या साक्षात् योगमायाका अवतार देवी अनंशा थी। कंसके हाथसे छूटते ही वह उछलकर आकाशमें चली गयी। सहस्र अश्वोंसे जुते हुए दिव्य 'शतपत्र' रथपर जा बैठी। वहाँ चँवर डुलाये जा रहे थे। उस शुभ्र रथपर बैठकर वह दिव्य रूप धारण किये दृष्टिगोचर हुई। उसके आठ भुजाएँ थीं और सबमें आयुध शोभा पा रहे थे। वह मायादेवी अपने पार्षदोंसे परिसेवित थी। उसका तेज सौ सूर्योंके समान दिखायी देता था। उसने मेघगर्जनातुल्य गम्भीर वाणीमें कहा॥ ५५—५८॥

श्रीयोगमाया बोलीं—कंस! तुझे मारनेवाले परिपूर्णतम परमात्मा साक्षात् भगवान् श्रीकृष्ण तो कहीं और जगह अवतीर्ण हो गये। इस दीन देवकीको तू व्यर्थ दुःख दे रहा है॥ ५९॥

श्रीनारदजी कहते हैं—राजन्! उससे यों कहकर भगवती योगमाया विन्ध्यपर्वतपर चली गयीं। वहाँ वे अनेक नामोंसे प्रसिद्ध हुईं। योगमायाकी उत्तम बात सुनकर कंसको बड़ा आश्चर्य हुआ। उसने देवकी और वसुदेवको तत्काल बन्धनमुक्त कर दिया॥ ६०-६१॥

कंसने कहा—बहिन और बहनोई वसुदेवजी! मैं पापात्मा हूँ। मेरे कर्म पापमय हैं। मैं इस यदुवंशमें महानीच और दुष्ट हूँ। मैं ही इस भूतलपर आप दोनोंके पुत्रोंका हत्यारा हूँ। आप दोनों मेरे द्वारा किये गये इस अपराधको क्षमा कर दें। मेरी बात सुनें। मैं समझता हूँ, यह सब कालने किया-कराया है। जैसे वायु मेघमालाको जहाँ चाहे उड़ा ले जाती है, उसी तरह कालने मुझे भी स्वेच्छानुसार चलाया है। मैंने देव-वाक्यपर विश्वास कर लिया, किंतु देवता भी असत्य-वादी ही निकले। इस योगमायाने बताया है कि 'तेरा शत्रु भूतलपर अवतीर्ण हो गया है'। किंतु वह कहाँ उत्पन्न हुआ है, यह मैं नहीं जानता॥ ६२—६४॥

श्रीनारदजी कहते हैं—राजन्! यों कहकर कंस बहिन और बहनोईके चरणोंपर गिर पड़ा और फूट-फूटकर रोने लगा। उसके मुँहपर अश्रुधारा बह चली। उसने उन दोनोंके प्रति सौहार्द (अत्यन्त स्नेह) दिखाते हुए उनकी बड़ी सेवा की। अहो! परिपूर्णतम प्रभु श्रीकृष्णचन्द्रके दया-दान-दक्ष कटाक्षोंसे भूतलपर क्या नहीं हो सकता? तदनन्तर प्रातःकाल दुरात्मा कंसने प्रलम्ब आदि बड़े-बड़े असुरोंको बुलाया और योगमायाने जो कुछ कहा था, वह सब उनसे कह सुनाया॥ ६५—६७॥

कंसने कहा—मित्रो! जैसा कि योगमायाने बताया है, मेरा विनाश करनेवाला शत्रु पृथ्वीपर कहीं उत्पन्न हो चुका है। अतः तुमलोग जो दस दिनके भीतर उत्पन्न हुए हैं और जिनको जन्म लिये दससे अधिक दिन निकल गये हैं, उन समस्त बालकोंको मार डालो॥ ६८॥

दैत्योंने कहा—महाराज! जब आप द्वन्द्व-युद्धमें उतरे थे, उस समय रणभूमिमें आपके चढ़ाये हुए धनुषकी टंकार सुनकर सब देवता भाग खड़े हुए थे, फिर उन्हींसे आप भय क्यों मान रहे हैं? गौ, ब्राह्मण, साधु, वेद, देवता तथा धर्म और यज्ञ आदि जो दूसरे दूसरे तत्त्व हैं, वे ही भगवान् विष्णुके शरीर माने गये हैं; इन सबके विनाशमें दैत्योंका बल ही समर्थ माना गया है। यदि महाविष्णु, जो आपका शत्रु है, इस पृथ्वीपर उत्पन्न हुआ है तो उसके वधका यही उपाय है कि गौ-ब्राह्मण आदिकी विशेषरूपसे हिंसाका अभियान चलाया जाय॥ ६९—७१॥

श्रीनारदजी कहते हैं—राजन्! कंसने दैत्योंको यह करनेकी आज्ञा दे दी। इस प्रकार उसका आदेश पाकर वे महान् उद्भट दुष्ट दैत्य आकाशमें उड़ चले

और गौ, ब्राह्मण आदिको पीड़ा देने तथा नवजात बालकोंकी हत्या करने लगे। समुद्रपर्यन्त समस्त भूमण्डलमें वे इच्छानुसार रूप धारण करनेवाले दैत्य सर्पों और चूहोंकी तरह घर-घरमें घुसने और विचरने लगे। उद्‌भट दैत्य तो स्वभावसे ही कुमार्गगामी होते हैं, उसपर भी उन्हें कंसकी ओरसे प्रेरणा प्राप्त हो गयी थी। एक तो बंदर, फिर वह शराब पी ले और उसपर भी उसे बिच्छु डंक मार दे तो उसकी चपलताके लिये क्या कहना? यही दशा उन दैत्योंकी थी, वे भूतग्रस्तसे हो गये थे। विदेहकुलनन्दन, मैथिलनरेश, विष्णुभक्त, धर्मात्माओंमें मुख्य, परम तपस्वी, प्रतापी, अङ्गराज, बहुलाश्व जनक! भूमण्डलपर साधु-संतोंकी यह अवहेलना धर्म, अर्थ, काम और मोक्ष—इन चारों पुरुषार्थोंका सम्पूर्णतया नाश कर देती है॥ ७२—७५॥

इस प्रकार श्रीगर्गसंहितामें गोलोकखण्डके अन्तर्गत नारद-बहुलाश्व-संवादमें 'श्रीकृष्ण-जन्म-वृत्तान्तका वर्णन' नामक ग्यारवाँ अध्याय पूरा हुआ॥ ११॥

बारहवाँ अध्याय

श्रीकृष्ण-जन्मोत्सवकी धूम; गोप-गोपियोंका उपायन लेकर आना; नन्द और यशोदा-रोहिणीद्वारा सबका यथावत् सत्कार; ब्रह्मादि देवताओंका भी श्रीकृष्णदर्शनके लिये आगमन

श्रीनारदजी कहते हैं—राजन्! तदनन्तर गोष्ठमें विद्यमान नन्दजीने अपने घरमें पुत्रोत्सव होनेका समाचार सुनकर प्रात:काल ब्राह्मणोंको बुलवाया और स्वस्तिवाचनपूर्वक मङ्गल-कार्य कराया। विधिपूर्वक जातकर्म-संस्कार सम्पन्न करके महामनस्वी नन्दराजने ब्राह्मणोंको आनन्दपूर्वक दक्षिणा देनेके साथ ही एक लाख गौएँ दान कीं। एक कोस लंबी भूमिमें सप्त-धान्योंके पर्वत खड़े किये गये। उनके शिखर रत्नों और सुवर्णोंसे सज्जित किये गये। उनके साथ सरस एवं स्निग्ध पदार्थ भी थे। वे सब पर्वत नन्दजीने विनीतभावसे ब्राह्मणोंको दिये। मृदङ्ग, वीणा, शङ्ख और दुन्दुभि आदि बाजे बारंबार बजाये जाने लगे। नन्दद्वारपर गायक मङ्गल-गीत गाने लगे। वाराङ्गनाएँ नृत्य करने लगीं। पताकाओं, सोनेके कलशों, चँदोवों, सुन्दर बंदनवारों तथा अनेक रंगके चित्रोंसे नन्द-मन्दिर उद्भासित होने लगा। सड़कें, गलियाँ, द्वार-देहलियाँ, दीवारें, आँगन और वेदियाँ (चबूतरे)—इनपर सुगन्धित जलका छिड़काव करके सब ओरसे वस्त्रों और झंडियोंद्वारा सजावट कर दी गयी थी, जिससे ये सब चित्रमण्डप या चित्रशालाके समान शोभा पा रहे थे। गौओंके सींगोंमें सोना मढ़ दिया गया था। उनके गलेमें सुवर्णकी माला पहना दी गयी थी। उनके गलेमें घंटी और पैरोंमें मञ्जीरकी झंकार होती थी। उनकी पीठपर कुछ-कुछ लाल रंगकी झूलें ओढ़ायी गयी थीं। इस प्रकार समस्त गौओंका शृङ्गार किया गया था। उनकी पूँछें पीले रंगमें रँग दी गयी थीं। उनके साथ बछड़े भी थे, उनके अङ्गोंपर तरुणी स्त्रियोंके हाथोंकी छाप लगी थी। हल्दी, कुङ्कुम तथा विचित्र धातुओंसे वे चित्रित की गयी थीं। मोरपंख और पुष्पोंसे अलंकृत तथा सुगन्धित जलसे अभिषिक्त धर्मधुरंधर मनोहर वृषभ श्रीनन्दरायजीके द्वारपर इधर-उधर सुशोभित थे। गौओंके सफेद बछड़े सोनेकी मालाओं और मोतियोंके हारोंसे विभूषित हो, इधर-उधर उछलते-कूदते फिर रहे थे। उनके पैरोंमें भी मञ्जीर बँधे थे॥ १—१०॥

नन्दरायजीके यहाँ पुत्रोत्सवका समाचार सुनकर वृषभानुवर रानी कलावती (कीर्तिदा) के साथ हाथीपर चढ़कर नन्दमन्दिरमें आये। व्रजमें जो नौ नन्द, नौ उपनन्द तथा छ: वृषभानु थे, वे सब भी नाना प्रकारकी भेंट-सामग्रीके साथ वहाँ आये। वे सिरपर पगड़ी तथा उसके ऊपर माला धारण किये, पीले रंगके जामे पहने, केशोंमें मोरपंख और गुञ्जा बाँधे तथा वनमालासे

विभूषित थे। हाथोंमें वंशी और बेंतकी छड़ी लिये, सुन्दर पत्ररचनाके साथ तिलक लगाये, कमरमें मोरपंख बाँधे गोपालगण भी वहाँ आ गये। वे नाचते-गाते और वस्त्र हिलाते थे। मूँछवाले तरुण और बिना मूँछके बालक भी भाँति-भाँतिकी भेंट लेकर वहाँ आये। बूढ़े लोग हाथमें डंडा लिये अपने साथ माखन, दूध, दही और घीकी भेंट लेकर नन्दभवनमें उपस्थित हुए। वे आपसमें व्रजराजके यहाँ पुत्रोत्सवका संवाद सुनाते हुए प्रेमसे विह्वल हो नेत्रोंसे आनन्दके आँसू बहाते थे। पुत्रोत्सव होनेपर श्रीनन्दरायजीका आनन्द चरम सीमाको पहुँच गया था, उनके नेत्र हर्षके आँसुओंसे भरे हुए थे। उन्होंने अपने द्वारपर आये हुए समस्त गोपोंका तिलक आदिके द्वारा विधिवत् सत्कार किया॥ ११—१८॥

गोप बोले—हे व्रजेश्वर! हे नन्दराज! आपके यहाँ जो पुत्रोत्सव हुआ है, यह संतानहीनताके कलङ्क-को मिटानेवाला है। इससे बढ़कर परम मङ्गलकी बात और क्या हो सकती है? दैवने बहुत दिनोंके बाद आज आपको यह दिन दिखाया है, हमलोग श्रीनन्द-नन्दनका दर्शन करके आज कृतार्थ हो जायँगे। जब आप दूरसे आकर पुत्रको गोदमें लेकर मोदपूर्वक लाड़ लड़ाते हुए 'हे मोहन!' कहकर पुकारेंगे, उस समय हमें बड़ा सुख मिलेगा॥ १९—२१॥

श्रीनन्दने कहा—बन्धुओ! आपलोगोंके आशीर्वाद और पुण्यसे आज यह आनन्ददायक शुभ दिवस प्राप्त हुआ है, मैं तो व्रजवासी गोप-गोपियोंका आज्ञापालक सेवक हूँ॥ २२॥

श्रीनारदजी कहते हैं—राजन्! श्रीनन्दरायजीके यहाँ पुत्र होनेका अद्भुत समाचार सुनकर गोपियोंके हर्षकी सीमा न रही। उनके हृदय, उनके तन-मन परमानन्दसे परिपूर्ण हो गये। वे घरके सारे काम-काज तत्काल छोड़कर भेंट-सामग्री लिये तुरंत व्रजराजके भवनमें जा पहुँचीं। नरेन्द्र! अपने घरसे नन्दमन्दिरतक इधर-उधर बड़ी उतावलीके साथ आतीं-जातीं सब गोपियाँ रास्तेकी भूमिपर मोती लुटाती चलती थीं। शीघ्रतापूर्वक आने-जानेसे उनके वस्त्र, आभूषण तथा केशोंके बन्धन भी ढीले पड़ गये थे; उस दशामें उनकी बड़ी शोभा हो रही थी। झनकारते हुए नूपुर, नये बाजूबंद, सुनहरे लहँगे, मञ्जीर, हार, मणिमय कुण्डल, करधनी, कण्ठसूत्र, हाथोंके कंगन तथा भालदेशमें लगी हुई बेंदियोंकी नयी-नयी छटाओंसे उनकी छवि देखते ही बनती थी। नरेश्वर! वे सब-की-सब राई-नोन, हल्दीके विशेष चूर्ण, गेहूँके आटे, पीली सरसों तथा जौ आदि हाथोंमें लेकर बड़े लाड़से लालाके मुखपर उतारती हुई उसे आशीर्वाद देती थीं। यह सब करके उन्होंने यशोदाजीसे कहा—॥ २३—२६॥

गोपियाँ बोलीं—यशोदाजी! बहुत उत्तम, बहुत अच्छा हुआ। अहोभाग्य! आज परम सौभाग्यका दिन है। आप धन्य हैं और आपकी कोख धन्य है, जिसने ऐसे बालकको जन्म दिया। दीर्घकालके बाद दैवने आज आपकी इच्छा पूरी की है। कैसे कमल-जैसे नेत्र हैं इस श्यामसुन्दर बालकके! कितनी मनोहर मुसकान है इसके होठोंपर बड़ी सँभालके साथ इसका लालन-पालन कीजिये॥ २७-२८॥

श्रीयशोदाने कहा—बहिन! आप सबकी दया और आशीर्वादसे ही मेरे घरमें यह सुख आया है, यह आनन्दोत्सव प्राप्त हुआ है। मेरे ऊपर आपकी सदा ही बड़ी दया रही है। इसके बाद आप सबको भी दैव-कृपासे ऐसा ही परम सुख प्राप्त हो—यह मेरी मङ्गल-कामना है। बहिन रोहिणी! तुम बड़ी बुद्धिमती हो। सब कार्य बड़े अच्छे ढंगसे करती हो। अपने घर आयी हुई ये व्रजवासिनी गोपियाँ बड़े उत्तम कुलकी हैं। तुम इनका पूजन—स्वागत-सत्कार करो। अपनी इच्छाके अनुसार इन सबकी मनोवाञ्छा पूर्ण करो॥ २९-३०॥

श्रीनारदजी कहते हैं—राजन्! रोहिणीजी भी राजाकी बेटी थीं। उनके हाथ तो स्वभावसे ही दानशील थे, उसपर भी यशोदाजीने दान करनेकी प्रेरणा दे दी। फिर क्या था? उन्होंने अत्यन्त उदारचित्त होकर दान देना आरम्भ किया। उनकी अङ्गकान्ति गौर-वर्णकी थी शरीरपर दिव्य वस्त्र शोभा पाते थे और वे रत्नमय आभूषणोंसे विभूषित थीं। रोहिणीजी साक्षात् लक्ष्मीकी भाँति व्रजाङ्गनाओंका सत्कार करती हुई सब ओर विचरने लगीं। साक्षात् परिपूर्णतम भगवान् श्रीकृष्णके व्रजमें पधारनेपर सब ओर मानव-वाद्य बजने लगे।

बड़े जोर-जोरसे जै-जैकारकी ध्वनि होने लगी। उस समय गोप दही, दूध और घीसे तथा गोपाङ्गनाएँ ताजे माखनके लौंदोंसे एक-दूसरेको हर्षोल्लाससे भिगोने और उच्चस्वरसे गीत गाने लगीं। नन्दभवनके बाहर और भीतर सब ओर दहीकी कीच मच गयी। उसमें बूढ़े और मोटे शरीरवाले लोग फिसलकर गिर पड़ते थे और दूसरे लोग खूब ताली पीट-पीटकर हँसते थे। महाराज! वहाँ जो पौराणिक सूत, वंशोंके प्रशंसक मागध और निर्मल बुद्धिवाले तथा अवसरके अनुरूप बातें कहनेवाले बंदीजन पधारे थे, उन सबको नन्द-रायजीने प्रत्येकके लिये अलग-अलग एक-एक हजार गौएँ प्रदान कीं। वस्त्र, आभूषण, रत्न, घोड़े और हाथी आदि सब कुछ दिये। समस्त बंदियों तथा मागधजनोंको धनी गोप व्रजेश्वर नन्दरायने बहुत धन दिया। धनराशिकी वर्षा कर दी। व्रजकी गली-गलीमें घर-घरमें निधि, सिद्धि, वृद्धि, भुक्ति और मुक्ति—ये लोटती-सी दिखायी देती थीं। उन्हें पानेकी इच्छा वहाँ किसीके भी मनमें नहीं होती थी॥ ३१—३९॥

उस समय सनत्कुमार, कपिल, शुक और व्यास आदिको तथा हंस, दत्तात्रेय, पुलस्त्य और मुझ (नारद) को साथ ले ब्रह्माजी वहाँ गये। ब्रह्माजीका वर्ण तप्त सुवर्णके समान था। उनके मस्तकोंपर मुकुट तथा कानोंमें कुण्डल जगमगा रहे थे। वे वेदकर्ता चतुर्मुख ब्रह्मा हंसपर आरूढ़ हो सम्पूर्ण दिङ्मण्डलको देदीप्यमान करते हुए वहाँ आये थे। उनके पीछे भूतोंसे घिरे हुए वृषभारूढ़ महेश्वर पधारे। फिर रथपर चढ़े हुए साक्षात् सूर्य, ऐरावत हाथीपर सवार देवराज इन्द्र, खञ्जरीटपर चढ़े हुए वायुदेव, महिषवाहन यम, पुष्पकारूढ़ कुबेर, मृगवाहन चन्द्रमा, बकरेपर बैठे हुए अग्निदेव, मगरपर आरूढ़ वरुण, मयूरवाहन कार्तिकेय, हंसवाहिनी सरस्वती, गरुडारूढ़ लक्ष्मी, सिंहवाहिनी दुर्गा तथा गोरूपधारिणी पृथ्वी, जो विमानपर बैठी थीं, ये सब वहाँ आये। दिव्यकान्तिवाली मुख्य-मुख्य सोलह मातृकाएँ पालकीपर बैठकर आयी थीं। खड्ग, चक्र तथा यष्टि धारण करनेवाली षष्ठीदेवी शिबिकापर सवार हो वहाँ पहुँची थीं। मङ्गल देवता वानरपर और बुध देवता भास नामक पक्षीपर चढ़कर वहाँ पधारे थे। काले मृगपर बैठे बृहस्पति, गवयपर चढ़े शुक्राचार्य, मगरपर आरूढ़ शनिदेव और ऊँटपर आरूढ़ सिंहिकाकुमार राहु—ये सभी ग्रह, जो करोड़ों बालसूर्योंके समान तेजस्वी थे, नन्दमन्दिरमें पधारे। वहाँ बड़ा कोलाहल मच रहा था। वह नन्दभवन झुंड-के-झुंड गोपों और गोपियोंसे भरा हुआ था। देवतालोग वहाँ पहुँचकर क्षणभर रुके और फिर चले गये। बालरूपधारी परिपूर्णतम परमात्मा साक्षात् भगवान् श्रीकृष्णको देखकर, उन्हें मस्तक नवाकर, देवताओंने उस समय उनका उत्तम स्तवन किया। ब्रह्मा आदि सब देवता ऋषियोंसहित वहाँ श्रीकृष्णका दर्शन करके प्रेमविह्वल और हर्षविभोर होकर अपने-अपने धामको चले गये॥ ४०—५१॥

इस प्रकार श्रीगर्गसंहितामें गोलोकखण्डके अन्तर्गत नारद-बहुलाश्व-संवादमें 'श्रीकृष्णदर्शनार्थ ब्रह्मादि देवताओंका आगमन' नामक बारहवाँ अध्याय पूरा हुआ॥ १२॥

तेरहवाँ अध्याय

पूतनाका उद्धार

श्रीनारदजी कहते हैं—राजन्! नन्दजी राजा कंसका कर चुकाने, वसुदेवजीकी कुशल पूछने और उन्हें अपने यहाँके पुत्रोत्सवका समाचार देनेके लिये मथुरा चले गये। उसी समय कंसकी भेजी हुई बाल-घातिनी दुष्टा राक्षसी पूतना नगरों, गाँवों और गोष्ठोंमें विचरती हुई गोप और गोपियोंसे भरे हुए गोकुलमें आ पहुँची। उसकी नाकसे साँसके साथ 'घर्घर' शब्द होता था। गोकुलके निकट आनेपर उसने मायासे दिव्य रूप धारण कर लिया। वह सोलह वर्षकी अवस्थावाली तरुणी बन गयी। उसका सौन्दर्य इतना

दिव्य था कि वह अपनी अङ्गकान्तिसे शची, सरस्वती, लक्ष्मी, रम्भा तथा रतिको भी तिरस्कृत कर रही थी। चलते समय उसके उन्नत कुच दिव्य आभासे झलकते और हिलते थे। उसे देखकर रोहिणी तथा यशोदा भी हतप्रतिभ हो गयीं। उसने आते ही बालगोपालको गोदमें ले लिया और बारंबार लाड़ लड़ाती हुई उस महाघोर दानवीने शिशुके मुखमें हलाहल विषसे लिप्त अपना स्तन दे दिया। यह देख तीक्ष्ण रोषसे आवृत हो श्रीहरिने उसका सारा दूध उसके प्राणोंसहित पी लिया। उसके स्तनोंमें जब असह्य पीड़ा हुई, तब 'छोड़ो-छोड़ो' कहते हुए वह उठकर भागी। बच्चेको लिये-लिये घरसे बाहर निकल गयी। बाहर जानेपर उसकी माया नष्ट हो गयी और वह अपने असली रूपमें दिखायी देने लगी। उसके नेत्र बाहर निकल आये। सारा शरीर सफेद पड़ गया और वह रोती-चिल्लाती हुई पृथ्वीपर गिर पड़ी। उसकी चिल्लाहटसे सातों लोक और सातों पाताल-सहित सारा ब्रह्माण्ड गूँज उठा। द्वीपोंसहित सारी पृथ्वी डोलने लगी। वह एक अद्भुत-सी घटना हुई। नृपेश्वर! पूतनाका विशाल शरीर छः कोस लंबा और वज्रके समान सुदृढ़ था। उसके गिरनेसे उसकी पीठके नीचे आये हुए बड़े-बड़े वृक्ष पिसकर चकनाचूर हो गये। उस समय गोपगण उस दानवीके भयंकर और विशाल शरीरको देखकर परस्पर कहने लगे—'इसकी गोदमें गया हुआ बालक कदाचित् जीवित नहीं होगा।' परंतु वह अद्भुत बालक उसकी छातीपर बैठा हुआ आनन्दसे खेलता और मुसकराता था। वह पूतनाका दूध पीकर जम्हाई ले रहा था। उसे उस अवस्थामें देखकर यशोदा तथा रोहिणीके साथ जाकर स्त्रियोंने उठा लिया और छातीसे लगाकर वे सब-की-सब बड़े विस्मयमें पड़ गयीं। बच्चेको ले जाकर गोपियोंने सब ओरसे विधिपूर्वक उसकी रक्षा की। यमुनाजीकी पवित्र मिट्टी लगाकर उसके ऊपर यमुना-जलका छींटा दिया, फिर उसके ऊपर गायकी पूँछ घुमायी। गोमूत्र और गोरजमिश्रित जलसे उसको नहलाया और निम्नाङ्कित रूपसे कवचका पाठ किया—॥ १—१४॥

श्रीगोपियाँ बोलीं—मेरे लाल! श्रीकृष्ण तेरे सिरकी रक्षा करें और भगवान् वैकुण्ठ कण्ठकी। श्वेतद्वीपके स्वामी दोनों कानोंकी, यज्ञरूपधारी श्रीहरि नासिकाकी, भगवान् नृसिंह दोनों नेत्रोंकी, दशरथ-नन्दन श्रीराम जिह्वाकी और नर-नारायण ऋषि तेरे अधरोंकी रक्षा करें। साक्षात् श्रीहरिके कलावतार सनक-सनन्दन आदि चारों महर्षि तेरे दोनों कपोलोंकी रक्षा करें। भगवान् श्वेतवाराह तेरे भालदेशकी तथा नारद दोनों भ्रूलताओंकी रक्षा करें। भगवान् कपिल तेरी ठोढ़ीको और दत्तात्रेय तेरे वक्षःस्थलको सुरक्षित रखें। भगवान् ऋषभ तेरे दोनों कंधोंकी और मत्स्य-भगवान् तेरे दोनों हाथोंकी रक्षा करें। पृथुल-पराक्रमी राजा पृथु सदा तेरे बाहुदण्डोंको सुरक्षित रखें। भगवान् कच्छप उदरकी और धन्वन्तरि तेरी नाभिकी रक्षा करें। मोहिनी-रूपधारी भगवान् तेरे गुह्यदेशको और वामन तेरी कटिको हानिसे बचायें। परशुरामजी तेरे पृष्ठभागकी और बादरायण व्यासजी तेरी दोनों जाँघोंकी रक्षा करें। बलभद्र दोनों घुटनोंकी और बुद्धदेव तेरी पिंडलियोंकी रक्षा करें। धर्मपालक भगवान् कल्कि गुल्फोंसहित तेरे दोनों पैरोंको सकुशल रखें। यह सबकी रक्षा करनेवाला परम दिव्य 'श्रीकृष्ण-कवच' है। इसका उपदेश भगवान् विष्णुने अपने नाभि-कमलमें विद्यमान ब्रह्माजीको दिया था। ब्रह्माजीने शम्भुको, शम्भुने दुर्वासाको और दुर्वासाने नन्द-मन्दिरमें आकर श्रीयशोदाजीको इसका उपदेश दिया था। इस कवचके द्वारा गोपियोंसहित श्रीयशोदाने नन्दनन्दनकी रक्षा करके उन्हें अपना स्तन पिलाया और ब्राह्मणोंको प्रचुर धन दिया*॥ १५—२४॥

---

* श्रीगोप्य ऊचुः—

श्रीकृष्णस्ते शिरः पातु वैकुण्ठः कण्ठमेव हि। श्वेतद्वीपपतिः कर्णौ नासिकां यज्ञरूपधृक्॥
नृसिंहो नेत्रयुग्मं च जिह्वां दशरथात्मजः। अधराववतात्ते तु नरनारायणावृषी॥
कपोलौ पान्तु ते साक्षात् सनकाद्याः कला हरेः। भालं ते श्वेतवाराहो नारदो भ्रूलतेऽवतु॥
चिबुकं कपिलः पातु दत्तात्रेय उरोऽवतु। स्कन्धौ द्वावृषभः पातु करौ मत्स्यः प्रपातु ते॥
दोर्दण्डं सततं रक्षेत् पृथुः पृथुलविक्रमः। उदरं कमठः पातु नाभिं धन्वन्तरिश्च ते॥

उसी समय नन्द आदि गोप मथुरापुरीसे गोकुलमें लौट आये। पूतनाके भयानक शरीरको देखकर वे सबके-सब भयसे व्याकुल हो गये। गोपोंने कुठारोंसे उसके शरीरको काट-काटकर यमुनाजीके किनारे कई चिताएँ बनायीं और उसका दाह-संस्कार किया। पूतनाका शरीर परम पवित्र हो गया था। जलानेपर उससे जो धुआँ निकला, उसमें इलाइची-लवङ्ग, चन्दन, तगर और अगरकी सुगन्ध भरी हुई थी। अहो! जिन पतित-पावनने पूतनाको मोक्षगति प्रदान की, उन श्रीकृष्णको छोड़कर हम यहाँ किसकी शरणमें जायँ॥ २५—२८॥

बहुलाश्वने पूछा—देवर्षे! यह बालघातिनी राक्षसी पूतना पूर्वजन्ममें कौन थी? इसके स्तनमें विष लगा हुआ था तथा उसके भीतरका भाव भी दूषित ही था; तथापि इसे उत्तम मोक्षकी प्राप्ति कैसे हुई?॥ २९॥

श्रीनारदजी बोले—पूर्वकालमें राजा बलिके यज्ञमें भगवान् वामनके परम उत्तम रूपको देखकर बलि-कन्या रत्नमालाने उनके प्रति पुत्रोचित स्नेह किया था। उसने मन-ही-मन यह संकल्प किया था कि 'यदि मेरे भी ऐसा ही बालक उत्पन्न हो और उस पवित्र मुसकानवाले शिशुको मैं अपना स्तन पिला सकूँ तो उससे मेरा चित्त प्रसन्न हो जायगा।' बलि भगवान्के परम भक्त हैं, अतः उनकी पुत्रीको वामन-भगवान्ने यह वर दिया कि 'तेरे मनमें जो मनोरथ है, वह पूर्ण हो।' वही रत्नमाला द्वापरके अन्तमें पूतना नामसे विख्यात राक्षसी हुई। भगवान् श्रीकृष्णके स्पर्शसे उसका उत्तम मनोरथ सफल हो गया। मिथिलानरेश! जो मनुष्य परात्पर भगवान् श्रीकृष्णके इस पूतनोद्धारसम्बन्धी प्रसङ्गको सुनता है, उसको भगवान्की प्रेमपूर्ण भक्ति प्राप्त हो जाती है; फिर उसे धर्म, अर्थ और कामरूप त्रिवर्गकी उपलब्धि हो जाय, इसके लिये तो कहना ही क्या है॥ ३०—३४॥

इस प्रकार श्रीगर्गसंहितामें गोलोकखण्डके अन्तर्गत नारद-बहुलाश्व-संवादमें 'पूतना-मोक्ष' नामक तेरहवाँ अध्याय पूरा हुआ॥ १३॥

चौदहवाँ अध्याय

शकटभञ्जन; उत्कच और तृणावर्तका उद्धार; दोनोंके पूर्वजन्मोंका वर्णन

श्रीगर्गजीने कहा—शौनक! इस प्रकार मैंने भगवान् श्रीकृष्णके सर्वोत्कृष्ट दिव्य चरित्रका वर्णन किया। जो मनुष्य भक्तिपूर्वक इसका श्रवण करता है, वह कृतार्थ है, उसे परम पुरुषार्थ प्राप्त हो गया—इसमें संशय नहीं है॥ १॥

श्रीशौनकजी बोले—मुने! भगवान् श्रीकृष्णका मङ्गलमय चरित्र अमृत-रससे तैयार की हुई परम मधुर खाँड़ है। इसे साक्षात् आपके मुखसे सुनकर हम कृतार्थ हो गये। तपोधन! संतोंमें श्रेष्ठ राजा बहुलाश्व भगवान् श्रीकृष्णके परम भक्त थे। उनके मनमें सदा शान्ति बनी रहती थी। इसके बाद उन्होंने मुनिवर नारदजीसे कौन-सी बात पूछी, यह मुझे बतानेकी कृपा कीजिये॥ २-३॥

श्रीगर्गजीने कहा—शौनक! तदनन्तर मिथिलाके महाराज बहुलाश्व हर्षसे उत्फुल्ल और प्रेमसे विह्वल हो गये। फिर उन धर्मात्मा नरेशने परिपूर्णतम

मोहिनी गुह्यदेशं च कटिं ते वामनोऽवतु। पृष्ठं परशुरामश्च तवोरू बादरायणः॥
बलो जानुद्वयं पातु जङ्घे बुद्धः प्रपातु ते। पादौ पातु सगुल्फौ व कल्किर्धर्मपतिः प्रभु॥
सर्वरक्षाकरं दिव्यं श्रीकृष्णकवचं परम्। इदं भगवता दत्तं ब्रह्मणे नाभिपङ्कजे॥
ब्रह्मणा शम्भवे दत्तं शम्भुर्दुर्वाससे ददौ। दुर्वासाः श्रीयशोमत्यै प्रादाच्छ्रीनन्दमन्दिरे॥
अनेन रक्षां कृत्वास्य गोपीभिः श्रीयशोमती। पाययित्वा स्तनं दानं विप्रेभ्यः प्रददौ महत्॥
(गर्ग०, गोलोक० १३। १५—२४)

भगवान् श्रीकृष्णका चिन्तन करते हुए नारदजीसे कहा॥ ४॥

राजा बहुलाश्व बोले—मुने! आपने भूरि-भूरि पुण्यकर्म किये हैं। आपके सम्पर्कसे मैं धन्य और कृतार्थ हो गया; क्योंकि भगवान्‌के भक्तोंका सङ्ग दुर्लभ और दुस्साध्य है। मुने! अद्भुत भक्तवत्सल साक्षात् भगवान् श्रीकृष्णने बाल्यावस्थामें आगे चलकर कौन-सी विचित्र लीला की, यह मुझे बताइये॥ ५-६॥

श्रीनारदजी कहते हैं—राजन्! तुम श्रीकृष्ण-सम्मत धर्मके पालक हो, तुमने यह बहुत उत्तम प्रश्न किया है। निश्चय ही संत पुरुषोंका सङ्ग सबके कल्याणका विस्तार करनेवाला होता है॥ ७॥

एक दिन, जब भगवान् श्रीकृष्णके जन्मका नक्षत्र प्राप्त हुआ था, नन्दरानी श्रीयशोदाजीने गोप और गोपियोंको अपने यहाँ बुलाकर ब्राह्मणोंके बताये अनुसार मङ्गल-विधान सम्पन्न किया। उस समय श्याम-सलोने बालक श्रीकृष्णको लाल रंगका वस्त्र पहनाया गया। अङ्गोंको सुवर्णमय भूषणोंसे भूषित किया गया। उन्हें गोदमें लेकर मैयाने उनके विकसित कमल-सदृश कमनीय नेत्रोंमें काजल लगाया और गलेमें बघनखायुक्त चन्द्रहार धारण कराया तथा देवताओंको नमस्कार करके ब्राह्मणोंके लिये उत्तम धनका दान दिया। तदनन्तर गोपी यशोदाजीने शीघ्र ही अपने लालाको पालनेपर लिटा दिया और मङ्गल-दिवसपर गोपियोंमेंसे प्रत्येकका अलग-अलग स्वागत किया। उस मङ्गल-भवनमें उस दिन बहुत-से गोपोंका आना-जाना लगा रहा, अत: उन्हींके सत्कारमें व्यस्त रहनेके कारण वे अपने रोते हुए बालकका रुदन-शब्द सुन न सकीं। उसी क्षण पापात्मा कंसका भेजा हुआ एक राक्षस आया। उसका नाम 'उत्कच' था। वह वायुमय शरीर धारण किये रहता था। वह आकर छकड़ेपर (जिसपर बड़े-बड़े वजनदार दही-दूधके मटके रखे जाते थे) बैठ गया और बालकके मस्तक-पर उस शकटको उलटकर गिरानेके प्रयासमें लगा। इतनेमें ही श्रीकृष्णने रोते-रोते ही उस शकटपर पैरसे प्रहार कर दिया। फिर तो वह बड़ा छकड़ा टूक-टूक हो गया और दैत्य मरकर नीचे आ गिरा। ऐसी स्थितिमें वह वायुमय शरीर छोड़कर निर्मल दिव्य देहसे सम्पन्न हो गया और भगवान् श्रीकृष्णको प्रणाम करके सौ घोड़ोंसे जुते हुए दिव्य विमानपर बैठकर भगवान्‌के निजी परमधाम गोलोकको चला गया। उस समय व्रजवासी नन्द आदि गोप तथा गोपियाँ सब-के-सब एक साथ वहाँ आ गये और बालकोंसे पूछने लगे— 'व्रजकुमारो! यह शकट अपने-आप ही गिर पड़ा या किसीने इसे गिराया है? कैसे इसकी यह दशा हुई है, तुम जानते हो तो बताओ॥ ८—१३॥

बालकोंने कहा—पालनेपर सोया हुआ यह बालक दूध पीनेके लिये रोते-रोते ही पैर फेंक रहा था। वही पैर छकड़ेसे टकराया, इसीसे यह छकड़ा उलट गया। व्रजबालकोंकी इस बातपर गोप और गोपियोंको विश्वास नहीं हुआ। वे सभी आश्चर्यमग्न होकर सोचने लगे—'कहाँ तो तीन महीनेका यह छोटा-सा बालक और कहाँ इतने विशाल बोझवाला यह छकड़ा!' यशोदाको यह शङ्का हो गयी कि बच्चेको कोई बालग्रह लग गया है। अत: उन्होंने बालकको गोदमें लेकर ब्राह्मणोंद्वारा विधिपूर्वक ग्रहयज्ञ करवाया। उसमें उन्होंने ब्राह्मणोंको धन आदिसे पूर्णतया तृप्त कर दिया॥ १४—१६॥

श्रीबहुलाश्वने पूछा—महामुने! इस 'उत्कच' नामके राक्षसने पूर्वजन्ममें कौन-सा पुण्यकर्म किया था, जिसके फलस्वरूप भगवान् श्रीकृष्णके चरणका स्पर्श पाकर वह तत्काल मोक्षका भागी हो गया?॥ १७॥

श्रीनारदजीने कहा—मिथिलेश्वर! यह उत्कच पूर्वजन्ममें हिरण्याक्षका पुत्र था। एक दिन वह लोमशजीके आश्रमपर गया और वहाँ उसने आश्रमके वृक्षोंको चूर्ण कर दिया। स्थूलदेहसे युक्त महाबली उत्कचको खड़ा देख ब्राह्मण-ऋषिने रोष-युक्त होकर उसे शाप दे दिया—'दुर्मते! तू देह-रहित हो जा।' उसी कर्मके परिपाकसे उसका वह शरीर सर्प-शरीरसे केंचुलकी भाँति छूटकर गिर पड़ा। यह देख वह महान् दानव मुनिके चरणोंमें गिर पड़ा और बोला॥ १८—२०॥

उत्कचने कहा—मुने! आप कृपाके सागर हैं। मेरे ऊपर अनुग्रह कीजिये। भगवन्! मैंने आपके प्रभावको नहीं जाना। आप मेरी देह मुझे दे दीजिये॥ २१॥

श्रीनारदजी कहते हैं—राजन्! तदनन्तर वे मुनि लोमश प्रसन्न हो गये। जिन्होंने विधाताकी सौ नीतियाँ देखी हैं, अर्थात् जिनके सामने सौ ब्रह्मा बीत चुके हैं, ऐसे संतोंका रोष भी वरदायक होता है। फिर उनका वरदान मोक्षप्रद हो, इसके लिये तो कहना ही क्या है॥ २२॥

लोमशजी बोले—चाक्षुष-मन्वन्तरतक तो तेरा शरीर वायुमय रहेगा। इसके बीत जानेपर वैवस्वत-मन्वन्तर आयेगा। उसी समयमें (अट्ठाईसवें द्वापरके अन्तमें) भगवान् श्रीकृष्णके चरणोंका स्पर्श होनेसे तेरी मुक्ति होगी॥ २३॥

श्रीनारदजी कहते हैं—राजन्! उक्त वरद शापके कारण लोमशजीके प्रतापसे दानव उत्कच भी भगवान्के परम धामका अधिकारी हो गया। जो वर और शाप देनेमें पूर्ण स्वतन्त्र हैं, उन श्रेष्ठ संतोंके लिये मेरा नमस्कार है॥ २४॥

राजन्! एक दिन नन्दरानी यशोदाजीकी गोदमें बालक श्रीकृष्ण खेल रहे थे और नन्दरानी उन्हें लाड़ लड़ा रही थीं। थोड़ी ही देरमें बालक पर्वतके समान भारी प्रतीत होने लगा। वे उसे गोदमें उठाये रखनेमें असमर्थ हो गयीं और मन-ही-मन सोचने लगीं—'अहो! इस बालकमें पहाड़-सा भारीपन कहाँसे आ गया?' फिर उन्होंने बालगोपालको भूमिपर रख दिया, किंतु यह रहस्य किसीको बतलाया नहीं। उसी समय कंसका भेजा हुआ महाबली दैत्य 'तृणावर्त' वहाँ आकर आँगनमें खेलते हुए सुन्दर बालक श्रीकृष्णको बवंडररूपसे उठा ले गया। तब गोकुलमें ऐसी धूल उठी, जिसके कारण अँधेरा छा गया और भयंकर शब्द होने लगा। दो घड़ीतक सबकी आँखोंमें धूल भरी रही। उस समय यशोदाजी नन्द-मन्दिरके आँगनमें अपने लालाको न देखकर घबरा गयीं। रोती हुई महलके शिखरोंकी ओर देखने लगीं। वे बड़े भयंकर दीखते थे। जब कहीं भी अपना लाला नहीं दिखायी दिया, तब वे मूर्च्छित होकर पृथ्वीपर गिर पड़ीं और होशमें आनेपर उच्चस्वरसे इस प्रकार करुण-विलाप करने लगीं, मानो बछड़ेके मर जानेपर गौ क्रन्दन कर रही हो। प्रेम और स्नेहसे व्याकुल हुई गोपियाँ भी रो रही थीं। उन सबके मुखपर आँसुओंकी धारा बह रही थी। वे इधर-उधर देखती हुई नन्द-नन्दनकी खोजमें लग गयीं। उधर तृणावर्त आकाशमें दस योजन ऊपर जा पहुँचा। बालक श्रीकृष्ण उसके कंधेपर थे। उनका शरीर उसे सुमेरु पर्वतकी भाँति भारी प्रतीत होने लगा। उसे अत्यन्त पीड़ा होने लगी। तब वह दानव श्रीकृष्णको वहाँ नीचे पटकनेकी चेष्टामें लग गया। यह जानकर परिपूर्णतम भगवान्ने स्वयं उसका गला पकड़ लिया। निशाचरके 'छोड़ दे, छोड़ दे।' कहनेपर अद्भुत बालक श्रीकृष्णने बड़े जोरसे उसका गला दबाया, इससे उसके प्राण-पखेरू उड़ गये। उसकी देहसे ज्योति निकली और घनश्याममें उसी प्रकार विलीन हो गयी, जैसे बादलमें बिजली। तब आकाशसे दैत्यका शरीर बालकके साथ ही एक शिलापर गिर पड़ा। गिरते ही उसकी बोटी-बोटी छितरा गयी। गिरनेके धमाकेसे सम्पूर्ण दिशाएँ प्रतिध्वनित हो उठीं, भूमण्डल काँपने लगा। उस समय रोती हुई सब गोपियोंने राक्षसकी पीठपर चुपचाप बैठे बालक श्रीकृष्णको एक साथ ही देखा और दौड़कर उन्हें उठा लिया। फिर माता यशोदाको देकर वे कहने लगीं॥ २५—३७॥

गोपियाँ बोलीं—यशोदे! तुममें बालकके लालनपालनकी रत्तीभर भी योग्यता नहीं है। कहनेसे तो तुम बुरा मान जाती हो; किंतु सच बात यह है कि कहीं, कभी तुमसे दया देखी नहीं गयी। भला कहो तो, इस प्रकार अन्धकार आ जानेपर कोई भी अपने बच्चेको गोदसे अलग करता है! तू ऐसी निर्दय है कि ऐसे महान् भयके अवसरपर भी बालकको जमीनपर रख दिया?॥ ३८-३९॥

यशोदाजीने कहा—बहिनो! समझमें नहीं आता कि उस समय मेरा लाला क्यों गिरिराजके समान भारी लगने लगा था; इसीलिये उस महा-भयंकर बवंडरमें भी मैंने इसे गोदीसे उतारकर भूमिपर रख दिया॥ ४०॥

गोपियाँ कहने लगीं—यशोदाजी! रहने दो, झूठ न बोलो। कल्याणी! तुम्हारे दिलमें जरा भी दयामया नहीं है। यह दुधमुँहा बच्चा तो फूल और रूईके समान हलका है॥ ४१॥

श्रीनारदजी कहते हैं—बालक श्रीकृष्णके घर आ जानेपर नन्द आदि गोप और गोपियाँ—सभीको बड़ा हर्ष हुआ। वे सब लोगोंके साथ उसकी कुशल-वार्ता कहने लगे। यशोदाजी बालक श्रीकृष्णको उठा ले गयीं और बार-बार स्तन्य पिलाकर, मस्तक सूँघकर और आँचलसे छातीमें छिपाकर छोह-मोहके वशीभूत हो, रोहिणीसे कहने लगीं॥ ४२-४३॥

श्रीयशोदाजी बोलीं—बहिन! मुझे दैवने यह एक ही पुत्र दिया है, मेरे बहुत-से पुत्र नहीं हैं; इस एक पुत्रपर भी क्षणभरमें अनेक प्रकारके अरिष्ट आते रहते हैं। आज यह मौतके मुँहसे बचा है। इससे अधिक उत्पात और क्या होगा? अत: अब मैं क्या करूँ, कहाँ जाऊँ तथा अब और कहाँ रहनेकी व्यवस्था करूँ? धन, शरीर, मकान, अटारी और विविध प्रकारके रत्न—इन सबसे बढ़कर मेरे लिये यह एक ही बात है कि मेरा यह बालक कुशलसे रहे। यदि मेरा यह बच्चा अरिष्टोंपर विजयी हो जाय तो मैं भगवान् श्रीहरिकी पूजा, दान एवं यज्ञ करूँगी; तड़ागवापी आदिका निर्माण करूँगी और सैकड़ों मन्दिर बनवा दूँगी। प्रिय रोहिणी! जैसे अंधेके लिये लाठी ही सहारा है, उसी प्रकार मेरा सारा सुख इस बालकसे ही है। अत: बहिन! अब मैं अपने लालाको उस स्थानपर ले जाऊँगी, जहाँ कोई भय न हो॥ ४४—४८॥

श्रीनारदजी कहते हैं—राजन्! उसी समय नन्दमन्दिरमें बहुत-से विद्वान् ब्राह्मण पधारे और उत्तम आसनपर बैठे। नन्द और यशोदाजीने उन सबका विधिवत् पूजन किया॥ ४९॥

महाभाग ब्राह्मण बोले—व्रजपति नन्दजी तथा व्रजेश्वरी यशोदे! तुम चिन्ता मत करो। हम इस बालककी कवच आदिसे रक्षा करेंगे, जिससे यह दीर्घजीवी हो जाय॥ ५०॥

श्रीनारदजी कहते हैं—राजन्! उन श्रेष्ठ ब्राह्मणोंने कुशाग्रों, नूतन पल्लवों, पवित्र कलशों, शुद्ध जल तथा ऋक्, यजु एवं सामवेदके स्तोत्रों और उत्तम स्वस्तिवाचन आदिके द्वारा विधि-विधानसे यज्ञ करवाकर अग्निकी पूजा करायी। तब उन्होंने बालक श्रीकृष्णकी विधिवत् रक्षा की (रक्षार्थ निम्नाङ्कित कवच पढ़ा)॥ ५१-५२॥

ब्राह्मणोंने कहा—भगवान् दामोदर तुम्हारे चरणोंकी रक्षा करें। विष्टरश्रवा घुटनोंकी, श्रीविष्णु जाँघोंकी और स्वयं परिपूर्णतम भगवान् श्रीकृष्ण तुम्हारी नाभिकी रक्षा करें। भगवान् राधावल्लभ तुम्हारे कटिभागकी तथा पीताम्बरधारी तुम्हारे उदरकी रक्षा करें। भगवान् पद्मनाभ हृदयकी, गोवर्धनधारी बाँहोंकी, मथुराधीश्वर मुखकी एवं द्वारकानाथ सिरकी रक्षा करें। असुरोंका संहार करनेवाले भगवान् पीठकी रक्षा करें और साक्षात् भगवान् गोविन्द सब ओरसे तुम्हारी रक्षा करें। तीन श्लोकवाले इस स्तोत्रका जो मनुष्य निरन्तर पाठ करेगा, उसे परम सुखकी प्राप्ति होगी और उसे कहीं भी भयका सामना नहीं करना पड़ेगा*॥ ५३—५६॥

श्रीनारदजी कहते हैं—तदनन्तर नन्दजीने उन ब्राह्मणोंको एक लाख गायें, दस लाख स्वर्णमुद्राएँ, एक हजार नूतन रत्न और एक लाख बढ़िया वस्त्र दिये। उन श्रेष्ठ ब्राह्मणोंके चले जानेपर नन्दजीने गोपोंको बुला-बुलाकर भोजन कराया और मनोहर वस्त्राभूषणोंसे उन सबका सत्कार किया॥ ५७-५८॥

श्रीबहुलाश्वने पूछा—मुने! यह तृणावर्त पहले जन्ममें कौन-सा पुण्यकर्मा मनुष्य था, जो साक्षात् परिपूर्णतम भगवान् श्रीकृष्णमें लीन हो गया?॥ ५९॥

---

*ब्राह्मणा ऊचु:—

दामोदर: पातु पादौ जानुनी विष्टरश्रवा:। ऊरू पातु हरिर्नाभिं परिपूर्णतम: स्वयम्॥
कटिं राधापति: पातु पीतवासास्तवोदरम्। हृदयं पद्मनाभश्च भुजौ गोवर्धनोद्धर:॥
मुखं च मथुरानाथो द्वारकेश: शिरोऽवतु। पृष्ठं पात्वसुरध्वंसी सर्वतो भगवान् स्वयम्॥
श्लोकत्रयमिदं स्तोत्रं य: पठेन्मानव: सदा। महासौख्यं भवेत्तस्य न भयं विद्यते क्वचित्॥

(गर्ग०, गोलोक० १४। ५३—५६)

श्रीनारदजी बोले—राजन्! पाण्डुदेशमें 'सहस्राक्ष' नामसे विख्यात एक राजा थे। उनकी कीर्ति सर्वत्र व्याप्त थी। भगवान् विष्णुमें उनकी अपार श्रद्धा थी। वे धर्ममें रुचि रखते थे। यज्ञ और दानमें उनकी बड़ी लगन थी। एक दिन वे रेवा (नर्मदा) नदीके दिव्य तटपर गये। लताएँ और बेंत उस तटकी शोभा बढ़ा रहे थे। वहाँ सहस्रों स्त्रियोंके साथ आनन्दका अनुभव करते हुए वे विचरने लगे। उसी समय स्वयं दुर्वासा मुनिने वहाँ पदार्पण किया। राजाने उनकी वन्दना नहीं की, तब मुनिने शाप दे दिया—'दुर्बुद्धे! तू राक्षस हो जा।' फिर तो राजा सहस्राक्ष दुर्वासाजीके चरणोंमें पड़ गये। तब मुनिने उन्हें वर दिया—'राजन्! भगवान् श्रीकृष्णके विग्रहका स्पर्श होनेसे तुम्हारी मुक्ति हो जायगी'॥ ६०—६३॥

श्रीनारदजी कहते हैं—राजन्! वे ही राजा सहस्राक्ष दुर्वासाजीके शापसे भूमण्डलपर 'तृणावर्त' नामक दैत्य हुए थे। भगवान् श्रीकृष्णके दिव्य श्रीविग्रहका स्पर्श होनेसे उनको सर्वोत्तम मोक्ष (गोलोकधाम) प्राप्त हो गया॥ ६४॥

इस प्रकार श्रीगर्गसंहितामें गोलोकखण्डके अन्तर्गत नारद-बहुलाश्व-संवादमें 'शकटासुर और तृणावर्तका मोक्ष' नामक चौदहवाँ अध्याय पूरा हुआ॥ १४॥

पंद्रहवाँ अध्याय

यशोदाद्वारा श्रीकृष्णके मुखमें सम्पूर्ण ब्रह्माण्डका दर्शन; नन्द और यशोदाके पूर्व-पुण्यका परिचय; गर्गाचार्यका नन्द-भवनमें जाकर बलराम और श्रीकृष्णके नामकरण-संस्कार करना तथा वृषभानुके यहाँ जाकर उन्हें श्रीराधा-कृष्णके नित्य-सम्बन्ध एवं माहात्म्यका ज्ञान कराना

श्रीनारदजी कहते हैं—राजन्! एक दिन साँवले-सलोने बालक श्रीकृष्ण सोनेके रत्नजटित पालनेपर सोये हुए थे। उनके मुखपर लोगोंके मनको मोहनेवाले मन्दहास्यकी छटा छा रही थी। दृष्टिजनित पीड़ाके निवारणके लिये नन्दनन्दनके ललाटपर काजलका डिठौना शोभा पा रहा था। कमलके समान सुन्दर नेत्रोंमें काजल लगा था। अपने उस सुन्दर लालाको मैया यशोदाने गोदमें ले लिया। वे बालमुकुन्द पैरका अँगूठा चूस रहे थे। उनका स्वभाव चपल था। नील, नूतन, कोमल एवं घुँघराले केशबन्धोंसे उनकी अङ्गच्छटा अद्भुत जान पड़ती थी। वक्ष:स्थलपर श्रीवत्सचिह्न, बघनखा तथा चमकीला अर्धचन्द्र (नामक आभूषण) शोभा दे रहे थे। अपार दयामयी गोपी श्रीयशोदा अपने उस लालाको लाड़ लड़ाती हुई बड़े आनन्दका अनुभव कर रही थी। राजन्! बालक श्रीकृष्ण दूध पी चुके थे। उन्हें जँभाई आ रही थी। माताकी दृष्टि उधर पड़ी तो उनके मुखमें पृथिव्यादि पाँच तत्त्वोंसहित सम्पूर्ण विराट् (ब्रह्माण्ड) तथा इन्द्रप्रभृति श्रेष्ठ देवता दृष्टिगोचर हुए। तब श्रीयशोदाके मनमें त्रास छा गया। अत: उन्होंने अपनी आँखें मूँद लीं॥ १—३॥

महाराज! परिपूर्णतम भगवान् श्रीकृष्ण सर्वश्रेष्ठ हैं। उनकी ही मायासे सम्पूर्ण संसार सत्तावान् बना है। उसी मायाके प्रभावसे यशोदाजीकी स्मृति टिक न सकी। फिर अपने बालक श्रीकृष्णपर उनका वात्सल्यपूर्ण दयाभाव उत्पन्न हो गया। अहो! श्रीनन्दरानीके तपका वर्णन कहाँतक करूँ!॥ ४॥

श्रीबहुलाश्वने पूछा—मुनिवर! नन्दजीने यशोदाके साथ कौन-सा महान् तप किया था, जिसके प्रभावसे भगवान् श्रीकृष्णचन्द्र उनके यहाँ पुत्ररूपमें प्रकट हुए॥ ५॥

श्रीनारदजीने कहा—आठ वसुओंमें प्रधान जो 'द्रोण' नामक वसु हैं, उनकी स्त्रीका नाम 'धरा' है। इन्हें संतान नहीं थी। वे भगवान् श्रीविष्णुके परम भक्त थे। देवताओंके राज्यका भी पालन करते थे। राजन्! एक समय पुत्रकी अभिलाषा होनेपर ब्रह्माजीके आदेशसे वे अपनी सहधर्मिणी धराके साथ तप करनेके लिये मन्दराचल पर्वतपर गये। वहाँ दोनों दम्पति कंद, मूल एवं फल खाकर अथवा सूखे पत्ते चबाकर तपस्या करते थे। बादमें जलके आधारपर उनका जीवन चलने लगा। तदनन्तर उन्होंने जल पीना भी बंद कर दिया। इस प्रकार जनशून्य देशमें उनकी तपस्या चलने लगी। उन्हें तप करते जब दस करोड़ वर्ष बीत गये, तब ब्रह्माजी प्रसन्न होकर आये और बोले—'वर माँगो'॥ ६—९॥

उस समय उनके ऊपर दीमकें चढ़ गयी थीं। अत: उन्हें हटाकर द्रोण अपनी पत्नीके साथ बाहर निकले। उन्होंने ब्रह्माजीको प्रणाम किया और विधिवत् उनकी पूजा की। उनका मन आनन्दसे उल्लसित हो उठा। वे उन प्रभुसे बोले—॥ १०॥

श्रीद्रोणने कहा—ब्रह्मन्! विधे! परिपूर्णतम जनार्दन भगवान् श्रीकृष्ण मेरे पुत्र हो जायँ और उनमें हम दोनोंकी प्रेमलक्षणा भक्ति सदा बनी रहे, जिसके प्रभावसे मनुष्य दुर्लङ्घ्य भवसागरको सहज ही पार कर जाता है। हम दोनों तपस्वीजनोंको दूसरा कोई वर अभिलषित नहीं है॥ ११-१२॥

श्रीब्रह्माजी बोले—तुमलोगोंने मुझसे जो वर माँगा है, वह कठिनाईसे पूर्ण होनेवाला और अत्यन्त दुर्लभ है। फिर भी दूसरे जन्ममें तुमलोगोंकी अभिलाषा पूरी होगी॥ १३॥

श्रीनारदजी कहते हैं—राजन्! वे 'द्रोण' ही इस पृथ्वीपर 'नन्द' हुए और 'धरा' ही 'यशोदा' नामसे विख्यात हुईं। ब्रह्माजीकी वाणी सत्य करनेके लिये भगवान् श्रीकृष्ण पिता वसुदेवजीकी पुरी मथुरासे व्रजमें पधारे थे। भगवान् श्रीकृष्णका शुभ चरित्र सुधा-निर्मित खाँड़से भी अधिक मीठा है। गन्धमादन पर्वतके शिखरपर भगवान् नर-नारायणके श्रीमुखसे मैंने इसे सुना है। उनकी कृपासे मैं कृतार्थ हो गया। वही कथा मैंने तुमसे कही है; अब और क्या सुनना चाहते हो?॥ १४—१६॥

श्रीबहुलाश्वने पूछा—महामुने! शिशुरूपधारी उन सनातन पुरुष भगवान् श्रीहरिने बलरामजीके साथ कौन-कौन-सी लीलाएँ कीं, यह मुझे बताइये॥ १७॥

श्रीनारदजीने कहा—राजन्! एक दिन वसुदेव-जीके भेजे हुए महामुनि गर्गाचार्य अपने शिष्योंके साथ नन्दभवनमें पधारे। नन्दजीने पाद्य आदि उत्तम उपचारों-द्वारा मुनिश्रेष्ठ गर्गकी विधिवत् पूजा की और प्रदक्षिणा करके उन्हें साष्टाङ्ग प्रणाम किया॥ १८-१९॥

नन्दजी बोले—आज हमारे पितर, देवता और अग्नि—सभी संतुष्ट हो गये। आपके चरणोंकी धूलि पड़नेसे हमारा घर परम पवित्र हो गया। महामुने! आप मेरे बालकका नामकरण कीजिये। विप्रवर प्रभो! अनेक पुण्यों और तीर्थोंका सेवन करनेपर भी आपका शुभागमन सुलभ नहीं होता॥ २०-२१॥

श्रीगर्गजीने कहा—नन्दरायजी! मैं तुम्हारे पुत्रका नामकरण करूँगा, इसमें संशय नहीं है; किंतु कुछ पूर्वकालकी बात बताऊँगा, अत: एकान्त स्थानमें चलो॥ २२॥

श्रीनारदजी कहते हैं—राजन्! तदनन्तर गर्गजी नन्द-यशोदा तथा दोनों बालक—श्रीकृष्ण एवं बलरामको साथ लेकर गोशालामें, जहाँ दूसरा कोई नहीं था, चले गये। वहाँ उन्होंने उन बालकोंका नामकरण-संस्कार किया। सर्वप्रथम उन्होंने गणेश आदि देवताओंका पूजन किया, फिर यत्नपूर्वक ग्रहोंका शोधन (विचार) करके हर्षसे पुलकित हुए महामुनि गर्गाचार्य नन्दसे बोले॥ २३-२४॥

गर्गजीने कहा—ये जो रोहिणीके पुत्र हैं, इनका नाम बताता हूँ—सुनो। इनमें योगीजन रमण करते हैं अथवा ये सबमें रमते हैं या अपने गुणोंद्वारा भक्तजनोंके मनको रमाया करते हैं, इन कारणोंसे उत्कृष्ट ज्ञानीजन इन्हें 'राम' नामसे जानते हैं। योगमायाद्वारा गर्भका संकर्षण होनेसे इनका प्रादुर्भाव हुआ है, अत: ये 'संकर्षण' नामसे प्रसिद्ध होंगे। अशेष जगत्का संहार होनेपर भी ये शेष रह जाते हैं, अत: इन्हें लोग 'शेष' नामसे जानते हैं। सबसे

अधिक बलवान् होनेसे ये 'बल' नामसे भी विख्यात होंगे[1] ॥ २५-२६ $\frac{१}{२}$ ॥

नन्द! अब अपने पुत्रके नाम सावधानीके साथ सुनो—ये सभी नाम तत्काल प्राणिमात्रको पावन करनेवाले तथा चराचर समस्त जगत्के लिये परम कल्याणकारी हैं। 'क' का अर्थ है—कमलाकान्त; 'ऋ'कारका अर्थ है—राम; 'ष' अक्षर षड्विध ऐश्वर्यके स्वामी श्वेतद्वीपनिवासी भगवान् विष्णुका वाचक है। 'ण' नरसिंहका प्रतीक है और 'अकार' अक्षर अग्निभुक् (अग्निरूपसे हविष्यके भोक्ता अथवा अग्निदेवके रक्षक) का वाचक है तथा दोनों विसर्गरूप बिंदु (:) नर-नारायणके बोधक हैं। ये छहों पूर्ण तत्त्व जिस महामन्त्ररूप परिपूर्णतम शब्दमें लीन हैं, वह इसी व्युत्पत्तिके कारण 'कृष्ण' कहा गया है। अतः इस बालकका एक नाम 'कृष्ण' है। सत्ययुग, त्रेता, द्वापर और कलियुग—इन युगोंमें इन्होंने शुक्ल, रक्त, पीत तथा कृष्ण कान्ति ग्रहण की है। द्वापरके अन्त और कलिके आदिमें यह बालक 'कृष्ण' अङ्गकान्तिको प्राप्त हुआ है, इस कारणसे भी यह नन्दनन्दन 'कृष्ण' नामसे विख्यात होगा[2] ॥ २७—३२ ॥

इनका एक नाम 'वासुदेव' भी है। इसकी व्युत्पत्ति इस प्रकार है—'वसु' नाम है इन्द्रियोंका। इनका देवता है—चित्त। उस चित्तमें स्थित रहकर जो चेष्टाशील हैं, उन अन्तर्यामी भगवान्‌को 'वासुदेव' कहते हैं। वृषभानुकी पुत्री राधा जो कीर्तिके भवनमें प्रकट हुई हैं, उनके ये साक्षात् प्राणनाथ बनेंगे; अतः इनका एक नाम 'राधापति' भी है। जो साक्षात् परिपूर्णतम स्वयं भगवान् श्रीकृष्णचन्द्र हैं, असंख्य ब्रह्माण्ड जिनके अधीन हैं और जो गोलोकधाममें विराजते हैं, वे ही परम प्रभु तुम्हारे यहाँ बालकरूपसे प्रकट हुए हैं। पृथ्वीका भार उतारना, कंस आदि दुष्टोंका संहार करना और भक्तोंकी रक्षा करना—ये ही इनके अवतारके उद्देश्य हैं॥ ३३—३६ ॥

भरतवंशोद्भव नन्द! इनके नामोंका अन्त नहीं है। वे सब नाम वेदोंमें गूढ़रूपसे कहे गये हैं। इनकी लीलाओंके कारण भी उन-उन कर्मोंके अनुसार इनके नाम विख्यात होंगे। इनके अद्भुत कर्मोंको लेकर आश्चर्य नहीं करना चाहिये। तुम्हारा अहोभाग्य है; क्योंकि जो साक्षात् परिपूर्णतम परात्पर श्रीपुरुषोत्तम प्रभु हैं, वे तुम्हारे घर पुत्रके रूपमें शोभा पा रहे हैं॥ ३७-३८ ॥

श्रीनारदजी कहते हैं—राजन्! यों कहकर श्रीगर्गजी जब चले गये, तब प्रमुदित हुए महामति नन्दरायने यशोदा-सहित अपनेको पूर्णकाम एवं कृतकृत्य माना॥ ३९ ॥

तदनन्तर ज्ञानिशिरोमणि ज्ञानदाता मुनिश्रेष्ठ श्रीगर्गजी यमुनातटपर सुशोभित वृषभानुजीकी पुरीमें पधारे। छत्र धारण करनेसे वे दूसरे इन्द्रकी तथा दण्ड धारण करनेसे साक्षात् धर्मराजकी भाँति सुशोभित होते थे। साक्षात् दूसरे सूर्यकी भाँति वे अपने तेजसे सम्पूर्ण दिशाओंको प्रकाशित कर रहे थे। पुस्तक तथा मेखलासे युक्त विप्रवर गर्ग दूसरे ब्रह्माकी भाँति प्रतीत होते थे। शुक्ल वस्त्रोंसे सुशोभित होनेके कारण वे भगवान् विष्णुकी-सी शोभा पाते थे। उन मुनिश्रेष्ठको देखकर वृषभानुजीने तुरंत उठकर अत्यन्त आदरके साथ सिर झुकाकर उन्हें प्रणाम किया और हाथ जोड़कर वे उनके सामने खड़े हो गये। पूजनोपचारके ज्ञाता वृषभानुने मुनिको एक मङ्गलमय आसनपर बिठाकर पाद्य आदिके द्वारा उन ज्ञानिशिरोमणि गर्गका

१-रमन्ते योगिनो ह्यस्मिन् सर्वत्र रमतीति वा॥
गुणैश्च रमयन् भक्तांस्तेन रामं विदुः परे। गर्भसंकर्षणादस्य संकर्षण इति स्मृतः॥
सर्वावशेषाद् यं शेषं बलाधिक्याद् बलं विदुः। (गर्ग०, गोलोक० १५। २५—२६ $\frac{१}{२}$ ॥)

२-सद्यःप्राणिपवित्राणि जगतां मङ्गलानि च। ककारः कमलाकान्त ऋकारो राम इत्यपि॥
षकारः षड्गुणपतिः श्वेतद्वीपनिवासकृत्। णकारो नरसिंहोऽयमकारो ह्यक्षरोऽग्निभुक् ॥
विसर्गौ च तथा ह्येतौ नरनारायणावृषी। सम्प्रलीनाश्च षट् पूर्णा यस्मिञ्छब्दे महामनौ॥
परिपूर्णतमे साक्षात् तेन कृष्णः प्रकीर्तितः। शुक्लो रक्तस्तथा पीतो वर्णोऽस्यानुयुगं धृतः॥
द्वापरान्ते कलेरादौ बालोऽयं कृष्णतां गतः। तस्मात् कृष्ण इति ख्यातो नाम्नायं नन्दनन्दनः॥
(गर्ग०, गोलोक० १५। २८—३२)

विधिवत् पूजन किया। फिर उनकी परिक्रमा करके महान् 'वृषभानुवर' इस प्रकार बोले॥ ४०—४५॥

श्रीवृषभानुने कहा—संत पुरुषोंका विचरण शान्तिमय है; क्योंकि वह गृहस्थजनोंको परम शान्ति प्रदान करनेवाला है। मनुष्योंके भीतरी अन्धकारका नाश महात्माजन ही करते हैं, सूर्यदेव नहीं। भगवन्! आपका दर्शन पाकर हम सभी गोप पवित्र हो गये। भूमण्डलपर आप-जैसे साधु-महात्मा पुरुष तीर्थोंको भी पावन बनानेवाले होते हैं। मुने! मेरे यहाँ एक कन्या हुई है, जो मङ्गलकी धाम है और जिसका 'राधिका' नाम है। आप भली-भाँति विचारकर यह बतानेकी कृपा कीजिये कि इसका शुभ विवाह किसके साथ किया जाय। सूर्यकी भाँति आप तीनों लोकोंमें विचरण करते हैं। आप दिव्यदर्शन हैं, जो इसके अनुरूप सुयोग्य वर होगा, उसीके हाथमें इस कल्याणमयी कन्याको दूँगा॥ ४६—४९॥

श्रीनारदजी कहते हैं—राजन्! तदनन्तर मुनिवर गर्गजी वृषभानुजीका हाथ पकड़े यमुनाके तटपर गये। वहाँ एक निर्जन और अत्यन्त सुन्दर स्थान था, जहाँ कालिन्दीजलकी कल्लोलमालाओंकी कल-कल ध्वनि सदा गूँजती रहती थी। वहीं गोपेश्वर वृषभानुको बैठाकर धर्मज्ञ मुनीन्द्र गर्ग इस प्रकार कहने लगे॥ ५०-५१॥

श्रीगर्गजी बोले—वृषभानुजी! एक गुप्त बात है, यह तुम्हें किसीसे नहीं कहनी चाहिये। जो असंख्य ब्रह्माण्डोंके अधिपति, गोलोकधामके स्वामी, परात्पर तथा साक्षात् परिपूर्णतम हैं; जिनसे बढ़कर दूसरा कोई नहीं है; स्वयं वे ही भगवान् श्रीकृष्ण नन्दके घरमें प्रकट हुए हैं॥ ५२-५३॥

श्रीवृषभानुने कहा—महामुने! नन्दजीका भी भाग्य अद्भुत है, धन्य एवं अवर्णनीय है। अब आप भगवान् श्रीकृष्णके अवतारका सम्पूर्ण कारण मुझे बताइये॥ ५४॥

श्रीगर्गजी बोले—पृथ्वीका भार उतारने और कंस आदि दुष्टोंका विनाश करनेके लिये ब्रह्माजीके प्रार्थना करनेपर भगवान् श्रीकृष्ण पृथ्वीपर अवतीर्ण हुए हैं। उन्हीं परम प्रभु श्रीकृष्णकी पटरानी, जो प्रिया श्रीराधिकाजी गोलोकधाममें विराजती हैं, वे ही तुम्हारे घर पुत्रीरूपसे प्रकट हुई हैं। तुम उन पराशक्ति राधिकाको नहीं जानते॥ ५५-५६॥

श्रीनारदजी कहते हैं—राजन्! उस समय गोप वृषभानुके मनमें आनन्दकी बाढ़ आ गयी और वे अत्यन्त विस्मित हो गये। उन्होंने कलावती (कीर्ति)-को बुलाकर उनके साथ विचार किया। पुनः श्रीराधा-कृष्णके प्रभावको जानकर गोपवर वृषभानु आनन्दके आँसू बहाते हुए पुनः महामुनि गर्गसे कहने लगे॥ ५७-५८॥

श्रीवृषभानुने कहा—द्विजवर! उन्हीं भगवान् श्रीकृष्णको मैं अपनी यह कमलनयनी कन्या समर्पण करूँगा। आपने ही मुझे यह सन्मार्ग दिखलाया है; अतः आपके द्वारा ही इसका शुभ विवाह-संस्कार सम्पन्न होना चाहिये॥ ५९॥

श्रीगर्गजीने कहा—राजन्! श्रीराधा और श्रीकृष्णका पाणिग्रहण-संस्कार मैं नहीं कराऊँगा। यमुनाके तटपर भाण्डीर-वनमें इनका विवाह होगा। वृन्दावनके निकट जनशून्य सुरम्य स्थानमें स्वयं श्रीब्रह्माजी पधारकर इन दोनोंका विवाह करायेंगे। गोपवर! तुम इन श्रीराधिकाको भगवान् श्रीकृष्णकी वल्लभा समझो। संसारमें राजाओंके शिरोमणि तुम हो और लोकोंका शिरोमणि गोलोकधाम है। तुम सम्पूर्ण गोप गोलोकधामसे ही इस भूमण्डलपर आये हो। वैसे ही समस्त गोपियाँ भी श्रीराधिकाजीकी आज्ञा मानकर गोलोकसे आयी हैं। बड़े-बड़े यज्ञ करनेपर देवताओं-को भी अनेक जन्मोंतक जिनकी झाँकी सुलभ नहीं होती, उनके लिये भी जिनका दर्शन दुर्घट है, वे साक्षात् श्रीराधिकाजी तुम्हारे मन्दिरके आँगनमें गुप्तरूपसे विराज रही हैं और बहुसंख्यक गोप और गोपियाँ उनका साक्षात् दर्शन करती हैं॥ ६०—६४॥

श्रीनारदजी कहते हैं—राजन्! श्रीराधिकाजी और भगवान् श्रीकृष्णका यह प्रशंसनीय प्रभाव सुनकर श्रीवृषभानु और कीर्ति—दोनों अत्यन्त विस्मित तथा आनन्दसे आह्लादित हो उठे और गर्गजीसे कहने लगे॥ ६५॥

दम्पति बोले—ब्रह्मन्! 'राधा' शब्दकी तात्त्विक व्याख्या बताइये। महामुने! इस भूतलपर मनके

संदेहको दूर करनेवाला आपके समान दूसरा कोई नहीं है॥ ६६॥

श्रीगर्गजीने कहा—एक समयकी बात है, मैं गन्धमादन पर्वतपर गया। साथमें शिष्यवर्ग भी थे। वहीं भगवान् नारायणके श्रीमुखसे मैंने सामवेदका यह सारांश सुना है। 'रकार' से रमाका, 'आकार' से गोपिकाओंका, 'धकार' से धराका तथा 'आकार'से विरजा नदीका ग्रहण होता है। परमात्मा भगवान् श्रीकृष्णका सर्वोत्कृष्ट तेज चार रूपोंमें विभक्त हुआ। लीला, भू, श्री और विरजा ये चार पत्नियाँ ही उनका चतुर्विध तेज हैं। ये सब-की-सब कुञ्जभवनमें जाकर श्रीराधिकाजीके श्रीविग्रहमें लीन हो गयीं। इसीलिये विज्ञजन श्रीराधाको 'परिपूर्णतमा' कहते हैं। गोप! जो मनुष्य बारंबार 'राधाकृष्ण' के इस नामका उच्चारण करते हैं, उन्हें चारों पदार्थ तो क्या, साक्षात् भगवान् श्रीकृष्ण भी सुलभ हो जाते हैं*॥ ६७—७१॥

श्रीनारदजी कहते हैं—राजन्! उस समय भार्या-सहित श्रीवृषभानुके आश्चर्यकी सीमा न रही। श्रीराधा-कृष्णके दिव्य प्रभावको जानकर वे आनन्दके मूर्तिमान् विग्रह बन गये। इस प्रकार श्रीवृषभानुने ज्ञानिशिरोमणि श्रीगर्गजीकी पूजा की। तब वे सर्वज्ञ एवं त्रिकालदर्शी मुनीन्द्र गर्ग स्वयं अपने स्थानको सिधारे॥ ७२-७३॥

इस प्रकार श्रीगर्गसंहितामें गोलोकखण्डके अन्तर्गत नारद-बहुलाश्व-संवादमें 'नन्द-पत्नीका विश्वरूपदर्शन तथा श्रीकृष्ण-बलरामका नामकरण-संस्कार' नामक पंद्रहवाँ अध्याय पूरा हुआ॥ १५॥

सोलहवाँ अध्याय

भाण्डीर-वनमें नन्दजीके द्वारा श्रीराधाजीकी स्तुति; श्रीराधा और श्रीकृष्णका ब्रह्माजीके द्वारा विवाह; ब्रह्माजीके द्वारा श्रीकृष्णका स्तवन तथा नव-दम्पतिकी मधुर लीलाएँ

श्रीनारदजी कहते हैं—राजन्! एक दिन नन्दजी अपने नन्दनको अङ्कमें लेकर लाड़ लड़ाते और गौएँ चराते हुए खिरकके पाससे बहुत दूर निकल गये। धीरे-धीरे भाण्डीर-वन जा पहुँचे, जो कालिन्दी-नीरका स्पर्श करके बहनेवाले तीरवर्ती शीतल समीरके झोंकेसे कम्पित हो रहा था। थोड़ी ही देरमें श्रीकृष्णकी इच्छासे वायुका वेग अत्यन्त प्रखर हो उठा। आकाश मेघोंकी घटासे आच्छादित हो गया। तमाल और कदम्ब वृक्षोंके पल्लव टूट-टूटकर गिरने, उड़ने और अत्यन्त भयका उत्पादन करने लगे। उस समय महान् अन्धकार छा गया। नन्दनन्दन रोने लगे। वे पिताकी गोदमें बहुत भयभीत दिखायी देने लगे। नन्दको भी भय हो गया। वे शिशुको गोदमें लिये परमेश्वर श्रीहरिकी शरणमें गये॥ १—३॥

उसी क्षण करोड़ों सूर्योंके समूहकी-सी दिव्य दीप्ति उदित हुई, जो सम्पूर्ण दिशाओंमें व्याप्त थी; वह क्रमशः निकट आती-सी जान पड़ी उस दीप्तिराशिके भीतर नौ नन्दोंके राजाने वृषभानुनन्दिनी श्रीराधाको देखा। वे करोड़ों चन्द्रमण्डलोंकी कान्ति धारण किये हुए थीं। उनके श्रीअङ्गोंपर आदिवर्ण नील रंगके सुन्दर वस्त्र शोभा पा रहे थे। चरणप्रान्तमें मञ्जीरोंकी धीर-ध्वनिसे युक्त नूपुरोंका अत्यन्त मधुर शब्द हो रहा था। उस शब्दमें काञ्चीकलाप और कङ्कणोंकी झनकार भी मिली थी। रत्नमय हार, मुद्रिका और बाजूबंदोंकी प्रभासे वे और भी उद्भासित हो रही थीं। नाकमें मोतीकी बुलाक और नकबेसरकी अपूर्व शोभा हो रही थी। कण्ठमें कंठा, सीमन्तपर चूड़ामणि और कानोंमें कुण्डल झलमला रहे थे। श्रीराधाके दिव्य तेजसे

* रमया तु रकारः स्यादाकारस्त्वादिगोपिका। धकारो धरया हि स्यादाकारो विरजा नदी॥
श्रीकृष्णस्य परस्यापि चतुर्धा तेजसोऽभवत्। लीला भूः श्रीश्च विरजा चतस्रःपत्न्य एव हि॥
सम्प्रलीनाश्च ताः सर्वा राधायां कुञ्जमन्दिरे। परिपूर्णतमां राधां तस्मादाहुर्मनीषिणः॥
राधाकृष्णेति हे गोप ये जपन्ति पुनः पुनः। चतुष्पदार्थं किं तेषां साक्षात् कृष्णोऽपि लभ्यते॥
(गर्ग०, गोलोक० १५। ६८—७१)

अभिभूत हो नन्दने तत्काल उनके सामने मस्तक झुकाया और हाथ जोड़कर कहा—'राधे! ये साक्षात् पुरुषोत्तम हैं और तुम इनकी मुख्य प्राणवल्लभा हो, यह गुप्त रहस्य मैं गर्गजीके मुखसे सुनकर जानता हूँ। राधे! अपने प्राणनाथको मेरे अङ्कसे ले लो। ये बादलोंकी गर्जनासे डर गये हैं। इन्होंने लीलावश यहाँ प्रकृतिके गुणोंको स्वीकार किया है। इसीलिये इनके विषयमें इस प्रकार भयभीत होनेकी बात कही गयी है। देवि! मैं तुम्हें नमस्कार करता हूँ। तुम इस भूतलपर मेरी यथेष्ट रक्षा करो। तुमने कृपा करके ही मुझे दर्शन दिया है, वास्तवमें तो तुम सब लोगोंके लिये दुर्लभ हो'*॥ ४—८ १/२॥

श्रीराधाने कहा—नन्दजी! तुम ठीक कहते हो। मेरा दर्शन दुर्लभ ही है। आज तुम्हारे भक्ति-भावसे प्रसन्न होकर ही मैंने तुम्हें दर्शन दिया है॥ ९॥

श्रीनन्द बोले—देवि! यदि वास्तवमें तुम मुझपर प्रसन्न हो तो तुम दोनों प्रिया-प्रियतमके चरणारविन्दोंमें मेरी सुदृढ़ भक्ति बनी रहे। साथ ही तुम्हारी भक्तिसे भरपूर साधु-संतोंका सङ्ग मुझे सदा मिलता रहे। प्रत्येक युगमें उन संत-महात्माओंके चरणोंमें मेरा प्रेम बना रहे॥ १०॥

श्रीनारदजी कहते हैं—राजन्! तब 'तथास्तु' कहकर श्रीराधाने नन्दजीकी गोदसे अपने प्राणनाथको दोनों हाथोंमें ले लिया। फिर जब नन्दरायजी उन्हें प्रणाम करके वहाँसे चले गये, तब श्रीराधिकाजी भाण्डीर-वनमें गयीं। पहले गोलोकधामसे जो 'पृथ्वी देवी' इस भूतलपर उतरी थीं, वे उस समय अपना दिव्य रूप धारण करके प्रकट हुईं। उक्त धाममें जिस तरह पद्मराग मणिसे जटित सुवर्णमयी भूमि शोभा पाती है, उसी तरह इस भूतलपर भी व्रजमण्डलमें उस दिव्य भूमिका तत्क्षण अपने सम्पूर्ण रूपसे आविर्भाव हो गया। वृन्दावन कामपूरक दिव्य वृक्षोंके साथ अपना दिव्य रूप धारण करके शोभा पाने लगा। कलिन्दनन्दिनी यमुना भी तटपर सुवर्णनिर्मित प्रासादों तथा सुन्दर रत्नमय सोपानोंसे सम्पन्न हो गयीं। गोवर्धन पर्वत रत्नमयी शिलाओंसे परिपूर्ण हो गया। उसके स्वर्णमय शिखर सब ओरसे उद्भासित होने लगे। राजन्! मतवाले भ्रमरों तथा झरनोंसे सुशोभित कन्दराओंद्वारा वह पर्वतराज अत्यन्त ऊँचे अङ्गवाले गजराजकी भाँति सुशोभित हो रहा था। उस समय वृन्दावनके निकुञ्जने भी अपना दिव्य रूप प्रकट किया। उसमें सभाभवन, प्राङ्गण तथा दिव्य मण्डप शोभा पाने लगे। वसन्त-ऋतुकी सारी मधुरिमा वहाँ अभिव्यक्त हो गयी। मधुपों, मयूरों, कपोतों तथा कोकिलोंके कलरव सुनायी देने लगे। निकुञ्जवर्ती दिव्य मण्डपोंके शिखर सुवर्ण-रत्नादिसे खचित कलशोंसे अलंकृत थे। सब ओर फहराती हुई पताकाएँ उनकी शोभा बढ़ाती थीं। वहाँ एक सुन्दर सरोवर प्रकट हुआ, जहाँ सुवर्णमय सुन्दर सरोज खिले हुए थे और उन सरोजोंपर बैठी हुई मधुपावलियाँ उनके मधुर मकरन्दका पान कर रही थीं॥ ११—१६॥

दिव्यधामकी शोभाका अवतरण होते ही साक्षात् पुरुषोत्तमोत्तम घनश्याम भगवान् श्रीकृष्ण किशोरावस्थाके अनुरूप दिव्य देह धारण करके श्रीराधाके सम्मुख खड़े हो गये। उनके श्रीअङ्गोंपर पीताम्बर शोभा पा रहा था। कौस्तुभमणिसे विभूषित हो, हाथमें वंशी धारण किये वे नन्दनन्दन राशि-राशि मन्मथों (कामदेवों) को मोहित करने लगे। उन्होंने हँसते हुए प्रियतमाका हाथ अपने हाथमें थाम लिया और उनके साथ विवाह-मण्डपमें प्रविष्ट हुए। उस मण्डपमें विवाहकी सब सामग्री संग्रह करके रखी गयी थी। मेखला, कुशा, सप्तमृत्तिका और जलसे भरे कलश आदि उस मण्डपकी शोभा बढ़ा रहे थे। वहीं एक श्रेष्ठ सिंहासन प्रकट हुआ, जिसपर वे दोनों प्रिया-प्रियतम एक-दूसरेसे सटकर विराजित हो गये और अपनी दिव्य शोभाका प्रसार करने लगे। वे दोनों एक-दूसरेसे मीठी-मीठी बातें करते हुए मेघ और विद्युत्की भाँति अपनी प्रभासे उद्दीप्त हो रहे थे। उसी समय देवताओंमें श्रेष्ठ विधाता—भगवान् ब्रह्मा आकाशसे उतरकर

* तदैव कोटयर्कसमूहदीप्तिरागच्छती वा चलती दिशासु। बभूव तस्यां वृषभानुपुत्रीं ददर्श राधां नवनन्दराजः॥
कोटीन्दुबिम्बद्युतिमादधानां नीलाम्बरं सुन्दरमादिवर्णम्। मञ्जीरधीरध्वनिनूपुराणामाबिभ्रतीं शब्दमतीवमञ्जुम्॥
काञ्चीकलाकङ्कणशब्दमिश्रां हाराङ्गुलीयाङ्गदविस्फुरन्तीम्। श्रीनासिकामौक्तिकहंसिकीभिः श्रीकण्ठचूडामणिकुण्डलाढ्याम्॥
तत्तेजसा धर्षित आशु नन्दो नत्वाथ तामाह कृताञ्जलिः सन्। अयं तु साक्षात्पुरुषोत्तमस्त्वं प्रियासि मुख्यासि सदैव राधे॥
गुप्तं त्विदं गर्गमुखेन वेद्मि गृहाण राधे निजनाथमङ्कात्। एनं गृहं प्रापय मेघभीतं वदामि चेत्थं प्रकृतेर्गुणाढ्यम्॥
नमामि तुभ्यं भुवि रक्ष मां त्वं यथेप्सितं सर्वजनैर्दुरापा। (गर्ग०, गोलोक० १६। ४—८ १/२)

परमात्मा श्रीकृष्णके सम्मुख आये और उन दोनोंके चरणोंमें प्रणाम करके, हाथ जोड़, कमनीय वाणीद्वारा चारों मुखोंसे मनोहर स्तुति करने लगे॥ १७—२०॥

श्रीब्रह्माजी बोले—प्रभो! आप सबके आदिकारण हैं, किंतु आपका कोई आदि-अन्त नहीं है। आप समस्त पुरुषोत्तमोंमें उत्तम हैं। अपने भक्तोंपर सदा वात्सल्यभाव रखनेवाले और 'श्रीकृष्ण' नामसे विख्यात हैं। अगणित ब्रह्माण्डोंके पालक-पति हैं। ऐसे आप परात्पर प्रभु राधा-प्राणवल्लभ श्रीकृष्ण-चन्द्रकी मैं शरण लेता हूँ। आप गोलोकधामके अधिनाथ हैं, आपकी लीलाओंका कहीं अन्त नहीं है। आपके साथ ये लीलावती श्रीराधा अपने लोक (नित्यधाम) में ललित लीलाएँ किया करती हैं। जब आप ही 'वैकुण्ठनाथ' के रूपमें विराजमान होते हैं, तब ये वृषभानुनन्दिनी ही 'लक्ष्मी' रूपसे आपके साथ सुशोभित होती हैं। जब आप 'श्रीरामचन्द्र' के रूपमें भूतलपर अवतीर्ण होते हैं, तब ये जनकनन्दिनी 'सीता' के रूपमें आपका सेवन करती हैं। आप 'श्रीविष्णु' हैं और ये कमलवनवासिनी 'कमला' हैं; जब आप 'यज्ञ-पुरुष' का अवतार धारण करते हैं, तब ये श्रीजी आपके साथ 'दक्षिणा' रूपमें निवास करती हैं। आप पतिशिरोमणि हैं तो ये पत्नियोंमें प्रधान हैं। आप 'नृसिंह' हैं तो ये आपके हृदयमें 'रमा' रूपसे निवास करती हैं। आप ही 'नर-नारायण' रूपसे रहकर तपस्या करते हैं, उस समय आपके साथ ये 'परम शान्ति' के रूपमें विराजमान होती हैं। आप जहाँ जिस रूपमें रहते हैं, वहाँ तदनुरूप देह धारण करके ये छायाकी भाँति आपके साथ रहती हैं। आप 'ब्रह्म' हैं और ये 'तटस्था प्रकृति'। आप जब 'काल' रूपसे स्थित होते हैं, तब इन्हें 'प्रधान' (प्रकृति) के रूपमें जाना जाता है। जब आप जगत्‌के अङ्कुर 'महान्' (महत्तत्त्व) रूपमें स्थित होते हैं। तब ये श्रीराधा 'सगुणा माया' रूपसे स्थित होती हैं। जब आप मन, बुद्धि, चित्त और अहंकार—इन चारों अन्तःकरणोंके साथ 'अन्तरात्मा' रूपसे स्थित होते हैं, तब ये श्रीराधा 'लक्षणावृत्ति' के रूपमें विराजमान होती हैं। जब आप 'विराट्' रूप धारण करते हैं, तब ये अखिल भूमण्डलमें 'धारणा' कहलाती हैं। पुरुषोत्तमोत्तम! आपका ही श्याम और गौर—द्विविध तेज सर्वत्र विदित है। आप गोलोकधामके अधिपति परात्पर परमेश्वर हैं। मैं आपकी शरण लेता हूँ। जो इस युगलरूपकी उत्तम स्तुतिका सदा पाठ करता है, वह समस्त धामोंमें श्रेष्ठ गोलोकधाममें जाता है और इस लोकमें भी उसे स्वभावतः सौन्दर्य, समृद्धि और सिद्धियोंकी प्राप्ति होती है। यद्यपि आप दोनों नित्य-दम्पति हैं और परस्पर प्रीतिसे परिपूर्ण रहते हैं, परात्पर होते हुए भी एक-दूसरेके अनुरूप रूप धारण करके लीला-विलास करते हैं; तथापि मैं लोक-व्यवहारकी सिद्धि या लोकसंग्रहके लिये आप दोनोंकी वैवाहिक विधि सम्पन्न कराऊँगा*॥ २१—२९॥

श्रीनारदजी कहते हैं—राजन्! इस प्रकार स्तुति करके ब्रह्माजीने उठकर कुण्डमें अग्नि प्रज्वलित की और अग्निदेवके सम्मुख बैठे हुए उन दोनों प्रिया-प्रियतमके वैदिक विधानसे पाणिग्रहण-संस्कारकी विधि पूरी की। यह सब करके ब्रह्माजीने खड़े होकर श्रीहरि और राधिकाजीसे अग्निदेवकी सात परिक्रमाएँ करवायीं। तदनन्तर उन दोनोंको प्रणाम करके वेदवेत्ता विधाताने उन दोनोंसे सात मन्त्र पढ़वाये। उसके बाद श्रीकृष्णके वक्षःस्थलपर श्रीराधिकाका हाथ रखवाकर

* अनादिमाद्यं पुरुषोत्तमोत्तमं श्रीकृष्णचन्द्रं निजभक्तवत्सलम्। स्वयं त्वसंख्याण्डपतिं परात्परं राधापतिं त्वां शरणं व्रजाम्यहम्॥
गोलोकनाथस्त्वमतीवलीलो लीलावतीयं निजलोकलीला। वैकुण्ठनाथोऽसि यदा त्वमेव लक्ष्मीस्तदेयं वृषभानुजा हि॥
त्वं रामचन्द्रो जनकात्मजेयं भूमौ हरिस्त्वं कमलालयेयम्। यज्ञावतारोऽसि यदा तदेयं श्रीर्दक्षिणा स्त्री पतिपत्निमुख्यौ॥
त्वं नारसिंहोऽसि रमा हृदीयं नारायणस्त्वं च नरेण युक्तः। तदा त्वियं शान्तिरतीव साक्षाच्छायेव याता च तवानुरूपा॥
त्वं ब्रह्म चेयं प्रकृतिस्तटस्था कालो यदेमां च विदुः प्रधानम्। महान् यदा त्वं जगदङ्कुरोऽसि राधा तदेयं सगुणा च माया॥
यदान्तरात्मा विदितश्चतुर्भिस्तदा त्वियं लक्षणरूपवृत्तिः। यदा विराड्देहधरस्त्वमेव तदाखिलं वा भुवि धारणेयम्॥
श्यामं च गौरं विदितं द्विधा महस्तवैव साक्षात् पुरुषोत्तमोत्तम। गोलोकधामाधिपतिं परेशं परात्परं त्वां शरणं व्रजाम्यहम्॥
सदा पठेद् यो युगलस्तवं परं गोलोकधाम प्रवरं प्रयाति सः। इहैव सौन्दर्यसमृद्धिसिद्धयो भवन्ति तस्यापि निसर्गतः पुनः॥
यदा युवां प्रीतियुतौ च दम्पती परात्परौ तावनुरूपरूपितौ। तथापि लोकव्यवहारसंग्रहाद् विधिं विवाहस्य तु कारयाम्यहम्॥
(गर्ग०, गोलोक० १६। २१—२९)

और श्रीकृष्णका हाथ श्रीराधिकाके पृष्ठदेशमें स्थापित करके विधाताने उनसे मन्त्रोंका उच्चस्वरसे पाठ करवाया। उन्होंने राधाके हाथोंसे श्रीकृष्णके कण्ठमें एक केसरयुक्त माला पहनायी, जिसपर भ्रमर गुञ्जार कर रहे थे। इसी तरह श्रीकृष्णके हाथोंसे भी वृषभानु-नन्दिनीके गलेमें माला पहनवाकर वेदज्ञ ब्रह्माजीने उन दोनोंसे अग्निदेवको प्रणाम करवाया और सुन्दर सिंहासनपर उन अभिनव दम्पतिको बैठाया। वे दोनों हाथ जोड़े मौन रहे। पितामहने उन दोनोंसे पाँच मन्त्र पढ़वाये और जैसे पिता अपनी पुत्रीका सुयोग्य वरके हाथमें दान करता है, उसी प्रकार उन्होंने श्रीराधाको श्रीकृष्णके हाथमें सौंप दिया॥ ३०—३४॥

राजन्! उस समय देवताओंने फूल बरसाये और विद्याधरियोंके साथ देवाङ्गनाओंने नृत्य किया। गन्धर्वों, विद्याधरों, चारणों और किंनरोंने मधुर स्वरसे श्रीकृष्णके लिये सुमङ्गल-गान किया। मृदङ्ग, वीणा, मुरचंग, वेणु, शङ्ख, नगारे, दुन्दुभि तथा करताल आदि बाजे बजने लगे तथा आकाशमें खड़े हुए श्रेष्ठ देवताओंने मङ्गल-शब्दका उच्चस्वरसे उच्चारण करते हुए बारंबार जय-जयकार किया। उस अवसरपर श्रीहरिने विधातासे कहा—'ब्रह्मन्! आप अपनी इच्छाके अनुसार दक्षिणा बताइये।' तब ब्रह्माजीने श्रीहरिसे इस प्रकार कहा—'प्रभो! मुझे अपने युगलचरणोंकी भक्ति ही दक्षिणाके रूपमें प्रदान कीजिये।' श्रीहरिने 'तथास्तु' कहकर उन्हें अभीष्ट वरदान दे दिया। तब ब्रह्माजीने श्रीराधिकाके मङ्गलमय युगल-चरणारविन्दोंको दोनों हाथों और मस्तकसे बारंबार प्रणाम करके अपने धामको प्रस्थान किया। उस समय प्रणाम करके जाते हुए ब्रह्माजीके मनमें अत्यन्त हर्षोल्लास छा रहा था॥ ३५—३८॥

तदनन्तर निकुञ्जभवनमें प्रियतमाद्वारा अर्पित दिव्य मनोरम चतुर्विध* अन्न परमात्मा श्रीहरिने हँसते-हँसते ग्रहण किया और श्रीराधाने भी श्रीकृष्णके हाथोंसे चतुर्विध अन्न ग्रहण करके उनकी दी हुई पान-सुपारी भी खायी। इसके बाद श्रीहरि अपने हाथसे प्रियाका हाथ पकड़कर कुञ्जकी ओर चले। वे दोनों मधुर आलाप करते तथा वृन्दावन, यमुना तथा वनकी लताओंको देखते हुए आगे बढ़ने लगे। सुन्दर लता-कुञ्जों और निकुञ्जोंमें हँसते और छिपते हुए श्रीकृष्णको शाखाकी ओटमें देखकर पीछेसे आती हुई श्रीराधाने उनके पीताम्बरका छोर पकड़ लिया। फिर श्रीराधा भी माधवके कमलोपम हाथोंसे छूटकर भागीं और युगल-चरणोंके नूपुरोंकी झनकार प्रकट करती हुई यमुना-निकुञ्जमें छिप गयीं। जब श्रीहरिसे एक हाथकी दूरीपर रह गयीं, तब पुनः उठकर भाग चलीं। जैसे तमाल सुनहरी लतासे और मेघ चपलासे सुशोभित होता है तथा जैसे नीलमका महान् पर्वत स्वर्णाङ्कित कसौटीसे शोभा पाता है, उसी प्रकार रमणी श्रीराधासे नन्दनन्दन श्रीकृष्ण सुशोभित हो रहे थे। रास-रङ्गस्थलीके निर्जन प्रदेशमें पहुँचकर श्रीहरिने श्रीराधाके साथ रासका रस लेते हुए लीला-रमण किया। भ्रमरों और मयूरोंके कल-कूजनसे मुखरित लताओंवाले वृन्दावनमें वे दूसरे कामदेवकी भाँति विचर रहे थे। परमात्मा श्रीकृष्ण हरिने, जहाँ मतवाले भ्रमर गुञ्जारव करते थे, बहुत-से झरने तथा सरोवर जिनकी शोभा बढ़ाते थे और जिनमें दीप्तिमती लता-वल्लरियाँ प्रकाश फैलाती थीं, गोवर्धनकी उन कन्दराओंमें श्रीराधाके साथ नृत्य किया॥ ३९—४५॥

तत्पश्चात् श्रीकृष्णने यमुनामें प्रवेश करके वृषभानु-नन्दिनीके साथ विहार किया। वे यमुनाजलमें खिले हुए लक्षदल कमलको राधाके हाथसे छीनकर भाग चले। तब श्रीराधाने भी हँसते-हँसते उनका पीछा किया और उनका पीताम्बर, वंशी तथा बेंतकी छड़ी अपने अधिकारमें कर लीं। श्रीहरि कहने लगे—'मेरी बाँसुरी दे दो।' तब राधाने उत्तर दिया—'मेरा कमल लौटा दो।' तब देवेश्वर श्रीकृष्णने उन्हें कमल दे दिया। फिर राधाने भी पीताम्बर, वंशी और बेंत श्रीहरिके हाथमें लौटा दिये। इसके बाद फिर यमुनाके किनारे उनकी मनोहर लीलाएँ होने लगीं॥ ४६—४८॥

तदनन्तर भाण्डीर-वनमें जाकर व्रज-गोप-रत्न श्रीनन्दनन्दनने अपने हाथोंसे प्रियाका मनोहर शृङ्गार किया—उनके मुखपर पत्र-रचना की, दोनों पैरोंमें

* भक्ष्य, भोज्य, लेह्य, चोष्य—ये ही चार प्रकारके अन्न हैं।

महावर लगाया, नेत्रोंमें काजलकी पतली रेखा खींच दी तथा उत्तमोत्तम रत्नों और फूलोंसे भी उनका शृङ्गार किया। इसके बाद जब श्रीराधा भी श्रीहरिको शृङ्गार धारण करानेके लिये उद्यत हुईं, उसी समय श्रीकृष्ण अपने किशोररूपको त्यागकर छोटे-से बालक बन गये। नन्दने जिस शिशुको जिस रूपमें राधाके हाथोंमें दिया था, उसी रूपमें वे धरतीपर लोटने और भयसे रोने लगे। श्रीहरिको इस रूपमें देखकर श्रीराधिका भी तत्काल विलाप करने लगीं और बोलीं—'हरे! मुझपर माया क्यों फैलाते हो?' इस प्रकार विषादग्रस्त होकर रोती हुई श्रीराधासे सहसा आकाशवाणीने कहा—'राधे! इस समय सोच न करो। तुम्हारा मनोरथ कुछ कालके पश्चात् पूर्ण होगा'॥ ४९—५२॥

यह सुनकर श्रीराधा शिशुरूपधारी श्रीकृष्णको लेकर तुरंत व्रजराजकी धर्मपत्नी यशोदाजीके घर गयीं और उनके हाथमें बालकको देकर बोलीं—'आपके पतिदेवने मार्गमें इस बालकको मुझे दे दिया था।' उस समय नन्द-गृहिणीने श्रीराधासे कहा—'वृषभानुनन्दिनि राधे! तुम धन्य हो; क्योंकि तुमने इस समय, जब कि आकाश मेघोंकी घटासे आच्छन्न है, वनके भीतर भयभीत हुए मेरे नन्हे-से लालाकी पूर्णतया रक्षा की है।' यों कहकर नन्दरानीने श्रीराधाका भलीभाँति सत्कार किया और उनके सद्‌गुणोंकी प्रशंसा की। इससे वृषभानुनन्दिनी श्रीराधाको बड़ी प्रसन्नता हुई। वे यशोदाजीकी आज्ञा ले धीरे-धीरे अपने घर चली गयीं॥ ५३—५५॥

राजन् इस प्रकार श्रीराधाके विवाहकी परम मङ्गलमयी गुप्त कथाका यहाँ वर्णन किया गया। जो लोग इसे सुनते-पढ़ते अथवा सुनाते हैं, उन्हें कभी पापोंका स्पर्श नहीं प्राप्त होता॥ ५६॥

इस प्रकार श्रीगर्गसंहितामें गोलोकखण्डके अन्तर्गत श्रीनारद-बहुलाश्व-संवादमें 'श्रीराधिकाके विवाहका वर्णन' नामक सोलहवाँ अध्याय पूरा हुआ॥ १६॥

सत्रहवाँ अध्याय

श्रीकृष्णकी बाल-लीलामें दधि-चोरीका वर्णन

श्रीनारदजी कहते हैं—राजन्! तदनन्तर बलराम और श्रीकृष्ण—दोनों गौरश्याम मनोहर बालक विविध लीलाओंसे नन्दभवनको अत्यन्त सुन्दर एवं आकर्षक बनाने लगे। मिथिलेश्वर! वे दोनों हाथों और घुटनोंके बलसे चलते हुए और मीठी—तोतली बोली बोलते हुए थोड़े ही समयमें व्रजमें इधर-उधर डोलने लगे। माता यशोदा और रोहिणीके द्वारा लालित-पालित वे दोनों शिशु, कभी माताओंकी गोदसे निकल जाते और कभी पुनः उनके अङ्कमें आ बैठते थे। मायासे बालरूप धारण करके त्रिभुवनको मोहित करनेवाले वे दोनों भाई, राम और श्याम, इधर-उधर मञ्जीर और करधनीकी झंकार फैलाते फिरते थे। माता यशोदा व्रज-बालकोंके साथ आँगनमें खेलते-लोटते तथा धूल लग जानेसे धूसर अङ्गवाले अपने लालाको गोदमें लेकर बड़े आदरसे झाड़ती-पोंछती थीं॥ १—५॥

श्रीकृष्ण दोनों हाथों और घुटनोंके बल चलते हुए पुनः आँगनमें चले जाते और वहाँसे फिर माताकी गोदमें आ जाते थे। इस तरह वे व्रजमें सिंह-शावककी भाँति लीला कर रहे थे। माता यशोदा उन्हें सोनेके तार जड़े पीताम्बर और पीली झगुली पहनाती तथा मस्तक-पर दीप्तिमान् रत्नमय मुकुट धारण कराती और इस प्रकार अत्यन्त शोभाशाली भव्यरूपमें उन्हें देखकर अत्यन्त आनन्दका अनुभव करती थीं। अत्यन्त सुन्दर बालोचित क्रीड़ामें तत्पर बालमुकुन्दका दर्शन करके गोपियाँ बड़ा सुख पाती थीं। वे सुखस्वरूपा गोपाङ्गनाएँ अपना घर छोड़कर नन्दराजके गोष्ठमें आ जातीं और वहाँ आकर वे सब-की-सब अपने घरोंकी सुध-बुध भूल जाती थीं। राजन्! नन्दरायजीके गृह-द्वारपर कृत्रिम सिंहकी मूर्ति देखकर भयभीतकी तरह जब

श्रीकृष्ण पीछे लौट पड़ते, तब यशोदाजी अपने लालाको गोदमें उठाकर घरके भीतर चली जाती थीं। उस समय गोपियाँ व्रजमें दयासे द्रवित-हृदय हो यशोदाजीसे इस प्रकार कहती थीं॥ ६—९॥

श्रीगोपाङ्गनाएँ कहने लगीं—शुभे! तुम्हारा लाला खेलनेके लिये बड़ी चपलता दिखाता है। इसकी बालकेलि अत्यन्त मनोहर है। ऐसा न हो कि इसे किसीकी नजर लग जाय। अतः तुम इस काक-पक्षधारी दुधमुँहे बालकको आँगनसे बाहर मत निकलने दिया करो। देखो न, इसके ऊपरके दो दाँत ही पहले निकले हैं, जो मामाके लिये दोषकारक हैं। यशोदाजी! तुम्हारे इस बालकके भी कोई मामा नहीं है, इसलिये विघ्ननिवारणके हेतु तुम्हें दान करना चाहिये। गौ, ब्राह्मण, देवता, साधु, महात्मा तथा वेदोंकी पूजा करनी चाहिये॥ १०—१२॥

श्रीनारदजी कहते हैं—राजन्! तबसे यशोदा और रोहिणीजी पुत्रोंकी कल्याण-कामनासे प्रतिदिन वस्त्र, रत्न तथा नूतन अन्नका दान करने लगीं। कुछ दिनों बाद सिंह-शावककी भाँति दीखनेवाले राम और कृष्ण—दोनों बालक कुछ बड़े होकर गोष्ठोंमें अपने पैरोंके बलसे चलने लगे। श्रीदामा और सुबल आदि व्रज-बालक सखाओंके साथ यमुनाजीके शुभ्र वालुकामय तटपर कौतूहलपूर्वक लोटते हुए राम और श्याम नील-सघन तमालोंसे घिरे और कदम्ब-कुञ्जकी शोभासे विलसित कालिन्दी-तटवर्ती उपवनमें विचरने लगे॥ १३—१६॥

श्रीहरि अपनी बाललीलासे गोप-गोपियोंको आनन्द प्रदान करते हुए सखाओंके साथ घरोंमें जा-जाकर माखन और घृतकी चोरी करने लगे। एक दिन उपनन्दपत्नी गोपी प्रभावती श्रीनन्द-मन्दिरमें आकर यशोदाजीसे बोलीं॥ १७-१८॥

प्रभावतीने कहा—यशोमति! हमारे और तुम्हारे घरोंमें जो माखन, घी, दूध, दही और तक्र है, उसमें ऐसा कोई बिलगाव नहीं है कि यह हमारा है और वह तुम्हारा। मेरे यहाँ तो तुम्हारे कृपाप्रसादसे ही सब कुछ हुआ है। मैं यह नहीं कहना चाहती कि तुम्हारे इस लालाने कहीं चोरी सीखी है। माखन तो यह स्वयं ही चुराता फिरता है, परंतु तुम इसे ऐसा न करनेके लिये कभी शिक्षा नहीं देती। एक दिन जब मैंने शिक्षा दी तो तुम्हारा यह ढीठ बालक मुझे गाली देकर मेरे आँगनसे भाग निकला। यशोदाजी! व्रजराजका बेटा होकर यह चोरी करे, यह उचित नहीं है; किंतु मैंने तुम्हारे गौरवका खयाल करके इसे कभी कुछ नहीं कहा है॥ १९—२२॥

श्रीनारदजी कहते हैं—राजन्! प्रभावतीकी बात सुनकर नन्द-गेहिनी यशोदाने बालकको डाँट बतायी और बड़े प्रेमसे सान्त्वनापूर्वक प्रभावतीसे कहा॥ २३॥

श्रीयशोदा बोलीं—बहिन! मेरे घरमें करोड़ों गौएँ हैं, इस घरकी धरती सदा गोरससे भीगी रहती है। पता नहीं, यह बालक क्यों तुम्हारे घरमें दही चुराता है। यहाँ तो कभी ये सब चीजें चावसे खाता ही नहीं। प्रभावती! इसने जितना भी दही या माखन चुराया हो, वह सब तुम मुझसे ले लो। तुम्हारे पुत्र और मेरे लालामें किंचिन्मात्र भी कोई भेद नहीं है। यदि तुम इसे माखन चुराकर खाते और मुखमें माखन लपेटे हुए पकड़कर मेरे पास ले आओगी तो मैं इसे अवश्य ताड़ना दूँगी, डाँटूँगी और घरमें बाँध रखूँगी॥ २४—२६॥

श्रीनारदजी कहते हैं—राजन्! यशोदाजीकी यह बात सुनकर गोपी प्रभावती प्रसन्नतापूर्वक अपने घर लौट आयी। एक दिन श्रीकृष्ण समवयस्क बालकोंके साथ फिर दही चुरानेके लिये उसके घरमें गये। घरकी दीवारके पास सटकर एक हाथसे दूसरे बालकका हाथ पकड़े धीरे-धीरे घरमें घुसे। छीकेपर रखा हुआ गोरस हाथसे पकड़में नहीं आ सकता, यह देख श्रीहरिने स्वयं एक ओखलीके ऊपर पीढ़ा रखा। उसपर कुछ ग्वाल-बालोंको खड़ा किया और उनके सहारे आप ऊपर चढ़ गये। तो भी छीकेपर रखा हुआ गोरस अभी और ऊँचे कदके मनुष्यसे ही प्राप्त किया जा सकता था, इसलिये वे उसे न पा सके। तब श्रीदामा और सुबलके साथ उन्होंने मटकेपर डंडेसे प्रहार किया। दहीका बर्तन फूट गया और सारा गव्य पृथ्वीपर बह चला। तब बलरामसहित माधवने ग्वाल-बालों और बंदरोंके साथ वह मनोहर दही जी

भरकर खाया। भाण्डके फूटनेकी आवाज सुनकर गोपी प्रभावती वहाँ आ पहुँची। अन्य सब बालक तो वहाँसे भाग निकले; किंतु श्रीकृष्णका हाथ उसने पकड़ लिया। श्रीकृष्ण भयभीत-से होकर मिथ्या आँसू बहाने लगे। प्रभावती उन्हें लेकर नन्द-भवनकी ओर चली। सामने नन्दरायजी खड़े थे। उन्हें देखकर प्रभावतीने मुखपर घूँघट डाल दिया। श्रीहरि सोचने लगे—'इस तरह जानेपर माता मुझे अवश्य दण्ड देगी।' अतः उन स्वच्छन्दगति परमेश्वरने प्रभावतीके ही पुत्रका रूप धारण कर लिया। रोषसे भरी हुई प्रभावती यशोदाजीके पास शीघ्र जाकर बोली—'इसने मेरा दहीका बर्तन फोड़ दिया और सारा दही लूट लिया'॥ २७—३५॥

यशोदाजीने देखा, यह तो इसीका पुत्र है; तब वे हँसती हुई उस गोपीसे बोलीं—'पहले अपने मुखसे घूँघट तो हटाओ, फिर बालकके दोष बताना। यदि इस तरह झूठे ही दोष लगाना है तो मेरे नगरसे बाहर चली जाओ। क्या तुम्हारे पुत्रकी की हुई चोरी मेरे बेटेके माथे मढ़ दी जायगी?' तब लोगोंके बीच लजाती हुई प्रभावतीने अपने मुँहसे घूँघटको हटाकर देखा तो उसे अपना ही बालक दिखायी दिया। उसे देखकर वह मन-ही-मन चकित होकर बोली—'अरे निगोड़े! तू कहाँसे आ गया! मेरे हाथमें तो व्रजका सार-सर्वस्व था।' इस तरह बड़बड़ाती हुई वह अपने बेटेको लेकर नन्दभवनसे बाहर चली गयी। यशोदा, रोहिणी, नन्द , बलराम तथा अन्यान्य गोप और गोपाङ्गनाएँ हँसने लगीं और बोलीं—'अहो! व्रजमें तो बड़ा भारी अन्याय दिखायी देने लगा है।' उधर भगवान् बाहरकी गलीमें पहुँचकर फिर नन्द-नन्दन बन गये और सम्पूर्ण शरीरसे धृष्टताका परिचय देते हुए, चञ्चल नेत्र मटकाकर, जोर-जोरसे हँसते हुए उस गोपीसे बोले॥ ३६—४१॥

श्रीभगवान्‌ने कहा—अरी गोपी! यदि फिर कभी तू मुझे पकड़ेगी तो अबकी बार मैं तेरे पतिका रूप धारण कर लूँगा, इसमें संशय नहीं है॥ ४२॥

श्रीनारदजी कहते हैं—राजन्! यह सुनकर वह गोपी आश्चर्यसे चकित हो अपने घर चली गयी। उस दिनसे सब घरोंकी गोपियाँ लाजके मारे श्रीहरिका हाथ नहीं पकड़ती थीं॥ ४३॥

इस प्रकार श्रीगर्गसंहितामें गोलोकखण्डके अन्तर्गत श्रीनारद-बहुलाश्व-संवादमें श्रीकृष्णके बालचरित्रगत 'दधि-चोरीका वर्णन' नामक सत्रहवाँ अध्याय पूरा हुआ॥ १७॥

अठारहवाँ अध्याय

नन्द, उपनन्द और वृषभानुओंका परिचय तथा श्रीकृष्णकी मृद्भक्षण-लीला

श्रीनारदजी कहते हैं—मिथिलेश्वर! गोपाङ्गनाओंके घरोंमें विचरते और माखन-चोरीकी लीला करते हुए नवकंज-लोचन मनोहर श्याम-रूपधारी श्रीकृष्ण बालचन्द्रकी भाँति बढ़ते और लोगोंके चित्त चुराते हुए-से व्रजमें अद्भुत शोभाका विस्तार करने लगे। नौ नन्द नामके गोप अत्यन्त चञ्चल श्रीनन्दनन्दनको पकड़कर अपने घर ले जाते और वहाँ बिठाकर उनकी रूपमाधुरीका आस्वादन करते हुए मोहित हो जाते थे। वे उन्हें अच्छी-अच्छी गेंदें देकर खेलाते, उनका लालन-पालन करते, उनकी लीलाएँ गाते और बढ़े हुए आनन्दमें निमग्न हो सारे जगत्‌को भूल जाते थे॥ १-२॥

राजाने पूछा—देवर्षे! आप मुझसे नौ उपनन्दोंके नाम बताइये। वे सब बड़े सौभाग्यशाली थे। उनके पूर्वजन्मका परिचय दीजिये। वे पहले कौन थे, जो इस भूतलपर अवतीर्ण हुए? उपनन्दोंके साथ ही छः वृषभानुओंके भी मङ्गलमय कर्मोंका वर्णन कीजिये॥ ३$\frac{1}{2}$॥

श्रीनारदजीने कहा—गय, विमल, श्रीश, श्रीधर, मङ्गलायन, मङ्गल, रङ्गवल्लीश, रङ्गोजि तथा

देवनायक—ये 'नौ नन्द' कहे गये हैं, जो व्रजके गोकुलमें उत्पन्न हुए थे। वीतिहोत्र, अग्निभुक्, साम्ब, श्रीवर, गोपति, श्रुत, व्रजेश, पावन तथा शान्त—ये 'उपनन्द' कहे गये हैं। नीतिवित्, मार्गद, शुक्ल, पतंग, दिव्यवाहन और गोपेष्ट—ये छः 'वृषभानु' हैं, जिन्होंने व्रजमें जन्म धारण किया था। जो गोलोकधाममें श्रीकृष्णचन्द्रके निकुञ्जद्वारपर रहकर हाथमें बेंत लिये पहरा देते थे, वे श्याम अङ्गवाले गोप व्रजमें 'नौ नन्द' के नामसे विख्यात हुए। निकुञ्जमें जो करोड़ों गायें हैं, उनके पालनमें तत्पर, मोरपंख और मुरली धारण करनेवाले गोप यहाँ 'उपनन्द' कहे गये हैं। निकुञ्ज-दुर्गकी रक्षाके लिये जो दण्ड और पाश धारण किये उसके छहों द्वारोंपर रहा करते हैं, वे ही छः गोप यहाँ 'छः वृषभानु' कहलाये। श्रीकृष्णकी इच्छासे ही वे सब लोग गोलोकसे भूतलपर उतरे हैं। उनके प्रभावका वर्णन करनेमें चतुर्मुख ब्रह्माजी भी समर्थ नहीं हैं, फिर मैं उनके महान् अभ्युदयशाली सौभाग्यका कैसे वर्णन कर सकूँगा, जिनकी गोदमें बैठकर बाल-क्रीडापरायण श्रीहरि सदा सुशोभित होते थे॥ ४—१२॥

एक दिनकी बात है, यमुनाके तटपर श्रीकृष्णने मिट्टीका आस्वादन किया। यह देख बालकोंने यशोदाजीके पास आकर कहा—'अरी मैया! तुम्हारा लाला तो मिट्टी खाता है।' बलभद्रजीने भी उनकी हाँ-में-हाँ मिला दी। तब नन्दरानीने अपने पुत्रका हाथ पकड़ लिया। बालकके नेत्र भयभीत-से हो उठे। मैयाने उससे कहा॥ १३-१४॥

यशोदाजीने पूछा—ओ महामूढ़! तूने क्यों मिट्टी खायी! तेरे ये साथी भी बता रहे हैं और साक्षात् बड़े भैया ये बलराम भी यही बात कहते हैं कि 'माँ! मना करनेपर भी यह मिट्टी खाना नहीं छोड़ता। इसे मिट्टी बड़ी प्यारी लगती है'॥ १५॥

श्रीभगवान्ने कहा—मैया! व्रजके ये सारे बालक झूठ बोल रहे हैं। मैंने कहीं भी मिट्टी नहीं खायी। यदि तुम्हें मेरी बातपर विश्वास न हो तो मेरा मुँह देख लो॥ १६॥

श्रीनारदजी कहते हैं—राजन्! तब गोपी यशोदाने बालकका सुन्दर मुख खोलकर देखा। यशोदाको उसके भीतर तीनों गुणोंद्वारा रचित और सब ओर फैला हुआ ब्रह्माण्ड दिखायी दिया। सातों द्वीप, सात समुद्र, भारत आदि वर्ष, सुदृढ़ पर्वत, ब्रह्मलोक-पर्यन्त तीनों लोक तथा समस्त व्रज-मण्डलसहित अपने शरीरको भी यशोदाने अपने पुत्रके मुखमें देखा। यह देखते ही उन्होंने आँखें बंद कर लीं और श्रीयमुनाजीके तटपर बैठकर सोचने लगीं—'यह मेरा बालक साक्षात् श्रीनारायण है।' इस तरह वे ज्ञाननिष्ठ हो गयीं। तब श्रीकृष्ण उन्हें अपनी मायासे मोहित-सी करते हुए हँसने लगे। यशोदाजीकी स्मरण-शक्ति विलुप्त हो गयी। उन्होंने श्रीकृष्णका जो वैभव देखा था, वह सब वे तत्काल भूल गयीं॥ १७—२०॥

इस प्रकार श्रीगर्गसंहितामें गोलोकखण्डके अन्तर्गत नारद-बहुलाश्व-संवादमें 'ब्रह्माण्डदर्शन' नामक अठाहरवाँ अध्याय पूरा हुआ॥ १८॥

उन्नीसवाँ अध्याय

दामोदर कृष्णका उलूखल-बन्धन तथा उनके द्वारा यमलार्जुन-वृक्षोंका उद्धार

श्रीनारदजी कहते हैं—राजन्! एक समय गोपाङ्गनाएँ घर-घरमें गोपालकी लीलाएँ गाती हुई गोकुलमें सब ओर दधि-मन्थन कर रही थीं। श्रीनन्द-मन्दिरमें सुन्दरी यशोदाजी भी प्रातःकाल उठकर दहीके भाण्डमें रई डालकर उसे मथने लगीं। मथानीकी आवाज सुनकर बालक श्रीनन्दनन्दन भी नवनीतके लिये कौतूहलवश मञ्जीरकी मधुर ध्वनि प्रकट करते हुए नाचने लगे। माताके पास बाल-क्रीडापरायण श्रीकृष्ण बार-बार चक्कर लगाते और नाचते हुए बड़ी शोभा पा रहे थे और बजती हुई

करधनीके घुघुरुओंकी मधुर झंकार बारंबार फैला रहे थे। वे मातासे मीठे वचन बोलकर ताजा निकाला हुआ माखन माँग रहे थे। जब वह उन्हें नहीं मिला, तब वे कुपित हो उठे और एक पत्थरका टुकड़ा लेकर उसके द्वारा दही मथनेका पात्र फोड़ दिया। ऐसा करके वे भाग चले। यशोदाजी भी अपने पुत्रको पकड़नेके लिये पीछे-पीछे दौड़ीं। वे उनसे एक ही हाथ आगे थे, किंतु वे उन्हें पकड़ नहीं पाती थीं। जो योगीश्वरोंके लिये भी दुर्लभ हैं, वे माताकी पकड़में कैसे आ सकते थे॥ १—६॥

नृपेश्वर! तथापि श्रीहरिने भक्तोंके प्रति अपनी भक्तवश्यता दिखायी, इसलिये वे जान-बूझकर माताके हाथ आ गये। अपने बालक-पुत्रको पकड़कर यशोदाने रोषपूर्वक ऊखलमें बाँधना आरम्भ किया। वे जो-जो बड़ी-से-बड़ी रस्सी उठातीं, वही-वही उनके पुत्रके लिये कुछ छोटी पड़ जाती थी। जो प्रकृतिके तीनों गुणोंसे न बँध सके, वे प्रकृतिसे परे विद्यमान परमात्मा यहाँके गुणसे (रस्सीसे) कैसे बँध सकते थे? जब यशोदा बाँधते-बाँधते थक गयीं और हतोत्साह होकर बैठ रहीं तथा बाँधनेकी इच्छा भी छोड़ बैठीं, तब ये स्वच्छन्दगति भगवान् श्रीकृष्ण स्ववश होते हुए भी कृपा करके माताके बन्धनमें आ गये। भगवान्‌की ऐसी कृपा कर्मत्यागी ज्ञानियोंको भी नहीं मिल सकी; फिर जो कर्ममें आसक्त हैं, उनको तो मिल ही कैसे सकती है। यह भक्तिका ही प्रताप है कि वे माताके बन्धनमें आ गये। नरेश्वर! इसीलिये भगवान् ज्ञानके साधक आराधकोंको मुक्ति तो दे देते हैं, किंतु भक्ति नहीं देते। उसी समय बहुत-सी गोपियाँ भी शीघ्रतापूर्वक वहाँ आ पहुँचीं। उन्होंने देखा कि दही मथनेका भाण्ड फूटा हुआ है और भयभीत नन्द-शिशु बहुत-सी रस्सियोंद्वारा ओखलीमें बँधे खड़े हैं। यह देखकर उन्हें बड़ी दया आयी और वे यशोदाजीसे बोलीं॥ ७—११॥

गोपियोंने कहा—नन्दरानी! तुम्हारा यह नन्हा-सा बालक सदा ही हमारे घरोंमें जाकर बर्तन-भाँड़े फोड़ा करता है, तथापि हम करुणावश इसे कभी कुछ नहीं कहतीं। व्रजेश्वरि यशोदे! तुम्हारे दिलमें जरा भी दर्द नहीं है, तुम निर्दय हो गयी हो। एक बर्तनके फूट जानेके कारण तुमने इस बच्चेको छड़ीसे डराया-धमकाया है और बाँध भी दिया है!॥ १२-१३॥

श्रीनारदजी कहते हैं—नरेश्वर! उन गोपियोंके यों कहनेपर यशोदाजी कुछ नहीं बोलीं। वे घरके काम-धंधोंमें लग गयीं। इसी बीच मौका पाकर श्रीकृष्ण ग्वाल-बालोंके साथ वह ओखली खींचते हुए श्रीयमुनाजीके किनारे चले गये। यमुनाजीके तटपर दो पुराने विशाल वृक्ष थे, जो एक-दूसरेसे जुड़े हुए खड़े थे। वे दोनों ही अर्जुन-वृक्ष थे। दामोदर भगवान् कृष्ण हँसते हुए उन दोनों वृक्षोंके बीचमेंसे निकल गये। ओखली वहाँ टेढ़ी हो गयी थी, तथापि श्रीकृष्णने सहसा उसे खींचा। खींचनेसे दबाव पाकर वे दोनों वृक्ष जड़सहित उखड़कर पृथ्वीपर गिर पड़े। वृक्षोंके गिरनेसे जो धमाकेकी आवाज हुई, वह वज्रपातके समान भयंकर थी। उन वृक्षोंसे दो देवता निकले—ठीक उसी तरह जैसे काष्ठसे अग्नि प्रकट हुई हो। उन दोनों देवताओंने दामोदरकी परिक्रमा करके अपने मुकुटसे उनके पैर छुए और दोनों हाथ जोड़े। वे उन श्रीहरिके समक्ष नतमस्तक खड़े हो इस प्रकार बोले॥ १४—१८॥

दोनों देवता कहने लगे—अच्युत! आपके दर्शनसे हम दोनोंको इसी क्षण ब्रह्मदण्डसे मुक्ति मिली है। हरे! अब हम दोनोंसे आपके निज भक्तोंकी अवहेलना न हो। आप करुणाकी निधि हैं। जगत्‌का मङ्गल करना आपका स्वभाव है। आप 'दामोदर', 'कृष्ण' और 'गोविन्द' को हमारा बारंबार नमस्कार है* ॥ १९-२०॥

श्रीनारदजी कहते हैं—राजन्! इस प्रकार श्रीहरिको नमस्कार करके वे दोनों देवकुमार उत्तर दिशाकी ओर चल दिये। उसी समय भयसे कातर हुए नन्द आदि समस्त गोप वहाँ आ पहुँचे। वे पूछने लगे—'व्रजबालको! बिना आँधी-पानीके ये दोनों वृक्ष कैसे गिर पड़े? शीघ्र बताओ।' तब उन समस्त व्रजवासी बालकोंने कहा॥ २१-२२॥

बालकोंने कहा—इस कन्हैयाने ही दोनों

*करुणानिधये तुभ्यं जगन्मङ्गलशीलिने। दामोदराय कृष्णाय गोविन्दाय नमो नमः॥
(गर्ग०, गोलोक० १९। २०)

वृक्षोंको गिराया है। उन वृक्षोंसे दो पुरुष निकलकर यहाँ खड़े थे, जो इसे नमस्कार करके अभी-अभी उत्तर दिशाकी ओर गये हैं। उनके अङ्गोंसे दीप्तिमती प्रभा निकल रही थी॥ २३॥

श्रीनारदजी कहते हैं—राजन्! ग्वाल-बालोंकी यह बात सुनकर उन बड़े-बूढ़े गोपोंने उसपर विश्वास नहीं किया। नन्दजीने ओखलीमें रस्सीसे बँधे हुए अपने बालकको खोल दिया और लाड़-प्यार करते हुए गोदमें उठाकर उस शिशुको सूँघने लगे। नरेश्वर! नन्दजीने अपनी पत्नीको बहुत उलाहना दिया और ब्राह्मणोंको सौ गायें दानके रूपमें दीं॥ २४-२५॥

बहुलाश्वने कहा—देवर्षिप्रवर! वे दोनों दिव्य पुरुष कौन थे, यह बताइये। किस दोषके कारण उन्हें यमलार्जुनवृक्ष होना पड़ा था॥ २६॥

श्रीनारदजी कहते हैं—राजन्! वे दोनों कुबेरके श्रेष्ठ पुत्र थे, जिनका नाम था—'नलकूबर' और 'मणिग्रीव'। एक दिन वे नन्दनवनमें गये और वहाँ मन्दाकिनीके तटपर ठहरे। वहाँ अप्सराएँ उनके गुण गाती रहीं और वे दोनों वारुणी मदिरासे मतवाले होकर वहाँ नंग-धड़ंग विचरते रहे। एक तो उनकी युवावस्था थी और दूसरे वे द्रव्यके दर्प (धनके मद) से दर्पित (उन्मत्त) थे। उसी अवसरपर किसी कालमें 'देवल' नामधारी मुनीन्द्र, जो वेदोंके पारंगत विद्वान् थे, उधर आ निकले। उन दोनों कुबेर-पुत्रोंको नग्न देखकर ऋषिने उनसे कहा—'तुम दोनोंके स्वभावमें दुष्टता भरी है। तुम दोनों अपनी सुध-बुध खो बैठे हो'॥ २७—२९॥

इतना कहकर देवलजी फिर बोले—तुम दोनों वृक्षके समान जड, धृष्ट तथा निर्लज्ज हो। तुम्हें अपने द्रव्यका बड़ा घमंड है; अतः तुम दोनों इस भूतलपर सौ (दिव्य) वर्षोंतकके लिये वृक्ष हो जाओ। जब द्वापरके अन्तमें भारतवर्षके भीतर मथुरा-जनपदके व्रज-मण्डलमें कलिन्दनन्दिनी यमुनाके तटपर महावनके समीप तुम दोनों साक्षात् परिपूर्णतम दामोदर हरि गोलोकनाथ श्रीकृष्णका दर्शन करोगे, तब तुम्हें अपने पूर्वस्वरूपकी प्राप्ति हो जायगी॥ ३०—३२॥

श्रीनारदजी कहते हैं—नरेश्वर! इस प्रकार देवलके शापसे वृक्षभावको प्राप्त हुए नलकूबर और मणिग्रीवका श्रीकृष्णने उद्धार किया॥ ३३॥

इस प्रकार श्रीगर्गसंहितामें गोलोकखण्डके अन्तर्गत नारद-बहुलाश्व-संवादमें 'उलूखल-बन्धन और यमलार्जुन-मोचन' नामक उन्नीसवाँ अध्याय पूरा हुआ॥ १९॥

बीसवाँ अध्याय

दुर्वासाद्वारा भगवान्‌की मायाका एवं गोलोकमें श्रीकृष्णका दर्शन तथा श्रीनन्दनन्दनस्तोत्र

श्रीनारदजी कहते हैं—राजन्! एक दिन मुनिश्रेष्ठ दुर्वासा परमात्मा श्रीकृष्णचन्द्रका दर्शन करनेके लिये व्रजमण्डलमें आये। उन्होंने कालिन्दीके निकट पवित्र वालुकामय पुलिनके रमणीय स्थलमें महावनके समीप श्रीकृष्णको निकटसे देखा। वे शोभाशाली मदनगोपाल बालकोंके साथ वहाँ लोटते, परस्पर मल्ल-युद्ध करते तथा भाँति-भाँतिकी बालोचित लीलाएँ करते थे। इन सब कारणोंसे वे बड़े मनोहर जान पड़ते थे। उनके सारे अङ्ग धूलसे धूसरित थे। मस्तकपर काले घुँघराले केश शोभा पाते थे। दिगम्बर-वेषमें बालकोंके साथ दौड़ते हुएश्रीहरि-को देखकर दुर्वासाके मनमें बड़ा विस्मय हुआ॥ १—४॥

श्रीमुनि (मन-ही-मन) कहने लगे—क्या यह वही षड्विध ऐश्वर्यसे सम्पन्न ईश्वर है? फिर यह बालकोंके साथ धरतीपर क्यों लोट रहा है? मेरी समझमें यह केवल नन्दका पुत्र है, परात्पर श्रीकृष्ण नहीं है॥ ५॥

श्रीनारदजी कहते हैं—राजन्! जब महामुनि दुर्वासा इस प्रकार मोहमें पड़ गये, तब खेलते हुए श्रीकृष्ण स्वयं उनके पास उनकी गोदमें आ गये।

फिर उनकी गोदसे हट गये। श्रीकृष्णकी दृष्टि बाल-सिंहके समान थी। वे हँसते और मधुर वचन बोलते हुए पुनः मुनिके सम्मुख आ गये। हँसते हुए श्रीकृष्णके श्वाससे खिंचकर मुनि उनके मुँहमें समा गये। वहाँ जाकर उन्होंने एक विशाल लोक देखा, जिसमें अरण्य और निर्जन प्रदेश भी दृष्टिगोचर हो रहे थे। उन अरण्यों (जंगलों) में भ्रमण करते हुए मुनि बोल उठे—'मैं कहाँसे यहाँ आ गया? इतनेमें ही उन महामुनिको एक अजगर निगल गया। उसके पेटमें पहुँचनेपर मुनिने वहाँ सातों लोकों और पातालोंसहित समूचे ब्रह्माण्डका दर्शन किया। उसके द्वीपोंमें भ्रमण करते हुए दुर्वासा मुनि एक श्वेत पर्वतपर ठहर गये। उस पर्वतपर शतकोटि वर्षोंतक भगवान्‌का भजन करते हुए वे तप करते रहे। इतनेमें ही सम्पूर्ण विश्वके लिये भयंकर नैमित्तिक प्रलयका समय आ पहुँचा। समुद्र सब ओरसे धरातलको डुबाते हुए मुनिके पास आ गये। दुर्वासा मुनि उन समुद्रोंमें बहने लगे। उन्हें जलका कहीं अन्त नहीं मिलता था। इसी अवस्थामें एक सहस्र युग व्यतीत हो गये। तदनन्तर मुनि एकार्णवके जलमें डूब गये। उनकी स्मृति-शक्ति नष्ट हो गयी। फिर वे पानीके भीतर विचरने लगे। वहाँ उन्हें एक दूसरे ही ब्रह्माण्डका दर्शन हुआ। उस ब्रह्माण्डके छिद्रमें प्रवेश करनेपर वे दिव्य सृष्टिमें जा पहुँचे। वहाँसे उस ब्रह्माण्डके शिरोभागमें विद्यमान लोकोंमें ब्रह्माकी आयु-पर्यन्त विचरते रहे। इसी प्रकार वहाँ एक छिद्र देखकर श्रीहरिका स्मरण करते हुए वे उसके भीतर घुस गये। घुसते ही उस ब्रह्माण्डके बाहर आ निकले। फिर तत्काल उन्हें महती जलराशि दिखायी दी। उस जलराशिमें उन्हें कोटि-कोटि ब्रह्माण्डोंकी राशियाँ बहती दिखायी दीं। तब मुनिने जलको ध्यानसे देखा तो उन्हें वहाँ विरजा नदीका दर्शन हुआ। उस नदीके पार पहुँचकर मुनिने साक्षात् गोलोकमें प्रवेश किया। वहाँ उन्हें क्रमशः वृन्दावन, गोवर्धन और सुन्दर यमुनापुलिनका दर्शन करके बड़ी प्रसन्नता हुई। फिर वे मुनि जब निकुञ्जके भीतर घुसे, तब उन्होंने अनन्त कोटि मार्तण्डोंके समान ज्योतिर्मण्डलके अंदर दिव्य लक्षदल कमलपर विराजमान साक्षात् परिपूर्णतम पुरुषोत्तम राधावल्लभ भगवान् श्रीकृष्णको देखा, जो असंख्य गोप-गोपियोंसे घिरे तथा कोटि-कोटि गौओंसे सम्पन्न थे। असंख्य ब्रह्माण्डोंके अधिपति उन भगवान् श्रीहरिके साथ ही उनके गोलोकका भी मुनिको दर्शन हुआ॥ ६—२०॥

उन्हें देखकर भगवान् श्रीकृष्ण हँसने लगे। हँसते समय उनके श्वाससे खिंचकर दुर्वासा मुनि उनके मुँहके भीतर पहुँच गये। उस मुखसे पुनः बाहर निकलनेपर उन्होंने उन्हीं बालरूपधारी श्रीनन्दनन्दनको देखा, जो कालिन्दीके निकटवर्ती पुण्य वालुकामय रमणस्थलीमें बालकोंके साथ विचर रहे थे। महावनमें श्रीकृष्णका उस रूपमें दर्शन करके दुर्वासा मुनि यह समझ गये कि ये श्रीकृष्ण साक्षात् परात्पर ब्रह्म हैं। फिर तो उन्होंने श्रीनन्दनन्दनको बार-बार नमस्कार करके हाथ जोड़कर कहा॥ २१—२३॥

श्रीमुनि बोले—जिसके नेत्र नूतन विकसित शतदल कमलके समान विशाल हैं, अधर बिम्बा-फलकी अरुणिमाको तिरस्कृत करनेवाले हैं तथा श्रीअङ्ग सजल जलधरकी श्याममनोहर कान्तिको छीने लेते हैं, जिनके मुखपर मन्द मुसकानकी दिव्य छटा छा रही है तथा जो सुन्दर मधुर मन्दगतिसे चल रहे हैं, उन बाल्यावस्थासे विलसित मनोज्ञ श्रीनन्दनन्दनको मैं मनसे प्रणाम करता हूँ। जिनके चरणोंमें मञ्जीर और नूपुर झंकृत हो रहे हैं और कटिमें खनखनाती हुई नूतन रत्ननिर्मित काञ्ची (करधनी) शोभा दे रही है; जो बघनखासे युक्त यन्त्रसमुदाय तथा सुन्दर कण्ठहारसे सुशोभित हैं, जिनके भालदेशमें दृष्टि-जनित पीड़ा हर लेनेवाली कज्जलकी बेंदी शोभा दे रही है तथा जो कलिन्दनन्दिनीके तटपर बालोचित क्रीड़ामें संलग्न हैं, उन श्रीहरिकी मैं वन्दना करता हूँ। जिनके पूर्णचन्द्रोपम सुन्दर मुखपर नूतन नीलघनकी श्याम विभाको तिरस्कृत करनेवाले घुँघराले काले केश चमक रहे हैं, तथा जिनका मस्तकरूपी मुकुद कुछ झुका हुआ है। उन आप नन्दनन्दन श्रीकृष्ण तथा आपके अग्रज श्रीबलरामको मेरा बारंबार नमस्कार है। जो प्रातःकाल उठकर इस 'श्रीनन्दनन्दनस्तोत्र' का पाठ करता है, उसके नेत्रोंके समक्ष श्रीनन्दनन्दन

सानन्द प्रकट होते हैं[१] ॥ २४—२७ ॥

श्रीनारदजी कहते हैं—इस प्रकार श्रीकृष्णको प्रणाम करके मुनिशिरोमणि दुर्वासा उन्हींका ध्यान और जप करते हुए उत्तरमें बदरिकाश्रमकी ओर चले गये ॥ २८ ॥

श्रीगर्गजी कहते हैं—शौनक! इस प्रकार देवर्षिप्रवर महात्मा नारदने बुद्धिमान् राजा बहुलाश्वको भगवान् श्रीकृष्णका चरित्र सुनाया था। ब्रह्मन्! वह सब मैंने तुमसे कह सुनाया। भगवान्‌का सुयश कलिकलुषका विनाश करनेवाला, धर्म, अर्थ, काम और मोक्ष—चारों पदार्थोंको देनेवाला तथा दिव्य (लोकातीत) है। अब तुम और क्या सुनना चाहते हो?॥ २९-३० ॥

शौनक बोले—तपोधन! इसके बाद मिथिलानरेश बहुलाश्वने शान्तस्वरूप, ज्ञानदाता महामुनि नारदसे क्या पूछा, वही प्रसङ्ग मुझसे कहिये ॥ ३१ ॥

श्रीगर्गजीने कहा—शौनक! ज्ञानदाता नारदजीको नमस्कार करके मानदाता मैथिलनरेशने पुनः उनसे श्रीकृष्णचरित्रके विषयमें, जो मङ्गलका धाम है, प्रश्न किया ॥ ३२ ॥

श्रीबहुलाश्वने पूछा—प्रभो! परमानन्दविग्रह साक्षात् भगवान् श्रीकृष्णने इसके बाद और कौन-कौन-सी विचित्र लीलाएँ कीं, यह मुझे बताइये। पूर्वके अवतारोंद्वारा भी मङ्गलमय चरित्र सम्पादित हुए हैं। इस श्रीकृष्णावतारके द्वारा इसके बाद और कौन-कौन-से पवित्र चरित्र किये गये, यह सब बताइये ॥ ३३-३४ ॥

श्रीनारदजीने कहा—राजन्! तुम्हें अनेक साधुवाद है; क्योंकि तुमने श्रीहरिके मङ्गलमय चरित्रके विषयमें प्रश्न किया है। वृन्दावनमें जो उनकी यशोवर्धक लीलाएँ हुई हैं, उनका मैं वर्णन करूँगा। यह गोलोकखण्ड अत्यन्त गोपनीय और परम अद्भुत है। गोलोकके रासमण्डलमें साक्षात् श्रीकृष्णने इसका वर्णन किया था। इसे श्रीकृष्णने निकुञ्जमें राधिकाको सुनाया और श्रीराधाने मुझे इसका ज्ञान प्रदान किया है। फिर मैंने तुमको वह सब सुना दिया। यह गोलोकखण्डका वृत्तान्त सम्पूर्ण पदार्थोंको देनेवाला उत्कृष्ट साधन है। यदि ब्राह्मण इसका पाठ करता है तो वह सम्पूर्ण शास्त्रोंके अर्थका ज्ञाता होता है, क्षत्रिय इसे सुने तो वह प्रचण्ड-पराक्रमी चक्रवर्ती सम्राट् होता है, वैश्य सुने तो वह निधिपति हो जाय और शूद्र सुने तो वह संसारके बन्धनसे छुटकारा पा जाय। जो इस जगत्‌में फलकी कामनासे रहित होकर इसका पाठ करता है, वह जीवन्मुक्त हो जाता है। जो सम्यक् भक्तिभावसे युक्त हो नित्य इसका पाठ करता है, वह भगवान् श्रीकृष्णचन्द्रके गोलोकधाममें, जो प्रकृतिसे परे है, पहुँच जाता है[२] ॥ ३५—४० ॥

इस प्रकार श्रीगर्ग-संहितामें गोलोकखण्डके अन्तर्गत नारद-बहुलाश्व-संवादमें 'दुर्वासाके द्वारा भगवान्‌की मायाका दर्शन तथा श्रीनन्दनन्दनस्तोत्रका वर्णन' नामक बीसवाँ अध्याय पूरा हुआ ॥ २० ॥

गोलोकखण्ड सम्पूर्ण।

१-श्रीमुनिरुवाच—

बालं नवीनशतपत्रविशालनेत्रं बिम्बाधरं सजलमेघरुचिं मनोज्ञम् । मन्दस्मितं मधुरसुन्दरमन्दयानं श्रीनन्दनन्दनमहं मनसा नमामि ॥
मञ्जीरनूपुररणन्नवरत्नकाञ्चीश्रीहारकेसरिनखप्रतियन्त्रसंघम् । दृष्ट्यार्तिहारिमषिबिन्दुविराजमानं वन्दे कलिन्दतनुजातटबालकेलिम् ॥
पुर्णेन्दुसुन्दरमुखोपरि कुञ्चिताग्राः केशा नवीनघननीलनिभाः स्फुरन्तः । राजन्त आनतशिरः कुमुदस्य यस्य नन्दात्मजाय सबलाय नमो नमस्ते ॥
श्रीनन्दनन्दनस्तोत्रं प्रातरुत्थाय यः पठेत् । तन्नेत्रगोचरं याति सानन्दं नन्दनन्दनः ॥
(गर्ग०, गोलोक० २० । २४—२७)

२-इदं गोलोकखण्डं च गुह्यं परममद्भुतम्। श्रीकृष्णेन प्रकथितं गोलोके रासमण्डले ॥
निकुञ्जे राधिकायै च राधा मह्यं ददाविदम्। मया तुभ्यं श्रावितं च दत्तं सर्वार्थदं परम् ॥
इदं पठति विप्रस्तु सर्वशास्त्रार्थगो भवेत्। श्रुत्वेदं चक्रवर्ती स्यात् क्षत्रियश्चण्डविक्रमः ॥
वैश्यो निधिपतिर्भूयाच्छूद्रो मुच्येत बन्धनात्। निष्फलो योऽपि जगति जीवन्मुक्तः स जायते ॥
यो नित्यं पठते सम्यग् भक्तिभावसमन्वितः। स गच्छेत् कृष्णचन्द्रस्य गोलोकं प्रकृतेः परम् ॥ (गर्ग०, गोलोक० २० । ३६—४०)

ब्रह्माजी द्वारा भगवान् श्रीकृष्णका स्तवन

श्रीराधाकृष्णाभ्यां नमः

श्रीवृन्दावनखण्ड

प्रथम अध्याय

सन्नन्दका गोपोंको महावनसे वृन्दावनमें चलनेकी सम्मति देना और व्रजमण्डलके सर्वाधिक माहात्म्यका वर्णन करना

मङ्गलाचरण

कृष्णातीरे कोकिलाकेलिकीरे
गुञ्जापुञ्जे देवपुष्पादिकुञ्जे।
कम्बुग्रीवौ क्षिप्तबाहू चलन्तौ
राधाकृष्णौ मङ्गलं मे भवेताम्॥ १॥

श्रीयमुनाजीके तटपर, जहाँ कोकिलाएँ तथा क्रीडाशुक विचरते हैं, गुञ्जापुञ्जसे विलसित देवपुष्प (पारिजात) आदिके कुञ्जमें, शङ्ख-सदृश सुन्दर ग्रीवासे सुशोभित तथा एक-दूसरेके गलेमें बाँह डालकर चलनेवाले प्रिया-प्रियतम श्रीराधा-कृष्ण मेरे लिये मङ्गलमय हों॥ १॥

अज्ञानतिमिरान्धस्य ज्ञानाञ्जनशलाकया।
चक्षुरुन्मीलितं येन तस्मै श्रीगुरवे नमः॥ २॥

मैं अज्ञानरूपी रतौंधीसे अंधा हो रहा था; जिन्होंने ज्ञानरूपी अञ्जनकी शलाकासे मेरी आँखें खोल दी हैं, उन श्रीगुरुदेवको नमस्कार है॥ २॥

श्रीनारदजी कहते हैं—राजन्! एक समयकी बात है—व्रजमें विविध उपद्रव होते देख नन्दराजने अपने सहायक नन्दों, उपनन्दों, वृषभानुओं, वृषभानुवरों तथा अन्य बड़े-बूढ़े गोपोंको बुलाकर सभामें उनसे कहा॥ ३ $\frac{1}{2}$॥

नन्द बोले—गोपगण! महावनमें तो बहुत-से उत्पात हो रहे हैं। बताइये, हमलोगोंको इस समय क्या करना चाहिये॥ ४॥

श्रीनारदजी कहते हैं—यह सुनकर उन सबमें विशेष मन्त्रकुशल वृद्ध गोप सन्नन्दने बलराम और श्रीकृष्णको गोदमें लेकर नन्दराजसे कहा॥ ५॥

सन्नन्द बोले—मेरे विचारसे तो हमें अपने समस्त परिकरोंके साथ यहाँसे उठ चलना चाहिये और किसी दूसरे ऐसे स्थानमें जाकर डेरा डालना चाहिये, जहाँ उत्पातकी सम्भावना न हो। तुम्हारा बालक श्रीकृष्ण हम सबको प्राणोंके समान प्रिय है, व्रजवासियोंका जीवन है, व्रजका धन और गोपकुलका दीपक है और अपनी बाललीलासे सबके मनको मोह लेनेवाला है। हाय! कितने खेदकी बात है कि इस बालकपर पूतना, शकट और तृणावर्तका आक्रमण हुआ, फिर इसके ऊपर वृक्ष गिर पड़े; इन सब संकटोंसे यह किसी प्रकार बचा है, इससे बढ़कर उत्पात और क्या हो सकता है। इसलिये हमलोग अपने बालकोंके साथ वृन्दावनमें चलें और जब उत्पात शान्त हो जायँ, तब फिर यहाँ आयें॥ ६—९॥

नन्दने पूछा—बुद्धिमानोंमें श्रेष्ठ सन्नन्दजी! इस व्रजसे वृन्दावन कितनी दूर है? वह वन कितने कोसोंमें फैला हुआ है, उसका लक्षण क्या है और वहाँ कौन-सा सुख सुलभ है? यह सब बताइये॥ १०॥

सन्नन्द बोले—बहिषत्से ईशानकोण, यदुपुरसे दक्षिण और शोणपुरसे पश्चिमकी भूमिको 'माथुर-मण्डल' कहते हैं। मथुरामण्डलके भीतर साढ़े बीस योजन विस्तृत भूभागको मनीषी पुरुषोंने 'दिव्य माथुर-मण्डल' या 'व्रज' बताया है। एक बार मैं मथुरापुरीमें वसुदेवजीके घर ठहरा हुआ था; वहीं श्रीगर्गाचार्यजीके मुखसे मैंने सुना था कि तीर्थराज प्रयागने भी इस दिव्य मथुरा-मण्डलकी पूजा की है। यों तो मथुरा-मण्डलमें बहुत-से वन हैं किंतु उन सबसे

श्रेष्ठ 'वृन्दावन' नामक वन है, जो परिपूर्णतम भगवान्‌के भी मनको हरण करनेवाला लीला-क्रीडा-स्थल है। वैकुण्ठसे बढ़कर दूसरा कोई लोक न तो हुआ है और न आगे होगा। केवल एक 'वृन्दावन' ही ऐसा है, जो वैकुण्ठकी अपेक्षा भी परात्पर (परम उत्कृष्ट) है। जहाँ 'गोवर्धन' नामसे प्रसिद्ध गिरिराज विराजमान है, जहाँ कालिन्दीके तटपर मङ्गलधाम पुलिन है, जहाँ बृहत्सानु (बरसाना) पर्वत है तथा जहाँ नन्दीश्वर गिरि शोभा पाता है, जो चौबीस कोसके विस्तारमें स्थित तथा विशाल काननोंसे आवृत है; जो पशुओंके लिये हितकर, गोप-गोपी और गौओंके लिये सेवन करनेयोग्य तथा लताकुञ्जोंसे आवृत है, उस मनोहर वनको 'वृन्दावन' के नामसे स्मरण किया जाता है॥ ११—१८॥

नन्दजीने पूछा—सन्नन्दजी! तीर्थराज प्रयागने कब इस व्रजकी पूजा की है, मैं यह जानना चाहता हूँ। इसे सुननेके लिये मेरे मनमें बड़ा कौतूहल—बड़ी उत्कण्ठा है॥ १९॥

सन्नन्द बोले—नन्दराज! पूर्वकालमें नैमित्तिक प्रलयके अवसरपर एक महान् दैत्य प्रकट हुआ, जो शङ्खासुरके नामसे प्रसिद्ध था। वह वेदद्रोही दैत्यराज समस्त देवताओंको जीतकर ब्रह्मलोकमें गया और वहाँ सोते हुए ब्रह्माके पाससे वेदोंकी पोथी चुराकर समुद्रमें जा घुसा। वेदोंके जाते ही देवताओंका सारा बल चला गया। तब पूर्ण भगवान् यज्ञेश्वर श्रीहरिने मत्स्यरूप धारण करके नैमित्तिक प्रलयके सागरमें उस शङ्खासुरके साथ युद्ध किया। महाबली दैत्य शङ्खने श्रीहरिके ऊपर शूल चलाया। किंतु साक्षात् श्रीहरिने अपने चक्रसे उस शूलके सैकड़ों टुकड़े कर दिये। तब शङ्खने अपने सिरसे भगवान् विष्णुके वक्ष:स्थलमें प्रहार किया। किंतु उसके उस प्रहारसे परात्पर श्रीहरि विचलित नहीं हुए। उस समय मत्स्यरूपधारी श्रीहरिने हाथमें गदा लेकर महाबली शङ्खरूपधारी उस दैत्यकी पीठपर आघात किया। गदाके प्रहारसे वह इतना पीड़ित हुआ कि उसका चित्त कुछ व्याकुल हो गया; किंतु पुनः उठकर उसने सर्वेश्वर श्रीहरिको मुक्केसे मारा। तब कमलनयन साक्षात् भगवान् विष्णुने कुपित हो अपने चक्रसे उसके सुदृढ़ मस्तकको सींगसहित काट डाला। व्रजेश्वर! इस प्रकार शङ्खको जीतकर देवताओंके साथ सर्वव्यापी श्रीहरिने प्रयागमें आकर वे चारों वेद ब्रह्माजीको दे दिये। फिर सम्पूर्ण देवताओंके साथ उन्होंने विधिवत् यज्ञका अनुष्ठान किया और प्रयागतीर्थके अधिष्ठाता देवताको बुलाकर उसे 'तीर्थराज' पदपर अभिषिक्त कर दिया। साक्षात् अक्षयवटको तीर्थराजके लिये लीला-छत्र-सा बना दिया। मुनिकन्या गङ्गा तथा सूर्यसुता यमुना अपनी तरङ्गरूपी चामरोंसे उनकी सेवा करने लगीं। उसी समय जम्बूद्वीपके सारे तीर्थ भेंट लेकर बुद्धिमान् तीर्थराजके पास आये और उनकी पूजा और वन्दना करके वे तीर्थ अपने-अपने स्थानको चले गये। नन्द! जब देवताओंके साथ श्रीहरि भी चले गये, तब वहीं कलहप्रिय मुनीन्द्र नारदजी आ पहुँचे और सिंहासनपर देदीप्यमान तीर्थराजसे बोले॥ २०—३३॥

श्रीनारदजीने कहा—महातपस्वी तीर्थराज! निश्चय ही तुम समस्त तीर्थोंद्वारा विशेषरूपसे पूजित हुए हो, तुम्हें सभी मुख्य-मुख्य तीर्थोंने यहाँ आकर भेंट समर्पित की है; परंतु व्रजके वृन्दावनादि तीर्थ यहाँ तुम्हारे सामने नहीं आये। तुम तीर्थोंके राजाधिराज हो, व्रजके प्रमादी तीर्थोंने यहाँ न आकर तुम्हारा तिरस्कार किया है॥ ३४-३५॥

सन्नन्द कहते हैं—यों कहकर साक्षात् देवर्षि-शिरोमणि नारदजी वहाँसे चले गये। तब तीर्थराजके मनमें बड़ा क्रोध हुआ और वे उसी क्षण श्रीहरिके लोकमें गये। श्रीहरिको प्रणाम और उनकी परिक्रमा करके सम्पूर्ण तीर्थोंसे घिरे हुए तीर्थराज हाथ जोड़कर भगवान्‌के सामने खड़े हुए और उन श्रीनाथसे बोले॥ ३६-३७॥

तीर्थराजने कहा—देवदेव! मैं आपकी सेवामें इसलिये आया हूँ कि आपने तो मुझे 'तीर्थराज' बनाया और समस्त तीर्थोंने मुझे भेंट दी, किंतु मथुरामण्डलके तीर्थ मेरे पास नहीं आये; उन प्रमादी व्रजतीर्थोंने मेरा तिरस्कार किया है। अतः यह बात आपसे कहनेके लिये मैं आपके मन्दिरमें आया हूँ॥ ३८-३९॥

श्रीभगवान् बोले—मैंने तुम्हें धरतीके सब

तीर्थोंका राजा—'तीर्थराज' अवश्य बनाया है; किंतु अपने घरका भी राजा तुम्हें ही बना दिया हो, ऐसी बात तो नहीं हुई है! फिर तुम तो मेरे गृहपर भी अधिकार जमानेकी इच्छा लेकर प्रमत्त पुरुषके समान बात कैसे कर रहे हो? तीर्थराज! तुम अपने घर जाओ और मेरा यह शुभ वचन सुन लो। मथुरामण्डल मेरा साक्षात् परात्पर धाम है, त्रिलोकीसे परे है। उस दिव्यधामका प्रलयकालमें भी संहार नहीं होता॥ ४०—४२॥

सन्नन्द कहते हैं—यह सुनकर तीर्थराज बड़े विस्मित हुए। उनका सारा अभिमान गल गया। फिर वहाँसे आकर उन्होंने मथुराके व्रजमण्डलका पूजन और उसकी परिक्रमा करके अपने स्थानको पदार्पण किया। पृथ्वीका मानभङ्ग करनेके लिये यह व्रजमण्डल पहले दिखाया गया था। मैंने ये सारी बातें तुम्हारे सामने कहीं, अब और क्या सुनना चाहते हो॥ ४३-४४॥

नन्दजीने पूछा—गोपेश्वर! किसने पहले पृथ्वीका मानभङ्ग करनेके लिये इस व्रजमण्डलको दिखलाया था, यह मुझे बताइये॥ ४५॥

सन्नन्दने कहा—इसी वाराहकल्पमें पहले श्रीहरिने वराहरूप धारण करके अपनी दाढ़पर उठाकर रसातलसे पृथ्वीका उद्धार किया था। उस समय उन प्रभुकी बड़ी शोभा हुई थी। जलमें जाते हुए उन वराहरूपधारी भगवान् रमानाथ जनार्दनसे उनकी दंष्ट्राके अग्रभागपर शोभित हुई पृथ्वी बोली॥ ४६-४७॥

पृथ्वीने पूछा—प्रभो! सारा विश्व पानीसे भरा दिखायी देता है। अतः बताइये, आप किस स्थलपर मेरी स्थापना करेंगे?॥ ४८॥

भगवान् वराह बोले—जब वृक्ष दिखायी देने लगें और जलमें उद्वेगका भाव प्रकट हो, तब उसी स्थानपर तुम्हारी स्थापना होगी। तुम वृक्षोंको देखती चलो॥ ४९॥

पृथ्वीने कहा—भगवन्! स्थावर वस्तुओंकी रचना तो मेरे ही ऊपर हुई है। क्या कोई दूसरी भी धरणी है? धारणामयी धरणी तो केवल मैं ही हूँ॥ ५०॥

सन्नन्दजी कहते हैं—यों कहती हुई पृथ्वीने अपने सामने जलमें मनोहर वृक्ष देखे। उन्हें देखकर पृथ्वीका अभिमान दूर हो गया और वह भगवान्से बोली—'देव! किस स्थलपर ये पल्लवसहित वृक्ष विद्यमान हैं? यह दृश्य मेरे मनमें बड़ा आश्चर्य पैदा कर रहा है। यज्ञपते! प्रभो! इसका रहस्य बताइये'॥ ५१-५२॥

भगवान् वराह बोले—नितम्बिनि! यह सामने दिव्य 'माथुर-मण्डल' दिखायी देता है, जो गोलोककी धरतीसे जुड़ा हुआ है। प्रलयकालमें भी इसका संहार नहीं होता॥ ५३॥

सन्नन्द बोले—यह सुनकर पृथ्वीको बड़ा विस्मय हुआ। वह अभिमानशून्य हो गयी। अतः महाबाहु नन्द! यह व्रजमण्डल समस्त लोकोंसे अधिक महत्त्वशाली है। व्रजका यह माहात्म्य सुनकर मनुष्य जीवन्मुक्त हो जाता है। तुम 'माथुर-व्रजमण्डल' को तीर्थराज प्रयागसे भी उत्कृष्ट समझो॥ ५४-५५॥

इस प्रकार श्रीगर्गसंहितामें श्रीवृन्दावनखण्डके अन्तर्गत नन्द-सन्नन्द-संवादमें 'वृन्दावनमें आगमनके उद्योगका वर्णन' नामक पहला अध्याय पूरा हुआ॥ १॥

दूसरा अध्याय

गिरिराज गोवर्धनकी उत्पत्ति तथा उसका व्रजमण्डलमें आगमन

नन्दजीने पूछा—महाप्राज्ञ सन्नन्दजी! आप सर्वज्ञ और बहुश्रुत हैं, मैंने आपके मुखसे व्रजमण्डल-के माहात्म्यका वर्णन सुना। अब 'गोवर्धन' नामसे प्रसिद्ध जो पर्वत है, उसकी उत्पत्ति कैसे हुई—यह मुझे बताइये। इस गिरिश्रेष्ठ गोवर्धनको लोग 'गिरिराज' क्यों कहते हैं? यह साक्षात् यमुना नदी किस लोकसे यहाँ आयी है? उसका माहात्म्य भी मुझसे कहिये; क्योंकि आप ज्ञानियोंके शिरोमणि हैं॥ १—३॥

सन्नन्दजी बोले—एक समयकी बात है, हस्तिनापुरमें महाराज पाण्डुने धर्मधारियोंमें श्रेष्ठ श्रीभीष्मजीसे ऐसा ही प्रश्न किया था। उनके उस प्रश्नको और भीष्मजीद्वारा दिये गये उत्तरको अन्य बहुत-से लोग भी सुन रहे थे। (उस समय भीष्मजीने जो उत्तर दिया, वही मैं यहाँ सुना रहा हूँ—) साक्षात् परिपूर्णतम भगवान् श्रीकृष्ण, जो असंख्य ब्रह्माण्डोंके अधिपति, गोलोकके नाथ और सब कुछ करनेमें समर्थ हैं, जब पृथ्वीका भार उतारनेके लिये स्वयं इस भूतलपर पधारने लगे, तब उन जनार्दन देवने अपनी प्राणवल्लभा राधासे कहा—प्रिये! तुम मेरे वियोगसे भयभीत रहती हो, अतः भीरु! तुम भी भूतलपर चलो'॥ ४—६॥

श्रीराधाजी बोलीं—प्राणनाथ! जहाँ वृन्दावन नहीं है, जहाँ यह यमुना नदी नहीं है तथा जहाँ गोवर्धन पर्वत नहीं है, वहाँ मेरे मनको सुख नहीं मिल सकता॥ ७॥

सन्नन्दजी कहते हैं—नन्दराज! श्रीराधाकी यह बात सुनकर स्वयं श्रीहरिने अपने धामसे चौरासी कोस विस्तृत भूमि, गोवर्धन पर्वत और यमुना नदीको भूतलपर भेजा। उस समय चौरासी कोस विस्तारवाली गोलोककी सर्वलोकवन्दिता भूमि चौबीस वनोंके साथ यहाँ आयी। गोवर्धन पर्वतने भारतवर्षसे पश्चिम दिशामें शाल्मलीद्वीपके भीतर द्रोणाचलकी पत्नीके गर्भसे जन्म ग्रहण किया। उस अवसरपर देवताओंने गोवर्धनके ऊपर फूल बरसाये। हिमालय और सुमेरु आदि समस्त पर्वतोंने वहाँ आकर प्रणाम और परिक्रमा करके गोवर्धनका विधिवत् पूजन किया। पूजनके पश्चात् उन महान् पर्वतोंने उसकी स्तुति प्रारम्भ की॥ ८—१२॥

पर्वत बोले—तुम साक्षात् परिपूर्णतम भगवान् श्रीकृष्णचन्द्रके गोलोकधाममें, जहाँ दिव्य गौओंका समुदाय निवास करता है तथा गोपाल एवं गोप-सुन्दरियाँ शोभा पाती हैं, सुशोभित होते हो। तुम्हीं 'गोवर्धन' नामसे वृन्दावनमें विराजते हो, इस समय तुम्हीं हम समस्त पर्वतोंमें 'गिरिराज' हो। तुम वृन्दावनकी गोदमें समोद निवास करनेवाले, गोलोकके मुकुटमणि हो तथा पूर्णब्रह्म परमात्मा श्रीकृष्णके हाथोंमें किसी विशिष्ट अवसरपर छत्रके समान शोभा पाते हो। तुम गोवर्धनको हमारा सादर नमस्कार है॥ १३—१५॥

सन्नन्दजी कहते हैं—नन्दराज! जब इस प्रकार स्तुति करके सब पर्वत अपने-अपने स्थानपर चले गये, तभीसे यह गिरिश्रेष्ठ गोवर्धन साक्षात् 'गिरिराज' कहलाने लगा है। एक समय मुनिश्रेष्ठ पुलस्त्यजी तीर्थयात्राके लिये भूतलपर भ्रमण करने लगे। उन महामुनिने द्रोणाचलके पुत्र श्यामवर्णवाले श्रेष्ठ पर्वत गोवर्धनको देखा, जिसके ऊपर माधवी लताके सुमन सुशोभित हो रहे थे। वहाँके वृक्ष फलोंके भारसे लदे हुए थे। निर्झरोंके झर-झर शब्द वहाँ गूँज रहे थे। उस पर्वतपर बड़ी शान्ति विराज रही थी। अपनी कन्दराओंके कारण वह मङ्गलका धाम जान पड़ता था। सैकड़ों शिखरोंसे सुशोभित वह रत्नमय मनोहर शैल तपस्या करनेके लिये उपयुक्त स्थान था। विविध रंगकी चित्र-विचित्र धातुएँ उस पर्वतके अवयवोंमें विचित्र शोभाका आधान करती थीं। उसकी भूमि ढालू (चढ़ाव-उतारसे युक्त) थी और वहाँ नाना प्रकारके पक्षी सब ओर व्याप्त थे। मृग और बंदर आदि पशु चारों ओर फैले हुए थे। मयूरोंकी केकाध्वनिसे मण्डित गोवर्धन पर्वत मुमुक्षुओंके लिये मोक्षप्रद प्रतीत होता था॥ १६—२०॥

मुनिवर पुलस्त्यके मनमें उस पर्वतको प्राप्त करनेकी इच्छा हुई। इसके लिये वे द्रोणाचलके समीप गये। द्रोणगिरिने उनका पूजन—स्वागत-सत्कार किया। इसके बाद पुलस्त्यजी उस पर्वतसे बोले॥ २१॥

पुलस्त्यने कहा—द्रोण! तुम पर्वतोंके स्वामी हो। समस्त देवता तुम्हारा समादर करते हैं। तुम दिव्य ओषधियोंसे सम्पन्न और मनुष्योंको सदा जीवन देनेवाले हो। मैं काशीका निवासी मुनि हूँ और तुम्हारे निकट याचक होकर आया हूँ। तुम अपने पुत्र गोवर्धनको मुझे दे दो। यहाँ अन्य वस्तुओंसे मेरा कोई प्रयोजन नहीं है। भगवान् विश्वेश्वरकी महानगरी 'काशी' नामसे प्रसिद्ध है, जहाँ मरणको प्राप्त हुआ पापी पुरुष भी तत्काल परम मोक्ष प्राप्त कर लेता है, जहाँ गङ्गा नदी प्राप्त होती हैं और जहाँ साक्षात् विश्वनाथ भी

विराजमान हैं। मैं वहीं तुम्हारे पुत्रको स्थापित करूँगा, जहाँ दूसरा कोई पर्वत नहीं है। लता-बेलों और वृक्षोंसे व्याप्त जो तुम्हारा पुत्र गोवर्धन है, उसके ऊपर रहकर मैं तपस्या करूँगा—ऐसी अभिलाषा मेरे मनमें जाग्रत् हुई है॥ २२—२६॥

सन्नन्दजी कहते हैं—पुलस्त्यजीकी यह बात सुनकर पुत्र-स्नेहसे विह्वल हुए द्रोणाचलके नेत्रोंमें आँसू भर आये। उसने पुलस्त्य मुनिसे कहा॥ २७॥

द्रोणाचल बोला—महामुने! मैं पुत्र-स्नेहसे आकुल हूँ। यह पुत्र मुझे अत्यन्त प्रिय है, तथापि आपके शापके भयसे भीत होकर मैं इसे आपके हाथोंमें देता हूँ। (फिर वह पुत्रसे बोला—) बेटा! तुम मुनिके साथ कल्याणमय कर्मक्षेत्र भारतवर्षमें जाओ। वहाँ मनुष्य सत्कर्मोंद्वारा धर्म, अर्थ और काम—त्रिवर्ग सुख प्राप्त करते हैं तथा (निष्काम कर्म एवं ज्ञानयोगद्वारा) क्षणभरमें मोक्ष भी पा लेते हैं॥ २८-२९॥

गोवर्धनने कहा—मुने! मेरा शरीर आठ योजन लंबा, दो योजन ऊँचा और पाँच योजन चौड़ा है। ऐसी दशामें आप किस प्रकार मुझे ले चलेंगे॥ ३०॥

पुलस्त्यजी बोले—बेटा! तुम मेरे हाथपर बैठकर सुखपूर्वक चले चलो। जबतक काशी नहीं आ जाती, तबतक मैं तुम्हें हाथपर ही ढोये चलूँगा॥ ३१॥

गोवर्धनने कहा—मुने! मेरी एक प्रतिज्ञा है। आप जहाँ-कहीं भी भूमिपर मुझे एक बार रख देंगे, वहाँकी भूमिसे मैं पुनः उत्थान नहीं करूँगा॥ ३२॥

पुलस्त्यजी बोले—मैं इस शाल्मलीद्वीपसे लेकर भारतवर्षके कोसलदेशतक तुम्हें कहीं भी रास्तेमें नहीं रखूँगा, यह मेरी प्रतिज्ञा है॥ ३३॥

सन्नन्दजी कहते हैं—नन्दराज! तदनन्तर वह महान् पर्वत पिताको प्रणाम करके मुनिकी हथेलीपर आरूढ़ हुआ। उस समय उसके नेत्रोंमें आँसू भर आये। उसे दाहिने हाथपर रखकर पुलस्त्य मुनि लोगोंको अपना तेज दिखाते हुए धीरे-धीरे चले और व्रज-मण्डलमें आ पहुँचे। गोवर्धनपर्वतको अपने पूर्व-जन्मकी बातोंका स्मरण था। व्रजमें आनेपर उसने मार्गमें मन-ही-मन सोचा—'यहाँ व्रजमें असंख्य ब्रह्माण्डनायक साक्षात् परिपूर्णतम भगवान् श्रीकृष्ण अवतार लेंगे और ग्वालबालोंके साथ बाललीला तथा कैशोरलीला करेंगे। इतना ही नहीं, वे श्रीहरि यहाँ दानलीला और मानलीला भी करेंगे। अतः मुझे यहाँसे अन्यत्र नहीं जाना चाहिये। यह व्रजभूमि और यह यमुना नदी गोलोकसे यहाँ आयी है। श्रीराधाके साथ भगवान् श्रीकृष्णका भी यहाँ शुभागमन होगा। उनका उत्तम दर्शन पाकर मैं कृतकृत्य हो जाऊँगा।' मन-ही-मन ऐसा विचार करके गोवर्धनने मुनिकी हथेलीपर अपने शरीरका भार बहुत अधिक बढ़ा लिया। उस समय मुनि अत्यन्त थक गये। उन्हें पहलेकी कही हुई बातकी याद नहीं रही। उन्होंने पर्वतको हाथसे उतारकर व्रजमण्डलमें रख दिया। भारसे पीड़ित तो वे थे ही, लघुशङ्कासे निवृत्त होनेके लिये चले गये। शौच-क्रिया करके जलमें स्नान करनेके पश्चात् मुनिवर पुलस्त्यने उत्तम पर्वत गोवर्धनसे कहा—'अब उठो।' अधिक भारसे सम्पन्न होनेके कारण जब वह दोनों हाथोंसे नहीं उठा, तब महामुनि पुलस्त्यने उसे अपने तेज और बलसे उठा लेनेका उपक्रम किया। मुनिने स्नेहसे भीगी वाणीद्वारा द्रोणनन्दन गिरिराजको ग्रहण करनेका सम्पूर्ण शक्तिसे प्रयास किया, किंतु वह एक अंगुल भी टस-से-मस न हुआ॥ ३४—४४॥

तब पुलस्त्यजी बोले—गिरिश्रेष्ठ! चलो, चलो! भार अधिक न बढ़ाओ, न बढ़ाओ। मैं जान गया, तुम रूठे हुए हो। शीघ्र बताओ, तुम्हारा क्या अभिप्राय है?॥ ४५॥

गोवर्धन बोला—मुने! इसमें मेरा दोष नहीं है। आपने ही मुझे यहाँ स्थापित किया है। अब मैं यहाँसे नहीं उठूँगा। अपनी यह प्रतिज्ञा मैंने पहले ही प्रकट कर दी थी॥ ४६॥

सन्नन्दजी कहते हैं—यह उत्तर सुनकर मुनिश्रेष्ठ पुलस्त्यकी सारी इन्द्रियाँ क्रोधसे चञ्चल हो उठीं। उनके ओष्ठ फड़कने लगे। अपना सारा उद्यम व्यर्थ हो जानेके कारण उन्होंने द्रोणपुत्रको शाप दे दिया॥ ४७॥

पुलस्त्यजी बोले—पर्वत! तू बड़ा ढीठ है। तूने मेरा मनोरथ पूर्ण नहीं किया। इसलिये तू प्रतिदिन तिल-तिलभर क्षीण होता चला जा॥ ४८॥

सन्नन्दजी कहते हैं—नन्द! यों कहकर पुलस्त्य मुनि काशी चले गये। उसी दिनसे यह गोवर्धन पर्वत प्रतिदिन तिल-तिल करके क्षीण होता चला जा रहा है। जबतक भागीरथी गङ्गा और गोवर्धन पर्वत इस भूतलपर विद्यमान हैं, तबतक कलिका प्रभाव कदापि नहीं बढ़ेगा। गोवर्धनका यह प्रकट चरित्र परम पवित्र और मनुष्योंके बड़े-बड़े पापोंका नाश करनेवाला है। यह प्रसङ्ग मैंने तुम्हारे सामने कहा है, जो भूमण्डलमें रुचिर और अद्भुत है। यह उत्तम मोक्ष प्रदान करनेवाला है, इसमें कोई आश्चर्यकी बात नहीं है॥ ४९—५१॥

इस प्रकार श्रीगर्गसंहितामें श्रीवृन्दावनखण्डके अन्तर्गत 'गिरिराजकी उत्पत्तिका वर्णन' नामक दूसरा अध्याय पूरा हुआ॥ २॥

तीसरा अध्याय

श्रीयमुनाजीका गोलोकसे अवतरण और पुनः गोलोकधाममें प्रवेश

सन्नन्दजी कहते हैं—नन्दराज! गोलोकमें श्रीहरिने जब यमुनाजीको भूतलपर जानेकी आज्ञा दी और सरिताओंमें श्रेष्ठ यमुना जब श्रीकृष्णकी परिक्रमा करके जानेको उद्यत हुईं, उसी समय विरजा तथा ब्रह्मद्रवसे उत्पन्न साक्षात् गङ्गा—ये दोनों नदियाँ आकर यमुनाजीमें लीन हो गयीं। इसीलिये परिपूर्णतमा कृष्णा (यमुना) को परिपूर्णतम श्रीकृष्णकी पटरानीके रूपमें लोग जानते हैं। तदनन्तर सरिताओंमें श्रेष्ठ कालिन्दी अपने महान् वेगसे विरजाके वेगका भेदन करके निकुञ्ज-द्वारसे निकलीं और असंख्य ब्रह्माण्ड-समूहोंका स्पर्श करती हुई ब्रह्मद्रवमें गयीं। फिर उसकी दीर्घ जलराशिका अपने महान् वेगसे भेदन करती हुई वे महानदी श्रीवामनके बायें चरणके अँगूठेके नखसे विदीर्ण हुए ब्रह्माण्डके शिरोभागमें विद्यमान ब्रह्मद्रवयुक्त विवरमें श्रीगङ्गाके साथ ही प्रविष्ट हुईं और वहाँसे वे सरिद्वरा यमुना ध्रुवमण्डलमें स्थित भगवान् अजित विष्णुके धाम वैकुण्ठलोकमें होती हुई ब्रह्मलोकको लाँघकर जब ब्रह्ममण्डलसे नीचे गिरीं, तब देवताओंके सैकड़ों लोकोंमें एक-से-दूसरेके क्रमसे विचरती हुई आगे बढ़ीं। तदनन्तर वे सुमेरुगिरिके शिखरपर बड़े वेगसे गिरीं और अनेक शैल-शृङ्गोंको लाँघकर बड़ी-बड़ी चट्टानोंके तटोंका भेदन करती हुई जब मेरुपर्वतसे दक्षिण दिशाकी ओर जानेको उद्यत हुईं, तब यमुनाजी गङ्गासे अलग हो गयीं। महानदी गङ्गा तो हिमवान् पर्वतपर चली गयीं, किंतु कृष्णा (श्यामसलिला यमुना) कलिन्द-शिखर-पर जा पहुँचीं। वहाँ जाकर उस पर्वतसे प्रकट होनेके कारण उनका नाम 'कालिन्दी' हो गया। कलिन्दगिरिके शिखरोंसे टूटकर जो बड़ी-बड़ी चट्टानें पड़ी थीं, उनके सुदृढ़ तटोंको तोड़ती-फोड़ती और भूखण्डपर लोटती हुई वेगवती कृष्णा कालिन्दी अनेक देशोंको पवित्र करती हुई खाण्डववनमें (इन्द्रप्रस्थ या दिल्लीके पास) जा पहुँचीं। यमुनाजी साक्षात् परिपूर्णतम भगवान् श्रीकृष्णको अपना पति बनाना चाहती थीं, इसलिये वे परम दिव्य देह धारण करके खाण्डववनमें तपस्या करने लगीं। यमुनाके पिता भगवान् सूर्यने जलके भीतर ही एक दिव्य गेहका निर्माण कर दिया था, जिसमें आज भी वे रहा करती हैं। खाण्डववनसे वेगपूर्वक चलकर कालिन्दी व्रजमण्डलमें श्रीवृन्दावन और मथुराके निकट आ पहुँचीं। महावनके पास सिकतामय रमण-स्थलमें भी प्रवाहित हुईं। श्रीगोकुलमें आनेपर परम सुन्दरी यमुनाने (विशाखा सखीके नामसे) अपने नेतृत्वमें गोप-किशोरियोंका एक यूथ बनाया और श्रीकृष्णचन्द्रके रासमें सम्मिलित होनेके लिये उन्होंने वहीं अपना निवासस्थान निश्चित कर लिया। तदनन्तर वे जब व्रजसे आगे जाने लगीं, तब व्रजभूमिके वियोगसे विह्वल हो, प्रेमानन्दके आँसू बहाती हुई पश्चिम दिशाकी ओर प्रवाहित हुईं॥ १—१८॥

तदनन्तर व्रजमण्डलकी भूमिको अपने वारि-वेगसे तीन बार प्रणाम करके यमुना अनेक देशोंको पवित्र

करती हुई उत्तम तीर्थ प्रयागमें जा पहुँचीं। वहाँ गङ्गाजीके साथ उनका संगम हुआ और वे उन्हें साथ लेकर क्षीरसागरकी ओर गयीं। उस समय देवताओंने उनके ऊपर फूलोंकी वर्षा की और दिग्विजयसूचक जयघोष किया। नदीशिरोमणि कलिन्दनन्दिनी कृष्ण-वर्णा श्रीयमुनाने समुद्रतक पहुँचकर गद्‌गद वाणीमें श्रीगङ्गासे कहा॥ १९—२१॥

यमुनाने कहा—समस्त ब्रह्माण्डको पवित्र करनेवाली गङ्गे! तुम धन्य हो। साक्षात् श्रीकृष्णके चरणारविन्दोंसे तुम्हारा प्रादुर्भाव हुआ है, अतः तुम समस्त लोकोंके लिये एकमात्र वन्दनीया हो। शुभे! अब मैं यहाँसे ऊपर उठकर श्रीहरिके लोकमें जा रही हूँ। तुम्हारी इच्छा हो तो तुम भी मेरे साथ चलो! तुम्हारे समान दिव्य तीर्थ न तो हुआ है और न आगे होगा ही। गङ्गा (आप) सर्वतीर्थमयी हैं, अतः सुमङ्गले गङ्गे! मैं तुम्हें प्रणाम करती हूँ। यदि मैंने कभी कोई अनुचित बात कही हो तो उसके लिये मुझे क्षमा कर देना॥ २२—२४॥

गङ्गा बोलीं—कृष्णे! सम्पूर्ण ब्रह्माण्डको पावन बनानेवाली तो तुम हो, अतः तुम्हीं धन्य हो। श्रीकृष्णके वामाङ्गसे तुम्हारा प्रादुर्भाव हुआ है। तुम परमानन्द-स्वरूपिणी हो। साक्षात् परिपूर्णतमा हो। समस्त लोकोंके द्वारा एकमात्र वन्दनीया हो। परिपूर्णतम परमात्मा श्रीकृष्णकी भी पटरानी हो। अतः कृष्णे! तुम सब प्रकारसे उत्कृष्ट हो। तुम कृष्णाको मैं प्रणाम करती हूँ। तुम समस्त तीर्थों और देवताओंके लिये भी दुर्लभ हो। गोलोकमें भी तुम्हारा दर्शन दुष्कर है। मैं तो भगवान् श्रीकृष्णकी ही आज्ञासे मङ्गलमय पाताललोकमें जाऊँगी। यद्यपि तुम्हारे वियोगके भयसे मैं बहुत व्याकुल हूँ, तो भी इस समय तुम्हारे साथ चलनेमें असमर्थ हूँ। व्रजके रासमण्डलमें मैं भी तुम्हारे यूथमें सम्मिलित होकर रहूँगी। हरिप्रिये! मैंने भी यदि कोई अप्रिय बात कह दी हो तो उसके लिये मुझे क्षमा कर देना॥ २५—२९॥

सन्नन्दजी कहते हैं—इस प्रकार एक-दूसरेको प्रणाम करके दोनों नदियाँ तुरंत अपने-अपने गन्तव्य पथपर चली गयीं। सुरधुनी गङ्गाजी अनेक लोकोंको पवित्र करती हुई पातालमें चली गयीं और वहाँ भोगवती-वनमें जाकर 'भोगवती गङ्गा'के नामसे प्रसिद्ध हुईं। उन्हींका जल भगवान् शंकर और शेषनाग अपने मस्तकपर धारण करते हैं॥ ३०-३१॥

इधर कृष्णा अपने वेगसे सप्तसागर-मण्डलका भेदन करके सातों द्वीपोंके भूभागपर लोटती हुई और भी प्रखर वेगसे आगे बढ़ीं। सुवर्णमयी भूमिपर पहुँचकर लोकालोक पर्वतपर गयीं। उसके शिखरों तथा गण्डशैलों (टूटी चट्टानों) के तटका भेदन करके कालिन्दी फुहारेकी-सी जलधाराके साथ उछलकर लोकालोक पर्वतके शिखरपर जा पहुँचीं। फिर वहाँसे ऊर्ध्वगमन करती हुई स्वर्गवासियोंके स्वर्गलोकतक जा पहुँचीं। फिर ब्रह्मलोकतकके समस्त लोकोंको लाँघकर श्रीहरिके पदचिह्नसे लाञ्छित श्रीब्रह्मद्रवसे युक्त ब्रह्माण्डविवरसे होती हुई आगे बढ़ गयीं। उस समय समस्त देवता प्रणाम करते हुए उनके ऊपर फूलोंकी वर्षा कर रहे थे। इस तरह सरिताओंमें श्रेष्ठ यमुना पुनः श्रीकृष्णके गोलोकधाममें आरूढ़ हो गयीं। कलिन्दगिरिनन्दिनी यमुनाके इस मङ्गलमय नूतन चरित्रका भूतलपर यदि श्रवण या पठन किया जाय तो वह उत्तम मङ्गलका विस्तार करता है। यदि कोई भी मनुष्य इस चरित्रको मनमें धारण करे और प्रतिदिन पढ़े तो वह भगवान्‌की निकुञ्जलीलाके द्वारा वरण किये गये उनके परमपद—गोलोकधाममें पहुँच जाता है॥ ३२—३७॥

इस प्रकार श्रीगर्गसंहितामें श्रीवृन्दावनखण्डके अन्तर्गत नन्द-सन्नन्द-संवादमें 'कालिन्दीके आगमनका वर्णन' नामक तीसरा अध्याय पूरा हुआ॥ ३॥

चौथा अध्याय

श्रीबलराम और श्रीकृष्णके द्वारा बछड़ोंका चराया जाना तथा वत्सासुरका उद्धार

श्रीनारदजी कहते हैं—राजन्! सन्नन्दकी बात सुनकर महामना नन्दराज समस्त गोपगणोंके साथ बड़े प्रसन्न हुए और वृन्दावनमें जानेको तैयार हो गये। यशोदा, रोहिणी तथा समस्त गोपाङ्गनाओंके साथ घोड़ों, रथों, वीर पुरुषों तथा विप्रमण्डलीसे मण्डित हो, परम बुद्धिमान् नन्दराज दोनों पुत्र बलराम और श्रीकृष्णसहित रथपर आरूढ़ हो वृन्दावनकी ओर चल दिये। उनके साथ गौओंका समुदाय भी था। बूढ़े, बालक और सेवकोंसहित अनेक छकड़े चल रहे थे। यात्राके समय शङ्ख बजे और नगारोंकी ध्वनियाँ हुईं। बहुत-से गायक नन्दराजका यशोगान कर रहे थे॥ १—४॥

गोप वृषभानुवर अपनी पत्नीके साथ हाथीपर बैठकर, पुत्री राधाको अङ्कमें लिये, गायकोंसे यशोगान सुनते हुए, मृदङ्ग, ताल, वीणा और वेणुओंकी मधुर ध्वनिके साथ वृन्दावनको गये। उनके साथ भी बहुतसे गोप और गौओंका समुदाय था। नन्द, उपनन्द और छहों वृषभानु भी अपने समस्त परिकरोंके साथ वृन्दावनमें गये। समस्त गोपोंने अपने सेवकोंसहित वृन्दावनमें प्रवेश करके अलग-अलग गोष्ठ बनाये और इधर-उधर निवास आरम्भ किया। वृषभानुने अपने लिये वृषभानुपुर (बरसाना) नामक नगरका निर्माण कराया, जो चार योजन विस्तृत दुर्गके आकारमें था। उसके चारों ओर खाइयाँ बनी थीं। उस दुर्गके सात दरवाजे थे। दुर्गके भीतर विशाल सभामण्डप था। अनेक सरोवर उस दुर्गकी शोभा बढ़ा रहे थे। बीच-बीचमें मनोहर राजमार्गका निर्माण कराया गया था। एक सहस्र कुञ्जें उस पुरकी शोभा बढ़ाती थीं॥ ५—१०॥

श्रीकृष्ण नन्दनगर (नन्दगाँव) तथा वृषभानुपुर (बरसाने) में बालकोंके साथ क्रीड़ा करते हुए घूमते और गोपाङ्गनाओंकी प्रीति बढ़ाते थे। राजन्! कुछ दिनों बाद सम्पूर्ण गोपोंके समादर-भाजन मनोहर रूपवाले बलराम और श्रीकृष्ण वृन्दावनमें बछड़े चराने लगे। वे दोनों भाई ग्वाल-बालोंके साथ गाँवकी सीमातक जाकर बछड़े चराते थे। कालिन्दीके निकट उसके पावन पुलिनपर सुशोभित निकुञ्जों और कुञ्जोंमें बलराम और श्रीकृष्ण इधर-उधर लुकाछिपीके खेल खेलते और कहीं-कहीं रेंगते हुए चलकर वनमें सानन्द विचरते थे। उन दोनोंके कटिप्रदेशमें करधनीकी लड़ियाँ शोभा देती थीं। खेलते समय उनके पैरोंके मञ्जीर और नूपुर मधुर झंकार फैलाते थे। बलरामके अङ्गोंपर नीलाम्बर शोभा पाता था और श्रीकृष्णके अङ्गोंपर पीतपट। वे दोनों भाई हार और भुजबंदोंसे भूषित थे। कभी बालकोंके साथ क्षेपणों (ढेलवासों) द्वारा ढेले फेंकते और कभी बाँसुरी बजाते थे। कुछ ग्वाल-बाल अपने मुखसे करधनीके घुँघुरुओंकी-सी ध्वनि करते हुए दौड़ते और उनके साथ वे दोनों बन्धु—राम और श्याम भी पक्षियोंकी छायाका अनुसरण करते भागते हुए सुशोभित होते थे। सिरपर मयूरपिच्छ लगाकर फूलों और पल्लवोंके शृङ्गार धारण करते थे॥ ११—१७॥

नरेश्वर! एक दिन उनके बछड़ोंके झुंडमें कंसका भेजा हुआ वत्सासुर आकर मिल गया। श्रीकृष्णको यह बात विदित हो गयी और वे उसके पास गये। वह दैत्य गोप-बालकोंके बीचमें सब ओर पूँछ उठाकर बार-बार दौड़ता हुआ दिखायी देता था। उसने अचानक आकर अपने पिछले पैरोंसे श्रीकृष्णके कंधोंपर प्रहार किया। अन्य गोप-बालक तो भाग चले, किंतु श्रीकृष्णने उसके दोनों पैर पकड़ लिये और उसे घुमाकर धरतीपर पटक दिया। इसके बाद श्रीहरि-ने फिर उसे हाथोंसे उठाकर कपित्थ-वृक्षपर दे मारा। फिर तो वह दैत्य तत्काल मर गया। उसके धक्केसे महान् कपित्थ-वृक्षने स्वयं गिरकर दूसरे-दूसरे वृक्षोंको भी धराशायी कर दिया। यह एक अद्भुत-सी बात हुई। समस्त ग्वालबाल आश्चर्यसे चकित हो कन्हैया-को वहाँ साधुवाद देने लगे। देवतालोग आकाशमें

खड़े हो जय-जयकार करते हुए फूल बरसाने लगे। उस दैत्यकी विशाल ज्योति श्रीकृष्णमें लीन हो गयी॥ १८—२३॥

बहुलाश्वने पूछा—मुने! यह तो बड़े आश्चर्यकी बात है। बताइये तो, इस वत्सासुरके रूपमें पहलेका कौन-सा पुण्यात्मा पुरुष प्रकट हो गया था, जो परिपूर्णतम परमात्मा श्रीकृष्णमें विलीन हुआ?॥ २४॥

श्रीनारदजी बोले—राजन्! मुरके एक पुत्र था, जो महादैत्य 'प्रमील' के नामसे विख्यात था। उसने देवताओंको भी युद्धमें जीत लिया था। एक दिन वह वसिष्ठ मुनिके आश्रमपर गया। वहाँ उसने मुनिकी होमधेनु नन्दिनीको देखा। उसे पानेकी इच्छासे वह ब्राह्मणका रूप धारण करके मुनिके पास गया और उस मनोहर गौके लिये याचना करने लगा। महर्षि दिव्यदर्शी थे; अतः सब कुछ जानकर भी चुप रह गये, कुछ बोले नहीं। तब गौने स्वयं कहा॥ २५-२६॥

श्रीनन्दिनी बोली—दुर्मते! तू मुरका पुत्र दैत्य है, तो भी मुनियोंकी गौका अपहरण करनेके लिये ब्राह्मण बनकर आया है; अतः गायका बछड़ा हो जा॥ २७॥

श्रीनारदजी कहते हैं—राजन्! नन्दिनीके इतना कहते ही वह मुरपुत्र महान् गोवत्स बन गया। तब उसने मुनिवर वसिष्ठ तथा उस गौकी परिक्रमा एवं प्रणाम करके कहा—'मेरी रक्षा कीजिये, रक्षा कीजिये'॥ २८॥

गौ बोली—महादैत्य! द्वापरके अन्तमें जब तू श्रीकृष्णके बछड़ोंमें घुस जायगा, उस समय तेरी मुक्ति होगी॥ २९॥

श्रीनारदजी कहते हैं—उसी शाप और वरदानके कारण परिपूर्णतम पतितपावन साक्षात् भगवान् श्रीकृष्णमें दैत्य वत्सासुर विलीन हुआ। इसमें विस्मयकी कोई बात नहीं है॥ ३०॥

इस प्रकार श्रीगर्गसंहितामें श्रीवृन्दावनखण्डके अन्तर्गत 'वत्सासुरका मोक्ष' नामक चौथा अध्याय पूरा हुआ॥ ४॥

पाँचवाँ अध्याय

वकासुरका उद्धार

श्रीनारदजी कहते हैं—एक दिन बलराम तथा ग्वाल-बालोंके साथ बछड़े चराते हुए श्रीहरिने यमुनाके निकट आये हुए वकासुरको देखा। वह श्वेत पर्वतके समान ऊँचा दिखायी देता था। बड़ी-बड़ी टाँगें और मेघ-गर्जनके समान ध्वनि! उसे देखते ही ग्वाल-बाल डरके मारे भागने लगे। उसकी चोंच वज्रके समान तीखी थी। उसने आते ही श्रीहरिको अपना ग्रास बना लिया। यह देख सब ग्वाल-बाल रोने लगे। रोते-रोते वे निष्प्राण-से हो गये। उस समय हाहाकार करते हुए सब देवता वहाँ आ पहुँचे। इन्द्रने तत्काल वज्र चलाकर उस महान् वकपर प्रहार किया। वज्रकी चोटसे वकासुर धरतीपर गिर पड़ा, किंतु मरा नहीं। वह फिर उठकर खड़ा हो गया। तब ब्रह्माजीने भी कुपित होकर उसे ब्रह्मदण्डसे मारा। उस आघातसे गिरकर वह असुर दो घड़ीतक मूर्च्छित पड़ा रहा। फिर अपने शरीरको कँपाता हुआ जँभाई लेकर वह बड़े वेगसे उठ खड़ा हुआ। उसकी मृत्यु नहीं हुई। वह बलवान् दैत्य मेघके समान गर्जना करने लगा। इसी समय त्रिनेत्रधारी भगवान् शंकरने उस महान् असुरपर त्रिशूलसे प्रहार किया। उस प्रहारसे दैत्यकी एक पाँख कट गयी, तो भी वह महाभयंकर असुर मर न सका। तदनन्तर वायुदेवने वकासुरपर वायव्यास्त्र चलाया; उससे वह कुछ ऊपरकी ओर उठ गया, परंतु पुनः अपने स्थानपर आकर खड़ा हो गया। इसके बाद यमने सामने आकर उसपर यमदण्डसे प्रहार किया, परंतु प्रचण्ड-पराक्रमी वकासुरकी उस दण्डसे भी मृत्यु नहीं हुई। यमराजका वह दण्ड भी टूट गया, किंतु वकासुरको कोई क्षति नहीं पहुँची। इतनेमें ही प्रचण्ड किरणोंवाले चण्डपराक्रमी सूर्यदेव उसके सामने आये। उन्होंने धनुष हाथमें लेकर वकासुरको सौ

बाण मारे। वे तीखे बाण उसकी पाँखमें धँस गये, फिर भी वह मर न सका। तब कुबेरने तीखी तलवारसे उसके ऊपर चोट की। इससे उसकी दूसरी पाँख भी कट गयी, किंतु वह दैत्यपुंगव मृत्युको नहीं प्राप्त हुआ। तदनन्तर सोमदेवताने उस महावकपर नीहारास्त्रका प्रयोग किया। उसके प्रहारसे शीतपीड़ित हो वकासुर मूर्च्छित तो हो गया, किंतु मरा नहीं; फिर उठकर खड़ा हो गया। अब अग्निदेवताने उस महावकपर आग्नेयास्त्रसे प्रहार किया; इससे उसके रोएँ जल गये, परंतु उस महादुष्ट दैत्यकी मृत्यु नहीं हुई। तत्पश्चात् जलके स्वामी वरुणने उसको पाशसे बाँधकर धरतीपर घसीटा। घसीटनेसे वह महापापी असुर क्षत-विक्षत हो गया; किंतु मरा नहीं॥ १—१५॥

तदनन्तर वेगशालिनी भद्रकालीने आकर उसपर गदासे प्रहार किया। गदाके प्रहारसे मूर्च्छित हो वकासुर अत्यन्त वेदनाके कारण सुध-बुध खो बैठा। उसके मस्तकपर चोट पहुँची थी, तथापि वह अपने शरीरको कँपाता और फड़फड़ाता हुआ फिर उठकर खड़ा हो गया और वह महादुष्ट दैत्य धीरतापूर्वक समराङ्गणमें स्थित हो मेघोंकी भाँति गर्जना करने लगा। उस समय शक्तिधारी स्कन्दने बड़ी उतावलीके साथ उसके ऊपर अपनी शक्ति चलायी। उसके प्रहारसे उस पक्षिप्रवर असुरकी एक टाँग टूट गयी, किंतु वह मर न सका। तदनन्तर विद्युत्की गड़गड़ाहटके समान गर्जना करते हुए उस दैत्यने सहसा क्रोधपूर्वक धावा किया और अपनी तीखी चोंचसे मार-मारकर सब देवताओंको खदेड़ दिया। आकाशमें आगे-आगे देवता भाग रहे थे और पीछेसे वकासुर उन्हें खदेड़ रहा था। इसके बाद वह दैत्य पुनः वहीं लौट आया और समस्त दिङ्मण्डलको अपने सिंहनादसे निनादित करने लगा॥ १६—२०॥

उस समय समस्त देवर्षियों, ब्रह्मर्षियों तथा द्विजोंने श्रीनन्दनन्दनको शीघ्र ही सफल आशीर्वाद प्रदान किया। उसी समय श्रीकृष्णने वकासुरके शरीरके भीतर अपने ज्योतिर्मय दिव्य देहको बढ़ाकर विस्तृत कर लिया। फिर तो उस महावकका कण्ठ फटने लगा और उसने सहसा श्रीकृष्णको उगल दिया। फिर तीखी चोंचसे श्रीकृष्णको पकड़नेके लिये जब वह पास आया, तब श्रीकृष्णने झपटकर उसकी पूँछ पकड़ ली और उसे पृथ्वीपर दे मारा; किंतु वह पुनः उठकर चोंच फैलाये उनके सामने खड़ा हो गया। तब श्रीकृष्णने दोनों हाथोंसे उसकी दोनों चोंचें पकड़ लीं और जैसे हाथी किसी वृक्षकी शाखाको चीर डाले, उसी तरह उसे विदीर्ण कर दिया॥ २१—२४॥

उस समय मृत्युको प्राप्त हुए दैत्यकी देहसे एक ज्योति निकली और श्रीकृष्णमें समा गयी। फिर तो देवता जय-जयकार करते हुए दिव्य पुष्पोंकी वर्षा करने लगे। तब समस्त ग्वाल-बाल आश्चर्यचकित हो, सब ओरसे आकर श्रीकृष्णसे लिपट गये और बोले—'सखे! आज तो तुम मौतके मुखसे कुशलपूर्वक निकल आये'॥ २५-२६॥

इस प्रकार वकासुरको मारनेके पश्चात् बछड़ोंको आगे करके श्रीकृष्ण बलराम और ग्वाल-बालोंके साथ गीत गाते हुए सहर्ष राजभवनमें लौट आये। परिपूर्णतम परमात्मा श्रीकृष्णके इस पराक्रमपूर्ण चरित्रका घर लौटे हुए ग्वाल-बालोंने विस्तारपूर्वक वर्णन किया। उसे सुनकर समस्त गोप अत्यन्त विस्मित हुए॥ २७-२८॥

बहुलाश्वने पूछा—देवर्षे! यह वकासुर पूर्वकालमें कौन था और किस कारणसे उसको बगुलेका शरीर प्राप्त हुआ था? वह पूर्णब्रह्म सर्वेश्वर श्रीकृष्णमें लीन हुआ, यह कितने सौभाग्यकी बात है!॥ २९॥

श्रीनारदजीने कहा—नरेश्वर! 'हयग्रीव' नामक दैत्यके एक पुत्र था, जो 'उत्कल' नामसे प्रसिद्ध हुआ। उसने समराङ्गणमें देवताओंको परास्त करके देवराज इन्द्रके छत्रको छीन लिया था। उस महाबली दैत्यने और भी बहुत-से मनुष्यों तथा नरेशोंकी राज्य-सम्पत्तिका अपहरण करके सौ वर्षों-तक सर्ववैभवसम्पन्न राज्यका उपभोग किया। एक दिन इधर-उधर विचरता हुआ दैत्य उत्कल गङ्गा-सागरसंगमपर सिद्ध मुनि जाजलिकी पर्णशालाके समीप गया और पानीमें बंसी डालकर बारंबार मछलियोंको पकड़ने लगा। यद्यपि मुनिने मना

किया, तथापि उस दुर्बुद्धिने उनकी बात नहीं मानी। मुनिश्रेष्ठ जाजलि सिद्ध महात्मा थे, उन्होंने उत्कलको शाप देते हुए कहा—'दुर्मते! तू बगुलेकी भाँति मछली पकड़ता और खाता है, इसलिये बगुला ही हो जा।' फिर क्या था? उत्कल उसी क्षण बगुलेके रूपमें परिणत हो गया। तेजोभ्रष्ट हो जानेके कारण उसका सारा गर्व गल गया। उसने हाथ जोड़कर मुनिको प्रणाम किया और उनके दोनों चरणोंमें पड़कर कहा॥ ३०—३५॥

उत्कल बोला—मुने! मैं आपके प्रचण्ड तपोबलको नहीं जानता था। जाजलिजी! मेरी रक्षा कीजिये। आप-जैसे साधु-महात्माओंका सङ्ग तो उत्तम मोक्षका द्वार माना गया है। जो शत्रु और मित्रमें, मान और अपमानमें, सुवर्ण और मिट्टीके ढेलेमें तथा सुख और दुःखमें भी समभाव रखते हैं, वे आप-जैसे महात्मा ही सच्चे साधु हैं। मुने! इस भूतलपर महात्माओंके दर्शनसे मनुष्योंका कौन-कौन मनोरथ नहीं पूरा हुआ? ब्रह्मपद, इन्द्रपद, सम्राट्का पद तथा योगसिद्धि—सब कुछ संतोंकी कृपासे सुलभ हो सकते हैं। मुनिश्रेष्ठ जाजले! आप-जैसे महात्माओंसे लोगोंको धर्म, अर्थ और कामकी प्राप्ति हुई तो क्या हुई? साधुपुरुषोंकी कृपासे तो साक्षात् पूर्णब्रह्म परमात्मा भी मिल जाता है॥ ३६—३९॥

श्रीनारदजी कहते हैं—नरेश्वर! उस समय उत्कलकी विनययुक्त बात सुनकर वे जाजलि मुनि प्रसन्न हो गये। इन्होंने साठ हजार वर्षोंतक तपस्या की थी। उन्होंने उत्कलसे कहा॥ ४०॥

जाजलि बोले—वैवस्वत मन्वन्तर प्राप्त होनेपर जब अट्ठाईसवें द्वापरका अन्तिम समय बीतता होगा, उस समय भारतवर्षके माथुर-जनपदमें स्थित व्रजमण्डलके भीतर साक्षात् परिपूर्णतम भगवान् श्रीकृष्ण वृन्दावनमें गोवत्स चराते हुए विचरेंगे। उन्हीं दिनों तुम भगवान् श्रीकृष्णमें लीन हो जाओगे, इसमें संशय नहीं है। हिरण्याक्ष आदि दैत्य भगवान्‌के प्रति वैरभाव रखनेपर भी उनके परमपदको प्राप्त हो गये हैं॥ ४१—४३॥

श्रीनारदजी कहते हैं—इस प्रकार वकासुरके रूपमें परिणत हुआ उत्कल दैत्य जाजलिके वरदानसे भगवान् श्रीकृष्णमें लयको प्राप्त हुआ। संतोंके सङ्गसे क्या नहीं सुलभ हो सकता?॥ ४४॥

इस प्रकार श्रीगर्गसंहितामें श्रीवृन्दावनखण्डके अन्तर्गत 'वकासुरका मोक्ष' नामक पाँचवाँ अध्याय पूरा हुआ॥ ५॥

छठा अध्याय

अघासुरका उद्धार और उसके पूर्वजन्मका परिचय

श्रीनारदजी कहते हैं—राजन्! एक दिन ग्वाल-बालोंके साथ बछड़े चराते हुए श्रीहरि कालिन्दीके निकट किसी रमणीय स्थानपर बालोचित खेल खेलने लगे। उसी समय अघासुर नामक महान् दैत्य एक कोस लंबा शरीर धारण करके भीषण मुखको फैलाये वहाँ मार्गमें स्थित हो गया। दूरसे ऐसा जान पड़ता था, मानो कोई पर्वत खड़ा हो। वृन्दावनमें उसे देखकर सब ग्वाल-बाल ताली बजाते हुए बछड़ोंके साथ उसके मुँहमें घुस गये। उन सबकी रक्षाके लिये बलरामसहित श्रीकृष्ण भी अघासुरके मुखमें प्रविष्ट हो गये। उस सर्परूपधारी असुरने जब बछड़ों और ग्वाल-बालोंको निगल लिया, तब देवताओंमें हाहाकार मच गया; किंतु दैत्योंके मनमें हर्ष ही हुआ। उस समय श्रीकृष्णने अघासुरके उदरमें अपने विराट् स्वरूपको बढ़ाना आरम्भ किया। इससे अवरुद्ध हुए अघासुरके प्राण उसका मस्तक फोड़कर बाहर निकल गये। मिथिलेश्वर! फिर बालकों और बछड़ोंके साथ श्रीकृष्ण अघासुरके मुखसे बाहर निकले। जो बछड़े और बालक मर गये थे, उन्हें माधवने अपनी कृपा-दृष्टिसे देखकर जीवित कर दिया। अघासुरकी जीवन-ज्योति श्यामघनमें विद्युत्‌की भाँति श्रीघनश्याममें

विलीन हो गयी। राजन्! उसी समय देवताओंने पुष्पवर्षा की। देवर्षि नारदके मुखसे यह वृत्तान्त सुनकर मिथिलेश्वर बहुलाश्वने कहा॥ १—८॥

राजा बोले—देवर्षे! यह दैत्य पूर्वकालमें कौन था, जो इस प्रकार भगवान् श्रीकृष्णमें विलीन हुआ? अहो! कितने आश्चर्यकी बात है कि वह दैत्य वैर बाँधनेके कारण शीघ्र ही श्रीहरिको प्राप्त हुआ॥ ९॥

श्रीनारदजी कहते हैं—राजन्! शङ्खासुरके एक पुत्र था, जो 'अघ' नामसे विख्यात था। महाबली अघ युवावस्थामें अत्यन्त सुन्दर होनेके कारण साक्षात् दूसरे कामदेव-सा जान पड़ता था। एक दिन मलयाचलपर जाते हुए अष्टावक्र मुनिको देखकर अघासुर जोरसे हँसने लगा और बोला—'यह कैसा कुरूप है!' उस महादुष्टको शाप देते हुए मुनिने कहा—'दुर्मते! तू सर्प हो जा; क्योंकि भूमण्डलपर सर्पोंकी ही जाति कुरूप एवं कुटिल गतिसे चलनेवाली होती है।' ज्यों-ही उसने यह सुना, उस दैत्यका सारा अभिमान गल गया और वह दीनभावसे मुनिके चरणोंमें गिर पड़ा। उसे इस अवस्थामें देखकर मुनि प्रसन्न हो गये और पुनः उसे वर देते हुए बोले—॥ १०—१३॥

अष्टावक्रने कहा—करोड़ों कंदर्पोंसे भी अधिक लावण्यशाली भगवान् श्रीकृष्ण जब तुम्हारे उदरमें प्रवेश करेंगे, तब इस सर्परूपसे तुम्हें छुटकारा मिल जायगा॥ १४॥

इस प्रकार श्रीगर्गसंहितामें श्रीवृन्दावनखण्डके अन्तर्गत 'अघासुरका मोक्ष' नामक छठा अध्याय पूरा हुआ॥ ६॥

सातवाँ अध्याय

ब्रह्माजीके द्वारा गौओं, गोवत्सों एवं गोप-बालकोंका हरण

श्रीनारदजी कहते हैं—राजेन्द्र! अब भगवान् श्रीकृष्णकी अन्य लीला सुनिये। यह लीला उनके बाल्यकालकी है, तथापि उनके पौगण्डावस्थाकी प्राप्तिके बाद प्रकाशित हुई। श्रीकृष्ण गोवत्स एवं गोप-बालकोंकी मृत्युके समान (भयंकर) अघासुरके मुखसे रक्षा करनेके उपरान्त उनका आनन्द बढ़ानेकी इच्छासे यमुनातटपर जाकर बोले—'प्रिय सखाओ! अहा, यह कोमल वालुकामय तट बहुत ही सुन्दर है! शरद् ऋतुमें खिले हुए कमलोंके परागसे पूर्ण है। शीतल, मन्द एवं सुगन्धित—त्रिविध वायुसे सौरभित है। यह तटभूमि भौंरोंकी गुञ्जारसे युक्त एवं कुञ्ज और वृक्षलताओंसे सुशोभित है। गोपबालको! दिनका एक पहर बीत गया है। भोजनका समय भी हो गया है। अतएव इस स्थानपर बैठकर भोजन कर लो। कोमल वालुकावाली यह भूमि भोजन करनेके उपयुक्त दीख रही है। बछड़े भी यहाँ जल पीकर हरी-हरी घास चरते रहेंगे।' गोप-बालकोंने श्रीकृष्णकी यह बात सुनकर कहा—'ऐसा ही हो' और वे सब-के-सब भोजन करनेके लिये यमुनातटपर बैठ गये। इसके उपरान्त जिनके पास भोजन-सामग्री नहीं थी, उन बालकोंने श्रीकृष्णके कानमें दीन-वाणीसे कहा—'हमलोगोंके पास भोजनके लिये कुछ नहीं है, हम लोग क्या करें? नन्दगाँव यहाँसे बहुत दूर है, अतः हमलोग बछड़ोंको लेकर चले जाते हैं।' यह सुनकर श्रीकृष्ण बोले—'प्रिय सखाओ! शोक मत करो। मैं सबको यत्नपूर्वक (आग्रहके साथ) भोजन कराऊँगा। इसलिये तुम सब मेरी बातपर भरोसा करके निश्चिन्त हो जाओ।' श्रीकृष्णकी यह उक्ति सुनकर वे लोग उनके निकट ही बैठ गये। अन्य बालक (अपने-अपने) छीकोंको खोलकर श्रीकृष्णके साथ भोजन करने लगे॥ १—११॥

श्रीकृष्णने गोप-बालकोंके साथ, जिनकी उनके सामने भीड़ लगी हुई थी, एक राजसभाका आयोजन किया। समस्त गोप-बालक उनको घेरकर बैठ गये। ये लोग अनेक रंगोंके वस्त्र पहने हुए थे और श्रीकृष्ण पीला वस्त्र धारण करके उनके बीचमें बैठ गये। विदेह! उस समय गोप-बालकोंसे घिरे हुए श्रीकृष्णकी शोभा देवताओंसे घिरे हुए देवराज इन्द्रके

समान अथवा पँखुड़ियोंसे घिरी हुई स्वर्णिम कमलकी कर्णिका (केसरयुक्त भीतरी भाग) के समान हो रही थी। कोई बालक कुसुमों, कोई अङ्कुरों, कोई पल्लवों, कोई पत्तों, कोई फलों, कोई अपने हाथों, कोई पत्थरों और कोई छीकोंको ही पात्र बनाकर भोजन करने लगे। उनमेंसे एक बालकने शीघ्रतासे कौर उठाकर श्रीकृष्णके मुखमें दे दिया। श्रीकृष्णने भी उस ग्रासका भोग लगाकर सबकी ओर देखते हुए कहा—'भैया! अन्य बालकोंको अपनी-अपनी स्वादिष्ट सामग्री चखाओ। मैं स्वादके बारेमें नहीं जानता।' बालकोंने 'ऐसा ही हो' कहकर अन्यान्य बालकोंको भोजनके ग्रास ले जाकर दिये। वे भी उन ग्रासोंको खाकर एक दूसरेकी हँसी करते हुए उसी प्रकार बोल उठे। सुबलने पुनः हरिके मुखमें ग्रास दिया, परंतु श्रीकृष्ण उस कौरमेंसे थोड़ा-सा खाकर हँसने लगे। इस प्रकार जिस-जिसने कौर खाया, वे सभी जोरसे हँसने लगे। बालक बोले—'नन्दनन्दन! सुनो! जिसके नाना मूढ़ (मूर्ख) हैं, उसको भोजनका ज्ञान नहीं रहता। इसलिये तुमको स्वाद प्राप्त नहीं हुआ'॥ १२—१९॥

इसके उपरान्त श्रीदामाने माधवको और अन्य बालकोंको भोजनके ग्रास दिये। व्रज-बालकोंने उसको उत्तम बताकर उसकी बहुत प्रशंसा की। इसके बाद वरूथप नामके एक बालकने पुनः श्रीकृष्णको एवं अन्य बालकोंको आग्रहपूर्वक कौर दिये। श्रीकृष्ण आदि वे सभी लोग थोड़ा-थोड़ा खाकर हँसने लगे। बालकोंने कहा—'यह भी सुबलके ग्रास-जैसा ही है। हम सभी उसे खाकर उद्विग्न हुए हैं।' इस प्रकार सभीने अपने-अपने ग्रास चखाये और सभी परस्पर हँसने-हँसाने और खेलने लगे। कटिवस्त्रमें वेणु, बगलमें लकुटी एवं सींगा, बायें हाथमें भोजनका कौर, अंगुलियोंके बीचमें फल, माथेपर मुकुट, कंधेपर पीला दुपट्टा, गलेमें वनमाला, कमरमें करधनी, पैरोंमें नूपुर और हृदयपर श्रीवत्स तथा कौस्तुभमणि धारण किये हुए श्रीकृष्ण गोप-बालकोंके बीचमें बैठकर अपनी विनोदभरी बातोंसे बालकोंको हँसाने लगे। इस प्रकार यज्ञभोक्ता श्रीहरि भोजन करने लगे, जिसको देवता एवं मनुष्य आश्चर्यचकित होकर देखते रहे। इस प्रकार श्रीकृष्णके द्वारा रक्षित बालकोंका जिस समय भोजन हो रहा था, उसी समय बछड़े घासकी लालचमें पड़कर दूरके एक गहन वनमें घुस गये। गोप-बालक भयसे व्याकुल हो गये। यह देखकर श्रीकृष्ण बोले—'तुमलोग मत जाओ। मैं बछड़ोंको यहाँ ले आऊँगा।' यों कहकर श्रीकृष्ण उठे और भोजनका कौर हाथमें लिये ही गुफाओं एवं कुञ्जोंमें तथा गहन वनमें बछड़ोंको ढूँढ़ने लगे॥ २०—३०॥

जिस समय व्रजवासी बालकोंके साथ श्रीकृष्ण यमुनातटपर रुचिपूर्वक भोजन कर रहे थे, उसी समय पद्मयोनि ब्रह्माजी अघासुरकी मुक्ति देखकर उसी स्थानपर पहुँच गये। इस दृश्यको देखकर ब्रह्माजी मन-ही-मन कहने लगे—'ये तो देवाधिदेव श्रीहरि नहीं हैं, अपितु कोई गोपकुमार हैं। यदि ये श्रीहरि होते तो गोप-बालकोंके साथ इतने अपवित्र अन्नका भोजन कैसे करते?' राजन्! ब्रह्माजी परमात्माकी मायासे मोहित होकर इस प्रकार बोल गये। उन्होंने उनकी (भगवान्‌की) मनोज्ञ महिमाको जाननेका निश्चय किया। ब्रह्माजी स्वयं आकाशमें अवस्थित थे। इसके उपरान्त अघासुर-उद्धारकी लीलाके दर्शनसे चकित होकर समस्त गायों-बछड़ों तथा गोप-बालकोंका हरण करके वे अन्तर्धान हो गये॥ ३१—३४॥

इस प्रकार श्रीगर्गसंहितामें श्रीवृन्दावनखण्डके अन्तर्गत 'ब्रह्माजीके द्वारा गौओं, गोवत्सों और गोप-बालकोंका हरण' नामक सातवाँ अध्याय पूरा हुआ॥ ७॥

आठवाँ अध्याय

ब्रह्माजीके द्वारा श्रीकृष्णके सर्वव्यापी विश्वात्मा स्वरूपका दर्शन

श्रीनारदजी कहते हैं—श्रीकृष्ण गोवत्सोंको न पाकर यमुना-किनारे आये, परंतु वहाँ गोप-बालक भी नहीं दिखायी दिये। बछड़ों और वत्सपालों—दोनोंको ढूँढ़ते समय उनके मनमें आया कि 'यह तो ब्रह्माजीका कार्य है। तदनन्तर अखिलविश्वविधायक श्रीकृष्णने गायों और गोपियोंको आनन्द देनेके लिये लीलासे ही अपने-आपको दो भागोंमें विभक्त कर लिया। वे स्वयं एक भागमें रहे तथा दूसरे भागसे समस्त बछड़े और गोप-बालकोंकी सृष्टि की। उन लोगोंके जैसे शरीर, हाथ, पैर आदि थे; जैसी लाठी, सींगा आदि थे; जैसे स्वभाव और गुण थे, जैसे आभूषण और वस्त्रादि थे; भगवान् श्रीहरिने अपने श्रीविग्रहसे ठीक वैसी ही सृष्टि उत्पन्न करके यह प्रत्यक्ष दिखला दिया कि यह अखिल विश्व विष्णुमय है। श्रीकृष्णने खेलमें ही आत्मस्वरूप गोप-बालकोंके द्वारा आत्मस्वरूप गो-वत्सोंको चराया और सूर्यास्त होनेपर उनके साथ नन्दालयमें पधारे। वे बछड़ोंको उनके अपने-अपने गोष्ठोंमें अलग-अलग ले गये और स्वयं उन-उन गोप-बालकोंके वेषमें अन्यान्य दिनोंकी भाँति उनके घरोंमें प्रवेश किया। गोपियाँ वंशीध्वनि सुनकर आदरके साथ शीघ्रतासे उठीं और अपने बालकोंको प्यारसे दूध पिलाने लगीं। गायें भी अपने-अपने बछड़ोंको निकट आया देखकर रँभाती हुई उनको चाटने और दूध पिलाने लगीं। अहा! गोपियाँ और गायें श्रीहरिकी माता बन गयीं। गोप-बालक एवं गोवत्स स्नेहाधिक्यके कारण पहलेकी अपेक्षा चौगुने अधिक बढ़ने लगे। गोपियाँ अपने बालकोंकी उबटन-स्नानादिके द्वारा स्नेहमयी सेवा करके तब श्रीकृष्णके दर्शनके लिये आयीं॥ १—१०॥

इसके बाद अनेक बालकोंका विवाह हो गया। अब श्रीकृष्णस्वरूप अपने पति उन बालकोंके साथ करोड़ों गोपवधुएँ प्रीति करने लगीं। इस प्रकार वत्स-पालनके बहाने अपनी आत्माकी अपनी ही आत्माद्वारा रक्षा करते हुए श्रीहरिको एक वर्ष बीत गया। एक दिन बलरामजी गोचारण करते हुए वनमें पहुँचे। उस समयतक ब्रह्माजीद्वारा वत्सों एवं वत्सपालोंका हरण हुए एक वर्ष पूर्ण होनेमें केवल पाँच-छः रात्रियाँ शेष रही थीं। उस वनमें स्थित पहाड़की चोटीपर गायें चर रही थीं। दूरसे बछड़ोंको घास चरते देखकर वे उनके निकट आ गयीं और उनको चाटने तथा अपना अमृत-तुल्य दूध पिलाने लगीं। राजन्! गोपोंने देखा कि गायें बछड़ोंको दूध पिलाकर स्नेहके कारण गोवर्धनकी तलहटीमें ही रुक गयी हैं, तब वे अत्यन्त क्रोधमें भरकर पहाड़से नीचे उतरे और अपने बालकोंको दण्ड देनेके लिये शीघ्रतासे वहाँ पहुँचे। परंतु निकट पहुँचते ही (स्नेहके वशीभूत होकर) गोपोंने अपने बालकोंको गोदमें उठा लिया। युवक अथवा वृद्ध—सभीके नेत्रोंमें स्नेहके आँसू आ गये और वे अपने पुत्र-पौत्रोंके साथ मिलकर वहाँ बैठ गये॥ ११—१८॥

संकर्षण बलरामने इस प्रकार जब गोपोंको प्रेम-परायण देखा, तब उनके मनमें अनेक प्रकारके संदेह उठने लगे। उन्होंने मन-ही-मन कहा—'अहा! प्रायः एक वर्षसे व्रजमें क्या हो गया है, वह मेरी समझमें नहीं आ रहा है। दिन-प्रतिदिन सबके हृदयोंका स्नेह अधिकाधिक बढ़ता जा रहा है। क्या यह देवताओं, गन्धर्वों या राक्षसोंकी माया है? अब मैं समझता हूँ कि यह मुझे मोहित करनेवाली कृष्णकी मायासे भिन्न और कुछ नहीं है। इस प्रकार विचार करके बलरामजीने अपने नेत्र बंद कर लिये और दिव्यचक्षुसे भूत, भविष्य तथा वर्तमानको देखा। बलरामजीने समस्त गोवत्स एवं पहाड़की तलहटीमें खेलनेवाले गोप-बालकोंको वंशी-वेत्रविभूषित, मयूरपिच्छधारी, श्यामवर्ण, मणिसमूहों एवं गुञ्जाफलोंकी मालासे शोभित, कमल एवं कुमुदिनीकी मालाएँ, दिव्य पगड़ी एवं मुकुट धारण किये हुए, कुण्डलों एवं अलकावलीसे सुशोभित, शरत्कालीन कमलसदृश नेत्रोंसे

निहारकर आनन्द देनेवाले, करोड़ों कामदेवोंकी शोभासे सम्पन्न, नासिकास्थित मुक्ताभरणसे अलंकृत, शिखा-भूषणसे युक्त, दोनों हाथोंमें आभूषण धारण किये हुए, पीला वस्त्र धारण किये हुए, मेखला, कड़े और नूपुरसे शोभित, करोड़ों बाल-रवियोंकी प्रभासे युक्त और मनोहर देखा। बलरामजीने गोवर्धनसे उत्तरकी ओर एवं यमुनाजीसे दक्षिणकी ओर स्थित वृन्दावनमें सब कुछ कृष्णमय देखा। वे इस कार्यको ब्रह्माजी और श्रीकृष्णका किया हुआ जानकर पुनः गोवत्सों एवं वत्सपालोंका दर्शन करते हुए श्रीकृष्णसे बोले—'ब्रह्मा, अनन्त, धर्म, इन्द्र और शंकर भक्तियुक्त होकर सदा तुम्हारी सेवा किया करते हैं। तुम आत्माराम, पूर्णकाम, परमेश्वर हो। तुम शून्यमें करोड़ों ब्रह्माण्डोंकी सृष्टि करनेमें समर्थ हो'* ॥ १९—३० ॥

श्रीनारदजीने कहा—जिस समय बलरामजी यों कह रहे थे, उसी समय ब्रह्माजी वहाँ आये और उन्होंने गोवत्सों एवं गोप-बालकोंके साथ बलरामजी एवं श्रीकृष्णके दर्शन किये। 'ओहो! मैं जिस स्थानपर गोवत्स तथा गोप-बालकोंको रख आया था, वहाँसे श्रीकृष्ण उनको ले आये हैं।'—यों कहते हुए ब्रह्माजी उस स्थानपर गये और वहाँपर उन सबको पहलेकी तरह ही पाया। ब्रह्माजी उनको निद्रित देखकर पुनः व्रजमें आये और गोप-बालकोंके साथ श्रीहरिके दर्शन करके विस्मित हो गये। वे मन-ही-मन कहने लगे—'ओहो, कैसी विचित्रता है! ये लोग कहाँसे यहाँ आये और पहलेकी ही भाँति श्रीकृष्णके साथ खेल रहे हैं? यह सब खेल करनेमें मुझे एक त्रुटि (क्षण) जितना काल लगा, परंतु इतनेमें इस भूलोकमें एक वर्ष पूरा हो गया। तथापि सभी प्रसन्न हैं, कहीं किसीको इस घटनाका पता भी नहीं चला।' इस प्रकारसे ब्रह्माजी मोहातीत विश्वमोहनको मोहित करने गये। परंतु अपनी मायाके अन्धकारमें वे स्वयं अपने शरीरको भी नहीं देख सके। गोप-बालकोंके हरणसे जगत्पतिकी तो कुछ हानि हुई नहीं, अपितु श्रीकृष्णरूप सूर्यके सम्मुख ब्रह्माजी ही जुगनू-से दीखने लगे। ब्रह्माके इस प्रकार मोहित एवं जडीभूत हो जानेपर श्रीकृष्णने कृपापूर्वक अपनी मायाको हटाकर उनको अपने स्वरूपका दर्शन कराया। भक्तिके द्वारा ब्रह्माजीको ज्ञाननेत्र प्राप्त हुए। उन्होंने एक बार गोवत्स एवं गोप-बालक—सबको श्रीकृष्णरूप देखा। राजन्! ब्रह्माजीने शरीरके भीतर और बाहर अपने सहित सम्पूर्ण जगत्को विष्णुमय देखा॥ ३१—४० ॥

इस प्रकार दर्शन करके ब्रह्माजी तो जडताको प्राप्त होकर निश्चेष्ट हो गये। ब्रह्माजीको वृन्दादेवी द्वारा अधिष्ठित वृन्दावनमें जहाँ-तहाँ दीखनेवाली भगवान्‌की महिमा देखनेमें असमर्थ जानकर श्रीहरिने मायाका पर्दा हटा लिया। तब ब्रह्माजी नेत्र पाकर, निद्रासे जगे हुएकी भाँति उठकर, अत्यन्त कष्टसे नेत्र खोलकर अपनेसहित वृन्दावनको देखनेमें समर्थ हुए। वहाँपर वे उसी समय एकाग्र होकर दसों दिशाओंमें देखने लगे और वसन्तकालीन सुन्दर लताओंसे युक्त रमणीय श्रीवृन्दावनका उन्होंने दर्शन किया। वहाँ बाघके बच्चोंके साथ मृग-शावक खेल रहे थे। बाज और कबूतरमें, नेवला और साँपमें वहाँ जन्मजात वैरभाव नहीं था। ब्रह्माजीने देखा कि एकमात्र श्रीकृष्ण ही हाथमें भोजनका कौर लिये हुए प्यारे गोवत्सोंको वृन्दावनमें ढूँढ़ रहे हैं। गोलोकपति साक्षात् श्रीहरिको गोपाल-वेषमें अपनेको छिपाये हुए देखकर तथा ये साक्षात् श्रीहरि हैं—यह पहचानकर ब्रह्माजी अपनी करतूतको स्मरण करके भयभीत हो गये। राजन्! उन चारों ओर प्रज्वलित दीखनेवाले श्रीकृष्णको प्रसन्न करनेके लिये ब्रह्माजी अपने वाहनसे उतरे और लज्जाके कारण उन्होंने सिर नीचा कर लिया। वे भगवान्‌को प्रणाम करते हुए और 'प्रसन्न हों'—यह कहते हुए धीरे-धीरे उनके निकट पहुँचे। यों भगवान्‌को अपनी आँखोंसे झरते हुए हर्षके आँसुओंका अर्घ्य देकर दण्डकी भाँति वे भूमिपर गिर पड़े। भगवान् श्रीकृष्णने ब्रह्माजीको उठाकर आश्वस्त किया और उनका इस प्रकार स्पर्श किया, जैसे कोई प्यारा अपने प्यारेका स्पर्श करे। तत्पश्चात् वे सुधासिक्त दृष्टिसे

* ब्रह्मानन्तो धर्म इन्द्रः शिवश्च सेवन्ते त्वां भक्तियुक्ताः सदैते । आत्मारामः पूर्णकामः परेशः स्रष्टुं शक्तः कोटिशोऽण्डानि यः खे॥
(गर्ग०, वृन्दावन० ८। ३०)

उसी सुन्दर भूमिपर दूर खड़े देवताओंकी ओर देखने लगे। तब वे सभी उच्चस्वरसे जय-जयकार करते हुए उनका स्तवन करने लगे। साथ-साथ प्रणाम भी करने लगे। श्रीकृष्णकी दयादृष्टि पाकर सभी आनन्दित हुए और उनके प्रति आदरसे भर गये। ब्रह्माजीने भगवान्‌को उस स्थानपर देखकर भक्तियुक्त मनसे हाथ जोड़कर प्रणाम किया और रोमाञ्चित होकर दण्डकी भाँति वे भूमिपर गिर पड़े। पुनः वे गद्‌गद वाणीसे भगवान्‌का स्तवन करने लगे॥ ४१—५२॥

इस प्रकार श्रीगर्गसंहितामें श्रीवृन्दावनखण्डके अन्तर्गत 'ब्रह्माजीके द्वारा श्रीकृष्णके सर्वव्यापी विश्वात्मा स्वरूपका दर्शन' नामक आठवाँ अध्याय पूरा हुआ॥ ८॥

नवाँ अध्याय

ब्रह्माजीके द्वारा भगवान् श्रीकृष्णकी स्तुति

ब्रह्मोवाच

कृष्णाय मेघवपुषे चपलाम्बराय
पीयूषमिष्टवचनाय परात्पराय।
वंशीधराय शिखिचन्द्रकयान्विताय
देवाय भ्रातृसहिताय नमोऽस्तु तस्मै॥

ब्रह्माजी बोले—'मेघकी-सी कान्तिसे युक्त विद्युत्-वर्णका वस्त्र धारण करनेवाले, अमृत-तुल्य मीठी वाणी बोलनेवाले, परात्पर, वंशीधारी, मयूर-पिच्छको धारण करनेवाले भगवान् श्रीकृष्णको उनके भ्राता बलरामसहित नमस्कार है। श्रीकृष्ण (आप) साक्षात् स्वयं पुरुषोत्तम, पूर्ण परमेश्वर, प्रकृतिसे अतीत श्रीहरि हैं। हम देवता जिनके अंश और कलावतार हैं, जिनकी शक्तिसे हमलोग क्रमशः विश्वकी सृष्टि, पालन एवं संहार करते हैं, उन्हीं आपने साक्षात् कृष्णचन्द्रके रूपमें अवतीर्ण होकर धराधामपर नन्दका पुत्र होना स्वीकार किया है। आप प्रधान-प्रधान गोप-बालकोंके साथ गोपवेषसे वृन्दावनमें गोचारण करते हुए विराज रहे हैं। करोड़ों कामदेवके समान रमणीय, तेजोमय, कौस्तुभधारी, श्यामवर्ण, पीतवस्त्रधारी, वंशीधर, व्रजेश, राधिकापति, निकुञ्जविहारी परमसुन्दर श्रीहरिको मैं प्रणाम करता हूँ। जो मेघसे निर्लिप्त आकाशके समान प्राणियोंकी देहमें क्षेत्रज्ञ रूपसे स्थित हैं, जो अधियज्ञ एवं चैत्यस्वरूप हैं, जो मायारहित हैं और जो निर्मल भक्ति तथा प्रबल वैराग्य आदि भावोंसे प्राप्त होते हैं, उन आदिदेव हरिकी मैं वन्दना करता हूँ। सर्वज्ञ! जिस समय मनमें प्रबल रजोगुणका उदय होता है, उसी समय मन संकल्प-विकल्प करने लगता है। संकल्प-विकल्पके वशीभूत मनमें ही अभिमानकी उत्पत्ति होती है और वही अभिमान धीरे-धीरे बुद्धिको विकृत कर देता है। क्षणस्थायी बिजलीके समान, बदलते हुए ऋतुगुणोंके समान, जलपर खींची गयी रेखाके समान, पिशाचके द्वारा उत्पन्न किये हुए अंगारोंके समान और कपटी यात्रीकी प्रीतिके समान जगत्‌के सुख मिथ्या हैं। विषय-सुख दुःखोंसे घिरे हुए हैं एवं अलातचक्रवत् (जलते हुए अंगारको वेगसे चक्राकार घुमानेपर जो क्षणस्थायी वृत्त बनता है, उसके समान) हैं। जैसे वृक्ष न चलते हुए भी, जलके चलनेके कारण चलते हुए-से दीखते हैं, नेत्रोंको वेगसे घुमानेपर अचल पृथ्वी भी चलती हुई-सी दीखती है, कृष्ण! उसी प्रकार प्रकृतिसे उत्पन्न गुणोंके वशमें होकर भ्रान्त जीव उस प्रकृतिजन्य सुखको सत्य मान लेता है। सुख एवं दुःख मनसे उत्पन्न होते हैं, निद्रावस्थामें वे लुप्त हो जाते हैं और जागनेपर पुनः उनका अनुभव होने लगता है। जिनको इस प्रकारका विवेक प्राप्त है, उनके लिये यह जगत् निरन्तर स्वप्नावस्थाके भ्रमके समान ही है। ज्ञानी पुरुष ममता एवं अभिमानका त्याग करके सदा वैराग्यसे प्रीति करनेवाले तथा शान्त होते हैं। जैसे एक दियेसे सैकड़ों दिये उत्पन्न होते हैं, वैसे ही एक परमात्मासे सब कुछ उत्पन्न हुआ है—ऐसी तात्त्विक दृष्टि उनकी रहती है॥ १—१०॥

"भक्त निर्धूम अग्निशिखाकी भाँति गुणमुक्त एवं आत्मनिष्ठ होकर हृदयमें ब्रह्माके भी स्वामी भगवान् वासुदेवका भजन करते हैं। जिस प्रकार हम एक ही चन्द्रबिम्बको अनेकों घड़ोंके जलमें देखते हैं, उसी प्रकार आत्माके एकत्वका दर्शन करके श्रेष्ठ परमहंस भी कृतार्थ होते हैं। निरन्तर स्तवन करते रहनेपर भी वेद जिनके माहात्म्यके षोडशांशका भी कभी ज्ञान नहीं प्राप्त कर सके, तब त्रिलोकीमें उन श्रीहरिके गुणोंका वर्णन भला, दूसरा कौन कर सकता है? मैं चार मुखोंसे, देवाधिदेव महादेवजी पाँच मुखोंसे तथा हजार मुखवाले शेषजी अपने सहस्र मुखोंसे जिनकी स्तुति-सेवा करते हैं; वैकुण्ठनिवासी विष्णु, क्षीरोदशायी साक्षात् हरि और धर्मसुत नारायण ऋषि उन गोलोकपति आपकी सेवा किया करते हैं। अहा! मुरारे! आपकी महिमा धन्य है। भूतलपर उस महिमाको न मुनिगण जानते हैं न मनुष्य ही। सुर-असुर तथा चौदहों मनु भी उसे जाननेमें असमर्थ हैं। ये सब स्वप्नमें भी आपके चरणकमलोंके दर्शन पानेमें असमर्थ हैं। गुणोंके सागर, मुक्तिदाता, परात्पर, रमापति, गुणेश, व्रजेश्वर श्रीहरिको मैं नमस्कार करता हूँ। ताम्बूल-रागरञ्जित सुन्दर मुखसे सुशोभित, मधुरभाषी, पके हुए बिम्बफलके समान लाल-लाल अधरोंवाले, स्मितहास्ययुक्त, कुन्दकलीके समान शुभ्र दन्तपंक्तिसे जगमगाते हुए, नील अलकोंसे आवृत्त कपोलोंवाले, मनोहर-कान्ति तथा झूलते हुए स्वर्ण-कुण्डलोंसे मण्डित श्रीकृष्णकी मैं वन्दना करता हूँ। आपका परम सुन्दर रूप मन्मथके मनको भी हरनेवाला है। मेरे नेत्रोंमें सर्वदा मकरकुण्डलधारी श्यामकलेवर श्रीकृष्णके उस रूपका प्रकाश होता रहे। जिनकी लीला वैकुण्ठ-लीलाकी अपेक्षा भी श्रेष्ठ है और जिनके परम श्रेष्ठ मनोहर रूपको देवगण भी नमस्कार करते हैं, उन गोपलीलाकारी गोलोकनाथको मैं मस्तक नवाकर प्रणाम करता हूँ। वसन्तकालीन सुन्दर कण्ठवाले कोकिलादि पक्षियोंसे युक्त, सुगन्धित, नवीन पल्लवयुक्त वृक्षोंसे अलंकृत, सुधाके समान शीतल, धीर (मन्द) पवनकी क्रीड़ासे सुशोभित वृन्दावनमें विचरण करनेवाले श्रीकृष्णकी जय हो! वे सदा भक्तोंकी रक्षा करें॥ ११—२०॥

"आपके विशाल नेत्र तथा उनकी तिरछी चितवन कमलपुष्पोंका मान और झूलते हुए मोतियोंका अभिमान दूर करनेवाली है, भूतलके समस्त रसिकों-को रसका दान करती है तथा कामदेवके बाणोंके समान पैनी एवं प्रीतिदानमें निपुण है। जिनकी नखमणियाँ शरत्कालीन चन्द्रमाके समान सुखकर, सुरक्त, हृदयग्राहिणी, गाढ़ अन्धकारका नाश करनेवाली और जगत्के समस्त प्राणियोंके पापोंका ध्वंस करनेवाली हैं तथा स्वर्गमें देवमण्डली जिनका श्रीविष्णु एवं हरिकी नखावलीके रूपमें स्तवन करती है, मैं उनकी आराधना करता हूँ। आपके पादपद्मोंकी सर्वदा बजनेवाली, श्रीहरिके सैकड़ों किरणोंसे युक्त (सुदर्शन) चक्रके समान आकारवाली पैजनियाँ ऐसी हैं, जिनसे गोल घेरेकी भाँति किरणें इस प्रकार निकलती हैं, जैसे सूर्यके प्रकाशयुक्त रथचक्रकी परिधि हो, अथवा जो आपके पादपद्मोंकी परिधिके समान सुशोभित हैं। आपकी कमरमें छोटी-छोटी घंटियोंसे युक्त दिव्य पीताम्बर जगमगा रहा है। मैं अक्लिष्टकर्मा भगवान् श्रीकृष्ण (आप) के उस मनोहर रूपकी आराधना करता हूँ। जिनके कान्तिमान् कसौटीसदृश एवं भृगुपद-अङ्कित विशाल वक्ष:स्थलपर लक्ष्मी विलास करती हैं, जिनके गलेमें स्वर्णमणि एवं मोतियोंकी लड़ियोंसे युक्त तथा तारोंके समान झिलमिल प्रकाश करनेवाले तथा भ्रमरोंकी ध्वनिसे युक्त हीरोंके हार हैं, जो सिन्दूरवर्णकी सुन्दर अँगुलियोंसे वंशी बजा रहे हैं, जिनकी अँगुलियोंमें सोनेकी अँगूठियाँ सुशोभित हैं, जिनके दोनों हाथ द्विजोंको दान देनेवाले, चन्द्रमाके समान नखोंसे युक्त एवं कामदेवके वनके कदम्बवृक्षोंके पुष्पोंकी सुगन्धसे सुवासित हैं, जिनकी मन्दगति राजहंसकी भाँति सुन्दर है, जिनके कंधे गलेतक ऊँचे उठे हुए हैं, उन श्रीहरिकी मेघमालाका मान हरण करनेवाली मनोहर काकुलका मैं स्मरण करता हूँ। जो स्वच्छ दर्पणकी भाँति निर्मल, सुखद, नवयौवनकी कान्तिसे युक्त, मनुष्योंके रक्षक तथा मणि-कुण्डलों एवं सुन्दर घुँघराले बालोंसे सुशोभित हैं, श्रीहरिके सूर्य तथा

चन्द्रमाकी भाँति प्रभासे युक्त उन दोनों कपोलोंका मैं स्मरण करता हूँ। जो सुवर्ण तथा मुक्ता एवं वैदूर्यमणिसे जटित लाल वस्त्रका बना हुआ है, जो कामदेवके मुखपर क्रीड़ा करनेवाले सम्पूर्ण सौन्दर्यसे विलसित है—जो अरुण-कान्ति तथा चन्द्र एवं करोड़ों सूर्योंके समान प्रभा-सम्पन्न है और मयूरपिच्छसे अलंकृत है, श्रीकृष्णके उस मुकुटको मैं नमस्कार करता हूँ। जिनके द्वारदेशपर स्वामिकार्तिकेय, गणेश, इन्द्र, चन्द्र एवं सूर्यकी भी गति नहीं है; जिनकी आज्ञाके बिना कोई निकुञ्जमें प्रवेश नहीं कर सकता, उन जगदीश्वर श्रीकृष्णचन्द्रकी मैं आराधना करता हूँ।''॥ २१—३०॥

ब्रह्माजी इस प्रकार भगवान् श्रीकृष्णका स्तवन करके पुनः हाथ जोड़कर कहने लगे—'जगत्के स्वामी! मैं आपके नाभि-कमलसे उत्पन्न हूँ; अतएव जिस प्रकार माता अपने पुत्रके अपराधोंको क्षमा कर देती है, उसी प्रकार आप भी मेरे अपराधोंको क्षमा कर दें। व्रजपते! कहाँ तो मैं एक लोकका अधिपति और कहाँ आप करोड़ों ब्रह्माण्डोंके नायक! अतएव व्रजेश, मधुसूदन! देव! आप मेरी रक्षा करें। जिनकी मायासे देवता, दैत्य एवं मनुष्य—सभी मोहित हैं, मैं मूर्ख उनको अपनी मायासे मोहित करने चला था! गोविन्द आप नारायण हैं, मैं नारायण नहीं हूँ। हरि! आप कल्पके आदिमें ब्रह्माण्डकी रचना करके नारायणरूपसे शेषशायी हो गये। आपके जिस ब्रह्मरूप तेजमें योगी प्राण त्याग करके जाते हैं, बालघातिनी पूतना भी अपने कुलसहित आपके उसी तेजमें समा गयी। माधव! मेरे ही अपराधसे आपने गोवत्स एवं गोप-बालकोंका रूप धारण करके वनोंमें विचरण किया। अतएव भो! आप मुझको क्षमा करें। गोविन्द! पिता जैसे पुत्रका अपराध नहीं देखता, वैसे ही आप भी मेरे अपराधकी उपेक्षा करके मेरे ऊपर प्रसन्न हों। जो लोग आपके भक्त न होकर ज्ञानमें रति करते हैं, उनको क्लेश ही हाथ लगता है, जैसे भूसेके लिये परिश्रमपूर्वक खेत जोतनेवालोंको भूसामात्र प्राप्त होता है। आपके भक्तिभावमें ही नितरां रत रहनेवाले अनेकों योगी, मुनि एवं व्रजवासी आपको प्राप्त हो चुके हैं। दर्शन और श्रवण—दो प्रकारसे उनकी आपमें रति होती है, किंतु अहो! श्रीहरिकी मायाके कारण उनके प्रति मेरी रति नहीं हुई'॥ ३१—४१॥

ब्रह्माजीने यों कहकर नेत्रोंसे आँसू बहाते हुए उनके (श्रीकृष्णके) पादपद्मोंमें प्रणाम किया एवं सारे अपराधोंको क्षमा करानेके लिये भक्तिभावसे श्रीकृष्णसे वे फिर निवेदन करने लगे—''मैं गोपकुलमें जन्म लेकर आपके पादपद्मोंकी आराधना करता हुआ सुगति प्राप्त कर सकूँ, इसका व्यतिरेक न हो। भगवान् शंकर आदि हम (इन्द्रियोंके अधिष्ठाता) देवगणने भारतवासी इन गोपोंकी देहमें स्थित होकर एक बार भी श्रीकृष्णका दर्शन कर लिया, अतः हम धन्य हो गये। श्रीकृष्ण! आपके माता-पिता एवं गोप-गोपियोंका तो कितना अनिर्वचनीय सौभाग्य है, जो व्रजमें आपके पूर्णरूपका दर्शन कर रहे हैं। सम्पूर्ण विश्वका उपकार करनेवाले, मुक्ताहार धारण करनेवाले, विश्वके रचयिता, सर्वाधार, लीलाके धाम, रवितनया यमुनामें विहार करनेवाले, क्रीडापरायण, श्रीकृष्णचन्द्रका अवतार ग्रहण करनेवाले प्रभु मेरी रक्षा करें। वृष्णिकुलरूप सरोवरके कमलस्वरूप नन्दनन्दन, राधापति, देव-देव, मदनमोहन, व्रजपति, गोकुलपति, गोविन्द मुझ मायासे मोहितकी रक्षा करें। जो व्यक्ति श्रीकृष्णकी प्रदक्षिणा करता है, उसको जगत्के सम्पूर्ण तीर्थोंकी यात्राका फल प्राप्त होता है। वह आपके सुखदायक परात्पर 'गोलोक' नामक लोकको जाता है।''॥ ४२—४८॥

नारदजी कहने लगे—लोकपति लोक-पितामह ब्रह्माने इस प्रकार सुन्दर वृन्दावनके अधिपति गोविन्दका स्तवन करके प्रणाम करते हुए उनकी तीन बार प्रदक्षिणा की और कुछ देरके लिये अदृश्य होकर गोवत्स तथा गोप-बालकोंको वरदान देकर लौट जानेके लिये अनुमतिकी प्रार्थना की॥ ४९-५०॥

तदनन्तर श्रीहरिने नेत्रोंके संकेतसे उनको जानेका आदेश दिया। लोकपितामह ब्रह्मा भी पुनः प्रणाम करके अपने लोकको चले गये। राजन्! इसके उपरान्त भगवान् श्रीकृष्ण वनसे शीघ्रतापूर्वक गोवत्स एवं गोप-बालकोंको ले आये और यमुनातटपर जिस स्थानपर गोपमण्डली विराजित थी, उन लोगोंको लेकर उसी

स्थानपर पहुँचे। गोवत्सोंके साथ लौटे हुए श्रीकृष्णको देखकर उनकी मायासे विमोहित गोपोंने उतने समयको आधे क्षण-जैसा समझा। वे लोग गोवत्सोंके साथ आये हुए श्रीकृष्णसे कहने लगे—'आप शीघ्रतासे आकर भोजन करें। प्रभो! आपके चले जानेके कारण किसीने भी भोजन नहीं किया।' इसके उपरान्त श्रीकृष्णने हँसकर बालकोंके साथ भोजन किया और बालकोंको अजगरका चमड़ा दिखाया। तदनन्तर बलरामजीके साथ गोपोंसे घिरे हुए श्रीकृष्ण वत्सवृन्दको आगे करके धीरे-धीरे व्रजको लौट आये। सफेद, चितकबरे, लाल, पीले, धूम्र एवं हरे आदि अनेक रंग और स्वभाववाले गोवत्सोंको आगे करके धीरे-धीरे सुखद वनसे गोष्ठमें लौटते हुए गोपमण्डली-के बीच स्थित नन्दनन्दनकी मैं वन्दना करता हूँ। राजन्! श्रीकृष्णके विरहमें जिनको क्षणभरका समय युगके समान लगता था, उन्हींके दर्शनसे उन गोपियोंको आनन्द प्राप्त हुआ। बालकोंने अपने-अपने घर जाकर गोष्ठोंमें अलग-अलग बछड़ोंको बाँधकर अघासुर-वध एवं श्रीहरिद्वारा हुई आत्मरक्षाके वृत्तान्तका वर्णन किया॥ ५१—५९॥

इस प्रकार श्रीगर्गसंहितामें श्रीवृन्दावनखण्डके अन्तर्गत 'ब्रह्माजीद्वारा भगवान् श्रीकृष्णकी स्तुति' नामक नवम अध्याय पूरा हुआ॥ ९॥

दसवाँ अध्याय

यशोदाजीकी चिन्ता; नन्दद्वारा आश्वासन तथा ब्राह्मणोंको विविध प्रकारके दान देना; श्रीबलराम तथा श्रीकृष्णका गोचारण

नारदजी कहते हैं—अष्टावक्रके शापसे सर्प होकर अघासुर उन्हींके वरदान-बलसे उस परम मोक्षको प्राप्त हुआ, जो देवताओंके लिये भी दुर्लभ है। वत्सासुर, वकासुर और फिर अघासुरके मुखसे श्रीकृष्ण किसी तरह बच गये हैं और कुछ ही दिनोंमें उनके ऊपर ये सारे संकट आये हैं—यह सुनकर यशोदाजी भयसे व्याकुल हो उठीं। उन्होंने कलावती, रोहिणी, बड़े-बूढ़े गोप, वृषभानुवर, व्रजेश्वर नन्दराज, नौ नन्द, नौ उपनन्द तथा प्रजाजनोंके स्वामी छः वृषभानुओंको बुलाकर उन सबके सामने यह बात कही॥ १—४॥

यशोदा बोलीं—आप सब लोग बतायें—मैं क्या करूँ, कहाँ जाऊँ और कैसे मेरा कल्याण हो? मेरे पुत्रपर तो यहाँ क्षण-क्षणमें बहुत-से अरिष्ट आ रहे हैं। पहले महावन छोड़कर हमलोग वृन्दावनमें आये और अब इसे भी छोड़कर दूसरे किस निर्भय देशमें मैं चली जाऊँ, यह बतानेकी कृपा करें। मेरा यह बालक स्वभावसे ही चपल है। खेलते-खेलते दूरतक चला जाता है। व्रजके दूसरे बालक भी बड़े चञ्चल हैं। वे सब मेरी बात मानते ही नहीं। तीखी चोंचवाला बलवान् वकासुर पहले मेरे बालकको निगल गया था। उससे छूटा तो इस बेचारेको अघासुरने समस्त ग्वाल-बालोंके साथ अपना ग्रास बना लिया। भगवान्की कृपासे किसी तरह उससे भी इसकी रक्षा हुई। इन सबसे पहले वत्सासुर इसकी घातमें लगा था, किंतु वह भी दैवके हाथों मारा गया। अब मैं बछड़े चरानेके लिये अपने बच्चेको घरसे बाहर नहीं जाने दूँगी॥ ५—९॥

श्रीनारदजी कहते हैं—इस तरह कहती तथा निरन्तर रोती हुई यशोदाकी ओर देखकर नन्दजी कुछ कहनेको उद्यत हुए। पहले तो धर्म और अर्थके ज्ञाता तथा धर्मात्माओंमें श्रेष्ठ नन्दने गर्गजीके वचनोंकी याद दिलाकर उन्हें धीरज बँधाया, फिर इस प्रकार कहा॥ १०॥

नन्दराज बोले—यशोदे! क्या तुम गर्गकी कही हुई सारी बातें भूल गयीं? ब्राह्मणोंकी कही हुई बात सदा सत्य होती है, वह कभी असत्य नहीं होती। इसलिये समस्त अरिष्टोंका निवारण करनेके लिये

तुम्हें दान करते रहना चाहिये। दानसे बढ़कर कल्याणकारी कृत्य न तो पहले हुआ है और न आगे होगा ही॥ ११-१२॥

नारदजी कहते हैं—नरेश्वर! तब यशोदाने बलराम और श्रीकृष्णके मङ्गलके लिये ब्राह्मणोंको बहुमूल्य नवरत्न और अपने अलंकार दिये। नन्दजीने उस समय दस हजार बैल, एक लाख मनोहर गायें तथा दो लाख भार अन्न दान दिये॥ १३-१४॥

श्रीनारदजी पुनः कहते हैं—राजन्! अब गोपोंकी इच्छासे बलराम और श्रीकृष्ण गोपालक हो गये। अपने गोपाल मित्रोंके साथ गाय चराते हुए वे दोनों भाई वनमें विचरण करने लगे। उस समय श्रीकृष्ण और बलरामका सुन्दर मुँह निहारती हुई गौएँ उनके आगे-पीछे और अगल-बगलमें विचरती रहती थीं। उनके गलेमें क्षुद्रघण्टिकाओंकी माला पहिनायी गयी थी। सोनेकी मालाएँ भी उनके कण्ठकी शोभा बढ़ाती थीं। उनके पैरोंमें घुँघुरू बँधे थे। उनकी पूँछोंके स्वच्छ बालोंमें लगे हुए मोरपंख और मोतियोंके गुच्छे शोभा दे रहे थे। वे घंटों और नूपुरोंके मधुर झंकारको फैलाती हुई इधर-उधर चरती थीं। चमकते हुए नूतन रत्नोंकी मालाओंके समूहसे उन समस्त गौओंकी बड़ी शोभा होती थी। राजन्! उन गौओंके दोनों सींगोंके बीचमें सिरपर मणिमय अलंकार धारण कराये गये थे, जिनसे उनकी मनोहरता बढ़ गयी थी। सुवर्ण-रश्मियोंकी प्रभासे उनके सींग तथा पार्श्व-प्रवेष्टन (पीठपरकी झूल) चमकते रहते थे। कुछ गौओंके भालमें किञ्चित् रक्तवर्णके तिलक लगे थे। उनकी पूँछें पीले रंगसे रँगी गयी थीं और पैरोंके खुर अरुणरागसे रञ्जित थे। बहुत-सी गौएँ कैलास पर्वतके समान श्वेतवर्णवाली, सुशीला, सुरूपा तथा अत्यन्त उत्तम गुणोंसे सम्पन्न थीं। मिथिलेश्वर! बछड़ेवाली गौएँ अपने स्तनोंके भारसे धीरे-धीरे चलती थीं। कितनोंके थन घड़ोंके बराबर थे। बहुत-सी गौएँ लाल रंगकी थीं। वे सब-की-सब भव्य-मूर्ति दिखायी देती थीं। कोई पीली, कोई चितकबरी, कोई श्यामा, कोई हरी, कोई ताँबेके समान रंगवाली, कोई धूमिलवर्णकी और कोई मेघोंकी घटा-जैसी नीली थीं। उन सबके नेत्र घनश्याम श्रीकृष्णकी ओर लगे रहते थे। किन्हीं गौओं और बैलोंके सींग छोटे, किन्हींके बड़े तथा किन्हींके ऊँचे थे। कितनोंके सींग हिरनोंके-से थे और कितनोंके टेढ़े-मेढ़े। वे सब गौएँ कपिला तथा मङ्गलकी धाम थीं। वन-वनमें कोमल कमनीय घास खोज-खोजकर चरती हुई कोटि-कोटि गौएँ श्रीकृष्णके उभय पार्श्वोंमें विचरती थीं॥ १५—२४॥

यमुनाका पुण्य-पुलिन तथा उसके निकट श्याम तमालोंसे सुशोभित वृन्दावन नीप, कदम्ब, नीम, अशोक, प्रवाल, कटहल, कदली, कचनार, आम, मनोहर जामुन, बेल, पीपल और कैथ आदि वृक्षों तथा माधवी लताओंसे मण्डित था। वसन्त ऋतुके शुभागमनसे मनोहर वृन्दावनकी दिव्य शोभा हो रही थी। वह देवताओंके नन्दनवन-सा आनन्दप्रद और सर्वतोभद्र वन-सा सब ओरसे मङ्गलकारी जान पड़ता था। उसने (कुबेरके) चैत्ररथ वनकी शोभाको तिरस्कृत कर दिया था। वहाँ झरनों और कंदराओंसे संयुक्त रत्नधातुमय श्रीमान् गोवर्धन पर्वत शोभा पाता था। वहाँका वन पारिजात या मन्दारके वृक्षोंसे व्याप्त था। वह चन्दन, बेर, कदली, देवदार, बरगद, पलास, पाकर, अशोक, अरिष्ट (रीठा), अर्जुन, कदम्ब, पारिजात, पाटल तथा चम्पाके वृक्षोंसे सुशोभित था। श्याम वर्णवाले इन्द्रयव नामक वृक्षोंसे घिरा हुआ वह वन करञ्ज-जालसे विलसित कुञ्जोंसे सम्पन्न था। वहाँ मधुर कण्ठवाले नर-कोकिल और मयूर कलरव कर रहे थे। उस वनमें गौएँ चराते हुए श्रीकृष्ण एक वनसे दूसरे वनमें विचरा करते थे। नरेश्वर! वृन्दावन और मधुवनमें, तालवनके आस-पास कुमुदवन, बहुला-वन, कामवन, बृहत्सानु और नन्दीश्वर नामक पर्वतोंके पार्श्ववर्ती प्रदेशमें, कोकिलोंकी काकलीसे कूजित सुन्दर कोकिलावनमें, लताजाल-मण्डित सौम्य तथा रमणीय कुश-वनमें, परम पावन भद्रवन, भाण्डीर उपवन, लोहार्गल तीर्थ तथा यमुनाके प्रत्येक तट और तटवर्ती विपिनोंमें पीताम्बर धारण किये, बद्धपरिकर, नटवेषधारी मनोहर श्रीकृष्ण बेंत लिये, वंशी बजाते और गोपाङ्गनाओंकी प्रीति बढ़ाते हुए बड़ी शोभा पाते थे। उनके सिरपर शिखिपिच्छका सुन्दर मुकुट तथा गलेमें वैजयन्तीमाला सुशोभित थीं॥ २५—३६॥

संध्याके समय गोवृन्दको आगे किये अनेकानेक रागोंमें बाँसुरी बजाते साक्षात् श्रीहरि कृष्ण नन्दव्रजमें आये। आकाशको गोरजसे व्याप्त देख श्रीवंशीवटके मार्गसे आती हुई वंशी-ध्वनिसे आकुल हुई गोपियाँ श्यामसुन्दरके दर्शनके लिये घरोंसे बाहर निकल आयीं। अपनी मानसिक पीड़ा दूर करने और उत्तम सुखको पानेके लिये वे गोपसुन्दरियाँ श्रीकृष्णदर्शनके हेतु घरसे बाहर आ गयी थीं। उनमें श्रीकृष्णको भुला देनेकी शक्ति नहीं थी। श्रीनन्दनन्दन सिंहकी भाँति पीछे घूमकर देखते थे। वे गजकिशोरकी भाँति लीलापूर्वक मन्दगतिसे चलते थे। उनके नेत्र प्रफुल्ल कमलके समान शोभा पाते थे। गो-समुदायसे व्याप्त संकीर्ण गलियोंमें मन्द-मन्द गतिसे आते हुए श्यामसुन्दरको उस समय गोपवधूटियाँ अच्छी तरहसे देख नहीं पाती थीं। मिथिलेश्वर! गोधूलिसे धूसरित उत्तम नील केशकलाप धारण किये, सुवर्णनिर्मित बाजूबंदसे विभूषित, मुकुटमण्डित तथा कानतक खींचकर वक्र भावसे दृष्टिबाणका प्रहार करनेवाले, गोरज-समलंकृत, कुन्दमालासे अलंकृत, कानोंमें खोंसे हुए पुष्पोंकी आभासे उद्दीप्त, पीताम्बरधारी, वेणुवादनशील तथा भूतलका भूरि-भार हरण करनेवाले प्रभु श्रीकृष्ण आप सबकी रक्षा करें॥ ३७—४२॥

इस प्रकार श्रीगर्गसंहितामें श्रीवृन्दावनखण्डके अन्तर्गत 'यशोदाजीकी चिन्ता, नन्दद्वारा आश्वासन तथा दान, श्रीकृष्णकी गोचारण-लीलाका वर्णन' नामक दसवाँ अध्याय पूरा हुआ॥ १०॥

ग्यारहवाँ अध्याय

धेनुकासुरका उद्धार

श्रीनारदजी कहते हैं—राजन्! एक दिन श्रीकृष्ण बलरामजीके साथ मनोहर गौएँ चराते हुए नूतन तालवनके पास चले गये। उस समय समस्त गोपाल उनके साथ थे। वहाँ धेनुकासुर रहा करता था। उसके भयसे गोपगण वनके भीतर नहीं गये। श्रीकृष्ण भी नहीं गये। अकेले बलरामजीने उसमें प्रवेश किया। अपने नीले वस्त्रको कमरमें बाँधकर महाबली बलदेव परिपक्व फल लेनेके लिये उस वनमें विचरने लगे। बलरामजी साक्षात् अनन्तदेवके अवतार हैं। उनका पराक्रम भी अनन्त है। अतः दोनों हाथोंसे ताड़के वृक्षोंको हिलाते और फल-समूहोंको गिराते हुए वहाँ निर्भय गर्जना करने लगे। गिरते हुए फलोंकी आवाज सुनकर वह गर्दभाकार असुर रोषसे आग-बबूला हो गया। वह दोपहरमें सोया करता था, किंतु आज विघ्न पड़ जानेसे वह दुष्ट क्रोधसे भयंकर हो उठा। धेनुकासुर कंसका सखा होनेके साथ ही बड़ा बलवान् था। वह बलदेवजीके सम्मुख युद्ध करनेके लिये आया और उसने अपने पिछले पैरोंसे उनकी छातीमें तुरंत आघात किया। आघात करके वह बारंबार दौड़ लगाता हुआ गधेकी भाँति रेंकने लगा। तब बलरामजीने धेनुकके दोनों पिछले पैर पकड़कर शीघ्र ही उसे ताड़के वृक्षपर दे मारा। यह कार्य उन्होंने एक ही हाथसे खेल-खेलमें कर डाला। इससे वह तालवृक्ष स्वयं तो टूट ही गया, गिरते-गिरते उसने अपने पार्श्ववर्ती दूसरे बहुत-से ताड़ोंको भी धराशायी कर दिया। राजेन्द्र! वह एक अद्भुत-सी बात हुई। दैत्यराज धेनुकने पुनः उठकर रोषपूर्वक बलरामजीको पकड़ लिया और जैसे एक हाथी अपना सामना करनेवाले दूसरे हाथीको दूरतक ठेल ले जाता है, उसी प्रकार उन्हें धक्का देकर एक योजन पीछे हटा दिया। तब बलरामजीने तत्काल धेनुकको पकड़कर घुमाना आरम्भ किया और घुमाकर उसे धरतीकी पीठपर दे मारा। तब उसे मूर्च्छा आ गयी और उसका मस्तक फट गया। तो भी वह क्षणभरमें उठकर खड़ा हो गया। उसके शरीरसे भयानक क्रोध टपक रहा था। इसके बाद उस दैत्यने अपने मस्तकमें चार सींग प्रकट करके, भयानक रूप धारण कर उन तीखे और भयंकर सींगोंसे गोपोंको खदेड़ना आरम्भ किया। गोपोंको

आगे-आगे भागते देख वह मदमत्त असुर तुरंत ही उनके पीछे दौड़ा॥ १—१२ $\frac{1}{2}$ ॥

उस समय श्रीदामाने उसपर डंडेसे प्रहार किया, सुबलने उसको मुक्केसे मारा, स्तोककृष्णने उस महाबली दैत्यपर पाशसे प्रहार किया, अर्जुनने क्षेपणसे और अंशुने उस गर्दभाकार दैत्यपर लातसे आघात किया। इसके बाद विशालर्षभने आकर शीघ्रतापूर्वक अपने पैरसे और बलसे भी उस दैत्यको दबाया। तेजस्वीने अर्द्धचन्द्र (गर्दनियाँ) देकर उसे पीछे हटाया और देवप्रस्थने उस असुरके कई तमाचे जड़ दिये। वरूथपने उस विशालकाय गधेको गेंदसे मारा। तदनन्तर श्रीकृष्णने भी धेनुकासुरको दोनों हाथोंसे उठाकर घुमाया और तुरंत ही गोवर्धन पर्वतके ऊपर फेंक दिया। श्रीकृष्णके उस प्रहारसे धेनुक दो घड़ीतक मूर्च्छित पड़ा रहा। फिर उठकर अपने शरीरको कँपाता हुआ मुँह फाड़कर आगे बढ़ा और दोनों सींगोंसे श्रीहरिको उठाकर वह दैत्य दौड़कर आकाशमें चला गया। आकाशमें एक लाख योजन ऊँचे जाकर उनके साथ युद्ध करने लगा। भगवान् श्रीकृष्णने धेनुकासुर-को पकड़कर नीचे भूमिकी ओर फेंका। इससे उसकी हड्डियाँ चूर-चूर हो गयीं और वह मूर्च्छित हो गया। तथापि पुनः उठकर अत्यन्त भयंकर सिंहनाद करते हुए उसने दोनों सींगोंसे गोवर्धन पर्वतको उखाड़ लिया और श्रीकृष्णके ऊपर चलाया। श्रीकृष्णने पर्वतको हाथसे पकड़कर पुनः उसीके मस्तकपर दे मारा। तदनन्तर उस बलवान् दैत्यने फिर पर्वतको हाथमें ले लिया और श्रीकृष्णके ऊपर फेंका। किंतु श्रीकृष्णने गोवर्धनको ले जाकर उसके पूर्व स्थानपर रख दिया। तदनन्तर फिर धावा करके महादैत्य धेनुकने दोनों सींगोंसे पृथ्वीको विदीर्ण कर दिया और पिछले पैरोंसे पुनः बलरामपर प्रहार करके बड़े जोरसे गर्जना की। उसकी उस गर्जनासे समस्त ब्रह्माण्ड गूँज उठा और भूमण्डल काँपने लगा। तब महाबली बलदेवने दोनों हाथोंसे उसको पकड़ लिया और उसे पृथ्वीपर दे मारा। इससे उसका मस्तक फूट गया और होश-हवास जाता रहा। इसके बाद श्रीकृष्णके बड़े भाईने पुनः उस दैत्यपर मुक्केसे प्रहार किया। उस प्रहारसे धेनुकासुरकी तत्काल मृत्यु हो गयी। उसी समय देवताओंने वहाँ नन्दनवनके फूल बरसाये॥ १३—२६ ॥

देहसे पृथक् होकर धेनुक श्यामसुन्दर-विग्रह धारणकर पुष्पमाला, पीताम्बर तथा वनमालासे समलंकृत देवता हो गया। लाख-लाख पार्षद उसकी सेवामें जुट आये। सहस्रों ध्वज उसके रथकी शोभा बढ़ाने लगे। सहस्रों पहियोंकी घर्घरध्वनिसे युक्त उस रथमें दस हजार घोड़े जुते थे। लाखों चँवरोंकी वहाँ शोभा हो रही थी। वह रथ अरुणवर्णका था और अत्यधिक रत्नोंसे जटित था। उसका विस्तार एक दिव्य योजनका था। वह मनके समान तीव्रगतिसे चलनेवाला विमान या रथ बड़ा ही मनोहर था। राजन्! उसमें घुँघुरुओंकी जाली लगी थी। घंटे और मञ्जीर बजते थे। दिव्यरूपधारी दैत्य धेनुक बलरामसहित श्रीकृष्णकी परिक्रमा करके, उक्त दिव्य रथपर आरूढ़ हो, दिशामण्डलको देदीप्यमान करता हुआ, प्रकृतिसे परे विद्यमान गोलोकधाममें चला गया। इस प्रकार धेनुकका वध करके बलरामसहित श्रीकृष्ण अपना यशोगान करते हुए ग्वाल-बालोंके साथ व्रजको लौटे। उनके साथ गौओंका समुदाय भी था॥ २७—३२॥

राजाने पूछा—मुने! धेनुकासुर पूर्वजन्ममें कौन था? उसे मुक्ति कैसे प्राप्त हुई? तथा उसे गधेका शरीर क्यों मिला? यह सब मुझे ठीक-ठीक बताइये॥ ३३॥

श्रीनारदजीने कहा—विरोचनकुमार बलिका एक बलवान् पुत्र था, जिसका नाम था—साहसिक। वह दस हजार स्त्रियोंके साथ गन्धमादन पर्वतपर विहार कर रहा था। वहाँ वनमें नाना प्रकारके वाद्यों तथा रमणियोंके नूपुरोंका महान् शब्द होने लगा, जिससे उस पर्वतकी कन्दरामें रहकर श्रीकृष्णका चिन्तन करनेवाले दुर्वासा मुनिका ध्यान भङ्ग हो गया। वे खड़ाऊँ पहनकर बाहर निकले। उस समय मुनिवर दुर्वासाका शरीर अत्यन्त दुर्बल हो गया था। दाढ़ी-मूँछ बहुत बढ़ गयी थीं। वे लाठीके सहारे चलते थे। क्रोधकी तो वे मूर्तिमान् राशि ही थे और अग्निके समान तेजस्वी जान पड़ते थे। दुर्वासा उन ऋषियोंमेंसे हैं, जिनके शापके भयसे यह सारा विश्व काँपता रहता है। वे बोले॥ ३४—३७॥

दुर्वासाने कहा—दुर्बुद्धि असुर! तू गदहेके समान भोगासक्त है, इसलिये गदहा हो जा। आजसे चार लाख वर्ष बीतनेपर भारतमें दिव्य माथुर-मण्डलके अन्तर्गत पवित्र तालवनमें बलदेवजीके हाथसे तेरी मुक्ति होगी॥ ३८-३९॥

नारदजी कहते हैं—राजन्! उस शापके कारण ही भगवान् श्रीकृष्णने बलरामजीके हाथसे उसका वध करवाया; क्योंकि उन्होंने प्रह्लादजीको यह वर दे रखा है कि तुम्हारे वंशका कोई दैत्य मेरे हाथसे नहीं मारा जायगा॥ ४०॥

इस प्रकार श्रीगर्गसंहितामें वृन्दावनखण्डके अन्तर्गत 'धेनुकासुरका उद्धार' नामक ग्यारहवाँ अध्याय पूरा हुआ॥ ११॥

बारहवाँ अध्याय

श्रीकृष्णद्वारा कालियदमन तथा दावानल-पान

श्रीनारदजी कहते हैं—मिथिलेश्वर! एक दिन बलरामजीको साथमें लिये बिना ही श्रीहरि स्वयं ग्वाल-बालोंके साथ गाय चराने चले आये। यमुनाके तटपर आकर उन्होंने उस विषाक्त जलको पी लिया, जिसे नागराज कालियने अपने विषसे दूषित कर दिया था। उस जलको पीकर बहुत-सी गायें और गोपगण प्राणहीन होकर पानीके निकट ही गिर पड़े। यह देख सर्वपापहारी साक्षात् भगवान् श्रीहरिका चित्त दयासे द्रवित हो उठा। उन्होंने अपनी पीयूषपूर्ण दृष्टिसे देखकर उन सबको जीवित कर दिया। इसके बाद पीताम्बरको कमरमें कसकर बाँध लिया। फिर वे माधव तटवर्ती कदम्ब वृक्षपर चढ़ गये और उसकी ऊँची डालसे उस विष-दूषित जलमें कूद पड़े। भगवान् श्रीकृष्णके कूदनेसे वह दूषितजल चक्कर काटकर ऊपरको उछला। यमुनाके उस भागमें कालियनाग रहता था। भँवर उठनेसे उस सर्पका भवन इस तरह चक्कर काटने लगा, जैसे जलमें पानीके भौंरे घूमते हैं। नरेश्वर! उस समय सौ फणोंसे युक्त फणिराज कालिय क्रुद्ध हो उठा और माधवको दाँतोंसे डँसते हुए उसने अपने शरीरसे उन्हें आच्छादित कर लिया। तब श्रीकृष्ण अपने शरीरको बड़ा करके उसके बन्धनसे छूट गये और उस सर्पराजकी पूँछ पकड़कर उसे इधर-उधर घुमाने लगे। घुमाते-घुमाते उन्होंने उसे पानीमें गिराकर पुनः दोनों हाथोंसे उठा लिया और तुरंत उसे सौ धनुष दूर फेंक दिया। उस भयानक नागराजने पुनः उठकर जीभ लपलपाते हुए रोषपूर्वक माधव श्रीहरिका बायाँ हाथ पकड़ लिया। तब श्रीहरिने उस महादुष्टको दाहिने हाथसे पकड़कर उस जलमें उसी प्रकार दबा दिया, जैसे गरुड किसी नागको रगड़ दे। फिर अपने सौ मुखोंको बहुत अधिक फैलाकर वह सर्प उनके पास आ गया। तब उसकी पूँछ पकड़कर श्रीकृष्ण उसे सौ धनुष दूर खींच ले गये। श्रीकृष्णके हाथसे सहसा निकलकर उसने पुनः उन्हें डँस लिया। यह देख अपनेमें त्रिभुवनका बल धारण करनेवाले श्रीहरिने उस सर्पको एक मुक्का मारा। श्रीकृष्णके मुक्केकी चोट खाकर वह सर्प मूर्च्छित हो अपनी सुध-बुध खो बैठा। तदनन्तर अपने सौ मुखोंको आनत करके वह श्रीकृष्णके सामने स्थित हुआ। उसके सौ फन सौ मणियोंके प्रकाशसे अत्यन्त मनोहर जान पड़ते थे। श्रीकृष्ण उन फनोंपर चढ़ गये और मनोहर नट-वेष धारण करके नटकी भाँति नृत्य करने लगे। साथ ही वे सातों स्वरोंसे किसी रागका अलाप करते हुए तालके साथ संगीत प्रस्तुत करने लगे। उस समय नटराजकी भाँति सुन्दर ताण्डव करनेवाले श्रीकृष्णके ऊपर देवतालोग फूल बरसाने लगे और प्रसन्नतापूर्वक वीणा, ढोल, नगारे तथा बाँसुरी बजाने लगे। तालके साथ पदविन्यास करनेसे श्रीकृष्णने लंबी साँस खींचते हुए महाकाय कालियके बहुत-से उज्ज्वल फनोंको भग्न कर दिया। उसी समय भयसे विह्वल हुई नागपत्नियाँ आ पहुँचीं और भगवान् श्रीकृष्णके चरणोंमें नमस्कार करके गद्गद वाणीद्वारा इस प्रकार स्तुति करने लगीं॥ १—१७॥

नापपत्नियाँ बोलीं—भगवन्! आप परिपूर्णतम परमात्मा तथा असंख्य ब्रह्माण्डोंके अधिपति हैं। आप

गोलोकनाथ श्रीकृष्णचन्द्रको हमारा बारंबार नमस्कार है। व्रजके अधीश्वर आप श्रीराधावल्लभको नमस्कार है। नन्दके लाला एवं यशोदानन्दनको नमस्कार है। परमदेव! आप इस नागकी रक्षा कीजिये, रक्षा कीजिये। तीनों लोकोंमें आपके सिवा दूसरा कोई इसे शरण देनेवाला नहीं है। आप स्वयं साक्षात् परात्पर श्रीहरि हैं और लीलासे ही स्वच्छन्दतापूर्वक नाना प्रकारके श्रीविग्रहोंका विस्तार करते हैं*॥ १८—२०॥

श्रीनारदजी कहते हैं—अबतक कालियनागका गर्व चूर्ण हो गया था। नागपत्नियोंद्वारा किये गये इस स्तवनके पश्चात् वह श्रीकृष्णसे बोला—'भगवन्! पूर्णकाम परमेश्वर! मेरी रक्षा कीजिये।' 'पाहि-पाहि' कहता हुआ कालियनाग भगवान् श्रीहरिके सम्मुख आकर उनके चरणोंमें गिर पड़ा। तब उन जनार्दनदेवने उससे कहा॥ २१-२२॥

श्रीभगवान् बोले—तुम अपनी पत्नियों और सुहृदोंके साथ रमणकद्वीपमें चले जाओ। तुम्हारे मस्तकपर मेरे चरणोंके चिह्न बन गये हैं, इसलिये अब गरुड तुम्हें अपना आहार नहीं बनायेगा॥ २३॥

नारदजी कहते हैं—राजन्! तब उस सर्पने श्रीकृष्णकी पूजा और परिक्रमा करके, उन्हें प्रणाम करनेके अनन्तर, स्त्री-पुत्रोंके साथ रमणकद्वीपको प्रस्थान किया। इधर 'नन्दनन्दनको कालियनागने अपना ग्रास बना लिया है'—यह समाचार सुनकर नन्द आदि समस्त गोपगण वहाँ आ गये थे। श्रीकृष्णको जलसे निकलते देख उन सब लोगोंको बड़ी प्रसन्नता हुई। अपने बेटेको छातीसे लगाकर नन्दजी परमानन्दमें निमग्न हो गये। यशोदाने अपने खोये हुए पुत्रको पाकर उसके कल्याणकी कामनासे ब्राह्मणोंको धनका दान किया। उस समय उनके स्तनोंसे स्नेहाधिक्यके कारण दूध झर रहा था। राजन्! उस दिन रातमें अधिक श्रमके कारण गोपाङ्गनाओं और ग्वाल-बालोंके साथ समस्त गोप यमुनाके निकट उसी स्थानपर सो गये। निशीथकालमें बाँसोंकी रगड़से प्रलयाग्निके समान दावानल प्रकट हो गया, जो सब ओरसे मानो गोपोंको दग्ध करनेके लिये उधर फैलता आ रहा था। उस समय मित्रकोटिके गोप बलराम-सहित श्रीकृष्णकी शरणमें गये और भयसे कातर हो दोनों हाथ जोड़कर बोले॥ २४—३०॥

गोपोंने कहा—शरणागतवत्सल महाबाहु कृष्ण! कृष्ण! प्रभो! वनके भीतर दावाग्निके कष्टमें पड़े हुए स्वजनोंको बचाओ! बचाओ!!॥ ३१॥

नारदजी कहते हैं—तब योगेश्वरेश्वर देव माधव उनसे बोले—'डरो मत। अपनी-अपनी आँखें मूँद लो।' यों कहकर वे सारा दावानल स्वयं ही पी गये। फिर—प्रातःकाल विस्मित हुए गोपगणों तथा गौओंके साथ नन्दनन्दन शोभाशाली व्रजमण्डलमें आये॥ ३२-३३॥

इस प्रकार श्रीगर्गसंहितामें वृन्दावनखण्डके अन्तर्गत 'कालियदमन तथा दावानल-पान' नामक बारहवाँ अध्याय पूरा हुआ॥ १२॥

---

* नागपत्न्य ऊचुः—

नमः श्रीकृष्णचन्द्राय गोलोकपतये नमः। असंख्याण्डाधिपतये परिपूर्णतमाय ते॥
श्रीराधापतये तुभ्यं व्रजाधीशाय ते नमः। नमः श्रीनन्दपुत्राय यशोदानन्दनाय ते॥
पाहि पाहि परदेव पन्नगं त्वत्परं न शरणं जगत्त्रये। त्वं परात्परतरो हरिः स्वयं लीलया किल तनोषि विग्रहम्॥

(गर्गसंहिता, वृन्दावन० १२। १८—२०)

तेरहवाँ अध्याय

मुनिवर वेदशिरा और अश्वशिराका परस्परके शापसे क्रमशः कालियनाग और काकभुशुण्ड होना तथा शेषनागका भूमण्डलको धारण करना

विदेहराज बहुलाश्वने पूछा—देवर्षे! संसारमें जिनकी धूलि अनेक जन्मोंमें योगियोंके लिये भी दुर्लभ है, भगवान्‌के साक्षात् वे ही चरणारविन्द कालियके मस्तकोंपर सुशोभित हुए। नागोंमें श्रेष्ठ यह कालिय पूर्वजन्ममें कौन-सा पुण्य-कर्म कर चुका था, जिससे इसको यह सौभाग्य प्राप्त हुआ—यह मैं जानना चाहता हूँ। देवर्षिशिरोमणे! यह बात मुझे बताइये॥ १-२॥

नारदजीने कहा—राजन्! पूर्वकालकी बात है। स्वायम्भुव मन्वन्तरमें वेदशिरा नामक मुनि, जिनकी उत्पत्ति भृगुवंशमें हुई थी, विन्ध्य पर्वतपर तपस्या करते थे। उन्हींके आश्रमपर तपस्या करनेके लिये अश्वशिरा मुनि आये। उन्हें देखकर वेदशिरा मुनिके नेत्र क्रोधसे लाल हो गये और वे रोषपूर्वक बोले॥ ३-४॥

वेदशिराने कहा—ब्रह्मन्! मेरे आश्रममें तुम तपस्या न करो; क्योंकि वह सुखद नहीं होगी। तपोधन! क्या और कहीं तुम्हारे तपके योग्य भूमि नहीं है?॥ ५॥

नारदजी कहते हैं—राजन्! वेदशिराकी यह बात सुनकर अश्वशिरा मुनिके भी नेत्र क्रोधसे लाल हो गये और वे मुनिपुंगवसे बोले॥ ६॥

अश्वशिराने कहा—मुनिश्रेष्ठ! यह भूमि तो महाविष्णुकी है; न तुम्हारी है न मेरी। यहाँ कितने मुनियोंने उत्तम तपका अनुष्ठान नहीं किया है? तुम व्यर्थ ही सर्पकी तरह फुफकारते हुए क्रोध प्रकट करते हो, इसलिये सदाके लिये सर्प हो जाओ और तुम्हें गरुडसे भय प्राप्त हो॥ ७-८॥

वेदशिरा बोले—दुर्मते! तुम्हारा भाव बड़ा ही दूषित है। तुम छोटे-से द्रोह या अपराधपर भी महान् दण्ड देनेके लिये उद्यत रहते हो और अपना काम बनानेके लिये कौएकी तरह इस पृथ्वीपर डोलते-फिरते हो; अतः तुम भी कौआ हो जाओ॥ ९॥

नारदजी कहते हैं—इसी समय भगवान् विष्णु परस्पर शाप देते हुए दोनों ऋषियोंके बीच प्रकट हो गये। वे दोनों अपने-अपने शापसे बहुत दुःखी थे। भगवान्‌ने अपनी वाणीद्वारा उन दोनोंको सान्त्वना दी॥ १०॥

श्रीभगवान् बोले—मुनियो! जैसे शरीरमें दोनों भुजाएँ समान हैं, उसी प्रकार तुम दोनों समानरूपसे मेरे भक्त हो। मुनीश्वरो! मैं अपनी बात तो झूठी कर सकता हूँ, परंतु भक्तकी बातको मिथ्या करना नहीं चाहता—यह मेरी प्रतिज्ञा है। वेदशिरा! सर्पकी अवस्थामें तुम्हारे मस्तकपर मेरे दोनों चरण अङ्कित होंगे। उस समयसे तुम्हें गरुडसे कदापि भय नहीं होगा। अश्वशिरा! अब तुम मेरी बात सुनो। सोच न करो, सोच न करो। काकरूपमें रहनेपर भी तुम्हें निश्चय ही उत्तम ज्ञान प्राप्त होगा। योगसिद्धियोंसे युक्त उच्चकोटिका त्रिकालदर्शी ज्ञान सुलभ होगा॥ ११—१४॥

नारदजी कहते हैं—नरेश्वर! यों कहकर भगवान् विष्णु जब चले गये, तब अश्वशिरा मुनि साक्षात् योगीन्द्र काकभुशुण्ड हो गये और नीलपर्वतपर रहने लगे। वे सम्पूर्ण शास्त्रोंके अर्थको प्रकाशित करनेवाले महातेजस्वी रामभक्त हो गये। उन्होंने ही महात्मा गरुडको रामायणकी कथा सुनायी थी॥ १५-१६॥

मिथिलानरेश! चाक्षुष मन्वन्तरके प्रारम्भमें प्रचेताओंके पुत्र प्रजापति दक्षने महर्षि कश्यपको अपनी परम मनोहर ग्यारह कन्याएँ पत्नीरूपमें प्रदान कीं। उन कन्याओंमें जो श्रेष्ठ कद्रू थी, वही इस समय वसुदेवप्रिया रोहिणी होकर प्रकट हुई हैं, जिनके पुत्र बलदेवजी हैं। उस कद्रूने करोड़ों महासर्पोंको जन्म दिया। वे सभी सर्प अत्यन्त उद्भट, विषरूपी बलसे सम्पन्न, उग्र तथा पाँच सौ फनोंसे युक्त थे। वे महान् मणिरत्न धारण किये रहते थे। उनमेंसे कोई-कोई सौ मुखोंवाले एवं दुस्सह विषधर थे। उन्हींमें वेदशिरा 'कालिय' नामसे प्रसिद्ध महानाग हुए। उन सबमें प्रथम राजा फणिराज शेष हुए, जो

अनन्त एवं परात्पर परमेश्वर हैं। वे ही आजकल 'बलदेव'के नामसे प्रसिद्ध हैं। वे ही राम, अनन्त और अच्युताग्रज आदि नाम धारण करते हैं॥ १७—२१॥

एक दिनकी बात है। प्रकृतिसे परे साक्षात् भगवान् श्रीहरिने प्रसन्नचित्त होकर मेघके समान गम्भीर वाणीमें शेषसे कहा॥ २२॥

श्रीभगवान् बोले—इस भूमण्डलको अपने ऊपर धारण करनेकी शक्ति दूसरे किसीमें नहीं है, इसलिये इस भूगोलको तुम्हीं अपने मस्तकपर धारण करो। तुम्हारा पराक्रम अनन्त है, इसीलिये तुम्हें 'अनन्त' कहा गया है। जन-कल्याणके हेतु तुम्हें यह कार्य अवश्य करना चाहिये॥ २३-२४॥

शेषने कहा—प्रभो! पृथ्वीका भार उठानेके लिये आप कोई अवधि निश्चित कर दीजिये। जितने दिनकी अवधि होगी, उतने समयतक मैं आपकी आज्ञासे भूमिका भार अपने सिरपर धारण करूँगा॥ २५॥

श्रीभगवान् बोले—नागराज! तुम अपने सहस्र मुखोंसे प्रतिदिन पृथक्-पृथक् मेरे गुणोंसे स्फुरित होनेवाले नूतन नामोंका सब ओर उच्चारण किया करो। जब मेरे दिव्य नाम समाप्त हो जायँ, तब तुम अपने सिरसे पृथ्वीका भार उतारकर सुखी हो जाना॥ २६-२७॥

शेषने कहा—प्रभो! पृथ्वीका आधार तो मैं हो जाऊँगा, किंतु मेरा आधार कौन होगा? बिना किसी आधारके मैं जलके ऊपर कैसे स्थित रहूँगा?॥ २८॥

श्रीभगवान् बोले—मेरे मित्र! इसकी चिन्ता मत करो। मैं 'कच्छप' बनकर महान् भारसे युक्त तुम्हारे विशाल शरीरको धारण करूँगा॥ २९॥

श्रीनारदजी कहते हैं—नरेश्वर! तब शेषने उठकर भगवान् श्रीगरुडध्वजको नमस्कार किया। फिर वे पातालसे लाख योजन नीचे चले गये। वहाँ अपने हाथसे इस अत्यन्त गुरुतर भूमण्डलको पकड़कर प्रचण्ड पराक्रमी शेषने अपने एक ही फनपर धारण कर लिया। परात्पर अनन्तदेव संकर्षणके पाताल चले जानेपर ब्रह्माजीकी प्रेरणासे अन्यान्य नागराज भी उनके पीछे-पीछे चले गये। कोई अतलमें, कोई वितलमें, कोई सुतल और महातलमें तथा कितने ही तलातल एवं रसातलमें जाकर रहने लगे। ब्रह्माजीने उन सर्पोंके लिये पृथ्वीपर 'रमणकद्वीप' प्रदान किया था। कालिय आदि नाग उसीमें सुखपूर्वक निवास करने लगे। राजन्! इस प्रकार मैंने तुमसे कालियका कथानक कह सुनाया, जो सारभूत तथा भोग और मोक्ष देनेवाला है। अब और क्या सुनना चाहते हो?॥ ३०—३५॥

इस प्रकार श्रीगर्गसंहितामें वृन्दावनखण्डके अन्तर्गत 'शेषके उपाख्यानका वर्णन' नामक तेरहवाँ अध्याय पूरा हुआ॥ १३॥

चौदहवाँ अध्याय

कालियका गरुडके भयसे बचनेके लिये यमुना-जलमें निवासका रहस्य

राजा बहुलाश्वने पूछा—ब्रह्मन्! रमणकद्वीपमें रहनेवाले अन्य सर्पोंको छोड़कर केवल कालियनाग-को ही गरुडसे भय क्यों हुआ? यह सारी बात आप मुझे बताइये॥ १॥

श्रीनारदजीने कहा—राजन्! रमणकद्वीपमें नागोंका विनाश करनेवाले गरुड प्रतिदिन जाकर बहुत-से नागोंका संहार करते थे। अतः एक दिन भयसे व्याकुल हुए वहाँके सर्पोंने उस द्वीपमें पहुँचे हुए क्षुब्ध गरुडसे इस प्रकार कहा॥ २॥

नाग बोले—हे गरुत्मन्! तुम्हें नमस्कार है। तुम साक्षात् भगवान् विष्णुके वाहन हो। जब इस प्रकार हम सर्पोंको खाते रहोगे तो हमारा जीवन कैसे सुरक्षित रहेगा। इसलिये प्रत्येक मासमें एक बार पृथक्-पृथक् एक-एक घरसे एक सर्पकी बलि ले लिया करो। उसके साथ वनस्पति तथा अमृतके समान मधुर अन्नकी सेवा भी प्रस्तुत की जायगी। यह सब विधानके अनुसार तुम शीघ्र स्वीकार करो॥ ३-४॥

गरुडजी बोले—आपलोग एक-एक घरसे

एक-एक नागकी बलि प्रतिदिन दिया करें; अन्यथा सर्पके बिना दूसरी वस्तुओंकी बलिसे मैं कैसे पेट भर सकूँगा? वह तो मेरे लिये पानके बीड़ेके तुल्य होगी॥ ५॥

नारदजी कहते हैं—राजन्! उनके यों कहनेपर सब सर्पोंने आत्मरक्षाके लिये एक-एक करके उन महात्मा गरुडके लिये नित्य दिव्य बलि देना आरम्भ किया॥ ६॥

नरेश्वर! जब कालियके घरसे बलि मिलनेका अवसर आया, तब उसने गरुडको दी जानेवाली बलिकी सारी वस्तुएँ बलपूर्वक स्वयं ही भक्षण कर लीं। उस समय प्रचण्ड पराक्रमी गरुड बड़े रोषमें भरकर आये। आते ही उन्होंने कालियनागके ऊपर अपने पंजेसे प्रहार किया। गरुडके उस पाद-प्रहारसे कालिय मूर्च्छित हो गया। फिर उठकर लंबी साँस लेते और जिह्वाओंसे मुँह चाटते हुए नागोंमें श्रेष्ठ बलवान् कालियने अपने सौ फण फैलाकर विषैले दाँतोंसे गरुडको वेगपूर्वक डँस लिया। तब दिव्य वाहन गरुडने उसे चोंचमें पकड़कर पृथ्वीपर दे मारा और पाँखोंसे बारंबार पीटना आरम्भ किया। गरुडकी चोंचसे निकलकर सर्पने उनके दोनों पंजोंको आवेष्टित कर लिया और बारंबार फुंकार करते हुए उनकी पाँखोंको खींचना आरम्भ किया। उस समय उनकी पाँखसे दो पक्षी उत्पन्न हुए—नीलकण्ठ और मयूर। मिथिलेश्वर! आश्विन शुक्ला दशमीको उन पक्षियोंका दर्शन पवित्र एवं सम्पूर्ण मनोवाञ्छित फलोंका देनेवाला माना गया है। रोषसे भरे हुए गरुडने पुनः कालियको चोंचसे पकड़कर पृथ्वीपर पटक दिया और सहसा वे उसके शरीरको घसीटने लगे। तब भयसे विह्वल हुआ कालिय गरुडकी चोंचसे छूटकर भागा। प्रचण्ड पराक्रमी पक्षिराज गरुड भी सहसा उसका पीछा करने लगे। सात द्वीपों, सात खण्डों और सात समुद्रोंतक वह जहाँ-जहाँ गया, वहाँ-वहाँ उसने गरुडको पीछा करते देखा। वह नाग भूर्लोक, भुवर्लोक, स्वर्लोक और महर्लोकमें क्रमशः जा पहुँचा और वहाँसे भागता हुआ जनलोकमें पहुँच गया। जहाँ जाता, वहीं गरुड भी पहुँच जाते। इसलिये वह पुनः नीचे-नीचेके लोकोंमें क्रमशः गया; किंतु श्रीकृष्ण (भगवान् विष्णु) के भयसे किसीने उसकी रक्षा नहीं की। जब उसे कहीं भी शान्ति नहीं मिली, तब भयसे व्याकुल कालिय देवाधिदेव शेषके चरणोंके निकट गया और भगवान् शेषको प्रणाम करके परिक्रमापूर्वक हाथ जोड़ विशाल पृष्ठवाला कालिय दीन, भयातुर और कम्पित होकर बोला॥ ७—२०॥

कालियने कहा—भूमिभर्ता भुवनेश्वर! भूमन्! भूमि-भारहारी प्रभो! आपकी लीलाएँ अपार हैं, आप सर्वसमर्थ पूर्ण परात्पर पुराणपुरुष हैं; मेरी रक्षा कीजिये, रक्षा कीजिये॥ २१॥

नारदजी कहते हैं—कालियको दीन और भयातुर देख फणीश्वरदेव जनार्दनने मधुर वाणीसे उसको प्रसन्न करते हुए कहा॥ २२॥

शेष बोले—महामते कालिय! मेरी उत्तम बात सुनो। इसमें संदेह नहीं कि संसारमें कहीं भी तुम्हारी रक्षा नहीं होगी। (रक्षाका एक ही उपाय है; उसे बताता हूँ, सुनो—) पूर्वकालमें सौभरि नामसे प्रसिद्ध एक सिद्ध मुनि थे। उन्होंने वृन्दावनमें यमुनाके जलमें रहकर दस हजार वर्षोंतक तपस्या की। उस जलमें मीनराजका विहार देखकर उनके मनमें भी घर बसानेकी इच्छा हुई। तब उन महाबुद्धि महर्षिने राजा मान्धाताकी सौ पुत्रियोंके साथ विवाह किया। श्रीहरिने उन्हें परम ऐश्वर्यशालिनी वैष्णवी सम्पत्ति प्रदान की, जिसे देखकर राजा मान्धाता आश्चर्यचकित हो गये और उनका धनविषयक सारा अभिमान जाता रहा। यमुनाके जलमें जब सौभरि मुनिकी दीर्घकालिक तपस्या चल रही थी, उन्हीं दिनों उनके देखते-देखते गरुडने मीनराजको मार डाला। मीन-परिवारको अत्यन्त दुःखी देखकर दूसरोंका दुःख दूर करनेवाले दीनवत्सल मुनिश्रेष्ठ सौभरिने कुपित हो गरुडको शाप दे दिया॥ २३—२८॥

सौभरि बोले—पक्षिराज! आजके दिनसे लेकर भविष्यमें यदि तुम इस कुण्डके भीतर बलपूर्वक मछलियोंको खाओगे तो मेरे शापसे उसी क्षण तुरंत तुम्हारे प्राणोंका अन्त हो जायगा॥ २९॥

शेषजी कहते हैं—उस दिनसे मुनिके शापसे

भयभीत हुए गरुड वहाँ कभी नहीं आते। इसलिये कालिय! तुम मेरे कहनेसे शीघ्र ही श्रीहरिके विपिन—वृन्दावनमें चले जाओ। वहाँ यमुनामें निर्भय होकर अपना निवास नियत कर लो। वहाँ कभी तुम्हें गरुडसे भय नहीं होगा॥ ३०-३१॥

नारदजी कहते हैं—राजन्! शेषनागके यों कहनेपर भयभीत कालिय अपने स्त्री-बालकोंके साथ कालिन्दीमें निवास करने लगा। फिर श्रीकृष्णने ही उसे यमुनाजलसे निकालकर बाहर भेजा॥ ३२॥

इस प्रकार श्रीगर्गसंहितामें वृन्दावनखण्डके अन्तर्गत 'कालियके उपाख्यानका वर्णन' नामक चौदहवाँ अध्याय पूरा हुआ॥ १४॥

पंद्रहवाँ अध्याय

श्रीराधाका गवाक्षमार्गसे श्रीकृष्णके रूपका दर्शन करके प्रेम-विह्वल होना; ललिताका श्रीकृष्णसे राधाकी दशाका वर्णन करना और उनकी आज्ञाके अनुसार लौटकर श्रीराधाको श्रीकृष्ण-प्रीत्यर्थ सत्कर्म करनेकी प्रेरणा देना

नारदजी कहते हैं—राजन्! यह मैंने तुमसे कालिय-मर्दनरूप पवित्र श्रीकृष्ण-चरित्र कहा। अब और क्या सुनना चाहते हो?॥ १॥

बहुलाश्व बोले—देवर्षे! जैसे देवता अमृत पीकर तथा भ्रमर कमल-कर्णिकाका रस लेकर तृप्त नहीं होते, उसी प्रकार श्रीकृष्णकी कथा सुनकर कोई भी भक्त तृप्त नहीं होता (वह उसे अधिकाधिक सुनना चाहता है)। जब शिशुरूपधारी परमात्मा श्रीकृष्ण रास करनेके लिये भाण्डीरवनमें गये और उनका यह लघुरूप देखकर श्रीराधा मन-ही-मन खेद करने लगीं, तब देववाणीने कहा—'कल्याणि! सोच न करो। मनोहर वृन्दावनमें महात्मा श्रीकृष्णके द्वारा तुम्हारा मनोरथ पूर्ण होगा।' देववाणीद्वारा इस प्रकार कहा गया वह मनोरथका महासागर किस तरह पूर्ण हुआ और उस मनोहर वृन्दावनमें भगवान् श्रीकृष्ण किस रूपमें प्रकट हुए? उस वृन्दा-विपिनमें साक्षात् परिपूर्णतम भगवान्‌ने श्रीराधाके साथ मनोहर रास-क्रीड़ा किस प्रकार की?॥ २—६॥

नारदजीने कहा—राजन्! तुमने बहुत अच्छा प्रश्न किया। मैं उस मङ्गलमय भगवच्चरित्रका, उस मनोहर लीलाख्यानका, जो देवताओंको भी पूर्णतया ज्ञात नहीं है, वर्णन करता हूँ। एक दिनकी बात है, श्रीराधाकी दो प्रधान सखियाँ, शुभस्वरूपा ललिता और विशाखा, वृषभानुके घर पहुँचकर एकान्तमें श्रीराधासे मिलीं॥ ७-८॥

सखियाँ बोलीं—राधे! तुम जिनका चिन्तन करती हो और स्वतः जिनके गुण गाती रहती हो, वे भी प्रतिदिन ग्वाल-बालोंके साथ वृषभानुपुरमें आते हैं। राधे! तुम्हें रातके पिछले पहरमें, जब वे गो-चारणके लिये निकलते हैं, उनका दर्शन करना चाहिये। वे बड़े सुन्दर हैं॥ ९-१०॥

राधा बोलीं—पहले उनका मनोहर चित्र बनाकर तुम शीघ्र मुझे दिखाओ, उसके बाद मैं उनका दर्शन करूँगी—इसमें संशय नहीं है॥ ११॥

नारदजी कहते हैं—तब दोनों सखियोंने नन्द-नन्दनका सुन्दर चित्र बनाया, जिसमें नूतन यौवनका माधुर्य भरा था। वह चित्र उन्होंने तुरंत श्रीराधाके हाथमें दिया। वह चित्र देखकर श्रीराधा हर्षसे खिल उठीं और उनके हृदयमें श्रीकृष्णदर्शनकी लालसा जाग उठी। हाथमें रखे हुए चित्रको निहारती हुई वे आनन्दमग्न होकर सो गयीं। भवनमें सोती हुई श्रीराधाने स्वप्नमें देखा—'यमुनाके किनारे भाण्डीरवनके एक देशमें नीलमेघकी-सी कान्तिवाले पीतपटधारी श्यामसुन्दर श्रीकृष्ण मेरे निकट ही नृत्य कर रहे हैं।' विदेहराज! उसी समय श्रीराधाकी नींद टूट गयी और वे शय्यासे उठकर, परमात्मा श्रीकृष्णके वियोगसे विह्वल हो, उन्हींके कमनीय रूपका चिन्तन करती हुई त्रिलोकीको तृणवत् मानने लगीं। इतनेमें

ही व्रजेश श्रीनन्दनन्दन अपने भवनसे चलकर वृषभानुनगरकी सँकरी गलीमें आ गये। सखीने तत्काल खिड़कीके पास आकर श्रीराधाको उनका दर्शन कराया। उन्हें देखते ही सुन्दरी श्रीराधा मूर्च्छित हो गयीं। लीलासे मानव-शरीर धारण करनेवाले माधव श्रीकृष्ण भी सुन्दर रूप और वैदग्ध्यसे युक्त गुणनिधि श्रीवृषभानुनन्दिनीका दर्शन करके मन-ही-मन उनके साथ विहारकी अत्यधिक कामना करते हुए अपने भवनको लौटे। वृषभानुनन्दिनी श्रीराधाको इस प्रकार श्रीकृष्ण-वियोगसे विह्वल तथा अतिशय कामज्वरसे संतप्तचित्त देखकर सखियोंमें श्रेष्ठ ललिताने उनसे इस प्रकार कहा॥ १२—१८॥

ललिताने पूछा—राधे! तुम क्यों इतनी विह्वल, मूर्च्छित (बेसुध) और अत्यन्त व्यथित हो? सुन्दरी! यदि श्रीहरिको प्राप्त करना चाहती हो तो उनके प्रति अपना स्नेह दृढ़ करो। वे इस समय त्रिलोकीके भी सम्पूर्ण सुखपर अधिकार किये बैठे हैं। शुभे! वे ही दुःखाग्निकी ज्वालाको बुझा सकते हैं। उनकी उपेक्षा पैरोंसे ठुकरायी हुई कुम्हारके आँवेंकी अग्निके समान दाहक होगी॥ १९-२०॥

नारदजी कहते हैं—राजन्! ललिताकी यह ललित बात सुनकर व्रजेश्वरी श्रीराधाने आँखें खोलीं और अपनी उस प्रिय सखीसे वे गद्गद वाणीमें यों बोलीं॥ २१॥

राधाने कहा—सखी! यदि मुझे व्रजभूषण श्यामसुन्दरके चरणारविन्द नहीं प्राप्त हुए तो मैं कदापि अपने शरीरको नहीं धारण करूँगी—यह मेरा निश्चय है॥ २२॥

नारदजी कहते हैं—मिथिलेश्वर! श्रीराधाकी यह बात सुनकर ललिता भयसे विह्वल हो, यमुनाके मनोहर तटपर श्रीकृष्णके पास गयी। वे माधवीलताके जालसे आच्छन्न और भ्रमरोंकी गुंजारोंसे व्याप्त एकान्त प्रदेशमें कदम्बकी जड़के पास अकेले बैठे थे। वहाँ ललिताने श्रीहरिसे कहा॥ २३-२४॥

ललिता बोली—श्यामसुन्दर! जिस दिनसे श्रीराधाने तुम्हारे अद्भुत मोहनरूपको देखा है, उसी दिनसे वह स्तम्भनरूप सात्त्विकभावके अधीन हो गयी है। काठकी पुतलीकी भाँति किसीसे कुछ बोलती नहीं। अलंकार उसे अग्निकी ज्वालाकी भाँति दाहक प्रतीत होते हैं। सुन्दर वस्त्र भाड़की तपी हुई बालूके समान जान पड़ते हैं। उसके लिये हर प्रकारकी सुगन्ध कड़वी तथा परिचारिकाओंसे भरा हुआ भवन भी निर्जन वन हो गया है। हे प्यारे! तुम यह जान लो कि तुम्हारे विरहमें मेरी सखीको फूल बाण-सा तथा चन्द्र-बिम्ब विषकंद-सा प्रतीत होता है। अतः श्रीराधाको तुम शीघ्र दर्शन दो। तुम्हारा दर्शन ही उसके दुःखोंको दूर कर सकता है। तुम सबके साक्षी हो। भूतलपर कौन-सी ऐसी बात है, जो तुम्हें विदित न हो। तुम्हीं इस जगत्की सृष्टि, पालन और संहार करते हो। यद्यपि परमेश्वर होनेके कारण तुम सब लोगोंके प्रति समानभाव रखते हो, तथापि अपने भक्तोंका भजन करते हो (उनके प्रति अधिक प्रेम-भाव रखते हो)॥ २५—२८॥

नारदजी कहते हैं—राजन्! ललिताकी यह ललित बात सुनकर व्रजके साक्षात् देवता भगवान् श्रीकृष्ण मेघगर्जनके समान गम्भीर वाणीमें बोले॥ २९॥

श्रीभगवान्ने कहा—भामिनि! मनका सारा भाव स्वतः एकमात्र मुझ परात्पर पुरुषोत्तमकी ओर नहीं प्रवाहित होता; अतः सबको अपनी ओरसे मेरे प्रति प्रेम ही करना चाहिये। इस भूतलपर प्रेमके समान दूसरा कोई साधन नहीं है (मैं प्रेमसे ही सुलभ होता हूँ)। भाण्डीरवनमें श्रीराधाके हृदयमें जैसे मनोरथका उदय हुआ था, वह उसी रूपमें पूर्ण होगा। सत्पुरुष अहैतुक प्रेमका आश्रय लेते हैं। संत, महात्मा उस निर्हेतुक प्रेमको निश्चय ही निर्गुण (तीनों गुणोंसे अतीत) मानते हैं। जो मुझ केशवमें और श्रीराधिकामें थोड़ा-सा भी भेद नहीं देखते, बल्कि दूध और उसकी शुक्लताके समान हम दोनोंको सर्वथा अभिन्न मानते हैं, उन्हींके अन्तःकरणमें अहैतुकी भक्तिके लक्षण प्रकट होते हैं तथा वे ही मेरे ब्रह्मपद (गोलोकधाम) में प्रवेश पाते हैं। रम्भोरु! इस भूतलपर जो कुबुद्धि मानव मुझ केशव हरिमें तथा श्रीराधिकामें भेदभाव रखते हैं, वे जबतक चन्द्रमा और सूर्यकी सत्ता है, तबतक निश्चय ही कालसूत्र नामक नरकमें पड़कर

दुःख भोगते हैं* ॥ ३०—३३ ॥

नारदजी कहते हैं—राजन्! श्रीकृष्णकी यह सारी बात सुनकर ललिता सखी उन्हें प्रणाम करके श्रीराधाके पास गयी और एकान्तमें बोली। बोलते समय उसके मुखपर मधुर हासकी छटा छा रही थी॥ ३४ ॥

ललिताने कहा—सखी! जैसे तुम श्रीकृष्णको चाहती हो, उसी तरह वे मधुसूदन श्रीकृष्ण भी तुम्हारी अभिलाषा रखते हैं। तुम दोनोंका तेज भेद-भावसे रहित, एक है। लोग अज्ञानवश ही उसे दो मानते हैं। तथापि सती-साध्वी देवि! तुम श्रीकृष्णके लिये निष्काम कर्म करो, जिससे पराभक्तिके द्वारा तुम्हारा मनोरथ पूर्ण हो† ॥ ३५-३६ ॥

नारदजी कहते हैं—नरेश्वर! ललिता सखीकी यह बात सुनकर रासेश्वरी श्रीराधाने सम्पूर्ण धर्म-वेत्ताओंमें श्रेष्ठ चन्द्रानना सखीसे कहा॥ ३७ ॥

श्रीराधा बोलीं—सखी! तुम श्रीकृष्णकी प्रसन्नताके लिये किसी देवताकी ऐसी पूजा बताओ, जो परम सौभाग्यवर्द्धक, महान् पुण्यजनक तथा मनोवाञ्छित वस्तु देनेवाली हो। भद्रे! महामते! तुमने गर्गाचार्यजीके मुखसे शास्त्रचर्चा सुनी है। इसलिये तुम मुझे कोई व्रत या पूजन बताओ॥ ३८-३९ ॥

इस प्रकार श्रीगर्ग-संहितामें वृन्दावनखण्डके अन्तर्गत 'श्रीराधाकृष्णके प्रेमोद्योगका वर्णन' नामक पंद्रहवाँ अध्याय पूरा हुआ॥ १५ ॥

सोलहवाँ अध्याय

तुलसीका माहात्म्य, श्रीराधाद्वारा तुलसीसेवन-व्रतका अनुष्ठान तथा दिव्य तुलसीदेवीका प्रत्यक्ष प्रकट हो श्रीराधाको वरदान देना

श्रीनारदजी कहते हैं—राजन्! श्रीराधाकी बात सुनकर समस्त सखियोंमें श्रेष्ठ चन्द्राननाने अपने हृदयमें एक क्षणतक कुछ विचार किया फिर इस प्रकार उत्तर दिया॥ १ ॥

चन्द्रानना बोलीं—राधे! परमसौभाग्यदायक, महान् पुण्यजनक तथा श्रीकृष्णकी भी प्राप्तिके लिये वरदायक व्रत है—तुलसीकी सेवा। मेरी रायमें तुलसी-सेवनका ही नियम तुम्हें लेना चाहिये; क्योंकि तुलसीका यदि स्पर्श अथवा ध्यान, नाम-कीर्तन, स्तवन, आरोपण, सेचन और तुलसीदलसे ही नित्य पूजन किया जाय तो वह महान् पुण्यप्रद होता है। शुभे! जो प्रतिदिन तुलसीकी नौ प्रकारसे भक्ति करते हैं, वे कोटि सहस्र युगोंतक अपने उस सुकृत्यका उत्तम फल भोगते हैं। मनुष्योंकी लगायी हुई तुलसी जबतक शाखा, प्रशाखा, बीज, पुष्प और सुन्दर दलोंके साथ पृथ्वीपर बढ़ती रहती है, तबतक उनके वंशमें जो-जो जन्म लेते हैं, वे सब उन आरोपण करनेवाले मनुष्योंके साथ दो हजार कल्पोंतक श्रीहरिके

* श्रीभगवानुवाच—

सर्वं हि भावं मनसः परात्परं न ह्येकतो भामिनि जायते ततः। प्रेमैव कर्तव्यमतो मयि स्वतः प्रेम्णा समानं भुवि नास्ति किंचित्॥
यथा हि भाण्डीरवने मनोरथो बभूव तस्या हि तथा भविष्यति। अहैतुकं प्रेम च सद्भिराश्रितं तच्चापि सन्तः किल निर्गुणं विदुः॥
ये राधिकायां मयि केशवे मनाग् भेदं न पश्यन्ति हि दुग्धशौक्ल्यवत्। त एव मे ब्रह्मपदं प्रयान्ति तद्ध्यहैतुकस्फूर्जितभक्तिलक्षणाः॥
ये राधिकायां मयि केशवे हरौ कुर्वन्ति भेदं कुधियो जना भुवि। ते कालसूत्रे प्रपतन्ति दुःखिता रम्भोरु यावत्किल चन्द्रभास्करौ॥
(गर्ग०, वृन्दावन० १५। ३०—३३)

† ललितोवाच—

त्वमिच्छसि यथा कृष्णं तथा त्वां मधुसूदनः। युवयोर्भेदरहितं तेजस्त्वेकं द्विधा जनैः॥
तथापि देवि कृष्णाय कर्मं निष्कारणं कुरु। येन ते वाञ्छितं भूयाद् भक्त्या परमया सति॥
(गर्ग०, वृन्दावन० १५। ३५-३६)

धाममें निवास करते हैं। राधिके! सम्पूर्ण पत्रों और पुष्पोंको भगवान्‌के चरणोंमें चढ़ानेसे जो फल मिलता है, वह सदा एकमात्र तुलसीदलके अर्पणसे प्राप्त हो जाता है। जो मनुष्य तुलसीदलोंसे श्रीहरिकी पूजा करता है, वह जलमें पद्मपत्रकी भाँति पापसे कभी लिप्त नहीं होता। सौ भार सुवर्ण तथा चार सौ भार रजतके दानका जो फल है, वही तुलसीवनके पालनसे मनुष्यको प्राप्त हो जाता है। राधे! जिसके घरमें तुलसीका वन या बगीचा होता है, उसका वह घर तीर्थरूप है। वहाँ यमराजके दूत कभी नहीं जाते। जो श्रेष्ठ मानव सर्वपापहारी, पुण्यजनक तथा मनोवाञ्छित वस्तु देनेवाले तुलसीवनका रोपण करते हैं, वे कभी सूर्यपुत्र यमको नहीं देखते। रोपण, पालन, सेचन, दर्शन और स्पर्श करनेसे तुलसी मनुष्योंके मन, वाणी और शरीरद्वारा संचित समस्त पापोंको दग्ध कर देती है। पुष्कर आदि तीर्थ, गङ्गा आदि नदियाँ तथा वासुदेव आदि देवता तुलसीदलमें सदा निवास करते हैं। जो तुलसीकी मञ्जरी सिरपर रखकर प्राण-त्याग करता है, वह सैकड़ों पापोंसे युक्त क्यों न हो, यमराज उसकी ओर देख भी नहीं सकते। जो मनुष्य तुलसी-काष्ठका घिसा हुआ चन्दन लगाता है, उसके शरीरको यहाँ क्रियमाण पाप भी नहीं छूता। शुभे! जहाँ-जहाँ तुलसीवनकी छाया हो, वहाँ-वहाँ पितरोंका श्राद्ध करना चाहिये। वहाँ दिया हुआ श्राद्ध-सम्बन्धी दान अक्षय होता है। सखी! आदिदेव चतुर्भुज ब्रह्माजी भी शार्ङ्गधन्वा श्रीहरिके माहात्म्यकी भाँति तुलसीके माहात्म्यको भी कहनेमें समर्थ नहीं हैं। अतः गोप-नन्दिनि! तुम भी प्रतिदिन तुलसीका सेवन करो, जिससे श्रीकृष्ण सदा ही तुम्हारे वशमें रहें*॥ २—१८॥

श्रीनारदजी कहते हैं—नरेश्वर! इस प्रकार चन्द्राननाकी कही हुई बात सुनकर रासेश्वरी श्रीराधाने साक्षात् श्रीहरिको संतुष्ट करनेवाले तुलसी-सेवनका व्रत आरम्भ किया। केतकीवनमें सौ हाथ गोलाकार भूमिपर बहुत ऊँचा और अत्यन्त मनोहर श्रीतुलसीका मन्दिर बनवाया, जिसकी दीवार सोनेसे जड़ी थी और किनारे-किनारे पद्मरागमणि लगी थी। वह सुन्दर मन्दिर पन्ने, हीरे और मोतियोंके परकोटेसे अत्यन्त सुशोभित था तथा उसके चारों ओर परिक्रमाके लिये गली बनायी गयी थी, जिसकी भूमि चिन्तामणिसे मण्डित थी। बहुत ऊँचा तोरण (मुख्यद्वार या गोपुर) उस मन्दिरकी शोभा बढ़ाता था। वहाँ सुवर्णमय ध्वजदण्डसे युक्त पताका फहरा रही थी। चारों ओर ताने हुए सुनहले वितानों (चँदोवों) के कारण वह तुलसी-मन्दिर वैजयन्ती पताकासे युक्त इन्द्रभवन-सा देदीप्यमान था। ऐसे

---

*यदा स्पृष्टाथवा ध्याता कीर्तिता नामभिः स्तुता। रोपिता सिञ्चिता नित्यं पूजिता तुलसीदलैः॥
नवधा तुलसीभक्तिं ये कुर्वन्ति दिने दिने। युगकोटिसहस्राणि ते यान्ति सुकृतं शुभे॥
यावच्छाखाप्रशाखाभिर्बीजपुष्पदलैः शुभैः। रोपिता तुलसी मर्त्यैर्वर्धते वसुधातले॥
तेषां वंशेषु ये जाता गतास्ते वै सुरालये। आकल्पयुगसाहस्रं तेषां वासो हरेर्गृहे॥
यत्फलं सर्वपत्रेषु सर्वपुष्पेषु राधिके। तुलसीदलेन चैकेन सर्वदा प्राप्यते तु तत्॥
तुलसीप्रभवैः पत्रैर्यो नरः पूजयेद्धरिम्। लिप्यते न स पापेन पद्मपत्रमिवाम्भसा॥
सुवर्णभारशतकं रजतं यच्चतुर्गुणम्। तत्फलं समवाप्नोति तुलसीवनपालनात्॥
तुलसीकाननं राधे गृहे यस्यावतिष्ठति। तद्गृहं तीर्थरूपं हि न यान्ति यमकिंकराः॥
सर्वपापहरं पुण्यं कामदं तुलसीवनम्। रोपयन्ति नराः श्रेष्ठास्ते न पश्यन्ति भास्करिम्॥
रोपणात् पालनात् सेकाद् दर्शनात् स्पर्शनान्नृणाम्। तुलसी दहते पापं वाङ्मनःकायसंचितम्॥
पुष्कराद्यानि तीर्थानि गङ्गाद्याः सरितस्तथा। वासुदेवादयो देवा वसन्ति तुलसीदले॥
तुलसीमञ्जरीयुक्तो यस्तु प्राणान् विमुञ्चति। यमोऽपि नेक्षितुं शक्तो युक्तं पापशतैरपि॥
तुलसीकाष्ठजं यस्तु चन्दनं धारयेन्नरः। तद्देहं न स्पृशेत्पापं क्रियमाणमपीह यत्॥
तुलसीविपिनच्छाया यत्र यत्र भवेच्छुभे। तत्र श्राद्धं प्रकर्तव्यं पितॄणां दत्तमक्षयम्॥
तुलस्याः सखि माहात्म्यमादिदेवश्चतुर्मुखः। न समर्थो भवेद्वक्तुं यथा देवस्य शार्ङ्गिणः॥
तुलसीसेवनं नित्यं कुरु त्वं गोपकन्यके। श्रीकृष्णो वश्यतां याति येन वा सर्वदैव हि॥

(गर्ग०, वृन्दावन० १६।३—१८)

तुलसी-मन्दिरके मध्यभागमें हरे पल्लवोंसे सुशोभित तुलसीकी स्थापना करके श्रीराधाने अभिजित् मुहूर्तमें उनकी सेवा प्रारम्भ की। श्रीगर्गजीको बुलाकर उनकी बतायी हुई विधिसे सती श्रीराधाने बड़े भक्तिभावसे श्रीकृष्णको संतुष्ट करनेके लिये आश्विन शुक्ला पूर्णिमासे लेकर चैत्र पूर्णिमातक तुलसी-सेवन-व्रतका अनुष्ठान किया॥ १९—२५॥

व्रत आरम्भ करके उन्होंने प्रतिमास पृथक्-पृथक् रससे तुलसीको सींचा। कार्तिकमें दूधसे, मार्गशीर्षमें ईखके रससे, पौषमें द्राक्षारससे, माघमें बारहमासी आमके रससे, फाल्गुन मासमें अनेक वस्तुओंसे मिश्रित मिश्रीके रससे और चैत्र मासमें पञ्चामृतसे उसका सेचन किया। नरेश्वर! इस प्रकार व्रत पूरा करके वृषभानुनन्दिनी श्रीराधाने गर्गजीकी बतायी हुई विधिसे वैशाख कृष्णा प्रतिपदाके दिन उद्यापनका उत्सव किया। उन्होंने दो लाख ब्राह्मणोंको छप्पन भोगोंसे तृप्त करके वस्त्र और आभूषणोंके साथ दक्षिणा दी। विदेहराज! मोटे-मोटे दिव्य मोतियोंका एक लाख भार और सुवर्णका एक कोटि भार श्रीगर्गाचार्यजीको दिया। उस समय आकाशमें देवताओंकी दुन्दुभियाँ बजने लगीं, अप्सराओंका नृत्य होने लगा और देवतालोग उस तुलसी-मन्दिरके ऊपर दिव्य पुष्पोंकी वर्षा करने लगे॥ २६—३०॥

उसी समय सुवर्णमय सिंहासनपर विराजमान हरिप्रिया तुलसीदेवी प्रकट हुईं। उनके चार भुजाएँ थीं। कमलदलके समान विशाल नेत्र थे। सोलह वर्षकी-सी अवस्था एवं श्याम कान्ति थी। मस्तकपर हेममय किरीट प्रकाशित था और कानोंमें काञ्चनमय कुण्डल झलमला रहे थे। पीताम्बरसे आच्छादित केशोंकी बँधी हुई नागिन-जैसी वेणीमें वैजयन्ती माला धारण किये, गरुडसे उतरकर तुलसीदेवीने रङ्गवल्ली-जैसी श्रीराधाको अपनी भुजाओंसे अङ्कमें भर लिया और उनके मुखचन्द्रका चुम्बन किया*॥ ३१-३२॥

तुलसी बोलीं—कलावती-कुमारी राधे! मैं तुम्हारे भक्ति-भावसे वशीभूत हो निरन्तर प्रसन्न हूँ। भामिनि! तुमने केवल लोकसंग्रहकी भावनासे इस सर्वतोमुखी व्रतका अनुष्ठान किया है (वास्तवमें तो तुम पूर्णकाम हो)। यहाँ इन्द्रिय, मन, बुद्धि और चित्तद्वारा जो-जो मनोरथ तुमने किया है, वह सब तुम्हारे सम्मुख सफल हो। पति सदा तुम्हारे अनुकूल हों और इसी प्रकार कीर्तनीय परम सौभाग्य बना रहे॥ ३३-३४॥

श्रीनारदजी कहते हैं—राजन्! यों कहती हुई हरिप्रिया तुलसीको प्रणाम करके वृषभानुनन्दिनी राधाने उनसे कहा—'देवि! गोविन्दके युगल चरणारविन्दोंमें मेरी अहैतुकी भक्ति बनी रहे।' मैथिलराजशिरोमणे! तब हरिप्रिया तुलसी 'तथास्तु' कहकर अन्तर्धान हो गयीं। तबसे वृषभानुनन्दिनी राधा अपने नगरमें प्रसन्न-चित्त रहने लगीं। राजन्! इस पृथ्वीपर जो मनुष्य भक्तिपरायण हो श्रीराधिकाके इस विचित्र उपाख्यानको सुनता है, वह मन-ही-मन त्रिवर्ग-सुखका अनुभव करके अन्तमें भगवान्को पाकर कृतकृत्य हो जाता है॥ ३५—३७॥

इस प्रकार श्रीगर्गसंहितामें वृन्दावनखण्डके अन्तर्गत 'तुलसीपूजन' नामक सोलहवाँ अध्याय पूरा हुआ॥ १६॥

---

* तदाऽऽविरासीत्तुलसी हरिप्रिया सुवर्णपीठोपरिशोभितासना। चतुर्भुजा पद्मपलाशवीक्षणा श्यामा स्फुरद्धेमकिरीटकुण्डला॥
पीताम्बराच्छादितसर्पवेणी स्रजं दधाना नववैजयन्तीम्। खगात्समुत्तीर्य च रङ्गवल्लीं चुचुम्ब राधां परिरभ्य बाहुभिः॥
(गर्ग०, वृन्दावन० १६। ३१-३२)

सत्रहवाँ अध्याय

श्रीकृष्णका गोपदेवीके रूपसे वृषभानु-भवनमें जाकर श्रीराधासे मिलना

राजा बहुलाश्व बोले—मुने! श्रीराधाकृष्णके चरित्रको सुनते-सुनते मेरा मन अघाता नहीं—ठीक उसी तरह जैसे शरद्‌ऋतुके प्रफुल्ल कमलका रसपान करते समय भ्रमरोंको तृप्ति नहीं होती। ब्रह्मन्! तपोधन! श्रीकृष्णपत्नी रासेश्वरीद्वारा तुलसी-सेवनका व्रत पूर्ण कर लिये जानेके बाद जो वृत्तान्त घटित हुआ, वह मुझे सुनाइये॥ १-२॥

श्रीनारदजीने कहा—राजन्! श्रीराधिकाकी तुलसी-सेवाके निमित्त की गयी तपस्याको जानकर, उनकी प्रीतिकी परीक्षा लेनेके लिये एक दिन भगवान् श्रीकृष्ण वृषभानुपुरमें गये। उस समय उन्होंने अद्भुत गोपाङ्गनाका रूप धारण कर लिया था। चलते समय उनके पैरोंसे नूपुरोंकी मधुर झनकार हो रही थी। कटिकी करधनीमें लगी हुई क्षुद्रघण्टिकाओंकी भी मधुर खनखनाहट सुनायी पड़ती थी। अङ्गुलियोंमें मुद्रिकाओंकी अपूर्व शोभा थी। कलाइयोंमें रत्नजटित कंगन, बाँहोंमें भुजबंद तथा कण्ठ एवं वक्षःस्थलमें मोतियोंके हार शोभा दे रहे थे। बालरविके समान दीप्तिमान् शीशफूलसे सुशोभित केश-पाशोंकी वेणी-रचनामें अपूर्व कुशलताका परिचय मिलता था। नासिकामें मोतीकी बुलाक हिल रही थी। शरीरकी दिव्य आभा स्निग्ध अलकोंके समान ही श्याम थी। ऐसा रूप धारण करके श्रीहरिने वृषभानुके मन्दिरको देखा। खाई और परकोटोंसे युक्त वह वृषभानु-भवन चार दरवाजोंसे सुशोभित था तथा प्रत्येक द्वारपर काजल वर्णके समान-वाले गजराज झूमते थे, जिससे उस राजभवनकी मनोहरता बढ़ गयी थी। उस मण्डपका प्राङ्गण वायु तथा मनके समान वेगशाली एवं हार और चँवरोंसे सुसज्जित विचित्र वर्णवाले अश्वोंसे शोभा पा रहा था॥ ३—८॥

नरेश्वर! सवत्सा गौओंके समुदाय तथा धर्मधुरंधर वृषभवृन्दसे भी उस भवनकी बड़ी शोभा हो रही थी। बहुत-से गोपाल वहाँ वंशी और बेंत धारण किये गीत गा रहे थे। मायामयी युवतीका वेष धारण किये श्यामसुन्दर उस प्राङ्गणसे अन्तःपुरमें प्रविष्ट हुए, जहाँ कोटि सूर्योंके समान कान्तिमान् कपाटों और खंभोंकी पंक्तियाँ प्रकाश फैला रही थीं। वहाँके रत्न-मण्डित आँगनोंमें बहुत-सी रत्नस्वरूपा ललनाएँ सुशोभित हो रही थीं। वीणा, ताल और मृदङ्ग आदि बाजे बजाती हुई वे मनोहारिणी गोप-सुन्दरियाँ फूलोंकी छड़ी लिये श्रीराधिकाके गुण गा रही थीं। उस अन्तःपुरमें दिव्य एवं विशाल उपवनकी छटा छा रही थी। उसके भीतर अनार, कुन्द, मन्दार, नींबू तथा अन्य ऊँचे-ऊँचे वृक्ष लहलहा रहे थे। केतकी, मालती और माधवी लताएँ उस उपवनको सुशोभित करती थीं। वहीं श्रीराधाका निकुञ्ज था, जिसमें कल्पवृक्षके पुष्पोंकी सुगन्ध भरी थी। नृपेश्वर! उस उपवनमें मधु पीकर मतवाले हुए भौंरे टूट पड़ते थे। वहाँ शीतल मन्द-सुगन्ध वायु चल रही थी, जो सहस्रदल कमलोंके परागको बारंबार बिखेरा करती थी। उस उद्यानमें निकुञ्ज शिखरोंपर बैठे हुए नर-कोकिल, मादा-कोकिल, मोर, सारस और शुक पक्षी मीठी आवाजमें कूज रहे थे। वहाँ फूलोंकी सहस्रों शय्याएँ सज्जित थीं और पानीकी हजारों नहरें बह रही थीं। वहाँके मेघ मन्दिरमें सैकड़ों फुहारे छूट रहे थे। बालसूर्यके समान कान्तिमान् कुण्डल तथा विचित्र वर्णवाले वस्त्र धारण किये करोड़ों सुन्दरमुखी सखियाँ वहाँ श्रीराधाके सेवा-कार्यमें अपनी कुशलताका परिचय देती थीं। उनके बीचमें श्रीराधिका रानी उस राजमन्दिरमें टहल रही थीं। वह राजमन्दिर केसरिया रंगके सूक्ष्म वस्त्रोंसे सजाया गया था। वहाँकी भूमिपर पर्वतीय पुष्प, जलज पुष्प तथा स्थलपर होनेवाले बहुत-से पुष्प और कोमल पल्लव इतनी अधिक संख्यामें बिछाये गये थे कि वहाँ पाँव रखनेपर गुल्फ (घुट्ठी) तकका भाग ढक जाता था। मालतीके मकरन्दोंकी बूँदें वहाँ झरती रहती थीं। ऐसे आँगनमें करोड़ों चन्द्रोंके समान कान्तिमती, कोमलाङ्गी एवं कृशाङ्गी श्रीराधा धीरे-धीरे अपने कोमल चरणारविन्दोंका संचालन करती हुई घूम रही थीं। मणि-मन्दिरके आँगनमें आयी हुई उस नवीना गोप-सुन्दरीको वृषभानुनन्दिनी श्रीराधाने देखा। उसके तेजसे

वहाँकी समस्त ललनाएँ हतप्रभ हो गयीं, जैसे चन्द्रमाके उदय होनेसे ताराओंकी कान्ति फीकी पड़ जाती है। उसके उत्तम एवं महान् गौरवका अनुभव करके श्रीराधाने अभ्युत्थान दिया (अगवानी की) और दोनों बाँहोंसे उसका गाढ़ आलिङ्गन करके उसे दिव्य सिंहासनपर बिठाया। फिर लोकरीतिके अनुसार जल आदि उपचार अर्पित करके उसका सुन्दर पूजन (आदर-सत्कार) आरम्भ किया॥ ९—२३॥

श्रीराधा बोलीं—सुन्दरी सखी! तुम्हारा स्वागत है। मुझे शीघ्र ही अपना नाम बताओ। तुम स्वतः आज यहाँ आ गयीं, यह मेरे लिये ही महान् सौभाग्यकी बात है। इस भूतलपर तुम्हारे समान दिव्य रूपका कहीं दर्शन नहीं होता। शुभ्रु! जहाँ तुम-जैसी सुन्दरी निवास करती हैं, वह नगर निश्चय ही धन्य है। देवि! अपने आगमनका कारण विस्तारपूर्वक बताओ। मेरे योग्य जो कार्य हो, वह तुम्हें अवश्य कहना चाहिये। तुम अपनी बाँकी चितवन, सुन्दर दीप्ति, मधुर वाणी, मनोहर मुसकान, चाल-ढाल और आकृतिसे इस समय मुझे श्रीपतिके सदृश दिखायी देती हो। शुभे! तुम प्रतिदिन मुझसे मिलनेके लिये आया करो। यदि न आ सको तो मुझे ही अपने निवासस्थानका संकेत प्रदान करो। जिस विधिसे हमारा तुम्हारे साथ मिलना सम्भव हो, वह विधि तुम्हें सदा उपयोगमें लानी चाहिये। हे सखी! तुम्हारा यह शरीर मुझे बहुत प्यारा लगता है; क्योंकि मेरे प्रियतम श्रीव्रजराजनन्दनकी आकृति तुम्हारी ही जैसी है, जिन्होंने मेरे मनको हर लिया है। अतः तुम मेरे पास रहो। जैसे भौजाई अपनी ननदको प्यार करती है, उसी प्रकार मैं तुम्हारा आदर करूँगी॥ २४—२९॥

श्रीनारदजी कहते हैं—राजन्! यह सुनकर मायासे युवतीका वेष धारण करनेवाले भगवान् श्रीकृष्णने कमलनयनी राधासे इस प्रकार कहा॥ ३०॥

श्रीभगवान् बोले—रम्भोरु! नन्दनगर गोकुलमें नन्दभवनसे उत्तर दिशामें मेरा निवास है। मेरा नाम 'गोपदेवी' है। मैंने ललिताके मुखसे तुम्हारी रूपमाधुरी और गुण-माधुरीका वर्णन सुना है; अतः हे चञ्चल लोचनोंवाली सुन्दरी! मैं तुम्हें देखनेके लिये यहाँ तुम्हारे घरमें चली आयी हूँ। कमललोचने! जहाँ ललित लवङ्गलताकी सुस्पष्ट सुगन्ध छा रही है, जहाँके गुञ्जा-निकुञ्जमें मधुपोंकी मधुर ध्वनिसे युक्त कंजपुष्प खिल रहे हैं, वह श्रुतिपथमें आया हुआ तुम्हारा नित्य-नूतन दिव्य नगर आज अपनी आँखों देख लिया। इसके समान सुन्दर तो देवराज इन्द्रकी पुरी अमरावती भी नहीं होगी॥ ३१—३३॥

श्रीनारदजी कहते हैं—मिथिलेश्वर! इस प्रकार दोनों प्रिया-प्रियतमका मिलन हुआ। वे परस्पर प्रीतिका परिचय देते हुए वहाँ उपवनमें शोभा पाने लगे। पुष्पमय कन्दुक (गेंद) के खेल खेलते हुए वे दोनों हँसते और गीत गाते थे। वनके वृक्षोंको देखते हुए वे इधर-उधर विचरने लगे। राजन्! कला-कौशलसे सम्पन्न कमललोचना राधाको सम्बोधित करके गोपदेवीने मधुर वाणीसे कहा॥ ३४—३६॥

गोपदेवी बोली—व्रजेश्वरि! नन्दनगर यहाँसे दूर है और अब संध्या हो गयी है, अतः जाती हूँ। कल प्रातः-काल तुम्हारे पास आऊँगी, इसमें संशय नहीं है॥ ३७॥

श्रीनारदजी कहते हैं—राजन्! गोपदेवीकी यह बात सुनकर व्रजेश्वरी श्रीराधाके नयनोंसे तत्काल आँसुओंकी धारा बह चली। वे रोमाञ्च तथा हर्षोद्गमके भावसे आवृत हो कटे हुए कदलीवृक्षकी भाँति पृथ्वीपर गिर पड़ीं। यह देख वहाँ सखियाँ सशङ्क हो गयीं और तुरंत व्यजन लेकर, पास खड़ी हो, हवा करने लगीं। उनके वस्त्रोंपर चन्दन-पुष्पोंके इत्र छिड़के गये। उस समय गोपदेवीने श्रीराधासे कहा॥ ३८-३९॥

गोपदेवी बोली—राधिके! मैं प्रातःकाल अवश्य आऊँगी तुम चिन्ता न करो। यदि ऐसा न हो तो मुझे गाय, गोरस और अपने भाईकी सौगन्ध है॥ ४०॥

नारदजी कहते हैं—नृपेश्वर! यों कहकर मायासे युवतीका वेष धारण करनेवाले श्रीहरि राधाको धीरज बँधाकर श्रीनन्दगोकुल (नन्दगाँव) में चले गये॥ ४१॥

इस प्रकार श्रीगर्गसंहितामें वृन्दावनखण्डके अन्तर्गत 'श्रीराधा-कृष्ण-संगम' नामक सत्रहवाँ अध्याय पूरा हुआ॥ १७॥

अठारहवाँ अध्याय

श्रीकृष्णके द्वारा गोपदेवीरूपसे श्रीराधाके प्रेमकी परीक्षा तथा श्रीराधाको श्रीकृष्णका दर्शन

श्रीनारदजी कहते हैं—मिथिलेश्वर! तदनन्तर रात व्यतीत होनेपर मायासे नारीका रूप धारण करनेवाले श्रीहरि श्रीराधाका दुःख शान्त करनेके लिये वृषभानु-भवनमें गये। उन्हें आया देखकर श्रीराधा उठकर बड़े हर्षके साथ भीतर लिवा ले गयीं और आसन देकर विधि विधानके साथ उनका पूजन किया॥ १-२॥

श्रीराधा बोलीं—सखी! तुम्हारे बिना मैं रातभर बहुत दुःखी रही और तुम्हारे आ जानेसे मुझे इतनी प्रसन्नता हुई है, मानो कोई खोयी हुई वस्तु मिल गयी हो। जैसे कुपथ्य-सेवनसे पहले तो सुख मालूम होता है, किंतु पीछे दुःख भोगना पड़ता है, इसी तरह सत्सङ्गसे भी पहले सुख होता है और पीछे वियोगका दुःख उठाना पड़ता है॥ ३॥

श्रीनारदजी कहते हैं—राजन्! श्रीराधाकी यह बात सुनकर गोपदेवी अनमनी हो गयीं। वे श्रीराधासे कुछ भी नहीं बोलीं। किसी दुःखिनीकी भाँति चुपचाप बैठी रहीं। गोपदेवीको खिन्न जानकर श्रीराधिकाने सखियोंके साथ विचार करके, स्नेहतत्पर हो, इस प्रकार कहा॥ ४-५॥

श्रीराधा बोलीं—गोपदेवि! तुम अनमनी क्यों हो गयीं? कल्याणि! मुझे इसका कारण बताओ। माता, पति, ननद अथवा सासने कुपित होकर तुम्हें फटकारा तो नहीं है? मनोहरे! किसी सौतके दोषसे या अपने पतिके वियोगसे अथवा अन्यत्र चित्त लग जानेसे तो तुम्हारा मन खिन्न नहीं हुआ है? क्या कारण है? महाभागे! रास्ता चलनेकी थकावटसे या शरीरमें कोई रोग हो जानेसे तो तुम्हें खेद नहीं हुआ है? अपने दुःखका कारण शीघ्र बताओ। रम्भोरु! किसी कृष्ण-भक्त या ब्राह्मणको छोड़कर दूसरे जिस-किसीने भी तुमसे कोई कुत्सित बात कह दी हो तो मैं उसकी चिकित्सा करूँगी (उसे दण्ड दूँगी)। यदि तुम्हारी इच्छा हो तो हाथी, घोड़े आदि वाहन, नाना प्रकारके रत्न, वस्त्र, धन और विचित्र भवन मुझसे ग्रहण करो। धन देकर शरीरकी रक्षा करे, शरीरका भी उत्सर्ग करके लाजकी रक्षा करे तथा मित्रके कार्यकी सिद्धिके लिये तन, धन और लज्जाको भी अर्पित कर दे। धन देकर निरन्तर प्राणोंकी रक्षा करे। जो बिना किसी कारण या कामनाके निश्छलभावसे मित्रताका निर्वाह करता है, वही मनुष्य परम धन्य है। जो मैत्री स्थापित करके कपट करता है, उस स्वार्थ-साधनमें पटु लम्पट नटको धिक्कार है। राजेन्द्र! उनका यह प्रेमपूर्ण वचन सुनकर गोपदेवीके रूपमें आये हुए भगवान् उन कीर्तिनन्दिनी श्रीराधासे हँसते हुए बोले॥ ६—१३॥

गोपदेवीने कहा—राधे! वरसानुगिरिकी घाटियोंमें जो मनोहर सँकरी गली है, उसीसे होकर मैं स्वयं दही बेचने जा रही थी। इतनेमें नन्दजीके नवतरुण कुमार श्यामसुन्दरने मुझे मार्गमें रोक लिया। उनके हाथमें वंशी और बेंतकी छड़ी थी। उन रसिकशेखरने लाजको तिलाञ्जलि दे, तुरंत मेरा हाथ पकड़ लिया और जोर-जोरसे हँसते हुए, उस एकान्त वनमें वे इस प्रकार कहने लगे—'सुन्दरी! मैं कर लेनेवाला हूँ। अतः तू मुझे करके रूपमें दहीका दान दे।' मैंने कहा—'चलो, हटो। अपने-आप कर लेनेवाले बने हुए तुम-जैसे गोरस-लम्पटको मैं कदापि दान नहीं दूँगी।' मेरे इतना कहते ही उन्होंने सिरपरसे दहीका मटका उतार लिया और उसे फोड़ डाला। मटका फोड़कर थोड़ी-सी दही पीकर मेरी चादर उतार ली और नन्दीश्वर गिरिकी ईशानकोणवाली दिशाकी ओर वे चल दिये। इससे मैं बहुत अनमनी हो रही हूँ। जातका ग्वाला, काला-कलूटा रंग, न धनवान्, न वीर, न सुशील और न सुरूप? सुशीले! ऐसे पुरुषके प्रति तुमने प्रेम किया, यह ठीक नहीं। मैं कहती हूँ, तुम आजसे शीघ्र ही उस निर्मोही कृष्णको मनसे निकाल दो (उसे सर्वथा त्याग दो)। इस प्रकार वैरभावसे युक्त कठोर वचन सुनकर वृषभानुनन्दिनी श्रीराधाको बड़ा विस्मय हुआ। वे वाक्य और पदोंके प्रयोगके सम्बन्धमें सरस्वतीके चरणोंका स्मरण करती हुई

उनसे बोलीं॥ १४—१९॥

श्रीराधाने कहा—सखी! जिनकी प्राप्तिके लिये ब्रह्मा और शिव आदि देवता अपनी उत्कृष्ट योगरीतिसे पञ्चाग्निसेवनपूर्वक तप करते हैं; दत्तात्रेय, शुक, कपिल, आसुरि और अङ्गिरा आदि भी जिनके चरणारविन्दोंके मकरन्द और परागका सादर स्पर्श करते हैं; उन्हीं अजन्मा, परिपूर्ण देवता, लीलावतारधारी, सर्वजनदुःखहारी, भूतल-भूरि-भार-हरणकारी तथा सत्पुरुषोंके कल्याणके लिये यहाँ प्रकट हुए आदिपुरुष श्रीकृष्णकी निन्दा कैसे करती हो? तुम तो बड़ी ढीठ जान पड़ती हो। ग्वाले सदा गौओंका पालन करते हैं, गोरजकी गङ्गामें नहाते हैं, उसका स्पर्श करते हैं तथा गौओंके उत्तम नामोंका जप करते हैं। इतना ही नहीं, उन्हें दिन-रात गौओंके सुन्दर मुखका दर्शन होता है। मेरी समझमें तो इस भूतलपर गोप-जातिसे बढ़कर दूसरी कोई जाति ही नहीं है। तुम उसे काला-कलूटा बताती हो; किंतु उन श्यामसुन्दर श्रीकृष्णकी श्याम-विभासे विलसित सुन्दर कलाका दर्शन करके उन्हींमें मन लग जानेके कारण भगवान् नीलकण्ठ औरोंके सुन्दर मुखको छोड़कर जटाजूट, हलाहल विष, भस्म, कपाल और सर्प धारण किये उस काले-कलूटेके लिये ही पागलोंकी भाँति व्रजमें दौड़ते फिरते हैं! स्वर्गलोक, सिद्ध, मुनि, यक्ष और मरुद्गणोंके पालक तथा समस्त नरों, किंनरों और नागोंके स्वामी भी निरन्तर भक्तिभावसे जिनके चरणारविन्दोंमें प्रणिपात करके उत्कृष्ट लक्ष्मी एवं ऐश्वर्यको पाकर निश्चय ही उन्हें बलि (कर) समर्पित किया करते हैं, उनको तुम निर्धन कहती हो? वत्सासुर, अघासुर, कालियनाग, बकासुर, यमलार्जुन वृक्ष, तृणावर्त, शकटासुर और पूतना आदिका वध (सम्भवतः तुम्हारी दृष्टिमें उनकी वीरताका परिचायक नहीं है! मेरा भी ऐसा ही मत है।) उन मुरारिके लिये क्या यश देनेवाला हो सकता है, जो कोटि-कोटि ब्रह्माण्ड-समूहोंके एकमात्र स्रष्टा और संहारक हैं? उन पुरुषोत्तमके लिये भक्तसे बढ़कर कोई प्रिय हो, ऐसा ज्ञात नहीं होता। शंकर, ब्रह्मा, लक्ष्मी तथा रोहिणीनन्दन बलरामजी भी उनके लिये भक्तोंसे अधिक प्रिय नहीं हैं। वे भक्तिसे बद्धचित्त होकर भक्तोंके पीछे-पीछे चलते हैं। अतः श्रीकृष्ण केवल सुशील ही नहीं, समस्त लोकोंके सुजन-समुदायके चूडामणि हैं। वे भक्तोंके पीछे चलते हुए अपने रोम-रोममें स्थित लोकोंको पवित्र करते रहते हैं। वे परमात्मा अपने भक्तजनोंके प्रति सदा ही अभिरुचि सूचित करते रहते हैं। अतः अत्यन्त भजन करनेवालोंको भगवान् मुकुन्द मुक्ति तो अनायास दे देते हैं, किंतु उत्तम भक्तियोग कदापि नहीं देते; क्योंकि उन्हें भक्तिके बन्धनमें बँधे रहना पड़ता है॥ २०—२७॥

गोपदेवी बोली—श्रीराधे! तुम्हारी बुद्धि बृहस्पतिका भी उपहास करती है और वाणी अपने प्रवचन-कौशलसे वेदवाणीका अनुकरण करती है। किंतु देवि! तुम्हारे बुलानेसे यदि परमेश्वर श्रीकृष्ण सचमुच यहाँ आ जायँ और तुम्हारी बातका उत्तर दें, तब मैं मान लूँगी कि तुम्हारा कथन सच है॥ २८॥

श्रीराधा बोलीं—शुभ्रु! यदि परमेश्वर श्रीकृष्ण मेरे बुलानेसे यहाँ आ जायँ, तब मैं तुम्हारे प्रति क्या करूँ, यह तुम्हीं बताओ। परंतु अपनी ओरसे इतना ही कह सकती हूँ कि यदि मेरे स्मरण करनेसे वनमालीका शुभागमन नहीं हुआ तो मैं अपना सारा धन और यह भवन तुम्हें दे दूँगी॥ २९॥

श्रीनारदजी कहते हैं—राजन्! तदनन्तर श्रीराधा उठकर श्रीनन्दनन्दनको नमस्कार करके आसनपर बैठ गयीं और उनका ध्यान करने लगीं। उस समय उनके नेत्र ध्यानरत होनेके कारण निश्चल हो गये थे। श्रीहरिने देखा—'प्रियतमा श्रीराधा मेरे दर्शनके लिये उत्कण्ठित हैं। इनके अङ्ग-अङ्गमें स्वेद (पसीना) हो आया है और मुखपर आँसुओंकी धारा बह चली है।' यह देख अपना पुरुषरूप धारण करके भक्तवत्सल श्रीकृष्ण सखियोंके देखते-देखते सहसा वहाँ प्रकट हो गये और प्रसन्नचित्त हो घनगर्जनके समान गम्भीर वाणीमें श्रीराधासे बोले॥ ३०—३२॥

श्रीकृष्णने कहा—रम्भोरु! चन्द्रवदने! व्रज-सुन्दरी-शिरोमणे! नूतनयौवनशालिनि! मानशीले! प्रिये राधे! तुमने अपनी मधुरवाणीसे मुझे बुलाया है, इसलिये मैं तुरंत यहाँ आ गया हूँ। अब आँख खोलकर मुझे देखो।

ललने! 'प्रियतम कृष्ण! आओ'—यह वाक्य यहाँसे प्रकट हुआ और मैंने सुना। फिर उसी क्षण अपने गोकुल और गोपवृन्दको छोड़कर, वंशीवट और यमुनाके तटसे वेगपूर्वक दौड़ता हुआ तुम्हारी प्रसन्नताके लिये यहाँ आ पहुँचा हूँ। मेरे आते ही कोई सखीरूपधारिणी यक्षी, आसुरी, देवाङ्गना अथवा किंनरी, जो कोई भी मायाविनी तुम्हें छलनेके लिये आयी थी, यहाँसे चल दी। अतः तुम्हें ऐसी नागिनपर विश्वास ही नहीं करना चाहिये॥ ३३—३५॥

श्रीनारदजी कहते हैं—तदनन्तर श्रीराधा श्रीहरिको देखकर उनके चरण-कमलोंमें प्रणत हो परमानन्दमें निमग्न हो गयीं। उनका मनोरथ तत्काल पूर्ण हो गया। श्रीकृष्णचन्द्रके ऐसे अद्भुत चरित्रोंका जो भक्तिभावसे श्रवण करता है, वह मनुष्य कृतार्थ हो जाता है॥ ३६-३७॥

इस प्रकार श्रीगर्गसंहितामें वृन्दावनखण्डके अन्तर्गत 'श्रीराधाको श्रीकृष्णचन्द्रका दर्शन' नामक अठारहवाँ अध्याय पूरा हुआ॥ १८॥

उन्नीसवाँ अध्याय

रासक्रीडाका वर्णन

राजा बहुलाश्वने पूछा—देवर्षे! श्रीराधाको दर्शन दे, उसके प्रेमकी परीक्षा करके, भगवान् श्रीकृष्णने अपनी लीलाशक्तिके द्वारा आगे चलकर कौन-सी लीला प्रकट की?॥ १॥

श्रीनारदजीने कहा—राजन्! माधव (वैशाख) मासमें माधवी लताओंसे व्याप्त वृन्दावनमें रासेश्वर माधवने स्वयं रासका आरम्भ किया। वैशाख मासकी कृष्णपक्षीया पञ्चमीको जब सुन्दर चन्द्रोदय हुआ, उस समय मनोहर श्यामसुन्दरने यमुनाके तटवर्ती उपवनमें रासेश्वरी श्रीराधाके साथ रास-विहार किया। मिथिलेश्वर! इसके पूर्व गोलोकसे जिस भूमिका पृथ्वीपर अवतरण हो चुका था, वह सब-की-सब तत्काल सुवर्ण तथा पद्मरागमणिसे मण्डित हो गयी। वृन्दावन भी दिव्यरूप धारण करके, कामपूरक कल्पवृक्षों तथा माधवी लताओंसे समलंकृत हो, अपनी शोभासे नन्दनवनको भी तिरस्कृत करने लगा। राजन्! रत्नोंके सोपानों और सुवर्ण-निर्मित तोलिकाओं (गुमटियों)से मण्डित तथा हंसों और कमल आदिके पुष्पोंसे व्याप्त यमुना नदीकी अपूर्व शोभा हो रही थी। गिरिराज गोवर्धन गजराजके समान शोभा पाता था। जैसे गजराजके गण्डस्थलसे मदकी धाराएँ झरती हैं और उसपर भ्रमरोंकी भीड़ लगी रहती है, उसी प्रकार गिरिराजकी घाटियोंसे जलके निर्झर प्रवाहित होते थे और सुन्दरी दरियों (कन्दराओं) तथा भ्रमरियोंसे वह पर्वत व्याप्त था। वहाँ विभिन्न धातुओंकी जगह नाना प्रकारके रत्न उद्भासित होते थे। उसके रत्नमय शिखरोंकी दिव्य दीप्ति सब ओर प्रकाशित हो रही थी। वह पक्षियोंके कलरवसे मुखरित तथा लता-पुष्पोंसे मनोहर जान पड़ता था। गिरिराजके चारों ओर समस्त निकुञ्ज दिव्यरूप धारण करके सुशोभित होने लगे। सभा-मण्डपोंसे मण्डित वीथियाँ, प्राङ्गण और खंभोंकी पंक्तियाँ उनकी शोभा बढ़ाने लगीं। नरेश्वर! फहराती हुई दिव्य पताकाएँ, सुवर्णमय कलश तथा पुष्पमय मन्दिरोंमें विद्यमान श्वेतारुण पुष्पदल उन निकुञ्जोंको विभूषित कर रहे थे। उन सबमें वसन्त ऋतुकी माधुरी भरी थी। वहाँ कोकिल और सारस अपने मीठे बोल सुना रहे थे। जहाँ-तहाँ सब ओर कबूतर और मोर आदि पक्षी कलरव करते थे। श्रीराधा-कृष्णकी पुण्यमयी गाथाका गान करते हुए टूट पड़नेवाले मधुमत्त भ्रमरोंसे सभी कुञ्ज विशेष शोभा पाते थे। यमुना-पुलिनपर सहस्रदल कमलोंके पुष्प-परागको बारंबार बिखेरता हुआ शीतल-मन्द-सुगन्ध समीर प्रवाहित हो रहा था॥ २—१३॥

इसी समय बहुत-सी गोपाङ्गनाएँ श्रीकृष्णकी सेवामें उपस्थित हुईं। कोई गोलोकनिवासिनी थीं, कोई शय्या सजानेमें सहयोग करनेवाली थीं। कोई शृङ्गार

धारण करानेकी कलामें कुशल थीं, तो कोई द्वारपालिका थीं। कुछ गोपियाँ 'पार्षद' नामधारिणी थीं, कुछ छत्र-चँवर धारण करनेवाली सखियाँ थीं और कुछ श्रीवृन्दावनकी रक्षामें नियुक्त थीं। कुछ गोवर्धनवासिनी, कुछ कुञ्जविधायिनी और कुछ निकुञ्जनिवासिनी थीं। कोई नृत्यमें निपुण और कोई वाद्य-वादनमें प्रवीण थीं। नरेश्वर! उन सबके मुख अपने सौन्दर्य-माधुर्यसे चन्द्रमाको भी लज्जित करते थे। वे सब-की-सब किशोरावस्थावाली तरुणियाँ थीं। इन सबके बारह यूथ श्रीकृष्णके समीप आये। इसी प्रकार साक्षात् यमुना भी अपना यूथ लिये आयीं। उनके अङ्गोंपर नीलवस्त्र शोभा पा रहे थे। वे रत्नमय आभूषणोंसे विभूषित तथा श्यामा (सोलह वर्षकी अवस्था अथवा श्याम कान्तिसे युक्त) थीं। उनके नेत्र प्रफुल्ल कमलदलको तिरस्कृत कर रहे थे। उन्हींकी तरह जह्नुनन्दिनी गङ्गा भी यूथ बाँधकर वहाँ आ पहुँची। उनकी अङ्ग-कान्ति श्वेतगौर थी। वे श्वेत वस्त्र तथा मोतीके आभूषणोंसे विभूषित थीं। वैसे ही साक्षात् रमा भी अपना यूथ लिये आयीं। उनके श्रीअङ्गोंपर अरुण वस्त्र सुशोभित थे। चन्द्रमाकी-सी अङ्गकान्ति, अधरोंपर मन्द-मन्द हासकी छटा तथा विभिन्न अङ्गोंमें पद्मरागमणिके बने हुए अलंकार शोभा दे रहे थे॥ १४—२०॥

इसी तरह कृष्णपत्नीके नामसे अपना परिचय देने-वाली मधुमाधवी (वसन्त-लक्ष्मी) भी वहाँ आयीं। उनके साथ भी सखियोंका समूह था। वे सब-की-सब प्रफुल्ल कमलकी-सी अङ्ग-कान्तिवाली, पुष्पहारसे अलंकृत तथा सुन्दर वस्त्रोंसे सुशोभित थीं। इसी रीतिसे साक्षात् विरजा भी सखियोंका यूथ लिये वहाँ आयीं। उनके अङ्गोंपर हरे रंगके वस्त्र शोभा दे रहे थे। वे गौरवर्णा तथा रत्नमय अलंकारोंसे अलंकृत थीं। ललिता, विशाखा और लक्ष्मीके भी यूथ वहाँ आये। इसी प्रकार अष्टसखियोंके, षोडश सखियोंके तथा बत्तीस सखियोंके सम्पूर्ण यूथ भी वहाँ आ पहुँचे। राजन्! भगवान् श्यामसुन्दर श्रीकृष्ण उन युवतीजनोंके साथ रासमण्डलकी रङ्गभूमिमें बड़ी शोभा पाने लगे॥ २१—२४॥

जैसे आकाशमें चन्द्रमा ताराओंके साथ सुशोभित होते हैं, उसी प्रकार श्रीवृन्दावनमें उन सुन्दरियोंके साथ श्रीकृष्णचन्द्रकी शोभा हो रही थी। उनकी कमरमें पीताम्बर कसा हुआ था। वे नटवेषमें सबका मन मोहे लेते थे। उनके हाथमें बेंतकी छड़ी थी। वे वंशी बजाकर उन गोप-सुन्दरियोंकी प्रीति बढ़ा रहे थे। माथेपर मोरपंखका मुकुट, वक्षःस्थलपर पुष्पहार एवं वनमाला तथा कानोंमें कुण्डल—ये ही उनके अलंकार थे। रतिके साथ रतिनाथकी जैसी शोभा होती है, उसी प्रकार रासमण्डलमें श्रीराधाके साथ राधावल्लभकी हो रही थी। इस प्रकार सुन्दरियोंके अलापसे संयुक्त होकर साक्षात् श्रीहरि अपनी प्रिया राधाके साथ यमुनाके पुण्य-पुलिनपर आये। उन्होंने अपनी प्राणवल्लभाका हाथ अपने करकमलमें ले रखा था। यमुनाके मनोहर तीरपर उन सुन्दरियोंके साथ श्यामसुन्दर थोड़ी देर बैठे रहे।* फिर मधुर-मधुर बातें करते हुए अपने प्रिय वृन्दाविपिनकी शोभा निहारने लगे॥ २५—२९॥

वे श्रीराधाके साथ चलते और हास-विनोद करते हुए कुञ्जवनमें विचरने लगे। एक कुञ्जमें प्रियाका हाथ छोड़कर वे तुरंत कहीं छिप गये। किंतु एक शाखाकी ओटमें उन्हें खड़ा देख श्रीराधाने माधवको अविलम्ब जा पकड़ा। फिर श्रीराधा उनके हाथसे छूटकर पग-पगपर नूपुरोंका झंकार प्रकट करती हुई भागीं और माधवके देखते-देखते कुञ्जोंमें छिपने लगीं। माधव हरि ज्यों-ही दौड़कर उनके स्थानपर पहुँचे, त्यों-ही राधा वहाँसे अन्यत्र चली गयीं। वृक्षोंके पास हाथ-भरकी दूरीपर इधर-उधर वे भागने लगीं। उस समय

---

*वृन्दावने यथाऽऽकाशे चन्द्रस्तारागणैर्यथा। पीतवासः परिकरो नटवेषो मनोहरः॥
वेत्रभृद्वादयन् वंशीं गोपीनां प्रीतिमावहन्। मयूरपक्षभृन्मौलिः स्रग्वी कुण्डलमण्डितः॥
राधया शुशुभे रासे यथा रत्या रतीश्वरः। एवं गायन् हरिः साक्षात् सुन्दरीरागसंवृतः॥
यमुनापुलिनं पुण्यमाययौ राधया युतः। गृहीत्वा हस्तपद्मेन पद्माभं स्वप्रियाकरम्॥
निषसाद हरिः कृष्णातीरे नीरमनोहरे। (गर्ग०, वृन्दावन० १९। २५—२८ 1/2)

श्रीराधाके साथ श्यामसुन्दर हरिकी उसी तरह शोभा हो रही थी, जैसे सुवर्णलतासे श्याम तमालकी, चपलासे घनमण्डलकी तथा सोनेकी खानसे नीलाचलकी होती है। वृन्दावनमें रासकी रङ्गस्थलीमें रतिके साथ कामदेवकी भाँति विश्वमोहिनी श्रीराधाके साथ मदनमोहन श्रीकृष्ण सुशोभित हो रहे थे। जितनी व्रजसुन्दरियाँ वहाँ विद्यमान थीं, उतने ही रूप धारण करके रङ्गभूमिमें नटके समान नटवर श्रीकृष्ण रासरङ्गमें नृत्य करने लगे। उनके साथ सम्पूर्ण मनोहर गोप-सुन्दरियाँ भी गाने और नृत्य करने लगीं। अनेक कृष्णचन्द्रोंके साथ वे गोपसुन्दरियाँ ऐसी जान पड़ती थीं, मानो बहुसंख्यक इन्द्रोंके साथ देवाङ्गनाएँ नृत्य कर रही हों। तदनन्तर मधुसूदन श्रीकृष्ण समस्त गोप-सुन्दरियोंके साथ यमुनाजलमें विहार करने लगे—ठीक उसी तरह जैसे यक्ष-सुन्दरियोंके साथ यक्षराज कुबेर विहार करते हैं। उन सुन्दरियोंके केशपाश तथा कबरी (बँधी हुई चोटी) से खिसककर गिरे हुए सुन्दर चित्र-विचित्र पुष्पोंसे यमुनाजीकी ऐसी शोभा हो रही थी, जैसे किसी नीलपटपर विभिन्न रंगके फूल छाप दिये गये हों। मृदङ्ग और खड़तालोंकी मधुर ध्वनिके साथ वे व्रजाङ्गनाएँ मधुसूदनका यश गाती थीं। उनका मनोरथ पूर्ण हो गया। श्रीहरिने उनकी सारी व्यथा हर ली थी। उनके पुष्पहार चञ्चल हो रहे थे और वे परमानन्दमें निमग्न हो गयी थीं। जिनके सुन्दर हाथोंसे ताडित हो उछलते हुए वारि-बिन्दु, जो फुहारोंसे छूटते हुए असंख्य अनुपम जलकणोंकी छवि धारण कर रहे थे, उन व्रज-सुन्दरियोंके साथ वृन्दावनाधीश्वर श्रीकृष्ण ऐसी शोभा पा रहे थे, मानो बहुत-सी हथिनियोंके साथ यूथपति गजराज सुशोभित हो रहा हो। आकाशमें खड़ी हुई विद्याधरियाँ, देवाङ्गनाएँ तथा गन्धर्वपत्नियाँ उस रास-रङ्गको देखती हुई वहाँ देवताओंके साथ पुष्पवर्षा कर रही थीं। वे सब-की-सब मोहको प्राप्त हो गयी थीं। उनके वस्त्रोंके नीवी-बन्ध ढीले पड़कर खिसक रहे थे॥ ३०—४१॥

इस प्रकार श्रीगर्गसंहितामें वृन्दावनखण्डके अन्तर्गत 'रासलीला' नामक उन्नीसवाँ अध्याय पूरा हुआ॥ १९॥

बीसवाँ अध्याय

श्रीराधा और श्रीकृष्णके परस्पर शृङ्गार-धारण, रास, जलविहार एवं वनविहारका वर्णन

श्रीनारदजी कहते हैं—राजन्! तदनन्तर मनोहर श्यामसुन्दर श्रीहरि जलक्रीड़ा समाप्त करके समस्त गोपाङ्गनाओंके साथ गोवर्धन पर्वतको गये। उस पर्वतकी कन्दरामें रत्नमयी भूमिपर रासेश्वरी श्रीराधाके साथ साक्षात् श्रीहरिने रासनृत्य किया। वहाँ पुष्पोंसे सुसज्जित रम्य सिंहासनपर दोनों प्रिया-प्रियतम श्रीराधा-माधव विराजमान हुए, मानो किसी पर्वतपर विद्युत्-सुन्दरी और श्याम-घन एक साथ सुशोभित हो रहे हों। वहाँ सब सखियोंने बड़ी प्रसन्नताके साथ स्वामिनी श्रीराधाका शृङ्गार किया। चन्दन, केसर, कस्तूरी आदिसे तथा महावर, इत्र, अरगजा और काजल तथा सुगन्धित पुष्प-रसोंसे कीर्तिकुमारी श्रीराधाकी विधिपूर्वक अर्चना करके साक्षात् श्रीयमुनाने उन्हें नूपुर धारण कराया। जह्नुनन्दिनी गङ्गाने मञ्जीर नामक दिव्य भूषण अर्पित किया। श्रीरमाने कटिप्रदेशमें किङ्किणी-जाल पहिनाया। श्रीमधुमाधवीने कण्ठमें हार अर्पित किया। विरजाने कोटि चन्द्रमाओंके समान उज्ज्वल एवं सुन्दर चन्द्रहार धारण कराया। ललिताने मणिमण्डित कञ्चुकी पहनायी। विशाखाने कण्ठभूषण धारण कराया। चन्द्राननाने रत्नमयी मुद्रिकाएँ अर्पित कीं। एकादशीकी अधिष्ठात्री देवीने श्रीराधाको रत्न-जटित दो कंगन भेंट किये। शतचन्द्रानना सखीने रत्नमय भुजकङ्कण (बाजूबंद, बिजायठ, जोसन और झबिया आदि) दिये। साक्षात् मधुमतीने दो अङ्गद भेंट किये, जिनमें जड़े हुए रत्न उद्दीप्त हो रहे थे। बन्दीने दो ताटङ्क (तरकियाँ) और सुखदायिनीने दो कुण्डल दिये। सखियोंमें प्रधान आनन्दीने श्रीराधाको भालतोरण भेंट किया। पद्माने चन्द्रकलाके समान

चमकनेवाली माथेकी बिंदी (टिकुली) दी। सती पद्मावतीने नासिकामें मोतीकी बुलाक पहना दी, जो थोड़ी-थोड़ी हिलती रहती थी। राजन्! सुन्दरी चन्द्र-कान्ता सखीने श्रीराधाको प्रात:कालिक सूर्यकी कान्तिसे युक्त मनोहर शीशफूल अर्पित किया। सुन्दरीने चूडामणि तथा प्रहर्षिणीने रत्नमयी वेणी प्रदान की। वृन्दावनाधीश्वरी वृन्दादेवीने श्रीराधाको करोड़ों बिजलियोंके समान विद्योतमान चन्द्र-सूर्य नामक दो आभूषण भेंट किये। इस प्रकार शृङ्गार धारण करके श्रीराधाका रूप दिव्य ज्योतिसे उद्भासित हो उठा॥ १—१४॥

राजन्! उनके साथ गिरिराजपर श्रीहरि दक्षिणाके साथ यज्ञनारायणकी भाँति सुशोभित हुए। मिथिलेश्वर! जहाँ रासमें श्रीराधाने शृङ्गार धारण किया, गोवर्धन पर्वतपर वह स्थान 'शृङ्गार-मण्डल' के नामसे विख्यात हो गया। तदनन्तर श्रीकृष्ण अपनी प्रिया गोपसुन्दरियोंके साथ चन्द्रसरोवरपर गये। उसके जलमें उन्होंने हथिनियोंके साथ गजराजकी भाँति विहार किया। वहाँ साक्षात् चन्द्रमाने आकर स्वामिनी श्रीराधा और श्यामसुन्दर श्रीहरिको दो सुन्दर चन्द्रकान्तमणियाँ तथा दो सहस्रदल कमल भेंट किये। तत्पश्चात् साक्षात् श्रीहरि कृष्ण वृन्दावनकी शोभा निहारते हुए लता-वल्लरियोंसे व्याप्त बहुलावनमें गये। वहाँ सम्पूर्ण सखीजनोंको पसीनेसे भींगा देख वंशीधरने 'मेघमल्लार' नामक राग गाया। फिर तो वहाँ उसी समय बादल घिर आये और जलकी फुहारें बरसाने लगे॥ १५—२०॥

विदेहराज! उसी समय अपनी सुगन्धसे सबका मन मोह लेनेवाली शीतल वायु चलने लगी। उससे समस्त गोपाङ्गनाओंको बड़ा सुख मिला। वे वहाँ एकत्र हो सम्मिलित उच्चस्वरसे श्रीमुरारिका यश गाने लगीं। वहाँसे राधावल्लभ श्रीकृष्ण तालवनको गये। उस वनमें व्रजवधूटियोंसे घिरे हुए श्रीहरिने मण्डलाकार रासनृत्य आरम्भ किया। उस नृत्यमें समस्त गोप-सुन्दरियाँ पसीना-पसीना हो गयीं और प्याससे व्याकुल हो उठीं। उन सबने हाथ जोड़कर रासमण्डलमें रासेश्वरसे कहा॥ २१—२३ १/२॥

गोपियाँ बोलीं—देव! गङ्गाजी तो यहाँसे बहुत दूर हैं और हमलोगोंको बड़े जोरसे प्यास लगने लगी है। हरे! हम यह भी चाहती हैं कि आप यहीं दिव्य मनोहर रास करें। हम आपके साथ यहीं जलविहार और जलपान करेंगी। आप इस जगत्के सृष्टि, पालन तथा संहारके भी नायक हैं॥ २४-२५ १/२॥

श्रीनारदजी कहते हैं—यह सुनकर श्रीकृष्णने बेंतकी छड़ीसे भूमिपर ताड़न किया। इससे वहाँ तत्काल पानीका स्रोत निकल आया, जिसे 'वेत्रगङ्गा' कहते हैं। उसके जलका स्पर्श करनेमात्रसे ब्रह्महत्या दूर हो जाती है। मिथिलेश्वर! उस वेत्रगङ्गामें स्नान करके कोई भी मनुष्य गोलोकधाममें जानेका अधिकारी हो जाता है। मदनमोहनदेव भगवान् श्रीकृष्ण हरि वहाँ श्रीराधा तथा गोपाङ्गनाओंके साथ जलविहार करके कुमुदवनमें गये, जो लता-बेलोंके जालसे मनोहर जान पड़ता था। वहाँ भ्रमरोंकी ध्वनि सब ओर गूँज रही थी। उस वनमें भी सखियोंके साथ श्रीहरिने रास किया। वहीं श्रीराधाने व्रजाङ्गनाओंके सामने नाना प्रकारके दिव्य पुष्पोंद्वारा श्रीकृष्णका शृङ्गार किया। चम्पाके फूलोंसे कटिप्रदेशको अलंकृत किया। सुनहरी जूहीके पुष्पोंद्वारा निर्मित बाजूबंद धारण कराया। सहस्रदल कमलकी कर्णिकाओंको कुण्डलका रूप देकर उससे कानोंकी शोभा बढ़ायी गयी। मोहिनी, मालिनी, कुन्द और केतकीके फूलोंसे निर्मित हार श्रीकृष्णने धारण किया। कदम्बके फूलोंसे शोभायमान किरीट और कड़े धारण करके श्रीहरिके श्रीअङ्ग और भी उद्भासित हो उठे थे। मन्दार-पुष्पोंका उत्तरीय (दुपट्टा) और कमलके फूलोंकी छड़ी धारण किये प्रभु श्यामसुन्दर बड़ी शोभा पाते थे। तुलसी-मञ्जरीसे युक्त वनमाला उन्हें विभूषित कर रही थी। राजन्! अपनी प्रियतमाके द्वारा इस प्रकार शृङ्गार धारण कराये जानेपर श्रीकृष्ण उस कुमुदवनमें हर्षोत्फुल्ल मूर्तिमान् वसन्तकी भाँति शोभा पाने लगे॥ २६—३४ १/२॥

मृदङ्ग, वीणा, वंशी, मुरचंग, झाँझ और करताल आदि वाद्योंके साथ गोपियाँ ताली बजाती हुई मनोहर गीत गाने लगीं। भैरव, मेघमल्लार, दीपक, मालकोश, श्रीराग और हिन्दोल राग—इन सबको पृथक्-पृथक्

गाकर आठ ताल, तीन ग्राम और सात स्वरोंसे तथा हाव-भाव-समन्वित नाना प्रकारके रमणीय नृत्योंसे कटाक्ष-विक्षेपपूर्वक व्रजगोपिकाएँ श्रीराधा और श्यामसुन्दरको रिझाने लगीं। वहाँसे मधुर गीत गाते हुए माधव उन सुन्दरियोंके साथ मधुवनमें गये। वहाँ पहुँचकर स्वयं रासेश्वर श्रीकृष्णने रासेश्वरी श्रीराधाके साथ रासक्रीड़ा की। वैशाख मासके चन्द्रमाकी चाँदनीमें प्रकाशमान सौगन्धिक कह्लार-कुसुमोंसे झरते हुए परागोंसे पूर्ण तथा मालतीकी सुगन्धसे वासित वायु चल रही थी और चारों ओर माधवी लताओंके फूल खिल रहे थे। इन सबसे सुशोभित निर्जन वनमें गोपाङ्गनाओंके साथ श्रीकृष्ण उसी प्रकार रम रहे थे, जैसे नन्दनवनमें देवराज इन्द्र विहार करते हैं॥ ३५—४१॥

इस प्रकार श्रीगर्गसंहितामें वृन्दावनखण्डके अन्तर्गत 'रासक्रीड़ा' नामक बीसवाँ अध्याय पूरा हुआ॥ २०॥

इक्कीसवाँ अध्याय

गोपाङ्गनाओंके साथ श्रीकृष्णका वन-विहार, रास-क्रीड़ा; मानवती गोपियोंको छोड़कर श्रीराधाके साथ एकान्त-विहार तथा मानिनी श्रीराधाको भी छोड़कर उनका अन्तर्धान होना

श्रीनारदजी कहते हैं—नरेश्वर! इस प्रकार रमणीय कुमुदवनमें मालती पुष्पोंके सुन्दर वनमें; आम, नारंगी तथा नीबुओंके सघन उपवनमें; अनार, दाख और बादामोंके विपिनमें; कदम्ब, श्रीफल (बेल) और कुटजोंके काननमें; बरगद, कटहल और पीपलोंके सुन्दर वनमें; तुलसी, कोविदार, केतकी, कदली, करील-कुञ्ज, बकुल (मौलिश्री) तथा मन्दारोंके मनोहर विपिनमें विचरते हुए श्यामसुन्दर व्रजवधूटियोंके साथ कामवनमें जा पहुँचे॥ १—४॥

वहीं एक पर्वतपर श्रीकृष्णने मधुर स्वरमें बाँसुरी बजायी। उसकी मोहक तान सुनकर व्रजसुन्दरियाँ मूर्च्छित और विह्वल हो गयीं। राजन्! आकाशमें देवताओंके साथ विमानोंपर बैठी हुई देवाङ्गनाएँ भी मोहित हो गयीं। कामदेवके बाणोंसे उनके अङ्ग-अङ्ग बिंध गये तथा उनके नीबी-बन्ध ढीले होकर खिसकने लगे। स्थावरोंसहित चारों प्रकारके जीवसमुदाय मोहको प्राप्त हो गये, नदियों और नदोंका पानी स्थिर हो गया तथा पर्वत भी पिघलने लगे। कामवनकी पहाड़ी श्यामसुन्दरके चरणचिह्नोंसे युक्त हो गयी, जिसे 'चरण-पहाड़ी' कहते हैं। उसके दर्शनमात्रसे मनुष्य कृतकृत्य हो जाता है॥ ५—८॥

तदनन्तर राधावल्लभ श्रीकृष्णने नन्दीश्वर तथा बृहत्सानुगिरियोंके तट-प्रान्तमें रास-विलास किया। मिथिलेश्वर! वहाँ गोपियोंको अपने सौभाग्यपर बड़ा अभिमान हो गया, तब श्रीहरि उन सबको वहीं छोड़ श्रीराधाके साथ अदृश्य हो गये। मिथिलानरेश! उस निर्जन वनमें श्रीकृष्णके बिना समस्त गोपाङ्गनाएँ विरहकी आगमें जलने लगीं। उनके नेत्र आँसुओंसे भर गये और वे चकित हिरनियोंकी भाँति इधर-उधर भटकने लगीं। जैसे वनमें हाथीके बिना हथिनियाँ और कुररके बिना कुररियाँ व्यथित होकर करुण-क्रन्दन करती हैं, उसी प्रकार श्रीकृष्णको न देखकर व्यथित तथा विरहसे अत्यन्त व्याकुल हो व्रजाङ्गनाएँ फूट-फूटकर रोने लगीं। राजन्! नरेश्वर! वे सब-की-सब एक साथ मिलकर तथा पृथक्-पृथक् दल बनाकर वन-वनमें जातीं और उन्मत्तकी तरह वृक्षों तथा लता-समूहोंसे पूछतीं—'तरुओ तथा वल्लरियो! शीघ्र बताओ, हमारे प्यारे नन्दनन्दन कहाँ जा छिपे हैं?' अपनी वाणीसे 'श्रीकृष्ण! श्रीकृष्ण!' कहकर पुकारती थीं। उनका चित्त श्रीकृष्णचरणारविन्दोंमें ही लगा हुआ था। अतः वे सब अङ्गनाएँ श्रीकृष्णस्वरूपा हो गयीं—ठीक उसी तरह जैसे भृङ्गके द्वारा बंद किया हुआ कीड़ा उसीके चिन्तनसे भृङ्गरूप हो जाता है। इसमें कोई आश्चर्यकी बात नहीं है। श्रीकृष्णकी चरणपादुकासे

चिह्नित स्थानपर पहुँचकर गोपियाँ श्रीपादुकाब्जकी शरणमें गयीं। तदनन्तर भगवान्‌की ही कृपासे उनके चरणचिह्नके अर्चन और दर्शनसे गोपियोंको भगवच्चरणचिह्नोंसे अलंकृत भूमिका विशेषरूपसे दर्शन होने लगा॥ ९—१६॥

बहुलाश्वने पूछा—प्रभो! राधावल्लभ श्याम-सुन्दर अन्य गोपियोंको छोड़कर श्रीराधिकाके साथ कहाँ चले गये? फिर गोपियोंको उनका दर्शन कैसे हुआ?॥ १७॥

श्रीनारदजी कहते हैं—राजन्! भगवान् श्रीकृष्ण श्रीराधिकाके साथ संकेतवटके नीचे चले गये और वहाँ प्रियतमा श्रीराधाके केशपाशोंकी वेणीमें पुष्परचना करने लगे। श्रीकृष्णके नीले केशोंमें श्रीराधिकाने वक्रता स्थापित की अर्थात् अपने केशरचना-कौशलसे उनके केशोंको घुँघराला बना दिया और उनके पूर्ण-चन्द्रोपम मुखमण्डलमें उन्होंने विचित्र पत्रावलीकी रचना की। इस प्रकार परस्पर शृङ्गार करके श्रीकृष्ण प्रियाके साथ भद्रवन, महान् खदिरवन, बिल्ववन और कोकिलावनमें गये। उधर श्रीकृष्णको खोजती हुई गोपियोंने उनके चरणचिह्न देखे। जौ, चक्र, ध्वजा, छत्र, स्वस्तिक, अङ्कुश, बिन्दु, अष्टकोण, वज्र, कमल, नीलशङ्ख, घट, मत्स्य, त्रिकोण, बाण, ऊर्ध्वरेखा, धनुष, गोखुर और अर्धचन्द्रके चिह्नोंसे सुशोभित महात्मा श्रीकृष्णके पदचिह्नोंका अनुसरण करती हुई गोपाङ्गनाएँ उन चिह्नोंकी धूलि ले-लेकर अपने मस्तकपर रखतीं और आगे बढ़ती जाती थीं। फिर उन्होंने श्रीकृष्णके चरणचिह्नोंके साथ-साथ दूसरे पदचिह्न भी देखे। वे ध्वजा, पद्म, छत्र, जौ, ऊर्ध्वरेखा, चक्र, अर्धचन्द्र, अङ्कुश और बिन्दुओंसे शोभित थे। विदेहराज! लवङ्गलता, गदा, पाठीन (मत्स्य), शङ्ख, गिरिराज, शक्ति, सिंहासन, रथ और दो बिन्दुओंके चिह्नोंसे विचित्र शोभाशाली उन चरणचिह्नोंको देखकर गोपियाँ परस्पर कहने लगीं—'निश्चय ही नन्दनन्दन श्रीराधिकाको साथ लेकर गये हैं।' श्रीकृष्ण-चरण-अरविन्दोंके चिह्न निहारती हुई गोपियाँ कोकिलावनमें जा पहुँचीं॥ १८—२७ $\frac{1}{2}$॥

उन गोपाङ्गनाओंका कोलाहल सुनकर माधवने श्रीराधासे कहा—'कोटि चन्द्रमाओंको अपने सौन्दर्यसे तिरस्कृत करनेवाली प्रिये श्रीराधे! सब ओरसे गोपिकाएँ आ पहुँचीं। अब वे तुम्हें अपने साथ ले जायँगी। अतः यहाँसे जल्दी निकल चलो।' उस समय रूप, यौवन, कौशल्य (चातुरी) और शीलके गर्वसे गरबीली मानवती राधा रमापतिसे बोलीं॥ २८—३०॥

श्रीराधाने कहा—प्यारे! मैं कभी राजभवनसे बाहर नहीं निकली थी, किंतु आज अधिक चलना पड़ा है; अतः अब एक पग भी चलनेमें समर्थ नहीं हूँ। देखते नहीं, मैं सुकुमारी राजकुमारी पसीना-पसीना हो गयी हूँ? फिर मुझे कैसे ले चलोगे?॥ ३१॥

श्रीनारदजी कहते हैं—यह वचन सुनकर राधिकावल्लभ श्रीकृष्ण श्रीराधाके ऊपर अपने दिव्य पीताम्बरसे हवा करने लगे। फिर उनका हाथ थामकर बोले—'श्रीराधे! अब तुम अपनी मौजसे धीरे-धीरे चलो।' उस समय श्रीकृष्णके बारंबार कहनेपर भी श्रीराधाने अपना पैर आगे नहीं बढ़ाया। वे श्रीहरिकी ओर पीठ करके चुपचाप खड़ी रहीं। तब संतोंके प्रिय श्रीकृष्णने मानिनी प्रिया राधासे कहा॥ ३२—३४॥

श्रीभगवान् बोले—मानिनि! यहाँ अन्य गोपियाँ भी मुझसे मिलनेकी हार्दिक कामना रखती हैं, तथापि उन्हें छोड़कर मैं मनसे तुम्हारी आराधना करता हूँ; तुम्हें जो प्रिय हो, वही करता हूँ। राधे! मेरे कंधेपर चढ़कर तुम सुखपूर्वक शीघ्र यहाँसे चलो॥ ३५॥

श्रीनारदजी कहते हैं—नरेश्वर! उनके यों कहने-पर प्रियाने जब उनके कंधेपर चढ़ना चाहा, तभी स्वच्छन्द गतिवाले ईश्वर प्रियतम श्रीकृष्ण वहाँसे अन्तर्धान हो गये। राजेन्द्र! फिर तो कीर्तिकुमारी राधाका मान उतर गया। वे उस महान् कोकिलावनमें भगवद्-विरहसे व्याकुल हो उच्चस्वरसे रोदन करने लगीं॥ ३६-३७॥

मिथिलेश्वर! उसी समय गोपियोंके यूथ वहाँ आ पहुँचे। श्रीराधाका अत्यन्त दुःखजनक रोदन सुनकर उन्हें बड़ी दया और लज्जा आयी। कोई अपनी स्वामिनीको पुष्प-मकरन्दों (इत्र आदि) से नहलाने लगीं; कुछ चन्दन, अगुरु, कस्तूरी और केसरसे मिश्रित

जलके छींटे देने लगीं; कुछ व्यजन और चँवर डुलाकर अङ्गोंमें हवा देने लगीं तथा अनुनय-विनयमें कुशल नाना वचनोंद्वारा परादेवी श्रीराधाको धीरज बँधाने लगीं। मैथिलेन्द्र! श्रीराधाके मुखसे मानी श्रीकृष्णके द्वारा दिये गये सम्मानकी बात सुनकर मानवती गोपाङ्गनाओंको बड़ा विस्मय हुआ॥ ३८—४१॥

इस प्रकार श्रीगर्गसंहितामें वृन्दावनखण्डके अन्तर्गत 'रास-क्रीड़ा' नामक इक्कीसवाँ अध्याय पूरा हुआ॥ २१॥

बाईसवाँ अध्याय

गोपाङ्गनाओंद्वारा श्रीकृष्णका स्तवन; भगवान्‌का उनके बीचमें प्रकट होना; उनके पूछनेपर हंसमुनिके उद्धारकी कथा सुनाना तथा गोपियोंको क्षीरसागर-श्वेतद्वीपके नारायण-स्वरूपोंका दर्शन कराना

श्रीनारदजी कहते हैं—राजन्! तदनन्तर श्रीकृष्णके शुभागमनके लिये समस्त व्रजाङ्गनाएँ मिलकर सुरम्य तालस्वरके साथ उन श्रीहरिके रमणीय गुणोंका गान करने लगीं॥ १॥

गोपियाँ बोलीं—लोकसुन्दर! जनभूषण! विश्वदीप! मदनमोहन! तथा जगत्‌की पापराशि एवं पीड़ा हर लेनेवाले! आनन्दकन्द यदुनन्दन! नन्दनन्दन! तुम्हारे चरणारविन्दोंका मकरन्द भी परम स्वच्छन्द है, तुम्हें बारंबार नमस्कार है। गौओं, ब्राह्मणों और साधु-संतोंके विजयध्वजरूप! देववन्द्य तथा कंसादि दैत्योंके वधके लिये अवतार धारण करनेवाले! श्रीनन्दराज-कुल-कमल-दिवाकर! देवाधिदेवोंके भी आदिकारण! मुक्त-जनदर्पण! तुम्हारी जय हो। गोपवंशरूपी सागरमें परम उज्ज्वल मोतीके समान रूप धारण करने-वाले! गोपालकुलरूपी गिरिराजके नीलरत्न! परमात्मन्! गोपालमण्डलरूपी सरोवरके प्रफुल्ल कमल! तथा गोपवृन्दरूपी चन्दनवनके प्रधान कलहंस! तुम्हारी जय हो। प्यारे श्यामसुन्दर! तुम श्रीराधिकाके मुखारविन्दका मकरन्द पान करनेवाले मधुप हो; श्रीराधाके मुखचन्द्रकी सुधामयी चन्द्रिका-के आस्वादक चकोर हो; श्रीराधाके वक्षःस्थलपर विद्योतमान चन्द्रहार हो तथा श्रीराधिकारूपिणी माधवीलताके लिये कुसुमाकर (ऋतुराज वसन्त) हो। जो रास-रङ्गस्थलीमें अपने वैभव (लीला-शक्ति) से भूरि-भूरि लीलाएँ प्रकट करते हैं, जो गोपाङ्गनाओंके नेत्रों और जीवनके मूलाधार एवं हारस्वरूप हैं तथा श्रीराधाके मान करनेपर जिन्होंने स्वयं मान कर लिया है, वे श्यामसुन्दर श्रीहरि हमारे नेत्रोंके समक्ष प्रकट हों। जिन्होंने गोपिकाओंके समस्त यूथोंको, श्रीवृन्दावनकी भूमिको तथा गिरिराज गोवर्धनको अपनी चरण-धूलिसे अलंकृत किया है; जो सम्पूर्ण जगत्‌के उद्भव तथा पालनके लिये भूतलपर प्रकट हुए हैं; जिनकी कान्ति अत्यन्त श्याम है और भुजाएँ नागराजके शरीरकी भाँति सुशोभित होती हैं, उन नन्दनन्दन माधवकी हम आराधना करती हैं। प्राणनाथ! तुम्हारे बिना वियोग-व्यथासे पीड़ित हुई हम सब गोपियोंको चन्द्रमा सूर्यकी किरणोंके समान दाहक प्रतीत होता है। यह सम्पूर्ण वनान्त-भाग जो पहले प्रसन्नताका केन्द्र था, अब इसमें आनेपर ऐसा जान पड़ता है, मानो हमलोग असिपत्रवनमें प्रविष्ट हो गयी हैं और अत्यन्त मन्द-मन्द गतिसे प्रवाहित होनेवाली वायु हमें बाण-सी लगती है। हरे! राजा सौदासकी रानी मदयन्तीको अपने पतिके विरहसे जो दुःख हुआ था, उससे हजारगुना दुःख नलकी महारानी दमयन्तीको पति-वियोगके कारण प्राप्त हुआ था। उनसे भी कोटिगुना अधिक दुःख पतिविरहिणी जनकनन्दिनी सीताको हुआ था और उनसे भी अनन्तगुना अधिक दुःख आज हम सबको हो

रहा है*॥ २—९॥

श्रीनारदजी कहते हैं—राजन्! इस प्रकार रोती हुई गोपाङ्गनाओंके बीचमें कमलनयन श्रीकृष्ण सहसा प्रकट हो गये, मानो अपना अभीष्ट मनोरथ स्वयं आकर मिल गया हो। उनके मस्तकपर किरीट, भुजाओंमें केयूर और अङ्गद तथा कानोंमें कुण्डल नामक भूषण अपनी दीप्ति फैला रहे थे। स्निग्ध, निर्मल, सुगन्धपूर्ण, नीले, घुँघराले केश-कलाप मनको मोहे लेते थे। उन्हें आया हुआ देख समस्त व्रजाङ्गनाएँ एक साथ उठकर खड़ी हो गयीं, जैसे शब्दादि सूक्ष्म-भूतोंके समूहको देखकर ज्ञानेन्द्रियाँ सहसा सचेष्ट हो जाती हैं। राजन्! उन गोपसुन्दरियोंके मध्यभागमें राधाके साथ श्यामसुन्दर श्रीकृष्ण बाँसुरी बजाते हुए इस प्रकार नृत्य करने लगे, मानो रतिके साथ मूर्तिमान् काम नाच रहा हो। जितनी संख्यामें समस्त गोपियाँ थीं, उतने ही रूप धारण करके श्रीहरि उनके साथ व्रजमें रास-विहार करने लगे—ठीक उसी तरह, जैसे जाग्रत् आदि अवस्थाओंके साथ मन क्रीड़ा कर रहा हो। उस समय उस वनप्रदेशमें दुःखरहित हुई व्रजाङ्गनाएँ वहाँ खड़े हुए श्यामसुन्दर श्रीकृष्णसे हाथ जोड़ गद्गद वाणीमें बोलीं॥ १०—१५॥

गोपियोंने पूछा—श्यामसुन्दर! जो सारे जगत्-को तिनकेकी भाँति त्यागकर तुम्हारे चरणारविन्दोंमें अपना तन, मन और प्राण अर्पित कर चुकी हैं, उन्हीं इन गोपियोंके इस महान् समुदायको छोड़कर तुम कहाँ चले गये थे?॥ १६॥

श्रीभगवान् बोले—गोपाङ्गनाओ! पुष्करद्वीपके दधिमण्डोद समुद्रके भीतर रहकर 'हंस' नामक महामुनि तपस्या कर रहे थे। वे मेरे ध्यानमें रत रहकर बिना किसी हेतु या कामनाके भजन करते थे। उन तपस्वी महामुनिको तपस्या करते हुए दो मन्वन्तरका समय इसी तरह बीत गया। उन्हें आज ही आधे योजन लंबा शरीर धारण करनेवाला एक मत्स्य निगल गया था। फिर उसे भी मत्स्यरूपधारी महान् असुर पौण्ड्र निगल गया। इस प्रकार कष्टमें पड़े हुए मुनिवर हंसके उद्धारके लिये मैं शीघ्र वहाँ गया और चक्रसे उन दोनों मत्स्योंका वध करके मुनिको संकटसे छुड़ाकर श्वेतद्वीपमें चला गया। व्रजाङ्गनाओ! वहाँ क्षीरसागरके भीतर शेषशय्यापर मैं सो गया था। फिर अपनी प्रियतमा तुम सब गोपियोंको दुःखी जान नींद त्यागकर सहसा यहाँ आ पहुँचा; क्योंकि मैं सदा भक्तोंके वशमें रहता हूँ। जो जितेन्द्रिय, समदर्शी तथा किसी भी वस्तुकी इच्छा न रखनेवाले महान् संत हैं, वे निरपेक्षताको ही मेरा परम सुख जानते हैं; जैसे ज्ञानेन्द्रियाँ आदि रस आदि सूक्ष्म भूतोंको ही सुख समझते हैं†॥ १७—२३॥

गोपियोंने कहा—माधव! यदि हमपर प्रसन्न हों तो क्षीरसागरमें शेषशय्यापर तुमने जो रूप धारण किया था, उसका हमें भी दर्शन कराओ॥ २४॥

श्रीनारदजी कहते हैं—तब 'तथास्तु' कहकर भगवान् गोपी-समुदायके देखते-देखते आठ भुजाधारी नारायण हो गये और श्रीराधा लक्ष्मीरूपा हो गयीं।

---

* गोप्य ऊचुः—

लोकाभिराम जनभूषण विश्वदीप कंदर्पमोहन जगद्वृजिनार्तिहारिन्। आनन्दकंद यदुनन्दन नन्दसूनो स्वच्छन्दपद्ममकरन्द नमो नमस्ते॥
गोविप्रसाधुविजयध्वज देववन्द्य कंसादिदैत्यवधहेतुकृतावतार। श्रीनन्दराजकुलपद्मदिनेश देव देवादिमुक्तजनदर्पण ते जयोऽस्तु॥
गोपालसिन्धुपरमौक्तिकरूपधारिन् गोपालवंशगिरिनीलमणे परात्मन्। गोपालमण्डलसरोवरकंजमूर्ते गोपालचन्दनवने कलहंसमुख्य॥
श्रीराधिकावदनपङ्कजषट्पदस्त्वं श्रीराधिकावदनचन्द्रचकोररूपः। श्रीराधिकाहृदयसुन्दरचन्द्रहारः श्रीराधिकामधुलताकुसुमाकरोऽसि॥
यो रासरङ्गनिजवैभवभूरिलीलो यो गोपिकानयनजीवनमूलहारः। मानं चकार रहसा किल मानवत्यां सोऽयं हरिर्भवतु नो नयनाग्रगामी॥
यो गोपिकासकलयूथमलंचकार वृन्दावनं च निजपादरजोभिरद्रिम्। यः सर्वलोकविभवाय बभूव भूमौ तं भूरिनीलमुरगेन्द्रभुजं भजामः॥
चन्द्रं प्रतप्तकिरणज्वलनं प्रसन्नं सर्वे वनान्तमसिपत्रवनप्रवेशम्। बाणं प्रभञ्जनमतीवसुमन्दयानं मन्यामहे किल भवन्तमृते व्यथार्ताः॥
सौदासराजमहिषीविरहादतीव जातं सहस्रगुणितं नलपट्टराज्ञ्याः। तस्मात्तु कोटिगुणितं जनकात्मजायास्तस्मादनन्तमतिदुःखमलं हरे नः॥
(गर्ग०, वृन्दावन० २२। २—९)

† जानन्ति सन्तः समदर्शिनो ये दान्ता महान्तः किल नैरपेक्ष्याः। ते नैरपेक्ष्यं परमं सुखं मे ज्ञानेन्द्रियादीनि यथा रसादीन्॥
(गर्ग०, वृन्दावन० २२। २३)

वहीं चञ्चल तरङ्गमालाओंसे मण्डित क्षीरसागर प्रकट हो गया। दिव्य रत्नमय मङ्गलरूप प्रासाद दृष्टिगोचर होने लगे। वहीं कमलनालके सदृश श्वेत शेषनाग कुण्डली बाँधे स्थित दिखायी दिये, जो बालसूर्यके समान तेजस्वी सहस्र फनोंके छत्रसे सुशोभित थे। उस शेषशय्यापर माधव सुखसे सो गये तथा लक्ष्मीरूप-धारिणी श्रीराधा उनके चरण दबानेकी सेवा करने लगीं। करोड़ों सूर्योंके समान तेजस्वी उस सुन्दर रूपको देखकर गोपियोंने प्रणाम किया और वे सभी परम आश्चर्यमें निमग्न हो गयीं। मैथिल! जहाँ श्रीकृष्णने गोपियोंको इस रूपमें दर्शन दिया था, वह परम पुण्यमय पापनाशक क्षेत्र बन गया॥ २५—३०॥

तदनन्तर माधव गोपाङ्गनाओंके साथ यमुना-तटपर आकर कालिन्दीके वेगपूर्ण प्रवाहमें संतरण-कला-केलि करने लगे। श्रीराधाके हाथसे उनका लक्षदल कमल और चादर लेकर माधव पानीमें दौड़ते तथा हँसते हुए दूर निकल गये। तब श्रीराधा भी उनके चमकीले पीताम्बर, वंशी और बेंत लेकर हँसती हुई यमुनाजलमें चली गयीं। अब महात्मा श्रीकृष्ण उन्हें माँगते हुए बोले—'राधे! मेरी बाँसुरी दे दो।' श्रीराधा कहने लगीं—'माधव! मेरा कमल और वस्त्र लौटा दो।' श्रीकृष्णने श्रीराधाको कमल और वस्त्र दे दिये। तब श्रीराधाने भी महात्मा श्रीकृष्णको वंशी, पीताम्बर और बेंत लौटा दिये। तदनन्तर श्रीकृष्ण आजानु-लम्बिनी (घुटनेतक लटकती हुई) वैजयन्ती माला धारण किये, मधुर गीत गाते हुए भाण्डीरवनमें गये। वहाँ चतुर-चूडामणि श्यामसुन्दरने प्रियाका शृङ्गार किया। भाल तथा कपोलोंपर पत्ररचना की, पैरोंमें महावर लगाया, फूलोंकी माला धारण करायी, वेणीको भी फूलोंसे सजाया, ललाटमें कुङ्कुमकी बिंदी तथा नेत्रोंमें काजल लगाया। इसी प्रकार कीर्तिनन्दिनी श्रीराधाने भी उस शृङ्गार-स्थलमें चन्दन, अगुरु, कस्तूरी और केसर आदिसे श्रीहरिके मुखपर मनोहर पत्र-रचना की॥ ३१—३८॥

इस प्रकार श्रीगर्गसंहितामें वृन्दावनखण्डके अन्तर्गत 'रास-क्रीडा' नामक बाईसवाँ अध्याय पूरा हुआ॥ २२॥

तेईसवाँ अध्याय

कंस और शङ्खचूडमें युद्ध तथा मैत्रीका वृत्तान्त; श्रीकृष्णद्वारा शङ्खचूडका वध

श्रीनारदजी कहते हैं—राजन्! तत्पश्चात् श्रीकृष्ण व्रजाङ्गनाओंके साथ लोहजङ्घ-वनमें गये, जो वसन्तकी माधवी तथा अन्यान्य लता-वल्लरियोंसे व्याप्त था। उस वनके सुगन्ध बिखेरनेवाले सुन्दर फूलोंके हारोंसे श्रीहरिने वहाँ समस्त गोपियोंकी वेणियाँ अलंकृत कीं। भ्रमरोंकी गुंजारसे निनादित और सुगन्धित वायुसे वासित यमुनातटपर अपनी प्रेयसियोंके साथ श्यामसुन्दर विचरने लगे। विचरते-विचरते रासेश्वर श्रीकृष्ण उस महापुण्यवनमें जा पहुँचे, जो करील, पीलू तथा श्याम तमाल और ताल आदि सघन वृक्षोंसे व्याप्त था। वहाँ रासेश्वरी श्रीराधा और गोपाङ्गनाओंके साथ उनके मुखसे अपना यशोगान सुनते हुए श्रीहरिने रास आरम्भ किया। उस समय वे यश गाती हुई अप्सराओंसे घिरे हुए देवराज इन्द्रके समान सुशोभित हो रहे थे॥ १—५॥

राजन्! वहाँ एक विचित्र घटना घटित हुई, उसे तुम मेरे मुखसे सुनो। शङ्खचूड नामसे प्रसिद्ध एक बलवान् यक्ष था, जो कुबेरका सेवक था। इस भूतल-पर उसके समान गदायुद्ध-विशारद योद्धा दूसरा कोई नहीं था। एक दिन मेरे मुँहसे उग्रसेनकुमार कंसके उत्कट बलकी बात सुनकर वह प्रचण्ड-पराक्रमी यक्षराज लाख भार लोहेकी बनी हुई भारी गदा लेकर अपने निवासस्थानसे मथुरामें आया। उस मदोन्मत्त वीरने राजसभामें पहुँचकर वहाँ सिंहासनपर बैठे हुए कंसको प्रणाम किया और कहा—राजन्! सुना है कि तुम त्रिभुवनविजयी वीर हो; इसलिये मुझे अपने साथ गदायुद्धका अवसर दो। यदि तुम विजयी हुए तो मैं तुम्हारा दास हो जाऊँगा और यदि मैं विजयी हुआ तो

तत्काल तुम्हें अपना दास बना लूँगा।' विदेहराज! तब 'तथास्तु' कहकर, एक विशाल गदा हाथमें ले, कंस रङ्गभूमिमें शङ्खचूडके साथ युद्ध करने लगा। उन दोनोंमें घोर गदायुद्ध प्रारम्भ हो गया। दोनोंके परस्पर आघात-प्रत्याघातसे होनेवाला चट-चट शब्द प्रलय-कालके मेघोंकी गर्जना और बिजलीका गड़गड़ाहटके समान जान पड़ता था। उस रङ्गभूमिमें दो मल्लों, नाट्यमण्डलीके दो नटों, विशाल अङ्गवाले दो गजराजों तथा दो उद्भट सिंहोंके समान कंस और शङ्खचूड परस्पर जूझ रहे थे। राजन्! एक-दूसरेको जीत लेनेकी इच्छासे जूझते हुए उन दोनों वीरोंकी गदाएँ आगकी चिनगारियाँ बरसाती हुई परस्पर टकराकर चूर-चूर हो गयीं। कंसने अत्यन्त कोपसे भरे हुए यक्षको मुक्केसे मारा; तब शङ्खचूडने भी कंसपर मुक्केसे प्रहार किया। इस तरह मुक्का-मुक्की करते हुए उन दोनोंको सत्ताईस दिन बीत गये। दोनोंमेंसे किसीका बल क्षीण नहीं हुआ। दोनों ही एक-दूसरेके पराक्रमसे चकित थे। तदनन्तर दैत्यराज महाबली कंसने शङ्खचूडको सहसा पकड़कर बलपूर्वक आकाशमें फेंक दिया। वह सौ योजन ऊपर चला गया। शङ्खचूड आकाशसे जब वेगपूर्वक नीचे गिरा तो उसके मनमें किंचित् व्याकुलता आ गयी, तथापि उसने भी कंसको पकड़कर आकाशमें दस हजार योजन ऊँचे फेंक दिया। कंस भी आकाशसे गिरनेपर मन-ही-मन कुछ व्याकुल हो उठा। फिर उसने यक्षको पकड़कर सहसा पृथ्वीपर दे मारा। फिर शङ्खचूडने भी कंसको पकड़कर भूमिपर पटक दिया। इस प्रकार घोर युद्ध चलते रहनेके कारण भूमण्डल काँपने लगा। इसी बीचमें सर्वज्ञ मुनिवर साक्षात् गर्गाचार्य वहाँ आ गये। दोनोंने रङ्गभूमिमें उन्हें देखकर प्रणाम किया। तब गर्गने ओजस्विनी वाणीमें कंससे कहा॥ ६—२१॥

श्रीगर्गजी बोले—राजेन्द्र! युद्ध न करो। इस युद्धसे कोई फल मिलनेवाला नहीं है। यह महाबली शङ्खचूड तुम्हारे समान ही वीर है। तुम्हारे मुक्केकी मार खाकर गजराज ऐरावतने धरतीपर घुटने टेक दिये थे और उसे अत्यन्त मूर्च्छा आ गयी थी। और भी बहुत-से दैत्य तुम्हारे मुक्केकी मार खाकर मृत्युके ग्रास बन गये हैं, परंतु शङ्खचूड धराशायी नहीं हो सका। इसमें संदेह नहीं कि यह तुम्हारे लिये अजेय है। इसका कारण सुनो। वे परिपूर्णतम परमात्मा जैसे तुम्हारा वध करनेवाले हैं, उसी तरह भगवान् शिवके वरसे बलशाली हुए इस शङ्खचूडको भी मारेंगे। अतः यदुनन्दन! तुम्हें शङ्खचूडपर प्रेम करना चाहिये। यक्षराज! तुम्हें भी अवश्य ही कंसपर प्रेमभाव रखना चाहिये॥ २२—२६॥

श्रीनारदजी कहते हैं—राजन्! गर्गाचार्यजीके यों कहनेपर शङ्खचूड तथा कंस—दोनों परस्पर मिले और एक-दूसरेसे अत्यन्त प्रेम करने लगे। तदनन्तर कंससे बिदा ले शङ्खचूड अपने घरको जाने लगा। रात्रिके समय मार्गमें उसे रासमण्डल मिला। वहाँ ताल-स्वरसे युक्त मनोहर गान उसके कानमें पड़ा। फिर उसने रासमें श्रीरासेश्वरीके साथ रासेश्वर श्रीकृष्णका दर्शन किया। उनकी बायीं भुजा श्रीराधाके कंधेपर सुशोभित थी। वे स्वेच्छानुसार अपने दाहिने पैरको टेढ़ा किये खड़े थे। हाथमें वंशी लिये मुखसे सुन्दर मन्द हासकी छटा छिटका रहे थे। उनके भ्रूमण्डलपर राशि-राशि कामदेव मोहित थे। व्रज-सुन्दरियोंके यूथपति व्रजेश्वर श्रीकृष्ण कोटि-कोटि छत्र-चँवरोंसे सुसेवित थे। उन्हें अत्यन्त कोमल शिशु जानकर शङ्खचूडने गोपियोंको हर ले जानेका विचार किया॥ २७—३१॥

बहुलाश्वने पूछा—विप्रवर! आप भूत और भविष्य—सब जानते हैं; अतः बताइये, रासमण्डलमें शङ्खचूडके आनेपर क्या हुआ?॥ ३२॥

श्रीनारदजीने कहा—राजन्! शङ्खचूडका मुँह था बाघके समान और शरीरका रंग था एकदम काला-कलूटा। वह दस ताड़के बराबर ऊँचा था और जीभ लपलपाकर जबड़े चाटता हुआ बड़ा भयंकर जान पड़ता था। उसे देखकर गोपाङ्गनाएँ भयसे थर्रा उठीं और चारों ओर भागने लगीं। इससे महान् कोलाहल होने लगा। इस प्रकार शङ्खचूडके आते ही रासमण्डलमें हाहाकार मच गया। वह कामपीड़ित दुष्ट यक्षराज शतचन्द्रानना नामवाली गोपसुन्दरीको पकड़कर बिना किसी भय और आशङ्काके उत्तर दिशाकी ओर दौड़

चला। शतचन्द्रानना भयसे व्याकुल हो 'कृष्ण! कृष्ण!!' पुकारती हुई रोने लगी। यह देख श्रीकृष्ण अत्यन्त कुपित हो, शालका वृक्ष हाथमें लिये, उसके पीछे दौड़े। कालके समान दुर्जय श्रीकृष्णको पीछा करते देख यक्ष उस गोपीको छोड़कर भयसे विह्वल हो प्राण बचानेकी इच्छासे भागा। महादुष्ट शङ्खचूड भागकर जहाँ-जहाँ गया, वहाँ-वहाँ श्रीकृष्ण भी शालवृक्ष हाथमें लिये अत्यन्त रोषपूर्वक गये॥ ३३—३८॥

राजन्! हिमालयकी घाटीमें पहुँचकर उस यक्षराजने भी एक शाल उखाड़ लिया और उनके सामने विशेषतः युद्धकी इच्छासे वह खड़ा हो गया। भगवान्‌ने अपने बाहुबलसे शङ्खचूडपर उस शालवृक्षको दे मारा। उसके आघातसे शङ्खचूड आँधीके उखाड़े हुए पेड़की भाँति पृथ्वीपर गिर पड़ा। शङ्खचूडने फिर उठकर भगवान् श्रीकृष्णको मुक्केसे मारा। मारकर वह दुष्ट यक्ष सम्पूर्ण दिशाओंको निनादित करता हुआ सहसा गरजने लगा। तब श्रीहरिने उसे दोनों हाथोंसे पकड़ लिया और भुजाओंके बलसे घुमाकर उसी तरह पृथ्वीपर पटक दिया जैसे वायु उखाड़े हुए कमलको फेंक देती है। शङ्खचूडने भी श्रीकृष्णको पकड़कर धरतीपर दे मारा। जब इस प्रकार युद्ध चलने लगा, तब सारा भूमण्डल काँप उठा। तब माधव श्रीकृष्णने मुक्केकी मारसे उसके सिरको धड़से अलग कर दिया और उसकी चूडामणि ले ली—ठीक उसी तरह जैसे कोई पुण्यात्मा पुरुष कहींसे निधि प्राप्त कर लेता है। नरेश्वर! शङ्खचूडके शरीरसे एक विशाल ज्योति निकली और दिङ्मण्डलको प्रकाशित करती हुई व्रजमें श्रीकृष्णसखा श्रीदामाके भीतर विलीन हो गयी। इस प्रकार शङ्खचूडका वध करके भगवान् मधुसूदन, हाथमें मणि लिये, फिर शीघ्र ही रास-मण्डलमें आ गये। दीनवत्सल श्रीहरिने वह मणि शतचन्द्राननाको दे दी और पुनः समस्त गोपाङ्गनाओंके साथ रास आरम्भ किया॥ ३९—४७॥

इस प्रकार श्रीगर्गसंहितामें वृन्दावनखण्डके अन्तर्गत रासक्रीड़ाके प्रसङ्गमें 'शङ्खचूडका वध' नामक तेईसवाँ अध्याय पूरा हुआ॥ २३॥

चौबीसवाँ अध्याय

रास-विहार तथा आसुरि मुनिका उपाख्यान

नारदजी कहते हैं—तदनन्तर गोपियोंके साथ यमुनातटका दृश्य देखते हुए श्यामसुन्दर श्रीकृष्ण रास-विहारके लिये मनोहर वृन्दावनमें आये। श्रीहरिके वरदानसे वृन्दावनकी ओषधियाँ विलीन हो गयीं और वे सब-की-सब व्रजाङ्गना होकर, एक यूथके रूपमें संघटित हो, रासगोष्ठीमें सम्मिलित हो गयीं। मिथिलेश्वर! लतारूपिणी गोपियोंका समूह विचित्र कान्तिसे सुशोभित था। उन सबके साथ वृन्दावनेश्वर श्रीहरि वृन्दावनमें विहार करने लगे। कदम्ब-वृक्षोंसे आच्छादित कालिन्दीके सुरम्य तटपर सब ओर शीतल, मन्द, सुगन्ध वायु चलकर उस स्थानको सुगन्धपूर्ण कर रही थी। वंशीवट उस सुन्दर पुलिनकी रमणीयताको बढ़ा रहा था। रासके श्रमसे थके हुए श्रीकृष्ण वहीं श्रीराधाके साथ आकर बैठे। उस समय गोपाङ्गनाओंके साथ-साथ आकाशस्थित देवता भी वीणा, ताल, मृदङ्ग, मुरचंग आदि भाँति-भाँतिके वाद्य बजा रहे थे तथा जय-जयकार करते हुए दिव्य फूल बरसा रहे थे। गोप-सुन्दरियाँ श्रीहरिको आनन्द प्रदान करती हुई उनके उत्तम यश गाने लगीं। कुछ गोपियाँ मेघमल्लार नामक राग गातीं तो अन्य गोपियाँ दीपक राग सुनाती थीं। राजन्! कुछ गोपियोंने क्रमशः मालकोश, भैरव, श्रीराग तथा हिन्दोल रागका सात स्वरोंके साथ गान किया। नरेश्वर! उनमेंसे कुछ गोपियाँ तो अत्यन्त भोली-भाली थीं और कुछ मुग्धाएँ थीं। कितनी ही प्रेमपरायणा गोपसुन्दरियाँ प्रौढा नायिकाकी श्रेणीमें आती थीं। उन सबके मन श्रीकृष्णमें

लगे थे। कितनी ही गोपाङ्गनाएँ जारभावसे गोविन्दकी सेवा करती थीं। कोई श्रीकृष्णके साथ गेंद खेलने लगीं, कुछ श्रीहरिके साथ रहकर परस्पर फूलोंसे क्रीड़ा करने लगीं। कितनी ही गोपाङ्गनाएँ पैरोंमें नूपुर धारण करके परस्पर नृत्य-क्रीड़ा करती हुई नूपुरोंकी झंकारके साथ-साथ श्रीकृष्णके अधरामृतका पान कर लेती थीं। कितनी ही गोपियाँ योगियोंके लिये भी दुर्लभ श्रीकृष्णको दोनों भुजाओंसे पकड़कर हँसती हुई अत्यन्त निकट आ जातीं और उनका गाढ़ आलिङ्गन करती थीं॥ १—१३॥

इस प्रकार परम मनोहर वृन्दावनाधीश्वर यदुराज भगवान् श्रीहरि केसरका तिलक धारण किये, गोपियोंके साथ वृन्दावनमें विहार करने लगे। कुछ गोपाङ्गनाएँ वंशीधरकी बाँसुरीके साथ वीणा बजाती थीं और कितनी ही मृदङ्ग बजाती हुई भगवान्के गुण गाती थीं। कुछ श्रीहरिके सामने खड़ी हो मधुर स्वरसे खड़ताल बजातीं और बहुत-सी सुन्दरियाँ माधवी लताके नीचे चंग बजाती हुई श्रीकृष्णके साथ सुस्थिर-भावसे गीत गाती थीं। वे भूतलपर सांसारिक सुखको सर्वथा भुलाकर वहाँ रम रही थीं। कुछ गोपियाँ लतामण्डपोंमें श्रीकृष्णके हाथको अपने हाथमें लेकर इधर-उधर घूमती हुई वृन्दावनकी शोभा निहारती थीं। किन्हीं गोपियोंके हार लता-जालसे उलझ जाते, तब गोविन्द उनके वक्षःस्थलका स्पर्श करते हुए उन हारोंको लता-जालोंसे पृथक् कर देते थे। गोप सुन्दरियोंकी नासिकामें जो नकबेसरें थीं, उनमें मोतीकी लड़ियाँ पिरोयी गयी थीं। उनको तथा उनकी अलकावलियोंको श्यामसुन्दर स्वयं सँभालते और धीरे-धीरे सुलझाकर सुशोभन बनाते रहते थे। माधवके चबाये हुए सुगन्धयुक्त ताम्बूलमेंसे आधा लेकर तत्काल गोपसुन्दरियाँ भी चबाने लगती थीं। अहो! उनका कैसा महान् तप था! कितनी ही गोपियाँ हँसती हुई श्यामसुन्दरके कपोलोंपर अपनी दो अँगुलियोंसे धीरे-धीरे छूतीं और कोई हँसती हुई बलपूर्वक हलका-सा आघात कर बैठती थीं। कदम्ब-वृक्षोंके नीचे पृथक्-पृथक् सभी गोपाङ्गनाओंके साथ उनका क्रीडा-विनोद चल रहा था॥ १४—२१ $\frac{१}{२}$॥

मिथिलेश्वर! कुछ गोपाङ्गनाएँ पुरुष-वेष धारण-कर, मुकुट और कुण्डलोंसे मण्डित हो, स्वयं नायक बन जातीं और श्रीकृष्णके सामने उन्हींकी तरह नृत्य करने लगती थीं। जिनकी मुख-कान्ति शत-शत चन्द्रमाओंको तिरस्कृत करती थी, ऐसी गोपसुन्दरियाँ श्रीराधाका वेष धारण करके श्रीराधा तथा उनके प्राणवल्लभको आनन्दित करती हुई उनके यश गाती थीं। कुछ व्रजाङ्गनाएँ स्तम्भ, स्वेद आदि सात्त्विक भावोंसे युक्त, प्रेम-विह्वल एवं परमानन्दमें निमग्न हो, योगिजनोंकी भाँति समाधिस्थ होकर भूमिपर बैठ जाती थीं। कोई लताओंमें, वृक्षोंमें, भूतलमें, विभिन्न दिशाओंमें तथा अपने-आपमें भी भगवान् श्रीपतिका दर्शन करती हुई मौनभाव धारण कर लेती थीं। इस प्रकार रासमण्डलमें सर्वेश्वर, भक्तवत्सल गोविन्दकी शरण ले, वे सब गोप-सुन्दरियाँ पूर्णमनोरथ हो गयीं। महामते राजन्! वहाँ गोपियोंको भगवान्का जो कृपाप्रसाद प्राप्त हुआ, वह ज्ञानियोंको भी नहीं मिलता, फिर कर्मियोंको तो मिल ही कैसे सकता है?॥ २२—२७ $\frac{१}{२}$॥

महामते! इस प्रकार राधावल्लभ प्रभु श्यामसुन्दर श्रीकृष्णचन्द्रके रासमें जो एक विचित्र घटना हुई, उसे सुनो। श्रीकृष्णके प्रिय भक्त एवं महातपस्वी एक मुनि थे, जिनका नाम 'आसुरि' था। वे नारदगिरिपर श्रीहरिके ध्यानमें तत्पर हो तपस्या करते थे। हृदय-कमलमें ज्योतिर्मण्डलके भीतर राधासहित मनोहर-मूर्ति श्यामसुन्दर श्रीकृष्णका वे चिन्तन किया करते थे। एक समय रातमें जब मुनि ध्यान करने लगे, तब श्रीकृष्ण उनके ध्यानमें नहीं आये। उन्होंने बारंबार ध्यान लगाया, किंतु सफलता नहीं मिली। इससे वे महामुनि खिन्न हो गये। फिर वे मुनि ध्यानसे उठकर श्रीकृष्णदर्शनकी लालसासे बदरीखण्डमण्डित नारायणाश्रमको गये; किंतु वहाँ उन मुनीश्वरको नर-नारायणके दर्शन नहीं हुए। तब अत्यन्त विस्मित हो, वे ब्राह्मण देवता लोकालोक पर्वतपर गये; किंतु वहाँ सहस्र सिरवाले अनन्तदेवका भी उन्हें दर्शन नहीं हुआ। तब उन्होंने वहाँके पार्षदोंसे पूछा—'भगवान् यहाँसे कहाँ गये हैं?' उन्होंने उत्तर दिया—'हम नहीं जानते।' उनके इस प्रकार उत्तर देनेपर उस समय

मुनिके मनमें बड़ा खेद हुआ। फिर वे क्षीरसागरसे सुशोभित श्वेतद्वीपमें गये; किंतु वहाँ भी शेषशय्यापर श्रीहरिका दर्शन उन्हें नहीं हुआ। तब मुनिका चित्त और भी खिन्न हो गया। उनका मुख प्रेमसे पुलकित दिखायी देता था। उन्होंने पार्षदोंसे पूछा—'भगवान् यहाँसे कहाँ चले गये?' पुनः वही उत्तर मिला—'हमलोग नहीं जानते।' उनके यों कहनेपर मुनि भारी चिन्तामें पड़ गये और सोचने लगे—'क्या करूँ? कहाँ जाऊँ? कैसे श्रीहरिका दर्शन हो?'॥ २८—३८॥

यों कहते हुए मनके समान गतिशील आसुरिमुनि वैकुण्ठधाममें गये; किंतु वहाँ भी लक्ष्मीके साथ निवास करनेवाले भगवान् नारायणका दर्शन उन्हें नहीं हुआ। नरेश्वर! वहाँके भक्तोंमें भी आसुरि मुनिने भगवान्‌को नहीं देखा। तब वे योगीन्द्र मुनीश्वर गोलोकमें गये; परंतु वहाँके वृन्दावनीय निकुञ्जमें भी परात्पर श्रीकृष्णका दर्शन उन्हें नहीं हुआ। तब मुनिका चित्त खिन्न हो गया और वे श्रीकृष्ण-विरहसे अत्यन्त व्याकुल हो गये। वहाँ उन्होंने पार्षदोंसे पूछा—'भगवान् यहाँसे कहाँ गये हैं?' तब वहाँ रहनेवाले पार्षद गोपोंने उनसे कहा—'वामनावतारके ब्रह्माण्डमें, जहाँ कभी पृश्निगर्भ अवतार हुआ था, वहाँ साक्षात् भगवान् पधारे हैं।' उनके यों कहनेपर महामुनि आसुरि वहाँसे उस ब्रह्माण्डमें आये। श्रीहरिका दर्शन न होनेसे तीव्र गतिसे चलते हुए मुनि कैलास पर्वतपर गये। वहाँ महादेवजी श्रीकृष्णके ध्यानमें तत्पर होकर बैठे थे। उन्हें नमस्कार करके रात्रिमें खिन्न-चित्त हुए महामुनिने पूछा॥ ३९—४४$\frac{1}{2}$॥

आसुरि बोले—भगवन्! मैंने सारा ब्रह्माण्ड इधर-उधर छान डाला, भगवद्दर्शनकी इच्छासे वैकुण्ठसे लेकर गोलोकतकका चक्कर लगा आया, किंतु कहीं भी देवाधिदेवका दर्शन मुझे नहीं हुआ। सर्वज्ञशिरोमणे! बताइये, इस समय भगवान् कहाँ हैं?॥ ४५-४६$\frac{1}{2}$॥

श्रीमहादेवजी बोले—आसुरे! तुम धन्य हो। ब्रह्मन्! तुम श्रीकृष्णके निष्काम भक्त हो। महामुने! मैं जानता हूँ, तुमने श्रीकृष्णदर्शनकी लालसासे महान् क्लेश उठाया है। क्षीरसागरमें रहनेवाले हंसमुनि बड़े कष्टमें पड़ गये थे। उन्हें उस क्लेशसे मुक्त करनेके लिये जो बड़ी उतावलीके साथ वहाँ गये थे, वे ही भगवान् रसिकशेखर साक्षात् श्रीकृष्ण अभी-अभी वृन्दावनमें आकर सखियोंके साथ रास-क्रीडा कर रहे हैं। मुने! आज उन देवेश्वरने अपनी मायासे छः महीने-बराबर बड़ी रात बनायी है। मैं उसी रासोत्सवका दर्शन करनेके लिये वहाँ जाऊँगा। तुम भी शीघ्र ही चलो, जिससे तुम्हारा मनोरथ पूर्ण हो जाय॥ ४७—५०॥

इस प्रकार श्रीगर्गसंहितामें वृन्दावनखण्डके अन्तर्गत श्रीनारद-बहुलाश्व-संवादमें रासक्रीड़ा-प्रसङ्गमें 'आसुरि मुनिका उपाख्यान' नामक चौबीसवाँ अध्याय पूरा हुआ॥ २४॥

पचीसवाँ अध्याय

शिव और आसुरिका गोपीरूपसे रासमण्डलमें श्रीकृष्णका दर्शन और स्तवन करना तथा उनके वरदानसे वृन्दावनमें नित्य-निवास पाना

श्रीनारदजी कहते हैं—राजन्! भगवान् शिव आसुरिके साथ सम्पूर्ण हृदयसे ऐसा निश्चय करके वहाँसे चले। वे दोनों श्रीकृष्णदर्शनके लिये व्रज-मण्डलमें गये। वहाँकी भूमि दिव्य वृक्षों, लताओं, कुञ्जों और गुमटियोंसे सुशोभित थी। उस दिव्य भूमिका दर्शन करते हुए दोनों ही यमुनातटपर गये। उस समय अत्यन्त बलशालिनी गोलोकवासिनी गोप-सुन्दरियाँ हाथमें बेंतकी छड़ी लिये वहाँ पहरा दे रही थीं। उन द्वारपालिकाओंने मार्गमें स्थित होकर उन्हें बलपूर्वक रासमण्डलमें जानेसे रोका। वे दोनों बोले—'हम श्रीकृष्णदर्शनकी लालसासे यहाँ आये हैं।' नृपश्रेष्ठ! तब राह रोककर खड़ी द्वारपालिकाओंने

उन दोनोंसे कहा॥ १—४॥

द्वारपालिकाएँ बोलीं—विप्रवरो! हम कोटि-कोटि गोपाङ्गनाएँ वृन्दावनको चारों ओरसे घेरकर निरन्तर रासमण्डलकी रक्षा कर रही हैं। इस कार्यमें श्यामसुन्दर श्रीकृष्णने ही हमें नियुक्त किया है। इस एकान्त रासमण्डलमें एकमात्र श्रीकृष्ण ही पुरुष हैं। उस पुरुषरहित एकान्त स्थानमें गोपीयूथके सिवा दूसरा कोई कभी नहीं जा सकता। मुनियो! यदि तुम दोनों उनके दर्शनके अभिलाषी हो तो इस मानसरोवरमें स्नान करो। वहाँ तुम्हें शीघ्र ही गोपीस्वरूपकी प्राप्ति हो जायगी, तब तुम रासमण्डलके भीतर जा सकते हो॥ ५—७॥

श्रीनारदजी कहते हैं—द्वारपालिकाओंके यों कहनेपर वे मुनि और शिव मानसरोवरमें स्नान करके, गोपीभावको प्राप्त हो, सहसा रासमण्डलमें गये॥ ८॥

सुवर्णजटित पद्मरागमयी भूमि उस रासमण्डलकी मनोहरता बढ़ा रही थी। वह सुन्दर प्रदेश माधवीलता-समूहोंसे व्याप्त और कदम्बवृक्षोंसे आच्छादित था। वसन्त ऋतु तथा चन्द्रमाकी चाँदनीने उसको प्रदीप्त कर रखा था। सब प्रकारकी कौशलपूर्ण सजावट वहाँ दृष्टिगोचर होती थी। यमुनाजीकी रत्नमयी सीढ़ियों तथा तोलिकाओंसे रासमण्डलकी अपूर्व शोभा हो रही थी। मोर, हंस, चातक और कोकिल वहाँ अपनी मीठी बोली सुना रहे थे। वह उत्कृष्ट प्रदेश यमुनाजीके जलस्पर्शसे शीतल-मन्द वायुके बहनेसे हिलते हुए तरुपल्लवोंद्वारा बड़ी शोभा पा रहा था। सभामण्डपों और वीथियोंसे, प्राङ्गणों और खंभोंकी पंक्तियोंसे, फहराती हुई दिव्य पताकाओंसे और सुवर्णमय कलशोंसे सुशोभित तथा श्वेतारुण पुष्पसमूहोंसे सज्जित तथा पुष्पमन्दिर और मार्गोंसे एवं भ्रमरोंकी गुंजारों और वाद्योंकी मधुर ध्वनियोंसे व्याप्त रासमण्डलकी शोभा देखते ही बनती थी। सहस्रदलकमलोंकी सुगन्धसे पूरित शीतल, मन्द एवं परम पुण्यमय समीर सब ओरसे उस स्थानको सुवासित कर रहा था। रास-मण्डलके निकुञ्जमें कोटि-कोटि चन्द्रमाओंके समान प्रकाशित होनेवाली पद्मिनी-नायिका हंसगामिनी श्रीराधासे सुशोभित श्रीकृष्ण विराजमान थे। रास-मण्डलके भीतर निरन्तर स्त्रीरत्नोंसे घिरे हुए श्यामसुन्दरविग्रह श्रीकृष्णका लावण्य करोड़ों कामदेवोंको लज्जित करनेवाला था। हाथमें वंशी और बेंत लिये तथा श्रीअङ्गपर पीताम्बर धारण किये वे बड़े मनोहर जान पड़ते थे। उनके वक्षःस्थलमें श्रीवत्सका चिह्न, कौस्तुभमणि तथा वनमाला शोभा दे रही थी। झंकारते हुए नूपुर, पायजेब, करधनी और बाजूबंदसे वे विभूषित थे। हार, कङ्कण तथा बालरविके समान कान्तिमान् दो कुण्डलोंसे वे मण्डित थे। करोड़ों चन्द्रमाओंकी कान्ति उनके आगे फीकी जान पड़ती थी। मस्तकपर मोरमुकुट धारण किये वे नन्दनन्दन मनोरथदान-दक्ष कटाक्षोंद्वारा युवतियोंका मन हर लेते थे॥ ९—१९॥

राजन् आसुरि और शिव—दोनोंने दूरसे ही जब श्रीकृष्णको देखा तो हाथ जोड़ लिये। नृपश्रेष्ठ! समस्त गोपसुन्दरियोंके देखते-देखते श्रीकृष्ण-चरणारविन्दमें मस्तक झुकाकर, आनन्दविह्वल हुए उन दोनोंने कहा॥ २० $\frac{1}{2}$॥

दोनों बोले—कृष्ण! महायोगी कृष्ण! देवाधिदेव जगदीश्वर! पुण्डरीकाक्ष! गोविन्द! गरुडध्वज! आपको नमस्कार है। जनार्दन! जगन्नाथ! पद्मनाभ! त्रिविक्रम! दामोदर! हृषीकेश! वासुदेव! आपको नमस्कार है। देव! आप परिपूर्णतम साक्षात् भगवान् हैं। इन दिनों भूतलका भारी भार हरने और सत्पुरुषोंका कल्याण करनेके लिये अपने समस्त लोकोंको पूर्णतया शून्य करके यहाँ नन्दभवनमें प्रकट हुए हैं। वास्तवमें तो आप परात्पर परमात्मा ही हैं। अंशांश, अंश, कला, आवेश तथा पूर्ण—समस्त अवतारसमूहोंसे संयुक्त हो, आप परिपूर्णतम परमेश्वर सम्पूर्ण विश्वकी रक्षा करते हैं तथा वृन्दावनमें सरस रासमण्डलको भी अलंकृत करते हैं। गोलोकनाथ! गिरिराजपते! परमेश्वर! वृन्दावनाधीश्वर! नित्यविहार-लीलाका विस्तार करनेवाले राधावल्लभ! व्रजसुन्दरियोंके मुखसे अपना यशोगान सुननेवाले गोविन्द! गोकुलपते! सर्वथा आपकी जय हो। शोभाशालिनी निकुञ्जलताओंके विकासके लिये आप ऋतुराज वसन्त हैं। श्रीराधिकाके वक्ष और कण्ठको विभूषित करने-

वाले रत्नहार हैं। श्रीरासमण्डलके पालक, व्रज-मण्डलके अधीश्वर तथा ब्रह्माण्ड-मण्डलकी भूमिके संरक्षक हैं*॥ २१—२६॥

श्रीनारदजी कहते हैं—राजन्! तब श्रीराधा-सहित भगवान् श्रीकृष्ण प्रसन्न हो मन्द-मन्द मुसकराते हुए मेघगर्जनकी-सी गम्भीर वाणीमें मुनिसे बोले॥ २७॥

श्रीभगवान्ने कहा—तुम दोनोंने साठ हजार वर्षोंतक निरपेक्षभावसे तप किया है, इसीसे तुम्हें मेरा दर्शन प्राप्त हुआ है। जो अकिंचन, शान्त तथा सर्वत्र शत्रुभावनासे रहित है, वही मेरा सखा है। अतः तुम दोनों अपने मनके अनुसार अभीष्ट वर माँगो॥ २८-२९॥

शिव और आसुरि बोले—भूमन्! आपको नमस्कार है। आप दोनों प्रिया-प्रियतमके चरण-कमलोंकी संनिधिमें सदा ही वृन्दावनके भीतर हमारा निवास हो। आपके चरणसे भिन्न और कोई वर हमें नहीं रुचता है; अतः आप दोनों—श्रीहरि एवं श्रीराधिकाको हमारा सादर नमस्कार है॥ ३०॥

श्रीनारदजी कहते हैं—राजन्! तब भगवान्ने 'तथास्तु' कहकर उनकी प्रार्थना स्वीकार कर ली। तभीसे शिव और आसुरि मुनि मनोहर वृन्दावनमें वंशीवटके समीप रासमण्डलसे मण्डित कालिन्दीके निकटवर्ती पुलिनपर निकुञ्जके पास ही नित्य निवास करने लगे॥ ३१-३२॥

तदनन्तर श्रीकृष्णने जहाँ कमलपुष्पोंके सौरभयुक्त पराग उड़ रहे थे और भ्रमर मँडरा रहे थे, उस पद्माकर वनमें गोपाङ्गनाओंके साथ रासक्रीड़ा प्रारम्भ की। मिथिलेश्वर! उस समय श्रीकृष्णने छः महीनेकी रात बनायी। परंतु उस रासलीलामें सम्मिलित हुई गोपियों-के लिये वह सुख और आमोदसे पूर्ण रात्रि एक क्षणके समान बीत गयी। राजन्! उन सबके मनोरथ पूर्ण हो गये। अरुणोदयकी वेलामें वे सभी व्रजसुन्दरियाँ झुँड-की-झुँड एक साथ होकर अपने घरको लौटीं। श्रीनन्दनन्दन साक्षात् नन्दमन्दिरमें चले गये और श्रीवृषभानुनन्दिनी तुरंत ही वृषभानुपुरमें जा पहुँचीं॥ ३३—३६॥

इस प्रकार श्रीकृष्णचन्द्रका यह मनोहर रासोपाख्यान सुनाया गया, जो समस्त पापोंको हर लेनेवाला, पुण्यप्रद, मनोरथपूरक तथा मङ्गलका धाम है। साधारण लोगोंको यह धर्म, अर्थ और काम प्रदान करता है तथा मुमुक्षुओंको मोक्ष देनेवाला है। राजन्! यह प्रसङ्ग मैंने तुम्हारे सामने कहा। अब और क्या सुनना चाहते हो?॥ ३७-३८॥

इस प्रकार श्रीगर्गसंहितामें वृन्दावनखण्डके अन्तर्गत नारद-बहुलाश्व-संवादमें 'रासक्रीडाका वर्णन' नामक पचीसवाँ अध्याय पूरा हुआ॥ २५॥

---

* कृष्ण कृष्ण महायोगिन् देवदेव जगत्पते। पुण्डरीकाक्ष गोविन्द गरुडध्वज ते नमः॥
जनार्दन जगन्नाथ पद्मनाभ त्रिविक्रम। दामोदर हृषीकेश वासुदेव नमोऽस्तु ते॥
अद्यैव देव परिपूर्णतमस्तु साक्षाद् भूभूरिभारहरणाय सतां शुभाय।
प्राप्तोऽसि नन्दभवने परतःपरस्त्वं कृत्वा हि सर्वनिजलोकमशेषशून्यम्॥
अंशांशकांशककलाभिरुताभिरामं वेशप्रपूर्णनिचयाभिरतीवयुक्तः।
विश्वं बिभर्षि रसरासमलङ्करोषि वृन्दावनं च परिपूर्णतमः स्वयं त्वम्॥
गोलोकनाथ गिरिराजपते परेश वृन्दावनेश कृतनित्यविहारलील।
राधापते व्रजवधूजनगीतकीर्ते गोविन्द गोकुलपते किल ते जयोऽस्तु॥
श्रीमन्निकुञ्जलतिकाकुसुमाकरस्त्वं श्रीराधिकाहृदयकण्ठविभूषणस्त्वम्।
श्रीरासमण्डलपतिर्व्रजमण्डलेशो ब्रह्माण्डमण्डलमहीपरिपालकोऽसि॥
(गर्ग०, वृन्दावन० २५। २१—२६)

छब्बीसवाँ अध्याय

श्रीकृष्णका विरजाके साथ विहार; श्रीराधाके भयसे विरजाका नदीरूप होना, उसके सात पुत्रोंका उसी शापसे सात समुद्र होना तथा राधाके शापसे श्रीदामाका अंशतः शङ्खचूड होना

बहुलाश्वने पूछा—महामते देवर्षे! आप परावरवेत्ताओंमें श्रेष्ठ हैं। अतः यह बताइये कि अघासुर आदि दैत्योंकी ज्योति तो भगवान् श्रीकृष्णमें प्रविष्ट हुई थी, परंतु शङ्खचूडका तेज श्रीदामामें लीन हुआ; इसका क्या कारण है? अहो! श्रीकृष्णचन्द्रका चरित्र अत्यन्त अद्भुत है॥ १-२॥

श्रीनारदजी बोले—महामते नरेश! यह पूर्वकालमें घटित गोलोकका वृत्तान्त है, जिसे मैंने भगवान् नारायणके मुखसे सुना था। यह सर्वपाप-हारी पुण्य-प्रसङ्ग तुम मुझसे सुनो। श्रीहरिके तीन पत्नियाँ हुईं—श्रीराधा, विजया (विरजा) और भूदेवी। इन तीनोंमें महात्मा श्रीकृष्णको श्रीराधा ही अधिक प्रिय हैं। राजन्! एक दिन भगवान् श्रीकृष्ण एकान्त कुञ्जमें कोटि चन्द्रमाओंकी-सी कान्तिवाली तथा श्रीराधिका-सदृश सुन्दरी विरजाके साथ विहार कर रहे थे। सखीके मुखसे यह सुनकर कि श्रीकृष्ण मेरी सौतके साथ हैं, श्रीराधा मन-ही-मन अत्यन्त खिन्न हो उठीं। सपत्नीके सौख्यसे उनको दुःख हुआ, तब भगवत्-प्रिया श्रीराधा सौ योजन विस्तृत, सौ योजन ऊँचे और करोड़ों अश्विनियोंसे जुते सूर्यतुल्यकान्ति-मान् रथपर—जो करोड़ों पताकाओं और सुवर्ण-कलशोंसे मण्डित था तथा जिसमें विचित्र रंगके रत्नों, सुवर्ण और मोतियोंकी लड़ियाँ लटक रही थीं—आरूढ़ हो, दस अरब वेत्रधारिणी सखियोंके साथ तत्काल श्रीहरिको देखनेके लिये गयीं। उस निकुञ्जके द्वारपर श्रीहरिके द्वारा नियुक्त महाबली श्रीदामा पहरा दे रहा था। उसे देखकर श्रीराधाने बहुत फटकारा और सखीजनोंद्वारा बेंतसे पिटवाकर सहसा कुञ्जद्वारके भीतर जानेको उद्यत हुईं। सखियोंका कोलाहल सुनकर श्रीहरि वहाँसे अन्तर्धान हो गये॥ ३—११॥

श्रीराधाके भयसे विरजा सहसा नदीके रूपमें परिणत हो, कोटियोजन विस्तृत गोलोकमें उसके चारों ओर प्रवाहित होने लगीं। जैसे समुद्र इस भूतलको घेरे हुए है, उसी प्रकार विरजा नदी सहसा गोलोकको अपने घेरेमें लेकर बहने लगीं। रत्नमय पुष्पोंसे विचित्र अङ्गोंवाली वह नदी विविध प्रकारके फूलोंकी छापसे अङ्कित उष्णीष वस्त्रकी भाँति शोभा पाने लगीं—'श्रीहरि चले गये और विरजा नदीरूपमें परिणत हो गयी'—यह देख श्रीराधिका अपने कुञ्जको लौट गयीं। नृपेश्वर! तदनन्तर नदीरूपमें परिणत हुई विरजाको श्रीकृष्णने शीघ्र ही अपने वरके प्रभावसे मूर्तिमती एवं विमल वस्त्राभूषणोंसे विभूषित दिव्य नारी बना दिया। इसके बाद वे विरजा-तटवर्ती वनमें वृन्दावनके निकुञ्जमें विरजाके साथ स्वयं रास करने लगे। श्रीकृष्णके तेजसे विरजाके गर्भसे सात पुत्र हुए। वे सातों शिशु अपनी बालक्रीड़ासे निकुञ्जकी शोभा बढ़ाने लगे। एक दिन उन बालकोंमें झगड़ा हुआ। उनमें जो बड़े थे, उन सबने मिलकर छोटेको मारा। छोटा भयभीत होकर भागा और माताकी गोदमें चला गया। सती विरजा पुत्रको आश्वासन दे उसे दुलारने लगीं। उस समय साक्षात् भगवान् वहाँसे अन्तर्धान हो गये। तब श्रीकृष्णके विरहसे व्याकुल हो, रोषसे अपने पुत्रको शाप देते हुए विरजाने कहा—'दुर्बुद्धे! तू श्रीकृष्णसे वियोग करानेवाला है, अतः जल हो जा; तेरा जल मनुष्य कभी न पीयें।' फिर उसने बड़ोंको शाप देते हुए कहा—'तुम सब-के-सब झगड़ालू हो; अतः पृथ्वीपर जाओ और वहाँ जल होकर रहो। तुम सबकी पृथक्-पृथक् गति होगी। एक-दूसरेसे कभी मिल न सकोगे। सदा ही प्रलयकालमें तुम्हारा नैमित्तिक मिलन होगा'॥ १२—२२॥

श्रीनारदजी कहते हैं—राजन्! इस प्रकार माताके शापसे वे सब पृथ्वीपर आ गये और राजा प्रियव्रतके रथके पहियोंसे बनी हुई परिखाओंमें समाविष्ट हो गये। खारा जल, इक्षुरस, मदिरा, घृत, दधि, क्षीर तथा शुद्ध जलके वे सात सागर हो गये। राजन्! वे सातों समुद्र अक्षोभ्य तथा दुर्लङ्घ्य हैं।

उनके भीतर प्रवेश करना अत्यन्त कठिन है। वे बहुत ही गहरे तथा लाख योजनसे लेकर क्रमशः द्विगुण विस्तारवाले होकर पृथक्-पृथक् द्वीपोंमें स्थित हैं। पुत्रोंके चले जानेपर विरजा उनके स्नेहसे अत्यन्त व्याकुल हो उठी। तब अपनी उस विरहिणी प्रियाके पास आकर श्रीकृष्णने वर दिया—'भीरु! तुम्हारा कभी मुझसे वियोग नहीं होगा। तुम अपने तेजसे सदैव पुत्रोंकी रक्षा करती रहोगी।' विदेहराज! तदनन्तर श्रीराधाको विरह-दुःखसे व्यथित जान श्यामसुन्दर श्रीहरि स्वयं श्रीदामाके साथ उनके निकुञ्जमें आये। निकुञ्जके द्वारपर सखाके साथ आये हुए प्राणवल्लभकी ओर देखकर राधा मानवती हो उनसे इस प्रकार बोलीं॥ २३—२९॥

श्रीराधाने कहा—हरे! वहीं चले जाओ, जहाँ तुम्हारा नया नेह जुड़ा है। विरजा तो नदी हो गयी, अब तुम्हें उसके साथ नद हो जाना चाहिये। जाओ, उसीके कुञ्जमें रहो। मुझसे तुम्हारा क्या मतलब है?॥ ३०॥

श्रीनारदजी कहते हैं—राजन्! यह सुनकर भगवान् विरजाके निकुञ्जमें चले गये। तब श्रीकृष्णके मित्र श्रीदामाने राधासे रोषपूर्वक कहा॥ ३१ $\frac{१}{२}$॥

श्रीदामा बोला—राधे! श्रीकृष्ण साक्षात् परिपूर्णतम भगवान् हैं। वे स्वयं असंख्य ब्रह्माण्डोंके अधिपति और गोलोकके स्वामीके रूपमें विराजमान हैं। परात्पर श्रीकृष्ण तुम-जैसी करोड़ों शक्तियोंको बना सकते हैं। उनकी तुम निन्दा करती हो? ऐसा मान न करो, न करो॥ ३२-३३ $\frac{१}{२}$॥

राधा बोली—ओ मूर्ख! तू बापकी स्तुति करके मुझ माताकी निन्दा करता है! अतः दुर्बुद्धे! राक्षस हो जा और गोलोकसे बाहर चला जा॥ ३४ $\frac{१}{२}$॥

श्रीदामा बोला—शुभे! श्रीकृष्ण सदा तुम्हारे अनुकूल रहते हैं, इसीलिये तुम्हें इतना मान हो गया है। अतः परिपूर्णतम परमात्मा श्रीकृष्णसे भूतलपर तुम्हारा सौ वर्षोंके लिये वियोग हो जायगा, इसमें संशय नहीं है॥ ३५-३६॥

श्रीनारदजी कहते हैं—राजन्! इस प्रकार परस्पर शाप देकर अपनी ही करनीसे भयभीत हो, जब राधा और श्रीदामा अत्यन्त चिन्तामें डूब गये, तब स्वयं भगवान् श्रीकृष्ण वहाँ प्रकट हुए॥ ३७॥

श्रीभगवान्‌ने कहा—राधे! मैं अपने निगम-स्वरूप वचनको तो छोड़ सकता हूँ, किंतु भक्तोंकी बात अन्यथा करनेमें सर्वथा असमर्थ हूँ।* कल्याणि राधिके! शोक मत करो, मेरी बात सुनो। वियोग-कालमें भी प्रतिमास एक बार तुम्हें मेरा दर्शन हुआ करेगा। वाराहकल्पमें भूतलका भार उतारने और भक्तजनोंको दर्शन देनेके लिये मैं तुम्हारे साथ पृथ्वीपर चलूँगा। श्रीदामन्! तुम भी मेरी बात सुनो। तुम अपने एक अंशसे असुर हो जाओ। वैवस्वत मन्वन्तरमें रासमण्डलमें आकर जब तुम मेरी अवहेलना करोगे, तब मेरे हाथसे तुम्हारा वध होगा, इसमें संशय नहीं है। तत्पश्चात् फिर मेरे वरदानसे तुम अपना पूर्व शरीर प्राप्त कर लोगे॥ ३८—४२॥

श्रीनारदजी कहते हैं—राजन्! इस प्रकार शापवश महातपस्वी श्रीदामाने पूर्वकालमें यक्षलोकमें सुधनके घर जन्म लिया। वह शङ्खचूड नामसे विख्यात हो यक्षराज कुबेरका सेवक हो गया। यही कारण है कि शङ्खचूडकी ज्योति श्रीदामामें लीन हुई॥ ४३-४४॥

भगवान् श्रीकृष्ण स्वात्माराम हैं, एकमात्र अद्वितीय परमात्मा हैं। वे अपने ही धाममें लीलापूर्वक सारा कार्य करते हैं। जो सर्वेश्वर, सर्वरूप एवं महान् आत्मा हैं, उनके लिये यह सब कार्य अद्भुत नहीं है; मैं उन श्रीकृष्णचन्द्रको नमस्कार करता हूँ॥ ४५॥

विदेहराज! यह मनोहर वृन्दावनखण्ड मैंने तुम्हारे सामने कहा है। जो नरश्रेष्ठ इस चरित्रका श्रवण करता है, वह पुण्यतम परमपदको प्राप्त होता है॥ ४६॥

इस प्रकार श्रीगर्गसंहितामें वृन्दावनखण्डके अन्तर्गत नारद-बहुलाश्व-संवादमें 'शङ्खचूडोपाख्यान' नामक छब्बीसवाँ अध्याय पूरा हुआ॥ २६॥

॥ श्रीवृन्दावनखण्ड सम्पूर्ण ॥

* वचनं वै स्वनिगमं दूरीकर्तुं क्षमोऽस्म्यहम्। भक्तानां वचनं राधे दूरीकर्तुं न च क्षमः॥ (गर्ग०, वृन्दावन० २६।३८)

गोवर्धनपूजन

॥ श्रीराधाकृष्णाभ्यां नमः॥

गिरिराजखण्ड

पहला अध्याय

श्रीकृष्णके द्वारा गोवर्धनपूजनका प्रस्ताव और उसकी विधिका वर्णन

राजा बहुलाश्वने पूछा—देवर्षे! जैसे बालक खेल-ही-खेलमें गोबर-छत्तेको उखाड़कर हाथमें ले लेता है, उसी प्रकार भगवान्‌ने एक ही हाथसे महान् पर्वत गोवर्धनको लीलापूर्वक उठाकर छत्रकी भाँति धारण कर लिया था—ऐसी बात सुनी जाती है। सो यह प्रसङ्ग कैसे आया? मुनिसत्तम! इन परिपूर्णतम परमात्मा श्रीकृष्णचन्द्रके उसी दिव्य अद्भुत चरित्रका आप वर्णन कीजिये॥ १-२॥

श्रीनारदजी कहते हैं—राजन्! जैसे खेती करनेवाले किसान राजाको वार्षिक कर देते हैं, उसी प्रकार समस्त गोप प्रतिवर्ष शरदृतुमें देवराज इन्द्रके लिये बलि (पूजा और भोग) अर्पित करते थे। एक समय श्रीहरिने महेन्द्रयागके लिये सामग्रीका संचय होता देख गोपसभामें नन्दजीसे प्रश्न किया। उनके उस प्रश्नको अन्यान्य गोप भी सुन रहे थे॥ ३-४॥

श्रीभगवान् बोले—यह जो इन्द्रकी पूजा की जाती है, इसका क्या फल है? विद्वान् लोग इसका कोई लौकिक फल बताते हैं या पारलौकिक?॥ ५॥

श्रीनन्दने कहा—श्यामसुन्दर! देवराज इन्द्रका यह पूजन भोग और मोक्ष प्रदान करनेवाला परम उत्तम साधन है। भूतलपर इसके बिना मनुष्य कहीं और कभी सुखी नहीं हो सकता॥ ६॥

श्रीभगवान् बोले—पिताजी! इन्द्र आदि देवता अपने पूर्वकृत पुण्यकर्मोंके प्रभावसे ही सब ओर स्वर्गका सुख भोगते हैं। भोगद्वारा शुभकर्मका क्षय हो जानेपर उन्हें भी मर्त्यलोकमें आना पड़ता है। अतः उनकी सेवाको आप मोक्षका साधन मत मानिये। जिससे परमेष्ठी ब्रह्माको भी भय प्राप्त होता है, फिर उनके द्वारा पृथ्वीपर उत्पन्न किये गये प्राणियोंकी तो बात ही क्या है, उस कालको ही श्रेष्ठ विद्वान् सबसे उत्कृष्ट, अनन्त तथा सब प्रकारसे बलिष्ठ मानते हैं। इसलिये उस कालका ही आश्रय लेकर मनुष्यको सत्कर्मोंद्वारा सुरेश्वर यज्ञपति परमात्मा श्रीहरिका भजन करना चाहिये। अपने सम्पूर्ण सत्कर्मोंके फलका मनसे परित्याग करके जो श्रीहरिका भजन करता है, वही परम मोक्षको प्राप्त होता है; दूसरे किसी प्रकारसे उसको मोक्ष नहीं मिलता। गौ, ब्राह्मण, साधु, अग्नि, देवता, वेद तथा धर्म—ये भगवान् यज्ञेश्वरकी विभूतियाँ हैं। इनको आधार बनाकर जो श्रीहरिका भजन करते हैं, वे सदा इस लोक और परलोकमें सुख पाते हैं। भगवान्‌के वक्षःस्थलसे प्रकट हुआ वह गिरीन्द्रोंका सम्राट् गोवर्धन नामक पर्वत महर्षि पुलस्त्यके प्रभावसे इस व्रजमण्डलमें आया है। उसके दर्शनसे मनुष्यका इस जगत्‌में पुनर्जन्म नहीं होता। गौओं, ब्राह्मणों तथा देवताओंका पूजन करके आज ही यह उत्तम भेंट-सामग्री महान् गिरिराजको अर्पित की जाय। यह यज्ञ नहीं, यज्ञोंका राजा है। यही मुझे प्रिय है। यदि आप यह काम नहीं करना चाहते तो जाइये; जैसी इच्छा हो, वैसा कीजिये॥ ७—१२॥

श्रीनारदजी कहते हैं—राजन्! उन गोपोंमें सन्नन्द नामक एक बड़े-बूढ़े गोप थे, जो बड़े नीतिवेत्ता थे। उन्होंने अत्यन्त प्रसन्न होकर नन्दजीके सुनते हुए श्रीकृष्णसे कहा॥ १३॥

सन्नन्द बोले—नन्दनन्दन! तात! तुम तो साक्षात् ज्ञानकी निधि हो। गिरिराजकी पूजा किस विधिसे करनी होगी, यह ठीक-ठीक बताओ॥ १४॥

श्रीभगवान्‌ने कहा—जहाँ गिरिराजकी पूजा करनी हो, वहाँ उनके नीचेकी धरतीको गोबरसे लीप-पोतकर वहीं सब सामग्री रखनी चाहिये। इन्द्रियोंको वशमें रखकर बड़े भक्ति-भावसे **'सहस्रशीर्षा०'** मन्त्र

पढ़ते हुए, ब्राह्मणोंके साथ रहकर गङ्गाजल या यमुनाजलसे गिरिराजको स्नान कराना चाहिये। फिर श्वेत गोदुग्धकी धारासे तथा पञ्चामृतसे स्नान कराकर, पुनः यमुना-जलसे नहलाये। उसके बाद गन्ध, पुष्प, वस्त्र, आसन, भाँति-भाँतिके नैवेद्य, माला, आभूषण-समूह तथा उत्तम दीपमाला समर्पित करके गिरिराजकी परिक्रमा करे। इसके बाद साष्टाङ्ग प्रणाम करके, दोनों हाथ जोड़कर, इस प्रकार कहे—'जो श्रीवृन्दावनके अङ्कमें अवस्थित तथा गोलोकके मुकुट हैं, पूर्णब्रह्म परमात्माके छत्ररूप उन गिरिराज गोवर्धनको हमारा बारंबार नमस्कार है।' तदनन्तर पुष्पाञ्जलि अर्पित करे। उसके बाद घंटा, झाँझ और मृदङ्ग आदि मधुर ध्वनि करनेवाले बाजे बजाते हुए गिरिराजकी आरती करे। तदनन्तर **'वेदाहमेतं पुरुषं महान्तम्०'** इत्यादि मन्त्र पढ़ते हुए उनके ऊपर लावाकी वर्षा करे और श्रद्धा-पूर्वक गिरिराजके समीप अन्नकूट स्थापित करे। फिर चौंसठ कटोरोंको पाँच पङ्क्तियोंमें रखे और उनमें तुलसीदल-मिश्रित गङ्गा-यमुनाका जल भर दे। फिर एकाग्रचित्त हो गिरिराजकी सेवामें छप्पन भोग अर्पित करे। तत्पश्चात् अग्निमें होम करके ब्राह्मणोंकी पूजा करे तथा गौओं और देवताओंपर भी गन्ध-पुष्प चढ़ाये। अन्तमें श्रेष्ठ ब्राह्मणोंको सुगन्धित मिष्टान्न भोजन कराकर, अन्य लोगोंको—यहाँतक कि चण्डाल भी छूटने न पायें—उत्तम भोजन दे। इसके बाद गोपियों और गोपोंके समुदाय गौओंके सामने नृत्य करें, मङ्गल-गीत गायें और जय-जयकार करते हुए गोवर्धन-पूजनोत्सव सम्पन्न करें॥ १५—२६॥

जहाँ गोवर्धन नहीं हैं, वहाँ गोवर्धन-पूजाकी क्या विधि है, यह सुनो। गोबरसे गोवर्धनका बहुत ऊँचा आकार बनाये। फिर उन्हें पुष्प-समूहों, लता-जालों और सींकोंसे सुशोभित करके, उसे ही गोवर्धन-गिरि मानकर सदा भूतलपर मनुष्योंको उसकी पूजा करनी चाहिये। यदि कोई गोवर्धनकी शिला ले जाकर पूजन करना चाहे तो जितना बड़ा प्रस्तर ले जाय, उतना ही सुवर्ण उस पर्वतपर छोड़ दे। जो बिना सुवर्ण दिये वहाँकी शिला ले जायगा, वह महारौरव नरकमें पड़ेगा। शालग्राम भगवान्‌की सदा सेवा करनी चाहिये। शालग्रामके पूजकको पातक उसी तरह स्पर्श नहीं करते, जैसे पद्मपत्रपर जलका लेप नहीं होता। जो श्रेष्ठ द्विज गिरिराज-शिलाकी सेवा करता है, वह सातों द्वीपोंसे युक्त भूमण्डलके तीर्थोंमें स्नान करनेका फल पाता है। जो प्रतिवर्ष गिरिराजकी महापूजा करता है, वह इस लोकमें सम्पूर्ण सुख भोगकर परलोकमें मोक्ष प्राप्त कर लेता है॥ २७—३२॥

इस प्रकार श्रीगर्ग-संहितामें गिरिराजखण्डके अन्तर्गत श्रीनारद-बहुलाश्व-संवादमें 'श्रीगिरिराजकी पूजा-विधिवर्णन' नामक पहला अध्याय पूरा हुआ॥ १॥

दूसरा अध्याय

गोपोंद्वारा गिरिराज-पूजनका महोत्सव

श्रीनारदजी कहते हैं—साक्षात् श्रीनन्दनन्दनकी यह बात सुनकर श्रीनन्द और सन्नन्द आदि व्रजेश्वरगण बड़े विस्मित हुए। फिर उन्होंने पहलेका निश्चय त्यागकर श्रीगिरिराज-पूजनका आयोजन किया। मिथिलेश्वर! नन्दराज अपने दोनों पुत्र—बलराम और श्रीकृष्णको तथा भेंटपूजाकी सामग्रीको लेकर यशोदाजीके साथ गिरिराज-पूजनके लिये उत्कण्ठित हो प्रसन्नतापूर्वक गये। उनके साथ गर्गजी भी थे। वे अपनी पत्नीके साथ बहुत ऊँचे चित्र-विचित्र वर्णोंसे रँगे हुए तथा सोनेकी साँकल धारण करनेवाले हाथीपर आरूढ़ हो, गौओंके साथ गोवर्धन पर्वतके समीप गये। मानो इन्द्राणीके साथ इन्द्र ऐरावतपर आरूढ़ हो शरदृतुके श्वेत बादलोंके साथ उपस्थित हुए हों। नन्द, उपनन्द और वृषभानुगण अपने पुत्रों, पोतों और पत्नियोंके साथ यज्ञका सारा सम्भार लिये गिरिराजके पास आ पहुँचे। सहस्रों बालरविके दीप्तिसे प्रकाशित

शिबिकामें आरूढ़ हो दिव्य वस्त्रों तथा रत्नमय आभूषणोंसे विभूषित श्रीराधा सखी-समुदायके साथ वहाँ आकर उसी प्रकार सुशोभित हुईं, जैसे शची चकोरी और भ्रमरियोंके साथ शोभा पाती हों॥ १—५॥

राजन्! श्रीराधाके दोनों बगलमें आयी हुई विविध अलंकारोंसे अलंकृत तथा करोड़ों सखियोंसे आवृत दो सर्वश्रेष्ठ चन्द्रमुखी सखियाँ-ललिता और विशाखा-चारु चँवर डुलाती हुई शोभा पाती थीं। नरेश्वर! इसी प्रकार रमा, विरजा, माधवी, माया, यमुना और गङ्गा आदि बत्तीस सखियाँ, आठ सखियाँ, सोलह सखियाँ और उन सबके यूथमें सम्मिलित असंख्य सखियाँ वहाँ आयीं। मिथिलानिवासिनी, कोसल-प्रदेशवासिनी तथा अयोध्यापुरनिवासिनी, श्रुतिरूपा, ऋषिरूपा, यज्ञसीतास्वरूपा तथा वनवासिनी गोपियोंका समुदाय भी वहाँ उपस्थित हुआ। रमा आदि वैकुण्ठवासिनी देवियाँ, वैकुण्ठसे भी ऊपरके लोकोंमें रहनेवाली दिव्याङ्गनाएँ, परम उज्ज्वल श्वेतद्वीपकी निवासिनी बालाएँ और ध्रुवादि लोकों तथा लोकाचलमें रहनेवाली देवीरूपा गोपाङ्गनाओंका दल भी वहाँ आ गया। जो समुद्रसे उत्पन्न लक्ष्मीकी सखियाँ थीं, दिव्य गुणत्रयमयी अङ्गनाएँ थीं, अदिव्य विमानचारियोंकी वनिताएँ थीं; जो ओषधिस्वरूपा थीं, जो जालन्धरके अन्त:पुरकी स्त्रियाँ थीं, जो समुद्र-कन्याएँ थीं तथा जो बर्हिष्मतीनगरी तथा सुतल आदि लोकोंमें निवास करनेवाली थीं, उन समस्त दिव्याङ्गनाओंका समुदाय गिरिराज गोवर्धनके पास आकर विराजमान हुआ। इसी प्रकार अप्सराओं, समस्त नागकन्याओं तथा व्रजवासिनियोंके यूथ भी वस्त्राभूषणोंसे विभूषित हो, हाथोंमें पूजन-सामग्री और प्रदीप लिये गिरिराजके पास आ पहुँचे। बालक, युवक और वृद्ध गोप भी पीताम्बर, पगड़ी तथा मोरपंखसे मण्डित तथा सुन्दर हार, गुञ्जा और वनमालाओंसे विभूषित हो, नूतन यष्टि तथा वेणु लिये, वहाँ आकर शोभा पाने लगे। गिरिराज हिमालयके मुखसे उस उत्सवका समाचार सुनकर गङ्गाधर शिव मस्तकपर जटा-जूट बाँधे, हाथमें कपाल लिये, अङ्गोंमें चिताकी भस्म लगाये, सर्पोंकी माला तथा कंगनोंसे विभूषित हो, भाँग, धतूर और विष पीकर मत्त हुए, गिरिराजनन्दिनी उमाके साथ आदि-वाहन नन्दीश्वरपर आरूढ़ हो, प्रमथगणोंसे घिरे हुए, गिरिराज-मण्डलमें आये। मुख्य-मुख्य राजर्षि, ब्रह्मर्षि, देवर्षि, सिद्धेश्वर, हंस आदि योगेश्वर तथा सहस्रों ब्राह्मण-वृन्द गिरिराजका दर्शन करनेके लिये आस-पास एकत्र हो गये॥ ६—१५॥

गोवर्धन पर्वतकी एक-एक शिला रत्नमयी हो गयी। उसके सुवर्णमय शृङ्ग चारों ओर अपनी दीप्ति फैलाने लगे। राजन्! वह पर्वत मतवाले भ्रमरों तथा निर्झर-शोभित कन्दराओंसे उन्नतकाय गजराजकी शोभा धारण करने लगा। उसी समय मेरु और हिमालय आदि गिरीन्द्र दिव्य रूप धारण करके, भेंट और माङ्गलिक वस्तुएँ हाथमें लिये मूर्तिमान् गोवर्धनको प्रणाम करने लगे। भगवान् श्रीकृष्णकी बतायी हुई विधिके अनुसार द्विजोंद्वारा गोवर्धन-पूजन सम्पन्न करके, ब्राह्मणों, अग्नियों तथा गोधनकी सम्यक् पूजा करनेके पश्चात्, व्रजेश्वर नन्दने गिरिराजकी सेवामें बहुत-सा धन तथा बहुमूल्य भेंट-सामग्री प्रस्तुत की। नन्द, उपनन्द, वृषभानु, गोपीवृन्द तथा गोपगण नाचने, गाने और बाजे बजाने लगे। उन सबके साथ हर्षसे भरे हुए श्रीकृष्णने गिरिराजकी परिक्रमा की। आकाशसे देवता फूल बरसाने लगे और भूतलवासी जनसमुदाय लाजा (लावा या खील) छींटने लगा। उस यज्ञमें गिरीन्द्रोंका सम्राट् गोवर्धन लोगोंसे घिरकर किसी महाराजके समान सुशोभित होने लगा। साक्षात् श्रीकृष्ण भी व्रजस्थित शैल गोवर्धनके बीचसे एक दूसरा विशाल रूप धारण करके निकले और 'मैं गिरिराज गोवर्धन हूँ'—यों कहते हुए वहाँका सारा अन्नकूट भोग लगाने लगे। गोपालों और गोपियोंके समुदायमें जो मुख्य-मुख्य लोग थे, उन्होंने गिरिका यह प्रभाव अपनी आँखों देखा तथा गिरिराजको वहाँ वर देनेके लिये उद्यत देख सब-के-सब आश्चर्यचकित हो उठे। सबके मनमें अपूर्व उल्लास छा गया॥ १६—२२॥

उस समय गोपोंने कहा—प्रभो! आज हमने जान लिया कि आप साक्षात् गिरिराज देवता हैं। स्वयं नन्दनन्दनने हमें आपके दर्शनका अवसर दिया है। आपकी कृपासे हमारा गोधन और बन्धुवर्ग प्रतिदिन

इस भूतलपर वृद्धिको प्राप्त हो। 'ऐसा ही होगा'—यों कहकर किरीट और केयूर आदि आभूषणोंसे मनोहर अङ्गवाले दिव्यरूपधारी गिरिराजराज गोवर्धन क्षण-भरमें वहाँ उनके निकट ही अन्तर्धान हो गये। तब नन्द-उपनन्द, वृषभानु, बलराम, वृषभानुराज सुचन्द्र, श्रीनन्दराज, श्रीहरि एवं समस्त गोप-गोपीगण अपने गोधनोंके साथ वहाँसे चले। ब्राह्मण, योगेश्वर-समुदाय, सिद्धसंघ, शिव आदि देवता तथ अन्य सब लोग गिरिराजको प्रणाम और उनका पूजन करके प्रसन्नतापूर्वक अनिच्छासे अपने-अपने घरको गये। राजन्! श्रीकृष्णचन्द्रके इस उत्तम चरित्रका तथा गिरिराजराजके उस विचित्र महोत्सवका मैंने तुम्हारे सामने वर्णन किया। यह पावन प्रसङ्ग बड़े-बड़े पापोंको हर लेनेवाला है॥ २३—२७॥

इस प्रकार श्रीगर्गसंहितामें गिरिराजखण्डके अन्तर्गत नारद-बहुलाश्व-संवादमें 'गिरिराज-महोत्सवका वर्णन' नामक दूसरा अध्याय पूरा हुअ॥ ३॥

तीसरा अध्याय

श्रीकृष्णका गोवर्धन पर्वतको उठाकर इन्द्रके द्वारा क्रोधपूर्वक करायी गयी घोर जलवृष्टिसे रक्षा करना

श्रीनारदजी कहते हैं—राजन्! तदनन्तर मेरे मुखसे अपने यज्ञका लोप तथा गोवर्धन-पूजनोत्सवके सम्पन्न होनेका समाचार सुनकर देवराज इन्द्रने बड़ा क्रोध किया। उन्होंने उस सांवर्तक नामक मेघगणको, जिसका बन्धन केवल प्रलयकालमें खोला जाता है, बुलाकर तत्काल व्रजका विनाश कर डालनेके लिये भेजा। आज्ञा पाते ही विचित्र वर्णवाले मेघगण रोषपूर्वक गर्जना करते हुए चले। उनमें कोई काले, कोई पीले और कोई हरे रंगके थे। किन्हींकी कान्ति इन्द्रगोप (वीरबहूटी) नामक कीड़ोंकी तरह लाल थी। कोई कपूरके समान सफेद थे और कोई नील कमलके समान नीली प्रभासे युक्त थे। इस तरह नाना रंगोंके मेघ मदोन्मत्त हो हाथीके समान मोटी वारि-धाराओंकी वर्षा करने लगे। कुछ चञ्चल मेघ हाथीकी सूँड़के समान मोटी धाराएँ गिराने लगे। पर्वतशिखरके समान करोड़ों प्रस्तरखण्ड वहाँ बड़े वेगसे गिरने लगे। साथ ही प्रचण्ड आँधी चलने लगी, जो वृक्षों और घरोंको उखाड़ फेंकती थी। मैथिलेन्द्र! प्रलयंकर मेघों तथा वज्रपातोंका महाभयंकर शब्द व्रजभूमिपर व्याप्त हो गया। उस भयंकर नादसे सातों लोकों और पातालोंसहित ब्रह्माण्ड गूँज उठा, दिग्गज विचलित हो गये और आकाशसे भूतलपर तारे टूट-टूटकर गिरने लगे। अब तो प्रधान-प्रधान गोप भयभीत हो, प्राण बचानेकी इच्छासे अपने-अपने शिशुओं और कुटुम्बको आगे करके नन्दमन्दिरमें आये। बलरामसहित परमेश्वर श्रीनन्दनन्दनकी शरणमें जाकर समस्त भयभीत व्रजवासी उन्हें प्रणाम करके कहने लगे॥ १—१०॥

गोप बोले—महाबाहु राम ! राम !! और व्रजेश्वर कृष्ण! कृष्ण!! इन्द्रके दिये हुए इस महान् कष्टसे आप अपने जनोंकी रक्षा कीजिये, रक्षा कीजिये। तुम्हारे कहनेसे हमलोगोंने इन्द्रयाग छोड़कर गोवर्धन-पूजाका उत्सव मनाया, इससे आज इन्द्रका कोप बहुत बढ़ गया है। अब शीघ्र बताओ, हमें क्या करना चाहिये?॥ ११-१२॥

श्रीनारदजी कहते हैं—राजन्! गोपी और ग्वालोंसे युक्त गोकुलको व्याकुल देख तथा बछड़ों-सहित गो-समुदायको भी पीड़ित निहार, भगवान् बिना किसी घबराहटके बोले॥ १३॥

श्रीभगवान्ने कहा—आपलोग डरें नहीं। समस्त परिकरोंके साथ गिरिराजके तटपर चलें। जिन्होंने तुम्हारी पूजा ग्रहण की है, वे ही तुम्हारी रक्षा करेंगे॥ १४॥

श्रीनारदजी कहते हैं—राजन्! यों कहकर श्रीहरि स्वजनोंके साथ गोवर्धनके पास गये और उस

पर्वतको उखाड़कर एक ही हाथसे खेल-खेलमें ही धारण कर लिया। जैसे बालक बिना श्रमके ही गोबर-छत्ता उठा लेता है; अथवा जैसे हाथी अपनी सूँड़से कमलको अनायास उखाड़ लेता है; उसी प्रकार कृपालु करुणामय प्रभु श्रीव्रजराजनन्दन गोवर्धन पर्वतको धारण करके सुशोभित हुए॥ १५-१६॥

फिर वे गोपोंसे बोले—'मैया! बाबा! व्रज-वल्लभेश्वरगण! आप सब लोग सारी सामग्री, सम्पूर्ण धन तथा गौओंके साथ गिरिराजके गर्तमें समा जाइये। यही एक ऐसा स्थान है, जहाँ इन्द्रका कोई भय नहीं है'॥ १७॥

श्रीहरिका यह वचन सुनकर गोधन, कुटुम्ब तथा अन्य समस्त उपकरणोंके साथ वे गोवर्धन पर्वतके गड्ढेमें समा गये। नरेश्वर! श्रीकृष्णका अनुमोदन पाकर बलरामजीसहित समस्त सखा ग्वाल-बालोंने पर्वतको रोकनेके लिये अपनी-अपनी लाठियोंको भी लगा लिया। पर्वतके नीचे जलप्रवाहको आता देख भगवान्ने मन-ही-मन सुदर्शनचक्र तथा शेषका स्मरण करके उसके निवारणके लिये आज्ञा प्रदान की। मिथिलेश्वर उस पर्वतके ऊपर स्थित हो, कोटि सूर्योंके समान तेजस्वी सुदर्शनचक्र गिरती हुई जलकी धाराओं-को उसी प्रकार पीने लगा, जैसे अगस्त्यमुनिने समुद्रको पी लिया था। उस पर्वतके नीचे शेषनागने चारों ओरसे गोलाकार स्थित हो, उधर आते हुए जलप्रवाहको उसी तरह रोक दिया, जैसे तटभूमि समुद्रको रोके रहती है। गोवर्धनधारी श्रीहरि एक सप्ताहतक सुस्थिरभावसे खड़े रहे और समस्त गोप चकोरोंकी भाँति श्रीकृष्णचन्द्रकी ओर निहारते हुए बैठे रहे। तदनन्तर मतवाले ऐरावत हाथीपर चढ़कर, अपनी सेना साथ ले, रोषसे भरे हुए देवराज इन्द्र व्रजमण्डलमें आये। उन्होंने दूरसे ही नन्दव्रजको नष्ट कर डालनेकी इच्छासे अपना वज्र चलानेकी चेष्टा की। किंतु माधवने वज्रसहित उनकी भुजाको स्तम्भित कर दिया। फिर तो इन्द्र भयभीत हो गये और जैसे सिंहकी चोट खाकर हाथी भागे, उसी प्रकार वे सांवर्तकगणों तथा देवताओंके साथ सहसा भाग चले। नरेश्वर! उसी समय सूर्योदय हो गया। बादल इधर-उधर छँट गये। हवाका वेग रुक गया और नदियोंमें बहुत थोड़ा पानी रह गया। पृथ्वीपर पङ्कका नाम भी नहीं था। आकाश निर्मल हो गया। चौपाये और पक्षी सब ओर सुखी हो गये। तब भगवान्की आज्ञा पाकर समस्त गोप पर्वतके गर्तसे अपना-अपना गोधन लेकर धीरे-धीरे बाहर निकले॥ १८—२९॥

उसके बाद गोवर्धनधारीने अपने सखाओंसे कहा—'तुमलोग भी निकलो।' तब वे बोले—'नहीं, हम लोग अपने बलसे पर्वतको रोके हुए हैं; तुम्हीं निकल जाओ।' उन सबको इस तरहकी बातें करते देख महामना गोवर्धनधारी श्रीहरिने पर्वतका आधा भार उन-पर डाल दिया। बेचारे निर्बल गोप-बालक उस भारसे दबकर गिर पड़े। तब उन सबको उठाकर श्रीकृष्णने उनके देखते-देखते पर्वतको पहलेकी ही भाँति लीला-पूर्वक रख दिया। नरेश्वर! उस समय प्रमुख गोपियों और प्रधान-प्रधान गोपोंने नन्दनन्दनका गन्ध और अक्षत आदिसे पूजन करके उन्हें दही-दूधका भोग अर्पित किया और उनको परमात्मा जानकर सबने उनके चरणोंमें प्रणाम किया। राजन्! नन्द, यशोदा, रोहिणी, बलराम तथा सन्नन्द आदि वृद्ध गोपोंने श्रीकृष्णको हृदयसे लगाकर धनका दान किया और दयासे द्रवित हो, उन्हें शुभाशीर्वाद प्रदान किये। तदनन्तर उनकी भूरि-भूरि प्रशंसा करके, समस्त व्रजवासी सफल-मनोरथ हो नन्दनन्दनके समीप गाने, बजाने और नाचने लगे तथा उन श्रीहरिको आगे करके अपने घरको लौटे। उसी समय हर्षसे भरे हुए देवता वहाँ नन्दन-वनके सुन्दर-सुन्दर फूलोंकी वर्षा करने लगे तथा आकाशमें खड़े हुए प्रधान-प्रधान गन्धर्व और सिद्धोंके समुदाय गोवर्धनधारीके यश गाने लगे॥ ३०—३७॥

इस प्रकार श्रीगर्गसंहितामें गिरिराजखण्डके अन्तर्गत श्रीनारद-बहुलाश्व-संवादमें 'गोवर्धनोद्धारण' नामक तीसरा अध्याय पूरा हुआ॥ ३॥

चौथा अध्याय

इन्द्रद्वारा भगवान् श्रीकृष्णकी स्तुति तथा सुरभि और ऐरावतद्वारा उनका अभिषेक

श्रीनारदजी कहते हैं—राजन्! तदनन्तर गर्व गल जानेके कारण देवराज इन्द्र देवताओंके साथ उस पर्वतपर आये और एकान्तमें श्रीकृष्णको प्रणाम करके उनसे बोले॥ १॥

इन्द्रने कहा—आप देवताओंके भी देवता, सर्वसमर्थ, पूर्ण परमेश्वर, पुराण पुरुष, पुरुषोत्तमोत्तम, प्रकृतिसे परे तथा परात्पर श्रीहरि हैं। स्वर्गके स्वामी जगत्पते! मेरी रक्षा कीजिये, रक्षा कीजिये। धर्म, गौ तथा वेदकी रक्षा करनेके लिये दस अवतार धारण करनेवाले भगवान् आप ही हैं। इस समय भी आप परिपूर्णतम देवता कंसादि दैत्यराजोंके विनाशके लिये ही अवतीर्ण हुए हैं। आपकी मायासे जिसकी चित्तवृत्ति मोहित है, जो मदसे उन्मत्त और अवहेलनाका पात्र है, वही मैं आपका अपराधी इन्द्र हूँ। द्युपते! जैसे पिता पुत्रके अपराधको क्षमा कर देता है, उसी प्रकार आप मुझ अपराधीको क्षमा करें। देवेश्वर! जगन्निवास! मुझपर प्रसन्न होइये। गोवर्धनको उठानेवाले आप गोविन्दको नमस्कार है। गोकुलनिवासी गोपालको नमस्कार है। गोपालोंके पति, गोपीजनोंके भर्ता और गिरिराजके उद्धर्ताको नमस्कार है। करुणाकी निधि तथा जगत्के विधाता, विश्वमङ्गलकारी तथा जगत्के निवासस्थान आप परमात्माको प्रणाम है। जो विश्व-मोहन तथा करोड़ों कामदेवोंके भी मनको मथ देनेवाले हैं, उन वृषभानुनन्दिनीके स्वामी नन्दराजकुलदीपक परिपूर्णतम भगवान् श्रीकृष्णको नमस्कार है। असंख्य ब्रह्माण्डोंके पति, गोलोकधामके अधिपति एवं बलरामके साथ रहनेवाले आप साक्षात् भगवान् श्रीकृष्णको बारंबार नमस्कार है, नमस्कार है॥ २—५॥

श्रीनारदजी कहते हैं—इन्द्रद्वारा किये गये इस स्तोत्रका जो प्रातःकाल उठकर पाठ करेगा, उसे सब प्रकारकी सिद्धियाँ सुलभ होंगी और उसे किसी संकटसे भय नहीं होगा।* इस प्रकार भगवान् श्रीहरिकी स्तुति करके देवराज इन्द्रने हाथ जोड़कर समस्त देवताओंके साथ उन्हें प्रणाम किया। इसके बाद क्षीरसागरसे उत्पन्न हुई सुरभि गौने उस सुरम्य गोवर्धन पर्वतपर आकर अपनी दुग्धधारासे गोपेश्वर श्रीकृष्णको स्नान कराया। फिर मत्त गजराज ऐरावतने गङ्गाजलसे भरी हुई चार सूँड़ोंद्वारा भगवान् श्रीकृष्णका अभिषेक किया। राजन्! फिर हर्षोल्लाससे भरे हुए सम्पूर्ण देवता, गन्धर्व और किंनर ऋषियोंको साथ ले वेद-मन्त्रोंके उच्चारणपूर्वक पुष्पवर्षा करते हुए श्रीहरिकी स्तुति करने लगे॥ ६—१०॥

राजन्! श्रीकृष्णका अभिषेक सम्पन्न हो जानेपर वह महान् पर्वत गोवर्धन हर्ष एवं आनन्दसे द्रवीभूत होकर सब ओर बहने लगा। तब भगवान्ने प्रसन्न होकर उसके ऊपर अपना हस्तकमल रखा। नरेश्वर! उस पर्वतपर भगवान्के हाथका वह चिह्न आज भी दृष्टिगोचर होता है। वह परम पवित्र तीर्थ हो गया, जो मनुष्योंके पापोंका नाश करनेवाला है। वहीं चरणचिह्न भी है। मैथिल! उसे भी परम तीर्थ समझो। जहाँ

---

* त्वं देवदेवः परमेश्वरः प्रभुः पूर्णः पुराणः पुरुषोत्तमोत्तमः। परात्परस्त्वं प्रकृतेः परो हरिर्मां पाहि पाहि द्युपते जगत्पते॥
दशावतारो भगवांस्त्वमेव रिरक्षया धर्मगवां श्रुतेश्च। अद्यैव जातः परिपूर्णदेवः कंसादिदैत्येन्द्रविनाशनाय॥
त्वन्मायया मोहितचित्तवृत्तिं मदोद्धतं हेलनभाजनं माम्। पितेव पुत्रं द्युपते क्षमस्व प्रसीद देवेश जगन्निवास॥

ॐ नमो गोवर्द्धनोद्धरणाय गोविन्दाय गोकुलनिवासाय गोपालाय गोपालपतये गोपीजनभर्त्रे गिरिजोद्धर्त्रे करुणानिधये जगद्विधये जगन्मङ्गलाय जगन्निवासाय जगन्मोहनाय कोटिमन्मथमन्मथाय वृषभानुसुतावराय श्रीनन्दराजकुलप्रदीपाय श्रीकृष्णाय परिपूर्णतमाय त्वसंख्यब्रह्माण्डपतये गोलोकधामधिषणाधिपतये स्वयं भगवते सबलाय नमस्ते नमस्ते नमस्ते।

श्रीनारद उवाच

इति शक्रकृतं स्तोत्रं प्रातरुत्थाय यः पठेत्। सर्वसिद्धिर्भवेत्तस्य संकटान्न भयं भवेत्॥

(गर्ग०, गिरिराज० ४। २—६)

हस्तचिह्न है, वहीं उतना ही बड़ा चरणचिह्न भी हुआ। मैथिल! उसी स्थानपर सुरभि देवीके चरणचिह्न भी बन गये। मिथिलेश्वर! श्रीकृष्णके स्नानके निमित्त जो आकाशगङ्गाका जल गिरा, उससे वहीं 'मानसी गङ्गा' प्रकट हो गयीं, जो सम्पूर्ण पापोंका नाश करनेवाली हैं। नरेश्वर! सुरभिकी दुग्ध-धाराओंसे गोविन्दने जो स्नान किया, उससे उस पर्वतपर 'गोविन्दकुण्ड' प्रकट हो गया, जो बड़े-बड़े पापोंको हर लेनेवाला परमपावन तीर्थ है। कभी-कभी उस तीर्थके जलमें दूधका-सा स्वाद प्रकट होता है। उसमें स्नान करके मनुष्य साक्षात् गोविन्दके धामको प्राप्त होता है। इस प्रकार वहाँ श्रीहरिकी परिक्रमा करके, उन्हें प्रणामपूर्वक बलि (पूजोपहार) समर्पित करनेके पश्चात्, इन्द्र आदि देवता जय-जयकारपूर्वक पुष्प बरसाते हुए बड़े सुखसे स्वर्गलोकको लौट गये। राजेन्द्र! जो श्रीकृष्णाभिषेककी इस कथाको सुनता है, वह दस अश्वमेध यज्ञोंके अवभृथ-स्नानसे अधिक पुण्य-फलको पाता है। फिर वह परम-विधाता परमेश्वर श्रीकृष्णके परमपदको प्राप्त होता है॥ ११—१९॥

इस प्रकार श्रीगर्गसंहितामें श्रीगिरिराजखण्डके अन्तर्गत श्रीनारद-बहुलाश्व-संवादमें 'श्रीकृष्णका अभिषेक' नामक चौथा अध्याय पूरा हुआ॥ ४॥

पाँचवाँ अध्याय

गोपोंका श्रीकृष्णके विषयमें संदेहमूलक विवाद तथा श्रीनन्दराज एवं वृषभानुवरके द्वारा समाधान

श्रीनारदजी कहते हैं—एक समय समस्त गोपों और गोपियोंने नन्दनन्दनके उस अद्भुत चरित्रको देखकर यशोदासहित नन्दके पास जाकर कहा॥ १॥

गोप बोले—हे यशोमय गोपराज! तुम्हारे वंशमें पहले कभी कोई भी ऐसा बालक नहीं उत्पन्न हुआ था, जो पर्वत उठा ले। तुम स्वयं तो एक शिलाखण्ड भी सात दिनतक नहीं उठाये रह सकते। कहाँ तो सात वर्षका बालक और कहाँ उसके द्वारा इतने बड़े गिरिराजको हाथपर उठाये रखना। इससे तुम्हारे इस महाबली पुत्रके विषयमें हमें शङ्का होती है। जैसे गजराज एक कमल उठा ले और जैसे बालक गोबर-छत्ता हाथमें ले ले, उसी तरह इसने खेल-ही-खेलमें एक हाथसे गिरिराजको उठा लिया था॥ २—४॥

यशोदे! तुम गोरी हो, और नन्दजी! तुम भी सुवर्णसदृश गौरवर्णके हो; किंतु यह श्यामवर्णका उत्पन्न हुआ है। इसका रूप-रंग इस कुलके लोगोंसे सर्वथा विलक्षण है। यह बालक तो ऐसा है, जैसे क्षत्रियोंके कुलमें उत्पन्न हुआ हो। बलभद्रजी भी विलक्षण हैं, किन्तु इनकी विलक्षणता कोई दोषकी बात नहीं है; क्योंकि इनका जन्म चन्द्रवंशमें हुआ है। यदि तुम सच-सच नहीं बताओगे तो हम तुम्हें जातिसे बहिष्कृत कर देंगे। अथवा यह बताओ कि गोपकुलमें इसकी उत्पत्ति कैसे हुई? यदि नहीं बताओगे तो हमसे तुम्हारा झगड़ा होगा॥ ५—७॥

श्रीनारदजी कहते हैं—गोपोंकी बात सुनकर यशोदाजी तो भयसे काँप उठीं, किंतु उस समय क्रोधसे भरे हुए गोपगणोंसे नन्दराज इस प्रकार बोले॥ ८॥

श्रीनन्दजीने कहा—गोपगण! मैं एकाग्रचित्त होकर गर्गजीकी कही हुई बात तुम्हें बता रहा हूँ, जिससे तुम्हारे मनकी चिन्ता और व्यथा शीघ्र दूर हो जायगी। पहले 'कृष्ण' शब्दके अक्षरोंका अभिप्राय सुनो—'ककार' कमलाकान्तका वाचक है; 'ऋकार' रामका बोधक है; 'षकार' श्वेतद्वीपनिवासी षड्विध ऐश्वर्य-गुणोंके स्वामी भगवान् विष्णुका वाचक है; 'णकार' साक्षात् नरसिंहस्वरूप है; 'अकार' उस अक्षर पुरुषका बोधक है, जो अग्निको भी पी जाता है। अन्तमें जो 'विसर्ग' नामक दो बिन्दु हैं, ये 'नर' और

नारायण' ऋषियोंके प्रतीक हैं। ये छहों पूर्ण तत्त्व जिस परिपूर्णतम परमात्मामें लीन हैं, वही साक्षात् 'कृष्ण' है। इसी अर्थमें इस बालकका नाम 'कृष्ण' कहा गया है। युगके अनुसार इसका वर्ण सत्ययुगमें 'शुक्ल', त्रेतामें 'रक्त' तथा द्वापरमें 'पीत' होता आया है। इस समय द्वापरके अन्त और कलियुगके आदिमें यह बालक 'कृष्ण' रूपको प्राप्त हुआ है, इस कारणसे यह नन्दनन्दन 'कृष्ण' नामसे विख्यात है। पाँच ज्ञानेन्द्रियाँ तथा मन, बुद्धि, चित्त—ये तीन प्रकारके अन्तःकरण 'आठ वसु' कहे गये हैं। इनके अधिष्ठाता देवता भी इसी नामसे प्रसिद्ध हैं। इन वसुओंमें अन्तर्यामीरूपसे स्थित होकर ये श्रीकृष्णदेव ही चेष्टा करते हैं, इसलिये इन्हें 'वासुदेव' कहा गया है॥ ९—१५॥

"वृषभानुनन्दिनी राधा" जो कीर्तिके भवनमें प्रकट हुई है, उसके साक्षात् पति ये ही हैं; इसलिये इन्हें 'राधापति' भी कहा गया है। ये साक्षात् परिपूर्णतम भगवान् श्रीकृष्ण असंख्य ब्रह्माण्डोंके अधिपति हैं और सर्वत्र व्यापक होते हुए भी स्वरूपसे गोलोकधाममें विराजते हैं। नन्द! वे ही ये भगवान् भूतलका भार उतारने, कंसादि दैत्योंको मारने तथा भक्तोंका पालन करनेके लिये तुम्हारे पुत्ररूपमें प्रकट हुए हैं। भरतवंशी नन्द! इस बालकके अनन्त नाम हैं, जो वेदोंके लिये भी गोपनीय हैं तथा इसकी लीलाओंके अनुसार और भी बहुत-से नाम विख्यात होंगे। अतः इसके कितने ही महान् विलक्षण कर्म क्यों न हों, उनके सम्बन्धमें कोई विस्मय नहीं करना चाहिये। गोपगण! अपने पुत्रके विषयमें गर्गजीकी कही हुई इस बातको सुनकर मैं कभी संदेह नहीं करता; क्योंकि पृथ्वीपर वेद-वाक्य और ब्राह्मण-वचन ही प्रमाण हैं"॥ १६—२०॥

गोप बोले—यदि महामुनि गर्गाचार्य तुम्हारे घर आये थे, तब उसी समय नामकरण-संस्कारमें तुमने भाई-बन्धुओंको क्यों नहीं बुलाया? चुपचाप अपने घरमें ही बालकका नामकरण-संस्कार कर लिया। यह तुम्हारी अच्छी रीति है कि सारा कार्य घरमें ही गुप-चुप कर लिया जाय॥ २१-२२॥

श्रीनारदजी कहते हैं—राजन्! यों कहकर क्रोधसे भरे हुए गोप नन्दमन्दिरसे निकलकर वृषभानुवरके पास गये। वृषभानुवर नन्दराजके साक्षात् सहायक थे, तथापि इसकी परवाह न करके जातीय संघटनके बलसे उन्मत्त हुए गोप उनके पास जाकर बोले॥ २३-२४॥

गोपोंने कहा—हे वृषभानुवर! तुम हमारे जातिवर्गमें प्रधान और महामनस्वी हो। अतः गोपेश्वर भूपाल! तुम नन्दराजको जातिसे अलग कर दो॥ २५॥

वृषभानुवर बोले—नन्दराजका क्या दोष है, जिससे मैं उनको त्याग दूँ? नन्दराज तो समस्त गोपोंके प्रिय, अपनी जातिके मुकुट तथा मेरे भी परम प्रिय हैं॥ २६॥

गोप बोले—राजन्! महामते! यदि तुम नन्दराजको नहीं छोड़ोगे तो हम सब व्रजवासी तुम्हें छोड़ देंगे। तुम्हारे घरमें कन्या बड़ी आयुकी होकर विवाहके योग्य हो गयी है और तुमने हमारी जातिके प्रधान होकर भी धन-सम्पत्तिके मदसे मतवाले हो अबतक उसे किसी श्रेष्ठ वरके हाथमें नहीं सौंपा है, इसलिये तुम्हारे ऊपर पाप चढ़ा हुआ है। महामते नरेश! आजसे हम तुम्हें जातिभ्रष्ट तथा अपनेसे अलग मान लेंगे; नहीं तो शीघ्र नन्दराजको छोड़ दो, छोड़ दो॥ २७—२९॥

वृषभानुवरने कहा—गोपगण! मैं एकाग्र-चित्त होकर गर्गजीकी कही हुई बात बता रहा हूँ, जिससे शीघ्र ही तुम्हारी चिन्ता-व्यथा दूर हो जायगी। उन्होंने बताया—"असंख्य ब्रह्माण्डोंके अधिपति, लोकेश्वर, परात्पर भगवान् श्रीकृष्ण नन्दगृहमें बालक होकर अवतीर्ण हुए हैं। उनसे बढ़कर श्रीराधाके लिये कोई वर नहीं है। ब्रह्माजीकी प्रार्थनासे भूमिका भार उतारने और कंसादिके वध करनेके लिये भूतलपर श्रीकृष्णका अवतार हुआ है। गोलोकमें 'श्रीराधा' नामकी जो श्रीकृष्णकी पटरानी हैं, वे ही तुम्हारे घरमें कन्यारूपसे अवतीर्ण हुई हैं। उन 'परा देवी'को तुम नहीं जानते। मैं इन दोनोंका विवाह नहीं कराऊँगा। इनका विवाह यमुनातटपर भाण्डीर-वनमें होगा। वृन्दावनके समीप निर्जन सुन्दर स्थलमें साक्षात्

ब्रह्माजी पधारकर श्रीराधा तथा श्रीकृष्णका विवाह-कार्य सम्पन्न करायेंगे। अत: गोपप्रवर! तुम श्रीराधाको लोकचूडामणि साक्षात् परमात्मा श्रीकृष्णकी अर्धाङ्गस्वरूपा एवं गोलोकधामकी महारानी समझो। तुम समस्त गोपगण भी गोलोकसे इस भूतलपर आये हो। इसी तरह गोपियाँ और गौएँ भी श्रीराधाकी इच्छासे ही गोलोकसे गोकुलमें आयी हैं।" यों कहकर साक्षात् महामुनि गर्गाचार्य जब चले गये, उसी दिनसे श्रीराधाके विषयमें मैं कभी कोई संदेह या शङ्का नहीं करता। इस भूतलपर ब्राह्मणवचन वेदवाक्यवत् प्रमाण हैं। गोपो! यह सब रहस्य मैंने तुम्हें सुना दिया; अब और क्या सुनना चाहते हो?॥ ३०—३९॥

इस प्रकार श्रीगर्गसंहितामें श्रीगिरिराजखण्डके अन्तर्गत श्रीनारद-बहुलाश्व-संवादमें 'गोपविवाद' नामक पाँचवाँ अध्याय पूरा हुआ॥ ५॥

छठा अध्याय

गोपोंका वृषभानुवरके वैभवकी प्रशंसा करके नन्दनन्दनकी भगवत्ताका परीक्षण करनेके लिये उन्हें प्रेरित करना और वृषभानुवरका कन्याके विवाहके लिये वरको देनेके निमित्त बहुमूल्य एवं बहुसंख्यक मौक्तिक-हार भेजना तथा श्रीकृष्णकी कृपासे नन्दराजका वधूके लिये उनसे भी अधिक मौक्तिकराशि भेजना

श्रीनारदजी कहते हैं—राजन्! वृषभानुवरकी यह बात सुनकर समस्त व्रजवासी शान्त हो गये। उनका सारा संशय दूर हो गया तथा उनके मनमें बड़ा विस्मय हुआ॥ १॥

गोप बोले—राजन्! तुम्हारा कथन सत्य है। निश्चय ही यह राधा श्रीहरिकी प्रिया है। इसीके प्रभावसे भूतलपर तुम्हारा वैभव अधिक दिखायी देता है। हजारों मतवाले हाथी, चञ्चल घोड़े तथा देवताओंके विमान-सदृश करोड़ों सुन्दर रथ और शिबिकाएँ तुम्हारे यहाँ सुशोभित होती हैं। इतना ही नहीं, सुवर्ण तथा रत्नोंके आभूषणोंसे विभूषित कोटि-कोटि मनोहर गौएँ, विचित्र भवन, नाना प्रकारके मणिरत्न, भोजन-पान आदिका सर्वविध सौख्य—यह सब इस समय तुम्हारे घरमें प्रत्यक्ष देखा जाता है। तुम्हारा अद्भुत बल देखकर कंस भी पराभूत हो गया है।

महावीर! तुम कान्यकुब्ज देशके स्वामी साक्षात् राजा भलन्दनके जामाता हो तथा कुबेरके समान कोषाधिपति। तुम्हारे समान वैभव नन्दराजके घरमें कहीं नहीं है। नन्दराज तो किसान, गोयूथके अधिपति और दीन हृदयवाले हैं। प्रभो! यदि नन्दके पुत्र साक्षात् परिपूर्णतम श्रीहरि हैं तो हम सबके सामने नन्दके वैभवकी परीक्षा कराइये॥ २—८॥

श्रीनारदजी कहते हैं—राजन्! उन गोपोंकी बात सुनकर महान् वृषभानुवरने नन्दराजके वैभवकी परीक्षा की। मैथिलेश्वर! उन्होंने स्थूल मोतियोंके एक करोड़ हार लिये, जिनमें पिरोया हुआ एक-एक मोती एक-एक करोड़ स्वर्णमुद्राके मोलपर मिलनेवाला था और उन सबकी प्रभा दूरतक फैल रही थी। नरेश्वर! उन सबको पात्रोंमें रखकर बड़े कुशल वर-वरणकारी लोगोंद्वारा सब गोपोंके देखते-देखते वृषभानुवरने नन्दराजजीके यहाँ भेजा। नन्दराजकी सभामें जाकर अत्यन्त कुशल वर-वरणकर्ता लोगोंने मौक्तिक-हारोंके पात्र उनके सामने रख दिये और प्रणाम करके उनसे कहा॥ ९—१२॥

वर-वरणकर्ता बोले—नन्दराज! जिसके नेत्र नूतन विकसित कमलके समान शोभा पाते हैं तथा जो मुखमें करोड़ों चन्द्रमण्डलोंकी-सी कान्ति धारण करती है, उस अपनी पुत्री श्रीराधाको विवाहके योग्य जानकर वृषभानुवरने सुन्दर वरकी खोज करते हुए यह विचार किया है कि तुम्हारे पुत्र मदनमोहन श्रीकृष्ण दिव्य

वर हैं। गोवर्धन पर्वतको उठानेमें समर्थ, दिव्य भुजाओंसे सम्पन्न तथा उद्भट वीर हैं। प्रभो! वैश्य-प्रवर!! यह सब देख और सोच-विचारकर वृषभानुवन्दित वृषभानुवरने हम सबको यहाँ भेजा है। आप वरकी गोद भरनेके लिये पहले कन्या-पक्षकी ओरसे यह मौक्तिकराशि ग्रहण कीजिये। फिर इधरसे भी कन्याकी गोद भरनेके लिये पर्याप्त मौक्तिकराशि प्रदान कीजिये। यही हमारे कुलकी प्रसिद्ध रीति है॥ १३—१५॥

श्रीनारदजी कहते हैं—राजन्! उस उत्कृष्ट द्रव्यराशिको देखकर नन्दराज बड़े विस्मित हुए; तो भी वे कुछ विचारकर यशोदाजीसे 'उसके तुल्य रत्न-राशि है या नहीं' इस बातको पूछनेके लिये वह सब सामान लेकर अन्त:पुरमें गये। वहाँ उस समय नन्द और यशस्विनी यशोदाने चिरकालतक विचार किया, किंतु (अन्ततोगत्वा) इसी निष्कर्षपर पहुँचे कि 'इस मौक्तिकराशिके बराबर दूसरी कोई द्रव्यराशि मेरे घरमें नहीं है। आज लोगोंमें हमारी सारी लाज गयी। हम-लोगोंकी सब ओर हँसी उड़ायी जायगी। इस धनके बदलेमें हम दूसरा कौन-सा धन दें? क्या करें? श्रीकृष्णके इस विवाहके निमित्त हमारे द्वारा क्या किया जाना चाहिये? पहले तो जो कुछ वरके लिये आया है, उसे ग्रहण कर लेना चाहिये। पीछे अपने पास धन आनेपर वधूके लिये उपहार भेजा जायगा।' ऐसा विचार करते हुए नन्द और यशोदाजीके पास भगवान् अघमर्दन श्रीकृष्ण अलक्षितभावसे ही वहाँ आ गये। उन मौक्तिक-हारोंमेंसे सौ हार उन्होंने घरसे बाहर खेतोंमें ले जाकर, अपने हाथसे मोतीका एक-एक दाना लेकर, उन्होंने उसी भाँति सारे खेतमें छींट दिया, जैसे किसान अपने खेतोंमें अनाजके दाने बिखेर देता है। तदनन्तर नन्द भी जब उन मुक्तामालाओंकी गणना करने लगे, तब उनमें सौ मालाओंकी कमी देखकर उनके मनमें संदेह हुआ॥ १६—२२॥

नन्दजी बोले—हाय! पहले तो मेरे घरमें जिस रत्नराशिके समान दूसरी कोई रत्नराशि थी ही नहीं, उसमें भी अब सौकी कमी हो गयी। अहो! चारों ओरसे भाई-बन्धुओंके बीच मुझपर बड़ा भारी कलङ्क पोता जायगा। अथवा यदि श्रीकृष्ण या बलरामने खेलनेके लिये उसमेंसे कुछ मोती निकाल लिये हों तो अब दीनचित्त होकर मैं उन्हीं दोनों बालकोंसे पूछूँगा॥ २३-२४॥

श्रीनारदजी कहते हैं—राजन्! इस प्रकार विचारकर नन्दने भी श्रीकृष्णसे उन मोतियोंके विषयमें आदरपूर्वक पूछा। तब जोरसे हँसते हुए गोवर्धनधारी भगवान् नन्दसे बोले॥ २५॥

श्रीभगवान्ने कहा—बाबा! हम सारे गोप किसान हैं, जो खेतोंमें सब प्रकारके बीज बोया करते हैं; अत: हमने खेतमें मोतीके बीज बिखेर दिये हैं॥ २६॥

श्रीनारदजी कहते हैं—राजन्! बेटेके मुँहसे यह बात सुनकर व्रजेश्वर नन्दने उसे डाँट बतायी और उन सबको चुन-बीनकर लानेके लिये उसके साथ खेतोंमें गये। वहाँ मुक्ताफलके सैकड़ों सुन्दर वृक्ष दिखायी देने लगे, जो हरे-हरे पल्लवोंसे सुशोभित और विशालकाय थे। नरेश्वर! जैसे आकाशमें झुंड-के-झुंड तारे शोभा पाते हैं, उसी प्रकार उन वृक्षोंमें कोटि-कोटि मुक्ताफलोंके गुच्छे समूह-के-समूह लटके हुए सुशोभित हो रहे थे। तब हर्षसे भरे हुए व्रजेश्वर नन्दराजने श्रीकृष्णको परमेश्वर जानकर पहलेके समान ही मोटे-मोटे दिव्य मुक्ताफल उन वृक्षोंसे तोड़ लिये और उनके एक कोटि भार गाड़ियोंपर लदवाकर उन वर-वरणकर्ताओंको दे दिये। नरेश्वर! वह सब लेकर वे वरदर्शी लोग वृष-भानुवरके पास गये और सबके सुनते हुए नन्दराजके अनुपम वैभवका वर्णन करने लगे॥ २७—३२॥

उस समय सब गोप बड़े विस्मित हुए। नन्द-नन्दनको साक्षात् श्रीहरि जानकर समस्त व्रज-वासियोंका संशय दूर हो गया और उन्होंने वृषभानुवरको प्रणाम किया। मिथिलेश्वर! उसी दिनसे व्रजके सब लोगोंने यह जान लिया कि श्रीराधा श्रीहरिकी प्रियतमा हैं और श्रीहरि श्रीराधाके प्राणवल्लभ हैं। मिथिलापते! जहाँ नन्दनन्दन श्रीहरिने मोती बिखेरे थे, वहाँ 'मुक्ता-सरोवर' प्रकट

हो गया, जो तीर्थोंका राजा है। जो वहाँ एक मोतीका भी दान करता है, वह लाख मोतियोंके दानका फल पाता है, इसमें संशय नहीं है। राजन्! इस प्रकार मैंने तुमसे गिरिराज-महोत्सवका वर्णन किया, जो मनुष्योंके लिये भोग और मोक्ष प्रदान करनेवाला है। अब तुम और क्या सुनना चाहते हो?॥ ३३—३७॥

इस प्रकार श्रीगर्गसंहितामें श्रीगिरिराजखण्डके अन्तर्गत श्रीनारद-बहुलाश्व-संवादमें 'श्रीहरिकी भगवत्ताका परीक्षण' नामक छठा अध्याय पूरा हुआ॥ ६॥

सातवाँ अध्याय

गिरिराज गोवर्धनसम्बन्धी तीर्थोंका वर्णन

बहुलाश्वने पूछा—महायोगिन्! आप साक्षात् दिव्यदृष्टिसे सम्पन्न हैं; अतः यह बताइये कि महात्मा गिरिराजके आस-पास अथवा उनके ऊपर कितने मुख्य तीर्थ हैं?॥ १॥

श्रीनारद बोले—राजन्! समूचा गोवर्धन पर्वत ही सब तीर्थोंसे श्रेष्ठ माना जाता है। वृन्दावन साक्षात् गोलोक है और गिरिराजको उसका मुकुट बताकर सम्मानित किया गया है। वह पर्वत गोपों, गोपियों तथा गौओंका रक्षक एवं महान् कृष्णप्रिय है। जो साक्षात् पूर्णब्रह्मका छत्र बन गया, उससे श्रेष्ठ तीर्थ दूसरा कौन है। भुवनेश्वर एवं साक्षात् परिपूर्णतम भगवान् श्रीकृष्णने, जो असंख्य ब्रह्माण्डोंके अधिपति, गोलोकके स्वामी तथा परात्पर पुरुष हैं, अपने समस्त जनोंके साथ इन्द्रयागको धता बताकर जिसका पूजन आरम्भ किया, उस गिरिराजसे अधिक सौभाग्यशाली कौन होगा। मैथिल! जिस पर्वतपर स्थित हो भगवान् श्रीकृष्ण सदा ग्वाल-बालोंके साथ क्रीड़ा करते हैं, उसकी महिमाका वर्णन करनेमें तो चतुर्मुख ब्रह्माजी भी समर्थ नहीं हैं। जहाँ बड़े-बड़े पापोंकी राशिका नाश करनेवाली मानसी गङ्गा विद्यमान हैं, विशद गोविन्दकुण्ड तथा शुभ्र चन्द्रसरोवर शोभा पाते हैं, जहाँ राधाकुण्ड, कृष्णकुण्ड, ललिताकुण्ड, गोपाल-कुण्ड तथा कुसुमसरोवर सुशोभित हैं, उस गोवर्धनकी महिमाका कौन वर्णन कर सकता है। श्रीकृष्णके मुकुटका स्पर्श पाकर जहाँकी शिला मुकुटके चिह्नसे सुशोभित हो गयी, उस शिलाका दर्शन करनेमात्रसे मनुष्य देवशिरोमणि हो जाता है। जिस शिलापर श्रीकृष्णने चित्र अङ्कित किये हैं, वह चित्रित और पवित्र 'चित्रशिला' नामकी शिला आज भी गिरिराजके शिखरपर दृष्टिगोचर होती है। बालकोंके साथ क्रीड़ामें संलग्न श्रीकृष्णने जिस शिलाको बजाया था, वह महान् पापसमूहोंका नाश करनेवाली शिला 'वादिनी शिला' (बाजनी शिला) के नामसे प्रसिद्ध हुई। मैथिल ! जहाँ श्रीकृष्णने ग्वाल-बालोंके साथ कन्दुक-क्रीड़ा की थी, उसे 'कन्दुकक्षेत्र' कहते हैं। वहाँ 'शक्रपद' और 'ब्रह्मपद' नामक तीर्थ हैं, जिनका दर्शन और जिन्हें प्रणाम करके मनुष्य इन्द्रलोक और ब्रह्मलोकमें जाता है। जो वहाँकी धूलमें लोटता है, वह साक्षात् विष्णुपदको प्राप्त होता है। जहाँ माधवने गोपोंकी पगड़ियाँ चुरायी थीं, वह महापापहारी तीर्थ उस पर्वतपर 'औष्णीष' नामसे प्रसिद्ध है॥ २—१४॥

एक समय वहाँ दधि बेचनेके लिये गोपवधुओंका समुदाय आ निकला। उनके नूपुरोंकी झनकार सुनकर मदनमोहन श्रीकृष्णने निकट आकर उनकी राह रोक ली। वंशी और वेत्र धारण किये श्रीकृष्णने ग्वाल-बालोंद्वारा उनको चारों ओरसे घेर लिया और स्वयं उनके आगे पैर रखकर मार्गमें उन गोपियोंसे बोले—'इस मार्गपर हमारी ओरसे कर वसूल किया जाता है, सो तुमलोग हमारा दान दे दो'॥ १५-१६॥

गोपियाँ बोलीं—तुम बड़े टेढ़े हो, जो ग्वाल-बालोंके साथ राह रोककर खड़े हो गये ? तुम बड़े गोरस-लम्पट हो। हमारा रास्ता छोड़ दो, नहीं तो माँ-बापसहित तुमको हम बलपूर्वक राजा कंसके कारागारमें डलवा देंगी॥ १७॥

श्रीभगवान्‌ने कहा—अरी! कंसका क्या डर दिखाती हो? मैं गौओंकी शपथ खाकर कहता हूँ, महान् उग्रदण्ड धारण करनेवाले कंसको मैं उसके बन्धु-बान्धवसहित मार डालूँगा; अथवा मैं उसे मथुरासे गोवर्धनकी घाटीमें खींच लाऊँगा॥ १८॥

श्रीनारदजी कहते हैं—राजन्! यों कहकर बालकोंद्वारा पृथक्-पृथक् सबके दहीपात्र मँगवाकर नन्दनन्दनने बड़े आनन्दके साथ भूमिपर पटक दिये। गोपियाँ परस्पर कहने लगीं—'अहो! यह नन्दका लाला तो बड़ा ही ढीठ और निडर है, निरङ्कुश है। इसके साथ तो बात भी नहीं करनी चाहिये। यह गाँवमें तो निर्बल बना रहता है और वनमें आकर वीर बन जाता है। हम आज ही चलकर यशोदाजी और नन्दरायजीसे कहती हैं।'—यों कहकर गोपियाँ मुस्कराती हुई अपने घरको लौट गयीं॥ १९—२१॥

इधर माधवने कदम्ब और पलाशके पत्तेके दोने बनाकर बालकोंके साथ चिकना-चिकना दही ले-लेकर खाया। तबसे वहाँके वृक्षोंके पत्ते दोनेके आकारके होने लग गये। नृपेश्वर! वह परम पुण्य क्षेत्र 'द्रोण' नामसे प्रसिद्ध हुआ। जो मनुष्य वहाँ दहीदान करके स्वयं भी पत्तेमें रखे हुए दहीको पीकर उस तीर्थको नमस्कार करता है, उसकी गोलोकसे कभी च्युति नहीं होती। जहाँ नेत्र मूँदकर माधव बालकोंके साथ लुका-छिपीके खेल खेलते थे, वहाँ 'लौकिक' नामक पापनाशन तीर्थ हो गया। श्रीहरिकी लीलासे युक्त जो 'कदम्बखण्ड' नामक तीर्थ है, वहाँ सदा ही श्रीकृष्ण लीलारत रहते हैं। इस तीर्थका दर्शन करने-मात्रसे नर नारायण हो जाता है। मैथिल! जहाँ गोवर्धनपर रासमें श्रीराधाने शृङ्गार धारण किया था, वह स्थान 'शृङ्गारमण्डल' के नामसे प्रसिद्ध हुआ। नरेश्वर! श्रीकृष्णने जिस रूपसे गोवर्धन पर्वतको धारण किया था, उनका वही रूप शृङ्गारमण्डल-तीर्थमें विद्यमान है। जब कलियुगके चार हजार आठ सौ वर्ष बीत जायँगे, तब शृङ्गारमण्डल क्षेत्रमें गिरिराजकी गुफाके मध्यभागसे सबके देखते-देखते श्रीहरिका स्वतःसिद्ध रूप प्रकट होगा। नरेश्वर! देवताओंका अभिमान चूर्ण करनेवाले उस स्वरूपको सज्जन पुरुष 'श्रीनाथजी' के नामसे पुकारेंगे। राजन्! गोवर्धन पर्वतपर श्रीनाथजी सदा ही लीला करते हैं। मैथिलेन्द्र! कलियुगमें जो लोग अपने नेत्रोंसे श्रीनाथजीके रूपका दर्शन करेंगे, वे कृतार्थ हो जायँगे॥ २२—३२॥

भगवान् भारतके चारों कोनोंमें क्रमशः जगन्नाथ, श्रीरङ्गनाथ, श्रीद्वारकानाथ और श्रीबद्रीनाथके नामसे प्रसिद्ध हैं। नरेश्वर! भारतके मध्यभागमें भी वे गोवर्धननाथके नामसे विद्यमान हैं। इस प्रकार पवित्र भारतवर्षमें ये पाँचों नाथ देवताओंके भी स्वामी हैं। वे पाँचों नाथ सद्धर्मरूपी मण्डपके पाँच खंभे हैं और सदा आर्तजनोंकी रक्षामें तत्पर रहते हैं। उन सबका दर्शन करके नर नारायण हो जाता है। जो विद्वान् पुरुष इस भूतलपर चारों नाथोंकी यात्रा करके मध्यवर्ती देवदमन श्रीगोवर्धननाथका दर्शन नहीं करता, उसे यात्राका फल नहीं मिलता। जो गोवर्धन पर्वतपर देवदमन श्रीनाथका दर्शन कर लेता है, उसे पृथ्वीपर चारों नाथोंकी यात्राका फल प्राप्त हो जाता है॥ ३३—३७॥

मैथिल! जहाँ ऐरावत हाथी और सुरभि गौके चरणोंके चिह्न हैं, वहाँ नमस्कार करके पापी मनुष्य भी वैकुण्ठधाममें चला जाता है। जो कोई भी मनुष्य महात्मा श्रीकृष्णके हस्तचिह्नका और चरणचिह्नका दर्शन कर लेता है, वह साक्षात् श्रीकृष्णके धाममें जाता है। नरेश्वर! ये तीर्थ, कुण्ड और मन्दिर गिरिराजके अङ्गभूत हैं; उनको बता दिया, अब और क्या सुनना चाहते हो॥ ३८—४०॥

इस प्रकार श्रीगर्गसंहितामें श्रीगिरिराजखण्डके अन्तर्गत श्रीनारद-बहुलाश्व-संवादमें 'श्रीगिरिराजके तीर्थोंका वर्णन' नामक सातवाँ अध्याय पूरा हुआ॥ ७॥

आठवाँ अध्याय

विभिन्न तीर्थोंमें गिरिराजके विभिन्न अङ्गोंकी स्थितिका वर्णन

बहुलाश्वने पूछा— महाभाग! देव!! आप पर, अपर—भूत और भविष्यके ज्ञाताओंमें सर्वश्रेष्ठ हैं। अतः बताइये, गिरिराजके किन-किन अङ्गोंमें कौन-कौन-से तीर्थ विद्यमान हैं?॥ १॥

श्रीनारदजी बोले— राजन्! जहाँ, जिस अङ्गकी प्रसिद्धि है, वही गिरिराजका उत्तम अङ्ग माना गया है। क्रमशः गणना करनेपर कोई भी ऐसा स्थान नहीं है, जो गिरिराजका अङ्ग न हो। मानद! जैसे ब्रह्म सर्वत्र विद्यमान है और सारे अङ्ग उसीके हैं, उसी प्रकार विभूति और भावकी दृष्टिसे गोवर्धनके जो शाश्वत अङ्ग माने जाते हैं, उनका मैं वर्णन करूँगा॥ २-३॥

शृङ्गारमण्डलके अधोभागमें श्रीगोवर्धनका मुख है, जहाँ भगवान्‌ने व्रजवासियोंके साथ अन्नकूटका उत्सव किया था। 'मानसी गङ्गा' गोवर्धनके दोनों नेत्र हैं, 'चन्द्रसरोवर' नासिका, 'गोविन्दकुण्ड' अधर और 'श्रीकृष्णकुण्ड' चिबुक है। 'राधाकुण्ड' गोवर्धनकी जिह्वा और 'ललितासरोवर' कपोल है। 'गोपालकुण्ड' कान और 'कुसुमसरोवर' कर्णान्तभाग है। मिथिलेश्वर! जिस शिलापर मुकुटका चिह्न है, उसे गिरिराजका ललाट समझो। 'चित्रशिला' उनका मस्तक और 'वादिनी शिला' उनकी ग्रीवा है। 'कन्दुकतीर्थ' उनका पार्श्वभाग है और 'उष्णीषतीर्थ'को उनका कटिप्रदेश बतलाया जाता है। 'द्रोणतीर्थ' पृष्ठदेशमें और 'लौकिकतीर्थ' पेटमें है। 'कदम्बखण्ड' हृदयस्थलमें है। 'शृङ्गारमण्डलतीर्थ' उनका जीवात्मा है। 'श्रीकृष्ण-चरण-चिह्न' महात्मा गोवर्धनका मन है। 'हस्तचिह्नतीर्थ' बुद्धि तथा 'ऐरावत-चरणचिह्न' उनका चरण है। सुरभिके चरण-चिह्नोंमें महात्मा गोवर्धनके पंख हैं। 'पुच्छकुण्ड' में पूँछकी भावना की जाती है। 'वत्सकुण्ड' में उनका बल, 'रुद्रकुण्ड' में क्रोध तथा 'इन्द्रसरोवर'में कामकी स्थिति है। 'कुबेरतीर्थ' उनका उद्योगस्थल और 'ब्रह्मतीर्थ' प्रसन्नताका प्रतीक है। पुराणवेत्ता पुरुष 'यमतीर्थ'में गोवर्धनके अहंकारकी स्थिति बताते हैं॥ ४—१२॥

मैथिल! इस प्रकार मैंने तुम्हें सर्वत्र गिरिराजके अङ्ग बताये हैं, जो समस्त पापोंको हर लेनेवाले हैं। जो नरश्रेष्ठ गिरिराजकी इस विभूतिको सुनता है, वह योगिजनदुर्लभ 'गोलोक' नामक परमधाममें जाता है। गिरिराजोंका भी राजा गोवर्धन पर्वत श्रीहरिके वक्षःस्थलसे प्रकट हुआ है और पुलस्त्यमुनिके तेजसे इस व्रजमण्डलमें उसका शुभागमन हुआ है। उसके दर्शनसे मनुष्यका इस लोकमें पुनर्जन्म नहीं होता॥ १३—१५॥

इस प्रकार श्रीगर्गसंहितामें श्रीगिरिराजखण्डके अन्तर्गत नारद-बहुलाश्व-संवादमें 'गिरिराजकी विभूतियोंका वर्णन' नामक आठवाँ अध्याय पूरा हुआ॥ ८॥

नवाँ अध्याय

गिरिराज गोवर्धनकी उत्पत्तिका वर्णन

बहुलाश्व बोले— देवर्षे! महान् आश्चर्यकी बात है, गोवर्धन साक्षात् पर्वतोंका राजा एवं श्रीहरिको बहुत ही प्रिय है। उसके समान दूसरा तीर्थ न तो इस भूतलपर है और न स्वर्गमें ही। महामते! आप साक्षात् श्रीहरिके हृदय हैं। अतः अब यह बताइये कि यह गिरिराज श्रीकृष्णके वक्षःस्थलसे कब प्रकट हुआ॥ १-२॥

श्रीनारदजीने कहा— राजन्! महामते! गोलोकके प्राकट्यका वृत्तान्त सुनो—यह श्रीहरिकी आदिलीलासे सम्बद्ध है और मनुष्योंको धर्म, अर्थ, काम तथा मोक्ष—चारों पुरुषार्थ प्रदान करनेवाला है। प्रकृतिसे परे विद्यमान साक्षात् परिपूर्णतम भगवान् श्रीकृष्ण सर्वसमर्थ, निर्गुण पुरुष एवं अनादि आत्मा हैं।

उनका तेज अन्तर्मुखी है। वे स्वयंप्रकाश प्रभु निरन्तर रमणशील हैं, जिनपर धामाभिमानी गणनाशील देवताओंका ईश्वर 'काल' भी शासन करनेमें समर्थ नहीं है। राजन्! माया भी जिनपर अपना प्रभाव नहीं डाल सकती, उनपर महत्तत्त्व और सत्त्वादि गुणोंका वश तो चल ही कैसे सकता है। राजन्! उनमें कभी मन, चित्त, बुद्धि और अहंकारका भी प्रवेश नहीं होता। उन्होंने अपने संकल्पसे अपने ही स्वरूपमें साकार ब्रह्मको व्यक्त किया॥ ३—६ $\frac{१}{२}$॥

सबसे पहले विशालकाय शेषनागका प्रादुर्भाव हुआ, जो कमलनालके समान श्वेतवर्णके हैं। उन्हींकी गोदमें लोकवन्दित महालोक गोलोक प्रकट हुआ, जिसे पाकर भक्तियुक्त पुरुष फिर इस संसारमें नहीं लौटता। फिर असंख्य ब्रह्माण्डोंके अधिपति गोलोकनाथ भगवान् श्रीकृष्णके चरणारविन्दसे त्रिपथगा गङ्गा प्रकट हुईं। नरेश्वर! तत्पश्चात् श्रीकृष्णके बायें कंधेसे सरिताओंमें श्रेष्ठ यमुनाजीका प्रादुर्भाव हुआ, जो शृङ्गार-कुसुमोंसे उसी प्रकार सुशोभित हुई, जैसे छपी हुई पगड़ीके वस्त्रकी शोभा होती है। तदनन्तर भगवान् श्रीहरिके दोनों गुल्फों (टखनों या घुट्टियों) से हेमरत्नोंसे युक्त दिव्य रासमण्डल और नाना प्रकारके शृङ्गार-साधनोंके समूहका प्रादुर्भाव हुआ। इसके बाद महात्मा श्रीकृष्णकी दोनों पिंडलियोंसे निकुञ्ज प्रकट हुआ, जो सभाभवनों, आँगनों, गलियों और मण्डपोंसे घिरा हुआ था। वह निकुञ्ज वसन्तकी माधुरी धारण किये हुए था। उसमें कूजते हुए कोकिलोंकी काकली सर्वत्र व्याप्त थी। मोर, भ्रमर तथा विविध सरोवरोंसे भी वह परिशोभित एवं परिसेवित दिखायी देता था। राजन्! भगवान्के दोनों घुटनोंसे सम्पूर्ण वनोंमें उत्तम श्रीवृन्दावनका आविर्भाव हुआ। साथ ही उन साक्षात् परमात्माकी दोनों जाँघोंसे लीला-सरोवर प्रकट हुआ। उनके कटिप्रदेशसे दिव्य रत्नोंद्वारा जटित प्रभामयी स्वर्णभूमिका प्राकट्य हुआ और उनके उदरमें जो रोमावलियाँ हैं, वे ही विस्तृत माधवी लताएँ बन गयीं। उन लताओंमें नाना प्रकारके पक्षियोंके झुंड सब ओर फैलकर कलरव कर रहे थे। गुंजार करते हुए भ्रमर उन लता-कुञ्जोंकी शोभा बढ़ा रहे थे। वे लताएँ सुन्दर फूलों और फलोंके भारसे इस प्रकार झुकी हुई थीं, जैसे उत्तम कुलकी कन्याएँ लज्जा और विनयके भारसे नतमस्तक रहा करती हैं। भगवान्के नाभिकमलसे सहस्रों कमल प्रकट हुए, जो हरिलोकके सरोवरोंमें इधर-उधर सुशोभित हो रहे थे। भगवान्के त्रिवली-प्रान्तसे मन्दगामी और अत्यन्त शीतल समीर प्रकट हुआ और उनके गलेकी हँसुलीसे 'मथुरा' तथा 'द्वारका'—इन दो पुरियोंका प्रादुर्भाव हुआ॥ ७—१८॥

श्रीहरिकी दोनों भुजाओंसे 'श्रीदामा' आदि आठ पार्षद उत्पन्न हुए। कलाइयोंसे 'नन्द' और कराग्रभागसे 'उपनन्द' प्रकट हुए। श्रीकृष्णकी भुजाओंके मूल-भागोंसे समस्त वृषभानुओंका प्रादुर्भाव हुआ। नरेश्वर ! समस्त गोपगण श्रीकृष्णके रोमसे उत्पन्न हुए हैं। श्रीकृष्णके मनसे गौओं तथा धर्मधुरंधर वृषभोंका प्राकट्य हुआ। मैथिलेश्वर! उनकी बुद्धिसे घास और झाड़ियाँ प्रकट हुईं। भगवान्के बायें कंधेसे एक परम कान्तिमान् गौर तेज प्रकट हुआ, जिससे लीला, श्री, भूदेवी, विरजा तथा अन्यान्य हरिप्रियाएँ आविर्भूत हुईं। भगवान्की प्रियतमा जो 'श्रीराधा' हैं, उन्हींको दूसरे लोग 'लीलावती' या 'लीला' के नामसे जानते हैं। श्रीराधाकी दोनों भुजाओंसे 'विशाखा' और 'ललिता'—इन दो सखियोंका आविर्भाव हुआ। नरेश्वर! दूसरी-दूसरी जो सहचरी गोपियाँ हैं, वे सब राधाके रोमसे प्रकट हुई हैं। इस प्रकार मधुसूदनने गोलोककी रचना की॥ १९—२४॥

राजन्! इस तरह अपने सम्पूर्ण लोककी रचना करके असंख्य ब्रह्माण्डोंके अधिपति, परात्पर, परमात्मा, परमेश्वर, परिपूर्ण देव श्रीहरि वहाँ श्रीराधाके साथ सुशोभित हुए। उस गोलोकमें एक दिन सुन्दर रासमण्डलमें, जहाँ बजते हुए नूपुरोंका मधुर शब्द गूँज रहा था, जहाँका आँगन सुन्दर छत्रमें लगी हुई मुक्ताफलकी लड़ियोंसे अमृतकी वर्षा होती रहनेके कारण रसकी बड़ी-बड़ी बूँदोंसे सुशोभित था; मालतीके चँदोवोंसे स्वतः झरते हुए मकरन्द और गन्धसे सरस एवं सुवासित था; जहाँ मृदङ्ग, तालध्वनि और वंशीनाद सब ओर व्याप्त था; जो मधुरकण्ठसे

गाये गये गीत आदिके कारण परम मनोहर प्रतीत होता था तथा सुन्दरियोंके रासरससे परिपूर्ण एवं परम मनोरम था; उसके मध्यभागमें स्थित कोटिमनोजमोहन हृदय-वल्लभसे श्रीराधाने रसदान-कुशल कटाक्षपात करके गम्भीर वाणीमें कहा॥ २५—२८॥

श्रीराधा बोलीं—जगदीश्वर! यदि आप रासमें मेरे प्रेमसे प्रसन्न हैं तो मैं आपके सामने अपने मनकी प्रार्थना व्यक्त करना चाहती हूँ॥ २९॥

श्रीभगवान् बोले—प्रिये! वामोरु!! तुम्हारे मनमें जो इच्छा हो, मुझसे माँग लो। तुम्हारे प्रेमके कारण मैं तुम्हें अदेय वस्तु भी दे दूँगा॥ ३०॥

श्रीराधाने कहा—वृन्दावनमें यमुनाके तटपर दिव्य निकुञ्जके पार्श्वभागमें आप रासरसके योग्य कोई एकान्त एवं मनोरम स्थान प्रकट कीजिये। देवदेव ! यही मेरा मनोरथ है॥ ३१॥

नारदजी कहते हैं—राजन्! तब 'तथास्तु' कहकर भगवान्ने एकान्त-लीलाके योग्य स्थानका चिन्तन करते हुए नेत्र-कमलोंद्वारा अपने हृदयकी ओर देखा। उसी समय गोपी-समुदायके देखते-देखते श्रीकृष्णके हृदयसे अनुरागके मूर्तिमान् अङ्कुरकी भाँति एक सघन तेज प्रकट हुआ। रासभूमिमें गिरकर वह पर्वतके आकारमें बढ़ गया। वह सारा-का-सारा दिव्य पर्वत रत्नधातुमय था। सुन्दर झरनों और कन्दराओंसे उसकी बड़ी शोभा थी। कदम्ब, बकुल, अशोक आदि वृक्ष तथा लता-जाल उसे और भी मनोहर बना रहे थे। मन्दार और कुन्दवृन्दसे सम्पन्न उस पर्वतपर भाँति-भाँतिके पक्षी कलरव कर रहे थे। विदेहराज! एक ही क्षणमें वह पर्वत एक लाख योजन विस्तृत और शेषकी तरह सौ कोटि योजन लंबा हो गया। उसकी ऊँचाई पचास करोड़ योजनकी हो गयी। पचास कोटि योजनमें फैला हुआ वह पर्वत सदाके लिये गजराजके समान स्थित दिखायी देने लगा। मैथिल! उसके कोटि योजन विशाल सैकड़ों शिखर दीप्तिमान् होने लगे। उन शिखरोंसे गोवर्धन पर्वत उसी प्रकार सुशोभित हुआ, मानो सुवर्णमय उन्नत कलशोंसे कोई ऊँचा महल शोभा पा रहा हो॥ ३२—३८॥

कोई-कोई विद्वान् उस गिरिको गोवर्धन और दूसरे लोग 'शतशृङ्ग' कहते हैं। इतना विशाल होनेपर भी वह पर्वत मनसे उत्सुक-सा होकर बढ़ने लगा। इससे गोलोक भयसे विह्वल हो गया और वहाँ सब ओर कोलाहल मच गया। यह देख श्रीहरि उठे और अपने साक्षात् हाथसे शीघ्र ही उसे ताड़ना दी और बोले—'अरे! प्रच्छन्नरूपसे बढ़ता क्यों जा रहा है? सम्पूर्ण लोकको आच्छादित करके स्थित हो गया? क्या ये लोक यहाँ निवास करना नहीं चाहते?' यों कहकर श्रीहरिने उसे शान्त किया—उसका बढ़ना रोक दिया। उस उत्तम पर्वतको प्रकट हुआ देख भगवत्प्रिया श्रीराधा बहुत प्रसन्न हुईं। राजन्! वे उसके एकान्तस्थलमें श्रीहरिके साथ सुशोभित होने लगीं॥ ३९—४२॥

इस प्रकार यह गिरिराज साक्षात् श्रीकृष्णसे प्रेरित होकर इस व्रजमण्डलमें आया है। यह सर्वतीर्थमय है। लता-कुञ्जोंसे श्याम आभा धारण करनेवाला यह श्रेष्ठ गिरि मेघकी भाँति श्याम तथा देवताओंका प्रिय है। भारतसे पश्चिम दिशामें शाल्मलिद्वीपके मध्य-भागमें द्रोणाचलकी पत्नीके गर्भसे गोवर्धनने जन्म लिया। महर्षि पुलस्त्य उसको भारतके व्रजमण्डलमें ले आये। विदेहराज! गोवर्धनके आगमनकी बात मैं तुमसे पहले निवेदन कर चुका हूँ। जैसे यह पहले गोलोकमें उत्सुकतापूर्वक बढ़ने लगा था, उसी तरह यहाँ भी बढ़े तो वह पृथ्वीतकके लिये एक ढक्कन बन जायगा—यह सोचकर मुनिने द्रोणपुत्र गोवर्धनको प्रतिदिन क्षीण होनेका शाप दे दिया॥ ४३—४६॥

इस प्रकार श्रीगर्गसंहितामें श्रीगिरिराजखण्डके अन्तर्गत श्रीनारद-बहुलाश्व-संवादमें 'श्रीगिरिराजकी उत्पत्ति' नामक नवाँ अध्याय पूरा हुआ॥ ९॥

दसवाँ अध्याय

गोवर्द्धन-शिलाके स्पर्शसे एक राक्षसका उद्धार तथा दिव्यरूपधारी उस सिद्धके मुखसे गोवर्द्धनकी महिमाका वर्णन

श्रीनारदजी कहते हैं—राजन्! इस विषयमें एक पुराने इतिहासका वर्णन किया जाता है, जिसके श्रवण-मात्रसे बड़े-बड़े पापोंका विनाश हो जाता है॥ १॥

गौतमी गङ्गा (गोदावरी) के तटपर विजय नामसे प्रसिद्ध एक ब्राह्मण रहता था। वह अपना ऋण वसूल करनेके लिये पापनाशिनी मथुरापुरीमें आया। अपना कार्य पूरा करके जब वह घरको लौटने लगा, तब गोवर्द्धनके तटपर गया। मिथिलेश्वर! वहाँ उसने एक गोल पत्थर ले लिया। धीरे-धीरे वनप्रान्तमें होता हुआ जब वह व्रजमण्डलसे बाहर निकल गया, तब उसे अपने सामनेसे आता हुआ एक घोर राक्षस दिखायी दिया। उसका मुँह उसकी छातीमें था। उसके तीन पैर और छः भुजाएँ थीं, परंतु हाथ तीन ही थे। ओठ बहुत ही मोटे और नाक एक हाथ ऊँची थी। उसकी सात हाथ लंबी जीभ लपलपा रही थी, रोएँ काँटोंके समान थे, आँखें बड़ी-बड़ी और लाल थीं, दाँत टेढ़े-मेढ़े और भयंकर थे। राजन्! वह राक्षस बहुत भूखा था, अतः 'घुर-घुर' शब्द करता हुआ वहाँ खड़े हुए ब्राह्मणके सामने आया। ब्राह्मणने गिरिराजके पत्थरसे उस राक्षसको मारा। गिरिराजकी शिलाका स्पर्श होते ही वह राक्षस-शरीर छोड़कर श्यामसुन्दररूपधारी हो गया। उसके विशाल नेत्र प्रफुल्ल कमलपत्रके समान शोभा पाने लगे। वनमाला, पीताम्बर, मुकुट और कुण्डलोंसे उसकी बड़ी शोभा होने लगी। हाथमें वंशी और बेंत लिये वह दूसरे कामदेवके समान प्रतीत होने लगा। इस प्रकार दिव्यरूपधारी होकर उसने दोनों हाथ जोड़कर ब्राह्मण-देवताको बारंबार प्रणाम किया॥ २—१०॥

सिद्ध बोला—ब्राह्मणश्रेष्ठ! तुम धन्य हो; क्योंकि दूसरोंको संकटसे बचानेके पुण्यकार्यमें लगे हुए हो। महामते! आज तुमने मुझे राक्षसकी योनिसे छुटकारा दिला दिया। इस पाषाणके स्पर्शमात्रसे मेरा कल्याण हो गया। तुम्हारे सिवा दूसरा कोई मेरा उद्धार करनेमें समर्थ नहीं था॥ ११-१२॥

ब्राह्मण बोले—सुव्रत! मैं तो तुम्हारी बात सुनकर आश्चर्यमें पड़ गया हूँ। मुझमें तुम्हारा उद्धार करनेकी शक्ति नहीं है। पाषाणके स्पर्शका क्या फल है, यह भी मैं नहीं जानता; अतः तुम्हीं बताओ॥ १३॥

सिद्धने कहा—ब्रह्मन्! श्रीमान् गिरिराज गोवर्द्धन पर्वत साक्षात् श्रीहरिका रूप है। उसके दर्शनमात्रसे मनुष्य कृतार्थ हो जाता है। गन्धमादनकी यात्रा करनेसे मनुष्यको जिस फलकी प्राप्ति होती है, उससे कोटिगुना पुण्य गिरिराजके दर्शनसे होता है। विप्रवर! केदारतीर्थमें पाँच हजार वर्षोंतक तपस्या करनेसे जिस फलकी प्राप्ति होती है, वही फल गोवर्द्धन पर्वतपर तप करनेसे मनुष्यको क्षणभरमें प्राप्त हो जाता है॥ १४—१६॥

मलयाचलपर एक भार स्वर्णका दान करनेसे जिस पुण्यफलकी प्राप्ति होती है, उससे कोटिगुना पुण्य गिरिराजपर एक माशा सुवर्णका दान करनेसे ही मिल जाता है। जो मङ्गलप्रस्थ पर्वतपर सोनेकी दक्षिणा देता है, वह सैकड़ों पापोंसे युक्त होनेपर भी भगवान् विष्णुका सारूप्य प्राप्त कर लेता है। भगवान्के उसी पदको मनुष्य गिरिराजका दर्शन करनेमात्रसे पा लेता है। गिरिराजके समान पुण्यतीर्थ दूसरा कोई नहीं है। ऋषभ पर्वत, कूटक पर्वत तथा कोलक पर्वतपर सोनेसे मढ़े सींगवाली एक करोड़ गौओंका जो दान करता है, वह भी ब्राह्मणोंका यत्नपूर्वक पूजन करके महान् पुण्यका भागी होता है। ब्रह्मन्! उसकी अपेक्षा भी लाखगुना पुण्य गोवर्द्धन पर्वतकी यात्रा करनेमात्रसे सुलभ होता है। ऋष्यमूक, सह्यगिरि तथा देवगिरिकी एवं सम्पूर्ण पृथ्वीकी यात्रा करनेपर मनुष्य जिस पुण्यफलको पाता है, गिरिराज गोवर्धनकी यात्रा करनेपर उससे भी कोटिगुना अधिक फल उसे प्राप्त हो जाता है। अतः गिरिराजके समान तीर्थ न तो पहले कभी हुआ है और न भविष्यमें होगा ही॥ १७—२३॥

श्रीशैलपर दस वर्षोंतक रहकर वहाँके विद्याधर-कुण्डमें जो प्रतिदिन स्नान करता है, वह पुण्यात्मा मनुष्य सौ यज्ञोंके अनुष्ठानका फल पा लेता है; परंतु गोवर्द्धन पर्वतके पुच्छकुण्डमें एक दिन स्नान करने-

वाला मनुष्य कोटियज्ञोंके साक्षात् अनुष्ठानका पुण्य-फल पा लेता है, इसमें संशय नहीं है। वेङ्कटाचल, वारिधार, महेन्द्र और विन्ध्याचलपर एक अश्वमेध-यज्ञका अनुष्ठान करके मनुष्य स्वर्गलोकका अधिपति हो जाता है; परंतु इस गोवर्द्धन पर्वतपर जो यज्ञ करके उत्तम दक्षिणा देता है, वह स्वर्गलोकके मस्तकपर पैर रखकर भगवान् विष्णुके धाममें चला जाता है। द्विजोत्तम! चित्रकूट पर्वतपर श्रीरामनवमीके दिन पयस्विनी (मन्दाकिनी) में, वैशाखकी तृतीयाको पारियात्र पर्वतपर, पूर्णिमाको कुकुराचलपर, द्वादशीके दिन नीलाचलपर और सप्तमीको इन्द्रकील पर्वतपर जो स्नान, दान और तप आदि पुण्यकर्म किये जाते हैं, वे सब कोटिगुने हो जाते हैं। ब्रह्मन्! इसी प्रकार भारतवर्षके गोवर्द्धन तीर्थमें जो स्नानादि शुभकर्म किया जाता है, वह सब अनन्तगुना हो जाता है। बृहस्पतिके सिंहराशिमें स्थित होनेपर गोदावरीमें और कुम्भराशिमें स्थित होनेपर हरद्वारमें, पुष्यनक्षत्र आनेपर पुष्करमें, सूर्यग्रहण होनेपर कुरुक्षेत्रमें, चन्द्रग्रहण होनेपर काशीमें, फाल्गुन आनेपर नैमिषारण्यमें, एकादशीके दिन शूकरतीर्थमें, कार्तिककी पूर्णिमाको गढमुक्तेश्वरमें, जन्माष्टमीके दिन मथुरामें, द्वादशीके दिन खाण्डव-वनमें, कार्तिककी पूर्णिमाको वटेश्वर नामक महावटके पास, मकर-संक्राति लगनेपर प्रयाग-तीर्थमें, वैधृतियोग आनेपर बर्हिष्मतिमें, श्रीरामनवमीके दिन अयोध्यागत सरयूके तटपर, शिव-चतुर्दशीको शुभ वैद्यनाथ-वनमें, सोमवारगत अमावास्याको गङ्गासागर-संगममें, दशमीको सेतुबन्धपर तथा सप्तमीको श्रीरङ्गतीर्थमें किया हुआ दान, तप, स्नान, जप, देवपूजन, ब्राह्मणपूजन आदि जो शुभकर्म किया जाता है, द्विजोत्तम! वह कोटिगुना हो जाता है। इन सबके समान पुण्य-फल केवल गोवर्धन पर्वतकी यात्रा करनेसे प्राप्त हो जाता है। मैथिलेन्द्र! जो भगवान् श्रीकृष्णमें मन लगाकर निर्मल गोविन्दकुण्डमें स्नान करता है, वह भगवान् श्रीकृष्णका सारूप्य प्राप्त कर लेता है—इसमें संशय नहीं है। हमारे गोवर्द्धन पर्वतपर जो मानसी गङ्गा है, उनमें डुबकी लगानेकी समानता करनेवाले सहस्रों अश्वमेध यज्ञ तथा सैकड़ों राजसूय यज्ञ भी नहीं हैं। विप्रवर! आपने साक्षात् गिरिराजका दर्शन, स्पर्श तथा वहाँ स्नान किया है, अतः इस भूतलपर आपसे बढ़कर दूसरा कोई नहीं है। यदि आपको विश्वास न हो तो मेरी ओर देखिये। मैं बहुत बड़ा महापातकी था, किंतु गोवर्द्धनकी शिलाका स्पर्श होनेमात्रसे मैंने भगवान् श्रीकृष्णका सारूप्य प्राप्त कर लिया॥ २४—४१॥

इस प्रकार श्रीगर्गसंहितामें श्रीगिरिराजखण्डके अन्तर्गत नारद-बहुलाश्व-संवादमें 'श्रीगिरिराजका माहात्म्य' नामक दसवाँ अध्याय पूरा हुआ॥ १०॥

ग्यारहवाँ अध्याय

सिद्धके द्वारा अपने पूर्वजन्मके वृत्तान्तका वर्णन तथा गोलोकसे उतरे हुए विशाल रथपर आरूढ़ हो उसका श्रीकृष्ण-लोकमें गमन

श्रीनारदजी कहते हैं—राजन्! सिद्धकी यह बात सुनकर ब्राह्मणको बड़ा विस्मय हुआ। गिरिराजके प्रभावको जानकर उसने सिद्धसे पुनः प्रश्न किया॥ १॥

ब्राह्मणने पूछा—महाभाग! इस समय तो तुम साक्षात् दिव्यरूपधारी दिखायी देते हो। परंतु पूर्वजन्ममें तुम कौन थे और तुमने कौन-सा पाप किया था?॥ २॥

सिद्धने कहा—पूर्वजन्ममें मैं एक धनी वैश्य था। अत्यन्त समृद्ध वैश्य-बालक होनेके कारण मुझे बचपनसे ही जुआ खेलनेकी आदत पड़ गयी थी। धूर्तों और जुआरियोंकी गोष्ठीमें मैं सबसे चतुर समझा जाता था। आगे चलकर मैं वेश्यामें आसक्त हो गया, कुपथपर चलने और मदिराके मदसे उन्मत्त रहने लगा। ब्रह्मन्! इसके कारण मुझे अपने माता-पिता और पत्नीकी ओरसे बड़ी फटकार मिलने लगी। एक दिन मैंने माँ-बापको तो

जहर देकर मार डाला और पत्नीको साथ लेकर कहीं जानेके बहाने निकला और रास्तेमें मैंने तलवारसे उसकी हत्या कर दी। इस तरह उन सबके धनको हथियाकर मैं उस वेश्याके साथ दक्षिण दिशामें चला गया। यह है मेरी दुष्टताका परिचय। दक्षिण जाकर मैं अत्यन्त निर्दयतापूर्वक लूट-पाटका काम करने लगा। एकदिन उस वेश्याको भी मैंने अँधेरे कुएँमें डाल दिया। डाकू तो मैं हो ही गया था, मैंने फाँसी लगाकर सैकड़ों मनुष्योंको मौतके घाट उतार दिया। विप्रवर! धनके लोभसे मैंने सैकड़ों ब्रह्महत्याएँ कीं। क्षत्रिय-हत्या, वैश्य-हत्या और शूद्र-हत्याकी संख्या तो हजारोंतक पहुँच गयी होगी। एक दिनकी बात है कि मैं मांस लानेके निमित्त मृगोंका वध करनेके लिये वनमें गया। वहाँ एक सर्पके ऊपर मेरा पैर पड़ गया और उसने मुझे डँस लिया। फिर तो तत्काल मेरी मृत्यु हो गयी और यमराजके भयंकर दूतोंने आकर मुझ दुष्ट और महापातकीको भयानक मुद्गरोंसे पीट-पीटकर बाँधा और नरकमें पहुँचा दिया। मुझे महादुष्ट मानकर 'कुम्भीपाक' में डाला गया और वहाँ एक मन्वन्तर तक रहना पड़ा। तत्पश्चात् 'तप्तसूर्मि' नामक नरकमें मुझ दुष्टको एक कल्पतक महान् दुःख भोगना पड़ा। इस तरह चौरासी लाख नरकोंमेंसे प्रत्येकमें अलग-अलग यमराजकी इच्छासे मैं एक-एक वर्षतक पड़ता और निकलता रहा। तदनन्तर भारतवर्षमें कर्मवासनाके अनुसार मेरा दस बार तो सूअरकी योनिमें जन्म हुआ और सौ बार व्याघ्रकी योनिमें। फिर सौ जन्मोंतक ऊँट और उतने ही जन्मोंतक भैंसा हुआ। इसके बाद एक सहस्र जन्मतक मुझे सर्पकी योनिमें रहना पड़ा। फिर कुछ दुष्ट मनुष्योंने मिलकर मुझे मार डाला। विप्रवर! इस तरह दस हजार वर्ष बीतनेपर जलशून्य विपिनमें मैं ऐसा विकराल और महाखल राक्षस हुआ, जैसा कि तुमने अभी-अभी देखा है। एक दिन किसी शूद्रके शरीरमें आविष्ट होकर व्रजमें गया। वहाँ वृन्दावनके निकटवर्ती यमुनाके सुन्दर तटसे हाथमें छड़ी लिये हुए कुछ श्यामवर्णवाले श्रीकृष्णके पार्षद उठे और मुझे पीटने लगे। उनके द्वारा तिरस्कृत होकर मैं व्रजभूमिसे इधर भाग आया; तबसे बहुत दिनोंतक मैं भूखा रहा और तुम्हें खा जानेके लिये यहाँ आया। इतनेमें ही तुमने मुझे गिरिराजके पत्थरसे मार दिया। मुने! मुझपर साक्षात् श्रीकृष्णकी कृपा हो गयी, जिससे मेरा कल्याण हो गया॥ ३—१८॥

श्रीनारदजी कहते हैं—राजन्! वह इस प्रकार कह ही रहा था कि गोलोकसे एक विशाल रथ उतरा। वह सहस्रों सूर्योंके समान तेजस्वी था और उसमें दस हजार घोड़े जुते हुए थे। नरेश्वर! उससे हजारों पहियोंके चलनेकी ध्वनि होती थी। लाखों पार्षद उसकी शोभा बढ़ा रहे थे। मञ्जीर और क्षुद्र-घण्टिकाओंके समूहसे आच्छादित वह रथ अत्यन्त मनोहर दिखायी देता था। ब्राह्मणके देखते-देखते उस सिद्धको लेनेके लिये जब वह रथ आया, तब ब्राह्मण और सिद्ध दोनोंने उस दिव्य रथको नमस्कार किया। मिथिलेश्वर! तदनन्तर वह सिद्ध उस रथपर आरूढ़ हो दिङ्मण्डलको प्रकाशित करता हुआ परात्पर श्रीकृष्ण-लोकमें पहुँच गया, जो निकुञ्ज-लीलाके कारण ललित एवं परम मनोहर है। मैथिल! वह ब्राह्मण भी गोवर्द्धनका प्रभाव जान गया था, इसलिये वहाँसे लौटकर समस्त गिरिराजोंके देवता गोवर्द्धन गिरिपर आया और उसकी परिक्रमा एवं उसे प्रणाम करके अपने घरको गया॥ १९—२४॥

राजन्! इस प्रकार मैंने यह विचित्र एवं उत्तम मोक्षदायक श्रीगिरिराजखण्ड तुम्हें कह सुनाया। पापी मनुष्य भी इसका श्रवण करके स्वप्नमें भी कभी उग्रदण्डधारी प्रचण्ड यमराजका दर्शन नहीं करता। जो मनुष्य गिरिराजके यशसे परिपूर्ण गोपराज श्रीकृष्णकी नूतन केलिके रहस्यको सुनता है, वह देवराज इन्द्रकी भाँति इस लोकमें सुख भोगता है और नन्दराजके समान परलोकमें शान्तिका अनुभव करता है॥ २५-२६॥

इस प्रकार श्रीगर्गसंहितामें श्रीगिरिराजखण्डके अन्तर्गत श्रीनारद-बहुलाश्व-संवादमें श्रीगिरिराज-प्रभाव प्रस्ताव-वर्णनके प्रसङ्गमें 'सिद्धमोक्ष' नामक ग्यारहवाँ अध्याय पूरा हुआ॥ ११॥

गिरिराजखण्ड सम्पूर्ण॥ ३॥

श्रीसरस्वत्यै नमः

माधुर्यखण्ड

पहला अध्याय

श्रुतिरूपा गोपियोंका वृत्तान्त, उनका श्रीकृष्ण और दुर्वासामुनिकी बातोंमें संशय तथा श्रीकृष्णद्वारा उसका निराकरण

अतसीकुसुमोपमेयकान्तिर्यमुनाकूलकदम्बमूलवर्ती ।
नवगोपवधूविलासशाली वनमाली वितनोतु मङ्गलानि॥

'जिनकी अङ्गकान्तिको अलसीके फूलकी उपमा दी जाती है, जो यमुनाकूलवर्ती कदम्बवृक्षके मूलभागमें विद्यमान हैं तथा नूतन गोपाङ्गनाओंके साथ लीला-विलास करते हुए अत्यन्त शोभा पा रहे हैं, वे वनमाली श्रीकृष्ण मङ्गलका विस्तार करें'॥ १॥

परिकरीकृतपीतपटं हरिं शिखिकिरीटनतीकृतकन्धरम्।
लकुटवेणुकरं चलकुण्डलं पटुतरं नटवेषधरं भजे॥

'जिन्होंने पीताम्बरकी फेंट बाँध रखी है, जिनके मस्तकपर मोरपंखका मुकुट सुशोभित है और गर्दन एक ओर झुकी हुई है, जो लकुटी और वंशी हाथमें लिये हुए हैं और जिनके कानोंमें चञ्चल कुण्डल झलमला रहे हैं, उन परम पटु, नटवेषधारी श्रीकृष्णका मैं भजन (ध्यान) करता हूँ'॥ २॥

बहुलाश्वने पूछा—मुने! श्रुतिरूपा आदि गोपियोंने, जो पूर्वप्रदत्तवरके अनुसार पहले ही व्रजमें प्रकट हो चुकी थीं, किस प्रकार श्रीकृष्णचन्द्रका साहचर्य पाकर अपना मनोरथ पूर्ण किया था? महाबुद्धे! गोपाल श्रीकृष्णचन्द्रका चरित्र परम अद्‌भुत है, इसे कहिये; क्योंकि आप परापरवेत्ताओंमें सबसे श्रेष्ठ हैं॥ ३-४॥

श्रीनारदजीने कहा—विदेहराज! श्रुतिरूपा जो गोपियाँ थीं, वे शेषशायी भगवान् विष्णुके पूर्वकथित वरसे व्रजवासी गोपोंके उत्तम कुलमें उत्पन्न हुईं। उन सबने वृन्दावनमें परम कमनीय नन्दनन्दनका दर्शन करके उन्हें वररूपमें पानेकी इच्छासे वृन्दावनेश्वरी वृन्दादेवीकी समाराधना की। वृन्दाके दिये हुए वरसे भक्तवत्सल भगवान् श्रीहरि उनके ऊपर शीघ्र प्रसन्न हो गये और प्रतिदिन उनके घरोंमें रासक्रीड़ाके लिये जाने लगे। नरेश्वर! एक दिन रातमें दो पहर बीत जानेपर भगवान् श्रीकृष्ण रासके लिये उनके घर गये। उस समय उत्कण्ठित गोपियोंने उन परम प्रभुका अत्यन्त भक्ति-भावसे पूजन करके मधुर वाणीमें पूछा॥ ५—९॥

गोपियाँ बोलीं—अघनाशन श्रीकृष्ण! जैसे चकोरी चन्द्रदर्शनके लिये उत्सुक रहती है, उसी प्रकार हम गोपाङ्गनाएँ आपसे मिलनेको उत्कण्ठित रहती हैं। अतः आप हमारे घरमें शीघ्र क्यों नहीं आये?॥ १०॥

श्रीभगवान्‌ने कहा—प्रियाओ! जो जिसके हृदयमें वास करता है, वह उससे दूर कभी नहीं रहता। देखो न, सूर्य तो आकाशमें है और कमल भूमिपर; फिर भी वह उन्हें देखते ही खिल उठता है (वह सूर्यको अपने अत्यन्त निकटस्थ अनुभव करता है)। प्रियाओ! आज मेरे साक्षात् गुरु भगवान् दुर्वासामुनि भाण्डीर-वनमें पधारे हैं। उन्हींकी सेवाके लिये मैं चला गया था। गुरु ब्रह्मा हैं, गुरु विष्णु हैं, गुरु भगवान् महेश्वर हैं और गुरु साक्षात् परम ब्रह्म हैं। उन श्रीगुरुको मेरा नमस्कार है। अज्ञानरूपी रतौंधीसे अंधे हुए मनुष्यकी दृष्टिको जिन्होंने ज्ञानाञ्जनकी शलाकासे खोल दिया है, उन श्रीगुरुदेवको नमस्कार है। अपने गुरुको मेरा स्वरूप ही समझना चाहिये और कभी उनकी अवहेलना नहीं करनी चाहिये। गुरु सम्पूर्ण देवताओंके स्वरूप होते हैं। अतः साधारण मनुष्य समझकर उनकी सेवा नहीं करनी चाहिये*। हे प्रियाओ!

---

*गुरुर्ब्रह्मा गुरुर्विष्णुर्गुरुर्देवो महेश्वरः। गुरुः साक्षात्परब्रह्म तस्मै श्रीगुरवे नमः॥
अज्ञानतिमिरान्धस्य ज्ञानाञ्जनशलाकया। चक्षुरुन्मीलितं येन तस्मै श्रीगुरवे नमः॥
स्वगुरुं मां विजानीयान्नावमन्येत कर्हिचित्। न मर्त्यबुद्ध्या सेवेत सर्वदेवमयो गुरुः॥
(गर्ग०, माधुर्य० १। १३—१५)

मैं उनका पूजन करके तथा उनके चरणकमलोंमें प्रणाम करके तुम्हारे घर देरीसे पहुँचा हूँ॥ ११—१६॥

श्रीनारदजी कहते हैं—राजन्! श्रीकृष्णका यह उत्तम वचन सुनकर समस्त गोपाङ्गनाओंको बड़ा विस्मय हुआ। वे हाथ जोड़कर सिर झुकाकर श्रीकृष्ण-से बोलीं॥ १७॥

गोपियोंने कहा—प्रभो! यह तो बड़े आश्चर्यकी बात है। आप स्वयं परिपूर्णतम परमेश्वरके भी गुरु दुर्वासामुनि हैं, यह जानकर हमारा मन उनके दर्शनके लिये उत्सुक हो उठा है। देव! परमेश्वर!! आज रातके दो पहर बीत जानेपर उनका दर्शन हमें कैसे प्राप्त हो सकता है। बीचमें विशाल नदी यमुना प्रतिबन्धक बनकर खड़ी है; अतः देव! बिना किसी नावके यमुनाजीको पार करना कैसे सम्भव होगा?॥ १८—२०॥

श्रीभगवान् बोले—प्रियाओ! यदि तुमलोगों-को अवश्य ही वहाँ जाना है तो यमुनाजीके पास पहुँचकर मार्ग प्राप्त करनेके लिये इस प्रकार कहना—'यदि श्रीकृष्ण बालब्रह्मचारी और सब प्रकारके दोषोंसे रहित हैं तो सरिताओंमें श्रेष्ठ यमुनाजी! हमारे लिये मार्ग दे दो।' यह बात कहनेपर यमुना तुम्हें स्वतः मार्ग दे देंगी। उस मार्गसे तुम सभी व्रजाङ्गनाएँ सुखपूर्वक चली जाना॥ २१—२३॥

श्रीनारदजी कहते हैं—राजन्! उनका यह वचन सुनकर सभी गोपियाँ अलग-अलग विशाल पात्रोंमें छप्पन भोग लेकर यमुनाजीके तटपर गयीं और सिर झुकाकर उन्होंने श्रीकृष्णकी कही हुई बात दुहरा दी। मैथिलेश्वर! फिर तो तत्काल यमुनाजीने उन गोपियोंके लिये मार्ग दे दिया। उस मार्गसे सभी गोपियाँ अत्यन्त विस्मित हो, भाण्डीर-वटके पास पहुँचीं। वहाँ उन्होंने दुर्वासामुनिकी परिक्रमा की और उनके आगे बहुत-सी भोजन सामग्री रखकर उनका दर्शन किया। फिर सब-की-सब कहने लगीं—'मुने! पहले मेरा अन्न ग्रहण कीजिये, पहले मेरा अन्न भोजन कीजिये।' इस तरह परस्पर विवाद करती हुई गोपियोंका भक्तिसूचक भाव जानकर मुनिश्रेष्ठ दुर्वासाने यह विमल वचन कहा॥ २४—२८॥

मुनि बोले—गोपियो! मैं कृतकृत्य परमहंस हूँ, निष्क्रिय हूँ। इसलिये तुमलोग अपना-अपना भोजन अपने ही हाथोंसे मेरे मुँहमें डाल दो॥ २९॥

श्रीनारदजी कहते हैं—राजन्! यों कहकर जब उन्होंने अपना मुँह फैलाया, तब सभी गोपियोंने अत्यन्त हर्षके साथ अपने-अपने छप्पन भोगोंको उनके मुँहमें एक साथ ही डालना आरम्भ किया। अन्न डालती हुई उन गोपियोंके देखते-देखते मुनीश्वर दुर्वासा क्षुधासे पीड़ितकी भाँति उन समस्त भोगोंको, जो करोड़ों भारसे कम न थे, चट कर गये। गोपियाँ आश्चर्यचकित हो एक-दूसरीकी ओर देखने लगीं। नृपश्रेष्ठ! इस तरह उनके सारे बर्तन खाली हो गये। तत्पश्चात् उन परम शान्त और भक्तवत्सल मुनिको विस्मित हुई सभी गोपियोंने पूर्णमनोरथ होकर प्रणाम किया और इस प्रकार कहा॥ ३०—३३॥

गोपियोंने कहा—मुने! यहाँ आनेसे पूर्व श्रीकृष्णकी कही हुई बात दुहराकर मार्ग मिल जानेसे यमुनाजीको पार करके हमलोग आपके समीप दर्शन-की शुभ इच्छा लेकर यहाँ आ गयी थीं। अब इधरसे हम कैसे जायँगी, यह महान् संदेह हमारे मनमें हो गया है! अतः आप ही ऐसा कोई उपाय कीजिये, जिससे मार्ग हलका हो जाय॥ ३४-३५॥

मुनि बोले—गोपियो! तुम सब यहाँसे सुखपूर्वक चली जाओ। जब यमुनाजीके किनारे पहुँचो, तब मार्गके लिये इस प्रकार कहना—'यदि दुर्वासामुनि इस भूतलपर केवल दुर्वाका रस पीकर रहते हों, कभी अन्न और जल न लेकर व्रतका पालन करते हों तो सरिताओंकी शिरोमणि यमुनाजी! हमें मार्ग दे दो।' ऐसी बात कहनेपर यमुनाजी तुम्हें स्वतः मार्ग दे देंगी॥ ३६—३८॥

श्रीनारदजी कहते हैं—नरेश्वर! यह सुनकर गोपियाँ उन मुनिपुंगवको प्रणाम करके यमुनाके तटपर आयीं और मुनिकी बतायी हुई बात कहकर नदी पार हो श्रीकृष्णके पास आ पहुँचीं। वे मङ्गलधामा गोपियाँ इस यात्राके विचित्र अनुभवसे विस्मित थीं। तदनन्तर रासमें गोपाङ्गनाओंने श्रीकृष्णकी ओर देखकर अपने मनमें उठे हुए संदेहको उनसे पूछा। एकान्तमें श्रीहरिने

उन सबका मनोरथ पूर्ण कर दिया था॥ ३९—४१॥

गोपियाँ बोलीं—प्रभो! हमने दुर्वासा मुनिका दर्शन उनके सामने जाकर किया है; किंतु आप दोनोंके वचनोंको सुनकर उनकी सत्यताके सम्बन्धमें हमारे मनमें संदेह उत्पन्न हो गया है। जैसे गुरुजी असत्यवादी हैं, उसी तरह चेलाजी भी मिथ्यावादी हैं—इसमें संशय नहीं है। अघनाशन! आप तो गोपियोंके उपपति और बचपनसे ही रसिक हैं, फिर आप बाल-ब्रह्मचारी कैसे हुए—यह हमें स्पष्ट बताइये; और हमारे सामने बहुत-सा अन्न (भार-के-भार छप्पन भोग) खा जानेवाले ये दुर्वासामुनि केवल दूर्वाका रस पीकर रहनेवाले कैसे हैं? व्रजेश्वर! हमारे मनमें यह भारी संदेह उठा है॥ ४२—४४ $\frac{१}{२}$॥

श्रीभगवान्‌ने कहा—गोपियो! मैं ममता और अहंकारसे रहित, सबके प्रति समान भाव रखने-वाला, सर्वव्यापी, सबसे उत्कृष्ट, सदा विषमताशून्य तथा प्राकृत गुणोंसे रहित हूँ—इसमें संशय नहीं है। तथापि जो भक्त मेरा जिस प्रकार भजन करते हैं, उनका उसी प्रकार मैं भी भजन करता हूँ। इसी प्रकार ज्ञानी साधु-महात्मा भी सदा विषम भावनासे रहित होते हैं। योगयुक्त विद्वान् पुरुषको चाहिये कि वह कर्मोंमें आसक्त हुए अज्ञानीजनोंमें बुद्धि-भेद न उत्पन्न करे। उनसे सदा समस्त कर्मोंका सेवन ही कराये। जिस पुरुषके सभी समारम्भ (आयोजन) कामना और संकल्पसे शून्य होते हैं, उनके सारे कर्म ज्ञानरूपी अग्निमें दग्ध हो जाते हैं (अर्थात् उनके लिये वे कर्म बन्धनकारक नहीं होते)। ऐसे पुरुषको ज्ञानीजन पण्डित (तत्त्वज्ञ) कहते हैं। जिसके मनमें कोई कामना नहीं है, जिसने चित्त और बुद्धिको अपने वशमें कर रखा है तथा जो समस्त संग्रह-परिग्रह छोड़ चुका है, वह केवल शरीर-निर्वाह-सम्बन्धी कर्म करता हुआ किल्विष (कर्मजनित शुभाशुभ फल) को नहीं प्राप्त होता। इस संसारमें ज्ञानके समान पवित्र दूसरी कोई वस्तु नहीं है। योगसिद्ध पुरुष समयानुसार स्वयं ही अपने-आपमें उस ज्ञानको प्राप्त कर लेता है। जो समस्त कर्मोंको ब्रह्मार्पण करके आसक्ति छोड़कर कर्म करता है, वह पापसे उसी प्रकार लिप्त नहीं होता, जैसे कमलका पत्र जलसे। इसलिये दुर्वासामुनि तुम सबके हित-साधनमें तत्पर होकर बहुत खानेवाले हो गये। स्वत: उन्हें कभी भोजनकी इच्छा नहीं होती। वे केवल परिमित दूर्वारसका ही आहार करते हैं॥ ४५—५२॥

श्रीनारदजी कहते हैं—मैथिलेश्वर! श्रीकृष्णका यह वचन सुनकर समस्त गोपियोंका संशय नष्ट हो गया। वे श्रुतिरूपा गोपाङ्गनाएँ ज्ञानमयी हो गयीं॥ ५३॥

इस प्रकार श्रीगर्गसंहितामें माधुर्यखण्डके अन्तर्गत श्रीनारद-बहुलाश्व-संवादमें 'श्रुतिरूपा गोपियोंका उपाख्यान' नामक पहला अध्याय पूरा हुआ॥ १॥

दूसरा अध्याय

ऋषिरूपा गोपियोंका उपाख्यान—वङ्गदेशके मङ्गल-गोपकी कन्याओंका नन्दराजके व्रजमें आगमन तथा यमुनाजीके तटपर रासमण्डलमें प्रवेश

श्रीनारदजी कहते हैं—मैथिल! अब तुम ऋषिरूपा गोपियोंकी कथा सुनो। वह सब पापोंको हर लेनेवाली, परम पावन तथा श्रीकृष्णके प्रति भक्ति-भावकी वृद्धि करनेवाली है। वङ्गदेशमें मङ्गल नामसे प्रसिद्ध एक महामनस्वी गोप था, जो लक्ष्मीवान्, शास्त्रज्ञानसे सम्पन्न तथा नौ लाख गौओंका स्वामी था। मिथिलेश्वर! उसके पाँच हजार पत्नियाँ थीं। किसी समय दैवयोगसे उसका सारा धन नष्ट हो गया। चोरोंने उसकी गौओंका अपहरण कर लिया। कुछ गौओंको उस देशके राजाने बलपूर्वक अपने अधिकारमें कर लिया। इस प्रकार दीनता प्राप्त होनेपर मङ्गल-गोप बहुत दु:खी हो गया। उन्हीं दिनों श्रीरामचन्द्रजीके

वरदानसे स्त्रीभावको प्राप्त हुए दण्डकारण्यके निवासी ऋषि उसकी कन्याएँ हो गये। उस कन्या-समूहको देखकर दु:खी गोप मङ्गल और भी दु:खमें डूब गया और आधि-व्याधिसे व्याकुल रहने लगा। उसने मन-ही-मन इस प्रकार कहा॥ १—६॥

मङ्गल बोला—क्या करूँ? कहाँ जाऊँ? कौन मेरा दु:ख दूर करेगा? इस समय मेरे पास न तो लक्ष्मी है, न ऐश्वर्य है, न कुटुम्बीजन हैं और न कोई बल ही है। हाय! धनके बिना इन कन्याओंका विवाह कैसे होगा? जहाँ भोजनमें भी संदेह हो, वहाँ धनकी कैसी आशा? दीनता तो थी ही। काकतालीय न्यायसे कन्याएँ भी इस घरमें आ गयीं। इसलिये किसी धनवान् और बलवान् राजाको ये कन्याएँ अर्पित करूँगा, तभी इन कन्याओंको सुख मिलेगा॥ ७—९$\frac{1}{2}$॥

श्रीनारदजी कहते हैं—राजन्! इस प्रकार उन कन्याओंकी कोई परवा न करके उसने अपनी ही बुद्धिसे ऐसा निश्चय कर लिया और उसीपर डटा रहा। उन्हीं दिनों मथुरामण्डलसे एक गोप उसके यहाँ आया। वह तीर्थयात्री था। उसका नाम था जय। वह बुद्धिमानोंमें श्रेष्ठ और वृद्ध था। उसके मुखसे मङ्गलने नन्दराजके अद्भुत वैभवका वर्णन सुना। दीनतासे पीड़ित मङ्गलने बहुत सोच-विचारकर अपनी चारु-लोचना कन्याओंको नन्दराजके व्रजमण्डलमें भेज दिया। नन्दराजके घरमें जाकर वे रत्नमय भूषणोंसे विभूषित कन्याएँ उनके गोष्ठमें गौओंका गोबर उठानेका काम करने लगीं। वहाँ सुन्दर श्रीकृष्णको देखकर उन कन्याओंको अपने पूर्वजन्मकी बातोंका स्मरण हो आया और वे श्रीकृष्णकी प्राप्तिके लिये नित्य यमुनाजीकी सेवा-पूजा करने लगीं। तदनन्तर एक दिन श्यामल अङ्गोंवाली विशाललोचना यमुनाजी उन सबको दर्शन दे, वर-प्रदान करनेके लिये उद्यत हुईं। उन गोपकन्याओंने यह वर माँगा कि 'व्रजेश्वर नन्दराजके पुत्र श्रीकृष्ण हमारे पति हों।' तब 'तथास्तु' कहकर यमुना वहीं अन्तर्धान हो गयीं। वे सब कन्याएँ वृन्दावनमें कार्तिक-पूर्णिमाकी रातको रासमण्डलमें पहुँचीं। वहाँ श्रीहरिने उनके साथ उसी तरह विहार किया, जैसे देवाङ्गनाओंके साथ देवराज इन्द्र किया करते हैं॥ १०—१७॥

इस प्रकार श्रीगर्गसंहितामें माधुर्यखण्डके अन्तर्गत नारद-बहुलाश्व-संवादमें 'ऋषिरूपा गोपियोंका उपाख्यान' नामक दूसरा अध्याय पूरा हुआ॥ २॥

तीसरा अध्याय

मैथिलीरूपा गोपियोंका आख्यान; चीरहरणलीला और वरदान-प्राप्ति

श्रीनारदजी कहते हैं—राजन्! मिथिलेश्वर! अब मिथिलादेशमें उत्पन्न गोपियोंका आख्यान सुनो। यह दशाश्वमेध-तीर्थपर स्नानका फल देनेवाला और भक्ति-भावको बढ़ानेवाला है। श्रीरामचन्द्रजीके वरसे जो नौ नन्दोंके घरोंमें उत्पन्न हुई थीं, वे मैथिलीरूपा गोपकन्याएँ परम कमनीय नन्दनन्दनका दर्शन करके मोहित हो गयीं। उन्होंने मार्गशीर्षके शुभ मासमें कात्यायनीका व्रत किया और उनकी मिट्टीकी प्रतिमा बनाकर वे षोडशोपचारसे उसकी पूजा करने लगीं। अरुणोदयकी वेलामें वे प्रतिदिन एक साथ भगवान्‌के गुण गाती हुई आतीं और श्रीयमुनाजीके जलमें स्नान करती थीं। एक दिन वे व्रजाङ्गनाएँ अपने वस्त्र यमुनाजीके किनारे रखकर उनके जलमें प्रविष्ट हुईं और दोनों हाथोंसे जल उलीचकर एक-दूसरीको भिगोती हुई जल-विहार करने लगीं। प्रात:काल भगवान् श्यामसुन्दर वहाँ आये और तुरंत उन सबके वस्त्र लेकर कदम्बपर आरूढ़ हो चोरकी तरह चुपचाप बैठ गये। राजन्! अपने वस्त्रोंको न देखकर वे गोपकन्याएँ बड़े विस्मयमें पड़ीं तथा कदम्बपर बैठे हुए श्यामसुन्दरको देखकर लजा गयीं और हँसने लगीं। तब वृक्षपर बैठे हुए श्रीकृष्ण उन गोपियोंसे कहने लगे—'तुम सब लोग यहाँ आकर अपने-

अपने कपड़े ले जाओ, अन्यथा मैं नहीं दूँगा।' राजन्! तब वे गोपकन्याएँ शीतल जलके भीतर खड़ी-खड़ी हँसती हुई लज्जासे मुँह नीचे किये बोलीं॥ १—९॥

गोपियोंने कहा—हे मनोहर नन्दनन्दन! हे गोपरत्न! हे गोपाल-वंशके नूतन हंस! हे महान् पीड़ाको हर लेनेवाले श्रीश्यामसुन्दर! तुम जो आज्ञा करोगे, वही हम करेंगी। तुम्हारी दासी होकर भी हम यहाँ वस्त्रहीन होकर कैसे रहें? आप गोपियोंके वस्त्र लूटनेवाले और माखनचोर हैं। व्रजमें जन्म लेकर भी बड़े रसिक हैं। भय तो आपको छू नहीं सका है। हमारा वस्त्र हमें लौटा दीजिये; नहीं तो हम मथुरा-नरेशके दरबारमें आपके द्वारा इस अवसरपर की गयी बड़ी भारी अनीतिकी शिकायत करेंगी॥ १०-११॥

श्रीभगवान् बोले—सुन्दर मन्दहास्यसे सुशोभित होनेवाली गोपाङ्गनाओ! यदि तुम मेरी दासियाँ हो तो इस कदम्बकी जड़के पास आकर अपने वस्त्र ले लो। नहीं तो मैं इन सब वस्त्रोंको अपने घर उठा ले जाऊँगा। अतः तुम अविलम्ब मेरे कथनानुसार कार्य करो॥ १२॥

श्रीनारदजी कहते हैं—राजन्! तब वे सब व्रजवासिनी गोपियाँ अत्यन्त काँपती हुई जलसे बाहर निकलीं और आनत-शरीर हो, हाथोंसे योनिको ढककर शीतसे कष्ट पाते हुए श्रीकृष्णके हाथसे दिये गये वस्त्र लेकर उन्होंने अपने अङ्गोंमें धारण किये। इसके बाद श्रीकृष्णको लजीली आँखोंसे देखती हुई वहाँ मोहित हो खड़ी रहीं। उनके परम प्रेमसूचक अभिप्रायको जानकर मन्द-मन्द मुस्कराते हुए श्यामसुन्दर श्रीकृष्ण उनपर चारों ओरसे दृष्टिपात करके इस प्रकार बोले॥ १३—१५॥

श्रीभगवान्ने कहा—गोपाङ्गनाओ! तुमने मार्गशीर्ष मासमें मेरी प्राप्तिके लिये जो कात्यायनी-व्रत किया है, वह अवश्य सफल होगा—इसमें संशय नहीं है। परसों दिनमें वनके भीतर यमुनाके मनोहर तटपर मैं तुम्हारे साथ रास करूँगा, जो तुम्हारा मनोरथ पूर्ण करनेवाला होगा॥ १६-१७॥

यों कहकर परिपूर्णतम श्रीहरि जब चले गये, तब आनन्दोल्लाससे परिपूर्ण हो मन्दहासकी छटा बिखेरती हुई वे समस्त गोप-बालाएँ अपने घरोंको गयीं॥ १८॥

इस प्रकार श्रीगर्गसंहितामें माधुर्यखण्डके अन्तर्गत नारद-बहुलाश्व-संवादमें 'मैथिलीरूपा गोपियोंका उपाख्यान' नामक तीसरा अध्याय पूरा हुआ॥ ३॥

चौथा अध्याय

कोसलप्रान्तीय स्त्रियोंका व्रजमें गोपी होकर श्रीकृष्णके प्रति अनन्यभावसे प्रेम करना

श्रीनारदजी कहते हैं—मिथिलेश्वर! अब कोसल-प्रदेशकी गोपिकाओंका वर्णन सुनो। यह श्रीकृष्ण-चरितामृत समस्त पापोंका नाश करनेवाला तथा पुण्य-जनक है। कोसलप्रान्तकी स्त्रियाँ श्रीरामके वरसे व्रजमें नौ उपनन्दोंके घरोंमें उत्पन्न हुईं और व्रजके गोपजनोंके साथ उनका विवाह हो गया। वे सब-की-सब रत्नमय आभूषणोंसे विभूषित थीं। उनकी अङ्गकान्ति पूर्ण चन्द्रमाकी चाँदनीके समान थी। वे नूतन यौवनसे सम्पन्न थीं। उनकी चाल हंसके समान थी और नेत्र प्रफुल्ल कमलदलके समान विशाल थे। वे पद्मिनी जातिकी नारियाँ थीं। उन्होंने कमनीय महात्मा नन्द-नन्दन श्रीकृष्णके प्रति जारधर्मके अनुसार उत्तम, सुदृढ़ तथा सबसे अधिक स्नेह किया॥ १—४॥

व्रजकी गलियोंमें माधव मुस्कराकर पीताम्बर छीनकर और आँचल खींचकर उनके साथ सदा हास परिहास किया करते थे। वे गोपबालाएँ जब दही बेचनेके लिये निकलतीं तो 'दही लो, दही लो'—यह कहना भूलकर 'कृष्ण लो, कृष्ण लो' कहने लगती थीं। श्रीकृष्णके प्रति प्रेमासक्त होकर वे कुञ्जमण्डलमें घूमा करती थीं। आकाश, वायु, अग्नि, जल, पृथ्वी, नक्षत्र-मण्डल, सम्पूर्ण दिशा, वृक्ष तथा जनसमुदायोंमें भी उन्हें केवल कृष्ण ही दिखायी देते थे। प्रेमके समस्त

लक्षण उनमें प्रकट थे। श्रीकृष्णने उनके मन हर लिये थे। वे सारी व्रजाङ्गनाएँ आठों सात्त्विक भावोंसे सम्पन्न थीं*॥ ५—८॥

प्रेमने उन सबको परमहंसों (ब्रह्मनिष्ठ महात्माओं) की अवस्थाको पहुँचा दिया था। नरेश्वर! वे कान्तिमती गोपाङ्गनाएँ श्रीकृष्णके आनन्दमें ही मग्न हो व्रजकी गलियोंमें विचरा करती थीं। उनमें जड-चेतनका भान नहीं रह गया था। वे जड, उन्मत्त और पिशाचोंकी भाँति कभी मौन रहतीं और कभी बहुत बोलने लगती थीं। वे लाज और चिन्ताको तिलाञ्जलि दे चुकी थीं। इस प्रकार कृतार्थ होकर जो श्रीकृष्णमें तन्मय हो रही थीं, वे गोपाङ्गनाएँ बलपूर्वक खींचकर श्रीकृष्णके मुखारविन्दको चूम लेती थीं। राजन्! उनके तपका मैं क्या वर्णन करूँ? जो सारे लोक-व्यवहार एवं मर्यादामार्गको तिलाञ्जलि देकर हृदय तथा इन्द्रिय आदिके द्वारा पूर्ण परब्रह्म वासुदेवमें अविचल प्रेम करती थीं; जो रास-क्रीडामें श्रीकृष्णके कंधोंपर अपनी बाँहें रखकर, प्रेमसे विगलितचित्त हो श्रीकृष्णको पूर्णतया अपने वशमें कर चुकी थीं; उनकी तपस्याका अपने सहस्रमुखोंसे वर्णन करनेमें नागराज शेष भी समर्थ नहीं हैं। विदेहराज! न्याय-वैशेषिक आदि दर्शनोंके तत्त्वज्ञोंमें श्रेष्ठतम महात्मा योग-सांख्य और शुभ-कर्मद्वारा जिस पदको प्राप्त करते हैं, वही पद केवल भक्ति-भावसे उपलब्ध हो जाता है। आदिदेव श्रीहरि केवल भक्तिसे ही वशमें होते हैं, निश्चय ही इस विषयमें सदा गोपियाँ ही प्रमाण हैं। उन्होंने कभी सांख्य और योगका अनुष्ठान नहीं किया, तथापि केवल प्रेमसे ही वे भगवत्स्वरूपताको प्राप्त हो गयीं॥ ९—१५॥

इस प्रकार श्रीगर्गसंहितामें माधुर्यखण्डके अन्तर्गत नारद-बहुलाश्व-संवादमें 'कोसलप्रान्तीय गोपिकाओंका आख्यान' नामक चौथा अध्याय पूरा हुआ॥ ४॥

पाँचवाँ अध्याय

अयोध्यावासिनी गोपियोंके आख्यानके प्रसङ्गमें राजा विमलकी संतानके लिये चिन्ता तथा महामुनि याज्ञवल्क्यद्वारा उन्हें बहुत-सी पुत्री होनेका विश्वास दिलाना

श्रीनारदजी कहते हैं—राजन्! अब अयोध्यावासिनी गोपियोंका वर्णन सुनो, जो चारों पदार्थोंको देनेवाला तथा साक्षात् श्रीकृष्णकी प्राप्ति करानेवाला सर्वोत्कृष्ट साधन है॥ १॥

मिथिलेश्वर! सिन्धुदेशमें चम्पका नामसे प्रसिद्ध एक नगरी थी, जिसमें धर्मपरायण विमल नामक राजा हुए थे। वे कुबेरके समान कोषसे सम्पन्न तथा सिंहके समान मनस्वी थे। वे भगवान् विष्णुके भक्त और प्रशान्तचित्त महात्मा थे। वे अपनी अविचल भक्तिके कारण मूर्तिमान् प्रह्लाद-से प्रतीत होते थे। उन भूपालके छः हजार रानियाँ थीं। वे सब-की-सब सुन्दर रूपवाली तथा कमलनयनी थीं, परंतु भाग्यवश वे वन्ध्या हो गयीं। राजन्! 'मुझे किस पुण्यसे उत्तम संतानकी प्राप्ति होगी?'—ऐसा विचार करते हुए राजा विमलके बहुत वर्ष व्यतीत हो गये॥ २—५॥

एक दिन उनके यहाँ मुनिवर याज्ञवल्क्य पधारे। राजाने उनको प्रणाम करके उनका विधिवत् पूजन किया और फिर उनके सामने वे विनीतभावसे खड़े हो गये। नृपतिशिरोमणि राजाको चिन्तासे आकुल देख सर्वज्ञ, सर्ववित् तथा शान्तस्वरूप महामुनि याज्ञवल्क्यने उनसे पूछा॥ ६-७॥

याज्ञवल्क्य बोले—राजन्! तुम दुर्बल क्यों हो

*आठ सात्त्विक भावोंके नाम इस प्रकार हैं—

स्तम्भः स्वेदोऽथ रोमाञ्चः स्वरभङ्गोऽथ वेपथुः। वैवर्ण्यमश्रु प्रलय इत्यष्टौ सात्त्विका मताः॥

'अङ्गोंका अकड़ जाना, पसीना होना, रोमाञ्च हो आना, बोलते समय आवाजका बदल जाना, शरीरमें कम्पन होना, मुँहका रंग उड़ जाना, नेत्रोंसे आँसू बहना तथा मरणान्तिक अवस्थातक पहुँच जाना—ये आठ प्रेमके सात्त्विक भाव माने गये हैं।'

गये हो? तुम्हारे हृदयमें कौन-सी चिन्ता खड़ी हो गयी है? इस समय तुम्हारे राज्यके सातों अङ्गोंमें तो कुशल-मङ्गल ही दिखायी देता है?॥ ८॥

विमलने कहा—ब्रह्मन्! आप अपनी तपस्या एवं दिव्यदृष्टिसे क्या नहीं जानते हैं? तथापि आपकी आज्ञाका गौरव मानकर मैं अपना कष्ट बता रहा हूँ। मुनिश्रेष्ठ! मैं संतानहीनताके दुःखसे चिन्तित हूँ। कौन-सा तप और दान करूँ, जिससे मुझे संतानकी प्राप्ति हो॥ ९-१०॥

श्रीनारदजी कहते हैं—विमलकी यह बात सुनकर याज्ञवल्क्यमुनिके नेत्र ध्यानमें स्थित हो गये। वे मुनिश्रेष्ठ भूत और वर्तमानका चिन्तन करते हुए दीर्घकालतक ध्यानमें मग्न रहे॥ ११॥

याज्ञवल्क्य बोले—राजेन्द्र! इस जन्ममें तो तुम्हारे भाग्यमें पुत्र नहीं है, नहीं है, परंतु नृपश्रेष्ठ! तुम्हें पुत्रियाँ करोड़ोंकी संख्यामें प्राप्त होंगी॥ १२॥

राजाने कहा—मुनीन्द्र! पुत्रके बिना कोई भी इस भूतलपर पूर्वजोंके ऋणसे मुक्त नहीं होता। पुत्रहीनके घरमें सदा ही व्यथा बनी रहती है। उसे इस लोक या परलोकमें कुछ भी सुख नहीं मिलता॥ १३॥

याज्ञवल्क्य बोले—राजेन्द्र! खेद न करो। भविष्यमें भगवान् श्रीकृष्णका अवतार होनेवाला है। तुम उन्हींको दहेजके साथ अपनी सब पुत्रियाँ समर्पित कर देना। नृपश्रेष्ठ! उसी कर्मसे तुम देवताओं, ऋषियों तथा पितरोंके ऋणसे छूटकर परममोक्ष प्राप्त कर लोगे॥ १४-१५॥

श्रीनारदजी कहते हैं—महामुनिका यह वचन सुनकर उस समय राजाको बड़ा हर्ष हुआ। उन्होंने महर्षि याज्ञवल्क्यसे पुनः अपना संदेह पूछा?॥ १६॥

राजा बोले—मुनीश्वर! कितने वर्ष बीतनेपर किस देशमें और किस कुलमें साक्षात् श्रीहरि अवतीर्ण होंगे? उस समय उनका रूप-रंग क्या होगा?॥ १७॥

याज्ञवल्क्य बोले—महाबाहो! इस द्वापरयुगके जो अवशेष वर्ष हैं, उन्हींमें तुम्हारे राज्यकालसे एक सौ पंद्रह वर्ष व्यतीत होनेपर यादवपुरी मथुरामें यदुकुलके भीतर भाद्रपदमास, कृष्णपक्ष, बुधवार, रोहिणी नक्षत्र, हर्षण योग, वृषलग्न, वव करण और अष्टमी तिथिमें आधी रातके समय चन्द्रोदय-कालमें, जब कि सब कुछ अन्धकारसे आच्छन्न होगा, वसुदेव-भवनमें देवकीके गर्भसे साक्षात् श्रीहरिका आविर्भाव होगा—ठीक उसी तरह जैसे यज्ञमें अरणि-काष्ठसे अग्निका प्राकट्य होता है। भगवान्के वक्षःस्थलपर श्रीवत्सका चिह्न होगा। उनकी अङ्गकान्ति मेघके समान श्याम होगी। वे वनमालासे अलंकृत और अतीव सुन्दर होंगे। पीताम्बरधारी, कमलनयन तथा अवतारकालमें चतुर्भुज होंगे। तुम उन्हें अपनी कन्याएँ देना। तुम्हारी आयु अभी बहुत है। तुम उस समयतक जीवित रहोगे, इसमें संशय नहीं है॥ १८—२२॥

इस प्रकार श्रीगर्गसंहितामें माधुर्यखण्डके अन्तर्गत नारद-बहुलाश्व-संवादमें 'अयोध्यावासिनी गोपाङ्गनाओंका उपाख्यान' नामक पाँचवाँ अध्याय पूरा हुआ॥ ५॥

छठा अध्याय

अयोध्यापुरवासिनी स्त्रियोंका राजा विमलके यहाँ पुत्रीरूपसे उत्पन्न होना; उनके विवाहके लिये राजाका मथुरामें श्रीकृष्णको देखनेके निमित्त दूत भेजना; वहाँ पता न लगनेपर भीष्मजीसे अवतार-रहस्य जानकर उनका श्रीकृष्णके पास दूत प्रेषित करना

श्रीनारदजी कहते हैं—राजन्! यों कहकर जब साक्षात् महामुनि याज्ञवल्क्य चले गये, तब चम्पका नगरीके स्वामी राजा विमलको बड़ा हर्ष हुआ। अयोध्यापुरवासिनी स्त्रियाँ श्रीरामके वरदानसे उनकी रानियोंके गर्भसे पुत्रीरूपमें प्रकट हुईं। वे सभी राजकन्याएँ बड़ी सुन्दरी थीं। उन्हें विवाहके योग्य अवस्थामें देखकर नृपशिरोमणि चम्पकेश्वरको चिन्ता हुई। उन्होंने याज्ञवल्क्यजीकी बातको याद करके

दूतसे कहा॥ १—३॥

विमल बोले—दूत! तुम मथुरा जाओ और वहाँ शूरपुत्र वसुदेवके सुन्दर घरतक पहुँचकर देखो। वसुदेवका कोई बहुत सुन्दर पुत्र होगा। उसके वक्ष:स्थलमें श्रीवत्सका चिह्न होगा, अङ्गकान्ति मेघमालाकी भाँति श्याम होगी तथा वह वनमालाधारी एवं चतुर्भुज होगा। यदि ऐसी बात हो तो मैं उसके हाथमें अपनी समस्त सुन्दरी कन्याएँ दे दूँगा॥ ४-५॥

श्रीनारदजी कहते हैं—राजन्! महाराज विमलकी यह बात सुनकर वह दूत मथुरापुरीमें गया और मथुराके बड़े-बड़े लोगोंसे उसने सारी अभीष्ट बातें पूछीं। उसकी बात सुनकर मथुराके बुद्धिमान् लोग, जो कंससे डरे हुए थे, उस दूतको एकान्तमें ले जाकर उसके कानमें बहुत धीमे स्वरसे बोले॥ ६-७॥

मथुरानिवासियोंने कहा—वसुदेवके जो बहुत-से पुत्र हुए, वे कंसके द्वारा मारे गये। एक छोटी-सी कन्या बच गयी थी, किंतु वह भी आकाशमें उड़ गयी। वसुदेव यहीं रहते हैं, किंतु पुत्रोंसे बिछुड़ जानेके कारण उनके मनमें बड़ा दु:ख है। इस समय जो बात तुम हम-लोगोंसे पूछ रहे हो, उसे और कहीं न कहना; क्योंकि इस नगरमें कंसका भय है। मथुरापुरीमें जो वसुदेवकी संतानके सम्बन्धमें कोई बात करता है, उसे उनके आठवें पुत्रका शत्रु कंस भारी दण्ड देता है॥ ८—१०॥

श्रीनारदजी कहते हैं—राजन्! जनसाधारणकी यह बात सुनकर दूत चम्पकापुरीमें लौट गया। वहाँ जाकर राजासे उसने वह अद्भुत संवाद कह सुनाया॥ ११॥

दूत बोला—महाराज! मथुरामें शूरपुत्र वसुदेव अवश्य हैं, किंतु संतानहीन होनेके कारण अत्यन्त दीनकी भाँति जीवन व्यतीत करते हैं। सुना है कि पहले उनके अनेक पुत्र हुए थे, जो कंसके हाथसे मारे गये हैं। एक कन्या बची थी, किंतु वह भी कंसके हाथसे छूटकर आकाशमें उड़ गयी। यह वृत्तान्त सुनकर मैं यदुपुरीसे धीरे-धीरे बाहर निकला। वृन्दावनमें कालिन्दीके सुन्दर एवं रमणीय तटपर विचरते हुए मैंने लताओंके समूहमें अकस्मात् एक शिशु देखा। राजन्! गोपोंके मध्य दूसरा कोई ऐसा बालक नहीं था, जिसके लक्षण उसके समान हों। उस बालकके वक्ष:स्थलपर श्रीवत्सका चिह्न था। उसकी अङ्गकान्ति मेघके समान श्याम थी और वह वनमाला धारण किये अत्यन्त सुन्दर दिखायी देता था। परंतु अन्तर इतना ही है कि उस गोप-बालकके दो ही बाँहें थीं और आपने वसुदेवकुमार श्रीहरिको चतुर्भुज बताया था। नरेश्वर! बताइये, अब क्या करना चाहिये? क्योंकि मुनिकी बात झूठी नहीं हो सकती। प्रभो! जहाँ-जहाँ, जिस तरह आपकी इच्छा हो, उसके अनुसार वहाँ-वहाँ मुझे भेजिये॥ १२—१७॥

श्रीनारदजी कहते हैं—राजन्! राजा विमल जब इस प्रकार विस्मित होकर विचार कर रहे थे, उसी समय हस्तिनापुरसे सिन्धुदेशको जीतनेके लिये भीष्म आये॥ १८॥

विमल बोले—महाबुद्धिमान् भीष्मजी! पहले याज्ञवल्क्यजीने मुझसे कहा था कि मथुरामें साक्षात् श्रीहरि वसुदेवकी पत्नी देवकीके गर्भसे प्रकट होंगे, इसमें संशय नहीं है। परंतु इस समय वसुदेवके यहाँ परमेश्वर श्रीहरिका प्राकट्य नहीं हुआ है। साथ ही ऋषिकी बात झूठी हो नहीं सकती; अत: इस समय मैं अपनी कन्याओंका दान किसके हाथमें करूँ। आप साक्षात् महाभागवत हैं और पूर्वापरकी बातें जाननेवालोंमें सबसे श्रेष्ठ हैं। बचपनसे ही आपने इन्द्रियोंपर विजय पायी है। आप वीर, धनुर्धर एवं वसुओंमें श्रेष्ठ हैं। इसलिये यह बताइये कि अब मुझे क्या करना चाहिये॥ १९—२१॥

श्रीनारदजी कहते हैं—गङ्गानन्दन भीष्मजी महान् भगवद्भक्त, विद्वान्, दिव्यदृष्टिसे सम्पन्न, धर्मके तत्त्वज्ञ तथा श्रीकृष्णके प्रभावको जाननेवाले थे। उन्होंने राजा विमलसे कहा॥ २२॥

भीष्मजी बोले—राजन्! यह एक गुप्त बात है, जिसे मैंने वेदव्यासजीके मुँहसे सुनी थी। यह प्रसङ्ग समस्त पापोंको हर लेनेवाला, पुण्यप्रद तथा हर्षवर्धक है; इसे सुनो। परिपूर्णतम भगवान् श्रीहरि देवताओंकी रक्षा तथा दैत्योंका वध करनेके लिये वसुदेवके घरमें अवतीर्ण हुए हैं। किंतु आधी रातके समय वसुदेव कंसके भयसे उस बालकको लेकर तुरंत गोकुल चले गये और वहाँ अपने पुत्रको यशोदाकी शय्यापर

सुलाकर, यशोदा और नन्दकी पुत्री मायाको साथ ले, मथुरापुरीमें लौट आये। इस प्रकार श्रीकृष्ण गोकुलमें गुप्तरूपसे पलकर बड़े हुए हैं, यह बात दूसरे कोई भी मनुष्य नहीं जानते। वे ही गोपालवेषधारी श्रीहरि वृन्दावनमें ग्यारह वर्षोंतक गुप्तरूपसे वास करेंगे। फिर कंस-दैत्यका वध करके प्रकट हो जायँगे। अयोध्यापुरवासिनी जो नारियाँ श्रीरामचन्द्रजीके वरसे गोपीभावको प्राप्त हुई हैं, वे सब तुम्हारी पत्नियोंके गर्भसे सुन्दरी कन्याओंके रूपमें उत्पन्न हुई हैं। तुम उन गूढ़रूपमें विद्यमान देवाधिदेव श्रीकृष्णको अपनी समस्त कन्याएँ अवश्य दे दो। इस कार्यमें कदापि विलम्ब न करो; क्योंकि यह शरीर कालके अधीन है॥ २३—२९ ॥

यों कहकर जब सर्वज्ञ भीष्मजी हस्तिनापुरको चले गये, तब राजा विमलने नन्दनन्दनके पास अपना दूत भेजा॥ ३० ॥

इस प्रकार श्रीगर्गसंहितामें माधुर्यखण्डके अन्तर्गत नारद-बहुलाश्व-संवादमें 'अयोध्यापुरवासिनी गोपिकाओंका उपाख्यान' नामक छठा अध्याय पूरा हुआ॥ ६ ॥

सातवाँ अध्याय

राजा विमलका संदेश पाकर भगवान् श्रीकृष्णका उन्हें दर्शन और मोक्ष प्रदान करना तथा उनकी राजकुमारियोंको साथ लेकर व्रजमण्डलमें लौटना

श्रीनारदजी कहते हैं—राजन्! तदनन्तर दूत पुनः सिन्धुदेशसे मथुरा-मण्डलमें आया। वृन्दावनमें विचरते हुए यमुनाके तटपर उसको श्रीकृष्णका दर्शन हुआ। एकान्तमें श्रीकृष्णको प्रणाम करके दोनों हाथ जोड़कर और उनकी परिक्रमा करके उसने धीरे-धीरे राजा विमलकी कही हुई बात दुहरायी॥ १-२ ॥

दूतने कहा—जो स्वयं परब्रह्म परमेश्वर हैं, सबसे परे और सबके द्वारा अदृश्य हैं, जो परिपूर्ण देव पुण्यकी राशिसे भी सदा दूर—ऊपर उठे हुए हैं, तथापि संतजनोंको प्रत्यक्ष दर्शन देनेवाले हैं, उन भगवान् श्रीकृष्णको मेरा नमस्कार है। गौ, ब्राह्मण, देवता, वेद, साधु पुरुष तथा धर्मकी रक्षाके लिये जो अजन्मा होनेपर भी इन दिनों कंसादि दैत्योंके वधके लिये यदुकुलमें उत्पन्न हुए हैं, उन अनन्त गुणोंके महासागर आप श्रीहरिको मेरा नमस्कार है। अहो! व्रजवासियोंका बहुत बड़ा सौभाग्य है। आपके पिता नन्दराजका कुल धन्य है, यह व्रजमण्डल तथा यह वृन्दावन धन्य हैं, जहाँ आप परमेश्वर श्रीहरि साक्षात् प्रकट हैं। प्रभो! आप श्रीराधारानीके कण्ठमें सुशोभित सुन्दर (नीलमणिमय) हार हैं, कस्तूरीकी सुगन्धकी भाँति सर्वत्र प्रसिद्ध हैं और आपका सर्वत्र फैला हुआ निर्मल यश सम्पूर्ण त्रिलोकीको तत्काल श्वेत किये देता है। आप लोगोंके चित्तका सम्पूर्ण अभिप्राय जानते हैं; क्योंकि आप समस्त क्षेत्रोंके ज्ञाता आत्मा हैं और कर्मराशिके साक्षी हैं। तथापि राजा विमलने जो परम रहस्यकी और स्वधर्मसे सम्बद्ध बात कही है, उसको मैं आपसे एकान्तमें बताऊँगा। सिन्धुदेशमें जो चम्पका नामसे प्रसिद्ध इन्द्रपुरीके समान सुन्दर नगरी है, उसके पालक राजा विमल देवराज इन्द्रके समान ऐश्वर्यशाली हैं। उनकी चित्तवृत्ति सदा आपके चरणारविन्दोंमें लगी रहती है। उन्होंने आपकी प्रसन्नताके लिये सदा सैकड़ों यज्ञोंका अनुष्ठान किया है तथा दान, तप, ब्राह्मणसेवा, तीर्थसेवन और जप आदि किये हैं। उनके इन उत्तम साधनोंको निमित्त बनाकर आप उन्हें अपना सर्वोत्कृष्ट दर्शन अवश्य दीजिये। उनकी बहुत-सी कन्याएँ हैं, जो प्रफुल्ल कमल-दलके समान विशाल नेत्रोंसे सुशोभित हैं और आप पूर्ण परमेश्वरको पतिरूपमें अपने निकट पानेके शुभ अवसरकी प्रतीक्षा करती हैं। वे राजकुमारियाँ सदा आपकी प्राप्तिके लिये नियमों और व्रतोंके पालनमें तत्पर हैं तथा आपके चरणोंकी सेवासे उनके तन, मन निर्मल हो गये हैं। व्रजके

देवता! आप अपना उत्तम और अद्‌भुत दर्शन देकर उन सब राजकन्याओंका पाणिग्रहण कीजिये। इस समय आपके समक्ष जो यह कर्तव्य प्राप्त हुआ है, इसका विचार करके आप सिन्धुदेशमें चलिये और वहाँके लोगोंको अपने पावन दर्शनसे विशुद्ध कीजिये॥ ३—११॥

श्रीनारदजी कहते हैं—राजन्! उस दूतकी यह बात सुनकर भगवान् श्रीहरि बड़े प्रसन्न हुए और क्षणभरमें दूतके साथ ही चम्पकापुरीमें जा पहुँचे। उस समय राजा विमलका महान् यज्ञ चालू था। उसमें वेदमन्त्रोंकी ध्वनि गूँज रही थी। दूतसहित भगवान् श्रीकृष्ण सहसा आकाशसे उस यज्ञमें उतरे। वक्षः-स्थलमें श्रीवत्सके चिह्नसे सुशोभित, मेघके समान श्याम कान्तिधारी, सुन्दर वनमालालंकृत, पीतपटावृत कमलनयन श्रीहरिको यज्ञभूमिमें आया देख राजा विमल सहसा उठकर खड़े हो गये और प्रेमसे विह्वल हो, दोनों हाथ जोड़ उनके चरणोंके समीप गिर पड़े। उस समय उनके अङ्ग-अङ्गमें रोमाञ्च हो आया था। फिर उठकर राजाने रत्न और सुवर्णसे जटित दिव्य सिंहासनपर भगवान्‌को बिठाया, उनका स्तवन किया तथा विधिवत् पूजन करके वे उनके सामने खड़े हो गये। खिड़कियोंसे झाँककर देखती हुई सुन्दरी राजकुमारियोंकी ओर दृष्टिपात करके माधव श्रीकृष्णने मेघके समान गम्भीर वाणीमें राजा विमलसे कहा॥ १२—१७॥

श्रीभगवान् बोले—महामते! तुम्हारे मनमें जो वाञ्छनीय हो, वह वर मुझसे माँगो। महामुनि याज्ञवल्क्यके वचनसे ही इस समय तुम्हें मेरा दर्शन हुआ है॥ १८॥

विमलने कहा—देवदेव! मेरा मन आपके चरणारविन्दमें भ्रमर होकर निवास करे, यही मेरी इच्छा है। इसके सिवा दूसरी कोई अभिलाषा कभी मेरे मनमें नहीं होती॥ १९॥

श्रीनारदजी कहते हैं—यों कहकर राजा विमलने अपना सारा कोश और महान् वैभव, हाथी, घोड़े एवं रथोंके साथ श्रीकृष्णार्पण कर दिया। अपने-आपको भी उनके चरणोंकी भेंट कर दिया। नरेश्वर! अपनी समस्त कन्याओंको विधिपूर्वक श्रीहरिके हाथोंमें समर्पित करके भक्ति-विह्वल राजा विमलने श्रीकृष्णको नमस्कार किया। उस समय जन-मण्डलमें जय-जयकारका शब्द गूँज उठा और आकाशमें खड़े हुए देवताओंने वहाँ दिव्य पुष्पोंकी वर्षा की। फिर उसी समय राजा विमलको भगवान् श्रीकृष्णका सारूप्य प्राप्त हो गया। उनकी अङ्गकान्ति कामदेवके समान प्रकाशित हो उठी। शत सूर्योंके समान तेज धारण किये वे दिशामण्डलको उद्‌भासित करने लगे। उस यज्ञमें उपस्थित सम्पूर्ण मनुष्योंके देखते-देखते पत्नियोंसहित राजा विमल गरुडपर आरूढ हो भगवान् श्रीगरुडध्वजको नमस्कार करके वैकुण्ठलोकमें चले गये॥ २०—२४॥

इस प्रकार राजाको मोक्ष प्रदान करके स्वयं भगवान् श्रीकृष्ण उनकी सुन्दरी कुमारियोंको साथ ले, व्रजमण्डलमें आ गये। वहाँ रमणीय कामवनमें, जो दिव्य मन्दिरोंसे सुशोभित था, वे सुन्दरी कृष्णप्रियाएँ आकर रहने लगीं और भगवान्‌के साथ कन्दुक-क्रीड़ासे मन बहलाने लगीं। जितनी संख्यामें वे श्रीकृष्णप्रिया सखियाँ थीं, उतने ही रूप धारण करके सुन्दर व्रजराज श्रीकृष्ण रासमण्डलमें उनका मनोरञ्जन करते हुए विराजमान हुए। उस रासमण्डलमें उन विमलकुमारियोंके नेत्रोंसे जो आनन्दजनित जलबिन्दु च्युत होकर गिरे, उन सबसे वहाँ 'विमलकुण्ड' नामक तीर्थ प्रकट हो गया, जो सब तीर्थोंमें उत्तम है। नृपेश्वर! विमलकुण्डका दर्शन करके, उसका जल पीकर तथा उसमें स्नान-पूजन करके मनुष्य मेरुपर्वतके समान विशाल पापको भी नष्ट कर डालता और गोलोकधाममें जाता है। जो मनुष्य अयोध्यावासिनी गोपियोंके इस कथानकको सुनेगा, वह योगिदुर्लभ परमधाम गोलोकमें जायगा॥ २५—३०॥

इस प्रकार श्रीगर्गसंहितामें माधुर्यखण्डके अन्तर्गत नारद-बहुलाश्व-संवादमें 'अयोध्यापुरवासिनी गोपियोंका उपाख्यान' नामक सातवाँ अध्याय पूरा हुआ॥ ७॥

आठवाँ अध्याय

यज्ञसीतास्वरूपा गोपियोंके पूछनेपर श्रीराधाका श्रीकृष्णकी प्रसन्नताके लिये एकादशी-व्रतका अनुष्ठान बताना और उसके विधि, नियम और माहात्म्यका वर्णन करना

श्रीनारदजी कहते हैं—मिथिलेश्वर! अब यज्ञ-सीतास्वरूपा गोपियोंका वर्णन सुनो, जो सब पापोंको हर लेनेवाला, पुण्यदायक, कामनापूरक तथा मङ्गलका धाम है॥ १॥

दक्षिण दिशामें उशीनर नामसे प्रसिद्ध एक देश है, जहाँ एक समय दस वर्षोंतक इन्द्रने वर्षा नहीं की। उस देशमें जो गोधनसे सम्पन्न गोप थे, वे अनावृष्टिके भयसे व्याकुल हो अपने कुटुम्ब और गोधनोंके साथ व्रजमण्डलमें आ गये। नरेश्वर! नन्दराजकी सहायतासे वे पवित्र वृन्दावनमें यमुनाके सुन्दर एवं सुरम्य तटपर वास करने लगे। भगवान् श्रीरामके वरसे यज्ञसीता-स्वरूपा गोपाङ्गनाएँ उन्हींके घरोंमें उत्पन्न हुईं। उन सबके शरीर दिव्य थे तथा वे दिव्य यौवनसे विभूषित थीं। नृपेश्वर! एक दिन वे सुन्दर श्रीकृष्णका दर्शन करके मोहित हो गयीं और श्रीकृष्णकी प्रसन्नताके लिये कोई व्रत पूछनेके उद्देश्यसे श्रीराधाके पास गयीं॥ २—६॥

गोपियाँ बोलीं—दिव्यस्वरूपे, कमललोचने, वृषभानुनन्दिनी श्रीराधे! आप हमें श्रीकृष्णकी प्रसन्नताके लिये कोई शुभव्रत बतायें। जो देवताओंके लिये भी अत्यन्त दुर्लभ हैं, वे श्रीनन्दनन्दन तुम्हारे वशमें रहते हैं। राधे! तुम विश्वमोहिनी हो और सम्पूर्ण शास्त्रोंके अर्थज्ञानमें पारंगत भी हो॥ ७-८॥

श्रीराधाने कहा—प्यारी बहिनो! श्रीकृष्णकी प्रसन्नताके लिये तुम सब एकादशी-व्रतका अनुष्ठान करो। उससे साक्षात् श्रीहरि तुम्हारे वशमें हो जायँगे, इसमें संशय नहीं है॥ ९॥

गोपियोंने पूछा—राधिके! पूरे वर्षभरकी एकादशियोंके क्या नाम हैं, यह बताओ। प्रत्येक मासमें एकादशीका व्रत किस भावसे करना चाहिये?॥ १०॥

श्रीराधाने कहा—गोपकुमारियो! मार्गशीर्ष मासके कृष्णपक्षमें भगवान् विष्णुके शरीरसे—मुख्यतः उनके मुखसे एक असुरका वध करनेके लिये एकादशीकी उत्पत्ति हुई, अतः वह तिथि अन्य सब तिथियोंसे श्रेष्ठ है। प्रत्येक मासमें पृथक्-पृथक् एकादशी होती है। वही सब व्रतोंमें उत्तम है। मैं तुम सबोंके हितकी कामनासे उस तिथिके छब्बीस नाम बता रही हूँ। (मार्गशीर्ष कृष्ण एकादशीसे आरम्भ करके कार्तिक शुक्ला एकादशीतक चौबीस एकादशी तिथियाँ होती हैं। उनके नाम क्रमशः इस प्रकार हैं—) उत्पन्ना, मोक्षा, सफला, पुत्रदा, षट्तिला, जया, विजया, आमलकी, पापमोचनी, कामदा, वरूथिनी, मोहिनी, अपरा, निर्जला, योगिनी, देवशयनी, कामिनी, पवित्रा, अजा, पद्मा, इन्दिरा, पापाङ्कुशा, रमा तथा प्रबोधिनी। दो एकादशी तिथियाँ मलमासकी होती हैं। उन दोनोंका नाम सर्वसम्पत्प्रदा है। इस प्रकार जो एकादशीके छब्बीस नामोंका पाठ करता है, वह भी वर्षभरकी द्वादशी (एकादशी) तिथियोंके व्रतका फल पा लेता है॥ ११—१७$\frac{१}{२}$॥

व्रजाङ्गनाओ! अब एकादशी-व्रतके नियम सुनो! मनुष्यको चाहिये कि वह दशमीको एक ही समय भोजन करे और रातमें जितेन्द्रिय रहकर भूमिपर शयन करे। जल भी एक ही बार पीये। धुला हुआ वस्त्र पहने और तन-मनसे अत्यन्त निर्मल रहे। फिर ब्राह्म-मुहूर्तमें उठकर एकादशीको श्रीहरिके चरणोंमें प्रणाम करे। तदनन्तर शौचादिसे निवृत्त हो स्नान करे। कुएँका स्नान सबसे निम्नकोटिका है, बावड़ीका स्नान मध्यमकोटिका है, तालाब और पोखरेका स्नान उत्तम श्रेणीमें गिना गया है और नदीका स्नान उससे भी उत्तम है। इस प्रकार स्नान करके व्रत करनेवाला नरश्रेष्ठ क्रोध और लोभका त्याग करके उस दिन नीचों और पाखण्डी

मनुष्योंसे बात न करे। जो असत्यवादी, ब्राह्मणनिन्दक, दुराचारी, अगम्या स्त्रीके साथ समागममें रत रहनेवाले, परधनहारी, परस्त्रीगामी, दुर्वृत्त तथा मर्यादाका भङ्ग करनेवाले हैं, उनसे भी व्रती मनुष्य बात न करे। मन्दिरमें भगवान् केशवका पूजन करके वहाँ नैवेद्य लगवाये और भक्तियुक्त चित्तसे दीपदान करे। ब्राह्मणोंसे कथा सुनकर उन्हें दक्षिणा दे, रातको जागरण करे और श्रीकृष्ण-सम्बन्धी पदोंका गान एवं कीर्तन करे। वैष्णवव्रत (एकादशी) का पालन करना हो तो दशमीको काँसेका पात्र, मांस, मसूर, कोदो, चना, साग, शहद, पराया अन्न, दुबारा भोजन तथा मैथुन—इन दस वस्तुओंको त्याग दे। जुएका खेल, निद्रा, मद्य-पान, दन्तधावन, परनिन्दा, चुगली, चोरी, हिंसा, रति, क्रोध और असत्यभाषण—एकादशीको इन ग्यारह वस्तुओंका त्याग कर देना चाहिये। काँसेका पात्र, मांस, शहद, तेल, मिथ्याभोजन, पिट्ठी, साठीका चावल और मसूर आदिका द्वादशीको सेवन न करे। इस विधिसे उत्तम एकादशीव्रतका अनुष्ठान करे॥ १८—३०॥

गोपियाँ बोलीं—परमबुद्धिमती श्रीराधे! एकादशीव्रतका समय बताओ। उससे क्या फल होता है, यह भी कहो तथा एकादशीके माहात्म्यका भी यथार्थरूपसे वर्णन करो॥ ३१॥

श्रीराधाने कहा—यदि दशमी पचपन घड़ी (दण्ड) तक देखी जाती हो तो वह एकादशी त्याज्य है। फिर तो द्वादशीको ही उपवास करना चाहिये। यदि पलभर भी दशमीसे वेध प्राप्त हो तो वह सम्पूर्ण एकादशी तिथि त्याग देनेयोग्य है—ठीक उसी तरह, जैसे मदिराकी एक बूँद भी पड़ जाय तो गङ्गाजलसे भरा हुआ कलश त्याज्य हो जाता है। यदि एकादशी बढ़कर द्वादशीके दिन भी कुछ कालतक विद्यमान हो तो दूसरे दिनवाली एकादशी ही व्रतके योग्य है। पहली एकादशीको उस व्रतमें उपवास नहीं करना चाहिये॥ ३२—३४॥

व्रजाङ्गनाओ! अब मैं तुम्हें इस एकादशी-व्रतका फल बता रही हूँ, जिसके श्रवणमात्रसे वाजपेय यज्ञका फल मिलता है। जो अट्ठासी हजार ब्राह्मणोंको भोजन कराता है, उसको जिस फलकी प्राप्ति होती है, उसीको एकादशीका व्रत करनेवाला मनुष्य उस व्रतके पालन-मात्रसे पा लेता है। जो समुद्र और वनोंसहित सारी वसुंधराका दान करता है, उसे प्राप्त होनेवाले पुण्यसे भी हजारगुना पुण्य एकादशीके महान् व्रतका अनुष्ठान करनेसे सुलभ हो जाता है। जो पापपङ्कसे भरे हुए संसार-सागरमें डूबे हैं, उनके उद्धारके लिये एकादशी-का व्रत ही सर्वोत्तम साधन है। रात्रिकालमें जागरण-पूर्वक एकादशी-व्रतका पालन करनेवाला मनुष्य यदि सैकड़ों पापोंसे युक्त हो तो भी यमराजके रौद्ररूपका दर्शन नहीं करता। जो द्वादशीको तुलसीदलसे भक्ति-पूर्वक श्रीहरिका पूजन करता है, वह जलसे कमल-पत्रकी भाँति पापसे लिप्त नहीं होता। सहस्रों अश्वमेध तथा सैकड़ों राजसूययज्ञ भी एकादशीके उपवासकी सोलहवीं कलाके बराबर नहीं हो सकते। एकादशीका व्रत करनेवाला मनुष्य मातृकुलकी दस, पितृकुलकी दस तथा पत्नीके कुलकी दस पीढ़ियोंका उद्धार कर देता है। जैसी शुक्लपक्षकी एकादशी है, वैसी ही कृष्णपक्षकी भी है; दोनोंका समान फल है। दुधारू गाय जैसी सफेद वैसी काली—दोनोंका दूध एक-सा ही होता है। गोपियो! मेरु और मन्दराचलके बराबर बड़े-बड़े सौ जन्मोंके पाप एक ओर और एक ही एकादशीका व्रत दूसरी ओर हो तो वह उन पर्वतोपम पापोंको उसी प्रकार जलाकर भस्म कर देती है, जैसे आगकी चिनगारी रूईके ढेरको दग्ध कर देती है॥ ३५—४४॥

गोपङ्गनाओ! विधिपूर्वक हो या अविधिपूर्वक, यदि द्वादशीको थोड़ा-सा भी दान कर दिया जाय तो वह मेरु पर्वतके समान महान् हो जाता है। जो एकादशीके दिन भगवान् विष्णुकी कथा सुनता है, वह सात द्वीपोंसे युक्त पृथ्वीके दानका फल पाता है। यदि मनुष्य शङ्खोद्धारतीर्थमें स्नान करके गदाधर देवके दर्शनका महान् पुण्य संचित कर ले तो भी वह पुण्य एकादशीके उपवासकी सोलहवीं कलाकी भी समानता नहीं कर सकता है। प्रभास, कुरुक्षेत्र, केदार, बदरिकाश्रम, काशी तथा सूकरक्षेत्रमें चन्द्रग्रहण, सूर्यग्रहण तथा चार लाख संक्रान्तियोंके अवसरपर

मनुष्योंद्वारा जो दान दिया गया हो, वह भी एकादशीके उपवासकी सोलहवीं कलाके बराबर नहीं है। गोपियो! जैसे नागोंमें शेष, पक्षियोंमें गरुड़, देवताओंमें विष्णु, वर्णोंमें ब्राह्मण, वृक्षोंमें पीपल तथा पत्रोंमें तुलसीदल सबसे श्रेष्ठ है, उसी प्रकार व्रतोंमें एकादशी तिथि सर्वोत्तम है। जो मनुष्य दस हजार वर्षोंतक घोर तपस्या करता है, उसके समान ही फल वह मनुष्य भी पा लेता है, जो एकादशीका व्रत करता है। व्रजाङ्गनाओ! इस प्रकार मैंने तुमसे एकादशियोंके फलका वर्णन किया। अब तुम शीघ्र इस व्रतको आरम्भ करो। बताओ, अब और क्या सुनना चाहती हो?॥ ४५—५३॥

इस प्रकार श्रीगर्गसंहितामें माधुर्यखण्डके अन्तर्गत श्रीनारद-बहुलाश्व-संवादमें 'यज्ञसीताओंका उपाख्यान एवं एकादशी-माहात्म्य' नामक आठवाँ अध्याय पूरा हुआ॥ ८॥

नवाँ अध्याय

पूर्वकालमें एकादशीका व्रत करके मनोवाञ्छित फल पानेवाले पुण्यात्माओंका परिचय तथा यज्ञसीतास्वरूपा गोपिकाओंको एकादशी-व्रतके प्रभावसे श्रीकृष्ण-सांनिध्यकी प्राप्ति

गोपियाँ बोलीं—सम्पूर्ण शास्त्रोंके अर्थज्ञानमें पारंगत सुन्दरी वृषभानु-नन्दिनी! तुम अपनी वाणीसे बृहस्पति मुनिकी वाणीका अनुकरण करती हो। राधे! यह एकादशी-व्रत पहले किसने किया था? यह हमें विशेषरूपसे बताओ; क्योंकि तुम साक्षात् ज्ञानकी निधि हो॥ १-२॥

श्रीराधाने कहा—गोपियो! सबसे पहले देवताओंने अपने छीने गये राज्यकी प्राप्ति तथा दैत्योंके विनाशके लिये एकादशीव्रतका अनुष्ठान किया था। राजा वैशन्तने पूर्वकालमें यमलोकगत पिताके उद्धारके लिये एकादशी-व्रत किया था। लुम्पक नामके एक राजाको उसके पापके कारण कुटुम्बी-जनोंने अकस्मात् त्याग दिया था। लुम्पकने भी एकादशीका व्रत किया और उसके प्रभावसे अपना खोया हुआ राज्य प्राप्त कर लिया। भद्रावती नगरीमें पुत्रहीन राजा केतुमान्ने संतोंके कहनेसे एकादशी-व्रतका अनुष्ठान किया और उन्हें पुत्रकी प्राप्ति हो गयी। एक ब्राह्मणीको देवपत्नियोंने एकादशी-व्रतका पुण्य प्रदान किया, जिससे उस मानवीने धन-धान्य तथा स्वर्गका सुख प्राप्त किया। पुष्पदन्ती और माल्यवान्—दोनों इन्द्रके शापसे पिशाचभावको प्राप्त हो गये थे। उन दोनोंने एकादशीका व्रत किया और उसके पुण्य-प्रभावसे उन्हें पुनः गन्धर्वत्वकी प्राप्ति हो गयी। पूर्वकालमें श्रीरामचन्द्रजीने समुद्रपर सेतु बाँधने तथा रावणका वध करनेके लिये एकादशीका व्रत किया था। प्रलयके अन्तमें उत्पन्न हुए आँवलेके वृक्षके नीचे बैठकर देवताओंने सबके कल्याणके लिये एकादशी-का व्रत किया था। पिताकी आज्ञासे मेधावीने एकादशीका व्रत किया, जिससे वे अप्सराके साथ सम्पर्कके दोषसे मुक्त हो निर्मल तेजसे सम्पन्न हो गये। ललित-नामक गन्धर्व अपनी पत्नीके साथ ही शापवश राक्षस हो गया था, किंतु एकादशी-व्रतके अनुष्ठानसे उसने पुनः गन्धर्वत्व प्राप्त कर लिया। एकादशीके व्रतसे ही राजा मांधाता, सगर, ककुत्स्थ और महामति मुचुकुन्द पुण्यलोकको प्राप्त हुए। धुन्धुमार आदि अन्य बहुत-से राजाओंने भी एकादशी-व्रतके प्रभावसे ही सद्गति प्राप्त की तथा भगवान् शंकर ब्रह्मकपालसे मुक्त हुए। कुटुम्बीजनोंसे परित्यक्त महादुष्ट वैश्य-पुत्र धृष्टबुद्धि एकादशीव्रत करके ही वैकुण्ठलोकमें गया था। राजा रुक्माङ्गदने भी एकादशीका व्रत किया था और उसके प्रभावसे भूमण्डलका राज्य भोगकर वे पुरवासियोंसहित वैकुण्ठलोकमें पधारे थे। राजा अम्बरीषने भी एकादशीका व्रत किया था, जिससे कहीं भी प्रतिहत न होनेवाला ब्रह्मशाप उन्हें छू न सका।

हेममाली नामक यक्ष कुबेरके शापसे कोढ़ी हो गया था, किंतु एकादशी-व्रतका अनुष्ठान करके वह पुनः चन्द्रमाके समान कान्तिमान् हो गया। राजा महीजित्ने भी एकादशीका व्रत किया था, जिसके प्रभावसे सुन्दर पुत्र प्राप्तकर वे स्वयं भी वैकुण्ठगामी हुए। राजा हरिश्चन्द्रने भी एकादशीका व्रत किया था, जिससे पृथ्वीका राज्य भोगकर वे अन्तमें पुरवासियोंसहित वैकुण्ठ-धामको गये। पूर्वकालके सत्ययुगमें राजा मुचुकुन्दका दामाद शोभन भारतवर्षमें एकादशीका उपवास करके उसके पुण्य-प्रभावसे देवताओंके साथ मन्दराचलपर चला गया। वह आज भी वहाँ अपनी रानी चन्द्रभागाके साथ कुबेरकी भाँति राज्यसुख भोगता है। गोपियो! एकादशीको सम्पूर्ण तिथियोंकी परमेश्वरी समझो। उसकी समानता करनेवाली दूसरी कोई तिथि नहीं है॥ ३—२२॥

श्रीनारदजी कहते हैं—राजन्! श्रीराधाके मुखसे इस प्रकार एकादशीकी महिमा सुनकर यज्ञसीता-स्वरूपा गोपिकाओंने श्रीकृष्ण-दर्शनकी लालसासे विधिपूर्वक एकादशी-व्रतका अनुष्ठान किया। एकादशी-व्रतसे प्रसन्न हुए साक्षात् भगवान् श्रीहरिने मार्गशीर्ष मासकी पूर्णिमाकी रातमें उन सबके साथ रास किया॥ २३-२४॥

इस प्रकार श्रीगर्गसंहितामें माधुर्यखण्डके अन्तर्गत नारद-बहुलाश्व-संवादमें यज्ञसीतोपाख्यानके प्रसङ्गमें 'एकादशीका माहात्म्य' नामक नवाँ अध्याय पूरा हुआ॥ ९॥

दसवाँ अध्याय

पुलिन्द-कन्यारूपिणी गोपियोंके सौभाग्यका वर्णन

श्रीनारदजी कहते हैं—अब पुलिन्द (कोल-भील) जातिकी स्त्रियोंका, जो गोपी-भावको प्राप्त हुई थीं, मैं वर्णन करता हूँ। यह वर्णन समस्त पापोंका अपहरण करनेवाला, पुण्यजनक, अद्भुत और भक्ति-भावको बढ़ानेवाला है॥ १॥

विन्ध्याचलके वनमें कुछ पुलिन्द (कोल-भील) निवास करते थे। वे उद्भट योद्धा थे और केवल राजाका धन लूटते थे। गरीबोंकी कोई चीज कभी नहीं छूते थे। विन्ध्यदेशके बलवान् राजाने कुपित हो दो अक्षौहिणी सेनाओंके द्वारा उन सभी पुलिन्दोंपर घेरा डाल दिया। वे पुलिन्द भी तलवारों, भालों, शूलों, फरसों, शक्तियों, ऋष्टियों, भुशुण्डियों और तीर-कमानोंसे कई दिनोंतक राजकीय सैनिकोंके साथ युद्ध करते रहे। (विजयकी आशा न देखकर) उन्होंने सहायताके लिये यादवोंके राजा कंसके पास पत्र भेजा। तब कंसकी आज्ञासे बलवान् दैत्य प्रलम्ब वहाँ आया। उसका शरीर दो योजन ऊँचा था। देहका रंग मेघोंकी काली घटाके समान काला था। माथेपर मुकुट तथा कानोंमें कुण्डल धारण किये वह दैत्य सर्पोंकी मालासे विभूषित था। उसके पैरोंमें सोनेकी साँकल थी और हाथमें गदा लेकर वह दैत्य कालके समान जान पड़ता था। उसकी जीभ लपलपा रही थी और रूप बड़ा भयंकर था। वह शत्रुओंपर पर्वतकी चट्टानें तथा बड़े-बड़े वृक्ष उखाड़कर फेंकता था। पैरोंकी धमकसे धरतीको कँपाते हुए रणदुर्मद दैत्य प्रलम्बको देखते ही भयभीत तथा पराजित हो विन्ध्य-नरेश सेनासहित समराङ्गण छोड़कर सहसा भाग चले, मानो सिंहको देखकर हाथी भाग जाता हो। तब प्रलम्ब उन सब पुलिन्दोंको साथ ले पुनः मथुरापुरीको लौट आया॥ २—९॥

वे सभी पुलिन्द कंसके सेवक हो गये। नृपेश्वर! उन सबने अपने कुटुम्बके साथ कामगिरिपर निवास किया। उन्हींके घरोंमें भगवान् श्रीरामके उत्कृष्ट वरदानसे वे पुलिन्द-स्त्रियाँ दिव्य कन्याओंके रूपमें प्रकट हुईं, जो मूर्तिमती लक्ष्मीकी भाँति पूजित एवं प्रशंसित होती थीं। श्रीकृष्णके दर्शनसे उनके हृदयमें प्रेमकी पीडा जाग उठी। वे पुलिन्द-कन्याएँ प्रेमसे विह्वल हो भगवान्की श्रीसम्पन्न चरणरजको सिरपर

धारण करके दिन-रात उन्हींके ध्यान एवं चिन्तनमें डूबी रहती थीं। वे भी भगवान्‌की कृपासे रासमें आ पहुँचीं और साक्षात् गोलोकके अधिपति, सर्वसमर्थ, परिपूर्णतम परमेश्वर श्रीकृष्णको उन्होंने सदाके लिये प्राप्त कर लिया। अहो! इन पुलिन्द-कन्याओंका कैसा महान् सौभाग्य है कि देवताओंके लिये भी परम दुर्लभ श्रीकृष्ण-चरणारविन्दोंकी रज उन्हें विशेषरूपसे प्राप्त हो गयी। जिसकी भगवान्‌के परम उत्कृष्ट पाद-पद्म-परागमें सुदृढ़ भक्ति है, वह न तो ब्रह्माजीका पद, न महेन्द्रका स्थान, न निरन्तर-स्थायी सार्वभौम सम्राट्‌का पद, न पाताललोकका आधिपत्य, न योगसिद्धि और न अपुनर्भव (मोक्ष) को ही चाहता है। जो अकिंचन हैं, अपने किये हुए कर्मोंके फलसे विरक्त हैं, वे हरि-चरण-रजमें आसक्त भगवान्‌के स्वजन महात्मा भक्त मुनि जिस पदका सेवन करते हैं, वही निरपेक्ष सुख है; दूसरे लोग जिसे सुख कहते हैं, वह वास्तवमें निरपेक्ष नहीं है*॥ १०—१६॥

इस प्रकार श्रीगर्गसंहितामें माधुर्यखण्डके अन्तर्गत नारद-बहुलाश्व-संवादमें 'पुलिन्दी-उपाख्यान' नामक दसवाँ अध्याय पूरा हुआ॥ १०॥

ग्यारहवाँ अध्याय

लक्ष्मीजीकी सखियोंका वृषभानुओंके घरोंमें कन्यारूपसे उत्पन्न होकर माघ मासके व्रतसे श्रीकृष्णको रिझाना और पाना

श्रीनारदजी कहते हैं—मिथिलेश्वर! अब दूसरी गोपियोंका भी वर्णन सुनो, जो समस्त पापोंको हर लेनेवाला, पुण्यदायक तथा श्रीहरिके प्रति भक्ति-भावकी वृद्धि करनेवाला है॥ १॥

राजन्! व्रजमें छः वृषभानु उत्पन्न हुए हैं, जिनके नाम इस प्रकार हैं—नीतिवित्, मार्गद, शुक्ल, पतङ्ग, दिव्यावाहन तथा गोपेष्ट (ये नामानुरूप गुणोंवाले थे)। उनके घरमें लक्ष्मीपति नारायणके वरदानसे जो कुमारियाँ उत्पन्न हुईं, उनमेंसे कुछ तो रमा-वैकुण्ठ-वासिनी और कुछ समुद्रसे उत्पन्न हुई लक्ष्मीजीकी सखियाँ थीं, कुछ अजितपदवासिनी और कुछ ऊर्ध्व-वैकुण्ठलोकनिवासिनी देवियाँ थीं, कुछ लोकाचल-वासिनी समुद्रसम्भवा लक्ष्मी-सहचारियाँ थीं। उन्होंने सदा श्रीगोविन्दके चरणारविन्दका चिन्तन करते हुए माघ मासका व्रत किया। उस व्रतका उद्देश्य था—श्रीकृष्णको प्रसन्न करना। माघ मासके शुक्लपक्षकी पञ्चमी तिथिको, जो भावी वसन्तके शुभागमनका सूचक प्रथम दिन है, उनके प्रेमकी परीक्षा लेनेके लिये श्रीकृष्ण उनके घरके निकट आये। वे व्याघ्रचर्मका वस्त्र पहने, जटाके मुकुट बाँधे, समस्त अङ्गोंमें विभूति रमाये योगीके वेषमें सुशोभित हो, वेणु बजाते हुए जगत्‌के लोगोंका मन मोह रहे थे। अपनी गलियोंमें उनका शुभागमन हुआ देख सब ओरसे मोहित एवं प्रेम-विह्वल हुई गोपाङ्गनाएँ उस तरुण योगीका दर्शन करनेके लिये आयीं। उन अत्यन्त सुन्दर योगीको देखकर प्रेम और आनन्दमें डूबी हुई समस्त गोपकन्याएँ परस्पर कहने लगीं॥ २—९॥

गोपियाँ बोलीं—यह कौन बालक है, जिसकी

* परिपूर्णतमं साक्षाद्गोलोकाधिपतिं प्रभुम्॥
श्रीकृष्णचरणाम्भोजरजो देवैः सुदुर्लभम्। अहोभाग्यं पुलिन्दीनां तासां प्राप्तं विशेषतः॥
यः पारमेष्ठ्यमखिलं न महेन्द्रधिष्ण्यं नो सार्वभौममनिशं न रसाधिपत्यम्।
नो योगसिद्धिमभितो न पुनर्भवं वा वाञ्छत्यलं परमपादरजस्सुभक्तः॥
निष्किञ्चनाः स्वकृतकर्मफलैर्विरागा यत्तत्पदं हरिजना मुनयो महान्तः।
भक्ता जुषन्ति हरिपादरजःप्रसक्ता अन्ये वदन्ति न सुखं किल नैरपेक्ष्यम्॥
(गर्ग, माधुर्य १०। १३—१६)

आकृति नन्दनन्दनसे ठीक-ठीक मिलती-जुलती है; अथवा यह किसी धनी राजाका पुत्र होगा, जो अपनी स्त्रीके कठोर वचनरूपी बाणसे मर्म बिंध जानेके कारण घरसे विरक्त हो गया और सारे कृत्यकर्म छोड़ बैठा है। यह अत्यन्त रमणीय है। इसका शरीर कैसा सुकुमार है! यह कामदेवके समान सारे विश्वका मन मोह लेनेवाला है। अहो! इसकी माता, इसके पिता, इसकी पत्नी और इसकी बहिन इसके बिना कैसे जीवित होंगी? यह विचार करके सब ओरसे झुंड-की-झुंड व्रजाङ्गनाएँ उनके पास आ गयीं और प्रेमसे विह्वल तथा आश्चर्यचकित हो उन योगीश्वरसे पूछने लगीं॥ १०—१२॥

गोपियोंने पूछा—योगीबाबा! तुम्हारा नाम क्या है? मुनिजी! तुम रहते कहाँ हो? तुम्हारी वृत्ति क्या है और तुमने कौन-सी सिद्धि पायी है? वक्ताओंमें श्रेष्ठ! हमें ये सब बातें बताओ॥ १३॥

सिद्धयोगीने कहा—मैं योगेश्वर हूँ और सदा मानसरोवरमें निवास करता हूँ। मेरा नाम स्वयंप्रकाश है। मैं अपनी शक्तिसे सदा बिना खाये-पीये ही रहता हूँ। व्रजाङ्गनाओ! परमहंसोंका जो अपना स्वार्थ—आत्मसाक्षात्कार है, उसीकी सिद्धिके लिये मैं जा रहा हूँ। मुझे दिव्यदृष्टि प्राप्त हो चुकी है। मैं भूत, भविष्य और वर्तमान तीनों कालोंकी बातें जानता हूँ। मन्त्र-विद्याद्वारा उच्चाटन, मारण, मोहन, स्तम्भन तथा वशीकरण भी जानता हूँ॥ १४—१६॥

गोपियोंने पूछा—योगीबाबा! तुम तो बड़े बुद्धिमान् हो। यदि तुम्हें तीनों कालोंकी बातें ज्ञात हैं तो बताओ न, हमारे मनमें क्या है?॥ १७॥

सिद्धयोगीने कहा—यह बात तो आप-लोगोंके कानमें कहनेयोग्य है। अथवा यदि आप-लोगोंकी आज्ञा हो तो सब लोगोंके सामने ही कह डालूँ॥ १८॥

गोपियाँ बोलीं—मुने! तुम सचमुच योगेश्वर हो। तुम्हें तीनों कालोंका ज्ञान है, इसमें संशय नहीं। यदि तुम्हारे वशीकरण-मन्त्रसे, उसके पाठ करनेमात्रसे तत्काल वे यहीं आ जायँ, जिनका कि हम मन-ही-मन चिन्तन करती हैं, तब हम मानेंगी कि तुम मन्त्रज्ञोंमें सबसे श्रेष्ठ हो॥ १९-२०॥

सिद्धयोगीने कहा—व्रजाङ्गनाओ! तुमने तो ऐसा भाव व्यक्त किया है, जो परम दुर्लभ और दुष्कर है; तथापि मैं तुम्हारी मनोनीत वस्तुको प्रकट करूँगा; क्योंकि सत्पुरुषोंकी कही हुई बात झूठ नहीं होती। व्रजकी वनिताओ! चिन्ता न करो; अपनी आँखें मूँद लो। तुम्हारा कार्य अवश्य सिद्ध होगा, इसमें संशय नहीं है॥ २१-२२॥

श्रीनारदजी कहते हैं—राजन्! 'बहुत अच्छा' कहकर जब गोपियोंने अपनी आँखें मूँद लीं, तब भगवान् श्रीहरि योगीका रूप छोड़कर श्रीनन्दनन्दनके रूपमें प्रकट हो गये। गोपियोंने आँखें खोलकर देखा तो सामने नन्दनन्दन सानन्द मुस्करा रहे हैं। पहले तो वे अत्यन्त विस्मित हुईं; फिर योगीका प्रभाव जाननेपर उन्हें हर्ष हुआ और प्रियतमका वह मोहन रूप देखकर वे मोहित हो गयीं। तदनन्तर माघ मासके महारासमें पावन वृन्दावनके भीतर श्रीहरिने उन गोपाङ्गनाओंके साथ उसी प्रकार विहार किया, जैसे देवाङ्गनाओंके साथ देवराज इन्द्र करते हैं॥ २३—२५॥

इस प्रकार श्रीगर्गसंहितामें माधुर्यखण्डके अन्तर्गत नारद-बहुलाश्व-संवादमें रमावैकुण्ठ, श्वेतद्वीप, ऊर्ध्ववैकुण्ठ, अजितपद तथा श्रीलोकाचलमें निवास करनेवाली 'लक्ष्मीजीकी सखियोंके गोपीरूपमें प्रकट होनेका आख्यान' नामक ग्यारहवाँ अध्याय पूरा हुआ॥ ११॥

बारहवाँ अध्याय

दिव्यादिव्य, त्रिगुणवृत्तिमयी भूतल-गोपियोंका वर्णन तथा श्रीराधासहित गोपियोंकी श्रीकृष्णके साथ होली

श्रीनारदजी कहते हैं—मिथिलेश्वर! यह मैंने तुमसे गोपियोंके शुभ चरित्रका वर्णन किया है, अब दूसरी गोपियोंका वर्णन सुनो। वीतिहोत्र, अग्निभुक्, साम्बु, श्रीकर, गोपति, श्रुत, व्रजेश, पावन तथा शान्त—ये व्रजमें उत्पन्न हुए नौ उपनन्दोंके नाम हैं। वे सब-के-सब धनवान्, रूपवान्, पुत्रवान् बहुत-से शास्त्रोंका ज्ञान रखनेवाले, शील-सदाचारादि गुणोंसे सम्पन्न तथा दानपरायण हैं। इनके घरोंमें देवताओंकी आज्ञाके अनुसार जो कन्याएँ उत्पन्न हुईं, उनमेंसे कोई दिव्य, कोई अदिव्य तथा कोई त्रिगुणवृत्तिवाली थीं। वे सब नाना प्रकारके पूर्वकृत पुण्योंके फलस्वरूप भूतलपर गोपकन्याओंके रूपमें प्रकट हुई थीं। विदेहराज! वे सब श्रीराधिकाके साथ रहनेवाली उनकी सखियाँ थीं। एक दिनकी बात है, होलिका-महोत्सवपर श्रीहरिको आया हुआ देख उन समस्त व्रजगोपिकाओंने मानिनी श्रीराधासे कहा॥ १—६॥

गोपियाँ बोलीं—रम्भोरु! चन्द्रवदने! मधु-मानिनि! स्वामिनि! ललने! श्रीराधे! हमारी यह सुन्दर बात सुनो। ये व्रजभूषण नन्दनन्दन तुम्हारी बरसाना-नगरीके उपवनमें होलिकोत्सव-विहार करनेके लिये आ रहे हैं। शोभासम्पन्न यौवनके मदसे मत्त उनके चञ्चल नेत्र घूम रहे हैं। घुँघराली नीली अलकावली उनके कंधों और कपोलमण्डलको चूम रही है। शरीरपर पीले रंगका रेशमी जामा अपनी घनी शोभा बिखेर रहा है। वे बजते हुए नूपुरोंकी ध्वनिसे युक्त अपने अरुण चरणारविन्दोंद्वारा सबका ध्यान आकृष्ट कर रहे हैं। उनके मस्तकपर बालरविके समान कान्तिमान् मुकुट है। वे भुजाओंमें विमल अङ्गद, वक्षःस्थलपर हार और कानोंमें विद्युत्को भी विलज्जित करनेवाले मकराकार कुण्डल धारण किये हुए हैं। इस भूमण्डलपर पीताम्बरकी पीत प्रभासे सुशोभित उनका श्याम कान्तिमण्डल उसी प्रकार उत्कृष्ट शोभा पा रहा है, जैसे आकाशमें इन्द्रधनुषसे युक्त मेघमण्डल सुशोभित होता है। अबीर और केसरके रससे उनका सारा अङ्ग लिप्त है। उन्होंने हाथमें नयी पिचकारी ले रखी है तथा सखि राधे! तुम्हारे साथ रासरङ्गकी रसमयी क्रीडामें निमग्न रहनेवाले वे श्यामसुन्दर तुम्हारे शीघ्र निकलनेकी राह देखते हुए पास ही खड़े हैं।* तुम भी मान छोड़कर फगुआ (होली) के बहाने निकलो। निश्चय ही आज होलिकाको यश देना चाहिये और अपने भवनमें तुरंत ही रंग-मिश्रित जल, चन्दनके पङ्क और मकरन्द (इत्र आदि पुष्परस) का अधिक मात्रामें संचय कर लेना चाहिये। परम बुद्धिमती प्यारी सखी! उठो और सहसा अपनी सखीमण्डलीके साथ उस स्थानपर चलो, जहाँ वे श्यामसुन्दर भी मौजूद हों। ऐसा समय फिर कभी नहीं मिलेगा। बहती धारामें हाथ धो लेना चाहिये—यह कहावत सर्वत्र विदित है॥ ७—१२॥

श्रीनारदजी कहते हैं—राजन्! तब मानवती राधा मान छोड़कर उठीं और सखियोंके समूहसे घिरकर होलीका उत्सव मनानेके लिये निकलीं। चन्दन, अगर, कस्तूरी, हल्दी तथा केसरके घोलसे भरी हुई डोलचियाँ

---

* श्रीयौवनोन्मदविघूर्णितलोचनोऽसौ नीलालकालिकलितांसकपोलगोलः।
सत्पीतकञ्चुकधनान्तमशेषमाराद्‌ाचालयन् ध्वनिमता स्वपदारुणेन॥
बालार्कमौलिविमलाङ्गदहारमुद्यद्‌विद्युत्क्षिपन्मकरकुण्डलमादधानः।
पीताम्बरेण जयति द्युतिमण्डलोऽसौ भूमण्डले स धनुषेव घनो दिविस्थः॥
आबीरकुङ्कुमरसैश्च विलिप्तदेहो हस्ते गृहीतनवसेचनयन्त्र आरात्।
प्रेक्षंस्तवाशु सखि वाटमतीव राधे त्वद्रासरङ्गरसकेलिरतः स्थितः सः॥
(गर्ग०, माधुर्य० १२। ८—१०)

लिये वे बहुसंख्यक व्रजाङ्गनाएँ एक साथ होकर चलीं। रँगे हुए लाल-लाल हाथ, वासन्ती रंगके पीले वस्त्र, बजते हुए नूपुरोंसे युक्त पैर तथा झनकारती हुई करधनीसे सुशोभित कटिप्रदेश बड़ी मनोहर शोभा थी उन गोपाङ्गनाओंकी। वे हास्ययुक्त गालियोंसे सुशोभित होलीके गीत गा रही थीं। अबीर, गुलालके चूर्ण मुट्ठियोंमें ले-लेकर इधर-उधर फेंकती हुई वे व्रजाङ्गनाएँ भूमि, आकाश और वस्त्रको लाल किये देती थीं। वहाँ अबीरकी करोड़ों मुट्ठियाँ एक साथ उड़ती थीं। सुगन्धित गुलालके चूर्ण भी कोटि-कोटि हाथोंसे बिखेरे जाते थे॥ १३—१७॥

इसी समय व्रजगोपियोंने श्रीकृष्णको चारों ओरसे घेर लिया, मानो सावनकी साँझमें विद्युन्मालाओंने मेघको सब ओरसे अवरुद्ध कर लिया हो। पहले तो उनके मुँहपर खूब अबीर और गुलाल पोत दिया, फिर सारे अङ्गोंपर अबीर-गुलाल बरसाये तथा केसरयुक्त रंगसे भरी डोलचियोंद्वारा उन्हें विधिपूर्वक भिगोया। नृपेश्वर! वहाँ जितनी गोपियाँ थीं, उतने ही रूप धारण करके भगवान् भी उनके साथ विहार करते रहे। वहाँ होलिका-महोत्सवमें श्रीकृष्ण श्रीराधाके साथ वैसी ही शोभा पाते थे, जैसे वर्षाकालकी संध्या-वेलामें विद्युन्मालाके साथ मेघ सुशोभित होता है। श्रीराधाने श्रीकृष्णके नेत्रोंमें काजल लगा दिया। श्रीकृष्णने भी अपना नया उत्तरीय (दुपट्टा) गोपियोंको उपहारमें दे दिया। फिर वे परमेश्वर श्रीनन्दभवनको लौट गये। उस समय समस्त देवता उनके ऊपर फूलोंकी वर्षा करने लगे॥ १८—२२॥

इस प्रकार श्रीगर्गसंहितामें माधुर्यखण्डके अन्तर्गत नारद-बहुलाश्व-संवादमें होलिकोत्सवके प्रसङ्गमें 'दिव्यादिव्य-त्रिगुणवृत्तिमयी भूतल-गोपियोंका उपाख्यान' नामक बारहवाँ अध्याय पूरा हुआ॥ १२॥

तेरहवाँ अध्याय

देवाङ्गनास्वरूपा गोपियाँ

श्रीनारदजी कहते हैं—मिथिलेश्वर! अब देवाङ्गनास्वरूपा गोपियोंका वर्णन सुनो, जो मनुष्योंको चारों पदार्थ देनेवाला तथा उनके भक्तिभावको बढ़ानेवाला सर्वोत्तम साधन है॥ १॥

मालवदेशमें एक गोप थे, जिनका नाम था—दिवस्पति नन्द। उनके एक सहस्र पत्नियाँ थीं। वे बड़े धनवान् और नीतिज्ञ थे। एक समय तीर्थयात्राके प्रसङ्गसे उनका मथुरामें आगमन हुआ। वहाँ व्रजाधीश्वर नन्दराजका नाम सुनकर वे उनसे मिलनेके लिये गोकुल गये। वहाँ नन्दराजसे मिलकर और वृन्दावनकी शोभा देखकर महामना दिवस्पति नन्द-राजकी आज्ञासे वहीं रहने लगे। उन्होंने दो योजन भूमिको घेरकर गौओंके लिये गोष्ठ बनाया। राजन्! उस व्रजमें अपने कुटुम्बी बन्धुजनोंके साथ रहते हुए दिवस्पतिको बड़ी प्रसन्नता प्राप्त हुई। देवल मुनिके आदेशसे समस्त देवाङ्गनाएँ उन्हीं दिवस्पतिकी महादिव्य कन्याएँ हुईं, जो प्रज्वलित अग्निके समान तेजस्विनी थीं॥ २—६॥

किसी समय श्यामसुन्दर श्रीकृष्णका दर्शन पाकर वे सब कन्याएँ मोहित हो गयीं और उन दामोदरकी प्राप्ति-के लिये उन्होंने परम उत्तम माघ मासका व्रत किया। आधे सूर्यके उदित होते-होते प्रतिदिन वे व्रजाङ्गनाएँ यमुनामें जाकर स्नान करतीं और प्रेमानन्दसे विह्वल हो उच्चस्वरसे श्रीकृष्णकी लीलाएँ गाती थीं। भगवान् श्रीकृष्ण उनपर प्रसन्न होकर बोले—'तुम कोई वर माँगो।' तब उन्होंने दोनों हाथ जोड़कर उन परमात्माको प्रणाम करके उनसे धीरे-धीरे कहा॥ ७—९॥

गोपियाँ बोलीं—प्रभो! निश्चय ही आप योगीश्वरोंके लिये भी दुर्लभ हैं। सबके ईश्वर तथा कारणोंके भी कारण हैं। आप वंशीधारी हैं। आपका अङ्ग मन्मथके मनको भी मथ डालनेवाला (मोह लेने-वाला) है। आप सदा हमारे नेत्रोंके समक्ष रहें॥ १०॥

राजन्! तब 'तथास्तु' कहकर जिन आदिदेव श्रीहरिने गोपियोंके लिये अपने दर्शनका द्वार उन्मुक्त कर दिया, वे सदा तुम्हारे हृदयमें, नेत्रमार्गमें बसे रहें और बुलाये हुए-से तत्काल चित्तमें आकर स्थित हो जायँ। जिन्होंने कमरमें पीताम्बर बाँध रखा है, जिनके सिरपर मोरपंखका मुकुट सुशोभित है और गर्दन झुकी हुई है, जिनके हाथमें बाँसुरी और लकुटी है तथा कानोंमें रत्नमय कुण्डल झलमला रहे हैं, उन पटुतर नटवेषधारी श्रीहरिका मैं भजन करता हूँ। आदिदेव श्रीहरि केवल भक्तिसे ही वशमें होते हैं। निश्चय ही इसमें गोपियाँ सदा प्रमाणभूत हैं, जिन्होंने न तो कभी सांख्यका विचार किया न योगका अनुष्ठान; केवल प्रेमसे ही वे भगवान्‌के स्वरूपको प्राप्त हो गयीं॥ ११—१४॥

इस प्रकार श्रीगर्गसंहितामें माधुर्यखण्डके अन्तर्गत नारद-बहुलाश्व-संवादमें 'देवाङ्गनास्वरूपा गोपियोंका उपाख्यान' नामक तेरहवाँ अध्याय पूरा हुआ॥ १३॥

चौदहवाँ अध्याय

कौरव-सेनासे पीड़ित रंगोजि गोपका कंसकी सहायतासे व्रजमण्डलकी सीमापर निवास तथा उसकी पुत्रीरूपमें जालंधरी गोपियोंका प्राकट्य

नारदजी कहते हैं—मिथिलेश्वर! अब जालंधरके अन्त:पुरकी स्त्रियोंके गोपीरूपमें जन्म लेनेका वर्णन सुनो। महाराज! साथ ही उनके कर्मोंको भी सुनो, जो सदा ही मनुष्योंके पापोंका नाश करनेवाले हैं॥ १॥

राजन्! सप्तनदीके किनारे 'रङ्गपत्तन' नामसे प्रसिद्ध एक उत्तम नगर था, जो सब प्रकारकी सम्पदाओंसे सम्पन्न तथा विशाल था। वह दो योजन विस्तृत गोलाकार नगर था। उस नगरका मालिक या पुराधीश रंगोजि नामक एक गोप था, जो महान् बलवान् था। वह पुत्र-पौत्र आदिसे संयुक्त तथा धन-धान्यसे समृद्धिशाली था। हस्तिनापुरके स्वामी राजा धृतराष्ट्रको वह सदा एक करोड़ स्वर्णमुद्राएँ वार्षिक करके रूपमें दिया करता था। मिथिलेश्वर! एक समय वर्ष बीत जानेपर भी धनके मदसे उन्मत्त गोपने राजाको वार्षिक कर नहीं दिया। इतना ही नहीं, वह गोपनायक रंगोजि मिलनेतक नहीं गया। तब धृतराष्ट्रके भेजे हुए दस हजार वीर जाकर उस गोपको बाँधकर हस्तिनापुरमें ले आये। कई वर्षोंतक तो रंगोजि कारागारमें बँधा पड़ा रहा। बाँधे और पीटे जानेपर भी वह लोभी गोप डरा नहीं। उसने राजा धृतराष्ट्रको थोड़ा-सा भी धन नहीं दिया॥ २—८॥

किसी समय गोपनायक रंगोजि उस महाभयंकर कारागारसे भाग निकला तथा रातों-रात रङ्गपुरमें आ गया। तब पुन: उसे पकड़ लानेके लिये धृतराष्ट्रकी भेजी हुई शक्तिशाली बल-वाहनसे सम्पन्न तीन अक्षौहिणी सेना गयी। वह गोप भी कवच धारण करके युद्धभूमिमें बारंबार धनुषकी टंकार फैलाता हुआ तीखी धारवाले चमकीले बाणसमूहोंकी वर्षा करके धृतराष्ट्रकी उस सेनाका सामना करने लगा। शत्रुओंने उसके कवच और धनुष काट दिये तथा उसके स्वजनोंका भी वध कर डाला; तब वह अपने पुर (दुर्ग) में आकर कुछ दिनोंतक युद्ध चलाता रहा। अन्तमें अनाथ एवं भयसे पीड़ित रंगोजि किसी शरणदाता या रक्षककी इच्छा करने लगा। उसने यादवराज कंसके पास अपना दूत भेजा। दूत मथुरा पहुँचकर राज-दरबारमें गया और उसने मस्तक झुकाकर दोनों हाथोंकी अञ्जलि बाँधे उग्रसेनकुमार कंसको प्रणाम करके करुणासे आर्द्र वाणीमें कहा॥ ९—१४॥

'महाराज! रङ्गपत्तनमें रंगोजि नामसे प्रसिद्ध एक गोप हैं, जो उस नगरके स्वामी तथा नीतिवेत्ताओंमें श्रेष्ठ हैं। शत्रुओंने उनके नगरको चारों ओरसे घेर लिया है। वे बड़ी चिन्तामें पड़ गये हैं और अनाथ होकर आपकी शरणमें आये हैं। इस भूतलपर केवल आप ही दीनों

और दुःखियोंकी पीड़ा हरनेवाले हैं। भौमासुरादि वीर आपके गुण गाया करते हैं। आप महाबली हैं और देवता, असुर तथा उद्भट भूमिपालोंको युद्धमें जीतकर देवराज इन्द्रके समान अपनी राजधानीमें विराजमान हैं। जैसे चकोर चन्द्रमाको, कमलोंका समुदाय सूर्यको, चातक शरद् ऋतुके बादलोंद्वारा बरसाये गये जलकणोंको, भूखसे व्याकुल मनुष्य अन्नको तथा प्याससे पीड़ित प्राणी पानीको ही याद करता है, उसी प्रकार रंगोजि गोप शत्रुके भयसे आक्रान्त हो केवल आपका स्मरण कर रहे हैं'॥ १५—१७॥

नारदजी कहते हैं—राजन्! दूतकी यह बात सुनकर दीनवत्सल कंसने करोड़ों दैत्योंकी सेनाके साथ वहाँ जानेका विचार किया। उसके हाथीके गण्ड-स्थलपर गोमूत्रमें घोले गये सिन्दूर और कस्तूरीके द्वारा पत्र-रचना की गयी थी। वह हाथी विन्ध्याचलके समान ऊँचा था और उसके गण्डस्थलसे मद झर रहे थे। उसके पैरमें साँकलें थीं। वह मेघकी गर्जनाके समान जोर-जोरसे चिग्घाड़ता था। ऐसे कुवलयापीड नामक गजराजपर चढ़कर मदमत्त राजा कंस सहसा कवच आदिसे सुसज्जित हो चाणूर, मुष्टिक आदि मल्लों तथा केशी, व्योमासुर और वृषासुर आदि दैत्य-योद्धाओंके साथ रङ्गपत्तनकी ओर प्रस्थित हुआ। वहाँ यादवों और कौरवोंकी सेनाओंमें परस्पर बाणों, खड्गों और त्रिशूलोंके प्रहारसे घोर युद्ध हुआ। जब बाणोंसे सब ओर अन्धकार-सा छा गया, तब कंस एक विशाल गदा हाथमें लेकर कौरव-सेनामें उसी प्रकार घुसा, जैसे वनमें दावानल प्रविष्ट हुआ हो। जैसे इन्द्र अपने वज्रसे पर्वतको गिरा देते हैं, उसी प्रकार कंसने अपनी वज्र-सरीखी गदाकी मारसे कितने ही कवचधारी वीरोंको धराशायी कर दिया। उसने पैरोंके आघातसे रथोंको रौंद डाला, एड़ियोंसे मार-मारकर घोड़ोंका कचूमर निकाल दिया। हाथीको हाथीसे ही मारकर कितने ही गजोंको उनके पाँव पकड़कर उछाल दिया। महाबली कंसने कितने ही हाथियोंके कंधों अथवा कक्षभागोंको पकड़कर उन्हें हौदों और झूलों-सहित बलपूर्वक घुमाते हुए आकाशमें फेंक दिया। राजन्! उस युद्धभूमिमें बलवान् व्योमासुर हाथियोंके शुण्डदण्ड पकड़कर उन्हें चञ्चल घंटाओंसहित उछालकर सामने फेंक देता था। दुष्ट दैत्य बलवान् वृषासुर घोड़ोंसहित रथोंको अपने सींगोंपर उठाकर बारंबार घुमाता हुआ चारों दिशाओंमें फेंकने लगा। राजेन्द्र! बलवान् दैत्यराज केशीने बलपूर्वक अपने पिछले पैरोंसे बहुत-से वीरों और अश्वोंको इधर-उधर धराशायी कर दिया। ऐसा भयंकर युद्ध देखकर कौरव-सेनाके शेष वीर भयसे व्याकुल हो दसों दिशाओंमें भाग गये। दैत्यराज वीर कंस विजयके उल्लासमें नगारे बजवाता हुआ कुटुम्बसहित रंगोजि गोपको अपने साथ ही मथुरा ले गया॥ १८—३१॥

अपनी सेनाकी पराजयका समाचार सुनकर कौरव क्रोधसे मूर्च्छित हो उठे। परंतु वर्तमान समयको दैत्योंके अनुकूल देखकर वे सब-के-सब चुप रह गये। व्रजमण्डलकी सीमापर बर्हिषद् नामसे प्रसिद्ध एक मनोहर पुर था, जिसे बलवान् दैत्यराज कंसने रंगोजिको दे दिया। गोपनायक रंगोजि वहीं निवास करने लगा। श्रीहरिके वरदानसे जालंधरके अन्तः-पुरकी स्त्रियाँ उसी गोपकी पत्नियोंके गर्भसे उत्पन्न हुईं। रूप और यौवनसे विभूषित वे गोपकन्याएँ दूसरे-दूसरे गोपजनोंको ब्याह दी गयीं, परंतु वे जारभावसे भगवान् श्रीकृष्णके प्रति प्रगाढ़ प्रेम करने लगीं। वृन्दावनेश्वर श्यामसुन्दरने चैत्र मासके महारासमें उन सबके साथ पुण्यमय रमणीय वृन्दावन-के भीतर विहार किया॥ ३२—३६॥

इस प्रकार श्रीगर्गसंहितामें माधुर्यखण्डके अन्तर्गत नारद-बहुलाश्व-संवादमें 'जालंधरी गोपियोंका उपाख्यान' नामक चौदहवाँ अध्याय पूरा हुआ॥ १४॥

पंद्रहवाँ अध्याय

बर्हिष्मतीपुरी आदिकी वनिताओंका गोपीरूपमें प्राकट्य तथा भगवान्‌के साथ उनका रासविलास; मांधाता और सौभरिके संवादमें यमुना-पञ्चाङ्गकी प्रस्तावना

नारदजी कहते हैं—राजन्! व्रजमें शोणपुरके स्वामी नन्द बड़े धनी थे। मिथिलेश्वर! उनके पाँच हजार पत्नियाँ थीं। उनके गर्भसे समुद्रसम्भवा लक्ष्मीजीकी वे सखियाँ उत्पन्न हुईं, जिन्हें मत्स्यावतार-धारी भगवान्‌से वैसा वर प्राप्त हुआ था। नरेश्वर! इनके सिवा और भी, विचित्र ओषधियाँ, जो पृथ्वीके दोहनसे प्रकट हुई थीं, वहाँ गोपीरूपमें उत्पन्न हुईं। बर्हिष्मतीपुरीकी वे नारियाँ भी, जिन्हें महाराज पृथुका वर प्राप्त था, जातिस्मरा गोपियोंके रूपमें व्रजमें उत्पन्न हुई थीं तथा नर-नारायणके वरदानसे अप्सराएँ भी गोपीरूपमें प्रकट हुई थीं। सुतलवासिनी दैत्यनारियाँ वामन केवरसे तथा नागराजोंकी कन्याएँ भगवान् शेषके उत्तम वरसे व्रजमें उत्पन्न हुईं। दुर्वासामुनिने उन सबको अद्भुत 'कृष्णा-पञ्चाङ्ग' दिया था, जिससे यमुनाजीकी पूजा करके उन्होंने श्रीपतिका वररूपमें वरण किया॥ १—५॥

एक दिनकी बात है—मनोहर वृन्दावनमें दिव्य यमुनातटपर, जहाँ नर-कोकिलोंसे सुशोभित हरे-भरे वृक्ष-समुदाय शोभा दे रहे थे, भ्रमरोंके गुञ्जारवके साथ कोकिलों और सारसोंकी मीठी बोली गूँज रही थी, वासन्ती लताओंसे आवृत तथा शीतल-मन्द-सुगन्ध वायुसे परिसेवित मधुमासमें, उन गोपाङ्गनाओंके साथ, मदनमोहन श्यामसुन्दर श्रीहरिने कल्पवृक्षोंकी श्रेणीसे मनोरम प्रतीत होनेवाले कदम्बवृक्षके नीचे एकान्त-स्थानमें झूला झूलनेका उत्सव आरम्भ किया। वहाँ यमुना-जलकी उत्ताल तरङ्गोंका कोलाहल फैला हुआ था। वे प्रेमविह्वला गोपाङ्गनाएँ श्रीहरिके साथ झूला झूलनेकी क्रीड़ा कर रही थीं। जैसे रतिके साथ रति-पति कामदेव शोभा पाते हैं, उसी प्रकार करोड़ों चन्द्रोंसे भी अधिक कान्तिमती कीर्तिकुमारी श्रीराधाके साथ वृन्दावनमें श्यामसुन्दर श्रीकृष्ण सुशोभित हो रहे थे। इस प्रकार जो साक्षात् परिपूर्णतम नन्दनन्दन श्रीकृष्णको प्राप्त हुई थीं, उन समस्त गोपाङ्गनाओंके तपका क्या वर्णन हो सकता है? नागराजोंकी समस्त सुन्दरी कन्याएँ, जो गोपीरूपमें उत्पन्न हुई थीं, मनोहर चैत्र मासमें यमुनाके तटपर श्रीबलभद्र हरिकी सेवामें उपस्थित थीं। राजन्! इस प्रकार मैंने तुमसे गोपियोंके शुभ चरित्रका वर्णन किया, जो परम पवित्र तथा समस्त पापोंको हर लेनेवाला है। अब पुनः क्या सुनना चाहते हो?॥ ६—१३॥

बहुलाश्व बोले—मुने! प्रभो! दुर्वासाका दिया हुआ यमुनाजीका पञ्चाङ्ग क्या है, जिससे गोपियोंको गोविन्दकी प्राप्ति हो गयी? उसका मुझसे वर्णन कीजिये॥ १४॥

श्रीनारदजीने कहा—राजन्! इस विषयमें विज्ञजन एक प्राचीन इतिहासका उदाहरण देते हैं, जिसके श्रवणमात्रसे पापोंकी पूर्णतया निवृत्ति हो जाती है। अयोध्यामें मांधाता नामसे प्रसिद्ध एक तेजस्वी राजशिरोमणि उस पुरीके अधिपति थे। एक दिन वे शिकार खेलनेके लिये वनमें गये और विचरते हुए, सौभरिमुनिके सुन्दर आश्रमपर जा पहुँचे। उनका वह आश्रम साक्षात् वृन्दावनमें यमुनाजीके मनोहर तटपर स्थित था। वहाँ अपने जामाता सौभरिमुनिको प्रणाम करके मानदाता मांधाताने कहा॥ १५—१७॥

मांधाता बोले—भगवन्! आप साक्षात् सर्वज्ञ हैं, परावरवेत्ताओंमें सर्वश्रेष्ठ हैं और अज्ञानान्धकारसे अंधे हुए लोगोंके लिये दूसरे दिव्य सूर्यके समान हैं। मुझे शीघ्र ही ऐसा कोई उत्तम साधन बताइये, जिससे इस लोकमें सम्पूर्ण सिद्धियोंसे सम्पन्न राज्य बना रहे और परलोकमें भगवान् श्रीकृष्णका सारूप्य प्राप्त हो॥ १८-१९॥

सौभरि बोले—राजन्! मैं तुम्हारे सामने यमुनाजीके पञ्चाङ्गका वर्णन करूँगा, जो सदा समस्त सिद्धियोंको देनेवाला तथा श्रीकृष्णके सारूप्यकी

प्राप्ति करानेवाला है। यह साधन जहाँसे सूर्यका उदय होता है और जहाँ वह अस्तभावको प्राप्त होता है, वहाँ-तकके राज्यकी प्राप्ति करानेवाला तथा यहाँ श्रीकृष्णको भी वशीभूत करनेवाला है। सूर्यवंशेन्द्र! किसी भी देवताके कवच, स्तोत्र, सहस्रनाम, पटल तथा पद्धति-ये पाँच अङ्ग विद्वानोंने बताये हैं॥ २०—२२॥

इस प्रकार श्रीगर्गसंहितामें माधुर्यखण्डके अन्तर्गत नारद-बहुलाश्व-संवादमें 'सौभरि और मांधाताका संवाद तथा बर्हिष्मतीपुरीकी नारियों, अप्सराओं, सुतलवासिनी, असुर-कन्याओं तथा नागराज-कन्याओंके गोपीरूपमें उत्पन्न होनेका उपाख्यान' नामक पंद्रहवाँ अध्याय पूरा हुआ॥ १५॥

सोलहवाँ अध्याय

श्रीयमुना-कवच

मांधाता बोले—महाभाग! आप मुझे श्रीकृष्ण-की पटरानी यमुनाके सर्वथा निर्मल कवचका उपदेश दीजिये, मैं उसे सदा धारण करूँगा॥ १॥

सौभरी बोले—महामते नरेश! यमुनाजीका कवच मनुष्योंकी सब प्रकारसे रक्षा करनेवाला तथा साक्षात् चारों पदार्थोंको देनेवाला है, तुम इसे सुनो—यमुनाजीके चार भुजाएँ हैं। वे श्यामा (श्यामवर्णा एवं षोडश वर्षकी अवस्थासे युक्त) हैं। उनके नेत्र प्रफुल्ल कमलदलके समान सुन्दर एवं विशाल हैं। वे परम सुन्दरी हैं और दिव्य रथपर बैठी हुई हैं। इस प्रकार उनका ध्यान करके कवच धारण करे॥ २-३॥

स्नान करके पूर्वाभिमुख हो मौनभावसे कुशासन-पर बैठे और कुशोंद्वारा शिखा बाँधकर संध्या-वन्दन करनेके अनन्तर ब्राह्मण (अथवा द्विजमात्र) स्वस्तिकासनसे स्थित हो कवचका पाठ करे। '**यमुना**' मेरे मस्तककी रक्षा करें और '**कृष्णा**' सदा दोनों नेत्रोंकी। '**श्यामा**' भ्रूभंग-देशकी और '**नाकवासिनी**' नासिकाकी रक्षा करें। '**साक्षात् परमानन्दरूपिणी**' मेरे दोनों कपोलोंकी रक्षा करें। '**कृष्णवामांससम्भूता**' (श्रीकृष्णके बायें कंधेसे प्रकट हुई वे देवी) मेरे दोनों कानोंका संरक्षण करें। '**कालिन्दी**' अधरोंकी और '**सूर्यकन्या**' चिबुक (ठोढ़ी) की रक्षा करें। '**यमस्वसा**' (यमराजकी बहिन) मेरी ग्रीवाकी और '**महानदी**' मेरे हृदयकी रक्षा करें। '**कृष्णप्रिया**' पृष्ठ-भागका और '**तटिनी**' मेरी दोनों भुजाओंका रक्षण करें। '**सुश्रोणी**' श्रोणीतट (नितम्ब) की और '**चारुदर्शना**' मेरे कटिप्रदेशकी रक्षा करें। '**रम्भोरू**' दोनों ऊरुओं (जाँघों) की और '**अङ्घ्रिभेदिनी**' मेरे दोनों घुटनोंकी रक्षा करें। '**रासेश्वरी**' गुल्फों (घुट्टियों) का और '**पापापहारिणी**' पादयुगलका त्राण करें। '**परिपूर्णतम-प्रिया**' भीतर-बाहर, नीचे-ऊपर तथा दिशाओं और विदिशाओंमें सब ओरसे मेरी रक्षा करें*॥ ४—१०॥

* यमुनायाश्च कवचं सर्वरक्षाकरं नृणाम्। चतुष्पदार्थदं साक्षाच्छृणु राजन् महामते॥
कृष्णां चतुर्भुजां श्यामां पुण्डरीकदलेक्षणाम्। रथस्थां सुन्दरीं ध्यात्वा धारयेत् कवचं ततः॥
स्नातः पूर्वमुखो मौनी कृतसंध्यः कुशासने। कुशैर्बद्धशिखो विप्रः पठेद् वै स्वस्तिकासनः॥
यमुना मे शिरः पातु कृष्णा नेत्रद्वयं सदा। श्यामा भ्रूभङ्गदेशं च नासिकां नाकवासिनी॥
कपोलौ पातु मे साक्षात् परमानन्दरूपिणी। कृष्णवामांससम्भूता पातु कर्णद्वयं मम॥
अधरौ पातु कालिन्दी चिबुकं सूर्यकन्यका। यमस्वसा कन्धरां च हृदयं मे महानदी॥
कृष्णप्रिया पातु पृष्ठं तटिनी मे भुजद्वयम्। श्रोणीतटं च सुश्रोणी कटिं मे चारुदर्शना॥
ऊरुद्वयं तु रम्भोरूर्जानुनी त्वङ्घ्रिभेदिनी। गुल्फौ रासेश्वरी पातु पादौ पापापहारिणी॥
अन्तर्बहिरधश्चोर्ध्वं दिशासु विदिशासु च। समन्तात् पातु जगतः परिपूर्णतमप्रिया॥
(गर्ग०, माधुर्य० १६। २—१०)

यह श्रीयमुनाका परम अद्भुत कवच है। जो भक्तिभावसे दस बार इसका पाठ करता है, वह निर्धन भी धनवान् हो जाता है। जो बुद्धिमान् मनुष्य ब्रह्मचर्यके पालनपूर्वक परिमित आहारका सेवन करते हुए तीन मासतक इसका पाठ करेगा, वह सम्पूर्ण राज्योंका आधिपत्य प्राप्त कर लेगा, इसमें संशय नहीं है। जो तीन महीनेकी अवधितक प्रतिदिन भक्तिभावसे शुद्धचित्त हो इसका एक सौ दस बार पाठ करेगा, उसको क्या-क्या नहीं मिल जायगा? जो प्रातःकाल उठकर इसका पाठ करेगा, उसे सम्पूर्ण तीर्थोंमें स्नानका फल मिल जायगा तथा अन्तमें वह योगिदुर्लभ परमधाम गोलोकमें चला जायगा॥ *११—१४॥

इस प्रकार श्रीगर्ग-संहितामें माधुर्यखण्डके अन्तर्गत श्रीसौभरि-मांधाताके संवादमें 'यमुना-कवच' नामक सोलहवाँ अध्याय पूरा हुआ॥ १६॥

सत्रहवाँ अध्याय

श्रीयमुनाका स्तोत्र

मांधाता बोले—मुनिश्रेष्ठ सौभरे! सम्पूर्ण सिद्धिप्रदान करनेवाला जो यमुनाजीका दिव्य उत्तम स्तोत्र है, उसका कृपापूर्वक मुझसे वर्णन कीजिये॥ १॥

श्रीसौभरिमुनिने कहा—महामते! अब तुम सूर्यकन्या यमुनाका स्तोत्र सुनो, जो इस भूतलपर समस्त सिद्धियोंको देनेवाला तथा धर्म, अर्थ, काम और मोक्षरूप चारों पुरुषार्थोंका फल देनेवाला है। श्रीकृष्णके बायें कंधेसे प्रकट हुई 'कृष्णा' को सदा मेरा नमस्कार है। कृष्णे! तुम श्रीकृष्णस्वरूपिणी हो; तुम्हें बारंबार नमस्कार है। जो पापरूपी पङ्कजलके कलङ्कसे कुत्सित कामी कुबुद्धि मनुष्य सत्पुरुषोंके साथ कलह करता है, उसे भी गूँजते हुए भ्रमर और जलपक्षियोंसे युक्त कलिन्दनन्दिनी यमुना वृन्दावनधाम प्रदान करती हैं। कृष्णे! तुम्हीं साक्षात् श्रीकृष्णस्वरूपा हो। तुम्हीं प्रलयसिन्धुके वेगयुक्त भँवरमें महामत्स्यरूप धारण करके विराजती हो। तुम्हारी ऊर्मि-ऊर्मिमें भगवान् कूर्मरूपसे वास करते हैं तथा तुम्हारे बिन्दु-बिन्दुमें श्रीगोविन्ददेवकी आभाका दर्शन होता है। तटिनि! तुम लीलावती हो, मैं तुम्हारी वन्दना करता हूँ। तुम घनी-भूत मेघके समान श्याम कान्ति धारण करती हो। श्रीकृष्णके बायें कंधेसे तुम्हारा प्राकट्य हुआ है। सम्पूर्ण जलोंकी राशिरूप जो विरजा नदीका वेग है, उसको भी अपने बलसे खण्डित करती हुई, ब्रह्माण्ड-को छेदकर देवनगर, पर्वत, गण्डशैल आदि दुर्गम वस्तुओंका भेदन करके तुम इस भूमिखण्डके मध्यभागमें अपनी तरङ्गमालाओंको स्थापित करके प्रवाहित होती हो। यमुने! पृथ्वीपर तुम्हारा नाम दिव्य है। वह श्रवणपथमें आकर पर्वताकार पापसमूहको भी दण्डित एवं खण्डित कर देता है। तुम्हारा वह अखण्ड नाम मेरे वाङ्मण्डल—वचनसमूहमें क्षणभर भी स्थित हो जाय। यदि वह एक बार भी वाणीद्वारा गृहीत हो जाय तो समस्त पापोंका खण्डन हो जाता है। उसके स्मरणसे दण्डनीय पापी भी अदण्डनीय हो जाते हैं। तुम्हारे भाई सूर्यपुत्र यमराजके नगरमें तुम्हारा 'प्रचण्डा' यह नाम सुदृढ़ अतिदण्ड बनकर विचरता है। तुम विषयरूपी अन्धकूपसे पार जानेके लिये रस्सी हो; अथवा पापरूपी चूहोंको निगल जानेवाली काली नागिन हो; अथवा विराट् पुरुषकी मूर्तिकी वेणीको

*इदं श्रीयमुनायाश्च कवचं परमाद्भुतम्। दशवारं पठेद् भक्त्या निर्धनो धनवान् भवेत्॥
त्रिभिर्मासैः पठेद् धीमान् ब्रह्मचारी मिताशनः। सर्वराज्याधिपत्यत्वं प्राप्यते नात्र संशयः॥
दशोत्तरशतं नित्यं त्रिमासावधि भक्तितः। यः पठेत् प्रयतो भूत्वा तस्य किं किं न जायते॥
यः पठेत् प्रातरुत्थाय सर्वतीर्थफलं लभेत्। अन्ते व्रजेत् परं धाम गोलोकं योगिदुर्लभम्॥
(गर्ग०, माधुर्य० १६। ११—१४)

अलंकृत करनेवाला नीले पुष्पोंका गजरा हो या उनके मस्तकपर सुशोभित होनेवाली सुन्दर नीलमणिकी माला हो। जहाँ आदिकर्ता भगवान् श्रीकृष्णकी वल्लभा, गोलोकमें भी अतिदुर्लभा, अति सौभाग्यवती अद्वितीया नदी श्रीयमुना प्रवाहित होती हैं, उस भूतलके मनुष्योंका भाग्य इसी कारणसे धन्य है। गौओंके समुदाय तथा गोप-गोपियोंकी क्रीडासे कलित कलिन्द-नन्दिनी यमुने! कृष्णप्रभे! तुम्हारे तटपर जो जलकी गोलाकार, चपल एवं उत्ताल तरङ्गोंका कोलाहल (कल-कल रव) होता है, वह सदा मेरी रक्षा करे। तुम्हारे दुर्गम कुञ्जोंके प्रति कौतूहल रखनेवाले भ्रमरसमुदायके गुञ्जारव, मयूरोंकी केका तथा कूजते हुए कोकिलोंकी काकलीका शब्द भी उस कोलाहलमें मिला रहता है तथा वह व्रजलताओंके अलंकारको धारण करनेवाला है। शरीरमें जितने रोम हैं, उतनी ही जिह्वाएँ हो जायँ, धरतीपर जितने सिकताकण हैं, उतनी ही वाग्देवियाँ आ जायँ और उनके साथ संत-महात्मा भी शेषनागके समान सहस्रों जिह्वाओंसे युक्त होकर गुणगान करने लग जायँ, तथापि तुम्हारे गुणोंका अन्त कभी नहीं हो सकता। कलिन्दगिरिनन्दिनी यमुनाका यह उत्तम स्तोत्र यदि उषःकालमें ब्राह्मणके मुखसे सुना जाय अथवा स्वयं पढ़ा जाय तो भूतलपर परम मङ्गलका विस्तार करता है। जो कोई मनुष्य भी यदि नित्यशः इसका धारण (चिन्तन) करे तो वह भगवान्‌की निज निकुञ्जलीलाके द्वारा वरण किये गये परमपदको प्राप्त होता है*॥ २—११॥

इस प्रकार श्रीगर्गसंहितामें माधुर्यखण्डके अन्तर्गत श्रीसौभरि-मांधाताके संवादमें 'श्रीयमुनास्तोत्र' नामक सत्रहवाँ अध्याय पूरा हुआ॥ १७॥

अठारहवाँ अध्याय

यमुनाजीके जप और पूजनके लिये पटल और पद्धतिका वर्णन

मांधाता बोले—मुनिश्रेष्ठ! यमुनाजीके काम-पूरक पवित्र पटल तथा पद्धतिका जैसा स्वरूप है, वह मुझे बताइये; क्योंकि आप साक्षात् ज्ञानकी निधि हैं॥ १॥

सौभरिने कहा—महामते! अब मैं यमुनाजीके पटल तथा पद्धतिका भी वर्णन करता हूँ, जिसका अनुष्ठान, श्रवण अथवा जप करके मनुष्य जीवन्मुक्त हो जाता है। पहले प्रणव (ॐ) का उच्चारण करके

* मार्तण्डकन्यकायास्तु स्तवं शृणु महामते । सर्वसिद्धिकरं भूमौ चातुर्वर्ग्यफलप्रदम्॥
कृष्णवामांसभूतायै कृष्णायै सततं नमः। नमः श्रीकृष्णरूपिण्यै कृष्णे तुभ्यं नमो नमः॥
यः पापपङ्काम्बुकलङ्ककुत्सितः कामी कुधीः सत्सु कलिं करोति हि। वृन्दावनं धाम ददाति तस्मै-नन्दन्मिलिन्दादि कलिन्दनन्दिनी॥
कृष्णे साक्षात् कृष्णरूपा त्वमेव वेगावर्ते वर्तते मत्स्यरूपी । उर्मावूर्मौ कूर्मरूपी सदा ते बिन्दौ बिन्दौ भाति गोविन्ददेवः॥
वन्दे लीलावतीं त्वां सघनघननिभां कृष्णवामांसभूतां वेगं वै वैरजाख्यं सकलजलचयं खण्डयन्तीं बलात् स्वात्।
छित्त्वा ब्रह्माण्डमारात् सुरनगरनगान् गण्डशैलादिदुर्गान् भित्त्वा भूखण्डमध्ये तटिनि धृतवतीमूर्मिमालां प्रयान्तीम्॥
दिव्यं कौ नामधेयं श्रुतपथ यमुने दण्डयत्यद्रितुल्यं पापव्यूहं त्वखण्डं वसतु मम गिरामण्डले तु क्षणं तत्।
दण्ड्यांश्चाकार्यदण्डच्यान् सकृदपि वचसा खण्डितं यद् गृहीतं भ्रातुर्मार्तण्डसूनो रटति पुरि दृढस्ते प्रचण्डेति दण्डः॥
रज्जुर्वा विषयान्धकूपतरणे पापाखुदर्वीकरी वेण्युष्णिक्क विराजमूर्तिशिरसो मालास्ति वा सुन्दरी।
धन्यं भाग्यमतः परं भुवि नृणां यत्रादिकृद्वल्लभा गोलोकेऽप्यतिदुर्लभातिसुभगा भात्यद्वितीया नदी॥
गोपीगोकुलगोपकेलिकलिते कालिन्दि कृष्णप्रभे त्वत्कूले जललोलगोलविचलत्कल्लोलकोलाहलः।
त्वत्कान्तारकुतूहलालिकुलकृज्झंकारकेकाकुलः कूजत्कोकिलसंकुलो व्रजलतालंकारभृत् पातु माम्॥
भवन्ति जिह्वास्तनुरोमतुल्या गिरो यदा भूसिकता इवाशु। तदप्यलं यान्ति न ते गुणान्तं सन्तो महान्तः किल शेषतुल्याः॥
कलिन्दगिरिनन्दिनीस्तव उषस्ययं वापरः। श्रुतश्च यदि पाठितो भुवि तनोति सन्मङ्गलम्॥
जनोऽपि यदि धारयेत् किल पठेच्च यो नित्यशः। स याति परमं पदं निजनिकुञ्जलीलावृतम्॥
(गर्ग०, माधुर्य० १७। २—११)

फिर मायाबीज (**ह्रीं**) का उच्चारण करे। तत्पश्चात् लक्ष्मीबीज (**श्रीं**) को रखकर उसके बाद कामबीज (**क्लीं**) का विधिवत् प्रयोग करे। इसके अनन्तर 'कालिन्दी' शब्दका चतुर्थ्यन्त रूप (**कालिन्द्यै**) रखे। फिर 'देवी' शब्दके चतुर्थ्यन्तरूप (**देव्यै**) का प्रयोग करके अन्तमें 'नमः' पद जोड़ दे। (**इस प्रकार 'ॐ ह्रीं श्रीं क्लीं कालिन्द्यै देव्यै नमः।'** यह मन्त्र बनेगा।) इस मन्त्रका मनुष्य विधिवत् जप करे। इस ग्यारह अक्षरवाले मन्त्रका ग्यारह लाख जप करनेसे इस पृथ्वीपर सिद्धि प्राप्त हो सकती है। मनुष्योंद्वारा जिन-जिन काम्य-पदार्थोंके लिये प्रार्थना की जाती है, वे सब स्वतः सुलभ हो जाते हैं॥ २—४॥

सुन्दर सिंहासनपर षोडशदल कमल अङ्कित करके उसकी कर्णिकामें श्रीकृष्णसहित कालिन्दीका न्यास (स्थापन) करे। कमलके सोलह दलोंमें अलग-अलग विधिपूर्वक नाम ले-लेकर मानवश्रेष्ठ साधक क्रमशः गङ्गा, विरजा, कृष्णा, चन्द्रभागा, सरस्वती, गोमती, कौशिकी, वेणी, सिंधु, गोदावरी, वेदस्मृति, वेत्रवती, शतद्रू, सरयू, ऋषिकुल्या तथा ककुद्मिनीका पूजन करे। पूर्वादि चार दिशाओंमें क्रमशः वृन्दावन, गोवर्धन, वृन्दा तथा तुलसीका उनके नामोच्चारणपूर्वक क्रमशः पूजन करे। तत्पश्चात् '**ॐ नमो भगवत्यै कलिन्दनन्दिन्यै सूर्यकन्यकायै यमभगिन्यै श्रीकृष्णप्रियायै यूथीभूतायै स्वाहा।**' इस मन्त्रसे आवाहन आदि सोलह उपचारोंको एकाग्रचित्त हो अर्पित करे॥ ५—१०॥

इस प्रकार यमुनाका पटल जानो। अब पद्धति बताऊँगा। जबतक पुरश्चरण पूरा न हो जाय, तबतक ब्रह्मचर्यका पालन करते हुए मौनावलम्बनपूर्वक द्विजको जप करना चाहिये। पुरश्चरणकालमें जौका आटा खाय, पृथ्वीपर शयन करे, पत्तलपर भोजन करे और मनको वशमें रखे। राजन्! आचार्यको चाहिये कि काम, क्रोध, लोभ, मोह तथा द्वेषको त्यागकर परम भक्तिभावसे जपमें प्रवृत्त रहे। ब्राह्ममुहूर्तमें उठकर कालिन्दी देवीका ध्यान करे और अरुणोदयकी बेलामें नदीमें स्नान करे। मध्याह्नकालमें और दोनों संध्याओंके समय संध्या-वन्दन अवश्य किया करे। राजन्! जब अनुष्ठान समाप्त हो, तब यमुनाके तटपर जाकर पुत्रों-सहित दस लाख महात्मा ब्राह्मणोंका गन्ध-पुष्पसे पूजन करके उन्हें उत्तम भोजन दे। तदनन्तर वस्त्र, आभूषण और सुवर्णमय चमकीले पात्र तथा उत्तम दक्षिणाएँ दे। इससे निश्चय ही सिद्धि होती है॥ ११—१७॥

महामते! नरेश! इस प्रकार मैंने तुमसे यमुनाजीके जप और पूजनकी पद्धति बतायी है। तुम सारा नियम पूर्ण करो। बताओ! अब और क्या सुनना चाहते हो?॥ १८॥

इस प्रकार श्रीगर्गसंहितामें माधुर्यखण्डके अन्तर्गत मांधाता और सौभरिके संवादमें 'पटल और पद्धतिका वर्णन' नामक अठारहवाँ अध्याय पूरा हुआ॥ १८॥

उन्नीसवाँ अध्याय

यमुना-सहस्रनाम

मांधाता बोले—मनुष्यश्रेष्ठ! यमुनाजीका सहस्रनाम समस्त सिद्धियोंकी प्राप्ति करानेवाला उत्तम साधन है, आप मुझे उसका उपदेश कीजिये; क्योंकि आप सर्वज्ञ और निरामय (रोग-शोकसे रहित) हैं॥ १॥

सौभरिने कहा—मांधाता नरेश! मैं तुमसे 'कालिन्दी सहस्रनाम' का वर्णन करता हूँ। वह समस्त सिद्धियोंकी प्राप्ति करानेवाला, दिव्य तथा श्रीकृष्णको वशीभूत करनेवाला है॥ २॥

विनियोग

ॐ अस्य श्रीकालिन्दीसहस्रनामस्तोत्रमन्त्रस्य सौभरिर्ऋषिः, श्रीयमुना देवता, अनुष्टुप्छन्दः, मायाबीजमिति कीलकम्, रमाबीजमिति शक्तिः, श्रीकलिन्दनन्दिनीप्रसाद सिद्ध्यर्थे जपे विनियोगः।

—उक्त वाक्य पढ़कर सहस्रनाम-पाठके लिये विनियोगका जल छोड़े।

ध्यान

श्यामामम्भोजनेत्रां सघनघनरुचिं रत्नमञ्जीरकूजत्
काञ्चीकेयूरयुक्तां कनकमणिमये बिभ्रतिं कुण्डले द्वे।
भ्राजच्छ्रीनीलवस्त्रस्फुरदिभजचलद्धारभारां मनोज्ञां
ध्याये मार्तण्डपुत्रीं तनुकिरणचयोद्दीप्तदीपाभिरामाम्॥३॥

जो श्यामा (श्यामवर्णा एवं षोडश वर्षकी अवस्थावाली) हैं, जिनके नेत्र प्रफुल्ल कमल-दलकी शोभाको छीने लेते हैं, घनीभूत मेघके समान जिनकी नील कान्ति है, जो रत्नोंद्वारा निर्मित बजते हुए नूपुर और झनकारती हुई करधनी एवं केयूर आदि आभूषणोंसे युक्त हैं तथा कानोंमें सुवर्ण एवं मणिनिर्मित दो कुण्डल धारण करती हैं, दीप्तिमती नीली साड़ीपर चमकते हुए गजमौक्तिकके चञ्चल हारका भार वहन करनेसे अत्यन्त मनोहर जान पड़ती हैं, शरीरसे छिटकती हुई किरणोंकी राशिसे उद्दीप्त होनेके कारण जिनकी प्रज्वलित दीपमालाके समान शोभा हो रही है, उन सूर्यनन्दिनी यमुनाजीका मैं ध्यान करता हूँ॥ ३ ॥

सहस्रनाम

१. ॐ **कालिन्दी**=सच्चिदानन्दस्वरूपा कलिन्दगिरिनन्दिनी, २. **यमुना**=यमकी बहिन, ३. **कृष्णा**=कृष्णवर्णा, ४. **कृष्णरूपा**=कृष्णस्वरूपा अथवा कृष्णरूपवाली, ५. **सनातनी**=नित्या, ६. **कृष्णवामांससम्भूता**=श्रीकृष्णके बायें कंधेसे प्रकट हुई, ७. **परमानन्दरूपिणी**=परमानन्दमयी॥ ४॥

८. **गोलोकवासिनी**=गोलोकधाममें निवास करनेवाली, ९. **श्यामा**=श्यामवर्णा अथवा षोडश वर्षकी अवस्थावाली, १०. **वृन्दावनविनोदिनी**=वृन्दावनमें मनोरञ्जन करनेवाली, ११. **राधासखी**=श्रीराधाकी सहचरी, १२. **रासलीला**=रासमण्डलमें लीलापरायणा अथवा रासलीलास्वरूपा, १३. **रासमण्डलमण्डिनी**=रासमण्डलको अलंकृत करनेवाली॥ ५॥

१४. **निकुञ्जवासिनी**=निकुञ्जमें निवास करनेवाली, १५. **वल्ली**=लतास्वरूपा, १६. **रङ्गवल्ली**=रासरङ्गस्थलीमें वल्लीके समान शोभा पानेवाली अथवा रङ्गवल्ली नामकी राधा-सखी गोपीसे अभिन्नस्वरूपा, १७. **मनोहरा**=मनको हर लेनेवाली, १८. **श्रीः**=लक्ष्मीस्वरूपा, १९. **रासमण्डलीभूता**=रासमण्डल स्वरूपा अथवा मण्डलाकार होकर रासमण्डलको अलंकृत करनेवाली, २०. **यूथीभूता**=अपनी सहचरियोंके यूथसे संयुक्त, २१. **हरिप्रिया**=श्रीकृष्णकी प्यारी॥ ६॥

२२. **गोलोकतटिनी**=गोलोकधामकी नदी, २३. **दिव्या**=दिव्यस्वरूपा, २४. **निकुञ्जतलवासिनी**=निकुञ्जके भीतर निवास करनेवाली, २५. **दीर्घा**=बहुत लंबे परिमाणकी, २६. **ऊर्मिवेगगम्भीरा**=तरंगोंके वेगसे युक्त एवं गहरी, २७. **पुष्पपल्लववाहिनी**=फूलों और पल्लवोंको बहानेवाली॥ ७॥

२८. **घनश्यामा**=मेघके समान श्याम कान्तिवाली, २९. **मेघमाला**=घनमालास्वरूपा, ३०. **बलाका**=बकपङ्क्ति स्वरूपा, ३१. **पद्ममालिनी**=कमलोंकी मालासे अलंकृत, ३२. **परिपूर्णतमा**=परिपूर्णतम भगवत्स्वरूपा, ३३. **पूर्णा**=पूर्णस्वरूपा, ३४. **पूर्णब्रह्मप्रिया**=पूर्णब्रह्म श्रीकृष्णकी प्रेयसी, ३५. **परा**= पराशक्तिस्वरूपा॥ ८॥

३६. **महावेगवती**=बड़े वेगवाली, ३७. **साक्षान्निकुञ्जद्वारनिर्गता**=साक्षात् निकुञ्जके द्वारसे निकली हुई, ३८. **महानदी**=विशाल सरिता, ३९. **मन्दगति**=मन्दगतिसे बहनेवाली, ४०. **विरजावेगभेदिनी**=गोलोकधामकी विरजा नदीके वेगका भेदन करनेवाली॥ ९॥

४१. **अनेकब्रह्माण्डगता**=अनेकानेक ब्रह्माण्डोंमें व्याप्त, ४२. **ब्रह्मद्रवसमाकुला**=ब्रह्मद्रवस्वरूपा गङ्गाजीसे मिली हुई, ४३. **गङ्गामिश्रा**=गङ्गाके जलसे मिश्रित जलवाली, ४४. **निर्मलाभा**=निर्मल आभावाली, ४५. **निर्मला**=सब प्रकारके मलोंसे रहित, ४६. **सरितांवरा**=नदियोंमें श्रेष्ठ॥ १०॥

४७. **रत्नबद्धोभयतटी**=दोनों किनारोंकी तटभूमिमें रत्नसे आबद्ध, ४८. **हंसपद्मादिसंकुला**=हंसादि पक्षियों और कमल आदि पुष्पोंसे व्याप्त, ४९. **नदी**=अव्यक्त शब्द, कलकल नाद करनेवाली, ५०. **निर्मलपानीया**=स्वच्छ जलवाली, ५१. **सर्वब्रह्माण्डपावनी**=

समस्त ब्रह्माण्डोंको पवित्र करनेवाली ॥ ११ ॥

५२. **वैकुण्ठपरिखीभूता**=वैकुण्ठधामको चारों ओरसे घेरकर परिखा (खाईं) के समान सुशोभित, ५३. **परिखा**=खाईंस्वरूपा, ५४. **पापहारिणी**= पापोंका नाश करनेवाली, ५५. **ब्रह्मलोकगता**=ब्रह्म-लोकमें पहुँची हुई, ५६. **ब्राह्मी**=ब्रह्मशक्तिस्वरूपा, ५७. **स्वर्गा**=स्वर्गलोकस्वरूपा, ५८. **स्वर्गनिवासिनी**= स्वर्गलोकमें वास करनेवाली ॥ १२ ॥

५९. **उल्लसन्ती**=तरङ्गोंद्वारा ऊपरकी ओर उठनेवाली, ६०. **प्रोत्पतन्ती**=जोर-जोरसे उछलने-वाली, ६१. **मेरुमाला**=मेरुपर्वतको मालाकी भाँति अलंकृत करनेवाली, ६२.**महोज्ज्वला**=अत्यन्त प्रकाशमाना, ६३. **श्रीगङ्गाम्भःशिखरिणी**=गङ्गाजीके जलको शिखरका रूप देनेवाली, ६४. **गण्डशैल-विभेदिनी**=गण्डशैलोंका भेदन करनेवाली ॥ १३ ॥

६५. **देशान् पुनन्ती**=देशोंको पवित्र करनेवाली, ६६. **गच्छन्ती**=गतिशीला, ६७. **वहन्ती**=प्रवहमाना, ६८. **भूमिमध्यगा**=धरतीके भीतर प्रवेश करनेवाली, ६९. **मार्तण्डतनूजा**=सूर्यपुत्री, ७०. **पुण्या**=पुण्य-प्रदा, ७१. **कलिन्दगिरिनन्दिनी**=कलिन्द पर्वतसे निकली हुई ॥ १४ ॥

७२. **यमस्वसा**=यमरजकी बहन, ७३. **मन्द-हासा**=मन्द-मन्द मुसकरानेवाली, ७४. **सुद्विजा**= सुन्दर दाँतोंवाली, ७५. **रचिताम्बरा**=धरतीके लिये आच्छादनवस्त्रके रूपमें निर्मित, ७६. **नीलाम्बरा**= नील वस्त्र धारण करनेवाली, ७७. **पद्ममुखी**= कमलवदना, ७८. **चरन्ती**=विचरनेवाली, ७९. **चारुदर्शना**=मनोहर दृष्टिवाली अथवा देखनेमें मनोहर ॥ १५ ॥

८०. **रम्भोरू**=कदलीके खंभे-जैसे ऊरुद्वय धारण करनेवाली, ८१. **पद्मनयना**=कमललोचना, ८२. **माधवी**=माधवप्रिया, ८३. **प्रमदा**=यौवनशालिनी, ८४. **उत्तमा**=उत्तम, ८५. **तपश्चरन्ती**=श्रीकृष्ण-प्राप्तिके लिये तपस्या करनेवाली, ८६. **सुश्रोणी**=सुन्दर नितम्बको धारण करनेवाली, ८७. **कूजन्नूपुरमेखला**= बजते हुए नूपुरों और करधनीसे सुशोभित ॥ १६ ॥

८८. **जलस्थिता**=पानीमें निवास करनेवाली, ८९. **श्यामलाङ्गी**=श्यामल अङ्गवाली, ९०. **खाण्डवाभा**= खाण्डववनकी शोभा, ९१. **विहारिणी**=विहारशीला, ९२. **गाण्डीविभाषिणी**=अपनी तपस्याका उद्देश्य बतानेके लिये गाण्डीवधारी अर्जुनसे वार्तालाप करने-वाली, ९३. **वन्या** =बढ़े हुए प्रवाहवाली, ९४. **श्रीकृष्णं वरमिच्छती**=श्रीकृष्णको पति बनानेकी इच्छावाली ॥ १७ ॥

९५. **द्वारकागमना**=द्वारकामें आगमन करने-वाली, ९६. **राज्ञी**=रानी, ९७. **पट्टराज्ञी**=पटरानी, ९८. **परंगता**=परमात्माको प्राप्त, ९९. **महाराज्ञी**=महारानी, १००. **रत्नभूषा**=रत्ननिर्मित आभूषणोंसे विभूषित, १०१. **गोमती**=गौओंके समुदायसे युक्त अथवा गोमती नदीस्वरूपा, १०२. **तीरचारिणी**=तटपर विचरनेवाली ॥ १८ ॥

१०३. **स्वकीया**=श्रीकृष्णकी अपनी विवाहिता पत्नी, १०४. **सुखा**=सुखस्वरूपा, १०५. **स्वार्था**= अपने अभीष्ट अर्थको प्राप्त, १०६. **स्वभक्तकार्य-साधिनी**=अपने भक्तोंका कार्य सिद्ध करनेवाली, १०७. **नवलाङ्गा**=नूतन अङ्गवाली, १०८. **अबला**=स्त्रीरूपा, १०९. **मुग्धा**=भोली-भाली अथवा मुग्धा नायिका, ११०.**वराङ्गा**=सुन्दर अङ्गवाली, १११. **वामलोचना**=बाँके नयनोंवाली ॥ १९ ॥

११२. **अजातयौवना**=अप्राप्त यौवना, ११३. **अदीना**=दीनतारहित एवं उदारस्वरूपा, ११४. **प्रभा**= प्रभास्वरूपा, ११५. **कान्तिः**=कान्तिस्वरूपा, ११६. **द्युतिः**=द्युतिस्वरूपा, ११७. **छविः**=छविस्वरूपा, ११८. **सुशोभा**=सुन्दर शोभावाली, ११९. **परमा**=उत्कृष्टस्वरूपा, १२०. **कीर्तिः**=कीर्तिस्वरूपा, १२१.**कुशला**=चतुरा, १२२. **अज्ञातयौवना**= अपने यौवनके आरम्भको न जाननेवाली ॥ २० ॥

१२३. **नवोढा**=नवविवाहिता नायिका, १२४. **मध्यगा**=मुग्धा और प्रगल्भाके बीचकी अवस्थावाली, १२५. **मध्या**=मध्या नायिका, १२६. **प्रौढिः**=प्रौढतासे युक्त, १२७. **प्रौढा**=प्रौढस्वरूपा, १२८. **प्रगल्भका**= प्रगल्भानायिका, १२९. **धीरा**=धीरस्वभावा, १३०. **अधीरा**=भगवद्दर्शनके लिये अधीर रहनेवाली, १३१. **धैर्यधरा**=धैर्यधारिणी, १३२. **ज्येष्ठा**=ज्येष्ठ

अवस्थावाली, **१३३. श्रेष्ठा**= गुणोंसे श्रेष्ठ, **१३४. कुलाङ्गना**=कुलवधू ॥ २१ ॥

१३५. क्षणप्रभा=विद्युत्के समान कान्तिमती, **१३६. चञ्चला**=वेगशालिनी, **१३७. अर्च्या**= पूजनीया, **१३८. विद्युत्**=विद्योतमाना, **१३९. सौदामनी**=विद्युत्स्वरूपा, **१४०. तडित्**=घनश्यामके अङ्कमें विद्युल्लेखा-सी शोभमाना, **१४१. स्वाधीन-पतिका**=स्नेह और सद्व्यवहारसे पतिको वशमें रखने-वाली, **१४२. लक्ष्मी**=लक्ष्मीस्वरूपा, **१४३. पुष्टा**= पुष्ट अङ्गोंवाली अथवा अनुग्रहमयी, **१४४. स्वाधीनभर्तृका**= स्वाधीनपतिका ॥ २२ ॥

१४५. कलहान्तरिता=प्रेम-कलहके कारण कभी-कभी प्रियतमके वियोगका कष्ट सहन करनेवाली नायिका, **१४६. भीरुः**=भीरु स्वभाववाली, **१४७. इच्छा**= प्रियतमकी कामनाका विषय अथवा अभिलाषारूपिणी, **१४८. प्रोत्कण्ठिता**=प्रियके दर्शन या मिलनके लिये उत्सुक रहनेवाली **१४९. आकुला**=प्रेम-परिपूर्ण अथवा प्रियतमकी सेवाके कार्यमें व्यस्त, **१५०. कशिपुस्था**=शय्यापर विराजित रहनेवाली, **१५१. दिव्यशय्या**=श्यामसुन्दरके लिये दिव्य शय्या प्रस्तुत करनेवाली, **१५२. गोविन्दहृत-मानसा**=गोविन्दने जिनके मनको हर लिया है, ऐसी ॥ २३ ॥

१५३. खण्डिता=खण्डिता-नायिकास्वरूपा, **१५४. अखण्डशोभाढ्या**=अविकल शोभासे सम्पन्न, **१५५. विप्रलब्धा**=विप्रलब्धा-नायिका-स्वरूपा, **१५६. अभिसारिका**=प्रियतम श्रीकृष्णसे मिलनेके लिये संकेत-स्थानपर जानेवाली, **१५७. विरहार्ता**= प्रियतमके विरहकी अनुभूतिसे पीड़ित, **१५८. विरहिणी**=वियोगिनी, **१५९. नारी**=नरावतार श्रीकृष्णकी भार्या, **१६०. प्रोषितभर्तृका**=जिसका पति परदेशमें गया हो, ऐसी नायिका-स्वरूपा ॥ २४ ॥

१६१. मानिनी=मानवती, **१६२. मानदा**=मान देनेवाली, **१६३. प्राज्ञा**=विदुषी, **१६४. मन्दारवन-वासिनी**=कल्पवृक्षके काननमें निवास करनेवाली, **१६५. झंकारिणी**=चलते-फिरते या नृत्य करते समय आभूषणोंकी झंकार फैलानेवाली, **१६६. झणत्कारी**= झणत्कार या सिञ्जन-ध्वनि करनेवाली, **१६७. रणन्मञ्जीरनूपुरा**=बजते हुए नूपुर और मञ्जीर धारण करनेवाली ॥ २५ ॥

१६८. मेखला=वृन्दावनकी नीलमणिमयी करधनीके समान सुशोभित, **१६९. अमेखला**= साधारण अवस्थामें मेखलासे रहित, **१७०. काञ्ची**= 'काञ्ची' नामक आभूषणस्वरूपा, **१७१. अकाञ्चनी**= काञ्चनरहित, **१७२. काञ्चनामयी**=सुवर्णस्वरूपा, **१७३. कञ्चुकी**=कञ्चुकधारिणी, **१७४. कञ्चुकमणिः** =कञ्चुकमणिस्वरूपा, **१७५. श्रीकण्ठा**= शोभायुक्त कण्ठवाली, **१७६. आढ्या**=(श्रीकृष्ण-रूप) सम्पत्तिशालिनी, **१७७. महामणिः**= महामणिस्वरूपा अथवा बहुमूल्य मणि धारण करनेवाली ॥ २६ ॥

१७८. श्रीहारिणी=श्रीहारधारिणी, **१७९. पद्महारा**= कमलोंकी मालासे अलंकृत, **१८०. मुक्ता**= नित्यमुक्त, **१८१. मुक्तफलार्चिता**=मुक्ताफलोंसे पूजित, **१८२. रत्नकङ्कणकेयूरा**=रत्ननिर्मित कंगन और केयूर (भुजबंद) धारण करनेवाली, **१८३. स्फुरदङ्गुलिभूषणा**=जिनकी अङ्गुलियोंके भूषण उद्भासित हो रहे हैं, ऐसी ॥ २७ ॥

१८४. दर्पणा=दर्पणस्वरूपा, **१८५. दर्पणी-भूता**=अपने जलकी निर्मलताके कारण दर्पणका काम देनेवाली, **१८६. दुष्टदर्पविनाशिनी**=दुष्टोंके घमंडको चूर करनेवाली, **१८७. कम्बुग्रीवा**=शङ्खके समान सुन्दर कण्ठवाली, **१८८. कम्बुधरा**=शङ्खनिर्मित आभूषण धारण करनेवाली, **१८९. ग्रैवेयकविराजिता** = कण्ठभूषणसे सुशोभित ॥ २८ ॥

१९०. ताटङ्किनी='ताटङ्क (तरकी)' नामक आभूषणविशेषको धारण करनेवाली, **१९१. दन्तधरा**= दन्तधारिणी, **१९२. हेमकुण्डलमण्डिता**=काञ्चन-निर्मित कुण्डलोंसे अलंकृत, **१९३. शिखाभूषा**= अपनी चोटीको विभूषित करनेवाली, **१९४. भाल-पुष्पा**=ललाट देशमें पुष्पमय शृङ्गार धारण करनेवाली, **१९५. नासामौक्तिकशोभिता**=नाकमें मोतीकी बुलाकसे शोभित ॥ २९ ॥

१९६. मणिभूमिगता=मणिमयी भूमिपर विचरने-

वाली, **१९७. देवी**=दिव्यस्वरूपा, १९८. **रैवताद्रि-विहारिणी**=श्रीकृष्णकी पटरानीके रूपमें रैवतक पर्वतपर विहार करनेवाली, **१९९. वृन्दावनगता**=वृन्दावनमें विद्यमाना, **२००. वृन्दा**=वृन्दावनकी अधिष्ठातृदेवी-स्वरूपा, **२०१. वृन्दारण्यनिवासिनी**=वृन्दावनमें निवास करनेवाली॥ ३०॥

२०२. **वृन्दावनलता**=वृन्दावनकी लताओंके साथ तादात्म्यको प्राप्त हुई, **२०३. माध्वी**=मकरन्द-स्वरूपा, **२०४. वृन्दारण्यविभूषणा**=वृन्दावनको विभूषित करनेवाली, **२०५. सौन्दर्यलहरी लक्ष्मीः**=सुन्दरताकी तरङ्गोंसे युक्त लक्ष्मीस्वरूपा, **२०६. मथुरातीर्थवासिनी**=मथुरापुरीरूप तीर्थमें निवास करनेवाली॥ ३१॥

२०७. **विश्रान्तवासिनी**='विश्रान्त' तीर्थ (विश्रामघाट) में वास करनेवाली, **२०८. काम्या**=कमनीया, **२०९. रम्या**=रमणीया, **२१०. गोकुल-वासिनी**=गोकुलमें निवास करनेवाली, **२११. रमणस्थलशोभाढ्या**=रमणस्थलीकी शोभा बढ़ानेवाली, **२१२. महावनमहानदी**='महावन' नामक वनमें प्रवाहित होनेवाली महती नदी॥ ३२॥

२१३. प्रणता=भक्तजनोंद्वारा वन्दिता, **२१४. प्रोन्नता**=अत्यन्त उत्कृष्ट गोलोकधाममें स्थित अथवा ऊँची लहरोंके कारण उन्नत, **२१५. पुष्टा**=प्रेमानुग्रहसे परिपुष्ट, **२१६. भारती**=भारतवर्षकी नदी, **२१७. भरतार्चिता**=भरतके द्वारा पूजित, **२१८. तीर्थ-राजगतिः**=तीर्थराज प्रयागकी आश्रयभूता, **२१९. गोत्रा**=गौओंका त्राण करनेवाली अथवा गिरिस्वरूपा, **२२०. गङ्गासागरसंगमा**=गङ्गा तथा सागरसे संगत॥ ३३॥

२२१. सप्ताब्धिभेदिनी=सात समुद्रोंका भेदन करनेवाली, **२२२. लोला**=लोल लहरोंवाली, **२२३. बलात्सप्तद्वीपगता**=बलपूर्वक सातों द्वीपोंमें जानेवाली, **२२४. लुठन्ती**=धरतीपर लोटनेवाली, **२२५. शैलभिद्यन्ती**=पर्वतोंका भेदन करनेवाली, **२२६. स्फुरन्ती**=स्फुरणशीला अथवा अपनी दिव्य प्रभा बिखेरनेवाली, **२२७. वेगवत्तरा**=अतिशय वेग-शालिनी॥ ३४॥

२२८. काञ्चनी=स्वर्णमयी, **२२९. काञ्चनी-भूमिः**=गोलोककी स्वर्णमयी भूमिपर प्रवाहित होनेवाली, **२३०. काञ्चनीभूमिभाविता**=स्वर्णमयी भूमिपर प्रकट, **२३१. लोकदृष्टि**=जगत्‌को दिव्य-दृष्टि प्रदान करनेवाली, **२३२. लोकलीला**=लोकमें लीला करनेवाली, **२३३. लोकालोकाचलार्चिता**=लोकालोकपर्वतपर पूजित होनेवाली॥ ३५॥

२३४. शैलोद्गता=कलिन्दपर्वतसे निकली हुई, **२३५. स्वर्गगता**=मन्दाकिनीरूपसे स्वर्गमें गयी हुई, **२३६. स्वर्गार्चा**=स्वर्गमें अर्चित होनेवाली, **२३७. स्वर्गपूजिता**=स्वर्गलोकमें पूजित, **२३८. वृन्दावनी**=वृन्दावनकी अधिष्ठातृस्वरूपा देवी, **२३९. वनाध्यक्षा**=वनकी स्वामिनी, **२४०. रक्षा**=रक्षिता या रक्षारूपा **२४१. कक्षा**=वृन्दावनके लिये मेखलारूपा, २४२. **तटीपटी**=तटभूमिको वस्त्रकी भाँति ढकनेवाली॥ ३६॥

२४३. **असिकुण्डगता**=असिकुण्डमें प्राप्त, **२४४. कच्छा**=कछारकी भूमिस्वरूपा, **२४५. स्वच्छन्दा**=स्वच्छन्दगामिनी, **२४६. उच्छलिता**=(वेगसे) उछलने वाली, **२४७. आदिजा**=आदिभूत श्रीकृष्णके वामांससे उद्भूत (अथवा 'अद्रिजा' पाठ माना जाय तो पर्वतसे उत्पन्न हुई), **२४८. कुहरस्था**=सरस्वती-रूपसे भूछिद्रमें अथवा भोगवतीरूपसे पाताल-विवरमें स्थित, **२४९. रथ-प्रस्था**=श्रीकृष्णकी पटरानीके रूपमें रथपर यात्रा करनेवाली, **२५०. प्रस्था**= प्रस्थानशीला, **२५१. शान्ततरा**=परम शान्तिमयी, **२५२. आतुरा**=श्रीकृष्णदर्शनके लिये आतुर रहनेवाली॥ ३७॥

२५३. अम्बुच्छटा=जलकी छटासे शोभित, **२५४. शीकराभा**=कुहरोंसे सुशोभित होनेवाली, **२५५. दर्दुरा**=मेढकोंका आश्रय, अथवा बादलके समान श्याम कान्तिवाली, **२५६. दार्दुरीधरा**=अपने जलके कल-कल नादसे दादुरोंकी-सी ध्वनि धारण करनेवाली, **२५७. पापाङ्कुशा**=पापोंको नष्ट करनेके लिये अङ्कुशस्वरूपा, **२५८. पापसिंही**=पापरूपी गजराजको नष्ट करनेके लिये सिंहीके तुल्य, **२५९. पापद्रुमकुठारिणी**=पापरूपी वृक्षका उच्छेद करनेके

लिये कुठाररूपा॥ ३८॥

२६०. **पुण्यसंघा**=पुण्यसमुदायरूपा, २६१. **पुण्यकीर्तिः**=पवित्र कीर्तिवाली अथवा जिनका कीर्तन पुण्य प्रदान करनेवाला है, ऐसी, २६२. **पुण्यदा**=पुण्यदायिनी, २६३. **पुण्यवर्द्धिनी**=अपने दर्शनसे पुण्यकी वृद्धि करनेवाली, २६४. **मधुवननदी**=मधुवनमें बहनेवाली नदी, २६५. **मुख्या**=एक प्रधान नदी, २६६. **अतुला**=तुलनारहित, २६७. **तालवनस्थिता**=तालवनमें स्थित रहनेवाली॥ ३९॥

२६८. **कुमुद्वननदी**=कुमुदवनकी नदी, २६९. **कुब्जा**=टेढ़ी-मेढ़ी, २७०. **कुमुदा**=भगवती दुर्गा-स्वरूपा, २७१. **अम्भोजवर्द्धिनी**=अपने जलमें कमलोंको बढ़ानेवाली, २७२. **प्लवरूपा**=संसार-सागरसे पार होनेके लिये नौकास्वरूपा, २७३. **वेगवती**=वेगशालिनी, २७४. **सिंहसर्पादिवाहिनी**=अपने जलकी धारामें सिंहों तथा सर्पादि जन्तुओंको बहा ले जानेवाली॥ ४०॥

२७५. **बहुली**=बहुलरूपवाली, २७६. **बहुदा**=बहुत देनेवाली, २७७. **बह्वी**=भूम (ब्रह्म) स्वरूपा, २७८. **बहुला**=गोरूपा, २७९. **वनवन्दिता**=वनों-द्वारा वन्दित, २८०. **राधाकुण्डकला**=अपनी कलासे राधाकुण्डमें स्थित, २८१. **आराध्या**=आराधनके योग्य, २८२. **कृष्णाकुण्डजलाश्रिता**=कृष्णकुण्डके जलमें निवास करनेवाली॥ ४१॥

२८३. **ललिताकुण्डगा**=ललिताकुण्डमें व्याप्त, २८४. **घण्टा**=घण्टा-ध्वनिके सदृश अनुरणनात्मक शब्द करनेवाली, २८५. **विशाखा**=विशाखा-सखी-स्वरूपा, २८६. **कुण्डमण्डिता**=कुण्डों (ह्रदों) से सुशोभित, २८७. **गोविन्दकुण्डनिलया**=गोविन्द-कुण्डमें निवास करनेवाली, २८८. **गोपकुण्डतरंगिणी**=गोपकुण्डमें तरंगित होनेवाली॥ ४२॥

२८९. **श्रीगङ्गा**=श्रीगङ्गास्वरूपा, २९०. **मानसीगङ्गा**=मानसी-गङ्गास्वरूपा, २९१. **कुसुमाम्बरभाविनी**=पुष्पमय वस्त्रसे सुशोभित अथवा कुसुम-सरोवरके अवकाशमें प्रकट होनेवाली, २९२. **गोवर्द्धिनी**=गोवर्धननाथकी शक्ति अथवा गौओंकी वृद्धि करनेवाली, २९३. **गोधनाढ्या**=गोधनसे सम्पन्न, २९४. **मयूरवरवर्णिनी**=मोरोंके समान सुन्दर वर्णवाली॥ ४३॥

२९५. **सारसी**=सरोवरोंकी जल-सम्पत्ति अथवा सारस पक्षियोंकी आश्रयभूता, २९६. **नीलकण्ठाभा**=नीलकण्ठ या मयूरकी-सी आभावाली, २९७. **कूजत्कोकिलपोतकी**=जहाँ कोकिलकुमारियोंके कल-कूजन होते रहते हैं, ऐसी, २९८. **गिरिराजप्रसूः**=गिरिराज हिमालयके कलिन्दपर्वतसे प्रकट, २९९. **भूरिः**=बहुवैभवशालिनी, ३००. **आतपत्रा**=तटपर रहनेवाले लोगोंकी धूपके कष्टसे रक्षा करने-वाली, ३०१. **आतपत्रिणी**=पटरानीके रूपमें छत्र धारण करनेवाली॥ ४४॥

३०२. **गोवर्द्धनाङ्कगा**=गोवर्धनगिरिकी गोदमें विराजमान, ३०३. **गोदन्ती**=हरतालके समान रंगवाले केसर आदिसे आमोदित, ३०४. **दिव्यौषधिनिधिः**=दिव्य ओषधियोंकी निधि, ३०५. **सृतिः**=सद्गतिकी राह, ३०६. **पारदी**=भवसागरसे पार कर देनेवाली दिव्य शक्ति, ३०७.**पारदमयी**=पारदस्वरूपा, ३०८. **नारदी**=नार अर्थात् जल प्रदान करनेवाली, ३०९. **शारदी**=शरत्कालीन शोभारूपा, ३१०. **भृतिः**=भरण पोषणका साधन बनी हुई॥ ४५॥

३११. **श्रीकृष्णचरणाङ्कस्था**=भगवान् श्रीकृष्णके चरणोंके अङ्कमें विराजित, ३१२. **अकामा**=लौकिक कामनाओंसे रहित (अथवा 'कामा' कामस्वरूपा), ३१३. **कामवनाञ्चिता**=कामवनमें पूजित, ३१४. **कामाटवी**=कामवनरूपा, ३१५. **नन्दिनी**=सबको आनन्दित करनेवाली, ३१६. **नन्दग्राममही**=नन्द-ग्रामस्थित भूमिरूपा, ३१७. **धरा**=पृथ्वीरूपा॥ ४६॥

३१८. **बृहत्सानुद्युतिप्रोता**='बृहत्सानु' पर्वतके शिखरकी शोभासे संयुक्त, ३१९. **नन्दीश्वरसमन्विता**=नन्दगाँवके नन्दीश्वरगिरिसे समन्विता, ३२०. **काकली**=कोयलोंकी कुहू-ध्वनिरूपमें स्थित, ३२१. **कोकिलमयी**=कोयलसे व्याप्ता, ३२२. **भाण्डीरकुशकौशला**=भाण्डीरवनमें कुशोत्पाटनके कौशलसे युक्त॥ ४७॥

३२३. **लोहार्गलप्रदा**=श्रीकृष्णके लिये अपने प्रेमके द्वारा लोहकी अर्गला लगा देनेवाली, ३२४.

कारा=(श्रीकृष्णको अपने प्रेमके द्वारा रोके रखनेके लिये) कारारूपा, **३२५. काश्मीरवसना**=केसरके रंगमें रँगे हुए वस्त्र धारण करनेवाली, **३२६. वृता**=श्रीकृष्णके द्वारा स्वीकृता, **३२७. बर्हिषदी**=बर्हिषदी-पुरीरूपा, **३२८. शोणपुरी**=शोणपुरीरूपा, **३२९. शूरक्षेत्रपुराधिका**=शूरक्षेत्रपुरसे भी अधिक माहात्म्य-वाली॥ ४८॥

३३०. नानाभरणशोभाढ्या=विविध प्रकारके आभूषणोंकी शोभासे सम्पन्न, **३३१. नानावर्ण-समन्विता**=नाना प्रकारके रंगोंसे युक्त, **३३२. नानानारीकदम्बाढ्या**=नाना प्रकारकी स्त्रियोंके समुदायसे युक्त, **३३३.नानारङ्गमहीरुहा**=तटवर्ती विविध रंगके वृक्षोंसे सुशोभित॥ ४९॥

३३४. नानालोकगता=नाना लोकोंमें पहुँची हुई, **३३५. अभ्यर्चिः**=जिनकी तेजोराशि सब ओर फैली हुई है, ऐसी, **३३६. नानाजलसमन्विता**=नाना नदियोंके मिले हुए जलसे युक्त, **३३७. स्त्रीरत्नम्**=स्त्रियोंमें रत्नस्वरूपा, **३३८.रत्ननिलया**=रत्ननिर्मित गृहमें निवास करनेवाली, **३३९. ललना**=श्रीकृष्ण-कामिनी, **३४०. रत्नरञ्जिनी**=रत्नोंके द्वारा विविध रंगोंका प्रकाश फैलानेवाली॥ ५०॥

३४१. रङ्गिणी=रङ्गस्थलमें रासके रंगमें रँगी रहनेवाली, **३४२. रङ्गभूमाढ्या**=रंगके बाहुल्यसे युक्त, **३४३. रङ्गा**=हर्षयुक्ता अथवा रङ्गानाम्नी नदीस्वरूपा, **३४४. रङ्गमहीरुहा**=रंगीन वृक्षोंसे युक्त, **३४५. राजविद्या**=विद्याओंकी स्वामिनी, **३४६. राजगुह्याः**=गुह्य वस्तुओंमें सबसे श्रेष्ठ, **३४७. जगत्कीर्ति**=जगत्‌के लिये कीर्तिमयी अथवा कीर्तनीया, **३४८. घना**=सघन प्रेमयुक्ता अथवा श्रीकृष्णके वंशीवादनके समय हिमवत् घनीभूत हो जानेवाली, **३४९. अघना**=प्रवहणशीला॥ ५१॥

३५०. विलोलघण्टा=चञ्चल घंटाके समान नाद करनेवाली, **३५१. कृष्णाङ्गा**=कृष्णके समान अङ्ग-वाली अथवा श्यामाङ्गी, **३५२. कृष्णदेहसमुद्भवा**=श्रीकृष्णके शरीरसे उत्पन्न, **३५३. नीलपङ्कजवर्णाभा**=नील कमलके समान वर्ण एवं आभासे युक्त, **३५४. नीलपङ्कजहारिणी**=नील कमलकी माला धारण करनेवाली॥ ५२॥

३५५. नीलाभा=नील कान्तिमती, **३५६. नील-पद्माढ्या**=नील कमलोंकी सम्पदासे भरी-पूरी, **३५७. नीलाम्भोरुहवासिनी**=नील कमलमें निवास करने-वाली, **३५८. नागवल्ली**=ताम्बूललतास्वरूपा, **३५९. नागपुरी**=नागोंकी नगरी (अर्थात् कालिय आदि नागोंकी निवासभूमि), **३६०. नागवल्ली-दलार्चिता**=ताम्बूलपत्रसे पूजित॥ ५३॥

३६१. ताम्बूलचर्चिता=ताम्बूलसे रञ्जित, **३६२. चर्चा**=कस्तूरी-चन्दनादि आलेपमयी, **३६३. मकरन्द-मनोहरा**=कमलादिके मकरन्दसे मनको हर लेनेवाली, **३६४. सकेशरा**=केसरवती, **३६५. केशरिणी**=केसर धारण करनेवाली, **३६६. केशपाशाभि-शोभिता**=केशपाशद्वारा सब ओरसे सुशोभित॥ ५४॥

३६७. कज्जलाभा=काजलकी-सी काली आभावाली, **३६८. कज्जलाक्ता**=नेत्रोंमें काजलकी शोभासे युक्त अथवा काजलकी रँगी हुई, **३६९. कज्जली**=कजलीके समान काली, **३७०. कलिताञ्जना**=नेत्रोंमें अञ्जन धारण करनेवाली, **३७१. अलक्तचरणा**=चरणोंमें महावरका रंग लगानेवाली, **३७२. ताम्रा**=ताम्रवर्णा, **३७३. लाला**=लालनीया, **३७४. ताम्रीकृताम्बरा**=ताँबेके समान लाल रंगके वस्त्र धारण करनेवाली॥ ५५॥

३७५. सिन्दूरिता=सीमन्तमें सिन्दूर धारण करने-वाली, **३७६. अलिप्तवाणी**=जिसकी वाणी किसी दोषसे लिप्त नहीं होती, ऐसी, **३७७. सुश्री**=उत्तम शोभासे युक्त, **३७८. श्रीखण्डमण्डिता**=चन्दनसे अलंकृत, **३७९. पाटीरपङ्कवसना**=चन्दन-पङ्कमय वस्त्र धारण करनेवाली, **३८०. जटामांसी**=जटा-मांसीके रूपमें स्थित, **३८१. स्त्रगम्बरा**=पुष्प-मालाओंको वस्त्ररूपमें धारण करनेवाली॥ ५६॥

३८२. आगरी=आगर (अमावास्या) के समान (कृष्ण) वर्णवाली, **३८३. अगुरुगन्धाक्ता**=अगुरुकी गन्धसे अभिषिक्त, **३८४. तगराश्रितमारुता**= जिसकी हवामें तगरकी सुगन्ध समायी हुई है, ऐसी, **३८५. सुगन्धितैलरुचिरा**=सुगन्धित तैल (इत्र आदि) से मनोहर, **३८६. कुन्तलालिः**=जिनकी अलकोंपर

(सुगन्धसे आकृष्ट) भ्रमर मँडराते रहते हैं, ऐसी, **३८७. सकुन्तला**=कुन्तल-राशिसे युक्त॥ ५७॥

३८८. शकुन्तला=शकुन्तों—पक्षियोंका स्वागत करनेवाली, **३८९. अपांसुला**=पतिव्रता, **३९०. पातिव्रत्यपरायणा**=पातिव्रतधर्मके पालनमें तत्पर, **३९१. सूर्यप्रभा**=सूर्यके समान उद्भासित होनेवाली, **३९२. सूर्यकन्या**=सूर्यकी पुत्री, **३९३. सूर्यदेहसमुद्भवा**=सूर्यके शरीरसे उत्पन्ना॥ ५८॥

३९४. कोटिसूर्यप्रतीकाशा=करोड़ों सूर्योंके समान तेजस्विनी, **३९५. सूर्यजा**=सूर्यपुत्री, **३९६. सूर्यनन्दिनी**=सूर्यदेवको आनन्द प्रदान करनेवाली, **३९७. संज्ञा**=सम्यक् ज्ञानस्वरूपा, **३९८. संज्ञासुता**=संज्ञाकी पुत्री, **३९९. स्वेच्छा**=स्वाधीना, **४००. असंज्ञा**=(प्रियतमके प्रेममें) बेसुध हो जानेवाली, **४०१. संज्ञा**=चेतनारूपा, ४०२. मोदप्रदायिनी=आनन्द प्रदान करनेवाली॥ ५९॥

४०३. संज्ञापुत्री=संज्ञाकी बेटी, **४०४. स्फुरच्छाया**=उद्भासित कान्तिवाली, **४०५. तपतीतापकारिणी**=(सौतेली बहिन) तपतीको ताप देनेवाली, **४०६. सावर्ण्यानुभवा**=श्रीकृष्णके साथ वर्ण-सादृश्यका अनुभव करनेवाली, **४०७. देवी**=देवकन्या, **४०८. वडवा**=वडवारूपा, **४०९. सौख्यदायिनी**=सौख्य प्रदान करनेवाली॥ ६०॥

४१०. शनैश्चरानुजा=शनैश्चरकी छोटी बहिन, **४११. कीला**=ज्वालामयी, **४१२. चन्द्रवंशविवर्द्धिनी**=चन्द्रवंशकी वृद्धि करनेवाली, **४१३. चन्द्रवंशवधूः**=चन्द्रवंशकी बहू, **४१४. चन्द्रा**=आह्लाद प्रदान करनेवाली, **४१५. चन्द्रावलिसहायिनी**=चन्द्रावली सखीकी सहायता करनेवाली॥ ६१॥

४१६. चन्द्रावती=चन्द्रावतीस्वरूपा, **४१७. चन्द्रलेखा**=चन्द्रलेखास्वरूपा, **४१८. चन्द्रकान्ता**=चन्द्रमाके समान कान्तिमती, **४१९. अनुगा**=(सदा) प्रियतमका अनुगमन करनेवाली, **४२०. अंशुका**=उज्ज्वल-वस्त्रधारिणी, **४२१. भैरवी**=भैरवप्रिया, **४२२. पिङ्गलाशङ्की**=सूर्यके पारिपार्श्वक पिङ्गलसे आशङ्कित होनेवाली, **४२३. लीलावती**=भाँति-भाँतिकी लीला करनेवाली, **४२४. आगरीमयी**=अगरकी सुगन्धसे व्याप्त॥ ६२॥

४२५. धनश्री=धनलक्ष्मी या रागिनीविशेष, **४२६. देवगान्धारी**=रागिनीविशेष, **४२७. स्वर्मणिः**=स्वर्गलोकको मणि, **४२८. गुणवर्द्धिनी**=गुणोंकी वृद्धि करनेवाली, **४२९. व्रजमल्ला**=व्रजमण्डलमें मल्ल-स्वरूपा, **४३०. बन्धकारी**=विरोधियोंको बन्धनमें डालनेवाली, **४३१. विचित्रा**=विचित्र रूप और शक्तिसे सम्पन्न, **४३२. जयकारिणी**=विजय प्राप्त करानेवाली॥ ६३॥

४३३. गान्धारी, **४३४. मञ्जरी**, **४३५. टोडी**, **४३६. गुर्जरी**, **४३७. आशावरी**, **४३८. जया**, **४३९. कर्णाटी**=गान्धारीसे लेकर कर्णाटीतक विशेष रागिनियोंके नाम हैं। ये समस्त रागिनियाँ यमुनाजीसे अभिन्न हैं, **४४०. रागिणी**=रागिनीस्वरूपा, **४४१. गौरी**=गौरी नामकी रागिनी, **४४२. वैराटी**=रागिनीविशेष, **४४३. गौरवाटिका**=रागिनी-विशेष अथवा गौरतेजः-स्वरूपा श्रीराधाके लिये उद्यानरूपिणी॥ ६४॥

४४४. चतुश्चन्द्रा, **४४५. कलाहेरी**, **४४६. तैलङ्गी**, **४४७. विजयावती**, **४४८. ताली**=चतुश्चन्द्रासे लेकर तालीतक राग-रागिनियाँ और तालके नाम हैं, **४४९. तलस्वरा**=ताली बजाकर स्वरकी सूचना देनेवाली, **४५०. गाना**=गानस्वरूपा, **४५१. क्रियामात्रप्रकाशिनी**=तालके क्रियामात्रको प्रकाशित करनेवाली॥ ६५॥

४५२. वैशाखी, **४५३. चञ्चला**, **४५४. चारुः**, **४५५. माचारी**, **४५६. घूघटी**, **४५७. घटा**, **४५८. वैरागरी**, **४५९. सोरटी**, **४६०. ईशा**, **४६१. कैदारी**, **४६२. जलधारिका**—वैशाखीसे लेकर जलधारिकापर्यन्त सभी नामविशेष रागिनी आदिके सूचक हैं॥ ६६॥

४६३. कामाकरश्री, **४६४. कल्याणी**, **४६५. गौडकल्याणमिश्रिता**, **४६६. रामसंजीविनी**, **४६७. हेला**, **४६८. मन्दारी**, **४६९. कामरूपिणी**— ये सब भी विशेष प्रकारकी रागिनियाँ हैं॥ ६७॥

४७०. सारङ्गी, **४७१. मारुती**, **४७२. होढा**,

४७३. **सागरी**, ४७४. **कामवादिनी**, ४७५. **वैभासी**, ४७६. **मङ्गला**—ये भी रागिनियोंके ही नाम हैं। ४७७. **चान्द्री**=रासपूर्णिमाकी चाँदनीस्वरूपा, ४७८. **रासमण्डलमण्डना**=रासमण्डलको मण्डित करनेवाली॥ ६८॥

४७९. **कामधेनुः**=कामधेनुकी भाँति व्यक्तिकी मनोवाञ्छित कामनाको पूर्ण करनेवाली, ४८०. **कामलता**= कामना पूर्ण करनेवाली कल्पलतास्वरूपा, ४८१. **कामदा**=अभीष्ट मनोरथ देनेवाली, ४८२. **कमनीयका**= कमनीया, ४८३. **कल्पवृक्षस्थली**= कल्पवृक्षोंकी स्थानभूता, ४८४. **स्थूला**=स्थूल-रूपिणी, ४८५. **क्षुधा**=बुभुक्षास्वरूपिणी, ४८६. **सौधनिवासिनी**=महलमें रहनेवाली॥ ६९॥

४८७. **गोलोकवासिनी**=गोलोकधाममें निवास करनेवाली, ४८८. **सुभ्रूः**=सुन्दर भौंहोंवाली, ४८९. **यष्टिभृत्**=छड़ी धारण करनेवाली, ४९०. **द्वारपालिका**= द्वाररक्षिका, ४९१. **शृङ्गारप्रकरा**=शृङ्गार-साधन-सामग्री-समुदायरूपा, ४९२. **शृङ्गा**=मन्मथोद्भेदस्वरूपा, ४९३. **स्वच्छा**=विमलस्वरूपा, ४९४. **शय्योपकारिका**=प्रिया-प्रियतमके लिये शय्या सुसज्जित करनेमें उपकारिणी॥ ७०॥

४९५. **पार्षदा**=श्रीराधा-कृष्णकी पार्षदस्वरूपा, ४९६. **सुसखीसेव्या**=सुन्दर सखियोंद्वारा सेवनीया, ४९७. **श्रीवृन्दावनपालिका**=श्रीवृन्दावनकी रक्षा करनेवाली, ४९८. **निकुञ्जभृत्**=निकुञ्जका पोषण करनेवाली, ४९९. **कुञ्जपुञ्जा**=कुञ्जसमुदायस्वरूपा, ५००. **गुञ्जाभरणभूषिता**=गुञ्जाके आभूषणोंसे विभूषित॥ ७१॥

५०१. **निकुञ्जवासिनी**=निकुञ्जमें निवास करनेवाली, ५०२. **प्रोष्या**=प्रवासिनी, ५०३. **गोवर्द्धनतटीभवा**=गोवर्धनकी उपत्यकामें मानसी गङ्गाके रूपमें प्रकट, ५०४. **विशाखा**=विशाखासखीस्वरूपा, ५०५. **ललिता**=ललिता-सखीस्वरूपा अथवा लालित्यशालिनी, ५०६. **रामा**=श्रीकृष्णरमणी, ५०७. **नीरुजा**=रोगरहित, ५०८. **मधुमाधवी**=मधुमासकी माधवी लतारूपिणी॥ ७२॥

५०९. **एका**=अद्वितीया, ५१०. **नैकसखी**= अनेक सखियोंवाली, ५११. **शुक्ला**=शुद्धस्वरूपा, ५१२. **सखीमध्या**=सखियोंके मध्यमें विराजमान, ५१३. **महामनाः**=विशालहृदया, ५१४. **श्रुतिरूपा**= गोपीरूपमें श्रुतिस्वरूपा, ५१५. **ऋषिरूपा**=ऋषि-स्वरूपा गोपी, ५१६. **मैथिलाः**=गोपीरूपमें उत्पन्न मिथिलावासिनी स्त्रियाँ, ५१७. **कौशलाः स्त्रियः**= गोपीरूपमें उत्पन्न कौशलवासिनी स्त्रियाँ॥ ७३॥

५१८. **अयोध्यापुरवासिन्यः**=गोपीरूपमें उत्पन्न अयोध्या नगरकी स्त्रियाँ, ५१९. **यज्ञसीताः**=यज्ञ-सीतास्वरूपा गोपियाँ, ५२०. **पुलिन्दकाः**=गोपी-भावको प्राप्त पुलिन्द-कन्याएँ, ५२१. **रमावैकुण्ठवासिन्यः**=लक्ष्मीजीके वैकुण्ठमें निवास करनेवाली स्त्रियाँ (जो गोपीरूपको प्राप्त हुई थीं), ५२२. **श्वेतद्वीपसखीजनाः**=श्वेतद्वीप निवासिनी सखियाँ॥ ७४॥

५२३. **ऊर्ध्ववैकुण्ठवासिन्यः**=ऊर्ध्ववैकुण्ठमें वास करनेवाली सखियाँ, ५२४. **दिव्याजितपदाश्रिताः**= दिव्य अजित पदके आश्रित सखियाँ, ५२५. **श्रीलोकाचलवासिन्यः**=श्रीलोकाचलमें निवास करनेवाली सखियाँ, ५२६. **सागरोद्भवाः श्रीसख्यः**= समुद्रसे उत्पन्न श्रीलक्ष्मीजीकी सखियाँ॥ ७५॥

५२७. **दिव्याः**=दिव्यरूपा गोपियाँ, ५२८. **अदिव्याः**=मानवरूपिणी गोपियाँ, ५२९. **दिव्याङ्गाः**= दिव्य अङ्गोंवाली, ५३०. **व्याप्ताः**=सर्वव्यापिनी, ५३१. **त्रिगुणवृत्तयः**=त्रिगुणात्मक वृत्तिस्वरूपा, ५३२. **भूमिगोप्यः**=भूतलपर उत्पन्न गोपियाँ, ५३३. **देवनार्यः**=देवाङ्गनास्वरूपा गोपियाँ, ५३४. **लताः**= लतारूपिणी गोपियाँ, ५३५. **ओषधिवीरुधः**=ओषधि एवं लता-झाड़ी आदिस्वरूपा गोपाङ्गनाएँ॥ ७६॥

५३६. **जालंधर्यः**=गोपीभावको प्राप्त जालंधरी स्त्रियाँ, ५३७. **सिन्धुसुताः**=समुद्रकन्याएँ, ५३८. **पृथुबर्हिष्मतीभवाः**=राजा पृथुकी बर्हिष्मतीपुरीमें होनेवाली स्त्रियाँ, जो गोपीभावको प्राप्त हुई थीं, ५३९. **दिव्याम्बराः**=दिव्यवस्त्रधारिणी गोपियाँ, ५४०. **अप्सरसः**=गोपीभावको प्राप्त अप्सराएँ, ५४१. **सौतलाः**=सुतललोकवासिनी असुराङ्गनाएँ, जिन्हें गोपीभावकी प्राप्ति हुई थी, ५४२. **नागकन्यकाः**= नागकन्यास्वरूपा गोपियाँ॥ ७७॥

५४३. **परं धाम**=परमधामस्वरूपा, ५४४. **परं ब्रह्म**=परब्रह्मस्वरूपा, ५४५. **पौरुषा**=पुरुषार्थस्वरूपा, ५४६. **प्रकृतिः परा**=पराप्रकृतिस्वरूपा, ५४७. **तटस्था**=तटस्थाशक्तिस्वरूपा, ५४८. **गुणभूः**=गुणोंकी जन्मभूमि, ५४९. **गीता**=सबके द्वारा जिसका यशोगान होता हो, वह, अथवा भगवद्गीतास्वरूपा, ५५०. **गुणागुणमयी**=गुणागुणस्वरूपा, ५५१. **गुणा**=दिव्यगुणात्मिका॥ ७८॥

५५२. **चिद्घना**=चिदानन्दघनस्वरूपा, ५५३. **सदसन्माला**=सदसत्-समूहात्मिका, ५५४. **दृष्टिः**=ज्ञानस्वरूपा अथवा दर्शनस्वरूपा, ५५५. **दृश्या**=दृश्यस्वरूपा, ५५६. **गुणाकरी**=गुणोंकी निधिरूपा, ५५७. **महत्तत्त्वम्**=समष्टि बुद्धिरूपा, ५५८. **अहंकारः**=अहंकारस्वरूपा, ५५९. **मनः**=मनः-स्वरूपा, ५६०. **बुद्धिः**=बुद्धिरूपा, ५६१. **प्रचेतना**=प्रकृष्ट चेतनास्वरूपा॥ ७९॥

५६२. **चेतोः**=चित्तरूपा, ५६३. **वृत्तिः**=व्यवहार-स्वरूपा, ५६४. **स्वान्तरात्मा**=निजान्तरात्मस्वरूपा, ५६५. **चतुर्थी**=जाग्रत्, स्वप्न और सुषुप्तिसे अतीत तुरीयावस्थारूपा, ५६६. **चतुरक्षरा**=प्रणवके चार अक्षर—अकार, उकार, मकार और अर्धमात्रा—ये जिसके स्वरूप हैं, वह, ५६७. **चतुर्व्यूहा**=वासुदेव, संकर्षण, प्रद्युम्न और अनिरुद्ध—ये चार व्यूह जिसके स्वरूप हैं, वह, ५६८. **चतुर्मूर्तिः**=एकपदी, द्विपदी, त्रिपदी और चतुष्पदी—इन चार मूर्तियोंवाली गायत्री अथवा चतुर्व्यूहस्वरूपा, ५६९. **व्योम**=आकाशरूपा, ५७०. **वायुः**= वायुरूपा, ५७१. **अदः**=दृश्य प्रपञ्चके रूपमें स्थित, ५७२. **जलम्**=जलस्वरूपा॥ ८०॥

५७३. **मही**=पृथ्वीरूपा, ५७४. **शब्दः**=शब्द-स्वरूपा, ५७५. **रसः**=रसस्वरूपा, ५७६. **गन्धः**=गन्धस्वरूपा, ५७७. **स्पर्शः**=स्पर्शस्वरूपा, ५७८. **रूपम्**=रूपस्वरूपा, ५७९. **अनेकधा**=नाना रूप-वाली, ५८०.**कर्मेन्द्रियम्**=कर्मेन्द्रियस्वरूपा, ५८१. **कर्ममयी**=कर्मस्वरूपा, ५८२. **ज्ञानम्**=ज्ञानमयी, ५८३. **ज्ञानेन्द्रियम्**=ज्ञानेन्द्रियस्वरूपा, ५८४. **द्विधा**=प्रकृति-पुरुषरूप दो शरीरवाली अथवा ज्ञानेन्द्रिय-कर्मेन्द्रिय-भेदसे द्विविध इन्द्रियरूपा॥ ८१॥

५८५. **त्रिधा**=क्षर, अक्षर और पुरुषोत्तम—त्रिविध रूपवाली अथवा अध्यात्म, अधिभूत, अधिदैव-भेदसे त्रिविध रूपवाली, ५८६. **अधि-भूतम्**=भौतिक सृष्टिमें व्याप्त, ५८७. **अध्यात्मम्**=अध्यात्मस्वरूपा, ५८८. **अधिदैवम्**=आधिदैविक-रूपवाली, ५८९.**अधिष्ठितम्**=सर्वरूपोंमें अधिष्ठित, ५९०. **ज्ञानशक्तिः**=ज्ञानशक्ति, ५९१. **क्रियाशक्तिः**=क्रियाशक्ति, ५९२. **सर्वदेवाधिदेवता**=समस्त देवताओंकी अधिदेवी॥ ८२॥

५९३. **तत्त्वसंघा**=तत्त्वसमूहरूपा, ५९४. **विराण्-मूर्तिः**=विराट्स्वरूपा, ५९५. **धारणा**=धारणाशक्ति, ५९६. **धारणामयी**=धारणाशक्तिरूपा, ५९७. **श्रुतिः**=वेदरूपा, ५९८. **स्मृतिः**=धर्मशास्त्ररूपा, ५९९. **वेदमूर्तिः**=वेदात्मिका, ६००. **संहिता**=संहितास्वरूपा, ६०१. **गर्गसंहिता**=गर्गसंहितारूपा॥ ८३॥

६०२. **पाराशरी**=पाराशरसंहिता (विष्णुपुराण) रूपा, ६०३. **सृष्टिः**=सृष्टिरूपा अथवा पाराशरी-रचनारूपा, ६०४.**पारहंसी**=परमहंस-विद्यारूपा अथवा परमहंससंहिता, ६०५. **विधातृका**=विधातृ-स्वरूपा अथवा ब्रह्मसंहिता, ६०६. **याज्ञवल्की**=याज्ञवल्क्यस्मृतिरूपा, ६०७. **भागवती**=भगवान्की शक्ति अथवा वैष्णवागमरूपा, ६०८. **श्रीमद्भाग-वतार्चिता**=श्रीमद्भागवतके द्वारा पूजित—प्रशंसित॥ ८४॥

६०९. **रामायणमयी**=वाल्मीकि-रामायण अथवा प्राचेतससंहिता अथवा रामचरितस्वरूपा, ६१०. **रम्या**=रमणीया, ६११. **पुराणपुरुषप्रिया**=पुराणपुरुष श्रीकृष्णकी प्रिया, ६१२. **पुराणमूर्तिः**=पुराणस्वरूपा, ६१३. **पुण्याङ्गा**=पुण्यशरीरवाली, ६१४. **शास्त्र-मूर्तिः**=शास्त्रस्वरूपा, ६१५. **महोन्नता**=परम उन्नत॥ ८५॥

६१६. **मनीषा**=बुद्धिरूपा, ६१७. **धिषणा**=प्रज्ञा-रूपा, ६१८.**बुद्धिः**=मेधारूपा, ६१९. **वाणी**=वाग्देवता, ६२०.**धीः**=बुद्धिरूपा, ६२१. **शेमुषी**=बुद्धिरूपा, ६२२. **मतिः**=निश्चयरूपा, ६२३. **गायत्री**=गायत्रीमन्त्रस्वरूपा, ६२४. **वेदसावित्री**=वेदोक्त गायत्री, ६२५. **ब्रह्माणी**=ब्रह्मशक्ति, ६२६. **ब्रह्म-**

लक्षणा=वेदमन्त्रोंद्वारा लक्षित होनेवाली॥८६॥

६२७. **दुर्गा**=दुर्गम्या अथवा दुर्गादेवी, ६२८. **अपर्णा**=तपस्विनी पार्वती, ६२९. **सती**=दक्षकन्या सती, ६३०. **सत्या**=सत्यस्वरूपा अथवा सत्यभामा, ६३१. **पार्वती**=गिरिराज हिमालयकी पुत्री, ६३२. **चण्डिका**=असुरसंहारिणी शक्ति, ६३३. **अम्बिका**=जगन्माता, ६३४. **आर्या**=श्रेष्ठस्वरूपा, ६३५. **दाक्षायणी**=दक्षप्रजापतिकी कन्या, ६३६. **दाक्षी**=दक्षपुत्री, ६३७. **दक्षयज्ञविघातिनी**=दक्ष-यज्ञ-विध्वंसमें कारणभूता॥८७॥

६३८. **पुलोमजा**=पुलोम दानवकी पुत्री शची-स्वरूपा, ६३९. **शची**=इन्द्रपत्नी, ६४०. **इन्द्राणी** = शची, ६४१. **देवी**=प्रकाशमाना, ६४२. **देववरार्पिता**= देवेश्वर इन्द्रको अर्पित, ६४३.**वायुना धारिणी**=वायुके द्वारा धारण करनेवाली अथवा वयुना=ज्ञानस्वरूपा और धारिणी=धारणशक्ति, ६४४. **धन्या**=धन्यवादके योग्य, ६४५. **वायवी**=वायुशक्ति, ६४६. **वायुवेगगा**=वायुवेगसे चलनेवाली॥८८॥

६४७. **यमानुजा**=यमकी छोटी बहिन, ६४८. **संयमनी**=संयमनशक्ति अथवा संयमनीपुरी, ६४९. **संज्ञा**=सूर्यप्रिया संज्ञास्वरूपा, ६५०. **छाया**= संज्ञाकी छायाभूता सवर्णा, ६५१. **स्फुरद्द्युतिः**=उद्दीप्त कान्तिवाली, ६५२. **रत्नवेदी**=रत्नवेदिकारूपा, ६५३. **रत्नवृन्दा**=रत्नसमूहरूपा, ६५४. **तारा**=तारामण्डलरूपा, ६५५. **तरणिमण्डला**= सूर्यमण्डल स्वरूपा॥८९॥

६५६. **रुचिः**=प्रभा, ६५७. **शान्तिः**=शान्ति-रूपा, ६५८. **क्षमा**=तितिक्षामयी अथवा पृथ्वी, ६५९. **शोभा**=छविमयी, ६६०. **दया**=करुणामयी, ६६१. **दक्षा**=कुशला या चतुरा, ६६२. **द्युतिः**=कान्तिमयी, ६६३. **त्रपा**=लज्जा, ६६४. **तलतुष्टिः**=ताली बजानेसे तुष्ट होनेवाली, ६६५. **विभा**=प्रभा, ६६६. **पुष्टिः**=पुष्टिरूपा, ६६७. **संतुष्टिः**=संतोषमयी, ६६८. **पुष्टभावना**=सुदृढ़ भावनावाली॥९०॥

६६९. **चतुर्भुजा**=चार भुजाएँ धारण करनेवाली (लक्ष्मी), ६७०. **चारुनेत्रा**=सुन्दर नेत्रवाली, ६७१. **द्विभुजा**=दो बाहुवाली (कालिन्दी या श्रीराधा), ६७२. **अष्टभुजा**=आठ भुजावाली (सरस्वती), ६७३. **अबला**=बलका प्रदर्शन न करनेवाली, ६७४. **शङ्खहस्ता**=हाथमें शङ्ख धारण करनेवाली (वैष्णवी मूर्ति), ६७५. **पद्महस्ता**=हाथमें कमल धारण करनेवाली (लक्ष्मी), ६७६. **चक्रहस्ता**=हाथमें चक्र धारण करनेवाली वैष्णवी मूर्ति, ६७७. **गदाधरा**=गदा धारण करनेवाली॥९१॥

६७८. **निषङ्गधारिणी**=तरकस धारण करनेवाली, ६७९. **चर्मखड्गपाणिः**=हाथमें ढाल-तलवार लेने-वाली, ६८०. **धनुर्धरा**=धनुष धारण करनेवाली, ६८१. **धनुष्टंकारिणी**=(दुर्गाके रूपमें) धनुषका टंकार करनेवाली, ६८२. **योद्ध्री**=युद्ध करनेवाली, ६८३. **दैत्योद्भटविनाशिनी**=दैत्यसेनाके उद्भट योद्धाओंका विनाश करनेवाली॥९२॥

६८४. **रथस्था**=रथपर बैठनेवाली, ६८५. **गरुडा-रूढा**=गरुडपर आरूढ़ होनेवाली, ६८६. **श्रीकृष्ण-हृदयस्थिता**=श्रीकृष्णके हृदयरूपी सिंहासनपर आसीन, ६८७. **वंशीधरा**=कृष्णरूपसे वंशी धारण करनेवाली, ६८८. **कृष्णवेषा**=श्रीकृष्णका वेष धारण करनेवाली, ६८९. **स्रग्विणी**=पुष्पोंके हारोंसे अलंकृत, ६९०. **वनमालिनी**=वनमाला धारण करनेवाली॥९३॥

६९१. **किरीटधारिणी**=मस्तकपर किरीट धारण करनेवाली, ६९२. **याना**=यानस्वरूपा, ६९३. **मन्द-मन्दगतिः**=धीरे-धीरे चलनेवाली, ६९४. **गतिः**=सद्गतिस्वरूपा अथवा गमनशक्तिरूपा, ६९५. **चन्द्र-कोटिप्रतीकाशा**=कोटिचन्द्रतुल्या, ६९६. **तन्वी**=कृशाङ्गी, ६९७. **कोमलविग्रहा**=मृदुल शरीर-वाली॥९४॥

६९८. **भैष्मी**=भीष्मपुत्री रुक्मिणीरूपा, ६९९. **भीष्मसुता**=राजा भीष्मककी पुत्री रुक्मिणी, ७००. **अभीमा**=अभयंकर—सौम्यरूपवाली, ७०१. **रुक्मिणी**=श्रीकृष्णकी प्रमुख पटरानी, ७०२. **रुक्मरूपिणी**=सुनहले रूपवाली, ७०३. **सत्यभामा**=सत्राजित्की पुत्री, श्रीकृष्णप्रिया, ७०४. **जाम्बवती**=जाम्बवान्द्वारा पोषित एवं उन्हींसे प्राप्त दिव्यरूपा पटरानी, ७०५. **सत्या**='सत्या' नामवाली श्रीकृष्णकी

पटरानी, ७०६. **भद्रा**='भद्रा' नामवाली पटरानी, ७०७. **सुदक्षिणा**=परम उदारस्वरूपा श्रीकृष्णकी पटरानी ॥ ९५ ॥

७०८. **मित्रविन्दा**='मित्रविन्दा' नामवाली पटरानी, ७०९. **सखी**=राधारानीकी सखी, ७१०. **वृन्दा**=वृन्दावनकी अधिदेवी, ७११. **वृन्दारण्यध्वजोर्ध्वगा**= वृन्दावनकी ध्वजतुल्या—ऊर्ध्वगामिनी, ७१२. **शृङ्गारकारिणी**=शृङ्गार करनेवाली, ७१३. **शृङ्गा**=शृङ्गस्वरूपा, ७१४. **शृङ्गभूः**= शिखरभूमि, ७१५. **शृङ्गदा**=शिखरपर स्थान देनेवाली, ७१६. **खगा**=आकाशचारिणी ॥ ९६ ॥

७१७. **तितिक्षा**=क्षमा, ७१८. **ईक्षा**=ईक्षणस्वरूपा, ७१९. **स्मृतिः**=स्मरण-शक्ति, ७२०. **स्पर्धा**=स्पर्धा-रूपा, ७२१. **स्पृहा**=अभिलाषा, ७२२. **श्रद्धा**= आस्तिक्य-बुद्धिस्वरूपा, ७२३. **स्वनिर्वृतिः**= निजानन्दस्वरूपा, ७२४. **ईशा**=ईशनकर्त्री, ७२५. **तृष्णा** =कामना, ७२६. **भिदा**=भेदस्वरूपा, ७२७. **प्रीतिः**=प्रेम या प्रसन्नता, ७२८. **हिंसा**=हिंसावृत्तिरूपा, ७२९. **याञ्चा**=याचनारूपा, ७३०. **क्लमा**=क्लान्तिरूपा अथवा अक्लमा— क्लमरहिता, ७३१. **कृषिः**=कृषि (वार्ताका एक भेद) ॥ ९७ ॥

७३२. **आशा**=आशारूपिणी, ७३३. **निद्रा**= निद्राकी अधिष्ठात्री या निद्रारूपा, ७३४. **योगनिद्रा**= योगनिद्रा, जिसका आश्रय लेकर भगवान् विष्णु चार मासतक शयन करते हैं, ७३५. **योगिनी**=योगिनीरूपा, ७३६. **योगदा**= योगदायिनी, ७३७. **युगा**=युग-स्वरूपा, ७३८. **निष्ठा**= परमगति, आश्रयशक्ति अथवा आधारस्वरूपा, ७३९. **प्रतिष्ठा**= प्रतिष्ठास्वरूपा, आश्रय अथवा अवलम्ब, ७४०. **शमितिः** =शमन-स्वरूपा, ७४१. **सत्त्वप्रकृतिः**=सत्त्वगुणमयी प्रकृतिवाली, ७४२. **उत्तमा**=उत्कृष्टस्वरूपा ॥ ९८ ॥

७४३. **तमःप्रकृतिदुर्मर्षी**=तमोगुणमय स्वभावको दुःखसे सहन करनेवाली, ७४४. **रजःप्रकृतिः**= रजोगुणप्रधान प्रकृतिरूपा, ७४५. **आनतिः**=सब ओरसे नमनशीला, ७४६. **क्रिया**=क्रियाशक्ति, ७४७. **अक्रिया**=निष्क्रिय, ७४८. **कृतिः**=प्रयत्नरूपा, ७४९. **ग्लानिः**=ग्लानिरूपिणी, ७५०. **सात्त्विकी**=सत्त्व-प्रधाना शक्ति, ७५१. **आध्यात्मिकी**=आध्यात्मिक शक्ति, ७५२. **वृषा**=धर्मस्वरूपा ॥ ९९ ॥

७५३. **सेवा**=सेवारूपिणी, ७५४. **शिखा**= नदियोंकी शिखाभूता, ७५५. **मणिः**=मणि-रत्न-स्वरूपा, ७५६. **वृद्धिः**=अभ्युदयकी हेतुभूता, ७५७. **आहूतिः**= आह्वानस्वरूपा, ७५८. **सुमतिः**=सद्बुद्धिस्वरूपिणी, ७५९. **द्युः**= द्युलोकरूपिणी, ७६०. **भूः**= पृथ्वीरूपा, ७६१. **रज्जुर्द्विदाम्नी**=दो तटोंवाली, ७६२. **षड्वर्गा**= षड्वर्गरूपिणी, ७६३. **संहिता**=वेदरूपिणी, ७६४. **सौख्यदायिनी**= सर्वसुखदा ॥ १०० ॥

७६५. **मुक्तिः**= मुक्तिरूपा, ७६६. **प्रोक्तिः**= श्रेष्ठवाणी-रूपा, ७६७. **देशभाषा**= देशीयभाषा, ७६८. **प्रकृतिः**= प्रकृतिरूपा, ७६९. **पिङ्गलोद्भवा**= पिङ्गला नाड़ीसे उत्पन्न, ७७०. **नागभाषा**=नागोंकी भाषाको जाननेवाली अथवा नागोंसे भाषण करनेवाली, ७७१. **नागभूषा** = नागोंसे भूषित, ७७२. **नागरी**=नागरी अर्थात् चतुरा, ७७३. **नगरी** =नगरस्वरूपा, ७७४. **नगा**=वृक्ष अथवा गिरिरूपा ॥ १०१ ॥

७७५. **नौः**=नाव, ७७६. **नौका**=नाव, ७७७. **भवनौः** =संसारसागरसे पार उतारनेवाली नौका, ७७८. **भाव्या**=मनमें भावना (ध्यान) करनेयोग्य, ७७९. **भवसागरसेतुका**=भवसागरसे पार जानेके लिये सेतुरूपा, ७८०. **मनोमयी**= मनःस्वरूपा, ७८१ **दारुमयी**=काष्ठकी बनी, ७८२. **सैकती**=सिकतासे पूर्ण, ७८३, **सिकतामयी**= वालुकासे परिपूर्ण· या वालुकामयी ॥ १०२ ॥

७८४. **लेख्या**=चित्रमयी, ७८५. **लेप्या**=मिट्टीकी प्रतिमा, ७८६. **मणिमयी**=मणिनिर्मित प्रतिमा, ७८७. **प्रतिमा हेमनिर्मिता**=सोनेकी बनी प्रतिमा, ७८८. **शैली**=शिलामयी प्रतिमा, ७८९. **शैलभवा**=पर्वतसे प्रकट प्रतिमा, ७९०, **शीला**=शीलयुक्ता अथवा शीलस्वरूपा, ७९१. **शीकराभा**=जलकणों अथवा जलकी फुहारोंसे शोभित, ७९२. **चला**=चलस्वरूपा, ७९३. **अचला**=अचलस्वरूपा ॥ १०३ ॥

७९४. **अस्थिता**=अस्थिर, ७९५. **सुस्थिता**= सुस्थिर, ७९६. **तूली**=तूलिका, ७९७. **वैदिकी**= वेदोक्त पद्धति, ७९८. **तान्त्रिकी**=तन्त्रोक्त पद्धति, ७९९. **विधिः**=विधिवाक्यस्वरूपा, ८००. **संध्या**=रात और दिनकी संधिवेला, ८०१. **संध्याभ्रवसना**=संध्या-कालिक बादल या आकाशकी भाँति लाल वस्त्रवाली, ८०२. **वेदसंधिः**=वेदमन्त्रोंमें संधि (संहिता) स्वरूपा, ८०३. **सुधामयी**=अमृतमयी ॥ १०४ ॥

८०४. **सायंतनी**=सायंकालिकी शोभा, ८०५. **शिखा**=ज्वालामयी, ८०६. **अवेध्या**=अभेदनीया, ८०७. **सूक्ष्मा**=सूक्ष्मस्वरूपा, ८०८. **जीवकला**=जीवरूप भगवत्कला, ८०९. **कृतिः**=कृतिरूपा, ८१०. **आत्मभूता**=सबकी आत्मस्वरूपा, ८११. **भाविता**= ध्यान या भावनाकी विषयभूता, ८१२. **अण्वी**= सूक्ष्मस्वरूपा, ८१३. **प्रह्वी**=विनयशीला, ८१४. **कमलकर्णिका**=हृदय-कमलकी कर्णिकामें ध्येया॥ १०५॥

८१५. **नीराजनी**=आरती, ८१६. **महाविद्या**= तत्त्वसाक्षात्कार करानेवाली महावाक्यबोधात्मिका महाविद्या, अथवा ब्रह्मविद्यारूपा महाविद्या, ८१७. **कंदली**=सुखकी अङ्कुरस्वरूपा, ८१८. **कार्यसाधनी**= भक्तजनोंके अभीष्ट कार्यको सिद्ध करनेवाली, ८१९. **पूजा**= अर्चना, ८२०. **प्रतिष्ठा**=स्थापना, ८२१. **विपुला**= विपुलस्वरूपा, ८२२. **पुनन्ती**=पवित्र करनेवाली, ८२३. **पारलौकिकी**=परलोकके लिये हितकारिणी॥ १०६॥

८२४. **शुक्लशुक्तिः**=श्वेत सीपी या सितुहीकी उपलब्धिका स्थान, ८२५. **मौक्तिका**=मुक्तास्वरूपा, ८२६. **प्रतीतिः**= प्रतीतिस्वरूपा, ८२७. **परमेश्वरी**= परमेश्वरप्रिया, ८२८. **विरजा**=निर्मला, ८२९. **उष्णिक्**=वैदिक छन्द-विशेष, ८३०. **विराड्**=विराट्-रूपा, ८३१. **वेणी** =त्रिवेणीरूपा, ८३२. **वेणुका**= वंशीरूपिणी, ८३३. **वेणुनादिनी**= वेणुनाद करनेवाली—बाँसुरीकी तान छेड़नेवाली॥ १०७॥

८३४. **आवर्तिनी**=भँवरोंसे युक्ता, ८३५. **वार्तिकदा**=वार्तिकदायिनी, ८३६. **वार्ता**=कृषि, गोरक्षा और वाणिज्यके भेदसे त्रिविध वार्ता, ८३७. **वृत्तिः**= जीविकारूपा, ८३८. **विमानगा**=विमानपर यात्रा करने-वाली, ८३९. **रासाढ्या**=रासजनित सुखसे सम्पन्न, ८४०. **रासिनी**=रासपरायणा, ८४१. **रासा**=रासस्वरूपा, ८४२. **रासमण्डलवर्तिनी**=रासमण्डलमें वर्तमान॥ १०८॥

८४३. **गोपगोपीश्वरी**=गोपों तथा गोपाङ्गनाओंकी आराध्या ईश्वरी, ८४४. **गोपी**=गोपीरूपा, ८४५. **गोपी-गोपालवन्दिता**=गोपियों और ग्वालोंसे वन्दित, ८४६. **गोचारिणी**=अपने तटपर गौओंको चरनेके लिये स्थान और सुविधा देनेवाली, ८४७. **गोपनदी**=गोपोंकी नदी, ८४८. **गोपानन्दप्रदायिनी**=गोपोंको आनन्द प्रदान करनेवाली॥ १०९॥

८४९. **पशव्यदा**=पशुओंके लिये हितकर घास प्रदान करनेवाली, ८५०. **गोपसेव्या**=गोपोंके द्वारा सेवनीया, ८५१. **कोटिशो गोगणावृता**=करोड़ों गौओंके समुदायसे घिरी हुई, ८५२. **गोपानुगा**= गोपगण जिनका अनुगमन करते हैं या गोप जिनके सेवक हैं, ऐसी, ८५३. **गोपवती**=गोपोंसे युक्त, ८५४. **गोविन्दपदपादुका**= गोविन्द-चरणोंकी पादुकास्वरूपा॥ ११०॥

८५५. **वृषभानुसुता**=वृषभानुनन्दिनी राधासे अभिन्न, ८५६. **राधा**=श्रीकृष्णकी आराध्या राधा-स्वरूपा, ८५७. **श्रीकृष्णवशकारिणी**=श्रीकृष्णको वशमें कर लेनेवाली, ८५८. **कृष्णप्राणाधिका**= श्रीकृष्णको प्राणोंसे भी बढ़कर प्रिय, ८५९. **शश्वद्रसिका**=नित्यरसिका, ८६०. **रसिकेश्वरी**=रसिकोंकी ईश्वरी॥ १११॥

८६१. **अवटोदा**=अवटोदा नामकी नदी, ८६२. **ताम्रपर्णी**=ताम्रपर्णी नामकी नदी, ८६३. **कृतमाला**= इसी नामवाली नदी, ८६४. **विहायसी**=विहायसी नदी, ८६५. **कृष्णा**=कृष्णा नदी, ८६६. **वेणी**=वेणी नामकी नदी, ८६७. **भीमरथी**=भीमा नामकी नदी, ८६८. **तापी**=तपती नामकी नदी ८६९. **रेवा**=नर्मदा, ८७०. **महापगा**=विशाल नदी, अथवा महानदी नामकी नदी॥ ११२॥

८७१. **वैयासकी**=वैयासकी (व्यास) नदी, ८७२. **कावेरी**=कावेरी नदी, ८७३. **तुङ्गभद्रा**= तुङ्गभद्रा नामकी नदी, ८७४. **सरस्वती**=सरस्वती नदी, ८७५. **चन्द्रभागा**= चिनाब नदी, ८७६. **वेत्रवती**= बेतवा नदी, ८७७. **ऋषिकुल्या**=इसी नामकी नदी, ८७८. **ककुद्मिनी**= ककुद्मिनी नदी॥ ११३॥

८७९. **गौतमी**=गोदावरी, ८८०. **कौशिकी**=कोसी नदी, ८८१. **सिन्धुः**=सिन्धु नदी, ८८२. **बाण-गङ्गा**=अर्जुनके बाणसे प्रकट हुई पातालगङ्गा, ८८३. **अतिसिद्धिदा**=अत्यन्त सिद्धि प्रदान करनेवाली, ८८४. **गोदावरी**=गौतमी, ८८५. **रत्नमाला**=नदी, ८८६. **गङ्गा**=गङ्गा नदी, ८८७. **मन्दाकिनी**=आकाश-गङ्गा, ८८८. **बला**=बला नामकी नदी॥ ११४॥

८८९. **स्वर्णदी**=स्वर्गलोककी नदी गङ्गा, ८९०. **जाह्नवी**=जह्नुनन्दिनी गङ्गा, ८९१. **वेला**=वेला नदी, ८९२. **वैष्णवी**=विष्णुकुल्या, ८९३. **मङ्गलालया**=मङ्गलका आवास, ८९४. **बाला**=बाला नदी, ८९५. **विष्णुपदी**=

गङ्गा, ८९६. **सिन्धुसागरसंगता**=गङ्गासागर-संगम-स्वरूपा ॥ ११४ ॥

८९७. **गङ्गासागरशोभाढ्या**= गङ्गा और सागरके संगमकी शोभासे सम्पन्न, ८९८. **सामुद्री**=समुद्रप्रिया, ८९९. **रत्नदा**=रत्न प्रदान करनेवाली, ९००. **धुनी**= नदीरूपा, ९०१. **भागीरथी**=राजा भगीरथके द्वारा लायी गयी गङ्गा, ९०२. **स्वर्धुनीभूः**=गङ्गाके प्राकट्य-की भूमि, ९०३. **श्रीवामनपदच्युता**=श्रीवामनके चरणोंसे च्युत हुई ॥ ११६ ॥

९०४. **लक्ष्मीः**=लक्ष्मीस्वरूपा, ९०५. **रमा**=पद्मा, ९०६. **रमणीया**=रमणीयतासे युक्त, ९०७. **भार्गवी**=भृगुपुत्री, ९०८. **विष्णुवल्लभा**=भगवान् विष्णुकी प्रिया, ९०९. **सीता**=सीतास्वरूपा, ९१०. **अर्चिः**= अग्नि ज्वालारूपिणी, ९११. **जानकी**=जनक-नन्दिनी, ९१२. **माता**=जगज्जननी, ९१३. **कलङ्क-रहिता**= निष्कलङ्का, ९१४. **कला**=भगवत्कला-स्वरूपा ॥ ११७ ॥

९१५. **कृष्णपादाब्जसम्भूता**=श्रीकृष्णके चरणारविन्दों-से प्रकट हुई, ९१६. **सर्वा**=सर्वस्वरूपा, ९१७. **त्रिपथगामिनी**=त्रिपथगा गङ्गा, ९१८. **धरा**=धरणी-स्वरूपा, ९१९. **विश्वम्भरा**=विश्वका भरण-पोषण करनेवाली, ९२०. **अनन्ता**=अन्तरहिता, ९२१. **भूमिः**=आधारभूमिस्वरूपा, ९२२. **धात्री**=धाय, ९२३. **क्षमामयी**=क्षमास्वरूपा ॥ ११८ ॥

९२४. **स्थिरा**=स्थिरस्वरूपा, ९२५. **धरित्री**= धारण करनेवाली, ९२६. **धरणी**=लोकधारणी पृथ्वी, ९२७. **उर्वी**=भूमि, ९२८. **शेषफणस्थिता**=शेषनागके फणोंपर रहनेवाली, ९२९. **अयोध्या**=जिसके साथ युद्ध न किया जा सके, ऐसी अजेय पुरी, ९३०. **राघवपुरी**=राघवेन्द्रकी नगरी, ९३१. **कौशिकी**=कुशिकवंशजा, ९३२. **रघुवंशजा**=रघुकुलमें उत्पन्न होनेवाली ॥ ११९ ॥

९३३. **मथुरा**=मथुरा-नगरी, ९३४. **माथुरी**= मथुरा-मण्डलमें प्रकट, ९३५. **पन्था**=मार्गस्वरूपा, ९३६. **यादवी**=यदुवंशियोंकी नगरी, ९३७. **ध्रुवपूजिता**=ध्रुवसे प्रशंसित, ९३८. **मयायुः**=मयासुरको आयु प्रदान करने-वाली, ९३९. **बिल्वनीलोदा**=बिल्वके समान नील रंगके जलवाली, ९४०. **गङ्गाद्वारविनिर्गता**=हरद्वारसे निकली हुई ॥ १२० ॥

९४१. **कुशावर्तमयी**=कुशावर्तनामक तीर्थस्वरूपा, ९४२. **ध्रौव्या**=ध्रुवत्वसे युक्त, ९४३. **ध्रुवमण्डलमध्यगा**= ध्रुवमण्डलके बीचसे निकली हुई, ९४४. **काशी**=वाराणसी, ९४५. **शिवपुरी**=शिवकी नगरी, ९४६. **शेषा**=शेषस्वरूपा, ९४७. **विन्ध्या**= विन्ध्यस्वरूपा, ९४८. **वाराणसी**=काशी, ९४९. **शिवा**=शिवास्वरूपा ॥ १२१ ॥

९५०. **अवन्तिका**=मालव प्रदेशकी राजधानी और महाकालकी नगरी, ९५१. **देवपुरी**=देवनगरी, ९५२. **प्रोज्ज्वला**=प्रकृष्ट शोभासे सम्पन्न, ९५३. **उज्जयिनी**= उज्जैन, ९५४. **जिता**=जितस्वरूपा, ९५५. **द्वारावती**= द्वारकापुरी, ९५६. **द्वारकामा**=द्वारकी कामनावाली, ९५७. **कुशभूता**=कुशके प्रकट होनेका स्थान, ९५८. **कुशस्थली**=कुशोंकी उत्पत्ति-स्थली द्वारका ॥ १२२ ॥

९५९. **महापुरी**=महानगरी, ९६०. सप्तपुरी=सप्त-पुरीस्वरूपा, ९६१. **नन्दिग्रामस्थलस्थिता**=नन्दिग्रामके स्थलमें स्थित सरयू अथवा यमुना, ९६२. **शालग्राम-शिलादित्या**=शालग्रामशिलाकी उत्पत्तिका स्थान गण्डकी नदी, ९६३. **सम्भलग्राममध्यगा**=सम्भल ग्रामके मध्यमें गयी हुई ॥ १२३ ॥

९६४. **वंशगोपालिनी**=वंशगोपाल-मन्त्रसे युक्त, ९६५. **क्षिप्रा**=क्षिप्रस्वरूपा, ९६६. **हरिमन्दिरवर्तिनी**= भगवान्‌के मन्दिरमें विद्यमान, ९६७. **बर्हिष्मती**= बर्हिष्मती नामकी नगरी, ९६८. **हस्तिपुरी**=हस्तिनापुरनगरी, ९६९. **शक्रप्रस्थनिवासिनी**=इन्द्रप्रस्थ (देहली) में निवास करनेवाली ॥ १२४ ॥

९७०. **दाडिमी**=दाड़िमफलस्वरूपा, ९७१. **सैन्धवी**=सिन्धुप्रिया, ९७२. **जम्बूः**=जम्बूनदीरूपा, ९७३. **पौष्करी**=पुष्करद्वीपसे सम्बन्ध रखनेवाली, ९७४. **पुष्करप्रसूः**=पुष्करकी उत्पत्तिका स्थान, ९७५. **उत्पलावर्तगमना**=उत्पलावर्त तीर्थमें जानेवाली, ९७६. **नैमिषी**=नैमिषारण्यवासिनी ॥ १२५ ॥

९७७. **अनिमिषादृता**=देवपूजिता, ९७८. **कुरुजाङ्गलभूः**=कुरुजाङ्गलदेशमें प्रकट, ९७९. **काली**=कृष्णवर्णा अथवा काली गङ्गा, ९८०. **हैमवती**=हिमालयसे उत्पन्न, ९८१. **आर्बुदी**=आबूमें प्रकट, ९८२. **बुधा**=विदुषी, ९८३. **शूकरक्षेत्र-**

विदिता=शूकरक्षेत्रमें प्रसिद्ध, **९८४. श्वेतवाराह-धारिता**=श्वेतवाराहके द्वारा धारित॥ १२६॥

९८५. सर्वतीर्थमयी=सर्वतीर्थस्वरूपा, **९८६. तीर्था**=तीर्थभूता, **९८७. तीर्थानां तीर्थकारिणी**= तीर्थोंको तीर्थ बनानेवाली, **९८८. हारिणी सर्वदोषाणाम्**=सब दोषोंको हर लेनेवाली, **९८९. दायिनी सर्वसम्पदाम्**=सब सम्पत्तियोंको देनेवाली॥ १२७॥

९९०. वर्धिनी तेजसाम्=तेजको बढ़ानेवाली, **९९१. साक्षात्**=प्रत्यक्ष प्रकट, **९९२. गर्भवास निकृन्तनी**= माताके गर्भमें वास करनेके कष्टका उच्छेद करनेवाली, **९९३. गोलोकधाम**=गोलोककी प्रकाश-रूपा, **९९४. धनिनी**=धनसे सम्पन्न, **९९५. निकुञ्ज-निजमञ्जरी**= निकुञ्जमें अपनी मञ्जरियोंके साथ रहनेवाली॥ १२८॥

९९६. सर्वोत्तमा=सबसे उत्तम, **९९७. सर्वपुण्या**= सर्वाधिक पुण्यशालिनी, **९९८. सर्वसौन्दर्यशृङ्खला**= सम्पूर्ण सुन्दरताको बाँध रखनेवाली, **९९९, सर्वतीर्थोपरिगता**=सब तीर्थोंके ऊपर पहुँची हुई, **१०००. सर्वतीर्थाधिदेवता**=सम्पूर्ण तीर्थोंकी अधिदेवी॥ १२९॥

कालिन्दीके सहस्त्रनामका वर्णन कीर्ति देनेवाला तथा उत्तम कामपूरक है। यह बड़े-बड़े पापोंको हर लेता, पुण्य देता और आयुको बढ़ानेवाला श्रेष्ठ साधन है। रातमें एक बार इसका पाठ कर ले तो चोरोंसे भय नहीं होता। रास्तेमें दो बार पढ़ ले तो डाकू और लुटेरोंसे कहीं भय नहीं होता। द्विजको चाहिये कि वह द्वितीयासे पूर्णिमातक प्रतिदिन कालिन्दी देवीका ध्यान करके भक्तिभावसे दस बार इस सहस्त्रनामका पाठ करे; ऐसा करनेसे यदि रोगी हो तो रोगसे छूट जाता है, कैदमें पड़ा हो तो वहाँके बन्धनसे मुक्त हो जाता है, गर्भिणी नारी हो तो वह पुत्र पैदा करती है और विद्यार्थी हो तो वह पण्डित होता है। मोहन, स्तम्भन, वशीकरण, उच्चाटन, मारण, शोषण, दीपन, उन्मादन, तापन, निधिदर्शन आदि जो-जो वस्तु मनुष्य मनमें चाहता है, उस-उसको वह प्राप्त कर लेता है॥ १३०—१३५॥

इसके पाठसे ब्राह्मण ब्रह्मतेजसे सम्पन्न होता है, क्षत्रिय पृथ्वीका आधिपत्य प्राप्त करता है, वैश्य खजानेका मालिक होता है और शूद्र इसको सुनकर निर्मल—शुद्ध हो जाता है॥ १३६॥

जो पूजाकालमें प्रतिदिन भक्तिभावसे इसका पाठ करता है, वह जलसे अलिप्त रहनेवाले कमलपत्रकी भाँति पापोंसे कभी लिप्त नहीं होता॥ १३७॥

जो लोग एक वर्षतक पटल और पद्धतिकी विधिका पालन करके प्रतिदिन इस सहस्त्रनामका सौ बार पाठ करते हैं और उसके बाद स्तोत्र और कवच पढ़ते हैं, वे सातों द्वीपोंसे युक्त पृथिवीका राज्य प्राप्त कर लेंगे, इसमें संशय नहीं है। जो यमुनाजीमें भक्तिभाव रखकर निष्कामभावसे इसका पाठ करता है, वह पुण्यात्मा धर्म-अर्थ-काम— इस त्रिवर्गको पाकर इस जीवनमें ही जीवन्मुक्त हो जाता है। जो इस प्रसङ्गका पाठ करता है, वह निकुञ्जलीलासे ललित, मनोहर तथा कालिन्दीतटके लता-समुदायोंसे विलसित वृन्दावनके मतवाले भ्रमरोंसे अनुनादित गोलोकधाममें पहुँच जाता है॥ १३८—१४१॥

इस प्रकार श्रीगर्गसंहितामें माधुर्यखण्डके अन्तर्गत श्रीसौभरि और मांधाताके संवादमें 'यमुना-सहस्त्रनामका वर्णन' नामक उन्नीसवाँ अध्याय पूरा हुआ॥ १९॥

बीसवाँ अध्याय

बलदेवजीके हाथसे प्रलम्बासुरका वध तथा उसके पूर्वजन्मका परिचय

श्रीनारदजी कहते हैं—राजन्! इस प्रकार यमुनाजीका सहस्त्रनामस्तोत्र सुनकर वीरभूप-शिरोमणि मांधाता सौभरिमुनिको नमस्कार करके अयोध्यापुरीको चले गये। यह मैंने तुमसे गोपियोंके शुभ चरित्रका वर्णन किया, जो महान् पापोंको हर लेनेवाला और पुण्यप्रद है। बताओ और क्या सुनना चाहते हो?॥ १-२॥

बहुलाश्व बोले—ब्रह्मन्! मैंने आपके मुखसे गोपियोंके चरित्रका उत्तम वर्णन सुना। साथ ही यमुनाके पञ्चाङ्गका भी श्रवण किया, जो बड़े-बड़े पातकोंका नाश करनेवाला है। साक्षात् गोलोकके अधिपति भगवान् श्रीकृष्णने बलरामजीके साथ व्रजमण्डलमें आगे कौन-कौन-सी मनोहर लीलाएँ कीं, यह बताइये॥ ३-४॥

श्रीनारदजीने कहा—राजन्! एक दिन श्रीबलराम और ग्वाल-बालोंके साथ अपनी गौएँ चराते हुए श्रीकृष्ण भाण्डीरवनमें यमुनाजीके तटपर बालोचित खेल खेलने लगे। बालकोंसे वाह्य-वाहनका खेल करवाते हुए श्रीकृष्ण मनोहर गौओंकी देख-भाल करते हुए वनमें विहार करते थे। (इस खेलमें कुछ लड़के वाहन—घोड़ा आदि बनते और कुछ उनकी पीठपर सवारी करते थे।) उस समय वहाँ कंसका भेजा हुआ असुर प्रलम्ब गोपरूप धारण करके आया। दूसरे ग्वाल-बाल तो उसे न पहचान सके, किंतु भगवान् श्रीकृष्णसे उसकी माया छिपी न रही। खेलमें हारनेवाला बालक जीतनेवालेको पीठपर चढ़ाता था; किंतु जब बलरामजी जीत गये, तब उन्हें कोई भी पीठपर चढ़ानेको तैयार नहीं हुआ। उस समय प्रलम्बासुर ही उन्हें भाण्डीरवनसे यमुनातटतक अपनी पीठपर चढ़ाकर ले जाने लगा। एक निश्चित स्थान था, जहाँ ढोकर ले जानेवाला बालक अपनी पीठपर चढ़े हुए बालकको उतार देता था; परंतु प्रलम्बासुर उतारनेके स्थानपर पहुँचकर भी उन्हें उतारे बिना ही मथुरातक ले जानेको उद्यत हो गया। उसने बादलोंकी घोर घटाकी भाँति भयानक रूप धारण कर लिया और विशाल पर्वतके समान दुर्गम हो गया। उस दैत्यकी पीठपर बैठे हुए सुन्दर बलरामजीके कानोंमें कान्तिमान् कुण्डल हिल रहे थे। ऐसा जान पड़ता था, मानो आकाशमें पूर्ण चन्द्रमा उदित हुए हों अथवा मेघोंकी घटामें बिजली चमक रही हो। उस भयानक दैत्यको देखकर महाबली बलदेवजीको बड़ा क्रोध हुआ। उन्होंने उसके मस्तकपर कसके एक मुक्का मारा, मानो इन्द्रने किसी पर्वतपर वज्रका प्रहार किया हो। उस दैत्यका मस्तक वज्रसे आहत पहाड़की तरह फट गया और वह सहसा पृथ्वीको कम्पित करता हुआ धराशायी हो गया। उसके शरीरसे एक विशाल ज्योति निकली और बलरामजीमें विलीन हो गयी। उस समय देवता बलरामजीके ऊपर नन्दनवनके फूलोंकी वर्षा करने लगे। नृपेश्वर! पृथ्वीपर और आकाशमें भी जय-जयकार होने लगी। राजन्! इस प्रकार श्रीबलदेवजीके परम अद्भुत चरित्रका मैंने तुम्हारे समक्ष वर्णन किया, अब और क्या सुनना चाहते हो?॥ ५—१४ $\frac{१}{२}$ ॥

बहुलाश्वने पूछा—मुने! वह रण-दुर्मद दैत्य प्रलम्ब पूर्वजन्ममें कौन था? और बलदेवजीके हाथसे उसकी मुक्ति क्यों हुई?॥ १५॥

श्रीनारदजीने कहा—राजन्! यक्षराज कुबेरने अपने सुन्दर वनमें भगवान् शिवकी पूजाके लिये फुलवारी लगा रखी थी और इधर-उधर यक्षोंको तैनात करके उन फूलोंकी रक्षाका प्रबन्ध करवाया था; तथापि उस पुष्पवाटिकाके सुन्दर एवं चमकीले फूल लोग तोड़ लिया करते थे। इससे कुपित हो बलवान् यक्षराज कुबेरने यह शाप दिया—'जो यक्ष इस फुलवारीके फूल लेंगे अथवा दूसरे भी जो देवता और मनुष्य आदि फूल तोड़नेका अपराध करेंगे, वे सब सहसा मेरे शापसे भूतलपर असुर हो जायँगे।' एक दिन हूहू नामक गन्धर्वका बेटा 'विजय' तीर्थभूमियोंमें विचरता तथा मार्गमें भगवान् विष्णुके गुणोंको गाता हुआ चैत्ररथ वनमें आया। उसके हाथमें वीणा थी। बेचारा गन्धर्व शापकी बातको नहीं जानता था, अत: उसने वहाँसे कुछ फूल ले लिये। फूल लेते ही वह गन्धर्वरूपको त्यागकर असुर हो गया। फिर तो वह तत्काल महात्मा कुबेरकी शरणमें गया और नमस्कार करके दोनों हाथ जोड़कर धीरे-धीरे शापसे छूटनेके लिये प्रार्थना करने लगा। राजेन्द्र! तब उसपर प्रसन्न होकर कुबेरने भी वर दिया—'मानद! तुम भगवान् विष्णुके भक्त तथा शान्त-चित्त महात्मा हो, इसलिये शोक न करो। द्वापरके अन्तमें भाण्डीर-वनमें यमुनाके तटपर बलदेवजीके हाथसे तुम्हारी मुक्ति होगी, इसमें संदेह नहीं है'॥ १६—२३॥

श्रीनारदजी कहते हैं—राजन्! हूहूका पुत्र वह विजयनामक गन्धर्व ही महान् असुर प्रलम्ब हुआ और कुबेरके वरसे उसको परम मोक्षकी प्राप्ति हुई॥ २४॥

इस प्रकार श्रीगर्गसंहितामें माधुर्यखण्डके अन्तर्गत श्रीनारद-बहुलाश्व-संवादमें 'प्रलम्ब-वध' नामक बीसवाँ अध्याय पूरा हुआ॥ २०॥

इक्कीसवाँ अध्याय

दावानलसे गौओं और ग्वालोंका छुटकारा तथा विप्रपत्नियोंको श्रीकृष्णका दर्शन

श्रीनारदजी कहते हैं—राजन्! तदनन्तर श्रीबलरामसहित समस्त ग्वाल-बाल खेलमें आसक्त हो गये। उधर सारी गौएँ घासके लोभसे विशाल वनमें प्रवेश कर गयीं। उनको लौटा लानेके लिये ग्वाल-बाल बहुत बड़े मूँजके वनमें जा पहुँचे। वहाँ प्रलयाग्निके समान महान् दावानल प्रकट हो गया। उस समय गौओंसहित समस्त ग्वाल-बाल एकत्र हो बलरामसहित श्रीकृष्णको पुकारने लगे और भयसे आर्त हो, उनकी शरण ग्रहण कर 'बचाओ, बचाओ!' यों कहने लगे। अपने सखाओंके ऊपर अग्निका महान् भय देखकर योगेश्वरेश्वर श्रीकृष्णने कहा—'डरो मत; अपनी आँखें बंद कर लो।' नरेश्वर! जब गोपोंने ऐसा कर लिया, तब देवताओंके देखते-देखते भगवान् गोविन्ददेव उस भयकारक अग्निको पी गये। इस प्रकार उस महान् अग्निको पीकर ग्वालों और गौओंको साथ ले श्रीहरि यमुनाके उस पार अशोकवनमें जा पहुँचे। वहाँ भूखसे पीड़ित ग्वाल-बाल बलरामसहित श्रीकृष्णसे हाथ जोड़कर बोले—'प्रभो! हमें बहुत भूख सता रही है।' तब भगवान्ने उनको आङ्गिरस-यज्ञमें भेजा। वे उस श्रेष्ठ यज्ञमें जाकर नमस्कार करके निर्मल वचन बोले॥१—८॥

गोपोंने कहा—ब्राह्मणो! ग्वाल-बालों और बलरामजीके साथ व्रजराजनन्दन श्रीकृष्ण गौएँ चराते हुए इधर आ निकले हैं, उन सबको भूख लगी है। अतः आप सखाओंसहित उन मदनमोहन श्रीकृष्णके लिये शीघ्र ही अन्न प्रदान करें॥ ९॥

श्रीनारदजी कहते हैं—नरेश्वर! ग्वाल-बालोंकी वह बात सुनकर वे ब्राह्मण कुछ नहीं बोले। तब ग्वाल-बाल निराश लौट गये और आकर बलराम-सहित श्रीकृष्णसे इस प्रकार बोले॥ १०॥

गोपोंने कहा—सखे! तुम व्रजमण्डलमें ही अधीश बने हुए हो। गोकुलमें ही तुम्हारा बल चलता है और नन्दबाबाके आगे ही तुम कठोर दण्डधारी बने हुए हो। प्रचण्ड सूर्यके समान तेजस्वी तुम्हारा प्रकाशमान दण्ड निश्चय ही मथुरापुरीमें अपना प्रभाव नहीं प्रकट करता॥ ११॥

श्रीनारदजी कहते हैं—राजन्! तब श्रीहरिने उन ग्वाल-बालोंको पुनः यज्ञकर्ता ब्राह्मणोंकी पत्नियोंके पास भेजा। तब वे पुनः यज्ञशालामें गये और उन ब्राह्मण-पत्नियोंको नमस्कार करके वे श्रीकृष्णके भेजे हुए ग्वाल हाथ जोड़कर बोले॥ १२॥

गोपोंने कहा—ब्राह्मणी देवियो! ग्वाल-बालों और बलरामजीके साथ गाय चराते हुए श्रीव्रजराज-नन्दन कृष्ण इधर आ गये हैं, उन्हें भूख लगी है। सखाओंसहित उन मदनमोहनके लिये आपलोग शीघ्र ही अन्न प्रदान करें॥ १३॥

श्रीनारदजी कहते हैं—राजन्! श्रीकृष्णका शुभागमन सुनकर उन समस्त विप्रपत्नियोंके मनमें उनके दर्शनकी लालसा जाग उठी। उन्होंने विभिन्न पात्रोंमें भोजनकी सामग्री रख लीं और तत्काल लोक-लाज छोड़कर वे श्रीकृष्णके पास चली गयीं। रमणीय अशोकवनमें यमुनाके मनोरम तटपर विप्र-पत्नियोंने श्रीहरिका अद्भुत रूप जैसा सुना था, वैसा ही देखा। दर्शन पाकर वे सब परमानन्दमें उसी प्रकार निमग्न हो गयीं, जैसे योगीजन तुरीय ब्रह्मका साक्षात्कार करके आनन्दित हो उठते हैं॥ १४—१६॥

श्रीभगवान् बोले—विप्रपत्नियो! तुमलोग धन्य हो, जो मेरे दर्शनके लिये यहाँतक चली आयीं; अब शीघ्र ही घर लौट जाओ। ब्राह्मणलोग तुमपर कोई संदेह नहीं करेंगे। तुम्हारे ही प्रभावसे तुम्हारे पतिदेवता ब्राह्मणलोग तत्काल यज्ञका फल पाकर निर्मल हो, तुम्हारे साथ प्रकृतिसे परे विद्यमान परमधाम गोलोकको चले जायँगे॥ १७-१८ $\frac{1}{2}$॥

श्रीनारदजी कहते हैं—तब श्रीहरिको नमस्कार करके वे सब स्त्रियाँ यज्ञशालामें चली आयीं, उन्हें देखकर सब ब्राह्मणोंने अपने-आपको धिक्कारा। वे कंसके डरसे स्वयं श्रीकृष्णको देखनेके लिये नहीं जा सके थे॥ १९-२०॥

मैथिल! ग्वाल-बालों और बलरामजीके साथ वह अन्न खाकर श्रीकृष्ण गौओंको चराते हुए मनोहर वृन्दावनमें चले गये॥ २१॥

इस प्रकार श्रीगर्गसंहितामें माधुर्यखण्डके अन्तर्गत नारद-बहुलाश्व-संवादमें 'दावानलसे गौओं और ग्वालोंका छुटकारा तथा विप्रपत्नियोंको श्रीकृष्णका दर्शन' नामक इक्कीसवाँ अध्याय पूरा हुआ॥ २१॥

बाईसवाँ अध्याय

श्रीकृष्णका नन्दराजको वरुणलोकसे ले आना और गोप-गोपियोंको वैकुण्ठधामका दर्शन कराना

श्रीनारदजी कहते हैं—एक दिनकी बात है, नन्दराज एकादशीका व्रत करके द्वादशीको निशीथ-कालमें ही ग्वालोंके साथ यमुना-स्नानके लिये गये और जलमें उतरे। वहाँ वरुणका एक सेवक उन्हें पकड़कर वरुण-लोकमें ले गया। मैथिलेश्वर! उस समय ग्वालोंमें कुहराम मच गया; तब उन सबको आश्वासन दे भगवान् श्रीहरि वरुणपुरीमें पधारे और उन्होंने सहसा उस पुरीके दुर्गको भस्म कर दिया। करोड़ों सूर्योंके समान तेजस्वी श्रीहरिको अत्यन्त कुपित हुआ देख वरुणने तिरस्कृत होकर उन्हें नमस्कार किया और उनकी परिक्रमा करके हाथ जोड़कर कहा॥ १—४॥

वरुण बोले—श्रीकृष्णचन्द्रको नमस्कार है। परिपूर्णतम परमात्मा तथा असंख्य ब्रह्माण्डोंका भरण पोषण करनेवाले गोलोकपतिको नमस्कार है। चतुर्व्यूहके रूपमें प्रकट तेजोमय श्रीहरिको नमस्कार है। सर्वतेज:स्वरूप आप परमेश्वरको नमस्कार है। सर्वस्वरूप आप परब्रह्म परमात्माको नमस्कार है। मेरे किसी मूर्ख सेवकने यह पहली बार आपकी अवहेलना की है; उसके लिये आप मुझे क्षमा करें। परेश! भूमन्! मैं आपकी शरणमें आया हूँ; आप मेरी रक्षा कीजिये, रक्षा कीजिये*॥ ५—७॥

नारदजी कहते हैं—राजन्! यह सुनकर प्रसन्न हुए भगवान् श्रीकृष्ण नन्दजीको जीवित लेकर अपने बन्धुजनोंको सुख प्रदान करते हुए व्रजमण्डलमें लौट आये। नन्दराजके मुखसे श्रीहरिके उस प्रभावको सुनकर गोपी और गोप-समुदाय नन्दनन्दन श्रीकृष्णसे बोले—'प्रभो! यदि आप लोकपालोंसे पूजित साक्षात् भगवान् हैं तो हमें शीघ्र ही उत्तम वैकुण्ठ-लोकका दर्शन कराइये।' तब उन सबको लेकर श्रीकृष्ण वैकुण्ठधाममें गये और वहाँ उन्होंने ज्योतिर्मण्डलके मध्यमें विराजमान अपने स्वरूपका उन्हें दर्शन कराया। उनके सहस्र भुजाएँ थीं, किरीट और कटक आदि आभूषणोंसे उनका स्वरूप और भी भव्य दिखायी देता था। वे शङ्ख, चक्र, गदा, पद्म

---

*नम: श्रीकृष्णचद्राय परिपूर्णतमाय च। असंख्यब्रह्माण्डभृते गोलोकपतये नम:॥
चतुर्व्यूहाय महसे नमस्ते सर्वतेजसे। नमस्ते सर्वभावाय परस्मै ब्रह्मणे नम:॥
केनापि मूढेन ममानुगेन कृतं परं हेलनमाद्यमेव। तत् क्षम्यतां भो: शरणं गतं मां परेश भूमन् परिपाहि पाहि॥
(गर्ग०, माधुर्य० २२। ५—७)

और वनमालासे सुशोभित थे। असंख्य कोटि सूर्योंके समान तेजस्वी स्वरूपसे वे शेषनागकी शय्यापर पौढ़े थे। चँवर डुलाये जानेसे उनकी आभा और भी दिव्य जान पड़ती थी। ब्रह्मा आदि देवता उनकी सेवामें लगे थे। उस समय भगवान्‌के गदाधारी पार्षदोंने उन गोपगणोंको सीधे करके उनसे प्रणाम करवाकर उन्हें प्रयत्नपूर्वक दूर खड़ा किया और उन्हें चकित-सा देख वे पार्षद बोले—'अरे वनचरो! चुप हो जाओ। यहाँ वक्तृता न दो, भाषण न करो। क्या तुमने श्रीहरिकी सभा कभी नहीं देखी है? यहीं सबके प्रभु देवाधिदेव साक्षात् भगवान् स्थित होते हैं और वेद उनके गुण गाते हैं।' इस प्रकार शिक्षा देनेपर वे गोप हर्षसे भर गये और चुपचाप खड़े हो गये। अब वे मन-ही-मन कहने लगे—'अरे! यह ऊँचे सिंहासनपर बैठा हुआ हमारा श्रीकृष्ण ही तो है। हम समीप खड़े हैं, तो भी हमें नीचे खड़ा करके ऊँचे बैठ गया है और हमसे क्षणभरके लिये बाततक नहीं करता। इसलिये व्रजसे बढ़कर न कोई श्रेष्ठ लोक है और न उससे बढ़कर दूसरा कोई सुखदायक लोक है; क्योंकि व्रजमें तो यह हमारा भाई रहा है और इसके साथ हमारी परस्पर बातचीत होती रही है।' राजन्! इस प्रकार कहते हुए उन गोपोंके साथ परिपूर्णतम प्रभु भगवान् श्रीहरि व्रजमें लौट आये॥ ८—१९॥

इस प्रकार श्रीगर्गसंहितामें माधुर्यखण्डके अन्तर्गत नारद-बहुलाश्व-संवादमें 'नन्द आदिका वैकुण्ठदर्शन' नामक बाईसवाँ अध्याय पूरा हुआ॥ २२॥

तेईसवाँ अध्याय

अम्बिकावनमें अजगरसे नन्दराजकी रक्षा तथा सुदर्शन-नामक विद्याधरका उद्धार

नारदजी कहते हैं—नरेश्वर! एक समय वृषभानु और उपनन्द आदि गोपगण रत्नोंसे भरे हुए छकड़ोंपर सवार होकर अम्बिकावनमें आये। वहाँ भगवती भद्रकाली और भगवान् पशुपतिका विधिपूर्वक पूजन करके उन्होंने ब्राह्मणोंको दान दिया और रातको वहीं नदीके तटपर सो गये। वहाँ रातमें एक सर्प निकला और उसने नन्दका पैर पकड़ लिया। नन्द अत्यन्त भयसे विह्वल हो 'कृष्ण-कृष्ण' पुकारने लगे। नरेश्वर! उस समय ग्वाल-बालोंने जलती हुई लकड़ियाँ लेकर उसीसे उस अजगरको मारना शुरू किया, तो भी उसने नन्दका पाँव उसी तरह नहीं छोड़ा, जैसे मणिधर साँप अपनी मणिको नहीं छोड़ता। तब लोकपावन भगवान्‌ने उस सर्पको तत्काल पैरसे मारा। पैरसे मारते ही वह सर्पका शरीर त्यागकर कृतकृत्य विद्याधर हो गया। उसने श्रीकृष्णको नमस्कार करके उनकी परिक्रमा की और हाथ जोड़कर कहा॥ १—५ १/२॥

सुदर्शन बोला—प्रभो! मेरा नाम सुदर्शन है, मैं विद्याधरोंका मुखिया हूँ। मुझे अपने बलका बड़ा घमंड था और मैंने अष्टावक्र मुनिको देखकर उनकी हँसी उड़ायी थी। तब उन्होंने मुझे शाप दे दिया—'दुर्मते! तू सर्प हो जा।' माधव! उनके उस शापसे आज मैं आपकी कृपासे मुक्त हुआ हूँ। आपके चरण-कमलोंके मकरन्द एवं परागके कणोंका स्पर्श पाकर मैं सहसा दिव्य पदवीको प्राप्त हो गया। जो भूतलका भूरि-भार-हरण करनेके लिये यहाँ अवतीर्ण हुए हैं, उन भगवान् भुवनेश्वरको बारंबार नमस्कार है॥ ६—८॥

श्रीनारदजी कहते हैं—राजन्! इस प्रकार भगवान् श्रीकृष्णको नमस्कार करके वह विद्याधर सब प्रकारके उपद्रवोंसे रहित वैष्णवलोकको चला गया। उस समय श्रीकृष्णको परमेश्वर जानकर नन्द आदि गोप बड़े विस्मित हुए। फिर वे शीघ्र ही अम्बिकावनसे व्रजमण्डलको चले गये। इस प्रकार मैंने तुमसे श्रीकृष्णके शुभ चरित्रका वर्णन किया, जो पुण्यप्रद तथा सर्वपापहारी है। अब और क्या सुनना चाहते हो?॥ ९—११॥

बहुलाश्व बोले—अहो! श्रीकृष्णचन्द्रका चरित्र

अत्यन्त अद्भुत है, उसे सुनकर मेरा मन पुनः उसे सुनना चाहता है। देवर्षिसत्तम! व्रजेश्वर परमात्मा श्रीहरिने व्रज-मण्डलमें आगे चलकर कौन-सी लीला की?॥ १२-१३॥

इस प्रकार श्रीगर्गसंहितामें माधुर्यखण्डके अन्तर्गत 'सुदर्शनोपाख्यान' नामक तेईसवाँ अध्याय पूरा हुआ॥ २३॥

चौबीसवाँ अध्याय

अरिष्टासुर और व्योमासुरका वध तथा माधुर्यखण्डका उपसंहार

श्रीनारदजी कहते हैं—राजन्! एक दिन गोवर्धनके आस-पास बलरामसहित भगवान् श्रीकृष्ण आँखमिचौनीका खेल खेलने लगे—जिसमें कोई चोर बनता है और कोई रक्षक। वहाँ व्योमासुर नामक दैत्य आया। उस खेलमें कुछ लड़के भेड़ बनते थे और कोई चोर बनकर उन भेड़ोंको ले जाकर कहीं छिपाता था। व्योमासुरने भेड़ बने हुए बहुत-से गोप-बालकोंको बारी-बारीसे ले जाकर पर्वतकी कन्दरामें रखा और एक शिलासे उसका द्वार बंद कर दिया। वह मयासुरका महान् बलवान् पुत्र था। यह तो सचमुच चोर निकला, यह जानकर भगवान् मधुसूदनने उसे दोनों भुजाओंद्वारा पकड़ लिया और पृथ्वीपर दे मारा। उस समय दैत्य मृत्युको प्राप्त हो गया और उसके शरीरसे निकला हुआ प्रकाशमान तेज दसों दिशाओंमें घूमकर श्रीकृष्णमें लीन हो गया। उस समय स्वर्गमें और पृथ्वीपर जय-जयकारकी ध्वनि होने लगी। देवता लोग परम आनन्दमें मग्न होकर फूल बरसाने लगे॥ १—६॥

बहुलाश्वने पूछा—मुने! यह व्योम नामक असुर पूर्वजन्ममें कौन-सा पुण्यात्मा मनुष्य था, जिसने श्याम घनमें बिजलीकी भाँति श्रीकृष्णमें विलय प्राप्त किया॥ ७॥

नारदजी बोले—राजन्! काशीमें भीमरथ नामसे प्रसिद्ध एक राजा थे, जो सदा दान-पुण्यमें लगे रहते थे। वे यज्ञकर्ता, दूसरोंको मान देनेवाले, धनुर्धर तथा विष्णु-भक्तिपरायण थे। वे राज्यपर अपने पुत्रको बिठाकर स्वयं मलयाचलपर चले गये और वहाँ तपस्या आरम्भ करके एक लाख वर्षतक उसीमें लगे रहे। उनके आश्रममें एक समय महर्षि पुलस्त्य शिष्योंके साथ आये। उनको देखकर भी वे मानी राजर्षि न तो उठकर खड़े हुए और न उनके सामने प्रणत ही हुए। तब पुलस्त्यने उन्हें शाप दे दिया—'ओ महादुष्ट भूपाल! तू दैत्य हो जा।' तदनन्तर राजा जब उनके चरणोंमें पड़कर शरणागत हो गये, तब दीनवत्सल मुनिश्रेष्ठ पुलस्त्यने उनसे कहा—'द्वापरके अन्तमें मथुरा जनपदके पवित्र व्रजमण्डलमें साक्षात् यदुवंशराज श्रीकृष्णके बाहुबलसे तुम्हें ऐसी मुक्ति प्राप्त होगी, जिसकी योगीलोग अभिलाषा रखते हैं—इसमें संशय नहीं है'॥ ८—१३॥

श्रीनारदजी कहते हैं—विदेहराज! वही यह राजा भीमरथ मय दैत्यका पुत्र हुआ और श्रीकृष्णके बाहुबेगसे मोक्षको प्राप्त हुआ। एक दिन गोपबालकोंके बीचमें महाबली दैत्य अरिष्ट आया। वह अपने सिंहनादसे पृथ्वी और आकाशको गुँजा रहा था और सींगोंसे पर्वतीय तटोंको विदीर्ण कर रहा था। उसे देखते ही गोपियाँ, गोप तथा गौओंके समुदाय भयसे इधर-उधर भागने लगे। दैत्योंके नाशक भगवान् श्रीकृष्णने उन सबको अभय देते हुए कहा—'डरो मत।' माधवने उसके सींग पकड़ लिये और उसे पीछे ढकेल दिया। उस राक्षसने भी श्रीकृष्णको ढकेलकर दो योजन पीछे कर दिया। तब श्रीकृष्णने उसकी पूँछ पकड़ ली और बाहुवेगसे घुमाते हुए उसे उसी प्रकार पृथ्वीपर पटक दिया, जैसे छोटा बालक कमण्डलुको फेंक दे। अरिष्ट फिर उठा। क्रोधसे उसके नेत्र लाल हो रहे थे। उस महादुष्ट वीरने सींगोंसे लाल पत्थर उखाड़कर मेघकी भाँति गर्जना करते हुए श्रीकृष्णके ऊपर फेंका। श्रीकृष्णने उस प्रस्तरको पकड़कर उलटे उसीपर दे मारा। उस शिलाखण्डके प्रहारसे वह मन-ही-मन कुछ व्याकुल हो उठा। उसने अपने सींगोंके अग्रभागको

पृथ्वीपर पीटना आरम्भ किया, इससे पृथ्वीके भीतरसे पानी निकल आया। तब श्रीकृष्णने उसके सींग पकड़कर बार-बार घुमाते हुए उसे पृथ्वीपर उसी प्रकार दे मारा, जैसे हवा कमलको उठाकर फेंक देती है। उसी समय वह वृषभका रूप त्यागकर ब्राह्मणशरीर-धारी हो गया और श्रीकृष्णके चरणारविन्दोंमें प्रणाम करके गद्गद वाणीमें बोला॥ १४—२३॥

ब्राह्मणने कहा—भगवन्! मैं बृहस्पतिका शिष्य द्विजश्रेष्ठ वरतन्तु हूँ। मैं बृहस्पतिजीके समीप पढ़ने गया था। उस समय उनकी ओर पाँव फैलाकर उनके सामने बैठ गया था। इससे वे मुनि रोषपूर्वक बोले—'तू मेरे आगे बैलकी भाँति बैठा है, इससे गुरुकी अवहेलना हुई है; अतः दुर्बुद्धे! तू बैल हो जा।' माधव! उस शापसे मैं वङ्गदेशमें बैल हो गया। असुरोंके सङ्गमें रहनेसे मुझमें असुरभाव आ गया था। अब आपके प्रसादसे मैं शाप और असुरभावसे मुक्त हो गया। आप श्रीकृष्णको नमस्कार है। आप भगवान् वासुदेवको प्रणाम है। प्रणतजनोंके क्लेशका नाश करनेवाले आप गोविन्ददेवको बारंबार नमस्कार है॥ २४—२८॥

श्रीनारदजी कहते हैं—राजन्! यों कहकर श्रीहरिको नमस्कार करके बृहस्पतिके साक्षात् शिष्य वरतन्तु भुवनको प्रकाशित करते हुए विमानसे दिव्यलोकको चले गये। इस प्रकार मैंने अद्भुत माधुर्यखण्डका तुमसे वर्णन किया, जो सब पापोंको हर लेनेवाला, पुण्यदायक तथा श्रीकृष्णकी प्राप्ति करानेवाला उत्तम साधन है। जो सदा इसका पाठ करते हैं, उनकी समस्त कामनाओंको यह देनेवाला है। और क्या सुनना चाहते हो?॥ २९—३१॥

इस प्रकार श्रीगर्गसंहितामें माधुर्यखण्डके अन्तर्गत नारद-बहुलाश्व-संवादमें 'व्योमासुर और अरिष्टासुरका वध' नामक चौबीसवाँ अध्याय पूरा हुआ॥ २४॥

॥ माधुर्यखण्ड सम्पूर्ण ॥

अक्रूरजी एवं बलराम-कृष्ण

श्रीगणेशाय नमः

श्रीमथुराखण्ड

पहला अध्याय

कंसका नारदजीके कथनानुसार बलराम और श्रीकृष्णको अपना शत्रु समझकर वसुदेव-देवकीको कैद करना, उन दोनों भाइयोंको मारनेकी व्यवस्थामें लगना तथा उन्हें मथुरा ले आनेके लिये अक्रूरजीको नन्दके व्रजमें जानेकी आज्ञा देना

वसुदेवसुतं देवं कंसचाणूरमर्दनम्।
देवकीपरमानन्दं कृष्णं वन्दे जगद्गुरुम्॥

जो वसुदेवजीके यहाँ पुत्र-रूपसे प्रकट हुए हैं, जिन्होंने कंस एवं चाणूरका मर्दन किया है तथा जो देवकीको परमानन्द प्रदान करनेवाले हैं, उन जगद्गुरु भगवान् श्रीकृष्णकी मैं वन्दना करता हूँ॥ १॥

राजा बहुलाश्वने पूछा—मुने! भगवान् श्रीकृष्णने मथुरामें कौन-कौन-सी लीलाएँ कीं? उन्होंने कंसको क्यों और कैसे मारा? यह सब मुझसे ठीक-ठीक बताइये॥ २॥

नारदजीने कहा—नृपेश्वर! एक दिन साक्षात् परमात्मा श्रीहरिके मनसे प्रेरित होकर मैं दैत्यवध-सम्बन्धी उद्यमको आगे बढ़ानेके लिये उत्कृष्ट पुरी मथुराके दर्शनार्थ वहाँ आया। आकर राजा कंसके दरबारमें गया। वहाँ कंस इन्द्रसे छीनकर लाये हुए सिंहासनके ऊपर, जहाँ श्वेत-छत्र तना हुआ था और सुन्दर चँवर डुलाये जा रहे थे, विराजमान था। वह बल, पराक्रम और क्रूरताके कारण नागराजके समान दुस्सह प्रतीत होता था। वहाँ पहुँचनेपर उसने मेरा पूजन—स्वागत-सत्कार किया। उस समय मैंने उससे जो कुछ कहा, वह सुनो—'मथुरानरेश! जो कन्या तुम्हारे हाथसे छूटकर आकाशमें उड़ गयी थी, वह देवकीकी नहीं, यशोदाकी पुत्री थी। देवकीसे तो श्रीकृष्ण ही उत्पन्न हुए और रोहिणीके पुत्र बलराम हैं। दैत्यराज! वसुदेवने तुम्हारे शत्रुभूत अपने दोनों पुत्र बलराम और श्रीकृष्णको अपने मित्र नन्दराजके यहाँ धरोहरके रूपमें रख दिया है—इसलिये कि तुम्हारे भयसे उनकी रक्षा हो सके। पूतनासे लेकर अरिष्टासुरतक जो-जो उत्कट बलशाली दैत्य नष्ट हुए हैं, वे सब वनमें उन्हीं दोनोंके द्वारा मारे गये हैं। कहा जाता है कि वे ही दोनों तुम्हारी मृत्यु हैं'॥ ३—७॥

मेरे यों कहनेपर भोजराज कंस क्रोधसे काँपने लगा। उसने शूरनन्दन वसुदेवको सभामें ही मार डालनेके लिये तीखी तलवार हाथमें ली, परंतु मैंने उसे रोक दिया; तथापि उसने सुदृढ़ और विशाल बेड़ियोंमें पत्नीसहित उन्हें बाँधकर कारागारमें बंद कर दिया। कंससे उक्त बात कहकर जब मैं चला गया, तब उस दैत्यराजने श्रीकृष्ण और बलरामका वध करनेके लिये दैत्यप्रवर केशीको भेजा। तदनन्तर बलवान् भोजराज कंसने चाणूर आदि मल्लों तथा कुवलयापीड नामक हाथीके महावतको बुलवाया और अपना कार्यभार सँभालनेवाले अन्य लोगोंको भी बुलवाकर उनसे इस प्रकार कहा॥ ८—११॥

कंस बोला—हे कूट! हे तोशल! हे महाबली चाणूर! बलराम और कृष्ण—दोनों मेरी मृत्यु हैं, यह बात नारदजीने मुझे भलीभाँति समझा दी है। अतः वे दोनों जब यहाँ आ जायँ, तब तुम सब लोग मल्लोंके खेल (कुश्तीके दाव-पेच) दिखाते हुए उन्हें मार डालना। अब शीघ्र ही मल्लभूमि (अखाड़े)को सुन्दर ढंगसे सुसज्जित कर दो। महावत! रङ्गशालाके द्वारपर मदमत्त हाथी कुवलयापीडको खड़ा रखो और मेरे शत्रु जब आ जायँ, तो उन्हें मरवा डालो। कार्यकर्ता जनो! आगामी चतुर्दशीको शान्तिके लिये धनुर्यज्ञ करना है और अमावास्याके दिन यहाँ मल्लयुद्ध होगा॥ १२—१५॥

नारदजी कहते हैं—राजेन्द्र! आत्मीय जनोंसे इस प्रकार कहकर कंसने अक्रूरको तुरंत अपने पास बुलवाया और एकान्त स्थानमें मन्त्रिजनोंको प्रिय लगनेवाली मन्त्रणाकी बात कही॥ १६॥

कंस बोला—दानपते! तुम मेरे माननीय मन्त्री हो, अतः मेरी यह उत्तम बात सुनो। महामते! कल प्रातःकाल होते ही तुम नन्दके व्रजमें जाओ और मेरा यह कार्य करो। लोग कहते हैं कि वसुदेवके दोनों बेटे वहीं रहते हैं। वे दोनों मेरे शत्रु हैं, यह बात देवर्षि नारदजीने मुझे अच्छी तरह समझा दी है। गोपगण नन्दराज आदिके साथ भेंट लेकर यहाँ आयें और उन्हींके साथ मथुरा नगरी दिखानेके बहाने उन दोनोंको रथपर बिठाकर शीघ्र यहाँ ले आओ। यहाँ आनेपर हाथीसे अथवा बड़े-बड़े पहलवानोंके द्वारा उन दोनों बालकोंको मरवा डालूँगा। उसके बाद वसुदेवकी सहायता करनेवाले नन्दराज, वृषभानुवर, नौ नन्दों और उपनन्दोंको मौतके घाट उतार दूँगा। तदनन्तर वसुदेव, उनके सहायक देवक तथा अपने बूढ़े पिता उग्रसेनको भी, जो राज्य लेनेके लिये उत्सुक रहता है, मार डालूँगा। यह सब हो जानेके बाद समस्त यादवोंका संहार कर डालूँगा, इसमें संशय नहीं है। मन्त्रिन्! ये सब-के-सब देवता हैं, जो मनुष्यके रूपमें प्रकट हुए हैं। चन्द्रावतीपति बलवान् शकुनि मेरा बहुत बड़ा मित्र है। भूतसंतापन, हृष्ट, वृक, संकर, कालनाभ, महानाभ तथा हरिश्मश्रु—ये सब मेरे मित्र हैं और बलपूर्वक मेरे लिये अपने प्राणतक दे सकते हैं। जरासंध तो मेरा श्वशुर ही है और द्विविद मेरा सखा। बाणासुर और नरकासुर भी मेरे प्रति ही सौहार्द रखते हैं। ये सब लोग इस पृथ्वीको जीतकर, इन्द्रसहित देवताओंको बाँधकर और द्रव्य-राशिके स्वामी बने हुए कुबेरको मेरुपर्वतकी दुर्गम कन्दरामें फेंककर सदा तीनों लोकोंका राज्य करेंगे, इसमें संशय नहीं है। दानपते! तुम कवियों (नीतिज्ञ विद्वानों) में शुक्राचार्यके समान हो और बातचीत करनेमें इस भूतलपर बृहस्पतिके तुल्य हो; अतः इस कार्यको तुरंत सम्पन्न करो॥ १७—२८॥

अक्रूर बोले—यदुपते! तुमने मनोरथका महासागर ही रच डाला है। यदि दैवकी इच्छा होगी तो यह सागर गोष्पद (गायकी खुरी) के समान हो जायगा और यदि दैव अनुकूल न हुआ, तब तो यह अपार महासागर है ही॥ २९॥

कंस बोला—बलवान् पुरुष दैवका भरोसा छोड़कर कार्य करते हैं और निर्बल दैवका सहारा पकड़े बैठे रहते हैं। कर्मयोगी पुरुष कालस्वरूप श्रीहरिके प्रभावसे सदा निराकुल (शान्त) रहता है॥ ३०॥

नारदजी कहते हैं—मन्त्रिप्रवर अक्रूरसे यों कहकर कंस सभास्थलसे उठ गया और कुछ कुपित हो धीरेसे अन्तःपुरमें चला गया॥ ३१॥

इस प्रकार श्रीगर्गसंहितामें श्रीमथुराखण्डके अन्तर्गत नारद-बहुलाश्व-संवादमें 'कंसकी मन्त्रणा' नामक पहला अध्याय पूरा हुआ॥ १॥

दूसरा अध्याय

केशीका वध

श्रीनारदजी कहते हैं—मिथिलेश्वर! उधर बलवान् एवं मदोन्मत्त महादैत्य केशी घोड़ेका रूप धारणकर रमणीय वृन्दावनमें गया और मेघकी भाँति गर्जना करने लगा। उसके पैरोंके आघातसे सुदृढ़ वृक्ष भी टूटकर धराशायी हो जाते थे। पूँछकी चोट खाकर आकाशमें घने बादल भी छिन्न-भिन्न हो जाते थे। मैथिलेन्द्र! उसका वेग दुस्सह था। उसे देखकर गोप-गोपियोंके समुदाय अत्यन्त भयसे व्याकुल हो भगवान् श्रीकृष्णकी शरणमें गये॥ १—३॥

पाप और पापियोंको पीड़ा देनेवाले भगवान्ने 'डरो मत'—यह कहकर उन सबको अभयदान दिया और कमरमें पीताम्बर कसकर वे उस दैत्यको मार डालनेकी

चेष्टामें लग गये। राजन्! उस महान् असुरने अपने पिछले पैरोंसे श्रीहरिके ऊपर आघात किया और पृथ्वीको कँपाता हुआ वह आकाशमण्डलको अपनी गर्जनासे गुँजाने लगा। तब, जैसे हवा कमलको उखाड़कर फेंक देती है, उसी प्रकार श्रीकृष्णने उस दैत्यके दोनों पैर पकड़कर बाहुबलसे घुमाते हुए उसे एक योजन दूर फेंक दिया। उसने भी क्रोधसे भरे हुए वहाँ आकर व्रजके प्राङ्गणमें भगवान् श्रीहरिके ऊपर अपनी पूँछसे प्रहार किया। राजन्! तब श्रीकृष्णने उसकी पूँछ पकड़ ली और बाहुवेगसे बलपूर्वक घुमाते हुए उसे आकाशमें सौ योजन दूर फेंक दिया। आकाशसे नीचे गिरनेपर उसे मन-ही-मन कुछ व्याकुलताका अनुभव हुआ, किंतु पुनः उठकर वह बलवान् दैत्य मेघके समान गर्जना करने लगा। अपनी गर्दनके अयालोंको कँपाता और पूँछके बालोंको आकाशमें बार-बार हिलाता हुआ वह दैत्य अपने पैरोंसे पृथ्वीको विदीर्ण करता हुआ श्रीहरिके सामने उछलकर आया। तब भगवान् मधुसूदनने केशीको एक मुक्का मारा। उनके मुक्केकी मारसे वह दो घड़ीतक बेहोश पड़ा रहा। तब उस अश्वरूपधारी असुरने श्रीहरिके गलेको अपने मुँहसे पकड़ लिया और उन्हें उठाकर वह भूमण्डलसे लाख योजन दूर आकाशमें उठ गया। वहाँ आकाशमें उन दोनोंके बीच दो पहरतक घोर युद्ध हुआ। राजन्! वह अपने पैरोंसे, दाँतोंसे, गर्दनके अयालोंसे, पूँछ और तीखी खुरोंसे बार-बार श्रीहरिपर आघात करने लगा। तब श्रीहरिने उसे दोनों हाथोंसे पकड़कर इधर-उधर घुमाना आरम्भ किया और जैसे बालक कमण्डलु फेंक दे, उसी प्रकार उन्होंने आकाशसे उस दैत्यको नीचे गिरा दिया। फिर भगवान् श्रीहरिने उसके मुँहमें अपनी बाँह डाल दी। वह बाँह उसके उदरतक जा पहुँची और असाध्य रोगकी भाँति बड़े जोरसे बढ़ने लगी। इससे उस महान् असुरकी प्राणवायु अवरुद्ध हो गयी और वह मल त्यागने लगा। उसका पेट फट गया और वह अश्वरूपधारी असुर तत्काल प्राणोंसे हाथ धो बैठा। शरीरसे पृथक् होनेपर उसने तत्काल दिव्य रूप धारण कर लिया और मुकुट तथा कुण्डलोंसे मण्डित हो भगवान् श्रीकृष्णको दोनों हाथ जोड़कर प्रणाम किया॥ ४—१७॥

कुमुद बोला—माधव! मैं इन्द्रका अनुचर हूँ। मेरा नाम कुमुद है। मैं बड़ा तेजस्वी, रूपवान् और वीर था तथा देवराज इन्द्रपर छत्र लगाया करता था। पूर्वकालमें वृत्रासुरका वध हो जानेपर प्राप्त हुई ब्रह्म-हत्याकी शान्तिके लिये स्वर्गलोकके स्वामीने अश्वमेध नामक उत्तम यज्ञका अनुष्ठान किया। अश्वमेधका घोड़ा श्वेत वर्णका था। उसके कान श्याम रंगके थे और वह मनके समान तीव्र वेगसे चलनेवाला था। मेरे मनमें उसपर चढ़नेकी इच्छा हुई। इस कामनासे मैं प्रसन्न हो उठा और उस घोड़ेको चुराकर अतललोकमें चला गया। तब मरुद्गणोंने मुझ महादुष्टको पाशमें बाँधकर देवराज इन्द्रके पास पहुँचाया। देवेन्द्रने मुझे शाप देते हुए कहा—'दुर्बुद्धे! तू राक्षस हो जा। भूतलपर दो मन्वन्तरोंतक तेरी घोड़ेकी-सी आकृति रहे।' प्रभो! आज आपका स्पर्श पाकर मैं उस शापसे तत्काल मुक्त हो गया हूँ। देव! अब मुझे अपना किंकर बना लीजिये। मेरा मन आपके चरणकमलमें लग गया है। आप समस्त लोकोंके एकमात्र साक्षी हैं, आप भगवान् श्रीहरिको नमस्कार है॥ १८—२३॥

श्रीनारदजी कहते हैं—राजन्! मिथिलेश्वर! यों कहकर, परमेश्वर श्रीकृष्णकी परिक्रमा करके, कुमुद अत्यन्त प्रकाशमान उत्तम विमानपर आरूढ़ हो, दिशामण्डलको उद्दीप्त करता हुआ वैकुण्ठलोकको चला गया॥ २४॥

इस प्रकार श्रीगर्गसंहितामें श्रीमथुराखण्डके अन्तर्गत नारद-बहुलाश्व-संवादमें 'केशीका वध' नामक दूसरा अध्याय पूरा हुआ॥ २॥

तीसरा अध्याय

अक्रूरका नन्दग्राम-गमन, मार्गमें उनकी बलराम-श्रीकृष्णसे भेंट तथा उन्हींके साथ नन्द-भवनमें प्रवेश; श्रीकृष्णसे बातचीत और उनका मथुरा-गमनके लिये निश्चय, मथुरा-यात्राकी चर्चा सब ओर फैल जानेपर गोपियोंका विरहकी आशङ्कासे उद्विग्न हो उठना

श्रीनारदजी कहते हैं—मैथिलेन्द्र! अक्रूरजी रथपर आरूढ़ हो राजा कंसका कार्य करनेके लिये बड़ी प्रसन्नताके साथ नन्दगाँवको गये। पुरुषोत्तम श्रीकृष्णके प्रति उनकी पराभक्ति थी। परम बुद्धिमान् अक्रूर यात्रा करते हुए मार्गमें अपनी बुद्धिसे इस प्रकार विचार करने लगे॥ १-२॥

अक्रूर बोले—मैंने भारतवर्षमें कौन-सा पुण्य किया, निस्स्वार्थभावसे कौन-सा दान दिया, कौन-सा उत्तम यज्ञ, तीर्थयात्रा अथवा ब्राह्मणोंकी शुभ सेवा की है, जिससे आज मैं भगवान् परमेश्वर श्रीहरिका दर्शन करूँगा? मैंने पूर्वजन्ममें कौन-सा उत्तम तप किया और भक्तिभावसे कब किस संत पुरुषका सेवन किया था, जिससे आज मुझे अपने सामने भगवान् श्रीकृष्ण-का दुर्लभ दर्शन होगा। भगवान् सुरेश्वर श्रीकृष्ण जिनके नेत्रोंके गोचर होते हैं, भूतलपर उन्हींका जन्म सफल है। आज उन भगवान्का दुर्लभ दर्शन करके मैं सर्वतोभावेन कृतार्थ हो जाऊँगा॥ ३—५॥

नारदजी कहते हैं—इस प्रकार श्रीकृष्णका चिन्तन और उत्तम शकुनका दर्शन करते हुए गान्दिनी-नन्दन अक्रूर संध्याकालमें रथपर बैठे-बैठे नन्दगोकुलमें जा पहुँचे। यव और अङ्कुश आदिसे युक्त श्रीकृष्ण-चरणारविन्दोंके चिह्न तथा उनकी ललाईसे युक्त धूलिकण उन्हें पृथ्वीपर दिखायी दिये। उनके दर्शनकी उत्कण्ठा एवं भक्तिभावके आनन्दसे विह्वल हो अक्रूरजी रथसे कूद पड़े और उन धूलकणोंमें लोटते हुए नेत्रोंसे आँसू बहाने लगे। मिथिलेश्वर! जिनके हृदयमें भगवान् श्रीकृष्णकी भक्ति प्रकट हो जाती है, उनके लिये ब्रह्मलोकपर्यन्त जगत्के सारे सुख तिनकेके समान तुच्छ हो जाते हैं॥ ६—९॥

तदनन्तर रथपर आरूढ़ हो अक्रूर क्षणभरमें नन्दगाँव जा पहुँचे। उन्होंने गोष्ठोंमें पहुँचकर देखा—बलरामजीके साथ श्रीकृष्ण उधर ही आ रहे हैं। वे दोनों पुराणपुरुष श्यामल-गौरवर्ण परमेश्वर प्रफुल्ल कमलके समान नेत्रवाले थे। रास्तेमें बलराम और श्रीकृष्ण ऐसे जान पड़ते थे, मानो इन्द्रनील और हीरकमणिके दो पर्वत एक दूसरेके सम्पर्कमें आ गये हों। उन दोनोंके मुकुट बालसूर्यके समान और वस्त्र विद्युत्के सदृश थे। उनकी अङ्गकान्ति वर्षाकालके मेघकी भाँति श्याम तथा शरद्ऋतुके बादलकी भाँति गौर थी। उन दोनोंको देखकर अक्रूर तुरंत ही रथसे नीचे उतर गये और भक्तिभावसे सम्पन्न हो उन दोनोंके चरणोंमें गिर पड़े। उनका मुख नेत्रोंसे झरते हुए आँसुओंकी धारासे व्याप्त तथा शरीर रोमाञ्चित था। उन्हें देख परमेश्वर श्रीहरिने दोनों हाथोंसे उठा लिया और वे माधव दयासे द्रवित हो भक्तको हृदयसे लगाकर अश्रुओंकी वर्षा करने लगे। इस प्रकार बलरामसहित श्रीहरि उनसे मिलकर शीघ्र ही उन्हें घर ले आये और वहाँ उन्होंने उनके लिये श्रेष्ठ आसन दिया। अतिथिसत्कारमें एक गाय देकर प्रेमपूर्वक सरस भोजन प्रस्तुत किया। नन्दने अक्रूरको दोनों हाथोंद्वारा हृदयसे लगाकर पूछा—'अहो! तुम कंसके राज्यमें कैसे जी रहे हो? जिस निर्लज्जने अपनी बहिनके नन्हे-से शिशुओंको मार डाला, वह दूसरे लोगोंके प्रति दयालु कैसे होगा?' नन्दजी जब घरमें चले गये, तब श्रीहरिने उनसे माता-पिताकी सारी कुशल पूछी। इसी प्रकार अपने बन्धु-बान्धव यादवोंका समाचार पूछकर कंसकी सारी विपरीत बुद्धिके विषयमें भी जिज्ञासा की॥ १०—१६॥

अक्रूर बोले—देव! परसोंकी बात है, भोजराज कंस हाथमें तलवार ले वसुदेवको मार डालनेके लिये उद्यत हो गया था; किंतु नारदजीने उसे रोक दिया था। समस्त यादव-बन्धु-बान्धव भयसे विह्वल और दुःखी हैं। भूमन्! कितने ही कंसके भयसे कुटुम्बसहित दूसरे देशोंमें चले गये हैं। वह आज ही यादवोंको मार

डालने और देवताओंको जीत लेनेके लिये उद्योगशील है। इस पृथ्वीपर बलवान् दैत्यराज कंस कुछ और भी करना चाहता है। अतः आप दोनोंको जगत्‌का अक्षय कल्याण करनेके लिये वहाँ अवश्य चलना चाहिये। आप दोनों प्रभुओंके बिना सत्पुरुषोंका कोई भी कार्य सिद्ध नहीं हो सकता॥ १७—२०॥

नारदजी कहते हैं—राजन्! अक्रूरजीकी बात सुनकर बलरामसहित भगवान् श्रीकृष्णने नन्दराज-की सलाह लेकर कार्यकर्ता गोपोंसे इस प्रकार कहा॥ २१॥

श्रीभगवान् बोले—बन्धुओ! बड़े-बूढ़े गोपोंके साथ बलरामसहित मैं तथा नन्दराज भी मथुरा जायँगे। नवों नन्द और उपनन्द तथा छहों वृषभानु सब लोग प्रातःकाल उठकर मथुराकी यात्रा करेंगे; अतः तुम सब लोग दही, दूध और घी आदि गोरस एकत्र करो। उसके साथ राजाको देनेके लिये अन्यान्य उपायन भी होंगे। छकड़ोंके साथ रथोंको भी ठीक-ठाक करके शीघ्र तैयार कर लो॥ २२—२४॥

नारदजी कहते हैं—यह सुनकर कार्य करने-वाले सब गोपोंने घर-घरमें जाकर गोपियोंके सुनते हुए वह सारा कथन ज्यों-का-त्यों दोहरा दिया। यह सुनकर गोपियोंका हृदय उद्विग्न हो उठा। वे भावी विरहकी आशङ्कासे विह्वल हो गयीं और घर-घरमें एकत्र हो, वे सब-की-सब परस्पर इसी विषयकी बातें करने लगीं। नृपेश्वर! महात्मा श्रीकृष्णके प्रस्थानकी यह बात वृषभानुवरके भी घरमें पहुँच गयी। 'प्रियतम चले जायँगे'—यह समाचार भरी सभामें अकस्मात् सुनकर वृषभानुनन्दिनी अत्यन्त दुःखित हो गयीं। वे हवाकी मारी हुई कदलीकी भाँति पृथ्वीपर गिर पड़ीं और मूर्च्छित हो गयीं। किन्हीं गोपियोंकी मुखश्री अत्यन्त मलिन हो गयी। हाथकी अँगूठियाँ कलाइयोंके कंगन बन गयीं। उनके केशोंके बन्धन ढीले हो गये और उनमें गुँथे हुए फूल शीघ्र ही शिथिल होकर गिर पड़े। वे गोपियाँ चित्र-लिखी-सी खड़ी रह गयीं। नृपेश्वर! कुछ गोपियाँ अपने घरमें 'श्रीकृष्ण गोविन्द हरे मुरारे'—यों कहती हुई अत्यन्त विह्वल हो गयीं और घरके सारे काम-काज छोड़कर योगीकी भाँति ध्यानानन्दमें मग्न हो गयीं। राजन्! कुछ गोपियाँ समर्थ रहीं, वे एकत्र हो, एक साथ आपसमें इस प्रकार बातें करने लगीं। बात करते समय उनके कण्ठ गद्गद हो गये थे और वाणी लड़खड़ा रही थी। उनके नेत्रोंसे स्वतः अश्रुधारा प्रवाहित होने लगी॥ २५—३१॥

गोपियाँ बोलीं—अहो! अत्यन्त निर्मोही जनका चरित्र बड़ा विचित्र होता है। वह कहनेयोग्य नहीं है। निर्मोही मनुष्य मुँहसे तो कुछ और कहता है, परंतु हृदयमें कुछ और ही भाव रखता है। उसके मनकी बात तो देवता भी नहीं जानता, फिर मनुष्य कैसे जान सकता है? रासमें इन्होंने जो-जो बात कही थी, उस सबको अधूरी ही छोड़कर वे चले जानेको उद्यत हो गये हैं। अहो! हमारे इन प्राणवल्लभके मथुरापुरी चले जानेपर हम सबको कौन-कौन-सा कष्ट नहीं होगा॥ ३२-३३॥

इस प्रकार श्रीगर्गसंहितामें श्रीमथुराखण्डके अन्तर्गत नारद-बहुलाश्व-संवादमें 'अक्रूरका आगमन' नामक तीसरा अध्याय पूरा हुआ॥ ३॥

चौथा अध्याय

श्रीकृष्णका गोपियोंके घरोंमें जाकर उन्हें सान्त्वना देना तथा मार्गमें रथ रोककर खड़ी हुई गोपाङ्गनाओंको समझाकर उनका मथुरापुरीकी ओर प्रस्थित होना

श्रीनारदजी कहते हैं—राजन्! इस प्रकार कहती हुई गोपाङ्गनाओंके अत्यन्त विरह-क्लेशको जानकर भगवान् श्रीकृष्ण उन सबके घरोंमें गये। मिथिलेश्वर! जितनी व्रजाङ्गनाएँ थीं, उतने ही रूप धारण करके भगवान् श्रीहरिने स्वयं सबको पृथक्-पृथक् समझाया। श्रीराधाके भवनमें जाकर देखा कि

वे सखियोंसे घिरी हुई एकान्त स्थानमें मूर्च्छित पड़ी हैं; तब उन्होंने मधुर स्वरमें मुरली बजायी। वंशीकी ध्वनि सुनकर श्रीराधा सहसा आतुर होकर उठीं। उन्होंने आँख खोलकर देखा तो श्रीगोविन्द सामने उपस्थित दिखायी दिये। जैसे पद्मिनी कमलिनी-कुल-वल्लभ सूर्यका दर्शन करके प्रसन्न हो जाती है, उसी प्रकार पद्मिनी नायिका श्रीराधा अपने प्राणवल्लभको सामने देखकर आनन्दमें मग्न हो गयीं और उन्होंने उठकर वहाँ पधारे हुए श्यामसुन्दरके लिये सादर आसन दिया। कमलनयनी श्रीराधाके मुखपर आँसुओंकी धारा बह रही थी। वे अत्यन्त दीन होकर शोक कर रही थीं, अतः भगवान्ने मेघके समान गम्भीर वाणीमें उनसे कहा॥ १—६॥

श्रीभगवान् बोले—भद्रे! राधिके! तुम्हारा मन उदास क्यों है? तुम इस तरह शोक न करो। अथवा मेरी मथुरा जानेकी इच्छा सुनकर तुम विरहसे व्याकुल हो उठी हो? देखो, ब्रह्माजीकी प्रार्थनासे मैं इस पृथ्वीका भार उतारने और कंसादि असुरोंका संहार करनेके लिये तुम्हारे साथ इस भूतलपर अवतीर्ण हुआ हूँ। अतः अपने अवतारके उद्देश्यकी सिद्धिके लिये मैं मथुरा अवश्य जाऊँगा और भूमिका भार उतारूँगा। तत्पश्चात् शीघ्र यहाँ आऊँगा और तुम्हारा मङ्गल करूँगा॥ ७—९॥

नारदजी कहते हैं—जगदीश्वर श्रीहरिके यों कहनेपर वियोगविह्वला श्रीराधा दावानलसे दग्ध लताकी भाँति मूर्च्छित हो गयीं और उनमें कम्प, रोमाञ्च आदि सात्त्विक भाव प्रकट हो गये। उस अवस्थामें वे अपने प्राणवल्लभसे बोलीं॥ १०॥

श्रीराधाने कहा—प्राणनाथ! तुम पृथ्वीका भार उतारनेके लिये अवश्य मथुरापुरीको जाओ, परंतु मेरी इस निश्चित प्रतिज्ञाको भी सुन लो। यहाँसे तुम्हारे चले जानेपर मैं शरीरको कदापि धारण नहीं करूँगी। यदि तुम मेरी इस प्रतिज्ञा या शपथपर ध्यान नहीं देते हो तो दूसरी बार पुनः अपने जानेकी बात कहकर देख लो। मैं तुरंत कथाशेष हो जाऊँगी। मेरे प्राण अधरोंकी राहसे निकल जानेको अत्यन्त आकुल हैं, ये कपूरकी धूलि-कणोंके समान शीघ्र ही उड़ जायँगे॥ ११-१२॥

श्रीभगवान् बोले—राधिके! मैं वेदस्वरूपा अपनी वाणीको तो टाल देनेमें समर्थ हूँ, किंतु अपने भक्तोंके वचनकी अवहेलना करनेकी शक्ति मुझमें नहीं है। पूर्वकालमें गोलोकमें जो कलह हुआ था, उस समय दिये गये श्रीदामाके शापसे मेरे साथ तुम्हारा सौ वर्षोंतक वियोग अवश्य होगा—इसमें संशय नहीं है। कल्याणि! राधिके! शोक न करो। मैंने तुम्हें जो वरदान दिया है, उसको स्मरण करो। प्रत्येक मासमें वियोग-दुःखकी शान्तिके लिये एक दिन मेरा दर्शन तुम्हें प्राप्त होगा॥ १३—१५॥

श्रीराधाने कहा—हरे! प्रत्येक मासमें एक दिन मेरी वियोग-व्यथाको शान्त करनेके लिये यदि तुम दर्शन देने नहीं आओगे तो मैं असह्य दुःखके कारण अपने प्राणोंको अवश्य त्याग दूँगी। लोकाभिराम! जनभूषण! विश्वदीप! मदनमोहन! जगत्के पाप-तापको हर लेनेवाले! आनन्दकंद! यदुकुलनन्दन! नन्दकिशोर! आज मेरे सामने अपने आगमनके विषयमें शपथ खाओ॥ १६-१७॥

श्रीभगवान् बोले—रम्भोरु राधे! यदि तुम्हारे वियोग-कालमें प्रतिमास एक दिन मैं तुम्हें दर्शन देनेके लिये न आऊँ तो मेरे लिये गौओंकी शपथ है। मैंने यहाँ जो कुछ कहा है, मेरे उस वचनको तुम संशय-रहित और निष्कपट समझो। जो बिना किसी हेतुके निश्छल भावसे मैत्रीको निभाता है, वही पुरुष धन्यतम है। जो मैत्री स्थापित करके कपट करता है, वह स्वार्थरूपी पटसे आच्छादित लम्पट नटमात्र है, उसे धिक्कार है। जैसे यहाँ कर्मेन्द्रियाँ रस, रूप, गन्ध, स्पर्श एवं शब्दको नहीं जान पातीं, उसी प्रकार जो सकाम भाव रखनेवाले मुनि हैं, वे उस निरपेक्षस्वरूप एवं निर्गुण गूढ़ परम सुखको किंचिन्मात्र भी नहीं जानते। जो लोग समदर्शी, जितेन्द्रिय, अपेक्षारहित एवं महान् संत हैं, वे ही उस कामनारहित मेरे परम सुखका अनुभव करते हैं—ठीक उसी तरह, जैसे ज्ञानेन्द्रियाँ ही रस आदि विषयोंको जान पाती हैं। भामिनि! मनके सारे भाव पारस्परिक हैं—एक-दूसरेकी अपेक्षा रखते हैं। इसलिये किसी एक ही तरफसे प्रीति नहीं होती; दोनों ही ओरसे हुआ करती है। अतः सबको अपनी

ओरसे मेरे प्रति प्रेम ही करना चाहिये। इस भूतलपर प्रेमके समान दूसरी कोई वस्तु नहीं है। राधे! जैसे भाण्डीर-वनमें तुम्हारा मनोरथ सफल हुआ था, उसी प्रकार फिर होगा। सत्पुरुषोंद्वारा जिस हेतुरहित प्रेमका आश्रय लिया जाता है, उसे भी संत-महात्मा निर्गुण ही मानते हैं। जो लोग तुझ राधिका और मुझ केशवमें उसी प्रकार भेदकी कल्पना नहीं करते, जिस प्रकार दुग्ध और उसकी धवलतामें भेद सम्भव नहीं है, वे निष्काम भावके कारण उद्दीप्त हुई भक्तिसे युक्त महात्मा पुरुष ही मेरे उस ब्रह्मपदको प्राप्त होते हैं। रम्भोरु! जो कुबुद्धि मनुष्य इस भूतलपर तुझ राधिका और मुझ केशवमें भेद-दृष्टि रखते हैं, वे जबतक चन्द्रमा और सूर्यकी सत्ता है, तबतक कालसूत्र नरकमें पड़कर दुःख भोगते हैं॥ १८—२५ ॥

श्रीनारदजी कहते हैं—राजन्! इस प्रकार श्रीराधा तथा समस्त गोपीगणोंको आश्वासन दे नीतिकुशल भगवान् गोविन्द नन्दभवनमें लौट आये। तदनन्तर सूर्योदय होनेपर नन्द आदि गोप छकड़ोंद्वारा भेंट-सामग्री भेजकर, स्वयं रथारूढ़ हो, वे सब-के-सब श्रीमथुरापुरीको गये। राजन्! बलराम और श्रीकृष्णके साथ अपने रथपर आरूढ़ हो, गान्दिनीपुत्र अक्रूरने मथुरापुरीके दर्शनके लिये उद्यत हो वहाँसे प्रस्थान किया। मार्गमें कोटि-कोटि गोपाङ्गनाएँ खड़ी हो, क्रोध और मोहसे विह्वल होकर श्रीकृष्णका व्रजसे प्रस्थान देख रही थीं। वे अक्रूरको 'क्रूर-क्रूर' कहकर पुकारती हुई कटु वचन सुनाने लगीं और जैसे बादल सूर्यको आच्छादित कर देते हैं, उसी प्रकार गोपियोंके समुदायने अक्रूरके रथको चारों ओरसे घेर लिया। राजन्! भगवान्के विरहसे व्याकुल हुई गोपियोंने अक्रूरके रथको, उनके घोड़ोंको और सारथिको भी लाठियोंद्वारा जोर-जोरसे पीटना आरम्भ किया। लाठियोंके प्रहारसे घोड़े वहाँ इधर-उधर उछलने लगे। गोपियोंकी दो अँगुलियोंकी चोटसे सारथि उस रथसे नीचे जा गिरा। लोक-लज्जाको तिलाञ्जलि दे, गोपियोंने बलराम और श्रीकृष्णके देखते-देखते अक्रूरको बल-पूर्वक रथसे नीचे खींच लिया और अपने कंगनोंसे उनके ऊपर चोट करना आरम्भ किया। गोपी-समुदाय-की वह सेना देखकर बलरामसहित भगवान् श्रीकृष्णने गान्दिनीनन्दन अक्रूरकी रक्षा करके गोपाङ्गनाओंको समझाया—'व्रजाङ्गनाओ! चिन्ता न करो। मैं आज संध्याको ही लौट आऊँगा। इन अक्रूरजीके सामने व्रजवासी हमारी हँसी न उड़ावें, ऐसा प्रयत्न तुम्हें करना चाहिये'॥ २६—३५ ॥

यों कहकर बलदेवजी तथा अक्रूरके साथ श्रीकृष्ण सुन्दर वेगशाली अश्वोंकी सहायतासे रथसहित उस मथुरापुरीकी ओर चल दिये, जो यादवोंके समुदायसे सुशोभित थी। जबतक उन्हें रथ, उसकी ध्वजा अथवा घोड़ोंकी टापसे उड़ायी गयी धूल दिखायी देती रही, तबतक अत्यन्त मोहवश गोपियाँ पथपर ही चित्र-लिखित-सी खड़ी रहीं। श्रीहरिकी कही हुई बातको याद करके उनके मनमें पुनर्मिलनकी आशा बँध गयी थी॥ ३६-३७॥

इस प्रकार श्रीगर्गसंहितामें श्रीमथुराखण्डके अन्तर्गत श्रीनारद-बहुलाश्व-संवादमें 'श्रीकृष्णका मथुरापुरीको प्रयाण' नामक चौथा अध्याय पूरा हुआ॥ ४॥

पाँचवाँ अध्याय

अक्रूरको भगवान् श्रीकृष्णके परब्रह्मस्वरूपका साक्षात्कार तथा उनकी स्तुति; श्रीकृष्णका ग्वालबालोंके साथ पुरी-दर्शनके लिये जाना, नागरी स्त्रियोंका उनपर मोहित होना तथा भगवान्के हाथसे एक रजकका उद्धार

श्रीनारदजी कहते हैं—राजन्! अक्रूर और बलरामजीके साथ मथुराके उपवनके पास पहुँचकर, यमुनाके निकट रथ रोककर भगवान् श्रीकृष्ण उतर गये और यमुनाका जल पीकर पुनः रथपर आ गये। तब उन दोनों भाइयोंकी आज्ञा ले अक्रूरजी यमुनाजीमें नहानेके लिये गये और नित्य-नैमित्तिक कर्म करनेके

लिये यमुनाके निर्मल जलमें उतरे। यमुनाजीका जल अगाध था, उसमें बड़ी-बड़ी भँवरें उठ रही थीं। अक्रूरजीने देखा, उसी जलमें बलराम और श्रीकृष्ण—दोनों भाई खड़े-खड़े परस्पर बातें कर रहे हैं। नरेश्वर! यह देख अक्रूरजी चकित हो उठे और रथपर जाकर देखा तो वहाँ भी वे दोनों बैठे दिखायी दिये। फिर जलमें आकर देखा तो वहाँ भी उनके दर्शन हुए। बलरामजी नागराज शेषके रूपमें कुंडली मारकर बैठे थे और उनकी गोदमें लोकवन्दित परम प्रकाशमय गोलोक, गोवर्धन पर्वत, यमुना नदी, मनोहर वृन्दावन तथा असंख्य कोटि सूर्योंकी ज्योतियोंका प्रभावशाली मण्डल—ये क्रमशः परिलक्षित हुए। उसी ज्योतिर्मण्डलमें रासमण्डलके भीतर कोटि-कोटि कामदेवोंके सौन्दर्य-माधुर्यको तिरस्कृत करनेवाले साक्षात् परिपूर्णतम पुरुषोत्तम श्रीकृष्ण श्रीराधारानीके साथ वहाँ अक्रूरके दृष्टिपथमें आये। तब श्रीकृष्णको परब्रह्म परमात्मा समझकर अक्रूरने बारंबार उन्हें नमस्कार किया और दोनों हाथ जोड़कर अत्यन्त हर्षके साथ उनकी स्तुति आरम्भ की॥ १—८॥

अक्रूर बोले—असंख्य ब्रह्माण्डोंके अधीश्वर तथा गोलोकधामके स्वामी परिपूर्णतम भगवान् श्रीकृष्णचन्द्रको नमस्कार है। प्रभो! आप श्रीराधाके प्राणवल्लभ तथा व्रजके अधीश्वर हैं, आपको बारंबार नमस्कार है। श्रीनन्दनन्दन तथा माता यशोदाको आमोद प्रदान करनेवाले श्रीहरिको नमस्कार है। देवकीपुत्र! गोविन्द! वासुदेव! जगदीश्वर! यदुकुलतिलक! जगन्नाथ! पुरुषोत्तम! आपको नमस्कार है। मेरी वाणी सदा आपके गुणोंके वर्णनमें लगी रहे। मेरे कान आपकी कथा सुनते रहें। मेरी भुजाएँ आपकी प्रसन्नताके लिये कर्म करनेमें तल्लीन रहें। मन सदा आपके चरणारविन्दोंका चिन्तन करे तथा दोनों नेत्र आपके प्रकाशमान एवं भव्य धामविशेषके दर्शनमें संलग्न हों*॥ ९—१२॥

नारदजी कहते हैं—राजन्! जब इस प्रकार चकित होकर भगवान्का वैभव देखते हुए अक्रूरजी इस प्रकार स्तुति कर रहे थे, उसी समय भगवान् श्रीकृष्ण अपने लोकसहित वहीं अन्तर्धान हो गये। तब उन्हें नमस्कार करके नैमित्तिक कर्म पूर्ण करनेके पश्चात् अक्रूर श्रीकृष्णको परब्रह्मस्वरूप जानकर विस्मयपूर्वक रथपर आये। घनवत् गम्भीर नाद करनेवाले उस वायुवेगशाली रथके द्वारा अक्रूरने बलराम और श्रीकृष्णको दिन डूबते-डूबते मथुरा पहुँचा दिया। वहाँ नगरके उपवनमें नन्दराजको देखकर यदूत्तम भगवान् श्रीकृष्ण हँसते हुए मेघके समान गम्भीर वाणीमें अक्रूरजीसे बोले॥ १३—१६॥

श्रीभगवान्ने कहा—मानद! अब आप अपने रथके द्वारा मथुरापुरीमें पधारें। मैं पीछे ग्वाल-बालोंके साथ आऊँगा॥ १७॥

अक्रूरने कहा—देवदेव! जगन्नाथ! गोविन्द! पुरुषोत्तम! प्रभो! आप अपने बड़े भाई तथा ग्वालोंसहित मेरे घरपर चलें। जगत्पते! अपने चरणारविन्दोंकी धूलसे आज मेरा घर पवित्र कीजिये। मैं आपको साथ लिये बिना अपने घर नहीं जाऊँगा॥ १८-१९॥

श्रीभगवान्ने कहा—अक्रूरजी! मैं यदुवंशियोंके वैरी कंसको मारकर बलरामजी तथा गोपबन्धुओंके साथ आपके भवनमें अवश्य आऊँगा और आपका प्रिय करूँगा॥ २०॥

नारदजी कहते हैं—राजन्! भगवान् श्रीकृष्ण वहीं ठहर गये और अक्रूरने मथुरापुरीमें प्रवेश किया। वहाँ कंसको श्रीकृष्णके आगमनका समाचार देकर वे अपने घर चले गये। दूसरे दिन बलराम और गोपबालकोंके साथ मथुरापुरीको देखनेके लिये उद्यत हुए गोविन्दकी ओर देखकर नन्दने यह बात कही॥ २१-२२॥

---

* नमः श्रीकृष्णचन्द्राय परिपूर्णतमाय च। असंख्याण्डाधिपतये गोलोकपतये नमः॥
श्रीराधापतये तुभ्यं व्रजाधीशाय ते नमः। नमः श्रीनन्दपुत्राय यशोदानन्दनाय च॥
देवकीसुत गोविन्द वासुदेव जगत्पते। यदूत्तम जगन्नाथ पाहि मां पुरुषोत्तम॥
वाणी सदा ते गुणवर्णने स्यात् कर्णौ कथायां समदोश्च कर्मणि। मनः सदा त्वच्चरणारविन्दयोर्दृशौ स्फुरद्धामविशेषदर्शने॥
(गर्ग०, मथुरा० ५। ९—१२)

'वत्स! सीधी तरहसे मथुरापुरीको देखकर तुम सब लोग लौट आना। इसे गोकुल न समझो; यहाँ कंसका महाभयंकर राज्य है।' 'बहुत अच्छा'— कहकर भगवान् श्रीकृष्ण नन्दद्वारा प्रेरित बड़े-बूढ़े ग्वालों और ग्वालबालोंके साथ पुरीमें गये। बलरामजी भी उनके साथ थे। दुर्गसे युक्त वह पुरी स्वर्ण एवं रत्नजटित सुन्दर गृहों तथा गगनचुम्बी महलोंसे देवताओंकी राजधानी अमरावतीके समान शोभा पाती थी। यमुनाके तटपर रत्नोंकी सीढ़ियाँ बनी थीं। वहाँ चञ्चल लहरोंका कौतूहल देखते ही बनता था। उन सबसे तथा दिव्य नर-नारियोंसे युक्त वह नगरी अलकापुरीके समान शोभा पा रही थी। मथुरापुरीकी शोभा निहारते और धनिकोंके भवनोंको देखते हुए श्रीकृष्ण ग्वाल-बालोंके साथ राजमार्ग (मुख्य सड़क) पर आ गये॥ २३—२७॥

वसुदेवनन्दन श्रीकृष्णके आगमनका समाचार सुनकर मथुरापुरीकी स्त्रियाँ, जो उनके विषयमें बहुत कुछ सुन चुकी थीं, सारे काम-काज और शिशुओंको भी छोड़कर उन्हें देखनेके लिये इस प्रकार दौड़ीं, मानो नदियाँ समुद्रकी ओर भागी जा रही हों। कुछ स्त्रियाँ महलोंकी छतसे, कुछ जालीदार झरोखोंके छेदसे, कोई-कोई दीवारोंकी ओटसे, कोई खिड़कियोंपर लगे हुए पर्दे हटाकर और कुछ नारियाँ दरवाजेके किवाड़ोंसे बाहर निकलकर घरके चबूतरोंपरसे उन्हें देखने लगीं। भगवान् श्रीकृष्णका एक चञ्चल कुन्तलभाग उनके मुखपर लटक रहा था मानो उन्होंने अपने सामनेवाले मनुष्योंके मनको हर लेनेके लिये उसे धारण किया था तथा दूसरा कुन्तलभाग उन्होंने मुकुटके नीचे दबाकर पीछेकी ओर लटका दिया था, मानो पीछेसे आनेवाले लोगोंके मनको मोहनेके लिये उसे उन्होंने पृष्ठभागकी ओर धारण किया था। उनका आधा पीताम्बर कमरमें बँधा हुआ चमक रहा था और आधा कंधेपर पड़ा नील मेघमें विद्युत्‌की-सी शोभा धारण कर रहा था। राजन्! उन्होंने अपने एक हाथमें कमल और वक्ष:स्थलमें वैजयन्ती माला धारण कर रखी थी। कानोंमें नवीन मकराकार कुण्डल पहने तथा बाल-सूर्यके समान कान्तिमान् सोनेके बाजूबंदसे विभूषित बाहुमण्डलवाले, असंख्य ब्रह्माण्डाधिपति परात्पर भगवान् वसुदेवनन्दन श्रीकृष्णको देखकर समस्त पुरवासिनी स्त्रियाँ मोहित हो गयीं॥ २८—३२॥

नागरी स्त्रियाँ बोलीं—अहो! वह वृन्दावन कैसा रमणीय है, जहाँ ये नन्दनन्दन स्वयं निवास करते हैं। वे समस्त गोपगण भी धन्य हैं, जो प्रतिदिन इनके मनोहर रूपका दर्शन करते रहते हैं। वे गोपाङ्गनाएँ भी धन्य हैं—न जाने उन्होंने कौन-सा पुण्य किया है, जो रास-रङ्गमें वे बारंबार उनके अधरामृतका पान किया करती हैं॥ ३३-३४॥

नारदजी कहते हैं—राजन्! उस राजमार्गपर एक कपड़ा रँगनेवाला रजक जा रहा था। वह बड़ा घमंडी और उन्मत्त जान पड़ता था। ग्वालबालोंकी अनुमतिसे मधुसूदनने उससे कहा—'मेरे महाबुद्धिमान् मित्र! हमारे लिये सुन्दर वस्त्र दो; यदि दे दोगे तो तुम्हारा परम कल्याण होगा, इसमें संशय नहीं है।' वह रजक कंसका सेवक और बड़ा भारी दुष्ट था। श्रीकृष्णकी बात सुनकर घृतसे अभिषिक्त अग्निकी भाँति वह अत्यन्त रोषसे प्रज्वलित हो उठा और उस राजमार्गपर माधवसे इस प्रकार बोला॥ ३५—३७॥

रजकने कहा—अरे! तुम्हारे बाप-दादोंने ऐसे ही वस्त्र धारण किये हैं क्या? उदण्ड ग्वाल-बालो! क्या तुम्हारे पूर्वज कौपीनधारी नहीं थे? जंगलमें रहनेवाले गोपो! यदि जीवन चाहते हो तो तुम सब-के-सब नगरसे शीघ्र निकल जाओ; अन्यथा वस्त्रकी चोरी करनेवाले तुम सब लोगोंको मैं जेलमें बंद करा दूँगा॥ ३८-३९॥

नारदजी कहते हैं—राजन्! इस तरहकी बातें करनेवाले उस रजकके मस्तकको यदुकुल-तिलक श्रीकृष्णने खेल-खेलमें हाथके अग्रभागसे ही मरोड़ दिया। विदेहराज! उसके शरीरकी ज्योति घनश्याम श्रीकृष्णमें लीन हो गयी। राजन्! फिर तो उसके समस्त अनुगामी सेवक वस्त्रोंके गट्ठर वहीं छोड़कर उसी तरह सब ओर भाग गये, जैसे शरत्कालमें हवाके वेगसे बादल छिन्न-भिन्न हो जाते हैं। उन वस्त्रोंमेंसे बलराम और श्रीकृष्ण अपनी पसंदके कपड़े लेकर जब खड़े हो गये, तब शेष वस्त्रोंको ग्वालबालों

तथा अन्य राहगीरोंने ले लिया। उन वस्त्रोंको कैसे पहनना चाहिये, यह बात ग्वालबाल नहीं जानते थे; अतः बलराम और श्रीकृष्णके देखते-देखते वे उन सुन्दर वस्त्रोंको अस्त-व्यस्त ढंगसे पहनने लगे। इसी समय एक बालकने उन दोनों भाइयोंको देखकर विचित्र वर्णवाले वस्त्रोंको धारण कराकर श्रीकृष्ण और बलदेवके दिव्य वेष बना दिये। राजन्! इसी तरह अन्य गोप-बालकोंको भी यथोचित वस्त्र पहनाकर उसने बड़ी भक्तिसे श्रीकृष्णका पुनः दर्शन किया। उस बालकपर प्रसन्न हो भगवान्‌ने उसे अपना सारूप्य प्रदान किया तथा बलदेवजीने भी पुनः उसे बल, लक्ष्मी और ऐश्वर्य प्रदान किया॥ ४०—४६॥

इस प्रकार श्रीगर्गसंहितामें श्रीमथुराखण्डके अन्तर्गत श्रीनारद-बहुलाश्व-संवादमें 'श्रीकृष्णका मथुरामें प्रवेश' नामक पाँचवाँ अध्याय पूरा हुआ॥ ५॥

छठा अध्याय

सुदामा माली और कुब्जापर कृपा; धनुर्भङ्ग तथा मथुराकी स्त्रियोंपर श्रीकृष्णके मधुर-मोहन रूपका प्रभाव

श्रीनारदजी कहते हैं—राजन्! तदनन्तर ग्वालबालोंसहित नन्दनन्दन श्रीकृष्ण और बलराम सुदामा नामवाले एक मालीके घर गये, जो फूलोंके गजरे बनाया करता था। उन दोनों भाइयोंको देखते ही माली उठकर खड़ा हो गया। उसने हाथ जोड़कर नमस्कार किया और फूलके सिंहासनपर बिठाकर गद्गद वाणीमें कहा॥ १-२॥

सुदामा बोला—देव! यहाँ आपके शुभागमनसे मेरा कुल तथा घर दोनों धन्य हो गये। मैं ऐसा समझता हूँ कि मेरी माताके कुलकी सात पीढ़ियाँ, पिताके कुलकी सात पीढ़ियाँ तथा पत्नीके कुलकी भी सात पीढ़ियाँ वैकुण्ठलोकमें चली गयीं। आप दोनों परिपूर्णतम परमेश्वर हैं और भूतलका भार उतारनेके लिये इस यदुकुलमें अवतीर्ण हुए हैं। मुझ दीनातिदीन-के घर आये हुए आप दोनों भाइयोंको नमस्कार है। आप परात्पर जगदीश्वर हैं* ॥ ३-४॥

नारदजी कहते हैं—राजन्! यों कहकर मालीने पुष्पनिर्मित सुन्दर हार और भ्रमरोंकी गुंजारसे निनादित मकरन्द (इत्र, फुलेल आदि) निवेदन करके प्रणाम किया। बलरामसहित भगवान् श्रीहरिने उस पुष्प-राशिको धारण करके निकटवर्ती गोपोंको भी दिया और हँसते हुए मुखसे उस मालीसे बोले—'सुदामन्! मेरे चरणारविन्दोंमें सदा तुम्हारी गुरुतर भक्ति बनी रहे, मेरे भक्तोंका सङ्ग प्राप्त हो और इसी जन्ममें तुम्हें मेरे स्वरूपकी प्राप्ति हो जाय।' तदनन्तर बलदेवजीने भी इसे उसके कुलमें निरन्तर बढ़नेवाली लक्ष्मी प्रदान की। राजन्! फिर वे दोनों भाई वहाँसे उठकर दूसरी गलीमें गये। वहाँ मार्गमें एक कमलनयनी कामिनी जा रही थी। उसके हाथोंमें चन्दनका अनुलेप-पात्र था। अवस्थामें वह युवती थी, किंतु शरीरसे कुबड़ी दिखायी देती थी। माधवने उससे पूछा॥ ५—९॥

श्रीभगवान् बोले—सुन्दरी! तुम कौन हो और किसकी प्रिया हो? किसके लिये यह चन्दन ले जा रही हो? हम दोनोंको भी यह चन्दन दो, इससे शीघ्र ही तुम्हारा कल्याण होगा॥ १०॥

सैरन्ध्री बोली—सुन्दर-शिरोमणे! मैं कंसकी दासी हूँ। महामते! मेरा नाम कुब्जा है। मेरे हाथका घिसा हुआ चन्दन भोजराज कंसको बहुत प्रिय है। अबतक तो मैं कंसकी ही दासी रही हूँ, किंतु इस समय आपके सामने उपस्थित हूँ। हाथीके शुण्डदण्डकी

*धन्यं कुलं मे भवनं च जन्म त्वय्यागते देव कुलानि सप्त। मातुः पितुः सप्त तथा प्रियाया वैकुण्ठलोकं गतवन्ति मन्ये॥
भूभारमाहर्तुमलं यदोः कुले जातौ युवां पूर्णतमौ परेश्वरौ। नमो युवाभ्यां मम दीनदीनं गृहं गताभ्यां जगदीश्वरौ परौ॥
(गर्ग०, मथुरा० ६। ३-४)

भाँति जो आपके ये बलिष्ठ भुजदण्ड हैं, इनमें मेरा मन लग गया है। आप दोनों भाइयोंको छोड़कर दूसरा कौन ऐसा पुरुष है, जो इस चन्दनानुलेपके योग्य हो। आप दोनों भाइयोंके समान सुन्दर रूप तो त्रिभुवनमें कहीं नहीं है॥ ११—१३॥

नारदजी कहते हैं—राजन्! हर्षसे भरी हुई कुब्जाने उन दोनों भाइयोंके लिये स्निग्ध अनुलेपन प्रदान किया। उस अङ्गरागसे वे दोनों बन्धु—बलराम और श्रीकृष्ण बड़ी शोभा पाने लगे। व्रजके अन्य बालकोंने भी थोड़ा-थोड़ा वह दिव्य चन्दन ग्रहण किया। कुब्जा तीन जगहसे टेढ़ी थी। श्रीकृष्णने उसे तत्काल सीधी करनेका विचार किया। उन सर्वव्यापी परमेश्वरने अपने चरणोंद्वारा उसके पैरोंके अग्रभागको दबाकर उत्तान हाथकी दो अङ्गुलियोंसे उसकी ठोढ़ी पकड़ ली और लोगोंके देखते-देखते उसके तीन जगहसे टेढ़े शरीरको उचका दिया। फिर तो वह उसी समय छड़ीके समान देहवाली, अत्यन्त रूप-सौन्दर्यसे सम्पन्न तन्वङ्गी तरुणी हो गयी और अपनी दीप्तिसे रम्भाको भी तिरस्कृत-सी करने लगी। उसके हृदयमें कामभावका उदय हुआ और उससे विह्वल हो उस पवित्र मुस्कानवाली सैरन्ध्रीने श्रीहरिका वस्त्र पकड़कर इस प्रकार कहा॥ १४—१७॥

सैरन्ध्री बोली—सुन्दरप्रवर! अब तुम शीघ्र ही मेरे घर चलो; निश्चय ही मैं तुम्हें छोड़ नहीं सकूँगी। तुम तो सबके मनकी जाननेवाले हो; मुझपर कृपा करो। रसिकशेखर! मानद! तुमने मेरे मनको बड़े वेगसे मथ डाला है॥ १८॥

श्रीनारदजी कहते हैं—राजन्! तब सब गोप 'अहो! यह क्या!'—परस्पर यों कहते हुए ताली पीट-पीटकर हँसने लगे। बलरामजी भी बड़े गौरसे यह सब देख रहे थे। उस सुन्दरीके अपने घर चलनेके लिये प्रार्थना करनेपर भगवान् श्रीहरिने यह उत्तम बात कही॥ १९॥

श्रीभगवान् बोले—अहो! यह मथुरापुरी अत्यन्त धन्य है, जहाँ बड़े सौम्य स्वभावके लोग निवास करते हैं, जो अपरिचित राहगीरोंको भी अपने घर बुला ले जाते हैं। सुन्दरी! मैं घूम-फिरकर मथुरापुरीका दर्शन करके तुम्हारे घर आऊँगा॥ २०॥

नारदजी कहते हैं—राजन्! स्नेहमयी वाणीद्वारा यों कहकर श्रीकृष्णने उसके हाथसे अपने दुपट्टेका छोर खींच लिया और राजमार्गपर आगे बढ़ते हुए उन्हें कुछ धनी वैश्य दिखायी दिये। उन उत्तम बुद्धिवाले वैश्योंने पान, फूल, इत्र, दूध और फल आदिद्वारा श्रीहरिका पूजन करके उन्हें उत्तम आसनपर बिठाया और उनके चरणोंमें प्रणाम किया॥ २१-२२॥

वैश्य बोले—देव! यदि यहाँ आपका राज्य स्थापित हो जाय तो आप हम आत्मीयजनोंका सदा ध्यान रखें; हम आपकी प्रजा हैं। प्राय: राज्य मिल जानेपर कोई किसीका स्मरण नहीं करता॥ २३॥

नारदजी कहते हैं—राजन्! तब अच्युतने सुन्दर मन्द मुस्कराहटके साथ उन वैश्योंसे पूछा—'धनुषका स्थान कौन है?' किंतु वे वैश्य बड़े चालाक थे। उन्हें धनुषके तोड़ दिये जानेकी आशङ्का हुई, इसलिये वे भगवान्‌को उसका स्थान नहीं बता रहे थे। किंतु उनके रूप, गुण और माधुर्यसे मोहित जो अन्य मथुरावासी थे, वे उन्हें धनुष दिखानेकी इच्छासे बोले—'कुमार! आइये, देखिये वह धनुष'॥ २४-२५॥

तब उनके दिखाये हुए मार्गसे श्रीकृष्णने धनुषशालामें प्रवेश किया। वे मथुरावासी समवयस्क पुरबालकोंके साथ मैत्रीभावकी स्थापना भी करते जाते थे। वह धनुष सुनहरे बेल-बूटोंसे चित्रित था। उसकी लंबाई सात ताड़के बराबर थी। वह देखनेमें इन्द्रधनुष-सा जान पड़ता था। वह इतना अधिक भारी था कि पाँच हजार मनुष्य एक साथ मिलकर ही उसे एक स्थानसे दूसरे स्थानपर ले जा सकते थे। उसका निर्माण आठ धातुओंसे हुआ था। वह कठोर धनुष एक लाख भारके समान भारी था और चतुर्दशी तिथिको पुरवासियोंद्वारा पूजित हो यज्ञमण्डपमें स्थापित किया गया था। पूर्वकालमें भृगुकुलनन्दन परशुरामजीने राजा यदुको वह धनुष दिया था। माधव श्रीकृष्णने उसे देखा; वह कुंडली मारकर बैठे हुए शेषनागके समान प्रतीत होता था। लोग मना करते रह गये, किंतु श्रीकृष्णने हठपूर्वक उस धनुषको उठा लिया और पुरवासियोंके देखते-देखते खेल-खेलमें उसके ऊपर

प्रत्यञ्चा चढ़ा दी॥ २६—३०॥

राजन्! फिर श्रीहरिने अपने भुजदण्डोंसे उस धनुषको कानतक खींचा और जैसे हाथी ईखके डंडेको तोड़ डालता है, उसी प्रकार उसको बीचसे खण्डित कर दिया। टूटते हुए उस धनुषकी टंकार बिजलीकी गड़गड़ाहटके समान प्रतीत हुई। इससे 'भूः'आदि सात लोकों तथा सातों पातालोंसहित सारा ब्रह्माण्ड गूँज उठा, दिग्गज विचलित हो गये, तारे टूटने लगे, भूखण्ड-मण्डल काँप उठा, पृथ्वीपर रहनेवाले लोगोंके कान तत्काल बहरे-से हो गये। वह शब्द दो घड़ीतक कंसके हृदयको विदीर्ण करता रहा। उस धनुषकी रक्षा करनेवाले आततायी असुर अत्यन्त कुपित होकर उठे और श्रीकृष्णको पकड़ लेनेकी इच्छासे परस्पर कहने लगे—'बाँध लो इसे।' उन्हें सशस्त्र आक्रमण करते देख बलराम और श्रीकृष्णने धनुषके दोनों टुकड़े लेकर उन दुर्मद दैत्योंको बड़े वेगसे पीटना आरम्भ किया। धनुष-खण्डोंके अत्यन्त प्रबल प्रहारसे कितने ही वीर तत्काल मूर्च्छित हो गये, किन्हींके पाँव टूटे, किन्हींके नख फूटे और कितनोंहीके कंधे एवं बाहुदण्ड खण्डित हो गये। इस प्रकार पाँच हजार दैत्यवीर भूमिपर प्राणशून्य होकर सो गये। समस्त मथुरा-वासियोंमें हलचल मच गयी। बहुत-से लोग उस घटनाको देखनेके लिये दौड़े आये। नगरीमें सब ओर कोलाहल होने लगा और वहाँके लोगोंके मनमें बड़ा भारी भय समा गया। भोजराज कंसके सभामण्डपका छत्र अकस्मात् टूटकर गिर पड़ा॥ ३१—३८॥

नरेश्वर! ग्वाल-बालों तथा बलरामजीके साथ श्रीकृष्ण संध्याके समय धनुषशालासे नन्दराजके निकट आ गये, मानो वे अत्यन्त डर गये हों। गोविन्दका वह अद्भुत सुन्दर रूप देखकर मथुरापुरीकी वनिताएँ विशेषरूपसे मोहित हो गयीं। उनके वस्त्र खिसक गये, गूँथी हुई चोटियाँ ढीली पड़ गयीं, हृदयमें प्रेमजनित पीड़ा जाग उठी और वे अपनी सखियोंसे परस्पर इस प्रकार कहने लगीं॥ ३९-४०॥

पुरस्त्रियाँ बोलीं—सखियो! करोड़ों कामदेवों-की कान्ति धारण किये श्रीहरि बड़ी उतावलीके साथ मथुरापुरीमें स्वच्छन्द विचरने लगे हैं और जिन किन्हीं युवतियोंने उन्हें देखा है, उन हम-जैसी सभी स्त्रियोंके समस्त अङ्गोंमें वे अनङ्ग बनकर समाविष्ट हो गये हैं॥ ४१॥

कुछ चतुरा स्त्रियोंने कहा—क्या इस पुरीमें ऐसी क्रूर स्त्रियाँ नहीं हैं, जो अनङ्गमोहन श्रीकृष्णके सारे अङ्गोंको घूर-घूरकर देखती हैं? हम सब उन परमानन्दमय सर्वाङ्गसुन्दर श्रीकृष्णको भर आँख नहीं निहारतीं? सखी! किसीके किसी एक ही अङ्गमें सौन्दर्य-माधुर्य दिखायी देता है और वहीं हमारे नेत्र पतंगके समान टूट पड़ते हैं; परंतु जो सर्वाङ्गसुन्दर एवं मनोहर हैं, उन्हें केवल नेत्रसे पूर्णतया कैसे देखा जा सकता है? नन्दनन्दनका अङ्ग-अङ्ग सुन्दर है; उसमें जहाँ-जहाँ भी दृष्टि पड़ती है, वहीं-वहीं परम सुख पाकर वहाँ-वहाँसे लौटनेका नाम नहीं लेती। वे लावण्यके महासागर हैं। उनमें हमारा चित्त किस तरह लगा है, मानो उसीमें डूब गया हो॥ ४२—४४॥

मिथिलेश्वर! नगरकी जिन स्त्रियोंने दिनमें व्रजराजनन्दनको देखा, उन्होंने स्वप्नमें भी उन्हींका दर्शन किया। फिर जिन्होंने रासमण्डलमें उनके साथ रासलीला की, वे गोपाङ्गनाएँ उनके मधुर मनोहर रूपका कैसे निरन्तर स्मरण न करें॥ ४५॥

इस प्रकार श्रीगर्गसंहितामें श्रीमथुराखण्डके अन्तर्गत नारद-बहुलाश्व-संवादमें 'मथुरादर्शन' नामक छठा अध्याय पूरा हुआ॥ ६॥

सातवाँ अध्याय

मल्ल-क्रीड़ा-महोत्सवकी तैयारी; रङ्गद्वारपर कुवलयापीड़का वध तथा श्रीकृष्ण और बलरामका चाणूर और मुष्टिकके साथ मल्लयुद्धमें प्रवृत्त होना

नारदजी कहते हैं—राजन्! रजकके मस्तकका छेदन, धनुषका भञ्जन तथा रक्षकोंके वधका समाचार सुनकर कंसको बड़ा भय हुआ। तत्काल उसके सामने अपशकुन प्रकट हुए। उसके बायें अङ्ग फड़कने लगे, उसे स्वप्नमें अपना अङ्ग-भङ्ग दिखायी देने लगा। इससे दैत्योंके राजा कंसको रातभर नींद नहीं आयी। उसने स्वप्नमें यह भी देखा था कि वह प्रेतोंसे घिरा हुआ है। उसके सारे शरीरमें तेल मला गया है तथा वह नंगधड़ंग जपाकुसुमकी माला पहिने भैंसेपर चढ़कर दक्षिण दिशाकी ओर जा रहा है॥ १—३॥

प्रात:काल उठकर उसने कार्यकर्ताओंको बुलवाया और उन्हें मल्लक्रीड़ा-महोत्सव प्रारम्भ करनेकी आज्ञा दी। सभामण्डपके सामने ही विशाल प्राङ्गणसे युक्त स्थानपर रङ्गभूमिकी रचना की गयी। वहाँ सोनेके खंभे लगाये गये, सुनहरे चँदोवे ताने गये और उनमें मोतियोंकी लड़ियाँ लटका दी गयीं। नरेश्वर! सुन्दर सोपानों और सुवर्णमय मञ्चोंसे वह रङ्गभूमि बड़ी शोभा पाने लगी। राजाके लिये रत्नमय सुन्दर मञ्च स्थापित किया गया। उसपर इत्र लगाया गया। उस मञ्चपर इन्द्रका सिंहासन लगा दिया गया। उसके ऊपर सुन्दर बिछावन और तकिये सुसज्जित कर दिये गये। चन्द्रमण्डलके समान मनोहर दिव्य छत्र तथा हीरेकी बनी हुई मूठवाले हंसकी-सी आभासे युक्त व्यजन और चामरोंसे सुशोभित विश्वकर्माद्वारा रचित वह दस हाथ ऊँचा सिंहासन बड़ा ही चित्ताकर्षक था। उसपर आरूढ़ हो राजा कंस पर्वत-शिखरपर बैठे हुए सिंहके समान शोभा पा रहा था। वहाँ गायकोंद्वारा गीत गाये जाने लगे, वाराङ्गनाएँ नृत्य करने लगीं और मृदङ्ग, पटह, ताल, भेरी तथा आनक आदि बाजे बजने लगे॥ ४—१०॥

राजन्! छोटे-छोटे मण्डलोंके शासक नरेश तथा नगर और जनपदके निवासी बड़े लोग पृथक्-पृथक् मञ्चपर बैठकर मल्लयुद्ध देख रहे थे। चाणूर, मुष्टिक, कूट, शल और तोशल आदि पहलवान व्यायामोपयोगी मुद्गरोंसे युक्त हो परस्पर युद्धका अभ्यास कर रहे थे। कंसके द्वारा बुलाये गये नन्दराज आदि गोप मस्तक झुकाये राजाको उत्तम भेंट अर्पित करके एक-एक मञ्चका आश्रय ले बैठ गये। नरेश्वर! वहाँ यदुराज कंसके लिये बाणासुर, जरासंध और नरकासुरके नगरसे भी उपहार आये। अन्य जो शम्बर आदि भूपाल थे, उनके पाससे भी बहुत-सी भेंट-सामग्रियाँ आयीं॥ ११—१४ $\frac{1}{2}$ ॥

तदनन्तर मायासे बालकरूप धारण किये बलराम और श्रीकृष्ण दोनों भाई मल्लोंके खेल देखनेके लिये उस रङ्गशालामें आये। रङ्गमण्डपके द्वारपर कुवलयापीड़ नामक हाथी खड़ा था, जिसके कुम्भस्थलपर गोमूत्रमें सने हुए सिन्दूर और कस्तूरीसे पत्र-रचना की गयी थी। रत्नमय कुण्डलोंसे मण्डित उस महामत्त गजराजके गण्डस्थलसे मद झर रहा था। द्वारपर हाथीको खड़ा देख श्रीकृष्णने महावतसे गम्भीर वाणीमें कहा— 'अरे! इस गजराजको दूर हटा ले और मेरी इच्छाके अनुसार मार्ग दे दे। नहीं तो तुझको और तेरे हाथीको अभी भूतलपर मार गिराऊँगा'॥ १५—१८॥

तब कुपित हुए महावतने सम्पूर्ण दिशाओंमें जोर-जोरसे चिग्घाड़ते हुए उस मतवाले हाथीको नन्दनन्दनपर आक्रमण करनेके लिये आगे बढ़ाया। गजराजने तत्काल ही श्रीहरिको सूँड़से पकड़कर उठा लिया। परंतु अपना भार अधिक बढ़ाकर श्रीहरि उसकी पकड़से बाहर निकल गये। जैसे वृन्दावनके निकुञ्जोंमें श्रीहरि इधर-उधर लुकते-छिपते थे, उसी प्रकार इधर-उधर घूमकर वे कुवलयापीड़के पैरोंके बीचमें छिप गये। हाथीने अपनी सूँड़ बढ़ाकर उन्हें पकड़ लिया, किंतु उसकी सूँड़को दोनों हाथोंसे दबाकर श्रीहरि पीछेकी ओरसे निकल गये। तब हाथीने

बगलकी दिशामें घूमकर उन्हें पकड़नेकी चेष्टा की, किंतु माधव उसके मस्तकपर मुक्केसे प्रहार करके आगेकी ओर भागे। विदेहराज! उस गजराजने भागते हुए श्रीहरिका पीछा किया। उस समय मथुरापुरीमें कोहराम मच गया। फिर श्रीहरि चक्कर देकर इधर पीछेकी ओर निकल आये। उधर महाबली बलदेवने, जैसे गरुड सर्पको पकड़ते हैं, उसी प्रकार अपने बाहुदण्डोंसे उसकी पूँछ पकड़कर उसे पीछेकी ओर खींचा। तब हँसते हुए भगवान् श्रीकृष्णने अपने दोनों हाथोंसे बलपूर्वक उसकी सूँड़ पकड़कर उसी तरह आगेकी ओर खींचना आरम्भ किया, जैसे मनुष्य कूएँसे रस्सीको खींचता है। नृपेश्वर! उन दोनों भाइयोंके आकर्षणसे वह हाथी व्याकुल हो उठा। तब सात महावत बलपूर्वक उस हाथीपर चढ़ गये। साथ ही दूसरे महावत भी श्रीकृष्णका वध करनेके लिये तीन सौ हाथी वहाँ ले आये। महावतोंके अङ्कुशकी चोट करनेसे कुपित हुआ वह मतवाला हाथी पुनः श्रीकृष्णकी ओर झपटा। तब बलदेवजीके देखते-देखते साक्षात् भगवान् श्रीकृष्णने उसकी सूँड़ पकड़ ली और इधर-उधर घुमाकर उसे उसी प्रकार पृथ्वीपर दे मारा, जैसे कोई बालक कमण्डलु पटक दे। उसपर चढ़े हुए सातों महावत इधर-उधर दूर जा गिरे और वहाँ जुटे हुए साधु-पुरुषोंके देखते-देखते वह हाथी प्राणशून्य हो गया। विदेहराज! उसके शरीरसे एक ज्योति निकली और श्रीघनश्याममें विलीन हो गयी॥ १९—३१ $\frac{१}{२}$॥

महाबली बलराम और श्रीकृष्णने उस हाथीके दोनों दाँत उखाड़ लिये और जैसे दो सिंहके बच्चे बहुत-से मृगोंका संहार कर डालें, उसी प्रकार समस्त महावतोंको मौतके घाट उतार दिया। हाथीके मारे जानेपर जो अन्य महावत बचे थे, वे सब इधर-उधर भागकर उसी प्रकार छिप गये, जैसे वर्षाकाल व्यतीत हो जानेपर बादल जहाँ-के-तहाँ विलीन हो जाते हैं। इस प्रकार कुवलयापीड़का वध करके पसीनेकी बूँदों और हाथीके मदसे अङ्कित हुए बलराम और श्रीकृष्ण, दोनों बन्धु गोपों तथा शेष दर्शनार्थियोंके मुखसे अपनी जय-जयकार सुनते हुए बड़ी उतावलीके साथ रङ्गशालामें प्रविष्ट हुए। उस समय उन दोनोंके मुख अधिक परिश्रमके कारण लाल हो गये थे, उनके हाथोंमें हाथीके दाँत थे। वे दोनों दिशाओंमें एक साथ चलनेवाले अनिल और अनलकी भाँति बड़े वेगसे रङ्गभूमिमें पहुँचे। उस समय मल्लोंने उन्हें महामल्ल समझा और नरोंने नरेन्द्र। नारियोंने उन्हें कामदेव माना और गोपगणोंने व्रजका स्वामी। पिताकी दृष्टिमें वे पुत्र जान पड़े और दुष्टोंको दण्डधारी यमराजके समान प्रतीत हुए। कंसने उनको अपनी मृत्यु समझा और ज्ञानी पुरुषोंने उन्हें विराट् ब्रह्मके रूपमें देखा। उस समय बलरामके साथ रङ्गशालामें गये हुए श्रीकृष्णको योगिशिरोमणि महात्मा पुरुषोंने परमतत्त्वके रूपमें अनुभव किया। सभी तरहके लोगोंने अपनी पृथक्-पृथक् भावनाके अनुसार उन परिपूर्णदेव श्रीहरिको विभिन्न रूपोंमें देखा और समझा॥ ३२—३७॥

हाथीको मारा गया सुनकर और उन महाबली बन्धुओंको देखकर मनस्वी कंस मन-ही-मन भयभीत हो उठा तथा मञ्चोंपर बैठे हुए दूसरे-दूसरे लोग मन-ही-मन हर्षसे उल्लसित हो उठे और जैसे चन्द्रमाको देखकर चकोर सुखी होते हैं, उसी प्रकार वे उन्हें देखकर परमानन्दमें निमग्न हो गये। नगरके लोग अत्यन्त उत्सुक हो एक-दूसरेके कान-से-कान सटाकर परस्पर कहने लगे—'ये दोनों वसुदेवनन्दन साक्षात् परमपुरुष परमेश्वर हैं। अहो! व्रजमण्डल अत्यन्त रमणीय एवं श्रेष्ठ है, जहाँ ये साक्षात् माधव विचरते रहे हैं और जिनका आज दुर्लभ दर्शन पाकर हम सर्वतो-भावसे कृतार्थ हो रहे हैं॥ ३८—४०॥

नारदजी कहते हैं—मैथिल! जब पुरवासी लोग इस प्रकार बात कर रहे थे और भाँति-भाँतिके बाजे बज रहे थे, उस समय चाणूरने बलराम और श्रीकृष्ण—दोनोंके पास जाकर कहा॥ ४१॥

चाणूर बोला—हे राम! हे कृष्ण! आप दोनों बड़े बलवान् हैं, अतः महाराजके सामने अपने बलका प्रदर्शन करते हुए युद्ध कीजिये। यदुकुलतिलक महाराज कंस यदि इस युद्धसे प्रसन्न हो गये तो आपलोगोंकी और हमारी कौन-कौन-सी भलाई नहीं होगी? (अर्थात् सब होगी)॥ ४२॥

श्रीभगवान्‌ने कहा—राजाके कृपा-प्रसादसे तो हमारी पहलेसे ही बहुत भलाई हो रही है। किंतु इतना ध्यान रखो कि हमलोग बालक हैं; अतः समान बलवाले बालकोंके साथ ही हमारा युद्ध होगा, किसी बलवान्‌के साथ नहीं। इसकी यथोचित व्यवस्था होनी चाहिये, यहाँ अधर्म-युद्ध कदापि न होने पाये॥ ४३॥

चाणूरने कहा—न तो आप बालक हैं और न बलरामजी ही किशोर हैं। आप साक्षात् बलवानोंमें भी बलिष्ठ हैं; क्योंकि सहस्र मतवाले हाथियोंका बल धारण करनेवाले कुवलयापीड़को आप दोनोंने खिलवाड़में ही मार डाला है॥ ४४॥

नारदजी कहते हैं—राजन्! चाणूरकी ऐसी बात सुनकर अघमर्दन भगवान् श्रीकृष्ण चाणूरके साथ और बलवान् बलरामजी मुष्टिकके साथ मल्लयुद्ध करने लगे। वे एक-दूसरेके भुजदण्डोंको दोनों भुजाओंसे पकड़कर अपनी ओर खींचते और पीछे ढकेलते थे। लोगोंके देखते-देखते वे दोनों भाई विजयकी इच्छासे लड़नेवाले दो हाथियोंकी भाँति अपने शत्रुओंसे भिड़ गये। साक्षात् श्रीहरिने चाणूरके शरीरको दोनों हाथोंसे उठाकर उसके देहभारको उसी प्रकार तौला, जैसे ब्रह्माजी पुण्यात्माओंके पुण्यभारको तौला करते हैं। फिर महावीर चाणूरने भगवान् श्रीहरिको एक ही हाथसे उसी प्रकार लीलापूर्वक उठा लिया, जैसे नागराज शेष भूमण्डलको अपने एक ही फनपर धारण करते हैं। माधवने अपनी भुजाओंके वेगसे चाणूरकी गर्दन और कमरमें हाथ लगाकर उसे उठा लिया और सहसा पृथ्वीपर दे मारा। एक ओर श्रीकृष्ण और चाणूर तथा दूसरी ओर बलराम और मुष्टिक एक दूसरेको हाथों, घुटनों, पैरों, भुजाओं, छातियों, अङ्गुलियों और मुक्कोंसे मारने लगे। बलराम और श्रीकृष्णके मुखोंपर परिश्रमजनित पसीनेकी बूँदें देखकर दयासे द्रवित हो उस समय महलकी खिड़कियोंके पास बैठी हुई राजरानियाँ आपसमें कहने लगीं॥ ४५—५१॥

स्त्रियाँ बोलीं—अहो! राजाके मौजूद रहते उनके सामने सभामें यह बहुत बड़ा अधर्म हो रहा है! कहाँ तो वज्रके समान सुदृढ़ शरीरवाले वे दोनों पहलवान और कहाँ फूलके सदृश सुकुमार बलराम और कृष्ण। अहो! हम मथुरापुरवासियोंका कैसा अभाग्य है कि हमें आज इतने दिनों बाद इनका दर्शन भी हुआ तो युद्धके अवसरपर। वनवासी गोपोंका महान् सौभाग्य अत्यन्त धन्यवादके योग्य है, जिन्हें रास-रसके साथ श्रीकृष्ण-बलरामका दर्शन होता आ रहा है। सखियो! आश्चर्यकी बात तो यह है कि इस दुष्ट-चित्त राजाके रहते हुए कोई भी कुछ कहनेको समर्थ नहीं हो सकता। इसलिये हमारे पुण्यके बलसे ये दोनों बन्धु शीघ्र ही अपने शत्रुओंपर विजय प्राप्त करें॥ ५२—५४॥

इस प्रकार श्रीगर्गसंहितामें श्रीमथुराखण्डके अन्तर्गत नारद-बहुलाश्व-संवादमें 'मल्लयुद्धका वर्णन' नामक सातवाँ अध्याय पूरा हुआ॥ ७॥

आठवाँ अध्याय

चाणूर-मुष्टिक आदि मल्लोंका तथा कंस और उसके भाइयोंका वध

श्रीनारदजी कहते हैं—राजन्! नन्दराजका चित्त करुणासे द्रवित हो रहा था। उनकी ओर ध्यान देकर तथा वनिताओंके मनोरथको याद करके श्रीहरिने शत्रुओंको मार डालनेका संकल्प मनमें लेकर बलपूर्वक युद्ध आरम्भ किया॥ १॥

चाणूरको भुजदण्डोंसे उठाकर श्रीकृष्णने बलपूर्वक अकस्मात् आकाशमें उसी प्रकार फेंक दिया, जैसे हवाने उखड़े हुए कमलको सहसा उड़ा दिया हो। आकाशसे नीचे मुँह किये वह पृथ्वीपर इतने वेगसे गिरा, मानो कोई तारा टूट पड़ा हो। फिर उठकर चाणूरने श्रीकृष्णको जोरसे एक मुक्का मारा। उसके मुक्केकी मारसे परात्पर भगवान् श्रीकृष्ण विचलित नहीं हुए। उन्होंने तत्काल चाणूरको उठाकर पृथ्वीपर पटक दिया। चाणूरके दाँत टूट गये। वह मदोन्मत्त मल्ल

क्रोधसे तमतमा उठा। मैथिल! उसने श्रीकृष्णकी छातीपर दोनों हाथोंसे मुक्के मारे। नरेश्वर! तब दोनों हाथोंसे उसके दोनों हाथ पकड़कर साक्षात् भगवान् श्रीकृष्णने कंसके आगे उसे घुमाना आरम्भ किया और सबके देखते-देखते पृथ्वीपर उसी प्रकार दे मारा, जैसे किसी बालकने कमण्डलु पटक दिया हो। श्रीकृष्णके इस प्रहारसे चाणूर मल्लका मस्तक फट गया। राजन्! वह रक्त वमन करता हुआ तत्काल मर गया॥ २—७$\frac{१}{२}$॥

इसी प्रकार महाबली बलदेवने रणदुर्गम मल्ल मुष्टिकके पैरको मुट्ठीसे पकड़कर आकाशमें घुमाया और जैसे गरुड सर्पको पटक दे, उसी प्रकार उसे पृथ्वीपर दे मारा। फिर तो मुष्टिक मुँहसे खून उगलता हुआ कालके गालमें चला गया। तत्पश्चात् कूटको सामने आया देख महाबली बलदेवने एक ही मुक्केसे उसी प्रकार मार गिराया, जैसे देवराज इन्द्रने वज्रसे किसी पर्वतको धराशायी कर दिया हो। राजन्! जैसे गरुड अपनी तीखी चोंचसे नागको घायल कर देता है, उसी प्रकार सामने आये हुए शलको नन्दनन्दनने लातसे मार गिराया। फिर तोशलको पकड़कर श्रीकृष्णने उसे बीचसे ही चीर डाला और जैसे हाथी किसी पेड़की डालीको तोड़ फेंके, उसी प्रकार उसे कंसके मञ्चके सामने फेंक दिया। ये सब मल्ल अखाड़ेमें गिराये जाते ही मौतके मुखमें चले गये और उनके शरीरसे निकली हुई ज्योतियाँ सत्पुरुषोंके देखते-देखते भगवान् वैकुण्ठ (श्रीकृष्ण) में समा गयीं॥ ८—१३॥

इस प्रकार बलराम और श्रीकृष्णके द्वारा अनेक मल्लोंके मारे जानेपर शेष मल्ल भयसे व्याकुल हो प्राण बचानेकी इच्छासे भाग खड़े हुए। तदनन्तर श्रीदामा आदि अपने मित्र गोपोंको खींचकर माधवने उनके साथ समस्त सज्जनोंके सामने मल्लयुद्धका खेल आरम्भ किया। किरीट और कुण्डलधारी बलराम तथा श्रीकृष्णको ग्वाल-बालोंके साथ रङ्गभूमिमें विहार करते देख समस्त पुरवासी विस्मयसे चकित हो उठे। कंसके सिवा अन्य सब लोगोंके मुँहसे 'जय हो! जय हो' की बोली निकलने लगी। सब ओरसे साधुवाद सुनायी देने लगा और नगारे बज उठे। अपनी पराजय देख कंस अत्यन्त क्रोधसे भर गया और बाजे बंद करनेकी आज्ञा देकर फड़कते हुए अधरोंसे बोला॥ १४—१८॥

कंसने कहा—वसुदेवके दोनों पुत्र खोटी बुद्धि और खोटे विचारवाले हैं। इन दोनोंको हठात् और शीघ्र मेरे नगरसे निकाल दो। व्रजवासियोंका सारा धन हर लो और दुर्बुद्धि नन्दको सहसा कैद कर लो। आज मेरे दुर्बुद्धि पिता शूरपुत्र उग्रसेनका भी मस्तक तुरंत काट लो, काट लो। पृथ्वीपर जहाँ-कहीं भी और यहाँ भी जो-जो वृष्णिवंशी यादव मिल जायँ, उन सबको देवताओंके अंशसे उत्पन्न समझकर मार डालो॥ १९-२०॥

नारदजी कहते हैं—जब कंस इस प्रकार बढ़-बढ़कर बातें बना रहा था, उस समय यदुनन्दन श्रीकृष्ण सहसा क्रोधसे भर गये और उछलकर उसके मञ्चके ऊपर चढ़ गये। अपनी मूर्तिमान् मृत्युको आता देख कंस तुरंत उठकर खड़ा हो गया और उस मदमत्त नरेशने श्रीकृष्णको डाँट बताते हुए ढाल-तलवार हाथमें ले ली। श्रीकृष्णने ढाल-तलवार लिये हुए कंसको सहसा दोनों हाथोंसे उसी प्रकार पकड़ लिया, जैसे पक्षिराज गरुडने अपनी चोंचके दो भागोंद्वारा किसी विषधर सर्पको दबा लिया हो। कंसके हाथसे तलवार छूटकर गिर गयी। ढाल भी दूर जा पड़ी। वह बलवान् वीर बल लगाकर श्रीकृष्णकी भुजाओंके बन्धनसे उसी प्रकार निकल गया, जैसे पुण्डरीक नाग गरुडकी चोंचसे छूट निकला हो॥ २१—२४॥

वे दोनों बलवान् वीर उस मञ्चपर वेगसे एक-दूसरेको रौंदते हुए उसी प्रकार सुशोभित हुए, जैसे पर्वतके शिखरपर दो सिंह परस्पर जूझते हुए शोभा पा रहे हों। कंस बलपूर्वक उछलकर सौ हाथ ऊपर आकाशमें चला गया। फिर श्रीकृष्णने भी उछलकर उसे इस प्रकार पकड़ लिया, मानो एक बाज पक्षीने दूसरे बाज पक्षीको आकाशमें धर दबोचा हो। उस प्रचण्ड दैत्यपुंगव कंसको भुजदण्डोंसे पकड़कर तीनों लोकोंका बल धारण करनेवाले भगवान् श्रीकृष्णने चारों ओर घुमाना आरम्भ किया। फिर रोषसे भरकर उन्होंने कंसको आकाशसे उस मञ्चपर ही दे मारा। मञ्चके स्तम्भ-दण्ड उसी प्रकार टूट गये, जैसे बिजली गिरनेसे वृक्ष टूट जाता है। आकाशसे नीचे गिरनेपर

भी वज्रतुल्य अङ्गोंवाला कंस मन-ही-मन किंचित् व्याकुल होकर सहसा उठ गया और महात्मा श्रीकृष्ण-के साथ युद्ध करने लगा। भगवान् गोविन्दने पुनः उसे बाहुदण्डोंद्वारा उठाकर मञ्चपर फेंक दिया और उसकी छातीपर चढ़कर माधवने उसका मुकुट उतार लिया। फिर तुरंत उसके केश पकड़कर स्वयं श्रीहरिने उसे मञ्चसे रङ्गभूमिमें उसी प्रकार पटक दिया, जैसे किसीने शैल-शिखरसे किसी भारी शिलाखण्डको नीचे गिरा दिया हो। फिर सबके आधारभूत, अनन्त-पराक्रमी, आदि-अन्तरहित, सनातन भगवान् श्रीकृष्ण स्वयं भी उसके ऊपर वेगसे कूद पड़े॥ २५—३२॥

राजन्! इस प्रकार उन दोनोंके गिरनेसे वहाँका भूमण्डल सहसा थालीकी भाँति गहरा हो गया और दो घड़ीतक धरती काँपती रही। नरेश्वर! श्रीकृष्णने उस मरे हुए भोजराजके शवको सबके देखते-देखते वहाँकी भूमिपर उसी प्रकार घसीटा, जैसे सिंहने मरे हुए गजराजको खींचा हो। नरेश्वर! उस समय इधर-उधर दौड़ते हुए भूपालोंका हाहाकार सुनायी देने लगा। महाबली कंसने वैर-भावसे देवेश्वर श्रीकृष्णका भजन करके उसी प्रकार उनका सारूप्य प्राप्त कर लिया, जैसे कीड़ा भृङ्गीके चिन्तनसे उसीका रूप ग्रहण कर लेता है॥ ३३—३५ $\frac{1}{2}$ ॥

कंसको धराशायी हुआ देख उसके आठ महाबली भाई सुहुत, सृष्टि, न्यग्रोध, तुष्टिमान्, राष्ट्रपालक, सुनामा, कङ्क और शङ्कु—क्रोधसे ओष्ठ फड़फड़ाते हुए ढाल और तलवार ले युद्ध करनेके लिये श्रीकृष्णपर टूट पड़े। उन्हें आते देख रोहिणीनन्दन बलरामने मुद्गर हाथमें लेकर उसी प्रकार उनके निकट हुंकार किया, जैसे सिंह मृगोंको देखकर दहाड़ता है। मिथिलेश्वर! उस हुंकारसे ही उनपर इतना भय छा गया कि उनके हाथोंसे शस्त्र उसी प्रकार गिर पड़े, जैसे डंडा मारनेसे आमके फल गिरते हैं। निःशस्त्र होनेपर भी उन महावीरोंने बलरामको चारों ओरसे मुक्कोंद्वारा मारना आरम्भ किया—ठीक उसी तरह जैसे हाथी किसी पर्वतको अपनी सूँड़से इधर-उधरसे पीटते हों। बलरामजीने सृष्टि और सुनामाको मुद्गरसे मार डाला, न्यग्रोधको भुजाओंके वेगसे धराशायी कर दिया और कङ्कको बायें हाथसे मार गिराया। माधवने शङ्कु, सुहुत और तुष्टिमान्को बायें पैरसे कुचल दिया तथा राष्ट्रपालको दाहिने पैरके आघातसे कालके गालमें भेज दिया। इस प्रकार आँधीके उखाड़े हुए वृक्षोंकी भाँति वे आठों वीर सहसा धराशायी हो गये। विदेहराज! उन सबकी ज्योति भगवान्में लीन हो गयी॥ ३६—४३॥

देवताओंकी दुन्दुभियाँ बजने लगीं। उस समय चारों ओर जय-जयकार होने लगी। देवतालोग उसी क्षण नन्दनवनके फूलोंकी वर्षा करने लगे। विद्याधरियाँ और गन्धर्वाङ्गनाएँ हर्षसे विह्वल हो नृत्य करने लगीं। विद्याधर, गन्धर्व और किंनर भगवान्‌का यश गाने लगे। ब्रह्मा आदि देवता, मुनि और सिद्ध विमानों-द्वारा भगवान्‌का दर्शन करनेके लिये आये। वे वैदिक मन्त्रोंका पाठ करते हुए दिव्य वाणीद्वारा बलराम और श्रीकृष्ण—दोनों भाइयोंकी स्तुति करने लगे॥ ४४—४६॥

तदनन्तर कंसकी अस्ति-प्राप्ति आदि रानियाँ हाथोंसे छाती पीटती हुई महलसे बाहर निकलीं और प्राप्त हुए वैधव्यके दुःखसे दुःखी हो विलाप करने लगीं॥ ४७॥

स्त्रियाँ बोलीं—हा नाथ! हे युद्धपते! हे महाबली वीर! तुम कहाँ चले गये? तुम तो त्रिभुवन-विजयी तथा साक्षात् देवताओंके लिये भी दुर्जय वीर थे। तुमने निर्दय होकर अपनी बहिनके नवजात बच्चों-की हत्या की थी और दस दिनसे कम और अधिक उम्रवाले दूसरे-दूसरे बालकोंका भी बलपूर्वक वध कर डाला; उसी घोर पापके कारण तुम ऐसी दशाको प्राप्त हुए हो॥ ४८—५०॥

नारदजी कहते हैं—राजन्! इस प्रकार अश्रुसे भीगे मुखवाली दीन-दुःखी राजपत्नियोंको धीरज बँधाकर लोक-भावन भगवान्ने यमुनाके तटपर श्रीखण्ड-चन्दनसे युक्त चिताएँ बनवायीं और मारे गये मामाओंकी पारलौकिक क्रियाएँ करवाकर सबको समझाया॥ ५१-५२॥

इस प्रकार श्रीगर्गसंहितामें श्रीमथुराखण्डके अन्तर्गत नारद-बहुलाश्व-संवादमें 'कंसका वध' नामक आठवाँ अध्याय पूरा हुआ॥ ८॥

नवाँ अध्याय

श्रीकृष्णद्वारा वसुदेव-देवकीकी बन्धनसे मुक्ति; श्रीकृष्ण और बलरामका गुरुकुलमें विद्याध्ययन तथा गुरुदक्षिणाके रूपमें गुरुके मरे हुए पुत्रको यमलोकसे लाकर लौटाना; श्रीअक्रूरको हस्तिनापुर भेजना तथा कुब्जाका मनोरथ पूर्ण करना

श्रीनारदजी कहते हैं—राजन्! तदनन्तर भगवान् श्रीकृष्ण और बलराम साक्षात् वृष्णिवंशियोंसे घिरे हुए देवकी और वसुदेवके समीप गये। नरेश्वर! अपने दोनों पुत्रोंको देखकर उन दोनोंके बन्धन उसी प्रकार स्वत: ढीले पड़ गये, जैसे गरुडको आया देख नागपाशके बन्धन स्वत: खुल जाते हैं॥ १-२॥

बलरामसहित श्रीहरिने माता-पिताको अपने प्रभावके ज्ञानसे सम्पन्न देख तत्काल अपनी माया फैला दी, जो बलपूर्वक जगत्‌को मोह लेनेवाली है। बलराम और कृष्ण मेरे पुत्र हैं, यह जानकर वसुदेवजी मोहसे व्याकुल हो गये और आँसू बहाते हुए देवकीके साथ सहसा उठकर उन्होंने दोनों पुत्रोंको हृदयसे लगा लिया। तब वृष्णिवंशियोंसे घिरे हुए श्रीहरिने उन दोनोंको आश्वासन दे अपने नाना उग्रसेनको मथुराका राजा बना दिया। कंसके भयसे दूसरे देशोंमें भगे हुए यादवोंको बुलाकर भगवान्‌ने प्रेमपूर्वक उन्हें यदुपुरीमें कुटुम्बसहित रहनेके लिये स्थान दिया। गोपगणोंके साथ अपने घरको जानेके लिये उद्यत नन्दराजको प्रणाम करके बलरामसहित श्रीकृष्णने उन्हें अपनी मायासे मोहित-सा करते हुए कहा—'तात! अब आप इसी मथुरापुरीमें निवास कीजिये। यदि आपके मनमें यहाँसे जानेकी इच्छा उठ खड़ी हुई हो, तो जाइये। मैं भी यदुवंशियोंकी व्यवस्था करके भैया बलरामके साथ आपके पास आ जाऊँगा'॥ ३—८॥

नारदजी कहते हैं—राजन्! इस प्रकार बलराम और श्रीकृष्णके द्वारा पूजित एवं सम्मानित नन्दराज वसुदेवजीको हृदयसे लगाकर प्रेमातुर हो व्रजको चले गये। वसुदेवजीने श्रीकृष्णके जन्म-नक्षत्रपर जो पहले दस लाख गोदान करनेका संकल्प किया था, उसे पूरा करनेके लिये उतनी गौओंको वस्त्र और मालाओंसे अलंकृत करके ब्राह्मणोंको दे दिया। फिर धर्मज्ञ वसुदेवने गर्गाचार्यको बुलाकर श्रीकृष्ण और बलभद्रका विधिवत् यज्ञोपवीत-संस्कार करवाया। तदनन्तर समस्त विद्याओंका अध्ययन करनेके लिये उद्यत हो परमेश्वर बलराम और श्रीकृष्ण साधारण जनोंकी भाँति गुरु सांदीपनिके पास आये। गुरुकी उत्तम सेवा करके दोनों माधवोंने थोड़े ही समयमें सारी विद्याएँ पढ़ लीं और वे दोनों समस्त विद्वानोंके शिरोमणि हो गये। तत्पश्चात् वे दोनों भाई हाथ जोड़कर गुरुजीको दक्षिणा देनेके लिये उद्यत हुए। उस समय उन ब्राह्मण गुरुने उन दोनोंसे दक्षिणामें अपने मरे हुए पुत्रको माँगा। तब वे दोनों भाई सुनहरे साज-सामानोंसे युक्त रथपर आरूढ़ हो, मन-इन्द्रियोंको वशमें रखते हुए प्रभास-तीर्थमें समुद्रके निकट गये। दोनों ही भयानक पराक्रमी थे। उन्हें आया जान समुद्र तत्काल काँप उठा और रत्नोंकी उत्तम भेंट ले आकर, दोनों हाथ जोड़ उनके चरणप्रान्तमें पड़ गया। उससे भगवान्‌ने कहा—'तुम मेरे गुरुदेवके पुत्रको शीघ्र ही लौटा दो। तुमने अपनी प्रचण्ड लहरोंके घटाटोपसे उस ब्राह्मण-बालकका अपहरण कर लिया था'॥ ९—१७॥

समुद्र बोला—भगवन्! देवदेवेश्वर! मैंने उस ब्राह्मण-बालकका अपहरण नहीं किया है। उसका हरण तो शङ्खरूपधारी असुर पञ्चजनने किया है। वह बलिष्ठ दैत्यराज सदा मेरे उदरमें निवास करता है। देव! वह देवताओंके लिये भी भयकारक है, अत: आपको उसे जीत लेना चाहिये॥ १८-१९॥

नारदजी कहते हैं—समुद्रके यों कहनेपर भगवान् श्रीकृष्णने अपनी कमरमें दृढ़तापूर्वक वस्त्र बाँध लिया और वे भयंकर शब्द करनेवाले उस समुद्रमें बड़े वेगसे कूद पड़े। विदेहराज! त्रिलोकीका भार धारण करनेवाले श्रीकृष्णके कूदनेसे वह समुद्र इस प्रकार अत्यन्त काँपने लगा, मानो वज्रकूट गिरिके द्वारा उसे मथ डाला गया हो। तब वीर पञ्चजन दैत्य युद्ध करनेके लिये सहसा श्रीकृष्णके सामने आया। उसने माधवपर अपना शूल चला दिया, किंतु उस शूलको हाथमें लेकर श्रीकृष्णने उसीके द्वारा उसपर आघात

किया। उस आघातसे मूर्च्छित हो वह समुद्रमें गिर पड़ा। फिर सहसा उठकर कुछ व्याकुलचित्त हुए पञ्चजनने देवेश्वर श्रीहरिको इस प्रकार अपने मस्तकसे मारा, मानो किसी सर्पने पक्षिराज गरुडपर अपने फनसे प्रहार किया हो। तब साक्षात् परिपूर्णतम भगवान् श्रीहरिने कुपित होकर बड़े वेगसे उसके मस्तकपर मुक्का मारा। श्रीकृष्णके मुक्केकी मारसे तत्काल उसके प्राणपखेरू उड़ गये। विदेहराज! उसके शरीरसे निकली हुई ज्योति घनश्याम श्रीकृष्णमें लीन हो गयी। इस प्रकार पञ्चजनको मारकर और उसके शरीरसे उत्पन्न शङ्खको साथ ले, वे श्रीकृष्ण सहसा महासागरसे निकले और रथपर आ बैठे॥२०—२७॥

तदनन्तर मनोहर बलराम और श्रीकृष्ण वायुके समान वेगशाली रथके द्वारा यमराजकी विशाल पुरी संयमनीमें गये। वहाँ उन्होंने मेघ-गर्जनाके समान भयंकर लोक-प्रचण्ड पाञ्चजन्यकी ध्वनि सब ओर फैला दी। उसे सुनकर सभासदोंसहित यमराज काँप उठे। यमपुरीके चौरासी लाख नरकोंमें पड़े हुए पापियोंमेंसे जिन-जिनके कानोंमें वह ध्वनि पड़ी, वे सब-के-सब मोक्ष पा गये। यमराज उसी क्षण पूजा और उपहारकी सामग्री लेकर श्रीकृष्ण-बलरामके चरणप्रान्तमें आ गिरे। वे उनके तेजसे पराभूत हो गये थे, अतः हाथ जोड़कर बोले॥ २८—३१॥

यमराजने कहा—हे हरे! हे कृपासिन्धो! हे महाबली बलराम! आप दोनों असंख्य ब्रह्माण्डोंके अधिपति तथा परिपूर्णतम परमेश्वर हैं। आप दोनों देवता पुराण-पुरुष, सबसे महान्, सर्वेश्वर तथा सम्पूर्ण जगत्के लोगोंके अधीश्वर हैं। आज भी आप दोनों सबके ऊपर विराजमान हैं। परमेश्वरो! आप अपनी वाणीद्वारा हमें आज्ञा दें कि हमें क्या सेवा करनी है[१]॥३२-३३॥

श्रीभगवान् बोले—महामते लोकपाल यम! मेरे गुरुपुत्रको ले आओ और मेरी वाणीका आदर करते हुए कहीं भी न्यायोचित रीतिसे राज्य करो॥३४॥

नारदजी कहते हैं—राजन्! उसी समय यमराजने गुरुपुत्रको ले आकर श्रीकृष्णके हाथमें सौंप दिया। फिर साक्षात् श्रीहरि उसे लेकर अवन्तिकापुरीमें आये और उन्होंने श्रीगुरुको उनका वह शिशुपुत्र समर्पित कर दिया। फिर गुरुके आशीर्वादसे सम्भावित हो, उन दोनों भाइयोंने हाथ जोड़कर उन्हें प्रणाम किया और वे रथपर चढ़कर मथुरापुरीमें आ गये। वहाँ यदुवंशियोंने उनका बड़ा सम्मान किया॥३५-३६॥

एक दिन समस्त कारणोंके भी कारण श्रीकृष्ण अपने भक्त पाण्डवोंका स्मरण करते हुए बलरामजीके साथ अक्रूरके घर गये। नरेश्वर! अक्रूर सहसा उठकर खड़े हो गये और बड़ी प्रसन्नताके साथ उन्हें हृदयसे लगाकर, षोडश उपचारोंद्वारा उनका पूजन करके हाथ जोड़ सामने खड़े हो गये। उनका मनोरथ पूर्ण हो चुका था। उन्होंने प्रेमानन्दके आँसू बहाते हुए उनसे कहा॥ ३७—३९॥

अक्रूर बोले—प्रभुओ! जिन्होंने मार्गमें, मैंने जो कुछ कहा या सोचा था, वह सब पूर्ण कर दिया, उन्हीं आप दोनों—बलराम और श्रीकृष्णको मेरा नित्य बारंबार नमस्कार है। आप दोनों समस्त लोकोंमें सर्वाधिक सुन्दर हैं। जन-भूषणोंमें भी उत्तम हैं। सम्पूर्ण जगत्को बाहर और भीतरसे भी प्रकाशित करनेवाले हैं। इस समय गौ, ब्राह्मण, साधु, वेद, धर्म तथा देवताओंकी रक्षाके लिये आप दोनों यदुकुलमें अवतीर्ण हुए हैं। परिपूर्ण तेजस्वी आप दोनों परमेश्वर कंसादि दैत्योंका विनाश करनेके लिये गोलोकधामसे भारतवर्षके भूमण्डलमें पधारे हैं। मैं नित्य-निरन्तर आप दोनोंको प्रणाम करता हूँ[२]॥ ४०—४२॥

---

१. हे हरे हे कृपासिन्धो राम राम महाबल। असंख्यब्रह्माण्डपती परिपूर्णतमौ युवाम्॥
देवौ पुराणौ पुरुषौ महान्तौ सर्वेश्वरौ सर्वजगज्जनेशौ। अद्यैव सर्वोपरिवर्तमानौ गिरा निजाज्ञां वदतं परेशौ॥
(गर्ग० मथुरा० ९। ३२-३३)

२. युवाभ्यां रामकृष्णाभ्यां ताभ्यां नित्यं नमो नमः। याभ्यां मार्गे यदुक्तं मे पूर्णं तच्च कृतं प्रभू॥
लोकाभिरामौ जनभूषणोत्तमौ चान्तर्बहिः सर्वजगत्प्रदीपकौ। गोविप्रसाधुश्रुतिधर्मदेवतारक्षार्थमद्यैव यदोः कुले गतौ॥
कंसादिदैत्येन्द्रविनाशहेतवे गोलोकलोकात् परिपूर्ण तेजसौ। समागतौ भारतभूमिमण्डले युवां परेशौ सततं नतोऽस्म्यहम्॥
(गर्ग०, मथुरा० ९। ४०—४२)

श्रीभगवान् बोले—आप हमारे बड़े-बूढ़े गुरुजन और धैर्यवान् हैं। मैं आपके आगे बालक हूँ। महामते! संत पुरुष कभी अपनी बड़ाई नहीं करते। दानपते! पाण्डवोंका कुशल-समाचार जाननेके लिये आप शीघ्र हस्तिनापुर जाइये और वहाँ उन सबसे मिल-जुलकर लौट आइये॥ ४३-४४॥

नारदजी कहते हैं—राजन्! उस समय अक्रूरसे यों कहकर समस्त कार्योंका सम्पादन करनेवाले भक्तवत्सल भगवान् श्रीकृष्ण बलरामजीके साथ वसुदेवजीके भवनमें लौट आये। उधर अक्रूर कौरवेन्द्रपुरी हस्तिनापुरमें जाकर पाण्डवोंसे मिले और पुनः वहाँसे लौटकर उन्होंने श्रीकृष्णसे सारा समाचार कह सुनाया॥ ४५-४६॥

अक्रूरने कहा—भगवन्! पाण्डव लोग कौरवोंके दिये हुए दुःख भोग रहे हैं। आप दोनोंके सिवा दूसरा कोई भी उनकी सहायता करनेवाला नहीं है। पाण्डुके मर जानेपर पृथाके सभी पुत्र आप दोनोंके चरणारविन्दोंमें ही चित्त लगाये बैठे हैं॥ ४७॥

नारदजी कहते हैं—राजन्! अक्रूरजीके मुखसे यह समाचार सुनकर भगवान् श्रीकृष्णने कौरवोंका आधा राज्य बलपूर्वक पाण्डवोंको दे दिया। तदनन्तर अपनी कही हुई बातको याद करके भगवान् श्रीकृष्ण उद्धवको साथ ले कुब्जाके महामङ्गलसंयुक्त भवनमें गये। श्रीहरिको आया देख परमरूपवती कुब्जाने तुरंत ही भक्तिभावसे पाद्य आदि उपचार समर्पित करके अपने प्राणवल्लभका पूजन किया। कुब्जाके उत्तम भवनकी दीवारोंमें सोने और रत्न जड़े गये थे। उस रूपवती रमणीके साथ श्रीहरि उसी प्रकार शोभित हुए, जैसे वैकुण्ठधाममें रमाके साथ रमापति विष्णु शोभा पाते हैं। राजन्! साक्षात् परिपूर्णतम भगवान् श्रीकृष्ण स्वयं जिस सैरन्ध्रीके पति हो गये, उसका महान् तप कैसा आश्चर्यजनक है। विदेहराज! वहाँ लीलासे मानव-शरीर धारण करनेवाले भगवान् श्रीहरि आठ दिनोंतक टिके रहकर नवें दिन वसुदेवजीके भवनमें लौट आये। विदेहनरेश! मथुरामें इस प्रकार जो श्रीकृष्णका चरित्र है, वह समस्त पापोंको हर लेनेवाला, पुण्यदायक तथा आयुकी वृद्धिका उत्तम साधन है। वह मनुष्योंको चारों पदार्थ देनेवाला तथा श्रीकृष्णको भी वशमें कर लेनेवाला है। तुमने जो कुछ पूछा था, वह सब मैंने तुमसे कह सुनाया। अब और क्या सुनना चाहते हो?॥ ४८—५५॥

इस प्रकार श्रीगर्गसंहितामें श्रीमथुराखण्डके अन्तर्गत नारद-बहुलाश्व-संवादमें 'यदुसौख्य' नामक नवाँ अध्याय पूरा हुआ॥ ९॥

दसवाँ अध्याय

धोबी, दर्जी और सुदामा मालीके पूर्वजन्मका परिचय

बहुलाश्वने पूछा—देवर्षे! आपके मुखसे मैंने भगवान् श्रीकृष्णके पावन चरित्रका श्रवण किया, किंतु पुनः अधिकाधिक सुननेकी इच्छा हो रही है। जैसे प्यासा प्राणी जलकी इच्छा करता है, उसी तरह मेरा मन आज श्रीकृष्ण-चरित्रको सुनना चाहता है। आपने कंसके जन्म-कर्मोंका वर्णन किया और मैंने सुना। केशी आदि बड़े-बड़े दैत्योंके पूर्वजन्मकी बातें भी मैंने सुनीं। अब यह जानना चाहता हूँ कि अहो! जिसकी महती ज्योति श्रीकृष्णमें लीन हुई, वह धोबी पूर्वजन्ममें कौन था? और श्रीहरिने उसका वध क्यों किया?॥ १—३॥

नारदजीने कहा—विदेहराज! त्रेतायुगकी बात है, अयोध्यापुरीमें श्रीरामचन्द्रजी राज्य करते थे। उनके राज्यकालमें प्रजाकी मनोवृत्ति एवं दुःख-सुख जाननेके लिये गुप्तचर घूमा करते थे। एक दिन उन गुप्तचरोंके सुनते हुए किसी धोबीने अपनी भार्यासे कहा—'तू दुष्टा है और दूसरेके घरमें रहकर आयी है; इसलिये अब तुझे मैं नहीं रखूँगा। स्त्रीके लोभी राजा राम भले

ही सीताको रख लें, किंतु मैं तुझे नहीं स्वीकार करूँगा।' इस प्रकार बहुत-से लोगोंके मुखसे आक्षेपयुक्त बात सुनकर श्रीराघवेन्द्रने लोकापवादके भयसे सहसा सीताको वनमें त्याग दिया। रघुकुल-तिलक श्रीरामने उस धोबीको दण्ड देनेकी इच्छा नहीं की। वही द्वापरके अन्तमें मथुरापुरीमें फिर धोबी ही हुआ। उसने सीताके प्रति जो कुवाच्य कहा था, उस दोषकी शान्तिके लिये श्रीहरिने स्वयं ही उसका वध किया, तथापि उन श्रीकरुणानिधिने उस धोबीको मोक्ष प्रदान किया। राजन्! दयालु श्रीकृष्णचन्द्रका यह परम अद्भुत चरित्र मैंने तुमसे कहा। अब पुनः क्या सुनना चाहते हो?॥ ४—९॥

बहुलाश्वने पूछा—मुनिश्रेष्ठ! पूर्वजन्ममें वह दर्जी कौन था, जिसे भगवान् श्रीकृष्णने अपना सारूप्य प्रदान किया?॥ १०॥

श्रीनारदजीने कहा—राजन्! पहले मिथिला-पुरीमें एक दर्जी था, जो भगवान् श्रीहरिके प्रति भक्तिभाव रखता था। उसने श्रीरामके विवाहके समय राजा सीरध्वज जनककी आज्ञासे श्रीराम और लक्ष्मणके दूलह-वेषके लिये महीन डोरोंसे कपड़े सीये थे। वह वस्त्र सीनेकी कलामें अत्यन्त कुशल था। राजन्! करोड़ों कामदेवोंके समान लावण्यवाले सुन्दर श्रीराम और लक्ष्मणको देखकर वह महामनस्वी दर्जी मोहित हो गया था। उसने मन-ही-मन यह इच्छा की कि मैं कभी अपने हाथोंसे इनके अङ्गोंमें वस्त्र पहिनाऊँ। श्रीरघुनाथजी सर्वज्ञ हैं। उन्होंने मन-ही-मन उसे वर दे दिया कि 'द्वापरके अन्तमें भारतीय व्रज-मण्डलमें तुम्हारा मनोरथ पूर्ण होगा।' श्रीरामचन्द्रजीके वरदानसे वही यह दर्जी मथुरामें प्रकट हुआ था, जिसने उन दोनों बन्धुओंकी वेष-रचना करके उनका सारूप्य प्राप्त कर लिया॥ ११—१६॥

बहुलाश्वने पूछा—ब्रह्मन्! सुदामा मालीने, जिसके घरमें परम मनोहर बलराम और श्रीकृष्ण स्वयं पधारे थे, कौन-सा पुण्य किया था? बताइये॥ १७॥

नारदजीने कहा—राजन्! राजराज कुबेरका एक परम रमणीय सुन्दर वन है, जो चैत्ररथ-वनके नामसे प्रसिद्ध है। उसमें फूल लगानेवाला एक माली था, जो हेममालीके नामसे पुकारा जाता था। वह भगवान् विष्णुके भजनमें तत्पर, शान्त, दानशील तथा महान् सत्सङ्गी था। उसने भगवान् श्रीकृष्णकी प्राप्तिके लिये देवताओंकी पूजा की। पाँच हजार वर्षोंतक प्रतिदिन तीन सौ कमल-पुष्प लेकर वह भगवान् शंकरके आगे रखता और उन्हें प्रणाम करता था। एक समय करुणानिधि त्रिनेत्रधारी भगवान् शंकर उसके ऊपर अत्यन्त प्रसन्न हो बोले—'परम बुद्धिमान् मालाकार! तुम इच्छानुसार वर माँगो।' तब हेम-मालीने हाथ जोड़कर महादेवजीको नमस्कार किया और परिक्रमा करके उनके सामने खड़ा हो मस्तक झुकाकर कहा॥ १८—२२॥

हेममाली बोला—भगवन्! परिपूर्णतम प्रभु श्रीकृष्ण कभी मेरे घर पधारें और मैं इन नेत्रोंसे उनका प्रत्यक्ष दर्शन करूँ—ऐसी मेरी इच्छा है। आपके वरदानसे मेरी यह अभिलाषा पूर्ण हो॥ २३॥

श्रीमहादेवजीने कहा—महामते! द्वापरके अन्तमें भारतवर्षकी मथुरापुरीमें तुम्हारा यह मनोरथ सफल होगा, इसमें संशय नहीं है॥ २४॥

नारदजी कहते हैं—राजन्! महादेवजीके वरदानसे वह महामना हेममाली ही द्वापरके अन्तमें सुदामा माली हुआ था। इसीलिये साक्षात् बलराम और श्रीकृष्ण भगवान् शिवकी वाणी सत्य करनेके लिये उसके घर पधारे थे। अब और क्या सुनना चाहते हो?॥ २५-२६॥

इस प्रकार श्रीगर्गसंहितामें श्रीमथुराखण्डके अन्तर्गत नारद-बहुलाश्व-संवादमें 'धोबी, दर्जी और सुदामा मालीका उपाख्यान' नामक दसवाँ अध्याय पूरा हुआ॥ १०॥

ग्यारहवाँ अध्याय

कुब्जा और कुवलयापीडके पूर्वजन्मगत वृत्तान्तका वर्णन

श्रीबहुलाश्वने पूछा—देवर्षे! सैरन्ध्रीने पूर्व-कालमें कौन-सा परम दुष्कर तप किया था, जिससे देवताओंके लिये भी अत्यन्त दुर्लभ भगवान् श्रीकृष्ण उसपर रीझ गये?॥ १॥

नारदजीने कहा—राजन्! करोड़ों कामदेवोंके समान सुन्दर श्रीरामचन्द्रजी जब पञ्चवटीमें रहते थे, उस समय शूर्पणखा नामक राक्षसी उन्हें देखकर अत्यन्त मोहित हो गयी। 'श्रीरघुनाथजी एकपत्नीव्रतके पालनमें तत्पर हैं, अतः इनके मनमें दूसरी किसी स्त्रीके प्रति मोह नहीं है'—यह विचारकर रावणकी बहिन क्रोधसे सीताको खा जानेके लिये दौड़ी। उस समय श्रीरामके छोटे भाई लक्ष्मणने रुष्ट होकर तीखी धार-वाली तलवारसे तत्काल उसकी नाक और कान काट लिये। नाक कट जानेपर उसने लङ्कामें जाकर रावणको यह सब समाचार बता दिया और स्वयं अत्यन्त खिन्न-चित्त होकर वह पुष्कर-तीर्थमें चली गयी। वहाँ जलमें खड़ी हो भगवान् शंकरका ध्यान तथा श्रीरामको पति-रूपमें पानेकी कामना करती हुई शूर्पणखाने दस हजार वर्षोंतक तपस्या की। इससे प्रसन्न हो देवाधिदेव भगवान् उमापति पुष्कर-तीर्थमें आकर बोले—'तुम वर माँगो'॥ २—७॥

शूर्पणखाने कहा—परम देवदेव! आप समस्त कामनाओंको पूर्ण करनेमें समर्थ हैं; अतः मुझे यह वर दीजिये कि सत्पुरुषोंके प्रिय श्रीरामचन्द्रजी मेरे पति हों॥ ८॥

शिवने कहा—राक्षसी! सुनो। यह वर तुम्हारे लिये अभी सफल नहीं होगा। द्वापरके अन्तमें मथुरा-पुरीमें तुम्हारी यह कामना पूरी होगी, इसमें संशय नहीं है॥ ९॥

नारदजी कहते हैं—राजन्! महामते! वही इच्छानुसार रूप धारण करनेवाली शूर्पणखा नामक राक्षसी श्रीमथुरापुरीमें 'कुब्जा' नामसे प्रसिद्ध हुई थी। महादेवजीके वरसे ही वह श्रीकृष्णकी प्रिया हुई। यह प्रसङ्ग मैंने तुम्हें बताया। अब और क्या सुनना चाहते हो?॥ १०-११॥

बहुलाश्व बोले—नारदजी! यह कुवलयापीड पूर्वजन्ममें कौन था? कैसे हाथीकी योनिको प्राप्त हुआ? और किस पुण्यसे भगवान् श्रीकृष्णमें लीन हुआ?॥ १२॥

नारदजीने कहा—राजा बलिके एक विशालकाय एवं बलवान् पुत्र था, जिसका नाम था—मन्दगति। वह समस्त शस्त्रधारियोंमें श्रेष्ठ तथा एक लाख हाथियोंके समान बलशाली था। एक समय श्रीरङ्गनाथकी यात्रा-के लिये वह घरसे निकला और जन-समुदायमें सम्मिलित हो गया। मन्दगति मतवाले हाथीके समान वेगसे भुजाएँ हिलाहिलाकर लोगोंको कुचलता जा रहा था। रास्तेमें उसकी भुजाओंके वेगसे बूढ़े त्रित मुनि गिर पड़े। उन्होंने कुपित होकर उस मतवाले बलिष्ठ बलिकुमारको शाप दे दिया॥ १३—१५॥

त्रितने कहा—'दुर्मते! तू हाथीके समान मदोन्मत्त होकर रङ्ग-यात्रामें लोगोंको कुचलता जा रहा है, अतः हाथी हो जा।' इस प्रकार शाप मिलनेपर वह बलवान् दैत्य मन्दगति तत्काल तेजोभ्रष्ट हो गया और उसका शरीर केंचुलकी भाँति छूटकर नीचे जा गिरा। मुनिके प्रभावको जाननेवाले उस दैत्यने तुरंत ही हाथ जोड़ प्रणाम और परिक्रमा करके त्रित मुनिसे कहा॥ १६—१८॥

मन्दगति बोला—हे मुने! कृपासिन्धो! आप द्विजोंमें श्रेष्ठ योगीन्द्र हैं। इस गज-योनिसे मुझे कब छुटकारा मिलेगा, यह मुझे शीघ्र बताइये। मुने! आजसे आप-जैसे महात्माओंकी अवहेलना मेरे द्वारा कभी नहीं होगी। ब्रह्मन्! आप-जैसे मुनि वर और शाप—दोनोंको देनेमें समर्थ हैं॥ १९-२०॥

नारदजी कहते हैं—राजन्! उस दैत्यद्वारा इस प्रकार प्रसन्न किये जानेपर महामुनि त्रितका क्रोध दूर हो गया। फिर उन कृपालु ब्राह्मण-शिरोमणिने उस

दैत्यसे कहा॥ २१॥

त्रित बोले—दैत्यराज! मेरी बात झूठी नहीं हो सकती, तथापि तुम्हारी भक्तिसे मैं अत्यन्त प्रसन्न हूँ। इसलिये तुम्हें ऐसा दिव्य वर प्रदान करूँगा, जो देवताओंके लिये भी दुर्लभ है। दैत्येन्द्र! शोक न करो। श्रीहरिकी नगरी मथुरामें श्रीकृष्णके हाथसे तुम्हारी मुक्ति होगी, इसमें संशय नहीं है॥ २२-२३॥

नारदजी कहते हैं—राजन्! वही यह मन्दगति दैत्य विन्ध्यपर्वतपर कुवलयापीड नामसे विख्यात हाथी हुआ, जो बलमें अकेला ही दस हजार हाथियोंके समान था। उसे मगधराज जरासंधने लाख हाथियोंके द्वारा वनमें पकड़ा। विदेहराज! फिर उसने कंसको दहेजमें वह हाथी दे दिया। त्रित मुनिके कथनानुसार उसका तेज श्रीकृष्णमें लीन हुआ। यह प्रसङ्ग मैंने तुमसे कहा, अब और क्या सुनना चाहते हो?॥ २४—२६॥

इस प्रकार श्रीगर्गसंहितामें श्रीमथुराखण्डके अन्तर्गत नारद-बहुलाश्व-संवादमें 'कुब्जा और कुवलयापीडके पूर्वजन्मका वर्णन' नामक ग्यारहवाँ अध्याय पूरा हुआ॥ ११॥

बारहवाँ अध्याय

चाणूर आदि मल्ल, कंसके छोटे भाइयों तथा पञ्चजन दैत्यके पूर्वजन्मगत वृत्तान्तका वर्णन

बहुलाश्व बोले—चाणूर आदि जो मल्ल थे, वे पूर्वजन्ममें कौन थे, जो यहाँ मथुरापुरीमें आये थे? अहो! उनका कैसा सौभाग्य है कि साक्षात् श्रीकृष्ण-चन्द्रके साथ उन्हें युद्धका अवसर मिला॥ १॥

नारदजीने कहा—राजन्! पूर्वकालमें अमरावतीपुरीमें उतथ्य नामसे प्रसिद्ध महामुनि निवास करते थे। उनके पाँच पुत्र हुए, जो कामदेवके समान कान्तिमान् थे। उन लोगोंने विद्या, स्वाध्याय और जप छोड़कर मदसे उन्मत्त हो राजा बलिके यहाँ जाकर प्रतिदिन मल्लयुद्धकी शिक्षा लेनी आरम्भ की। अपने पुत्रोंको ब्राह्मणोचित कर्मसे सर्वथा भ्रष्ट, वेदाध्ययनसे रहित तथा मदमत्त हुआ देख मुनिश्रेष्ठ उतथ्यने रोषपूर्वक उनसे कहा॥ २—४॥

उतथ्य बोले—शम, दम, तप, शौच, क्षमा, सरलता, ज्ञान, विज्ञान तथा आस्तिकता—ये ब्राह्मण-के स्वाभाविक कर्म हैं। शौर्य, तेज, धैर्य, दक्षता, युद्धभूमिमें पीठ न दिखाना, दान तथा ऐश्वर्य—ये क्षत्रियके स्वाभाविक कर्म हैं। कृषि, गोरक्षा और वाणिज्य—ये वैश्यके स्वभावजकर्म हैं तथा सेवात्मक कर्म शूद्रके लिये भी स्वाभाविक है। दुर्जनो! तुमलोग ब्राह्मणके पुत्र होकर भी ब्राह्मणोचित कर्मसे दूर रहकर क्षत्रियोचित मल्लयुद्धका कार्य कैसे करते हो? अत: तुमलोग भारतभूमिपर मल्ल हो जाओ और असुरोंके सङ्गसे शीघ्र ही दुर्जन बन जाओ॥ ५—९॥

नारदजी कहते हैं—राजन्! वे उतथ्यके पुत्र ही पृथ्वीपर मल्लोंके रूपमें उत्पन्न हुए। नरेश्वर! उन्होंने श्रीकृष्णके शरीरका स्पर्श करनेमात्रसे परम मोक्ष प्राप्त कर लिया। इस प्रकार मैंने चाणूर, मुष्टिक, कूट, शल और तोशल—इन मल्लोंके पूर्वचरित्रका वर्णन किया, अब और क्या सुनना चाहते हो?॥ १०-११॥

बहुलाश्वने पूछा—मुने! कंसके छोटे भाई जो कङ्क, न्यग्रोध आदि आठ योद्धा थे, वे सब पूर्वजन्ममें कौन थे? जो कि परम मोक्षको प्राप्त हुए, यह बताइये!॥ १२॥

नारदजीने कहा—राजन्! पूर्वकालकी बात है, कुबेरकी राजधानी अलकामें 'देवयक्ष' नामसे प्रसिद्ध एक यक्ष रहता था। वह ज्ञानी, ज्ञानपरायण, शिव-भक्तिसे सम्मानित तथा महातेजस्वी था। उसके आठ पुत्र हुए, जिनके नाम इस प्रकार हैं—देवकूट, महागिरि, गण्ड, दण्ड, प्रचण्ड, खण्ड, अखण्ड और पृथु। एक दिन शिवपूजाके निमित्त अरुणोदयकी वेलामें एक सहस्र पुण्डरीक-पुष्प लानेके लिये

देवयक्षकी आज्ञा पाकर वे सब गये। उन्होंने भ्रमरोंके गुञ्जारवसे युक्त सहस्र कमल-पुष्प मानसरोवरसे लाकर, उनकी गन्धको लोभसे सूँघकर पिताको अर्पित किये। फूलोंको उच्छिष्ट करनेके दोषसे शिवपूजासे तिरस्कृत हुए वे मूढ़ यक्ष तीन जन्मोंके लिये असुरयोनिको प्राप्त हुए। मिथिलेश्वर! विदेहराज! बलदेवजीके कल्याणकारी हाथोंसे मारे जाकर वे दोष-से मुक्त हो गये और परम मोक्षको प्राप्त हुए। नरेश्वर! कंसके छोटे भाइयोंके पूर्वजन्मका यह वृत्तान्त मैंने कहा, तुम और क्या सुनना चाहते हो?॥ १३—१९॥

बहुलाश्वने पूछा—ब्रह्मन्! यह शङ्खरूपधारी दैत्य पञ्चजन पूर्वजन्ममें कौन था, जिसकी अस्थियों-का शङ्ख भगवान् श्रीकृष्णके करकमलमें सुशोभित हुआ?॥ २०॥

नारदजी कहते हैं—विदेहराज! पूर्वकालसे ही ये चक्र आदि त्रिलोकीनाथ श्रीहरिके उपाङ्ग रहे हैं। वे सब-के-सब उनके तेजसे संगृहीत हुए थे। राजन्! उनमेंसे पाञ्चजन्य शङ्खको बड़ी ऊँची पदवी प्राप्त हुई। वह श्रीकृष्णके मुँहसे लगकर उनके अधरामृतका पान किया करता था॥ २१-२२॥

एक दिन शङ्खराजने मन-ही-मन मानका अनुभव किया और इस प्रकार कहा—'मेरी कान्ति राजहंसके समान श्वेत है। मुझे साक्षात् श्रीहरिने अपने हाथोंसे गृहीत किया है। मैं दक्षिणावर्त शङ्ख हूँ और युद्धमें विजय प्राप्त होनेपर श्रीकृष्ण मुझे बजाया करते हैं। भगवान् श्रीकृष्णका जो अधरामृत क्षीरसागर-कन्या लक्ष्मीके लिये भी दुर्लभ है, उसे मैं दिन-रात पीता रहता हूँ, अतः मैं सबसे श्रेष्ठ हूँ।' विदेहराज! इस प्रकार मान प्रकट करते हुए पाञ्चजन्य शङ्खको लक्ष्मीने क्रोधपूर्वक शाप दिया—'दुर्मते! तू दैत्य हो जा।' वही शङ्खराज समुद्रमें यह पञ्चजन नामक दैत्य हुआ था, जो वैरभावसे भजनके कारण पुनः देवेश्वर श्रीहरि-को प्राप्त हुआ। उसकी ज्योति देवेश्वर श्रीकृष्णमें लीन हो गयी और अब वह उन्हींके हाथमें शोभा पाता है। उस शङ्खराजका सौभाग्य अद्भुत है, अब तुम और क्या सुनना चाहते हो?॥ २३—२७॥

इस प्रकार श्रीगर्गसंहितामें श्रीमथुराखण्डके अन्तर्गत श्रीनारद-बहुलाश्व-संवादमें 'चाणूर आदि मल्लों, कंसके भाइयों तथा पञ्चजन दैत्यके पूर्वजन्मका उपाख्यान' नामक बारहवाँ अध्याय पूरा हुआ॥ १२॥

तेरहवाँ अध्याय

श्रीकृष्णकी आज्ञासे उद्धवका व्रजमें जाना और श्रीदामा आदि सखाओंका उनसे श्रीकृष्ण-विरहके दुःखका निवेदन

बहुलाश्वने पूछा—मुनिश्रेष्ठ! अपने कुटुम्बीजनों तथा जाति-भाइयोंको मथुरापुरीमें निवास देकर यदु-कुल-तिलक श्रीकृष्णने आगे चलकर कौन-कौन-सा कार्य किया?॥ १॥

नारदजीने कहा—राजन्! साक्षात् परिपूर्णतम भगवान् भक्तवत्सल श्रीकृष्णने गोपी और गोपगणोंसे भरे हुए दीन-दुःखी गोकुलका स्मरण किया। अतः एक दिन एकान्तमें अपने सखा भक्त उद्धवको बुलाकर भगवान्ने प्रेमगद्गद वाणीमें कहा॥ २-३॥

श्रीभगवान् बोले—हे सखे! लता-कुञ्जोंके समुदाय आदिसे अलंकृत सुन्दर व्रजमण्डलमें शीघ्र ही जाओ। गोवर्धन और यमुनाकी शोभासे मनोहर वृन्दावनमें तथा गोप-गोपियोंसे भरे हुए गोकुलमें भी पधारो। मित्र! मेरा एक पत्र तो नन्दबाबाको देना और दूसरा यशोदा मैयाके हाथमें देना। सखे! तीसरा पत्र श्रीराधिकाको उनके सुन्दर मन्दिरमें जाकर देना और चौथा मेरे सखा ग्वालबालोंको मेरा शुभ कुशल-समाचार निवेदन करते हुए देना। इसी प्रकार अत्यन्त मोहित हुई गोपाङ्गनाओंके सैकड़ों यूथोंको पृथक्-पृथक् पत्र देने हैं। मेरे पिता नन्दराज बड़े दयालु हैं। उनका मन मुझमें ही लगा रहता है और मेरी मैया यशोदा शीघ्र ही अपने पास बुलानेके लिये मेरा स्मरण

करती हैं। तुम तो नीतिशास्त्रके विद्वान् हो; सुन्दर-सुन्दर बातें सुनाकर उन दोनोंके हृदयमें मेरी परम प्रीति धारण कराना। मेरी प्राणवल्लभा राधिका मेरे वियोगसे आतुर है और मेरे बिना मोहवश सारे जगत्को सूना समझती है। उन सबको मेरे वियोगके कारण जो मानसिक व्यथा हो रही है, उसे मेरे संदेश-वचनोंद्वारा शान्त करो; क्योंकि तुम बातचीत करनेमें बड़े कुशल हो। सुदामा आदि ग्वाल-बाल मेरे प्रिय सखा हैं। मुझ अपने मित्रके बिना वे भी मोहसे आतुर हैं, तुम उन्हें भी मित्रकी तरह सुख देना। मैं थोड़े ही समयमें श्रीव्रज-धाममें आऊँगा। गोपाङ्गनाएँ मेरे वियोगकी व्यथाके वेगसे व्याकुल हैं। उनका मन मुझमें ही लगा हुआ है। उनके शरीर और प्राण भी मुझमें ही स्थित हैं। मन्त्रि-प्रवर! जिन्होंने मेरे लिये अपने लोक-परलोक सब त्याग दिये हैं, उन अबलाओंका भरण-पोषण मैं स्वत: कैसे नहीं करूँगा। उद्धव! वे मेरे आते समय प्राण त्याग देनेको उद्यत थीं। वे आज भी बड़ी कठिनाईसे प्राण धारण करती हैं। मेरे वियोगसे उत्पन्न उनकी मानसिक व्यथाको तुम मेरे संदेश-वचनोंके द्वारा शान्त करो; क्योंकि वार्तालापकी कलामें तुम परम कुशल हो। सखे! मैं पहले जिस रथपर आरूढ़ होकर व्रजसे आया था, उसी रथको, उन्हीं घोड़ों, सारथि और बजती हुई घण्टिकाओंसे सुसज्जित करके अपने साथ ले जाओ। मेरे समान ही रूप बना लो। अभी पीताम्बर, वैजयन्ती माला, सहस्रदल कमल, दिव्य रत्नोंकी प्रभासे मण्डित कुण्डल तथा कोटि बालरवियोंके समान उद्दीप्त कौस्तुभमणि भी धारण कर लो। मेरी उच्चस्वरसे बजनेवाली मनोहर बाँसुरी तथा फूलोंसे सजी हुई जगन्मोहिनी यष्टि (छड़ी) भी ले लो। उद्धव! मेरे ही समान दिव्य सुगन्धसे आवृत सुन्दर चन्दन, मोरपंख और बजते हुए नूपुरोंसे युक्त नटवर-वेष धारण कर लो। इसी तरह मेरा ही मोरपंखका मुकुट तथा दोनों बाजूबंद धारण करके मेरे आदेशसे अभी यथासम्भव शीघ्र जाओ, जाओ॥ ४—१४॥

नारदजी कहते हैं—राजन्! श्रीकृष्णके यों कहनेपर उद्धवने शीघ्र ही हाथ जोड़कर उनको नमस्कार किया और उनकी परिक्रमा करके रथपर आरूढ़ हो वे व्रजकी ओर चल दिये, जहाँ कोटि-कोटि मनोहर गौएँ दिव्य भूषणोंसे विभूषित हो श्वेत पर्वतके समान दिखायी देती थीं। वे सब-की-सब दूध देनेवाली तरुणी (कलोर), सुशीला, सुरूपा और सद्गुणवती थीं। उनके साथ बछड़े भी थे। उनकी पूँछके बाल पीले थे। चलते समय उनकी मूर्तियाँ बड़ी भव्य दिखायी देती थीं। गलेके घंटों और पैरोंके मञ्जीरोंका झंकार होता रहता था। वे किङ्किणियों (क्षुद्र-घण्टिकाओं) के जालसे मण्डित थे। कितनी ही गौएँ सुवर्णके समान रंगवाली थीं। उनके सींगोंमें सोना मढ़ा गया था तथा नाना प्रकारके हारों और मालाओंसे अलंकृत हुई उन गौओंकी प्रभा सब ओर छिटक रही थी। कोई लाल, कोई हरी, कोई ताँबेके रंगवाली, कोई पीली, कोई श्यामा और कोई चितकबरी थी। उस व्रजमें धूम्रवर्ण और कोयलके-से काले रंगकी भी गौएँ दृष्टिगोचर होती थीं। तात्पर्य यह कि उस व्रजभूमिमें अनेकानेक रंगवाली गौएँ परिलक्षित होती थीं। वे समुद्रकी तरह अथाह दूध देनेवाली थीं। उनके अङ्गोंपर तरुणी स्त्रियोंके हाथोंके छापे लगे हुए थे। हिरनकी भाँति चौकड़ी भरनेवाले बछड़े उन सुन्दर गौओंकी शोभा बढ़ा रहे थे। उन गौओंके झुंडमें बड़े-बड़े साँड़ इधर-उधर चलते दिखायी देते थे, उनके कंधे और सींग बड़े-बड़े थे। वे सब-के-सब धर्मधुरंधर थे। गोपगण हाथोंमें बेंतकी छड़ी और बाँसुरी लिये हुए थे। उनकी अङ्गकान्ति श्याम दिखायी देती थी। वे कामदेवोंको भी मोहित करनेवाली रागोंमें श्रीकृष्ण-लीलाओंका उच्चस्वरसे गान कर रहे थे। उद्धवको दूरसे आते देख, उन्हें कृष्ण समझकर व्रजके बालक श्रीकृष्णदर्शनकी लालसासे परस्पर इस प्रकार कहने लगे॥ १५—२३॥

गोप बोले—मित्र! ये नन्दनन्दन आ रहे हैं, जो हमारे प्रिय सखा हैं; निस्संदेह वे ही हैं। मेघके समान श्यामकान्ति, शरीरपर पीताम्बर, गलेमें वैजयन्ती माला तथा कानोंमें रत्नमय कुण्डल इनकी शोभा बढ़ाते हैं। वक्ष:स्थलपर कौस्तुभमणि, हाथोंमें गोल-गोल कड़े शोभा दे रहे हैं। हाथमें सहस्रदल कमल धारण करके माथेपर वही मुकुट पहने हुए हैं,

जो करोड़ों मार्तण्डोंके तेजको तिरस्कृत कर देता है। वे ही घोड़े और वही किङ्किणीजालसे मण्डित रथ है। इस रथपर बलदेवजी नहीं हैं, अकेले नन्दनन्दन ही दिखायी देते हैं॥ २४—२६॥

नारदजी कहते हैं—विदेहराज! इस प्रकार बातें करते हुए श्रीदामा आदि गोपाल कृष्णकी ही आकृति धारण करनेवाले कृष्ण-सखा उद्धवके पास रथके चारों ओरसे आ गये। निकट आनेपर वे बोले—'श्रीकृष्ण तो नहीं हैं; किंतु साक्षात् उनके ही समान आकृतिवाला यह पुरुष कौन है?' इस तरह बोलते हुए उन गो-पालोंको नमस्कार करके उद्धवने उन सबको हृदयसे लगाया और अपने स्वामी श्यामसुन्दर-की चर्चा आरम्भ की॥ २७-२८॥

उद्धव बोले—श्रीदामन्! यह तुम्हारे सखा श्रीकृष्णका दिया हुआ पत्र है, इसमें संशय नहीं है; तुम इसे ग्रहण करो। ग्वाल-बालोंसहित तुम शोक न करो। साक्षात् श्रीहरि सकुशल हैं। वे भगवान् यादवों-का महान् कार्य सिद्ध करके बलरामजीके साथ थोड़े ही दिनोंमें यहाँ आयेंगे॥ २९-३०॥

नारदजी कहते हैं—राजन्! उनके हाथके दिये हुए पत्रको पढ़कर श्रीदामा आदि व्रजके बालक बहुत आँसू बहाते हुए गद्‌गद वाणीमें बोले॥ ३१॥

गोपोंने कहा—हे पथिक! निर्मोही नन्दनन्दन-में ही हमारा तन, वैभव, धन, बल और समस्त अन्तः-करण लगा हुआ है। श्रीकृष्णके बिना हमारा व्रज ही नहीं शून्य हुआ है, हमारे लिये सारा संसार सूना हो गया है। महामते! श्रीहरिके बिना उनके वियोगके दुःखसे हम व्रजवासियोंके लिये एक-एक क्षण युगके समान, एक-एक घड़ी मन्वन्तरके तुल्य, एक-एक प्रहर कल्पके समान तथा एक-एक दिन द्विपरार्धके सदृश हो गया है। उद्धव! हम दिन-रात उसे भुला नहीं पाते। हमारे जीवनमें वह कैसी दुष्ट घड़ी आयी थी, जिसमें श्यामसुन्दर यहाँसे चले गये। यद्यपि हम मित्रताके नाते सदा उनका अपराध करते रहे हैं, तथापि हम वनवासियोंके मनको उन्होंने सदाके लिये हर लिया॥ ३२—३४॥

इस प्रकार श्रीगर्गसंहितामें श्रीमथुराखण्डके अन्तर्गत नारद-बहुलाश्व-संवादमें 'उद्धवका आगमन' नामक तेरहवाँ अध्याय पूरा हुआ॥ १३॥

चौदहवाँ अध्याय

उद्धवका श्रीकृष्ण-सखाओंको आश्वासन; नन्द और यशोदासे बातचीत तथा उनकी प्रेम-लक्षणा-भक्तिसे चकित होकर उद्धवका उन्हें श्रीकृष्णके चरित्र सुनाना

श्रीनारदजी कहते हैं—राजन्! इस प्रकार प्रेमभरे गोपोंसे, जो श्रीकृष्णके विरहसे व्याकुल थे, प्रेमी भक्त उद्धवने विस्मयरहित होकर कहा॥ १॥

उद्धव बोले—व्रजवासियो! मैं श्रीकृष्णका दास हूँ—उनका प्रेमपात्र तथा एकान्त सेवक हूँ। श्रीहरिने बड़ी उतावलीके साथ आपलोगोंका कुशल-मङ्गल जाननेके लिये मुझे यहाँ भेजा है। यहाँसे मथुरापुरीको लौटकर श्रीहरिसे आपलोगोंकी विरह-वेदना निवेदित करके अपने नेत्रोंके जलसे उनके चरण पखारकर उन्हें प्रसन्न करूँगा और उन्हें साथ लेकर शीघ्र ही आपलोगोंके समीप आऊँगा—यह मेरी प्रतिज्ञा है, यह कभी झूठी नहीं होगी। गोपालगण! आपलोग प्रसन्न हों, शोक न करें। आप इस व्रजमें शीघ्र ही श्रीवल्लभ श्रीहरिका दर्शन करेंगे॥ २—५॥

नारदजी कहते हैं—राजन्! इस प्रकार ग्वालोंको आश्वासन दे, रथपर बैठे हुए यदुनन्दन उद्धव श्रीदामा आदि गोपोंके साथ हर्षसे भरकर नन्दगाँवमें प्रविष्ट हुए। उस समय सूर्य समुद्रमें डूब चुके थे। उद्धवका आगमन सुनकर परम बुद्धिमान् नन्दराजने शीघ्र आकर उन्हें प्रसन्नतापूर्वक हृदयसे लगाया और बड़े हर्षसे उनका पूजन—स्वागत-सत्कार किया। जब उद्धवजी भोजन करके शान्तभावसे शय्यापर आसीन हुए, तब

नन्दराजने भी शय्यापर स्थित हो गद्गद वाणीमें कहा॥ ६—८॥

नन्द बोले—महामते उद्धव! क्या मेरे मित्र वसुदेव मथुरापुरीमें अपने पुत्रोंके साथ सकुशल हैं? सखे! कंसके मर जानेपर यादव-शिरोमणियोंको इस भूतलपर परम सुख-सुविधाकी प्राप्ति हुई है। क्या कभी बलरामसहित माधव अपनी माता यशोदाको भी याद करते हैं? यहाँके ग्वाल, गोवर्धन पर्वत, गौओंके समुदाय और व्रज, वृन्दावन, यमुना-पुलिन अथवा यमुना नदीका भी कभी स्मरण करते हैं? हा दैव! अब मैं किस समय बिम्बफलके समान लाल ओठ-वाले अपने पुत्र कमल-नयन श्यामसुन्दरको बलराम और ग्वाल-बालोंके साथ बार-बार घरके आँगन और चबूतरोंपर लोटते देखूँगा? कुञ्ज, निकुञ्ज, महानदी यमुना, गिरिराज गोवर्धन, यह वृन्दावन तथा दूसरे-दूसरे वन, गृह, लता, वृक्ष और गौओंके समुदाय तथा इनके साथ ही यह सारा संसार मुकुन्दके बिना विषतुल्य प्रतीत हो रहा है। कमलदलके समान विशाल नेत्रवाले श्रीकृष्णके बिना मेरे जीवन, शयन और भोजनको भी धिक्कार है। इस भूतलपर चन्द्रमासे बिछुड़े हुए चकोरकी भाँति मैं उनके आगमनकी बहुत अधिक आशासे ही जीवन धारण कर रहा हूँ। महामते! मैं श्रीकृष्ण और बलरामको परात्पर परमेश्वर ही मानता हूँ। देवताओंके अत्यन्त प्रार्थना करनेपर वे पूर्णतम भगवान् भूमिका भार उतारनेके लिये स्वेच्छासे अवतीर्ण हुए हैं और अब संतोंकी रक्षामें तत्पर हैं॥ ९—१४॥

नारदजी कहते हैं—राजन्! परमेश्वर श्रीहरिका बार-बार स्मरण करके नवनन्दराज तकियेपर सिर रखकर चुप हो गये। उनका अङ्ग-अङ्ग उत्कण्ठाके कारण रोमाञ्चयुक्त और विह्वल हो रहा था। राजन्! उस समय श्रीकृष्णसखा उद्धवके देखते-देखते श्रीनन्दराजके नेत्र-कमलोंसे निकलती हुई अश्रुधारा बिस्तर और तकियेसहित शय्याको भिगोकर आँगनमें बह चली॥ १५-१६॥

मथुरापुरीसे उद्धवजीका आना सुनकर सती यशोदा तुरंत दरवाजेके किवाड़ोंके पास चली आयीं और अपने पुत्रकी चर्चा सुनने लगीं। उस समय स्नेहवश उनके स्तनोंसे दूध झरने लगा और नेत्र-कमलोंसे आँसुओंकी धारा बह चली। फिर वे लाज छोड़कर पुत्रस्नेहसे उद्धवके पास चली आयीं और सारा कुशल-मङ्गल स्वयं पूछने लगीं। नेत्रोंसे बहती हुई अश्रुधाराको आँचलसे पोंछकर, हरिकी भावनासे विह्वल नन्दजीकी उपस्थितिमें वे बोलीं॥ १७-१८॥

यशोदाने कहा—उद्धव! क्या कन्हैया कभी मुझको अथवा अपने बाबा नन्दराजको याद करता है? इनके भाई सन्नन्द उसे देखनेके लिये बहुत उत्सुक रहते हैं, क्या वह इनका भी स्मरण करता है? इस व्रजमें नौ नन्द, नौ उपनन्द और छः वृषभानु रहते हैं। क्या कन्हैया इन सबको याद करता है? जिनकी गोदीमें बैठकर उसने वन-वनमें बालकेलि की थी, जिनके साथ नन्दनन्दन सानन्द गेंद खेला करता था, उन अपने स्नेही गोपोंका वह कभी स्वतः स्मरण करता है? मुझे मेरे जीवनमें एक ही यह बेटा मिला था, मेरे बहुत-से पुत्र नहीं हैं; फिर भी वह एक ही पुत्र मुझ दीन-दुःखी माँको छोड़कर दूसरी दिशाको चला गया। महामते! स्नेह करनेवालोंके लिये कष्ट होना अनिवार्य है, यह कैसी आश्चर्यकी बात है। मानद! बताओ—मैं पुत्रके बिना क्या करूँ, कैसे जीवित रहूँ? 'मैया मुझे दही दे, या मुझे ताजा माखन दे'—इस प्रकार मधुर वाणीमें बोलकर वह घरमें सदा हठ किया करता था। वही कन्हैया अब दोपहरमें कैसे भोजन करता होगा? यह मेरा लाला कन्हैया व्रजवासियोंका जीवन है, व्रजका धन है, इस कुलका दीपक है तथा अपनी बाल-लीलासे सबके मनको मोह लेनेवाला है। उसके लालन-पालनमें मेरे इतने वर्षोंके दिन एक क्षणकी भाँति बीत गये। अहो! आज नन्दनन्दनके बिना वही दिन एक कल्पके समान भारी हो गया है। जिस कन्हैयाको ग्वाल-बालोंके साथ बछड़े चरानेके लिये मैं गाँवकी सीमापर और नदीके किनारे भी नहीं जाने देती थी, हाय! वही अब मथुरा चला गया! 'ओ मोहन!'—यों दूरसे पुकारकर जो उसे गोदमें लेते और लाड़-प्यार करते थे, वे ही नन्दराज उसके बिना खेद और विषादमें डूबे रहते हैं। अहो! एक दिन

दहीका भाँड़ फोड़ देनेपर मुझ निर्मोहिनीने उस बच्चेको रस्सीसे बाँध दिया था। आज वह करतूत याद करके मैं शोकमें डूब रही हूँ। यह आँगन, सारा सभामण्डप, मकान, सरोवर, गली, व्रज, महलोंकी छतें सब सूनी हो गयी हैं। मुकुन्दके बिना यह सारा जगत् विषके तुल्य प्रतीत होता है। कन्हैयाके बिना मेरे इस जीवनको धिक्कार है॥ १९—३०॥

नारदजी कहते हैं—राजन्! यशोदा और नन्दमें उच्चकोटिके प्रेमका लक्षण प्रकट हुआ देख उद्धव अत्यन्त आश्चर्यचकित हो गये। उनका अपना सारा ज्ञानाभिमान गल गया॥ ३१॥

उद्धव बोले—अहो! महाप्रभु नन्द और यशोदाजी! मेरे शरीरमें जितने रोम हैं, वे सब यदि जिह्वाएँ हो जायँ तो उन जिह्वाओंद्वारा भी मैं आप दोनोंकी महत्ताका वर्णन करनेमें समर्थ नहीं हूँ। आप दोनोंने साक्षात् परिपूर्णतम पुरुषोत्तम श्रीकृष्णके प्रति ऐसी प्रेमलक्षणा-भक्ति की है, जिसकी कहीं तुलना नहीं है। आप दोनोंको जो सनातन प्रेमलक्षणाभक्ति प्राप्त हुई है, वह तीर्थाटन, तपस्या, दान, सांख्य और योगसे भी सुलभ नहीं है। हे नन्द और हे व्रजेश्वरी यशोदे! आप दोनों शोक न करें। ये दो पत्र आपलोग शीघ्र ही अपने हाथमें लें। इन पत्रोंको निस्संदेह श्रीकृष्णने ही दिया है। अपने बड़े भाई बलरामजीके साथ नन्दनन्दन श्रीकृष्ण यदुपुरीमें कुशलपूर्वक हैं। यादवोंका महान् कार्य सिद्ध करके बलरामसहित श्रीभगवान् यहाँ भी थोड़े ही समयमें आयेंगे॥ ३२—३६॥

तुम नन्दनन्दन श्रीकृष्णको परिपूर्णतम परमात्मा समझो। वे कंस आदि दैत्योंका वध और भक्तोंकी रक्षा करनेके लिये ब्रह्माजीकी प्रार्थनासे आपके घरमें अवतीर्ण हुए हैं। बलरामसहित श्रीहरिने जन्मदिनसे ही अद्भुत लीला आरम्भ कर दी थी। पूतनाके प्राणोंका अपहरण, शकटका भञ्जन, तृणावर्तको मार गिराना, यमलार्जुन वृक्षोंको तोड़ गिराना और अपने मुखमें यशोदाजीको विश्वरूपका दर्शन कराना आदि उनकी अलौकिक लीलाएँ हैं। वृन्दावनमें बछड़े चराते हुए उन प्रभावशाली भगवान्ने गोपोंके देखते-देखते बकासुर और वत्सासुरका वध किया, अघासुरको मारा, धेनुकासुरको कुचल डाला, कालियनागको रौंद डाला, दावानलको पी लिया तथा तत्पश्चात् बलदेवजीने प्रलम्बासुरका वध किया। आप सब लोगोंके देखते हुए जैसे गजराज अपनी सूँड़में कमल धारण करता है, उसी प्रकार श्रीहरिने एक ही हाथसे लीलापूर्वक गोवर्धन पर्वतको उखाड़कर उठा लिया। उन जगदीश्वरने शङ्खचूड़से उसकी चूडामणि ले ली और अरिष्टासुरका वध करके केशीको भी कालके गालमें भेज दिया। व्योमासुर बड़ा भारी दैत्य था, किंतु भगवान्ने उसे मुक्केसे ही मसल डाला॥ ३७—४४ $\frac{1}{2}$॥

महामते! इसी प्रकार मथुरामें भी उन्होंने विचित्र पराक्रम प्रकट किया। कंसका रजक बड़ा डींग हाँकता था, किंतु श्रीहरिने एक ही हाथकी चोटसे उसका काम तमाम कर दिया। सब लोगोंके देखते-देखते कंसके प्रचण्ड धनुर्दण्डको बीचसे ही खण्डित कर दिया—ठीक उसी तरह, जैसे हाथी ईखके डंडेको तोड़ डालता है। कुवलयापीड नामक हाथी बलमें दस हजार हाथियोंकी समानता करता था, किंतु भगवान्ने उसकी सूँड़ पकड़कर उसे भूतलपर दे मारा। चाणूर, मुष्टिक, कूट, शल और तोशलको माधवने मल्लयुद्ध करके भूपृष्ठपर मार गिराया। मदमत्त दैत्य कंस एक लाख हाथियोंके समान बलशाली था; परंतु उसे श्रीकृष्णने मञ्चसे उठाकर भुजाओंके वेगसे घुमाते हुए पृथ्वीपर उसी तरह पटक दिया, जैसे कोई बालक कमण्डलुको गिरा दे। फिर जैसे हाथीपर सिंह कूदे, उसी प्रकार वे कंसपर कूद पड़े। कंसके कङ्क आदि छोटे भाइयोंका महाबली बलदेवने मुद्गरसे ही तुरंत उसी प्रकार कचूमर निकाल दिया, जैसे किसी सिंहने बहुत-से मृगोंको मौतके घाट उतार दिया हो। अपने गुरुको दक्षिणा देनेके लिये महासागरमें कूदकर स्वयं श्रीहरिने शङ्खरूपधारी पञ्चजन नामक असुरका संहार कर डाला। महानन्द! ये अद्भुत चरित्र भगवान् श्रीकृष्णके बिना कौन कर सकता है? उन श्रीहरिको नमस्कार है॥ ४५—५३॥

इस प्रकार श्रीगर्गसंहितामें श्रीमथुराखण्डके अन्तर्गत नारद-बहुलाश्व-संवादमें 'नन्दराज और उद्धवका मिलन' नामक चौदहवाँ अध्याय पूरा हुआ॥ १४॥

पंद्रहवाँ अध्याय

गोपाङ्गनाओंके साथ उद्धवका कदली-वनमें जाना और वहाँ उनकी स्तुति करके श्रीकृष्णद्वारा भेजे गये पत्र अर्पित करना

नारदजी कहते हैं—राजन्! इस प्रकार श्रीहरिकी चर्चा करते हुए नन्द और उद्धवकी वह रात एक क्षणके समान व्यतीत हो गयी, उनके हर्षको बढ़ानेवाली होनेके कारण उसका 'क्षणदा' (आनन्ददायिनी) नाम चरितार्थ हो गया। जब ब्राह्ममुहूर्त आया, तब सारी गोपाङ्गनाओंने उठकर अपने-अपने द्वारकी देहली एवं आँगन लीपकर वहाँ प्रज्वलित दीप रख दिये। फिर हाथ-पैर धोकर मथानीसे रस्सी लगाकर वे स्नेहयुक्त दहीको सब ओरसे मथने लगीं। मथानीकी रस्सी खींचनेसे चञ्चल हुए हार और हाथोंके कंगन बज रहे थे। उनकी वेणियोंसे फूल झर-झरकर गिर रहे थे और चमकते हुए कुण्डल उनके कानोंकी शोभा बढ़ा रहे थे। वे सब-की-सब चन्द्रमुखी, कमलनयनी तथा विचित्र वर्णोंके वस्त्र धारण करनेके कारण अत्यन्त मनोहर थीं। श्रीकृष्ण और बलदेवके मङ्गलमय चरित्रोंका घर-घरमें जहाँ-तहाँ प्रेमपूर्वक गान कर रही थीं। प्रत्येक गोष्ठमें सुन्दर गौएँ इधर-उधर रँभा रही थीं। गली-गलीमें सर्वत्र दही मथनेके शब्दसे मिश्रित गोपाङ्गनाओंका गीत सुनकर विस्मित हुए उद्धव इस प्रकार बोल उठे—'अहो! इस नन्द-नगरमें तो भक्तिदेवी यत्र-तत्र-सर्वत्र नृत्य कर रही हैं।' यों कहते हुए वे गाँव-से बाहर यमुना-नदीमें स्नान करनेके लिये गये॥ १—८॥

उस समय उद्धवके रथको देखकर गोपियाँ बोलीं—सखियो! आज यहाँ किसका रथ आ पहुँचा है? अथवा वह क्रूर अक्रूर ही तो फिर नहीं आया है, जो नूतन-कमल-दल-लोचन श्रीनन्दनन्दनको महापुरी मथुरामें लिवा ले गया था? जैसे कद्रूने जगत्‌के लोगोंको मारने या डँसवानेके लिये ही इधर-उधर विषधर नागोंको उत्पन्न किया है, उसी प्रकार स्नेही सत्पुरुषोंको तीव्र ताप देनेके लिये ही न जाने उसकी माताने उसे किस कुसमयमें जन्म दिया था? जो कंसका स्वार्थसाधक तथा कंसका ही अत्यन्त निर्दय सखा है, वह इस व्रजमण्डलमें फिर क्यों आया है? अपने मरे हुए स्वामीकी पारलौकिक क्रिया क्या आज वह हमलोगोंके प्राणोंसे ही सम्पन्न करेगा?॥ ९—११॥

नारदजी कहते हैं—राजन्! इस प्रकार बातचीत करती हुई व्रजकी गोपाङ्गनाएँ सारथिके मुखको दो अङ्गुलियोंसे ठोककर निकटसे पूछने लगीं—'जल्दी बताओ, यह किसका रथ है?' बेचारा सारथि आर्त-भावसे हक्का-बक्का-सा होकर देखने लगा। इतनेमें उन्हें उद्धवजी आते दिखायी दिये। उनकी कान्ति मेघके समान श्याम थी। नेत्र प्रफुल्ल कमलदलके समान विशाल थे। आकार भी श्रीकृष्णसे मिलता-जुलता था। वे करोड़ों कामदेवोंको मोह लेनेवाले जान पड़ते थे। उनके शरीरपर पीताम्बर सुशोभित था। उन्होंने गलेमें नूतन वैजयन्ती माला धारण कर रखी थी, जिसपर झुंड-के-झुंड भ्रमर टूटे पड़ते थे। उनके हाथमें सहस्रदल कमल सुशोभित था। उन्होंने हाथोंमें बाँसुरी और बेंतकी छड़ी ले रखी थी। उनका वेष बड़ा मनोहर था। करोड़ों बालरवियोंकी कान्तिसे युक्त मुकुट उनके मस्तकको मण्डित कर रहा था। वक्षःस्थलमें कौस्तुभ नामक महामणि प्रकाशमान थी और रत्नमय कुण्डल उनके कपोलमण्डलकी कान्ति बढ़ा रहे थे। नरेश्वर! चाल-ढाल, आकृति, शोभा, शरीर, हास और मधुरस्वर—सभी दृष्टियोंसे श्रीकृष्णका सारूप्य धारण करनेवाले उन उद्धवको देखकर समस्त गोपियाँ चकित हो गयीं और उन्हें गोविन्दका सखा जानकर उनके सामने आयीं॥ १२—१५॥

यह जानकर कि ये भगवान् श्रीहरिका संदेश लेकर आये हैं, वे नीतियुक्त सुन्दर वचन बोलकर उनके प्रति आदर दिखाने लगीं तथा संतोंके स्वामी गोविन्दकी गूढ़ कुशल पूछनेके लिये उन उद्धवजीको साथ लेकर वे कदलीवनमें गयीं, जहाँ वृषभानुनन्दिनी श्रीराधा यमुनाके तटपर मनोहर निकुञ्जमन्दिरमें भगवान्‌के विरहसे आतुर होकर बैठी थीं और उन श्रीहरिके बिना सारे जगत्‌को सर्वथा सूना मानती थीं। जो पहले केलोंके पत्तोंसे और घिसे हुए चन्दनके पङ्कसे शीतल मेघमन्दिर-सा प्रतीत होता था तथा यमुनाकी

चञ्चल चारु तरंगोंकी फुहार पड़नेसे जहाँ ऐसा प्रतीत होता था कि साक्षात् सुधाकिरण चन्द्रमाकी सुधाराशि स्वतः गल रही है, ऐसा कदली-वन सारा-का-सारा श्रीराधाकी वियोगाग्निके तेजसे अत्यन्त झुलस गया था। केवल श्रीकृष्णके शुभागमनकी आशासे श्रीराधा अपने शरीरकी रक्षा कर रही थीं। श्रीकृष्णके सखा उद्धवका आगमन सुनकर श्रीराधाने अपनी सखियोंके द्वारा अन्न, पान और मधुपर्क आदि माङ्गलिक वस्तुएँ अर्पितकर उनका बड़ा आदर-सत्कार किया। उस समय वे बारंबार 'श्रीकृष्ण-कृष्ण' का उच्चारण करती थीं। गोविन्दके वियोगसे खिन्न हुई राधा अमावास्यामें प्रविष्ट चन्द्रकलाकी भाँति क्षीण हो रही थीं। उस समय उद्धवने नताङ्गी एवं कृशाङ्गी राधाको हाथ जोड़कर प्रणाम किया और उनकी परिक्रमा करके वे हर्षपूर्वक बोले॥ १६—२१॥

उद्धवने कहा—श्रीराधे! श्रीकृष्ण सदा परिपूर्णतम भगवान् हैं और आप सदा परिपूर्णतमा भगवती हैं। श्रीकृष्णचन्द्र नित्यलीलापरायण हैं और आप नित्यलीलाका सम्पादन करनेवाली नित्यलीलावती हैं। श्रीकृष्ण भूमा हैं और आप इन्दिरा हैं। श्रीकृष्ण नित्य सनातन ब्रह्मा हैं और आप सदा उनकी शक्ति सरस्वती हैं। श्रीकृष्ण शिव हैं और आप कल्याणस्वरूपा शिवा हैं। भगवान् श्रीकृष्ण विष्णु हैं और आप निश्चय ही उनकी पराशक्ति वैष्णवी हैं। आदिदेवता श्रीहरि कौमारसर्गी— सनक, सनन्दन, सनातन और सनत्कुमार हैं तथा आप ज्ञानमयी शुभा स्मृति हैं। श्रीहरि प्रलयकालके जलमें क्रीड़ा करनेवाले यज्ञवराह हैं और आप ही वसुधा हैं। श्रीहरि मनसे जब देवर्षिवर्य नारद बनते हैं, तब साक्षात् आप ही उनके हाथकी वीणा होती हैं। श्रीहरि जब धर्मनन्दन नर और नारायण होते हैं, तब आप ही जगत्में शान्ति स्थापित करनेवाली साक्षात् शान्तिरूपिणी होती हैं। श्रीकृष्ण ही साक्षात् महाप्रभु कपिल हैं और आप ही सिद्धसेविता सिद्धि। राधे! श्रीकृष्ण महामुनीश्वर दत्तात्रेय हैं और आप ही नित्यज्ञानमयी सिद्धि। श्रीहरि यज्ञ हैं और आप दक्षिणा। वे उरुक्रम वामन हैं तो आप सदा उनकी शक्ति जयन्ती हैं। श्रीहरि जब समस्त राजाओंके अधिराज पृथु होते हैं, तब आप उन महाराजकी पटरानी अर्चिदेवीके रूपमें प्रकट होती हैं। शङ्खासुरका वध करनेके लिये जब श्रीहरिने मत्स्यावतार ग्रहण किया, तब आप श्रुतिरूपा हुईं। मन्दराचलद्वारा समुद्र-मन्थनके समय श्रीहरि कच्छपरूपमें प्रकट हुए, तब आप वासुकिनागमें शुभदायिनी नेती शक्तिरूपसे प्रकट हुईं। शुभे! परमेश्वर श्रीहरि जब पीड़ाहारी धन्वन्तरिके रूपमें आविर्भूत हुए, तब आप दिव्य सुधामयी ओषधिके रूपमें दृष्टिगोचर हुईं। श्रीकृष्णचन्द्र जब मोहिनीरूपमें सामने आये, तब आप उनके भीतर विश्व-विमोहिनी मोहिनीके रूपमें अभिव्यक्त हुईं। श्रीहरि जब नृसिंहरूप धारण करके नृसिंहलीला करने लगे, तब आप निज-भक्तवत्सला लीलाके रूपमें सामने आयीं। जब श्रीकृष्णने वामनरूप धारण किया, तब आप अपने भक्तजनोंद्वारा कीर्तित कीर्तिरूपिणी हुईं। जब श्रीहरि भृगुनन्दन परशुरामका रूप धारण करके सामने आये, तब आप ही उनके कुठारकी धारा बनीं। श्रीकृष्णचन्द्र जब रघुकुलचन्द्र श्रीराम हुए, तब आप ही उनकी धर्मपत्नी जनकनन्दिनी सीता थीं। जब शार्ङ्गधन्वा श्रीहरि बादरायणमुनि व्यासके रूपमें प्रकट होते हैं, तब आप वेदान्ततत्त्वको प्रकट करनेवाली देववाणीके रूपमें आविर्भूत होती हैं। वृष्णि-कुल-तिलक माधव ही जब संकर्षणरूप होते हैं, तब आप ही ब्रह्मभवा रेवतीके रूपमें उनकी सेवामें विराजमान होती हैं। श्रीहरि जब असुरोंको मोहित करनेवाले बुद्धके रूपमें प्रकट होते हैं, तब आप विश्वजनमोहिनी बुद्धि होती हैं। जब श्रीहरि धर्मपालक कल्किके रूपमें प्रकट होंगे, तब आप कृतिरूपिणी होंगी॥ २२—३३॥

चन्द्रमुखी राधे! चन्द्रमण्डलमें श्रीकृष्ण ही चन्द्र-रूप हैं और आप ही सदा चन्द्रिकारूपिणी हैं। आकाशगत सूर्यमण्डलमें श्रीकृष्ण ही सूर्य हैं और आप ही उनकी प्रभामयी परिधिके रूपमें प्रतिष्ठित हैं। राधे! निश्चय ही यादवेन्द्र श्रीहरि सदा देवराज इन्द्रके रूपमें विराजते हैं और आप वहीं शचीश्वरी शचीके रूपमें निवास करती हैं। परमेश्वर श्रीहरि ही हिरण्यरेता अग्नि हैं और आप ही सदा हिरण्मयी पराज्योति हैं। श्रीकृष्ण ही राजराज कुबेरके रूपमें विराजते हैं और

आप ही उनकी निधिमें निधीश्वरी होकर शोभा पाती हैं। साक्षात् श्रीहरि ही क्षीरसागर हैं और आप ही तरंगित होनेवाली श्वेत रेशमके समान शुक्लवर्णा तरङ्गमाला हैं। सर्वेश्वर श्रीहरि जब-जब कोई शरीर धारण करते हैं, तब-तब आप उनके अनुरूप शक्तिके रूपमें प्रसिद्ध होती हैं। स्वयं श्रीहरि जगत्स्वरूप तथा ब्रह्मरूप हैं और आप ही जगन्मयी एवं ब्रह्ममयी चैतन्यशक्ति हैं। राधे! आज भी वे ही ये श्रीहरि व्रजराजनन्दन हैं और आप उनकी प्रिया वृषभानुनन्दिनी हैं। आप दोनोंने जगत्में सुख-शान्तिकी स्थापनाके लिये नाना प्रकारके क्रीडामय चरित्रोंद्वारा ललित आदि लीलाओंके रूपमें सत्त्वमयी लीला प्रकट की है। पुराण-पुरुष श्रीकृष्ण स्वयं परब्रह्म हैं और आप ही उनकी इच्छारूपिणी लीलाशक्ति हैं। आप दोनोंके श्रीविग्रह सदा परस्पर संयुक्त हैं। ऐसे आप दोनों श्रीराधा-कृष्णको मेरा नमस्कार है। राधिके! आप शोक न करें और अपने प्राणनाथका दिया हुआ यह पत्र लें। उन्होंने यह संदेश दिया है कि मैं कुछ ही दिनोंमें यहाँके कार्योंका सम्पादन करके वहाँ आऊँगा। गोपाङ्गनाओ! आज ही भगवान् श्रीकृष्णके दिये हुए ये परम मङ्गलमय सैकड़ों पत्र आपलोग ग्रहण करें। श्रीकृष्णकी प्रियतमा व्रजसुन्दरियोंके शत-शत यूथोंके लिये ये पत्र अर्पित किये गये हैं॥ ३४—४१ ॥

इस प्रकार श्रीगर्गसंहितामें श्रीमथुराखण्डके अन्तर्गत नारद-बहुलाश्व-संवादमें 'उद्धवद्वारा श्रीराधाका दर्शन' नामक पंद्रहवाँ अध्याय पूरा हुआ॥ १५ ॥

सोलहवाँ अध्याय

उद्धवद्वारा श्रीराधा तथा गोपीजनोंको आश्वासन

श्रीनारदजी कहते हैं—राजन्! श्रीराधाने पत्र लेकर उसे अपने मस्तकपर रखा, फिर नेत्रों और छातीसे लगाया। तदनन्तर उसे पढ़कर श्रीकृष्णके चरणारविन्दोंका स्मरण करके, अत्यन्त प्रेमातुर हो नेत्रोंसे अश्रुधारा बहाती हुई वे उद्धवके सामने ही मूर्च्छाकी पराकाष्ठाको पहुँच गयीं। तब सखियोंने उनके ऊपर केसर, अगुरु और चन्दनसे मिश्रित जल तथा पुष्परस छिड़ककर चँवर डुलाना आरम्भ किया। इससे पुनः उनकी चेतना लौटी। कमललोचना श्रीराधाको वियोग-दुःखके सागरमें डूबी हुई देख उद्धव तथा गोपियाँ नेत्रोंसे अविरल अश्रुधारा बहाने लगीं। राजन्! उन सबके आँसुओंके प्रवाहसे तत्काल वृन्दावनमें कह्लार-पुष्पोंसे सुशोभित लीला-सरोवर प्रकट हो गया। नरेश्वर! जो मनुष्य उस सरोवरका दर्शन, उसके जलका पान तथा उसमें भलीभाँति स्नान करके इस कथाको सुनता है, वह कर्मोंके बन्धनसे मुक्त हो श्रीकृष्णको प्राप्त कर लेता है। तदनन्तर उद्धवके मुखसे श्रीकृष्णके पुनरागमनका समाचार सुनकर वे सब गोपाङ्गनाएँ महात्मा गोविन्दका सम्पूर्ण कुशलमङ्गल पूछने लगीं॥ १—७॥

श्रीराधा बोलीं—उद्धव! वह समय कब आयेगा, जब मैं घनके समान श्यामकान्तिवाले आनन्दप्रद श्रीव्रजराजनन्दनका दर्शन करूँगी? जैसे मयूरी मेघमालाके और चकोरी चन्द्रमाके दर्शनके लिये अत्यन्त उत्कण्ठित रहती है, उसी प्रकार मैं भी उनका दर्शन पानेके लिये उत्सुक हूँ। किस कुसमयमें मेरा उनसे वियोग हुआ, जिससे इस पृथ्वीपर एक-एक क्षण मेरे लिये एक कल्पके समान हो गया है! गोविन्दके युगलचरणोंके बिना यह विरहकी रात इतनी बड़ी हो गयी है कि ब्रह्माजीकी आयुके द्विपरार्ध कालको भी तिरस्कृत कर रही है। उद्धव! क्या कभी श्यामसुन्दर इस व्रजके मार्गपर भी पदार्पण करेंगे? आप मुझे शीघ्र बताइये, वे वहाँ कौन-सा कार्य कर रहे हैं? आजतक बड़े प्रयाससे मैंने इन प्राणोंको धारण किया है। उनके झूठे वादेसे आतुर हुए ये प्राण हठात् निकले जा रहे हैं। आज तुम्हें देखकर क्षणभरके लिये मेरा हृदय शीतल हुआ है। तुम्हारे आनेसे आज मैं उसी तरह प्रसन्न हुई हूँ, जैसे पूर्वकालमें पवनपुत्र हनुमान्के लङ्कामें आनेसे जनकनन्दिनी सीता प्रसन्न हुई थीं। मन्त्रियोंमें श्रेष्ठ उद्धव! जो आशा देकर अपने

छोह-मोहरूपी धनको त्यागकर और अपनी ही कही हुई बातको भुलाकर मथुरा चले गये, उनके लिखे हुए इस पत्रके वाक्यांशको भी मैं सत्य नहीं मानती। तुम स्वयं उनको यहाँ ले आओ॥ ८—१२॥

उद्धव बोले—श्रीराधे! मैं मथुरापुरी लौटकर आपके इस महान् विरहजनित दुःखको उन्हें सुनाऊँगा और अपने आँसुओंके जलसे उनके चरण पखारूँगा। जैसे भी होगा, श्रीहरिको मथुरापुरीसे लेकर पुनः यहाँ आऊँगा—यह बात मैं आपके चरणोंकी शपथ खाकर कहता हूँ। अतः अब आप शोक न करें॥ १३॥

नारदजी कहते हैं—राजन्! तदनन्तर प्रसन्न हुई श्रीराधाने रास-रङ्गस्थलमें चन्द्रमाद्वारा दी गयी दो सुन्दर चन्द्रकान्त मणियाँ श्यामसुन्दरको देनेके लिये उद्धवके हाथमें दीं। पूर्वकालमें चन्द्रमाने जो दो सहस्रदल कमल भेंट किये थे, उन्हें भी प्रसन्न हुई भक्तवत्सला श्रीराधाने उद्धवको अर्पित किया। हरिप्रिया श्रीराधाने प्राणवल्लभके लिये छत्र, दिव्य सिंहासन तथा दो मनोहर चँवर, जो श्रीकृष्णके संकल्पसे प्रकट हुए थे, उद्धवके हाथमें दिये। साथ ही यह वरदान भी दिया कि 'उद्धव! तुम ऐश्वर्यज्ञानसे सम्पन्न, समस्त उपदेशक गुरुओंके भी उपदेशक तथा श्रीकृष्णके साथ रहनेवाले होओगे।' श्रीराधाने उन्हें निर्गुण-भावसे सम्पन्न प्रेम-लक्षणा-भक्ति तथा ज्ञान-विज्ञान-सहित वैराग्य भी प्रदान किया। विदेहराज! श्रीहरि शङ्खचूड़ यक्षसे जो उसकी चूड़ामणि छीन लाये थे, वह सुन्दर चूड़ामणि चन्द्रानना गोपीने उद्धवके हाथमें दी। राजन्! इसी प्रकार अन्य गोपाङ्गनाओंने भी महात्मा उद्धवके हाथमें सुन्दर आभूषणोंकी राशि समर्पित की॥ १४—२०॥

नारदजी कहते हैं—उद्धवजीकी शुभार्थक वाणी सुनकर जब श्रीराधिकाजी अत्यन्त प्रसन्न हो गयीं, तब सभामण्डपमें स्थित हुए श्रीकृष्ण-सखा उद्धवके पास बैठकर व्रजगोप-वधूटियोंने पृथक्-पृथक् उनसे पूछा॥ २१॥

गोपाङ्गनाएँ बोलीं—उद्धवजी! हमें शीघ्र बताइये, जिन-जिनके लिये श्रीहरिने पत्र लिखा है, उनके लिये कोई अद्भुत संदेश भी कहा है क्या? आप परावरवेत्ताओंमें उत्तम, साक्षात् श्रीकृष्णके सखा, उनके ही समान आकृतिवाले और महान् हैं (अतः उनकी कही हुई बात हमसे अवश्य कहिये)॥ २२॥

उद्धवने कहा—गोपाङ्गनाओ! जैसे तुमलोग देवेश्वर श्रीकृष्णका निरन्तर स्मरण करती रहती हो, उसी प्रकार वे भी प्रतिक्षण तुम्हारा स्मरण करते हैं। निस्संदेह मेरे सामने ही वे तुम्हें याद करते रहते हैं। मैं श्रीहरिका एकान्त सेवक हूँ। एक दिन तुमलोगोंको स्मरण करके नन्दनन्दन श्रीहरिने मुझे बुलाया और तुमसे कहनेके लिये अपने मनका संदेश इस प्रकार कहा॥ २३-२४॥

श्रीभगवान् बोले—विषयोंमें आसक्त हुआ मन बन्धनकारक होता है; वही यदि मुझ परमपुरुषमें आसक्त हो जाय तो मोक्षकी प्राप्ति करानेवाला होता है। अतः ज्ञानीजन मनको बन्धन और मोक्ष—दोनों-का कारण बताते हैं। अतः मनुष्यको चाहिये कि वह मनको जीतकर इस पृथ्वीपर असङ्ग (आसक्तिशून्य) होकर विचरे। जब विवेकी पुरुष निर्मल अध्यात्म-योगके द्वारा मुझ साक्षात् परात्पर ब्रह्मको सर्वत्र व्यापक जान लेता है, तब वह मनके कषाय (राग या आसक्ति) को त्याग देता है। यद्यपि मेघ सूर्यसे ही उत्पन्न हुआ उसका कार्यरूप है, तथापि जबतक वह सूर्य और दर्शककी दृष्टिके बीचमें स्थित है, तबतक दृष्टि सूर्यको नहीं देख पाती। (उसी प्रकार जबतक अन्तःकरण-आत्माके बीचमें कषायरूप आवरण है, तबतक मुझ परमात्माका दर्शन नहीं हो पाता।) व्रजाङ्गनाओ! मैं स्थूल भावसे दूर हूँ, परंतु तत्त्वदृष्टिसे तुममें और मुझमें कोई दूरी नहीं है। अतः यहाँके वियोगको तुम मेरी प्राप्तिका साधन बना लो। सांख्य-भावसे जिस पदकी प्राप्ति होती है, अवश्य ही वह योगभाव (योग-साधना या वियोगकी अनुभूति) से भी स्वतः प्राप्त हो जाता है॥ २५—२७॥

इस प्रकार श्रीगर्गसंहितामें श्रीमथुराखण्डके अन्तर्गत नारद-बहुलाश्व-संवादमें 'उद्धवद्वारा श्रीराधा तथा गोपियोंको आश्वासन' नामक सोलहवाँ अध्याय पूरा हुआ॥ १६॥

सत्रहवाँ अध्याय

श्रीकृष्णको स्मरण करके श्रीराधा तथा गोपियोंके करुण उद्गार

श्रीनारदजी कहते हैं—राजन्! श्रीकृष्णका यह संदेश सुनकर प्रसन्न हुई गोपाङ्गनाएँ आँसू बहाती हुई गद्गद कण्ठसे उद्धवसे बोलीं॥ १॥

गोलोकवासिनी गोपियोंने कहा—उद्धव! पहलेके प्रियजनोंको त्यागकर श्रीकृष्ण परदेश चले गये, उसपर भी वहाँसे उन्होंने योग लिख भेजा है। अहो! निर्मोहीपनका बल तो देखो॥ २॥

द्वारपालिका गोपिकाएँ बोलीं—सखियो! देखो, चन्द्रमाकी चकोरपर, सूर्यकी कमलपर, कमलकी भ्रमरपर तथा मेघकी चातकपर जैसे कभी प्रीति नहीं होती, उसी प्रकार श्यामसुन्दरका हमलोगोंपर प्रेम नहीं है॥ ३॥

शृङ्गार धारण करानेवाली गोपियोंने कहा—सखियो! चकोर चन्द्रमाका मित्र है, परंतु उसके भाग्यमें सदा आगकी चिनगारियाँ चबाना ही बदा है। विधाताने जिसके भाग्यमें जो कुछ लिख दिया है, वह कभी कम नहीं होता॥ ४॥

शय्योपकारिका गोपियाँ बोलीं—वधिक भी मृगोंको बाण मारकर तुरंत आतुर हो उनकी सुध लेता है; किंतु कटाक्षोंसे अपने प्रियजनोंको घायल करके कोई निर्मोही उनका स्मरणतक न करे—यह कैसा आश्चर्य है?॥ ५॥

पार्षदा गोपियोंने कहा—विरहजनित दुःखको कोई विरही ही जानता है, दूसरा कोई कभी उस दुःखको नहीं समझ सकता—जैसे जिसके अङ्गोंमें काँटा गड़ा है, उसकी पीड़ाको वही जानता है, जिसके पहले कभी काँटा गड़ चुका है; जिसके शरीरमें कभी काँटा गड़ा ही नहीं, वह उसके दर्दको क्या जानेगा?॥ ६॥

वृन्दावन-पालिका गोपियाँ बोलीं—निष्काम प्रेमके सुखको निष्काम प्रेमी ही जानता है। जो किसी कारण या कामनाको लेकर प्रेम करता है, वह निष्काम प्रेमके सुखको क्या जानेगा? क्या कभी कर्मेन्द्रियाँ रसका अनुभव कर सकती हैं॥ ७॥

गोवर्धन-वासिनी गोपियोंने कहा—पुरवनिताओंसे प्रेम करनेवाला अब सैरन्ध्री (कुब्जा) का नायक बन बैठा है। उसे पर्वत एवं वनमें रहनेवाली स्त्रियोंसे क्या लेना है। इस विषयमें अधिक कहना व्यर्थ है॥ ८॥

कुञ्जविधायिका गोपियाँ बोलीं—हाय! मतवाले भ्रमरोंके गुञ्जारवसे व्याप्त माधवी कुञ्ज-पुञ्जमें से जिनको हम सदा अपनी आँखोंमें बसाये रखती थीं, उनकी आज यह कथा सुनी जाती है॥ ९॥

निकुञ्जवासिनी गोपियोंने कहा—वृन्दावनमें मतवाले भ्रमरोंके समुदायसे युक्त यमुनातटवर्ती कदम्ब-कुञ्जमें धीरे-धीरे बलराम, ग्वाल-बाल और गोधनके साथ विचरते हुए नन्दनन्दनका हम भजन करती हैं॥ १०॥

यमुनाजीके यूथमें सम्मिलित गोपियाँ बोलीं-कब हमारा भी वैसा ही समय होगा, जैसा आज मथुरा-पुरवासिनी स्त्रियोंका देखा जाता है? व्रजाङ्गनाओ! शोक न करो। किसीकी कभी सदा जय या पराजय नहीं होती। विधाताके हृदयमें तनिक भी दया नहीं है; जैसे बालक खिलौनोंको अलग करता और मिलाता है, उसी प्रकार वह विधाता समस्त भूतोंको संयुक्त और वियुक्त करता रहता है। जो पहले कुबड़ी थी, वह आज सीधी और समान अङ्गवाली हो गयी; जो दासी थी, वह कुलीन हो गयी तथा जो कुरूपा थी, वह रूपवती होकर चमक उठी है। अहो! चार ही दिनोंमें वह अपनी विजयके नगारे पीटने लगी है॥ ११—१३॥

विरजा-यूथकी गोपियोंने कहा—किसीकी भी बाँह सदा प्रियके कंधेपर नहीं रहती, किसी भी वनमें सदा वसन्त नहीं होता, कोई भी सदा जवान नहीं रहता, ये देवराज इन्द्र भी सदा राज्य नहीं करते हैं। कोई चार दिनोंके लिये भले ही खूब मान कर ले॥ १४॥

ललिता-यूथकी गोपियाँ बोलीं—मन्थरा भी कुबड़ी थी, जिसने अयोध्यापुरीमें श्रीरामचन्द्रजीके राज्याभिषेकको रोकवाकर उसमें विघ्न उपस्थित कर

दिया। वह कुब्जा ही यह मथुरापुरीमें आ गयी है। गोपिकाओ! जो कुब्जा है, वह क्या-क्या नहीं कर सकती?॥ १५॥

विशाखा-यूथकी गोपियोंने कहा—जो गौएँ चरानेके लिये अनुगामी ग्वाल-बालोंके साथ वनमें जाते हैं और लौटते समय वंशीनादके द्वारा नगर-गाँवके लोगोंको अपने आगमनका बोध करा देते हैं तथा जो अपनी गतिसे मतवाले हाथीकी चालका अनुकरण करते हैं, उन नन्दनन्दनको हम भुला नहीं सकतीं॥ १६॥

माया-यूथकी गोपियाँ बोलीं—साँकरी गलियोंमें हमारा आँचल पकड़कर, हठात् हमें अपनी भुजाओंमें भरकर और हृदयसे लगाकर परस्परकी खींचातानीसे हर्ष और भयका अनुभव करनेवाले उन श्रीहरिको हम कब अपने घरोंमें ले जायँगी?॥ १७॥

अष्टसखियोंने कहा—उद्धव! उन सर्वाङ्ग-सुन्दर नन्दनन्दनको निहारकर हमारे नेत्र अब संसारकी ओर नहीं देखते—नहीं देखना चाहते। वे ही नन्द-राजकुमार मथुरापुरीमें विराज रहे हैं। शीघ्र बताओ, अब हमारा क्या होगा?॥ १८॥

षोडश सखियाँ बोलीं—वनमें प्रेमपीड़ाको बढ़ानेवाली बाँसुरीकी मधुर तान सुनकर हमारे दोनों कान अब संसारी गीत नहीं सुनना चाहते, वे तो कौओंकी 'काँव-काँव' के समान कड़वे लगते हैं॥ १९॥

बत्तीस सखियोंने कहा—अपने मित्रको प्रीतिसे, शत्रुको नीतिसे, लोभीको धनसे, ब्राह्मणको आदरसे, गुरुको बारंबार प्रणामसे तथा रसिकको रससे वशमें किया जाता है; परंतु निर्मोहीको कोई कैसे वशमें कर सकता है?॥ २०॥

श्रुतिरूपा गोपियाँ बोलीं—जो जाग्रत् आदि अवस्थाओंमें व्याप्त होकर भी उनसे परे हैं तथा इस जगत्के हेतु होते हुए भी वास्तवमें अहेतु हैं, ये समस्त गुण जिनसे ही प्रेरित होकर अपने-अपने विषयोंकी ओर प्रवाहित होते हैं; तथा जैसे आगसे निकली हुई चिनगारियाँ पुनः उसमें प्रविष्ट नहीं होतीं, उसी प्रकार महत्तत्त्व, इन्द्रियसमुदाय तथा इन्द्रियोंके अधिष्ठाता देव-समुदाय जिनमें प्रवेश नहीं पाते, उन परमात्माको नमस्कार है॥ २१॥

ऋषिरूपा गोपियोंने कहा—बलवानोंमें भी अत्यन्त बलिष्ठ यह काल जिनपर अपना शासन चलानेमें समर्थ नहीं है, माया भी जिनको वशीभूत नहीं कर पाती तथा वेद भी जिन्हें अपने विधिवाक्योंका विषय नहीं बना पाता, उस अमृतस्वरूप, परम प्रशान्त, शुद्ध, परात्पर पूर्णब्रह्मकी हम शरण लेती हैं॥ २२॥

देवाङ्गनास्वरूपा गोपियाँ बोलीं—जिन परमेश्वरके अंशांश, अंश, कला, आवेश तथा पूर्ण आदि अवतार होते हैं, और जिनसे ही इस जगत्की सृष्टि, पालन एवं संहार होते हैं, उन पूर्णसे भी परे परिपूर्णतम श्रीकृष्णको हम प्रणाम करती हैं॥ २३॥

यज्ञसीतारूपा गोपियोंने कहा—ये श्याम-सुन्दर निकुञ्ज-लतिकाओंके लिये कुसुमाकर (वसन्त) हैं, श्रीराधाके हृदय तथा कण्ठको विभूषित करनेवाले हार हैं, श्रीरासमण्डलके अधिपति हैं, व्रजमण्डलके ईश्वर हैं तथा समस्त ब्रह्माण्डोंके महीमण्डलका परिपालन करनेवाले हैं॥ २४॥

रमावैकुण्ठवासिनी गोपियाँ बोलीं—जिन्होंने समस्त गोपीयूथको अलंकृत किया, अपनी चरण-रजसे वृन्दावन तथा गिरिराज गोवर्धनको विभूषित किया तथा जो सम्पूर्ण लोकोंके अभ्युदयके लिये इस भूमण्डलपर आविर्भूत हुए, उन नागराजके समान परिपुष्ट भुजावाले अनन्त लीला-विलासशाली श्रीश्यामसुन्दरका हम भजन करती हैं॥ २५॥

श्वेतद्वीपकी सखियोंने कहा—जैसे बालक कुकुरमुत्तेको बिना श्रमके उठा लेता है और जैसे गजराज अपनी सूँड़से अनायास ही कमलको उठा लेता है, उसी प्रकार जिन्होंने खिलवाड़में ही पर्वतको एक हाथसे उठाकर अद्भुत शोभा प्राप्त की, वे कृपानिधान श्रीव्रजराजनन्दन हमें कभी विस्मृत नहीं होते॥ २६॥

ऊर्ध्ववैकुण्ठवासिनी गोपियाँ बोलीं—हमारी श्यामवर्णमयी आँखें सारे जगत्को श्याममय ही देखती हैं, इन्हें द्वैत तो दीखता ही नहीं; फिर ये योगका सेवन क्या करेंगी?॥ २७॥

लोकाचलवासिनी गोपियोंने कहा—स्नेहका पाश दृढ़ होता है। वह कभी टूटने-कटनेवाला नहीं

है। हम उसे नहीं काट सकतीं। श्रीहरिके सिवा दूसरा कोई ऐसा नहीं कर सकता। एकमात्र वे ही ऐसे हैं, जो नागपाशको काटनेवाले गरुड़की भाँति इस स्नेहपाश-को काटकर मथुरा चले गये॥ २८॥

अजितपदाश्रिता गोपियाँ बोलीं—हमारे दोनों नेत्र श्रीकृष्णमें लग गये हैं, वे दसों दिशाओंमें दौड़ लगानेपर भी अन्यत्र कहीं उसी प्रकार नहीं टिक पाते, जैसे कमलसे जिसकी लगन लगी है, वह भ्रमर अन्य फूलोंपर कदापि नहीं जाता॥ २९॥

श्रीसखियोंने कहा—लोग अपनी कृपणतासे यशको, क्रोधसे गुणसमूहके उदयको, दुर्व्यसनोंसे धनको तथा कपटपूर्ण बर्तावसे मैत्रीको नष्ट कर देते हैं॥ ३०॥

मिथिलावासिनी स्त्रियाँ बोलीं—धन देकर तनकी रक्षा करे, तन देकर लाज बचाये तथा मित्रका कार्य सिद्ध करनेके लिये आवश्यकता पड़ जाय तो धन, तन और लाज—तीनोंका उत्सर्ग कर दे॥ ३१॥

कोसलप्रान्तवासिनी गोपियोंने कहा—वियोगजनित दुःखकी दशाको जीवात्माके बिना दूसरा कोई नहीं जानता है, परंतु वह उसे बतानेमें असमर्थ है। (बताती है वाणी, किंतु उसे उस दुःखका अनुभव नहीं है।) भले ही बाणोंके आघातसे हृदय विदीर्ण हो जाय, किंतु कभी किसीको प्रिय-वियोगका कष्ट न प्राप्त हो॥ ३२॥

अयोध्यापुरवासिनी गोपियाँ बोलीं—पहले निराश करके फिर आशा दे दी और अपने मथुराकी आशा (दिशा) में चले गये? उसके ऊपर हमारे लिये योग लिखा है। अहो! निर्मोही जनोंका चित्र (या चित्त) विचित्र होता है॥ ३३॥

पुलिन्दी गोपियोंने कहा—पूर्वकालकी बात है, दण्डकवनमें शूर्पणखा अत्यन्त विह्वल होकर इन्हें अपना पति बनानेके लिये इनके पास आयी; किंतु इन्होंने सुमित्राकुमारको प्रेरणा देकर बलपूर्वक उसे कुरूप बना दिया। ऐसे पुरुषसे आप सबको कृपाकी आशा कैसे हो रही है?॥ ३४॥

सुतलवासिनी गोपियाँ बोलीं—राजा बलि भगवद्भक्त, सत्यपरायण और बहुत अधिक दान करने-वाले थे, परंतु उनसे भेंट-पूजा लेकर जिन्होंने कुपित हो उन्हें बन्धनमें डाल दिया था, उस वामनरूपधारी कपट-ब्रह्मचारी बने हुए श्रीहरिकी न जाने लक्ष्मीजी या अन्य भक्तजन कैसे सेवा करते हैं?॥ ३५॥

जालंधरी गोपियोंने कहा—पूर्वकालमें असुर-श्रेष्ठ भक्तप्रवर कयाधूकुमार प्रह्लादको बहुत अधिक कष्ट सहन करना पड़ा, तब कहीं नृसिंहरूप धारण करके इन्होंने उनकी सहायता की। अहो! इनमें निष्ठुरताकी पराकाष्ठा प्रत्यक्ष देखी जाती है॥ ३६॥

भूमिगोपियाँ बोलीं—अहो! अत्यन्त निर्मोही जनका चरित्र अत्यन्त विचित्र होता है, वह कहने-योग्य नहीं है। मुखसे और ही बात निकलेगी, किंतु हृदयमें कोई और ही विचार रहेगा। ऐसे लोगोंको देवता भी नहीं समझ पाते, फिर मनुष्य कैसे जान सकता है?॥ ३७॥

इस प्रकार श्रीगर्गसंहितामें श्रीमथुराखण्डके अन्तर्गत नारद-बहुलाश्व-संवादमें 'श्रीकृष्णकी यादमें गोपियोंके वचन' नामक सत्रहवाँ अध्याय पूरा हुआ॥ १७॥

अठारहवाँ अध्याय

गोपियोंके उद्गार तथा उनसे विदा लेकर उद्धवका मथुराको लौटना

बर्हिष्मतीपुरीकी गोपियोंने कहा—अहो! प्रलयके समुद्रमें वाराहरूपधारी महात्मा श्रीहरिने कृपापूर्वक जिसका उद्धार किया था, उसी पृथ्वीको मारनेके लिये आदिराज पृथुके रूपमें वे उसके पीछे दौड़े। दयालु होकर भी वे निर्दयताके लिये उद्यत हो गये [अतः कभी कठोर होना और कभी कृपा करना इन श्रीहरिका स्वभाव ही है])?॥ १॥

लतारूपा गोपियाँ बोलीं—विश्वके वैद्य महात्मा

धन्वन्तरि पूर्वकालमें अमृत-कलशके साथ समुद्रसे प्रकट हुए, किंतु उन्होंने वह अमृत अपने हाथसे नहीं बाँटा; परंतु जब उसके लिये देवता और असुर आपसमें वैर बाँधकर युद्धके लिये उद्यत हो गये, तब कलहप्रिय श्रीहरिने स्वयं मोहिनी नारीका रूप धारण करके वह सुधा केवल देवताओंको पिला दी॥ २॥

नागेद्रकन्यारूपा गोपियोंने कहा—दण्डक नामक महावनमें इन श्रीहरिको श्रीरामरूपमें देखकर शूर्पणखा इन्हें अपना पति बनानेकी इच्छासे इनके पास आयी थी, किंतु लक्ष्मणसहित इन्होंने उस बेचारीके नाक-कान काटकर कुरूप बना दिया। यह कैसी निष्ठुरता है; उसने इनका क्या बिगाड़ा था?॥ ३॥

समुद्रकन्यारूपा गोपियाँ बोलीं—जो प्रतिदिन सैकड़ों घरोंमें जाती और लोगोंको सुख-दुःख दिया करती है, वह चञ्चला लक्ष्मी इन श्रीहरिके पास न जाने स्वकीया और सुशीला बनकर कैसे टिकी हुई है?॥ ४॥

अप्सरारूपा गोपियोंने कहा—सखियो! इनके प्रति प्रीति करनेसे रावणकी बहिनको अपनी नाक और कानोंसे हाथ धोना पड़ा था, अतः उनकी बात छोड़ो। इन्होंने तुम्हारे ऊपर उससे भी अधिक कृपा की है [कि नाक-कान छोड़ दिये]॥ ५॥

दिव्यरूपा गोपियाँ बोलीं—ये राजा बलिसे बलि लेकर सर्वेश्वर हैं और उन्हें बाँधकर भी दयालु हैं; मुक्तिके नाथ होकर भी इन्होंने अपने भक्त बलिको नीचे सुतललोकमें फेंक दिया। इनकी कथासे आश्चर्य होता है॥ ६॥

अदिव्या गोपियोंने कहा—पूर्वकालमें शतरूपाके साथ मनु शान्तभावसे तपस्या करते थे। उस समय दैत्योंने उन्हें बहुत बाधा पहुँचायी। तत्पश्चात् उन दयानिधि श्रीहरिने आकर उनकी रक्षा की [पहले दुःख देना और पीछे आँसू पोंछना इनका स्वभाव है।]॥ ७॥

सत्त्ववृत्तिरूपा गोपियाँ बोलीं—भक्त ध्रुव और प्रह्लादने पहले बहुत कष्ट पाया, तदनन्तर उन्होंने कृपापूर्वक उनकी रक्षा की; हमारे ये दीनवत्सल प्रभु पहले किसीकी रक्षा नहीं करते, कष्ट भुगतानेके बाद ही करते हैं॥ ८॥

रजोगुणवृत्तिरूपा गोपियोंने कहा—रुक्माङ्गद, हरिश्चन्द्र और अम्बरीष—इन साधु-शिरोमणि नरेशोंके सत्यकी परीक्षा करके ही श्रीहरिने उन्हें पुनः भागवती-समृद्धि प्रदान की [सम्भव है, हमारे भी प्रेमकी परीक्षा ली जाती हो।]॥ ९॥

तमोगुणवृत्तिरूपा गोपियाँ बोलीं—जिन छली-बली श्रीहरिने पूर्वकालमें वृन्दाको छला था, इन्हींको आज छलमयी और बलवती कुब्जाने छल लिया। [जैसेको तैसा मिला।] कटार या कृपाणिका एक ही ओरसे टेढ़ी होती है, तथापि बहुत-से लोगोंका घात करती है; इधर कुब्जा तो तीन जगहसे टेढ़ी है; उसे तीन जगहसे टेढ़े श्रीकृष्ण मिल गये, फिर वह कितनोंका घात करेगी, कुछ कहा नहीं जा सकता। श्रीकृष्णकी राह देखते-देखते हमारी आँखें बहुत दुखने लगी हैं और उनके आनेकी अवधि वामनके पादविक्षेपकी तरह बढ़ती ही जाती है। इस माधवमासमें माधवके बिना हमारे शरीरका चमड़ा पीला पड़ गया, हमारी गतिमें शिथिलता आ गयी—पाँव थक गये और मन अत्यन्त उद्भ्रान्त हो गया है। हा दैव! किस समय हम सब उषःकालमें सौतके हारके चिह्नसे चिह्नित होकर आये हुए नन्दनन्दनको देखेंगी॥ १०—१४॥

नारदजी कहते हैं—राजन्! इस प्रकार श्रीकृष्णका चिन्तन करती हुई प्रेमविह्वला गोपियाँ उत्कण्ठित हो रोने लगीं और मूर्च्छित हो पृथ्वीपर गिर पड़ीं। तब पृथक्-पृथक् सबको आश्वासन दे, नीति-निपुण वचनोंद्वारा सब गोपियोंको समझा-बुझाकर उद्धवने श्रीराधासे कहा॥ १५-१६॥

उद्धव बोले—परिपूर्णतमे! कृष्णस्वरूपे! वृषभानुवर-नन्दिनि! मुझे जानेकी आज्ञा दीजिये। व्रजेश्वरि! आपको नमस्कार है। शुभे! महात्मा श्रीकृष्णको उनके पत्रका उत्तर दीजिये। उसके द्वारा शीघ्र ही उनके चरणोंमें प्रणाम करके मैं उन्हें आपके पास ले आऊँगा॥ १७-१८॥

श्रीनारदजी कहते हैं—राजन्! तदनन्तर राधा तुरंत ही लेखनी और मसीपात्र लेकर समाचारका चिन्तन करने लगीं, तबतक उनके नेत्रोंसे अश्रुवर्षा होने लगी। श्रीराधाने जो-जो पत्र हाथमें लेकर उसे

लेखनीसे संयुक्त किया, वह-वह उनके नेत्र-कमलोंके नीरसे भीग गया। श्रीकृष्णदर्शनकी लालसासे अश्रु-धारा बहाती हुई कमलनयनी राधासे विस्मित हुए उद्धवने कहा॥ १९—२१॥

उद्धव बोले—श्रीराधे! आप कैसे लिखती हैं और कैसे दुःख प्रकट करती हैं, यह सब कथा आपके लिखे बिना ही मैं उनसे निवेदित करूँगा॥ २२॥

श्रीनारदजी कहते हैं—राजन्! उद्धवकी वाणी सुनकर राधाने बाधारहित हो समस्त गोपियोंके साथ उस समय उद्धवका पूजन किया। तत्पश्चात् परादेवी रासेश्वरी श्रीराधाको प्रणाम और उनकी परिक्रमा करके, गोपीगणोंसे विदा ले, सबको बार-बार मस्तक झुकाकर उद्धव रत्नभूषणभूषित उस दिव्याकार रथपर आरूढ़ हुए। उनको अपनी बुद्धि और ज्ञानपर जो बड़ा अभिमान था, वह दूर हो गया। वे संध्याके समय नन्दजीके पास लौट आये। सबेरे सूर्योदय होनेपर गोपी यशोदाको नमस्कार करके, उद्धव नन्दराजकी आज्ञा ले क्रमशः नौ नन्दों, वृषभानुओं, उपनन्दों, अन्य लोगों तथा कृष्णके सम्पूर्ण सखाओंसे अलग-अलग मिले और उनसे विदा ले, रथपर आरूढ़ हो वहाँसे चल दिये। समस्त गोप और गोपियोंके समुदाय उनके पीछे-पीछे दूरतक पहुँचानेके लिये गये। उद्धव सबको स्नेहपूर्वक लौटाकर मथुराको चले गये। श्रीकृष्ण यमुनाके मनोहर तटपर अक्षयवटके नीचे एकान्त स्थानमें बैठे हुए थे। वहाँ उनको प्रणाम और उनकी परिक्रमा करके बुद्धिमानोंमें श्रेष्ठ उद्धव नेत्र-कमलोंसे आँसू बहाते हुए प्रेमगद्गद वाणीमें बोले॥ २३—२९॥

उद्धवने कहा—देव! आप तो सबके साक्षी हैं, आपको मुझे क्या बताना है। आप राधिका और गोपियोंका कल्याण कीजिये, कल्याण कीजिये; उन्हें दर्शन दीजिये। 'मैं देवदेवेश्वर श्रीकृष्णको तुम्हारे पास ले आऊँगा।' ऐसी बात मैंने उनसे कही है। कृपानिधे! मेरे इस वचनकी रक्षा कीजिये, रक्षा कीजिये। भक्तोंके परमेश्वर! जैसे आपने प्रह्लाद और रुक्माङ्गदकी, बलि और खट्वाङ्गकी तथा अम्बरीष और ध्रुवकी प्रतिज्ञा रखी है, उसी प्रकार मेरी की हुई प्रतिज्ञाकी भी रक्षा कीजिये, रक्षा कीजिये॥ ३०—३२॥

इस प्रकार श्रीगर्गसंहितामें श्रीमथुराखण्डके अन्तर्गत नारद-बहुलाश्व-संवादमें 'गोपियोंके वचन तथा उद्धवका मथुरा लौट जाना' नामक अठारहवाँ अध्याय पूरा हुआ॥ १८॥

उन्नीसवाँ अध्याय

श्रीकृष्णका उद्धवके साथ व्रजमें प्रत्यागमन और यमुना-तटपर गौओंका उनके रथको चारों ओरसे घेर लेना; गोपोंके साथ उनकी भेंट; नन्दगाँवसे नन्दरायजी एवं यशोदा-का गोपों एवं गोपियोंको लेकर गाजे-बाजेके साथ उनकी अगवानीके लिये निकलना तथा सबके साथ श्रीकृष्णका नन्दनगरमें प्रवेश

श्रीनारदजी कहते हैं—राजन्! इस प्रकार भक्तका वचन सुनकर भक्तवत्सल अच्युतने अपने कहे हुए वचनको याद करके व्रजमें जानेका विचार किया। समस्त कार्यभारोंपर दृष्टि रखनेके लिये बलदेवजीको मथुरामें ही छोड़कर चञ्चल घोड़ोंसे जुते हुए किङ्किणीजालमण्डित सुवर्णजटित सूर्यतुल्य तेजस्वी रथपर उद्धवके साथ आरूढ़ हो भगवान् श्रीकृष्ण भक्तोंको दर्शन देनेके लिये नन्दगाँवको गये। गोवर्द्धन, गोकुल और वृन्दावनको देखते हुए श्रीकृष्ण यमुनाके मनोहर तटपर पहुँचे। व्रजेश्वर श्रीकृष्णको देखते ही कोटि-कोटि गौएँ चारों ओरसे दौड़ती हुई उनके पास आ गयीं। उन सबके स्तनोंसे स्नेहके कारण दूध झर रहा था। वे कान और पूँछ उठाकर रँभा रही थीं। उनके साथ बछड़े भी थे। मुखमें घासके ग्रास

लिये खड़ी हुई गौएँ नेत्रोंसे आनन्दके आँसू बहा रही थीं। उनकी व्यथा-वेदना दूर हो गयी थी। राजन्! जैसे बादल रथ, अरुण और अश्वोंसहित शरत्कालके सूर्यको ढक लेते हैं, उसी प्रकार उद्धवके देखते-देखते गौओंने उस रथको सब ओरसे घेर लिया। गोपाल श्रीहरि उन सब गौओंके अलग-अलग नाम बोलकर अपने श्रीहस्तसे उनके अङ्गोंको सहलाते हुए बड़े हर्षको प्राप्त हुए। गौओंके समुदायको उनके समीप गया देख श्रीदामा आदि व्रज-बालक विस्मित हो परस्पर कहने लगे॥ १—९॥

गोप बोले—सखाओ! उस वायुके समान वेगशाली तथा कांस्यपत्र (झाँझ) की ध्वनिके समान शब्द करनेवाले, कलश और ध्वजसहित रथको, जिसमें सैकड़ों अश्व जुते हैं तथा जो शत सूर्योंके समान शोभाशाली है, गौओंने कैसे घेर लिया है? गौओंके इस हर्षसे यह सूचित होता है कि इस रथपर दूसरा कोई नहीं, साक्षात् व्रजराजनन्दन ही आ रहे हैं; क्योंकि हमारे दाहिने अङ्ग भी फड़क रहे हैं और नीलकण्ठ पक्षी हमारे ऊपर उठकर बंदनवारका-सा विस्तार करते हैं॥ १०-११॥

श्रीनारदजी कहते हैं—राजन्! मन-ही-मन ऐसा विचार करके वे सब गोप वहाँ आ गये। आनेपर उन लोगोंने अपने मित्र माधवको उसी प्रकार देखा, जैसे साधारण जन अपनी खोयी हुई वस्तुके मिल जानेपर उसे देखते हैं। उनपर दृष्टि पड़ते ही साक्षात् परिपूर्णतम भगवान् श्रीकृष्ण रथसे कूद पड़े और उन सबको आगे करके, प्रेमविह्वल हो अपनी दोनों भुजाओंसे भेंटने लगे। नेत्र कमलोंसे अश्रुधारा बहाते हुए उन्होंने पृथक्-पृथक् सबको हृदयसे लगाया। अहो! इस भूतलपर भक्तिके माहात्म्यका वर्णन कौन कर सकता है! मिथिलेश्वर! वे सब गोप नेत्रोंसे आँसू बहाते हुए फूट-फूटकर रोने लगे। श्रीकृष्णके वियोगसे वे इतने विह्वल हो गये थे कि मिल जानेपर भी सहसा उनसे कुछ कहनेमें समर्थ न हो सके। तब साक्षात् परिपूर्णतम भगवान् श्रीहरिने उन प्रेमानन्दसे विह्वल सखाओंको मधुर वाणीसे आश्वासन दिया। श्रीकृष्णने ग्वाल-बालोंके साथ उद्धवको अपने आनेका समाचार देनेके लिये भेजा। उद्धवने नन्द-नगरमें जाकर बताया कि 'श्रीकृष्ण पधारे हैं'॥ १२—१७॥

गोपवल्लभ नन्दनन्दन श्रीकृष्णका आगमन सुन-कर समस्त गोप परिपूर्णमनोरथ होकर उन्हें लिवा लानेके लिये निकले। भेरी, मृदङ्ग, पटह आदि बाजे मधुरस्वरमें बजने लगे। भरे हुए कलश लिये ब्राह्मण-लोग वेदमन्त्रोंका उच्चारण करने लगे। लाजा (खील) आदि माङ्गलिक वस्तुओंसे मिश्रित गन्ध और अक्षत साथ ले यशोदाके साथ श्रीनन्दराज अगवानीके लिये गये। तत्पश्चात् सिन्दूर-रञ्जित सूँडमें सोनेकी साँकल धारण किये मदोन्मत्त हाथीको आगे रखकर भानुतुल्य तेजस्वी श्रीवृषभानुवर अपनी रानी कलावतीके साथ वहाँ आये। नन्द, उपनन्द, वृषभानु, बूढ़े, जवान और बालक गोप पूर्णमनोरथ हो, फूलोंके हार, बाँसुरी, गुञ्जा और मोरपंख लिये नगरसे बाहर निकले। नरेश्वर! गोप-बालक श्रीकृष्णके दर्शनकी बड़ी भारी लालसा लिये, हाथोंमें वंशी, बेंत और विषाण (सींग) धारण किये, बड़े हर्षके साथ नन्दनन्दनके गुण गाते और पीले वस्त्र हिला-हिलाकर नाचते थे॥ १८—२२॥

सखियोंके मुखसे श्रीहरिके शुभागमनका शुभ संवाद सुनकर श्रीराधा शयनसे उठ खड़ी हुईं और महान् हर्षसे युक्त हो उन्होंने उन सबको अपने भूषण उसी प्रकार लुटा दिये, जैसे प्रसन्न हुई नूतन पद्मिनी अपनी सुगन्ध लुटाया करती है। मिथिलेश्वर! गोपाङ्गनाओंके आठ, सोलह, बत्तीस और दो यूथोंके साथ श्रीराधा मनोहर शिविकापर आरूढ़ हो श्रीधरके दर्शनके लिये आयीं। नृपेश्वर! इसी प्रकार करोड़ों गोपियाँ अपने घरका सारा काम-काज छोड़कर, उलटे-सीधे वस्त्र और आभूषण धारण किये वहाँ आयीं। प्रेमके कारण वे मनके समान तीव्र गतिसे चल रही थीं। ऐसा लगता था कि वृक्ष, गौ, मृग और पक्षियोंसहित सारा व्रजमण्डल श्रीकृष्णको आया हुआ देख प्रेमसे आतुर हो उठा है।॥ २३—२५ $\frac{1}{2}$॥

श्रीकृष्णने मस्तकपर अञ्जलि बाँधे पिता श्रीनन्द-राजको और मैया यशोदाको प्रणाम किया। बहुत दिनोंके बाद आये हुए अपने पुत्रको दोनों भुजाओंमें भरकर और हृदयसे लगाकर श्रीनन्दराजने अपने नेत्र-

जलसे उनको नहला दिया। यशोदासहित श्रीनन्दका मनोरथ आज चिरकालके बाद पूर्ण हुआ था। नन्द, उपनन्द और वृषभानु आदि सम्पूर्ण बड़े-बूढ़े गोपोंको प्रणाम करके, उनके आशीर्वाद ले श्रीकृष्ण समवयस्क मित्रोंसे परस्पर गले मिले और अपनेसे छोटे सखाओं-का हाथ पकड़कर उनके साथ बैठे॥ २६—२८॥

तदनन्तर श्रीहरि यशोदासहित नन्दको हाथीपर चढ़ाकर स्वयं रथपर बैठे और नन्द-उपनन्द तथा गो-समुदायके साथ श्रीनन्दराजके नगरमें प्रविष्ट हुए। उसी समय देवताओंने उनपर फूलोंकी वर्षा की और पुरवासिनी गोपाङ्गनाओंने आचार-प्राप्त लावा (खील) बिखेरे। श्रीहरिके घर पधारनेपर गोपोंने वहाँ 'जय हो, जय हो'—ऐसे माङ्गलिक शब्दका बारंबार उच्चारण किया। उस समय आर्त हुए गोपगण गद्गद वाणीमें कहने लगे—'लाला! तुम्हारा यह सखा उद्धव परम धन्य है; क्योंकि इसने गोपजनोंके जीवनभूत साक्षात् तुम्हारा दर्शन करा दिया'॥ २९—३१॥

नृपेश्वर! इस प्रकार मैंने श्रीहरिके व्रजमें पुनरागमनका वृत्तान्त तुमसे कह सुनाया, अब और क्या सुनना चाहते हो? श्रीहरिका यह विचित्र चरित्र देवताओं और असुरोंके लिये भी परम कल्याणप्रद है॥ ३२॥

इस प्रकार श्रीगर्गसंहितामें श्रीमथुराखण्डके अन्तर्गत नारद-बहुलाश्व-संवादमें 'श्रीकृष्णका व्रजमें आगमनोत्सव' नामक उन्नीसवाँ अध्याय पूरा हुआ॥ १९॥

बीसवाँ अध्याय

श्रीकृष्णका कदली-वनमें श्रीराधा और गोपियोंके साथ मिलन; रासोत्सव तथा उसी प्रसङ्गमें रोहिताचलपर महामुनि ऋभुका मोक्ष

बहुलाश्वने पूछा—मुने! साक्षात् भगवान्ने व्रजमण्डलमें पधारकर आगे कौन-सा कार्य किया? श्रीराधा तथा गोपाङ्गनाओंको किस प्रकार दर्शन दिया! गोपियोंके मनोरथ पूर्ण करके वे पुनः मथुरामें कैसे आये? विप्रेन्द्र! आप परापरवेत्ताओंमें सर्वश्रेष्ठ हैं, अतः ये सब बातें मुझे बताइये?॥ १-२॥

श्रीनारदजीने कहा—राजन्! संध्याकालमें श्रीराधाका बुलावा पाकर स्वयं भगवान् श्रीकृष्ण सदा-शीतल कदली-वनके एकान्त प्रदेशमें गये। वहाँ, जिसमें फुहारे चलते थे, ऐसा मेघमहल था, रम्भाद्वारा चन्दन छिड़का जाता था, यमुनाजीको छूकर प्रवाहित होनेवाली मन्द वायु ठंडे जलके कण बिखेरती थी और सुधाकर चन्द्रमाकी रश्मियोंसे निरन्तर अमृत झरता रहता था। ऐसा शीतल कदली-वन भी श्रीराधाके विरहानलकी आँचसे भस्मीभूत हो गया था। श्रीकृष्णसे मिलनकी आशा ही श्रीराधाकी निरन्तर रक्षा कर रही थी। वहीं गोपियोंके सारे-के-सारे यूथ आ जुटे, जो सैकड़ोंकी संख्यामें थे। उन्होंने श्रीराधासे निवेदन किया कि 'माधव पधारे हैं।' यह सुनकर साक्षात् वृषभानुवरकी पुत्री श्रीराधा सहसा उठीं और सखियोंसे घिरी हुई वे श्रीकृष्णको लिवा लानेके लिये आयीं। उन्होंने श्रीहरिको आसन दिया। पाद्य, अर्घ्य और आचमन आदि मनोहर उपचार प्रस्तुत किये। साथ ही कुशल पूछनेमें अत्यन्त चतुर श्रीराधा श्रीहरिसे आदरपूर्वक कुशल भी पूछती जा रही थीं। कोटि-कोटि तरुण कंदर्पोंके माधुर्यको हर लेनेवाले श्रीहरिका दर्शन करके राधाने सम्पूर्ण दुःखको उसी प्रकार त्याग दिया, जैसे ब्रह्मका बोध प्राप्त होनेपर ज्ञानी गुणोंके प्रति तादात्म्यका भाव छोड़ देता है। कीर्तिकुमारीने प्रसन्न होकर शृङ्गार धारण किया। श्रीकृष्ण जब परदेशके पथिक होकर गये थे, तबसे उन्होंने अपने शरीरपर शृङ्गार धारण नहीं किया था। न कभी चन्दन लगाया, न पान खाया, न सुधासदृश स्वादिष्ट भोजन ही ग्रहण किया। न दिव्य सेजकी रचना की और न कभी किसीके साथ हास-परिहास ही किया। परिपूर्णतम भगवान्की प्रियतमा आनन्दके आँसू बहाती हुई अपने परिपूर्णतम प्रियतम

श्रीकृष्णसे गद्‌गद वाणीमें बोलीं॥ ३—१२॥

श्रीराधाने कहा—प्यारे! यादवपुरी मथुरा कितनी दूर है, जो अबतक नहीं आये? वहाँ तुम क्या करते रहे? मैं अपने एकान्त दुःखको कैसे बताऊँ? तुम तो सबके साक्षी हो, अतः सब जानते हो। राजा सौदासकी रानी मदयन्ती, नलकी प्यारी रानी दमयन्ती तथा मिथिलेशनन्दिनी सीता—इन तीनोंमेंसे कोई यहाँ नहीं है। फिर किसको सामने रखकर इस वैरी विरहके दुःखका मैं वर्णन करूँ? ये गोपाङ्गनाएँ भी मेरी-जैसी परिस्थितिमें ही हैं, अतः वे भी कभी इस दुःखका निरूपण करनेमें समर्थ नहीं हैं। जैसे चकोरी शरत्कालके चन्द्रमाको और मयूरी नूतन मेघको देखना चाहती है, उसी प्रकार मैं तुम श्रीवृन्दावनचन्द्र तथा घनश्यामको देखनेके लिये उत्कण्ठित रहती हूँ। तुम्हारे सखा उद्धव धन्य हैं, जिन्होंने शीघ्र ही तुम्हारा दर्शन करा दिया। इस व्रजमें दूसरा कोई ऐसा नहीं है, जिसके प्रेमसे तुम यहाँ आते॥ १३—१६॥

नारदजी कहते हैं—राजन्! इस प्रकार कहती और निरन्तर रोती हुई श्रेष्ठ लक्ष्मीरूपा श्रीराधाको देखकर श्यामसुन्दरका अङ्ग-अङ्ग करुणासे विह्वल हो गया। उनके नेत्रोंसे भी अश्रु झरने लगे। उन्होंने तत्काल दोनों हाथोंसे खींचकर प्रियतमाको हृदयसे लगा लिया और नीतियुक्त वचनोंसे उन्हें धीरज बँधाया॥ १७॥

श्रीभगवान् बोले—राधे! शोक न करो, मैं तुम्हारे प्रेमसे ही यहाँ आया हूँ। हम दोनोंका तेज भेदरहित एवं एक है। लोगोंने इसे दो मान रखा है। शुभे! जैसे दूध और उसकी धवलता एक है, उसी प्रकार सदा हम दोनों एक हैं। जहाँ मैं हूँ, वहाँ तुम सदा विराजमान हो। हम दोनोंका वियोग कभी होता ही नहीं। मैं पूर्ण परब्रह्म हूँ और तुम जगन्माता तटस्था शक्ति हो। हम दोनोंके बीचमें वियोगकी कल्पना मिथ्या ज्ञानके कारण है, तुम इसे समझो। वरानने! जैसे आकाशमें नित्य विराजमान महान् वायु सर्वत्र व्यापक है, जैसे जल सूक्ष्मरूपसे सर्वत्र व्याप्त है, जैसे काष्ठमें अग्नि व्याप्त रहती है और जैसे भीतर और बाहर स्थित यह पृथग्भूता पृथ्वी परमाणुरूपसे सर्वत्र व्याप्त है, उसी प्रकार मैं निर्विकारभावसे सर्वत्र विद्यमान हूँ। जैसे जल विविध रंगोंसे युक्त होनेपर भी उनसे पृथक् है, उसी प्रकार मैं त्रिगुणात्मक भावोंके सम्पर्कमें रहकर भी उनसे सर्वथा असम्पृक्त हूँ। इसी प्रकार तुम मेरे स्वरूपको देखो और समझो; इससे सदा आनन्द बना रहेगा। सुमुखि! 'मैं' और 'मेरा'—इन दो भावोंके कारण द्वैतकी कल्पना होती है। जबतक सूर्यसे ही उत्पन्न हुआ मेघ सूर्य और दृष्टिके बीचमें विद्यमान है, तबतक दृष्टि अपने ही स्वरूपभूत सूर्यका दर्शन नहीं कर पाती। इसी प्रकार जबतक प्राकृत गुण व्यवधान बनकर खड़े हैं, तबतक जीवात्मा अपने ही स्वरूपभूत परमात्माको नहीं देख पाता। इन तीनों गुणोंका आवरण दूर होनेपर ही वह परमात्माका साक्षात्कार कर पाता है। यदि मन गुणों (विषयों) में आसक्त है तो वह बन्धनकारक होता है, और यदि परम पुरुष परमात्मामें संलग्न है तो मोक्षकी प्राप्ति करानेवाला हो जाता है। इस प्रकार मनको बन्धन और मोक्ष—दोनोंका कारण बताया गया है। उस मनको जीतकर पृथ्वीपर असङ्ग होकर विचरे। भामिनि! लोकमें मनका सम्पूर्णभाव (सम्बन्ध) दोनों ओरसे परस्परकी अपेक्षा रखकर होता है, एक ओरसे नहीं होता। किंतु प्रेम स्वयं ही किया जाता है, अतः मुझमें अपनी ओरसे ही प्रेम करना चाहिये। प्रेमके समान इस भूतलपर दूसरा कोई भी मेरी प्राप्तिका साधन नहीं है॥ १८—२६॥

नारदजी कहते हैं—राजन्! श्रीहरिका यह वचन सुनकर कीर्तिनन्दिनी श्रीराधाने गोपियोंके साथ उन माधव श्रीकृष्णका पूजन किया। तदनन्तर कार्तिक पूर्णिमाकी रातमें गोपियों और श्रीराधिकाके साथ रासमण्डलमें उपस्थित हो साक्षात् श्रीहरिने मुरली बजायी। राजन्! यमुनाके निकट रासकी रङ्गभूमिमें श्रीराधा तथा अन्य सुन्दरी व्रजरमणियोंके साथ राधावल्लभ श्रीकृष्ण शोभा पाने लगे। रासमें जितनी गोपाङ्गनाएँ थीं, उतने ही रूप धारण करके वृन्दावन-अधीश्वर श्रीहरि दिव्य वृन्दावनमें विहार करने लगे। उनके चरणोंके नूपुर और मञ्जीर बज रहे थे। वनमाला उनकी शोभा बढ़ा रही थी। पीताम्बर पहिने, एक हाथमें कमल लिये, प्रातःकालिक सूर्यके समान कान्तिमान् मुकुट धारण किये, विद्युल्लताके तुल्य

जगमगाते हुए सुवर्णमय कुण्डलोंसे मण्डित हो, बेंतकी छड़ी लिये, वंशी बजाते हुए, मेघकी-सी कान्तिवाले श्रीहरि नटवर-वेषमें सुशोभित हुए। अत्यन्त प्रकाशमान कौस्तुभरत्न उनके वक्षःस्थलपर दिव्य प्रभा बिखेर रहा था। कानोंमें चिकने और चमकीले कुण्डल हिल रहे थे। रासमण्डलमें श्रीराधाके साथ वे उसी प्रकार सुशोभित हुए, जैसे रतिके साथ रतिपति। जैसे स्वर्गमें शचीके साथ इन्द्र तथा आकाशमें चपलाके साथ मेघ शोभा पाते हैं, वृन्दावनमें वृन्दाके साथ वृन्दावनेश्वरकी वैसी ही शोभा हो रही थी। वे वृन्दावन, यमुना-पुलिन, वन और उपवनकी शोभा निहारते हुए गोपी-समुदायके साथ गोवर्धन पर्वतपर गये। भगवान् व्रजेश्वरने देखा सौ यूथवाली गोपाङ्गनाओंको अपने सौभाग्यपर अभिमान हो उठा है, तब वे श्रीराधाके साथ वहीं अन्तर्धान हो गये॥ २७—३६॥

अब वे गोवर्धनसे तीन योजन दूर चन्दनकी गन्धसे सुवासित सुन्दर रोहिताचलको चले गये। श्रीराधाके साथ वहाँके लता-कुञ्जों और निकुञ्जोंको देखते तथा वार्तालाप करते हुए सुनहरी लताओंके आश्रयभूत उस पर्वतपर विचरने लगे। वहाँ बदरीनाथके द्वारा निर्मित रमणीय देवसरोवर है, जो बड़े-बड़े मत्स्यों, कछुओं और मगर आदि जल-जन्तुओं तथा हंस-सारस आदि पक्षियोंसे व्याप्त था। सहस्त्रदल कमल उसकी शोभा बढ़ा रहे थे। इधर-उधर मँड़राते हुए भ्रमरोंकी मधुर ध्वनिसे युक्त नर-कोकिलोंकी काकली वहाँ सब ओर व्याप्त थी। उसके तटपर मन्द-मन्द वायु चल रही थी और प्रफुल्ल कमलोंकी सुगन्ध छायी हुई थी। रमास्वरूपा राधाके साथ माधव उस सरोवरके किनारे बैठ गये। उसी सरोवरके कूलपर महामुनि ऋभु एक पैरसे खड़े होकर तपस्या कर रहे थे और निरन्तर श्रीकृष्णके चिन्तनमें तत्पर थे। साठ हजार साठ सौ वर्षोंसे वे निराहार और निर्जल रहकर शान्तभावसे तपस्यामें लगे थे। श्रीकृष्णने उन्हें देखा। राधाने उन्हें देखकर मुस्कराते हुए पूछा—'ये कौन हैं?' माधव बोले—'प्रिये! इनका माहात्म्य बढ़ाओ। ये भक्त हैं। इन महामुनिकी भक्ति देखो।'—कहकर श्रीकृष्णने 'हे ऋभो!' यह नाम लेकर उच्चस्वरसे पुकारा। किंतु उन्होंने उनका वह शुभ वचन नहीं सुना; क्योंकि वे ध्यानकी चरमावस्था (समाधि) में पहुँच गये थे। तब श्रीहरि उस समय मुनिके हृदयसे तत्काल तिरोहित हो गये। श्रीहरिको ध्यानसे निर्गत होनेके कारण न देखकर मुनीन्द्र ऋभु अत्यन्त विस्मित हो गये। फिर तो उन्होंने आँखें खोल दीं और अपने सामने चपलाके साथ मेघकी भाँति राधाके साथ श्रीकृष्णको देखा, जो अपनी प्रभावसे दसों दिशाओंको अनुरञ्जित—प्रकाशित कर रहे थे। यह देख वे हरिभक्तिपरायण महात्मा शीघ्र उठे और राधासहित श्रीहरिकी परिक्रमा करके, मस्तक झुकाकर प्रणाम करते हुए उनके चरणोंमें गिर पड़े। फिर अत्यन्त गद्गद वाणीमें श्रीकृष्णसे बोले॥ ३७—४८॥

श्रीऋभुने कहा—श्रीकृष्ण और कृष्णाको नमस्कार। श्रीराधा और माधवको नमस्कार। परिपूर्णतमा और परिपूर्णतमको नमस्कार। देव घनश्याम और श्यामाको सदा नमस्कार है। रासेश्वर तथा रासेश्वरीको नित्य-निरन्तर बारंबार नमस्कार है। गोलोकातीत लीलावाले श्रीकृष्णको तथा लीलावती श्रीराधाको बारंबार नमस्कार है। असंख्य ब्रह्माण्डोंकी अधिदेवी तथा असंख्य ब्रह्माण्डोंकी निधिको नमस्कार है। आप दोनों भूभार-हरण करनेके लिये इस भूतलपर अवतीर्ण हुए हैं और मुझे शान्ति प्रदान करनेके लिये यहाँ पधारे हैं। परस्पर संयुक्त विग्रहवाले आप दोनों श्रीराधा और श्रीहरिको मेरा नमस्कार है*॥ ४९—५२॥

नारदजी कहते हैं—राजन्! यों कहकर श्रीकृष्णके चरणारविन्दोंमें नेत्रोंसे प्रेमाश्रुकी वर्षा करते

*नमः कृष्णाय कृष्णायै राधायै माधवाय च। परिपूर्णतमायै च परिपूर्णतमाय च॥
घनश्यामाय देवाय श्यामायै सततं नमः। रासेश्वराय सततं रासेश्वर्यै नमो नमः॥
गोलोकातीतलीलाय लीलावत्यै नमो नमः। असंख्याण्डाधिदेव्यै चासंख्याण्डनिधये नमः॥
भूभारहाराय भुवंगताभ्यां मच्छान्तये चात्र समागताभ्याम्। परस्परं संवितविग्रहाभ्यां नमो युवाभ्यां हरिराधिकाभ्याम्॥
(गर्ग०, मथुरा० २०। ४९—५२)

हुए प्रेमानन्दनिमग्न महामुनि ऋभुने अपने प्राण त्याग दिये। उसी समय उनके शरीरसे दस सूर्योंके समान दीप्तिमती ज्योति निकली और दसों दिशाओंमें घूमती हुई श्रीकृष्णमें लीन हो गयी। अपने भक्तकी यह प्रेमलक्षणा-भक्ति देखकर श्रीकृष्णने अपने नेत्रोंसे आनन्दके अश्रु बहाते हुए बड़े प्रेमसे उनका नाम लेकर पुकारा। तब श्रीकृष्णका-सा रूप धारण किये वे मुनि श्रीकृष्णके चरण-कमलसे पुनः प्रकट हुए। उस समय उनका सौन्दर्य कोटि-कोटि कंदर्पोंको तिरस्कृत कर रहा था और वे विनयसे सिर झुकाये हुए खड़े थे। करुणा-निधि श्रीकृष्णने उन्हें भुजाओंमें भरकर हृदयसे लगा लिया और आश्वासन दे, अपना दिव्य कल्याणकारी हाथ उनके मस्तकपर रखा। मिथिलेश्वर! तत्पश्चात् श्रीकृष्ण और श्रीराधाकी परिक्रमा करके, उन्हें प्रणाम-कर, मुनिवर ऋभु एक मनोहर विमानपर आरूढ़ हो, अपने तेजसे सम्पूर्ण दिशाओंको प्रकाशित करते हुए, गोलोकधामको चले गये। महामुनि ऋभुकी यह परा मुक्ति देखकर वृषभानुनन्दिनी श्रीराधिकाको बड़ा विस्मय हुआ। वे बहुत देरतक आनन्दके आँसू बहाती रहीं। फिर श्रीकृष्णसे बोलीं॥ ५३—५९॥

इस प्रकार श्रीगर्गसंहितामें श्रीमथुराखण्डके अन्तर्गत नारद-बहुलाश्व-संवादमें रासोत्सवके प्रसङ्गमें 'ऋभुका मोक्ष' नामक बीसवाँ अध्याय पूरा हुआ॥ २०॥

इक्कीसवाँ अध्याय

श्रीकृष्णकी द्रवरूपताके प्रसङ्गमें नारदजीका उपाख्यान

राधाने कहा—माधव! ये मुनिश्रेष्ठ धन्य हैं, जो तुम्हारे इतने बड़े भक्त और महान् प्रेमी थे। इन्होंने तुम्हारा सारूप्य प्राप्त कर लिया और तुम भी इनके लिये आँसू बहाते रहे। पापनाशन! अब तुम्हें इनके शरीरका दाहसंस्कार भी करना चाहिये। इनका यह शरीर तपस्याके प्रभावसे अभीतक निर्मल आकारमें प्रकाशित हो रहा है॥ १-२॥

नारदजी कहते हैं—राजन्! वहाँ श्रीराधा इस प्रकार कह ही रही थीं कि मुनिका शरीर एक नदीके रूपमें परिणत हो गया। रोहिताचलपर बहती हुई वह पापनाशिनी नदी आज भी देखी जाती है। उनके शरीरको नदीके रूपमें परिणत देख राधाको और भी अधिक विस्मय हुआ। तब वे वृषभानुवरनन्दिनी नन्दराजकुमारसे इस प्रकार बोलीं॥ ३-४॥

राधाने कहा—श्यामसुन्दर! इन महामुनिका यह शरीर जलरूपमें कैसे परिणत हो गया? देव! मेरे इस संशयको तुम पूर्णरूपसे मिटा दो॥ ५॥

श्रीभगवान्ने कहा—रम्भोरु! ये मुनीश्वर प्रेम-लक्षणा-भक्तिसे संयुक्त थे, इसीलिये इनका यह शरीर द्रवभावको प्राप्त हुआ है। तुम्हारे साथ मुझे वर देनेके लिये आया देख महामुनि ऋभु अत्यन्त हर्षित हुए थे, इसीलिये इनका कलेवर उसी प्रकार जलरूपमें परिणत हो गया, जैसे मैं पहले द्रवभावको प्राप्त हुआ था॥ ६-७॥

श्रीराधाने पूछा—देवदेव! दयानिधे! तुम कैसे द्रवभावको प्राप्त हुए थे! यह बात मुझे बड़ी विचित्र लग रही है, तुम विस्तारसे सब बात बताओ॥ ८॥

श्रीभगवान्ने कहा—इस विषयमें जानकार लोग इस प्राचीन इतिहासको सुनाया करते हैं, जिसके श्रवणमात्रसे पापोंका पूर्णतया नाश हो जाता है॥ ९॥

पूर्वकालमें प्रजापति ब्रह्मा मेरे नाभि-कमलसे प्रकट हो प्राकृत जगत्की सृष्टि करने लगे। वे अपनी तपस्या और मेरे वरदानसे शक्तिशाली रहे। एक समय सृष्टिकर्ता ब्रह्माकी गोदसे सुन्दर पुत्र नारदजीका जन्म हुआ। वे मेरी भक्तिसे उन्मत्त होकर भूमण्डलपर भ्रमण करते हुए मेरे नाम-पदोंका कीर्तन करने लगे। एक दिन प्रजापति ब्रह्मदेवने नारदजीसे कहा—'महामते! यह व्यर्थ घूमना छोड़ो और प्रजाकी सृष्टि करो।' उनकी बात सुनकर ज्ञानमार्गपरायण नारदने इस प्रकार कहा—'पिताजी! मैं सृष्टि नहीं करूँगा; क्योंकि वह

शोक-मोह पैदा करनेवाली है। मैं तो श्रीहरिके नामोंका कीर्तन और उनकी भक्ति करूँगा। आप भी इस सृष्टि व्यापारमें लगकर दु:खसे अत्यन्त आतुर रहते हैं, अत: आप भी सृष्टि-रचना छोड़ दीजिये'॥ १०—१४॥

यह सुनकर ब्रह्माजीके अधर क्रोधसे फड़कने लगे। उन्होंने कुपित हो शाप देते हुए कहा—'दुर्मते! तुम एक कल्पतक सदा गाने-बजानेमें ही लगे रहनेवाले गन्धर्व हो जाओ।' श्रीराधे! इस प्रकार ब्रह्माके शापसे नारदजी उपबर्हण नामक गन्धर्व हो गये। वे एक कल्पतक देवलोकमें गन्धर्वराजके पदपर प्रतिष्ठित रहे। एक दिन स्त्रियोंसे घिरे हुए वे ब्रह्माजीके लोकमें गये। वहाँ सुन्दरियोंमें मन लगा रहनेके कारण उन्होंने बेताला गीत गाया। तब ब्रह्माने पुन: शाप दे दिया—'दुर्मते! तू शूद्र हो जा।' इस प्रकार ब्रह्माजीके शापसे वे दासीपुत्र हो गये। राधे! फिर सत्सङ्गके प्रभावसे नारदजी ब्रह्मपुत्रताको प्राप्त हुए। तदनन्तर पुन: भक्तिभावसे उन्मत्त हो भूतलपर विचरते हुए वे मेरे पदोंका गान एवं कीर्तन करने लगे। मुनीन्द्र नारद वैष्णवोंमें श्रेष्ठ, मेरे प्रिय तथा ज्ञानके सूर्य हैं। वे परम भागवत हैं और सदा मुझमें ही मन लगाये रहते हैं॥ १५—२०॥

एक दिन विभिन्न लोकोंका दर्शन करते हुए गान-तत्पर नारद, जिनकी सर्वत्र गति है, इलावृतखण्डमें गये, जहाँ प्रिये! जम्बूफलके रससे प्रकट हुई श्यामवर्णा जम्बूनदी प्रवाहित होती है तथा जाम्बूनद नामक सुवर्ण उत्पन्न होता है। उस देशमें रत्नमय प्रासादोंसे युक्त तथा दिव्य नर-नारियोंसे भरा हुआ एक 'वेदनगर'—नामक नगर है, जिसे योगी नारदने देखा। वहाँ कितने ही लोगोंके पैर नहीं थे, गुल्फ नहीं थे और घुटने भी नहीं थे। जङ्घा अथवा जघनभागका भी कितने ही लोगोंके पास अभाव था। वे विकलाङ्ग और कृशोदर थे और कितनोंके पीठके मध्यभागमें कूबर निकल आयी थी, दाँत गिर गये थे या ढीले हो गये थे, कंधे ऊँचे थे, मुख झुका हुआ था और कितनोंके गर्दन ही नहीं थी। इस प्रकार नारदजीने वहाँकी स्त्रियों और पुरुषोंका अङ्ग-भङ्ग देखा। उन सबको देखकर मुनिने कहा—'अहो! यह क्या बात है? यह सब तो विचित्र ही दिखायी देता है। आप सब लोगोंके मुँह कमलके समान हैं, शरीर दिव्य हैं और वस्त्र भी अच्छे हैं। आपलोग देवता हैं या उपदेवता अथवा कोई ऋषिश्रेष्ठ हैं! आप सब लोग बाजोंके साथ हैं तथा रमणीय गीत गानेमें संलग्न हैं। आपके अङ्ग-भङ्ग कैसे हो गये, यह बात शीघ्र मुझे बताइये।' उनके इस प्रकार पूछनेपर वे सब दीनचित्त होकर बोले॥ २१—२८॥

रागोंने कहा—मुने! हमारे शरीरमें स्वत: बड़ा भारी दु:ख पैदा हो गया है। परंतु यह सब उसके आगे कहना चाहिये, जो उसे दूर कर सके। महर्षे! हमलोग राग हैं और वेदपुरमें निवास करते हैं। मानद! हम अङ्ग-भङ्ग कैसे हो गये, इसका कारण बताते हैं, सुनिये; हिरण्यगर्भ ब्रह्माजीके एक पुत्र पैदा हुआ है, जिसका नाम है, नारद। वह महामुनि प्रेमसे उन्मत्त होकर बेसमय ध्रुवपद गाता हुआ इस पृथ्वीपर विचरा करता है। उसके ताल-स्वरसे रहित असामयिक गानों-विगानोंसे हम सबके अङ्ग-भङ्ग हो गये हैं॥ २९—३२॥

उनकी यह बात सुनकर नारदजीको बड़ा विस्मय हुआ। उनका गर्व गल गया और वे रागोंसे हँसते हुए-से बोले॥ ३३॥

मुनिने कहा—रागगण! मुझे शीघ्र बताओ। नारदमुनिको किस प्रकारसे काल और तालका ज्ञान हो सकता है, जिससे वे स्वरयुक्त गीत गा सकें॥ ३४॥

रागोंने कहा—साक्षात् वैकुण्ठनाथकी प्रिय भार्याओंमें मुख्य सरस्वती देवी यदि नारदको संगीतकी शिक्षा दे सकें तो वे मुनि कौन-सा राग किस समय, किस तालस्वरसे गाना चाहिये, इसे जान सकते हैं॥ ३५॥

उनकी यह बात सुनकर दीनवत्सल नारद सरस्वतीका कृपा-प्रसाद प्राप्त करनेके लिये तुरंत ही शुभ्रगिरिपर चले गये। वहाँ उन्होंने सौ दिव्य वर्षोंतक निरन्तर अत्यन्त दुष्कर तपस्या की। व्रजेश्वरि! उन्होंने अन्न-जल छोड़कर केवल सरस्वतीके ध्यानमें मन लगा लिया था। नारदजीकी तपस्यासे वह पर्वत अपना 'शुभ्र' नाम छोड़कर 'नारदगिरि'के नामसे प्रख्यात हो गया। वह सारा पर्वत उनकी तपस्यासे पवित्र हो गया। तपस्याका पर्यवसान होनेपर साक्षात् वाग्देवता

विष्णुप्रिया श्रीसरस्वती वहाँ आयीं। नारदजीने उन दिव्यवर्णा देवीको देखा। देखकर वे सहसा उठ खड़े हुए और उन्हें नमस्कार करके परिक्रमापूर्वक नतमस्तक हो, वे मुनीश्वर सरस्वती देवीके रूप, गुण और माधुर्यकी स्तुति करने लगे॥ ३६—४०॥

नारदजी बोले—नवीन सूर्यके बिम्बकी द्युतिको उगलने और हिलनेवाले रत्नमय कर्णफूल, केयूर, किरीट और कङ्कण जिनकी शोभा बढ़ाते हैं तथा जो चमकते और झनकारते हुए नूपुरोंके शिञ्जन-रवसे रञ्जित होती हैं, उन कोटि चन्द्रमाओंसे अधिक उज्ज्वल मुखवाली सरस्वती देवीको मैं नमस्कार करता हूँ। जो चञ्चल चरण और चञ्चुपुटवाले उड़ते हुए कलहंसपर विराजमान होती तथा निर्मल मुक्ताफलोंके अनेक हार धारण करती हैं, उन सौभाग्यशालिनी सरस्वती देवीको मैं प्रणाम करता हूँ। जो अपने दोनों पार्श्वके दो-दो निर्मल हाथोंमें क्रमशः वर, अभय, पुस्तक और उत्तम वीणा धारण करती हैं, उन जगन्मयी, ब्रह्ममयी, शुभदा एवं मनोहरा सरस्वती देवीको मैं नमस्कार करता हूँ। श्वेतवर्णकी लहरदार रेशमी साड़ी पहननेवाली अतीव मङ्गलस्वरूपे सरस्वति! मुझे स्वर-तालका ज्ञान प्रदान कीजिये, जिससे मैं अविनाशी एवं सर्वोत्कृष्ट रासमण्डलमें सर्वोपरि और अद्वितीय संगीतज्ञ हो जाऊँ*॥ ४१—४४॥

श्रीभगवान् कहते हैं—श्रीराधे! सरस्वतीका यह नारदोक्त दिव्य स्तोत्र जडताका नाश करनेवाला है। जो प्रातःकाल उठकर इसका पाठ करेगा, वह इस लोकमें विद्यावान् होगा। तब प्रसन्न हुई वाग्देवताने महात्मा नारदको भगवत्प्रदत्त स्वरब्रह्मसे विभूषित एक वीणा प्रदान की। साथ ही राग-रागिनी, उनके पुत्र, देशकालादिकृत भेद तथा ताल, लय और स्वरोंका ज्ञान भी दिया। ग्रामोंके छप्पन कोटि भेद और असंख्य अवान्तर-भेद, नृत्य, वादित्र तथा सुन्दर मूर्च्छना—इन सबका ज्ञान नारदजीको प्राप्त हुआ। वैकुण्ठपतिकी प्रियाओंमें मुख्य सरस्वती देवीने स्वरगम्य सिद्धपदोंद्वारा नारदजीको संगीतकी शिक्षा दी। राधे! नारदको रासमण्डलके उपयुक्त अद्वितीय रागोद्भावक बनाकर विष्णुवल्लभा वाग्देवी वैकुण्ठधामको चली गयीं॥ ४५—५०॥

इस प्रकार श्रीगर्गसंहितामें श्रीमथुराखण्डके अन्तर्गत नारद-बहुलाश्व-संवादमें 'नारदोपाख्यान' नामक इक्कीसवाँ अध्याय पूरा हुआ॥ २१॥

बाईसवाँ अध्याय

नारदका अनेक लोकोंमें होते हुए गोलोकमें पहुँचकर भगवान् श्रीकृष्णके समक्ष अपनी कलाका प्रदर्शन करना तथा श्रीकृष्णका द्रवरूप होना

श्रीभगवान् कहते हैं—श्रीराधे! इस रागरूप मनोहर एवं गुह्य ज्ञानका उपदेश किसको देना चाहिये, इसका बुद्धिपूर्वक विचार करके नारदजी गन्धर्वनगरमें गये। वहाँ तुम्बुरु नामक गन्धर्वको अपना शिष्य बनाकर नारदजी मधुरस्वरसे वीणा बजाते हुए मेरे गुणोंका गान करने लगे। तदनन्तर उनके हृदयमें यह जिज्ञासा उत्पन्न हुई कि 'किन लोगोंके सामने इस मनोहर रागरूप गीतका गान करना चाहिये? इसको सुननेका पात्र कौन है?' इसकी खोज करते हुए नारद इन्द्रके पास आये। उनको इस विषयका आनन्द लेते न देख मुनिश्रेष्ठ नारद सखा तुम्बुरुके साथ राग-रागिनियोंका निरूपण करनेके लिये सूर्यलोकमें गये।

---

* नवार्कबिम्बद्युतिमुद्गलद्धलत्ताटङ्ककेयूरकिरीटकङ्कणाम्। स्फुरत्क्वणन्नूपुररावरञ्जितां नमामि कोटीन्दुमुखीं सरस्वतीम्॥
वन्दे सदाहं कलहंस उद्गते चलत्पदे चञ्चलचञ्चुसम्पुटे। निर्धौतमुक्ताफलहारसंचयं संधारयन्तीं सुभगां सरस्वतीम्॥
वराभयं पुस्तकवल्लकीयुतं परं दधानां विमले करद्वये। नमाम्यहं त्वां शुभदां सरस्वतीं जगन्मयीं ब्रह्ममयीं मनोहराम्॥
तरङ्गितक्षौमसिताम्बरे परे देहि स्वरज्ञानमतीवमङ्गले। येनाद्वितीयो हि भवेयमक्षरे सर्वोपरि स्यां पररासमण्डले॥
(गर्ग०, मथुरा० २१। ४१—४४)

वहाँ सूर्यदेवको रथके द्वारा भागे जाते देख देवर्षि-शिरोमणि महामुनि नारद वहाँसे तत्काल शिवजीके पास चले गये। राधे! ज्ञानतत्त्वज्ञ भूतनाथ शिवके नेत्र ध्यानमें निश्चल हैं, यह देख नारदजी ब्रह्मलोकमें गये। सृष्टिकर्ता ब्रह्माको सृष्टि-रचनामें व्यग्र देख, वे वहाँ भी न ठहर सके; उस स्थानसे विष्णुके सर्वलोकवन्दित वैकुण्ठधाममें चले गये। भक्तोंके स्वामी भक्तवत्सल भगवान् विष्णुको किसी भक्तपर कृपा करनेके लिये कहीं जाते देख योगीन्द्र नारद तुम्बुरुके साथ अन्यत्र चल दिये॥ १—८॥

वृषभानुनन्दिनि! योगीश्वर संतोंकी गति त्रिलोकीके भीतर और बाहर भी बतायी गयी है। जो केवल कर्मी हैं, उन्हें वैसी गति नहीं प्राप्त होती। मुनीश्वर नारद करोड़ों ब्रह्माण्ड-समूहोंको लाँघकर प्रकृतिसे परे गोलोकधाममें जा पहुँचे। उत्ताल तरंगोंसे सुशोभित विरजा नदीको पार करके वे शीघ्र ही भ्रमरोंकी ध्वनिसे निनादित रमणीय वृन्दावनमें गये, जो सदा वसन्त ऋतुसे युक्त है और जहाँके लताभवन मन्द मारुतके झोंकेसे कम्पायमान रहते हैं। वृन्दावनसे गोवर्धन पर्वतका दर्शन करते हुए नारदजी मेरे निकुञ्जमें आये। निकुञ्जद्वारपर सखियोंने पूछा—'आप दोनों कौन हैं? कहाँसे आये हैं और यहाँ क्या कार्य है?' ऐसा प्रश्न होनेपर मुनि और तुम्बुरु दोनों बोले—'सुन्दरियो! हम दोनों गान-विद्यामें कुशल गायक हैं और अपनी वीणाकी मधुर ध्वनि साक्षात् परिपूर्णतम भगवान् राधावल्लभ श्रीकृष्णको सुनानेके लिये आये हैं। हम वन्दीजनोंमें उत्तम हैं। हमारी यह बात महात्मा श्रीकृष्णसे निवेदित कर देनी चाहिये'॥ ९—१५॥

यह सुनकर सखियोंने उनका संदेश मेरे पास पहुँचाया और मेरी आज्ञासे लौटकर मधुरवाणीमें उन वन्दियोंको भीतर चलनेका आदेश दिया। करोड़ों सूर्योंकी ज्योतिसे व्याप्त मेरे निकुञ्जके आँगनमें, जहाँ सब ओर कौस्तुभमणि जड़ी थी, मनोहर चँवर डुलाये जा रहे थे, हिलते हुए मोतियोंकी झालरोंसे युक्त छत्र तने थे और करोड़ों सखियाँ विराजमान थीं, आकर महापद्ममय आसनपर तुम्हारे साथ बैठे हुए मुझ श्रीकृष्णका उन दोनोंने दर्शन किया। फिर प्रणाम और परिक्रमा करके वे मेरी आज्ञासे वहाँ बैठे और मेरी स्तुति करके मेरे गुणोंका गान करनेके लिये उद्यत हुए। आतोद्य (वाद्य विशेष) को दबाते और देवदत्त स्वरामृतमयी वीणाको झंकृत करते हुए तुम्बुरुसहित नारदने वीणावादनकी अद्वितीय कलाको प्रस्तुत किया। मैं उससे बहुत संतुष्ट हुआ और सिर हिलाता हुआ उस वीणाकी प्रशंसनीय स्वर-लहरीकी सराहना करने लगा। अन्ततोगत्वा प्रेमके वशीभूत हो अपने-आपको देकर मैं जलरूप हो गया। मेरे दिव्य शरीरसे जो जल प्रकट हुआ, उसे 'ब्रह्मद्रव' के नामसे लोग जानते हैं। उसके भीतर कोटि-कोटि ब्रह्माण्ड-राशियाँ लुढ़कती रहती हैं। उस उन्नत एवं शुभ जलराशिमें लुढ़कते हुए वे ब्रह्माण्ड इन्द्रायणके फलके समान प्रतीत होते हैं॥ १६—२२ $\frac{१}{२}$॥

राधे! यह ब्रह्माण्ड 'पृश्निगर्भ' नामसे प्रसिद्ध है, जो मेरे त्रिविक्रम रूपके पदाघातसे फूट गया था। उसका भेदन करके जो साक्षात् ब्रह्मद्रवका जल यहाँ आया, उसे इस शुभ मन्वन्तरमें पूर्ववर्ती लोगोंने पापहारिणी स्वर्धुनी 'गङ्गा' के नामसे जाना था। उस गङ्गाको द्युलोकमें 'मन्दाकिनी', पृथ्वीपर 'भागीरथी' और अधोलोक—पातालमें 'भोगवती' कहा गया है। इस प्रकार एक ही गङ्गा त्रिपथगामिनी होकर तीन नामोंसे विख्यात हुईं। इसमें स्नान करनेके लिये प्रणतभावसे जाते हुए मनुष्यके लिये पग-पगपर राजसूय और अश्वमेध यज्ञोंका फल दुर्लभ नहीं रह जाता। जो सैकड़ों योजन दूरसे भी 'गङ्गा-गङ्गा'का उच्चारण करता है, वह सब पापोंसे छूट जाता और विष्णुलोकमें जाता है। कलियुगमें गङ्गा दर्शन करनेसे सौ जन्मोंका, जल पीनेसे दौ सौ जन्मोंका और स्नान करनेसे एक सहस्र जन्मोंका पाप नष्ट कर देती हैं। जो जाह्नवी गङ्गाका दर्शन करते हैं, उनका जन्म सफल है। जो उनके दर्शनसे वञ्चित रह जाते हैं, उनका जन्म व्यर्थ चला गया*॥ २३—२९॥

---

* गङ्गा गङ्गेति यो ब्रूयाद्योजनानां शतैरपि। मुच्यते सर्वपापेभ्यो विष्णुलोकं स गच्छति॥
दृष्ट्वा जन्मशतं पापं पीत्वा जन्मशतद्वयम्। स्नात्वा जन्मसहस्रेण हन्ति गङ्गा कलौ युगे॥
सफलं जन्म वै तेषां ये पश्यन्ति हि जाह्नवीम्। वृथा जन्मगतं तेषां ये न पश्यन्ति जाह्नवीम्॥

(गर्ग०, मथुरा० २२। २७—२९)

रम्भोरु राधे! जैसे विरजा तुम्हारे भयसे द्रवरूपताको प्राप्त हो गयी, जैसे विरजाके सातों पुत्र सात समुद्रोंके रूपमें द्रवभावको प्राप्त हो गये, जैसे विष्णु 'कृष्णा' नदी हुए, जैसे शिवदेव 'वेणी' नदी हुए, जैसे ब्रह्मा 'ककुद्मिनी गङ्गा' हुए और जैसे अप्सरा 'गण्डकी' नदी हो गयी, उसी प्रकार ये ऋभु नामक मुनि भी ब्रह्मभावको प्राप्त हुए हैं। यह ऋभुकी प्रेमलक्षणा-भक्तिसे सम्भव हुआ है, इसमें संशय नहीं है। जो इस पापहारिणी पवित्र कथाका श्रवण करता है, वह मनुष्य सब लोकोंको लाँघकर मेरे गोलोकधाममें चला जाता है॥ ३०—३३॥

श्रीनारदजी कहते हैं—राजन्! इस प्रकार अपनी प्रिया श्रीराधासे कहकर श्रीहरि ऋभुके आश्रमसे श्रीराधाके साथ ही मालती-वनमें चले आये। फिर गोपियोंकी विरह-व्यथाको जान भक्त-वत्सल भगवान् श्रीकृष्ण श्रीराधाके साथ यमुनाके मङ्गलमय पुलिनपर चले आये। उस समय समस्त गोपीगणोंका मान और व्यथा-भार दूर हो गया। उन्होंने, जैसे चपलाएँ मेघका आलिङ्गन करती हैं, उसी प्रकार घनश्यामको अपनी भुजाओंमें भर लिया। तब श्रीहरि वृन्दावनमें यमुनाके मनोहर तटपर गोपाङ्गनाओंके साथ मधुरस्वरमें वंशी बजाने लगे। भगवान्के उस मधुर रागसे गोपकन्याएँ मूर्च्छित हो गयीं, नदियोंका वेग रुक गया, पक्षी अचल हो गये। समस्त देवताओंने मौन धारण कर लिया, देवनायक स्तब्ध हो गये, वृक्षोंसे जल बहने लगा तथा सारा जगत् मानो निद्रामें निमग्न हो गया। रात्रिकालमें रास रचाकर श्रीराधिका और गोपियोंके मनोरथ पूर्ण करके ब्राह्ममुहूर्तमें भगवान् श्रीकृष्ण नन्दभवनको लौट आये। गोपिकाओंके साथ श्रीराधिका भी अपना आनन्दमय मनोरथ प्राप्त करके वृषभानुवरके सुन्दर मन्दिरमें चली गयीं॥ ३४—४१॥

इस प्रकार श्रीगर्गसंहितामें श्रीमथुराखण्डके अन्तर्गत नारद-बहुलाश्व-संवादमें 'नारदोपाख्यान' नामक बाईसवाँ अध्याय पूरा हुआ॥ २२॥

तेईसवाँ अध्याय

श्रीकृष्णका व्रजसे लौटकर मथुरामें आगमन

श्रीनारदजी कहते हैं—राजन्! साक्षात् भगवान् श्रीकृष्ण व्रजमें कई दिनोंतक रहकर सबको अपना दर्शन दे मथुरा जानेको उद्यत हुए। नौ नन्दों, नौ उपनन्दों, छः वृषभानुओं तथा वृषभानुवर और व्रजेश्वर नन्दराजसे मिलकर, कलावती, यशोदा, अन्यान्य गोपियों तथा गौओंके गणोंसे भी भेंट करके, आश्वासन और ज्ञान दे, सबसे विदा लेकर माधव चञ्चल अश्वोंसे जुते हुए अपने दिव्य रथपर आरूढ़ हो मथुरा जानेकी इच्छासे नन्दगाँवसे बाहर निकले। उनके पीछे-पीछे समस्त मोहित व्रजवासी बहुत दूरतक गये। वे माधवके अत्यन्त कष्टमय विरहको नहीं सह सके। जिन्हें भूमण्डलपर कभी एक बार भी श्रीविष्णुका दर्शन हुआ हो, उन्हें भी उनका विरह दुस्सह हो जाता है; फिर जिन्हें प्रतिदिन उनका दर्शन होता रहा हो, उनको उनके विरहसे कितना दुःख होता होगा, इसका वर्णन कैसे किया जा सकता है। नरेश्वर! अपलक नेत्रोंसे श्रीधरके मुँहकी ओर देखते हुए समस्त व्रजवासी गोप स्नेह-सम्बन्धके कारण प्रेमविह्वल हो उनसे बोले॥ १—७॥

गोपोंने कहा—श्रीकृष्ण! तुम फिर जल्दी आना और हम समस्त व्रजवासियोंकी रक्षा करना। जैसे पूर्वकालमें तुमने देवताओंको अमृत प्रदान किया था, उसी प्रकार अब हमें अपने दर्शनकी सुधाका पान कराते रहना। देव! केवल तुम्हीं सदा यशोदाके आनन्ददायक हो, तुम्हीं श्रीनन्दराजको आनन्द प्रदान

करनेवाले हो और तुम्हीं व्रजवासियोंके जीवन हो। प्रभो! तुम्हीं इस व्रजके धन हो, गोपकुलके दीपक हो और महापुरुषोंके भी मनको मोहनेवाले हो। जैसे निदाघसे जले हुए प्राणीको शीतल जल प्राप्त हो जाय, सर्दीसे पीड़ित मनुष्यको जैसे आग मिल जाय, ज्वरसे आर्त पुरुषको उपयुक्त औषध प्राप्त हो जाय और मरे हुए मानवको भी जैसे मङ्गलमय अमृत मिल जाय, तो वे जी उठते हैं, उसी प्रकार समस्त व्रजके लिये तुम्हारा दर्शन ही जीवन है; इसलिये तुम यहीं निवास करो। इस विषयमें बहुत कहनेसे क्या लाभ। हमारे इस जन्म अथवा पूर्वजन्ममें जो कुछ भी पुण्य हुआ हो, उसके फलस्वरूप हमारा चित्त सदा तुम्हारे चरणारविन्दोंमें लगा रहे। जिनका चित्त तुम्हारे चरण-कमलमें लगा हुआ है, वे भक्तजन तुम्हें सदा ही प्रिय हैं। तुम प्रकृतिसे परे निर्गुण हो, तथापि अपने भक्तोंके लिये सगुण हो जाते हो। तुम्हें अपने भक्तसे अधिक प्रिय शिव, ब्रह्मा और लक्ष्मी भी नहीं हैं। जो ब्रह्मपद आदिकी अभिलाषाको छोड़कर तुझ भगवान्‌का निष्कामभावसे भजन करते हैं, वे युक्तचित्त पुरुष ही शान्त एवं निरपेक्ष सुखका अनुभव करते हैं* ॥ ८—१५ ॥

श्रीनारदजी कहते हैं—राजन्! यों कहकर वे सब गोप प्रेमसे विह्वल हो श्रीकृष्णके देखते-देखते आनन्दके आँसू बहाते हुए रोने लगे। भक्तवत्सल भगवान् श्रीकृष्णके मुखपर भी अश्रुकी धारा बह चली। वे प्रसन्नचेता परमेश्वर उन विरह-विह्वल गोपोंसे बोले ॥ १६-१७ ॥

श्रीभगवान्‌ने कहा—व्रजवासियो! तुम सब मेरे प्राण हो और मेरे परम प्रिय हो। मेरा हृदय तुमलोगोंमें ही स्थित है, केवल शरीर अन्यत्र दिखायी देता है। मैं प्रतिमास तुम सबको देखने और दर्शन देनेके लिये आऊँगा, यह वचन देता हूँ। मनसे मैं दूर नहीं हूँ। मन ही सबका कारण है†। हे गोपगण! यादवोंसे युद्ध करनेके लिये जरासंध आया है, अतः यदुवंशियोंकी सहायताके लिये मैं जाता हूँ, तुम्हें शोक नहीं होना चाहिये ॥ १८—२० ॥

श्रीनारदजी कहते हैं—राजन्! इस प्रकार उन गोपोंको बार-बार आश्वासन दे, फिर लौटकर यशोदा-सहित नन्दराजको दूसरे रथपर बिठाया और श्रीदामा आदि सखाओंको साथ ले, उद्धवसहित रथपर आरूढ़ हो, वे सर्वकारण-कारण भगवान् मथुराको गये। वीर! जबतक रथ, उसमें जुते हुए सौ वेगशाली घोड़े और फहराती पताकासे युक्त तिरंगा ध्वज तथा उड़ती हुई धूल दिखायी देती रही, तबतक अन्य व्रजवासी वहीं खड़े रहे। फिर वे अपने घरको लौट आये ॥ २१—२३ ॥

श्रीकृष्णचन्द्रका यह परम उत्तम विचित्र चरित्र मनुष्योंके महान् पापोंको हर लेनेवाला है। जो भक्तप्रवर पृथ्वीपर इस चरित्रको सुनता है, वह उत्तमोत्तम गोलोकधाममें जाता है ॥ २४ ॥

इस प्रकार श्रीगर्गसंहितामें श्रीमथुराखण्डके अन्तर्गत नारद-बहुलाश्व-संवादमें व्रजयात्राके प्रसङ्गमें 'श्रीकृष्णका आगमन' नामक तेईसवाँ अध्याय पूरा हुआ ॥ २३ ॥

---

*शीघ्रमागच्छ हे कृष्ण सर्वान्नो व्रजवासिनः। पाहि संदर्शनं देहि देवेभ्यो ह्यमृतं यथा ॥
त्वमेव सर्वदा देव यशोदानन्ददायकः। श्रीनन्दनन्दनस्त्वं वै जीवनं व्रजवासिनाम् ॥
व्रजे धनं कुले दीपो मोहनो महतामपि। यथा निदाघदग्धस्य प्राप्तं वै शीतलं जलम् ॥
शीतार्तस्य यथा वह्निर्ज्वरार्त्तस्य यथौषधम्। मृतस्य मानवस्यापि पीयूषं मङ्गलं यथा ॥
तथा व्रजस्य सर्वस्य जीवनं तव दर्शनम्। तस्मादत्र स्थितिं कुर्याद् बहुना कथितेन किम् ॥
यन्नोऽस्ति किंचित्सुकृतमस्मिन् वा पूर्वजन्मनि। तत्फलेन सदा चेतो भूयात् त्वत्पादपङ्कजे ॥
येषां चेतस्त्वत्पदाब्जे ते भक्तास्त्वत्प्रियाः सदा। भक्तार्थं सगुणोऽसि त्वं निर्गुणः प्रकृतेः परः ॥
तव भक्तात्प्रियो नास्ति शिवो ब्रह्मा न चेन्दिरा।
विसृज्य पारमेष्ठ्यादि निष्कामास्त्वां भजन्ति ये। नैरपेक्ष्यं सुखं शान्तं ते विदुर्युक्तचेतसः ॥
(गर्ग०, मथुरा० २३। ८—१५)

†मत्प्राणा मत्प्रिया यूयं सर्वे वै व्रजवासिनः। हृदयं मेऽस्ति युष्मासु देहोऽन्यत्र विलक्ष्यते ॥
मासं प्रत्यागमिष्यामि युष्मान् द्रष्टुं वचो मम। मनसा नहि दूरोऽस्मि मनः सर्वस्य कारणम् ॥
(गर्ग०, मथुरा० २३। १८-१९)

चौबीसवाँ अध्याय

बलदेवजीके द्वारा कोल दैत्यका वध; उनकी गङ्गातटवर्ती तीर्थोंमें यात्रा; माण्डूकदेवको वरदान और भावी वृत्तान्तकी सूचना देना; फिर गङ्गाके अन्यान्य तीर्थोंमें स्नान-दान करके मथुरामें लौट जाना

बहुलाश्वने पूछा—मुने! गोपाङ्गनाओं और गोपोंको उत्तम दर्शन देकर मथुरामें लौटनेके पश्चात् श्रीकृष्ण तथा बलरामने क्या किया? श्रीकृष्ण और बलदेवका चरित्र बड़ा मधुर है। यह समस्त पापोंको हर लेनेवाला, पुण्यप्रद तथा चतुर्वर्गरूप फल प्रदान करनेवाला है॥ १-२॥

श्रीनारदजीने कहा—राजन्! अब श्रीकृष्ण और बलदेवजीका दूसरा चरित्र सुनो, जो सर्वपापहारी, पुण्यदायक तथा धर्म, अर्थ, काम और मोक्षको देनेवाला है। नरेश्वर! कोल नामक दैत्यसे पीड़ित हुए बहुत-से लोग दीनचित्त हो ब्राह्मणोंके साथ कौशारविपुरसे मथुरामें आये। उस समय रोहिणीनन्दन बलराम शीघ्रगामी अश्वपर आरूढ़ हो थोड़े-से अग्रगामी लोगोंके साथ शिकार खेलनेके लिये मथुरासे निकले थे। मार्गमें ही उन्हें प्रणाम करके उनकी विधिवत् पूजा करनेके पश्चात् सब लोग उनके चरणोंमें प्रणत हो गये और हाथ जोड़ हर्ष-गद्गद वाणीमें बोले॥ ३—६॥

प्रजाजनोंने कहा—राम! महाबाहु राम! महाबली देवदेव! हम सब लोग कोल नामक दैत्यसे पीड़ित हो आपकी शरणमें आये हैं। कोल दैत्य कंसका सखा है। वह महाबली दैत्य राजा कौशारविको जीतकर उन्हींके नगरमें राज्य करता है। राजा कौशारवि उसके भयसे गङ्गातटपर चले गये हैं और वहाँ पुनः अपने राज्यकी प्राप्तिके लिये अत्यन्त जितेन्द्रिय हो आपके चरण-कमलोंका भजन कर रहे हैं। विभो! आप उनकी सहायता कीजिये। हम उन्हींकी शुभ प्रजा हैं, जिनका उन्होंने पुत्रकी भाँति पालन किया है। उनके संरक्षणमें हमलोग बड़े सुखी थे। प्रभो! अब दुष्ट कोल हमें निरन्तर पीड़ा दे रहा है। यद्यपि आपने त्रिभुवनविजयी वीर कंसको मार डाला है, तथापि देवेन्द्र! जबतक कोल जीवित है, तबतक कंसको भी मरा हुआ नहीं मानना चाहिये। आप प्रकृतिसे परे होकर भी भक्तोंकी रक्षाके लिये ही सगुणरूपसे अवतीर्ण हुए हैं॥ ७—१२॥

श्रीनारदजी कहते हैं—राजन्! उनका वचन सुनकर भक्तवत्सल श्रीबलराम गङ्गा-यमुनाके बीचमें बसी हुई कौशाम्बीनगरीको गये। बलरामजीको युद्धके लिये आया हुआ सुनकर प्रचण्ड-पराक्रमी कोल भी दस अक्षौहिणी सेनासे सुसज्जित हो कौशाम्बीसे बाहर निकला। प्रलय-कालके समुद्रकी भाँति गर्जना करनेवाली वह सेना एक नदीके समान आयी। चञ्चल घोड़े उसकी उठती हुई तरङ्गमाला थे। रथ और हाथी आदि उसमें तिमिङ्गिल (मगर-मत्स्य) के समान प्रतीत होते थे। वीर योद्धारूपी भँवर उठ रहे थे। उसे देखकर बलरामजीने हलका सेतु बाँध दिया और हलाग्रभागसे उस सेनाको खींच-खींचकर मुसलके सुदृढ़ प्रहारसे मारना आरम्भ किया। उनके प्रहारसे एक साथ ही पैदल वीर, घोड़े, रथ और हाथी रणभूमिमें फलोंकी भाँति पिस उठे और करोड़ोंकी संख्यामें सब ओर धराशायी हो गये। शेष योद्धा भयसे पीड़ित हो युद्ध-मण्डलसे भाग निकले। शस्त्रधारी दैत्य कोल बलरामजीके साथ अकेला ही युद्ध करने लगा॥ १३—१८॥

उस दैत्यराजने बलदेवजीकी ओर अपना हाथी बढ़ाया। उस हाथीके कुम्भस्थलपर गोमूत्रमें घोले हुए सिन्दूर और कस्तूरीके द्वारा पत्र-रचना की गयी थी। सोनेकी साँकलसे युक्त कटिबन्ध रत्नखचित था। उसके गण्डस्थलसे मद झर रहा था। उसके चार दाँत थे। घंटेकी ध्वनिसे वह और भीषण प्रतीत होता था। उसका कद ऊँचा था और वह दिग्गजके समान चिग्घाड़ता था। उसके शरीरका रंग प्रलयकालके मेघके समान काला था। कोल तीखा अङ्कुश लेकर

उसके कानकी ओरसे उस हाथीपर चढ़ गया था। कोलके द्वारा प्रेरित उस मतवाले हाथीको अपनी ओर आता देख बलदेवजीने उसके ऊपर मुसलसे उसी प्रकार प्रहार किया, जैसे इन्द्रने वज्रसे किसी पर्वतपर आघात किया हो। मिथिलेश्वर! मुसलकी मारसे उस महान् गजराजका मस्तक उसी प्रकार छिन्न-भिन्न हो गया, जैसे डंडेकी मारसे कोई मिट्टीका घड़ा टूक-टूक हो गया हो॥ १९—२३॥

कोलका मुँह सूअरके समान था। लाल नेत्रोंवाला वह दैत्य हाथीसे गिर पड़ा। उसने महात्मा माधव—बलदेवके ऊपर तीखा शूल चलाया। विदेहराज! तब बलरामने मुसलसे मारकर उसके शूलके उसी प्रकार सैकड़ों टुकड़े कर दिये, जैसे किसी बालकने लाठीके प्रहारसे काँचके बर्तन तोड़ डाले हों। तब उस दुष्टने सहस्र भार (लगभग ३००० मन) लोहेकी बनी हुई एक भारी गदा हाथमें लेकर बलरामजीकी छातीपर चोट की और वह मेघके समान गर्ज उठा। उस गदाके प्रहारको सहकर महाबली बलदेवने काजलके समान काले शरीरवाले कोलके मस्तकपर मुसलसे प्रहार किया। मुसलके प्रहारसे उसका सिर फट गया और वह रणभूमिमें गिर पड़ा; तो भी उठकर बलदेवजीको मुक्के से भारी चोट पहुँचाकर वह वहीं अन्तर्धान हो गया। फिर उस मायावी दैत्यने अत्यन्त भयंकर दैत्य-सम्बन्धिनी माया प्रकट की। तुरंत ही बड़ी भारी आँधीसे प्रेरित प्रलय-कालके मेघोंसे, जो अन्धकार फैला रहे थे, आकाश आच्छादित हो गया। जपाके पुष्पोंके समान रक्तके बिन्दुओंकी निरन्तर वर्षा होने लगी। उसके बाद घनीभूत काले मेघोंने घृणित वस्तुओंकी वर्षा प्रारम्भ की। पीब, मेद, विष्ठा, मूत्र, मदिरा और मांससे युक्त अमेध्य जलकी वर्षा होने लगी। उस वृष्टिसे सब ओर हाहाकार होने लगा। दैत्यद्वारा रची गयी मायाको जानकर महाप्रभु बलदेवने शत्रुसेनाको विदीर्ण करनेवाले विशाल मुसलको चलाया। वह समस्त अस्त्रोंका घातक, स्वच्छ और सुदृढ़ अस्त्र अष्टधातुओंका बना हुआ था। उसकी लंबाई सौ योजनकी थी तथा वह प्रलयाग्निके समान प्रज्वलित हो रहा था। बलदेवजीका अस्त्र मुसल दसों दिशाओंमें घूमता हुआ बड़ी शोभा पा रहा था। उसने आकाशके बादलोंको उसी प्रकार विदीर्ण कर दिया, जैसे सूर्य कुहरेको मिटा देता है। उस मुसलको आकाशमें गया हुआ देख भगवान् बलभद्रने स्वतः 'हल' नामक अस्त्र उठाया और अपने वैभवसे सबको खींच-खींचकर बलपूर्वक बीचमें ही विदीर्ण कर दिया॥ २४—३६॥

उस दैत्यकी मायाका नाश हो जानेपर महाबली बलदेवने अपने बाहुदण्डोंसे उसके मदोत्कट भुजदण्ड पकड़ लिये और जैसे बालक रुईकी राशिको घुमाये, उसी प्रकार इधर-उधर घुमाते हुए उसे पृथ्वी पर इस प्रकार दे मारा, मानो किसी बालकने कमण्डलु पटक दिया हो। उस दैत्यके पतनसे पर्वत, समुद्र और वनके साथ सारा भूमण्डल एक नाड़ी (घड़ी)-तक काँपता रहा। दैत्यके दाँत टूट गये, नेत्र बाहर निकल आये और वह मूर्च्छित होकर मृत्युका ग्रास बन गया। इस प्रकार महादैत्य कोल वज्रके मारे हुए वृत्रासुरकी भाँति प्राणशून्य हो गया। उस समय स्वर्गमें और धरतीपर जय-जयकार होने लगा। देवताओंकी दुन्दुभियाँ बज उठीं और वे फूलोंकी वर्षा करने लगे। इस प्रकार कोलका वध करके श्रीकृष्णके बड़े भाई बलदेवने कौशाम्बीपुरी राजा कौशारविको दे दी और स्वयं गर्गाचार्य आदिके साथ वे भागीरथीमें स्नान करनेके लिये गये। उनका यह कार्य समस्त दोषोंके निवारण एवं लोकसंग्रहके लिये था॥ ३७—४३॥

गर्ग आदि ब्राह्मण-आचार्योंने मङ्गलमय वेद-मन्त्रोंका उच्चारण करते हुए माधव—बलरामको गङ्गामें स्नान करवाया। विदेहराज! बलरामजी ब्राह्मणोंको एक लाख हाथी, दो लाख रथ, एक करोड़ घोड़े, दस अरब दुधारू गायें, सौ अरब रत्न और जाम्बूनद सुवर्णके भार दानमें देकर मथुरापुरीको चले गये। मिथिलेश्वर! बलरामने गङ्गाजीमें जहाँ स्नान किया, उस महापुण्यमय तीर्थको विद्वान्‌लोग 'रामतीर्थ' के नामसे जानते हैं। जो मनुष्य कार्तिकी पूर्णिमा एवं कार्तिकमासमें रामतीर्थकी गङ्गामें स्नान करता है, वह हरिद्वारकी अपेक्षा सौगुने पुण्यका भागी होता है॥ ४४—४८॥

बहुलाश्वने पूछा—महामुने! कौशाम्बीसे कितनी दूर और किस स्थानपर महापुण्यमय 'रामतीर्थ' विद्यमान है, यह मुझे बतानेकी कृपा करें॥ ४९॥

नारदजीने कहा—राजन्! राजेन्द्र! कौशाम्बीसे ईशानकोणमें चार योजनकी दूरीपर और वायव्यकोणमें शूकरक्षेत्रसे चार योजनकी दूरीपर, कर्णक्षेत्रसे छः कोस और नलक्षेत्रसे पाँच कोस आग्रेय दिशामें रामतीर्थकी स्थिति बताते हैं। वृद्धकेशी सिद्धपीठसे और बिल्वकेश-वनसे पूर्व दिशामें तीन कोसकी दूरीपर विद्वानोंने रामतीर्थकी स्थिति मानी है॥ ५०—५२॥

वङ्गदेशमें दृढ़ाश्व नामक एक राजा थे। वे लोमश मुनिको कुरूप देखकर सदा उनकी हँसी उड़ाया करते थे। इससे उस महामुनिने उन्हें शाप दे दिया—'ओ महादुष्ट! तू विकराल शूकरमुख असुर हो जा।' इस प्रकार मुनिके शापसे राजा कोल नामक क्रोडमुख असुर हो गया। फिर बलदेवजीके प्रहारसे आसुर-शरीरको छोड़कर महादैत्य कोलने परम मोक्ष प्राप्त कर लिया। तब बलराम उद्धव आदि तीन मन्त्रियोंके साथ वहाँसे तत्काल 'जह्नुतीर्थ' को चले गये, जहाँ जह्नुके दाहिने कानसे गङ्गाजीका प्रादुर्भाव हुआ था। उस ब्राह्मण-शिरोमणि जह्नुके नामपर ही गङ्गाको 'जाह्नवी' कहा जाता है। वहाँ ब्राह्मणोंको दान दे रातभर सब लोग वहीं रहे। तदनन्तर वहाँसे पश्चिम भागमें पाण्डवोंका अत्यन्त प्रिय 'आहारस्थान' नामक स्थान है, जहाँ पहुँचकर उन लोगोंने रात्रिमें निवास किया। वहाँ ब्राह्मणोंको दान तथा उत्तम गुणकारक भोजन देकर वे वहाँसे एक योजन दूर माण्डूकदेवके पास गये॥ ५३—५९॥

माण्डूकदेवने अनन्तदेवकी कृपा प्राप्त करनेके लिये बड़ी भारी तपस्या की थी। उसीके लिये अपने समाजके साथ बलदेवजी वहाँ गये। वह मुँह ऊपर किये एक पैरके बलपर खड़ा था। उसके नेत्र ध्यानमें निश्चल थे। वह हृदयमें बलदेवजीके स्वरूपका दर्शन करते हुए उन्हींके साक्षात् दर्शनके लिये लोलुप था। बलदेवजीने उसके हृदयसे अपने उस स्वरूपको हटा लिया। तब उसने नेत्र खोलकर अपने आराध्यदेवको बाहर देखा। अनन्तदेवके उस परम सुन्दर रूपको उसने देखा। वे वनमालासे सुशोभित थे और एक कानमें कुण्डल धारण किये हुए थे। उनकी अङ्ग-कान्ति गौर थी तथा वे तालचिह्नसे अङ्कित ध्वजावाले रथपर बैठे थे। अनन्तदेवके उस परम सुन्दर रूपको देखकर उसने बड़ी भक्तिसे उनकी स्तुति की। फिर वह अपने आराध्यके चरणोंमें गिर पड़ा। बलदेवजीने उसके मस्तकपर हाथ रखा और कहा—'वर माँगो।' तब वह बोला—'स्वामिन्! यदि आप साक्षात् भगवान् मुझपर प्रसन्न हैं, अथवा यदि मैं आपके अनुग्रहका पात्र हूँ, तो शुकदेवजीके मुखसे निकली हुई उस सर्वोत्तम भागवतसंहिताको मुझे दीजिये, जो समस्त कलिदोषोंका विनाश करनेवाली एवं श्रेष्ठ है'॥ ६०—६५॥

बलदेवजीने कहा—अनघ! तुम्हें उद्धवजीके द्वारा श्रीमद्भागवतसंहिताकी प्राप्ति होगी, जिसका कीर्तन कलियुगमें सर्वाधिक महत्त्व रखनेवाला है॥ ६६॥

माण्डूकने पूछा—स्वामिन्! भगवान्ने उद्धव-जीको भागवतसंहिता सुनानेका मुख्य अधिकार क्यों दिया है? और उनके साथ मेरा संयोग कब होगा? आप इस मेरे संदेहका निवारण कीजिये॥ ६७॥

बलदेवजी बोले—मैं परम गोपनीय एवं परम अद्भुत रहस्यकी बात बताता हूँ। आज भी मेरे निकट ये उद्धवजी विराजते हैं। तुम इनका दर्शन कर लो। यह उत्तम दर्शन तुम्हें परमार्थ प्रदान करनेवाला है; परंतु आज तीर्थयात्राके अवसरपर तुम्हें इनका उपदेश नहीं प्राप्त हो सकता। जिस प्रकार ये भागवतके उपदेशक होंगे, वह मैं तुम्हें बता रहा हूँ। मैंने उद्धवको श्रीमान् आचार्यके पदपर इसलिये स्थापित किया है कि ये संहिताज्ञानस्वरूप हैं। नन्द आदि व्रजवासियों तथा गोपाङ्गनाओंकी प्रीतिके लिये भगवान् श्रीकृष्णने उद्धवको अपना प्रतिनिधि बनाकर भेजा था। अपना स्वरूप, परिकरका पद और जो कुछ भी पूर्ण भगवत्ता है, वह सब, अपने स्वभाव और गुणके साथ परमात्मा श्रीकृष्णने उद्धवको अर्पित की है। उन्होंने उद्धवको और अपनेको एक ही मानकर आचरण किया है। श्रीकृष्णने अपना आन्तरिक रहस्य पहिले उद्धवके

सिवा और किसीपर नहीं प्रकट किया था। उन्होंने इनमें अपनी अभिन्नताका साक्षात्कार किया है। व्रजवासियोंने इन्हें साक्षात् श्रीकृष्ण ही जानकर बड़े आदरसे इनका पूजन किया था। वसन्त और ग्रीष्म, दोनों ऋतुओंमें इन्होंने व्रजभूमिमें विचरण किया और श्रीराधा तथा राधाकुण्डके आस-पासके लोगोंका शोक शान्त किया। उद्धव व्रजवासी अनुगामियोंके साथ वहाँकी भूमिमें यत्र-तत्र सर्वत्र विचरे हैं। इन्हें गौओं तथा नन्द आदि गोपों और गोपाङ्गनाओंका 'वियोगार्तिहारी' कहा गया है। ये मन्त्रीके अधिकारमें कुशल तथा समस्त पार्षदोंके अग्रगामी हैं। जब भगवान्के अन्तर्धानकी वेला आयेगी, उस समय धर्मपालक-देहधारी भगवान् उद्धवको अपना परम अद्भुत तेज भी दे देंगे। इनका मुद्राधिकार (भगवान्की ओरसे कुछ भी कहने और उनकी मुद्रिका या मोहरकी छाप लगाकर कोई आदेश जारी करनेका अधिकार) तो सर्वत्र और सदा ही विराजता है। अन्तर्धानकालमें इन्हें भगवान्की ओरसे विशेष अधिकार दिया जायगा। ये बदरिकाश्रम-तीर्थमें विराजमान परिकरोंसहित धर्म-नन्दनको भगवद्रहस्यका बोध करायेंगे। अर्जुन आदिको भगवान्के वियोगसे जो बड़ी भारी पीड़ा होगी, उसका निवारण उद्धव ही करेंगे। मथुरामें यादवोंका उत्तराधिकारी वज्रनाभ होगा। श्रीकृष्णके पौत्रों तथा महारानियोंके समुदायमें जो भगवद्वियोग-की वेदना होगी, उसे दूर करनेके लिये साक्षात् श्रीहरिके द्वारा उद्धव ही नियुक्त किये जायँगे॥ ६८—८०॥

कौरवोंके कुलमें परीक्षित् नामसे विख्यात राजा होगा। उसका अत्यन्त तेजस्वी पुत्र जनमेजय नामसे प्रसिद्ध होगा। वह अपने पिताके शत्रु तक्षक नागके कुलका नाशक सर्पयज्ञ करेगा, इसमें संशय नहीं है। उसको भी सारी यज्ञसामग्री उद्धवके द्वारा ही प्राप्त होगी। उस समय दिव्य श्रीमद्भागवतपुराणकी कथा होगी, जिसमें उज्ज्वल (सात्त्विक) प्रकृतिके लोग समवेत होंगे, इसमें संशय नहीं है। महान् भगवद्भक्तों-में उत्तम ब्रह्मर्षि (आस्तीक) के प्रसादसे जनमेजय-द्वारा होनेवाले सर्पयज्ञकी समाप्ति हो जायगी। महाराज जनमेजय यज्ञ-संस्कार करानेवाले ब्राह्मणोंका पूजन करके उन्हें सौ ग्राम अग्रहारके रूपमें देंगे॥ ८१—८५॥

तदनन्तर आचार्यप्रवर श्रीप्रसादजीकी आज्ञासे राजा जनमेजय शूकरक्षेत्र (सोरों) में जायँगे और वहाँ एक मास ठहरेंगे। उस तीर्थमें अनेक प्रकारके दान—गौ, बड़े-बड़े हाथी, घोड़े, रत्न, वस्त्र तथा इच्छानुसार भोजन—ब्राह्मणोंको देकर वे अपने आचार्यके साथ उस स्थानसे लौटकर गङ्गातटके तीर्थस्थानोंका दर्शन करते हुए सत्पुरुषोंसे घिरे शयाननगरमें आकर सेवकोंसहित डेरा डालेंगे। वहाँ श्रीगुरुकी आज्ञासे सामग्री और साधन जुटाकर अश्वमेध यज्ञ करेंगे और सर्वजेता (दिग्विजयी) होंगे। इस प्रकार एकच्छत्र राज्यके स्वामी होकर श्रीगुरुदेवकी शरण ले शयान-नगरसे पूर्व दिशामें रमणीय गङ्गाके तटपर अत्यन्त एकान्तवासीके रूपमें तीर्थ-सेवन करेंगे। वहाँ धार्मिकोंके समाजमें बड़े आनन्दके साथ भवरोग-विनाशिनी भागवत-कथा होगी। उस पूर्ण समाजमें एक तुम भी रहोगे और भागवतकी कथा सुनोगे। उसे सुनकर तुम्हें निर्मल पदकी प्राप्ति होगी। तुमने मेरे लिये तपस्या की है, इसलिये तुम्हारे सामने मैंने इस रहस्यको प्रकाशित किया है। इस प्रकार माण्डूक-देवको वर देकर सेवकोंसहित बलरामजी वहाँसे चले गये॥ ८६—९४॥

शुद्ध शयाननगरसे ईशानकोणमें गङ्गातटपर स्थित एक रमणीय स्थान है, जो कण्टकतीर्थसे उत्तर है और पुष्पवती नदीसे दक्षिण दिशामें विद्यमान है। उसका विस्तार एक कोसमें है। वहीं ठहरकर संकर्षणदेव दान-पुण्यमें लग गये। बलरामजीने बड़ी प्रसन्नताके साथ वहाँ दस हजार घोड़ों, सौ रथों, एक हजार हाथियों और दस हजार गौओंका दान किया। वहाँ समस्त देवता तथा तपस्याके धनी ऋषि-मुनि आये। उन सबने बड़े आदरसे संकर्षणदेवका पूजन किया। फिर इस प्रकार स्तुति की—'प्रभो! आप कोलेश दैत्यके हन्ता तथा गर्दभासुर (धेनुक)-का विनाश करनेवाले हैं, आपको नमस्कार है। हलायुध! आपको प्रणाम है। मुसलास्त्र धारण करनेवाले आपको नमस्कार है। सौन्दर्यस्वरूप आपको प्रणाम है। तालचिह्नित ध्वजा धारण करनेवाले आपको

बारंबार नमस्कार है।*उन सबके द्वारा की गयी इस स्तुतिको सुनकर संकर्षण बोले—'आप सब लोगोंको जो अभीष्ट हो, वह वर मुझसे माँगिये'॥ ९५—१००॥

ब्रह्मर्षि और देवता बोले—भगवन्! जब-जब आपत्तिमें पड़कर हम आपके चरणोंका चिन्तन करें, तब-तब आपकी आज्ञासे समस्त बाधाओंसे मुक्त हो जायँ॥ १०१॥

बलरामने कहा—जब-जब आपलोग मेरी शरणमें आकर मेरा स्मरण करेंगे, तब-तब कलियुगमें निश्चय ही मैं आपलोगोंकी रक्षा करूँगा, यह मेरा सत्य वचन है। इस स्थानपर मुनिपुंगवोंने मेरा पूजन करके वर प्राप्त किया, इसलिये कलियुगमें यह तीर्थ 'संकर्षणस्थान'के नामसे विख्यात होगा। जो लोग इस तीर्थमें गङ्गा-स्नान और देवताओंका पूजन करेंगे, ब्राह्मणोंको दान देंगे, उन्हें भोजन करायेंगे और विष्णुभगवान्‌की पूजा करेंगे, इस भूतलपर उनका जीवन सफल होगा। वे देवताओंके लोकमें जायँगे। अथवा यदि उनके मनमें कोई अभीष्ट होगा तो उस अभीष्टको ही प्राप्त कर लेंगे॥ १०२—१०५॥

तदनन्तर बलराम सबके साथ अपनी पुरी मथुराको चले गये। कोल राक्षसका वध और गङ्गाके जलमें स्नान करके उन्होंने लोकसंग्रहके लिये प्रायश्चित्त किया था। जो मनुष्य बलके देवता बलरामकी इस कथाको सुनेंगे, वे सब पापोंसे मुक्त होकर परमगतिको प्राप्त होंगे॥ १०६-१०७॥

इस प्रकार श्रीगर्गसंहितामें श्रीमथुराखण्डके अन्तर्गत नारद-बहुलाश्व-संवादमें 'कोलदैत्यका वध' नामक चौबीसवाँ अध्याय पूरा हुआ॥ २४॥

पचीसवाँ अध्याय

मथुरापुरीका माहात्म्य एवं मथुराखण्डका उपसंहार

बहुलाश्वने पूछा—मुने! जहाँ बलरामजी अकस्मात् पहुँच गये, वहाँ ऐसा उत्तम तीर्थ सुना गया। अहो! मथुरापुरी धन्य है, जहाँ वे नित्य निवास करते हैं। मथुराका देवता कौन है? क्षत्ता (द्वारपाल) कौन है? उसकी रक्षा कौन करता है? चार कौन है? मन्त्रिप्रवर कौन है? और किन-किन लोगोंके द्वारा वहाँकी भूमिका सेवन किया गया है?॥ १-२॥

श्रीनारदजीने कहा—राजन्! साक्षात् परिपूर्णतम भगवान् श्रीकृष्ण हरि स्वयं ही मथुराके स्वामी या देवता हैं। भगवान् केशवदेव वहाँके क्लेशनाशक हैं। साक्षात् भगवान्‌ने कपिल नामक ब्राह्मणको अपनी वाराहमूर्ति प्रदान की थी। कपिलने प्रसन्न होकर वह मूर्तिदेवराज इन्द्रको दे दी। फिर समस्त लोकोंको रुलानेवाला राक्षसराज रावण देवताओंको जीतकर उस मूर्तिका स्तवन करके उसे पुष्पकविमानपर रखकर लङ्कामें ले आया और उसकी पूजा करने लगा। मिथिलेश्वर! तदनन्तर राघवेन्द्र श्रीराम लङ्कापर विजय प्राप्त करके भगवान् वाराहको प्रयत्नपूर्वक अयोध्या-पुरीमें ले आये और वहाँ उनकी अर्चना करते रहे। तत्पश्चात् शत्रुघ्न श्रीरामकी स्तुति करके उनकी आज्ञासे उस वाराह-विग्रहको प्रयत्नपूर्वक महापुरी मथुरामें ले आये और वहाँ वाराहभगवान्‌की स्थापना करके उनको प्रणाम किया। फिर समस्त मथुरावासियोंने उन वरदायक भगवान्‌की सेवा-पूजा प्रारम्भ की। वे ही ये साक्षात् कपिल-वाराह मथुरापुरीमें श्रेष्ठ मन्त्री माने गये हैं। 'भूतेश्वर' नामसे प्रसिद्ध भगवान् शिव मथुराके द्वारपाल या क्षेत्रपाल हैं। वे पापियोंको दण्ड देकर भक्तिके लिये उन्हें मन्त्रोपदेश करते हैं। महाविद्या-

* नमः कोलेशघाताय खरासुरविघातिने। हलायुध नमस्तेऽस्तु मुसलास्त्राय ते नमः॥
नमः सौन्दर्यरूपाय तालाङ्काय नमो नमः॥

(गर्ग०, मथुरा० २४। ९९)

स्वरूपा दुर्गम कष्ट दूर करनेवाली चण्डिकादेवी दुर्गा सिंहपर आरूढ़ हो सदा मथुरापुरीकी रक्षा करती हैं। मैं (नारद) ही मथुराका चार (गुप्तचर) हूँ और इधर-उधर लोगोंपर दृष्टि रखकर सबकी बात महात्मा श्रीकृष्णको बताता हूँ। विदेहराज! नगरके मध्य-भागमें स्थित शुभदायिनी करुणामयी मथुरादेवी समस्त भूखे लोगोंको अन्न प्रदान करती हैं। मथुरामें मरे हुए लोगोंको विमानोंद्वारा ले जानेके लिये श्याम अङ्गवाले, चार भुजाधारी श्रीकृष्णपार्षद आते-जाते रहते हैं॥ ३—१३॥

महापुरी मथुरा, जिसके दर्शनमात्रसे मनुष्य कृतार्थ हो जाता है, श्रीकृष्णके अङ्गसे प्रकट हुई है। पूर्व-कालमें ब्रह्माजीने मथुरामें आकर निराहार रहते हुए सौ दिव्य वर्षोंतक तपस्या की। उस समय वे परब्रह्म श्रीहरिके नामका जप करते थे, इससे उन्हें स्वायम्भुव-मनु-जैसे प्रवीण पुत्रकी प्राप्ति हुई। नृपराज! सतीपति देववर भूतेश मधुवनमें एक सौ दिव्य वर्षतक तप करके श्रीकृष्णकी कृपासे तत्काल मथुरापुरी और माथुर-मण्डलके क्षेत्रपाल हो गये। श्रीकृष्णके कृपा-प्रसादसे ही मैं मथुरा-मण्डलका चार बना हूँ और सदा भ्रमण करता रहता हूँ। इसी प्रकार 'दुर्गा' मथुरामें जाती हैं और निश्चय ही श्रीकृष्णकी सेवा करती हैं। इन्द्रने मथुरामें तप करके इन्द्रपद, सूर्यने तप करके वैवस्वत मनु-जैसा पुत्र, कुबेरने अक्षयनिधि, वरुणने पाश और ध्रुवने मधुवनमें तप करके सम्यक् ध्रुवपद प्राप्त किया था। यहीं तपस्या करके अम्बरीषने मोक्ष पाया, रामने अक्षय शक्ति एवं लवणासुरसे विजय प्राप्त की। राजा रघुने सिद्धि पायी तथा इसी मधुवनमें तप करके चित्रकेतुने भी अभीष्ट फल प्राप्त किया। यहींके सुन्दर मधुवनमें तप करके अत्यन्त बलिष्ठ हुए महासुर मधुने माधवमासमें मधुसूदन माधवके साथ युद्ध-भूमिमें जाकर युद्ध किया। सप्तर्षियोंने मथुरामें आकर यहीं तपस्या करके योगसिद्धि प्राप्त की। पूर्वकालमें अन्य ऋषियोंने भी यहाँ तप करके सर्वतोमुखी सफलता पायी थी और गोकर्ण नामक वैश्यने भी यहाँ तप करके महानिधि उपलब्ध की थी। इसी शुभ मधुवनमें लोकरावण रावणने तपस्या करके स्वर्गके देवताओंपर विजय पायी तथा राक्षसोंको अधिकारी बनाकर मन्दिर-निर्माण करके लङ्कामें प्रतिष्ठित हो बड़ी शोभा प्राप्त की। मिथिलेश्वर! यहीं सुन्दर मधुवनमें तपस्या करके हस्तिनापुरके राजा शंतनुने अत्यन्त साधु-शिरोमणि तथा तत्त्वार्थसागरके कर्णधार भीष्मको पुत्र-रूपमें प्राप्त किया॥ १४—२३॥

बहुलाश्वने पूछा—देवर्षि-शिरोमणे—मथुराका माहात्म्य बताइये। वहाँ निवास करनेवाले सज्जनोंको किस फलकी प्राप्ति बतायी गयी है?॥ २४॥

श्रीनारदजीने कहा—राजन्! आदियुगमें भगवान् वराहने महासागरके जलमें, जहाँ बड़ी ऊँची लहरें उठ रही थीं, डूबी हुई पृथ्वीको, जैसे हाथी सूँड़से कमलको उठा ले, उसी प्रकार स्वयं अपनी दाढ़से उठाकर जब जलके ऊपर स्थापित किया, तब मथुराके माहात्म्यका इस प्रकार वर्णन किया था। यदि मनुष्य 'मथुरा' का नाम ले ले तो उसे भगवन्नामोच्चारणका फल मिलता है। यदि वह मथुराका नाम सुन ले तो श्रीकृष्णके कथा-श्रवणका फल पाता है। मथुराका स्पर्श प्राप्त करके मनुष्य साधु-संतोंके स्पर्शका फल पाता है। मथुरामें रहकर किसी भी गन्धको ग्रहण करनेवाला मानव भगवच्चरणोंपर चढ़ी हुई तुलसीके पत्रकी सुगन्ध लेनेका फल प्राप्त करता है। मथुराका दर्शन करनेवाला मानव श्रीहरिके दर्शनका फल पाता है। स्वतः किया हुआ आहार भी यहाँ भगवान् लक्ष्मीपतिके नैवेद्य—प्रसादभक्षणका फल देता है। दोनों बाँहोंसे वहाँ कोई भी कार्य करके श्रीहरिकी सेवा करनेका फल पाता है और वहाँ घूमने-फिरनेवाला भी पग-पगपर तीर्थयात्राके फलका भागी होता है॥ २५—२७॥

राजन्! सुनो। जो राजाधिराजोंका हनन करनेवाला, अपने सगोत्रका घातक तथा तीनों लोकोंको नष्ट करनेके लिये प्रयत्नशील होता है, ऐसा महापापी भी मथुरामें निवास करनेसे योगीश्वरोंकी गतिको प्राप्त होता है। उन पैरोंको धिक्कार है, जो कभी मधुवनमें नहीं गये। उन नेत्रोंको धिक्कार है, जो कभी मथुराका दर्शन नहीं कर सके। मिथिलेश्वर! उन कानोंको धिक्कार है, जो मथुराका नाम नहीं सुन पाते और उस वाणीको भी

धिक्कार है, जो कभी थोड़ा-सा भी मथुराका नाम नहीं ले सकी। विदेहराज! मथुरामें चौदह करोड़ वन हैं, जहाँ तीर्थोंका निवास है। इन तीर्थोंमेंसे प्रत्येक मोक्षदायक है। मैं मथुराका नामोच्चारण करता हूँ और साक्षात् मथुराको प्रणाम करता हूँ। जिसमें असंख्य ब्रह्माण्डोंके अधिपति परिपूर्णतम देवता गोलोकनाथ साक्षात् श्रीकृष्णचन्द्रने स्वयं अवतार लिया, उस मथुरापुरीको नमस्कार है। दूसरी पुरियोंमें क्या रखा है? जिस मथुराका नाम तत्काल पापोंका नाश कर देता है, जिसके नामोच्चारण करनेवालेको सब प्रकारकी मुक्तियाँ सुलभ हैं तथा जिसकी गली-गलीमें मुक्ति मिलती है, उस मथुराको इन्हीं विशेषताओंके कारण विद्वान् पुरुष श्रेष्ठतम मानते हैं। यद्यपि संसारमें काशी आदि पुरियाँ भी मोक्षदायिनी हैं, तथापि उन सबमें मथुरा ही धन्य है, जो जन्म, मौञ्जीव्रत, मृत्यु और दाह-संस्कारोंद्वारा मनुष्योंको चार प्रकारकी मुक्ति प्रदान करती है। जो सब पुरियोंकी ईश्वरी, व्रजेश्वरी, तीर्थेश्वरी, यज्ञ तथा तपकी निधीश्वरी, मोक्षदायिनी तथा परम धर्म-धुरंधरा है, मधुवनमें उस श्रीकृष्णपुरी मथुराको मैं नमस्कार करता हूँ। वैदेहराजेन्द्र! जो लोग एकमात्र भगवान् श्रीकृष्णमें चित्त लगाकर संयम और नियमपूर्वक जहाँ-कहीं भी रहते हुए मधुपुरीके इस माहात्म्यको सुनते हैं, वे मथुराकी परिक्रमाके फलको प्राप्त करते हैं—इसमें संशय नहीं है॥ २८—३५॥

विदेहराज! जो लोग इस मथुराखण्डको सब ओर सुनते, गाते और पढ़ते हैं, उनको यहीं सब प्रकारकी समृद्धि और सिद्धियाँ सदा स्वभावसे ही प्राप्त होती रहती हैं। जो बहुत वैभवकी इच्छा करनेवाले लोग नियमपूर्वक रहकर इस मथुराखण्डका इक्कीस बार श्रवण करते हैं, उनके घर और द्वारको हाथीके कर्णतालोंसे प्रताड़ित भ्रमरावली अलंकृत करती है। इसको पढ़ने और सुननेवाला ब्राह्मण विद्वान् होता है, राजकुमार युद्धमें विजयी होता है, वैश्य निधियोंका स्वामी होता है तथा शूद्र भी शुद्ध—निर्मल हो जाता है। स्त्रियाँ हों या पुरुष—इसे निकटसे सुननेवालोंके अत्यन्त दुर्लभ मनोरथ भी पूर्ण हो जाते हैं। जो बिना किसी कामनाके भगवान्में मन लगाकर इस भूतलपर भक्ति-भावसे इस मथुरा-माहात्म्य अथवा मथुरा-खण्डको सुनता है, वह विघ्नोंपर विजय पाकर, स्वर्गलोकके अधिपतियोंको लाँघकर सीधे गोलोक-धाममें चला जाता है॥ ३६—३९॥

इस प्रकार श्रीगर्गसंहितामें श्रीमथुराखण्डके अन्तर्गत नारद-बहुलाश्व-संवादमें 'श्रीमथुरामाहात्म्य' नामक पचीसवाँ अध्याय पूरा हुआ॥ २५॥

॥ श्रीमथुराखण्ड सम्पूर्ण ॥

॥ श्रीगणेशाय नमः ॥

द्वारकाखण्ड

पहला अध्याय

जरासंधका विशाल सेनाके साथ मथुरापर आक्रमण; श्रीकृष्ण और बलरामद्वारा उसकी सेनाका संहार; मगधराजकी पराजय तथा श्रीकृष्ण-बलरामका मथुरामें विजयी होकर लौटना

कृष्णाय वासुदेवाय देवकीनन्दनाय च।
नन्दगोपकुमाराय गोविन्दाय नमो नमः॥ १॥

जो वसुदेवके पुत्र और देवकीनन्दन होनेके साथ ही नन्दगोपके भी कुमार हैं, उन सच्चिदानन्दस्वरूप गोविन्दको बारंबार नमस्कार है॥ १॥

बहुलाश्वने पूछा—ब्रह्मन्! मैंने आपके मुखसे अद्भुत मथुराखण्डकी कथा सुनी। अब मुझे श्रीकृष्ण-चरितामृतसे पूर्ण द्वारकाखण्ड सुनाइये। श्रीरमा-वल्लभ श्रीकृष्णके कितने विवाह, कितने पुत्र और कितने पौत्र हुए? महामते! उनके मथुराको छोड़कर द्वारकामें निवास करनेका क्या कारण है? ये सब बातें बताइये॥ २-३॥

श्रीनारदजीने कहा—मैथिलेश्वर! महाबली कंसके मारे जानेपर उसकी दो रानियाँ—अस्ति और प्राप्ति बड़े दुःखसे जरासंधके घर गयीं। उनके मुखसे कंसके मरणका वृत्तान्त सुनकर जरापुत्र महाबली जरासंध अत्यन्त कुपित हो इस भूतलको यदुवंशियोंसे शून्य कर देनेके लिये उद्यत हो गया। राजन्! उस बलवान् नरेशने तेईस अक्षौहिणी सेना साथ लेकर मथुरापुरीपर धावा बोल दिया। महासागरके समान गर्जना करनेवाली उसकी सेना और भयसे व्याकुल हुई अपनी नगरीको देखकर साक्षात् भगवान्‌ने सभामें बलदेवजीसे कहा॥ ४—७॥

'भैया बलरामजी! इस मगधराज जरासंधकी सारी सेनाको तो निस्संदेह नष्ट कर देना चाहिये, किंतु इस मगधनरेशको तो नहीं मारना चाहिये, जिससे यह पुनः सेना जुटाकर ले आनेका उद्योग करे। जरासंधको ही निमित्त बनाकर पृथ्वीके राजाओंके रूपमें स्थित पृथ्वीसे सारे भारको यहीं रहकर हर लूँगा और साधु पुरुषोंका प्रिय करूँगा॥ ८-९॥

राजन्! भगवान् श्रीकृष्ण इस प्रकार बात कर ही रहे थे कि वैकुण्ठसे सबके देखते-देखते दो सुन्दर रथ उतर आये। उन रथोंपर तत्काल आरूढ़ हो महाबली बलराम और श्रीकृष्ण यदुवंशियोंकी थोड़ी-सी सेना साथ लेकर तुरंत ही नगरसे बाहर निकले। आकाशमें देवताओंके देखते-देखते भूतलपर यादवों और मागधोंमें अद्‌भुत रोमाञ्चकारी एवं तुमुल युद्ध होने लगा। पहले महाबली मगधराज रथपर आरूढ़ हो दस अक्षौहिणी सेनाके साथ भगवान् श्रीकृष्णके सामने आकर लड़ने लगा। धृतराष्ट्रपुत्र दुर्योधन जरासंधकी सहायताके लिये पाँच अक्षौहिणी सेनाके साथ आकर यादवोंके साथ युद्ध करने लगा। राजन्! विन्ध्यदेशका बलवान् राजा पाँच अक्षौहिणी सेनाके साथ तथा वङ्गदेशका महाबली नरेश तीन अक्षौहिणी सेनाके साथ उस महायुद्धमें जरासंधकी ओरसे सम्मिलित हुआ। मिथिलेश्वर! इसी तरह दूसरे राजा भी जो जरासंधके वशवर्ती थे, प्राणपनसे उसकी सहायता कर रहे थे॥ १०—१६॥

शत्रुसेनासे व्याप्त आकाशमें बाणोंका अन्धकार फैल जानेपर शार्ङ्गधन्वा श्रीकृष्णने अपने शार्ङ्गधनुषकी टंकार-ध्वनि प्रारम्भ की। उस टंकारसे सात लोकों और सात पातालोंसहित सारा ब्रह्माण्ड गूँज उठा, दिग्गज विचलित हो उठे, तारे टूटने लगे और सारा भूखण्डमण्डल काँपने लगा। शत्रुओंका सारा सैन्य-

मण्डल उसी क्षण बहरा-सा हो गया, घोड़े युद्धमण्डल-से उछलकर भागने लगे तथा हाथियोंने भी अपना मुँह फेर लिया। जरासंधकी सारी सेना उस टंकारसे भय-विह्वल हो भाग चली और उलटी दिशामें दो कोस जाकर फिर वहाँ आयी। इस प्रकार विद्युत्की पीली प्रभासे युक्त एवं कान्तिमान् शार्ङ्गधनुषकी टंकार फैलाकर श्रीहरिने अपने बाणसमूहोंकी वर्षासे जरासंधकी सारी सेनाको आच्छादित कर दिया॥ १७—२१॥

राजन्! शार्ङ्गधन्वाके बाणोंसे शत्रुसेनाके रथ चूर-चूर हो गये, पहिये टूक-टूक होकर गिर पड़े तथा रथी और सारथि भी मारे जाकर भूमिपर सदाके लिये सो गये। गजारोहियोंके साथ चलनेवाले हाथी उनके बाणोंसे दो टूक हो गये। सवारोंसहित घोड़े बाणोंद्वारा गर्दन कट जानेसे धराशायी हो गये। इसी प्रकार उस महायुद्धमें वक्षःस्थल और मस्तक छिन्न हो जानेसे पैदल योद्धा धराशायी हो गये। उनके कवचोंकी धज्जियाँ उड़ गयी थीं। वे निस्संदेह कालके गालमें चले गये। राजन्! जैसे फूटे हुए बर्तन कोई अधोमुख और कोई ऊर्ध्वमुख होकर पड़े दिखायी देते हैं, उसी प्रकार जिनके शरीर कट गये थे, वे राजकुमार उस समराङ्गणमें कोई ऊर्ध्वमुख और कोई अधोमुख होकर पड़े हुए थे। एक ही क्षणमें उस युद्धभूमिमें सौ कोस लंबी खूनकी नदी बह चली, जो अत्यन्त दुर्गम थी। हाथी उसमें ग्राहके समान जान पड़ते थे। ऊँटों और गदहोंके धड़ आदि कच्छपके समान प्रतीत होते थे। रथ शिशुमारों (सूसों) का, केश सेवारोंका तथा कटी हुई भुजाएँ सर्पोंका भ्रम उत्पन्न करती थीं। हाथ मछलियाँ तथा मुकुटोंके रत्न, हार एवं कुण्डल कंकड़-पत्थर जान पड़ते थे। अस्त्र-शस्त्र सीप, छत्र शङ्ख तथा चामर और ध्वजा बालू प्रतीत होते थे। रथके पहिये भँवरका भ्रम उत्पन्न कर रहे थे और दोनों ओरकी सेनाएँ उस रुधिरसरिताके दोनों तट थीं। इस तरह वह शतयोजन-विस्तृत नदी वैतरणीके समान भयंकर जान पड़ने लगी। प्रमथ, भैरव, भूत, वेताल और योगिनियाँ अट्टहास करती हुईं रणभूमिमें नाचने लगीं। नृपेश्वर! वे भूत-वेताल आदि खप्परमें ले-लेकर निरन्तर रक्त पी रहे थे और भगवान् शंकरकी मुण्डमाला बनानेके लिये कटे हुए सिरोंका संग्रह कर रहे थे। सैकड़ों डाकिनियोंसे घिरी हुई भद्रकाली वहाँका गरम-गरम रक्त पीती हुई अट्टहास करने लगी। विद्याधरियाँ, स्वर्गवासिनी गन्धर्वकन्याएँ तथा अप्सराएँ क्षत्रियधर्ममें स्थित होकर वीरगति पानेवाले देवरूपधारी वीरोंको अपने पतिके रूपमें वरण कर रही थीं। आकाशमें उन वीरोंको पकड़कर पति बनानेके निमित्त वे आपसमें कलह करने लगीं। वे कहतीं— 'ये तो मेरे अनुरूप हैं, अतः मैं ही इनका वरण करूँगी।' इस प्रकार उनमें आसक्त-चित्त हुई सुरबालाएँ परस्पर विवादपर उतर आयी थीं। कुछ धर्मपरायण वीर समराङ्गणसे तनिक भी विचलित न होनेके कारण मार्तण्ड-मण्डलका भेदन करके सीधे भगवान् विष्णुके दिव्यधाममें चले गये। शेष सेनाको त्रिलोकीका बल धारण करनेवाले बलदेवजी कुपित हो हलसे खींचकर मुसलसे मारने लगे। इस प्रकार जरासंधकी सेनाका सब ओरसे संहार हो जानेपर दुर्योधन, विन्ध्यराज तथा वङ्गनरेश—सब भयभीत हो रणभूमिसे इधर-उधर भाग गये॥ २२—३७॥

राजन्! तब दस हजार हाथियोंके समान बलशाली महापराक्रमी जरासंध रथपर आरूढ़ हो बलदेवजीके सामने आया। यदुश्रेष्ठ बलरामने जरासंधके सुन्दर रथको हलाग्रभागसे खींचकर मुसलकी चोटसे चूर्ण कर डाला। घोड़े और सारथिके मारे जानेपर रथहीन हुए जरासंधने सारे शस्त्रसमूहको त्यागकर बलदेवको दोनों हाथोंसे पकड़ लिया। फिर उन दोनोंमें रणभूमिके भीतर घोर युद्ध होने लगा। मैथिल! आकाशमें खड़े देवताओं तथा भूतलपर विद्यमान मनुष्योंके देखते-देखते वे दोनों महाबली वीर मल्लयुद्धमें दो सिंहोंके समान जूझने लगे। वे छातीसे, मस्तकसे, भुजाओंसे चोट करते हुए पृथक्-पृथक् पैरोंको पकड़कर एक-दूसरेको गिरानेकी चेष्टा करते थे। उन दोनोंके युद्धसे वहाँका सारा भूखण्डमण्डल खुदकर गड्ढेके समान हो गया। राजन्! उस समय भूमि सहसा बटलोईकी तरह दो घड़ीतक काँपती रही। तब यदुश्रेष्ठ बलरामने अपने बाहुदण्डोंसे जरासंधको पकड़कर इस प्रकार पृथ्वीपर दे मारा, मानो किसी

बालकने कमण्डलु पटक दिया हो। बलरामने जरासंधके ऊपर चढ़कर उस शत्रुको मार डालनेके लिये क्रोधसे भरकर घोर मुसल हाथमें लिया। यह देख परिपूर्णतम परमात्मा श्रीकृष्णने उन्हें तत्काल रोक दिया। तब यदुकुल-तिलक बलरामने उसे छोड़ दिया। जरासंधने लज्जित होकर तपस्याके लिये जानेका विचार किया, परंतु अपने मुख्य मन्त्रियोंके मना करनेपर मगधराज तपस्याके लिये न जाकर मगधदेशको ही लौट गया। इस प्रकार मधुसूदन माधवने जरासंधपर विजय पायी॥ ३८—४८॥

युद्धमें जो कुछ भी धन-वित्त हाथ लगा, वह सब सुखावह वैभव साथ लेकर, यादवोंको आगे करके, बलदेवसहित परिपूर्णतम साक्षात् भगवान् श्रीकृष्ण सूतों, मागधों और वन्दीजनोंके मुखसे विजय-गान सुनते हुए, शङ्खध्वनि, दुन्दुभिनाद तथा वेद-मन्त्रोंके भारी घोषके साथ मथुरापुरीमें प्रविष्ट हुए। मार्गमें माङ्गलिक वस्तुओं, खीलों और फूलोंसे उनकी पूजा होती थी। प्रत्येक द्वारपर मङ्गल-कलशसे सुशोभित पुरीकी शोभा देखते हुए पीताम्बरधारी, श्यामसुन्दर-विग्रह, शुभाङ्ग-शोभित, चमकीले किरीट, अङ्गद और कुण्डलोंसे उद्भासित, शार्ङ्ग आदि अस्त्र-शस्त्रोंको धारण करनेवाले भगवान् गरुडध्वज, तालध्वज बलरामके साथ, मुखसे मन्दहासकी छटा बिखेरते हुए राजा उग्रसेनके पास जा, उन्हें सारी धन-सामग्री भेंट की। उस समय चञ्चल घोड़ोंसे जुता हुआ उनका रथ उद्दीप्त हो रहा था तथा देवगण उनकी पूजा-प्रशंसा कर रहे थे॥ ४९—५३॥

इस प्रकार श्रीगर्गसंहितामें श्रीद्वारकाखण्डके अन्तर्गत नारद-बहुलाश्व-संवादमें 'जरासंध-पराजय' नामक पहला अध्याय पूरा हुआ॥ १॥

दूसरा अध्याय

मथुरापर जरासंध और कालयवनका आक्रमण; भगवान्‌का युद्ध छोड़कर एक गुफामें जाना और वहाँ गये हुए कालयवनको मुचुकुन्दके दृष्टिपातसे दग्ध कराना; मुचुकुन्दको वर देकर बदरिकाश्रमकी ओर भेजना और स्वयं म्लेच्छ-सेनाका संहार करके जरासंध-के सामनेसे भागकर श्रीकृष्ण-बलरामका प्रवर्षणगिरि होते हुए द्वारका पहुँचना और जरासंधका उस पर्वतको जलाकर मगधको लौट जाना

नारदजी कहते हैं—राजन्! जरासंध पुनः उतनी ही अक्षौहिणी सेना लेकर शीघ्र ही यादवोंके साथ युद्ध-के लिये आ गया; किंतु श्रीकृष्णसे वह फिर पराजित हो गया। श्रीकृष्णके प्रभावसे समस्त यादव अभ्युदय-को प्राप्त हुए। उन्हें धनुष और हाथी आदिके बलसे सदा शत्रुओंको लूटनेका साहस हो गया॥ १-२॥

राजन्! जब साहस प्राप्त हो गया, तब बालक और पनिहारिनें भी बिना युद्धके ही शत्रुओंकी सम्पत्तिका अपहरण करने लगीं। शत्रुओंके द्रव्यके अपहरणका अवसर देखते हुए मथुराके वस्त्रक्रेता समस्त नागरिक बड़े हर्षको प्राप्त हुए। इस प्रकार सत्रह बार अपनी सेनाका संहार कराकर जरासंध परास्त हुआ। तदनन्तर अठारहवीं बार भी उसने संग्राममें आनेका विचार किया। इसी समय मेरी प्रेरणासे महाबली कालयवनने एक करोड़ म्लेच्छोंकी सेनाको साथ लेकर क्रोधपूर्वक मथुरापर घेरा डाल दिया। म्लेच्छोंकी सेना देखकर, अपने नगरको भयविह्वल जान, दोनों ओरसे आनेवाले भयका विचार करके श्रीकृष्ण बलरामके साथ चिन्तित हो गये॥ ३—७॥

अपने सजातीय बन्धुओंकी रक्षाके लिये माधवने भयंकर गर्जना करनेवाले समुद्रके भीतर एक ही रातमें द्वारका-दुर्गका निर्माण कराया, जहाँ विश्वकर्माने आठों दिक्पालोंकी सिद्धियाँ निर्मित कीं तथा मोक्षकी इच्छा रखनेवाले साधकोंको जहाँ वैकुण्ठकी सारी सम्पत्तिका

दर्शन होता है। मिथिलेश्वर! श्रीहरि योगशक्तिसे समस्त आत्मीयजनोंको द्वारकादुर्गमें पहुँचाकर, बलरामजीकी आज्ञा ले मथुरा नगरसे बिना अस्त्र-शस्त्रके ही निकले। मैंने जो पहचान बतायी थी, उसके अनुसार उस दुष्ट कालयवनने श्रीहरिको पहचान लिया और उन्हें बिना अस्त्र-शस्त्रके देखकर स्वयं भी आयुध त्यागकर उनसे युद्ध करनेके लिये पैदल ही आया। वे युद्धसे विमुख होकर भागने लगे। जो योगियोंके लिये भी दुर्लभ हैं, उन्हीं श्रीहरिको पकड़नेके लिये वह अपने सैनिकोंके देखते-देखते उनका पीछा करने लगा॥ ८—१२॥

माधव अपने शरीरको एक ही हाथ आगे दिखाते हुए भागते-भागते दूर चले गये और शीघ्र ही श्यामलाचलकी कन्दरामें घुस गये। मान्धाताके बड़े पुत्र मुचुकुन्द उस गुहामें शयन करते थे। उन्होंने पूर्वकालमें असुरोंसे देवताओंकी रक्षा की थी। नरेश्वर! उस समय देवसेनाकी रक्षामें तत्पर रहनेके कारण वे दिन-रात सो नहीं पा रहे थे। कार्य सिद्ध हो जानेपर सब देवताओंने प्रसन्न होकर उन नृपश्रेष्ठसे कहा॥ १३—१५॥

राजन्! तुम्हारे मनमें जो कुछ हो, उसको वरदानके रूपमें माँग लो।' तब राजेन्द्र मुचुकुन्दने देवताओंको प्रणाम करके उनसे कहा—'मैं अच्छी तरह सोना चाहता हूँ। सोकर उठनेपर मुझे साक्षात् श्रीहरिका दर्शन हो। जो हतचेतन पुरुष बीचमें मुझे जगा दे, वह मेरी दृष्टि पड़ते ही तत्काल भस्म हो जाय।' देवताओंने 'तथास्तु' कहकर उन्हें उनका अभिलषित वर दे दिया। तब राजा मुचुकुन्दने पूर्वकालके सत्ययुगमें शयन किया॥ १६—१८॥

भगवान्‌के पीछे-पीछे कालयवनने भी उस गुफामें प्रवेश किया और मुचुकुन्दको पीताम्बर ओढ़कर सोया हुआ श्रीकृष्ण ही समझकर क्रोधसे भरे हुए उस महादुष्ट यवनने तुरंत ही उनके ऊपर लातसे प्रहार किया। मुचुकुन्द सहसा उठ बैठे और उन्होंने धीरे-धीरे आँखें खोलकर चारों ओर दृष्टिपात किया। उस समय कालयवन उन्हें पास ही खड़ा दिखायी दिया। मैथिल! रोषसे भरे हुए नरेशकी दृष्टि पड़ते ही कालयवन अपने ही देहसे उत्पन्न आगकी ज्वालासे उसी क्षण जलकर भस्म हो गया॥ १९—२१॥

यवनके भस्मीभूत हो जानेपर साक्षात् परिपूर्णतम भगवान्‌ने बुद्धिमान् मुचुकुन्दको अपने स्वरूपका दर्शन कराया। करोड़ों सूर्योंके समान जाज्वल्यमान ज्योति-र्मण्डलमय भगवान् खड़े थे। उनके मस्तकपर किरीट, कानोंमें कुण्डल, बाँहोंमें अङ्गद और पैरोंमें नूपुर उद्दीप्त हो रहे थे। उनके वक्षःस्थलमें श्रीवत्सका चिह्न सुशोभित था। वे चार भुजाओंसे सम्पन्न थे। उनके नेत्र प्रफुल्ल कमलके समान विशाल थे और उनकी ग्रीवामें वनमाला लटक रही थी। वे अपने लावण्यसे करोड़ों कामदेवोंको लज्जित कर रहे थे। उनकी कान्ति काले मेघके समान श्याम थी। उन्हें देखकर राजा हर्षसे उल्लसित हो उठकर खड़े हो गये और हाथ जोड़कर उन्हें परिपूर्णतम भगवान् जानकर भक्तिभावसे प्रणाम किया॥ २२—२५॥

मुचुकुन्दने कहा—जो वसुदेवपुत्र और देवकीनन्दन होते हुए भी श्रीनन्दगोपके कुमार हैं, उन सच्चिदानन्दस्वरूप गोविन्दको बारंबार नमस्कार है। जिनकी नाभिसे ब्रह्माण्ड-कमलकी उत्पत्ति हुई है, जो कमलकी मालासे अलंकृत हैं, जिनके नेत्र प्रफुल्ल कमलदलके समान विशाल हैं तथा चरण भी अपनी शोभासे कमलोंको तिरस्कृत करते हैं, उन भगवान्‌को बारंबार नमस्कार है। शुद्ध-बुद्ध परब्रह्म परमात्मा श्रीकृष्णको नमस्कार है। प्रणतजनोंके क्लेशका नाश करनेवाले गोविन्दको बारंबार नमस्कार है। जिनकी सहस्रों मूर्तियाँ हैं, जो सहस्रों चरण, नेत्र, मस्तक, उरु और भुजा धारण करनेवाले हैं, जिनके सहस्रों नाम हैं तथा जो सहस्र कोटि युगोंको धारण करते हैं, उन सनातन पुरुष भगवान् श्रीकृष्णको नमस्कार है। हरे! इस भूतलपर मेरे समान कोई पातकी नहीं है और आपके समान पापहारी भी दूसरा कोई नहीं है—यह जानकर जगन्नाथ देव! आपकी जैसी इच्छा हो, वैसी ही कृपा मेरे ऊपर कीजिये* ॥ २६—३०॥

---

* मुचुकुन्द उवाच

कृष्णाय वासुदेवाय देवकीनन्दनाय च। नन्दगोपकुमाराय गोविन्दाय नमो नमः॥

श्रीनारदजी कहते हैं—राजन्! मुचुकुन्दके इस प्रकार स्तुति करनेपर साक्षात् परमानन्दस्वरूप श्रीहरिने उन्हें निर्गुण भक्त जानकर गम्भीर वाणीमें कहा॥ ३१॥

श्रीभगवान् बोले—राजसिंह! तुम धन्य हो तथा निरपेक्ष दिव्य भक्तिभावसे भरी हुई तुम्हारी विमल बुद्धि भी धन्य है। तुम आज ही मेरे धाम बदरिकाश्रमको चले जाओ। वहीं तपस्या करके दूसरे जन्ममें श्रेष्ठ ब्राह्मण होओगे। महाराज! ब्राह्मण-शरीरसे प्रेमलक्षणा-भक्ति करके तुम प्रकृतिसे परे मेरे दिव्य धाममें पहुँच जाओगे, जहाँसे फिर यहाँ लौटना नहीं होता है॥ ३२—३४॥

नारदजी कहते हैं—राजन्! इस प्रकार श्रीहरिकी आज्ञा पाकर, पुनः उनकी स्तुति, वन्दना और परिक्रमा करके, नतमस्तक एवं श्रीकृष्णप्रेमसे विह्वल हुए मुचुकुन्द उस गुहादुर्गसे बाहर निकले। द्वापरमें छोटी आकृतिवाले मनुष्य कई ताड़ ऊँचे राजा मुचुकुन्दको देखकर मार्गमें भयभीत हो इधर-उधर भागने लगते थे। 'मत डरो! मत डरो!' इस प्रकार अभयदान देते हुए मुचुकुन्द उत्तर दिशाको चले गये। इस तरह उन बुद्धिमान् मुचुकुन्दको वरदान देकर भगवान् पुनः म्लेच्छोंसे घिरी हुई मथुरामें आये और सारी म्लेच्छसेनाका संहार करके बलपूर्वक उसका धन छीन लिया॥ ३५—३८॥

तदनन्तर राजा जरासंधने पुनः युद्ध करनेका विचार मनमें लेकर मुहूर्त बतानेवाले मागध ब्राह्मणोंको बुलवाया और कहा—'यदि मैं वासुदेवको जीतकर लौटूँगा तो तुम्हारे अधीन रहकर सदा तुमलोगोंकी पूजा करूँगा। तबतक हे ब्राह्मणो! तुमलोग मेरे कारागारमें ठहरो। यदि मैं पराजित हुआ तो तुम सबको मार डालूँगा, इसमें संशय नहीं है'॥ ३९—४१॥

ब्राह्मणोंसे यों कहकर महाबली राजा जरासंध तेईस अक्षौहिणी सेना साथ लेकर शीघ्र मथुरामें आया। मागध ब्राह्मणोंकी बात सत्य करनेके लिये भगवान्ने अपनी टेक छोड़ दी और मनुष्यकी-सी चेष्टाको अपनाकर अपने नगरसे भयभीतकी भाँति परमदेव बलराम और श्रीकृष्ण पैदल ही बड़े जोरसे भागे। उन्हें भागते देख मगधराज अट्टहास करने लगा। वह ब्राह्मणोंके वचनोंका अनुस्मरण करके रथसेनाके साथ उनका पीछा करने लगा। वे दोनों भाई श्रीहरि दक्षिण दिशाकी ओर जाते हुए प्रवर्षणगिरिपर पहुँच गये। उन दोनोंको उस पर्वतपर ही छिपे जान जरासंधने लकड़ी जलाकर वहाँके जंगलमें आग लगा दी। प्रवर्षणगिरिके समस्त वनके भस्मीभूत हो जानेपर उस जलते हुए पर्वतके ग्यारह योजन ऊँचे शिखरसे कूदकर वे दोनों देवेश्वर शत्रुओंसे अलक्षित रहकर द्वारकामें जा पहुँचे। महाबली वीर मगधराज उन दोनोंको दग्ध हुआ जान अपनी विजयके नगारे बजवाता हुआ मगधदेशको लौट गया॥ ४२—४८॥

नरेश्वर! उसने बड़ी भक्तिसे ब्राह्मणोंका पूजन किया और कहा—'ब्राह्मण जिसका सहायक है, उसकी पराजय कैसे हो सकती है!'॥ ४९॥

इस प्रकार श्रीगर्गसंहितामें द्वारकाखण्डके अन्तर्गत नारद-बहुलाश्व-संवादमें 'द्वारकावास-कथन' नामक दूसरा अध्याय पूरा हुआ॥ २॥

नमः पङ्कजनाभाय नमः पङ्कजमालिने। नमः पङ्कजनेत्राय नमस्ते पङ्कजाङ्घ्रये॥
नमः कृष्णाय शुद्धाय ब्रह्मणे परमात्मने। प्रणतक्लेशनाशाय गोविन्दाय नमो नमः॥
नमोऽस्त्वनन्ताय सहस्रमूर्तये सहस्रपादाक्षिशिरोरुबाहवे। सहस्रनाम्ने पुरुषाय शाश्वते सहस्रकोटीयुगधारिणे नमः॥
हरे मत्समः पातकी नास्ति भूमौ तथा त्वत्समो नास्ति पापापहारी। इति त्वं च मत्वा जगन्नाथ देव यथेच्छा भवेत्ते तथा मां कुरु त्वम्॥

(गर्ग, द्वारका २। २६—३०)

तीसरा अध्याय

बलदेवजीका रेवतीके साथ विवाह

नारदजी कहते हैं—राजन्! इस प्रकार मैंने तुमसे भगवान्‌के द्वारकामें निवासका कारण बताया। अब उन परमेश्वर-बन्धुओंके विवाह आदिके सारे वृत्तान्त सुनाऊँगा। मिथिलेश्वर! तुम पहले बलदेवजीके विवाहका वृत्तान्त सुनो, जो समस्त पापोंको हर लेनेवाला तथा आयुकी वृद्धि करनेवाला उत्तम साधन है॥ १-२॥

सूर्यवंशमें महामनस्वी राजा आनर्त हुए, जिनके नामसे भयंकर गर्जना करनेवाले समुद्रके तटपर आनर्तदेश बसा हुआ था। राजा आनर्तके एक रैवत नामका पुत्र हुआ, जो गुणोंकी खान तथा चक्रवर्ती राजाके लक्षणोंसे सम्पन्न था। उसने कुशस्थलीपुरीका निर्माण करके वहीं रहकर राज्यशासन किया। रैवतके सौ पुत्र थे और रेवती नामवाली एक कन्या। वह सर्वोत्तम चिरंजीवी तथा सुन्दर वर पानेकी इच्छा रखती थी। एक दिन स्वर्णरत्नविभूषित रथपर आरूढ़ हो अपनी पुत्रीको भी उसीपर बिठाकर राजा रैवत भूमण्डलकी परिक्रमा करने लगे। (इस यात्राका उद्देश्य था—पुत्रीके लिये योग्य वरकी खोज।) अन्ततोगत्वा राजाने अपनी पुत्रीके लिये वरकी जिज्ञासाके निमित्त योगबलसे मङ्गलकारी ब्रह्मलोकमें पदार्पण किया और वहाँ ब्रह्माजीके चरणोंमें शीश झुकाया। उस समय ब्रह्माजीकी सभामें पूर्वचित्ति नामकी अप्सराका गान हो रहा था, इसलिये वे एक क्षणतक चुपचाप बैठे रहे। तदनन्तर ब्रह्माजीको एकचित्त हुआ जानकर उनसे अपना अभिप्राय निवेदित किया॥ ३—८॥

रैवत बोले—प्रभो! आप परम पुराणपुरुष हैं। आपसे ही इस विश्वरूपी वृक्षका अङ्कुर उत्पन्न हुआ है। आप पूर्ण परमात्मा परमेश्वर हैं और अपने पारमेष्ठ्य धाममें सदा स्थित रहकर इस जगत्‌की सृष्टि, पालन और संहार किया करते हैं। देव! वेद आपके मुख हैं, धर्म हृदय है, अधर्म पृष्ठभाग है, मनु बुद्धि है, देवता अङ्ग हैं, असुर पैर हैं और सारा संसार आपका शरीर है। आप सम्पूर्ण विश्वको अपने हाथपर रखे हुए आँवलेकी भाँति प्रत्यक्ष देखते हैं और जैसे सारथि रथको अभीष्ट मार्गमें ले जाता है, उसी प्रकार आप संसाररूपी रथको तीनों गुणों अथवा त्रिगुणात्मक विषयोंकी ओर ले जानेमें समर्थ हैं। आप एकमात्र अद्वितीय हैं तथा जैसे मकड़ी अपने स्वरूपसे ही एक जाला उत्पन्न करती और फिर उसे ग्रस लेती है, उसी प्रकार आप जगत्‌रूपी एक जाल बुन रहे हैं और समय आनेपर फिर इसे अपने-आपमें विलीन कर लेंगे। महेन्द्रका निवासस्थान—स्वर्गलोक आपके वशमें है; फिर सार्वभौम राज्य और योगसिद्धि आपके अधीन हों, इसके लिये तो कहना ही क्या है। आप सदा पारमेष्ठ्य पद—ब्रह्मधाममें स्थित हैं। ऐसे अनन्तगुणशाली आप भूमा (महान् एवं सर्वव्यापी) पुरुषको नमस्कार है। विधे! आप स्वयम्भू (स्वयं प्रकट हुए) हैं, तीनों लोकोंके पितामह (पिताके भी पिता) हैं। अपने इसी प्रभावके कारण आपको 'सुरज्येष्ठ' कहा जाता है। आप सर्वदर्शी हैं, अतः मेरी इस पुत्रीके लिये आप शीघ्र ही मुझे कोई दिव्य, सर्वगुणसम्पन्न तथा चिरंजीवी वर बताइये॥ ९—१३॥

नारदजी कहते हैं—मैथिल! यह सुनकर सर्वदर्शी भगवान् स्वयम्भू ब्रह्माने राजा रैवतसे हँसते हुए-से कहा॥ १४॥

श्रीब्रह्माजी बोले—राजन्! इस क्षणतक पृथ्वी-

पर महाबली काल बड़ी तेजीके साथ बीत चुका है। सत्ताईस चतुर्युगियाँ समाप्त हो चुकी हैं। मर्त्यलोकमें तुम्हारे पुत्र, पौत्र और उनके भाई-बन्धु नहीं रह गये हैं। उनके पुत्रोंके भी पोते-नातियोंके गोत्रतक अब नहीं सुनायी देते हैं। अतः राजन्! शीघ्र जाओ और सर्वश्रेष्ठ नररत्न सनातन पुरुष बलदेवजीको यह कन्यारत्न समर्पित करो। साक्षात् गोलोकके अधिपति परिपूर्णतम प्रभु बलराम और केशव भूमिका भार उतारनेके लिये अवतीर्ण हुए हैं। असंख्य ब्रह्माण्डोंके अधिपति होते हुए भी वे दोनों भक्तवत्सल हरि वसुदेवनन्दन होकर द्वारकामें यदुवंशियोंके साथ विराज रहे हैं॥ १५—१९॥

नारदजी कहते हैं—राजन्! यह सुनकर नृपश्रेष्ठ रैवत ब्रह्माजीको नमस्कार करके पुनः समृद्धिशालिनी द्वारकापुरीमें आये। बलदेवजीसे कन्याका विवाह करके दहेजमें विश्वकर्माका बनाया हुआ एक दिव्य रथ प्रदान किया, जो एक योजन विस्तृत था। उस रथमें एक सहस्र अश्व जुते हुए थे। मिथिलेश्वर! ब्रह्माजीके दिये हुए दिव्य वस्त्र तथा रत्न देकर राजा रैवत मङ्गलमय बदरिकाश्रमतीर्थमें तपस्या करनेके लिये चले गये। उस समय यदुपुरीके घर-घरमें महान् उत्सव मनाया गया। तदनन्तर भगवान् संकर्षण रानी रेवतीके साथ बड़ी शोभा पाने लगे। जो मनुष्य बलदेवजीके विवाहकी इस कथाको सुनेगा, वह सब पापोंसे मुक्त हो परमसिद्धिको प्राप्त होगा॥ २०—२४॥

इस प्रकार श्रीगर्गसंहितामें द्वारकाखण्डके अन्तर्गत नारद-बहुलाश्व-संवादमें 'बलदेव-विवाहोत्सव' नामक तीसरा अध्याय पूरा हुआ॥ ३॥

चौथा अध्याय

श्रीकृष्णको रुक्मिणीका संदेश; ब्राह्मणसहित श्रीकृष्णका कुण्डिनपुरमें आगमन; कन्या और वरके अपने-अपने घरोंमें मङ्गलाचार; शिशुपालके साथ आयी हुई बारातको विदर्भराजका ठहरनेके लिये स्थान देना

श्रीनारदजी कहते हैं—मिथिलेश्वर! अब श्रीकृष्णदेवके विवाहका वृत्तान्त सुनो, जो सब पापोंको हर लेनेवाला, पुण्यजनक तथा धर्म, अर्थ, काम और मोक्षरूप चतुर्वर्गमय फल प्रदान करनेवाला है॥ १॥

विदर्भदेशमें भीष्मक नामसे प्रसिद्ध एक प्रतापी राजा राज्य करते थे, जो कुण्डिनपुरके स्वामी, श्रीसम्पन्न तथा सम्पूर्ण धर्मवेत्ताओंमें सबसे श्रेष्ठ थे। उनके रुक्मिणी नामक एक पुत्री हुई, जो लक्ष्मीजीका अंश थी। वह इतनी अधिक सुन्दरी थी कि उसके सामने करोड़ों चन्द्रमा फीके लगें। वह सद्गुणरूपी आभूषणोंसे विभूषित थी। पहलेकी बात है, एक दिन मेरे मुँहसे श्रीहरिके अलौकिक गुणोंका वर्णन सुनकर वह राजकुमारी परिपूर्णतम भगवान् श्रीकृष्णको अपने अनुरूप पति मानने लगी। इसी तरह मेरे मुखसे रुक्मिणीके रूप और गुणोंका प्रीतिवर्धक वर्णन सुनकर श्रीहरिने उसे अपनी योग्य पत्नी समझा और उसके साथ विवाह करनेका मन-ही-मन संकल्प किया। श्रीकृष्णके भावको जाननेवाले सर्वधर्मज्ञ राजा भीष्मकने भी अपनी उस कन्याको उन्हींके हाथमें देनेका निश्चय किया था; किंतु युवराज रुक्मीने यत्नपूर्वक पिताको रोका और श्रीकृष्णके शत्रु महावीर शिशुपालको रुक्मिणीके योग्य वर माना॥ २—७॥

मिथिलेश्वर! इससे भीष्मकुमारी रुक्मिणीके चित्तमें बड़ा खेद हुआ और उसने एक ब्राह्मणको अपना दूत बनाकर महात्मा श्रीकृष्णके पास भेजा। ब्राह्मणदेवता जब दिव्य द्वारकापुरीमें पहुँचे, तब श्रीकृष्णने उनकी आवभगत की। उन्होंने वहीं भोजन किया और श्रीकृष्णके मन्दिरमें ही आसन लगाकर विश्राम किया। फिर महात्मा श्रीकृष्णने उनसे सारा कुशल-समाचार पूछा। उनकी आज्ञा पाकर ब्राह्मणने

उन्हें सब बातें बतायीं॥ ८—१०॥

[वे रुक्मिणीका पत्र सुनाते हुए बोले—] ''स्वस्ति श्री ५ नित्यानन्द-महासागर श्रीमद्दिव्यगुणपरिपूर्ण वसुदेवनन्दन श्रीकृष्ण! जोग लिखी कुण्डिनपुरसे रुक्मिणीका कोटिशः प्रणाम स्वीकृत हो। यहाँ कुशल है, वहाँ भी कुशल चाहिये। आगे आपका पत्र आया और श्रीनारदजीकी वाणीसे भी यह ज्ञात हुआ कि आप प्रकृतिसे परे परमेश्वर हैं। यद्यपि सर्वज्ञ होनेके नाते आप सब कुछ जानते हैं, तथापि मैं गुप्त बात आपको बता रही हूँ। महामते! आप मुझे वीरका भाग (अपना अंश) जानें और स्वीकार करें। यदि चेदिराज शिशुपालने मेरा हाथ पकड़ लिया तो यह समझना चाहिये कि सिंहके लिये नियत बलिका भाग कोई मृग (कुत्ता, बिल्ली आदि) उठा ले गया। यदि आप ऐसा सोचते हों कि 'तुम तो कुण्डिनपुरके दुर्गमें निवास करती हो, तुम्हें मैं किस प्रकार ब्याहकर लाऊँगा', तो इसके विषयमें भी सुन लीजिये। हरे! यहाँकी कुल-प्रथाके अनुसार विवाहके एक दिन पूर्व राजकुमारी कुलदेवीके मन्दिरको जाती है। यह यात्रा बड़ी धूम-धामसे की जाती है। अतः मैं जहाँ कुलदेवीका मन्दिर है, वहाँपर आऊँगी। प्रभो! वहीं आप मुझे अपने साथ ले लें''॥ ११—१५॥

श्रीनारदजी कहते हैं—राजन्! ब्राह्मणके मुखसे रुक्मिणीके उस अभिप्रायको सुनकर सबको मान देनेवाले भगवान् श्रीकृष्णने अपने सारथि दारुकको बुलाकर कहा—'मेरा रथ शीघ्र ही जोतकर तैयार करो।' पिछली रातमें वैकुण्ठसे प्राप्त हुए उस रथको, जो किङ्किणी-जालसे युक्त और सुवर्ण एवं रत्नोंसे जटित था, शैब्य, सुग्रीव, मेघपुष्प और बलाहक नामके श्रेष्ठ अश्वोंसे जोतकर दारुकने सुसज्जित किया। घोड़े चञ्चल तथा चारु चामरोंसे विभूषित थे। उनसे युक्त, सहस्रों सूर्योंके समान तेजस्वी उस दिव्य विशाल रथपर लक्ष्मीपति श्रीकृष्णने पहले तो अपने हाथसे उस ब्राह्मणदेवताको बैठाया और स्वयं सारथिकी पीठपर अपने श्रीचरण-कमल रखकर वे रथपर आरूढ़ हुए। राजन्! इस प्रकार भगवान् श्रीकृष्ण विदर्भदेशको चले। श्रीकृष्ण अकेले ही समस्त राजमण्डलके बीचसे राजकन्याको हर लाने गये हैं, इस समाचारसे बलरामजीको युद्धकी आशङ्का हुई, अतः वे भाईकी सहायता करनेके लिये समर्थ बल-वाहनसे युक्त सम्पूर्ण यादव-सेनाको लेकर विपक्षी राजाओंको जीतनेके लिये पीछेसे शीघ्रतापूर्वक गये॥ १६—२२॥

प्रातःकाल होते-होते ब्राह्मण और रथके साथ भगवान् श्रीकृष्ण कुण्डिनपुरके उपवनमें जा पहुँचे। वहाँ एक इमलीके वृक्षके नीचे घोड़ेकी झूल बिछाकर वे बैठ गये। उस स्थानसे कुछ दूरीपर उत्तम कुण्डिनपुर दिखायी देता था। वह नगर बहुत बड़े दुर्गसे घिरा हुआ सात योजन गोलाकार भूमिपर बसा था। वहाँ जलसे भरी हुई तीन परिखाएँ थीं, जो दुर्लङ्घ्य और दुर्गम थीं। उनकी चौड़ाई सौ धनुष थी। वे परिखाएँ (खाइयाँ) चौमासेकी नदीके समान जलसे भरी हुई थीं। दुर्गकी दीवार पचास हाथ ऊँची थी। नगरमें रमणीय अट्टालिकाएँ शोभा पाती थीं, जिनके सुनहरे शिखरपर सोनेके कलश उद्भासित होते थे। ध्वजके ऊपर चमकती हुई पताकाएँ फहरा रही थीं। कबूतर और मोर आदि पक्षी जहाँ-तहाँ उड़ रहे थे॥ २३—२७॥

शिशुपालको अपनी कन्या देनेके लिये उद्यत हो राजा भीष्मकने रत्नमण्डपमें वैवाहिक सामग्रीका संचय कराया। राजन्! नारियोंद्वारा गाये जानेवाले गीत और मङ्गलाचारसे युक्त सुन्दर भवनमें रुक्मिणी उसी प्रकार शोभा पा रही थी, जैसे सिद्धियोंसे भूमिकी शोभा होती है। अथर्ववेदके विद्वानोंने रुक्मिणीको भलीभाँति नहलाकर रत्नमय आभूषण तथा वस्त्र धारण करवाये और वेदमन्त्रोंद्वारा शान्तिकर्म करके वधूकी रक्षा की। महामनस्वी राजा भीष्मकने ब्राह्मणोंको लाख भार सोना, दो लाख भार मोती, सहस्र भार वस्त्र और छः अरब गायें दानमें दीं॥ २८—३३॥

उसी प्रकार दमघोषपुत्र शिशुपालके लिये भी ब्राह्मणोंने पहले परमशान्तिका विधान करके रक्षाबन्धन करवाया। ब्राह्मणोंद्वारा जब शिशुपालका माङ्गलिक स्नानकर्म सम्पन्न हो गया, तब उसे पीले रंगका रेशमी जामा पहनाकर सुशोभित किया गया। सिरपर मुकुट और मुकुटके ऊपर फूलोंका सुन्दर सेहरा सजाया गया। हार, कंगन, भुजबंद और चूड़ामणिसे

विभूषित हुए शिशुपालकी माङ्गलिक गाजों-बाजोंके साथ गन्ध और अक्षतद्वारा विशिष्ट पूजा की गयी। आचारलाजों (खीलों) से शिशुपालको सुन्दर वर सजाकर ऊँचे हाथीपर चढ़ाया गया। उसके साथ बारात लिये दमघोष निकले। मिथिलेश्वर! जरासंध, शाल्व, बुद्धिमान् दन्तवक्र, विदूरथ और पौण्ड्रक पीछे और अगल-बगलसे उसके रक्षक होकर चले। महाबली दमघोष विशाल सेना साथ लेकर उच्चस्वरसे नगारे बजवाते हुए कुण्डिनपुरको गये। सामनेसे यदुदेव श्रीकृष्णका कन्या अपहरण-विषयक उद्योग सुनकर दूसरे हजारों राजा शिशुपालके सहायक बनकर आये॥ ३४—४०॥

भीष्मकने आगे जाकर राजा दमघोषका विधिपूर्वक पूजन किया। कश्मीरी कम्बलों तथा समुद्रसे उत्पन्न दिव्य अरुणवर्णके रत्नोंसे सबको मण्डित किया। सबके कण्ठोंमें मोतियोंकी मालाएँ पहनायीं। सुगन्धयुक्त पुष्परस (इत्र-फुलेल आदि) से सबका स्वागत किया। उस राज्यमें राजाओंके शिविरोंमें वाराङ्गनाओंके नृत्य हो रहे थे। मृदङ्ग बजाये जा रहे थे। उस समय विदर्भके महाराजने समागत राजाओं-सहित वरके लिये अलग-अलग वासस्थान प्रदान किये॥ ४१—४३॥

इस प्रकार श्रीगर्गसंहितामें द्वारकाखण्डके अन्तर्गत नारद-बहुलाश्व-संवादमें 'कुण्डिनपुरकी यात्रा' नामक चौथा अध्याय पूरा हुआ॥ ४॥

पाँचवाँ अध्याय

रुक्मिणीकी चिन्ता; ब्राह्मणद्वारा श्रीहरिके शुभागमनका समाचार पाकर प्रसन्नता; भीष्मकद्वारा बलराम और श्रीकृष्णका सत्कार; पुरवासियोंकी कामना; रुक्मिणीकी कुलदेवीके पूजनके लिये यात्रा, देवीसे प्रार्थना तथा सौभाग्यवती स्त्रियोंसे आशीर्वादकी प्राप्ति

श्रीनारदजी कहते हैं—राजन्! श्रीकृष्णचन्द्रके चरणारविन्दका चिन्तन करती हुई कमललोचना भीष्मकुमारी रुक्मिणी उनके बिना जीवनको व्यर्थ मानने लगी। वह निरन्तर घनश्यामका ही ध्यान करती थी। इसी अवस्थामें वह मन-ही-मन कहने लगी॥ १॥

रुक्मिणी बोली—अहो! मेरे विवाहका मुहूर्त आनेमें अब एक ही रात बाकी रह गयी है, किंतु मेरे प्रियतम श्रीकृष्णचन्द्र नहीं आये। मैं नहीं जानती कि इसमें क्या कारण है? जो ब्राह्मणदेवता उनके पास गये थे, वे भी अबतक लौटकर नहीं आये। हे विधाता! इसमें क्या हेतु है? ये यदुकुल-तिलक देवेश्वर श्रीकृष्ण निश्चय ही मुझमें कोई दोष देखकर मेरा पाणिग्रहण करनेके निमित्त अधिक उद्योगशील होकर नहीं आ रहे हैं। हाय विधाता! अब मैं क्या करूँ? हाय! मुझ अभागिनीके लिये विधाता अनुकूल नहीं हैं। चन्द्रशेखर भगवान् शिव तथा गणेशजी भी प्रतिकूल हो गये हैं। भगवती गौरीने भी मुझसे मुँह फेर लिया है और गौ तथा ब्राह्मण भी मेरे अनुकूल नहीं हैं॥ २—४॥

श्रीनारदजी कहते हैं—राजन्! इस तरह चिन्तामें पड़ी हुई वह भीष्मक-राजकुमारी महलकी अट्टालिकाओंमें चक्कर लगाती हुई ऊँचे शिखरसे श्रीकृष्णचन्द्रकी बाट देखने लगी। इतनेमें ही रुक्मिणीका बायाँ अङ्ग फड़क उठा, मानो वही उनकी शङ्काका उत्तर या समाधान था। कालको जाननेवाली सर्वमङ्गला श्रीभीष्मकनन्दिनी उस अङ्गस्फुरणसे बहुत प्रसन्न हुईं॥ ५-६॥

उसी समय श्रीकृष्णका भेजा हुआ ब्राह्मण तत्काल वहाँ आ पहुँचा। श्रीकृष्णका आगमन-सम्बन्धी सारा

वृत्तान्त उसने धीरेसे रुक्मिणीको बता दिया। इससे श्रीभीष्मक-राजकुमारीको बड़ा हर्ष हुआ और वह ब्राह्मणदेवताके चरणोंमें प्रणत होकर बोली— 'विप्रवर! मैं तुम्हारे वंशसे कभी दूर नहीं जाऊँगी (अर्थात् तुम्हारी कुल-परम्परामें धन-सम्पत्तिका कभी अभाव नहीं होगा), यह मेरा प्रतिज्ञापूर्ण वचन है॥ ७-८॥

विदर्भराज भीष्मकने जब सुना कि मेरी कन्याका विवाह देखनेके लिये उत्सुक हो बलराम और श्रीकृष्ण—दोनों भाई पधारे हैं, तब वे ब्राह्मणोंके साथ उन्हें लिवा लानेके लिये निकले; क्योंकि उन्हें उनके प्रभावका पूर्ण परिज्ञान था। मङ्गल-पात्रोंमें गन्ध और अक्षत भरकर वस्त्र तथा रत्नराशि रखकर माङ्गलिक गाजे-बाजेके साथ वे आये। मधुपर्कोंके कोटिशः कलशसमूह सजाकर राजाने बलराम और श्रीकृष्ण दोनों परमेश्वर-बन्धुओंका विधिपूर्वक पूजन किया। पूजन करके वे मन-ही-मन यह सोचकर अत्यन्त खिन्न हो गये कि 'अहो! मैंने इन्हींको अपनी कन्या क्यों नहीं दी?' उनको सेनासहित आनन्दवनमें ठहराया और उन्हें प्रणाम करके वे अपने महलमें लौट आये॥ ९—१२॥

तीनों लोकोंके लावण्यकी निधि परमेश्वर श्रीवसुदेवनन्दनका आगमन सुनकर कुण्डिनपुरके निवासी वहाँ आये और अपने नेत्रपुटोंसे उनके मुखारविन्दकी मकरन्द-सुधाका पान करने लगे। वे पुरवासी परस्पर इस प्रकार बात करने लगे—'बन्धुओ! रुक्मिणी तो इन भगवान् श्रीकृष्णकी ही पत्नी होनेयोग्य है, दूसरे किसीकी नहीं।' उन नगरनिवासियोंने श्रीकृष्ण और रुक्मिणीका विवाह हो, इसके लिये विधातासे प्रार्थना करते हुए अपने सारे पुण्य समर्पित कर दिये। वे श्रीकृष्णके लावण्यके बन्धनमें बँध गये थे। उन्होंने पुनः आपसमें इस प्रकार कहा—'यदि यहाँ इनका विवाह हो जाय तो ये कभी-कभी स्वयं श्वशुरके घर अवश्य आया करेंगे? उस समय हम सब लोग निकटसे इनका दर्शन करेंगे और कृतकृत्य हो जायँगे। लोकमें इनके दर्शनसे वञ्चित होकर दीर्घकालतक जीनेसे क्या लाभ'॥ १३—१५॥

नरेश्वर! जब लोग इस प्रकार बातें कर रहे थे, उसी समय भीष्मक-राजकुमारी रुक्मिणी गिरिराजनन्दिनी उमाका पूजन करनेके लिये अपनी सम्पूर्ण सखियोंके साथ अन्तःपुरसे बाहर निकली। श्रीकृष्णने उसके हृदयको हर लिया था। उस समय भेरी, मृदङ्ग और दुन्दुभिकी जोर-जोरसे ध्वनि होने लगी। अच्छे गायक गीत गाने लगे, वन्दीजन और मागध यशोगान करने लगे और वाराङ्गनाओंका मनोहर नृत्य होने लगा। इन सबके साथ जय-जयकारका मङ्गलघोष उच्चस्वरसे गूँजने लगा॥ १६-१७॥

लक्ष्मीस्वरूपा रुक्मिणी कोटि चन्द्रमण्डलकी कान्ति धारण कर रही थी। बालरविके समान दीप्तिमान् कुण्डल उसके कानोंकी शोभा बढ़ा रहे थे और पार्श्ववर्तिनी परिचारिकाओंका समुदाय श्वेत छत्र लगाये व्यजन और चमकीले चामर डुलाते हुए उसकी सेवामें संलग्न था। म्यानसे खींचकर लाखों श्वेत रंगकी नंगी तलवारें हाथमें लिये पैदल वीर योद्धा इधर-उधरसे उसकी रक्षा कर रहे थे। इनसे थोड़ी ही दूरपर घुड़सवार, रथी और हाथीसवार योद्धा भी अस्त्र उठाये राजकुमारीकी रक्षामें लगे थे॥ १८-१९॥

देवीके मन्दिरमें पहुँचकर आँगनमें शान्त और शुद्धभावसे खड़ी हो राजकुमारीने अपने कमलोपम हाथ और पैर धोये। फिर मौनभावसे देवीके समीप जाकर उसने दोनों हाथ जोड़, भवभीतिहारिणी भवानीकी सेवामें इस प्रकार प्रार्थना की—'दुर्गे! गणेश-कार्तिकेय आदि संतानोंसहित शोभा पानेवाली शुभकारिणी भवानी शिवे! मैं तुम्हें सदा प्रणाम करती हूँ और यह वर माँगती हूँ कि प्रकृतिसे परे विराजमान साक्षात् परमेश्वर भगवान् श्रीकृष्णचन्द्र मेरे पति हों'॥ २०-२१॥

उस समय सखियाँ कहने लगीं—'शुभे! इस तरह श्रीकृष्णका नाम न लो। चेदिराज शिशुपालके उद्देश्यसे वर माँगो।' इस तरह बोलती हुई सखियोंके बीच खड़ी भीष्मकनन्दिनी पुनः भवानीके भवनमें पूर्वोक्त प्रार्थनाको ही दुहराने लगी। 'अम्ब! यह बालिका है, कुछ जानती नहीं; अतः आप इसकी बातपर ध्यान न दें।' यों कहती हुई सखियोंके बीचमें स्थित हो रुक्मिणीने गन्ध, अक्षत, धूप, आभूषण, पुष्पहार, पुष्प, दीपमाला, पूआ आदि

भोग, वस्त्र, फल, गन्ने तथा ताम्बूल आदि अर्पण करके बड़ी भक्तिसे भवानीकी सेवा-पूजा की। तदनन्तर देवीको प्रणाम करके, बहुत-से आभूषण आदिद्वारा सौभाग्यवती स्त्रियोंका पूजन करके राजकुमारीने उन सबको प्रणाम किया॥ २२—२४॥

उन सम्पूर्ण सौभाग्यवती स्त्रियोंने रुक्मिणीको वर दिये और परम मङ्गलमय आशीर्वाद प्रदान किये—'राजकुमारी! तुम्हारा रूप-सौन्दर्य सदा महारानी शतरूपाके समान अक्षय बना रहे, शील-स्वभाव गिरिराजनन्दिनी उमाके समान शोभित हो। तुममें पतिसेवाका भाव अरुन्धतीके समान हो और क्षमा जनकनन्दिनी सीताके समान। भीष्मकनन्दिनि! तुम्हारा सौभाग्य (यज्ञपत्नी) दक्षिणाके समान और उत्तम वैभव शचीके तुल्य हो। तुम्हारी वाणी सरस्वतीके सदृश और पतिभक्ति संतोंकी हरिभक्तिके समान हो'॥ २५-२६॥

इस प्रकार श्रीगर्गसंहितामें द्वारकाखण्डके अन्तर्गत नारद-बहुलाश्व-संवादमें 'रुक्मिणीका निर्गमन' नामक पाँचवाँ अध्याय पूरा हुआ॥ ५॥

छठा अध्याय

श्रीकृष्णद्वारा रुक्मिणीका अपहरण तथा यादव-वीरोंके साथ युद्धमें विपक्षी राजाओंकी पराजय

श्रीनारदजी कहते हैं—राजन्! इस प्रकार ब्राह्मणपत्नियोंके शुभाशीर्वादसे अभिनन्दित हो रुक्मिणीने पुनः बार-बार देवी तथा विप्र-वधुओंको प्रणाम किया॥ १॥

तत्पश्चात् मौनव्रतका त्याग करके भीष्मकराजकुमारी सखी-सहेलियोंके साथ धीरे-धीरे गिरिजागृहसे बाहर निकली। उस समय करोड़ों चन्द्रमाओंके समान कान्तिमती कमललोचना रुक्मिणीको वीर योद्धाओंने अकस्मात् इस प्रकार देखा, मानो निर्धनोंको सहसा कोई उत्तम निधि मिल गयी हो। घुड़सवार, रथी, हाथीसवार और पैदल—जो-जो रक्षक वहाँ आये थे, वे सब रुक्मिणीपर दृष्टि पड़ते ही मोहित हो गये। उसके मुस्कानयुक्त कटाक्ष कामदेवके धनुषसे छूटे हुए तीखे बाणोंके समान थे। उनसे आहत एवं पीड़ित हो समस्त सैनिक अपने अस्त्र त्यागकर पृथ्वीपर गिर पड़े॥ २—५॥

इसी समय घंटियों और मँजीरोंके नादसे मुखरित तथा वैकुण्ठस्थित नैःश्रेयस नामक वनमें उद्भूत अश्वोंसे जुते हुए, फहराती हुई ऊँची पताकासे अलंकृत तथा वायुके समान वेगशाली रथद्वारा दारुक सारथिसहित श्रीहरि अपनी सेनाकी टक्करसे उस रक्षक-सेनामें दरार उत्पन्न करके तत्काल वहाँ उसी प्रकार घुस आये, जैसे वायु कमलवनमें बेरोक-टोक प्रविष्ट हो जाती है। शत्रुओंके देखते-देखते शीघ्र ही स्त्री-समुदायके पास पहुँचकर भगवान् श्रीकृष्णने भीष्मकनन्दिनी रुक्मिणीको अपने रथपर चढ़ाकर, जैसे गरुड़ देवताओंके सामनेसे सुधाका कलश उठा ले गये थे, उसी प्रकार उस राजकन्याका अपहरण कर लिया। राजन्! उस समय वे शस्त्रोंमें उत्तम दिव्य शार्ङ्ग-धनुषको बारंबार टंकार रहे थे। तदनन्तर बड़े वेगसे अपनी सेनाके भीतर श्रीहरिके लौट आनेपर देवताओंकी दुन्दुभियाँ और यादवोंके नगारे एक साथ ही बज उठे। सिद्ध और सिद्धोंकी कन्याएँ तथा देवतालोग हर्षसे भरकर श्रीकृष्णके रथपर नन्दनवनके फूलोंकी वर्षा करने लगे। तब जय-जयकारकी ध्वनिके साथ बलरामसहित श्रीकृष्ण धीरे-धीरे वहाँसे जाने लगे—ठीक उसी प्रकार जैसे सिंह सियारोंके बीचसे अपना भाग लेकर मौजसे चला जाता है॥ ६—१२॥

रुक्मिणीका हरण हो जानेपर उस समय बड़ा भारी कोलाहल मचा। रक्षक सैनिक आपसमें ही शस्त्रोंके प्रहारपूर्वक युद्ध करने लगे। जरासंधके वशमें रहनेवाले समस्त मानी नृपश्रेष्ठ इस घटनासे प्राप्त हुए

अपने पराभव और सुयशके नाशको नहीं सह सके। वे परस्पर कहने लगे—'अहो! हमलोगोंको धिक्कार है। हम धनुर्धर राजाओंके यशको गोपोंने उसी प्रकार हर लिया, जैसे सियारोंने सिंहोंके यशका अपहरण किया हो। इससे बढ़कर हमारी पराजय और क्या हो सकती है?' यों कहकर सब-के-सब क्रोधसे भर उठे और द्यूतक्रीड़ा एवं चौपड़ आदि खेलोंको छोड़कर, कवच और सेनासे सुसज्जित हो उन्होंने युद्धके लिये शस्त्र उठा लिये। क्रोधसे भरा हुआ पौण्ड्रक दो अक्षौहिणी सेनाके साथ, महावीर विदूरथ तीन अक्षौहिणी सेनाके साथ, अत्यन्त दारुण दन्तवक्र पाँच अक्षौहिणी सेनाके साथ, राजपुरका स्वामी राजा शाल्व तीन अक्षौहिणी सेनाके साथ तथा महाबली जरासंध दस अक्षौहिणी सेनाके साथ महामनस्वी यादवोंके समक्ष युद्धके लिये आ पहुँचे। चेदिराज शिशुपालके पक्षवाले अन्य सहस्रों योद्धा भी श्रीकृष्णके सामने धनुषको टंकारते हुए युद्धके लिये आ धमके॥ १३—२०॥

प्रलयकालके महासागरकी भाँति उस विशाल सेनाको देखकर यदुश्रेष्ठ योद्धा उसे पार करनेके लिये श्रीकृष्णके पास आ गये। श्रीकृष्ण ही उनके केवट और जहाज थे। देवता और दानवोंकी भाँति उन स्वकीय एवं परकीय सैनिकोंमें अत्यन्त अद्भुत तथा रोमाञ्चकारी तुमुल युद्ध होने लगा। उस संग्राममें रथी रथियोंके साथ, पैदल पैदलोंके साथ, हाथी-सवार हाथीसवारोंके साथ और घुड़सवार घुड़सवारोंके साथ जूझने लगे। शस्त्रोंकी वर्षासे अन्धकार-सा छा गया। उस समय रुक्मिणीको भयसे विह्वल हुई देख भगवान् श्रीकृष्णने अभय-दान देते हुए कहा—'डरो मत'॥ २१—२४॥

बलदेवजीके छोटे भाई वीरवर गद अपने महान् धनुषको कम्पित करते हुए शत्रुओंकी सेनामें उसी प्रकार घुस गये, जैसे वनमें दावानल। गदके बाणोंसे अङ्गोंके विदीर्ण हो जानेके कारण कितने ही रथी योद्धाओंके कवच कटकर छिन्न-भिन्न हो गये, घोड़े और सारथि मारे गये तथा वे स्वयं भी प्राणशून्य होकर पृथ्वीपर गिर पड़े। पैदल योद्धाओंके पैर कट गये। राजन्! गदके बाणोंसे व्यथित हो शत्रुयोद्धा आँधीके उखाड़े हुए वृक्षोंकी भाँति धराशायी हो गये। नरेश्वर! घोड़ोंपर चढ़े हुए कितने ही वीर गदके बाणोंसे विदीर्ण हो समराङ्गणमें बृहतीफलकी भाँति घोड़ोंसहित गिर पड़े। इसी प्रकार गदके बाणोंसे कुम्भस्थल फट जानेके कारण बीच-बीचसे विदीर्ण हुए हाथी कुष्माण्डके टुकड़ोंकी भाँति पृथ्वीपर पड़े शोभा पा रहे थे॥ २५—२९॥

तदनन्तर शत्रुओंकी सारी सेना भाग चली। यह देख गदा-युद्ध-विशारद महाबली शाल्वने गदके ऊपर अपनी गदासे आघात किया। गदाकी चोट खाकर गदा-युद्धके प्रभावको जाननेवाले धनुर्धर गद धनुषद्वारा युद्ध करना छोड़कर तत्काल मनसे अत्यन्त व्यथाका अनुभव करते हुए युद्धभूमिमें गिर पड़े। गिरकर भी वे सहसा उठ खड़े हुए और तत्काल बलदेवजीकी दी हुई गदाको गदने अपने हाथमें ले लिया। लाख भार लोहेकी बनी हुई वह भारी गदा कौमोदकीके समान सुदृढ़ थी। उसके द्वारा गदने राजा शाल्वपर उसी प्रकार चोट की, जैसे इन्द्रने वज्रद्वारा किसी पर्वतपर आघात किया हो। गदाके प्रहारसे व्यथित हो राजा शाल्व जब पृथ्वीपर गिर पड़ा, तब पौण्ड्रक, जरासंध, दन्तवक्र और विदूरथ—ये चारों वीर गदके प्रति रोषसे भरे हुए वहाँ आ पहुँचे। महावीर पौण्ड्रकने भी जैसे कोई कटु वचनोंसे मित्रताके सम्बन्धको नष्ट कर देता है, उसी प्रकार दस तीखे बाण मारकर गदके रथपर फहराती हुई पताकाको काट डाला॥ ३०—३५ $\frac{1}{2}$ ॥

राजेन्द्र! तत्पश्चात् दन्तवक्रने गदाकी चोटसे गदके सुन्दर रथको भी इस तरह चूर-चूर कर डाला, मानो किसीने डंडेकी मारसे मिट्टीका सुन्दर घड़ा फोड़ डाला हो। विदेहराज! इसी प्रकार जरासंधने उस रथके घोड़े मार डाले और विदूरथने सारथिको तीखे बाणोंसे पृथ्वीपर मार गिराया। तब मुसल हाथमें ले बलवान् बलदेवजी बड़ी तीव्रगतिसे वहाँ आ पहुँचे और उन्होंने दन्तवक्रके विकराल एवं भयानक मुखपर बड़े जोरसे प्रहार किया। समराङ्गणमें युद्ध करते हुए दन्तवक्रके मुखमें मुसलकी चोट पड़नेपर उसके मुखमें जो एक

टेढ़ा दाँत बच रहा था, वह भी भूमिपर गिर पड़ा। फिर तो रुक्मिणीसहित दैत्यनाशन श्रीहरि हँसने लगे। इसी समय रोषसे भरे हुए बलदेवजीने अपने मुसलसे शीघ्रतापूर्वक पौण्ड्रक, जरासंध तथा दुष्ट विदूरथको भी चोट पहुँचायी। ये तीनों ही वीर खूनसे लथपथ हो युद्धभूमिमें मूर्च्छित होकर गिर पड़े॥ ३६—४१॥

इसके बाद वहाँ आयी हुई सारी सेनाको कुपित हुए महाबली बलदेवने हलसे खींचकर मुसलकी मारसे मौतके घाट उतार दिया। उस समराङ्गणमें दस योजन दूरतक हाथी, घोड़े और पैदल सैनिक पिस उठे, चूर-चूर हो गये और धरतीपर सदाके लिये सो गये। तब मरनेसे बचे हुए जरासंध आदि समस्त नरेश मैदान छोड़कर भाग गये और जिसकी उमंग नष्ट हो गयी थी तथा जो अत्यन्त हतोत्साह हो चला था, उस शिशुपालके पास जाकर बोले—'पुरुषसिंह! तुम अपने मनकी इस ग्लानिको त्याग दो। एक विवाह तो क्या, इस भूतलपर तुम्हारे सौ विवाह हो जायँगे। हमलोग आज ही द्वारकामें चलकर बलराम और श्रीकृष्णको बाँध लेंगे तथा समुद्रकी काञ्ची धारण करनेवाली इस पृथ्वीको यादवोंसे सूनी कर डालेंगे'॥ ४२—४६॥

इस प्रकार मित्रोंके प्रबोध देनेपर चेदिराज शिशुपाल चन्द्रिकापुरको चला गया और मरनेसे बचे हुए दूसरे समस्त नरेश भी अपने-अपने नगरको पधारे॥ ४७॥

इस प्रकार श्रीगर्गसंहितामें द्वारकाखण्डके अन्तर्गत नारद-बहुलाश्व-संवादमें 'रुक्मिणी-हरण और यदुवंशियोंकी विजय' नामक छठा अध्याय पूरा हुआ॥ ६॥

सातवाँ अध्याय

श्रीकृष्णके हाथोंसे रुक्मीकी पराजय तथा द्वारकामें रुक्मिणी और श्रीकृष्णका विवाह

श्रीनारदजी कहते हैं—रुक्मिणीके हरण और मित्रोंकी पराजयका वृत्तान्त सुनकर भीष्मकपुत्र रुक्मीने समस्त भूपालोंके सुनते हुए यह प्रतिज्ञा की—'राजाओ! मैं आपलोगोंके सामने यह सच्ची प्रतिज्ञा करता हूँ कि युद्धमें श्रीकृष्णको मारकर रुक्मिणीको लौटाये बिना मैं कुण्डिनपुरमें प्रवेश नहीं करूँगा'॥ १-२॥

यों कहकर उस महा उद्भट वीरने दिव्य कवच धारण किया, जो ठोस एवं श्यामवर्णका था। उसे देखकर ऐसा प्रतीत होता था, मानो वह नील मेघसे निर्मित हुआ हो। फिर उसने सिरपर सिन्धुदेशीय शिरस्त्राण (टोप) रखा; सौवीर देशका बना हुआ सुन्दर धनुष, लाट देशके दो तरकस, म्लेच्छ देशकी तलवार, कुटज देशकी ढाल, येठरकी महाशक्ति, गुजरातकी गदा, बंगालका परिघ और कोङ्कण देशका हस्तत्राण (दस्ताना) धारण करके अङ्गुलियोंमें गोधाके चर्मसे निर्मित अङ्गुलित्राण बाँध लिया और किरीट, रत्नमय कुण्डल तथा सोनेके बाजूबंदसे विभूषित हो रुक्मीने युद्ध करनेका निश्चय किया। फिर चञ्चल घोड़ोंसे युक्त जैत्ररथपर आरूढ़ हो, दो अक्षौहिणी सेना साथ लिये उसने श्रीकृष्णका पीछा किया। शत्रुओंकी सेनाको पुनः आती देख महाबली बलरामने यादवोंकी सेना साथ ले समराङ्गणमें उसका सामना किया। रुक्मी बार-बार धनुष टंकारता और कठोर वचन बोलता हुआ अतिरथी देवेश्वर श्रीकृष्णके पास जा पहुँचा और बोला—'अरे! खड़ा रह, खड़ा रह। यदि जीवित रहना चाहता है तो तुरंत मेरी बहिनको छोड़ दे। नहीं तो मैं सेनासहित तुझे इसी समय यमलोकको भेज दूँगा। तेरे कुलपर राजा ययातिका शाप लगा हुआ है और तू ग्वालोंकी जूठन खानेवाला है। जरासंधके भयसे भीत रहता है और कालयवनके आगेसे पीठ दिखाकर भाग चुका है'॥ ३—११॥

यों कहकर उसने अपने तरकससे एक बाण निकालकर धनुषपर चढ़ा दिया और उसे कानतक खींचकर श्रीकृष्णकी छातीको लक्ष्य करके चला दिया। उस बाणसे आहत होनेपर भी भगवान्

श्रीकृष्णने एक सायकसे उसके धनुषकी टंकार करनेवाली प्रत्यञ्चा इस प्रकार काट दी, मानो गरुडने किसी सर्पिणीको छिन्न-भिन्न कर डाला हो। फिर रुक्मीने शीघ्र ही अपने धनुषपर टंकार-ध्वनि करनेवाली दूसरी स्वर्णभूषित प्रत्यञ्चा चढ़ा ली और दस बाणोंद्वारा रणभूमिमें श्रीहरिको घायल कर दिया। तब श्रीकृष्णने एक बाण मारकर रुक्मीके प्रत्यञ्चासहित धनुषको उसी क्षण वैसे ही काट दिया, जैसे ज्ञानके द्वारा त्रिगुणात्मक संसार-बन्धनको काट दिया जाता है। श्रीकृष्णने अपने अमोघ बाणद्वारा बीचसे ही उसके धनुषके दो टुकड़े कर दिये। फिर उन्होंने रुक्मीको सौ बाण मारकर युद्धमें क्षत-विक्षत कर दिया। धनुष कट जानेपर विदर्भराजकुमारने श्रीहरिके ऊपर चमचमाती हुई महाशक्ति उसी प्रकार चलायी, जैसे किसी मुनिने विज्ञानके लिये महाशक्तिका प्रयोग किया हो। गदाधारी भगवान् गदाग्रजने अपनी गदासे उस महाशक्तिपर प्रहार किया, जिससे उसके दो टुकड़े हो गये। उस खण्डित शक्तिने रुक्मीके ही सारथिको मार डाला। भगवान्‌की वेगशालिनी कौमोदकी नामवाली भारी गदाने रुक्मीके रथके ऊपर पड़कर उसे घोड़ोंसहित उसी प्रकार चूर्ण कर दिया, जैसे वज्रके प्रहारसे कोई पर्वत चकनाचूर हो गया हो। तब भीष्मककुमार रुक्मीने भी श्रीहरिपर गदा चलायी, किंतु भगवान्‌ने उसे पुनः चक्र चलाकर चूर्ण कर दिया। सोनेके बाजूबंदसे विभूषित बलवान् रुक्मीने बंगालका परिघ हाथमें लेकर उसके द्वारा श्रीहरिके कंधेपर प्रहार किया और उस युद्ध-भूमिमें मेघके समान गर्जना करने लगा। परिघसे ताडित होनेपर भी पुष्पमालाके आघातको कुछ भी न गिननेवाले हाथीकी भाँति भगवान् अविचल रहे। उन्होंने उसी परिघसे समराङ्गणमें रुक्मीपर आघात किया। परिघकी चोट खाकर रुक्मी मन-ही-मन कुछ व्याकुल हो उठा। फिर उसने युद्धभूमिमें माधवकी भर्त्सना करते हुए ढाल और तलवार हाथमें ले ली। भगवान्‌ने भी अपने खड्गका प्रहार करके उसकी ढाल और तलवार काट दी। उस खड्गके अग्रभागसे रुक्मीका शिरस्त्राण और विशाल कवच कटकर गिर पड़े। लगे-हाथ उसके दस्ताने भी काट दिये गये। अब उस युद्धमें रुक्मीके हाथमें केवल तलवारकी मुट्ठी रह गयी थी। उस दशामें अपने पास आये हुए रुक्मीको श्रीहरिने भुजदण्डोंसे पकड़कर पृथ्वीपर दे मारा और जैसे मृगके ऊपर सिंह सवार हो जाय, उसी प्रकार वे उसके ऊपर चढ़ गये तथा रोषपूर्वक तीखी धारवाले अपने नन्दक नामके खड्गको हाथमें ले लिया। श्रीकृष्णको अपने भाईके वधके लिये उद्यत देख रुक्मिणी भयसे विह्वल हो उठी और पतिके चरणोंमें गिरकर उस सती-साध्वी राजकुमारीने करुणस्वरमें कहा॥ १२—२७॥

श्रीरुक्मिणी बोली—अनन्त! देवेश्वर! जगन्निवास! योगेश्वर! आपकी शक्ति अचिन्त्य है। आप इस जगत्‌के पालक हैं। अतः करुणासागर! आपके द्वारा शालके समान विशाल भुजावाले मेरे भाईका वध होना उचित नहीं है॥ २८॥

श्रीनारदजी कहते हैं—राजन्! डरके मारे विलाप करती हुई रुक्मिणीका मुँह दुःखके कारण सूख गया था। उसका कण्ठ रुँध गया। अपनी प्रिया सती रुक्मिणीकी ऐसी अवस्था देखकर श्रीहरि रुक्मीके वधसे विरत हो गये। फिर उसीके कमरबन्धसे बाँधकर तीखी धारवाले खड्गसे श्रीहरिने रुक्मीके आधे मुखकी दाढ़ी-मूँछके बाल साफ कर दिये॥ २९-३०॥

इतनेमें ही दो अक्षौहिणी सेनाको परास्त करके सैनिकोंसहित बलरामजी वहाँ आ पहुँचे। उन्होंने देखा कि रुक्मी कुरूप और दीन अवस्थामें बँधा पड़ा है। फिर तो उनके हृदयमें दया आ गयी और उसका बन्धन खोलकर बलरामजीने श्रीहरिको फटकारते हुए कहा—'कृष्ण! तुमने यह अच्छा नहीं किया, यह लोकनिन्दित कर्म है। अपनी पत्नीके भाइयोंके साथ इस प्रकार परिहास नहीं किया जाता। जिसके बड़े भाईको तुमने विरूप कर दिया, वह रुक्मिणी भाईकी इस दुर्दशासे चिन्तित होकर तुम्हें क्या कहेगी?' श्रीकृष्णसे यों कहकर वे रुक्मिणीसे बोले—"कल्याणि! तुम शोक न करो। शुचिस्मिते! स्वस्थ हो जाओ। आर्यकुमारी! महामते! तुम शोक बिलकुल छोड़ दो, मनमें दुःख मत मानो। प्रिय अथवा अप्रिय जो भी प्राप्त होता है, वह सब मैं कालका

किया हुआ मानता हूँ। जैसे घनमाला वायुके अधीन होती है, उसी प्रकार यह सारा जगत् कालके वशीभूत है। उस कालको तुम कलना करनेवालोंका स्वामी परमेश्वर एवं विष्णु समझो। 'मैं' और 'मेरा' यह भाव ही जगत्‌के लिये बन्धनका कारण होता है। अहंता और ममतासे रहित भाव ही 'मोक्ष' है, इसमें संशय नहीं है; सुख और दुःख देनेवाला दूसरा कोई नहीं है। यह सब लोगोंका अपना भ्रम ही है। शत्रु, मित्र और उदासीनकी कल्पना संसारी लोगोंद्वारा अज्ञानके कारण की गयी है''॥ ३१—३८॥

इस प्रकार भगवान् बलरामके समझानेपर भीष्मकपुत्र रुक्मी वैमनस्य छोड़कर चला गया और रुक्मिणीको भी प्रसन्नता हुई। रुक्मीका मनोरथ व्यर्थ हो चुका था, बलराम और श्रीकृष्णके द्वारा जीवित छोड़ दिये जानेपर अपने विरूपकरणकी घटनाको याद करके उसने तपस्यामें लग जानेका विचार किया। किंतु मुख्य-मुख्य मन्त्रियोंके मना करनेपर उसने तपका विचार छोड़ दिया, तथापि कुण्डिनपुरमें फिर पैर नहीं रखा। रुक्मीने अपने निवासके लिये भोजकट नामक एक उत्तम नगरका निर्माण कराया॥ ३९—४१॥

राजन्! बलराम और यदुवंशी योद्धाओंसे घिरे हुए रुक्मिणीसहित भगवान् गोविन्द अपनी विजय-दुन्दुभि बजवाते हुए द्वारकाको चले गये। वहाँ बड़ा भारी उत्सव मनाया गया। मार्गशीर्ष मासमें साक्षात् श्रीहरिने वैदिकविधिके अनुसार रुचिर मुखवाली रुक्मिणीके साथ विवाह किया। रुक्मिणीपति श्रीहरिका विवाह सम्पन्न हो जानेपर श्रीरुक्मिणी देवी उनके रुक्म-मन्दिर (सुवर्णमय भवन)-की शोभा बढ़ाने लगीं। पुण्यवती द्वारकापुरी उस समय देवराज इन्द्रकी अमरावतीके समान सुशोभित हो रही थी। भीष्म-नन्दिनी रुक्मिणीके विवाहकी इस विचित्र कथाको जो भक्तिभावसे सुनता और सुनाता है, वह भक्त इस लोकमें भी वैभवसे सम्पन्न रहता है और देहावसानके पश्चात् वही मोक्षका भागी होता है॥ ४२—४५॥

इस प्रकार श्रीगर्गसंहितामें द्वारकाखण्डके अन्तर्गत नारद-बहुलाश्व-संवादमें 'श्रीरुक्मिणीका विवाह' नामक सातवाँ अध्याय पूरा हुआ॥ ७॥

आठवाँ अध्याय

श्रीकृष्णका सोलह हजार एक सौ आठ रानियोंके साथ विवाह और उनकी संततिका वर्णन; प्रद्युम्नका प्राकट्य तथा रति और रुक्म-पुत्रीके साथ उनका विवाह

श्रीनारदजी कहते हैं—मिथिलेश्वर! अब श्रीकृष्णकी अन्य पत्नियोंके मङ्गलमय विवाहका वृत्तान्त सुनो, जो समस्त पापोंको हर लेनेवाला, पुण्यदायक तथा आयुकी वृद्धिका सर्वोत्तम साधन है॥ १॥

सत्राजित नामसे प्रसिद्ध यादवको साक्षात् भगवान् सूर्यने स्यमन्तक मणि दे रखी थी। भगवान् श्रीकृष्णने राजा उग्रसेनके लिये वह मणि माँगी। मिथिलेश्वर! सत्राजितने द्रव्यके लोभसे वह मणि नहीं दी; क्योंकि उस मणिसे प्रतिदिन आठ भार सुवर्ण स्वतः प्राप्त होता रहता था। एक दिन सत्राजितका भाई प्रसेन उस मणिको अपने कण्ठमें बाँधकर सिन्धुदेशीय अश्वपर आरूढ़ हो शिकार खेलनेके लिये वनमें विचरने लगा। वहाँ एक सिंहने प्रसेनको मार डाला। फिर उस सिंहको भी जाम्बवान्‌ने मारा और तत्काल उस मणिको लेकर जाम्बवान् अपनी गुफामें चला गया। सत्राजित लोगोंमें यह प्रचार करने लगा कि 'मेरा भाई प्रसेन मणिको कण्ठमें धारण करके वनमें गया था, किंतु श्रीकृष्णने वहाँ उसका वध कर दिया; इसीलिये आज सबेरे वह सभाभवनमें नहीं आया'॥ २—६॥

भगवान्‌पर कलङ्कका टीका लग गया। वे कुछ नागरिकोंको साथ ले वनमें गये। महामते! वहाँ उन्होंने पहले घोड़ेसहित मरे हुए प्रसेनके और किसी दूसरेके द्वारा मारे गये सिंहके शवको पड़ा देखा। यह देखकर पदचिह्नसे पता लगाते हुए वे ऋक्षराज

जाम्बवान्की गुफातक पहुँच गये। फिर वहाँसे मणि लानेके लिये साक्षात् श्रीहरिने गुफाके भीतर प्रवेश करके अट्ठाईस दिनोंतक युद्ध किया तथा ऋक्षराज जाम्बवान्पर विजय पायी। राजेन्द्र! जाम्बवान्ने अपनी सुन्दरी कन्या जाम्बवतीको उस मणिके साथ श्रीहरिके हाथमें दे दिया। उसे लेकर भगवान् द्वारकामें लौटे। उन्होंने सत्राजितको मणि दे दी और स्वयं कलङ्कसे मुक्त हुए। सत्राजितको अपने कृत्यपर बड़ी लज्जा आयी और वे मुँह नीचे किये भयभीत-से रहने लगे। मिथिलेश्वर! उन्होंने यादव-परिवारमें शान्ति रखनेके लिये अपनी पुत्री सत्यभामा तथा उस मणिको भी भगवान्के चरणोंमें अर्पित कर दिया॥ ७—११॥

तदनन्तर बन्धुवत्सल भगवान् श्रीकृष्ण पाण्डवोंकी सहायताके लिये इन्द्रप्रस्थ (दिल्ली) गये। उन्होंने वर्षाके चार महीने वहीं व्यतीत किये। एक दिन गाण्डीवधारी अर्जुनके साथ रथपर आरूढ़ हो श्रीहरि निर्मल नीरसे भरी हुई यमुनाके तीरपर शिकार खेलनेके लिये विचरने लगे। वहाँ साक्षात् कालिन्दी देवी भगवान् श्रीकृष्णको पतिरूपमें प्राप्त करनेकी इच्छासे तपस्या कर रही थीं। पाण्डव अर्जुनने उन्हें श्रीकृष्णको दिखाया। फिर वे भगवान् उन्हें साथ लेकर इन्द्रप्रस्थ आये। वहाँसे द्वारकामें पहुँचकर उन्होंने मनोहराङ्गी सूर्यकन्या कालिन्दीके साथ विधिपूर्वक विवाह किया। उस समय परम मङ्गलमय उत्सवका विस्तारके साथ आयोजन किया गया था॥ १२—१५॥

अवन्तीके नरेशकी एक पुत्री थी, जो रूप-लावण्यसे मनको हर लेनेवाली थी। उसका नाम था मित्रविन्दा। भगवान् श्रीकृष्ण रुक्मिणीकी ही भाँति मित्रविन्दाको भी स्वयंवरसे हर लाये॥ १६॥

राजा नग्नजित्के एक पुत्री थी, जो लोगोंमें सत्याके नामसे विख्यात थी। उसके विवाहके लिये राजाने यह प्रतिज्ञा की थी कि 'सात साँड़ोंको जो एक साथ ही नाथ देगा, उसी वीरको मैं अपनी पुत्री दूँगा।' भगवान् श्रीकृष्णने सब लोगोंके देखते-देखते उन सातों साँड़ोंको नाथकर सत्याके साथ विवाह किया॥ १७॥

केकयराजकुमारी भद्राको भी भगवान् श्रीहरि उसकी इच्छाके अनुसार अपने घर ले आये। वहाँ कालिन्दीकी ही भाँति भद्राके साथ उन्होंने विधिपूर्वक विवाह किया॥ १८॥

राजन्! राजा बृहत्सेनके एक पुत्री थी, जिसे लोग लक्ष्मणा कहते थे। वह समस्त शुभ लक्षणोंसे सम्पन्न थी। उसके यहाँ स्वयंवरमें मत्स्यवेधकी शर्त रखी गयी थी। भगवान्ने उस मत्स्यका भेदन किया और अपने ऊपर आक्रमण करनेवाले शत्रुओंको परास्त करके लक्ष्मणाका हाथ पकड़ा॥ १९॥

सोलह हजार एक सौ राजकुमारियाँ भौमासुरके कारागारमें बंद थीं। भगवान्ने भौमासुरका वध करके उसकी कैदसे उनको छुड़ाया। उन चारुदर्शना युवतियों-की इच्छा देखकर वे उन्हें अपने साथ ले आये॥ २०॥

एक ही मुहूर्तमें विभिन्न भवनोंमें रहती हुई उन युवतियोंके साथ अपनी मायासे उतने ही रूप धारण करके भगवान्ने उन सबका विधिपूर्वक पाणिग्रहण किया। इस प्रकार सोलह हजार एक सौ आठ रानियों-मेंसे प्रत्येकने श्रीकृष्णके दस-दस पुत्र उत्पन्न किये। वे सभी गुणोंमें पिताके समान थे॥ २१-२२॥

भीष्मककन्या रुक्मिणीके गर्भसे सबसे पहले प्रद्युम्न प्रकट हुए। वे कामदेवके अवतार थे और पिताकी ही भाँति समस्त शुभलक्षणोंसे विभूषित थे। निर्दयी शम्बरासुरने दस दिनोंके भीतर ही उन्हें सूतिकागारसे उठाकर समुद्रमें फेंक दिया। वहाँ उन्हें एक मत्स्य निगल गया, तथापि वे श्रीकृष्णकुमार मत्स्यके उदरमें मरे नहीं। वह मत्स्य शम्बरासुरके पाकालयमें चीरा गया तो उसमेंसे प्रद्युम्न निकले। वहाँ उनकी पूर्वपत्नी रतिने उनका पालन किया। जब वे बड़े हुए और युवावस्था प्रारम्भ हुई, तब उन्हें अपने शत्रुकी करतूतका पता चला। राजन्! फिर अपने शत्रु शम्बरासुरका वध करके वे दिव्य भार्या रतिके साथ द्वारकामें आये। उनका वह कर्म बड़ा ही विचित्र एवं अद्भुत था॥ २३—२६॥

राजन्! महारथी श्रीकृष्णपुत्र प्रद्युम्न रुक्मीकी बेटीको भोजकट नगरके स्वयंवरस्थलसे हर लाये और द्वारकामें उसके साथ उनका विवाह हुआ। प्रद्युम्नसे अनिरुद्ध नामक पुत्रका जन्म हुआ, जिसमें दस हजार हाथियोंका बल था। वे ब्रह्माजीके अवतार समझे जाते

थे। उनकी कान्ति शरत्कालके प्रफुल्ल नील कमलके समान श्याम थी॥ २७-२८॥

इस प्रकार मैंने परिपूर्णतम भगवान्के चतुर्व्यूहावतारका तथा उनके विवाह-सम्बन्धी परम मङ्गलमय विचित्र चरित्रका तुमसे वर्णन किया है, जो समस्त पापोंको हर लेनेवाला, पुण्यदायक तथा आयुकी वृद्धिका उत्तम साधन है। राजन्! अब तुम पुन: क्या सुनना चाहते हो?॥ २९-३०॥

इस प्रकार श्रीगर्गसंहितामें द्वारकाखण्डके अन्तर्गत नारद-बहुलाश्व-संवादमें 'श्रीकृष्णकी समस्त रानियोंके विवाहका वर्णन' नामक आठवाँ अध्याय पूरा हुआ॥ ८॥

नवाँ अध्याय

द्वारकापुरीके पृथ्वीपर आनेका कारण; राजा आनर्तकी तपस्या और उनपर भगवान् श्रीकृष्णकी कृपा

बहुलाश्व बोले—मुने! तीनों लोकोंमें विख्यात द्वारकापुरी धन्य है, जहाँ साक्षात् परिपूर्णतम भगवान् श्रीकृष्ण निवास करते हैं। आपके मुखसे सुना है कि द्वारकापुरी साक्षात् श्रीकृष्णके अङ्गसे प्रकट हुई है; प्रभो! ब्रह्मन्! किस कालमें वह पुरी यहाँ आयी, यह मुझे बताइये॥ १-२॥

श्रीनारदजीने कहा—राजन्! तुम्हें साधुवाद है। तुमने बहुत अच्छा किया, जो द्वारकाके यहाँ आगमनका कारण पूछा, जिसे सुनकर लोकघाती पातकी भी शुद्ध हो जाता है॥ ३॥

मनुके पुत्र शर्याति नामक एक राजा हुए, जो चक्रवर्ती सम्राट् थे। उन्होंने दस हजार वर्षोंतक इस भूतलपर धर्मपूर्वक राज्य किया। उनके तीन पुत्र हुए, जो समस्त धर्मज्ञ पुरुषोंमें श्रेष्ठ थे। उनके नाम थे—उत्तानबर्हि, आनर्त और भूरिषेण। राजा शर्यातिने उत्तानबर्हिको पूर्व दिशा, भूरिषेणको दक्षिण दिशा और आनर्तको सारी पश्चिम दिशाका राज्य दिया। फिर वे पुत्रोंसे बोले—'यह सारी पृथ्वी मेरी है। मैंने धर्मपूर्वक इसका पालन किया है तथा बलिष्ठ होकर बलपूर्वक इसका अर्जन किया है; अत: तुमलोग इसका पालन करो।' पिताकी यह बात सुनकर मझले पुत्र ज्ञानी आनर्तने मानो हँसते हुए यह ज्ञानमय वचन कहा॥ ४—८॥

आनर्त बोले—राजन्! यह सारी पृथ्वी आपकी नहीं है। न आपने कभी इसका पालन किया है और न आपके बलसे इसका अर्जन हुआ है। राजन्! बलिष्ठ तो भगवान् श्रीकृष्ण ही हैं, अत: यह पृथ्वी श्रीकृष्णदेवकी है। उन्होंने इसका पालन किया और उन्हींके तेजसे इस सम्पूर्ण वसुंधराका अर्जन हुआ है। भगवान् श्रीहरिके समान बलिष्ठ दूसरा कोई नहीं है। वे ही भगवान् अपने द्वारा प्रकट किये गये इस जगत्की सृष्टि, पालन और संहार करते हैं। वे ही परब्रह्म परमात्मा हैं और वे ही भगवान् कलना करनेवालोंके स्वामी 'काल' हैं। जो सम्पूर्ण भूतोंके भीतर प्रवेश करके सबका आश्रय है, वह विश्वसंज्ञक अधियज्ञ साक्षात् परिपूर्णतम श्रीहरि ही हैं। जिनके भयसे हवा चलती है, जिनके भयसे सूर्य तपते हैं, जिनके भयसे पर्जन्यदेव वर्षा करते हैं और जिनके भयसे मृत्यु घूमती रहती है, राजन्! उन साक्षात् परिपूर्णतम परमेश्वर श्रीकृष्णका सम्पूर्ण हृदयसे अहंकारशून्य होकर भजन कीजिये॥ ९—१४॥

नारदजी कहते हैं—मिथिलेश्वर! राजा शर्याति ज्ञानको प्राप्त होकर भी पुत्रके वाग्बाणोंसे आहत हो, रोषसे फड़कते हुए अधरोंद्वारा अपने मध्यम पुत्र आनर्तसे बोले॥ १५॥

शर्यातिने कहा—ओ खोटी बुद्धिवाले बालक! दूर हट जाओ। गुरुकी भाँति उपदेश कैसे कर रहे हो? जहाँतक मेरा राज्य है, वहाँतककी भूमिपर तुम निवास मत करो। तुमने जिन सर्वसहायक श्रीकृष्णकी आराधना की है, वे भगवान् भी क्या तुम्हारे लिये कोई नयी पृथ्वी दे देंगे?॥ १६-१७॥

नारदजी कहते हैं—मिथिलेश्वर! उनके यों कहनेपर दूसरोंको मान देनेवाले आनर्तने राजासे कहा—'जहाँतक पृथ्वीपर आपका राज्य है, वहाँतक मेरा निवास नहीं होगा?'॥ १८॥

पिता राजा शर्यातिद्वारा निकाले गये आनर्त उनसे विदा ले समुद्रके तटपर चले गये और समुद्रकी वेलामें पहुँचकर दस हजार वर्षोंतक तपस्या करते रहे। आनर्तकी प्रेमलक्षणा-भक्तिसे प्रसन्न हो भगवान् श्रीहरिने उन्हें अपने स्वरूपका दर्शन कराया और वर माँगनेके लिये कहा। आनर्त दोनों हाथ जोड़कर शीघ्रतापूर्वक उठे और रोमाञ्चयुक्त तथा प्रेमसे विह्वल हो उन्होंने भगवान् श्रीकृष्णके चरणारविन्दोंमें प्रणाम किया॥ १९—२१॥

आनर्त बोले—सबके हृदयमें वास करनेवाले आप वासुदेवको नमस्कार है। आकर्षण-शक्तिके अधिष्ठातृ-देवता आप संकर्षणको नमस्कार है। कामावतार प्रद्युम्न और ब्रह्मावतार अनिरुद्धको भी नमस्कार है। भगवन्! आप साधु-संतोंके प्रतिपालक हैं, आपको बारंबार नमस्कार है। देव! मेरे पिताने मुझे राज्यसे बाहर निकाल दिया है, अतः मैं आपकी शरणमें आया हूँ। मुझे दूसरी कोई भूमि दीजिये, जहाँ मेरा निवास हो सके। ध्रुव भी जिनके कृपा-प्रसादसे सर्वोत्तम पदको प्राप्त हुए, प्रणतजनोंका क्लेश दूर करनेवाले उन भगवान् (आप)-को मेरा नमस्कार है*॥ २२—२४॥

श्रीनारदजी कहते हैं—राजन्! आनर्तको आनत एवं दीन जानकर दीनवत्सल भगवान्ने प्रसन्न हो मेघके समान गम्भीर वाणीमें श्रीमुखसे कहा॥ २५॥

श्रीभगवान् बोले—नरेश्वर! इस लोकमें दूसरी कोई पृथ्वी तो है नहीं, फिर मैं क्या करूँ? परंतप! तुम्हारी भक्तिसे मैं संतुष्ट हूँ, अतः अपनी बात सत्य करनेके लिये तुम्हें अपने दिव्यलोक वैकुण्ठधामका सौ योजन लंबा-चौड़ा भूखण्ड लाकर देता हूँ। वह अत्यन्त निर्मल तथा शुभद है॥ २६—२७॥

श्रीनारदजी कहते हैं—विदेहराज! आनर्त-नरेशसे यों कहकर भक्तवत्सल भगवान् श्रीकृष्णने वैकुण्ठसे सौ योजन विशाल भूखण्ड उखाड़ मँगाया और भयंकर शब्द करनेवाले समुद्रमें सुदर्शन चक्रकी नींव बनाकर उसीके ऊपर उस भूखण्डको स्थापित किया। राजा आनर्तने एक लाख वर्षोंतक पुत्र-पौत्रों-से सम्पन्न हो वहाँ राज्य किया। उस राज्यमें वैकुण्ठका वैभव भरा हुआ था। आनर्तके पिता शर्यातिने जब यह समाचार सुना, तब उन्हें बड़ा विस्मय हुआ। आनर्तके प्रसादसे ही 'आनर्त' नामक देश प्रकट हुआ। आनर्तके रेवत नामका पुत्र हुआ। पूर्वकालमें श्रीशैल नामक पर्वतका एक पुत्र था। आनर्तने उसे अपने हाथोंसे उखाड़कर आनर्त देशमें स्थापित किया। रेवतके द्वारा लाये जानेसे उन्हींके नामपर वह पर्वत 'रैवतक' नामसे विख्यात हुआ। राजा रेवत कुशस्थलीपुरीका निर्माण कराके वहाँ दीर्घकालतक राज्य करनेके पश्चात् अपनी कन्या रेवतीको साथ ले ब्रह्मलोकमें गये, यह सब कथा मेरे द्वारा बलदेव-विवाहके प्रसङ्गमें कही जा चुकी है। इसी कारण पुण्यमयी द्वारकापुरीको देवताओंने 'मोक्षका द्वार' माना है॥ २८—३५॥

इस प्रकार श्रीगर्गसंहितामें द्वारकाखण्डके अन्तर्गत नारद-बहुलाश्व-संवादमें 'द्वारकापुरीके पृथ्वीपर आनेका कारण' नामक नवाँ अध्याय पूरा हुआ॥ ९॥

---

* आनर्त उवाच—

नमस्ते वासुदेवाय नमः संकर्षणाय च। प्रद्युम्नायानिरुद्धाय सात्वतां पतये नमः॥

× × × × × ×

ध्रुवोऽपि यत्प्रसादेन ययौ सर्वोत्तमं पदम्। तस्मै नमो भगवते प्रणतक्लेशहारिणे॥

(गर्ग०, द्वारका० ९। २२, २४)

दसवाँ अध्याय

द्वारकापुरी, गोमती और चक्रतीर्थका माहात्म्य; कुबेरके वैष्णवयज्ञमें दुर्वासामुनि-द्वारा घण्टानाद और पार्श्वमौलिको शाप

श्रीनारदजी कहते हैं—राजन्! इस प्रकार मैंने तुमसे द्वारकाके आगमनका कारण बताया, जो समस्त पापोंको हर लेनेवाला और पुण्यदायक है; अब तुम और क्या सुनना चाहते हो॥ १॥

बहुलाश्वने पूछा—मुनिश्रेष्ठ! कल्याणस्वरूपा द्वारकासे द्वारकानगरीकी भूमि सर्वतीर्थमयी है, अत: वहाँके मुख्य-मुख्य तीर्थोंको मुझे बताइये॥ २॥

श्रीनारदजी कहते हैं—राजन्! द्वारकासे प्रभास-तककी सीमा बनाकर जो तीर्थमयी यज्ञभूमि है, वही मोक्षदायिनी 'द्वारका' है। उसका विस्तार सौ योजन है। द्वारकानगरीका दर्शन करके नर नारायण हो जाता है। द्वारकामें कोई गधा भी मर जाय तो वह चतुर्भुज होकर वैकुण्ठलोकमें जाता है। जो द्वारकाका दर्शन करता है, उसकी कथा सुनता है तथा कभी 'द्वारका' इस नामका उच्चारण करता है, अथवा वहाँ दर्शन-स्नान करके तिनकेका भी दान करता है वह मृत्युके पश्चात् परमगतिको प्राप्त होता है॥ ३—५॥

एक समय भक्त रेवतको प्रेमानन्दमें आकुल देख श्रीहरिने उसे अपने स्वरूपका दर्शन कराया। उस समय उनके मुँहपर अश्रुधारा बह चली थी। भगवान्के नेत्रबिन्दुओंसे महानदी गोमती प्रकट हुई, जिसके दर्शनमात्रसे ब्रह्महत्या-जैसे पातकोंसे छुटकारा मिल जाता है। जो मनुष्य गोमती-तटकी पवित्र रज लेकर अपने सिरपर धारण करता है, वह सौ जन्मोंके किये हुए पापसे तत्काल मुक्त हो जाता है—इसमें संशय नहीं है। मनुष्य कहीं भी स्नान करते समय यदि 'गोमती'—इस नामका उच्चारण कर लेता है तो उसे निस्संदेह गोमतीमें स्नान करनेका पुण्यफल प्राप्त हो जाता है। विदेहराज! जो मकर-राशिमें सूर्यके स्थित रहते समय माघ मासमें प्रयागकी त्रिवेणीमें स्नान करता है, वह सौ अश्वमेध-यज्ञोंका पुण्यफल पा लेता है; परंतु यदि वह सूर्यके मकरगत होनेपर गोमतीमें स्नान कर ले तो उसे प्रयागस्नानकी अपेक्षा सहस्रगुना अधिक पुण्य प्राप्त होता है। गोमतीका माहात्म्य बतानेमें चार मुखोंवाले ब्रह्मा भी समर्थ नही हैं। गोमतीके 'चक्रतीर्थ'में जो-जो पाषाण हैं, वे सब-के-सब चक्रभावको प्राप्त होते हैं; अत: उनकी यत्नपूर्वक पूजा करनी चाहिये। जो चक्रके चिह्नसे युक्त चक्रतीर्थमें द्वादशीको स्नान करता है, वह पाप-भाजन होनेपर भी चक्रपाणिके पदको प्राप्त होता है। करोड़ों जन्मोंके संचित पापोंसे पतित हुआ पातकी मनुष्य भी चक्रतीर्थकी सीढ़ियोंतक पहुँचकर मोक्ष-पदपर आरूढ़ हो जाता है॥ ६—१४॥

बहुलाश्वने पूछा—महामते! महानदी गोमतीमें जो चक्रतीर्थ है, वह शुभ अर्थको देनेवाला तथा लोगोंके लिये अधिक माननीय कैसे हो गया? यह मुझे बताइये॥ १५॥

श्रीनारदजीने कहा—राजन्! इसी विषयमें विज्ञजन इस प्राचीन इतिहासका वर्णन किया करते हैं, जिसके श्रवणमात्रसे सर्वथा पापोंकी हानि हो जाती है॥ १६॥

एक समयकी बात है, अलकापुरीके स्वामी राजाधिराज धर्मात्मा निधिपति भगवान् कुबेरने कैलासके उत्तर तटकी भूमिपर वैष्णवयज्ञ आरम्भ किया। उनके उस यज्ञमें स्वयं भगवान् विष्णु अपने धामसे उतर आये थे। ब्रह्मा, शिव, जम्भभेदी इन्द्र, जल-जन्तुओंके अधिपति वरुण, वायु, यम, सूर्य, सोम, सर्वजनेश्वरी पृथ्वी, गन्धर्व, अप्सरा और सिद्ध—सभी उस यज्ञमें वहाँ पधारे थे॥ १७—१९॥

नरेश्वर! समस्त देवर्षि और ब्रह्मर्षि भी वहाँ आये। उस समय कुबेरका पुत्र नलकूबर धनाध्यक्ष था। यज्ञकी रक्षामें वीरभद्रको नियुक्त किया गया था। सत्पुरुषोंकी सेवाका भार गजानन गणपतिके ऊपर था। समस्त मरुद्गण रसोई परोसनेका कार्य करते थे।

स्वामिकार्तिकेय धर्मपरायण रहकर सभामण्डपमें समागत अतिथिजनोंकी पूजा-सत्कार करते थे तथा घण्टानाद और पार्श्वमौलि—ये दोनों कुबेरके मन्त्री, जो सम्पूर्ण शास्त्रवेत्ताओंमें श्रेष्ठ थे, दानाध्यक्ष बनाये गये थे। इस प्रकार महान् उत्सवसे परिपूर्ण उस यज्ञका विधिपूर्वक अनुष्ठान सम्पन्न हुआ॥ २०—२३॥

यज्ञान्तका अवभृथ-स्नान करके महामनस्वी राजराज कुबेरने देवताओंको उनका उत्तम भाग दिया और ब्राह्मणोंको पर्याप्त दक्षिणा दी। इस प्रकार उस श्रेष्ठ यज्ञके परिपूर्ण होनेपर जब समस्त देवर्षिगण संतुष्ट हो गये, तब दण्ड, छत्र और जटा धारण किये महर्षि दुर्वासा वहाँ आ पहुचे। वे स्वभावसे ही क्रोधी और कृशकाय थे। उनके चरणोंमें खड़ाऊँ शोभा पाती थी। दाढ़ी-मूँछके बाल बढ़े हुए थे। पेट सूखकर सट गया था। कुशासन, समिधा, जलपात्र और मृगचर्म धारण किये वे श्रेष्ठ मुनि वहाँ पधारे। वहाँ पधारे हुए उन महर्षिके पास जाकर उनकी विधिपूर्वक पूजा करके भयभीत हुए कुबेरने परिक्रमापूर्वक उनके चरणोंमें प्रणाम किया और कहा—'ब्रह्मन्! आपके पदार्पण करनेसे आज मेरा जन्म सफल हो गया, भवन सार्थक हो गया और यह मेरा यज्ञ भी सफल हो गया'॥ २४—२८॥

इस तरह उनके संतोष देनेपर भगवान् दुर्वासा मुनि जोर-जोरसे हँसते हुए उन मनुष्यधर्मा देवता कुबेरसे बोले—'तुम राजराज, धर्मात्मा, दानी और ब्राह्मण-भक्त हो। तुमने भगवान् विष्णुको संतुष्ट करनेवाले वैष्णव-यज्ञका अनुष्ठान किया है। प्रभो! वैश्रवण! मैंने कहीं कभी भी तुमसे कुछ नहीं माँगा है, परंतु आज तुम्हें दानिशिरोमणि समझकर मैं याचना करूँगा। यदि तुमने मेरी याचना सफल कर दी तो मैं तुम्हें उत्तम वर दूँगा; नहीं तो अत्यन्त भयंकर शाप देकर तुम्हें भस्म कर डालूँगा। त्रिलोकीकी सारी—नवों निधियाँ तुम्हारे घरमें मौजूद हैं, उन सबको मुझे दे दो; तुम्हारा भला हो। मैं उन निधियोंके लिये ही यहाँ आया हूँ॥ २९—३३॥

नारदजी कहते हैं—राजन्! यह सुनकर दान-शील, उदारचेता, गुह्यकोंके स्वामी राजराजने उनसे कहा—'बहुत अच्छा, आप मेरा प्रतिग्रह स्वीकार करें।' इस प्रकार निधियोंको दे डालनेकी चेष्टा करते हुए निधिपति कुबेरसे उनके दानाध्यक्ष मन्त्री घण्टानाद और पार्श्वमौलि लोभसे मोहित होकर बोले॥ ३४-३५॥

उन दोनोंने कहा—यह लोभी ब्राह्मण अकेला ही तो है, सारी निधियाँ लेकर क्या करेगा? इसे एक लाख दिव्य दीनार दे दीजिये, बाकी अपने पास रखिये। अपनी वृत्तिकी तथा इस उत्तर दिशाकी रक्षा कीजिये॥ ३६॥

नारदजी कहते हैं—राजन्! उन मन्त्रियोंका वह कठोर वचन सुनकर दुर्वासा रोषसे आग बबूला हो उठे। उनकी भौंहें टेढ़ी हो गयीं तथा उनके नेत्र लाल हो गये। सारा ब्रह्माण्ड बटलोईकी तरह दो निमेषतक हिलता रहा। कुबेरको अपने चरणोंमें पड़ा देख मुनिने उन दोनों मन्त्रियोंको शाप दे दिया॥ ३७-३८॥

मुनिने कहा—महादुष्ट घण्टानाद! तेरी बुद्धि पापमें ही लगी रहनेवाली है। तू अत्यन्त लोभी है, ग्राहकी भाँति धनग्राही है; अतः हे महाखल! तू ग्राह हो जा। पापपूर्ण विचार रखनेवाले पार्श्वमौले! तू भी धनके लोभ और मदसे भरा हुआ है और हाथीकी भाँति प्रेरणा दे रहा है; अतः दुर्बुद्धे! तू हाथी हो जा॥ ३९-४०॥

श्रीनारदजी कहते हैं—राजन्! उन दोनोंको शाप दे कुबेरसे निधि लेकर मुनिवर दुर्वासाने पुनः कुबेरको अत्यन्त दुर्लभ वर प्रदान किया—'कुबेर! इस दानसे तुम्हारे पास नौ निधियाँ द्विगुणित होकर आ जायँ।' यों कहकर वे निधियोंके साथ वहाँसे चल दिये। अहा! परम तेजस्वी महर्षियोंका बल कैसा अद्भुत है!॥ ४१-४२॥

इस प्रकार श्रीगर्गसंहितामें द्वारकाखण्डके अन्तर्गत नारद-बहुलाश्व-संवादमें गोमतीके उपाख्यानके प्रसङ्गमें 'चक्रतीर्थका माहात्म्य' नामक दसवाँ अध्याय पूरा हुआ॥ १०॥

ग्यारहवाँ अध्याय

गज और ग्राह बने हुए मन्त्रियोंका युद्ध और भगवान् विष्णुके द्वारा उनका उद्धार

नारदजी कहते हैं—राजन्! कुबेरके दोनों मन्त्री ब्राह्मणके शापसे मोहित होकर अत्यन्त दीन-दुखी हो गये। उस यज्ञमें साक्षात् भगवान् विष्णु पधारे थे। वे अपनी शरणमें आये हुए उन दोनों मन्त्रियोंसे बोले॥ १॥

श्रीभगवान्ने कहा—मेरी अर्चनासे युक्त इस यज्ञमें तुम दोनोंको दुःख उठाना पड़ा है। ब्राह्मणोंकी कही हुई बातको टाल देने या अन्यथा करनेकी शक्ति मुझमें नहीं है। तुम दोनों ग्राह और हाथी हो जाओ। जब कभी तुम दोनोंमें युद्ध छिड़ जायगा, तब मेरी कृपासे तुम दोनों अपने पूर्ववर्ती स्वरूपको प्राप्त हो जाओगे॥ २-३॥

नारदजी कहते हैं—राजन्! भगवान् विष्णुके यों कहनेपर राजाधिराज कुबेरके वे दोनों मन्त्री ग्राह और हाथी हो गये, परंतु उन्हें अपने पूर्वजन्मकी बातोंका स्मरण बना रहा। घण्टानाद ग्राह हो गया और सैकड़ों वर्षोंतक गोमतीमें रहा। वह बड़ा विकराल, अत्यन्त भयंकर तथा सदा रौद्ररूप धारण किये रहता था। पार्श्वमौलि रैवतक पर्वतके जंगलमें चार दाँतों-वाला हाथी हुआ। उसके शरीरका रंग काजलके समान काला था। उसके पृष्ठ भागकी ऊँचाई सौ धनुषके बराबर थी। वञ्जुल, कुरब, कुन्द, बदर, बेंत, बाँस, केला, भोजपत्रका पेड़, कचनार, बिजैसार, अर्जुन, मन्दार, बकायन, अशोक, बरगद, आम, चम्पा, चन्दन, कटहल, गूलर, पीपल, खजूर, बिजौरा नींबू, चिरौंजी, आमड़ा, आम्र तथा क्रमुक (पूगीफल) के वृक्षोंसे परिमण्डित रैवतकके विशाल वनमें वह महागजराज विचरा करता था॥ ४—९॥

एक समय वैशाख मासमें वह गजराज पर्वतीय कन्दरासे निकलकर अपने गणोंके साथ चिग्घाड़ता हुआ गोमती-गङ्गामें स्नानके लिये आया। बहुत देरतक जलमें स्नान करके इधर-उधर सूँड़ घुमाते हुए उस गजराजने अपनी सूँड़के जलसे हाथियोंके सभी छोटे-छोटे बच्चोंको नहलाया। वह महाबलिष्ठ महान् ग्राह भी दैवकी प्रेरणासे उसी जलमें विद्यमान था। उसने दैवकी प्रेरणासे रोषसे भरकर उस गजराजका एक पैर पकड़ लिया। वह बलोन्मत्त गजराजको अपने घरमें खींच ले गया। फिर हाथी भी उसे खींचकर जलके बाहर ले आया। तत्पश्चात् उसने पुनः हाथीको खींचा। हथिनियाँ और उसके बच्चे उस गजराजको संकटसे उबारनेमें असमर्थ थे। इस प्रकार युद्ध करते और परस्पर एक-दूसरेको खींचते हुए उन दोनोंके पचपन वर्ष व्यतीत हो गये। सत्पुरुषोंके नेत्रोंके समक्ष यह घटना घटित हो रही थी। इस प्रकार कष्टमें पड़कर कालपाशके वशीभूत हो पूर्वजन्मकी बातोंको स्मरण करनेवाला वह महान् गजराज प्रेमलक्षणा-भक्तिसे श्रीहरिके चरणोंका आश्रय ले उन्हींका चिन्तन करने लगा॥ १०—१६॥

गजेन्द्र बोला—हे श्रीकृष्ण! हे कृष्ण (अर्जुन) के सखा तथा हे श्याम शरीर धारण करनेवाले देवेश्वर विष्णुदेव! आप श्रीकृष्णको मेरा प्रणाम प्राप्त हो। हे पूर्ण प्रभो! हे परमपावन पुण्यकीर्ते! हे परमेश्वर! पापके पाशसे मेरी रक्षा करो, रक्षा करो*॥ १७॥

नारदजी कहते हैं—राजन्! इस प्रकार ग्राहने जिसका पैर पकड़ लिया था, उस हाथीको अपना स्मरण करता जान, दीनवत्सल श्रीहरि गरुडपर आरूढ़ हो बड़े वेगसे दौड़े आये। उन्होंने स्वयं ही गरुडसे उतरकर दौड़ते हुए उस ग्राहपर चक्र चलाया। चक्रके वहाँ पहुँचनेके पहले ही ग्राहका वह अद्भुत मस्तक उसके धड़से कटकर अलग हो गया, जैसे दीनताके प्राप्त होते ही धन चला जाता है। इसके बाद वह चक्र गोमतीके कुण्डमें महान् शब्द करता हुआ गिरा। उसने वहाँके

---

*श्रीकृष्ण कृष्णसख कृष्णवपुर्दधान कृष्णाय ते प्रणतिरस्तु सुरेश विष्णो।
पूर्णप्रभो परमपावन पुण्यकीर्ते मां पाहि पाहि परमेश्वर पापपाशात्॥

(गर्ग०, द्वारका० ११। १७)

समस्त प्रस्तर-समूहोंको चक्रसे चिह्नित कर दिया। उसकी नेमिकी रगड़से वहाँ कल्याणकारी 'चक्रतीर्थ' प्रकट हो गया। राजन्! उस चक्रतीर्थके दर्शनसे ब्रह्म-हत्या छूट जाती है। मस्तक कट जानेसे ग्राहने अपना पूर्वरूप धारण कर लिया और श्रीकृष्णके अनुग्रहसे उस हाथीका दिव्य रूप हो गया॥ १८—२२॥

फिर श्रीहरिकी परिक्रमा, नमस्कार और स्तुति करके हाथ जोड़े हुए वे दोनों कुबेर-मन्त्री पुनः अपने स्थानको चले गये। देवतालोग फूल बरसाते हुए जय-जयकार करने लगे। भगवान् प्रकृतिसे परे विद्यमान अपने साक्षात् धाममें चले गये। जो नरश्रेष्ठ चक्रतीर्थकी इस कथाको सुनता है, वह चक्रतीर्थमें स्नान करनेका फल पाता है—इसमें संशय नहीं है। जो एकाग्रचित्त हो गज और ग्राहकी इस पुण्यमयी कथाको सुनता है, उसके बुरे स्वप्न नष्ट हो जाते हैं तथा निश्चय ही उसे अच्छे स्वप्न दिखायी देते हैं॥ २३—२६॥

इस प्रकार श्रीगर्गसंहितामें द्वारकाखण्डके अन्तर्गत नारद-बहुलाश्व-संवादमें चक्रतीर्थकी उत्पत्तिके प्रसङ्गमें 'गज और ग्राहका शापसे उद्धार' नामक ग्यारहवाँ अध्याय पूरा हुआ॥ ११॥

बारहवाँ अध्याय

महामुनि त्रितके शापसे कक्षीवान्का शङ्खरूप होकर सरोवरमें रहना और श्रीकृष्णके द्वारा उसका उद्धार होना; शङ्खोद्धार-तीर्थकी महिमा

श्रीनारदजी कहते हैं—राजन्! द्वारकामें जो 'शङ्खोद्धार' नामक तीर्थ है, वह सब तीर्थोंमें प्रधान है। जो मनुष्य उस तीर्थमें स्नान करके सुवर्णका दान देता है, वह सम्पूर्ण उपद्रवोंसे रहित विष्णुलोकमें जाता है॥ १॥

एक समय श्रीकृष्णभक्त शान्तचित्त महामुनि त्रित तीर्थयात्राके प्रसङ्गसे आनर्तदेशमें आये। वहाँ एक सुन्दर सरोवर देखकर मुनिने उसमें स्नान करके श्रीहरिकी पूजा की। उस पूजामें सुन्दर लक्षणोंसे युक्त जो महाशङ्ख वे बजाया करते थे, उसे उन्हींके शिष्य कक्षीवान्ने अत्यन्त लोभके कारण चुरा लिया। पूजाका शङ्ख चुराया गया देख मुनिवर त्रित कुपित होकर बोले—'जो मेरा शङ्ख ले गया है, वह अवश्य ही शङ्ख हो जाय।' कक्षीवान् तत्काल शापसे पीड़ित हो शङ्ख हो गया और गुरुके चरणोंमें गिरकर बोला—'भगवन्! मेरी रक्षा कीजिये।' त्रितमुनि शीघ्र ही शान्त हो गये और बोले—'दुर्बुद्धे! यह तुमने क्या किया? चोरीके दोषसे जो पाप हुआ है, उसका फल भोग। मेरी बात झूठी नहीं हो सकती। तू यहाँ श्रीकृष्णके चरण-कमलोंका चिन्तन करता रह; वे ही तेरा उद्धार करेंगे॥ २—६ १/२॥

राजन्! यों कहकर जब महामुनि त्रितदेव वहाँसे चले गये, तब शङ्खरूपधारी कक्षीवान् उस सरोवरमें कूद पड़ा और 'कृष्ण! कृष्ण!!' पुकारता हुआ सौ वर्षोंतक वहीं रहा॥ ७—८॥

तदनन्तर भक्तवत्सल परिपूर्णतम साक्षात् भगवान् श्रीकृष्ण उस सरोवरके तटपर आये और उसे अभय-दान देते हुए बोले—'डरो मत।' मेघ-गर्जनाके समान भगवान्की वह गम्भीर वाणी सुनकर वह जलचर शङ्ख चीख उठा—'देवदेव! जगत्पते!! मेरी रक्षा कीजिये, रक्षा कीजिये।' तब सर्वसामर्थ्यशाली कृपापरायण भगवान्ने नागराजके शरीरकी भाँति अपने हृष्ट-पुष्ट भुजाके द्वारा उस भक्त शङ्खका उसी प्रकार जलसे उद्धार किया, जैसे किसी समय उन्होंने गजका उद्धार किया था। कक्षीवान् उसी क्षण शङ्खका रूप छोड़कर दिव्यरूपधारी हो गया और हाथ जोड़ श्रीहरिको नमस्कार करके उनकी स्तुति करने लगा॥ ९—१२॥

कक्षीवान्ने कहा—वासुदेव! आपको नमस्कार है। गोविन्द! पुरुषोत्तम! दीनवत्सल! दीनानाथ! द्वारकानाथ! परमेश्वर! आपको मेरा बारंबार प्रणाम है। आपने ही ध्रुवको ध्रुवपद प्रदान किया, प्रह्लादकी पीड़ा हर ली, गजराजका उद्धार किया तथा राजा बलिकी भेंट स्वीकार की; आपको बारंबार

नमस्कार है। द्रौपदीका चीर बढ़ाकर उसकी लाज बचानेवाले आप श्रीहरिको नमस्कार है। विष, अग्नि और वनवाससे पाण्डवोंकी रक्षा करनेवाले पाण्डव-सहायक आपको नमस्कार है। यदुकुलके रक्षक तथा इन्द्रके कोपसे व्रजके गोपोंकी रक्षा करनेवाले आपको नमस्कार है। गुरुको, माता देवकीको और ब्राह्मणको उनके मरे हुए पुत्रोंको लाकर देनेवाले श्रीकृष्ण! आपको बारंबार नमस्कार है। जरासंधकी कैदमें पड़े हुए नरेशोंको वहाँसे छुटकारा दिलानेवाले, राजा नृगका उद्धार करनेवाले तथा सुदामाकी दीनता हर लेनेवाले आप साक्षात् परमेश्वरको नमस्कार है। आप वासुदेव श्रीकृष्णको नमस्कार है। संकर्षण, प्रद्युम्न और अनिरुद्धको भी नमस्कार है। इस प्रकार चतुर्व्यूह-रूपधारी आप परमेश्वरको मेरा प्रणाम है। देवदेव! आप ही मेरी माता, आप ही पिता, आप ही बन्धु, आप ही सखा, आप ही विद्या, आप ही धन और आप ही मेरे सब कुछ हैं*॥ १३—१९॥

श्रीनारदजी कहते हैं—राजन्! इस प्रकार श्रीहरिकी स्तुति करके प्रेम-पूरित कक्षीवान् एक श्रेष्ठ विमानपर आरूढ़ हो यादवोंके देखते-देखते, सैकड़ों सूर्योंके समान तेजस्वी होकर, दसों दिशाओंको उद्भासित करता हुआ समस्त उपद्रवोंसे रहित विष्णुधाममें चला गया। मैथिलेश्वर! श्रीहरिने जिस सरोवरके तटपर शङ्खका उद्धार किया था, वह उस घटनाके कारण ही परम पुण्यमय 'शङ्खोद्धार-तीर्थ' के नामसे प्रसिद्ध हो गया। जो श्रेष्ठ मानव शङ्खोद्धारकी इस कथाको सुनता है, वह शङ्खोद्धारतीर्थमें स्नान करनेका फल पा जाता है—इसमें संशय नहीं है॥ २०—२३॥

इस प्रकार श्रीगर्गसंहितामें द्वारकाखण्डके अन्तर्गत नारद-बहुलाश्व-संवादमें 'शङ्खोद्धार-तीर्थका माहात्म्य' नामक बारहवाँ अध्याय पूरा हुआ॥ १२॥

तेरहवाँ अध्याय

प्रभास, सरस्वती, बोधपिप्पल और गोमती-सिन्धु-संगमका माहात्म्य

श्रीनारदजी कहते हैं—महामते! विदेहराज! प्रभासतीर्थका भी माहात्म्य सुनो, जो सर्वपापापहारी, पुण्यदायक तथा तेजकी वृद्धि करनेवाला है। राजन्! सिंहराशिमें बृहस्पतिके रहते गोदावरीमें, कुम्भगत बृहस्पतिके होनेपर हरक्षेत्र (हरद्वार)-में, सूर्यग्रहणके समय कुरुक्षेत्रमें और चन्द्रग्रहणके अवसरपर काशीमें स्नान और दान करके मनुष्य जिस पुण्यको पाता है, उससे सौगुना पुण्य प्रभासक्षेत्रमें प्रतिदिन स्नान करनेसे प्राप्त होता रहता है। दक्षके शापसे राजयक्ष्मा नामक रोग हो जानेपर नक्षत्रोंके स्वामी चन्द्रमा जहाँ स्नान करके तत्काल शाप-दोषसे मुक्त हो गये और पुनः उनकी कलाओंका उदय हुआ, वही 'प्रभासतीर्थ' है॥ १—४॥

राजन्! उस तीर्थमें परम पुण्यमयी पश्चिमवाहिनी सरस्वती प्रवाहित होती हैं। उनके जलमें स्नान करके पापी मनुष्य भी साक्षात् ब्रह्ममय हो जाता है। नरेश्वर! सरस्वतीके तटपर 'बोधपिप्पल' नामसे प्रसिद्ध तीर्थ है, जहाँ भगवान् श्रीकृष्णने उद्धवको परम कल्याणमय

*वासुदेव नमस्तेऽस्तु गोविन्द पुरुषोत्तम। दीनवत्सल दीनेश द्वारकेश परेश्वर॥
ध्रुवे ध्रुवपदं दात्रे प्रह्लादस्यार्तिहारिणे। गजस्योद्धारिणे तुभ्यं बलेर्बलिविदे नमः॥
द्रौपदीचीरसंत्राणकारिणे हरये नमः। गराग्निवनवासेभ्यः पाण्डवानां सहायिने॥
यादवत्राणकर्त्रे च शक्राद‍ाभीररक्षिणे। गुरुमातृद्विजानां च पुत्रदात्रे नमो नमः॥
जरासंधनिरोधार्तनृपाणां मोक्षकारिणे। नृगस्योद्धारिणे साक्षात् सुदाम्नो दैन्यहारिणे॥
वासुदेवाय कृष्णाय नमः संकर्षणाय च। प्रद्युम्नायानिरुद्धाय चतुर्व्यूहाय ते नमः॥
त्वमेव माता च पिता त्वमेव त्वमेव बन्धुश्च सखा त्वमेव। त्वमेव विद्या द्रविणं त्वमेव त्वमेव सर्वं मम देवदेव॥
(गर्ग०, द्वारका० १२। १३—१९)

भागवत-धर्मका उपदेश दिया था। राजन्! उस बोधपिप्पलकी विधिवत् पूजा करके सिर नवाकर जो उसका स्पर्श करता है और ब्रह्मसम्मित भागवतपुराण-को सुनता है—मनको संयममें रखते हुए मौनभावसे भागवतका आधा श्लोक या चौथाई श्लोक भी सुन लेता है—उसके हाथमें भगवान् विष्णुका परमपद आ जाता है, अर्थात् उसके लिये परमपदकी प्राप्ति निश्चित हो जाती है। जो प्रभासमें भाद्रपद मासकी पूर्णिमा तिथिको सोनेके सिंहासनसे युक्त श्रीमद्भागवतपुराणका दान करता है, वह परमगतिको प्राप्त होता है। जिन्होंने कहीं या कभी श्रीमद्भागवतपुराण नहीं सुना, उन भूमिवासी मनुष्योंका जन्म व्यर्थ चला गया। जिन्होंने भागवतपुराण नहीं सुना, जिनके द्वारा पुराण-पुरुष परमात्माकी आराधना नहीं की गयी तथा जिन लोगोंने भूमिदेवों—ब्राह्मणोंके मुखरूपी अग्निमें उत्तम भोजनकी आहुति नहीं दी, उन मनुष्योंका जन्म व्यर्थ चला गया*॥५—११॥

द्वारकामें गोमती और समुद्रका संगम सब तीर्थों-का राजा है, जिसमें स्नान करके मनुष्य निर्मल वैकुण्ठधामको प्राप्त होता है। गङ्गासागर-संगम-तीर्थमें स्नान करनेसे सौ अश्वमेधयज्ञोंका पुण्यफल प्राप्त होता है। उससे भी सहस्रगुना पुण्य गोमती-सागर-संगममें स्नान करनेसे सुलभ होता है। इसी विषयमें पुराणवेत्ता पुरुष इस पुरातन इतिहासका कथन किया करते हैं, जिसके श्रवणमात्रसे मनुष्य पापतापसे मुक्त हो जाता है॥१२—१४॥

पूर्वकालमें हस्तिनापुरमें राजमार्गपति नामक एक श्रेष्ठ वैश्य निवास करता था। वह महान् गौरवशाली तथा कुबेरके समान निधिपति था। आगे चलकर वह वैश्य वेश्याओंके प्रसङ्गमें रहने लगा। वह विटों (धूर्तों और लम्पटों) की गोष्ठीमें बड़ा चतुर समझा जाता था। जुआ खेलनेमें उसकी बड़ी आसक्ति थी। वह लोभ, मोह और मदसे उन्मत्त रहता था। वह महादुष्ट वैश्य सदा झूठ बोलता और कुकर्ममें लगा रहता था। उसने ब्राह्मणों, पितरों और देवताओंके निमित्त कभी धनका दान नहीं किया। वह यदि कहीं दूरसे भगवान्की कथा-वार्ता होती देख लेता तो कतराकर जल्दी ही और दूर निकल जाता था। उसने माँ-बापकी कभी सेवा नहीं की और अपने पुत्रोंको भी धन नहीं दिया। वह ऐसा दुर्बुद्धि और खल था कि धनाढ्य होनेपर भी अपनी पत्नीको त्यागकर उससे अलग रहने लगा। वेश्याओंके सङ्गमें रहनेसे उसका आधा धन नष्ट हो गया, आधा चोर चुरा ले गये और जो कुछ थोड़ा-सा पृथ्वीमें गड़ा हुआ था, वह स्वतः वहीं विलीन हो गया; क्योंकि पुण्यसे लक्ष्मी बढ़ती है और पापसे निश्चय ही नष्ट हो जाती है॥१५—२०॥

इस प्रकार वेश्याओंमें आसक्त हुआ वह महादुष्ट वैश्य निर्धन हो गया और उसी रमणीय नगर हस्तिनापुरमें चोरीका काम करने लगा। उन दिनों वहाँ राजा शंतनु राज्य करते थे। उन्होंने चोरीके कर्ममें लगे हुए उस वैश्यको रस्सियोंसे बाँधकर अपने देशसे बाहर निकलवा दिया। वनमें रहकर वह जीवोंकी हिंसा करने लगा। उन्हीं दिनों वहाँ बहुत वर्षोंतक वर्षा नहीं हुई। तब दुर्भिक्षसे पीड़ित हुआ वह वैश्य पश्चिम दिशाकी ओर चला गया। वहाँ एक वनमें किसी सिंहने अपने पंजेसे उसको मार डाला। उसी समय यमदूत आये और उसे पाशोंमें बाँधकर नीचे मुख करके लटकाये तथा कोड़ोंसे पीटते हुए यमलोकके मार्गपर ले चले। तदनन्तर कोई महान् गृध्र उसकी बाँहका मांस लेकर आकाशमें उड़ गया और अपनी चोंचसे तुरंत ही उसको खाने लगा। अन्य पक्षी जिन्हें मांस नहीं मिला था, वे सब आतुर हो उसीमेंसे अपने लिये भी मांस ग्रहण करने लगे। इस प्रकार चील आदि पक्षियोंका वहाँ महान् कोलाहल होने लगा; तथापि उस गृध्रने अपने मुखसे उस मांसको नहीं छोड़ा। वह उड़ते-उड़ते पश्चिम दिशाकी ओर चला गया। वहाँ उसीके समान शक्तिशाली एक दूसरे गृध्रने

---

* पुराणं न श्रुतं यैस्तु श्रीमद्भागवतं क्वचित्। तेषां वृथा जन्म गतं नराणां भूमिवासिनाम्॥
यैर्न श्रुतं भागवतं पुराणं नाराधितो यैः पुरुषः पुराणः। हुतं मुखे नैव धरामराणां तेषां वृथा जन्म गतं नराणाम्॥
(गर्ग०, द्वारका० १३। १०-११)

उसके मुखपर अपनी तीखी चोंचसे प्रहार किया। तब उसके मुँहसे वह मांस गोमती-सागर-संगममें गिर गया। उस तीर्थमें उसके मांसके डूबते ही यह महापातकी वैश्य यमदूतोंके पाशोंको स्वयं तोड़कर चार भुजाओंसे युक्त देवता हो गया और उन दूतोंके देखते-देखते दिव्य विमानपर आरूढ़ हो सम्पूर्ण दिशाओंको प्रकाशित करता हुआ वह श्रीहरिके परमधाममें चला गया॥ २१—३१॥

जो मनुष्य गोमती-समुद्र-संगमके इस माहात्म्य-को सुनता है, वह सब पापोंसे मुक्त हो भगवान् विष्णुके लोकमें जाता है॥ ३२॥

इस प्रकार श्रीगर्गसंहितामें द्वारकाखण्डके अन्तर्गत नारद-बहुलाश्व-संवादमें 'प्रभास, सरस्वती, बोधपिप्पल तथा गोमती-सिन्धु-संगमका माहात्म्य' नामक तेरहवाँ अध्याय पूरा हुआ॥ १३॥

चौदहवाँ अध्याय

द्वारका क्षेत्रके समुद्र तथा रैवतक पर्वतका माहात्म्य

श्रीनारदजी कहते हैं—सबको सम्मान देनेवाले नरेश! अब द्वारावती और समुद्रके माहात्म्यका वर्णन सुनो, जो सब पापोंको हर लेनेवाला, पुण्यदायक तथा उन तीर्थोंमें स्नानका फल देनेवाला है॥ १॥

महीपते! जो वैशाख मासकी पूर्णमासीको व्रत रहकर, स्नानपूर्वक नदीपति समुद्रका विधिवत् पूजन और उसे नमस्कार करके रत्नोंका दान करता है, उसके शरीरमें तीनों देवता (ब्रह्मा, विष्णु, महेश) निवास करते हैं तथा उसके दर्शनमात्रसे मनुष्य कृतार्थ हो जाता है। इतना ही नहीं—उसके शरीरके स्पर्शसे तत्काल ब्रह्महत्या छूट जाती है तथा वह जहाँ-जहाँ जाता है वहाँ-वहाँकी भूमि मङ्गलमयी हो जाती है। जगत्का वध करनेवाला पापी मनुष्य भी उसका दर्शन करके मरनेपर अपने पाप-समूहका उच्छेद कर डालता और परम मोक्षको प्राप्त होता है॥ २—५॥

मानद! अब रैवत पर्वतका माहात्म्य सुनो, जो समस्त पापोंको दूर करनेवाला, पुण्यदायक तथा भोग और मोक्ष प्रदान करनेवाला है। गौतमका पुत्र मेधावी बड़ा बुद्धिमान् और विष्णुभक्त था। उसने सौ अयुत (दस लाख) वर्षोंतक विन्ध्याचल पर्वतपर तपस्या की। एक दिन साक्षात् अपान्तरतमा नामक मुनि उससे मिलनेके लिये आये, परंतु उत्कट तपस्वी मेधावी अपने आसनसे नहीं उठा। तब अपान्तरतमा रोषसे भर गये और उसे शाप देते हुए बोले—'संतोंके प्रति भक्ति न रखनेवाले पापात्मन्! तुझे अपने तपोबलपर बड़ा गर्व हो गया है। तेरी स्थिति पर्वतके समान है। अतः दुर्मते! तू यहीं पर्वत हो जा।' यों कहकर साक्षात् अपान्तरतमामुनि चले गये। मेधावी शैलभावको प्राप्त हो श्रीशैलका पुत्र हुआ। परंतु वह महाबुद्धिमान् तपस्वी तथा विष्णुभक्तिके प्रभावसे पूर्वजन्मकी बातोंका स्मरण करनेवाला हुआ॥ ६—११॥

एक दिन मेरे मुखसे द्वारकापुरीका माहात्म्य सुनकर श्रीशैलके पुत्रने कहा—मुने! आप शीघ्र राजा रैवतके पास जाइये और उनसे मेरी कही हुई प्रार्थना सुना दीजिये; क्योंकि आप बड़े दीनवत्सल हैं। ये महाबली राजा रैवत यदि प्रसन्न हो जायँ और मुझे यहाँसे उठा ले चलें, तब मेरा द्वारकापुरीके क्षेत्रमें निवास सम्भव होगा।' विष्णुभक्तोंको शान्ति प्रदान करना तो मेरा काम ही ठहरा। मैंने उस पर्वतकुमारकी बात सुनकर शीघ्र ही राजा रैवतके पास जा उसकी कही हुई बात सुना दी। राजन्! मेरी बात सुनकर राजा रैवत बड़े प्रसन्न हुए और बोले—'यहाँ कोई पर्वत नहीं है; अतः उस शैलपुत्रको दोनों भुजाओंसे उखाड़कर यहाँ लाऊँगा और द्वारकामें उसकी स्थापना करूँगा।'—ऐसी प्रतिज्ञा उन्होंने की॥ १२—१६॥

राजा रैवत उस पर्वतको चुरा लानेके लिये ज्यों ही प्रस्थित हुए, उनसे भी पहले मैं श्रीशैलके नगरमें जा पहुँचा। मुझे कलह प्रिय लगता है, इसलिये मैंने

महात्मा श्रीशैलको राजाका उसके पुत्रकी चोरीसे सम्बन्ध रखनेवाला सारा वृत्तान्त कह सुनाया। श्रीशैलने पुत्रके मोहवश उसको डाँटकर कहा—'तू कहाँ जा रहा है?' इसके बाद श्रीशैल गिरिराज सुमेरु और नगेश्वर हिमवान्‌के पास गया। वह धर्मात्मा पर्वत पुत्र-स्नेहसे बहुत व्याकुल था। उसने उन पर्वतराजोंसे कहा—'मुझे दैवने यही एक पुत्र दिया है, मेरे बहुत-से पुत्र नहीं हैं; उस एकको भी यहाँसे हर ले जानेके लिये महाबली राजा रैवत आये हैं। इन महात्मा राजाके कारण मेरा पुत्र विदेश चला जा रहा है। मैं पुत्र-स्नेहसे विकल होकर आप दोनोंकी शरणमें आया हूँ। आप-लोग राजा रैवतको जीतकर शीघ्र ही मुझे मेरा पुत्र दिला दें॥ १७—२२॥

जातिके प्रति पक्षपात होनेके कारण वे दोनों पर्वत, सुमेरु और हिमालय, लाखों दूसरे पर्वतोंसे घिरे हुए तुरंत ही युद्धके लिये आये। उधर हनुमान्‌जीने जैसे द्रोणगिरिको उखाड़ लिया था, उसी प्रकार रैवतने अपनी दोनों भुजाओंसे उस पर्वतको उखाड़कर बल-पूर्वक ऊपर उठा लिया और ज्यों ही वहाँसे चलनेका विचार किया, त्यों ही अस्त्र-शस्त्र धारण किये बहुत-से पर्वतोंको वहाँ उपस्थित देखा। उन्हें देखकर राजाने उच्चस्वरसे अट्टहास किया, मानो विद्युत्पातकी गड़गड़ाहट हुई हो। उनके उस सिंहनादसे सातों लोकों और सातों पातालोंके साथ सम्पूर्ण ब्रह्माण्ड गूँज उठा। उसी समय उन समस्त योद्धाओंके हाथोंसे सारे अस्त्र-शस्त्र स्वत: गिर गये। जब वे पर्वत नि:शस्त्र हो गये, तब बार-बार कोलाहल करते हुए मार्गमें पर्वत-सहित जाते हुए रैवतको मुक्कों और घुटनोंसे उसी प्रकार मारने लगे, जैसे पूर्वकालमें द्रोणाचलके रक्षक महाबली हनुमान्‌जीके पीछे उन्हें मार गिरानेके लिये ये कुछ दूरतक गये थे। उन पर्वतोंके चोट करनेपर भी राजा रैवतने अपने हाथसे उक्त पर्वतको नहीं छोड़ा॥ २३—२८॥

इधर मेरे ही मुखसे राजा रैवतके ऊपर पर्वतोंका आक्रमण सुनकर भक्तवत्सल भगवान् श्रीकृष्ण अपने भक्तकी सहायताके लिये तत्काल आकाशमार्गसे आ गये और राजाको अपना उत्कृष्ट तेज देकर 'डरो मत'—यों कहकर, अभयदान दे, तुरंत वहीं अन्तर्धान हो गये। भगवान्‌के चले जानेपर उन्हींके तेजसे सम्पन्न हो राजा रैवतने एक हाथपर उस पर्वतको रख लिया और वज्रको भी चूर कर देनेवाले अपने मुक्केसे सुमेरु पर्वतको इस प्रकार मारा, मानो महाबली वज्रधारी इन्द्रने किसी पर्वतपर वज्रसे प्रहार किया हो। उनके मुक्केकी मारसे मेरु पर्वत व्याकुल होकर गिर पड़ा। फिर हिमवान्‌को भी अपने बाहुवेगसे धराशायी करके उस रणदुर्मद नरेशने विन्ध्य आदि अन्य पर्वतोंको अपने पैरोंसे रौंद डाला॥ २९—३३॥

विन्ध्य आदि सभी पर्वत उनके पैरोंके आघातसे कुचले जानेके कारण भयभीत हो युद्धका मैदान छोड़-कर दसों दिशाओंमें भाग चले। इस प्रकार पर्वतोंके समुदायपर विजय पाकर पर्वतके समान सुदृढ़ शरीर-वाले राजा रैवतने उस पर्वतको विजय-गर्जनाके साथ ले जाकर आनर्त्तदेशमें स्थापित कर दिया॥ ३४-३५॥

राजन्! वह पर्वत राजा रैवतके ही नामपर 'रैवतकाचल' के रूपमें विख्यात हुआ। भगवान्‌के प्रति भक्तिभावसे युक्त वह श्रेष्ठ पर्वत आज भी द्वारका क्षेत्रमें विराजमान है। उसके दर्शनमात्रसे ब्रह्महत्याका पाप छूट जाता है। उसके स्पर्शमात्रसे मनुष्य सौ यज्ञोंका फल प्राप्त कर लेता है। उस पर्वतकी यात्रा और परिक्रमा करके नतमस्तक हो जो मनुष्य ब्राह्मणको भोजन देता है, वह भगवान् विष्णुके परमपदको प्राप्त कर लेता है॥ ३६—३८॥

इस प्रकार श्रीगर्गसंहितामें द्वारकाखण्डके अन्तर्गत नारद-बहुलाश्व-संवादमें 'समुद्र और रैवतकाचलका माहात्म्य' नामक चौदहवाँ अध्याय पूरा हुआ॥ १४॥

पंद्रहवाँ अध्याय

यज्ञतीर्थ, कपिटङ्कतीर्थ, नृगकूप, गोपीभूमि तथा गोपीचन्दनकी महिमा; द्वारकाकी मिट्टीके स्पर्शसे एक महान् पापीका उद्धार

श्रीनारदजी कहते हैं—राजन्! उस पर्वत-पर पूर्वकालमें राजा रैवतने यज्ञतीर्थका निर्माण किया, जहाँ एक यज्ञ करके मनुष्य कोटियज्ञोंका फल पाता है। वहीं 'कपिटङ्क' नामक तीर्थ है, जो एक कपिके मार गिराये जानेसे प्रकट हुआ था। राजन्! रैवतक गिरिपर वह तीर्थ सब पापोंका नाश करने-वाला है॥ १-२॥

भौमासुरका सखा एक द्विविद नामक वानर था, जो बड़ा ही दुष्ट था। उसे बलरामजीने वज्रके समान चोट करनेवाले मुक्केसे जहाँ मारा था, वही स्थान 'कपिटङ्क-तीर्थ' है। वह वानर सत्पुरुषोंकी अवहेलना करनेवाला था, तो भी वहाँ मारे जानेसे तत्काल मुक्त हो गया। नरेश्वर! उस तीर्थमें स्नान करनेके लिये सदा देवता-लोग आया करते हैं। 'कलविङ्कतीर्थ' की यात्रा करने-पर कोटि गोदानका फल प्राप्त होता है। इससे दूना पुण्य शुभ दण्डकारण्यकी यात्रा करनेपर मिलता है। उससे भी चौगुना पुण्य सैन्धव नामक विशाल वनकी यात्रा करनेपर सुलभ होता है। उसकी अपेक्षा भी पाँच गुना अधिक पुण्य जम्बूमार्गकी यात्रा करनेसे मनुष्यको मिल जाता है। पुष्करतीर्थके वनमें उससे भी दस गुना पुण्य प्राप्त होता है। उससे दसगुना पुण्य 'उत्पलावर्त-तीर्थ' की यात्रासे सुलभ होता है। उसकी अपेक्षा भी दसगुना पुण्य 'नैमिषारण्यतीर्थ' में बताया गया है। विदेहराज! नैमिषारण्यसे भी सौगुना पुण्य 'कपिटङ्क-तीर्थ' में स्नान करनेसे प्राप्त होता है॥ ३—८॥

द्वारकामें एक 'नृगकूप' है, जो तीर्थोंमें सर्वोत्तम तीर्थ है। उसके दर्शनमात्रसे ब्रह्महत्याका पाप छूट जाता है। राजा नृगने अनजानमें एक ब्राह्मणकी गायको दूसरे ब्राह्मणके हाथमें दे दिया था। उसी पापसे उन्हें गिरगिटका शरीर धारण करके कूपमें रहना पड़ा। दानियोंमें सर्वश्रेष्ठ राजा नृग भी एक छोटे-से पापके कारण अन्धकूपमें गिरे और चार युगोंतक उसीमें रहे। फिर सत्पुरुषोंके देखते-देखते भगवान् श्रीकृष्णने उनका उद्धार किया। महीपते ! उसी दिनसे 'नृगकूप' तीर्थस्वरूप हो गया। कार्तिककी पूर्णिमाको उस कूपके जलसे स्नान करना चाहिये। ऐसा करनेवाला मनुष्य कोटिजन्मोंके किये हुए पापसे छुटकारा पा जाता है, इसमें संशय नहीं है। वहाँ विधिपूर्वक जो एक भी गोदान करता है, वह निस्संदेह कोटि गोदानके पुण्यफलका भागी होता है॥ ९—१३ $\frac{१}{२}$॥

राजन्! अब 'गोपीभूमि' का माहात्म्य सुनो, जो पापहारी उत्तम तीर्थ है। उसके श्रवणमात्रसे कर्म-बन्धनसे छुटकारा मिल जाता है। जहाँ गोपियोंने निवास किया था, उस निवासके कारण ही वह स्थान 'गोपीभूमि' के नामसे प्रसिद्ध हुआ। वहाँ गोपियोंके अङ्गरागसे उत्पन्न उत्तम गोपीचन्दन उपलब्ध होता है। जो अपने अङ्गोंमें गोपीचन्दन लगाता है, उसे गङ्गा-स्नानका फल मिलता है। जो सदा गोपीचन्दनकी मुद्राओंसे मुद्रित होता है, अर्थात् गोपीचन्दनका छापा-तिलक लगाता है, उसे प्रतिदिन महानदियोंमें स्नान करनेका पुण्यफल प्राप्त होता है। उसने सहस्र अश्वमेध और सौ राजसूय यज्ञ कर लिये। सब तीर्थोंका सेवन, दान और व्रतोंका अनुष्ठान भी कर लिया। निस्संदेह वह नित्य गोपीचन्दन लगानेमात्रसे कृतार्थ हो जाता है। गङ्गाकी मिट्टीसे दुगुना पुण्य चित्रकूटकी रजका माना गया है, उससे भी दसगुना पुण्य पञ्चवटीकी रजका है, उसकी अपेक्षा भी सौगुना पुण्य गोपीचन्दन रजका है। गोपीचन्दनको तुम वृन्दावनकी रजके समान समझो। जिसके शरीरमें गोपीचन्दन लगा हो, वह सैकड़ों पापोंसे युक्त हो तो भी उसे यमराज भी अपने साथ नहीं ले जा सकते, फिर यमदूतोंकी तो बात ही क्या है। पापी होनेपर भी जो पुरुष प्रतिदिन गोपीचन्दनका तिलक धारण करता है, वह श्रीहरिके गोलोकधाममें जाता है, जहाँ प्राकृत गुणोंका प्रवेश नहीं है॥ १४—२२॥

सिन्धुदेशका एक राजा था, जिसका नाम दीर्घबाहु

था। वह अन्यायपूर्ण जीवन बितानेवाला, दुष्टात्मा और सदा वेश्यासङ्गमें रत रहनेवाला था। उसने भारतवर्षमें सैकड़ों ब्रह्महत्याएँ की थीं। उस दुरात्माने दस गर्भवती स्त्रियोंका वध किया था। उसने शिकार खेलते समय अपने बाण-समूहोंसे कपिला गौओंकी हत्या की थी। एक दिन वह सिंधी घोड़ेपर चढ़कर मृगयाके लिये वनमें गया। वहाँ उसके कुपित मन्त्रीने राज्यके लोभसे उस महाखल नरेशको तीखी धारवाली तलवारसे उस वनमें ही मार डाला। उसको पृथ्वीपर पड़ा और मृत्युको प्राप्त हुआ देख यमके सेवक बाँधकर परस्पर हर्ष प्रकट करते हुए उसे यमपुरी ले गये। उस पापीको सामने खड़ा देख बलवान् यमराजने तुरंत ही चित्रगुप्तसे पूछा—'इसके योग्य कौन-सी यातना है?'॥ २३—२८॥

चित्रगुप्तने कहा—महाराज! निस्संदेह इसे चौरासी लाख नरकोंमें बारी-बारीसे गिराया जाय और जबतक चन्द्रमा और सूर्य विद्यमान हैं, तबतक यह नरकका कष्ट भोगता रहे। इसने भारतवर्षमें जन्म लेकर एक क्षण भी कभी पुण्य-कर्म नहीं किया है। इसने दस गर्भवती स्त्रियोंकी और असंख्य कपिला गौओंकी हत्या की है। इसके सिवा वन्य पशुओंकी हत्या तो इसने हजारोंकी संख्यामें की है। इसलिये देवता और ब्राह्मणोंकी निन्दा करनेवाला यह महान् पापी है॥ २९—३१॥

नारदजी कहते हैं—राजन्! उस समय यमकी आज्ञासे यमदूत उस पापात्माको लेकर कुम्भीपाक नरकमें ले गये, जिसका दीर्घ विस्तार एक सहस्र योजनका था। वहाँ विशाल कड़ाहमें तपाया हुआ तेल भरा था। उस खौलते हुए तेलमें फेन उठ रहे थे। यमदूतोंने उस पापीको उसी कुम्भीपाकमें गिरा दिया। उसके गिरते ही वहाँकी प्रलयाग्निके समान प्रज्वलित अग्नि तत्काल शीतल हो गयी। विदेहराज! जैसे प्रह्लादको खौलते हुए तेलमें फेंकनेपर वह शीतल हो गया था, उसी प्रकार उस पापीको नरकमें गिरानेसे वहाँकी ज्वाला शान्त हो गयी। यमदूतोंने उसी समय यह विचित्र घटना महात्मा यमको बतायी। चित्रगुप्तके साथ धर्मराज बड़ी चिन्तामें पड़े और सोचने लगे—'इसने तो भूतलपर क्षणभर भी कभी कोई पुण्य नहीं किया है।' नरेश्वर! इसी समय धर्मराजकी सभामें व्यासजी पधारे। उनकी विधिपूर्वक पूजा करके परम बुद्धिमान् धर्मात्मा धर्मराजने उन्हें प्रणाम करके पूछा॥ ३२—३६॥

यम बोले—भगवन्! इस पापीने पहले कभी कहीं कोई सुकृत नहीं किया है। इसलिये जिसमें फेन उठ रहा था, ऐसे खौलते हुए तेलसे भरे कुम्भीपाकके महान् कड़ाहमें इसको फेंका गया था। इसके डालते ही वहाँकी आग तत्काल शीतल हो गयी। इस संदेहके कारण मेरे चित्तमें निश्चय ही बड़ा खेद है॥ ३७-३८॥

श्रीव्यासजीने कहा—महाराज! पाप-पुण्यकी गति उसी प्रकार बड़ी सूक्ष्म होती है, जैसे सम्पूर्ण शास्त्रोंके विद्वानोंमें श्रेष्ठ प्रज्ञावान् पुरुषोंने ब्रह्मकी गति सूक्ष्म बतायी है। दैवयोगसे इसको स्वयं ही प्रत्यक्ष एवं सार्थक पुण्य प्राप्त हो गया है। महामते! जिस पुण्यसे वह शुद्ध हुआ है, उसे बताता हूँ; सुनो। जहाँ किसीके हाथसे द्वारकाकी मिट्टी पड़ी हुई थी, वहीं इस पापीकी मृत्यु हुई है। उस मृत्तिकाके प्रभावसे ही यह पापी शुद्ध हो गया है। जिसके अङ्गमें गोपीचन्दनका लेप हो, वह 'नर' से 'नारायण' हो जाता है। उसके दर्शनमात्रसे तत्काल ब्रह्महत्या छूट जाती है॥ ३९—४२॥

नारदजी कहते हैं—राजन्! यह सुनकर धर्मराज उसे ले आये और इच्छानुसार चलनेवाले एक विशेष विमानपर उसे बैठाकर उन्होंने प्रकृतिसे परे वैकुण्ठधामको भेज दिया। गोपीचन्दनके सुयश (प्रताप) का ज्ञान उनको अकस्मात् उसी समय हुआ। राजन्! इस प्रकार मैंने तुम्हें गोपीचन्दनकी महिमा बतायी। जो श्रेष्ठ मनुष्य गोपीचन्दनके इस माहात्म्यको सुनता ह, वह महात्मा श्रीकृष्णके परमधाममें जाता है॥ ४३-४४॥

इस प्रकार श्रीगर्गसंहितामें द्वारकाखण्डके अन्तर्गत नारद-व्यास-संवादमें 'कपिटङ्क, नृगकूप तथा गोपीभूमिकी महिमाका वर्णन' नामक पंद्रहवाँ अध्याय पूरा हुआ॥ १५॥

सोलहवाँ अध्याय

सिद्धाश्रमकी महिमाके प्रसङ्गमें श्रीराधा और गोपाङ्गनाओंके साथ श्रीकृष्ण और उनकी सोलह हजार रानियोंका समागम

नारदजी कहते हैं—महामते विदेहराज! अब सिद्धाश्रमका माहात्म्य सुनो, जिसका स्मरण करने-मात्रसे समस्त पाप छूट जाते हैं। जिसके स्पर्शमात्रसे साक्षात् श्रीहरिसे कभी वियोग नहीं होता, उसी तीर्थको पुराणवेत्ता पुरुष 'सिद्धाश्रम' कहते हैं। जिसके दर्शनसे सालोक्य, स्पर्शसे सामीप्य, जिसमें स्नान करनेसे सारूप्य और जहाँ निवास करनेसे सायुज्य मोक्षकी प्राप्ति होती है, उसे ही 'सिद्धाश्रम' जानो॥ १—३॥

एक समय चन्द्रानना सखीके मुखसे सिद्धाश्रम तीर्थका माहात्म्य सुनकर श्रीकृष्णके वियोगसे व्याकुल हुई श्रीराधाने उसमें नहानेका विचार किया। वैशाख मासमें सूर्यग्रहणके पर्वपर सिद्धाश्रम तीर्थकी यात्राके लिये कदली-वनसे उठकर श्रीराधाने गोपाङ्गनाओंके सौ यूथ और समस्त गोपगणोंके साथ वहाँ जानेका मन-ही-मन निश्चय किया। श्रीदामाके शापके कारण होनेवाले श्रीकृष्णवियोगके सौ वर्ष बीत चुके थे। श्रीराधिका शिविकामें आरूढ़ हुईं। उनपर छत्र-चँवर डुलाये जाने लगे। इस प्रकार वे सती श्रीराधा आनर्त-देशके महातीर्थ सिद्धाश्रमको गयीं॥ ४—७॥

नरेश्वर! वहीं साक्षात् भगवान् श्रीकृष्ण अपनी सोलह हजार रानियोंके साथ यादवगणोंसे घिरे हुए तीर्थयात्राके लिये आये। करोड़ों बलिष्ठ गोपाल हाथोंमें अस्त्र-शस्त्र लिये श्रीराधिकाकी आज्ञाके अनुसार सिद्धाश्रमकी चारों ओरसे रक्षा कर रहे थे। गोपियोंके सौ यूथ भी बड़े शक्तिशाली थे। वे तथा अन्य गोपाङ्गनाएँ हाथोंमें बेंतकी छड़ी लिये सिद्धाश्रममें विधिपूर्वक स्नान करती हुई श्रीराधाकी सेवामें तत्पर थीं। द्वारकावासी स्नानकी इच्छासे वहाँ आकर खड़े थे। शस्त्र और वेत्र धारण करनेवाले गोपोंने उन्हें मार-मारकर दूर हटा दिया। इसी समय भगवान् श्रीकृष्णकी रानियोंने सिद्धाश्रममें प्रवेश किया। उन रानियोंने भगवान् श्रीकृष्णसे पूछा—'देवकीनन्दन! आप सर्वज्ञ हैं, अतः हमें बताइये, यह कौन स्त्री स्नान कर रही है, जिसका वैभव अद्भुत दिखायी देता है तथा जिसका गौरव मानकर समस्त यादव-पुंगव यहाँ भयभीत-से खड़े हैं। अहो! यह किसकी प्रिया है, इसका क्या नाम है और यह कहाँकी रहने-वाली है?॥ ८—१३॥

श्रीभगवान् बोले—ये साक्षात् वृषभानुकी पुत्री कीर्तिनन्दिनी श्रीराधा हैं, जो सम्पूर्ण व्रजकी अधीश्वरी, गोपाङ्गनाओंकी स्वामिनी तथा मेरी प्राणवल्लभा हैं। ये व्रजसे गोपीगणोंके साथ सिद्धाश्रममें स्नान करनेके लिये आयी हैं। इन्हींके गौरवसे ये यादव त्रस्त होकर खड़े हैं। इन्हींका यह अद्भुत वैभव है॥ १४-१५॥

श्रीकृष्णकी यह बात सुनकर अपने अनुपम रूप और यौवनपर गर्व करनेवाली भामिनी सत्यभामा अपनी सौतोंके बीच धीरे-धीरे बोलीं—'क्या राधा ही रूपवती हैं, मैं रूपवती नहीं हूँ? पूर्वकालमें बहुतसे लोगोंने मेरी याचना की थी। मैं अपने रूप और औदार्य-गुणसे सदा ही पूजित रही हूँ। सखियो! मेरे रूपके ही कारण शतधन्वाकी मृत्यु हुई, अक्रूर और कृतवर्माको यदुपुरीसे पलायन करना पड़ा। जो स्यमन्तकमणि प्रतिदिन अपने-आप आठ भार सुवर्णकी सृष्टि करती है, जिसके रहनेसे दुर्भिक्ष, महामारी आदि कष्ट स्वतः भाग जाते हैं तथा जिसकी पूजाके स्थानमें सर्प, आधि-व्याधि, अमङ्गल और मायावी लोग नहीं रह पाते, मेरे पिताने वही स्यमन्तक-मणि मेरे दहेजमें दी थी। उस मणिसे मेरे घरमें भी सम्पूर्ण अद्भुत वैभव प्रकट हो गया है। मैं अपने महान् प्रेमसे श्रीकृष्णको वशमें रखती हूँ, उनके साथ गरुडपर बैठकर यात्रा करती हूँ। प्राग्ज्योतिषपुरमें भौमासुरके साथ जो महान् युद्ध हुआ था, उसे मैंने अपनी आँखोंसे देखा है। मेरी ही कृपासे तुम सब प्राग्ज्योतिषपुरसे द्वारकापुरीमें आयीं और सब-की-सब श्रीकृष्णकी पत्नी हुईं, इसमें संशय नहीं है। मेरी ही बातका आदर करके इन श्रीकृष्णने इन्द्रको छत्र दिया।

मेरा ही प्रिय करनेकी इच्छासे इन्होंने देवमाता अदितिको उनके दोनों कुण्डल अर्पित किये। ऐरावतके वंशमें उत्पन्न बड़े-बड़े गजराज, जो भौमासुरकी सम्पत्ति थे, मेरी ही इच्छासे महात्मा श्रीकृष्णद्वारा द्वारकामें लाये गये। मेरे ही कारण श्रीहरिने देवराज इन्द्रसे भी महान् वैर ठान लिया। मेरे द्वारपर वृक्षराज पारिजात सदा सुशोभित होता है। मैंने अपने पातिव्रतधर्मसे ही श्रीकृष्णको वशमें कर रखा है। मैंने समस्त सामग्रियोंके साथ नारदजीके हाथ श्रीकृष्णका दान कर दिया था। मेरे समान गौरव और वैभव किसी भी स्त्रीको नहीं प्राप्त हो सकता। रूप और उदारता भी मेरे तुल्य किसी भी स्त्रीमें नहीं है। फिर राधाकी तो बात ही क्या है? जिनके रूपपर चेदिराज शिशुपाल आदिने रणभूमिमें श्रीकृष्णके साथ युद्ध छेड़ दिया था, उन रुक्मिणीका रूप-सौन्दर्य क्या किसीसे कम है? सुन्दर भौंहोंवाली बहिन रुक्मिणी! तुम क्योंकर रूपवती नहीं हो? सखियो! राधा एक गोपकी कन्या है और तुम सब राजकुमारियाँ हो; सभी धन्य और मान्य हो तथा मानवती स्त्रियोंमें श्रेष्ठ हो'॥ १६—२९॥

मिथिलेश्वर! सत्यभामाके इस प्रकार कहनेपर रुक्मिणी आदि सभी श्रेष्ठ रानियाँ मानवती हो गयीं। उन सबको अपने कुल, कौशल, शील, धन, रूप और यौवनपर गर्व था। वे आठों पटरानियाँ सबको मान देनेवाले श्रीकृष्णसे बोलीं॥ ३०-३१॥

रानियाँ बोलीं—प्रभो! आपके मुँहसे पहले हमने राधाके रूपकी बड़ी बड़ाई सुनी है, जिनके प्रति तुम सदा अनुरक्त रहते हो और वे भी सदा तुम्हारे अनुरागके रंगमें रँगी रहती हैं। आज हम उन्हीं तुम्हारी व्रजवासिनी प्रियतमा राधाको देखना चाहती हैं, जो सदा तुम्हारे वियोगसे खिन्न रहती हैं और यहाँ स्नानके लिये आयी हुई हैं॥ ३२-३३॥

नारदजी कहते हैं—राजन्! तब 'तथास्तु' कहकर पटरानियोंसे घिरे हुए श्रीकृष्ण सोलह हजार रानियोंके साथ श्रीराधाका दर्शन करनेके लिये गये। सोनेके रमणीय शिविरमें—जो ध्वजा-पताकाओंसे सुशोभित था और जिस सुन्दर शिविरमें चन्द्र-मण्डलकी शोभाको तिरस्कृत करनेवाला चँदोवा तना था; मोतियोंकी झालरोंसे युक्त परदा लगा था और जहाँ स्वच्छ वस्त्रोंका सुन्दर बिछौना बिछा था; मालतीके मकरन्द एवं इत्र आदिकी सुगन्ध जहाँ सब ओर छा रही थी और उसीके कारण भ्रमरावलियाँ जहाँ मधुर गुञ्जन कर रही थीं—पटरानी श्रीराधा, जिनका चित्त श्रीकृष्णने चुरा लिया था, विराजमान थीं और सखियाँ हंसके समान श्वेत एवं दिव्य व्यजन डुलाकर उनकी सेवा करती थीं। कोई सखी उनके ऊपर छत्र ताने हुए थीं, कुछ सखियाँ झूलेकी डोर पकड़कर झुला रही थीं और कुछ इधर-उधर आती-जाती दिखायी देती थीं। श्रीराधाके कानोंमें बालरविके समान कान्तिमान् कुण्डल झलमला रहे थे। विद्युत्के समान उद्दीप्त माला धारण करनेके कारण उनकी मनोहरता और भी बढ़ गयी थी। उनके श्रीअङ्गोंसे कोटि चन्द्रमाओंके समान प्रकाश फैल रहा था। वे तन्वङ्गी तथा कोमलाङ्गी थीं। वे अपने पैरोंकी सुन्दर अङ्गुलियोंके अग्रभागसे पुष्पाच्छादित मनोहर भूमिपर अत्यन्त कोमल चरणारविन्द धीरे- धीरे रख रही थीं॥ ३४—४०॥

महाराज! उन श्रीराधाको दूरसे ही देखकर श्रीकृष्णकी वे सहस्र रानियाँ उनके रूपसे अत्यन्त मोहित होकर मूर्च्छित हो गयीं। उनके तेजसे इनकी कान्ति उसी तरह विलुप्त हो गयी, जैसे सूर्योदय होनेपर तारिकाएँ। इन्हें जो रूपका अभिमान था, वह जाता रहा। ये सब रानियाँ परस्पर इस प्रकार कहने लगीं—अहो! ऐसा अद्भुत रूप तो तीनों लोकोंमें कहीं भी नहीं है। हमने इनके अद्वितीय मनोहर रूपको जैसा सुना था, वैसा ही देखा।' इस प्रकार आपसमें बात करती हुईं वे रानियाँ श्रीकृष्णको आगे करके श्रीराधिकाके पास जा पहुँचीं। गोपाङ्गनाओं तथा राजकुमारियोंके नेत्र आपसमें मिले॥ ४१—४४॥

इस प्रकार श्रीगर्गसंहितामें द्वारकाखण्डके अन्तर्गत नारद-बहुलाश्व-संवादमें सिद्धाश्रम-माहात्म्यके प्रसङ्गमें 'श्रीराधाके रूपका दर्शन' नामक सोलहवाँ अध्याय पूरा हुआ॥ १६॥

सत्रहवाँ अध्याय

सिद्धाश्रममें श्रीराधा और श्रीकृष्णका मिलन; श्रीकृष्णकी रानियोंका श्रीराधाको अपने शिविरमें बुलाकर उनका सत्कार करना तथा श्रीहरिके द्वारा उनकी उत्कृष्ट प्रीतिका प्रकाशन

श्रीनारदजी कहते हैं—राजन्! पटरानियोंसहित श्रीकृष्णको आया देख गोपाङ्गनाएँ अत्यन्त हर्षसे खिल उठीं और तत्काल जय-जयकार करने लगीं। श्रीराधा सहसा उठीं और हाथ जोड़, श्रीहरिकी परिक्रमा करके अपने कमलोपम नेत्रोंसे आनन्दके आँसू बहाने लगीं। उन्होंने श्रीकृष्णके बैठनेके लिये एक सोनेका सिंहासन दिया, जिसके पायोंमें स्यमन्तकमणि जड़ी हुई थी। पार्श्वभागमें चिन्तामणि जगमगा रही थी, मध्यभागमें पद्मरागमणि शोभा दे रही थी। वह सिंहासन चन्द्र-मण्डलके समान गोलाकार था। उसकी पादपीठिकामें कौस्तुभ-मणियाँ जड़ी गयी थीं। वह सिंहासन कुण्ड-मण्डलसे मण्डित था; पारिजातके पुष्पोंसे सज्जित और अमृतवर्षी छत्रसे अलंकृत था॥ १—४॥

उन्हें सिंहासन देकर श्रीराधा हासयुक्त मुखसे बोलीं—'आज मेरा जन्म सफल हो गया, आज मेरी तपस्याका फल मिल गया। श्रीहरे! तुम आ गये तो आज मेरा धर्म-कर्म सफल हो गया। श्रीसिद्धाश्रमका स्नान धन्य है, जिससे मेरा मनोरथ अद्भुत रीतिसे सफल हुआ। मैंने तो कभी तुम्हारी भक्ति भी नहीं की। तुम भक्तोंके सहायक हो। देव! तुमने मेरी सहायताके लिये इस भूतलपर बहुत-से असुरोंको मार भगाया। जिससे त्रिलोकविजयी कंस भी डरता था, उस शङ्खचूडको तुमने मेरे कहनेसे मार गिराया। हरे! मेरे प्रति प्रेम रखनेके कारण ही तुमने व्रजमण्डलमें देवलोकका वैभव दिखाया। देव! तुमने बलपूर्वक इन्द्रका मान भङ्ग किया और मेरे ही कारण व्रजकी रक्षा करते हुए गोवर्धन पर्वतको धारण किया। रासमण्डलमें गोपियोंने तुम्हारा यथेष्ट आलिङ्गन किया और तुम उनके वशमें हो गये। देव! तुम्हारा यह चरित्र नरलोककी विडम्बनामात्र है'॥ ५—१०॥

श्रीनारदजी कहते हैं—राजन्! यों कहती हुई श्रीराधाने चन्द्राननाकी प्रेरणासे तुरंत श्रीकृष्णकी रानियोंपर दृष्टिपात किया और बड़े आदरके साथ उन सबको सम्मान दिया। रुक्मिणी, जाम्बवती, सत्यभामा, सत्या, भद्रा, लक्ष्मणा, कालिन्दी और मित्रविन्दासे परस्पर गले मिलकर, रोहिणी आदि सोलह हजार रानियोंको भी प्रेमानन्दमयी श्रीराधाने दोनों भुजाओंसे पकड़कर सानन्द हृदयसे लगाया॥ ११—१३॥

श्रीराधा बोलीं—बहिनो! जैसे चन्द्रमा एक है, किंतु उससे स्नेह रखनेवाले चकोर बहुत हैं, जैसे सूर्य एक हैं, किंतु उन्हें देखनेवाली दृष्टियाँ बहुत हैं, उसी प्रकार भगवान् श्रीकृष्णचन्द्र एक हैं, किंतु इनमें भक्ति-भाव रखनेवाली हम सब बहुत-सी स्त्रियाँ हैं। जैसे कमलके प्रभावको भ्रमर जानता है तथा रत्नके प्रभावको उसकी परख करनेवाला जौहरी जानता है, जैसे विद्याके प्रभावको विद्वान् और काव्यके प्रभावको कवीन्द्र जानता है, जैसे सहस्रों मनुष्योंके होनेपर भी रसके प्रभावको केवल रसिक जानता है, उसी प्रकार, हे राजकुमारियो! इस भूतलपर श्रीकृष्णके प्रभावको यथार्थरूपसे इनका भक्त ही जानता है॥ १४—१६॥

श्रीनारदजी कहते हैं—राजन्! श्रीराधाकी बात सुनकर उस समय सपत्नियोंसहित भीष्मनन्दिनी रुक्मिणीने कमललोचना श्रीराधासे कहा॥ १७॥

रुक्मिणी बोलीं—श्रीराधे! वृषभानुनन्दिनि! तुम धन्य हो। तुम्हारे भक्ति-भावसे ये श्रीकृष्ण सदा तुम्हारे वशमें रहते हैं। तीनों लोकोंके लोग जिनकी कथा-वार्ता निरन्तर कहते-सुनते हैं, वे ही भगवान् दिन-रात तुम्हारी कथा कहा करते हैं। श्रीहरिके प्रति तुम्हारे प्रेम-भावका स्वरूप जैसा हमने सुना था, वैसा ही देखा। तुम्हारे लिये कुछ भी आश्चर्यकी बात नहीं है। देवि! तुम हमारे शिविरमें शीघ्र चलो; हम सब तुम्हें ले चलनेके लिये ही यहाँ आयी हैं॥ १८-१९॥

श्रीनारदजी कहते हैं—राजन्! यों कहकर भीष्मनन्दिनी रुक्मिणी कीर्तिकुमारी श्रीराधाको बड़े आदरसे महात्मा श्रीकृष्णके साथ अपने शिविरमें ले आयीं। सर्वतोभद्र नामक शिविरमें, जो कमलोंके केसरसे सुवासित था, सोनेके पलंगपर, शिरीष-पुष्पके समान कोमल बिछावन बिछाकर, तकिया लगाकर, वस्त्र, माला और शृङ्गारसामग्रीसे सपत्नियोंसहित सती रुक्मिणीने रात्रिके समय विधिवत् पूजा करके उन्हें सुखपूर्वक ठहराया। फिर गोपाङ्गनाओंके सौ यूथोंका भी पृथक्-पृथक् पूजन करके उन कृष्ण-प्रियाओंने सबके साथ बहुविध वार्तालाप किया। फिर श्रीराधाको वहाँ सुलाकर वे रानियाँ प्रसन्नतापूर्वक अपने-अपने शिविरमें गयीं। श्रीकृष्णके पास पहुँचकर रुक्मिणीने देखा कि वे बैठे-बैठे जग रहे हैं। तब उन्होंने श्रीकृष्णसे पूछा—'स्वामिन्! आप सोते क्यों नहीं?'॥ २०—२४॥

श्रीभगवान् बोले—शुभ्र! तुमने अगवानी करके, विनयपूर्वक प्रेमभरी बातें सुनाकर, आश्वासन देकर व्रजेश्वरी श्रीराधाकी भलीभाँति पूजा की है और वे अत्यन्त प्रसन्न हुई हैं; परंतु एक बातकी ओर तुमने ध्यान नहीं दिया। वे प्रतिदिन सोनेसे पहले उत्तम दूध पिया करती हैं, किंतु सुन्दरि! आज श्रीराधाने दुग्धपान नहीं किया। महामते! इसीलिये अबतक उनके नेत्रोंमें नींद नहीं आयी है; और भीष्मनन्दिनि! यही कारण है कि मैं भी नहीं सो सका हूँ॥ २५—२७॥

श्रीनारदजी कहते हैं—राजन्! पतिदेवताकी यह उत्तम बात सुनकर रुक्मिणी अपनी सौतोंके साथ दूध लेकर बड़े आदरसे श्रीराधाके समीप गयीं। सोनेके कटोरेमें मिश्री मिलाया हुआ गरम दूध डालकर भीष्मकनन्दिनीने बड़े प्रेमसे श्रीराधाको पिलाया। इस प्रकार विधिवत् पूजा करके उनके हाथमें पानका बीड़ा दिया और सत्यभामा आदि सपत्नियोंके साथ अपने शिविरमें लौट आयीं॥ २८—३०॥

श्रीकृष्णके समीप आकर शुभस्वरूपा श्रीरुक्मिणी अपने द्वारा की गयी दूध पहुँचाने और पिलानेकी सेवाका वर्णन करते हुए साक्षात् श्रीकृष्णके चरणारविन्दोंकी सेवामें लग गयीं। अपने कोमल कर-पल्लवोंसे निरन्तर श्रीचरणोंका लालन करती हुई रुक्मिणी श्रीकृष्णके पाद-तलमें नये छाले देख आश्चर्यसे चकित हो उठीं। उन्होंने पूछा—'प्रभो! आपके चरण-तलोंमें छाले कैसे उभड़ आये हैं? भगवन्! ये आज ही उभड़े हैं। मैं नहीं जानती कि इसका कारण क्या है।' तब श्रीहरिने श्रीराधाकी भक्ति-को प्रकाशित करनेके लिये सोलह हजार रानियोंके सामने स्वयं रुक्मिणीसे कहा॥ ३१—३४॥

श्रीभगवान् बोले—श्रीराधिकाके हृदयारविन्दमें मेरा चरणारविन्द सदा विराजमान रहता है; उनके प्रेमपाशमें बँधकर वह निरन्तर वहीं रहता है, कभी निमेषमात्रके लिये भी अलग नहीं होता। आज तुमलोगोंने उन्हें कुछ अधिक गरम दूध पिला दिया है। वह दूध मेरे पैरोंपर पड़ा और उनमें छाले पड़ गये। तुम सबने उन्हें थोड़ा गरम दूध नहीं दिया, अधिक गरम दूध दे दिया॥ ३५-३६॥

श्रीनारदजी कहते हैं—नरेश्वर! श्रीकृष्णकी बात सुनकर रुक्मिणी आदि सुन्दरियाँ बड़े प्रेमसे उनके पैर सहलाने लगीं और उन्हें सब ओरसे बड़ा विस्मय हुआ। वे परस्पर कहने लगीं—'मधुसूदन माधवमें श्रीराधाकी प्रीति बहुत ही उच्च कोटिकी है। उनकी समानता करनेवाली कोई स्त्री नहीं है। ये श्रीराधा इस भूतलपर अद्वितीय नारी हैं'॥ ३७-३८॥

इस प्रकार श्रीगर्गसंहितामें द्वारकाखण्डके अन्तर्गत नारद-बहुलाश्व-संवादमें सिद्धाश्रममें श्रीराधाकृष्ण-समागमके प्रसङ्गमें 'श्रीराधाके प्रेमका प्रकाश' नामक सत्रहवाँ अध्याय पूरा हुआ॥ १७॥

अठारहवाँ अध्याय

सिद्धाश्रममें व्रजाङ्गनाओं तथा सोलह सहस्त्र रानियोंके साथ श्यामसुन्दरकी रासक्रीड़ा-का वर्णन तथा श्रीराधाके मुखसे वृन्दावनके रासकी उत्कृष्टताका प्रतिपादन

श्रीनारदजी कहते हैं—राजन्! श्रीराधा और गोपीगणोंका उत्कृष्ट प्रेम जानकर रुक्मिणी आदि राजकुमारियोंने रासक्रीड़ा देखनेके लिये उत्सुक हो श्रीहरिसे कहा॥ १॥

पटरानियाँ बोलीं—श्यामसुन्दर! तुममें प्रेम-लक्षणाभक्ति रखनेवाली गोपसुन्दरियाँ धन्य हैं, जो रास-रङ्गमें सम्मिलित हुई थीं। इन सबके तपका क्या वर्णन हो सकता है। माधव! प्रभो! यदि तुम हमारी प्रार्थना स्वीकार करो तो, वृन्दावनमें तुमने जिस विधिसे रास रचाया था, उस विधिको हम देखना चाहती हैं। तुम यहीं हो, श्रीराधा यहीं विराज रही हैं, सम्पूर्ण गोपसुन्दरियाँ एवं व्रजाङ्गनाएँ भी यहीं हैं और हम सब भी यहीं हैं; अतः देवेश्वर! यहाँ रासका आयोजन सर्वथा उचित होगा। जगन्नाथ! तुम हमारे इस मनोरथको पूर्ण करो। मनोहर! प्राणवल्लभ! हमने दूसरा कोई मनोरथ नहीं प्रकट किया है, केवल रासक्रीड़ाका दर्शन कराओ। रानियोंकी यह बात सुनकर भगवान् हँसने लगे। उन्होंने प्रेमपूरित होकर उन सबको अपने वचनोंद्वारा मोहित-सी करते हुए कहा॥ २—६॥

श्रीभगवान् बोले—अङ्गनाओ! रासेश्वरी श्रीराधाके मनमें भी रासक्रीड़ाकी इच्छा हो तो यहाँ रास हो सकता है। अतः तुम्हीं सब जाकर उनसे पूछो। श्रीकृष्णकी यह बात सुनकर रुक्मिणी आदि राज-कुमारियोंने श्रीराधाके पास जाकर हँसते हुए मुखसे अत्यन्त प्रेमपूर्वक कहा॥ ७-८॥

श्रीरानियाँ बोलीं—रम्भोरु! चन्द्रवदने! व्रज-सुन्दरियोंकी स्वामिनि! रासेश्वरि! प्रियतमे! सखि! शीलरूपिणि! रासमें कीर्तिरानीके कुलकी कीर्ति बढ़ानेवाली शुभाङ्गि! हम सब तुम्हारी सखियाँ तुमसे एक बात पूछने आयी हैं। रासमें रस-प्रदान करनेवाले रासेश्वर यहीं हैं तथा रासकी अधीश्वरी तुम भी यहीं हो और अन्य समस्त गोपसुन्दरियाँ भी यहीं हैं। इसी प्रकार हम सब भी यहाँ हैं; अतः सब प्रकारसे रसका आस्वादन करनेके लिये तुम यहाँ रासका आयोजन करो। प्रियतमे! ऐसा हो तो यह हमारे लिये अत्यन्त प्रिय होगा॥ ९-१०॥

श्रीराधाने कहा—सत्पुरुषोंपर कृपा करनेवाले परम रासेश्वर श्यामसुन्दरके मनमें यदि रासक्रीड़ाकी अभिलाषा हो तो यहाँ रास हो सकता है। अतः मेरी प्रियतमा सखियो! तुम सब परम सेवा-शुश्रूषा और पराभक्तिसे उनकी पूजा करके उन्हें वशमें करो॥ ११॥

श्रीनारदजी कहते हैं—राजन्! श्रीराधाकी बात सुनकर रानियोंने श्रीकृष्णकी कही हुई बात बतायी। तब महामना श्रीराधा 'तथास्तु' कहकर अत्यन्त प्रसन्न हुईं। फिर वैशाख मासकी पूर्णिमाको उस शुभ एवं पुण्यतीर्थ सिद्धाश्रममें जब रात्रिका प्रथम प्रहर प्राप्त हुआ और चन्द्रमाकी चाँदनी सब ओर फैल गयी, तब रासक्रीड़ाका आरम्भ हुआ। रासेश्वरके रासका आनन्द प्राप्त करनेके लिये रासेश्वरी श्रीराधा तैयार हो गयीं और उनके साथ रसिकशेखर श्यामसुन्दर रासस्थलीमें उसी तरह सुशोभित हुए, जैसे रतिके साथ रतिपति मदन। जितनी सम्पूर्ण गोपसुन्दरियाँ और जितनी राजकन्याएँ वहाँ उपस्थित थीं, उतने ही रूप धारण करके दो-दो सुन्दरियोंके बीचमें एक-एक श्रीकृष्ण शोभा पाने लगे। ताल, वेणु और मृदङ्गोंकी ध्वनिके साथ मधुर कण्ठवाली सखियोंके गीत और उनके नूपुर-काञ्ची आदि आभूषणोंकी मधुर झनकारका मिला हुआ महान् शब्द वहाँ सब ओर गूँज उठा॥ १२—१६॥

राजन्! करोड़ों कामदेवोंके लावण्यको लज्जित करनेवाले, वनमालाधारी, कुण्डलमण्डित एवं किरीट, वलय और भुजबंदोंसे अलंकृत पीताम्बरधारी श्याम-सुन्दर रासेश्वर रासमें स्वयं रासेश्वरीके साथ गीत गाने लगे। विदेहराज! जैसे तारागणोंसे घिरा हुआ चन्द्रमा

शोभा पाता है, उसी प्रकार रासेश्वर श्रीकृष्ण उन सुन्दरियोंके साथ सुशोभित हो रहे थे। मिथिलेश्वर! इस प्रकार वह महानन्दमयी सम्पूर्ण शुभ निशा रास-मण्डलमें एक क्षणके समान व्यतीत हो गयी। श्रीरास-मण्डलकी शोभा देख रुक्मिणी आदि समस्त पटरानियाँ परमानन्दको प्राप्त हुईं। उन सबका मनोरथ पूर्ण हो गया। रासकी समाप्ति होनेपर रुक्मिणी आदि रानियोंने प्रेमपरवश होकर साक्षात् परिपूर्णतम पुरुषोत्तम श्रीकृष्णसे कहा॥ १७—२१॥

रानियाँ बोलीं—प्रभो! मनोहर रास-रङ्गमें आपकी रूप-माधुरी देखकर हमारा मन उसी प्रकार आत्मानन्दमें निमग्न हो गया, जैसे ज्ञानी मुनि ब्रह्मानन्द-में डूब जाते हैं। ऐसा रास दूसरा न हुआ होगा न होगा। माधव! यहाँ गोपाङ्गनाओंके सौ यूथ विद्यमान हैं। सखियोंसहित हम सोलह हजार आपकी पत्नियाँ भी इसमें सम्मिलित रही हैं। करोड़ों सखियोंके साथ आठों पटरानियाँ भी यहाँ उपस्थित हैं। माधवेश्वर! ऐसा रास तो वृन्दावनमें भी नहीं हुआ होगा॥ २२—२४॥

श्रीनारदजी कहते हैं—राजन्! इस प्रकार अभिमान प्रकट करनेवाली रानियोंकी बात सुनकर श्यामसुन्दर श्रीहरि हँसने लगे और बोले—'यहाँका रास सर्वोत्कृष्ट है या वृन्दावनका, यह तुम श्रीराधासे ही पूछो'॥ २५॥

तब सत्यभामा आदि सब रानियोंने मनोहारिणी श्रीराधासे इसके विषयमें पूछा। श्रीराधा मन-ही-मन कुछ हँसती हुई यह उत्तम बात बोलीं॥ २६॥

श्रीराधाने कहा—सखियो! बहुत-सी सुन्दरियोंसे भरा हुआ यहाँका रास भी बहुत अच्छा रहा है; परंतु पहले-पहल वृन्दावनमें जो रास हुआ था, उसके समान यह कदापि नहीं था। यहाँ दिव्य वृक्षों और लताओंसे व्याप्त, प्रेमके भारसे झुकी हुई लता-वल्लरियोंसे विलसित और मधुमत्त मधुपोंसे सुशोभित वृन्दावन कहाँ है? पुष्प-समूहोंको बहाती हुई फूलोंके छापसे अलंकृत श्यामपटकी भाँति शोभा पानेवाली हंसों और पद्मवनोंसे व्याप्त यमुना नदी यहाँ कहाँ उपलब्ध है? फूलोंके भारसे झुकी हुई माधवी लताएँ यहाँ कहाँ दिखायी देती हैं? प्रेमपरवश पक्षी कहाँ मधुर स्वरोंमें गान कर रहे हैं? चञ्चल भ्रमर-पुञ्जोंसे युक्त कुञ्ज और दिव्य-मन्दिरोंसे मण्डित निकुञ्ज यहाँ कहाँ सुलभ हैं? कमलोंके परागको लेकर शीतल-मन्द-सुगन्ध वायु यहाँ कहाँ बह रही है? ऊँचे-ऊँचे मनोहर शिखरोंसे सुशोभित, सर्वत्र फल-फूलोंसे सम्पन्न तथा सुन्दर कन्दराओंसे अलंकृत महाकाय गजराजकी भाँति शोभा पानेवाला गिरिराज गोवर्धन यहाँ कहाँ दृष्टिगोचर होता है? जहाँ वायुने कोमल बालूका संचय कर रखा है, यमुनाके उस रमणीय पुलिनपर वंशी और बेंतकी छड़ी धारण किये, मल्ल अथवा नटवरके वेषमें विराजित श्यामसुन्दरकी झाँकी यहाँ कहाँ मिल रही है? इस स्थानपर श्रीकृष्णके लिये वनमालासे विभूषित शृङ्गार कहाँ उपलब्ध है? श्यामसुन्दरकी काली, घुँघराली और सुगन्धयुक्त अलकावलियोंका दर्शन यहाँ कहाँ होता है? श्रीकृष्णके स्निग्ध कपोलोंसे मनोहर मुखपर दोनों ओर कुण्डलोंका हिलना-डुलना कहाँ दीखता है? उनके मुखपर पत्र-रचना कहाँ की गयी है? कहाँ सुगन्धके लोभसे भ्रमरावलियाँ टूटी पड़ती हैं? कहाँ वह प्रेमपूर्ण निरीक्षण, स्पर्श और हर्षोल्लास यहाँ सुलभ हुआ है? कामदेवके तीखे बाणोंको तिरस्कृत करनेवाले नेत्रकोणोंसे निहारनेपर जो कटाक्षपातजनित रस प्रकट होता है, वह यहाँ कहाँ प्राप्त हुआ है? दोनों हाथोंसे एक-दूसरेको पकड़कर खींचना, हाथसे हाथ छुड़ाना, निकुञ्जमें छिपना, सामने होनेपर भी दिखायी न देना आदि लीलाएँ यहाँ कहाँ दिखायी देती हैं? यहाँ चीर उठा लेना अथवा वंशी और बेंतको चुरा लेना कहाँ सम्भव हुआ है? प्रेमसे दोनों भुजाओंद्वारा परस्पर खींचकर हृदयसे लगाना, बार-बार एक-दूसरेको पकड़ना, श्यामसुन्दरकी बाँहोंपर चन्दनका लेप लगाना आदि बातें यहाँ कहाँ सम्भव हुई हैं? जहाँ-जहाँकी जो लीला है, वहीं-वहीं वह शोभा पाती है। जहाँ वृन्दावन नहीं है, वहाँ मेरे मनको सुख नहीं मिल सकता॥ २७—४०॥

नारदजी कहते हैं—श्रीराधाकी यह बात सुनकर सारी पटरानियोंने अपने रास-सम्बन्धी अभिमानको त्याग दिया। वे हर्षित और विस्मित हो गयीं। इस प्रकार राधिकावल्लभ श्रीकृष्ण सिद्धाश्रममें रासक्रीड़ा

सम्पन्न करके, समस्त गोपियोंको साथ ले, श्रीराधा और अपनी रानियों-सहित द्वारकामें प्रविष्ट हुए। उन्होंने श्रीराधाके लिये बहुत-से सुन्दर मन्दिर बनवाये। उन समस्त व्रजाङ्गनाओंके रहनेके लिये भी सुखपूर्वक व्यवस्था की॥ ४१—४३$\frac{1}{2}$ ॥

नरेश्वर! इस प्रकार मैंने सिद्धाश्रमकी कथा तुम्हें सुनायी है, जो समस्त पापोंको हर लेनेवाली, पुण्यमयी तथा सबको मोक्ष देनेवाली है॥ ४४-४५ ॥

इस प्रकार श्रीगर्गसंहितामें द्वारकाखण्डके अन्तर्गत नारद-बहुलाश्व-संवादमें सिद्धाश्रम-माहात्म्यके प्रसङ्गमें 'रासोत्सव' नामक अठारहवाँ अध्याय पूरा हुआ॥ १८॥

उन्नीसवाँ अध्याय

लीला-सरोवर, हरिमन्दिर, ज्ञानतीर्थ, कृष्ण-कुण्ड, बलभद्र-सरोवर, दानतीर्थ, गणपतितीर्थ और मायातीर्थ आदिका वर्णन

श्रीनारदजी कहते हैं—राजन्! द्वारावती-मण्डल सौ योजन विस्तृत है। उसकी पूरी परिक्रमा चार सौ योजनोंकी है। उसके बीचमें श्रीकृष्णनिर्मित दुर्ग बारह योजन विस्तृत है। दूसरा बाहरी दुर्ग नब्बे कोसोंमें महात्मा श्रीकृष्णद्वारा निर्मित हुआ है, जो शत्रुओंके लिये दुर्लङ्घ्य है। राजन्! तीसरा बाहरी दुर्ग दो कम दो सौ कोसोंमें संघटित हुआ है, जिसमें रत्नमय प्रासादोंका निर्माण हुआ था। इनके अन्तर्दुर्गमें भी महात्मा श्रीकृष्णके नौ लाख विचित्र मन्दिर हैं॥ १—४ ॥

वहाँ राधा-मन्दिरके द्वारपर 'लीला-सरोवर' है, जो समस्त तीर्थोंमें उत्तम माना गया है। राजन्! उसका गोलोकसे आगमन हुआ है। उसमें स्नान करके व्रत-धारणपूर्वक एकाग्रचित्त हो, अष्टमी तिथिको विधिवत् सुवर्णका दान दे, तीर्थको नमस्कार करे तो पापी मनुष्य भी कोटिजन्मोंके किये हुए पापोंसे मुक्त हो जाता है—इसमें संशय नहीं है। प्राणान्त होनेपर उस मनुष्यको लेनेके लिये निश्चय ही गोलोकसे एक विशाल विमान आता है, जो सहस्रों सूर्योंके समान तेजस्वी होता है। वह मनुष्य दस कामदेवोंके समान लावण्यशाली, रत्नमय कुण्डलोंसे मण्डित, वनमाला-धारी, पीताम्बरसे आच्छादित, श्यामकान्तिमान्, सहस्रों सूर्योंके समान दीप्तिमान्, सहस्रों पार्षदोंसे सेवित दिव्यरूप धारण कर लेता है। उसके दोनों ओर चँवर डुलाये जाते हैं, जय-जयकार की जाती है, वेणुध्वनिके साथ दुन्दुभियोंका गम्भीर नाद होता रहता है। इस अवस्थामें वह उस श्रेष्ठ विमानपर आरूढ़ हो गोलोकधाममें जाता है, इसमें संशय नहीं है॥ ५—१० ॥

महामते राजन्! अब अन्य तीर्थोंका वर्णन सुनो! वहाँ सोलह हजार एक सौ आठ तीर्थ हैं और वहाँ श्रीकृष्णकी उतनी ही पत्नियोंके पृथक्-पृथक् भवन हैं। उन सबकी बारी-बारीसे परिक्रमा और वन्दना करके 'ज्ञानतीर्थ' में गोता लगाकर जो पारिजातका स्पर्श करता है, उसे तत्काल ज्ञान, वैराग्य और भक्तिकी प्राप्ति हो जाती है। उसके हृदयमें भगवान् श्रीकृष्ण सदा प्रसन्नचित्त होकर वास करते हैं। समूची सिद्धियाँ और समृद्धियाँ स्वभावतः उसकी सेवामें उपस्थित रहती हैं। जो श्रीहरिके मन्दिरका दर्शन करता है, वह मुक्त और कृतार्थ हो जाता है। उसके समान दूसरा कोई वैष्णव नहीं है और उस तीर्थके समान दूसरा कोई तीर्थ नहीं है॥ ११—१५ ॥

भगवान्‌के मन्दिरका विस्तार पाँच योजन है। वहाँसे सौ धनुषकी दूरीपर 'श्रीकृष्ण-कुण्ड' है, जो भगवान् श्रीकृष्णके तेजसे प्रकट हुआ है। उसी कुण्डमें स्नान करके जाम्बवतीनन्दन साम्ब कुष्ठरोगसे मुक्त हुए थे। उस कुण्डके दर्शनमात्रसे मनुष्य सम्पूर्ण पापोंसे छुटकारा पा जाता है॥ १६-१७ ॥

मैथिल! वहाँसे अठारह पदकी दूरीपर पूर्व दिशामें सब तीर्थोंमें उत्तम, पुण्यदायक और विशाल 'बलभद्र-सरोवर' है। महाबली बलदेवजीने पृथ्वीकी परिक्रमा करके जहाँ यज्ञ किया, वहीं उस सरोवरका

निर्माण कराकर वे रेवती रानीके साथ विराजमान हुए। उसमें स्नान करके मनुष्य तत्काल समस्त पातकोंसे मुक्त हो जाता है। पृथ्वीकी परिक्रमाका फल उसके लिये दुर्लभ नहीं रह जाता॥ १८—२०॥

राजन्! भगवान्‌के मन्दिरसे सहस्र धनुष आगे दक्षिण दिशामें गणनाथका महान् तीर्थ है। राजन्! अपने पुत्र प्रद्युम्नको जन्म देनेपर, जब वे दस दिन बीतनेके पहले ही अपहृत कर लिये गये, तब रुक्मिणीने जहाँ गणेश-पूजाका अनुष्ठान किया था, वहीं गणनाथ 'तीर्थ' है। नृपेश्वर! वहाँ स्नान करके जो स्वर्णका दान देता है, उसे पुत्रकी प्राप्ति होती है और उसका वंश बढ़ता है॥ २१—२३॥

राजन्! भगवान्‌के मन्दिरसे पश्चिम दिशामें दो सौ धनुषकी दूरीपर परम मङ्गलमय 'दानतीर्थ' है। वहाँ श्रीकृष्णचन्द्रकी प्रसन्नताके लिये जो प्रतिदिन दान करता है, वह उत्तम पुण्यका भागी होता है। विदेह-राज! उस तीर्थमें स्नान करके जो मनुष्य दो पल सोना, आठ पल चाँदी और सौ रेशमी पट्टाम्बर दान देता है तथा सहस्रों मोहर और नवरत्नोंका दान करता है, उस श्रेष्ठ मानवको मिलनेवाले पुण्यफलका वर्णन सुनो। सहस्र अश्वमेध तथा सौ राजसूय यज्ञ भी दानतीर्थके पुण्यकी सोलहवीं कलाके बराबर भी नहीं हो सकते। बदरिकाश्रम-तीर्थकी यात्रासे मनुष्य जिस फलको पाता है, सूर्यके मेषराशिपर रहते समय सैन्धवारण्यकी यात्रा करनेपर जिस फलकी प्राप्ति होती है, सूर्यके वृषराशिमें रहते समय उत्पलावर्त्ततीर्थकी यात्रामें स्नान-दानका उन दोनों तीर्थोंकी अपेक्षा लाखगुना फल मिलता है—इसमें संशय नहीं है। परंतु विदेहराज! दानतीर्थमें उससे भी कोटिगुना फल प्राप्त होता है। जो दानतीर्थमें एक मासतक स्नान करता है, उसको जिस अनन्त पुण्यकी प्राप्ति होती है, उसका ज्ञान चित्रगुप्तको भी नहीं है। उस तीर्थका माहात्म्य बतलानेमें चतुर्मुख ब्रह्माजी भी समर्थ नहीं हैं। सब दानोंमें अश्वदान उत्तम माना गया है, अश्वदानसे श्रेष्ठ गजदान और गजदानसे श्रेष्ठ रथदान है। राजन्! रथदानसे भी बढ़कर भूमिदान है, भूमिदानसे अधिक माहात्म्य अन्नदानका बताया जाता है। अन्नदानके समान दूसरा कोई दान न हुआ है न होगा; क्योंकि देवताओं, ऋषियों, पितरों और भूतोंकी भी अन्नदानसे ही तृप्ति होती है। जो महामनस्वी मनुष्य दानतीर्थमें अन्नका दान करता है, वह तीनों ऋणोंसे मुक्त हो भगवान् विष्णुके परमधाममें जाता है। राजेन्द्र! मातृकुलकी दस, पितृकुलकी दस तथा पत्नीके कुलकी दस पीढ़ियोंका वह मनुष्य उद्धार कर देता है। दानतीर्थमें दान करनेवाले मानव देहत्यागके पश्चात् चतुर्भुज दिव्य रूप धारण करके, गरुडध्वज फहराते हुए, वनमाला और पीताम्बरसे अलंकृत हो भगवान् विष्णुके धाममें जाते हैं॥ २४—३८॥

राजन्! भगवान्‌के मन्दिरसे उत्तर दिशामें आधे कोसकी दूरीपर मनोहर 'मायातीर्थ' है, जहाँ चण्ड-मुण्डका विनाश करनेवाली दुर्गतिनाशिनी सिंहवाहिनी भद्रकाली दुर्गा नित्य विराजती हैं। भगवान् श्रीकृष्ण स्यमन्तकमणि ले आनेके लिये जब ऋक्षराज जाम्बवान्‌की गुफामें गये थे, तब देवकीने अपने पुत्रकी मङ्गल-कामनाके लिये श्रेष्ठ फलोंद्वारा इन्हीं दुर्गादेवीका पूजन किया था। इसी पूजाके प्रभावसे उस बिलसे निकलकर भगवान् श्रीकृष्ण अपनी प्रिया जाम्बवती तथा मणिके साथ घर लौटे थे। वही सुप्रसिद्ध 'मायातीर्थ' है, जो सेवकोंको उत्तम फल प्रदान करनेवाला है। जो मानव मायातीर्थमें स्नान करके मायादेवीका पूजन करता है, वह सम्पूर्ण मनोरथोंको प्राप्त कर लेता है—इसमें संशय नहीं है॥ ३९—४३॥

इस प्रकार श्रीगर्गसंहितामें द्वारकाखण्डके अन्तर्गत नारद-बहुलाश्व-संवादमें प्रथम दुर्गके भीतर 'लीला-सरोवर, हरिमन्दिर, ज्ञानतीर्थ, कृष्ण-कुण्ड, बलभद्र-सरोवर, दानतीर्थ, गणपतितीर्थ और मायातीर्थके माहात्म्यका वर्णन' नामक उन्नीसवाँ अध्याय पूरा हुआ॥ १९॥

बीसवाँ अध्याय

इन्द्रतीर्थ, ब्रह्मतीर्थ, सूर्यकुण्ड, नीललोहित-तीर्थ और सप्तसामुद्रक-तीर्थका माहात्म्य

श्रीनारदजी कहते हैं—विदेहराज! द्वितीय दुर्गके भी पूर्वद्वारपर परम पुण्यमय 'इन्द्रतीर्थ' है, जो अभीष्ट भोगोंका देनेवाला तथा सिद्धिदायक है। राजन्! उस तीर्थमें स्नान करके मनुष्य इन्द्रलोकको जाता है तथा इस लोकमें भी चन्द्रमाके समान उज्ज्वल वैभव प्राप्त कर लेता है॥ १-२॥

इसी प्रकार दक्षिणद्वारपर 'सूर्यकुण्ड' नामक तीर्थ बताया जाता है, जहाँ सत्राजितने स्यमन्तककी पूजा की थी। नृपेश्वर! वहाँ स्नान करके जो मनुष्य पद्मराग-मणिका दान करता है, वह सूर्यके समान तेजस्वी विमानके द्वारा सूर्यलोकको जाता है॥ ३-४॥

इसी प्रकार पश्चिमद्वारपर 'ब्रह्मतीर्थ' नामक एक विशिष्ट तीर्थ है। राजन्! जो बुद्धिमान् मानव वहाँ स्नान करके सोनेके पात्रमें खीरका दान करता है, उसके पुण्यफलका वर्णन सुनो। वह ब्रह्मघाती, पितृघाती, गोहत्यारा, मातृहत्यारा और आचार्यका वध करनेवाला पापी भी क्यों न हो, इन्द्रलोकमें पैर रखकर ब्रह्ममय शरीर धारण करके चन्द्रमाके समान उज्ज्वल विमान-द्वारा ब्रह्मधामको जाता है॥ ५—७॥

इसी प्रकार उत्तरद्वारपर भगवान् नीललोहितका क्षेत्र है, जहाँ साक्षात् नीललोहित महादेव विराजते हैं। विदेहराज! उस तीर्थमें समस्त देवता, मुनि, सप्तर्षि तथा सम्पूर्ण मरुद्गण निवास करते हैं। उसी तीर्थमें प्रयत्नपूर्वक 'नीललोहित' नामक शिवलिङ्गकी पूजा करके लोकरावण रावणने अनुपम ऐश्वर्य प्राप्त किया था। नरेश्वर! कैलासकी यात्रा करनेपर मनुष्य जिस फलको पाता है, उससे सौगुना पुण्य भगवान् नील-लोहितके दर्शनसे होता है। जो मनुष्य 'नील-लोहितकुण्ड'में तीन दिनोंतक स्नान करता है, वह सहस्रों पापोंसे युक्त होनेपर भी शिवलोकमें जाता है॥ ८—१२॥

जहाँ 'सप्त-सामुद्रक' अथवा 'सप्त-सागर' तीर्थ सुशोभित है, वहाँ उस तीर्थमें स्नान करके पापी मनुष्य पाप-समूहोंसे छुटकारा पा जाता है तथा सात समुद्रोंमें स्नान करनेका पुण्य वह तत्काल प्राप्त कर लेता है। मनुजेश्वर! उस तीर्थके आस-पास भगवान् विष्णु, ब्रह्मा, शिव, इन्द्र, वायु, यम, सूर्य, पर्जन्य, कुबेर, सोम, पृथ्वी, अग्नि और जलके स्वामी वरुण—सदा निवास करते हैं। नरेश्वर! ब्रह्माण्डमें जो कोई सात करोड़ तीर्थ हैं, वे सब उस 'सप्तसामुद्रक-तीर्थ' में वास करते हैं। उसमें स्नान करनेके पश्चात् जो मनुष्य उस सम्पूर्ण तीर्थकी परिक्रमा करता है, वह द्वारका-यात्राका सारा फल पा लेता है। 'सप्तसामुद्रक-तीर्थ' की यात्रा किये बिना द्वारका-यात्रा फलवती नहीं होती। देवताओंने 'सप्तसामुद्रक-तीर्थ'को भगवान् विष्णुका स्वरूप माना है॥ १३—१८॥

इस प्रकार श्रीगर्गसंहितामें द्वारकाखण्डके अन्तर्गत नारद-बहुलाश्व-संवादमें 'द्वितीय दुर्गके भीतर इन्द्रतीर्थ, ब्रह्मतीर्थ, सूर्यकुण्ड, नीललोहिततीर्थ तथा सप्तसामुद्रक-तीर्थके माहात्म्यका वर्णन' नामक बीसवाँ अध्याय पूरा हुआ॥ २०॥

इक्कीसवाँ अध्याय

तृतीय दुर्गके द्वार-देवताओंके दर्शन और पूजनकी महिमा तथा पिण्डारक-तीर्थका माहात्म्य

श्रीनारदजी कहते हैं—राजन्! तृतीय दुर्गके पूर्वद्वारपर अञ्जनीनन्दन महाबली हनुमान्जी अहर्निश पहरा देते हैं। जो मनुष्य वहाँ महाबली भगवद्भक्त हनुमान्जीका दर्शन कर लेता है, वह हनुमान्जीकी ही भाँति महान् भगवद्भक्त होता है॥ १-२॥

इसी प्रकार दक्षिणद्वारकी सुदर्शनचक्र दिन-रात

रक्षा करता है। राजन्! उस सुदर्शनका चित्त सदा श्रीकृष्णमें ही लगा रहता है। उसके दर्शनमात्रसे मानव श्रीहरिका उत्तम भक्त होता है। सुदर्शनचक्र उस भक्तकी भी सदा रक्षा किया करता है॥ ३-४॥

इसी तरह पश्चिमद्वारकी बलवान् ऋक्षराज जाम्बवान् रक्षा करते हैं। राजन्! वे निरन्तर भगवद्-भजनमें लगे रहते हैं। उन महाबली भगवद्भक्त जाम्बवान्का दर्शन करके मनुष्य इस लोकमें चिरंजीवी तथा श्रीहरिका भक्त होता है। इस प्रकार महाबली विष्वक्सेन उत्तरद्वारकी अहर्निश रक्षा करते हैं। राजन्! वे श्रीकृष्णके विशाल हृदय हैं। राजन्! उनके दर्शनमात्रसे मनुष्य कृतार्थ हो जाता है॥ ५—७$\frac{1}{2}$॥

दुर्गसे बाहर 'पिण्डारक-तीर्थ' है, उसकी महिमा सुनो। राजशिरोमणे! पिण्डारक-तीर्थका माहात्म्य ध्यान देकर सुनो, जिसके स्मरणमात्रसे मनुष्य बड़े-बड़े पापोंसे छुटकारा पा जाता है। रैवतक पर्वत और समुद्रके बीचमें पिण्डारक क्षेत्र है, जो तीर्थोंमें उत्तम तीर्थ और अर्थ-सिद्धिका द्वाररूप है। विदेहराज! उसी तीर्थमें महाबली यदुराजने परिपूर्णतम भगवान् श्रीकृष्णकी आज्ञा लेकर यज्ञोंके राजा राजसूयका अनुष्ठान किया था। राजन्! राजा उग्रसेनके उस उत्तम यज्ञमें समस्त तीर्थोंका आवाहन किया गया था और वे तीर्थ सब ओरसे आकर उसमें निवास करने लगे। सम्पूर्ण तीर्थोंके पिण्डीभूत होनेसे उस तीर्थका नाम 'पिण्डारक' हुआ। उसमें स्नान करके मनुष्य तत्काल राजसूय यज्ञका फल पा लेता है। वहीं तीन दिनतक स्नान करके व्रतका पालन करते हुए एकाग्रचित्त हो जो ब्राह्मणोंको स्वर्णदान देकर उनके चरणोंमें प्रणत होता है, वह महात्मा यहीं नरदेव होता है—इसमें संशय नहीं है। वह प्रतिदिन वन्दीजनोंके द्वारा अपना यशोगान सुनता है, स्वर्ण, रत्न और उत्तम वस्त्र आदिसे सम्पन्न होता है। चन्द्रमुखी ललनाओंके समुदाय उसकी सेवामें रहते हैं। वह नित्य हृष्ट-पुष्ट और महाबलवान् होता है। उसके दरवाजेपर दिन-रात घन-गर्जनके समान दुन्दुभियाँ बजती रहती हैं। वह देखता है कि उसके बाहरी एवं भीतरी आँगनमें गजराज चिग्घाड़ते और घोड़े हिनहिनाते रहते हैं तथा नरेशोंकी भीड़ लगी रहती है और उसके रत्नमय महलोंपर अनेकानेक ध्वज फहराते रहते हैं। मतवाले हाथियोंके कानोंसे प्रताड़ित भ्रमरमण्डली उसके सामन्त-नरेशोंद्वारा मण्डित द्वारकी शोभा बढ़ाती है। पिण्डारक-तीर्थमें स्नान किये बिना इस लोकमें किसीको राज्य कैसे प्राप्त हो सकता है और पापात्मा मनुष्य भी उस तीर्थमें स्नान किये बिना जीवनके अन्तमें मोक्ष कैसे पा सकता है ? पिण्डारक-तीर्थमें स्नान किये बिना किसीको शर्म (कल्याण) की प्राप्ति नहीं होती। पिण्डारक-तीर्थमें स्नान किये बिना कर्म, धर्म और वर्म (रक्षाकवच) नहीं प्राप्त हो सकते। पिण्डारक-तीर्थमें स्नान किये बिना मनुष्य वियोगका दुःख झेलता है। उसमें स्नान करनेवाला मानव उस दुःखसे दूर रहता अथवा विशिष्ट योगी होता है। उस तीर्थमें स्नान करनेवाला पुण्यात्मा मनुष्य उत्तम भोगोंसे सम्पन्न होता है। रोग उसे छू नहीं सकते॥ ८—२२॥

विदेहराज! जो वैशाख मासमें द्वारावतीकी परिक्रमा करके उसको नमस्कार करता है, उसके हाथमें इस लोक और परलोकको सारी सिद्धियाँ आ जाती हैं। जो चैत्रकी पौर्णमासीसे लेकर वैशाखकी पौर्णमासीतक द्वारकाकी यात्रा करता है और प्रतिदिन तीर्थ-स्नान, भूमिशयन, शौचाचार, मौनव्रत एवं नवान्न-भोजनके नियमसे रहता है, उसको मिलनेवाले पुण्यकी संख्या बतानेमें वेदमय चतुर्मुख ब्रह्मा भी समर्थ नहीं हैं। जो कदाचित् वर्षाकी धाराओंको गिन ले, वह भी श्रीकृष्णपुरीकी यात्रासे होनेवाले पुण्यकी परिगणना नहीं कर सकता। जैसे तिथियोंमें एकादशी, सर्पोंमें नागराज शेष, पक्षियोंमें गरुड, इतिहास-पुराणोंमें महाभारत और जैसे देवताओंमें देवाधिदेव यदुदेवदेव वासुदेव सर्वश्रेष्ठ हैं, उसी प्रकार सम्पूर्ण पुरियों और क्षेत्रोंमें पुण्यवती द्वारावती प्रशस्त है। अहो! भूतलपर वैकुण्ठलीलाकी अधिकारिणी मनोहरा कुशस्थली (द्वारका) पुरी यदुमण्डलीसे उसी प्रकार सुशोभित होती है, जैसे विद्युन्मालाओंसे आकाशमें मेघमालाकी शोभा होती है। यह पुरी धन्य है, जिस पुरीमें साक्षात् परम पुरुष परमेश्वर चतुर्व्यूहरूप धारण करके विराज रहे हैं। जिन्होंने उग्रसेनको

राजाधिराजका पद दे रखा है, उन श्रीकृष्ण हरिको बारंबार नमस्कार है। विदेहराज! जब भगवान् अपने परमधामको पधारेंगे, उस समय उस दिव्य पुरीको समुद्र डुबा देगा। केवल श्रीहरिका दिव्य मन्दिर अवशिष्ट रहेगा, उसीमें भगवान् सदा निवास करेंगे। कलियुगमें वहाँ रहनेवाले लोग प्रतिदिन और निरन्तर सागरकी जलध्वनिमें श्रीकृष्णकी कही हुई यह बात सुना करते हैं—'ब्राह्मण विद्वान् हो या अविद्वान्—वह मेरा ही शरीर है।' जो ब्राह्मण होकर समुद्रके तटसे अगाध जलमें जाकर वहाँसे परमेश्वरकी प्रतिमा लायेगा और उसकी स्थापना करके विशाल मन्दिर बनायेगा, वह साक्षात् सूर्य है। नरदेव! कलियुगमें जो भक्तजन श्रीद्वारकानाथके स्वरूपका दर्शन करते हैं, वे योगीश्वरोंके लिये भी दुर्लभ विष्णुपदको प्राप्त कर लेते हैं। राजन्! यह मैंने श्रीकृष्णपुरीके माहात्म्यका तुमसे वर्णन किया है। जो भक्तिभावसे इसे सुनता और सुनाता है, वह द्वारका-पुरीमें निवासका फल पाता है॥ २३—३४॥

इस प्रकार श्रीगर्गसंहितामें द्वारकाखण्डके अन्तर्गत नारद-बहुलाश्व-संवादमें तृतीय दुर्गके भीतर 'पिण्डारक-तीर्थका माहात्म्य' नामक इक्कीसवाँ अध्याय पूरा हुआ॥ २१॥

बाईसवाँ अध्याय

सुदामा ब्राह्मणका उपाख्यान

श्रीनारदजी कहते हैं—सुदामा नामक श्रीकृष्णके एक ब्राह्मण सखा थे। वे अपनी पत्नी सत्याके साथ अपने नगरमें रहते थे। सुदामा वेद-वेदाङ्गके पारंगत थे, परंतु धनहीन थे और थे वैराग्यवान्। वे अपनी अनुकूल पत्नीके साथ अयाचित वृत्तिके द्वारा जीवन-निर्वाह करते। सुदामाने एक दिन दरिद्रतासे उत्पीड़ित दुःखिनी अपनी पत्नीसे कहा—'पतिव्रते! द्वारकाधीश श्रीकृष्ण मेरे मित्र हैं, सांदीपनि गुरुके घरमें मैंने उनके साथ विद्याध्ययन किया है; परंतु श्रीकृष्णके भोज, वृष्णि और अन्धकोंके अधीश्वर होनेके बाद मेरा उनसे मिलना नहीं हुआ। वे त्रिलोकीके नाथ भगवान् दुःखहारी और दीनवत्सल हैं'॥ १—४ $\frac{1}{2}$ ॥

पतिके वचन सुनकर पतिव्रता सत्याने, जिसका कण्ठ सूख रहा था, जो फटे-पुराने कपड़े पहने हुए थी, भूखसे अत्यन्त पीड़ित थी, पतिदेवसे कहा—'ब्रह्मन्! जब साक्षात् श्रीपति हरि आपके सखा हैं, तब हमलोग फटे चिथड़े पहने और भूखे क्यों रहें? लोग द्वारका जाकर साक्षात् कमलापतिके दर्शन करते हैं और धनवान् होकर घर लौटते हैं; अतएव आप भी वहाँ जाइये'॥ ५—७॥

सुदामाने कहा—मैं सबको सिखाया करता हूँ और आज तुम मुझीको सिखा रही हो? प्रिये! तुम एक विद्वान् ब्राह्मणको माँगकर धन प्राप्त करनेका उपदेश दे रही हो?॥ ८॥

सत्याने कहा—आपके सखा साक्षात् लक्ष्मीपति हैं और यहाँसे बहुत दूर भी नहीं हैं; अतएव आप उनके पास जाइये। वे आपके दुःख-दारिद्र्यका नाश कर देंगे। दुःख-दरिद्रता भोगते-भोगते हमारी उम्र बीत चली। स्वामिन्! ऐसे कृपानिधि दाताकी मित्रताका क्या यही फल है?॥ ९-१०॥

सुदामाने कहा—विधाताने जो भाग्यमें लिख दिया है, वह होगा ही। भद्रे! जाने-आनेसे क्या होता है? घरमें रहकर श्रीहरिका ध्यान करना ठीक है। जिनके दरवाजेमें राजा, देवता, गन्धर्व और किन्नर भी बिना आज्ञाके प्रवेश नहीं कर सकते, वहाँ मुझ-सरीखे दीनको कौन पूछेगा?॥ ११-१२॥

सत्या बोली—यह सत्य है कि उनकी आज्ञाके बिना देवता, गन्धर्व और किंनर अंदर नहीं जा सकते; परंतु साक्षात् हरि तो अन्तर्यामी हैं, वे अपना दूत भेजकर आपको अंदर बुला लेंगे॥ १३॥

ब्राह्मणने कहा—भामिनि! मेरी बात सुनो। श्रीकृष्ण अवश्य ही ऐसे दयालु हैं, परंतु विपत्तिके

समय धनवान् मित्रके घर जाना उचित नहीं है। विशेषतः बहुत दिनोंके बाद उन अन्तरङ्ग प्रेमास्पदको देखकर मैं उनसे क्या याचना करूँगा? लोभसे रहित होनेपर ही प्रेम हुआ करता है, माँगनेपर प्रेम नहीं रहा करता*॥ १४-१५॥

सत्या बोली—आप दुःख-दारिद्र्यका नाश करनेवाले श्रीकृष्णके दर्शन करें, माँगना नहीं होगा। वे अपने-आप ही प्रचुर सम्पत्ति दे देंगे॥ १५ $\frac{1}{2}$॥

सुदामाने पत्नीके द्वारा बहुत तरहसे समझाये-बुझाये जानेपर यह विचार किया—'इस निमित्तसे मित्रके दर्शनका परम लाभ तो हो ही जायगा, परंतु मैं उनको उपहार क्या दूँगा? दरिद्रताके कारण कुछ देनेको है नहीं, इसीसे लज्जित हो रहा हूँ'॥ १६-१७॥

पतिके मुखसे यह बात सुनकर सती ब्राह्मणी दूसरे घरसे चार मुट्ठी तन्दुल (चिउड़ा) माँग लायी और एक पुराने चिथड़ेमें बाँधकर उन्हें पतिको दे दिया। तदनन्तर सुदामाजी मैले कपड़ेसे अपने मैले-कुचैले दुर्बल शरीरको ढककर उन चिउड़ोंको लेकर मन-ही-मन ब्रह्मण्यदेवका स्मरण करते हुए धीरे-धीरे श्रीकृष्ण-के नगरकी ओर चल दिये॥ १८—२०॥

ब्राह्मणने नौकासे समुद्र पार करके स्वर्णमय विचित्र द्वारकापुरीके दर्शन किये। उस पुरीमें पताकाएँ फहरा रही थीं। कतार-की-कतार सभा-भवन और भाँति-भाँतिके दुर्ग सुशोभित थे। बलवान् यादव-वीर उसकी रक्षा कर रहे थे। उसमें चार सड़कें थीं। ब्राह्मणने श्रीकृष्णकी पुरीको देखकर लोगोंसे पूछा—'श्रीकृष्ण-का भवन कौन-सा है, यह बताइये।' इस बातको सुनकर माधवकी द्वारकापुरीके रक्षकोंने कहा—'सभी भवनोंमें श्रीकृष्ण हैं।' यह सुनकर ब्राह्मण किसी एक भवनमें घुस गये और अंदर जाकर देखा कि पलंगपर श्रीकृष्ण विराजमान हैं। उन्हें देखकर सुदामाको ब्रह्मानन्दकी प्राप्ति हुई। माधवने सखा सुदामाको आया देखकर सहसा उठकर उन्हें अपने बाहुपाशमें बाँधकर हृदयसे लगा लिया और वे आनन्दके आँसू बहाने लगे। तदनन्तर स्वर्ण-पात्रोंमें भरे जलके द्वारा उनके दोनों चरणोंका प्रक्षालन किया और उस जलको अपने मस्तकपर धारण करके ब्राह्मणको अपने पलंगपर बैठा लिया। फिर गन्ध, चन्दन, अगुरु, कुङ्कुम, धूप, दीप, मधुपर्क और पक्वान्नके द्वारा उनकी पूजा की। पश्चात् पानका बीड़ा देकर गोदान किया और मलिन-वस्त्रधारी दुबले-पतले, पके बालों-वाले ब्राह्मणसे पधारनेका कारण पूछा। मित्रविन्दाजी मुस्कुराती हुई पंखेके द्वारा सुदामाजीकी सेवा करने लगीं। श्रीकृष्णकी पटरानियाँ सब विस्मित होकर हँसने लगीं और ब्राह्मणको इस प्रकार पूजित देखकर परस्पर कहने लगीं—'इन भिखारीने कौन-सी तपस्या की है, जिससे स्वयं त्रैलोक्यनाथ बड़े भाईकी तरह इनका सत्कार कर रहे हैं।' इसी बीच दोनों मित्र आपसमें हाथ पकड़े हुए पुरानी गुरुके घरकी बातें करने लगे॥ २१—३१॥

श्रीकृष्ण बोले—ब्रह्मन्! सुनो। हम दोनोंने वहाँ सारी विद्याओंका अध्ययन साथ-साथ किया है, परंतु गुरु-दक्षिणा देनेके बाद तुमसे मिलना नहीं हुआ। मैं जरासंधके भयसे द्वारका चला आया। सखे! तुम कहाँ रहते हो, बताओ। तुम्हें याद होगा, एक दिन गुरु-पत्नीकी आज्ञासे हम विद्यार्थीगण लकड़ी लानेके लिये भयंकर वनमें गये थे। वहाँ जानेपर वर्षा और तूफानके मारे भयानक विपत्तिमें पड़ गये। सूर्य अस्त हो गया, रात्रिका घोर अन्धकार छा गया। सब जगह जल-ही-जल हो रहा था, जमीन कहीं दिखायी नहीं देती थी। हम परस्पर हाथ पकड़े बिजलीके प्रकाशमें सब जगह इधर-उधर घूमते रहे। फिर सूर्योदय होनेपर महामना गुरु सांदीपनिजीने वनमें जाकर जलमें सर्दीसे ठिठुरते हुए हम छात्रोंको दर्शन दिया। गुरुजीकी आँखें आँसू बहा रही थीं। उन्होंने हम सबको जलसे निकालकर जमीनपर लाकर कहा—'मेरे बच्चो! तुम मेरी आज्ञाका पूरा पालन करनेवाले हो। प्राणियोंके लिये सबसे प्रिय आत्मा है। तुमने उसका भी अनादर

* विपत्तिकाले मित्रस्य न गच्छेद् गृहमुत्तमम्॥
कथं नु याचनां कुर्वे चिराद् दृष्ट्वा स्वकं प्रियम्। निर्लोभात्तु भवेत् प्रीतिर्याचनात्तु गमिष्यति॥
(गर्ग०, द्वारका० २२। १४-१५)

करके मुझको प्रधानता दी, इसलिये मैं संतुष्ट होकर तुमलोगोंको दुर्लभ वर दे रहा हूँ। तुमलोगोंकी सब अभिलाषाएँ पूर्ण हों। वेद और पुराणादि शास्त्र तुम्हारे कण्ठस्थ हो जायँ।' मित्र! गुरुजीकी इसी कृपासे तभीसे हमलोग सुखोंसे परिपूर्ण हैं॥ ३२—४१ ॥

सुदामाजीने कहा—तुम देवदेव हो, सबके गुरु हो और कोटि-कोटि ब्रह्माण्डोंके नायक हो। तुम श्रीपति हो। तुम्हारा गुरुकुलमें निवास करना अत्यन्त विडम्बना है॥ ४२ ॥

राजन्! ब्राह्मण सुदामाने परमात्मा श्रीकृष्णको वे चिउड़े नहीं दिये। वे मुँह नीचा किये बैठे रहे। सर्वात्मा भगवान् उनके आनेका कारण जान गये—'ये ब्राह्मण धनके इच्छुक नहीं हैं, मुक्तिके लिये ही मेरा भजन करते हैं। इनकी दु:खिनी पतिव्रता पत्नी ही धनकी अभिलाषा रखती है; पर इन अदाता दम्पतिको मैं धन दूँ कैसे?'—यों सोचते-सोचते श्रीहरिने जान लिया कि 'मेरे लिये ये कुछ चिउड़ा लाये हैं, पर लज्जाके मारे दे नहीं पा रहे हैं; अतएव मैं ही माँग लूँगा।' यों विचारकर श्रीकृष्णने कहा—'मित्र! घरसे मेरे लिये क्या उपहार लाये हो? प्रेमका दान अणुमात्र होनेपर भी महान् होता है। जो व्यक्ति भक्तिपूर्वक मुझे पत्र-पुष्प-फल-जल प्रदान करता है, भक्तके द्वारा दिये हुए उस पदार्थका मैं बड़े ही आदरके साथ भोग लगाता हूँ।' भगवान्ने यह कहकर अदाता उस सुदामा ब्राह्मणके चिथड़ेको पकड़कर 'यह क्या है'—यों कहते हुए स्वयं चिउड़ोंको ले लिया और बोले—'सखे! यह तो तुम मेरे लिये परम प्रीतिकर वस्तु लाये हो। ब्रह्मन्! इन तन्दुलोंसे मुझ विश्वरूप भगवान्‌की तृप्ति हो जायगी। मैं गोकुलमें ऐसे श्रेष्ठ चिउड़े खाया करता था, यशोदा दिया करती थी; परंतु उसके बाद आजतक मुझे ये देखनेको भी नहीं मिले'[१]॥ ४३—५२ ॥

इतना कहकर श्रीहरिने एक मुट्ठी चिउड़े चबाकर सारी पृथ्वीकी सम्पत्ति सुदामाको दे दी और दूसरी मुट्ठी खाकर ज्यों ही पातालकी सम्पत्ति देनेको तैयार हुए, वक्ष:स्थलनिवासिनी लक्ष्मीदेवीने उसी क्षण हाथ पकड़कर कहा—'नाथ! बिना अपराध आप मेरा त्याग क्यों कर रहे हैं? श्रीकृष्ण! आपने जो कुछ दिया है, वही पर्याप्त है। उसीसे ये ब्राह्मण इन्द्रके समान हो जायँगे॥ ५३-५४ $\frac{1}{2}$ ॥

इधर ब्राह्मणको इस दानका कुछ पता नहीं लगा। भगवान्‌की मायाने सारी सम्पत्तिको उनके घर पहुँचा दिया। सुदामाजीने एक रात वहाँ सुखपूर्वक रहकर, भोजन-पान आदि करके, दूसरे दिन श्रीकृष्णको नमस्कार करके घर जानेकी अनुमति माँगी। भगवान्ने अनुमति देकर वन्दन और आलिङ्गन किया। ब्राह्मण लज्जावश कुछ भी न माँगकर घर लौट चले और एक ब्राह्मणके प्रति श्रीकृष्णकी श्रद्धा देखकर मन-ही-मन सोचने लगे—'दरिद्र होनेपर भी श्रीकृष्णने मुझे अपनी दोनों भुजाओंमें भरकर मेरा आलिङ्गन किया। मेरे-सरीखे दरिद्र ब्राह्मणको पर्यङ्कपर बैठाकर भाईके समान आदर दिया। रुक्मिणी-सत्यभामाने व्यजनके द्वारा मेरी सेवा की। मैं निर्धन धन पाकर रमापति भगवान्‌को भूल न जाऊँ—इसीसे करुणावश उन्होंने मुझे धन नहीं दिया'॥ ५५—६० $\frac{1}{2}$ ॥

वे इस प्रकार विचारते हुए, पत्नीका स्मरण करते हुए सोचने लगे—''मैं घर जाकर कह दूँगा—'यह लो, कोटि-कोटि धनराशि ग्रहण करो।' श्रीकृष्ण ब्रह्मण्यदेव हैं, दाता हैं, पर तुम्हारे लिये तो कृपण ही रहे। दूसरेके घरको रत्नोंसे भरा देखकर कोई कामना नहीं करनी चाहिये। ललाटमें जो कुछ विधिने लिखा है, उससे अन्यथा नहीं होता।''[२] मन-ही-मन यों कहते हुए सुदामाजी अपनी पुरीमें आ पहुँचे। पुरीको देखकर वे चकित हो गये। बड़े-बड़े दरवाजे, ध्वजाओंसे सुशोभित सोनेके किले और महल खड़े हैं। विचित्र

१. एतत्त्वयोपनीतं मे सखे परमप्रीणनम्। विश्वं मां तर्पयिष्यन्ति ब्रह्मन्नेते च तण्डुलाः॥
ईदृशा गोकुले भुक्ताः श्रेष्ठाः पृथुकतण्डुलाः। मात्रा यशोदया दत्ताः पुनस्तान्नैव दृष्टवान्॥
(गर्ग०, द्वारका० २२। ५१-५२)

२. रत्नैः प्रपूरितान् गेहान् दृष्ट्वा वाञ्छां न कारयेत्। ललाटे लिखितं यद् यत्र तन्नूनं भविष्यति॥
(गर्ग०, द्वारका० २२। ६४)

तोरण और कलशोंसे वह सुशोभित है। नगरी सज्जनोंसे भरी और उसमें इतने रत्न हैं कि दूसरी द्वारकापुरीकी-सी ही शोभा हो रही है॥ ६१—६६॥

ब्राह्मणने कहा—'यह क्या है? यह किसका स्थान है?' वे रास्ते चलते रहे। नगरके नर-नारियोंने उन्हें साथ ले चलना चाहा; पर वे गये नहीं। यह देखकर दास-दासियोंने अपनी स्वामिनी (सुदामाकी पत्नी) के पास जाकर सुदामाजीके आनेकी बात कही। उनको बड़ा आनन्द हुआ और वे साक्षात् लक्ष्मीरूपा ब्राह्मणी बड़े सम्मानके साथ पतिके स्वागतके लिये शिविकापर सवार होकर दास-दासियोंके साथ घरसे निकलीं। सुदामा इधर-उधर घूम रहे थे। पत्नीने अपना मुख दिखाकर उन्हें विश्वास कराया। सुदामाजी स्वर्ण-रत्नादिसे विभूषित, प्रभा और रूपसे सम्पन्न, विमानवासिनी दूसरी लक्ष्मीकी तरह अपनी तरुणी भार्याको देखकर बड़े प्रसन्न हुए और उन्होंने समझा—'यह सब श्रीकृष्णकी ही कृपा है'॥ ६७—७१॥

भोजनकी सामग्री, रत्न, ऐश्वर्य, पर्यङ्क, व्यजन, आसन, चँदोवे, स्वर्णपात्र और तोरण आदिसे सुसज्जित अपनी पुरीमें सुदामाजीने पत्नीके साथ प्रवेश किया। उनका घर तो श्रीकृष्णके भवनके समान हो गया था। श्रीकृष्णकी कृपासे सुदामा भी तरुण हो गये, पर विषयोंसे सर्वथा अनासक्त रहकर वे बिना किसी हेतुके—अनायास प्राप्त हुई समृद्धिका उपभोग करने लगे। वे अपनी पत्नीके साथ ज्ञान, वैराग्य और भक्तिके द्वारा उस सम्पत्तिको त्यागनेका विचार करके मन-ही-मन सोचने लगे—'मेरे पास इतनी समृद्धि कहाँसे आयी? यह देव-दुर्लभ सम्पत्ति ब्रह्मण्यदेव श्रीकृष्णकी ही दी हुई है। इतनी सम्पत्ति देकर भी उन्होंने स्वयं मुझसे कुछ कहा भी नहीं। मेरे चिउड़ोंके दानोंको मुट्ठीमें लेकर बड़ी प्रीतिसे उन्होंने भोग लगाया। जन्म-जन्ममें मुझे उन्हींका सख्य और दास्य प्राप्त हो। मैं उनके चरण-कमलोंका ध्यान करके संसार-सागरसे पार हो जाऊँगा'॥ ७२—७७॥

सुदामाने मन-ही-मन इस प्रकारका निश्चय करके पत्नीके साथ श्रीकृष्णके चरणारविन्दमें अपना मन लगा दिया और सारा धन ब्राह्मणोंको बाँटकर भगवान्‌के धाममें चले गये॥ ७८॥

जो मनुष्य इस श्रीकृष्ण-चरितका श्रवण करता है, वह दरिद्रतासे मुक्त होकर उत्तम भगवद्भक्त हो जाता है॥ ७९॥

नरेश्वर! तुम्हारे सामने इस पुण्यमय द्वारकाखण्ड-का वर्णन किया गया। जो इस खण्डका सदा श्रवण करते हैं, उन्हें उत्तम कीर्ति, कुल, अतिशय भुक्ति-मुक्ति और राज्य प्राप्त होता है॥ ८०॥

इस प्रकार श्रीगर्गसंहितामें द्वारकाखण्डके अन्तर्गत नारद-बहुलाश्व-संवादमें 'सुदामा ब्राह्मणके उपाख्यानका वर्णन' नामक बाईसवाँ अध्याय पूरा हुआ॥ २२॥

॥ द्वारकाखण्ड सम्पूर्ण ॥

श्रीराधाकृष्णाभ्यां नमः

विश्वजित्खण्ड

पहला अध्याय

राजा मरुत्तका उपाख्यान

नमो भगवते तुभ्यं वासुदेवाय साक्षिणे।
प्रद्युम्नायानिरुद्धाय नमः संकर्षणाय च॥ १॥

सबके हृदयमें वास करनेवाले सर्वसाक्षी वासुदेव, संकर्षण, प्रद्युम्न तथा अनिरुद्ध—चतुर्व्यूहस्वरूप आप भगवान्‌को नमस्कार है॥ १॥

अज्ञानतिमिरान्धस्य ज्ञानाञ्जनशलाकया।
चक्षुरुन्मीलितं येन तस्मै श्रीगुरवे नमः॥ २॥

मैं अज्ञानरूपी रतौंधीके रोगसे अंधा हो रहा था। जिन्होंने ज्ञानाञ्जनकी शलाकासे मेरी दिव्य दृष्टि खोल दी है, उन श्रीगुरुदेवको मेरा नमस्कार है॥ २॥

श्रीगर्गजीने कहा—मुने! इस प्रकार भगवान् श्रीकृष्णका चरित्र मैंने तुमसे कह सुनाया, जो मनुष्योंको धर्म, अर्थ, काम और मोक्ष—चारों पुरुषार्थोंका देने-वाला है। अब और क्या सुनना चाहते हो?॥ ३॥

शौनकने कहा—तपोधन! श्रीकृष्णके प्रिय भक्त तथा श्रीहरिमें प्रगाढ़ प्रीति रखनेवाले मैथिलराज बहुलाश्वने फिर देवर्षि नारदसे क्या पूछा, वही प्रसङ्ग मुझे सुनाइये॥ ४॥

श्रीगर्गजी बोले—मुने! भगवान् श्रीकृष्णने (मरुत्तके अवतार) उग्रसेनको यादवोंका राजा बनाया, यह सुनकर मिथिलानरेश बहुलाश्वको बड़ा विस्मय हुआ। उन्होंने नारदजीसे प्रश्न किया॥ ५॥

बहुलाश्व बोले—देवर्षे! ये मरुत्त कौन थे? ये किस पुण्यसे भूतलपर यदुवंशियोंके राजा उग्रसेन हो गये? जिनके स्वयं भगवान् श्रीकृष्णचन्द्र भी सहायक हुए, उनकी महिमा अद्भुत है। देवर्षि-शिरोमणे! उनकी महत्ता क्या थी? यह मुझे बताइये॥ ६-७॥

श्रीनारदजीने कहा—राजन्! सत्ययुगमें सूर्यवंशी राजा मरुत्त चक्रवर्ती सम्राट् थे। उन्होंने विधिपूर्वक विश्वजित्-यज्ञका अनुष्ठान किया था। वे हिमालयके उत्तर भागमें बहुत बड़ी सामग्री एकत्र करके, मुनिश्रेष्ठ संवर्तको आचार्य बनाकर यज्ञके लिये दीक्षित हुए। उनके यज्ञमें पाँच योजन विस्तृत कुण्ड बना था। एक योजनका तो ब्रह्मकुण्ड था और दो-दो कोसके पाँच कुण्ड और बने थे। कुण्डके गर्तका जो विस्तार था, तदनुसार वेदियोंसे दस मेखलाएँ बनी थीं। उस यज्ञमण्डपमें जो स्तम्भ बना था, उसकी ऊँचाई एक हजार हाथकी थी। वह महान् यज्ञस्तम्भ बड़ी शोभा पाता था। उसमें सोनेका यज्ञमण्डप बना था, जिसका विस्तार बीस योजन था। चँदोवों, बंदनवारों और कदलीखण्डसे वह यज्ञमण्डप मण्डित था। उस यज्ञमें ब्रह्मा-रुद्र आदि देवता अपने गणोंके साथ पधारे थे। समस्त ऋषि-मुनि स्वयं उस यज्ञमें आये थे। उस यज्ञमें दस लाख होता, दस लाख दीक्षित, पाँच लाख अध्वर्यु और उद्गाता अलग थे। वहाँ चारों वेदोंके विद्वान् ब्राह्मण बुलाये गये थे, जो सम्पूर्ण शास्त्रोंके अर्थतत्त्वके ज्ञाता थे। और भी करोड़ों ब्राह्मण उसमें पूजित हुए थे। उस यज्ञमें हाथीकी सूँड़के समान घीकी मोटी घृत-धाराओंकी आहुति दी गयी थी, जिसको खाकर अग्निदेवको अजीर्णका रोग हो गया। मिथिलेश्वर! उस यज्ञके विषयमें ऐसा होना कोई विचित्र बात न जानो॥ ८—१६॥

उस यज्ञमें विश्वेदेवगण सभासद् थे। वे जिन-जिनके लिये भाग देना आवश्यक बताते थे, उन-उनके लिये भागका परिवेषण (परोसनेका कार्य) स्वयं मरुद्गण करते थे। उस यज्ञके समय त्रिलोकीमें कोई भी ऐसे जीव नहीं थे, जो भूखे रह गये हों। सम्पूर्ण देवताओंको सोमरस पीते-पीते अजीर्ण हो गया था। यजमान राजा मरुत्तने उस यज्ञमें आचार्य संवर्त-

को जम्बूद्वीपका राज्य दे दिया। इसके सिवा चौदह लाख हाथी, चौदह लाख भार सुवर्ण, सौ अरबी घोड़े तथा नौ करोड़ बहुमूल्य रत्न भी यज्ञान्तमें महात्मा आचार्यको दक्षिणाके रूपमें दिये। प्रत्येक ब्राह्मणको उन्होंने पाँच-पाँच हजार घोड़े, सौ-सौ हाथी और सौ-सौ भार सुवर्ण प्रदान किया। जलपात्र और भोजनपात्र सब सुवर्णके बने हुए थे, जो अत्यन्त उद्दीप्त दिखायी देते थे। उनमें भोजन करके सब ब्राह्मण संतुष्ट होकर विदा हुए। ब्राह्मणोंके फेंके हुए उच्छिष्ट स्वर्णपात्रोंसे हिमालयके पार्श्वमें सौ योजनका सुवर्णमय पर्वत बन गया था, जो आज भी देखा जा सकता है॥ १७—२३॥

राजा मरुत्तका जैसा यज्ञ हुआ, वैसा दूसरे किसी राजाका कभी नहीं हुआ। राजेन्द्र! सुनो, त्रिलोकीमें वैसा यज्ञ न हुआ है न होगा। उस यज्ञकुण्डमें साक्षात् परिपूर्णतम भगवान् श्रीकृष्णने प्रकट होकर महात्मा राजा मरुत्तको अपने स्वरूपका दर्शन कराया था। उन श्रीहरिका दर्शन करके, उनके चरणोंमें माथा नवाकर, राजा मरुत्त दोनों हाथ जोड़े खड़े रहे; कुछ बोल न सके। उनके शरीरमें रोमाञ्च हो आया और वे प्रेमसे विह्वल हो गये। इस तरह उन प्रेमपूरित नरेशको अपने चरणोंमें प्रणत हुआ देख साक्षात् भगवान् श्रीकृष्ण मेघके समान गम्भीर वाणीमें बोले॥ २४—२७॥

श्रीभगवान्ने कहा—राजन्! तुमने अपने विनयसे मुझे संतुष्ट किया है। निष्कामभावसे सम्पादित उत्तम यज्ञोंद्वारा मेरी पूजा की है। महामते! तुम मुझसे कोई उत्तम वर माँग लो। मैं तुम्हें वह वरदान दूँगा, जो स्वर्गके देवताओंके लिये भी दुर्लभ है॥ २८॥

श्रीनारदजी कहते हैं—राजन्! राजा मरुत्तने भगवान्का उपर्युक्त वचन सुनकर, हाथ जोड़ परिक्रमा करके, उन परमेश्वर हरिका परम भक्तिभावसे विशद उपचारोंद्वारा पूजन किया और प्रणाम करके अत्यन्त गद्गद वाणीमें कहा॥ २९॥

मरुत्त बोले—श्रीपुरुषोत्तमोत्तम! आपके चरणारविन्दोंसे बढ़कर दूसरा कोई उत्तम वर मैं नहीं जानता। जैसे प्यास लगनेपर दुर्बुद्धि नरपशु गङ्गाजीके तटपर पहुँचकर भी प्यास बुझानेके लिये कुआँ खोदते हैं (उसी प्रकार आपके चरणारविन्दोंको पाकर दूसरे किसी वरकी इच्छा करना दुर्बुद्धिका ही परिचय देना है) तथापि हे व्रजेश्वर! आपकी आज्ञाका गौरव रखनेके लिये मैं यही वर माँगता हूँ कि मेरे हृदय-कमलसे आपका चरणारविन्द कदापि दूर न जाय; क्योंकि वही चारों पुरुषार्थों तथा अर्थ-सम्पदाओंका मूल कहा गया है॥ ३०-३१॥

श्रीभगवान् बोले—राजन्! तुम्हारी निर्मल मति धन्य है। तुम्हें वरदानका लोभ दिये जानेपर भी तुम्हारी बुद्धिमें किसी कामनाका उदय नहीं हुआ है। तथापि तुम मुझसे कोई अभीष्ट वर माँग लो; क्योंकि फल देकर भक्तको सुखी किये बिना मुझे सुख नहीं मिलता॥ ३२॥

मरुत्तने कहा—प्रभो! यदि मुझे अभीष्ट वर देना ही है तो इस भूतलपर वैकुण्ठलोकको स्थापित कर दीजिये और भक्तवत्सल! उसी पुरमें श्रेष्ठ भक्तजनोंके साथ मैं निवास करूँ और आप मेरी रक्षा करते रहें॥ ३३॥

श्रीभगवान् बोले—राजन्! जबतक इस मन्वन्तरके अट्ठाईस युग बीतेंगे, तबतक तुम स्वर्गका सुख भोगकर अट्ठाईसवें द्वापरमें मेरे साथ पृथ्वीपर आकर अपने मनोरथके समुद्रको गोवत्सकी खुरीके समान बना लोगे। अर्थात् उस समय तुम्हारा यह सारा मनोरथ अनायास ही पूर्ण हो जायगा॥ ३४॥

श्रीनारदजी कहते हैं— मिथिलेश्वर! यों कहकर साक्षात् भगवान् श्रीकृष्ण वहीं अन्तर्धान हो गये। वे ही ये राजा मरुत्त उग्रसेन हुए। श्रीहरिने स्वयं उनसे राजसूय-यज्ञ करवाया। मैथिलेश्वर! त्रिलोकीमें कौन-सी ऐसी वस्तु है, जो भगवद्भक्तोंके लिये दुर्लभ हो? नृपोत्तम! जो मनुष्य मरुत्तके इस चरित्रको सुनता है, उसे भक्तियुक्त ज्ञान और वैराग्यकी प्राप्ति होती है॥ ३५—३७॥

इस प्रकार श्रीगर्गसंहितामें विश्वजित्खण्डके अन्तर्गत श्रीनारद-बहुलाश्व-संवादमें 'श्रीमरुत्तका उपाख्यान' नामक पहला अध्याय पूरा हुआ॥ १॥

दूसरा अध्याय

राजा उग्रसेनके राजसूय-यज्ञका उपक्रम; प्रद्युम्नका दिग्विजयके लिये बीड़ा उठाना और उनका विजयाभिषेक

बहुलाश्वने पूछा—मुने! राजा उग्रसेनने श्रीकृष्णकी सहायतासे राजसूय-यज्ञका किस प्रकार विधिवत् अनुष्ठान किया, यह मुझे बताइये॥ १॥

श्रीनारदजीने कहा—एक समयकी बात है—सुधर्मा सभामें श्रीकृष्णकी पूजा करके, उन्हें शीश नवाकर प्रसन्नचेता राजा उग्रसेनने दोनों हाथ जोड़कर धीरेसे कहा॥ २॥

उग्रसेन बोले—भगवन्! नारदजीके मुखसे जिसका महान् फल सुना गया है, उस राजसूय नामक यज्ञका यदि आपकी आज्ञा हो तो अनुष्ठान करूँगा। पुरुषोत्तम! आपके चरणोंकी सेवासे पहलेके राजालोग निर्भय होकर, जगत्‌को तिनकेके तुल्य समझकर अपने मनोरथके महासागरको पार कर गये थे॥ ३-४॥

श्रीभगवान्‌ने कहा—राजन्! यादवेश्वर! आपने बड़ा उत्तम निश्चय किया है। उस यज्ञसे आपकी कीर्ति तीनों लोकोंमें फैल जायगी। प्रभो! सभामें समस्त यादवोंको सब ओरसे बुलाकर पानका बीड़ा रख दीजिये और प्रतिज्ञा करवाइये। समस्त यादव मेरे अंशसे प्रकट हुए हैं। वे लोक, परलोक—दोनोंको जीतनेकी इच्छा करते हैं। वे दिग्विजयके लिये यात्रा करके, शत्रुओंको जीतकर लौट आयेंगे और सम्पूर्ण दिशाओंसे आपके लिये भेंट और उपहार लायेंगे॥ ५—७॥

श्रीनारदजी कहते हैं—राजन्! तदनन्तर इन्द्रके दिये सिंहासनपर विराजमान राजा उग्रसेनने अन्धक आदि यादवोंको सुधर्मा सभामें बुलवाया और पानका बीड़ा रखकर कहा॥ ८॥

उग्रसेन बोले—जो समराङ्गणमें जम्बूद्वीपनिवासी समस्त नरेशोंको जीत सके, वह इन्द्रके समान धनुर्धर मनस्वी वीर यह पानका बीड़ा चबाये॥ ९॥

श्रीनारदजी कहते हैं—मिथिलेश्वर! यह सुनकर अन्य सब राजा तो चुपचाप बैठे रह गये, किंतु शम्बर-शत्रु रुक्मिणीनन्दन महात्मा प्रद्युम्नने ही सबसे पहले राजाको प्रणाम करके वह पानका बीड़ा उठा लिया॥ १०॥

प्रद्युम्न बोले—मैं समरभूमिमें जम्बूद्वीपनिवासी समस्त राजाओंको जीतकर और उनसे बलपूर्वक भेंट लेकर लौट आऊँगा। यदि मैं यह कार्य न कर सकूँ तो मुझे अगम्या स्त्रीके साथ गमनका, कपिला गौ, ब्राह्मण, गुरु तथा गर्भस्थ शिशुके वधका पाप लगे॥ ११-१२॥

श्रीनारदजी कहते हैं—राजन्! शम्बरारि प्रद्युम्नका यह वचन सुनकर समस्त यूथपति 'बहुत अच्छा, बहुत अच्छा' कहकर साधुवाद देने लगे और उन सबके सामने ही यदु-कुल-तिलक प्रद्युम्नने ही दिग्विजयका बीड़ा उठाया। यदुकुलके आचार्य गर्गजीसे यत्नपूर्वक मुहूर्त पूछकर मुनियोंद्वारा वैदिक मन्त्रोंके उच्चारणपूर्वक राजाने प्रद्युम्नको स्नान करवाया। स्वयं उग्रसेनने प्रद्युम्नके भालमें तिलक लगाया तथा भेंट देकर समस्त यादवयूथपतियोंने उनको नमस्कार किया। उग्रसेनने महात्मा प्रद्युम्नको खड्ग दिया। साक्षात् महाबली बलदेवजीने कवच प्रदान किया। श्रीहरिने अपने तूणीरमेंसे खींचकर अक्षय बाणोंसे भरे हुए दो तरकस दिये तथा अपने शार्ङ्ग-धनुषसे धनुष उत्पन्न करके उनके हाथमें दिया। वृद्ध शूरसेनने किरीट, दो दिव्य कुण्डल, मनोहर पीताम्बर तथा छत्र और चँवर दिये। महामनस्वी वसुदेवने उन्हें शतचन्द्र नामक ढाल दी। साक्षात् उद्धवने सुन्दर किञ्जल्किनी (केसरयुक्त) माला भेंट की। अक्रूरने विजय नामक दक्षिणावर्त शङ्ख दिया और मुनिवर गर्गाचार्यने श्रीकृष्ण-कवच नामक यन्त्र बाँध दिया॥ १३—२०॥

उसी समय लोकपालोंसहित देवराज इन्द्र मनमें कौतुक लिये आ गये। ब्रह्मा, शिव तथा देवर्षिगण भी वहाँ पधारे। शूलधारी शिवने प्रद्युम्नको अग्निके समान तेजस्वी त्रिशूल दिया। महाराज! ब्रह्माजीने पद्मराग नामक मस्तकमें धारण करनेयोग्य मणि दी। वरुणने पाश, शक्तिधारी स्कन्दने शत्रु-विनाशिनी शक्ति, वायुने दो दिव्य व्यजन और यमराजने यमदण्ड दिये। सूर्यने बड़ी भारी गदा, कुबेरने रत्नोंकी माला, चन्द्रमाने चन्द्र-

कान्तमणि तथा अग्निदेवने परिघ प्रदान किये। पृथ्वीने दो योगमयी दिव्य पादुकाएँ दीं तथा वेगशालिनी भद्रकालीने प्रद्युम्नको माला भेंट की। इन्द्रने महात्मा प्रद्युम्नको सहस्रों ध्वजोंसे सुशोभित महादिव्य रत्नमय विजय दिलानेवाला रथ प्रदान किया॥ २१—२८॥

उस समय शङ्ख और दुन्दुभियाँ बजने लगीं। ताल और वीणा आदिके शब्द होने लगे। जय-जयकारकी ध्वनिसे युक्त मृदङ्ग और वेणुओंके उत्तम नादसे तथा वेद-मन्त्रोंके घोषसे वहाँका स्थान गूँज उठा। मोतियोंकी वर्षाके साथ खील और फूलोंकी वृष्टि होने लगी। देवताओंने प्रद्युम्नके ऊपर पुष्पोंकी झड़ी लगा दी॥ २९-३०॥

इस प्रकार श्रीगर्गसंहितामें विश्वजित्खण्डके अन्तर्गत श्रीनारद-बहुलाश्व-संवादमें 'प्रद्युम्नका विजयाभिषेक' नामक दूसरा अध्याय पूरा हुआ॥ २॥

तीसरा अध्याय

प्रद्युम्नके नेतृत्वमें दिग्विजयके लिये प्रस्थित हुई यादवोंकी गजसेना, अश्वसेना तथा योद्धाओंका वर्णन

श्रीनारदजी कहते हैं—राजन्! तदनन्तर भगवान् श्रीकृष्ण, राजा उग्रसेन, बलरामजी तथा गुरु गर्गाचार्यको नमस्कार करके, उनकी आज्ञा ले, प्रद्युम्न रथपर आरुढ़ हो कुशस्थली पुरीसे बाहर निकले। फिर उनके पीछे समस्त उद्धव आदि यादव, भोजवंशी, वृष्णिवंशी, अन्धकवंशी, मधुवंशी, शूरवंशी और दशार्हवंशमें उत्पन्न वीर चले। फिर श्रीकृष्णके भाई गद आदि सब वीर श्रीकृष्णकी अनुमति ले पुत्रों और सेनाओंके साथ चल दिये। साम्ब आदि महारथी भी प्रद्युम्नके साथ गये॥ १—३॥

वे सभी यादव-वीर किरीट, कुण्डल तथा लोहेके बने हुए कवचसे अलंकृत थे। उनके साथ करोड़ोंकी संख्यामें चतुरङ्गिणी सेना थी। वे सब द्वारकापुरीसे बाहर निकले। उनके रथ मोर, हंस, गरुड, मीन और तालके चिह्नसे युक्त ध्वजोंसे सुशोभित थे, सूर्यमण्डलके समान तेजोमय थे और चञ्चल अश्व उनमें जोते गये थे। उन रथोंके कलश और शिखर सोनेके बने थे, मोतियोंकी बन्दनवारें उनकी शोभा बढ़ाती थीं। वे सभी रथ वायुवेगका अनुकरण करते थे। उनमें दिव्य चँवर डुलाये जा रहे थे। वे वीरोंके समुदायसे सुशोभित तथा सुनहरे देव-विमानोंके समान प्रकाशमान थे, ऐसे रथोंद्वारा उन मनोहर वीरोंकी बड़ी शोभा हो रही थी। उस सेनामें अत्यन्त उद्भट ऊँचे-ऊँचे गजराज थे, जिनके गण्डस्थलसे मद झर रहे थे। उनके मुखमण्डलपर चित्र-विचित्र पत्र-रचना की गयी थी। वे सुनहरे कवचसे सुशोभित थे। उनकी पीठपर लाल रंगकी झूल पड़ी थी और उनके उभय पार्श्वमें लटकाये गये घंटे बज रहे थे। नरेश्वर! उस राजसेनाके हाथी गिरिराजके शिखर-जैसे जान पड़ते थे। वे भद्रजातीय गजेन्द्र विभिन्न दिशाओंमें विद्यमान गजराजों—दिग्गजोंकी नकल करते दिखायी देते थे। कोई भद्र-जातीय थे, जिनकी चर्चा की गयी है। दूसरी भद्रमृग जातिके थे। कुछ हाथी विन्ध्याचल पर्वतमें उत्पन्न हुए थे और कुछ कश्मीरी थे। कितने ही मलयाचलमें उत्पन्न थे। बहुत-से हिमालयमें पैदा हुए थे। कुछ मुरण्ड देशमें उत्पन्न हुए थे और कितने ही कैलास पर्वतके जंगलोंमें पैदा हुए थे। कितनोंके जन्म ऐरावत-कुलमें हुए थे, जिनके चार दाँत थे और उनकी गर्दनोंमें जंजीर (गरदनी या गिराँव) सुशोभित थीं। उनके ऊर्ध्वभागमें तीन-तीन सूँड़ें थीं और वे भूतलपर तथा आकाशमें भी चल सकते थे॥ ४—१२॥

करोड़ों हाथी ध्वजा-पताकाओंसे सुशोभित थे। उनपर करोड़ों दुन्दुभियाँ रखी गयी थीं। उस सेनाके भीतर करोड़ोंकी संख्यामें विद्यमान वे हाथी रत्न-समूहसे मण्डित थे और महावतोंसे प्रेरित होकर चलते थे। गर्जना करते हुए, मेघोंकी घटाके समान काले तथा नीले रंगकी झूलसे आच्छादित वे गजराज उस सैन्य-सागरमें इधर-उधर मगरमच्छोंके समान शोभा

पाते थे। वे अपनी सूँड़ोंसे लता-झाड़ियोंको उखाड़कर सूर्यमण्डलकी ओर फेंकते, पैरोंके आघातसे धरतीको कम्पित करते और मदकी वर्षासे पर्वतोंको आर्द्र किये देते थे। वे अपने कुम्भस्थलोंकी टक्करसे दुर्ग, शैल और शिलाखण्डोंको भी गिराने तथा शत्रुसेनाको खण्डित करनेकी शक्ति रखते थे। उस यादव-सेनामें ऐसे-ऐसे हाथी विद्यमान थे॥ १३—१६॥

राजन्! गजसेनाके पीछे घोड़ोंकी सेना निकली। उन घोड़ोंमें कुछ मत्स्यदेशके, कुछ कलिन्दपर्वतके, कुछ उशीनर देशके, कुछ कोसल, विदर्भ और कुरुजाङ्गल देशके थे। कोई काम्बोजीय (काबुली), कोई सृञ्जयदेशीय, कोई केकय और कुन्ति देशोंके पैदा हुए थे। कोई दरद, केरल, अङ्ग, वङ्ग और विकट जनपदोंमें पैदा हुए थे। कितने ही कोङ्कण, कोटक, कर्नाटक तथा गुजरातमें पैदा हुए घोड़े थे। कोई सौवीर देशके और कोई सिंधी थे। कितने ही पञ्चाल (पंजाब) और आबूमें उत्पन्न हुए थे। कितने ही कच्छी घोड़े थे। कुछ आनर्त, गन्धार और मालव देशके अश्व थे। कुछ महाराष्ट्रमें उत्पन्न, कुछ तैलंग देशमें पैदा हुए और कुछ दरियाई घोड़े थे॥ १७—२०॥

परिपूर्णतम परमात्मा श्रीकृष्णकी अश्वशालाओंमें जो घोड़े विद्यमान थे, वे भी सब-के-सब उस दिग्विजय-यात्रामें निकल पड़े। कुछ श्वेतद्वीपसे आये थे। कुछ जो वैकुण्ठ, अजितपद तथा रमावैकुण्ठ-लोकसे प्राप्त हुए अश्व थे, वे भी उस सेनाके साथ निकल गये। वे सोनेके हारोंसे सुशोभित और मोतियोंकी मालाओंसे मनोहर दिखायी देते थे। उनकी शिखामें मणि पहिनायी गयी थी, जिसकी सुदूरतक फैली हुई किरणें उन अश्वोंकी शोभा बढ़ाती थीं और उनके साज-सामान भी बहुत सुन्दर थे। चामर (कलँगी) से अलंकृत हुए उन घोड़ोंकी पूँछ, मुख और पैरोंसे प्रभा-सी छिटक रही थी। यादवोंकी उस विशाल सेनामें ऐसे-ऐसे घोड़े दृष्टिगोचर होते थे, जो वायु और मनके समान वेगशाली थे। वे अपने पैरोंसे धरतीका तो स्पर्श ही नहीं करते थे— उड़ते-से चलते थे। मिथिलेश्वर! उनकी गति ऐसी हलकी थी कि वे कच्चे सूतोंपर और बुद्‌बुदोंपर भी चल सकते थे। पारे पर, मकड़ीके जालोंपर और पानीके फुहारोंपर भी वे निराधार चलते दिखायी देते थे। वे चञ्चल अश्व पर्वतोंकी घाटियों, नदियों, दुर्गमस्थानों, गड्ढों और ऊँचे-ऊँचे प्रासादोंको भी निरन्तर लाँघते जा रहे थे। मैथिलेन्द्र! वे इधर-उधर मोर, तीतर, क्रौञ्च (सारस), हंस और खञ्जरीटकी गतिका अनुकरण करते हुए पृथ्वीपर नाचते चलते थे। कई अश्व पाँखवाले थे। उनके शरीर दिव्य थे, कान श्यामवर्णके थे, आकृति मनोहर थी। पूँछके बाल पीले रंगके थे और शरीरकी कान्ति चन्द्रमाके समान श्वेत थी। वे भी श्रीकृष्णकी अश्वशालासे निकले थे। कुछ घोड़े उच्चैःश्रवाके कुलमें उत्पन्न हुए थे, कुछ सूर्यदेवके घोड़ोंसे पैदा हुए थे। कितने ही अश्व अश्विनीकुमारोंकी पढ़ायी हुई विद्या (चलनेकी कला) से सम्पन्न थे। कितनोंको वरुण देवताने अच्छी चालकी शिक्षा दी थी। किन्हींकी कान्ति मन्दार-पुष्पके समान थी। कुछ मनोहर अश्व चितकबरे थे। कितनोंके रंग अश्विनी-पुष्प (कनेर) के समान पीले थे। बहुत-से अश्व सुनहरी तथा हरी कान्तिसे उद्भासित थे। कितने ही अश्व पद्मराग-मणिकी-सी कान्तिवाले थे। वे सभी समस्त शुभ लक्षणोंसे युक्त दिखायी देते थे। राजन्! इनके सिवा और भी कोटि-कोटि अश्व कुशस्थली पुरीसे बाहर निकले॥ २१—३२॥

सेनाके धनुर्धर वीर ऐसे थे, जिन्हें कई युद्धोंमें अपने शौर्यके लिये कीर्ति प्राप्त हो चुकी थी। उन सबने शक्ति, त्रिशूल, तलवार, गदा, कवच और पाश धारण कर रखे थे। नरेश्वर! वे शस्त्र-धाराओंकी वर्षा करते हुए प्रलयकालके महासागरके समान प्रतीत होते थे। रणभूमिमें दिग्गजोंकी भाँति शत्रुओंको रौंदते और कुचलते दिखायी देते थे। राजन्! इस प्रकार यादवोंकी वह विशाल सेना निकली, जो अत्यन्त अद्‌भुत थी। उसे देखकर देवता और असुर—सभी विस्मित हो उठे॥ ३३—३५॥

इस प्रकार श्रीगर्गसंहितामें विश्वजित्‌खण्डके अन्तर्गत नारद-बहुलाश्व-संवादमें 'यादवसेनाका प्रयाण' नामक तीसरा अध्याय पूरा हुआ॥ ३॥

चौथा अध्याय

सेनासहित यादव-वीरोंकी दिग्विजयके लिये यात्रा

नारदजी कहते हैं—राजन्! इस प्रकार सेनासे घिरे हुए धनुर्धारियोंमें श्रेष्ठ वीर प्रद्युम्नसे श्रीकृष्ण-बलदेवसहित उग्रसेनने कहा॥ १॥

उग्रसेन बोले—हे महाप्राज्ञ प्रद्युम्न! तुम श्रीकृष्णकी कृपासे समस्त राजाओंपर विजय प्राप्त करके शीघ्र ही द्वारकामें लौट आओगे। इस बातको ध्यानमें रखो कि धर्मज्ञ पुरुष मतवाले, असावधान, उन्मत्त (पागल), सोये हुए, बालक, जड, नारी, शरणागत, रथहीन और भयभीत शत्रुको नहीं मारते। संकटमें पड़े हुए प्राणियोंकी पीड़ाका निवारण तथा कुमार्गमें चलनेवालोंका वध राजाके लिये परम धर्म है। इस प्रकार जो आततायी है (अर्थात् दूसरोंको विष देनेवाला, पराये घरोंमें आग लगानेवाला, क्षेत्र और नारीका अपहरण करनेवाला है), वह अवश्य वधके योग्य है। स्त्री, पुरुष या नपुंसक कोई भी क्यों न हो, जो अपने-आपको ही महत्त्व देनेवाले, अधम तथा समस्त प्राणियोंके प्रति निर्दय हैं, ऐसे लोगोंका वध करना राजाओंके लिये वध न करनेके ही बराबर है। अर्थात् दुष्टोंके वधसे राजाओंको दोष नहीं लगता। धर्मयुद्धमें शत्रुओंका वध करना प्रजापालक राजाके लिये पाप नहीं है। आदिराजा स्वायम्भुव मनुने पूर्वकालमें राजाओंसे कहा था कि 'जो रणमें निर्भय होकर आगे पाँव बढ़ाते हुए प्राण त्याग देता है, वह सूर्य-मण्डलका भेदन करके परमधाममें जाता है। जो योद्धा क्षत्रिय होकर भी भयके कारण युद्धसे पीठ दिखाकर रणभूमिमें स्वामीको अकेला छोड़कर पलायन कर जाता है, वह महारौरव नरकमें पड़ता है। राजाका कर्तव्य है कि वह सेनाकी रक्षा करे और सेनाका कर्तव्य है कि वह राजाकी ही रक्षा करे। सूतको चाहिये कि वह संकटमें पड़े हुए रथीका प्राण बचाये और रथी सारथिकी रक्षा करे। तुम समस्त यादव सामर्थ्यशाली सेना और वाहनसे सम्पन्न हो; अतः तुम सब मिलकर प्रद्युम्नकी ही रक्षा करना और प्रद्युम्न तुमलोगोंकी रक्षा करें। गौ, ब्राह्मण, देवता, धर्म, वेद और साधुपुरुष—इस भूतलपर मोक्षकी अभिलाषा रखनेवाले सभी मनुष्योंके लिये सदा पूजनीय हैं। वेद भगवान् विष्णुकी वाणी हैं, ब्राह्मण उनका मुख हैं, गौएँ श्रीहरिका शरीर हैं, देवता अङ्ग हैं और साधुपुरुष साक्षात् उनके प्राण माने गये हैं। ये साक्षात् परिपूर्णतम भगवान् श्रीकृष्ण हरि भक्तिके वशीभूत हो जिनके चित्तमें निवास करते हैं, उन वीरोंकी सदा विजय होती है*॥ २—१३॥

श्रीनारदजी कहते हैं—नरेश्वर! समस्त यादवोंने राजा उग्रसेनके इस आदेशको सिर झुकाकर स्वीकार किया और हाथ जोड़कर प्रणाम किया। तत्पश्चात् प्रद्युम्नने मस्तक झुकाकर राजा उग्रसेन, शूर, वसुदेव, बलभद्र, श्रीकृष्ण तथा महामुनि गर्गाचार्यको प्रणाम किया। नृपेश्वर! तदनन्तर श्रीकृष्ण और बलदेवके साथ राजा उग्रसेन यदुपुरीमें चले गये और दिग्विजयकी इच्छावाले श्रीकृष्णपुत्र प्रद्युम्नने यादव-सेनाके साथ आगेके लिये प्रस्थान किया॥ १४—१६॥

मैथिलेश्वर! उस सेनाके समस्त सुवर्णमय शिविरोंसे चार योजन लम्बा राजमार्ग भी आच्छादित एवं सुशोभित होता था। सेनाके आगे विशाल वाहिनीसे युक्त महाबली कृतवर्मा थे और उनके पीछे धनुर्धरोंमें श्रेष्ठ अक्रूर अपने सैन्यदलके साथ चल रहे थे। तत्पश्चात् मन्त्री उद्धव पाँच प्रतिमाओंके साथ जा रहे थे। राजन्! उनके पीछे अठारह महारथी सौ अक्षौहिणी सेनाके साथ यात्रा कर रहे थे। उनके नाम इस प्रकार हैं—प्रद्युम्न, अनिरुद्ध, दीप्तिमान्, भानु, साम्ब, मधु, बृहद्भानु, चित्रभानु, वृक, अरुण,

---

*गावो विप्राः सुरा धर्मश्छन्दांसि भुवि साधवः। पूजनीयाः सदा सर्वैर्मनुष्यैर्मोक्षकाङ्‌क्षिभः॥
वेदा विष्णुवचो विप्रा मुखं गावस्तनुर्हरेः। अङ्गानि देवताः साक्षात् साधवो ह्यसवः स्मृताः॥
श्रीकृष्णोऽयं हरिः साक्षात् परिपूर्णतमः प्रभुः। येषां चित्ते स्थितो भक्त्या तेषां तु विजयः सदा॥
(गर्ग०, विश्व० ४। ११—१३)

पुष्कर, देवबाहु, श्रुतदेव, सुनन्दन, चित्रभानु, विरूप, कवि और न्यग्रोध। तत्पश्चात् श्रीकृष्णप्रेरित गद आदि समस्त वीर चल रहे थे। भोज, वृष्णि, अन्धक, मधु, शूरसेन तथा दशार्हके वंशज वीर उस सेनामें सम्मिलित थे। समस्त यादवोंकी संख्या छप्पन कोटि बतायी जाती है। नरेश्वर! उस यादव-सेनाकी गणना भला, इस भूतलपर कौन करेगा॥ १७—२१॥

इस प्रकार विशाल सेनाको साथ लिये जाते हुए यादव नरेशोंके धनुषके टंकारके साथ पीटे जाते हुए नगारोंका महान् घोष भूमण्डलमें व्याप्त हो रहा था। गजेन्द्रोंका चीत्कार, हयेन्द्रोंकी हिनहिनाहट, दगती हुई भुशुण्डी (तोप) की आवाज, दृढ़ता रखनेवाले वीरोंकी गर्जना और डंकोंकी गम्भीर ध्वनियोंसे वे यादव-वीर बिजलीकी गड़गड़ाहटसे युक्त प्रचण्ड मेघोंका-सा दृश्य उपस्थित करते थे। सारा भूमण्डल ही उस सेनासे शोभित हो रहा था। पृथ्वीपर चलते हुए उन महात्मा वीरोंके तुमुलनादसे दिग्गजोंके कान भी बहरे-से हो गये थे तथा शत्रुगण साहस छोड़कर तत्काल अपने दुर्गकी ओर भागने लगे थे। पानीमें रहनेवाले कच्छप 'पृथ्वीपर यह क्या हो रहा है?'— यों कहते तथा 'हम कहाँसे कहाँ जायँ!' यों बोलते हुए भागने लगे। वे मन-ही-मन सोचते थे—'हे विधाता! यह उपद्रव कहाँ जा रहा है, जिससे समस्त लोकोंसहित यह अचला पृथ्वी भी विचलित हो गयी है?'॥ २२—२७॥

विदेहराज! यज्ञ तो एक बहाना था। उसकी आड़ लेकर परमेश्वर श्रीहरि भूतलका भार उतार रहे थे। जो यदुकुलमें चतुर्व्यूहरूप धारण करके विराजमान हैं, उन अनन्त-गुणशाली पृथ्वीपालक भगवान्को नमस्कार है॥ २८॥

इस प्रकार श्रीगर्गसंहितामें विश्वजित्खण्डके अन्तर्गत नारद-बहुलाश्व-संवादमें 'प्रद्युम्नकी दिग्विजयार्थ यात्रा' नामक चौथा अध्याय पूरा हुआ॥ ४॥

पाँचवाँ अध्याय

यादव-सेनाकी कच्छ और कलिङ्गदेशपर विजय

श्रीबहुलाश्वने पूछा—देवर्षिशिरोमणे! श्रीहरिके पुत्र प्रद्युम्न क्रमशः किन-किन देशोंको जीतनेके लिये गये, उनके उदार कर्मोंका मेरे समक्ष वर्णन कीजिये। अहो! भगवान् श्रीकृष्णचन्द्रकी अपने भक्तोंपर ऐसी कृपा है, जो श्रवण और चिन्तन किये जानेपर पापीजनोंको उनके कुलसहित पवित्र कर देती है॥ १-२॥

श्रीनारदजीने कहा—राजन्! तुमने बहुत अच्छी बात पूछी है। तुम्हारी विमल बुद्धिको साधुवाद! श्रीकृष्णके भक्तोंका चरित्र तीनों लोकोंको पवित्र कर देता है। राजन्! वर्षाकालमें बादलोंसे बरसती हुई जलधाराओंको तथा भूमिके समस्त धूलिकणोंको कोई विद्वान् पुरुष भले ही गिन डाले, किंतु महान् श्रीहरिके गुणोंको कोई नहीं गिन सकता। रुक्मिणीनन्दन प्रद्युम्न उस श्वेत छत्रसे सुशोभित थे, जिसकी छाया चार योजनतक दिखायी देती थी। वे इन्द्रके दिये हुए रथपर आरूढ़ हो अपनी सेनाके साथ पहले कच्छ देशोंको जीतनेके लिये उसी प्रकार गये, जैसे पूर्वकालमें भगवान् शंकरने त्रिपुरोंको जीतनेके लिये रथसे यात्रा की थी। कच्छ देशका राजा शुभ्र शिकार खेलनेके लिये निकला था। वह यादवोंकी सेनाको आयी हुई जान अपनी राजधानी हालापुरीको लौट गया॥ ३—७॥

प्रद्युम्नकी आयी हुई सेना हाथियोंके पदाघातसे वृक्षोंको चूर-चूर करती और विभिन्न देशोंके भवनोंको गिराती हुई चल रही थी। उससे उठे हुए धूलिसमूहोंसे आकाश अन्धकाराच्छन्न हो गया और कच्छ देशके सभी निवासी भयभीत हो गये। उस समय राजा शुभ्र अत्यन्त हर्षित हो तत्काल सोनेकी मालाओंसे अलंकृत पाँच सौ हाथी, दस हजार घोड़े और बीस भार सुवर्ण

लेकर सामने आया। उसने भेंट देकर पुष्पहारसे अपने दोनों हाथ बाँधकर प्रद्युम्नको प्रणाम किया। इससे प्रसन्न होकर शम्बरारि प्रद्युम्नने राजा शुभ्रको रत्नोंकी बनी हुई एक माला पुरस्कारके रूपमें दी और उसके राज्यपर पुनः उसीको प्रतिष्ठित कर दिया। राजन्! साधुपुरुषोंका ऐसा ही स्वभाव होता है॥ ८—१२॥

तदनन्तर बलवान् रुक्मिणीनन्दन कलिङ्ग देशको जीतनेके लिये गये। उनके साथ फहराती पताकाओंसे सुशोभित उत्तम सेनाएँ थीं। उन्हें देखकर ऐसा लगता था, मानो मेघोंकी मण्डलीके साथ देवराज इन्द्र यात्रा कर रहे हों। कलिङ्गराज अपनी सेना तथा शक्तिशाली हाथी-सवारोंके साथ महात्मा प्रद्युम्नके सामने युद्ध करनेके लिये निकला। कलिङ्गको आया देख धनुर्धरोंमें श्रेष्ठ अनिरुद्ध एकमात्र रथ लेकर यादव-सेनाके आगे खड़े हो उसकी सेनाओंके साथ युद्ध करने लगे। अपने धनुषकी बार-बार टंकार करते हुए वीर अनरुद्धिने सौ बाणोंसे कलिङ्गराजको, दस-दस बाणोंसे उसके रथियों और हाथियोंको घायल कर दिया। यह देख उनके अपने और शत्रुपक्षके सभी योद्धाओंने 'साधु-साधु' कहकर उन्हें शाबाशी दी। प्रद्युम्नके देखते हुए ही अनिरुद्ध युद्ध करने लगे। नरेश्वर! उनके बाण-समूहोंसे कितने ही वीरोंके दो टुकड़े हो गये, हाथियोंके मस्तक विदीर्ण हो गये और घोड़ोंके पैर कट गये। रथोंके पहिये चूर-चूर हो गये, घोड़े और उनके साथ-साथ चलनेवाले कालके गालमें चले गये, रथी और सारथि आँधीके उखाड़े हुए वृक्षोंके समान धराशायी हो गये। मैथिल! शत्रुकी सेना भागने लगी। अपनी सेनाको भागती देख हाथीपर बैठा हुआ कलिङ्गराज बड़े रोषसे आगे बढ़ा। उसका कवच छिन्न-भिन्न हो गया था। उसने तुरंत ही बहत्तर भार लोहेकी बनी हुई भारी गदा चलायी और अपने हाथीके द्वारा बड़े-बड़े वीरोंको गिराता हुआ बलवान् कलिङ्गराज मेघके समान गर्जना करने लगा। उस गदाके प्रहारसे किंचित् व्याकुलचित्त होकर अनिरुद्ध युद्धस्थलमें ही रथपर गिर पड़े। यह देख यादवोंके क्रोधकी सीमा न रही। उन्होंने तत्काल तीखे और चमकीले बाणोंद्वारा कलिङ्गराजको उसी प्रकार चोट पहुँचाना आरम्भ किया, जैसे मांसयुक्त बाजको कुरर पक्षी अपनी चोंचोंसे पीड़ा देते हों। कलिङ्गराजने भी उस समय कुपित हो अपने धनुषपर प्रत्यञ्चा चढ़ायी और बार-बार उसकी टंकार करते हुए अपने बाणोंसे शत्रुओंके बाणोंको चूर-चूर कर दिया॥ १३—२४॥

मैथिलेश्वर! तब बलदेवके छोटे (भाई) बलवान् गदने गदा लेकर बायें हाथसे उसके हाथीपर प्रहार किया, फिर अर्धचन्द्राकार बाणसे उसको चोट पहुँचायी। नरेश्वर! उस प्रहारसे वह हाथी छिन्न-भिन्न होकर इस प्रकार बिखर गया, मानो इन्द्रके वज्रकी चोटसे कोई शैलखण्ड बिखर गया हो। कलिङ्गराज हाथीसे गिर पड़ा और विशाल गदा लेकर उसने गदको मारा और गदने भी तत्काल कलिङ्गराजपर गदासे आघात किया। कलिङ्गराज और गदमें वहाँ घोर युद्ध होने लगा। उनकी दोनों गदाएँ आगकी चिनगारियाँ बिखेरती हुई चूर-चूर हो गयीं। तत्पश्चात् गदने कलिङ्गराजको पकड़कर समरभूमिमें दे मारा। जैसे गरुड़ किसी साँपको पटककर खींचता हो, उसी प्रकार गद तुरंत ही अपने हाथसे कलिङ्गराजको घसीटने लगे। गदाके प्रहारसे पीड़ित कलिङ्गराजकी हड्डियाँ चूर-चूर हो रही थीं। वह महात्मा प्रद्युम्नकी शरणमें आ गया। उसने भेंट देकर कहा—'आप देवताओंके भी देवता परमेश्वर हैं। कुपित हुए दण्डधर यमराजकी भाँति आपके आक्रमणको पृथ्वीपर कौन सह सकता है? आपको नमस्कार है॥ २५—३१॥

इस प्रकार श्रीगर्गसंहितामें विश्वजित्खण्डके अन्तर्गत नारद-बहुलाश्व-संवादमें 'कच्छ और कलिङ्गदेशपर विजय' नामक पाँचवाँ अध्याय पूरा हुआ॥ ५॥

छठा अध्याय

प्रद्युम्नका मरुधन्व देशके राजा गयको हराकर मालवनरेश तथा माहिष्मती पुरीके राजासे बिना युद्ध किये ही भेंट प्राप्त करना

श्रीनारदजी कहते हैं—राजन्! इस प्रकार कलिङ्गराजपर विजय पाकर यादवेश्वर प्रद्युम्न मरुधन्व (मारवाड़) देशमें इस प्रकार गये, मानो अग्निने जलपर आक्रमण किया हो। धन्वदेशका राजा गय पर्वतीय दुर्गमें रहता था। उसकी स्थिति जानकर यादवेश्वरने उसके पास उद्धवको भेजा। बुद्धिमानोंमें श्रेष्ठ उद्धव गिरिदुर्गमें गये और राजसभामें प्रवेश करके गयसे बोले—'महामते नरेश! मेरी बात सुनिये। यादवोंके स्वामी महान् राज-राजेश्वर उग्रसेन जम्बूद्वीपके राजाओंको जीतकर राजसूययज्ञ करेंगे। साक्षात् परिपूर्णतम भगवान् श्रीकृष्ण जो असंख्य ब्रह्माण्डोंके अधिपति हैं, उन महाराजके मन्त्री हुए हैं। उन्होंने ही धनुर्धरोंमें श्रेष्ठ साक्षात् प्रद्युम्नको यहाँ भेजा है। आप यदि अपने कुलका कुशल-क्षेम चाहें तो शीघ्र भेंट लेकर उनके पास चलें॥ १—६॥

श्रीनारदजी कहते हैं—राजन्! यह सुनकर शौर्य और पराक्रमके मदसे उन्मत्त रहनेवाले महाबली राजा गयने कुछ कुपित होकर उद्धवसे कहा॥ ७॥

गय बोले—महामते! मैं युद्ध किये बिना उनके लिये भेंट नहीं दूँगा। आप-जैसे यादवलोग अभी थोड़े ही दिनोंसे वृद्धिको प्राप्त हुए हैं—नये धनी हैं॥ ८॥

राजन् उसके यों कहनेपर उद्धवजीने प्रद्युम्नके पास आकर समस्त यादवोंके सामने राजा गयकी कही हुई बात दुहरा दी। फिर तो उसी समय रुक्मिणीपुत्रने गिरिदुर्गपर आक्रमण किया। गयके सैनिकोंका यादवोंके साथ घोर युद्ध हुआ। हाथियोंके पैरोंसे नागरिकों तथा भूमिपर चलनेवाले लोगोंको कुचलता और वृक्षोंको रौंदवाता हुआ राजा गय दो अक्षौहिणी सेनाके साथ युद्धके लिये निकला। रथी रथियोंके साथ, बड़े-बड़े गज गजराजोंके साथ, घुड़सवार घुड़सवारोंके साथ तथा वीर वीरोंके साथ परस्पर युद्ध करने लगे। तीखे बाण-समूहों, ढाल, तलवार, गदा, ऋष्टि, पाश, फरसे, शतघ्नी और भुशुण्डी आदि अस्त्र-शस्त्रोंकी मारसे भयातुर हो गयके सैनिक यादवोंसे परास्त हो अपना-अपना रथ छोड़कर सब-के-सब दसों दिशाओंमें भाग चले॥ ९—१४॥

अपनी सेनाके पलायन करनेपर महाबली गय बार-बार धनुषकी टंकार करता हुआ अकेला ही युद्धके लिये आगे बढ़ा। तेजस्वी श्रीकृष्णपुत्र दीप्तिमान्ने धनुषसे छोड़े हुए बाणोंसे शत्रुके घोड़ोंको मार डाला। एक बाणसे सारथिको नष्ट करके दो बाणोंसे उसकी ऊँची ध्वजा काट डाली। बीस बाणोंसे रथको तोड़-फोड़कर पाँच बाणोंसे उसके कवचको छिन्न-भिन्न कर दिया। फिर महाबली दीप्तिमान्ने सौ बाण मारकर गयके धनुषको भी खण्डित कर दिया। गयने दूसरे धनुषको लेकर बीस बाणोंद्वारा श्रीकृष्णपुत्र दीप्तिमान्को घायल कर दिया। फिर वह बलवान् वीर मेघके समान गर्जना करने लगा। समराङ्गणमें उसके प्रहारसे दीप्तिमान्के हृदयमें कुछ व्याकुलता हुई, तथापि उन्होंने एक ज्योतिर्मयी सुदृढ़ शक्ति हाथमें ली और उसे घुमाकर महात्मा गयके ऊपर चलाया। उस शक्तिने राजाके हृदयको विदीर्ण करके उसका बहुत रक्त पी लिया। राजन्! गय भी समराङ्गणमें गिरकर मूर्च्छित हो गया। दीप्तिमान् अपने धनुषकी कोटि शत्रुके गलेमें डालकर उसे घसीटते हुए प्रद्युम्नके सामने उसी प्रकार ले आये, जैसे गरुड़ किसी नागको खींच लाया हो। उस समय मानवों तथा देवताओंकी दुन्दुभियाँ एक साथ ही बज उठीं। देवता आकाशसे और पार्थिव नरेश भूतलसे फूलोंकी वर्षा करने लगे। राजन्! तब गयने भी शम्बरारि श्रीकृष्णपुत्र प्रद्युम्नके चरणोंका पूजन किया॥ १५—२२ $\frac{1}{2}$ ॥

वहाँसे महात्मा प्रद्युम्न अवन्तिकापुरको गये, उसी प्रकार जैसे भ्रमर सुनहरी कर्णिकापर टूट पड़े। उनका आगमन सुनकर मालवनरेश जयसेनने उनकी भली-भाँति पूजा की। मिथिलेश्वर! वे प्रद्युम्नके प्रभावको जानते थे, अत: उनसे अपनी पराजय स्वीकार करके

उन्होंने बड़े-बूढ़ोंको बुलवाया और उनके द्वारा महात्मा प्रद्युम्नको उत्तम भेंट-सामग्री अर्पित की। वहाँ अपने पिताकी बुआ राजाधिदेवीको प्रणाम करके महामनस्वी प्रद्युम्नने अपने फुफेरे भाई विन्द और अनुविन्दको गलेसे लगाया और मालवदेशके योद्धाओंसे सादर घिरकर वे बड़ी शोभाको प्राप्त हुए॥ २३—२५॥

वहाँसे धनुर्धारियोंमें श्रेष्ठ प्रद्युम्न माहिष्मती पुरीको गये और यादवों तथा अपने सैनिकोंके साथ वहाँ उन्होंने नर्मदा नदीका दर्शन किया। जलके कल्लोलोंसे सुशोभित नर्मदा मानो शृङ्गार-तिलक धारण किये हुए थी और छपी हुई पगड़ीकी भाँति पुष्पसमूहोंको बहा रही थी। बेंत, बाँस तथा अन्य वृक्षोंसे फूले हुए माधव-तरुओंसे घिरी हुई नर्मदा मूतिमान् तेजस्वी देवताओंसे घिरी हुई आकाशगङ्गाकी-सी शोभा पाती थी। उसके तटपर छावनी डालकर यादवेश्वर प्रद्युम्न यादवोंके साथ इस प्रकार विराजमान हुए, मानो देवताओंके साथ देवराज इन्द्र शोभा पा रहे हों। महाराज! माहिष्मती पुरीके स्वामी इन्द्रनील बड़े ज्ञानी थे, उन्होंने महात्मा प्रद्युम्नके पास अपना दूत भेजा। दूतने प्रद्युम्नराजके शिबिरमें आकर हाथ जोड़ प्रणाम किया और सबके सुनते हुए वहाँ यह बात कही॥ २६—३१॥

दूत बोला—प्रभो! हस्तिनापुरके राजा बुद्धिमान् धृतराष्ट्रने इन अत्यन्त बलवान् वीर इन्द्रनीलको माहिष्मती पुरीके राज्यपर स्थापित किया है, अतः ये किसीको बलि या भेंट नहीं देंगे। दुर्योधनको स्वेच्छासे ही ये द्रव्यराशि भेंट करते हैं, बलात् नहीं। आपलोग युद्ध कर सकते हैं, परंतु यहाँ युद्धसे कोई लाभ नहीं होगा॥ ३२-३३॥

श्रीप्रद्युम्नने कहा—दूत! जैसे राजा गय और कलिङ्गराजने अपमानित होनेपर भेंट दी, उसी तरह यहाँके राजा भी पराजित होकर भेंट देंगे। माहिष्मतीके राजा बड़े राजाधिराज बने हैं; परंतु ये महाराज उग्रसेन-को नहीं जानते॥ ३४॥

श्रीनारदजी कहते हैं—राजन्! यों कहनेपर दूतने तत्काल जाकर राजसभामें माहिष्मतीपतिसे प्रद्युम्नकी कही हुई बात कह सुनायी। माहिष्मतीके राजाने देखा कि यादवोंकी सेना बड़ी उद्भट है (अतः उससे युद्ध करना ठीक न होगा); इसलिये वे पाँच हजार हाथी, एक लाख घोड़े और दस हजार विजय-शील रथ लेकर निकले और महात्मा प्रद्युम्नसे मिलकर वह सब कुछ उन्हें भेंट कर दिया॥ ३५—३७॥

इस प्रकार श्रीगर्गसंहितामें विश्वजित्खण्डके अन्तर्गत श्रीनारद-बहुलाश्व-संवादमें 'माहिष्मतीपुरीपर विजय' नामक छठा अध्याय पूरा हुआ॥ ६॥

सातवाँ अध्याय

गुजरात-नरेश ऋष्यपर विजय प्राप्त करके यादव-सेनाका चेदिदेशके स्वामी दमघोषके यहाँ जाना; राजाका यादवोंसे प्रेमपूर्ण बर्ताव करनेका निश्चय, किंतु शिशुपालका माता-पिताके विरुद्ध यादवोंसे युद्धका आग्रह

श्रीनारदजी कहते हैं—राजन्! महापराक्रमी प्रद्युम्न माहिष्मतीके राजाको जीतकर अपनी विशाल सेना लिये गुजरातके राजाके यहाँ गये। जैसे पक्षिराज गरुड अपनी चोंचसे सर्पको पकड़ लेते हैं, उसी प्रकार श्रीकृष्ण कुमार प्रद्युम्नने गुर्जरदेशके अधिपति महाबली वीर ऋष्यको सेनाद्वारा जा पकड़ा। उनसे तत्काल भेंट वसूल करके महाबली यादवेन्द्र अपनी विशाल वाहिनी साथ लिये हुए चेदिदेशमें जा पहुँचे। चेदिराज दमघोष वसुदेवजीके बहनोई थे; किंतु उनका पुत्र शिशुपाल श्रीकृष्णका पक्का शत्रु कहा गया है। बुद्धिमानोंमें श्रेष्ठ महाबुद्धिमान् उद्धव महाबली दमघोषके पास गये और उनको प्रणाम करके बोले॥ १—५॥

उद्धवने कहा—राजन्! महाराज उग्रसेनको बलि (भेंट) दीजिये। वे समस्त राजाओंको जीतकर

राजसूययज्ञ करेंगे॥ ६॥

श्रीनारदजी कहते हैं—मिथिलेश्वर! उद्धवजीका यह वचन सुनकर दमघोषके दुष्ट पुत्र शिशुपालके ओष्ठ फड़कने लगे। वह अत्यन्त कुपित हो राजसभामें तुरंत इस प्रकार बोला॥ ७॥

शिशुपालने कहा—अहो! कालकी गति दुर्लङ्घ्य है। यह संसार कैसा विचित्र है! कालात्मा विधाताके प्राजापत्यपर भी कलह या विवाद खड़ा हो गया है (अर्थात् लोक विधाता ब्रह्मा और घट-निर्माता कुम्भकारमें झगड़ा हो रहा है कि प्रजापति कौन हैं)। कहाँ राजहंस और कहाँ कौआ! कहाँ पण्डित तथा कहाँ मूर्ख! जो सेवक हैं, वे चक्रवर्ती राजाको—अपने स्वामीको जीतनेकी इच्छा रखते हैं। राजा ययातिके शापसे यदुवंशी राज्य-पदसे भ्रष्ट हो चुके हैं; किंतु वे छोटा-सा राज्य पाकर उसी तरह इतरा उठे हैं, जैसे छोटी नदियाँ थोड़ा-सा जल पाकर उमँड़ने लगती हैं—उच्छलित होने लगती हैं। जो हीनवंशका होकर राजा हो जाता है, जो मूर्खका बेटा होकर पण्डित हो जाता है, अथवा जो सदाका निर्धन कभी धन पा जाता है, वह घमंडसे भरकर सारे जगत्‌को तृणवत् मानने लगता है। उग्रसेन कितने दिनोंसे राजपदवीको प्राप्त हुआ है? वासुदेव मन्त्री बना है और उग्रसेन उसीके बलसे और केवल उसीसे पूजित होकर राजा बन बैठा है। उसके मन्त्री वासुदेवने जरासंधके भयसे भागकर अपनी पुरी मथुराको छोड़कर समुद्रकी शरण ली है। वह पहले 'नन्द' नामक अहीरका भी बेटा कहा जाता था। उसीको वसुदेव लाजहया छोड़कर अपना पुत्र मानने लगे हैं। वसुदेव तो गोरे रंगके हैं, उनसे उत्पन्न हुआ यह कृष्ण श्यामवर्णका कैसे हो गया? केवल पिता ही नहीं, पितामह भी गोरे हैं। उनके कुलकी संततिमें इस वासुदेवकी गणना हो, यह बड़े दुःख और हँसीकी बात है। मैं उसके पुत्र प्रद्युम्नको यादवों तथा सेनासहित जीतकर भूमण्डलको यादवोंसे शून्य कर देनेके लिये कुशस्थलीपर चढ़ाई करूँगा॥ ८—१६॥

श्रीनारदजी कहते हैं—राजन्! यों कहकर धनुष और अक्षय बाणोंसे भरे दो तरकस लेकर शिशुपालको युद्धके लिये जानेको उद्यत देख चेदिराजने उससे कहा॥ १७॥

दमघोष बोले—बेटा! मैं जो कहता हूँ, उसे सुनो। क्रोध न करो, न करो। जो सहसा कोई कार्य करता है, उसे सिद्धि नहीं प्राप्त होती। क्षमाके समान धर्म, अर्थ, काम और मोक्षका साधन दूसरा कोई नहीं है। इसलिये सामनीतिसे काम लेना चाहिये। सामके तुल्य दूसरा कोई सुखद उपाय नहीं है। दानसे सामकी शोभा होती है और सामकी सत्कारसे। सत्कारकी भी तभी शोभा होती है, जब वह यथायोग्य गुण देखकर किया जाय। यादव और चेदिप सगेसम्बन्धी माने गये हैं; अतः मैं वास्तवमें यही चाहता हूँ कि यादवों तथा चेदिपोंमें कलह न हो॥ १८—२१॥

श्रीनारदजी कहते हैं—बुद्धिमान् दमघोषके समझानेपर भी शिशुपाल अनमना हो गया, कुछ बोला नहीं। वह महाखल चुपचाप बैठा रहा। राजन्! चेदिराजकी रानी श्रुतिश्रवा शूरनन्दन वसुदेवकी बहिन थीं। वे अपने पुत्र शिशुपालके पास आकर अच्छी तरह विनययुक्त होकर बोलीं॥ २२-२३॥

श्रुतिश्रवाने कहा—बेटा! खेद न करो। यादवों तथा चेदिपोंमें कभी कलह नहीं होना चाहिये। शूरनन्दन वसुदेव तुम्हारे मामा हैं और उनके पुत्र श्रीकृष्ण भी तुम्हारे भाई ही हैं। उनके जो प्रद्युम्न आदि सैकड़ों महावीर पुत्र आये हैं, वे सब मेरे और तुम्हारे द्वारा लाड़-प्यार पानेके योग्य तथा समादरणीय हैं। उनके साथ युद्ध करना उचित नहीं होगा। तात! मैं तुम्हारे साथ स्वयं स्नेहार्द्रचित्त होकर उन समागत यादवोंको लेनेके लिये चलूँगी। चिरकालसे मेरे मनमें उन सबको देखनेकी उत्कण्ठा है। मैं बड़े उत्सव एवं उत्साहके साथ उनको घर लाऊँगी। ऐसा अवसर फिर कभी नहीं आयेगा॥ २४—२६॥

शिशुपाल बोला—बलराम, कृष्ण तथा समस्त यादव मेरे शत्रु हैं। जिन्होंने मेरा तिरस्कार किया है, उन सबको मैं भी अपने सैनिकोंद्वारा मरवा डालूँगा। पूर्वकालमें कुण्डिनपुरमें राम तथा कृष्ण, इन दोनों भाइयोंने मेरी अवहेलना की, मेरा विवाह रोक दिया; अतः वे मेरे भाई नहीं, शत्रु हैं। यदि तुम दोनों (मेरे माता-पिता होकर) यादवोंका समर्थन करोगे तो मैं तुम दोनों

माता-पिताको मजबूत बेड़ियोंसे बाँधकर उसी तरह कारागारमें डाल दूँगा, जैसे कंसने अपने माँ-बापको कैद कर लिया था। अन्यथा तुम दोनोंका वध भी कर डालूँगा, मेरी शपथ या प्रतिज्ञा बड़ी कठोर होती है (इसे टालना कठिन है)॥ २७—३०॥

श्रीनारदजी कहते हैं—शिशुपालकी कड़ी बातें सुनकर चेदिराज चुप हो गये। उद्धवजी अपनी सेनामें लौट आये और जो कुछ शिशुपालने कहा था, वह सब उन्होंने वहाँ कह सुनाया। तदनन्तर वाहिनी, ध्वजिनी, पृतना और अक्षौहिणी—ये चार प्रकारकी शिशुपालकी सेनाएँ सुसज्जित हुईं॥ ३१-३२॥

बहुलाश्वने पूछा—प्रभो! वाहिनी आदि सेनाकी संख्या मुझे बताइये; क्योंकि ऋषिलोग भूत, वर्तमान और भविष्य—तीनों कालोंकी बातें जानते हैं॥ ३३॥

श्रीनारदजीने कहा—राजन्! सौ हाथी, ग्यारह सौ रथी, दस हजार घोड़े और एक लाख पैदल—यह 'सेना' का लक्षण है। इससे दुगुनी सेनाको 'चतुरङ्गिणी' कहते हैं। चार सौ हाथी, दस हजार रथ, चार लाख घोड़े तथा एक करोड़ पैदल—इतने सैनिक लोहेका कवच पहने और शक्तिशाली वल-वाहनोंसे सम्पन्न, अस्त्र-शस्त्रोंके ज्ञाता शूरवीर जिस सेनामें विद्यमान हों, उसे विद्वानोंने 'वाहिनी' कहा है। वाहिनीसे दुगुनी सेनाको 'ध्वजिनी' नाम दिया गया है। ध्वजिनीसे दुगुनी सेनाको पूर्वकालके विद्वानोंने 'पृतना' माना है। पृतनासे दुगुनी सेना 'अक्षौहिणी' कही गयी है। जो साहसी वीर है, उसे 'शूर' कहा गया है। जो सौ शूरवीरोंकी रक्षा करता है, उसे 'सामन्त' कहते हैं। जो युद्धमें सौ सामन्तोंकी रक्षा करता है, उसे 'गजी' (या गजारोही) योद्धा कहते हैं। जो समराङ्गणमें सारथि और अश्वोंसहित रथकी रक्षा कर सकता है, वह 'रथी' कहा गया है। जो अपने बाणोंसे सेनाकी रक्षा करता है, उसे 'महारथी' कहते हैं। जो अपनी सेनाकी रक्षा और शत्रुओंका संहार करते हुए रणक्षेत्रमें अक्षौहिणी सेनाके साथ युद्ध कर सके, उसे सदा 'अतिरथी' माना गया है॥ ३४—४१॥

इस प्रकार श्रीगर्गसंहितामें विश्वजितखण्डके अन्तर्गत नारद-बहुलाश्व-संवादमें 'गुर्जर और चेदिदेशमें गमन' नामक सातवाँ अध्याय पूरा हुआ॥ ७॥

आठवाँ अध्याय

शिशुपालके मित्र द्युमान् तथा शक्तका वध

श्रीनारदजी कहते हैं—राजन्! शिशुपाल अपनी सेनाको साथ ले माता-पिताका तिरस्कार करके चन्द्रिकापुरसे बाहर निकला। दुष्टोंका ऐसा स्वभाव ही होता है। उसके साथ 'वाहिनी' और 'ध्वजिनी' सेनाओंसे युक्त द्युमान् और शक्त निकले। शिशुपालके दो मन्त्रियोंके नाम थे, रङ्ग और पिङ्ग। वे दोनों क्रमशः 'पृतना' और 'अक्षौहिणी' सेना लिये युद्धके लिये नगरसे बाहर आये॥ १-२॥

नरेश्वर! शिशुपालकी महासेना प्रलयकालके महासागरके समान उमड़ती आ रही थी। उसे देखकर यदुवंशी वीर भगवान् श्रीकृष्णको ही जहाज बनाये, उस सैन्य सागरसे पार होनेके लिये सामने आये। महाबली द्युमान् शिशुपालसे प्रेरित हो 'वाहिनी' सेनासहित आगे बढ़कर यादव योद्धाओंके साथ युद्ध करने लगा। समराङ्गणमें दोनों सेनाओंकी बाण-वर्षासे अन्धकार छा गया। घोड़ोंकी टापोंसे इतनी धूल उड़ी कि आकाश आच्छादित हो गया। नरेश्वर! दौड़ते हुए घोड़े उछलकर हाथियोंके मस्तकपर पाँव रख देते थे और घायल हुए हाथी युद्धभूमिमें पैरोंसे शत्रुओंको गिराते और सूँड़की फुफकारोंसे इधर-उधर फेंकते-कुचलते आगे बढ़ रहे थे। उनके मस्तकपर कस्तूरी और सिन्दूरसे पत्र-रचना की गयी थी और पीठपर लाल रंगकी झूल उनकी शोभा बढ़ाती थी। पैदल सैनिक बाणों, गदाओं, परिघों, तलवारों, शूलों

और शक्तियोंकी मारसे अङ्ग-अङ्ग कट जानेके कारण धराशायी हो रहे थे। उनके पैर, घुटने और बाहुदण्ड छिन्न-भिन्न हो गये। राजन्! कोई अपनी तीखी तलवारसे युद्धमें घोड़ोंके दो टुकड़े कर देता था। कितने ही वीर हाथियोंके दाँत पकड़कर उनके मस्तकोंपर चढ़ जाते थे और सिंहकी भाँति महावतों तथा हाथी-सवारोंको चीर-फाड़ डालते थे। बहुत-से महाबली घुड़सवार योद्धा हाथियोंके समूहको फाँदकर शत्रु-सैनिकोंपर खड्गका प्रहार करते और उन्हें विदीर्ण कर डालते थे। ऐसा दिखायी देता था कि घोड़ोंकी पीठसे उनका स्पर्श ही नहीं होता है। वे नटोंकी तरह विद्युत्-वेगसे घोड़ोंपर चढ़ते-उतरते रहते थे॥ ३—११॥

शत्रुओंकी सेनाका वेगपूर्वक आक्रमण होता देख अक्रूर सामने आये। उन्होंने बाणोंकी वर्षासे दुर्दिन (बरसात) का दृश्य उपस्थित कर दिया। द्युमान्ने भी अपने धनुषसे छूटे हुए बाण-समूहोंकी बौछारसे अक्रूरको आच्छादित कर दिया—ठीक उसी तरह, जैसे बादल वर्षाकालके सूर्यको ढक देता है। गान्दिनी-पुत्र अक्रूरने क्रोधसे मुर्च्छित हो द्युमान्के बाण-समूहोंपर विजय पाकर उस वीरके ऊपर शक्तिसे प्रहार किया। उस प्रहारसे द्युमान्का अङ्ग विदीर्ण हो गया। वह दो घड़ीके लिये अपनी चेतना खो बैठा। परंतु शिशुपालके उस बलवान् मित्रने फिर शीघ्र ही उठकर युद्ध आरम्भ कर दिया। द्युमान्ने लाख भार लोहेकी बनी हुई एक भारी गदा हाथमें ली और उसके द्वारा अक्रूरकी छातीपर चोट करके मेघके समान गर्जना की। उसके प्रहारसे अक्रूर मन-ही-मन किंचित् व्याकुल हो उठे। तब बार-बार अपने धनुषकी टंकार करते हुए युयुधान (सात्यकि) सामने आये। उन्होंने खेल-खेलमें एक ही बाण मारकर तुरंत द्युमान्का मस्तक काट डाला। द्युमान्के गिर जानेपर उसके वीर सैनिक युद्धका मैदान छोड़कर भाग चले॥ १२—१७॥

उसी समय अपनी सेनाको भागती देख शक्त वहाँ आ पहुँचा। उसने बुद्धिमान् युयुधानपर सहसा शूल चलाया। युयुधानने अपने बाण-समूहोंसे उस शूलके सौ टुकड़े कर दिये। तब शक्तने परिघ उठाकर युयुधानपर दे मारा। अर्जुनके सखा युयुधान क्षणभरके लिये मूर्च्छित हो गये। इतनेमें ही महाबली वीर कृतवर्मा वहाँ आ पहुँचा। उसने बाण मारकर अश्वसहित शक्तके भी रथको चूर-चूर कर दिया। तब शक्तने भी गदाकी चोटसे कृतवर्माके उत्तम रथको चकनाचूर कर डाला। राजन्! कृतवर्माने रथ छोड़कर शक्तको रोषपूर्वक पकड़ लिया और उसे गिराकर दोनों भुजाओंसे उछालकर एक योजन दूर फेंक दिया। उस युद्धभूमिमें शक्तके गिर जानेपर शिशुपालकी आज्ञासे उसके दोनों मन्त्री रङ्ग और पिङ्ग क्रमशः 'पृतना' और 'अक्षौहिणी' सेनाओंके साथ बाण-वर्षा करते और युद्धमें शत्रुओंको कुचलते हुए आये। मैथिलेश्वर! ऐसा जान पड़ता था, मानो अग्नि और वायु देवता एक साथ आ पहुँचे हैं। उन दोनोंकी उद्भट सेनाको देख पिताके समान पराक्रमी यादवेन्द्रप्रद्युम्न धनुष हाथमें लेकर भरी सभामें इस प्रकार बोले॥ १८—२५॥

प्रद्युम्नने कहा—योद्धाओ! रङ्ग और पिङ्गके साथ होनेवाले युद्धमें मैं अग्रगामी होकर जाऊँगा; क्योंकि रङ्ग और पिङ्ग महान् बल-पराक्रमसे सम्पन्न दिखायी देते हैं॥ २६॥

श्रीनारदजी कहते हैं—प्रद्युम्नकी यह बात सुनकर श्रीकृष्णके बलवान् पुत्र नीतिवेत्ता महाबाहु भानु सबसे आगे होकर अपने बड़े भाईसे बोले॥ २७॥

भानुने कहा—प्रभो! जब तीनों लोक एक साथ युद्धके लिये आपके सम्मुख उपस्थित दिखायी दें, तब आपके धनुषकी टंकार होगी, इसमें संशय नहीं है। मैं केवल तलवारसे ही रङ्ग और पिङ्गके मस्तक काटकर तरबूजके दो टुकड़ोंकी भाँति हाथमें लिये यहाँ प्रवेश करूँगा॥ २८-२९॥

इस प्रकार श्रीगर्गसंहितामें विश्वजित्खण्डके अन्तर्गत श्रीनारद-बहुलाश्व-संवादमें 'द्युमान् और शक्तका वध' नामक आठवाँ अध्याय पूरा हुआ॥ ८॥

नवाँ अध्याय

भानुके द्वारा रङ्ग-पिङ्गका वध; प्रद्युम्न और शिशुपालका भयंकर युद्ध तथा चेदिदेशपर प्रद्युम्नकी विजय

श्रीनारदजी कहते हैं— राजन्! यों कहकर शत्रुसूदन भानु ढाल-तलवार लेकर पैदल ही शत्रुसेनामें उसी प्रकार घुस गये, जैसे जंगली हाथी जंगलमें प्रवेश करता है। भानुने अपने खड्गसे शत्रु-योद्धाओंकी भुजाएँ काट डालीं। हाथी और घोड़े भी जब सामने या आस-पास मिल जाते थे, तब वे अपनी तलवारसे उनके दो टुकड़े कर डालते थे। वे उस समराङ्गणमें शत्रुओंका छेदन करते हुए अकेले ही विचरने और शोभा पाने लगे। उनका दूसरा साथी केवल खड्ग था। जैसे कुहासे और बादलोंसे आच्छादित होनेपर भी सूर्यदेव अपने तेजसे उद्भासित होते हैं, उसी प्रकार शत्रुओंसे आवृत होनेपर भी वीरवर भानु अपने विशिष्ट तेजका परिचय दे रहे थे॥ १—७॥

मिथिलेश्वर! भानुके खड्गसे जिनके कुम्भस्थल कट गये थे, उन हाथियोंके मस्तकोंमेंसे मोती रणभूमिमें उसी प्रकार गिरते थे, जैसे पुण्यकर्मोंके क्षीण हो जानेपर स्वर्गवासी जनोंके तारे (ज्योतिर्मय रूप) द्युलोकसे भूमिपर गिर पड़ते हैं। उस समराङ्गणमें दृष्टिमात्रसे (पलक मारते) शत्रुसेनाको धराशायिनी करके महाबली वीर भानु रङ्ग और पिङ्गके ऊपर जा चढ़े। भगवान् श्रीकृष्णके दिये हुए खड्गसे रङ्ग और पिङ्गके रथोंको नष्ट करके भानुने सारथियोंके सहित उनके घोड़ोंके दो-दो टुकड़े कर डाले। तब महा उद्भट वीर रङ्ग और पिङ्गने भी खड्ग लेकर भानुपर प्रहार किया। परंतु भानुकी ढालतक पहुँचते ही वे दोनों खड्ग टूक-टूक हो गये। भानुकी तलवारकी चोटसे रङ्ग और पिङ्गके मस्तक एक साथ ही युद्धभूमिमें जा गिरे। यह अद्‌भुत-सी बात हुई। विजयी वीर भानु सेनापतियोंसे प्रशंसित हो रङ्ग और पिङ्गके मस्तक लेकर प्रद्युम्नके सामने आये। उस समय मानवीय दुन्दुभियोंके साथ देव-दुन्दुभियाँ भी बज उठीं। सब ओर जय-जयकार होने लगा। देवताओंने फूल बरसाये। रङ्ग और पिङ्गके मारे जानेका समाचार सुनकर शिशुपालके रोषकी सीमा न रही। वह विजयशील रथपर आरूढ़ हो यादवोंके सामने गया। उसके साथ मदकी धारा बहानेवाले, सोनेके हौदेसे युक्त और रत्नजटित कम्बल (कालीन या झूल) से अलंकृत बहुत-से विशालकाय गजराज चले, जिनके हिलते हुए घंटोंकी घनघनाहट दूर-दूरतक फैल रही थी। देवताओंके विमानोंकी भाँति शोभा पानेवाले रथों, वायुके तुल्य वेगशाली तुरंगमों तथा विद्याधरोंके सदृश पराक्रमी वीरोंके द्वारा वह पृथ्वीतलको निनादित करता हुआ चल रहा था॥ ८—१३॥

नरेश्वर! शिशुपालकी सेनाको आती देख धनुर्धारियोंमें श्रेष्ठ श्रीकृष्णकुमार प्रद्युम्न इन्द्रके दिये हुए रथपर आरूढ़ हो सबके आगे होकर उसका सामना करनेके लिये चले। उन्होंने सम्पूर्ण दिशाओं और आकाशको गुँजाते हुए अपना शङ्ख बजाया। दूसरोंको मान देनेवाले नरेश! उस शङ्खनादसे शत्रुओंके हृदयमें कँपकँपी होने लगी। शिशुपालकी विशाल सेना राजप्रासाद या राजकीय दुर्गकी भाँति दुर्गम थी। उसमें प्रवेश करनेके लिये रुक्मिणीनन्दन प्रद्युम्नने सहसा बाणोंका सोपान बनाया। दमघोषनन्दन बुद्धिमान् शिशुपालने बारंबार धनुषकी टंकार करते हुए ब्रह्मास्त्रका संधान किया, जिसको उसने दत्तात्रेयजीसे सीखा था। उसके प्रचण्ड तेजको सब ओर फैलता देख युद्ध-भूमिमें रुक्मिणीनन्दन प्रद्युम्नने भी ब्रह्मास्त्रका ही प्रयोग करके लीलापूर्वक शत्रुके उस अस्त्रका संहार कर दिया। नरेश्वर! तब महाबुद्धिमान् शिशुपालने अङ्गारास्त्रका प्रयोग किया, जिसे जमदग्निनन्दन परशुरामने महेन्द्र पर्वतपर उसको दिया था। उस अस्त्रके द्वारा अङ्गारोंकी वर्षा होनेसे प्रद्युम्नकी सेना अत्यन्त व्याकुल हो उठी। तब श्रीकृष्णकुमारने महादिव्य पर्जन्यास्त्रका प्रयोग किया। उससे मेघोंद्वारा जलकी मोटी धाराएँ गिरायी जाने लगीं, अतः सारे अङ्गार बुझ गये। तब शिशुपालने कुपित होकर गजास्त्रका संधान किया, जिसकी शिक्षा उसे अगस्त्य मुनिने मलयाचलपर दी थी। उस अस्त्रसे अत्यन्त उद्‌भट करोड़ों विशालकाय गजराज प्रकट होने

लगे। उन्होंने महात्मा प्रद्युम्नकी सेनाको रणभूमिमें गिराना आरम्भ किया। इससे यादवोंकी सेनाओंमें महान् हाहाकार मच गया। यह देख युद्धमें होड़ लगाकर आगे बढ़नेवाले प्रद्युम्नने नृसिंहास्त्रका संधान किया। उससे नृसिंहका प्राकट्य हुआ, जो अपनी गर्जनासे भूतलको प्रतिध्वनित कर रहे थे। उनके अयाल चमक रहे थे। उनकी गर्दन और पूँछके बाल बड़े-बड़े थे। पंजोंके नख हलकी फालके समान बड़े-बड़े होनेके कारण उनके स्वरूपकी भयंकरताको बढ़ा रहे थे। नृसिंह उस समराङ्गणमें उन हाथियोंका भक्षण करते हुए हुंकारके साथ सिंहनाद करने लगे। उन हाथियोंके कुम्भस्थलोंको विदीर्ण करके उछलते हुए भगवान् नृसिंह समस्त गजसमूहोंका मर्दन करके वहीं अन्तर्धान हो गये। तब महाबली शिशुपालने रोषपूर्वक परिघ चलाया। परंतु माधव प्रद्युम्नने यमदण्डसे मारकर उसके दो टुकड़े कर दिये। फिर तो चेदिराज शिशुपालके रोषकी सीमा न रही। उसने ढाल और तलवार लेकर प्रद्युम्नपर इस प्रकार धावा किया, जैसे पतंग प्रज्वलित अग्निकी ओर टूटता है। श्रीकृष्ण-कुमारने वेगपूर्वक उसके खड्गपर यमदण्डसे प्रहार किया, जिससे ढालसहित उसकी वह तलवार चूर-चूर हो गयी। फिर यादवेश्वर प्रद्युम्नने सहसा वरुणके दिये हुए पाशसे दमघोषपुत्र शिशुपालको बाँधकर समराङ्गणमें घसीटना आरम्भ किया। अब उन्होंने शिशुपालका काम तमाम करनेके लिये रोषपूर्वक तलवार हाथमें ली। इतनेमें ही गदने वेगसे आगे बढ़कर उनके दोनों हाथ पकड़ लिये॥ १४—३१॥

गद बोले—रुक्मिणीनन्दन! परिपूर्णतम महात्मा श्रीकृष्णके हाथसे इसका वध होनेवाला है; इसलिये तुम इसे मारकर देवताओंकी बात झूठी न करो॥ ३२॥

नारदजी कहते हैं—राजन्! शिशुपालके बाँध लिये जानेपर बड़ा भारी कोलाहल मचा। उस समय चेदिराज दमघोष भेंट लेकर प्रद्युम्नके सामने आये। उन्हें आया देख शीघ्र ही अपने अस्त्र-शस्त्र फेंककर प्रद्युम्न आगे बढ़े। उन्होंने चेदिराजके चरणोंमें मस्तक रखकर उन्हें प्रणाम किया। महाराज दमघोष महात्मा प्रद्युम्नसे मिलकर उन्हें आशीर्वाद देते हुए गद्गद वाणीमें बोले॥ ३३—३५॥

दमघोषने कहा—यादव-शिरोमणे प्रद्युम्न! तुम धन्य हो। दयानिधे! मेरे पुत्रने जो अपराध किया है, उसे क्षमा कर दो॥ ३६॥

श्रीप्रद्युम्न बोले—प्रभो! इसमें न मेरा दोष है, न आपका और न आपके पुत्रका ही दोष है। जो कुछ भी प्रिय अथवा अप्रिय होता है, वह सब मैं कालका किया हुआ ही मानता हूँ॥ ३७॥

नारदजी कहते हैं—राजन्! प्रद्युम्नके यों कहनेपर राजा दमघोष उनके द्वारा बाँधे गये शिशुपाल-को छुड़ाकर उसे साथ ले चन्द्रिकापुरीमें गये। साक्षात् श्रीकृष्णके समान तेजस्वी प्रद्युम्नके बल-पराक्रमका समाचार सुनकर प्राय: कोई राजा उनके साथ युद्ध करनेको उद्यत नहीं हुए। सबने चुपचाप उनकी सेवामें भेंट अर्पित कर दी॥ ३८-३९॥

इस प्रकार श्रीगर्गसंहितामें विश्वजित्खण्डके अन्तर्गत नारद-बहुलाश्व-संवादमें 'रङ्ग-पिङ्गका वध, शिशुपालका युद्ध और चेदिदेशपर विजय' नामक नवाँ अध्याय पूरा हुआ॥ ९॥

दसवाँ अध्याय

यादव-सेनाका कोङ्कण, कुटक, त्रिगर्त, केरल, तैलंग, महाराष्ट्र और कर्नाटक आदि देशोंपर विजय प्राप्तकर करूष देशमें जाना तथा वहाँ दन्तवक्रका घोर युद्ध

नारदजी कहते हैं—मिथिलेश्वर! तदनन्तर मनुतीर्थमें स्नान करके प्रद्युम्न बारंबार दुन्दुभि बजवाते हुए यादव सेनाके साथ कोङ्कण देशमें गये। कोङ्कण देशका राजा मेधावी गदायुद्धमें अत्यन्त कुशल था। वह मल्लयुद्धके द्वारा विपक्षीके बलकी परीक्षा करनेके लिये अकेला ही आया। उसने सेनासहित प्रद्युम्नसे

कहा—'यादवेश्वर! मुझे गदायुद्ध प्रदान करो। प्रभो! मेरे बलका नाश करो'॥ १—३॥

प्रद्युम्न बोले—हे मल्ल! इस भूतलपर एक-से-एक बढ़कर बलवान् वीर हैं; अत: तुम अपने बलपर घमंड न करो। भगवान् विष्णुकी माया बड़ी दुर्गम है। हमलोग बहुत-से वीर यहाँ एकत्र हैं और तुम अकेले ही हमसे युद्ध करनेके लिये आये हो। महामल्ल! यह अधर्म दिखायी देता है, अतः इस समय लौट जाओ॥ ४-५॥

मल्ल बोला—जब आपलोग बलशाली वीर होकर भी युद्ध नहीं कर रहे हैं, तो मेरे पैरोंके नीचेसे होकर निकल जाइये; तभी अब यहाँसे लौटूँगा॥ ६॥

श्रीनारदजी कहते हैं—मैथिल! उस मल्लके यों कहनेपर समस्त यादव-पुंगव वीर क्रोधसे भर गये। तब उसके देखते-देखते बलदेवजीके छोटे भाई बलवान् वीर गद गदा लेकर सामने खड़े हो गये। फिर वह भी सबके सम्मुख गदा उठाकर खड़ा हो गया। उस महाबली मल्लने गदके ऊपर एक बड़ी भारी गदा फेंकी। गदने उसकी गदाको हाथमें थाम लिया और अपनी गदा उसके ऊपर दे मारी। गदकी गदासे आहत होकर वह पृथ्वीपर गिर पड़ा और मुखसे रक्त वमन करने लगा। अब उसने युद्धकी इच्छा त्याग दी। तदनन्तर कोङ्कणवासी मेधावीने श्रीहरिके पुत्र प्रद्युम्नको प्रणाम करके कहा—'मैंने आपलोगोंकी परीक्षाके लिये यह कार्य किया था। आप तो साक्षात् भगवान् ही हैं। कहाँ आप और कहाँ मुझ-जैसा प्राकृतमनुष्य! मेरा अपराध क्षमा कीजिये। मैं आपकी शरणमें आया हूँ'॥ ७—१२॥

श्रीनारदजी कहते हैं—राजन्! यों कहकर, भेंट देकर और श्रीहरिके पुत्रको नमस्कार करके कोङ्कण देशका राजा क्षत्रिय-शिरोमणि मेधावी अपनी पुरीको चला गया। कुटक देशका स्वामी मौलि शिकार खेलनेके लिये नगरसे बाहर निकला था। उसे जाम्बवतीकुमार महाबाहु साम्बने जा पकड़ा। उससे भेंट लेकर प्रद्युम्न दण्डकारण्यको गये। वहाँ मुनियोंके आश्रम देखते हुए सेनासहित श्रीकृष्णकुमार क्रमशः निर्विन्ध्या, पयोष्णी तथा तापी नदीमें स्नान करके महाक्षेत्र शूर्पारकमें गये। वहाँसे आर्या द्वैपायनी देवीका दर्शन करके ऋष्यमूककी शोभा देखते हुए प्रवर्षण गिरिपर गये, जहाँ साक्षात् भगवान् पर्जन्य (इन्द्र) नित्य वर्षा करते हैं। वहाँसे गोकर्ण नामक शिवक्षेत्रका दर्शन करते हुए महाबली श्रीकृष्णकुमार अपने सैनिकोंके साथ त्रिगर्त और केरल देशोंपर विजय पानेके लिये गये। केरलके राजा अम्बष्ठने मेरे मुखसे महात्मा प्रद्युम्नके शुभागमनकी बात सुनकर शीघ्र ही उन्हें भेंट अर्पित कर दी। तब वे कृष्णावेणी नदीको पार करके अपने सैनिकोंकी पद-धूलिराशिसे आकाशमें अन्धकार-सा फैलाते हुए तैलंग देशमें गये। तैलंग देशके राजाका नाम विशालाक्ष था। वे अपने नगरके उपवनमें सुन्दरियोंके साथ विहार करते थे। मधुर ध्वनियोंसे व्याप्त मृदङ्ग आदि बाजे बज रहे थे तथा अप्सराएँ उत्कृष्ट रागोंद्वारा देवेन्द्रके समान उस राजाके सुयशका गान कर रही थीं। उस समय सुन्दरी रमणी रानी मन्दारमालिनीने धूलसे व्याप्त आकाशकी ओर देखकर राजासे कहा। रानीके बिम्बोपम अरुण ओष्ठ सूख गये थे॥ १३—२३॥

मन्दारमालिनी बोली—राजन्! आप सदा विहारमें ही रत रहनेके कारण दूसरी किसी बातको नहीं जानते हैं, दिन-रात अत्यन्त कामावेशके कारण चञ्चल बने रहते हैं। और मैं भी आपके मुखपर छिटकी हुई अलकोंकी सुगन्धपर लुभायी भ्रमरी होकर कभी यह न जान सकी कि दु:ख क्या होता है। परंतु आज द्वारकाके राजा उग्रसेनके राजसूय यज्ञका बीड़ा उठाकर दिग्विजयके लिये निकले हुए वे यदुराजराज प्रद्युम्न चेदिराज आदि समस्त नरेशोंको जीतकर यहाँ आ पहुँचे हैं। दुन्दुभियोंकी धुंकार-ध्वनि सुनिये। उसके साथ हाथियोंके चीत्कार और फूत्कारकी ध्वनि भी मिली हुई है। शत्रुओंके कोदण्डकी टंकार प्रलयकालके गर्जन-तर्जनका कोलाहल प्रस्तुत कर रही है। शम्बर-शत्रु प्रद्युम्नके पास तुरंत भेंट भेज दीजिये। इन भागती हुई भूपसुन्दरियोंकी ओर देखिये, इनके बँधे हुए केशपाशोंसे फूल झड़ गये हैं। ये श्रमजल (पसीने) की वर्षा कर रही हैं और वनमें प्रवेश करनेके कारण इनके केशोंके शृङ्गार बिगड़ गये हैं—

स्पष्ट प्रतीत नहीं हो रहे हैं॥ २४—२७॥

पत्नीकी बात सुनकर राजा विशालाक्ष अत्यन्त प्रसन्न हो, भेंट-सामग्री लेकर प्रद्युम्नके सामने आये। उनके द्वारा पूजित और सम्मानित हो धनुर्धरोंमें श्रेष्ठ साक्षात् प्रद्युम्न पम्पा-सरोवर तीर्थमें स्नान करके वहाँसे महाराष्ट्रकी ओर चल दिये। महाराष्ट्रके राजा विमल विष्णुभक्त थे। उन्होंने बड़े भक्तिभावसे श्रीकृष्णकुमार प्रद्युम्नका सब प्रकारसे पूजन किया। इसी प्रकार कर्नाटकके राजा सहस्त्रजित् स्वयं ही बहुत-सी भेंट-सामग्री लेकर आये और महात्मा प्रद्युम्नको अर्पित करके उन्होंने कल्याणके लिये उन परम प्रभु जगदीश्वर शम्बरारिका पूजन किया॥ २८—३१॥

मिथिलेश्वर! जैसे योगी देहसे होनेवाले विषय-भोगोंपर विजय पानेकी चेष्टा करता है, उसी प्रकार साक्षात् भगवान् प्रद्युम्न यादवोंके साथ करूष देशको जीतनेके लिये गये। नरेश्वर! वहाँ महारङ्गपुरमें परम बुद्धिमान् राजा वृद्धशर्मा रहते थे, जो वसुदेवकी बहिन श्रुतदेवाके पति थे। उनका पुत्र दन्तवक्र श्रीकृष्णका शत्रु कहा गया है। उसने भी शिशुपालकी भाँति कुपित हो यादवोंके साथ स्वयं युद्ध करनेका विचार किया। यद्यपि माता-पिताने उसे मना किया, तथापि दैत्योंके प्रति अनुराग रखनेवाले उस दैत्यने 'मैं यादवोंको मार डालूँगा'—इस प्रकार अपना क्रोध प्रकट किया। वह लाख भारकी बनी हुई भारी गदा लेकर प्रद्युम्नकी सेनाके सामने अकेला ही युद्ध करनेके लिये गया। दन्तवक्रके शरीरका रंग काला था। वह कोयलेके पहाड़-सा जान पड़ता था। उसकी जीभ लपलपाती रहती थी और रूप बड़ा भयंकर था। वह दस ताड़के बराबर ऊँचा था। मस्तकपर किरीट, कानोंमें कुण्डल तथा वक्षपर सोनेके कवचसे विभूषित वह करूष-राजकुमार करधनीकी लड़ें पहिने हुए था। उसके चञ्चल चरणोंमें नूपुर बज रहे थे। वह अपने वेगसे पृथ्वीको कँपाता, पर्वतों तथा वृक्षोंको गिराता और अपनी गदाके प्रहारसे शत्रुओंको कालके गालमें भेजता हुआ यमराजके समान दुर्जय प्रतीत होता था। समराङ्गणमें दन्तवक्रको उपस्थित देख समस्त यादव भयसे थर्रा उठे। उसके आते ही महान् कोलाहल मच गया। प्रद्युम्नने उसके ऊपर बारंबार धनुषकी टंकार करती हुई अठारह अक्षौहिणी विशाल सेना भेजी॥ ३२—४१॥

राजन्! जैसे हाथी किसी पर्वतपर चारों ओरसे टक्कर मारते हों, उसी प्रकार समस्त यादवोंने बाणों, फरसों, शतघ्नियों तथा भुशुण्डियोंसे दन्तवक्रपर प्रहार करना आरम्भ किया। राजेन्द्र! दन्तवक्रने अपनी गदासे रणभूमिमें बहुत-से उत्कट गजराजोंके कुम्भ-स्थल विदीर्ण करके उन्हें मार गिराया। किन्हीं हाथियोंको, जो किङ्किणी-जालसे निनादित, साँकलोंसे सुशोभित, हौदोंसे अलंकृत और चञ्चल घंटोंके रणत्कारसे युक्त थे, उसने पाँव पकड़कर उठा लिया और जैसे हवा रूईको दूर उड़ा ले जाती है, उसी प्रकार आकाशमें सौ योजन दूर फेंक दिया। वह दैत्यराज किन्हीं-किन्हीं हाथियोंकी सूँड पकड़कर आकाशमें घुमाता और उन चिग्घाड़ते हुए गजराजोंको विभिन्न दिशाओंमें फेंक देता था। किन्हीं हाथियोंकी पीठकी हड्डियोंपर, किन्हींकी काँखोंमें—उभय पार्श्वोंमें पैरोंसे आक्रमण करके वह दैत्य कालाग्निरुद्रकी भाँति शोभा पाता था। वह वीर सारथि, घोड़े, ध्वजा और महारथियोंसहित रथोंको आकाशमें उसी तरह उछाल देता था, जैसे आँधी कमलोंको उड़ा ले जाती है। उसने घोड़ों और पैदल सैनिकोंको भी बलपूर्वक उठा-उठाकर आकाशमें फेंक दिया। बहुत-से महाबली राजकुमार ऊपर या नीचे मुँह किये शस्त्रों तथा रत्नमय केयूरोंसहित आकाशसे गिरते हुए तारोंके समान प्रतीत होते थे और मुँहसे रक्त वमन कर रहे थे। मैथिल! उस दैत्यपुंगवने अपनी गदासे यादव-सेनाको उसी प्रकार मथ डाला, जैसे भगवान् श्रीवराहने प्रलयकालके समुद्रको अपनी दंष्ट्रासे विक्षुब्ध कर दिया था॥ ४२—५०॥

इस प्रकार श्रीगर्गसंहितामें विश्वजित्खण्डके अन्तर्गत नारद-बहुलाश्व-संवादमें 'कोङ्कण, कुटक, त्रिगर्त, केरल, तैलंग, महाराष्ट्र और कर्नाटकपर विजय पाकर यादव-सेनाका करूष देशमें गमन' नामक दसवाँ अध्याय पूरा हुआ॥ १०॥

ग्यारहवाँ अध्याय

दन्तवक्रकी पराजय तथा करूष देशपर यादव-सेनाकी विजय

श्रीनारदजी कहते हैं—तब श्रीकृष्णके अठारह महारथी पुत्रोंने मिलकर महाबली दन्तवक्रको क्षत-विक्षत कर दिया। घायल हुआ दन्तवक्र रक्तधारासे रञ्जित हो उसी प्रकार अत्यन्त शोभा पाने लगा, जैसे महावरके रंगसे रँगा हुआ कोई ऊँचा महल सुशोभित हो रहा हो। उसने शत्रुओंके प्रहारको कुछ भी नहीं गिना। कृतवर्माने समराङ्गणमें उसे बाण-समूहोंद्वारा घायल किया, सात्यकिने तलवारसे चोट पहुँचायी और अक्रूरने उस महाबली वीरपर शक्तिसे प्रहार किया। रोहिणीनन्दन सारणने उसके ऊपर कुठारसे आघात किया। रणदुर्मद दन्तवक्रने भी सात्यकिको गदासे चोट पहुँचायी, कृतवर्माको हाथसे और अक्रूरको लातसे मारा तथा सारणको भुजाओंके वेगसे आहत कर दिया। अक्रूर, कृतवर्मा, सात्यकि और सारण—ये चारों वीर आँधीके उखाड़े हुए वृक्षोंकी भाँति मूर्च्छित होकर पृथ्वीपर गिर पड़े। तदनन्तर जाम्बवतीकुमार साम्बने उसकी गदा लेकर, गदाके ऊपर अपनी गदा रखकर उससे दन्तवक्रको मारा। दन्तवक्रने गदा फेंक दी और जाम्बवतीकुमार साम्बको पकड़कर दोनों भुजाओंसे रणमण्डलमें गिरा दिया। तब साम्बने भी उठकर उसके दोनों पैर पकड़कर उसे भूपृष्ठपर दे मारा। वह एक अद्‌भुत-सी बात हुई। दन्तवक्र उठकर उस समय अट्टहास करने लगा। उसकी आवाजसे सात लोकों और पातालोंसहित समूचा ब्रह्माण्ड गूँज उठा। सहस्रों सूर्योंके समान तेजस्वी और सहस्र घोड़ोंसे जुते हुए पताका-मण्डित दिव्य रथपर आरूढ़ होकर आये हुए धनुर्धरोंमें श्रेष्ठ प्रद्युम्नकी ओर देखकर दन्तवक्रने यह कठोर बात कही॥ १—११॥

दन्तवक्र बोला—तुम समस्त यादव, वृष्णिवंशी और अन्धकवंशी लोग स्वल्पशक्तिवाले, तुच्छ, रणभूमिसे भागे हुए और युद्धभीरु हो। राजा ययातिके शापसे तुम्हारा तेज भ्रष्ट हो गया है। तुम राज्यभ्रष्ट और निर्लज्ज हो। मैं अकेला हूँ और तुम बहुसंख्यक हो; तथापि अधर्म-मार्गपर चलनेवाले तथा धर्मशास्त्रकी मर्यादाको विलुप्त करनेवाले तुम नराधमोंने मेरे साथ युद्ध किया है। तुम्हारा पिता श्रीकृष्ण पहले नन्दके पशुओंका चरवाहा था। वह ग्वालोंकी जूठन खाता था, किंतु आज वही यादवोंका ईश्वर बना बैठा है। उसने गोपियोंके घरमें माखन, दही, घी, दूध और तक्र आदि गोरसकी चोरी की थी। वह रासमण्डलमें रसिया बनकर नाचता था, किंतु अब जरासंधके भयसे उसने भी समुद्रकी शरण ले ली है। जो कालयवनके सामने डरपोककी तरह भागा था, वही आज 'यदुनाथ' बना है। उसके दिये हुए थोड़े-से राज्यको पाकर उग्रसेन उस अल्पसारके लिये यज्ञोंमें श्रेष्ठ राजसूय यज्ञ करेगा! कालकी गति दुर्लङ्घ्य है। अहो! सारा संसार विचित्र हो गया। अत्यन्त दुर्बल सियार सिंह और व्याघ्रपर शासन करने चला है!॥ १२—१८॥

श्रीप्रद्युम्नने कहा—ओ निन्दक! पहिले कुण्डिन-पुरमें तूने यादवोंके बढ़े-चढ़े बलको शायद नहीं देखा था, किंतु आज यहाँ देख लेना। करूषराज! तुम लोग मेरे सम्बन्धी हो, यह जानकर मैं तुमसे युद्ध नहीं करना चाहता था। किंतु तूने बलपूर्वक युद्ध छेड़ दिया। यह तेरे द्वारा धर्मशास्त्रानुमोदित कार्य ही तो किया गया है। नन्दराज साक्षात् द्रोण नामक वसु हैं, जो गोपकुलमें अवतीर्ण हुए हैं। गोलोकमें जो गोपाल-गण हैं, वे साक्षात् श्रीकृष्णके रोमसे प्रकट हुए हैं और गोपियाँ श्रीराधाके रोमसे उद्‌भूत हुई हैं। वे सब-की-सब यहाँ व्रजमें उतर आयी हैं। कुछ ऐसी भी गोपाङ्गनाएँ हैं, जो पूर्वकृत पुण्यकर्मों तथा उत्तम वरोंके प्रभावसे श्रीकृष्णको प्राप्त हुई हैं। भगवान् श्रीकृष्ण साक्षात् परिपूर्णतम परमात्मा हैं, असंख्य ब्रह्माण्डोंके अधिपति, गोलोकके स्वामी तथा परात्पर ब्रह्म हैं। जिनके अपने तेजमें सम्पूर्ण तेज विलीन होते हैं, उन्हें ब्रह्मा आदि उत्कृष्ट देवता साक्षात् 'परिपूर्णतम' कहते

हैं, पूर्वकालमें जो चक्रवर्ती राजा मरुत्त थे, वे ही श्रीकृष्णके वरदानसे यादवराज उग्रसेन हुए हैं। तू निरङ्कुश और महामूर्ख है, जो महान् गुणशाली महापुरुषकी निन्दा करता है। जैसे सिंह गीदड़की आवाजपर ध्यान नहीं देता, उसी प्रकार महाराज उग्रसेन अथवा भगवान् श्रीकृष्ण तेरी बकवासपर कोई विचार नहीं करेंगे॥ १९—२६॥

नारदजी कहते हैं—राजन्! प्रद्युम्नकी ऐसी बात सुनकर मदमत्त दन्तवक्र एक भारी गदा लेकर उनके रथपर टूट पड़ा। उसने अपनी गदासे चोट करके उस रथके सहस्र घोड़ोंको गिरा दिया और गर्जना करने लगा। उसका भयंकर रूप देखकर सब घोड़े भाग चले। तब प्रद्युम्नने भी गदा लेकर उसकी छातीमें बड़े जोरसे प्रहार किया। उस प्रहारसे दैत्यराज दन्तवक्र मन-ही-मन कुछ व्याकुल हो उठा। अब उन दोनोंमें गदासे घोर युद्ध होने लगा। गदाओंसे परस्पर प्रहार करते हुए वे दोनों वीर एक-दूसरेको रणभूमिमें रौंदने और गर्जने लगे। राजन्! उन्हें देखकर ऐसा जान पड़ता था, मानो पर्वतपर दो सिंह आपसमें जूझ रहे हों॥ २७—३०॥

दन्तवक्रने दोनों हाथोंसे श्रीकृष्णकुमारको पकड़कर भूमिपर उसी प्रकार गिरा दिया, जैसे एक सिंहने दूसरे सिंहको बलपूर्वक पटक दिया हो। प्रद्युम्नने भी उठकर बलपूर्वक उसके दोनों हाथ पकड़ लिये और भुजाओं द्वारा घुमाकर उसे पृथ्वीपर दे मारा। प्रद्युम्नके प्रहारसे वह रक्त वमन करता हुआ पृथ्वीपर गिर पड़ा। उसकी हड्डियाँ चूर-चूर हो गयीं; शरीर शिथिल हो गया। उसे मूर्च्छा आ गयी। वह आकृतिसे घबराया हुआ प्रतीत होने लगा। दन्तवक्र इन्द्रके वज्रसे आहत हुए पर्वतकी भाँति भूपृष्ठपर सुशोभित हो रहा था। उसके शरीरके धक्केसे समुद्रसहित पृथ्वी हिलने लगी, दिग्गज विचलित हो उठे, तारे खिसक गये और समुद्र काँपने लगे। राजेन्द्र! उसके गिरनेके धमाकेसे तीनों लोकोंके कान बहरे हो गये। उसी समय करूषराज महात्मा वृद्धशर्मा रानी श्रुतदेवाके साथ महारङ्गपुरसे वहाँ आ पहुँचे। वे यादवोंके साथ सुन्दर ढंगसे संधि करना चाहते थे। मिथिलेश्वर! वे शम्बरशत्रु प्रद्युम्नको भेंट देकर, पुत्रको साथ ले, संधि करके यदुपुंगवोंसे पूजित हो, पुनः महारङ्गपुरको चले गये॥ ३१—३७॥

इस प्रकार श्रीगर्गसंहितामें विश्वजित्‌खण्डके अन्तर्गत नारद-बहुलाश्व-संवादमें 'दन्तवक्रके साथ युद्धमें करूष देशपर विजय' नामक ग्यारहवाँ अध्याय पूरा हुआ॥ ११॥

बारहवाँ अध्याय

उशीनर आदि देशोंपर प्रद्युम्नकी विजय तथा उनकी जिज्ञासापर मुनिवर अगस्त्यद्वारा तत्त्वज्ञानका प्रतिपादन

श्रीनारदजी कहते हैं—राजन्! दक्षिण सागरमें स्नान करके यादवराज प्रद्युम्न वहाँसे सेनासहित उशीनर देशको जीतनेके लिये आये, जहाँ ग्वालोंकी मण्डलीके साथ कोटि-कोटि भव्य मूर्तिवाली गौएँ विचरती और चरती हैं। उशीनर देशके लोग दूध पीते और गोरे रंगके मनोहर रूपवाले होते हैं। वे मक्खनकी भेंट लेकर प्रद्युम्नके सामने गये। उनसे पूजित होकर प्रद्युम्नने प्रसन्नतापूर्वक उन्हें हाथी, घोड़े, रथ, रत्न, वस्त्र और भूषण आदि बहुत धन दिया। उशीनरकी राजधानी चम्पावती नामक पुरी मणि और रत्नोंसे सम्पन्न थी। वह राजाओंसे उसी प्रकार शोभा पाती थी, जैसे सर्पोंसे भोगवतीपुरी। चम्पावतीके स्वामी वीर राजा हेमाङ्गद शीघ्र ही भेंट लेकर आये। उन्होंने श्रीकृष्णकुमार प्रद्युम्नको प्रणाम किया। उनसे संतुष्ट होकर प्रद्युम्नने उन्हें केसरयुक्त कमलोंकी माला दी और सहस्रदलोंकी शोभासे सम्पन्न एक दिव्य कमल भी अर्पित किया॥ १—७॥

तदनन्तर महाबाहु प्रद्युम्न धनुष धारण किये तथा बार-बार दुन्दुभि बजवाते हुए अपनी सेनाके साथ विदर्भ देशको गये। कुण्डिनपुरके राजा भीष्मकने वहाँ

पधारे हुए रुक्मिणीपुत्रको अपने घर ले आकर बहुत धन दे, सेनासहित उनका पूजन किया। तत्पश्चात् नानाको प्रणाम करके बलवान् यादवेश्वर रुक्मिणीनन्दन कुन्त और दरद देशोंको गये। मार्गमें मलयाचलके चन्दनको स्पर्श करता हुआ समीर उनकी सेवा कर रहा था। श्रीखण्ड और केतकी पुष्पोंकी गन्धसे भरे हुए मलयाचलपर उन्होंने मुनिश्रेष्ठ अगस्त्यका दर्शन किया, जो किसी समय महासागरको पी गये थे। श्रीकृष्ण-कुमार दोनों हाथ जोड़कर उन महामुनिको नमस्कार करके उनकी पर्णशालामें खड़े हो गये। मुनिने शुभाशीर्वाद देकर उनका अभिनन्दन किया॥ ८—१२॥

तब श्रीप्रद्युम्नने पूछा—मुनिश्रेष्ठ! यह जगत् तो दृश्य-पदार्थ होनेके कारण मिथ्या है,* फिर सत्यकी भाँति कैसे स्थित है? तथा जीव ब्रह्मका अंश होनेके कारण नित्यमुक्त है, ऐसा होनेपर भी यह गुणोंसे कैसे बँध जाता है? यह मेरा प्रश्न है, आप इसका भलीभाँति निरूपण कीजिये; क्योंकि आप सर्वज्ञ, दिव्यदृष्टिसे सम्पन्न तथा समस्त ब्रह्मवेत्ताओंमें श्रेष्ठ हैं॥ १३-१४॥

अगस्त्यजीने कहा—रुक्मिणीनन्दन! तुम साक्षात् परिपूर्णतम भगवान् श्रीकृष्णचन्द्रके पुत्र हो, तथापि मुझसे प्रश्न करते हो! तुम्हारा यह प्रश्न पूछना लीलामात्र है (क्योंकि तुम सर्वज्ञ हो)। प्रभो! जैसे भगवान् श्रीहरि लोक-संग्रहके लिये ही कर्म करते हैं, उसी प्रकार तुम भी मनुष्योंका कल्याण करनेके लिये विचर रहे हो। जैसे सत्य सूर्यका जलमें जो प्रतिबिम्ब दिखायी देता है, वह मिथ्या होनेपर भी सत्य-सा प्रतीत होता है, उसी प्रकार प्रकृति और परमात्माका प्रतिबिम्बस्वरूप यह दृश्य-जगत् असत् होनेपर भी सत्य-सा दृष्टिगोचर होता है। जैसे शीशेमें मुख, रस्सीमें सर्प तथा बालुका-राशिमें जलकी सत्यवत् प्रतीति होती है, उसी प्रकार यह सत् परमात्मा देहगत सत्त्वादि गुणोंसे बद्ध जान पड़ता है—अन्तःकरणरूपी दर्पणमें सत्का प्रतिबिम्ब ही जीवरूपमें प्रतीतिगोचर होता है। (शीशेमें मुख आबद्ध न होनेपर भी बद्ध-सा प्रतीत होता है, उसी प्रकार नित्यमुक्त परमात्मा सत्त्वादि गुणमय अन्तःकरणमें प्रतिबिम्बित होकर बद्ध-सा जान पड़ता है)॥ १५—१८॥

प्रद्युम्नने पूछा—ब्रह्मज्ञ-शिरोमणे! जिस उपायसे दृढ़ वैराग्य प्राप्त करके देहधारी जीव कथमपि बन्धनमें न पड़े, वह मुझे बताइये॥ १९॥

अगस्त्यजीने कहा—जो विवेकका आश्रय लेकर जगत्को मनोमय (मनके संकल्पमात्रसे प्रकट) मानकर सनातन ब्रह्मका भजन करता है, वह परमपदको प्राप्त होता है। राजन्! उस परमात्माको जन्म, मृत्यु, शोक, मोह, बाल्य, यौवन, जरा, अहंता, मद, व्याधिका डर, सुख, दुःख, क्षुधा, रति, मानसिक चिन्ता और भय कभी नहीं प्राप्त होते; क्योंकि आत्मा निरीह (चेष्टारहित), निराकार, सर्वथा अहंकारशून्य, शुद्धस्वरूप, गुणोंका आश्रय, साक्षात् परमेश्वर, निष्कल तथा आत्मद्रष्टा है। जिसको मुनीश्वरोंने सदा पूर्ण एवं ज्ञानमय जाना है, उस परब्रह्म परमात्माको जानकर यह जीव सुखपूर्वक विचरे॥ २०—२३॥

जो पुरुष (आत्मा) इस जगत्के सो जानेपर भी जागता है, सबको देखता है, उस द्रष्टाको यह लोक कभी नहीं देखता, कदापि नहीं जानता। जैसे विभिन्न रंगोंसे स्फटिकमणि कभी लिप्त नहीं होती तथा जैसे आकाश कोठेसे, अग्नि काष्ठसे और वायु उड़ी हुई धूलसे लिप्त नहीं होती, उसी प्रकार ब्रह्म गुणोंसे कभी लिप्त नहीं होता। जो लक्षणाओंसे, व्यञ्जनाद्वारा व्यक्त होनेवाली ध्वनि एवं व्यङ्ग्यार्थोंसे कभी ज्ञानका विषय नहीं होता, वह लौकिक वाक्योंद्वारा कैसे जाना जा सकता है! उस शब्दार्थातीत परब्रह्मको नमस्कार है। कुछ लोग इस परमात्माको 'कर्म' कहते हैं, दूसरे लोग उसे 'काल' की संज्ञा देते हैं। अन्य विद्वान् उसे 'कर्त्ता' एवं 'योग' कहते हैं, दूसरे विचारक उसको 'सांख्य' एवं 'ब्रह्म' बताते हैं। कोई 'परमात्मा' और 'वासुदेव' कहते हैं। प्रत्यक्ष, अनुमान, निगमागम तथा आत्मानुभवसे उस परब्रह्मके स्वरूपका विचार करके इस जगत्में अनासक्तभावसे विचरे। जैसे जलके चञ्चल होनेसे उसमें प्रतिबिम्बित वृक्ष भी चञ्चल-से प्रतीत होते हैं और नेत्रोंके घूमनेसे धरती भी घूमती-सी दिखायी देती है, उसी प्रकार गुणोंके भ्रमणसे मनके भ्रान्त होनेपर उसमें स्थित आत्मा भी भ्रान्त-सा जान

* जगत्के मिथ्यात्वका साधक अनुमान-प्रमाण इस प्रकार है—जगत् असत्, दृश्यमानत्वात् स्वप्नदृष्टपदार्थवत्।

पड़ता है॥ २४—३०॥

राजन्! जैसे हाथसे घुमाया जाता हुआ अलात-चक्र मण्डलाकार घूमता जान पड़ता है, उसी प्रकार गुणोंद्वारा भ्रान्त मनके द्वारा अज्ञानविमोहित जीव ऐसा कहने और मानने लगता है कि 'मैं करूँगा, मैं कर्ता हूँ, यह मेरा है, वह तुम्हारा है, यह तुम हो, यह मैं हूँ, मैं सुखी हूँ और मैं दुःखी हूँ' इत्यादि। सत्त्व, रज और तम—ये तीनों प्रकृतिके गुण हैं, आत्माके नहीं। उन गुणोंद्वारा यह सारा जगत् उसी तरह व्याप्त है, जैसे सूतसे वस्त्र ओत-प्रोत होता है। सत्त्वगुणमें स्थित जीव ऊपरको जाते हैं, रजोगुणी जीव मध्यवर्ती लोकमें रहते हैं तथा तमोगुणकी वृत्तिमें स्थित तामसजन नीचे (नरकादिमें) जाते हैं। श्रीकृष्णकुमार! जैसे अँधेरेमें रखी हुई रस्सीमें सर्पबुद्धि होती है, दूरसे मरीचिका (सूर्यकिरण) में जलकी भ्रान्ति होती है, उसी प्रकार अज्ञानमोहित जीव परब्रह्ममें इस जगत्की भ्रान्त धारणा बना लेता है। सुखको उसी तरह आने-जानेवाला समझो, जैसे मण्डलवर्ती राजाओंका राज्य। मनुष्योंका दुःख भी उसी प्रकार है, जैसे नरकवासियोंका। घन-माला, देहके गुण तथा दिन और रात जैसे स्थिर नहीं होते, उसी तरह सुख-दुःख भी स्थिर नहीं है। जैसे तीर्थयात्रियों या व्यापारियोंका समुदाय सदा साथ नहीं रहता, उसी तरह यह दृश्य-प्रपञ्च भी शाश्वत नहीं है। कोई भी वस्तु सदा नहीं रहती। जैसे पंख निकल आनेपर पक्षीको घोंसलेसे और नदीके पार चले जानेपर पथिकको नावसे कोई प्रयोजन नहीं रहता, उसी प्रकार ज्ञान प्राप्त हो जानेपर अभिमान उत्पन्न करनेवाले लोकसे क्या प्रयोजन रह जाता है। समदर्शी मुनि इसी प्रकार अपने मार्गका शीघ्र निश्चय करके असङ्गभावसे विचरे। जैसे अनेक जलपात्रोंमें एक ही चन्द्रमा प्रतिबिम्बित होता है और जैसे काष्ठसमूहमें एक अग्नि व्याप्त है, उसी प्रकार एक ही साक्षात् भगवान् परमात्मा सर्वत्र विद्यमान है। जैसे महान् आकाश घट और मठके बाहर तथा भीतर भी अलिप्तभावसे विद्यमान है, उसी प्रकार परमात्मा अपने ही द्वारा उद्भावित देहधारियोंके बाहर-भीतर निर्लिप्तरूपसे विराजमान है। जो भगवान् श्रीकृष्णका शान्तचित्त, ज्ञाननिष्ठ एवं वैराग्यवान् भक्त है, उसे गुण उसी प्रकार नहीं छूते, जैसे जल कमलदलको स्पर्श नहीं करता। ज्ञानी पुरुष सदा आनन्दमग्न हो बालककी भाँति विचरता है। वह अपने शरीरकी ओर उसी प्रकार दृष्टि नहीं रखता, जैसे मदिरा पीकर मतवाला हुआ मनुष्य अपने पहिने हुए वस्त्रकी सँभाल नहीं रखता॥ ३१—४१॥

राजन्! जैसे सूर्योदय होनेपर घरकी वस्तु दिखायी देने लगती है, उसी प्रकार अज्ञानको दूर करके ज्ञानवान् पुरुष ब्रह्मतत्त्वका साक्षात्कार कर लेता है। जैसे पृथक्-पृथक् द्वारवाली इन्द्रियोंसे एक ही विषय अनेक गुणोंका आश्रय प्रतीत होता है, उसी प्रकार एक ही ब्रह्म उसके प्रतिपादक शास्त्रमार्गोंसे अनेक-सा जान पड़ता है। नरेश्वर! इस ब्रह्मको कोई परमपद कहते हैं, कोई वैष्णवधाम बताते हैं, कोई व्यापक वैकुण्ठ, कोई शान्त, कोई परम कैवल्य तथा कोई अविनाशी परम-धाम कहते हैं। किन्हींके मतमें वह अक्षरपद है, कोई उसे पराकाष्ठा कहते हैं, कोई प्रकृतिसे परे गोलोकधाम बताते हैं और कोई पुराणवेत्ता उसको विशद निकुञ्ज कहते हैं। इस लोकमें रहनेवाला मानव उस पदको ज्ञान, वैराग्य और भक्तिसे प्राप्त करता है, दूसरे किसी साधनसे नहीं। परमपुरुष कैवल्यनाथ परात्पर पुरुषोत्तम भगवान् श्रीकृष्णचन्द्रके पदको मनुष्य उपर्युक्त साधनोंद्वारा उन्हींकी कृपासे प्राप्त करता है और उसे प्राप्त करके भक्त पुरुष कभी वहाँसे लौटता नहीं॥ ४२—४७॥

श्रीनारदजी कहते हैं—राजन्! यह भागवत ज्ञान सुनकर श्रीकृष्णकुमार प्रद्युम्नने दोनों हाथ जोड़, भक्ति-भावसे नमस्कार करके महामुनि अगस्त्यजीका पूजन किया॥ ४८॥

इस प्रकार श्रीगर्गसंहितामें विश्वजित्खण्डके अन्तर्गत नारद-बहुलाश्व-संवादमें 'उशीनर, विदर्भ, कुन्त, दरद आदि देशोंपर विजयके प्रसङ्गमें अगस्त्य और प्रद्युम्नकी ज्ञानचर्चा' नामक बारहवाँ अध्याय पूरा हुआ॥ १२॥

तेरहवाँ अध्याय

शाल्व आदि देशों तथा द्विविद वानरपर प्रद्युम्नकी विजय; लङ्कासे विभीषणका आना और उन्हें भेंट समर्पित करना

श्रीनारदजी कहते हैं—राजन्! कृतमाला और ताम्रपर्णी नदियोंमें स्नान करके श्रीयादवेश्वर प्रद्युम्न अपने यादव सैनिकोंके साथ राजपुरको गये। राजपुर-का स्वामी राजा शाल्व था। वह मेरे मुँहसे यादवोंका आगमन सुनकर शीघ्र ही वानरराज द्विविदके पास गया। वीर द्विविद मित्रकी सहायता करनेके लिये उद्यत हो यादवोंके प्रति मनमें अत्यन्त क्रोध लेकर प्रद्युम्नकी सेनाका सामना करनेके लिये गया। वह अपने पैरोंकी धमकसे पृथ्वीको हिला देता था। द्विविदने अपने नखों और दाँतोंद्वारा पताका और ध्वजपट्टोंको चीर डाला। वे ध्वज कश्मीरी शालोंसे आवृत, मुद्राङ्कित तथा स्वर्णभूषित थे। उसने रथोंको ऊपर उछाल दिया, हाथियोंपर वेगपूर्वक चढ़कर घोड़ोंको भगाया और वह वानरोचित किलकारियोंके साथ भौंहें नचाकर सबको भयभीत करने लगा। इस प्रकार कोलाहल मच जानेपर धनुर्धरोंमें श्रेष्ठ प्रद्युम्न बारंबार धनुषकी टंकार करते हुए रथपर आरूढ़ हो उसके पास आ गये। मदमत्त द्विविद उस रथके आस-पास उछलने लगा और अपनी पूँछसे घोड़ोंसहित रथ, ध्वज और छत्रको कम्पित करने लगा। प्रद्युम्नने अपने धनुषकी कोटिसे उसका गला पकड़कर खींचा। तब अत्यन्त कुपित हुए उस वानरने उनके ऊपर मुक्केसे प्रहार किया। तदनन्तर प्रद्युम्नने विधिपूर्वक धनुषपर प्रत्यञ्चा चढ़ायी और कानतक खींचकर छोड़े गये एक बाणसे द्विविदको बींध दिया। राजेन्द्र! उस बाणने आकाशमें आधे पहरतक द्विविदको घुमाकर सौ योजन दूर लङ्कामें गिरा दिया। वहाँ दो घड़ीतक राक्षसोंके साथ उसका युद्ध हुआ और उसने राक्षसोंको मार गिराया। राजन्! इधर यदुकुल-तिलक प्रद्युम्नने दुन्दुभिनाद कराते हुए विजय प्राप्त करके शाल्वसे भेंट ली और दक्षिण-मथुरा (मदुर) का दर्शन करके वे त्रिकूट पर्वतपर जा चढ़े। उधर वानरराज द्विविद त्रिकूटसे मैनाकके शिखरपर गया, मैनाकसे सिंहल जाकर वह पुनः भारतवर्षमें आया। धीरे-धीरे वानरेन्द्र द्विविद हिमालयपर गया और हिमालयके शिखरसे प्राग्ज्योतिषपुरको जा पहुँचा॥ १—१४॥

यादवेश्वर प्रद्युम्न मल्लारदेशके अधिपति रामकृष्णपर विजय पाकर महाक्षेत्र सेतुबन्ध तीर्थमें गये। महावीर श्रीकृष्णकुमार प्रद्युम्न शतयोजनविस्तृत मकरालय समुद्रका दर्शन करके उसके तटपर जाकर ठहर गये। वहाँ साम्ब आदि भाइयों और अक्रूर आदि अपने यादवोंको बुलाकर योगेश्वरेश्वर प्रद्युम्नने सभामें उद्धवसे कहा॥ १५—१७॥

प्रद्युम्न बोले—भोजकुलतिलक मन्त्रिवर उद्धवजी! परम तेजस्वी लङ्कापति विभीषण इस द्वीप-का राजा तथा राक्षस-समूहोंका सरदार है। यदि वह शीघ्र भेंट न दे तो बताइये, यहाँ हमें क्या करना चाहिये?॥ १८॥

उद्धवजीने कहा—प्रभो! आप देवाधिदेव पुरुषोत्तमोत्तम हैं। आप ही परमात्मा श्रीकृष्णचन्द्र हैं, तथापि आप साधारण लोगोंकी भाँति मुझसे पूछते हैं! बड़े-बड़े योगीश्वर भी आपकी मायाका पार नहीं पाते। भूमन्! ब्रह्मा आदि देवता भी सदा पराजित होकर जिनके उत्तम अनुशासनका भार सदा अपने मस्तक-पर ढोते हैं, वही साक्षात् पुरुषोत्तम आप हैं। मैं तो आपका दासानुदास हूँ, फिर मैं आपको क्या सलाह दूँगा?॥ १९-२०॥

श्रीनारदजी कहते हैं—मैथिलेश्वर! उद्धवके यों कहनेपर श्रीहरिस्वरूप भगवान् प्रद्युम्नने एक ताड़पत्र लेकर उसपर अपना संदेश लिखा—'राक्षसराज! तुम भोजराज उग्रसेनके लिये भेंट दो; यदि बलाभिमानवश तुम मेरी बात नहीं सुनोगे तो मैं धनुषसे छोड़े गये बाणोंद्वारा समुद्रपर सेतु बाँधकर सैन्यसमूहके साथ लङ्कापर चढ़ाई करूँगा।' यह

लिखकर प्रचण्ड-पराक्रमी प्रद्युम्नने कोदण्ड हाथमें लिया और अपने पत्रको बाणमें लगाकर उस बाणको कानतक खींचा और छोड़ दिया। उस धनुषकी प्रत्यञ्चाको खींचनेसे बिजलीकी गड़गड़ाहटके समान टंकारध्वनि प्रकट हुई। उस नादसे पातालों तथा सातों लोकोंसहित सारा ब्रह्माण्ड गूँज उठा। प्रद्युम्नके धनुषसे छूटा हुआ बाण सम्पूर्ण दिशाओंको प्रकाशित करता हुआ विद्युत्के समान तड़तड़ाकर विभीषणकी सभामें गिरा। उसके गिरते ही सब राक्षस चकित-से होकर उठकर खड़े हो गये। उन दुष्टोंने बड़े वेगसे अपने कवच और शस्त्र ग्रहण कर लिये। महाबली राक्षसराज विभीषण बाणसे पत्रको खींचकर पढ़ गये। सभामें वह पत्र पढ़कर उन्हें बड़ा विस्मय हुआ। उसी समय उस राजसभामें शुक्राचार्य आ पहुँचे। विभीषणने पाद्य आदि उपचारोंद्वारा उनका पूजन किया और हाथ जोड़, प्रणाम करके कहा॥ २१—२८॥

विभीषण बोले—भगवन्! यह किसका बाण है? भूतलपर भोजराज कौन हैं और उनका बल क्या है, यह मुझे बताइये; क्योंकि आप साक्षात् दिव्य-दृष्टिवाले हैं॥ २९॥

श्रीशुक्रने कहा—राक्षसराज! इस विषयमें पुराणवेत्ता विद्वान् इस प्राचीन इतिहासका वर्णन किया करते हैं, जिसके सुननेमात्रसे पापोंका नाश हो जाता है। पूर्वकालमें ब्रह्माजीके पुत्र सनक आदि चार मुनि तीनों लोकोंमें भ्रमण करते हुए भगवान् विष्णुके दिव्यलोकमें गये। वे नंगे बालकके रूपमें थे। उन्हें शिशु जानकर जय और विजय नामक द्वारपालोंने, जो अन्त:पुरमें पहरेदार थे, बेंतकी छड़ीसे रोक दिया। वे श्रीहरिके दर्शनकी लालसा लेकर आये थे। रोके जानेपर उन्हें क्रोध हुआ और उन्होंने उन दोनों द्वारपालोंको शाप देते हुए कहा—'तुम दोनों दुष्ट हो; इसलिये असुर हो जाओ। तीन जन्मोंके पश्चात् शुद्ध होओगे।' इस प्रकार शाप प्राप्त करके वे दोनों अपने भवनसे गिरे और भूमण्डलमें आकर दैत्यों तथा दानवोंसे पूजित दिति-पुत्र हुए। उनमेंसे ज्येष्ठका नाम हिरण्यकशिपु था और छोटेका नाम हिरण्याक्ष। प्रलयके जलसे पृथ्वीका उद्धार करनेके लिये भगवान् श्रीहरि यज्ञ-वाराहके रूपमें प्रकट हुए। उन्होंने महाबली हिरण्याक्ष नामक दैत्यको मुक्केसे मार डाला और साक्षात् चण्ड-पराक्रमी नृसिंह होकर कयाधू-कुमार प्रह्लादकी सहायता करते हुए हिरण्यकशिपुका उदर विदीर्ण कर दिया। वे ही दोनों भाई फिर केशिनीके गर्भसे विश्रवाके पुत्र होकर उत्पन्न हुए, जो सम्पूर्ण लोकोंको एक मात्र ताप देनेवाले रावण और कुम्भकरण कहलाये। श्रीरामचन्द्रजीके सायकोंसे घायल होकर वे दोनों युद्धभूमिमें सदाके लिये सो गये। वे महान् वेगशाली राक्षसराज रावण और कुम्भकर्ण तुम्हारी आँखोंके सामने मारे गये थे। अब उनका तीसरा जन्म हुआ। इस जन्ममें वे क्षत्रिय-कुलमें उत्पन्न हुए हैं। उनका नाम शिशुपाल और दन्तवक्र है। वे इस युगमें भी बड़े बलवान् हैं। उन दोनोंके वधके लिये साक्षात् परिपूर्णतम भगवान् असंख्य-ब्रह्माण्डपति परात्पर गोलोकनाथ श्रीकृष्ण यदुकुलमें अवतीर्ण हुए हैं। वे यादवेन्द्र बहुत-सी लीलाएँ करते हुए इस समय द्वारकामें विराजमान हैं। युधिष्ठिरके महायज्ञमें शाल्वके साथ होनेवाले युद्धमें माधव शिशुपाल और दन्तवक्रका वध कर डालेंगे, इसमें संशय नहीं है। उन्हींके पुत्र शम्बरसूदन प्रद्युम्न दिग्विजयके लिये निकले हैं। वे जम्बूद्वीपके समस्त राजाओंपर विजय प्राप्त करेंगे। उन सबके जीत लिये जानेपर यदुकुल-तिलक भोजराज उग्रसेन द्वारकामें राजसूय यज्ञ करेंगे। उन्हींके धनुषसे बलपूर्वक छूटा हुआ यह प्रचण्ड वेगशाली बाण यहाँ आया है। इसपर उनके नामका चिह्न है। यह विद्युत्की गड़गड़ाहटसे भी अधिक आवाज करनेवाला है। राक्षसराज! यह बाण समस्त दिङ्मण्डलको उद्भासित करता हुआ यहाँतक आ पहुँचा है॥ ३०—४५॥

नारदजी कहते हैं—नरेश्वर! राक्षसोंके सरदार श्रीरामभक्त विभीषणने यह जानकर कि भगवान् श्रीकृष्ण साक्षात् श्रीरामचन्द्रजी ही हैं, भेंट-सामग्री लेकर प्रद्युम्नकी सेनाके पास गये। उस समय शीघ्र ही आकाशसे उतरकर मेघके समान श्यामकान्तिसे प्रकाशित होनेवाले विशालकाय विजयदर्शी विभीषण श्रीकृष्णकुमार प्रद्युम्नकी परिक्रमा करके हाथ जोड़ उनके सामने खड़े हो गये॥ ४६-४७॥

विभीषण बोले—प्रभो! आप साक्षात् भगवान् वासुदेव तथा सबके स्रष्टा हैं, आपको नमस्कार है। आप ही संकर्षण, प्रद्युम्न और अनिरुद्ध हैं; आपको प्रणाम है। मत्स्य, कूर्म और वराहावतार धारण करनेवाले आप परमेश्वरको बारंबार नमस्कार है। श्रीरामचन्द्रको नमस्कार है। भृगुकुलभूषण परशुरामजीको बारंबार नमस्कार है। आप भगवान् वामनको नमस्कार है। आप ही साक्षात् नरसिंह हैं, आपको बारंबार नमस्कार है। आप शुद्ध-बुद्धदेवको नमस्कार है। सबकी पीड़ा हर लेनेवाले कल्किरूप आप भगवान्‌को मेरा नमस्कार है* ॥ ४८—५० ॥

श्रीनारदजी कहते हैं—राजन्! यों कहकर दूसरोंको मान देनेवाले विभीषणने श्रीहरिके पुत्र प्रद्युम्नका बड़े भक्तिभावसे सोलह उपचारों द्वारा पूजन किया। उस समय उनकी वाणी गद्‌गद हो रही थी। फिर परम संतुष्ट हुए प्रद्युम्नने उनको वैराग्यपूर्ण ज्ञान, शान्तिदायिनी भक्ति तथा प्रेमलक्षणा परानुरक्ति प्रदान की। साथ ही ब्रह्माजीकी दी हुई परम दिव्य पद्मरागनिर्मित मस्तकमणि तथा पुलस्त्यपौत्र कुबेरद्वारा पूर्वकालमें दी हुई रत्नोंकी दीप्तिमती माला प्रदान की। फिर चन्द्रमाकी दी हुई चन्द्रकान्तमणि तथा उत्तम पीताम्बर परम प्रभु प्रद्युम्नने उन्हें अर्पित किये। तदनन्तर महाबली राक्षसराज विभीषण प्रद्युम्नको प्रणाम करके उन्हें भेंट देकर अपने पार्षदगणोंके साथ लङ्कापुरीको लौट गये ॥ ५१—५५ ॥

इस प्रकार श्रीगर्गसंहितामें विश्वजित्खण्डके अन्तर्गत नारद-बहुलाश्व-संवादमें 'शाल्व, मल्लार एवं लङ्कापर विजय' नामक तेरहवाँ अध्याय पूरा हुआ ॥ १३ ॥

चौदहवाँ अध्याय

सह्यपर्वतके निकट दत्तात्रेयका दर्शन और उपदेश तथा महेन्द्रपर्वतपर परशुरामजीके द्वारा यादवसेनाका सत्कार और श्रेष्ठ भक्तके स्वरूपका निरूपण

श्रीनारदजी कहते हैं—राजन्! तदनन्तर श्रीकृष्णकुमार कामदेवस्वरूप प्रद्युम्न ऋषभ पर्वतका दर्शन करके श्रीरङ्गक्षेत्रमें गये। फिर काञ्चीपुरी एवं सरिताओंमें श्रेष्ठ प्राचीका दर्शन करके, कावेरी नदीके पार जाकर सह्यगिरिके समीपवर्ती देशोंमें गये। भगवान् प्रद्युम्न हरिके साथ यादवोंकी विशाल सेना भी थी। मैथिलेश्वर! उन्होंने देखा कि उनके सैन्य-शिविरकी ओर एक खुले केशवाला दिगम्बर अवधूत भागता चला आ रहा है। उसका शरीर हृष्ट-पुष्ट है और उसपर धूल पड़ी हुई है। बालक उसके पीछे दौड़ रहे हैं और इधर-उधरसे तालियाँ पीट रहे हैं, कोलाहल करते हैं और हँसते हैं। उस अवधूतको देखकर बुद्धिमानोंमें श्रेष्ठ श्रीकृष्णकुमार प्रद्युम्न उद्धवसे बोले ॥ १—४ $\frac{1}{2}$ ॥

प्रद्युम्नने कहा—यह हृष्ट-पुष्ट शरीरवाला कौन पुरुष बालक, उन्मत्त और पिशाचकी भाँति भागा आ रहा है? यह लोगोंसे तिरस्कृत होनेपर भी हँसता है और अत्यन्त आनन्दित होता है ॥ ५-६ ॥

उद्धव बोले—ये परमहंस अवधूत श्रीहरिके कलावतार साक्षात् महामुनि दत्तात्रेय हैं, जो सदा आनन्दमय देखे जाते हैं। इन्हींके प्रसादसे पूर्ववर्ती उत्कृष्ट नरेश सहस्रार्जुन आदि तथा यदु एवं प्रह्लाद आदिने परम सिद्धि प्राप्त की है ॥ ७-८ ॥

श्रीनारदजी कहते हैं—राजन्! यह सुनकर यदु-कुल-तिलक प्रद्युम्नने मुनिकी पूजा और वन्दना करके

---

*नमो भगवते तुभ्यं वासुदेवाय वेधसे। प्रद्युम्नायानिरुद्धाय नमः संकर्षणाय च॥
नमो मत्स्याय कूर्माय वराहाय नमो नमः। नमः श्रीरामचन्द्राय भार्गवाय नमो नमः॥
वामनाय नमस्तुभ्यं नृसिंहाय नमो नमः। नमो बुद्धाय शुद्धाय कल्कये चार्तिहारिणे॥
(गर्ग०, विश्वजित्० १३। ४८—५०)

दिव्य आसनपर बिठाकर उनसे प्रश्न किया॥ ९॥

प्रद्युम्न बोले—भगवन्! मेरे हृदयमें एक संदेह है, प्रभो! उसका नाश कीजिये। जगत्‌का स्वरूप क्या है, ब्रह्मके मार्ग कौन हैं तथा तत्त्व क्या है? यह सब ठीक-ठीक बताइये॥ १०॥

दत्तात्रेयने कहा—जबतक अन्धकारके कारण वस्तु दिखायी नहीं देती, तभीतक उल्का या मशालकी आवश्यकता होती है। जब महानन्द वशमें हो जाय, तब उल्काका क्या प्रयोजन है। साधो! जगत् तभीतक टिका रहता है, जबतक तत्त्वका ज्ञान नहीं होता। परब्रह्म परमात्माके ज्ञात या प्राप्त हो जानेपर जगत्‌का क्या प्रयोजन है। जैसे मुखका प्रतिबिम्ब दर्पणमें दिखायी देता है, परंतु वास्तविक शरीर उससे भिन्न है, उसी प्रकार प्रधान अर्थात् प्रकृतिमें प्रतिबिम्बित चैतन्य जीव है, परंतु ज्ञानके आलोकमें वह परात्पर परमात्मा सिद्ध होता है। जैसे सूर्योदय होनेपर सारी वस्तुएँ नेत्रसे दिखायी देती हैं, उसी प्रकार ज्ञानोदय होनेपर ब्रह्मतत्त्वका साक्षात्कार होता है। फिर जीव कहीं नहीं दृष्टिगोचर होता है॥ ११—१४॥

नारदजी कहते हैं—राजन्! इस प्रकार उपदेश सुनकर यादवराज प्रद्युम्नने उनको नमस्कार किया और सेनाके साथ वे द्रविड़ देशमें वैकुण्ठाचल (वेङ्कटाचल) के पास गये। द्रविड़ देशके स्वामी धर्मतत्त्वज्ञ राजर्षि सत्यवाक्‌ने बड़ी भक्तिसे प्रद्युम्नका आदर-सत्कार किया। फिर श्रीशैलका दर्शन करके वहाँके अद्भुत शिवालय तथा स्कन्दस्वामीका दर्शन प्राप्तकर वे पम्पा-सरोवरपर गये। तदनन्तर श्रीद्वारका-नाथ प्रद्युम्न गोदावरी और भीमरथी आदि भगवत्-तीर्थोंका दर्शन करते हुए महेन्द्राचलपर गये। उस पर्वतपर क्षत्रियोंका अन्त करनेवाले भृगुवंशी परशुरामजी विराजमान थे। उन्हें नमस्कार और उनकी परिक्रमा करके श्रीकृष्णनन्दन वहाँ खड़े हो गये। राजेन्द्र! परशुरामजीने उन्हें आशीर्वाद देकर यादवोंकी चतुरङ्गिणी सेनाका योगशक्तिसे सत्कार किया। दाल, भात, चटनी, दहीमें भिगोयी हुई भाजीकी पकौड़ियाँ, सिखरन, अवलेह (सिरका या अचार), पालकका साग, इक्षुभिक्षिका (राब और चीनीका बना हुआ भोज्य पदार्थ-विशेष), शक्करके मेलसे बना हुआ त्रिकोणाकार मिष्टान्न (गुझिया, समोसा आदि), बड़ा, मधुशीर्षक (मधुपर्क या घेवर आदि मिष्टान्न-विशेष), फेणिका (फेनी), उपरिष्ट (पूड़ी या पूआ आदि), छिद्रयुक्त शतपत्र (एक प्रकारकी मिठाई), चक्राभचिह्निका (चक्राकार चिह्नवाली मिठाई, इमिरती आदि), सुधाकुण्डलिका (जलेबी), घृतपूर (घीकी बनी हुई पूड़ी), वायुपूर (मालपूआ), चन्द्रकला, दधिस्थूली (दहीमें भीगकर फूली हुई बड़ी), कपूरसे वासित खाँडकी बनी मिठाई, गोधूमपरिखा (खाजा), इनके साथ सुन्दर-सुन्दर फल, उत्तम दधि, मोदक (लड्डू आदि), शाक-सौधान (विविध शाकोंके समुदाय), मण्ड (दूधकी मलाई या झाग), खीर, दही, गायका घी, ताजा मक्खन, मण्डूरी (सागका रसा), कुम्हड़ा, पापड़, शक्तिका (शक्तिवर्धक पेय, द्राक्षासव आदि), लस्सी, सुवीराम्ल (खट्टी काँजी), सुधारस (शहद या मीठा शर्बत), उत्तमोत्तम फल, मिश्री, नाना प्रकारके फल, मोहनभोग, (हलुआ), नमकीन पदार्थ, कसैले, मीठे, तीते, कड़वे और खट्टे अनेक प्रकारके भोज्य पदार्थ—इन सबको छप्पन भोग कहा गया है। भृगुकुल-भूषण परशुरामजीने अपने योगबलसे इन सब पदार्थोंके पर्वत-जैसे ढेर लगा दिये। सारी सेना भोजन कर चुकी, तब भी वहाँ वे खाद्य पदार्थोंके पर्वत हाथभर भी छोटे नहीं हुए। परशुरामजीका यह वैभव देखकर सब लोग अत्यन्त आश्चर्यचकित हो गये। राजन्! यादवोंसहित श्रीकृष्णकुमार प्रद्युम्नने उस समय परशुरामजीको नमस्कार करके सबके सामने इस प्रकार पूछा॥ १५—३०½॥

प्रद्युम्न बोले—भगवन्! आपने हम सब लोगोंको अत्यन्त उत्तम भोजन प्रदान किया। प्रभो! सारी समृद्धियाँ और सिद्धियाँ आपके चरणोंमें लोटती हैं। अब मैं यह जानना चाहता हूँ कि समस्त हरिभक्तोंमें श्रीहरिका प्रिय भक्त कौन है? विप्रेन्द्र! यह मुझे बताइये; क्योंकि आप परावरवेत्ताओंमें सबसे श्रेष्ठ हैं॥ ३१-३२॥

परशुरामजीने कहा—प्रभो! आप क्या नहीं जानते, तो भी साधारण लोगोंकी भाँति पूछते हैं। लोगोंको शिक्षा देनेके लिये ही आप इस तरह सत्सङ्ग करते हुए भूतलपर विचरते हैं। जो अकिंचन है—

जिसके पास कोई संग्रह-परिग्रह नहीं है, जो केवल श्रीहरिके चरणारविन्दोंके परागपर ही लुब्ध है, श्रीहरिकी सुन्दर कथाके श्रवणकीर्तनमें ही तत्पर रहता है तथा जिसका चित्त भगवान्‌के रूपसिन्धुकी लहरोंमें ही डूबा रहता है, वही श्रीकृष्णचन्द्रका प्रिय भक्त कहा गया है। परमेश्वर! जिस महापुरुषने अपने मन और इन्द्रियोंको वशमें कर रखा है, जो समस्त जंगम प्राणियोंके प्रति स्नेह एवं दयाका भाव रखता है, जो शान्त, सहनशील, अत्यन्त कारुणिक, सबका सुहृद एवं सत्पुरुष है, वही भगवान् श्रीकृष्णचन्द्रका प्रिय भक्त कहा गया है। वह अपने चरणोंकी धूलिसे सम्पूर्ण जगत्‌को पवित्र करता है। जो निरन्तर परमेश्वर श्रीहरिके चरणोंकी धूलिका आश्रय ले, सम्पूर्ण ब्रह्म-पद, इन्द्रपद, चक्रवर्ती सम्राट्‌के पद, रसातलके आधिपत्य, योगसिद्धि और मोक्षकी भी कभी इच्छा नहीं करता, वही भगवान्‌का श्रेष्ठ भक्त है। जो अकिंचन हैं, जिनको अपने किये हुए कर्मोंके फलसे विरक्ति है तथा जो श्रीहरिकी चरणरजमें ही आसक्त हैं, वे महामुनि भगवदीय भक्तजन ही भगवान्‌के उस परमपदका सेवन करते हैं; अन्य लोग उस नैरपेक्ष्य सुखका अनुभव नहीं कर पाते। भगवान् पुरुषोत्तमको अपने भक्तसे बढ़कर प्रिय कोई नहीं जान पड़ता। न शिव, न ब्रह्मा, न लक्ष्मी और न रोहिणीनन्दन बलराम-जी ही उन्हें भक्तसे अधिक प्रिय हैं। भक्तोंने उनके मनको बाँध रखा है, अतः सकल लोकजनोंके चूड़ामणि भगवान् श्रीकृष्ण सदा भक्तोंके पीछे-पीछे चलते हैं। अपने भक्तजनोंके पीछे चलते हुए भगवान् परमात्मा श्रीकृष्ण उनके प्रति अपनी रुचि—अपना अनुराग सूचित करते हैं और समस्त लोकोंको पवित्र करते हैं। इसीलिये भगवान् मुकुन्द अतिशय भजन करनेवाले लोगोंको मोक्ष तो दे देते हैं, परंतु उत्तम भक्तियोग कदापि नहीं देते*॥ ३३—३९॥

श्रीनारदजी कहते हैं—राजन्! यह उपदेश सुन-कर यादवेन्द्र प्रद्युम्नने श्रीभार्गवकुलभूषण परशुरामजी-को नमस्कार किया और वहाँसे पूर्व दिशामें विद्यमान गङ्गासागर-संगमकी ओर प्रस्थान किया॥ ४०॥

इस प्रकार श्रीगर्गसंहितामें विश्वजित्खण्डके अन्तर्गत नारद-बहुलाश्व-संवादमें 'द्रविड़ देशपर विजय' नामक चौदहवाँ अध्याय पूरा हुआ॥ १४॥

---

* निष्किंचनो हरिपदाब्जपरागलुब्धः श्रीमत्कथाश्रवणकीर्तनतत्परो यः।
तद्रूपसिन्धुलहरीविनिमग्नचित्तः श्रीकृष्णचन्द्रदयितः कथितः स भक्तः॥
दान्तो महानखिलजंगमवत्सलोऽयं शान्तस्तितिक्षुरतिकारुणिकः सुहृत्सत्।
लोकं पुनाति निजपादरजोभिरारात् श्रीकृष्णचन्द्रदयितः कथितः परेशः॥
यः पारमेष्ठ्यमखिलं न महेन्द्रधिष्ण्यं नो सार्वभौममनिशं न रसाधिपत्यम्।
नो योगसिद्धिमपि नो नपुनर्भवं वा वाञ्छत्यलं परमपादरजः स भक्तः॥
निष्किंचनाः स्वकृतकर्मफलैर्विरागा यत्तत्पदं हरिजना मुनयो महान्तः।
भक्ता जुषन्ति हरिपादरजःप्रसक्ता अन्ये विदन्ति न सुखं किल नैरपेक्ष्यम्॥
भक्तात्प्रियो न विदितः पुरुषोत्तमस्य शम्भुर्विधिर्न च रमा न च रौहिणेयः।
भक्ताननुव्रजति भक्तनिवद्धचित्तश्चूडामणिः सकललोकजनस्य कृष्णः॥
गच्छन्निजं जनमनु प्रपुनाति लोकानावेदयन् हरिजने स्वरुचिं महात्मा।
तस्मादतीव भजतां भगवान् मुकुन्दो मुक्तिं ददाति न कदापि सुभक्तियोगम्॥
(गर्ग०, विश्वजित्० १४। ३४—३९)

पंद्रहवाँ अध्याय

उड्डीश-डामर देशके राजा, वङ्गदेशके अधिपति वीरधन्वा तथा असमके नरेश पुण्ड्रपर यादव-सेनाकी विजय

श्रीनारदजी कहते हैं—राजन्! दिग्विजयके बहाने भूभार-हरण करनेवाले साक्षात् भगवान् प्रद्युम्न अङ्गदेशको गये। अङ्गदेशका स्वामी केवल अन्त:पुर-का अधिपति होकर वनमें विहार करता था। वहाँ यादवोंने उसे जा पकड़ा, तब उसने महात्मा प्रद्युम्नको पर्याप्त भेंट दी॥ १-२॥

उड्डीश-डामर (उड़ीसा) देशके राजा महाबली बृहद्बाहुने प्रद्युम्नको भेंट नहीं दी। वह अपने बलके अभिमानसे मत्त रहता था। प्रद्युम्नने जाम्बवती-कुमार वीरवर साम्बको उसे वशमें करनेके लिये भेजा। साम्ब सूर्यतुल्य तेजस्वी रथपर आरूढ़ हो, धनुष हाथमें ले अकेले ही गये। नरेश्वर! उन्होंने बाण-समूहोंसे डामर नगरको उसी प्रकार आच्छादित कर दिया, जैसे मेघ तुषारराशिसे किसी पर्वतको चारों ओरसे ढक देता है। इस प्रकार धर्षित एवं पराजित होकर डामराधीशने तत्काल हाथ जोड़ लिये और महात्मा प्रद्युम्नको नमस्कार करके भेंट अर्पित की॥ ३—६॥

तत्पश्चात् वङ्गदेशके अधिपति मदमत्त एवं वीर राजा वीरधन्वा एक अक्षौहिणी सेनाके साथ युद्धके लिये यादव-सेनाके सम्मुख आये। वे बड़े बलवान् थे। यादवोंकी ओरसे श्रीहरिके पुत्र चन्द्रभानुने प्रद्युम्नके देखते-देखते वीरधन्वाकी उस सेनाको बाणोंद्वारा उसी प्रकार विदीर्ण कर दिया, जैसे कोई कटु वचनोंद्वारा मित्रताका भेदन कर दे। उनके बाणोंसे विदीर्ण हुए हाथियोंके मस्तकसे चमकते हुए मोती भूमिपर इस प्रकार गिरने लगे, मानो रातमें आकाशसे तारे बिखर रहे हों अनेक रथी वीर धराशायी हो गये। हाथी-घोड़े और पैदल सैनिक उनके बाणोंसे मस्तक कट जानेके कारण कुम्हड़ेके टुकड़ों-जैसे इधर-उधर गिरे दिखायी देते थे। क्षणभरमें वीरधन्वाकी सेना रक्तकी नदीके रूपमें परिणत हो गयी, जो मनस्वी वीरोंका हर्ष बढ़ाती और डरपोकोंको भयभीत करती थी॥ ७—११॥

कटे हुए मस्तक और धड़ किरीट, कुण्डल, केयूर, कंगन और अस्त्र-शस्त्रोंसहित दौड़ रहे थे। उनके कारण वहाँकी भूमि महामारी-सी प्रतीत होती थी। कूष्माण्ड, उन्माद, वेताल, भैरव तथा ब्रह्मराक्षस बड़े वेगसे आकर शंकरजीके गलेकी मुण्डमाला बनानेके लिये वहाँपर गिरे हुए मस्तकोंको उठा लेते थे। इस तरह जब सारी सेना मार गिरायी गयी, तब वीरधन्वा सामने आये, उन्होंने तुरंत ही वज्र-सरीखी गदासे चन्द्रभानुपर चोट की। उस गदाके भारी प्रहारसे श्रीकृष्णकुमार चन्द्रभानु विचलित नहीं हुए; उन्होंने गदा लेकर तत्काल वीरधन्वाकी छातीपर दे मारी। उस गदाके प्रहारसे पीड़ित एवं मूर्च्छित हो मुँहसे रक्त वमन करते हुए वीरधन्वा कटे हुए वृक्षकी भाँति भूतलपर गिर पड़े। दो घड़ीमें उनको फिर चेतना हुई, तब उन वङ्गदेशके नरेशने महात्मा प्रद्युम्नकी शरण ली॥ १२—१७॥

राजन्! जब भेंट देकर वीरधन्वा अपने नगरको चले गये, तब अमित-पराक्रमी प्रद्युम्न ब्रह्मपुत्र नद पार करके असम देशमें गये। वहाँके राजा बिम्बको पकड़-कर यादवेश्वर प्रद्युम्नने भेंट ली और यादवोंके साथ कामरूप देशमें गये। कामरूप देशके राजा पुण्ड्र इन्द्रजालकी विद्या (जादू) में बड़े निपुण थे। वे अपनी सेनाके साथ प्रद्युम्नके सामने युद्धके लिये निकले। उस समय असमियों और यादवोंमें घोर युद्ध हुआ। बाण, कुठार, परिघ, शूल, खड्ग, ऋष्टि तथा शक्तियोंसे प्रहार किया गया। मैथिलेश्वर! तदनन्तर राजा पुण्ड्रने पिशाच, नाग तथा राक्षसोंकी माया प्रकट की; फिर तो सब ओर गुह्यक, गन्धर्व तथा कच्चे मांस चबानेवाले पिशाच रणभूमिमें दौड़ने तथा बारंबार कोटि-कोटि अङ्गारोंकी वृष्टि करने लगे। एक ही क्षणमें यादवोंकी सेनापर मुँहसे विष वमन करते और फुंकारते हुए सर्प टूट पड़े। गधेपर बैठे हुए टेढ़े-मेढ़े दाँत और लपलपाती हुई जीभवाले भयंकर राक्षस युद्धमें मनुष्योंको चबाते तथा भागते दिखायी देने लगे। सिंहके समान मुखवाले यक्ष तथा अश्वमुख किंनर हाथोंमें शूल लिये 'मारो-काटो' कहते हुए इधर-उधर

विचरने लगे। क्षणभरमें सारा आकाश मेघोंकी घटासे आच्छादित हो गया। राजन्! वायुके वेगसे उड़ी हुई धूलके कारण सब ओर अन्धकार छा गया। भोज, वृष्णि, अन्धक, मधु, शूरसेन तथा दशार्ह वंशके योद्धा उस महायुद्धमें भयभीत हो गये। यदुश्रेष्ठ! वीरोंने अपने अस्त्र-शस्त्र नीचे डाल दिये॥ १८—२८॥

मैथिल! तब इस भयके निवारणका उपाय जाननेवाले श्रीकृष्णकुमार प्रद्युम्नने पिताके दिये हुए धनुषको हाथमें लेकर बाणोंद्वारा सात्त्विक महाविद्याका प्रयोग किया। फिर जैसे सूर्य अपनी किरणोंसे कुहासे तथा बादलोंको छिन्न-भिन्न कर डालते हैं, उसी प्रकार प्रद्युम्नने बाणोंद्वारा पिशाचों, नागों, यक्षों, राक्षसों तथा गन्धर्वोंके घने अन्धकारको नष्ट कर दिया। जैसे हवा कमलको उड़ाकर पृथ्वीपर फेंक देती है, उसी प्रकार प्रद्युम्नने बाणोंद्वारा रथ और वाहनसहित शत्रु राजा पुण्ड्रको दो घड़ीतक आकाशमें घुमाकर रणभूमिमें पटक दिया। राजाकी मूर्च्छा दूर होनेपर वे पराजित हो प्रद्युम्नकी शरणमें गये और तत्काल भेंटके रूपमें एक लाख घोड़े और दस हजार हाथी देकर उन्होंने श्रीकृष्णकुमारको प्रणाम किया। वहाँसे अपनी सेनाद्वारा शोणनद और विपाशा (व्यास) नदी पार करते हुए यदुकुलनन्दन धनुर्धर वीर प्रद्युम्न केकय देशमें आ पहुँचे। केकय देशके राजा महाबली धृतकेतु वसुदेवकी बहिन साक्षात् श्रुतकीर्तिके महान् पति थे। उन्होंने यादवोंसहित प्रद्युम्नका बड़े भक्ति-भावसे पूजन किया। राजन्! वे श्रीकृष्णके प्रभावको जानते थे॥ २९—३५॥

इस प्रकार श्रीगर्गसंहितामें विश्वजितखण्डके अन्तर्गत नारद-बहुलाश्व-संवादमें 'केकय देशपर विजय' नामक पंद्रहवाँ अध्याय पूरा हुआ॥ १५॥

सोलहवाँ अध्याय

मिथिलाके राजा धृतिद्वारा ब्रह्मचारीके रूपमें पधारे हुए प्रद्युम्नका पूजन; उन दोनोंका शुभ संवाद; प्रद्युम्नका राजाको प्रत्यक्ष दर्शन दे, उनसे पूजित हो शिविरमें जाना

श्रीनारदजी कहते हैं—राजन्! वहाँसे विजय-दुन्दुभि बजवाते हुए यदुनन्दन प्रद्युम्न तुम्हारे सुख-सम्पन्न मिथिला देशमें आये। कलश-शोभित अत्यन्त ऊँचे स्वर्णमय सौधशिखरोंसे युक्त मिथिलापुरीको दूरसे देखकर प्रद्युम्नने उद्धवसे पूछा॥ १-२॥

प्रद्युम्न बोले—मन्त्रिप्रवर! इस समय यह किसकी राजधानी मेरी दृष्टिमें आ रही है, जो बहुसंख्यक महलोंसे भोगवती पुरीकी भाँति शोभा पाती है?॥ ३॥

उद्धवने कहा—मानद! यह राजा जनककी पुरी मिथिला है। इस समय यहाँ मिथिलानरेश महाभागवत विद्वान् धृति रहते हैं। वे समस्त धर्मात्माओंमें श्रेष्ठ हैं। श्रीकृष्ण उनके इष्टदेव हैं और वे स्वयं भी श्रीहरिको बहुत प्रिय हैं। उनके पुत्रका नाम बहुलाश्व है, जो बचपनसे ही भगवान्की भक्ति करनेवाला है। उसे दर्शन देनेके लिये साक्षात् भगवान् श्रीकृष्ण यहाँ पधारेंगे। राजकुमार बहुलाश्व तथा ब्राह्मण श्रुतदेवको द्वारकामें भगवान् श्रीकृष्ण बहुत ही याद किया करते हैं। प्रभो! इन्हें देवेन्द्र भी नहीं जीत सकते, फिर मनुष्योंकी तो बात ही क्या; क्योंकि धृतिने अपनी परा-भक्तिसे श्रीकृष्णको वशमें कर लिया है॥ ४—७ $\frac{1}{2}$॥

श्रीनारदजी कहते हैं—राजन्! यह सुनकर भगवान् श्रीकृष्णकुमार प्रद्युम्न उद्धवजीको अपना शिष्य बनाकर उनके साथ राजा धृतिका दर्शन करनेके लिये आये। उद्धवसहित प्रद्युम्नने राजाकी भक्तिकी परीक्षा करनेके लिये ही मिथिलापुरीको देखा। वहाँके सभी वीर कवच और शस्त्र धारण करके माला और तिलकसे सुशोभित थे। वे सब-के-सब मालाद्वारा श्रीकृष्ण-नामका जप करते थे। मिथिलाके लोगोंके द्वार-द्वारपर श्रीहरिके नाम लिखे थे और श्रीकृष्णके सुन्दर-सुन्दर चित्र अङ्कित थे। मानद! वहाँ घरोंकी प्रत्येक दीवारपर गदा, पद्म, दसों अवतारके चित्र

और शङ्ख, चक्र अङ्कित थे। घर-घरके आँगनमें तुलसीके मन्दिर दिखायी देते थे॥ ८—१२॥

इस तरह मिथिलाके महलोंको देखते हुए उन्होंने वहाँके लोगोंपर भी दृष्टिपात किया, जो सब-के-सब माला-तिलकधारी भगवद्भक्त थे। उन्होंने केसर अथवा कुङ्कुमके बारह-बारह तिलक लगा रखे थे। वहाँके ब्राह्मण गोपीचन्दनकी मुद्राओंसे चर्चित, शान्तस्वरूप तथा ऊर्ध्वपुण्ड्रधारी थे। उनके अङ्गोंपर हरिमन्दिरके चित्र अङ्कित थे। ललाटमें गदाकी मुद्रा, सिरपर हरिनाम और दोनों भुजाओंमें चक्र, शङ्ख, पद्म, कूर्म और मत्स्य अङ्कित थे। कितने ही लोगोंने मस्तकपर धनुष और बाणके चित्र तथा हृदयमें नन्दक नामक खड्ग, मुसल और हलके चिह्न धारण कर रखे थे॥ १३—१७॥

राजन्! तदनन्तर प्रद्युम्नने देखा—वहाँकी गली-गलीमें कुछ मनुष्य भागवत सुन रहे हैं। दूसरे लोग हरिवंश और महाभारत नामक इतिहास श्रवण कर रहे हैं। कुछ लोग सनत्कुमारसंहिता, वासिष्ठसंहिता, याज्ञवल्क्यसंहिता, पराशरसंहिता, गर्गसंहिता, पौलस्त्यसंहिता और धर्मसंहिता आदिका पाठ कर रहे हैं। ब्रह्मपुराण, पद्मपुराण, विष्णुपुराण, शिवपुराण, लिङ्गपुराण, गरुडपुराण, नारदीयपुराण, भागवतपुराण, अग्निपुराण, स्कन्दपुराण, भविष्णपुराण, ब्रह्मवैवर्त-पुराण, वामनपुराण, मार्कण्डेयपुराण, वाराहपुराण, मत्स्यपुराण, कूर्मपुराण तथा ब्रह्माण्डपुराण—इन सब पुराणोंको गली-गलीमें, घर-घरमें वहाँके सब लोग सुनते थे। कुछ लोग श्रीरामचरणामृतसे पूर्ण वाल्मीकिके महाकाव्य रामायणका पाठ करते थे। कुछ लोग स्मृतियोंके और कुछ ब्राह्मण वेदत्रयीके स्वाध्यायमें लगे थे। कुछ लोग मङ्गलधाम वैष्णव यज्ञका अनुष्ठान करते थे। कितने ही मनुष्य राधाकृष्ण, कृष्ण-कृष्ण आदि नामोंका बारंबार कीर्तन करते थे। कुछ लोग हरिकीर्तनमें तत्पर रहकर नाचते और गाते थे। वहाँके प्रत्येक मन्दिरमें मृदङ्ग, ताल, झाँझ और वीणा आदि मनोहर वाद्योंके साथ लोगोंद्वारा किया जानेवाला हरिकीर्तन सुनायी पड़ता था। राजन्! मिथिलाके घर-घरमें वहाँके निवासी प्रेमलक्षणा नवधाभक्ति करते थे॥ १८—२६॥

इस प्रकार नगरीका दर्शन करके भगवान् प्रद्युम्न हरिने राजद्वारपर पहुँचकर शीघ्र ही मैथिलनरेशका दर्शन किया। मैथिलेशकी सभामें वेदव्यास, शुकमुनि, याज्ञवल्क्य, वसिष्ठ, गौतम, मैं और बृहस्पति बैठे थे। दूसरे भी धर्मके वक्ता तथा हरिनिष्ठ मुनि वहाँ मूर्तिमान् वेदकी भाँति इधर-उधर बैठे दिखायी देते थे। नरेश्वर मैथिलेन्द्र धृति वहाँ भक्तिभावसे नतमस्तक होकर बलदेवजीकी चरणपादुकाकी विधिवत् पूजा कर रहे थे। वे श्रीकृष्ण और बलदेवके मुक्तिदायक नामोंका जप भी करते जाते थे। शिष्यसहित ब्रह्मचारीको आया देख राजाने उठकर नमस्कार किया। उनकी पाद्य आदि उपचारोंसे विधिवत् पूजा करके मैथिलेश्वर राजा धृति दोनों हाथ जोड़कर उनके आगे खड़े हो गये॥ २७—३२॥

जनकने कहा—भगवन्! आपके पदार्पणसे आज मेरा जन्म सफल हो गया, मेरा राजभवन शुद्ध एवं परमोज्ज्वल हो गया, देवता, ऋषि और पितर—सब संतुष्ट हो गये। भगवन्! आप जैसे निर्भ्रान्त और समदर्शी साधु भूतलपर दीनजनोंका कल्याण करनेके लिये ही विचरते हैं॥ ३३-३४॥

ब्रह्मचारी बोले—राजसिंह! आप धन्य हैं, आपकी यह मिथिलापुरी धन्य है तथा विष्णु-भक्तिसे भरपूर आपकी सारी प्रजा भी धन्य है॥ ३५॥

जनकने कहा—प्रभो! न तो यह नगरी मेरी है, न प्रजा मेरी है और न गृह तथा धन-धान्य मेरे हैं। स्त्री, पुत्र और पौत्रादि मेरे पास जो कुछ है, वह सब भगवान् श्रीकृष्णका ही है। साक्षात् परिपूर्णतम भगवान् श्रीकृष्ण स्वयं असंख्य ब्रह्माण्डोंके अधिपति होकर गोलोक-धाममें विराजते हैं। वे पुरुषोत्तम एक होकर भी स्वयं ही वासुदेव, संकर्षण, प्रद्युम्न और अनिरुद्ध—इन चार व्यूहोंके रूपमें भूतलपर प्रकट हुए हैं। महामुने ब्रह्मन्! शरीर, मन, वाणी, बुद्धि अथवा समस्त इन्द्रियोंद्वारा मैंने जो भी पुण्यकर्म किया है, वह सब भगवान् श्रीकृष्णको समर्पित है॥ ३६—३९॥

ब्रह्मचारीने कहा—महाभाग, विष्णुभक्त-शिरोमणे, विदेहराज! तुम्हारी भक्तिसे संतुष्ट

हो भगवान् श्रीकृष्ण तुम्हें सायुज्य मोक्ष प्रदान करेंगे॥ ४०॥

जनक बोले—ब्रह्मन्! मैं आप-जैसे श्रीकृष्ण-भक्त महात्माओंका दास हूँ। मैंने अपने मनमें किसी हेतु अथवा कामनाको स्थान नहीं दिया है; अतः मैं एकत्व या सायुज्यरूपा मुक्ति नहीं पाना चाहता॥ ४१॥

ब्रह्मचारीने कहा—राजन्! तुम हेतुरहित होकर अहैतुकी भक्ति करते हो, अतः निर्गुण भक्ति-भावके कारण तुम प्रेमके लक्षणोंसे सम्पन्न हो। साक्षात् भगवान् प्रद्युम्न दिग्विजयके लिये निकले हैं। वे आपके घरपर क्यों नहीं आये—इस बातको लेकर मेरे मनमें महान् संदेह हो गया है॥ ४२-४३॥

जनक बोले—भगवान् प्रद्युम्न साक्षात् अन्तर्यामी स्वयं श्रीहरि हैं। वे सदा, सर्वज्ञ और सर्वव्यापी हैं। फिर बताइये तो सही, क्या वे यहाँ नहीं हैं?॥ ४४॥

ब्रह्मचारीने कहा—यदि ज्ञानदृष्टिसे भी तुम श्रीकृष्णकुमार प्रद्युम्नको यहाँ निरन्तर स्थित मानते हो तो दिव्यदृष्टिवाले प्रह्लादकी भाँति तुम उनका यहाँ प्रत्यक्ष दर्शन कराओ॥ ४५॥

श्रीनारदजी कहते हैं—बहुलाश्व! यह सुनकर महाभागवत राजा धृतिने अपने मुखपर अश्रुधारा बहाते हुए गद्गद वाणीमें कहा॥ ४६॥

जनक बोले—यदि मेरेद्वारा भगवान् श्रीहरिकी इस भूतलपर अहैतुकी भक्ति की गयी है तो श्रीहरिके पुत्र प्रद्युम्न मेरे सामने प्रकट हो जायँ। यदि मैं श्रीकृष्णभक्तोंका दास होऊँ, यदि मुझपर उनकी कृपा हो और यदि सर्वत्र मेरी श्रीकृष्णबुद्धि हो तो मेरा यह मनोरथ पूर्ण हो जाय॥ ४७-४८॥

नारदजी कहते हैं—बहुलाश्व! उनके इतना कहते ही श्रीकृष्णकुमार प्रद्युम्न तत्काल ब्रह्मचारीका रूप छोड़कर सबके देखते-देखते अपने साक्षात् स्वरूपसे प्रकट हो गये। हरिभक्तिनिष्ठ शिष्य उद्धव भी गद्गद हो गये। मेघोंके समान श्याम कान्ति, प्रफुल्ल कमलदलके समान विशाल नेत्र, लंबी-लंबी भुजाएँ, जगत्के लोगोंका मन हर लेनेवाला रूप सबके सामने प्रकट हो गया। उनके श्रीअङ्गोंपर पीताम्बर शोभा दे रहा था। उनका शोभासम्पन्न मुखारविन्दमण्डल नीली घुँघराली अलकावलियोंसे अलंकृत था। शिशिर-ऋतुके बालरविके समान कान्तिमान् किरीट, दिव्य कुण्डल, करधनी और बाजूबंद आदिसे उनका दिव्य विग्रह उद्भासित हो रहा था। श्रीकृष्णकुमार प्रद्युम्नको इस प्रकार देखकर राजा धृतिने उनको हाथ जोड़कर साष्टाङ्ग प्रणाम किया॥ ४९—५१॥

जनक बोले—भूमन्! मेरा सौभाग्य महान् एवं अत्यन्त धन्य है। अहो! आज आपने मुझे अपने स्वरूपका साक्षात् दर्शन कराया। आज मेरी महिमा कयाधूकुमार प्रह्लादके समान बढ़ गयी। आज मैं अपने कुलसहित कृतार्थ हो गया॥ ५२॥

श्रीप्रद्युम्नने कहा—नृपश्रेष्ठ! तुम धन्य हो, मेरे प्रभावको जाननेवाले भक्त हो। मैं इस समय तुम्हारे भक्तिभावकी परीक्षाके लिये ही यहाँ आया था। मैथिलेश्वर! आज ही तुम्हें मेरा सारूप्य प्राप्त हो जाय और इस लोकमें तुम्हारे बल, आयु और कीर्तिका अत्यन्त विस्तार हो॥ ५३-५४॥

नारदजी कहते हैं—राजन्! तुम्हारे पिता धृतिसे पूजित हो भक्तवत्सल भगवान् प्रद्युम्न वहाँ आये हुए संतोंके सामने ही अपने शिविरकी ओर चले गये॥ ५५॥

इस प्रकार श्रीगर्गसंहितामें विश्वजित्खण्डके अन्तर्गत नारद-बहुलाश्व-संवादमें 'जनकका उपाख्यान' नामक सोलहवाँ अध्याय पूरा हुआ॥ १६॥

सत्रहवाँ अध्याय

मगधदेशपर यादवोंकी विजय तथा मगधराज जरासंधकी पराजय

श्रीनारदजी कहते हैं—राजन्! तदनन्तर मत्स्यके चिह्नसे सुशोभित ध्वजा फहरते हुए प्रद्युम्न मगधदेशपर विजय पानेके लिये अपनी सेनाके साथ तुरंत गिरिव्रजकी ओर चल दिये। श्रीहरिके पुत्र प्रद्युम्नको, विशेषत: दिग्विजयके लिये, आया सुनकर मगधराज जरासंधको बड़ा क्रोध हुआ॥ १-२॥

जरासंध बोला—समस्त यादव अत्यन्त तुच्छ और युद्धसे डरनेवाले कायर हैं। वे ही आज पृथ्वीपर विजय पानेके लिये निकले हैं। जान पड़ता है, उनकी बुद्धि मारी गयी है। इस दुरात्मा प्रद्युम्नका पिता माधव स्वयं मेरे भयसे अपनी पुरी मथुरा छोड़कर समुद्रकी शरणमें जा छिपा है। प्रवर्षणगिरिपर मैंने बलराम और कृष्णको बलपूर्वक भस्म कर दिया था, किंतु ये छलपूर्वक वहाँसे भाग निकले और द्वारकामें जाकर रहने लगे। अब मैं स्वयं कुशलस्थलीपर चढ़ाई करूँगा और उन दोनों भाइयोंको उग्रसेनसहित बाँध लाऊँगा। समुद्रसे घिरी हुई इस पृथ्वीको यादवोंसे शून्य कर दूँगा॥ ३—६॥

नारदजी कहते हैं—राजन्! यों कहकर बलवान् राजा जरासंध तेईस अक्षौहिणी सेनाके साथ गिरिव्रज नगरसे बाहर निकला। मगधराजके साथ हाथियोंकी विशाल सेना थी। उन हाथियोंके मुखपर गोमूत्र, सिन्दूरराशि, एवं कस्तूरीद्वारा पत्र-रचना की गयी थी। उनके गण्डस्थलोंसे मदकी धारा बह रही थी। वे हाथी ऐरावत-कुलमें उत्पन्न होनेके कारण चार दाँतोंसे सुशोभित थे और सूँड़की फुफकारोंसे बहुसंख्यक वृक्षोंको तोड़कर फेंकते चलते थे। उन गजराजोंसे मगधराजकी वैसी ही शोभा हो रही थी, जैसे मेघोंसे भगवान् इन्द्रकी होती है। राजन्! देवताओंके विमानोंके समान आकारवाले अगणित रथ उसके साथ चल रहे थे, जिनके ऊपर ध्वज फहराते थे, सारस बैठे थे, चँवर डुल रहे थे और चञ्चल पहियोंसे घर्र-घर्र ध्वनि प्रकट हो रही थी। वायुके समान वेगशाली तथा विचित्र-विचित्र वर्णवाले मदमत्त अश्व सुनहरे पट्टे और हार आदिसे सुशोभित थे। उनकी शिखाओं एवं बागडोरोंके ऊपरी भागमें चँवर (कलँगी) सुशोभित थे। कवच धारण किये तथा हाथोंमें ढाल-तलवार एवं धनुष लिये वीरजन विद्याधरोंके समान शोभा पाते थे। उन सबके साथ महाबली मगधराज युद्धके लिये निकला। दुन्दुभियोंकी धुंकारों और धनुषोंकी टंकारोंसे दिशाएँ निनादित हो रही थीं। धरती डोलने लगी और सैनिकोंद्वारा उड़ायी गयी धूलसे आकाश छा गया। मैथिल! जरासंधकी वह सेना उमड़ते हुए प्रलय-सागरके समान भयंकर थी। उसे देखकर समस्त यादव विस्मित हो गये॥ ७—१४॥

मगधराजके उस सैन्य-सागरको देखकर भगवान् प्रद्युम्नने दक्षिणावर्त शङ्ख बजाया और उसीके द्वारा मानो अपने योद्धाओंको अभयदान देते हुए कहा—'डरो मत।' तदनन्तर महाबाहु साम्ब प्रद्युम्नके सामने ही दस अक्षौहिणी सेना लेकर मगधराजके साथ युद्ध करने लगे। उस रणभूमिमें हाथी हाथियोंसे और रथी रथियोंसे जूझने लगे। मैथिलेश्वर! घोड़े घोड़ोंसे और पैदल पैदलोंसे भिड़ गये। मागधों और यादवोंमें देवताओं और दानवोंके समान अद्भुत, रोमाञ्चकारी एवं भयंकर युद्ध होने लगा। कुछ घुड़सवार वीर हाथोंमें भाले लिये इधर-उधर मारकाट मचाते हुए गजारोहियों तथा हाथियोंके कुम्भस्थलोंपर बैठे हुए महावतोंको भी मार गिराते थे। कुछ योद्धा विद्युत्के समान दीप्तिमती शक्तियोंको लेकर बलपूर्वक शत्रुओंपर फेंकते थे। वे शक्तियाँ कवचधारी शत्रुओंको भी विदीर्ण करके धरतीमें समा जाती थीं। कितने ही वीर रणभूमिमें गरजते हुए रथोंके चक्के उठा-उठाकर फेंकते थे और सैनिकोंके समूहोंको उसी प्रकार छिन्न-भिन्न कर देते थे, जैसे सूर्य कुहासेको नष्ट कर देते हैं। कुछ लोग भिन्दिपालों, मुद्गरों, कुल्हाड़ियों, तलवारों, पट्टिशों, छुरों, कटारों, रिष्टियों तथा तीखे निस्त्रिंशों (खड्गों) से युद्ध करते थे। तोमरों, गदाओं और बाणोंसे कटकर वीरों, हाथियों और घोड़ोंके मस्तक पृथ्वीपर गिर रहे थे। वहाँ केवल धड़ हाथमें खड्ग लिये संग्राममें दौड़ते हुए बड़े भयंकर प्रतीत होते थे और घोड़ों तथा

मनुष्योंको धराशायी करते हुए उछलते थे। वीरोंके ऊपर वीर गिर रहे थे। उनकी भुजाएँ छिन्न-भिन्न हो गयी थीं। कितने ही घोड़े बाणोंसे गर्दन कट जानेके कारण घोड़ोंपर ही गिर पड़ते थे। विद्याधर और गन्धर्वके जातिकी स्त्रियाँ वीरगतिको प्राप्त हुए योद्धाओंको दिव्य रूपसे आकाशमें पहुँचनेपर उन्हें अपना पति बना लेना चाहती थीं। इसके लिये उन सबोंमें परस्पर महान् कलह होने लगता था। नरेश्वर! कितने ही क्षत्रिय-धर्मपरायण और सदा ही संग्राममें शोभा पानेवाले योद्धा युद्धमें प्राण दे देते थे, किंतु एक पग भी पीछे नहीं हटते थे। वे सूर्यमण्डलका भेदन करके परमपदको प्राप्त हो जाते थे और शिशुमारचक्रमें उसी प्रकार नाचते थे, जैसे मण्डलाकार भूमिपर नट॥ १५—२८॥

इस प्रकार साम्बके महावीर सैनिकोंने मगध-सेनाको रौंद डाला। वह सेना उनके देखते-देखते उसी प्रकार भाग चली, जैसे भगवान् श्रीकृष्णकी भक्तिसे अशुभ नष्ट हो जाता है। किन्हींके कवच कट गये थे तो किन्हींके धनुष; कितने ही सैनिक खड्ग और रिष्टियोंको हाथसे फेंककर पीठ दिखाते हुए भाग रहे थे। अपनी सेनाको पलायन करती देख मगधराज धनुषकी टंकार करता हुआ वहाँ आया और सबको अभयदान देते हुए बोला—'डरो मत।' जरासंधने धनुषकी प्रत्यञ्चाद्वारा अपनी सेनाको आगे बढ़नेकी उसी प्रकार प्रेरणा दी, जैसे कोई महावत अङ्कुशसे हाथीको हाँक रहा हो। इसी समय साम्ब भी वहाँ आ पहुँचे। उन्होंने धनुषसे छूटे हुए दस बाणोंद्वारा महाबली मगधराजको समरभूमिमें घायल कर दिया। फिर जाम्बवतीकुमार साम्बने उसके धनुषकी प्रत्यञ्चाको, जो सागरके उत्ताल तरंगोंके भयानक संघर्षकी भाँति शब्द करनेवाली थी, दस बाणोंसे छिन्न-भिन्न कर डाला। तदनन्तर महाबली जरासंधने दूसरा धनुष हाथमें लेकर दस अग्रगामी बाणोंद्वारा साम्बके धनुषको काट डाला। जरापुत्र मगधेन्द्रने चार बाणोंसे चारों घोड़ोंको, दोसे ध्वजको, तीनसे रथको और एकसे सारथिको मार डाला। धनुषके कट जानेपर तथा घोड़ों और सारथिके मारे जानेपर रथहीन हुए महाबली साम्ब दूसरे रथपर चढ़ गये और अत्यन्त उग्र धनुषपर विधिपूर्वक प्रत्यञ्चा चढ़ाकर उन्होंने सौ बाणोंद्वारा जरासंधके रथको चूर-चूर कर दिया। उस समय जरासंध रथ छोड़कर बड़े वेगसे हाथीपर चढ़ गया। उस हाथीपर मागधेन्द्रकी वैसी ही शोभा हुई, जैसे ऐरावतपर चढ़े हुए इन्द्रकी होती है॥ २९—३९॥

जरासंधके मनमें अत्यन्त क्रोध भरा हुआ था। उसने साम्बपर एक मतवाले हाथीको बढ़ाया, जिसके अङ्ग-अङ्गमें विचित्र पत्र-रचना की गयी थी तथा जो देखनेमें काल, अन्तक और यमके समान भयंकर था। उस नागराजने अपनी सूँड़से रथसहित साम्बको उठाकर चीत्कार करते हुए नौ योजन दूर फेंक दिया। मैथिल! उस समय साम्बकी सेनामें बड़ा भारी कोलाहल मच गया। फिर तो प्रद्युम्नके पाससे गद वेगपूर्वक उसी प्रकार उसकी सेनाके सामने आये। जैसे सूर्य अन्धकारका नाश करते हुए उदयाचलसे उदित हुए हों। जरासंधके उस हाथीको वसुदेवनन्दन गदने मुक्कसे इस प्रकार मारा, जैसे इन्द्रने ऊँचे पर्वतपर वज्रसे प्रहार किया हो। उनके मुष्टिकप्रहारसे व्याकुल होकर वह हाथी धरतीपर गिर पड़ा। राजन्! वह उसी समय मृत्युका ग्रास बन गया। वह अद्भुत-सी बात हुई। तब जरासंधने उठकर बड़े वेगसे गदा उठायी और उसे सहसा गदपर दे मारी। उस समय उस बलवान् वीरने घनके समान गर्जना की, किंतु उसके प्रहारसे गद समराङ्गणसे तनिक भी विचलित नहीं हुए। उन्होंने तुरंत ही लाख भारकी बनी हुई गदा लेकर जरासंधपर प्रहार किया और सिंहके समान गर्जना की। राजन्! उनके उस प्रहारसे व्यथित हो बलवान् बृहद्रथकुमार जरासंधने उठकर गदासहित गदको पकड़ लिया और बड़े रोषके साथ आकाशमें सौ योजन दूर फेंक दिया। तब महाबली गदने भी जरासंधको उठाकर घुमाया और उसे आकाशमें एक सहस्र योजन दूर फेंक दिया। राजा मगध आकाशसे विन्ध्यपर्वतपर गिर पड़ा॥ ४०—५०॥

महाबली जरासंधने पुनः उठकर गदके साथ युद्ध आरम्भ किया। उसी समय साम्ब आ पहुँचे। उन्होंने मगधेश्वर जरासंधको पकड़कर पृथ्वीपर उसी प्रकार पटक दिया, जैसे एक सिंह दूसरे सिंहको बलपूर्वक

पछाड़ दे। तब मगधके राजाने एक मुक्केसे साम्बको और दूसरे मुक्केसे गदको मारा और समराङ्गणमें बड़े जोरसे गर्जना की। उसके मुक्केकी मारसे व्यथित हो गद और साम्ब दोनों मूर्च्छित हो गये। उस समय युद्धभूमिमें तत्काल ही महान् हाहाकार मच गया। फिर तो यादवराज प्रद्युम्न ऊँची पताकावाले रथके द्वारा एक अक्षौहिणी सेनाके साथ वहाँ पहुँचे और 'डरो मत' यों कहकर सबको अभयदान दिया। उन्हें देख जरासंधने लाख भारकी बनी हुई गदा हाथमें ली और जैसे जंगलमें दावानल फैल जाता है, उसी प्रकार उसने यादवसेनामें प्रवेश किया। राजेन्द्र! उसने वीरोंसहित रथों, हाथियों तथा बहुत-से सिंधी घोड़ोंको इस तरह मार गिराया, मानो किसी महान् गजराजने बहुत-से कमलोंको उखाड़ फेंका हो। जरासंधकी जो सेना भाग गयी थी, वह भी सारी-की-सारी लौट आयी। उसने यादव-सेनाको चारों ओरसे घेरकर तीखे बाणोंसे मारना आरम्भ किया। यादवराज प्रद्युम्न उस युद्धमें निर्भय होकर लड़ने लगे। उन्होंने बारंबार धनुषकी टंकार करते हुए बाणोंद्वारा शत्रुओंको गिराना आरम्भ किया॥ ५१—५८ $\frac{1}{2}$ ॥

उसी समय यदुपुरीसे बलदेवजी आ पहुँचे। वे समस्त सत्पुरुषोंके देखते-देखते वहीं प्रकट हो गये। महाबली बलदेवने कुपित होकर मगधराजकी विशाल सेनाको हलके अग्रभागसे खींचकर मुसलसे मारना आरम्भ किया। उनके द्वारा मारे गये रथ, घोड़े, हाथी और पैदल मस्तक विदीर्ण हो जानेसे सौ योजनतक धराशायी हो गये। वे सब-के-सब कालके गालमें चले गये। उस समय देवताओं और मनुष्योंकी दुन्दुभियाँ एक साथ बजने लगीं। देवतालोग बलदेवजीके ऊपर फूलोंकी वर्षा करने लगे। यादवोंकी अपनी सेनामें तत्काल जोर-जोरसे जय-जयकार होने लगी। तदनन्तर प्रद्युम्न आदिने निश्चिन्त होकर भगवान् कामपाल (बलदेव) को नमस्कार किया। राजन्! इस प्रकार भक्तवत्सल महाबली भगवान् बलदेव मगधराजको जीतकर द्वारकाको चले गये। जरासंधका बुद्धिमान् पुत्र सहदेव भेंट-सामग्री लेकर गिरिदुर्गसे निकला और शम्बरारि प्रद्युम्नजीके सामने उपस्थित हुआ। एक अरब घोड़े, दो लाख रथ और साठ हजार हाथी उसने प्रद्युम्नको नमस्कार करके दिये; क्योंकि वह प्रद्युम्नजीके प्रभावको जानता था॥ ५९—६७॥

इस प्रकार श्रीगर्गसंहितामें विश्वजित्खण्डके अन्तर्गत नारद-बहुलाश्व-संवादमें 'मगध-विजय' नामक सत्रहवाँ अध्याय पूरा हुआ॥ १७॥

अठारहवाँ अध्याय

गया, गोमती, सरयू एवं गङ्गाके तटवर्ती प्रदेश, काशी, प्रयाग एवं विन्ध्यदेशमें यादव-सेनाकी यात्रा; श्रीकृष्णके अठारह महारथी पुत्रोंका हस्तलाघव तथा विवाह; मथुरा, शूरसेन जनपदों एवं नन्द-गोकुलमें प्रद्युम्न आदिका समादर

श्रीनारदजी कहते हैं—राजन्! तदनन्तर श्रीकृष्णकुमार प्रद्युम्नने सैनिकोंसहित गयामें जाकर फल्गुनदीमें स्नान किया। फिर अन्य देशोंको जीतनेके लिये वहाँसे आगेको प्रस्थान किया। जरासंधको पराजित हुआ सुनकर उस समय अन्य राजा आतङ्क-वश भयार्त हो प्रद्युम्नकी शरणमें आये और उन सबने उन्हें भेंट दी॥ १-२॥

गोमती तथा पुण्यसलिला सरयूके तटपर होते हुए प्रद्युम्नजी गङ्गाके किनारे काशीपुरीमें आये। वहाँ पार्ष्णिग्राह (विरोधी) काशिराज शिकार खेलनेके लिये गये थे, जो वहीं पकड़ लिये गये। काशिराजने भी यह सुनकर कि प्रद्युम्नकी सेना विशाल है, उन्हें भेंट अर्पित की॥ ३-४॥

राजन्! तत्पश्चात् बलवान् प्रद्युम्न अपने सैनिकोंके साथ कोसल जनपदमें गये और अयोध्याके निकट नन्दिग्राममें उन्होंने अपनी सेनाकी छावनी डाल दी।

कोसलराज नग्नजित्ने, जो तत्त्वज्ञानी थे, बहुत-से घोड़े, हाथी, रथ और महान् धन देकर शम्बरारि प्रद्युम्न-का पूजन किया। उत्तर दिशाके स्वामी दीपतम, नेपाल-के राजा गज तथा विशाला नगरीके स्वामी बर्हिण—इन सबने उन्हें भेंट दी। नैमिषारण्यके स्वामी बड़े भगवद्भक्त और श्रीकृष्णके प्रभावको जाननेवाले थे। उन्होंने हाथ जोड़कर प्रद्युम्नको बलि अर्पित की। इसके बाद श्रीकृष्णकुमार प्रयाग गये और वहाँ पापनाशिनी त्रिवेणीमें स्नान करके उन्होंने महान् दान किया; क्योंकि वे तीर्थराजके प्रभावको जानते थे। बीस हजार हाथी, दस लाख घोड़े, चार लाख रथ, सोनेकी माला तथा सुनहरे वस्त्रोंसे विभूषित दस अरब गौएँ, दस भार स्वर्ण, एक लाख मोती, दो लाख नवरत्न, दस लाख वस्त्र तथा दो लाख कश्मीरी शाल एवं नये कम्बल हरिप्रिय तीर्थराजमें प्रद्युम्नने ब्राह्मणोंको दिये॥ ५—१२$\frac{१}{२}$ ॥

मिथिलेश्वर! कारूष देशका राजा पौण्ड्रक भगवान् श्रीकृष्णका शत्रु था, तथापि उसने भी शङ्कित होनेके कारण श्रीकृष्णकुमारका पूजन किया। पञ्चाल और कान्यकुब्ज देशमें प्रद्युम्नके आगमनकी बात सुनकर वहाँके समस्त नरेश भयभीत हो गये। सबने अपने-अपने दुर्गके दरवाजे बंद कर लिये। सब लोग यादवराजसे भयातुर हो दुर्गका आश्रय लेकर रहने लगे। कितने ही लोग भाग चले। विन्ध्यदेशके अधिपति महाबली राजा दीर्घबाहु उत्तम संधि करनेके लिये शम्बरारि प्रद्युम्नकी सेनामें आये॥ १३—१६॥

दीर्घबाहु बोले—आप सब यादवेन्द्र दिग्विजयके लिये आये हैं; अतः मेरा मनोरथ पूर्ण कीजिये। इससे मेरे चित्तमें संतोष होगा। जलसे भरे हुए काँचके बर्तनको बाणसे बेधा जाय, किंतु एक बूँद भी पानी न गिरे और बाण उसमें खड़ा रहे, बर्तन फूटे नहीं, ऐसी जिसके हाथमें स्फूर्ति हो, वह अपने इस हस्तलाघवका परिचय दे। जो मेरी इस प्रतिज्ञाको पूर्ण करेंगे, उन्हें मैं अपनी कन्याएँ ब्याह दूँगा। आप समस्त यादवेन्द्रगण धनुर्वेदमें कुशल हैं। मैंने भी नारदजीके मुखसे पहले सुना था कि यादवलोग बड़े बलवान् हैं॥ १७—२०॥

नारदजी कहते हैं—राजन्! राजा दीर्घबाहुकी बात सुनकर सब लोग विस्मित हो गये। उनमेंसे धनुर्धरोंमें श्रेष्ठ प्रद्युम्नजीने भरी सभामें बिन्दुदेशके नरेशको आश्वासन देते हुए कहा—'तथास्तु (ऐसा ही होगा)।' प्रद्युम्नजीने पृथ्वीपर दो जगह बड़ा-सा बाँस गाड़ दिया और उन दोनोंके बीचमें (अरगनीकी भाँति) एक रस्सी तान दी। फिर उस रस्सीमें समस्त सत्पुरुषोंके देखते-देखते जलसे भरा एक काँचका घड़ा लटका दिया। फिर उन श्रीकृष्णकुमारने धनुष उठाया और उसे भलीभाँति देखकर उसकी डोरीपर बाणका संधान किया। वह बाण छूटा और काँचके पात्रको छेदकर बीचमें आधा निकला हुआ स्थित हो गया। एक ही ओर मुख और पङ्ख दोनों दृष्टिगोचर होते थे। काँचके घड़ेमें धँसा हुआ वह बाण बादलमें प्रविष्ट सूर्यकी किरणके समान सुशोभित होता था। वह एक अद्भुत-सा दृश्य था। त्रिकुशके फलककी भाँति उस पात्रके न तो टुकड़े हुए, न वह अपने स्थानसे विचलित हुआ; न उसमें कम्पन हुआ और न उससे एक बूँद पानी ही गिरा। विदेहराज! भगवान् प्रद्युम्नने फिर दूसरे बाणका संधान किया। वह भी पहले बाणका स्थान छोड़कर उस घड़ेमें उसीकी भाँति स्थित हो गया॥ २१—२६॥

तदनन्तर साम्बने भी धनुष लेकर पाँच बाण छोड़े। वे भी काँच-पात्रका भेदन करके उसमें आधे निकले हुए स्थित हो गये। तदनन्तर सात्यकिने भी धनुष लेकर एक ही बाण मारा, किंतु सबके देखते-देखते वह काँचका पात्र चूर-चूर हो गया। यह देख समस्त यादव तथा दूसरे-दूसरे सैनिक जोर-जोरसे हँसने लगे और बोले—'बस-बस, तुम्हीं इस भूतलपर कार्तवीर्य अर्जुनके समान महान् बाणधारी हो; तुम्हारे सामने अर्जुन, भरत तथा श्रीरामचन्द्रजी भी मात हैं। अथवा तुम त्रिपुरहन्ता रुद्र हो। द्रोण, भीष्म, कर्ण तथा परशुरामजी भी तुमसे हार मान लेंगे'॥ २७—३०॥

तदनन्तर दूसरा पात्र लटकाकर धनुर्धारियोंमें श्रेष्ठ अनिरुद्धने उसके नीचे जाकर उसे गौरसे देखकर हलके हाथसे बाण मारा। वह बाण भी उस पात्रका भेदन करके आधा निकला हुआ उसमें स्थित हो गया। उस पात्रसे पाँच हाथ ऊपर आकाशमें एक पत्थर लटकाकर दीप्तिमान्ने धनुष उठाया और उसपर एक बाणका संधान किया। वह बाण भी पात्रके भी निचले

भागको भेदकर अनिरुद्धवाले बाणको आगे छोड़ता हुआ ऊपरवाले पत्थरसे जा टकराया और फिर वेगसे उस पात्रमें ही आकर स्थित हो गया। तथापि बाणवेग-के कारण उस पात्रसे एक बूँद भी पानी नीचे नहीं गिरा। बाण जबतक गया-आया, तबतक भी जब पानीकी एक बूँद नहीं गिरी, तब यह चमत्कार देखकर सब वीर उन्हें बार-बार साधुवाद देने लगे॥ ३१—३५॥

तत्पश्चात् भानुने पात्रको अच्छी तरह देखा-भाला। फिर सबके देखते-देखते नेत्र बंद करके धनुष लेकर दूरसे बाण चलाया। उस बाणने भी उस समय पात्रका भेदन करके उसे अधोमुख कर दिया और फिर तत्काल ही उसका मुख ऊपरकी ओर करके वह उसमें आधा निकला हुआ स्थित हो गया; तब भी बाणके वेगसे एक बूँद भी जल नहीं गिरा और पात्र भी नहीं फूट सका। यह अद्भुत-सी बात हुई। इस प्रकार श्रीकृष्णके जो अठारह महारथी पुत्र थे, उन सबने पात्रका भेदन किया, किंतु जलका स्राव नहीं हुआ॥ ३६—३९॥

यह हस्तलाघव देखकर बिन्दुदेशके राजा दीर्घबाहु बड़े विस्मित हुए। उन्होंने उनके हाथमें अपनी अठारह सुलोचना कन्याएँ प्रदान कीं। उनके विवाहकालमें शङ्ख, भेरी और आनक आदि बाजे बजे, गन्धर्वोंने गीत गाये तथा अप्सराओंने नृत्य किया। देवताओंने उन सबके ऊपर जयध्वनिके साथ फूल बरसाये और स्वर्गवासियोंने उन सबकी भूरि-भूरि प्रशंसा की। राजा दीर्घबाहुने साठ हजार हाथी, एक अरब घोड़े, दस लाख रथ, एक लाख दासियाँ तथा चार लाख शिबिकाएँ दहेजमें दीं। यदुकुलतिलक प्रद्युम्नने वह सारा दहेज द्वारकापुरीको भेज दिया॥ ४०—४४॥

तत्पश्चात् दीर्घबाहुकी अनुमति ले प्रद्युम्न निषध देशको गये। मैथिल! निषधके राजाका नाम वीरसेन था। उन्होंने भी महात्मा प्रद्युम्नको भेंट दी। इसी प्रकार भद्रदेशके अधिपति बृहत्सेनने, जो श्रीकृष्णको इष्टदेव माननेवाले तथा श्रीहरिके प्रिय भक्त थे, सेनासहित प्रद्युम्नका सादर पूजन किया। तब वे सैनिकोंसहित माथुर, शूरसेन तथा मधु नामक जनपदोंमें गये। वहाँ स्वागतपूर्वक पूजित हो, वे पुनः मथुरामें आये। तदनन्तर वनोंसहित मथुराकी परिक्रमा करके वे व्रजमें गये। राजन्! वहाँ उन्होंने गोप-गोपी, यशोदा, व्रजेश्वर नन्दराज, वृषभानु तथा उपनन्दोंको नमस्कार करके बड़ी शोभा पायी। नन्दराजको बारंबार भेंट-उपहार अर्पित करके, उन सबके द्वारा सम्मानित हो वे कई दिनोंतक नन्द-गोकुलमें टिके रहे॥ ४५—५०॥

इस प्रकार श्रीगर्गसंहितामें विश्वजित्खण्डके अन्तर्गत नारद-बहुलाश्व-संवादमें 'मथुरा तथा शूरसेन जनपदोंपर विजय' नामक अठारहवाँ अध्याय पूरा हुआ॥ १८॥

उन्नीसवाँ अध्याय

यादव-सेनाका विस्तार; कौरवोंके पास उद्धवका दूतके रूपमें जाकर प्रद्युम्नका संदेश सुनाना; कौरवोंके कटु उत्तरसे रुष्ट यादवोंकी हस्तिनापुरपर चढ़ाई

श्रीनारदजी कहते हैं—राजन्! इसके बाद महाबाहु प्रद्युम्न अपनी सेनाओंके साथ उच्चस्वरसे दुन्दुभिनाद करते हुए बड़े वेगसे कुरुदेशमें गये। बीस योजन लंबी भूमिपर उनकी सेनाके शिविर लगे थे। उस छावनीका विस्तार भी दस योजनसे कम नहीं था। उस सेनाकी विस्तृत छावनीमें आने-जानेके लिये पाँच योजन लंबी सड़क थी। वहाँ धनाढ्य वैश्योंने सहस्रों दूकानें लगा रखी थीं। रत्नोंके पारखी (जौहरी), वस्त्रोंके व्यवसायी, काँचकी वस्तुओंके निर्माता, वायक (कपड़ा बुनने और सीनेवाले), रँगरेज, कुम्हार, कंदकार (मिश्री आदि बनानेवाले हलवाई), तुलकार (कपासमेंसे रूई निकालनेवाले), पटकार (वस्त्र-निर्माता), टङ्ककार (तार आदि टाँकनेका काम करने-वाले) अथवा 'टङ्क' (नामक औजार बनानेवाले), चित्रकार, पत्रकार (कागज बनानेवाले), नाई, पटुवे, शस्त्रकार, पर्णकार (दोने बनानेवाले), शिल्पी,

लाक्षाकार (लखारे), माली, रजक, (धोबी), तेली, तमोली, पत्थरोंपर खुदाई करने या चित्र बनानेवाले, भड़भूज, काँचभेदी, स्थूल-सूक्ष्म मोती आदि रत्नोंका भेदन करनेवाले—ये सभी कारीगर वहाँकी सड़कपर दृष्टिगोचर होते थे। कहीं भानुमतीका खेल दिखानेवाले बाजीगर थे, कहीं इन्द्रजाल फैलानेवाले जादूगर। कहीं नट नृत्य करते थे तो कहीं दो भालुओंका युद्ध होता था। कहीं डमरू बजा-बजाकर वानरोंके खेल दिखाये जाते थे, कहीं बारह प्रकारके आभूषणोंसे विभूषित वाराङ्गनाओंके नृत्यका कार्यक्रम चल रहा था। वे वार-वधुएँ अपने दिव्य सोलह शृङ्गारोंसे अप्सराओंका भी मन हर लेती थीं। यद्यपि कौरवोंके लिये यादवोंकी सेना अपने भाई-बन्धुओंकी ही सेना थी, तथापि हस्तिनापुरमें उसका बड़ा भारी आतङ्क फैल गया। वहाँके लोग बड़े वेगसे इधर-उधर खिसकने लगे—वे घबराकर कहीं अन्यत्र चले जानेकी चेष्टामें लग गये। सब लोग अपने घरोंमें अरगला (बिलाई, साँकल एवं ताले) लगाकर भागने लगे। घर-घरमें और जन-जनमें बड़ा भारी कोलाहल होने लगा—सर्वत्र हलचल मच गयी। शौर्य, पराक्रम और बलसे सम्पन्न कौरव चक्रवर्ती राजा थे। वे समुद्र-तककी पृथ्वीके अधिपति थे, तथापि यादवोंकी विशाल सेना देखकर वे भी अत्यन्त शङ्कित हो गये॥ १—१४॥

प्रद्युम्नने बुद्धिमानोंमें श्रेष्ठ उद्धवको दूत बनाकर भेजा। वे कौरवेन्द्र-नगर हस्तिनापुरमें जाकर धृतराष्ट्रसे मिले। महाराज धृतराष्ट्रके राजमहलका आँगन मदकी धारा बहानेवाले तथा कस्तूरी और कुङ्कुमसे विभूषित गण्डस्थलोंसे सुशोभित हाथियोंकी सिन्दूर-रञ्जित सूँड़पर बैठने और उनके कानोंसे प्रताड़ित होनेवाले भ्रमरोंसे मण्डित था। हस्तिनापुरके स्वामी राजाधिराज धृतराष्ट्रकी सेवामें भीष्म, कर्ण, द्रोण, शल्य, कृपाचार्य, भूरिश्रवा, बाह्लीक, धौम्य, शकुनि, संजय, दुश्शासन, विदुर, लक्ष्मण, दुर्योधन, अश्वत्थामा, सोमदत्त तथा श्रीयज्ञकेतु उपस्थित थे। वे सब-के-सब सोनेके सिंहासनपर श्वेत छत्र और चँवरसे सुशोभित होकर बैठे थे। उसी समय वहाँ पहुँचकर उद्धवने महाराजको प्रणाम किया और हाथ जोड़कर उनसे कहा॥ १५—१८॥

उद्धव बोले—राजेन्द्र-शिरोमणे! प्रद्युम्नने आपके पास मेरे द्वारा जो संदेश कहलाया है, उसे सुनिये—'महाबली यादवराज उग्रसेन समस्त भूपतियोंके भी स्वामी हैं। वे समस्त राजाओंको जीतकर राजसूय यज्ञ करेंगे। उन्हींके भेजे हुए रुक्मिणीनन्दन प्रद्युम्न सेनाके साथ जम्बूद्वीपके अत्यन्त उद्भट वीर नरेशोंको जीतनेके लिये निकले हैं। वे चेदिराज शिशुपाल, शाल्व, जरासंध तथा दन्तवक्र आदि भूपालोंपर विजय पाकर यहाँतक आ पहुँचे हैं। आप उन्हें भेंट दीजिये। यादव और कौरव एक-दूसरेके भाई-बन्धु हैं। इन बन्धुओंमें एकता बनी रहे, इसके लिये आपको भेंट और उपहार-सामग्री देनी ही चाहिये। ऐसा करनेसे कौरवों-वृष्णि-वंशियोंमें कलह नहीं होगा। यदि आप भेंट नहीं देंगे तो युद्ध अनिवार्य हो जायगा।' यह उनकी कही हुई बात है, जिसे मैंने आपके सम्मुख प्रस्तुत किया है। महाराज! यदि मुझसे कोई धृष्टता हुई हो तो उसे क्षमा कीजिये, दूत सर्वथा निर्दोष होता है। अब आप जो उत्तर दें, उसे मैं वहाँ जाकर सुना दूँगा॥ १९—२३ $\frac{1}{2}$॥

नारदजी कहते हैं—राजन्! उद्धवका वह कथन सुनकर समस्त कौरव क्रोधसे तमतमा उठे। वे अपने शौर्य और पराक्रमके मदसे उन्मत्त थे। उनके होठ फड़कने लगे और वे बोले॥ २४॥

कौरवोंने कहा—अहो! कालकी गति दुर्लङ्घ्य है, यह जगत् विचित्र है, दुर्बल सियार भी वनमें सिंहके ऊपर धावा बोलने लगे हैं। जिन्हें हमारे सम्बन्धसे ही प्रतिष्ठा प्राप्त हुई है, जिनको हमलोगोंने ही राज्य-सिंहासन दिया है, वे ही यादव अपने दाताओंके प्रतिकूल उसी प्रकार सिर उठा रहे हैं, जैसे साँप दूध पिलानेवाले दाताओंको ही काट लेते हैं। समस्त वृष्णिवंशी सदाके डरपोक हैं, वे युद्धका अवसर आते ही व्याकुलचित्त हो जाते हैं; तथापि वे निर्लज्ज आज हमलोगोंपर हुकूमत करने चले हैं। उग्रसेनमें बल ही कितना है! वह अल्पवीर्य होकर भी, जम्बूद्वीपमें निवास करनेवाले समस्त राजाओंको जीतकर, उनसे भेंट लेकर राजसूय यज्ञ करेगा—यह कितने आश्चर्यकी बात है! जहाँ भीष्म, कर्ण, द्रोण, दुर्योधन आदि

महापराक्रमी वीर बैठे हैं, वहाँ उस दुर्बुद्धि प्रद्युम्नने तुमको मन्त्री बनाकर भेजा है! अत: हमारा यह कहना है कि यदि तुमलोगोंकी जीवित रहनेकी इच्छा हो तो अपनी द्वारकापुरीको लौट जाओ। यदि नहीं जाओगे, तो तुम सब लोगोंको आज हम यमलोक भेज देंगे॥ २५—३०॥

नारदजी कहते हैं—राजन्! श्रीकृष्णविरोधी कौरवोंका इस प्रकार भाषण सुनकर उद्धवने प्रद्युम्नके पास जा, सब कुछ कह सुनाया। कौरवोंकी बात सुनकर धनुर्धरोंमें श्रेष्ठ प्रद्युम्नके होठ रोषके मारे फड़कने लगे। वे शार्ङ्गधनुष हाथमें लेकर बोले॥ ३१-३२॥

प्रद्युम्नने कहा—कौरव यद्यपि हमारे बन्धु हैं, तथापि ये मदसे उन्मत्त हो गये हैं। इसलिये उनको अपने तीखे बाणोंसे उसी प्रकार नष्ट कर डालूँगा, जैसे योगी कठोर नियमोंद्वारा अपने दैहिक रोगोंको नष्ट कर डालता है। यादवोंके सैन्य-समूहमें जो कोई भी वीर कौरवोंसे भेंट दिलवानेका प्रयास नहीं करेगा, वह अपने माता-पिताका औरस पुत्र नहीं माना जायगा॥ ३३-३४॥

नारदजी कहते हैं—राजन्! उसी क्षण भोज, वृष्णि और अन्धक आदि समस्त यादव कुपित हो अपनी सेनाओंके साथ हस्तिनापुरपर जा चढ़े॥ ३५॥

इस प्रकार श्रीगर्गसंहितामें विश्वजित्‌खण्डके अन्तर्गत नारद-बहुलाश्व-संवादमें 'कौरवोंके लिये दूत-प्रेषण' नामक उन्नीसवाँ अध्याय पूरा हुआ॥ १९॥

बीसवाँ अध्याय

कौरवोंकी सेनाका युद्धभूमिमें आना; दोनों ओरके सैनिकोंका तुमुल युद्ध और प्रद्युम्नके द्वारा दुर्योधनकी पराजय

नारदजी कहते हैं—राजन्! उसी समय जिनकी क्रोधाग्नि भड़क उठी थी, वे समस्त कौरव भी अपनी-अपनी सेनाओंके साथ प्रद्युम्नका सामना करनेके लिये निकले। रत्नजटित कम्बल (कालीन या झूल) से अलंकृत और सोनेकी साँकलोंसे सुशोभित साठ हजार हाथी विजयध्वज फहराते हुए निकले। प्रलय-पयोधि-के महान् आवर्तों (भँवरों एवं तरंगों) के टकरानेके समान गगनभेदिनी ध्वनि करनेवाली साठ हजार दुन्दुभियोंका गम्भीर घोष फैलानेवाले वे गजराज क्रमशः आगे बढ़ने लगे। लोहेके कवच बाँधे तथा शिरस्त्राण धारण किये दो लाख महामल्ल भी युद्धके लिये निकले। उनके साथ बहुत-से हाथी और साँड भी थे। तदनन्तर सोनेके कंगन, बाजूबंद, किरीट और सुन्दर कुण्डल पहने, स्वर्णमय कवच धारण किये दो लाख गजारोही योद्धा निकले। तत्पश्चात् पीले कवच और टेढ़ी पगड़ीसे सुशोभित दो लाख वीर योद्धा, जो अनेक संग्रामोंमें विजयकीर्ति पा चुके थे, युद्धके लिये निकले। वे भी हाथियोंपर ही बैठे थे। कोई लाल रंगके वस्त्र पहने और लाल रंगके ही आभूषणोंसे विभूषित थे। वे लाल रंगकी ही झूलसे सज्जित ऊँचे गजराजोंपर चढ़कर युद्धके लिये निकले थे। कुछ हाथीसवार योद्धा काले रंगके कपड़े पहिने हुए थे। कुछ हरे वस्त्रोंसे सुसज्जित थे। कुछ लोग श्वेत वस्त्र धारण किये हुए और कुछ गुलाबी कपड़ोंसे सजे हुए युद्धके लिये आये थे। करोड़ों राजन्यकुमार देवविमानोंके समान रथोंपर बैठकर आये थे, जो अत्यन्त ऊँचे और सिंहध्वजसे सुशोभित थे। उन रथोंपर पताकाएँ फहरा रही थीं। अङ्ग-वङ्ग तथा सिन्धु देशोंमें उत्पन्न हुए चञ्चल घोड़ोंपर, जो मनके समान वेगशाली तथा सोनेके आभूषणोंसे विभूषित थे, सवार हो बहुतसे क्षत्रिय-योद्धा शस्त्र लिये नगरसे बाहर निकले॥ १—१०॥

राजन्! लोहेके कवचोंसे अलंकृत तथा विद्याधरों-के समान युद्धकुशल बहुसंख्यक वीर चारों ओरसे झुंड-के-झुंड निकलने लगे। भेरी, मृदङ्ग, पटह और आनक आदि युद्धके बाजे बजने लगे। सूत, मागध और वंदीजन कौरवोंका यश गा रहे थे। धृतराष्ट्रपुत्र

दुर्योधन अपनी विशाल सेनाके बीच बहुत बड़े रथपर बैठा शोभा पा रहा था। वह रथ चन्द्रमण्डलके समान उज्ज्वल तथा चार योजनके घेरेवाले छत्रसे अलंकृत हो, अत्यन्त मनोहर प्रतीत होता था। वह छत्र उसे राजाओंकी ओरसे भेंटके रूपमें प्राप्त हुआ था। हीरेके बने हुए दण्डवाले बहुत-से व्यजन चँवर डुलानेवालोंके हाथोंमें सुशोभित हो उस रथकी शोभा बढ़ाते थे। उसमें श्वेत रंगके घोड़े जुते हुए थे और उसके ऊपर सिंहध्वज फहरा रहा था। दुर्योधनके अतिरिक्त अन्य धृतराष्ट्र-पुत्र भी अलग-अलग रथपर बैठे थे। उनके रथोंपर भी चार-चार योजनके घेरेवाले छत्र, जिनमें मोतीकी झालरें लटक रही थीं, शोभा दे रहे थे। भीष्म, कृपाचार्य, द्रोणाचार्य, बाह्लीक, कर्ण, शल्य, बुद्धिमान् सोमदत्त, अश्वत्थामा, धौम्य, धनुर्धर वीर लक्ष्मण, शकुनि, दुश्शासन, संजय, भूरिश्रवा तथा यज्ञकेतुके साथ सुन्दर रथपर बैठकर आता हुआ राजा दुर्योधन मरुद्गणोंके साथ इन्द्रकी भाँति शोभा पा रहा था॥ ११—१८$\frac{1}{2}$॥

राजन्! उसी समय इन्द्रप्रस्थसे पाण्डवोंकी भेजी हुई दो 'पृतना' सेना कौरवोंकी सहायताके लिये आयी। कौरवोंकी सोलह अक्षौहिणी सेनाओंके चलनेसे पृथ्वी हिलने लगी, दिशाओंमें कोलाहल व्याप्त हो गया और उड़ती हुई धूलसे आकाशमें अन्धकार छा गया। घोड़े, हाथी तथा रथोंकी रेणुसे व्याप्त आकाशमें सूर्य एक तारेके समान प्रतीत होता था। भूतलपर अन्धकार फैल गया। समस्त देवता शङ्कित हो गये। यत्र-तत्र हाथियोंकी टक्करसे वृक्ष टूट-टूटकर गिरने लगे। घुड़सवार वीरोंके अश्वचालनसे भूखण्डमण्डल खुद गया। कौरव और वृष्णिवंशियोंकी सेनाएँ परस्पर जूझने लगीं। जैसे प्रलयकालमें सातों समुद्र अपनी तरंगोंसे टकराने लगते हैं, उसी प्रकार उभय पक्षकी सेनाएँ तीखे शस्त्रोंसे परस्पर प्रहार करने लगीं। जैसे बाज पक्षी मांसके लिये आपसमें जूझते हैं, उसी प्रकार उस युद्ध-भूमिमें घोड़े घोड़ोंसे, हाथी हाथियोंसे, रथी रथियोंसे और पैदल पैदलोंसे भिड़ गये। महावत महावतोंसे, सारथि सारथियोंसे तथा राजा राजाओंसे रोषपूर्वक इस प्रकार युद्ध करने लगे, मानो सिंह सिंहोंसे पूरी शक्ति लगाकर युद्ध कर रहे हों। तलवार, भाले, शक्ति, बर्छे, पट्टिश, मुद्गर, गदा, मुसल, चक्र, तोमर, भिन्दिपाल, शतघ्नी, भुशुण्डी तथा कुठार आदि चमकीले अस्त्र-शस्त्रों एवं बाण-समूहोंद्वारा रोषावेशसे भरे हुए योद्धा एक-दूसरेके मस्तक काटने लगे॥ १९—२७$\frac{1}{2}$॥

रणभूमिमें बाणोंद्वारा अन्धकार फैल जानेपर धनुर्धरोंमें श्रेष्ठ प्रद्युम्न बारंबार धनुषकी टंकार करते हुए दुर्योधनके साथ युद्ध करने लगे। नृपेश्वर! अनिरुद्ध भीष्मके साथ, दीप्तिमान् कृपाचार्यके साथ, भानु द्रोणाचार्यके साथ, साम्ब बाह्लीकके साथ, मधु कर्णके साथ तथा बृहद्भानु शल्यके साथ भिड़ गये। मैथिल! श्रीकृष्णके पुत्र चित्रभानु बुद्धिमान् सोमदत्तके साथ, वृक अश्वत्थामाके साथ, अरुण धौम्यके साथ, पुष्कर दुर्योधनपुत्र लक्ष्मणके साथ, कृष्णकुमार वेदबाहु उस महायुद्धमें शकुनिके साथ, श्रीहरिके पुत्र श्रुतदेव समराङ्गणमें दुश्शासनके साथ तथा सुनन्दन संजयके साथ युद्ध करने लगे। राजन्! गद विदुरके साथ, कृतवर्मा भूरिश्रवाके साथ तथा अक्रूर यज्ञकेतुके साथ संग्राम-भूमिमें लड़ने लगे॥ २८—३४॥

इस प्रकार दोनों सेनाओंमें परस्पर अत्यन्त भयंकर युद्ध छिड़ गया। श्रीकृष्णकुमार प्रद्युम्नने दुर्योधनकी विशाल सेनाको अपने बाण-समूहोंद्वारा उसी प्रकार मथ डाला, जैसे वाराह-अवतारधारी भगवान्ने प्रलय-कालके महासागरको अपनी दाढ़से विक्षुब्ध कर दिया था। बाणसे विदीर्ण मस्तकवाले हाथियोंके मुक्ताफल आकाशसे गिरते समय ऐसी शोभा पा रहे थे, मानो रातमें भूतलपर तारे बिखर रहे हों। मैथिलेन्द्र! प्रद्युम्नने अपने बाणोंसे उस महासमरमें सारथि, रथी एवं रथोंको उसी तरह मार गिराया, जैसे वायु अपने वेगसे बड़े-बड़े वृक्षोंको धराशायी कर देती है॥ ३५—३७$\frac{1}{2}$॥

उस समय दुर्योधन बार-बार अपने धनुषको टंकारता हुआ वहाँ आ पहुँचा। उसने उस युद्धमें दस बाणोंको प्रद्युम्नपर छोड़ा, किंतु यादवेश्वर भगवान् प्रद्युम्नने उन बाणोंको अपने ऊपर पहुँचनेके पहले ही काट गिराया। तब दुर्योधनने पुनः प्रद्युम्नके कवचको अपना निशाना बनाकर सोनेके पंखवाले दस सायक चलाये। वे सायक प्रद्युम्नके कवचको विदीर्ण करके

उनके शरीरमें समा गये। तत्पश्चात् सहस्र बाण-समूहोंद्वारा प्रहार करके धृतराष्ट्रके बलवान् पुत्र महावीर दुर्योधनने प्रद्युम्नके रथके सहस्र घोड़ोंको मार डाला। फिर सौ बाणोंसे प्रत्यञ्चासहित उनके उत्तम धनुषको भी खण्डित कर दिया॥ ३८—४१ $\frac{१}{२}$ ॥

प्रद्युम्न उस रथको त्यागकर तत्काल दूसरे रथपर जा बैठे। इसके बाद उन्होंने भगवान् श्रीकृष्णके दिये हुए धनुषको हाथमें लेकर उसपर विधिपूर्वक प्रत्यञ्चा चढ़ायी और एक बाणका संधान करके उसे अपने कानतक खींचा। फिर बाहुदण्डके वेगसे उस बाणको दुर्योधनके रथके नीचे धँसा दिया। वह बाण दुर्योधनके रथको ले उड़ा और दो घड़ीतक उसे आकाशमें घुमाता रहा। तत्पश्चात् जैसे छोटा बालक कमण्डलुको फेंक देता है, उसी प्रकार उस बाणने दुर्योधनके रथको आकाशसे नीचे गिरा दिया। नीचे गिरनेसे वह रथ तत्काल चूर-चूर हो गया। उसके सभी घोड़े सारथिसहित मृत्युके ग्रास बन गये। महाबली धृतराष्ट्रपुत्र तत्काल दूसरे रथपर जा बैठा। उसने दस सायकोंद्वारा युद्धभूमिमें प्रद्युम्नको घायल कर दिया। उन सायकोंसे आहत होनेपर भी श्रीकृष्णकुमार प्रद्युम्न फूलकी मालासे मारे गये हाथीकी भाँति तनिक भी विचलित नहीं हुए। उन्होंने श्रीकृष्णके दिये हुए कोदण्डपर एक बाण रखा और उसे चला दिया। वह बाण रथसहित दुर्योधनको लेकर ज्यों ही महाकाशमें पहुँचा, त्यों ही प्रद्युम्नका छोड़ा हुआ दूसरा बाण भी शीघ्र उसे लेकर और भी आगे बढ़ गया। तबतक तीसरा बाण भी वहाँ पहुँचा। उसने अश्व तथा सारथि-सहित उस रथको लेकर राजमन्दिरके आँगनमें आकाशसे धृतराष्ट्रके समीप इस प्रकार ला पटका, मानो वायुने कमलकोषको उड़ाकर नीचे डाल दिया हो। उस रथको वहाँ गिराकर वह बाण रणभूमिमें प्रद्युम्नके पास लौट आया। नीचे गिरते ही वह रथ अङ्गारकी भाँति बिखर गया। दुर्योधन मुखसे रक्त वमन करता हुआ मूर्च्छित हो गया॥ ४२—५२॥

इस प्रकार श्रीगर्गसंहितामें विश्वजित्खण्डके अन्तर्गत नारद-बहुलाश्व-संवादमें 'यादव-कौरव-युद्धका वर्णन' नामक बीसवाँ अध्याय पूरा हुआ॥ २०॥

इक्कीसवाँ अध्याय

कौरव तथा यादव वीरोंका घमासान युद्ध; बलराम और श्रीकृष्णका प्रकट होकर उनमें मेल कराना

श्रीनारदजी कहते हैं—राजन्! दुर्योधनके चले जानेपर वहाँ बड़ा भारी हाहाकार मचा। तब गङ्गानन्दन देवव्रत भीष्म तुरंत वहाँ आ पहुँचे और उन यादवोंके देखते-देखते बारंबार धनुष टंकारते हुए यादव-सेनाको उसी प्रकार भस्म करने लगे, जैसे प्रज्वलित दावानल किसी वनको दग्ध कर देता है॥ १-२॥

भीष्मजी समस्त धर्मधारियोंमें श्रेष्ठ, महान् भगवद्भक्त, विद्वान् और वीर-समुदायके अग्रगण्य थे। उन्होंने युद्धमें परशुरामजीके भी छक्के छुड़ा दिये थे। उनके मस्तकपर शिरस्त्राण एवं मुकुट शोभा पाता था। उनकी अङ्ग-कान्ति गौर थी। दाढ़ी-मूँछके बाल सफेद हो गये थे। वे कौरवोंके पितामह थे तो भी बलपूर्वक युद्धभूमिमें विचरते हुए सोलह वर्षके नवयुवकके समान जान पड़ते थे। उन्होंने अपने बाणोंसे अनिरुद्ध-की विशाल सेनाको मार गिराया। हाथियोंके मस्तक कट गये, घोड़ोंकी गर्दनें उतर गयीं। हाथमें तलवार लिये पैदल योद्धा बाणोंकी मार खाकर दो-दो टुकड़ोंमें विभक्त हो गये। रथोंके सारथि, घोड़ों और रथियोंको मारकर उन रथोंको भी भीष्मने चूर्ण कर दिया। जिन राजकुमारोंके पैर कट गये थे, वे ऊर्ध्वमुख होनेपर भी अधोमुख हो गये। हाथमें खड्ग और धनुष लिये योद्धा बाँहें कट जानेके कारण धराशायी हो गये। कुछ सैनिकोंके कवच छिन्न-भिन्न हो गये और वे प्राणशून्य होकर भूमिपर गिर पड़े। वहाँ गिरे हुए स्वर्णभूषित

वीरों, घोड़ों, रथों और हाथियोंसे वह युद्धमण्डल कटे हुए वृक्षोंसे वनकी भाँति शोभा पा रहा था। राजन्! वह रणभूमि मूर्तिमती महामारीके समान प्रतीत होती थी। अस्त्र-शस्त्र उसके दाँत, बाण केश, ध्वजा-पताका उसके वस्त्र और हाथी उसके स्तन जान पड़ते थे। रथोंके पहिये उसके कानोंके कुण्डल-से प्रतीत होते थे॥ ३—९ $\frac{1}{2}$॥

वहाँ रक्त-स्रावसे प्रकट हुई नदी तीव्र वेगसे प्रवाहित होने लगी। उसमें रथ, घोड़े और मनुष्य भी बह चले। वह रक्त-सरिता वैतरणीके समान मनुष्योंके लिये अत्यन्त दुर्गम हो गयी थी। कूष्माण्ड, उन्माद और बैतालगण भैरवनाद करते हुए आये और रुद्रकी माला बनानेके लिये वहाँसे नरमुण्डोंका संग्रह करने लगे। अपनी सेनाको रणभूमिमें गिरी देख महान् धनुर्धर-शिरोमणि अनिरुद्ध बहुत बड़ी पताकावाले रथपर आरूढ़ हो, भीष्मका सामना करनेके लिये आगे बढ़े। राजन्! प्रलयकालके महासागरसे उठी हुई ऊँची-ऊँची भँवरों और तरंगोंके भयानक घातप्रतिघात-से प्रकट हुई ध्वनिके समान गम्भीर नाद करनेवाली भीष्मके धनुषकी प्रत्यञ्चाको प्रद्युम्ननन्दन अनिरुद्धने एक ही बाणसे काट डाला—ठीक उसी तरह, जैसे गरुडने अपनी तीखी चोंचसे किसी नागिनके दो टुकड़े कर दिये हों। तब मनस्वी भीष्मने दूसरा धनुष लेकर उसपर प्रत्यञ्चा चढ़ायी और युद्धभूमिमें सबके देखते-देखते उसपर ब्रह्मास्त्रका संधान किया। उससे बड़ा प्रचण्ड तेज प्रकट हुआ। यह देख माधव अनिरुद्धने भी अपनी सेनाकी रक्षाके लिये स्वयं भी ब्रह्मास्त्रका संधान किया। वे दोनों ब्रह्मास्त्र बारह सूर्योंके समान तेजस्वी होकर परस्पर युद्ध करने लगे। तब अनिरुद्धने तीनों लोकोंका दहन करनेमें समर्थ उन दोनों अस्त्रोंका उपसंहार कर दिया। साथ ही उन यदुकुलतिलक अनिरुद्धने गङ्गानन्दन भीष्मके विद्युत्के समान दीप्तिमान् धनुषको भी सायकोंद्वारा उसी तरह काट डाला, जैसे सूर्य अपनी किरणोंसे कुहासेको नष्ट कर देता है। तब भीष्मने लाख भारकी बनी हुई सुदृढ़ गदा हाथमें लेकर उसे अनिरुद्धपर चलाया और सिंहके समान गर्जना की। जैसे गरुड किसी नागिनको पंजेसे पकड़ ले, उसी प्रकार साक्षात् भगवान् अनिरुद्धने भीष्मकी गदाको बायें हाथसे पकड़ लिया और दाहिने हाथसे अपनी गदा उनकी छातीपर दे मारी। उस गदाके प्रहारसे व्यथित हो गङ्गानन्दन भीष्म मूर्च्छित होकर रथसे गिर पड़े। उस युद्धमण्डलमें वे आकाशसे गिरे हुए सूर्यके समान जान पड़ते थे। तब वहीं खड़े हुए महात्मा अनिरुद्धपर कृपाचार्यने सहसा शक्तिका प्रहार किया। उस समय रोषसे उनके अधर फड़क रहे थे। नरेश्वर! उस शक्तिको कृष्णपुत्र दीप्तिमान्ने (अनिरुद्धतक पहुँचनेसे पहले) मार्गमें ही अपनी तीखी धारवाली तलवारसे उसी प्रकार काट दिया, जैसे किसीने कटु वचनसे मित्रता खण्डित कर दी हो। तदनन्तर रोषसे भरे हुए महाबाहु द्रोणाचार्यने बारंबार धनुषकी टंकार करके भानुके ऊपर पर्वतास्त्रका प्रयोग किया। शत्रुकी सेनाको चूर्ण करते हुए बड़े-बड़े पर्वत आकाशसे गिरने लगे। राजेन्द्र! उन पर्वतोंके गिरनेसे यादव-सेनामें महान् हाहाकार मच गया॥ १०—२५॥

तब श्रीकृष्णपुत्र भानुने वायव्यास्त्रका प्रयोग किया। उससे प्रचण्ड आँधी प्रकट हुई, जिससे सारे पर्वत रणभूमिसे उड़ गये। उसी अवसरपर कुपित हुए बाह्लीकने आग्नेयास्त्रका प्रयोग किया, जिससे दावानलसे विशाल वनकी भाँति शत्रुकी सेना भस्मसात् होने लगी। यह देख उस रणभूमिमें जाम्बवतीनन्दन साम्बने पर्जन्यास्त्रका प्रयोग किया, जिसके द्वारा ज्ञानसे अहंकारकी भाँति वह अग्नि शान्त हो गयी। तब रोषसे भरे हुए कर्णने मधुको छोड़कर साम्बके ऊपर बीस बाण मारे। फिर वह बलवान् वीर मेघके समान गर्जना करने लगा। उसके बाणोंसे आहत हो रथसहित साम्ब दो घड़ीतक चक्कर काटते रहे। फिर मन-ही-मन कुछ व्याकुल हो एक कोस दूर जा गिरे। फिर तो उन्होंने रथ छोड़ दिया और गदा लेकर वे रणभूमिमें आ पहुँचे। उस गदाके द्वारा जाम्बवतीकुमार साम्बने कर्णको गहरी चोट पहुँचायी। राजन्! उस चोटसे पीड़ित हो महाबली वीर कर्ण पृथ्वीपर गिर पड़ा और समराङ्गणमें मूर्च्छित हो गया। साम्ब भी अपना धनुष लेकर दूसरे रथपर बड़े वेगसे जा चढ़े। उन्होंने बीस बाणोंसे शूलको और पाँच बाणोंसे सोमदत्तको घायल कर

दिया। राजन्! इतना ही नहीं, उन्होंने दस बाणोंसे द्रोणपुत्र अश्वत्थामाको, सोलह बाणोंसे धौम्यको, दस बाणोंसे लक्ष्मणको, पाँचसे शकुनिको, बीस सायकोंसे दुश्शासनको, बीससे ही संजयको, सौ बाणोंसे भूरिश्रवाको तथा सौ तीखे बाणोंसे यज्ञकेतुको भी समराङ्गणमें घायल कर दिया। फिर बलवान् वीर साम्ब मेघके समान गर्जना करने लगे। तदनन्तर साम्बने दस-दस बाणोंसे सारथियोंको, एक-एकसे हाथियों और घोड़ोंको और पाँच-पाँच बाणोंसे अन्य वीरोंको चोट पहुँचायी। जाम्बवतीकुमार साम्बका वह हस्तलाघव देखकर अपने एवं शत्रुपक्षके सभी सैनिक अत्यन्त विस्मित हो गये। इसी समय भीष्मने उठकर अपना उत्तम धनुष हाथमें लिया और दस बाण मारकर साम्बके श्रेष्ठ कोदण्डको खण्डित कर दिया। तदनन्तर महाबली वीर भीष्म, द्रोणाचार्य तथा कर्ण—तीनोंने यादव-सेनाको तत्काल सायकोंद्वारा घायल करना उसी प्रकार आरम्भ किया, जैसे तीनों गुण उद्रिक्त होनेपर ज्ञानको नष्ट कर देते हैं॥ २६—३९$\frac{1}{2}$॥

मानद! दुर्योधन रथपर आरूढ़ हो पुनः युद्धके लिये आया। उसके साथ दस अक्षौहिणी सेना थी, जिसका महान् कोलाहल छा रहा था। मिथिलेश्वर! उस समय पुराणपुरुष देवेश्वर बलराम और श्रीकृष्ण वहाँ प्रकट हो गये। बलरामके रथपर तालध्वज और श्रीकृष्णके रथपर गरुडध्वज शोभा दे रहे थे। वे दोनों भाई अपनी दिव्यकान्तिसे सम्पूर्ण दिशाओंको देदीप्यमान कर रहे थे। उस समय देवता जय-जयकार कर उठे। मुख्य-मुख्य गन्धर्व मनोहर गान करने लगे। देवताओंके आनक और दुन्दुभियोंकी ध्वनि होने लगी तथा देवाङ्गनाएँ खील (लावा) और फूल बरसाने लगीं। उसी समय यदुवंशी वीर परमेश्वर बलराम और श्रीकृष्णके चरणोंमें प्रणाम करने लगे। दुर्योधन आदि कौरव सब ओर अस्त्र-शस्त्र रखकर उन्हें उत्तम बलि अर्पित करने लगे। सभी प्रसन्न थे और सबके हाथ जुड़े हुए थे। परमेश्वर श्रीहरिने अपने मदोन्मत्त प्रद्युम्न आदि पुत्रोंको डाँट बतायी और भीष्म आदि कौरवोंको प्रणाम करके, दुर्योधनसे मिलकर वे दोनों इस प्रकार बोले॥ ४०—४५॥

श्रीबलराम और श्रीकृष्णने कहा—राजन्! इन बालबुद्धिवाले यादवोंने जो कुछ किया है, उसके लिये क्षमा कर दो; अपने मनमें दुःख न मानो। नृपेश्वर! इन लोगोंने जो भी कठोर बात कही है, वह हम दोनोंके प्रति कही गयी मान लो। राजन्! इस भूतलपर यादव और कौरवोंमें कदापि किंचिन्मात्र भी कलह नहीं होना चाहिये। ये सब परस्पर सम्बन्धी और ज्ञाति हैं। हमलोग धोती और उत्तरीयकी भाँति परस्पर एक-दूसरेका प्रिय करनेवाले हैं॥ ४६-४७॥

नारदजी कहते हैं—मैथिलेश्वर! कौरवोंसे निरन्तर पूजित और सेवित हो देवेश्वर बलराम और श्रीकृष्ण प्रद्युम्न आदि यादवोंके साथ वहाँ अत्यन्त सुशोभित हुए॥ ४८॥

इस प्रकार श्रीगर्गसंहितामें विश्वजित्खण्डके अन्तर्गत नारद-बहुलाश्व-संवादमें 'यादव और कौरवोंमें मेल' नामक इक्कीसवाँ अध्याय पूरा हुआ॥ २१॥

बाईसवाँ अध्याय

अर्जुनसहित प्रद्युम्नका कालयवन-पुत्र चण्डको जीतकर भारतवर्षके बाहर पूर्वोत्तर दिशाकी ओर प्रस्थान

नारदजी कहते हैं—राजन्! भाइयों तथा अन्यान्य कुरुवंशियोंके साथ दुर्योधनको शान्त करके यदुकुलतिलक बलराम और श्रीकृष्ण पाण्डवोंसे मिलनेके लिये इन्द्रप्रस्थको गये। तब अजातशत्रु राजा युधिष्ठिर अपने भाइयों तथा स्वजनोंके साथ श्रीकृष्णकी अगवानीके लिये इन्द्रप्रस्थसे बाहर आये। उनके साथ इन्द्रप्रस्थके अन्यान्य निवासी भी शङ्खध्वनि, दुन्दुभिनाद, वेदमन्त्रोंका घोष तथा वेणुवादनपूर्वक

पुष्पवर्षा करते हुए आये। बलराम और श्रीकृष्णको राजा युधिष्ठिरने दोनों भुजाओंसे खींचकर हृदयसे लगा लिया और परमानन्दका अनुभव किया। वे योगीकी भाँति आनन्दमें डूब गये। प्रद्युम्न आदि श्रीकृष्णकुमारोंने भी श्रीयुधिष्ठिरको प्रणाम किया। युधिष्ठिरने उन सबको दोनों हाथोंसे पकड़कर आशीर्वाद दिया। श्रीहरिने स्वयं अर्जुन और भीमसेनको हृदयसे लगाकर उनका कुशल-समाचार पूछा तथा नकुल और सहदेवने उनके चरणोंमें वन्दना की॥ १—५ $\frac{1}{2}$ ॥

श्रीकृष्ण और बलराम साक्षात् परिपूर्णतम श्रीहरि हैं, असंख्य ब्रह्माण्डोंके पालक हैं। भगवद्भक्त युधिष्ठिरने उन दोनों भाइयोंका पूर्णतर समादर किया। उन्होंने यदुकुलके मुख्य वीर प्रद्युम्न आदिको सैनिकोंसहित दिग्विजयके लिये विधिपूर्वक भेजा और सारी पृथ्वीको जीतनेके लिये आज्ञा दी। फिर वे दोनों भक्तवत्सल सर्वेश्वर बन्धु भाइयोंसहित धर्मराज युधिष्ठिरसे मिलकर द्वारकाको चले गये। राजन्! गौर और श्याम वर्णवाले दोनों भाई, बलराम और श्रीकृष्ण सबके मनको हर लेनेवाले हैं। नरेश्वर! इस प्रकार मैंने तुमसे श्रीकृष्णका चरित्र कहा। यह मनुष्योंको चारों पदार्थ देनेवाला है। अब तुम और क्या सुनना चाहते हो?॥ ६—९ $\frac{1}{2}$ ॥ ॥

बहुलाश्वने पूछा—मुने! बलरामसहित पुरुषोत्तम श्रीकृष्ण जब कुशस्थलीको चले गये, तब साक्षात् भगवान् प्रद्युम्न हरिने क्या किया? उनका अद्भुत चरित्र श्रवण करनेयोग्य तथा मनोहर है। जो जीवन्मुक्त ज्ञानी भक्त हैं, उनके लिये भी भगवच्चरित्र सदा श्रवणीय है, फिर जिज्ञासु भक्तोंके लिये तो कहना ही क्या। भगवान्का चरित्र अर्थार्थी भक्तोंको सदा अर्थ देनेवाला और आर्त्त भक्तोंकी पीड़ाको शान्त करनेवाला है। इतना ही नहीं, स्थावर आदि चार प्रकारके जो जीव-समुदाय हैं, उन सबके पापोंका वह नाश करनेवाला है। दिग्विजयके इच्छुक श्रीहरिकुमार प्रद्युम्न किस प्रकार सम्पूर्ण दिशाओंपर विजय प्राप्त करके पुनः सेनासहित द्वारकामें लौटे, यह सारा वृत्तान्त आप मुझे ठीक-ठीक बतलाइये। देवर्षे! आप ब्रह्माजीके पुत्र और साक्षात् सर्वदर्शी भगवान् हैं, भगवान् श्रीकृष्णके मन हैं; अतः पहले श्रीहरिके मनस्वरूप आपको मेरा प्रणाम है॥ १०—१४॥

नारदजीने कहा—राजन्! तुमने बहुत अच्छी बात पूछी। तुम भगवत्प्रभावके ज्ञाता होनेके कारण धन्य हो। इस भूतलपर श्रीकृष्णचरित्रको सुननेके पात्र (सुयोग्य अधिकारी) तुम्हीं हो। नरेश्वर! श्रीकृष्णके चले जानेपर अजातशत्रु राजा युधिष्ठिरने शत्रुओंसे प्रद्युम्नकी रक्षा करनेके लिये स्नेहवश उनके साथ शीघ्र ही अपने भाई अर्जुनको भी जानेकी आज्ञा दे दी; क्योंकि उनके मनमें बाहरी शत्रुओंसे प्रद्युम्न आदिपर भय आनेकी आशङ्का हो गयी थी॥ १५-१६॥

मिथिलेश्वर! तदनन्तर अर्जुनके साथ यदुश्रेष्ठ प्रद्युम्न विशाल सेनाको अपने साथ लिये तत्काल त्रिगर्त जनपदमें जा पहुँचे। त्रिगर्तके राजा धनुर्धर सुशर्माने शङ्कित होकर महामना प्रद्युम्नको भेंट दी। फिर मत्स्य देशके राजा विराटसे पूजित होकर, यादवेश्वर प्रद्युम्नने सरस्वती नदीमें स्नान करके कुरुक्षेत्र तीर्थका दर्शन किया। फिर पृथूदक, बिन्दु-सरोवर, त्रितकूप और सुदर्शन आदि तीर्थोंमें होते हुए, सरस्वतीमें स्नान करके, वहाँ अनेक प्रकारके दान दे वे आगे बढ़ गये। कौशाम्बी* नगरीमें पहुँचनेपर सारस्वत प्रदेशके राजा कुशाम्बने प्रद्युम्नको भेंट नहीं दी; क्योंकि वे दुर्योधनके वशीभूत होनेके कारण उसीके पिछलगू थे। तब प्रद्युम्नकी आज्ञा पाकर चारुदेष्ण, सुदेष्ण,पराक्रमी चारुदेह, सुचारु, चारुगुप्त, भद्रचारु, चारुचन्द्र, विचारु और दसवें चारु—इन दसों रुक्मिणीपुत्रोंने सिंधी घोड़ोंपर सवार हो, सबके देखते-देखते कौशाम्बी नगरीको चारों ओरसे घेर लिया। उनके बाणोंसे राजधानीके महलोंके शिखर, ध्वज, कलश और तोलिका आदि चूर-चूर होकर उसी प्रकार गिरने लगे, जैसे वानरोंके प्रहारसे लङ्काकी अट्टालिकाएँ टूट-

*इतिहास प्रसिद्ध कौशाम्बी नगरी तो इलाहाबाद जिलेके 'कोसम' नामसे प्रसिद्ध ग्रामके आस-पास रही है। यह बात खुदाई आदिसे भी सिद्ध हो चुकी है। यहाँ जिस 'कौशाम्बी' की चर्चा है, वह दूसरी ही है; राजा कुशाम्बके नामपर बसी हुई राजधानीको 'कौशाम्बी' कहा गया है।

टूटकर गिरने लगी थीं। रुक्मिणीकुमारोंने जब इस प्रकार बाणोंद्वारा अन्धकार फैला दिया, तब राजा कुशाम्ब हाथमें बहुत-सी भेंट-सामग्री लिये नगरसे बाहर निकले। उन्होंने हाथ जोड़कर शम्बरारिको नमस्कार किया और बहुत-सी भेंट-सामग्री देकर भयार्त एवं भयविह्वल राजाने नगरीकी रक्षा की। उसी समय सौवीरराज सुदेव, आभीरराज विचित्र, सिन्धुपति चित्राङ्गद, कश्मीरराज महौजा, जाङ्गलदेशाधिपति सुमेरु, लाक्षेश्वर धर्मपति और गन्धर्वराज विड़ौजा—इन सबने भी, जो दुर्योधनके वशवर्ती थे, भयके कारण बलि अर्पित करके अत्यन्त विनीत होकर कृष्ण-कुमार प्रद्युम्नको प्रणाम किया। तदनन्तर अपनी सेनासे घिरे हुए महाबाहु प्रद्युम्न उद्भट वीर कल्किके समान अर्बुद और म्लेच्छ देशोंपर विजय पानेके लिये प्रस्तुत हुए॥ १७—३०॥

कालयवनका महाबली पुत्र यवनेन्द्र चण्ड प्रद्युम्नका आगमन सुनकर अत्यन्त क्रोधसे भर गया। 'आज मैं अपने पिताकी हत्या करनेवाले शत्रुके पुत्रका वध करके बापका बदला चुका लूँगा'—मन-ही-मन ऐसा विचार करके दस करोड़ म्लेच्छोंकी सेना लिये, मदकी धारा बहाने और गर्जनेवाले ऊँचे गजराजपर आरूढ़ हो, आँखें लाल करके, वह महात्मा प्रद्युम्नके सामने निकला। चण्डकी प्रेरणासे तीखे बाणोंकी वर्षा करनेवाली उस विशाल सेनाको आयी देख प्रद्युम्न अपने सैनिकोंसे बोले॥ ३१—३४॥

प्रद्युम्नने कहा—जो शत्रुसेनाका संहार करके शिरस्त्राणसहित चण्डका मस्तक काटकर यहाँ ला देगा, उस वीरको मैं अपनी सेनाका सेनापति बनाऊँगा॥ ३५॥

नारदजी कहते हैं—राजन्! जब प्रद्युम्न इस प्रकार कह रहे थे, तब गाण्डीवधारी कपिध्वज अर्जुनने बारंबार धनुषकी टंकार करते हुए अकेले ही शत्रुकी सेनामें प्रवेश किया। रणदुर्मद गाण्डीवधारीने गाण्डीव धनुषसे छूटे हुए विशिखोंद्वारा सामने खड़े हुए वीरों, रथों, हाथियों और घोड़ोंके दो-दो टुकड़े कर डाले। हाथोंमें शक्ति, खड्ग तथा ऋष्टि (दुधारा खाँड़ा) लिये कितने ही शत्रु-सैनिक भुजाएँ कट जानेके कारण पृथ्वीपर गिर पड़े। कितने ही कवचधारी वीरोंके पैर कट गये और नख विदीर्ण हो गये। जिनके हौदे छिन्न-भिन्न हो गये और शरीर घायल हो गये थे, ऐसे हाथी युद्धभूमिमें इधर-उधर भागने लगे। उनके घंटे कहीं गिर गये और हौदे कहीं जा पड़े। वे अपनी सूँड़ोंसे हाथियोंको भी गिराते हुए भाग चले। अर्जुनके बाणोंसे दो-दो टूक हुए हाथियों और घोड़ोंसे भरा हुआ वह समराङ्गण हँसुओंसे काटे गये कुम्हड़ोंके टुकड़ोंसे व्याप्त हुए खेत-सा जान पड़ता था। फिर तो म्लेच्छ सैनिक अपने-अपने हथियार फेंक, समराङ्गण छोड़कर जोर-जोरसे भागने लगे—ठीक उसी तरह जैसे सूर्यकी किरणोंसे विदीर्ण हुए कुहासोंके समुदाय नष्ट हो जाते हैं॥ ३६—४१॥

मैथिलेन्द्र! हाथीपर बैठे हुए म्लेच्छराज चण्डने एक शक्ति घुमाकर अर्जुनके ऊपर फेंकी और सिंहके समान गर्जना की। राजेन्द्र! बलवान् श्रीकृष्ण-सखा अर्जुनने विद्युल्लताके समान अपने ऊपर आती हुई उस शक्तिके गाण्डीव-मुक्त बाणोंद्वारा खेल-खेलमें ही सौ टुकड़े कर डाले। महाम्लेच्छ चण्ड रोषसे भरकर जबतक धनुष उठाये, तबतक ही गाण्डीवधारीने लीलापूर्वक एक बाण मारकर उसके उस धनुषको काट दिया। तब प्रचण्ड-पराक्रमी चण्डने दूसरा धनुष हाथमें लेकर प्रलयकालके महासागरकी बड़ी-बड़ी भँवरोंके टकरानेकी भाँति गम्भीर नाद करनेवाली अर्जुनकी प्रत्यञ्चाको उसी तरह काट दिया, जैसे गरुड किसी सर्पिणीके टुकड़े-टुकड़े कर डाले। तब अर्जुनने ढालके साथ चमकती हुई अपनी तलवार ले ली और उससे चण्डके गजराजकी कुम्भस्थलीपर इस प्रकार प्रहार किया, मानो इन्द्रने पर्वतपर वज्र मार दिया हो। अग्निदेवके दिये हुए उस खड्गसे उस हाथीका कुम्भ-स्थल फट गया। उसने चिग्घाड़ करते हुए धरतीपर घुटने टेक दिये। फिर वह अत्यन्त मूर्च्छित हो गया। तब चण्डने भी तलवार लेकर पाण्डुनन्दन अर्जुनपर प्रहार किया; परंतु कुरुकुल-तिलक अर्जुनने उसके खड्गको ढालपर रोककर उसके ऊपर अपनी तलवार-से वार किया। इससे चण्डका शिरस्त्राणसहित मस्तक धड़से अलग हो गया। तदनन्तर अर्जुनने अपने धनुष-

पर प्रत्यञ्चा चढ़ायी और चण्डके मस्तकको बाणपर रखकर उसे धनुषपर खींचकर चलाया और प्रद्युम्नकी सेनामें उसे फेंक दिया॥ ४२—५०॥

उस समय जय-जयकारके साथ दुन्दुभि बजने लगी और देवतालोग अर्जुनके ऊपर फूलोंकी वर्षा करने लगे। फिर श्रीकृष्णकुमार प्रद्युम्नने उसी क्षण विजयध्वजसे विभूषित अपनी सेनाका अर्जुन-को सेनापति बना दिया। उस समय यादव-सेनाके मुख्य वीरोंने हाथमें श्वेत चँवर आदि लेकर कपिध्वज अर्जुनके ऊपर हवा की। फिर तो वेगशाली अर्बुदाधीशने प्रद्युम्नकी शरण ली। उसने डरते हुए हाथ जोड़कर नमस्कार किया और भेंट अर्पित की। मोरङ्गके राजा मन्दहासने भयभीत हो महात्मा प्रद्युम्नको दस लाख घोड़े देकर नमस्कार किया। इस प्रकार भरतखण्डपर विजय पाकर यदुकुल-तिलक श्रीकृष्णकुमारने हिमालयको दक्षिण दिशामें करके पूर्वोत्तर दिशाकी ओर प्रस्थान किया॥ ५१—५५॥

इस प्रकार श्रीगर्गसंहितामें विश्वजित्खण्डके अन्तर्गत नारद-बहुलाश्व-संवादमें 'बहुदिग्विजय' नामक बाईसवाँ अध्याय पूरा हुआ॥ २२॥

तेईसवाँ अध्याय

यादव-सेनाका बाणासुरसे भेंट लेकर अलकापुरीको प्रस्थान तथा यादवों और यक्षोंका युद्ध

नारदजी कहते हैं—राजन्! नदों, नदियों और समुद्रोंने भी सेनासहित महात्मा प्रद्युम्नको उनके तेजसे धर्षित हो रथ निकलनेके लिये मार्ग दे दिया॥ १॥

कैलास पर्वतके पार्श्वभागमें बाणासुरका निवास-स्थान शोणितपुर था। वहाँ श्रेष्ठ मानव-वीर यादवेश्वर प्रद्युम्न गये। यदुवंशियोंको पुनः आया देख, बाणासुरको बड़ा क्रोध हुआ। उसने बारह अक्षौहिणी सेनाके द्वारा उनके साथ युद्ध करनेका विचार किया। इसी समय त्रिशूलधारी साक्षात् पुराणपुरुष महेश्वरदेव नन्दी वृषभपर आरूढ़ हो हिमाचलपुत्री उमाके साथ बाणासुरके पास आये और बोले॥ २—४॥

शिवने कहा—असुरराज! साक्षात् परिपूर्णतम भगवान् श्रीकृष्ण स्वयं असंख्य ब्रह्माण्डोंके अधिपति, गोलोकके स्वामी तथा परात्पर परमात्मा हैं। हम तीनों—ब्रह्मा, विष्णु और शिव—उन्हींकी कला हैं और उनकी आज्ञाको सदा अपने मस्तकपर धारण करते हैं; फिर तुम-जैसे सामान्य कोटिके जीवोंकी तो बात ही क्या। उन्हींके पौत्र अनिरुद्धको तुमने बाँध लिया था, जिसके कारण उन्होंने अपने प्रभावसे संग्राममें तुम्हारी भुजाएँ काट डाली थीं। क्या उन श्रीहरिको तुम नहीं जानते? (उन्हें इतनी जल्दी भूल गये?) अतः तुम दानवोंके लिये श्रीहरिके पुत्र पूजनीय हैं। अनिरुद्ध तो तुम्हारे दामाद ही हैं; अतः तुम्हारे लिये उनके पूजनीय होनेमें तो कोई संशय नहीं है। असुरपुंगव! मैं तुम्हें युद्धके लिये आज्ञा नहीं देता। यदि नहीं मानोगे तो अपने बलसे युद्ध करो; परंतु तुम्हारे मनका युद्ध-विषयक संकल्प मुझे तो व्यर्थ ही दिखायी देता है॥ ५—९॥

नारदजी कहते हैं—राजन्! भगवान् शिवके समझानेपर बाणासुरने अनिरुद्धको बुलाकर उनका पूजन किया और दहेज दिया। फिर सेनासहित प्रद्युम्न-का बन्धुके समान सादर पूजन करके महाबाहु बाणने उन महात्माको दस हजार हाथी, पाँच लाख रथ तथा एक करोड़ घोड़े भेंटमें दिये॥ १०-११$\frac{१}{२}$॥

महाराज! तदनन्तर धनुर्धर श्रीकृष्णकुमार प्रद्युम्न अपने यादव सैनिकोंके साथ गुह्यकों (यक्षों) से मण्डित अलकापुरीको गये। नन्दा और अलक-नन्दा—ये दो गङ्गाएँ परिखा (खाईं) की भाँति उस पुरीको घेरे हुए हैं। वहाँ वे दोनों नदियाँ रत्नोंकी बनी हुई सीढ़ियोंसे युक्त हैं। वह पुरी यक्षवधुओंसे सुशोभित

है। विद्याधरों और किंनरोंकी सुन्दरियाँ सब ओरसे उसकी मनोहरताको बढ़ाती हैं। दिव्य नागकन्याओंसे सुशोभित भोगवती पुरीकी भाँति गुह्यककन्याओंसे अलकापुरीकी शोभा हो रही थी। नरेश्वर! कुबेरने प्रद्युम्नको भेंट नहीं दी। यद्यपि वे श्रीहरिके प्रभावको जानते थे, तथापि उन्होंने भेंट देना स्वीकार नहीं किया। अहो! मायाका बल कितना अद्भुत है! 'मैं लोकपाल हूँ', इस अज्ञानसे वे सदा मोहित रहते थे। अतः बलवान् यक्षोंसे प्रेरित होकर उन्होंने युद्ध करनेका ही विचार किया; क्योंकि निर्धनको यदि धन मिल जाता है तो वह सारे जगत्को तृणवत् मानने लगता है। फिर जो भूतलपर नवनिधियोंके अधिपति हों, उनके अहंकारका क्या वर्णन हो सकता है? मानद! उसी समय कुबेरका भेजा हुआ दूत हेममुकुट प्रद्युम्नके पास आकर सभामें मस्तक झुकाकर उनसे इस प्रकार बोला॥ १२—१८½ ॥

हेममुकुटने कहा—राजन्! यदुकुल-तिलक! अलकापुरीके स्वामी धनके अधीश्वर लोकपाल राजराज कुबेरने जो संदेश दिया है, उसे आप सुनिये—"जैसे स्वर्गलोकमें प्रभु इन्द्र देवताओंके राजा कहे गये हैं, उसी प्रकार भूतलपर एकमात्र मैं ही राजाओंका महान् अधिराज होनेके कारण 'राजराज' कहा गया हूँ। यद्यपि मेरा धर्म (शील-स्वभाव) मनुष्योंके ही समान है, तथापि भूतलपर राजाधिराजोंने सदा मेरा पूजन किया है। इसलिये उग्रसेनको ही मुझे उत्तम भेंट देनी चाहिये (मैं भेंट लेनेका अधिकारी हूँ, देनेका नहीं)। इसलिये मैं यदुराज उग्रसेनको कदापि भेंट नहीं दूँगा। यदि तुम नहीं मानोगे तो युद्ध करूँगा, इसमें संशय नहीं"॥ १९—२२ ॥

नारदजी कहते हैं—मिथिलेश्वर! दूतकी यह बात सुनकर भगवान् प्रद्युम्न हरि कुपित हो उठे। रोषसे उनकी आँखें लाल हो गयीं और होठ फड़कने लगे॥ २३ ॥

प्रद्युम्न बोले—वृष्णिवंशियोंके स्वामी उग्रसेन राजराजोंके भी इन्द्र हैं। तुम्हारे स्वामी राजराज कुबेर उन्हें अच्छी तरह नहीं जानते; साक्षात् इन्द्रादि देवता भी उनकी चरण-पादुकाओंपर अपने मुकुट रगड़ते हैं। इन्द्रने भयसे ही उनकी सेवामें अपनी सुधर्मा सभा और पारिजात वृक्ष अर्पित कर दिये हैं। वरुणने श्यामकर्ण घोड़े देकर उन्हें प्रणाम किया है। इन्हीं डरपोक राजराजने उनके पास नवों निधियाँ पहुँचायी हैं। फिर भी उन महाबली महाराजको ये राजराज नहीं जानते। उन यादवराजकी सभामें असंख्य ब्रह्माण्डोंके अधिपति साक्षात् परिपूर्णतम भगवान् श्रीकृष्ण स्वयं विराजते हैं। यह सारा भूमण्डल जिनके एक मस्तकपर तिलकके समान दिखायी देता है, वे सहस्र मस्तकवाले अनन्तदेव भी उग्रसेनकी सभामें नित्य विराजमान रहते हैं। महाराज उग्रसेनने मुझे महात्मा कुबेरके लिये नाराचों (बाणों) की भेंट देनेके निमित्त यहाँ भेजा है, अतः इस समय मैं यही करूँगा॥ २४—२९ ॥

नारदजी कहते हैं—राजन्! यों कहकर प्रचण्ड-पराक्रमी प्रद्युम्नने अपना कोदण्ड उठाया और भुज-दण्डोंसे धनुषकी डोरी खींचते हुए टंकार-ध्वनि की। प्रत्यञ्चाके आस्फोटनसे ही विद्युत्की गड़गड़ाहटके समान भयंकर शब्द प्रकट हुआ। उससे सात लोकों तथा पातालोंसहित सारा ब्रह्माण्ड गूँज उठा। राजन्! दिग्गज विचलित हो गये, तारे टूटने लगे और भूखण्ड-मण्डल हिल उठा। धनुर्धारियोंमें श्रेष्ठ प्रद्युम्नने तरकससे एक बाण खींचकर उसे अपने धनुषकी प्रत्यञ्चापर रखा और उसे छोड़ दिया। बारह सूर्योंके समान तेजस्वी उस बाणने सम्पूर्ण दिङ्मण्डलको प्रकाशित करते हुए गुह्यकराजके छत्र और चँवरको काट दिया। यह अत्यन्त विचित्र काण्ड देखकर राजराज कुबेरके क्रोधकी सीमा न रही। वे पुष्पकविमानपर आरूढ़ हो सैनिकोंके साथ युद्धकी कामनासे पुरीके बाहर निकले। उनके साथ घण्टानाद और पार्श्वमौलि नामक यक्ष-मन्त्री भी थे। कुबेरके नलकूबर और मणिग्रीव नामक दोनों पुत्र ध्वजके अग्रभागमें सुशोभित हो रहे थे। उनकी सेनाके कुछ यक्ष अश्वमुख थे, कितने ही यक्षोंके मुख सिंहके समान थे। कुछ सूँस और मगरके समान मुखवाले थे, कोई आधे पीले और आधे काले थे, किन्हींके केश ऊपरकी ओर उठे थे। वे सब-के-सब मदसे उन्मत्त थे। टेढ़े-मेढ़े दाँत, लपलपाती हुई जीभ और विशाल दंष्ट्रावाले महाबली यक्षोंके मुख विकराल दिखायी देते थे। वे कवच तथा ढाल-तलवार धारण

किये हुए थे। शक्ति, ऋष्टि, भुशुण्डि और परिघ—ये आयुध उनके हाथोंमें देखे जाते थे। कुछ यक्षोंने धनुष और बाण ले रखे थे और किन्हींके हाथोंमें फरसे चमक रहे थे। युद्धके लिये निकले हुए हाथीसवार, रथारोही और घुड़सवार यक्षोंके सहस्रों मण्डल शोभा पाते थे। शङ्ख और दुन्दुभियोंकी ध्वनिसे तथा सूत, मागध और वन्दीजनोंके स्तुति-पाठसे भूतलपर कुबेरके वीर सैनिक आकाशमें विद्युत्गर्जनासे युक्त मेघोंके समान जान पड़ते थे॥ ३०—४१॥

विदेहराज! इस प्रकार दिव्य महायोगमय सिद्ध-क्षेत्रसे करोड़ों मतवाले यक्ष निकल पड़े। उनके आ जानेपर प्रमथोंकी विशाल सेना उनकी सहायताके लिये आ पहुँची। कितने ही भूत और प्रमथ विकराल वदन और मदोन्मत्त दिखायी देते थे। उनके साथ डाकिनियोंके समुदाय, यातुधान, बैताल, विनायक, कूष्माण्ड, उन्माद, प्रेत, मातृकागण, निशाचर, पिशाच, ब्रह्मराक्षस और भैरव भी थे, जो भीषण गर्जना करते हुए 'मारो, काटो, फाड़ो' की रट लगा रहे थे। इस प्रकार वहाँ करोड़ों भूतावलियाँ आ पहुँचीं, जो सांवर्तक मेघोंकी भाँति पृथ्वी और आकाशको आच्छादित किये हुए थीं। मोरपर बैठे हुए स्वामी कार्तिकेय तथा चूहेपर चढ़े हुए गणेशजी डमरूकी ध्वनिके साथ वीरभद्रको लिये सबसे आगे आ पहुँचे। प्रमथगण उन दोनोंके यशका गान कर रहे थे। इस प्रकार पुण्यजनोंका यादवोंके साथ तुमुल युद्ध आरम्भ हुआ, जो अद्भुत और रोमाञ्चकारी था। रथी रथियोंसे, पैदल पैदलोंसे, घोड़े घोड़ोंसे और हाथी हाथियोंसे परस्पर जूझने लगे। राजेन्द्र! रथ, हाथी, घोड़े और पैदलोंके पैरोंसे उठी हुई धूलने सूर्यसहित आकाशमण्डलको ढक दिया॥ ४२—५१॥

इस प्रकार श्रीगर्गसंहितामें विश्वजित्खण्डके अन्तर्गत नारद-बहुलाश्व-संवादमें 'यादव-सेनाकी यक्षदेशपर चढ़ाई' नामक तेईसवाँ अध्याय पूरा हुआ॥ २३॥

चौबीसवाँ अध्याय

यादव-सेना और यक्ष-सेनाका घोर युद्ध

श्रीनारदजी कहते हैं—राजन्! अस्त्र-शस्त्रोंकी वर्षासे वहाँ अन्धकार छा जानेपर महाबली मणिग्रीवने बाणोंद्वारा वैरीवाहिनीका उसी प्रकार विध्वंस आरम्भ किया, जैसे कोई कटुवचनोंद्वारा मित्रताका नाश करे। मणिग्रीवके बाण-समूहोंसे क्षतविक्षत हो, हाथी, घोड़े, रथ और पैदल सैनिक आँधीके उखाड़े हुए वृक्षोंकी भाँति धराशायी होने लगे। उस समय श्रीकृष्ण और सत्यभामाके बलवान् पुत्र चन्द्रभानुने पाँच बाण मारकर मणिग्रीवके कोदण्डको खण्डित कर दिया तथा दस बाणोंसे उसके रथका छेदन करके बलवान् चन्द्रभानु घनके समान गर्जना करने लगे। यह देख मणिग्रीवने भी चन्द्रभानुपर अपनी शक्ति चलायी। मैथिल! वह शक्ति सम्पूर्ण दिशाओंको प्रकाशित करती हुई बड़ी भारी उल्काके समान गिरी; परंतु चन्द्रभानुने खेल सा करते हुए उसे बाँयें हाथसे पकड़ लिया। उन्होंने उसी शक्तिके द्वारा समराङ्गणमें महाबली मणिग्रीवको घायल कर दिया। तत्पश्चात् महाबली चन्द्रभानु उस रणभूमिमें पुनः गर्जना करने लगे। उस प्रहारसे मणिग्रीव मूर्च्छित होकर पृथ्वीपर गिर पड़े। तब नलकूबरकी प्रेरणासे असुरोंने बाणोंका जाल-सा बिछाकर चन्द्रभानुको उसी प्रकार आच्छादित कर दिया, जैसे बादल वर्षाकालके सूर्यको ढक देते हैं॥ १—७ $\frac{1}{2}$॥

तब श्रीकृष्णपुत्र दीप्तिमान् खड्ग हाथमें लेकर बड़े वेगसे यक्षोंकी सेनामें इस प्रकार घुस गये मानो सूर्यने कुहासेके भीतर प्रवेश किया हो। उनके खड्ग प्रहारसे कितने ही यक्षोंके दो-दो टुकड़े हो गये; कितने ही मस्तक, पैर, कंधे, बाँहें, हाथ, कान और ओठ छिन्न-भिन्न हो जानेके कारण युद्धमें पृथ्वीपर गिर पड़े। किरीट, कुण्डल और शिरस्त्राणोंसहित उनके कटे हुए बीभत्स मस्तक रक्तकी धारा बहा रहे थे और उनसे

ढकी हुई रणभूमि महामारी-सी जान पड़ती थी। मरनेसे बचे हुए घायल यक्ष भयसे विह्वल होकर भाग गये। मिथिलेश्वर! उस समय यक्ष-सैनिकोंमें हाहाकारमच गया॥ ८—१२॥

तब कवचधारी नलकूबर धनुषकी टंकार करते हुए बहुत ऊँची पताकावाले रथपर आरूढ़ हो वहाँ आ पहुँचे और 'डरो मत'—यों कहकर अपने सैनिकोंको अभयदान देने लगे। नलकूबरने पाँच बाणोंसे कृतवर्मापर, दस बाणोंसे अर्जुनपर और बीस बाणोंसे दीप्तिमान्पर प्रहार किया। राजन्! तब महाबाहु कृतवर्माने अपने सिंहनादसे सम्पूर्ण दिशाओंको निनादित करते हुए पाँच विशिखोंद्वारा नलकूबरको करारी चोट पहुँचायी। वे बाण नलकूबरका कवच फाड़कर शरीरको छेदते हुए सबके देखते-देखते धरातलमें उसी प्रकार समा गये, जैसे सर्प बाँबीमें घुस जाते हैं। कृतवर्माके बाणसे अङ्ग विदीर्ण हो जानेके कारण नलकूबरको मूर्च्छित हुआ देख सारथि हेममाली उन्हें रणभूमिसे दूर हटा ले गया। घण्टानाद और पार्श्वमौलि, कुबेरके ये दोनों मन्त्री अपने बाण-समूहोंसे यादवोंकी उद्भट सेनाको घायल करने लगे। गृध्रपक्षसे युक्त सुनहले पंख और तीखे मुखवाले, मनके समान वेगशाली उन दोनोंके बाण सूर्यकी किरणोंके समान सम्पूर्ण दिशाओंको उद्भासित कर रहे थे॥ १३—१९॥

तदनन्तर महावीर अर्जुनने उन मन्त्रियोंके बाणोंके उत्तरमें बहुत-से बाण चलाना आरम्भ किया। दोनों ओर चलनेवाले बाणोंके संघर्षसे युद्धभूमिमें हजारों विस्फुलिङ्ग (अग्निकण) प्रकट होने लगे। नरेश्वर! आकाशमें खद्योतोंकी भाँति चमकनेवाले वे चञ्चल विस्फुलिङ्ग अलात-चक्रकी भाँति शोभा पाने लगे। रण-दुर्मद वीर गाण्डीवधारी अर्जुनने गाण्डीव धनुषसे छूटे हुए विशिखोंद्वारा उस समस्त बाण-समूहको क्षणमात्रमें काट गिराया। उन्होंने बाणोंके समुदायसे दो योजनके घेरेमें पिंजरा-सा बना दिया और बलपूर्वक उन दोनों मन्त्रियोंके ध्वजसहित रथोंको उस घेरेके अंदर कर लिया। वे दोनों मारे गये—यह जानकर समस्त पुण्यजन (यक्ष) तत्काल युद्ध छोड़कर हाहाकार करते हुए भाग चले॥ २०—२३ $\frac{1}{2}$॥

उसी समय करोड़ों भूतवृन्द युद्धभूमिमें आ गये। राजन्! कोटि-कोटि डाकिनियाँ रणभूमिमें हाथियोंको उठा-उठाकर फेंकने लगीं। मनुष्यों, घोड़ों तथा रथियोंको पृथक्-पृथक् मुँहमें डालकर चबाने लगीं। एक-एक मानवके पीछे एक-एक भूत लगा था। दसके साथ दस भूत दौड़ते दिखायी देते थे। प्रमथगणोंने खट्वाङ्गसे बारंबार लोगोंको मारा और गिराया। यातुधानियाँ रणमण्डलमें नरमुण्डोंको चबा रही थीं। वेतालगण खप्परमें बहुत-सा रक्त ले-लेकर पी रहे थे, विनायक नाचते और प्रेत गाते थे। कूष्माण्ड और उन्माद उस युद्ध भूमिमें गिरे हुए मस्तकोंका संग्रह करते थे। स्वर्गगामी वीरोंके मस्तकोंका उनके द्वारा किया जानेवाला वह संग्रह भगवान् शिवकी मुण्डमाला बनानेके लिये था। मातृगण, ब्रह्मराक्षस और भैरव उस युद्धमें कटकर गिरे हुए मस्तकोंको गेंदकी तरह बारंबार उछालते-फेंकते हुए हँसते, खिलखिलाते और अट्टहास करते थे। विकराल मुख-वाले पिशाच बुरी तरह कूद-फाँद रहे थे। पिशाचिनियाँ युद्धमें बच्चोंको गरम-गरम रक्त पिलाती थीं और बच्चोंको आश्वासन देते हुए कहती थीं—'बेटा! मत रोओ। हम तुम्हें इन लोगोंकी आँखें भी निकाल-निकालकर देंगी॥ २४—३१ $\frac{1}{2}$॥

इस प्रकार भूतगणोंका बल बढ़ता देख बलदेवके छोटे भाई बलवान् गद हाथमें गदा लेकर मेघोंके समान गर्जना करने लगे। लाख भारकी उस मौर्वी गदासे गदने उस विशाल भूत-सेनाको उसी प्रकार मार गिराया, जैसे इन्द्र वज्रसे पर्वतोंको धराशायी कर देते हैं। गदाकी मारसे मस्तक फट जानेके कारण बहुत-से कूष्माण्ड, उन्माद, वेताल, पिशाच और ब्रह्मराक्षस मूर्च्छित होकर भूमिपर गिर पड़े। गदने समराङ्गणमें डाकिनियोंके दाँत तोड़ डाले, प्रमथोंके कंधे विदीर्ण कर दिये और यातुधानोंके मुख छिन्न-भिन्न कर डाले। राजन्! गदासे रौंदे गये प्रेत दसों दिशाओंमें उसी तरह भाग चले, जैसे प्रलयकालके समुद्रमें भगवान् वाराहकी दाढ़से अङ्ग-भङ्ग होनेके कारण दैत्य पलायन कर गये थे॥ ३२—३६ $\frac{1}{2}$॥

भूतगणोंके भाग जानेपर वीरभद्र सामने आया।

उस बलवान् भूतनाथने बलदेवके छोटे भाई गदको गदासे मारा। गदने उसकी गदाको अपनी गदापर रोक लिया और फिर अपनी गदा उसके ऊपर चलायी। मैथिलेश्वर! वीरभद्र और गदमें बड़ा भयंकर गदायुद्ध हुआ। वे दोनों ही गदाएँ आगकी चिनगारियाँ छोड़ती हुई परस्पर टकराकर चूर-चूर हो गयीं। फिर एक-दूसरेको ललकारते हुए उन दोनोंमें मल्लयुद्ध छिड़ गया। वे भुजाओं, घुटनों और पैरोंके आघातसे पर्वतोंको गिराते हुए लड़ने लगे। वीरभद्रने बलपूर्वक करवीर पर्वतको उखाड़कर अट्टहास करते हुए उसको गदके ऊपर फेंका। गदने उस पर्वतको पकड़ लिया और फिर उसीके ऊपर उसे दे मारा। तब बलवान् वीरभद्रने वीरवर गदको पकड़कर बड़े वेगसे आकाशमें लाख योजन दूर फेंक दिया। वहाँसे भूमिपर गिरनेपर गदके मनमें कुछ व्याकुलता हो गयी। फिर महाबली गदने वीरभद्रको भी उठा लिया और वेगसे घुमाकर शीघ्र ही उसे भी लाख योजन दूर फेंक दिया। वीरभद्र कैलास पर्वतके शिखरपर गिरा। गदाके प्रहारसे तो वह पीड़ित था ही, अतः दो घड़ीतक मूर्च्छामें पड़ा रहा॥ ३७—४५॥

तदनन्तर शक्ति उठाये स्वामिकार्तिकेय बड़े वेगसे युद्धभूमिमें पहुँचे। उन्होंने अनिरुद्ध और साम्बको लक्ष्य करके शीघ्र ही अपनी शक्ति चलायी। अनिरुद्धके रथका भेदन कर, साम्बको घायल करके, उनके रथको भी तोड़ती हुई वह शक्ति उस युद्धभूमिमें सहस्रों हाथियों, रथों और लाखों वीरोंको मारकर दसों दिशाओंमें चमकती और कड़कती हुई बिजलीकी तरह फुफकारती सर्पिणीके समान भूमिमें समा गयी। तब क्रोधसे भरे महाबाहु जाम्बवतीकुमार साम्बने प्रत्यञ्चाका घोष करते हुए तरकससे एक बाण निकाला। वह बाण एक होता हुआ भी तरकससे बाहर निकलते ही दस हो गया। धनुषपर रखते समय सौ और खींचते समय उसने सहस्र रूप धारण कर लिये। छूटते समय उस बाणके लाख रूप हो गये और लक्ष्योंतक पहुँचते-पहुँचते उसने कोटि रूप धारण कर लिये। इस प्रकार उस अनेक रूपधारी विशिखने शिखी (मोर) और शिखिवाहन स्वामिकार्तिकेयको घायल करके समराङ्गणमें कोटि-कोटि वीरोंको विदीर्ण कर डाला॥ ४६—५१ $\frac{1}{2}$॥

कार्तिकेयके क्षत-विक्षत होने और कुछ व्याकुलचित्त हो जानेपर चूहेपर चढ़े हुए गणेश्वर गजानन वहाँ आ पहुँचे। उनके कुम्भस्थलपर गोमूत्र, सिन्दूर और कस्तूरीके द्वारा विचित्र पत्र-रचना की गयी थी। उनका सुन्दर वक्रतुण्ड कुङ्कुमसे आलिप्त था। सिन्दूरपूर्ण कपोलोंके कारण उनकी बड़ी मनोहर आभा दिखायी देती थी। कानोंका उज्ज्वल वर्ण मानो कपूरकी धूलसे धवलित किया गया था। उनके कपोलोंपर बहती हुई मदधारासे जिनके अङ्ग विह्वल हो रहे थे, वे मतवाले भ्रमर उनके चञ्चल कर्णतालोंसे आहत हो, गुञ्जारव करते हुए मानो संगीत, ताल और वासन्तिक रागकी सृष्टि कर रहे थे। उन मधुपोंसे सेवित भाल-चन्द्रधारी गणपति अनुपम शोभा पा रहे थे। उनकी अङ्ग-कान्ति बालरविके समान अरुणोज्ज्वल थी। उनकी बाँहोंमें निर्मल अङ्गद, गलेमें हेमनिर्मित हार और हँसुली थी तथा मस्तकपर धारण किये हुए मुकुटकी किरणोंके द्वारा वे सब ओरसे दीप्तिमान् दिखायी देते थे। वे चूहेपर विराजमान थे। उनके मुखमें एक ही दाँत था। गजाकार भव्य मूर्ति शोभा पा रही थी। उन्होंने हाथोंमें पाश, अङ्कुश, कमल और कुठार-समूह धारण कर रखे थे। उनका कद ऊँचा था। उनके चार भुजाएँ थीं। वे घोर संग्राममें प्रवृत्त थे। किन्हीं शस्त्रधारियोंको सूँड़में लपेटकर अपने अङ्कुशकी मारसे उनका कचूमर निकाल देते थे। अनेक धारवाले फरसेसे समस्त शस्त्रधारियोंका संहार करते हुए वे श्रीपरशुरामजीके समान जान पड़ते थे। पैदल वीरों, हाथियों, घोड़ों तथा रथ-समूहसे युक्त चतुरङ्गिणी सेनाको धराशायी करके, रथसहित साम्बको पकड़कर, वे युद्धस्थलसे दूर फेंक रहे थे। उन्हें देखकर यादवगणोंसहित प्रद्युम्नके मनमें बड़ा विस्मय हुआ। उन्होंने अपने परम बुद्धिमान् पुत्र अनिरुद्धसे यह उत्तम बात कही॥ ५२—५७॥

इस प्रकार श्रीगर्गसंहितामें विश्वजित्खण्डके अन्तर्गत नारद-बहुलाश्व-संवादमें 'यक्ष-युद्धका वर्णन' नामक चौबीसवाँ अध्याय पूरा हुआ॥ २४॥

पचीसवाँ अध्याय

प्रद्युम्नका एक युक्तिके द्वारा गणेशजीको रणभूमिसे हटाकर गुह्यकसेनापर विजय प्राप्त करना और कुबेरका उनके लिये बहुत-सी भेंट-सामग्री देकर उनकी स्तुति करना; फिर प्राग्ज्योतिषपुरमें भेंट लेकर प्रद्युम्नका विरोधी वानर द्विविदको किष्किन्धामें फेंक देना

प्रद्युम्न बोले—बेटा! ये महाबली गणेश साक्षात् भगवान् श्रीकृष्णकी कला हैं। इन्हें देवता भी नहीं जीत सकते, फिर भूतलके मनुष्योंकी तो बात ही क्या है? जिनके निकट इनका वास है, उनके पक्षकी पराजय नहीं होती। पूर्वकालमें भगवान् श्रीकृष्णने शिवलोकमें इन्हें ऐसा ही वर दिया था। यदि ये यहाँ रहेंगे तो हमलोगोंकी कदापि विजय नहीं हो सकती। भगवान् श्रीकृष्णके वरदानसे इनका बल बहुत बढ़ा-चढ़ा है और ये शत्रुपक्षमें चले गये हैं। इसलिये तुम प्रचण्ड मार्जार (बड़ा भारी बिलाव) होकर हुंकार करते हुए युद्धभूमिसे बलपूर्वक इनके चूहेको मार भगाओ। इस महायुद्धमें अपने फूत्कारोंके द्वारा दसों दिशाओंमें उसे खदेड़ो। जबतक मैं शत्रुसेनापर विजय पाता हूँ, तबतक तुम इसे शीघ्र ही दूर भगानेका प्रयास करो॥ १—४ $\frac{1}{2}$ ॥

श्रीनारदजी कहते हैं—राजन्! तब भगवान् अनिरुद्धने प्रचण्ड मार्जारका रूप धारण किया। वे गणेशजीसे अलक्षित ही रहे। वैष्णवी मायाके प्रभावसे गणेशजी उन्हें पहचान न सके। वह प्रचण्ड मार्जार विकट फूत्कार करता हुआ चूहेके सामने कूद पड़ा। राजन्! वह मुँह फाड़-फाड़कर निरन्तर उसे देखने और तीखे नखोंसे विशेष चोट पहुँचाने लगा। चूहा उस बिलावको देखते ही भयसे विह्वल हो गया और तुरंत काँपता हुआ रणभूमिसे भाग चला। क्रोधसे भरा हुआ मार्जार स्थूल रूप धारण करके उसका पीछा करने लगा। गणेशजी बारंबार उस चूहेको युद्धभूमिकी ओर लौटानेका प्रयत्न करने लगे; किंतु प्रचण्ड मार्जारसे पीड़ित चूहा युद्धभूमिकी ओर नहीं लौटा, नहीं लौटा। मैथिल! वह सात द्वीपों, सात समुद्रों, दिशाओं और विदिशाओंमें तथा ऊपरके सातों लोकोंमें भागता फिरा; किंतु उसे कहीं भी शान्ति नहीं मिली॥ ५—१०॥

राजन्! गणेशजीको पीठपर लिये वह चूहा जहाँ-जहाँ गया, वहाँ-वहाँ प्रचण्ड-पराक्रमी मार्जार भी उसका पीछा करता रहा। इस प्रकार चूहेसहित गणेशजी जब सुदूर दिशाओंमें चले गये और अपने पक्षके सभी प्रमथगण विस्मित हो गये, तब पुष्पक-विमानपर बैठे हुए कुबेरने अपनी गुह्यक-सम्बन्धिनी माया फैलायी। अपना दिव्य धनुष लेकर, महेश्वरको नमस्कार करके उन्होंने मन्त्रसहित कवच धारण किया और बाण-समूहोंका संधान किया। उसी समय आकाशमें प्रलय-कालिक मेघ छा गये। बिजलियोंकी गड़गड़ाहट और महाभयंकर मेघोंकी घटासे अन्धकार फैल गया। हाथीके समान मोटे-मोटे जलबिन्दु और ओले गिरने लगे। बादल अत्यन्त भयंकर जल-धाराओंकी वृष्टि करने लगे। क्षणभरमें समस्त समुद्रोंने भूतलको आप्लावित कर लिया। रणमण्डलमें सजीव पर्वत दिखायी पड़ने लगे। प्राकृत प्रलय हुआ जान यादव भयसे विह्वल हो गये। वे अस्त्र-शस्त्र त्यागकर बारंबार 'श्रीकृष्ण-श्रीकृष्ण' पुकारने लगे। गुह्यकोंकी उस मायाको जानकर भगवान् श्रीप्रद्युम्न हरिने अपनी सत्त्वात्मिका विद्याको, जो समस्त मायाओंको नष्ट करनेवाली है, जपकर बाणके बीचमें कामबीज (क्लीं) की स्थापना की। फिर उसके मुखपर प्रणव तथा श्रीबीज (ॐ श्रीं) का आधान करके उसे कानतक खींचा और चतुर्भुज श्रीकृष्णका स्मरण करके विद्युत्के समान टंकार-ध्वनि करनेवाले धनुषसे भुजदण्डोंद्वारा उस विशिखको चलाया। कोदण्ड-दण्डसे छूटे हुए उस विशिखने दिङ्मण्डलको उद्योतित करते हुए उस

गुह्यक-सम्बन्धिनी मायाको उसी तरह नष्ट कर दिया, जैसे सूर्यदेव अन्धकारका ध्वंस कर देते हैं॥ ११—२१$\frac{1}{2}$ ॥

यह देख पुष्पकपर बैठे हुए राजराज कुबेर भयभीत हो काँप उठे और यक्षोंके साथ समराङ्गणसे भागकर अपनी पुरीको चले गये। देवतालोग प्रद्युम्नके ऊपर फूलोंकी वर्षा करने लगे। समस्त यादव जय-जयकार करते हुए हर्षके साथ हँसने लगे। राजन्! उस समय अत्यन्त हर्षित हो राजराज कुबेर हाथ जोड़, भेंट लेकर शीघ्र ही प्रद्युम्नके सामने गये। राजन्! दो सूँड़ोंसे सुशोभित और चार दाँतोंसे युक्त, ऊँचाईमें पर्वतोंसे भी होड़ लेनेवाले दो लाख मदवर्षी हाथी, मोतीकी बंदनवारोंसे सुशोभित, सुवर्णनिर्मित, सूर्यतुल्य तेजस्वी एवं सौ घोड़ोंसे खिंचे हुए दस लाख रथ, चन्द्रमाके समान श्वेत कान्तिवाले दस अरब घोड़े, माणिक्य-जटित चार लाख चमकीली शिबिकाएँ तथा पिंजरोंमें बंद दो लाख सिंह कुबेरने प्रद्युम्नको भेंट किये। विदेहराज! चीते, मृग, गवय और शिकारी कुत्ते एक-एक करोड़की संख्यामें दिये। नृपेश्वर! पिंजरोंमें विराजमान तोता, मैना, कोकिल, सुनहरे हंस और अन्यान्य विचित्र पक्षी राजराजने लाख-लाखकी संख्यामें अर्पित किये॥ २२—३०$\frac{1}{2}$ ॥

कुबेरने विश्वकर्माका बनाया हुआ विष्णुदत्त नामक एक विमान भी दिया, जिसमें मोतीकी झालरें लटक रही थीं। उसकी ऊँचाई आठ योजन और लंबाई-चौड़ाई नौ योजनकी थी। उसमें लाख-लाख ध्वज और कलश लगे हुए थे। वह इच्छानुसार चलनेवाला विमान सुवर्णमय शिखरोंसे सुशोभित तथा सहस्रों सूर्योंके समान तेजस्वी था। मैथिल! उसके अतिरिक्त सहस्रों कल्पवृक्ष, सैकड़ों कामधेनुएँ, सौ चिन्तामणियाँ तथा सौ दिव्य पारस पत्थर भी कुबेरने दिये, जिनके स्पर्शसे लोहा भी सोना हो जाता है। छत्र, चँवर और सोनेके सिंहासन भी सौ-सौकी संख्यामें भेंट किये। दिव्य पद्मोंकी सुन्दर केसरोंसे युक्त माला दी। सौ द्रोण अमृत, नाना प्रकारके फल, रत्नजटित सोनेके आभूषण, दिव्य वस्त्र, दिव्य कालीन, सोने-चाँदीके करोड़ों सुन्दर पात्र, अमोघ शस्त्र तथा कोटि सुवर्णमुद्राएँ भी भेंट कीं। बोझ ढोनेवाले हाथियों और मनुष्योंद्वारा सब सामान भेजकर कुबेरने नौ निधियाँ प्रदान कीं। इस प्रकार महात्मा प्रद्युम्नको भेंट-सामग्री अर्पित करके राजराजने उनकी परिक्रमा की और हर्षसे भरकर प्रणामपूर्वक उनसे कहा॥ ३१—३८$\frac{1}{2}$ ॥

कुबेर बोले—आप भगवान् महात्मा पुरुष हैं; आपको नमस्कार है। आप अनादि, सर्वज्ञ, निर्गुण एवं परमात्मा हैं। प्रधान और पुरुष—दोनोंके नियन्ता और प्रत्यक्-चैतन्यधाम हैं; आपको बारंबार नमस्कार है। स्वयंज्योतिःस्वरूप और श्यामल अङ्गवाले आपको नमस्कार है। आप वासुदेवको नमस्कार, संकर्षणको नमस्कार, प्रद्युम्न, अनिरुद्ध एवं सात्वत-भक्तोंके प्रतिपालक आपको नमस्कार है। आप ही 'मदन', 'मार', और 'कंदर्प' आदि नामोंसे प्रसिद्ध हैं; आपको बारंबार नमस्कार है। दर्पक, काम, पञ्चबाण, अनङ्ग तथा शम्बरासुरके शत्रु भी आप ही हैं; आपको नमस्कार है। हे मन्मथ! आपको नमस्कार है। हे मीनकेतन! आपको नमस्कार है। आप मनोभव देव तथा कुसुमेषु (फूलोंके बाण धारण करनेवाले) हैं; आपको नमस्कार है। अनन्यज! आपको नमस्कार है। रतिपते! आपको बारंबार नमस्कार है। आप पुष्पधन्वा और मकरध्वजको नमस्कार है। प्रभु स्मर! आपको नित्य नमस्कार है। जगद्विजयी आप कामदेवको सादर प्रणाम है। रुक्मवतीके भर्ता तथा सुन्दरीके पति आपको नमस्कार है। भूमन्! 'मैं यह करूँगा, यह करता हूँ', 'यह मेरा है, यह तुम्हारा है', 'मैं सुखी हूँ, दुखी हूँ', 'ये मेरे सुहृद् लोग हैं'—इत्यादि बातें कहता हुआ यह सारा जगत् अहंकारसे मोहित हो रहा है। प्रधान, काल, अन्तःकरण और शरीरजनित गुणोंद्वारा शास्त्रविरुद्ध कर्म करनेवाला जनसमुदाय बन्धनमें पड़ता है। वह काँचमें बालकको, वालुका-राशिमें जलको और रस्सीमें सर्पको अपनी आँखोंसे देखता है, भ्रमको ही सत्य मानता है। यही दशा मेरी है। आज मैंने मूढ़तावश आपकी अवहेलना की है। प्रभो! आपकी मायासे मेरा चित्त मोहित था, इसीलिये मुझसे ऐसा अपराध बन गया। परंतु जैसे पिता बालकके अपराधको अपने मनमें स्थान नहीं देता, उसी प्रकार आप भी मेरे

अपराधको भुला देंगे। आपकी कृपासे फिर मेरी ऐसी बुद्धि कभी न हो। आपके चरणारविन्दोंमें सदा मेरी पराभक्ति बनी रहे, जिसे सर्वोत्कृष्ट माना गया है। आप मुझे वैराग्ययुक्त ज्ञान, जो परम कल्याणका आधार है, प्रदान करें और अपने भक्तजनोंके प्रशस्त सत्सङ्गका अवसर देते रहें[१] ॥ ३९—५० ॥

श्रीनारदजी कहते हैं—राजन्! जो प्रात:काल उठकर प्रद्युम्नके कल्याणमय स्तोत्रका पाठ करेगा, उसके संकटकालमें साक्षात् श्रीहरि सदा सहायक होंगे।[२] राजन्! इस प्रकार स्तुति करनेवाले यक्षराज कुबेरसे भगवान् प्रद्युम्न हरिने कहा—'बहुत अच्छा, ऐसा ही होगा।' फिर उन्होंने सिरपर धारण करने योग्य पद्मराग मणि दी। 'डरो मत'—यों कहकर, अभयदान दे, यादवेश्वर प्रद्युम्नने कुबेरको लीला-छत्र, चँवर और मणिमय सिंहासन प्रीति-पुरस्कारके रूपमें प्रदान किये। तदनन्तर प्रद्युम्नकी परिक्रमा करके धनेश्वर राजराज चले गये। महात्मा प्रद्युम्नके द्वारा राजराज कुबेरकी पराजय हुई सुनकर किन्हीं राजाओंने भी उनके साथ युद्ध नहीं किया। सबने सादर भेंट अर्पित की ॥ ५१—५४ $\frac{1}{2}$ ॥

तत्पश्चात् महाबाहु प्रद्युम्न बहुत-सी दुन्दुभियोंका घोष फैलाते हुए सारी सेनाके साथ प्राग्ज्योतिषपुरको गये। वहाँ भौमासुरके पुत्र नीलने उनके तेजसे तिरस्कृत हो तत्काल उन महात्मा प्रद्युम्नके लिये उपहार-सामग्री अर्पित कर दी ॥ ५५-५६ $\frac{1}{2}$ ॥

प्राग्ज्योतिषपुरके द्वारपर द्विविद नामक महाबली वानर रहता था, जिसे पहले प्रद्युम्नने बाण मारा था। उसने रोषके आवेशमें उठकर अपने दाँतों और तीखे नखोंसे बहुत-से वीरों और घोड़ोंको विदीर्ण कर दिया और भौंहें टेढ़ी करके वह जोर-जोरसे गर्जना करने लगा। उसने बहुत-से रथोंको अपनी पूँछमें बाँधकर खारे पानीके समुद्रमें फेंक दिया और दोनों हाथोंसे हाथियोंको पकड़कर बलपूर्वक आकाशमें उछाल दिया। श्रीकृष्णकुमार प्रद्युम्नने उस वानरको शत्रुताके भावसे युक्त जानकर उसके विरुद्ध शार्ङ्गधनुषद्वारा एक बाण चलाया। उस बाणने उसे सहसा उठाकर बलपूर्वक आकाशमें घुमाया और पूर्ववत् उस महाकपिको किष्किन्धामें ले जाकर पटक दिया। फिर वह प्रकाशमान बाण प्रद्युम्नके तरकसमें लौट आया ॥ ५७—६२ ॥

इस प्रकार श्रीगर्गसंहितामें विश्वजित्खण्डके अन्तर्गत नारद-बहुलाश्व-संवादमें 'यक्ष-देशपर विजय' नामक पचीसवाँ अध्याय पूरा हुआ ॥ २५ ॥

---

१. कुबेर उवाच

नमस्तुभ्यं भगवते पुरुषाय महात्मने ॥
अनादये सर्वविदे निर्गुणाय महात्मने । प्रधानपुरुषेशाय प्रत्यग्धाम्ने नमो नमः ॥
स्वयंज्योतिःस्वरूपाय श्यामलाङ्गाय ते नमः । नमस्ते वासुदेवाय नमः संकर्षणाय च ॥
प्रद्युम्नायानिरुद्धाय सात्वतां पतये नमः । मदनाय च माराय कंदर्पाय नमो नमः ॥
दर्पकाय च कामाय पञ्चबाणाय ते नमः । अनङ्गाय नमस्तुभ्यं नमस्ते शम्बरारये ॥
हे मन्मथ नमस्तुभ्यं नमस्ते मीनकेतन । मनोभवाय देवाय नमस्ते कुसुमेषवे ॥
अनन्यज नमस्तुभ्यं रतिभर्त्रे नमो नमः । नमस्ते पुष्पधनुषे मकरध्वज ते नमः ॥
स्मराय प्रभवे नित्यं जगद्विजयकारिणे । नमो रुक्मवतीभर्त्रे सुन्दरीपतये नमः ॥
इदं करिष्यामि करोमि भूमन् ममेदमस्तीति तवेदमब्रुवन् । अहं सुखी दुःखयुतः सुहृज्जनो लोको ह्यहंकारविमोहितोऽखिलः ॥
प्रधानकालाशयदेहजैर्गुणैः कुर्वन् विकर्माणि जनो निबध्यते । काचेऽर्भकं सैकत एव जीवनं गुणे च सर्पं प्रतनोति सोऽक्षिभिः ॥
कृतं मया हेलनमद्य मौढ्यतस्त्वन्मायया मोहितचेतसा प्रभो । न मन्यसे बालकृतं पितेव हि मा भूत् पुनर्मे मतिरीदृशी मनाक् ॥
सदा भवेत्त्वच्चरणारविन्दयोर्भक्तिः परा यां च विदुर्गरीयसीम् । ज्ञानं च वैराग्ययुतं शिवास्पदं देहि प्रशस्तं निजसाधुसंगमम् ॥
(गर्ग०, विश्वजित्० २५। ३९—५०)

२. नारद उवच

प्रद्युम्नस्य शुभं स्तोत्रं प्रातरुत्थाय यः पठेत् । संकटे तस्य सततं सहायः स्याद्धरिः स्वयम् ॥
(गर्ग०, विश्वजित्० २५। ५१)

छब्बीसवाँ अध्याय

किम्पुरुषवर्षके रङ्गवल्लीपुरमें किम्पुरुषोंद्वारा हरिचरित्रका गान; वहाँके राजाद्वारा भेंट पाकर यादव-सेनाका आगे जाना; मार्गमें अजगररूपधारी शापभ्रष्ट गन्धर्वका उद्धार; वसन्ततिलका पुरीके राजा शृङ्गार-तिलकको पराजित करके प्रद्युम्नका हरिवर्षके लिये प्रस्थान

श्रीनारदजी कहते हैं—राजन्! तदनन्तर प्रद्युम्न दिव्य वृक्षों और दिव्य लताओंसे व्याप्त तथा सहस्रदल कमलोंसे अलंकृत सरोवरोंद्वारा सुशोभित दूसरे-दूसरे देशोंकी ओर गये। प्रचण्ड-पराक्रमी प्रद्युम्न सौ अक्षौहिणी सेनाके साथ यक्षोंद्वारा बताये हुए मार्गसे किम्पुरुषवर्षमें गये। वहाँ हेमकूट गिरिकी तराईमें रङ्गवल्लीपुर है। वहाँके निवासी किम्पुरुष शम्बरारि प्रद्युम्नके सुनते हुए कह रहे थे॥१—३॥

किम्पुरुष कहते थे—अहो! पुरियोंमें श्रेष्ठ मथुरापुरी अत्यन्त धन्य है, जिसमें साक्षात् परमेश्वर हरिने अवतार लिया है। अहो! यदुकुल सदा ही परम धन्य है, जिसमें समस्त ब्रह्माण्डके पालक श्रीहरिका प्रादुर्भाव हुआ है। शूरपुत्र वसुदेवका वह निवास-मन्दिर भी धन्य है, जिसे गोलोकनाथने अपनी उपस्थितिसे अत्यन्त मनोहर बना दिया है। देवताओंके लिये भी परम दुर्लभ वह माथुर-मण्डल धन्य है, जहाँ माधव विचरते हैं। वह मनोहर महावन धन्यातिधन्य है, जहाँ शिशुरूपधारी श्रीहरि अपने जन्मस्थानको छोड़कर गये, जहाँ शिशु बलरामके साथ श्रीकृष्ण विचरे हैं और उनके दुधमुँहे बालकरूपका माता यशोदाने सुन्दर ढंगसे लालन-पालन किया है। परात्पर परमात्मा श्रीकृष्णके चरणारविन्दोंके पावन परागसे विराजित श्रीवृन्दावन अत्यन्त पुण्यतम तीर्थ है, जहाँ गोप-बालों और बलरामजीके साथ गौएँ चराते हुए साक्षात् श्रीहरि विचरे हैं। जिस वृन्दावनमें भगवान् श्रीकृष्ण व्रजसुन्दरियोंके साथ दानलीला, मानलीला तथा रासलीला करते हुए विचरे हैं, उसके भी पवित्र यशका तीनों लोकोंके लोग गान करते हैं। अहो! वृषभानुनन्दिनी लीलावती श्रीराधा, जो अपने गोलोक-धाममें शोभा पाती हैं, परम धन्य हैं, जिन्होंने भ्रमरोंके गुञ्जारवसे व्याप्त कालिन्दीतटवर्ती वनमें श्रीकृष्णके साथ विहार किया है। अहो! कलिन्दनन्दिनी यमुना भी धन्य हैं, जो भगवान् श्रीकृष्णके बायें कंधेसे प्रकट हुई हैं। उनके तटपर भ्रमरोंकी ध्वनिसे व्याप्त जो वंशीवट है, उसके तथा उसके निकटवर्ती यमुनाजलके स्पर्शसे मनुष्य कृतार्थ हो जाता है। जिसका प्रादुर्भाव भगवान् श्रीकृष्णके वक्षःस्थलसे हुआ है तथा जिसके दर्शनसे पुनर्जन्म नहीं होता, वह उत्कृष्ट गिरीन्द्र-राजराज गोवर्धन व्रजमण्डलमें विराजमान है। अहो! वैकुण्ठ-लीलाकी अधिकारिणी कुशस्थली नामवाली मनोहर पुरी धन्यातिधन्य है, जो आकाशमें विद्युन्मण्डलसे मेघमालाकी भाँति भूतलपर यादव-मण्डलीसे विराजमान है। उस कुशस्थलीमें ही साक्षात् परमपुरुष परमेश्वर चतुर्व्यूहरूप धारण करके अत्यन्त शोभा पा रहे हैं। जिन्होंने राजा उग्रसेनको राजाधिराज-की पदवी दे दी, उन श्रीकृष्ण हरिको बारंबार नमस्कार है। उन बुद्धिमान् राजा उग्रसेनसे प्रेरित हो महान् वीर मकरध्वज प्रद्युम्न सम्पूर्ण जगत्पर विजय पानेके लिये निकले हैं, जिनका दुर्लभ दर्शन पाकर आज हमलोग सब ओरसे कृतार्थ हो जायँगे॥४—१४॥

श्रीनारदजी कहते हैं—राजन्! इस प्रकार उज्ज्वल यशोवर्धक चरित्रोंद्वारा श्रीहरिने निर्मल त्रिलोकको उसी प्रकार और भी निर्मल बना दिया, जैसे पूर्ण चन्द्रमाकी किरणोंसे मिलकर ऊँची उठती हुई चमकीली तरंगोंद्वारा स्वर्गीय गजराज ऐरावत क्षीर-सिन्धुके दुग्धको और भी उज्ज्वल बना देता है। नरेश्वर! इस प्रकार शम्बरारि प्रद्युम्नने अपने निर्मल यशका गान सुनकर अत्यन्त हर्षसे रोमाञ्चित-शरीर होकर उन किम्पुरुषोंको केयूर, हार, नवरत्न, मनोहर किरीट, मणिमय कुण्डल और कंगन आदि बहुत धन

दिया। रङ्गवल्लीपुरके स्वामी चन्द्रवंशी राजा सुबाहुने नमस्कार करके महात्मा प्रद्युम्नको बलि (भेंट) अर्पित की। उनपर प्रसन्न होकर महामना मीनकेतन भगवान् प्रद्युम्नने उन्हें दिव्य चूड़ामणि देकर इस प्रकार पूछा॥ १५—१८॥

प्रद्युम्न बोले—राजन् सुबाहु! इस नगरका 'रङ्गवल्लीपुर' नाम किसने रखा है? यह नाम तो मैं पहले-पहल आपके ही मुँहसे सुन रहा हूँ, अतः इस विषयमें आप सब कुछ मुझे बताइये॥ १९॥

सुबाहुने कहा—राजन्! पूर्वकालमें देवताओं और असुरोंने मिलकर क्षीरसागरका मन्थन किया। उससे चौदह रत्न निकले। फिर उस सागरसे अमृत-पूर्ण मनोहर कलश निकला। उस कलशको साक्षात् कमलनयन श्रीहरिने दोनों नेत्रोंसे देखा। उनके नेत्रोंसे हर्षके आँसूकी एक बूँद उस कलशमें गिर पड़ी। उससे एक वृक्ष उत्पन्न हुआ, जिसे, 'तुलसी' कहते हैं। भगवान् विष्णुने उस वृक्षका नाम रखा—'रङ्गवल्ली'। उन्होंने किम्पुरुषवर्षके हेमकूट पर्वतकी उपत्यकामें भूमिपर उस रङ्गवल्लीकी स्थापना की; अतः वह रङ्गवल्ली नामक वृक्ष सदा यहीं विराजता है। उसी वृक्षके नामपर यह नगर 'रङ्गवल्लीपुर' नामसे प्रसिद्ध हुआ। यहाँ प्रतिदिन रामपूजक महात्मा हनुमान्जी संगीतकुशल आर्ष्टिषेणके साथ दर्शनके लिये आया करते हैं॥ २०—२५ $\frac{1}{2}$ ॥

श्रीनारदजी कहते हैं—राजन्! यह सुनकर प्रद्युम्नजीने मनोहारिणी रङ्गवल्लीजीका दर्शन किया और उसकी परिक्रमा करके वे अन्य देशोंको गये॥ २६ $\frac{1}{2}$ ॥

हेमकूटकी तलहटीमें एक बड़ा भयंकर वन प्राप्त हुआ, जो झिल्लियोंकी झनकारसे युक्त और सिंह तथा चीतोंके दहाड़नेकी आवाजसे व्याप्त था। जंगली गजराजोंसे भरे हुए उस वनमें गीदड़ों और उल्लुओंकी आवाज सुनायी देती थी। बाँस, पीपल, मदार, बरगद, भोजपत्र, काली हर्रैकी बेलों और बेरके वृक्षोंसे वह वन अत्यन्त घना जान पड़ता था। उस वनसे एक अजगर साँप निकला, जो दस योजन लंबा था। वह बारंबार फुफकारता हुआ झुंड-के-झुंड हाथियोंको निगलने लगा। मिथिलेश्वर! उस समय सेनामें हाहाकार मच गया। उसके प्रचण्ड विषसे मिली हुई वायुसे विभिन्न दिशाओंकी सारी वस्तुएँ भस्म हो जाती थीं। तब भानु, सुभानु, स्वर्भानु, प्रभानु, भानुमान, चन्द्रभानु, बृहद्भानु, अतिभानु, श्रीभानु और प्रतिभानु—सत्यभामाके इन दस पुत्रोंने तीखे बाणोंसे उस भयंकर एवं मदमत्त सर्पको बींधना आरम्भ किया। बाणोंसे सारे अङ्ग छिन्न-भिन्न हो जानेके कारण वह पृथ्वीपर गिर पड़ा और सर्पका रूप छोड़कर एक तेजस्वी एवं दीप्तिमान् गन्धर्व हो गया। उसने समस्त श्रीकृष्ण-पुत्रोंको नमस्कार किया। देवता फूल बरसाने लगे और वह समस्त दिङ्मण्डलको उद्भासित करता हुआ विमानके द्वारा स्वर्गलोकको चला गया॥ २७—३५॥

बहुलाश्वने पूछा—मुने! यह गन्धर्व कौन था और पहलेके किस पापसे सर्प हुआ था, यह बताइये; क्योंकि आप भूत, वर्तमान और भविष्यकी बातें जाननेवालोंमें सबसे श्रेष्ठ हैं॥ ३६॥

श्रीनारदजी कहते हैं—राजन्! आर्ष्टिषेण गन्धर्वका जो सुन्दर भ्राता सुमति था, वह हनुमान्जीसे रामायण पढ़नेके लिये आया। हनुमान्जी हेमकूट पर्वतपर श्रीरामकी सेवामें प्रातःकालसे लेकर चौदह घड़ीतक लगे रहते थे। वे लक्ष्मणसहित जानकीपति श्रीरामचन्द्रजीका ध्यान कर रहे थे। इसी समय उसने साँपकी भाँति फुफकार करके हनुमान्जीका ध्यान भङ्ग कर दिया। तब वानरराज महावीर हनुमान्जीने कुपित होकर सुमतिको शाप दे दिया—'दुर्बुद्धे! तू सर्प हो जा।' सुमतिने उसी समय उनके चरणोंमें प्रणाम करके हाथ जोड़कर कहा—'देव! आप अपनी शरणमें आये हुए मुझ दीनकी रक्षा कीजिये, रक्षा कीजिये'॥ ३७—४१॥

तब प्रसन्न होकर धर्मज्ञ भगवान् हनुमान्ने सुमतिसे कहा—'द्वापरके अन्तमें भगवान् श्रीकृष्णके पुत्रोंके धनुषसे छूटे हुए तीखे बाणोंद्वारा जब तुम्हारा शरीर विदीर्ण हो जायगा, तब तुम अपने गन्धर्व-शरीरको प्राप्त कर लोगे—इसमें संशय नहीं है।' विदेहराज! वही सुमति नामक गन्धर्व शापसे मुक्त हुआ।

सत्पुरुषोंका शाप भी वरदानके तुल्य है फिर उनका वरदान मोक्ष देनेवाला हो जाय, इसके लिये तो कहना ही क्या है॥ ४२-४३॥

तदनन्तर श्रीकृष्णकुमार महाबाहु प्रद्युम्न मनोहर चैत्र-देशोंको गये, जो वासन्ती और माधवी लताओंसे सुशोभित थे। यहाँ भ्रमरोंकी ध्वनिसे शोभा पानेवाले सहस्रदल कमलोंका पराग सरोवरोंमें अबीर-चूर्णकी भाँति गिरता था। रास्तेमें इलायची और लौंगकी लताएँ लहलहाती थीं, जो सैनिकोंके पाँवोंसे कुचलकर धूलमें मिल जाती थीं। झुंड-के-झुंड भ्रमर हाथियोंके कर्णतालोंसे ताड़ित हो आस-पास मँडराते हुए शोभा पाते थे॥ ४४—४६॥

राजन्! वहाँके पुरुष दस हजार हाथियोंके समान बलवान् होते हैं। उनके शरीरपर झुर्रियाँ नहीं दिखायी देतीं। उनके बाल नहीं पकते और शरीरमें पसीना, थकावट एवं दुर्गन्ध नहीं होती। वहाँ प्रतिदिन त्रेतायुग-के समान समय रहता है। दिव्य ओषधियों तथा नदियोंके गुणकारी प्रभावसे वहाँके लोगोंकी आयु दस हजार वर्षकी हुआ करती है। वहाँ अमृतके समान जल और स्वर्णमयी भूमि शोभा पाती है। उस भूमिसे मोती, मूँगे, वैदूर्य आदि रत्नोंकी उत्पत्ति होती है। वहाँकी मदमत्त रमणियाँ बड़ी सुन्दरी और अक्षय यौवनसे विभूषित होती हैं। वे वहाँके उपवनोंमें दूरसे ऐसी चमकती हैं, जैसे बादलोंमें बिजलियाँ॥ ४७—५०॥

वहाँ वसन्ततिलका नामकी एक सुन्दर सुरम्य नगरी है, जहाँ शृङ्गार-तिलक नामके महाबली राजा राज्य करते हैं। विजयी वीरोंको एकत्र करके, स्वयं भी कवच धारण किये, हाथीपर सवार हो, वे राजा शृङ्गार-तिलक प्रद्युम्नके सामने युद्धके लिये निकले। उस समय साम्ब, सुमित्र, पुरुजित्, शतजित्, सहस्रजित्, विजय, चित्रकेतु, वसुमान्, द्रविड़ और क्रतु-जाम्बवतीके इन दस पुत्रोंने वहाँ नाराचोंसे दुर्दिन उपस्थित कर दिया। मैथिल! उन बाणोंसे विदीर्ण होकर विपक्षी योद्धा भागने लगे। बाणोंसे अन्धकार छा जानेपर वहाँ महान् कोलाहल मच गया। तब महाबली शृङ्गार-तिलकने हाथीपर बैठे-बैठे ही त्रिशूलसे रोषपूर्वक साम्बकी छातीपर चोट पहुँचायी तथा अन्य योद्धाओंको अपने धनुषसे छूटे हुए बाणोंद्वारा धराशायी कर दिया। वे युद्धभूमिमें अकेले इस प्रकार विचरने लगे, जैसे वनमें दावानल फैल रहा हो। उस समय गदने आकर उनके मदमत्त हाथीको उसकी सूँड़ पकड़कर पृथ्वीपर पटक दिया। राजा शृङ्गार-तिलक भी तत्काल दूर जा गिरे। फिर तो भयसे व्याकुल हो उन्होंने युद्धमें उसी क्षण दोनों हाथ जोड़ लिये और एक अरब घोड़े, एक लाख रथ और दस हजार हाथी प्रद्युम्नको भेंटमें दिये॥ ५१—६०॥

इस प्रकार किम्पुरुषवर्षपर विजय पाकर महाबली श्रीकृष्णकुमार प्रद्युम्न निषादोंके दिखाये हुए मार्गसे हरिवर्षकी ओर प्रस्थित हुए॥ ६१॥

इस प्रकार श्रीगर्गसंहितामें विश्वजित्खण्डके अन्तर्गत नारद-बहुलाश्व-संवादमें 'किम्पुरुषखण्डपर विजय' नामक छब्बीसवाँ अध्याय पूरा हुआ॥ २६॥

सत्ताईसवाँ अध्याय

प्रद्युम्नद्वारा गरुडास्त्रका प्रयोग होनेपर गीधोंके आक्रमणसे यादव-सेनाकी रक्षा; दशार्णदेशपर विजय तथा दशार्णमोचन तीर्थमें स्नान

श्रीनारदजी कहते हैं—राजन्! हरिवर्ष नामक खण्ड सम्पूर्ण सम्पदाओंसे सम्पन्न है। मिथिलेश्वर! उसकी सीमा साक्षात् निषध पर्वत है। वीरोंके कोदण्डोंकी टंकार-ध्वनिसे वहाँका वन्यप्रान्त व्याप्त हो जानेपर, वहाँसे एक-एक कोसके लंबे शरीर और तीखी चोंचवाले महागृध्र तथा गरुड पक्षी उड़े। नरेश्वर! वे सब-के-सब दीर्घायु और भूखे थे। उन्होंने यादव-सैनिकों, हाथियों और घोड़ोंको भी अपना ग्रास बनाना आरम्भ किया। आकाश पक्षियोंसे व्याप्त हो गया। उनकी पाँखोंकी हवासे आँधी-सी उठने लगी।

सेनामें अन्धकार छा गया और महान् हाहाकार होने लगा॥ १—४॥

तब महाबाहु श्रीकृष्णकुमार प्रद्युम्नने गरुडास्त्रका संधान किया। उस अस्त्रसे साक्षात् विनतानन्दन पक्षिराज गरुड प्रकट हो गये। अन्धकारसे भरी हुई उस सेनामें पहुँचकर पक्षिराजने अपनी चोंच और चमकीले पंखोंकी मारसे कितने ही गीधों, कुलिङ्गों और गरुडोंको धराशायी कर दिया। उन सबका घमंड चूर हो गया, पंख कट गये और वे सब पक्षी क्षत-विक्षत हो गरुडके भयसे घबराकर दसों दिशाओंमें भाग गये॥ ५—७ १/२॥

तदनन्तर महाबाहु श्रीकृष्णकुमार दशार्ण जनपदमें गये। दशार्ण देशके राजा शुभाङ्ग सूर्यवंशी क्षत्रिय थे। युद्धमें उनका बल दस हजार हाथियोंके समान हो जाता था। वे निष्कौशाम्बीपुरीके अधिपति थे। वेदव्यासके मुखसे प्रद्युम्नका प्रचण्ड पौरुष सुनकर वे दशार्णा नदी पार करके आ गये थे। शुभाङ्गने हाथ जोड़कर किरीटसहित अपना मस्तक झुका दिया और महात्मा प्रद्युम्नको उत्तम रत्नोंकी भेंट दी। सर्वत्र व्यापक और सर्वदर्शी साक्षात् भगवान् प्रद्युम्नने शुभाङ्गसे लोकसंग्रहकी इच्छासे इस प्रकार पूछा॥ ८—१२॥

प्रद्युम्नने कहा—निष्कौशाम्बीपुरीके अधीश्वर राजन्! यह देश 'दशार्ण' क्यों कहलाता है? किसके नामपर इसका ऐसा नाम हुआ है, यह मुझे बताइये॥ १३॥

शुभाङ्गने कहा—पूर्वकालमें भगवान् नृसिंह हिरण्यकशिपुको मारकर प्रह्लादके साथ यहाँ आये और हरिवर्षमें ही बस गये। भक्तवत्सल भगवान् नृसिंहने प्रह्लादसे कहा॥ १४ १/२॥

नृसिंह बोले—पुत्र! तुम मेरे शान्त-भक्त हो, तथापि तुम्हारे पिताका मेरे द्वारा वध हुआ है; अतः महामते! मैं तुम्हारे वंशमें अब और किसीको नहीं मारूँगा॥ १५॥

शुभाङ्ग कहते हैं—रुक्मिणीनन्दन! इस प्रकार कहते हुए भगवान् नृसिंहके दोनों नेत्रोंसे आनन्दजनित जलबिन्दु पृथ्वीपर गिरे। उन बिन्दुओंसे 'मङ्गलायन सरोवर' प्रकट हो गया। तब वरप्राप्त धर्मात्मा प्रह्लाद हर्षविह्वल हो दोनों हाथ जोड़कर भगवान् नृसिंहसे बोले॥ १६-१७॥

प्रह्लादने कहा—भक्तजनप्रतिपालक परमेश्वर! मैंने माता-पिताकी सेवा नहीं की; अतः मैं उनके ऋणसे कैसे मुक्त होऊँगा?॥ १८॥

नृसिंह बोले—महाभाग! तुम मेरे नेत्र-जलसे प्रकट हुए इस मङ्गलायन तीर्थमें स्नान करो। इससे तुम दस प्रकारके ऋणोंसे छुटकारा पा जाओगे। माता, पिता, पत्नी, पुत्र, गुरु, देवता, ब्राह्मण, शरणागत, ऋषि तथा पितरोंका ऋण 'दशार्ण' कहलाता है। जो इस महातीर्थमें स्नान कर लेगा, वह सबकी अवहेलनामें तत्पर हो तो भी दस प्रकारके ऋणोंसे छुटकारा पा जायगा—इसमें संशय नहीं है॥ १९—२१॥

शुभाङ्ग कहते हैं—कयाधू-कुमार प्रह्लाद इस 'दशार्णमोचन तीर्थ'में स्नान करके सब ऋणोंसे मुक्त हो गये। वे आज भी निषधगिरिसे यहाँ इस तीर्थमें नहानेके लिये आया करते हैं। दशार्णमोचन तीर्थके निकटका देश 'दशार्ण' कहलाता है। उसीके स्रोतसे प्रकट हुई यह नदी 'दशार्णा' कहलाती है॥ २२-२३॥

नारदजी कहते हैं—राजन्! यह सुनकर भगवान् प्रद्युम्नने समस्त परिकरोंके साथ दशार्णमोचन तीर्थमें स्नान और दान किया। नरेश्वर! जो दशार्ण-मोचनकी कथा भी सुन लेगा, वह दस ऋणोंसे मुक्त हो जायगा और मोक्षका भागी होगा॥ २४-२५॥

इस प्रकार श्रीगर्गसंहितामें विश्वजित्खण्डके अन्तर्गत नारद-बहुलाश्व-संवादमें 'दशार्ण देशपर विजय' नामक सत्ताईसवाँ अध्याय पूरा हुआ॥ २७॥

अट्ठाईसवाँ अध्याय

उत्तरकुरुवर्षपर यादवोंकी विजय; वाराहीपुरीमें राजा गुणाकरद्वारा प्रद्युम्नका समादर

श्रीनारदजी कहते हैं—राजन्! इसके बाद महाबाहु प्रद्युम्न सुमेरुके उत्तरवर्ती और शृङ्गवान् पर्वत-के पास बसे हुए विचित्र समृद्धिशाली 'उत्तरकुरु' नामक देशमें गये। वहाँ 'भद्रा' नामकी गङ्गामें स्नान करके वे वाराहीनगरीमें जा पहुँचे, जहाँ कुरुवर्षके अधिपति चक्रवर्ती सम्राट् गुणाकर राज्य करते थे॥ १-२॥

राजा गुणाकरने बड़ी भारी सामग्रीका संचय करके देवर्षिगणोंसे घिरे रहकर दसवें अश्वमेध यज्ञका अनुष्ठान आरम्भ किया था। उन्होंने एक मनोहर श्वेतवर्ण श्यामकर्ण अश्व छोड़ा था और उनके पुत्र वीरधन्वा उस अश्वकी रक्षाके लिये निकले थे। प्रचण्ड-पराक्रमी महावीर वीरधन्वा उस घोड़ेकी देख-भाल करते हुए दस अक्षौहिणी सेनाके साथ विचर रहे थे। वीर, चन्द्र, सेन, चित्रगु, वेगवान्, आम, शङ्कु, वसु, श्रीमान् और कुन्ति—नाग्नजितीके इन दस पुत्रोंने सब ओरसे शुभ्र घोड़ेको घेरकर पकड़ लिया और हर्षसे भरे हुए वे 'यह किसका छोड़ा हुआ घोड़ा है?'—यों कहते हुए प्रद्युम्नकी सेनाके पास आये। उसके ललाटमें बँधे हुए पत्रको पढ़कर प्रद्युम्न-को बड़ा विस्मय हुआ। समस्त यादव हाथोंमें उत्तम आयुध लिये विस्मयमें पड़े हुए थे॥ ३—८॥

नरेश्वर! इतनेमें ही उस घोड़ेको खोजती हुई वीरधन्वाकी सेना वहाँ आ पहुँची। उसकी सेनाके लोग यादववाहिनीसे उड़ती हुई धूलको देखकर आश्चर्यचकित हो दूर ही खड़े रह गये। वे मन-ही-मन सोचने लगे—'प्रचण्डपराक्रमी राजा गुणाकरके शासन-कालमें कुरुखण्ड-मण्डलमें दस्यु किंवा लुटेरे कहीं नहीं हैं। गौओंके चरकर लौटनेका भी समय नहीं हुआ है। कहींसे बवण्डर उठा हो, यह भी नहीं जान पड़ता। फिर यह सूर्यमण्डलको आच्छादित कर लेने-वाला धूल-समूह कहाँसे आया?' दूसरी सेनाके लोग जब इस प्रकार बातें कर रहे थे, उसी समय धनुषकी टंकार, हाथियोंकी चिग्घाड़, गजराजोंकी चीत्कार, घोड़ोंकी हिनहिनाहट तथा रणवाद्योंकी ध्वनि—इन सबकी मिली-जुली आवाज सुनायी दी॥ ९—११॥

तब श्रीकृष्णकुमार प्रद्युम्नकी प्रेरणासे उद्धवजी तुरंत ही वीरधन्वाकी सेनामें पहुँचकर, रथपर बैठे हुए गुणाकरके औरस-पुत्र सूर्यतुल्य तेजस्वी वीरधन्वाको प्रणाम करके उनसे इस प्रकार बोले—'राजन्! भूपालोंके इन्द्र द्वारकाधीश, यदुकुल-भूषण महाराज उग्रसेन जम्बूद्वीपके राजाओंको जीतकर राजसूय यज्ञ करेंगे। उनकी प्रेरणासे धनुर्धरोंमें श्रेष्ठ वीर प्रद्युम्न भारतवर्ष, किम्पुरुषवर्ष तथा हरिवर्षको जीतकर उत्तर-कुरुवर्षमें पधारे हैं। उत्तरकुरुवर्षके स्वामी भी महात्मा प्रद्युम्नको अवश्य भेंट देंगे। दस अक्षौहिणी सेनाके साथ आये हुए प्रद्युम्नका कुबेरने भी पूजन किया है, अतः तुम्हें भी महात्मा प्रद्युम्नको उपहार देना चाहिये। उनके द्वारा बाँधे गये यज्ञपशुको लौटा लेनेकी शक्ति इस भूतलपर और किसमें है? साक्षात् भगवान् श्रीकृष्णचन्द्र उनके सहायक हैं। यदि उपहार-दान और सम्मान करो, तब तो भला होगा; अन्यथा युद्ध होना अनिवार्य है'॥ १२—१७½॥

वीरधन्वाने कहा—राजाधिराज गुणाकरका पूजन तो देवराज इन्द्रने भी किया है, अतः वे महात्मा प्रद्युम्नको भेंट नहीं देंगे। रमणीय शृङ्गवान् पर्वतपर भगवान् वराह विद्यमान हैं, जिनकी सेवा भूमिदेवी सदा अत्यन्त आदरके साथ करती हैं। उन्हींके क्षेत्रमें राजा गुणाकरने भगवान् वराहके ध्यानपूर्वक तपस्या की है। दस हजार वर्ष पूर्ण होनेपर वाराहरूपधारी भगवान् हरिने संतुष्ट होकर अपने भक्त राजासे कहा—'वर माँगो।' राजाने श्रीहरिको नमस्कार करके पुलकित और प्रेमसे विह्वल होकर कहा—'भगवन्! आपको छोड़कर दूसरा कोई देवता, असुर अथवा मनुष्य मुझे भूतलपर जीतनेवाला न हो, यही मेरा अभीष्ट वर है।' तब 'तथास्तु' कहकर भगवान् वहीं अन्तर्धान हो गये। इसलिये महाराज गुणाकरके

यशःस्वरूप अश्वको आपलोग स्वतः छोड़ दें। नहीं तो, मैं आपलोगोंके साथ युद्ध करूँगा, इसमें संशय नहीं है॥ १८—२४॥

श्रीनारदजी कहते हैं—राजन्! वीरधन्वाके यों कहनेपर उद्धवने वहाँसे शीघ्र अपनी सेनामें आकर वहाँ जो बात हुई थी, वह सब यादवोंकी सभामें सुना दी। तब श्रुतकर्मा, वृष, वीर, सुबाहु, भद्र, एकल, शान्ति, दर्श, पूर्णमास और सोमक—कालिन्दीके ये दस पुत्र प्रद्युम्नके देखते-देखते दस अक्षौहिणी सेनाके साथ युद्धके लिये आगे आ गये। फिर तो प्रचण्ड-पराक्रमी उत्तरकुरुवासियोंके साथ यादव-वीरोंका इस प्रकार तुमुल युद्ध होने लगा, जैसे दो समुद्र आपसमें टकरा गये हों। चमकते हुए तीखे अस्त्र-शस्त्रोंसे वीर-शिरोमणियोंकी बड़ी शोभा होने लगी। क्षणमात्रमें रक्तकी बड़ी भयंकर नदी बह चली। राजेन्द्र! वह रुधिरकी नदी सौ योजनतक फैल गयी। तब मरनेसे बचे हुए उत्तरकुरुके लोग भाग चले—ठीक उसी तरह जैसे शरत्काल आनेपर बादलोंके समूह छिन्न-भिन्न हो जाते हैं॥ २५—३० $\frac{१}{२}$ ॥

कालिन्दीके बलवान् पुत्र महावीर पूर्णमासने अपने बाण-समूहोंद्वारा वीरधन्वाके रथको चूर-चूर कर दिया। वीरधन्वाने रथहीन हो जानेपर भी बारंबार धनुषकी टंकार करते हुए महाबली पूर्णमासपर बीस बाणोंसे प्रहार किया, परंतु पूर्णमासने स्वयं भी बाण मारकर उन बीसों बाणोंके बीचसे दो-दो टुकड़े कर दिये। राजेन्द्र! वीरधन्वाने भी एक बाण मारकर पूर्णमासकी गम्भीर ध्वनि करनेवाली प्रत्यञ्चाको उसी तरह काट दिया, जैसे कोई कटुवचनसे मित्रताको खण्डित कर देता है। तब महाबली पूर्णमासने लाख भारकी बनी हुई भारी गदा हाथमें ले तुरंत ही वीरधन्वापर दे मारी। गदाके प्रहारसे व्यथित हो मदोत्कट योद्धा वीरधन्वाने श्रीकृष्णपुत्र पूर्णमासपर परिघसे प्रहार किया। तब पूर्णमासने उठकर पवन नामक पर्वतको उखाड़ लिया। फिर उन श्रीहरिकुमारने दोनों हाथोंसे उस पर्वतको घुमाकर वाराहीपुरीमें वेगपूर्वक फेंक दिया। वीरधन्वा उस पर्वतपर ही थे, अतः वे भी उसके साथ गुणाकरके यज्ञस्थलमें जा गिरे और मुँहसे रक्त वमन करते हुए मूर्च्छित हो गये। उनका युद्धविषयक वेग नष्ट हो गया था॥ ३१—३९॥

उस समय वाराहीपुरीमें महान् हाहाकार मच गया। देवताओं और मनुष्योंकी दुन्दुभियाँ बज उठीं। देवताओंने पूर्णमासके ऊपर फूलोंकी वर्षा की। अपने पुत्रको मूर्च्छित हुआ देख राजा गुणाकर यज्ञस्थलसे उठकर खड़े हो गये और उन्होंने अपना दिव्य कोदण्ड लेकर युद्ध करनेका विचार किया। धर्मज्ञोंमें श्रेष्ठ और सर्वज्ञ विद्वान् मुनीन्द्र वामदेव उस यज्ञमें होता थे। उन्हें युद्धमें जानेके लिये उद्यत देख वामदेवजीने उनसे कहा॥ ४०—४२॥

वामदेवजी बोले—राजन्! तुम नहीं जानते कि परिपूर्णतम परमात्मा श्रीहरि देवताओंका महान् कार्य सिद्ध करनेके लिये यदुकुलमें अवतीर्ण हुए हैं। पृथ्वीका भार उतारने और भक्तोंकी रक्षा करनेके लिये यदुकुलमें अवतीर्ण हो वे साक्षात् भगवान् द्वारकापुरीमें विराजते हैं। उन्हीं श्रीकृष्णने उग्रसेनके यज्ञकी सिद्धिके लिये सम्पूर्ण जगत्को जीतनेके निमित्त अपने पुत्र यादवेश्वर प्रद्युम्नको भेजा है॥ ४३-४४॥

गुणाकरने कहा—ब्रह्मन्! आप परावर-वेत्ताओंमें श्रेष्ठ हैं; अतः मुझे परिपूर्णतम परमात्मा श्रीकृष्णका लक्षण बताइये॥ ४५॥

वामदेवजी बोले—जिनके अपने तेजमें अन्य सारे तेज लीन हो जाते हैं, उन्हें साक्षात् परिपूर्णतम परमात्मा श्रीहरि कहते हैं। अंशांश, अंश, आवेश, कला तथा पूर्ण—अवतारके ये पाँच भेद हैं। व्यास आदि महर्षियोंने छठा परिपूर्णतम तत्त्व कहा है। परिपूर्णतम तो साक्षात् भगवान् श्रीकृष्ण ही हैं, दूसरा नहीं; क्योंकि उन्होंने एक कार्यके लिये आकर करोड़ों कार्य सिद्ध किये हैं॥ ४६—४८॥

श्रीनारदजी कहते हैं—राजन्! श्रीकृष्णका माहात्म्य सुनकर राजा गुणाकरने वैर छोड़ दिया और भेंट-उपहार लेकर वे प्रद्युम्नका दर्शन करनेके लिये आये। श्रीकृष्णकुमारकी परिक्रमा करके राजाने उन्हें नमस्कार किया और भेंट देकर नेत्रोंसे अश्रु बहाते हुए वे गद्गद वाणीमें बोले॥ ४९-५०॥

गुणाकरने कहा—प्रभो! आज मेरा जन्म

सफल हो गया। आजके दिन मेरा कुल पवित्र हुआ। आज मेरे सारे क्रतु और सम्पूर्ण क्रियाएँ आपके दर्शन-से सफल हो गयीं। परेश! भूमन्! आपके चरणोंकी भक्ति ही परमार्थरूपा है। साधुपुरुषोंके सङ्गसे आपकी वह परा भक्ति हमें सदा प्राप्त हो। आप ही अपने भक्तों-पर कृपा करनेवाले साक्षात् भक्त-वत्सल भगवान् हैं। आप मेरी रक्षा कीजिये, रक्षा कीजिये॥ ५१-५२॥

प्रद्युम्नने कहा—राजन्! आपको ज्ञान और वैराग्यसे युक्त प्रेमलक्षणा-भक्ति तो प्राप्त ही है, मेरे भक्तोंका सङ्ग भी आपको मिलता रहे। आपके यहाँ भागवती श्री सदा बनी रहे॥ ५३॥

श्रीनारदजी कहते हैं—राजन्! यों कहकर प्रसन्न हुए भक्तवत्सल श्रीकृष्णकुमार भगवान् प्रद्युम्नने राजाको अश्वमेध यज्ञका घोड़ा लौटा दिया॥ ५४॥

इस प्रकार श्रीगर्गसंहितामें विश्वजित्खण्डके अन्तर्गत नारद-बहुलाश्व-संवादमें 'उत्तरकुरुवर्षपर यादवोंकी विजय' नामक अट्ठाईसवाँ अध्याय पूरा हुआ॥ २८॥

उन्तीसवाँ अध्याय

प्रद्युम्नकी हिरणमयवर्षपर विजय; मधुमक्खियों और वानरोंके आक्रमणसे छुटकारा; राजा देवसखसे भेंटकी प्राप्ति तथा चन्द्रकान्ता नदीमें स्नान

श्रीनारदजी कहते हैं—राजन्! महाबाहु श्रीकृष्णकुमार प्रद्युम्न उत्तरकुरुवर्षपर विजय पाकर 'हिरण्मय' नामक वर्षको जीतनेके लिये गये, जहाँ 'स्रोत' नामका विशाल एवं दीप्तिमान् सीमापर्वत शोभा पाता है। वहाँ कूर्मावतारधारी साक्षात् भगवान् श्रीहरि विराजते हैं और अर्यमा उनकी आराधनामें रहते हैं। हिरण्मयवर्षमें 'पुष्पमाला' नदीके तटपर 'चित्रवन' नामसे प्रसिद्ध एक विशाल वन है, जो फूलों और फलोंके भारसे लदा रहता है। कंद और मूलकी तो वह स्वत: निधि ही है। मैथिलेश्वर! वहाँ नल और नीलके वंशज वानर रहते हैं, जिन्हें त्रेतायुगमें भगवान् श्रीरामचन्द्रजीने स्थापित किया था॥ १—४॥

सेनाका कोलाहल सुनकर वे युद्धकी कामनासे बाहर निकले और भौंहें टेढ़ी किये, क्रोधके वशीभूत हो, उछलते हुए प्रद्युम्नकी सेनापर टूट पड़े। नरेश्वर! वे नखों, दाँतों और पूँछोंसे घोड़ों, हाथियों और मनुष्योंको घायल करने लगे। रथोंको अपनी पूँछोंमें बाँधकर वे बलपूर्वक आकाशमें फेंक देते थे। कुछ वानर विजय-ध्वजनाथके विजयरथको और अर्जुनके कपिध्वज रथको लाङ्गूलमें बाँधकर आकाशमें उड़ गये। कपिध्वज अर्जुनकी ध्वजापर साक्षात् भगवान् कपीन्द्र हनुमान् निवास करते थे। वे अर्जुनके सखा थे। उन्होंने कुपित हो सम्पूर्ण दिशाओंमें अपनी पूँछ घुमाकर उन आक्रमणकारी वानरोंको बाँध-बाँधकर पृथ्वीपर पटकना आरम्भ किया। तब उन्हें पहचानकर समस्त श्रीरामकिंकर वानर हर्षसे भर गये॥ ५—९॥

राजन्! उन वानरोंने हाथ जोड़कर धीरे-धीरे सब ओरसे आकर पवनपुत्रको प्रणाम किया। कुछ आलिङ्गन करने लगे, कुछ वेगसे उछलने लगे और कुछ वानर उनकी पूँछ और पैरोंको चूमने लगे। महावीर अञ्जनीकुमारने उन्हें हृदयसे लगाकर उनके शरीरपर हाथ फेरा और उन्हें आशीर्वाद देकर उनका कुशल-समाचार पूछा। नरेश्वर! उन्हें प्रणाम करके सब वानर चित्रवनमें चले गये और हनुमान्जी अर्जुनके ध्वजामें अन्तर्धान हो गये॥ १०—१२ $\frac{1}{2}$॥

तदनन्तर मीनध्वज प्रद्युम्न मकर नामक देशसे होते हुए वृष्णिवंशियोंके साथ बार-बार दुन्दुभि बजवाते हुए आगे बढ़े। मकरगिरिके पास उनकी दुन्दुभियोंकी ध्वनि सुनकर मधु भक्षण करनेवाली करोड़ों मधु-मक्खियाँ उड़कर आ गयीं। उन्होंने सारी सेनाको डँसना आरम्भ किया। उस समय हाथी भी चीत्कार कर उठे। तब महाबाहु श्रीकृष्णकुमारने वायव्यास्त्रका संधान किया। राजन्! उस अस्त्रसे उठी हुई वायुसे प्रताड़ित हो वे सब मधुमक्खियाँ दसों दिशाओंमें

उड़ गयीं। मिथिलेश्वर! उस देशके सभी मनुष्योंके मुख मगर-से थे॥ १३—१६ $\frac{1}{2}$॥

उसके बाद डिण्डिभ देश आया, जहाँ हाथियों-के समान मुखवाले लोग दिखायी दिये। इस प्रकार अनेक देशोंका दर्शन करते हुए श्रीकृष्णकुमार त्रिशृङ्ग देशमें गये। वहाँ भी उन्होंने शृङ्गधारी मनुष्य देखे। त्रिशृङ्गगिरिके पास स्वर्णचर्चिका नामकी नगरी थी। जिसमें सोनेके महल शोभा पाते थे। वह दिव्य पुरी रत्ननिर्मित परकोटोंसे सुशोभित थी। मङ्गलकी निवासभूता वह नगरी चन्द्रकान्ता नदीके तटपर विराजमान थी। राजन्! जैसे इन्द्र अमरावतीपुरीमें प्रवेश करते हैं, उसी प्रकार प्रद्युम्नने उस पुरीमें पदार्पण किया। जैसे नागों और नागकन्याओंसे भोगवतीपुरीकी शोभा होती है, उसी प्रकार विद्युत्की-सी दीप्तिवाले सुवर्णसदृश गौरवर्णके स्त्री-पुरुषोंसे वह स्वर्णचर्चिका नगरी सुशोभित थी। वहाँके बलवान् राजा महावीर देवसख नामसे प्रसिद्ध थे। उन्होंने मेरे मुँहसे यादव-सेनाके बलका वृत्तान्त सुनकर भेंटकी सुवर्णमय सामग्री ले, बड़े भक्तिभावसे प्रद्युम्नका पूजन किया। महाबाहु भगवान् प्रद्युम्न हरिने उनसे पूछा—'आप सब लोगोंकी शोभा चन्द्रमाके समान कैसे है? यह मुझे शीघ्र बताइये'॥ १७—२३ $\frac{1}{2}$॥

देवसख बोले—यदूत्तम! पितरोंके स्वामी अर्यमाने कूर्मरूपधारी भगवान् लक्ष्मीपतिके दोनों चरणोंका जिस जलसे प्रक्षालन किया, उस चरणोदकसे एक महानदी प्रकट हो गयी, जो श्वेत-पर्वतके शिखरसे नीचेको उतरती है। एक समयकी बात है—मनुके पुत्र प्रमेधाको उनके गुरुने गौओंकी रक्षाका कार्य सौंपा था। उन्होंने रात्रिके समय सिंहकी आशङ्कासे तलवार चलाकर बिना जाने एक कपिला गौका वध कर दिया। तब गुरुवर वसिष्ठके शापसे वे शूद्रत्वको प्राप्त हो गये और उनका शरीर कुष्ठरोगसे पीड़ित हो गया। तब वे तीर्थोंमें विचरने लगे। इस नदीमें स्नान करके वे मनुपुत्र गलितकुष्ठ रोगसे मुक्त हो गये और उनके शरीरकी कान्ति चन्द्रमाके समान हो गयी। तभीसे हिरण्मयवर्षके भीतर यह नदी 'चन्द्रकान्ता' नामसे प्रसिद्ध हुई। जबसे मनुकुमार प्रमेधा चन्द्रकान्ता नदीमें स्नान करके गलित-कुष्ठसे मुक्त हुए, तबसे हम सब लोग नियमपूर्वक इस नदीमें स्नान करने लगे। नृपोत्तम! यही कारण है कि इस पृथ्वीपर हमलोग चन्द्रमाके तुल्य रूपवाले हैं, इसमें संशय नहीं है॥ २४—३०॥

श्रीनारदजी कहते हैं—राजन्! यह सुनकर महाबाहु प्रद्युम्नने यादवोंके साथ चन्द्रकान्ता नदीमें स्नान करके अनेक प्रकारके दान दिये॥ ३१॥

इस प्रकार श्रीगर्गसंहितामें विश्वजित्खण्डके अन्तर्गत नारद-बहुलाश्व-संवादमें 'हिरण्मयवर्षपर विजय' नामक उन्तीसवाँ अध्याय पूरा हुआ॥ २९॥

तीसवाँ अध्याय

रम्यकवर्षमें कलङ्क राक्षसपर विजय; नैःश्रेयसवन, मानवी नगरी तथा मानवगिरिका दर्शन; श्राद्धदेव मनुद्वारा प्रद्युम्नकी स्तुति

श्रीनारदजी कहते हैं—राजन्! इस प्रकार हिरण्मयखण्डपर विजय पाकर महाबली प्रद्युम्न देव-लोककी भाँति प्रकाशित होनेवाले रम्यकवर्षमें गये। उसका सीमा-पर्वत साक्षात् गिरिराज 'नील' है। उसके उत्तरवर्ती काले देशमें भयंकर नादसे परिपूर्ण 'भीमनादिनी' नामकी नगरी है। वहाँ कालनेमिका पुत्र कलङ्क नामका राक्षस रहता था, जो त्रेतायुगमें श्रीरामचन्द्रजीसे डरकर युद्धभूमिसे भाग आया था। वह लङ्कापुरीसे यहाँ आकर राक्षसोंके साथ निवास करता था। उसने दस हजार राक्षसोंके साथ यादवोंसे युद्ध करनेका निश्चय किया। काले रंगका वह राक्षसराज गधेपर आरूढ़ हो यादव-सेनाके सामने आया।

यादवों और राक्षसोंमें घोर युद्ध होने लगा। प्रघोष, गात्रवान्, सिंह, बल, प्रबल, ऊर्ध्वग, सह, ओज, महाशक्ति तथा अपराजित—लक्ष्मणाके गर्भसे उत्पन्न हुए श्रीकृष्णके ये दस कल्याणस्वरूप पुत्र तीखे और चमकीले बाणोंकी वर्षा करते हुए सबसे आगे आ गये। जैसे वायुके वेगसे बादल छिन्न-भिन्न हो जाते हैं, उसी प्रकार उन्होंने बाणसमूहोंद्वारा राक्षस-सेनाको तहस-नहस कर दिया। उनके बाणोंसे अङ्ग छिन्न-भिन्न हो जानेपर वे रणदुर्मद राक्षस मदमत्त हो यादव-सेनापर त्रिशूलों और मुद्गरोंकी वर्षा करने लगे। उस समय राक्षसराज कलङ्क हाथियों तथा रथियोंको चबाता हुआ आगे बढ़ा। वह घोड़ों और अस्त्र-शस्त्रोंसहित मनुष्योंको तत्काल मुँहमें डाल लेता था। हौदों, रत्नजटित झूलों तथा घण्टा-नादसे युक्त हाथियोंको पैरोंकी ओरसे उठाकर बलपूर्वक आकाशमें फेंक देता था। तब श्रीहरिके पुत्र प्रघोषने कपीन्द्रास्त्रका संधान किया। उस बाणसे साक्षात् वायुपुत्र बलवान् हनुमान् प्रकट हुए। उन्होंने जैसे वायु रूईको उड़ा देती है, उसी प्रकार उस राक्षसको आकाशमें सौ योजन दूर फेंक दिया॥ १—१२॥

तब हनुमान्‌जीको पहचानकर राक्षसराज कलङ्कने गर्जना करते हुए लाख भारकी बनी हुई भारी गदा उनके ऊपर फेंकी। हनुमान्‌जी वेगसे उछले और वह गदा भूमिपर गिर पड़ी। उछलते हुए वानरराजने, बार-बार भौंहें टेढ़ी करते हुए कलङ्कको एक मुक्का मारा और उसका किरीट ले लिया। तब कलङ्कने भी उस समय उन्हें मारनेके लिये अपना त्रिशूल हाथमें लिया; किंतु वे कपीन्द्र हनुमान् वेगसे उछलकर उसकी पीठपर कूद पड़े और दोनों हाथोंसे पकड़कर उसे भूमिपर गिरा दिया। फिर वैदूर्य पर्वतको ले जाकर उसके ऊपर डाल दिया। पर्वतके गिरनेसे उसका कचूमर निकल गया, उसके सारे अङ्ग चूर-चूर हो गये और वह मृत्युका ग्रास बन गया॥ १३—१७॥

उस समय शङ्खध्वनिके साथ जय-जयकार होने लगी और साक्षात् भगवान् हनुमान् वहीं अन्तर्धान हो गये। देवताओंने प्रद्युम्नपर फूलोंकी वर्षा की। फिर अपनी सेनासे घिरे हुए महाबाहु प्रद्युम्न मनुकी स्वर्णमयी मनोहारिणी नगरीमें गये। वहाँ नैःश्रेयस नामक वन था, जो कल्पवृक्षों तथा कल्पलताओंसे घिरा हुआ था। हरिचन्दन, मन्दार और पारिजात उस वनकी शोभा बढ़ाते थे। संतानवृक्षके पुष्पोंकी सुगन्धसे मिश्रित वायु उस वनमें सुवास फैला रही थी। केतकी, चम्पालता और कुटज पुष्पोंसे परिसेवित वह वन माधवी लताओं-के पुष्प-फल-समन्वित समूहसे व्याप्त था। कलरव करते हुए विहंगमोंके वृन्दसे वह वन वैकुण्ठलोक-सा सुन्दर प्रतीत होता था। वहाँ चारुधि नामसे प्रसिद्ध एक पर्वत था, जिसकी लंबाई पाँच सौ योजन थी। राजन्! उस पर्वतके निचले भागका विस्तार सौ योजनका था। नरकोकिल, कोकिलाएँ, मोर, सारस, तोते, चकवे, चकोर, हंस और दात्यूह (पपीहा) नामक पक्षी वहाँ कलरव करते थे। सभी ऋतुओंके फूलोंकी शोभासे सम्पन्न वह नैःश्रेयसवन नन्दनवनको तिरस्कृत करता था। मिथिलेश्वर! वहाँ मृगोंके बच्चे सिंहोंके साथ खेलते थे। नेवले सर्पोंके साथ वैरविहीन होकर रहते थे। वहाँ भ्रमरोंके गुञ्जारवसे युक्त दस हजार सरोवर थे, जिनमें दीप्तिमान् शतदल और सहस्रदल कमल शोभा दे रहे थे। इधर-उधर सब ओर वर्तमान वह सुन्दर वन मूर्तिमान् आनन्द-सा जान पड़ता था। सर्वज्ञ विद्वान् प्रद्युम्नने उस वनकी शोभा देखकर निकले हुए नागरिकोंसे यह अभीष्ट प्रश्न पूछा॥ १८—२८ $\frac{१}{२}$॥

प्रद्युम्न बोले—हे पवित्र शासनमें रहनेवाले लोगो! यह रमणीय नगरी किसकी है और यह अद्भुत वन भी किसका है? आपलोग विस्तारपूर्वक सब बात बतायें॥ २९॥

उन लोगोंने कहा—नरेश्वर! वैवस्वत मनु, जो इस समय रमणीय मानव पर्वतपर मत्स्यावतारधारी भगवान् नारायण हरिकी आराधनामें लगे हैं और यहाँ सदा निवास करनेवाले मत्स्यभगवान्‌की वन्दनापूर्वक बड़ी भारी तपस्या करते हैं, उन्हींकी यह रमणीय नगरी है और उन्हींका यह नैःश्रेयसवन है। यहाँकी भूमि और यह पर्वत दोनों वैकुण्ठलोकसे लाये गये हैं। आप सब राजा, जो इस पृथ्वीपर विराजमान हैं, इन्हीं वैवस्वत मनुके वंशज हैं, चाहे वे सूर्यवंशके हों या चन्द्रवंशके॥ ३०—३२॥

श्रीनारदजी कहते हैं—राजन्! समस्त क्षत्रियोंके उन वृद्ध प्रपितामह श्राद्धदेव मनुका परिचय पाकर श्रीकृष्णकुमार प्रद्युम्न बड़े विस्मित हुए। लोगोंकी बात सुनकर तत्काल भाइयोंसे तथा अन्य यादवोंसे घिरे हुए प्रद्युम्नने मानवगिरिपर चढ़कर भगवान् श्राद्धदेवका दर्शन किया। वे सौ सूर्योंके समान तेजस्वी जान पड़ते थे और अपनी कान्तिसे दसों दिशाओंको प्रकाशित कर रहे थे। वे महायोगमय राजेन्द्र शान्तरूप थे। महाराज! वे वेदव्यास और शुक आदिसे तथा वसिष्ठ और बृहस्पति आदिसे परस्पर श्रीहरिका यश सुनते थे। यादवोंके साथ प्रद्युम्नने हाथ जोड़कर उन्हें प्रणाम किया और वे उनके सामने खड़े हो गये। श्रीहरिके प्रभावको जाननेवाले मनुने उन्हें उठकर आसन दिया और गद्गद वाणीमें इस प्रकार कहा॥ ३३—३७॥

मनु बोले—वासुदेव, संकर्षण, प्रद्युम्न और अनिरुद्धरूपसे प्रकट आप भक्तजन-प्रतिपालक प्रभुको नमस्कार है। आप ही अनादि, आत्मा तथा अन्तर्यामी पुरुष हैं। आप प्रकृतिसे परे होनेके कारण सत्त्वादि तीनों गुणोंसे अतीत हैं। प्रकृतिको अपनी शक्तिसे वशमें करके गुणोंद्वारा श्रेष्ठ विश्वकी सृष्टि, पालन और संहार करते हैं। अत: अज्ञानकल्पित इस प्रपञ्चको सब ओरसे छोड़कर इस सम्पूर्ण जगत्को मनका संकल्पमात्र जानकर मायासे परे जो निर्गुण आदिपुरुष, सर्वज्ञ, सबके आदिकारण, अन्तर्यामी एवं सनातन परमात्मा हैं, उन्हीं आपका मैं आश्रय लेता हूँ। जो इस विश्वके सो जानेपर भी जागते हैं; जिन्हें जगत्के लोग नहीं जानते; जो सत्से परे, सर्वद्रष्टा एवं आदिपुरुष हैं; जिन्हें अज्ञानीजन नहीं देख पाते; जो सर्वथा स्वच्छ—शुद्ध-बुद्ध-स्वरूप हैं, उन आप परमात्माका मैं भजन करता हूँ। जैसे आकाश घटसे, अग्नि काष्ठसे तथा वायु अपने ऊपर छाये हुए धूल-कणोंसे लिप्त नहीं होते, उसी प्रकार आप समस्त गुणों-से निर्लिप्त हैं। जैसे स्फटिक मणि दूसरे-दूसरे रंगोंके सम्पर्कसे उस रंगकी दिखायी देनेपर भी स्वरूपत: परम उज्ज्वल है, उसी प्रकार आप भी परम विशुद्ध हैं। व्यञ्जना, लक्षणा अथवा अभिधा शक्तिसे, वाणीके विभिन्न मार्गोंसे तथा स्फोटपरायण वैयाकरणोंद्वारा भी परमार्थ-पदका सम्यग्ज्ञान नहीं प्राप्त किया जाता। साधु वाच्यार्थ एवं उत्तम ध्वनिके द्वारा भी जिसका बोध नहीं हो पाता, वही ब्रह्म लौकिक वाक्योंद्वारा कैसे जाना जा सकता है। जिसे इस पृथ्वीपर कुछ लोग (मीमांसक) 'कर्म' कहते हैं, कुछ लोग (नैयायिक) 'कर्त्ता' कहते हैं, कोई 'काल', कोई 'परम योग' और कोई 'विचार' बताते हैं, उसे ही वेदान्तवेत्ता ज्ञानी पुरुष 'ब्रह्म' कहते हैं। जिसे इस लोकमें कालज गुण, ज्ञानेन्द्रियाँ, चित्त, मन और बुद्धि नहीं छू पाती हैं, जहाँ अहंकार और महत्तत्त्वकी भी पहुँच नहीं है तथा वेद भी जिसका वर्णन नहीं कर पाते, वह 'परब्रह्म' है। जैसे चिनगारियाँ अग्निमें प्रवेश करती हैं, उसी प्रकार सारे तत्त्व उस परब्रह्ममें ही विलीन होते हैं। जिसे संतलोग 'हिरण्यगर्भ', 'परमात्मतत्त्व' और 'वासुदेव' कहते हैं, ऐसे ब्रह्मस्वरूप आप ही 'पुरुषोत्तमोत्तम' हैं—यह जानकर मैं सदा असङ्गभावसे विचरण करता हूँ॥ ३८—४६॥

श्रीनारदजी कहते हैं—राजन्! मनुका यह वचन सुनकर उस समय भगवान् प्रद्युम्न हरि मन्द-मन्द मुसकुराते हुए गम्भीर वाणीद्वारा उन्हें मोहित करते

---

* नमस्ते वासुदेवाय नम: संकर्षणाय च। प्रद्युम्नायानिरुद्धाय सात्वतां पतये नम:॥
अनादिरात्मा पुरुषस्त्वमेव त्वं निर्गुणोऽसि प्रकृते: परस्त्वम्। सदा वशीकृत्य बलात्प्रधानं गुणै: सृजस्यत्सि च पासि विश्वम्॥
ततो विवेकं स विहाय सर्वतो मत्वाखिलं चात्र मनोमयं जगत्। मायापरं निर्गुणमादिपूरुषं सर्वत्रमाद्यं पुरुषं सनातनम्॥
जागर्ति योऽस्मिञ्शयनंगते सति नायं जनो वेद सत: परं तम्। पश्यन्तमाद्यं पुरुषं हि यज्जनो न पश्यति स्वच्छमलं च तं भजे॥
यथा नभोऽग्नि: पवनो न सज्जते घटेन काष्ठेन रजोभिरावृतै:। तथा भवान् सर्वगुणैश्च निर्मलो वर्णैर्यथा स्यात् स्फटिको महोज्ज्वल:॥
व्यङ्ग्येन वा लक्षणया च वाक्पथैरर्थं पदं स्फोटपरायणै: परम्। न ज्ञायते यद्ध्वनिनोत्तमेन सद्वाच्येन तद् ब्रह्म कुतस्तु लौकिकै:॥
वदन्ति केचिद् भुवि कर्म कर्तृ यत्कालं च केचित् परयोगमेव तत्। केचिद् विचारं प्रवदन्ति यच्च तद् ब्रह्मेति वेदान्तविदो वदन्ति॥
यं न स्पृशन्तीह गुणा न कालजा ज्ञानेन्द्रियं चित्तमनो न बुद्धय:। महान्न वेदो वदतीति तत्परं विशन्ति सर्वे ह्यनले स्फुलिङ्गवत्॥
हिरण्यगर्भं परमात्मतत्त्वं यद् वासुदेवं प्रवदन्ति सन्त:। एवंविधं त्वां पुरुषोत्तमोत्तमं मत्वा सदाहं विचराम्यसङ्ग:॥

(गर्ग०, विश्वजित्० ३०। ३८—४६)

हुए-से बोले॥ ४७॥

प्रद्युम्नने कहा—महाराज! आप हम क्षत्रियोंके आदिराजा, पितामह, वृद्ध, श्लाघनीय तथा धर्म-धुरंधर हैं। राजन्! हमलोग आपके द्वारा रक्षणीय तथा सर्वत: पालनीय प्रजा हैं। आप जो दिव्य तप करते हैं, उससे जगत्‌को सुख मिलता है। आप-जैसे साधुपुरुष परमात्मा श्रीहरिके स्वरूप हैं; अत: वे ही सदा ढूँढ़ने-योग्य हैं। साधुपुरुष ही मनुष्योंके अन्त:करणमें छाये हुए मोहान्धकारका हरण करते हैं, सूर्यदेव नहीं॥ ४८—५०॥

श्रीनारदजी कहते हैं—राजन्! यों कहकर मनुको प्रणाम करके, उनकी अनुमति ले, परिक्रमा करके, भगवान् श्रीकृष्णकुमार प्रद्युम्न स्वयं नीचेकी भूमिपर उतर गये॥ ५१॥

इस प्रकार श्रीगर्गसंहितामें विश्वजित्खण्डके अन्तर्गत नारद-बहुलाश्व-संवादमें 'मानवदेशपर विजय' नामक तीसवाँ अध्याय पूरा हुआ॥ ३०॥

इकतीसवाँ अध्याय

रम्यकवर्षमें मन्मथशालिनी पुरीके लोगोंद्वारा श्रीकृष्णलीलाका गान; प्रजापति व्यति संवत्सरद्वारा प्रद्युम्नका पूजन; कामवनमें प्रद्युम्नका अपने कामदेव-स्वरूपमें विलय

श्रीनारदजी कहते हैं—राजन्! इस प्रकार रम्यकवर्षपर विजय पाकर महाबली श्रीकृष्णकुमार प्रद्युम्न सुमेरुपर्वतके पूर्वभागमें स्थित 'केतुमाल'वर्षमें गये॥ १॥

मिथिलेश्वर! उस वर्षका सीमापर्वत 'माल्यवान्' है, जहाँसे 'चार' नामवाली महापातकनाशिनी गङ्गा प्रवाहित होती है। माल्यवान् गिरिके पास मन्मथ-शालिनी पुरी है, जो अपने रत्नमय परकोटों और महलोंसे देवताओंकी राजधानी (अमरावती) की भाँति शोभा पाती है। राजन्! वहाँके पुरुष कामदेवके समान कान्तिमान् हैं। उनकी अङ्ग-कान्ति शरद्-ऋतुके प्रफुल्ल नील-कमलके समान होती है और उनके नेत्र भी विकसित कमल-दलकी शोभाको लज्जित करते हैं। यहाँकी नव-यौवना कामिनियाँ पीताम्बर धारण करके फूलोंके हार पहनकर मनोहर वेषमें कन्दुकक्रीड़ा किया करती हैं। उनके शरीरका स्पर्श करके प्रवाहित होनेवाली वायु मतवाले भ्रमरोंकी ध्वनिसे निनादित हो चारों ओर सौ योजन विस्तृत भू-भागको सुवासित करती है। उस पुरीमें निवास करनेवाले बहुश्रुत मनुष्य नगरसे बाहर निकले और प्रद्युम्नके सुनते-सुनते श्रीमुरारिके यशका गान करने लगे॥ २—७॥

केतुमालवासी बोले—जो जगत्‌की पीड़ा हर लेनेवाले साक्षात् प्रधान-पुरुषेश्वर आदिदेव शेषनागकी शय्यापर शयन करते हैं और जिन्होंने देवताओंकी प्रार्थना सुनकर भूलोकको रक्षा करनेके लिये भारत-वर्षमें अवतार लिया है, उन भगवान् पुरुषोत्तमको नमस्कार है। वे प्रकट होनेके बाद माता-पिताको बन्धनमुक्त करके शिशुरूपमें पिताके घरसे नन्दभवन-को चले गये, वहाँ दयामयी नन्दपत्नी यशोदाने बड़े प्यारसे उनका लालन-पालन किया, अनन्त मङ्गलमयी शोभासे सम्पन्न उन्होंने अपनेको मारनेके लिये आयी हुई पूतनाके प्राणोंका अपहरण कर लिया। बालक-रूपमें ही सोते हुए उन श्रीनन्दनन्दनने छकड़ेको उलट दिया और महादैत्य तृणावर्तकी पीठपर चढ़कर उसे मार गिराया। माताको अपने विश्वरूपका दर्शन कराया, गर्गाचार्यके द्वारा उनका नामकरण-संस्कार हुआ और गर्गाचार्यने उनकी सुन्दर सौभाग्य-लक्ष्मीका वर्णन किया। व्रजके लोगोंने उन्हें लाड़ लड़ाया, उनके द्वारा माखनचोरीकी लीलाएँ हुईं। श्याम मनोहररूपधारी कोमल बालक श्रीकृष्णने दहीके मटके फोड़कर उसमें-से खूब दही खाया और माताने जब छोटी-सी रस्सीसे उन्हें ओखलीमें बाँध दिया, तब उन्होंने वह ओखली अटकाकर दो यमल वृक्षोंको तोड़ दिया, वृन्दावनमें बछड़ों और ग्वाल-बालोंके साथ विचरते हुए श्रीहरिने

कपित्थवृक्षोंद्वारा वत्सासुरको मारकर यमुना-किनारे बकासुरके तीखे चञ्चुपुटोंको पकड़ लिया और दोनों हाथोंसे उस दैत्यको तिनकेकी भाँति चीर डाला। ग्वाल-बालोंके साथ बहुसंख्यक बछड़ोंके समुदायको चराते तथा वेणु बजाते हुए उन मदनमोहन-वेषधारी प्रभुने अघासुरके मुखमें पड़े हुए गोपों और गौओंकी रक्षा की और जब ब्रह्माजी ग्वालों और बछड़ोंको चुरा ले गये, तब वे स्वयं ही तत्काल गोप-बालक और बछड़े बनकर पूर्ववत् सारा कार्य चलाने लगे, वे ही भगवान् श्रीकृष्ण सबके शरीरमें क्षेत्रज्ञ एवं अन्तर्यामी आत्मा हैं। वे ही अनन्त, पूर्ण, प्रधान और पुरुषके ईश्वर (क्षर और अक्षरसे अतीत पुरुषोत्तम) तथा आदिदेव हैं। वे अजन्मा प्रभु ग्वाल-बाल और बछड़ोंका रूप धारण करके व्रजके अन्य बालकोंमें विहार करते और ब्रह्माजीको मोहित करते हुए सब ओर विचरने लगे॥ ८—१४॥

उन्होंने बलवान् धेनुकासुरको बलपूर्वक ताड़के वृक्षपर दे मारा और ताड़-फल लेकर चले आये। फिर यमुनाके जलमें कूदकर सहसा कालियनागको जा पकड़ा और उसके फनोंपर नृत्य करके उसे जलसे बाहर निकाल दिया। तदनन्तर वे दावानलको पी गये और बलरामजीके सहयोगसे शीघ्र ही सुदृढ़ मुष्टिका-प्रहार करके उन्होंने प्रलम्बासुरको मौतके घाट उतार दिया। वनमें मधुर स्वरसे वेणु बजाकर उन्होंने व्रज-बधुओंको वहाँ बुला लिया और उनके मुखसे अपनी कीर्तिका गान सुना। यमुनामें नग्न स्नान करनेवाली गोप-किशोरियोंके दिव्य वस्त्र चुराये और वनमें ब्राह्मण-पत्नियोंके दिये हुए भातका ग्वाल-बालोंके साथ भरपेट भोजन किया। इन्द्र-पूजा बंद करके गोवर्धन-पूजा चालू करनेपर जब पर्जन्यदेव घोर वर्षा करने लगे, तब कृपापूर्वक उन्होंने पशुओंकी रक्षा करनेके लिये गोवर्धन पर्वतको छत्रकी भाँति उठा लिया—ठीक उसी तरह जैसे साधारण बालक गोबर-छत्ता उठा ले। जैसे गजराज अनायास कमलका फूल उठा लेता है, उसी प्रकार एक हाथपर पर्वत उठाये भगवान्‌को देखकर शचीपति इन्द्रने इनकी स्तुति की। वरुणलोकमें जाकर वहाँसे नन्दजीको सुरक्षित ले आये तथा स्वजनोंको भगवान्‌ने अन्धकारसे परे अपने दिव्य परमधाम गोलोकका दर्शन कराया। श्रीरास-मण्डलमें उपस्थित हो भगवान्‌ने व्रजसुन्दरियोंके साथ रास-क्रीड़ा की और यमुना-पुलिनपर गोपाङ्गनाओंके साथ विहार किया॥ १५—१८॥

व्रजसुन्दरियोंको अपने मादक यौवनपर अभिमान करते देख उनके उस मानका अपहरण करनेके लिये भगवान् उनके बीचसे अन्तर्धान हो गये। तब उनके दर्शनके लिये व्याकुल हुई व्रजाङ्गनाएँ उन्हींकी कीर्तिका गान करने लगीं। तदनन्तर विरहसे व्याकुल हुई उन व्रजबालाओंके बीच फूलोंके हार धारण किये, मनोहर-रूपधारी साक्षात् मदनमोहन श्रीहरि पुनः प्रकट हो गये। वृन्दावनमें श्यामसुन्दरने शबरराजकी परम सुन्दरी किशोरियोंके साथ उसी प्रकार रमण किया, जैसे आदिदेव भगवान् विष्णु अपनी विभूतियोंके साथ रमण करते हैं। उस समय बड़े-बड़े देवताओंने उनकी स्तुति की। उन माधवने रास-रङ्गस्थलीमें केयूर, कुण्डल और किरीट आदि आभूषणोंसे मनोहर वेष धारण करके रमण किया। भगवान्‌ने अम्बिकावनमें नन्दराजको अजगरके मुखसे छुड़ाकर उस सर्पको भी मोक्ष प्रदान किया। शङ्खचूड़ यक्षसे उसकी मणि ले ली। गोपोंने उनकी स्तुति की और उन्होंने वृषभरूपधारी अरिष्टासुरका एक सींग पकड़कर उसे पृथ्वीपर पटक दिया और एक ही हाथसे उसे मार डाला। कंसको बड़ा भय हो गया था, इसलिये उसने केशीको भेजा। वह मेघके समान काला एवं प्रचण्ड शक्तिशाली दानव था। भगवान्‌ने उसे एक बार पकड़कर छोड़ दिया। किंतु जब पुनः बड़े वेगसे उसने आक्रमण किया, तब श्रीकृष्णने उसके मुँहके भीतर अपनी बाँह डाल दी और इस युक्तिसे उसे मार डाला॥ १९—२२॥

भगवान् नारदने जिनकी सौभाग्य-लक्ष्मीका अनेक प्रकारसे वर्णन किया है, उन परमात्मा श्रीहरिने व्योमासुरको भी प्राणहीन कर दिया। अक्रूरके द्वारा उन आदिदेवके महान् ऐश्वर्यका वर्णन किया गया। वे गोपीजनोंके अत्यन्त विरहातुर चित्तको भी चुरानेवाले हैं। उन्होंने अपने हितकारी श्वफल्कपुत्र अक्रूरको जलके भीतर अपना दिव्य रूप दिखाकर फिर समेट

लिया। उनके साथ वे परमेश्वर मथुराके उपवनमें पहुँचे और ग्वाल-बालों तथा बलरामजीके साथ उन्होंने मथुरापुरीका दर्शन किया। स्वच्छन्दतापूर्वक मधुपुरीमें विचरते हुए श्रीहरिने कटुवादी रजकको मौतके घाट उतार दिया। अपने प्रेमी दर्जीको उत्तम वर दिये, फूलोंकी माला अर्पित करनेवाले मालीपर कृपा की, कुब्जाको सीधी करके सुन्दरी बनाया और कंसकी यज्ञशालामें रखे हुए धनुषको नवाते हुए सहसा उसे तोड़ डाला। रङ्गशालाके द्वारपर कुवलयापीड हाथीका वध करके दो राजकीय पहलवानोंको रङ्गभूमिमें पछाड़कर कंसको भी जा पकड़ा और उसे अखाड़ेमें गिराकर प्राणशून्य कर दिया। फिर माता-पिताको कैदसे छुड़ाकर महान् शक्तिशाली उग्रसेनको मथुरापुरीका राजा बना दिया। नन्दजीको प्रसन्न करके बहुत भेंट दी; गोपोंको बुलाकर उन सबको धनसे तृप्त करके बहुत कुछ निवेदन किया और उन्हें व्रजको लौटाकर वे गुरुके घरमें विद्या पढ़नेके लिये गये। वहाँ अध्ययन समाप्त करके श्रीकृष्णने समुद्रवासी पञ्चजन नामक दानवका वध करनेके पश्चात् गुरुके मरे हुए पुत्रको यमलोकसे लाकर दक्षिणाके रूपमें उन्हें अर्पित किया। उद्धवको भेजकर अपने प्रेम-संदेशसे गोपीजनोंको अनुगृहीत किया और अक्रूरको हस्तिनापुर भेजकर पाण्डवोंका समाचार जाना। तदनन्तर श्रीकृष्णने बलवान् जरासंधको पराजित करके मुचुकुन्दकी दृष्टिसे प्रकट हुई अग्निके द्वारा कालयवनको भस्म कर दिया॥ २३—२८॥

इसके बाद अपने रहनेके लिये श्रीहरिने अद्‌भुत पुरी कुशस्थलीका निर्माण कराके कुण्डिनपुरसे भीष्मक-कन्या रुक्मिणीका अपहरण किया। अपने पुत्रके द्वारा शत्रु शम्बरासुरका वध कराया तथा युद्धमें ऋक्षराज जाम्बवान्‌को जीतकर उनसे प्राप्त हुई मणि राजा उग्रसेनको दे दी। तत्पश्चात् परमेश्वर श्रीकृष्ण सत्यभामाके पति हुए। उन्होंने अपने श्वशुर सत्राजितका वध करनेवाले शतधन्वाका सिर काट लिया और कुछ कालके बाद सूर्यपुत्री यमुनाके साथ विवाह किया। इसके बाद उन्होंने अवन्ति-राजकुमारी मित्रवृन्दाका हरण किया तथा स्वयंवर-गृहमें सात वृषभोंका दमन करके श्रीकृष्णने कोसलराज नग्नजित्‌की पुत्री सत्याका पाणिग्रहण किया। तत्पश्चात् केकयराज-कन्या भद्राका हरण किया और सम्पूर्ण मद्रदेशके राजाकी पुत्री लक्ष्मणाको स्वयंवरमें जीता। युद्ध-भूमिमें शस्त्र-समूहोंद्वारा सेनासहित भौमासुरको जीतकर सोलह सहस्र सुन्दरियोंको वे ब्याह लाये। सत्यभामाकी इच्छासे उन्होंने केवल पत्नीको साथ लेकर स्वर्गमें इन्द्रको परास्त किया और वहाँसे पारिजात वृक्ष तथा सुधर्मा सभाको वे उठा लाये। उन्होंने द्यूत-सभामें बलरामजीके द्वारा दुष्ट रुक्मीको मरवा डाला और बाणासुरकी सहस्र भुजाओंमेंसे दोको छोड़कर शेष सबके सौ-सौ टुकड़े कर डाले। उन परमात्माने राजा उग्रसेनके राजसूय यज्ञकी सिद्धिके निमित्त सम्पूर्ण जगत्‌को जीतनेके लिये अपने पुत्र शम्बरशत्रु प्रद्युम्नको भेजा, जो भूमण्डलके समस्त राजाओंको जीतकर यहाँ केतुमालपतिपर विजय पानेके लिये आये हैं। उनको हमारा नमस्कार है॥ २९—३३॥

श्रीनारदजी कहते हैं—राजन्! यह सब सुनकर प्रसन्न हो महामनस्वी श्रीकृष्णकुमार प्रद्युम्न हरिने उन लोगोंको कुण्डल, कड़े, हीरा, मणि, हाथी और घोड़े पुरस्कारके रूपमें दिये। उस मन्मथशालिनी पुरीमें महान् प्रजापति व्युति संवत्सरने प्रद्युम्नको नमस्कार करके भेंट अर्पित की॥ ३४-३५॥

तदनन्तर महाबाहु प्रद्युम्न दिव्य कामवनमें गये, जो अन्य साधारण लोगोंके लिये अगम्य था; केवल प्रजापतिकी पुत्रियाँ उसमें जा सकती थीं। वह सुन्दर वन साक्षात् कामदेवका क्रीड़ास्थल था और कामास्त्रके तेजसे चारों ओरसे सुरक्षित था। वहाँ नारियोंका गर्भ प्राणशून्य होकर गिर पड़ता था, वर्षभर भी टिक नहीं पाता था॥ ३६-३७॥

राजन्! उस समय उस उत्कृष्ट कामवनसे फूलोंके पाँच बाण लिये पुष्पधन्वा कामदेव निकले। उनके श्याम शरीरपर पीताम्बर शोभा पा रहा था। उनका रूप अत्यन्त मनोहर था। उन्होंने अपने धनुषकी प्रत्यञ्चाका गम्भीर घोष फैलाया। उनके बाणका स्पर्श होते ही यादव-वीर अपने सैनिकों, घोड़ों, हाथियों और पैदलोंके साथ स्वतः काममोहित होकर गिर पड़े। उनके

बाणके वेगका वर्णन नहीं हो सकता। तदनन्तर जगदीश्वरोंके भी ईश्वर श्रीकृष्णकुमार प्रद्युम्न उसी समय कामदेवके स्वरूपमें विलीन हो गये, जैसे पानी पानीमें मिल जाता है। नरेश्वर! सैनिकोंसहित समस्त यादव रुक्मिणीनन्दन प्रद्युम्नको कामदेवका पूर्णस्वरूप जानकर तत्काल चकित हो गये॥ ३८—४०॥

इस प्रकार श्रीगर्गसंहितामें विश्वजित्खण्डके अन्तर्गत नारद-बहुलाश्व-संवादमें 'मन्मथदेशपर विजय' नामक इकतीसवाँ अध्याय पूरा हुआ॥ ३१॥

बत्तीसवाँ अध्याय

भद्राश्ववर्षमें भद्रश्रवाके द्वारा प्रद्युम्नका पूजन तथा स्तवन; यादव-सेनाकी चन्द्रावती-पुरीपर चढ़ाई; श्रीकृष्णकुमार वृकके द्वारा हिरण्याक्ष-पुत्र हृष्टका वध

श्रीनारदजी कहते हैं—राजन्! तदनन्तर महाबाहु श्रीकृष्णकुमार प्रद्युम्न समूचे केतुमालवर्षपर विजय पाकर, धनुष धारण किये, योग-समृद्धियोंसे युक्त 'भद्राश्ववर्ष' में गये, जिसकी सीमाका पर्वत साक्षात् 'गन्धमादन' बड़ी शोभा पाता है, जहाँसे पापनाशिनी गङ्गा 'सीता' नामसे प्रवाहित होती हैं। वहाँ सर्वपापनाशक 'वेदक्षेत्र' नामक महातीर्थ है, जहाँ महाबाहु हयग्रीव हरिका निवास है। धर्मपुत्र भद्रश्रवा उनकी सेवा करते हैं॥ १—३ $\frac{1}{2}$॥

सीता-गङ्गाके पुलिनपर महात्मा प्रद्युम्नकी सेनाके शिविर पड़ गये, जो सुनहरे वस्त्रोंके कारण बड़े मनोहर जान पड़ते थे। भद्राश्व देशके अधिपति धर्मपुत्र महाबली महात्मा भद्रश्रवाने भक्तिभावसे परिक्रमा करके श्रीकृष्णकुमारको प्रणाम किया और उन्हें भेंट अर्पित की। फिर वे उनसे बोले॥ ४-५॥

भद्रश्रवाने कहा—प्रभो! आप साक्षात् पूर्ण परिपूर्णतम भगवान् हैं। साधुपुरुषोंकी रक्षाके निमित्त ही दिग्विजयके लिये निकले हैं। भगवन्! आपने पूर्वकालमें शम्बर नामक दैत्यको परास्त किया था। उसका छोटा भाई उत्कच बड़ा दुष्ट था, जो गोकुलमें छकड़ेपर जा बैठा था। वह भगवान् श्रीकृष्णचन्द्रके द्वारा मारा गया; परंतु उसका बड़ा भाई महादुष्ट बलवान् शकुनि अभी जीवित है। देव! वह आपसे ही परास्त होनेयोग्य है, दूसरा कोई कदापि उसे जीत नहीं सकता॥ ६—८ $\frac{1}{2}$॥

प्रद्युम्नने पूछा—धर्मनन्दन! दैत्यराज शकुनि किसके वंशमें उत्पन्न हुआ है, उसका निवास किस नगरमें है और उसका बल क्या है—यह बताइये॥ ९ $\frac{1}{2}$॥

भद्रश्रवाने कहा—भगवन्! कश्यप मुनिके द्वारा दितिके गर्भसे दो आदिदैत्य उत्पन्न हुए, जिनमें बड़ेका नाम हिरण्यकशिपु और छोटेका नाम हिरण्याक्ष था। हिरण्याक्षके भी नौ पुत्र हुए, जिनके नाम इस प्रकार हैं—शकुनि, शम्बर, हृष्ट, भूत-संतापन, वृक, कालनाभ, महानाभ, हरिश्मश्रु तथा उत्कच। देवकूटसे दक्षिण दिशामें जठरगिरिकी तराईमें चन्द्रावती नामक पुरी है, जो दैत्योंके दुर्गसे सुशोभित है। वहाँ छः भाइयोंसे घिरा हुआ शकुनि निवास करता है। यदूत्तम! ऋषिलोग जब-जब यज्ञका आरम्भ करते हैं, तब-तब वह उनके यज्ञको भङ्ग कर देता है। भक्तजनपालक! उससे इन्द्र आदि देवता भी उद्विग्न हो उठे हैं। देव! वह देवद्रोही दैत्यराज आपसे ही जीते जानेयोग्य है; क्योंकि आपने भक्तोंकी शान्तिके लिये सम्पूर्ण जगत्को जीता है। आप भगवान् प्रद्युम्नको नमस्कार है। चतुर्व्यूहरूप आपको प्रणाम है। गौ, ब्राह्मण, देवता, साधु तथा वेदोंके प्रतिपालक आपको नमस्कार है॥ १०—१७॥

नारदजी कहते हैं—राजन्! इस प्रकार प्रार्थना करनेपर साक्षात् भगवान् प्रद्युम्न हरिने राजा भद्रश्रवाको 'डरिये मत'—यों कहकर अभयदान दिया। तदनन्तर महाबाहु प्रद्युम्नने अपनी सेनाके साथ चद्रावतीपुरीमें पहुँचनेके लिये वहाँसे तत्काल प्रस्थान किया। शकुनिको मेरे मुँहसे यह समाचार मिल गया कि 'तुम्हें

मारनेके लिये यदुकुलतिलक प्रद्युम्न आ रहे हैं।' यह सुनकर उस दैत्यराजने दैत्योंकी सभामें शूल उठाकर कहा॥ १८—२०॥

शकुनि बोला—बड़े सौभाग्य और प्रसन्नताकी बात है कि मेरा शत्रु प्रद्युम्न स्वयं यहाँ आ रहा है। दैत्यो! मुझे उसे परास्त करना है; क्योंकि मुझपर मेरे भाईका ऋण पहलेसे ही चढ़ा हुआ है। जिसने पूर्वकालमें मेरे भाई शम्बरको मारा था, उसी अपराधके कारण मैं यादवोंसहित उस प्रद्युम्नको मार डालूँगा। इसलिये असुरो! तुमलोग जाओ और उसकी सेनाका विध्वंस करो। तत्पश्चात् मैं उसका, देवराज इन्द्रका और देवताओंका भी वध करूँगा॥ २१—२३॥

नारदजी कहते हैं—राजन्! शकुनिकी आवाज सुनकर महाबली दैत्य हृष्ट एक करोड़ दैत्योंकी सेना साथ लिये यादव-सेनाके सम्मुख युद्धके लिये आया। लीलासे ही मानव-शरीर धारण करनेवाले भगवान् प्रद्युम्नने अपनी सम्पूर्ण सेनाका गृध्रव्यूह बनाया, अर्थात् गृध्रकी आकृतिमें अपनी सेनाको खड़ा किया। गृध्रव्यूहमें चोंचके स्थानपर धनुर्धरशिरोमणि अनिरुद्ध खड़े हुए, ग्रीवा-भागमें अर्जुन तथा पृष्ठभागमें जाम्बवती-कुमार साम्ब विराजमान हुए। राजन्! दोनों पैरोंकी जगह दीप्तिमान् और गद खड़े हुए, उदरभागमें पार्ष्णि और पुच्छभागमें श्रीकृष्णकुमार भानु थे॥ २४—२७॥

नरेश्वर! सीता-गङ्गाके तटपर यादवोंके साथ दैत्योंका उसी प्रकार घोर युद्ध हुआ, जैसे समुद्र समुद्रोंसे टकरा रहे हों। जैसे बादल जलकी धारा बरसाते हैं, उसी प्रकार दानव यादवोंपर बाण, त्रिशूल, मुसल, मुद्गर, तोमर तथा ऋष्टियोंकी वृष्टि करने लगे। राजन्! सेनाओंके पैरोंसे उड़ी हुई अपार धूलने सूर्य और आकाशको आच्छादित कर दिया। किसीको अपना बाण भी नहीं दिखायी देता था। जैसे वर्षाके बादल सूर्यको आच्छादित करके अन्धकार फैला देते हैं, वही दशा उस समय हुई थी॥ २८—३०॥

वृक, हर्ष, अनिल, गृध्र, वर्धन, उन्नाद, महाश, पावन, वह्नि और दसवें क्षुधि—मित्रवृन्दाके ये दस पुत्र दानवोंके साथ युद्ध करने लगे। जब बाणोंसे अन्धकार छा गया, तब श्रीहरिकुमार वृक बारंबार धनुषकी टंकार करते हुए सबसे आगे आ गये। वे बाण-समूहोंसे दैत्योंको विदीर्ण करने लगे, जैसे कोई कटुवचनोंसे मित्रताको खण्डित करे। उन्होंने दैत्य-सेनाके हाथियों, रथों और पैदल वीरोंको धराशायी कर दिया। वे कवच और धनुष कट जानेके कारण समराङ्गणमें गिर पड़े॥ ३१—३४॥

वृकके बाणोंसे जिनके पैर कट गये थे, वे आँधीके उखाड़े हुए वृक्षोंकी भाँति धरतीपर गिर गये। किन्हींके मुँह नीचेकी ओर थे और किन्हींके ऊपरकी ओर। राजन्! बाण-समूहोंसे भुजाओंके छिन्न-भिन्न हो जानेके कारण वे रणभूमिमें फूटे हुए बर्तनोंके ढेर-से शोभित होते थे। उस रणमण्डलमें हाथी बाणोंकी मारसे दो टूक होकर पड़े थे और छुरीसे काटे गये कूष्माण्डके टुकड़ोंके समान प्रतीत होते थे॥ ३५-३६ $\frac{1}{2}$॥

इसी समय महाबली हृष्ट सिंहपर चढ़कर आया। उसने दस बाण मारकर वृकके कवच और धनुषकी प्रत्यञ्चाको काट डाला। फिर चार बाणोंसे चारों घोड़े, दो बाणोंसे सारथि और तीन बाणोंसे ध्वज खण्डित कर दिये। फिर बीस बाण मारकर उस दानवराजने वृकके रथको नष्ट कर दिया। धनुष कट गया, घोड़े और सारथि मार डाले गये, तब वृक दूसरे रथपर जा चढ़े तथा रोषपूर्वक धनुष हाथमें लिया। इतनेमें ही असुर हृष्टने वृकके उस धनुषको भी काट डाला! तब यादवपुंगव वृकने गदा हाथमें लेकर सिंहके मस्तकपर तथा उसकी पीठपर बैठे हुए दैत्यपर भी प्रहार किया। तब क्रोधसे भरे हुए सिंहने समराङ्गणमें उछलकर अपने नखों, दाँतों और पंजोंसे अनेक योधाओंको मार गिराया। उसकी जीभ लपलपा रही थी, अयाल चमक रहे थे। उसने भीषण हुंकार करके वृकको उसी भाँति गिरा दिया, जैसे हाथी केलेके तनेको धराशायी कर दे॥ ३७—४३॥

नरेश्वर! वृकने उस सिंहको दोनों हाथोंसे पकड़कर पृथ्वीपर दे मारा। फिर वे उसके ऊपर चढ़कर वैसे ही गर्जने लगे, जैसे एक पहलवान दूसरे पहलवानको पटककर उसकी छातीपर चढ़ बैठे और गर्जने लगे। जब वह सिंह पुनः उछलने और उनके शरीरको बलपूर्वक चबाने लगा, तब बलवान् मित्रवृन्दाकुमारने

उसके ऊपर एक मुक्का मारा। उनके मुक्केकी मारसे सिंहने दम तोड़ दिया। तब कुपित हुए दैत्यप्रवर हृष्टने उनके ऊपर शीघ्र ही शूल फेंका। किंतु बड़ी भारी उल्काके समान तेजस्वी उस शूलको वृकने तलवारसे उसी प्रकार टूक-टूक कर दिया, जैसे गरुड़ अपनी तीखी चोंचके प्रहारसे किसी सर्पके टुकड़े-टुकड़े कर डाले। हृष्टने भी अपनी तलवार लेकर गर्जना की और भूतलको कँपाते हुए उसने महाबली वृकके मस्तकपर उसके द्वारा प्रहार किया। तब बलवान् वृकने तलवारकी म्यानपर दैत्यके वारको रोका तथा अपने खड्गके द्वारा दैत्यके कंधेपर चोट पहुँचायी। उस खड्गसे दैत्यका सिर कटकर पृथ्वीपर गिर पड़ा। किरीट और कुण्डलोंसे युक्त वह मस्तक गिरे हुए कमण्डलुके समान शोभा पाता था॥ ४४—५०॥

महाराज! हृष्टके मारे जानेपर शेष दैत्य भयसे व्याकुल हो भागकर चन्द्रावतीपुरीको चले गये। उस समय देवताओं और मनुष्योंकी दुन्दुभियाँ बज उठीं और देवतालोग वृकके ऊपर फूलोंकी वर्षा करने लगे॥ ५१-५२॥

इस प्रकार श्रीगर्गसंहितामें विश्वजित्खण्डके अन्तर्गत नारद-बहुलाश्व-संवादमें 'हृष्ट दैत्यका वध' नामक बत्तीसवाँ अध्याय पूरा हुआ॥ ३२॥

तैंतीसवाँ अध्याय

संग्रामजित्के हाथसे भूत-संतापनका वध

नारदजी कहते हैं—राजन्! हृष्टको मारा गया सुनकर शकुनिके क्रोधकी सीमा न रही। उसने देवताओंको भी भय देनेवाले अपने भाइयोंको भेजा। भूत-संतापन नामक दैत्य हाथीपर चढ़कर निकला। वृक दैत्य गधेपर और कालनाभ सूअरपर चढ़कर आया। महानाभ मतवाले ऊँटपर तथा हरिश्मश्रु तिमिंगिल (अतिकाय मगरमच्छ) पर बैठकर निकला॥ १-२$\frac{१}{२}$॥

मयासुरका बनाया हुआ एक विजयशील रथ था, जिसपर वैजयन्ती पताका फहराती थी। इसीलिये वह 'वैजयन्त' और 'जैत्र' कहलाता था। उसका विस्तार पाँच योजनका था और उसमें एक हजार घोड़े जुते हुए थे। वह मायामय रथ इच्छानुसार चलनेवाला तथा सैकड़ों पताकाओंसे सुशोभित था। उसमें एक हजार कलश लगे थे और मोतीकी झालरें लटक रही थीं। वह रत्नमय आभूषणोंसे विभूषित तथा सौ चन्द्रमाओंके समान उज्ज्वल था। उसमें एक हजार पहिये लगे थे तथा उसमें लटकाये गये बहुत-से घंटे उसकी शोभा बढ़ाते थे। शकुनि उसी रथपर आरूढ़ हो सबसे पीछे युद्धकी इच्छासे निकला॥ ३—६॥

मैथिलेश्वर! उसके साथ बारह अक्षौहिणी दैत्योंकी सेना थी। धनुषोंकी टंकार, वीरोंके सिंहनाद, घोड़ोंकी हिनहिनाहट, रथोंकी घरघराहट तथा हाथियोंकी चीत्कारोंसे मानो समस्त दिङ्मण्डल गर्जना कर रहा था। दैत्यसेनाके अभियानसे समस्त भूमण्डल काँपने लगा। नरेश्वर! अनेकानेक पर्वत धराशायी हो गये। समुद्र विक्षुब्ध हो उठे और अपनी मर्यादाको लाँघ गये। देवताओंने तुरंत ही अमरावतीपुरीके दरवाजे बंद कर लिये और वहाँ अर्गला डाल दी। उस भीषण सेनाको देखकर धनुर्धारियोंमें श्रेष्ठ, बलवान् तथा धैर्यशाली वीर श्रीकृष्णकुमार प्रद्युम्न यदुकुलके श्रेष्ठ वीरोंसे इस प्रकार बोले॥ ७—१०॥

प्रद्युम्नने कहा—वीरो! भूतलपर जो हमारा यह शरीर है, पाँच भूतोंका बना हुआ है, फेनके समान क्षणभङ्गुर है, कर्म और गुण आदिसे इसका निर्माण हुआ है। इसका आना-जाना लगा रहता है तथा यह कालके अधीन है। यह जगत् बालकोंके रचे हुए खिलवाड़के समान है। विद्वान् पुरुष इसके लिये कभी शोक नहीं करते। सात्त्विक पुरुष ऊर्ध्वलोकमें गमन करते हैं, राजस मनुष्य मध्यलोकमें स्थित होते हैं और

तामस जीव नीचेके नरकलोकोंमें जाते हैं। इन तीनोंसे जो भिन्न हैं, वे बारंबार कर्मानुसार विचरते हुए नाना योनियोंमें जन्मते-मरते रहते हैं। यह लोक सब ओरसे भयग्रस्त है; जैसे नेत्रोंके घूमनेसे धरती व्यर्थ ही घूमती-सी प्रतीत होती है, उसी प्रकार यह मनःकल्पित सम्पूर्ण जगत् भ्रान्त होता है। जैसे काँच (दर्पण आदि) में प्रतिबिम्बित अपने ही स्वरूपको देखकर बालक मुग्ध होता है, उसी प्रकार यहाँ सब कुछ भ्रान्तिपूर्ण है। जैसे मण्डलवर्ती जनोंका सुख अस्थिर होता है, उसी प्रकार पातालनिवासियोंका भी सुख अचल नहीं है। यज्ञोंद्वारा उपलब्ध देवताओंके सुखको भी इसी प्रकर चञ्चल समझना चाहिये। श्रेष्ठ पुरुष यही सोचकर समस्त सांसारिक सुखको तिनकेके समान त्याग देते हैं। ऋतुके गुण, देहके गुण और स्वभाव प्रतिदिन जाते—परिवर्तित होते रहते हैं; उसी प्रकार मनुष्योंका भी आवागमन लगा रहता है। यहाँ जो-जो दृश्यमान वस्तु है, वह कोई भी सत्य नहीं है। जैसे यात्रामें राहगीरोंका समागम होता है और फिर सब-के-सब जहाँ-तहाँ चले जाते हैं, उसी प्रकार यहाँ सब आगमापायी है, कुछ भी स्थिर नहीं है। जैसे इस लोकमें देखी हुई वस्तु उल्का या विद्युद्विलासके समान अस्थिर है, उसी प्रकार पारलौकिक वस्तुके विषयमें भी समझना चाहिये। उन दोनोंसे क्या प्रयोजन सिद्ध होता है? अतः सर्वत्र परमेश्वर श्रीहरिको देखते हुए कल्याणमार्गका निश्चय करके सदा उसीपर चलना चाहिये। जैसे जलपात्रोंके समूहमें सर्वत्र एक ही चन्द्रमा प्रतिबिम्बित होता है तथा जैसे समिधाओंके समुदायमें एक ही अग्नितत्त्वका बोध होता है, उसी प्रकार एक ही परमात्मा भगवान् स्वयं निर्मित देह-धारियोंके भीतर और बाहर अनेक-सा जान पड़ता है। जो ज्ञाननिष्ठ है, अत्यन्त वैराग्यका आश्रय ले चुका है, भगवान् श्रीकृष्णका भक्त है और किसी भी वस्तुकी अपेक्षा नहीं रखता, वह तपोवनमें निवास करे या घरमें, उसे तीनों गुण सर्वथा स्पर्श नहीं करते। इसीलिये संन्यासी, जिसने परात्पर ब्रह्मका साक्षात्कार कर लिया है, सदा सुखी एवं आनन्दमय हो बालककी तरह विचरता है। जैसे मदिराके मदसे अन्धा हुआ मनुष्य यह नहीं देखता कि मेरे द्वारा पहना हुआ वस्त्र शरीरपर है या गिर गया, उसी प्रकार सिद्ध पुरुष समस्त सिद्धियोंके कारणभूत शरीरके विषयमें यह नहीं देखता कि वह प्रारब्धवश है या गिर गया अथवा कहीं आता है या जाता है। जैसे सूर्योदय होनेपर सारा अन्धकार नष्ट हो जाता है और घरमें रखी हुई वस्तु लोगोंको यथावस्थित रूपसे दिखायी देने लगती है, उसी प्रकार ज्ञानोदय होनेपर अज्ञानान्धकार मिट जाता है और अपने शरीरके भीतर ही परब्रह्म प्रकाशित होने लगता है। जैसे इन्द्रियोंके पृथक्-पृथक् मार्गसे तीनों गुणोंके आश्रयभूत परमार्थ वस्तुका उन्नयन (सम्यग्ज्ञान) नहीं हो सकता, उसी प्रकार अनन्त परमात्माका एकमात्र अद्वितीय धाम मुनियोंके बताये विभिन्न शास्त्रमार्गों द्वारा पूर्णतः नहीं जाना जा सकता। कुछ लोग वैष्णव-धामको 'परमपद' कहते हैं, कोई वैकुण्ठको परमेश्वर-का 'परमधाम' बताते हैं, कोई अज्ञानान्धकारसे परे जो शान्तस्वरूप परमब्रह्म है, उसे 'परमपद' मानते हैं और कुछ लोग कैवल्य मोक्षको ही 'परमधाम' की संज्ञा देते हैं। कोई अक्षरतत्त्वकी उत्कृष्टताका प्रतिपादन करते हैं, कोई गोलोक धामको ही सबका आदिकारण कहते हैं तथा कुछ लोग भगवान्की निज लीलाओंसे परिपूर्ण निकुञ्जको ही 'सर्वोत्कृष्ट पद' बताते हैं। मननशील मुनि इन सबके रूपमें श्रीकृष्णपदको ही प्राप्त करता है॥ ११—२३॥

नारदजी कहते हैं—राजन्! श्रीकृष्णकुमार प्रद्युम्नकी यह बात सुनकर, धैर्यवर्धक ज्ञान प्राप्त करके, हर्ष और उत्साहसे भरे हुए समस्त यादव-श्रेष्ठ वीरोंने शस्त्र ग्रहण कर लिये। फिर तो सीता-गङ्गाके तटपर यादवोंके साथ दैत्योंका तुमुल युद्ध हुआ—वैसे ही, जैसे समुद्रके तटपर वानरोंके साथ राक्षसोंका हुआ था। रथी रथियोंसे, पैदल पैदलोंसे, घुड़सवार घुड़सवारोंसे और गजारोही गजारोहियोंसे जूझने लगे। महावतोंसे प्रेरित हुए, हौदोंसे सुशोभित कुछ उन्मत्त गजराज मेघाडम्बरसे युक्त गिरिराजोंके समान दिखायी देते थे। राजन्! वे समराङ्गणमें फुफकारते-चिग्घाड़ते तथा साँकलोंसे युक्त सूँड़ोंद्वारा रथियों, घुड़सवारों तथा पैदल वीरोंको धराशायी करते हुए विचर रहे थे। वे

घोड़ों और सारथियोंसहित रथोंको सूँड़में लपेटकर भूमिपर पटक देते और बलपूर्वक पुनः उठाकर आकाशमें फेंक देते थे। राजन्! उस युद्धभूमिमें सब ओर दौड़ते हुए क्षत-विक्षत गजराज कुछ लोगोंको सुदृढ़ सूँड़ोंद्वारा विदीर्ण करके उन्हें पैरोंसे मसल देते थे। महाराज! घुड़सवारोंद्वारा प्रेरित पंखयुक्त घोड़े रथोंको लाँघकर हाथियोंके कुम्भस्थलपर चढ़ जाते थे। कुछ महावीर घुड़सवार युद्धके मदसे उन्मत्त हो, हाथमें शक्ति लिये घोड़ोंके द्वारा हाथियोंके कुम्भस्थल-पर पहुँचकर गजारोही नरेशोंको उसी प्रकार मार डालते थे, जैसे सिंह यूथपति गजराजोंको मार गिराते हैं। कुछ घुड़सवार योद्धा तलवारोंके वेगसे सामनेकी सेनाको विदीर्ण करते हुए उसी प्रकार सकुशल आगे निकल जाते थे, जैसे वायु अपने वेगसे लीलापूर्वक कमल-वनको रौंदकर आगे बढ़ जाती है। कुछ घुड़सवार समराङ्गणमें उछलते हुए खड्गोंद्वारा उसी प्रकार आपसमें ही आघात-प्रत्याघात करने लगते थे, जैसे आकाशमें पक्षी किसी मांसके टुकड़ेके लिये एक दूसरेको चोंचसे मारने लगते हैं। कुछ पैदल योद्धा खड्गोंसे, कुछ फरसों और चक्रोंसे तथा कुछ योद्धा तीखे भालोंसे फलोंकी तरह विपक्षियोंके मस्तक काट लेते थे॥ २४—३५॥

संग्रामजित्, बृहत्सेन, शूर, प्रहरण, विजित्, जय, सुभद्र, वाम, सत्यक तथा अश्वयु—भद्राके गर्भसे उत्पन्न हुए ये श्रीकृष्णके दस औरस पुत्र सबसे आगे आकर दैत्यपुंगवोंके साथ युद्ध करने लगे। महाराज! हाथीपर चढ़े हुए महान् असुर भूत-संतापनने अपने नाराचोंकी वर्षासे दुर्दिनका दृश्य उपस्थित कर दिया। भूत-संतापनके बाणोंद्वारा अन्धकार फैला दिये जानेपर श्रीकृष्णके बलवान् पुत्र संग्रामजित् उसका सामना करनेके लिये आये। उन्होंने रणभूमिमें सैकड़ों बाण मारकर भूत-संतापनको घायल कर दिया। तब बलवान् भूत-संतापनने प्रलयकालके समुद्रोंके संघर्षसे प्रकट होनेवाले भयंकर घोषके समान टंकार-ध्वनि करनेवाली संग्रामजित्के धनुषकी प्रत्यञ्चाको काट दिया। तब संग्रामजित्ने विद्युत्के समान दीप्तिमान् अपना दूसरा धनुष लेकर उसपर विधिपूर्वक प्रत्यञ्चा चढ़ायी, फिर सौ बाण छोड़े। वे बाण भूत-संतापनके धनुषकी प्रत्यञ्चा, लोहनिर्मित कवच, शरीर और हाथीका छेदन-भेदन करते हुए धरतीमें समा गये। बाणोंके उस प्रहारसे पीड़ित हो भूत-संतापन मन-ही-मन कुछ घबराया, फिर उस बलवान् वीरने अपने हाथीको आगे बढ़ाया। काल और यमके समान भयानक उस हाथीको आक्रमण करते देख, बलवान् संग्रामजित्ने अपना दिव्य खड्ग लेकर रणभूमिमें उसके ऊपर प्रहार किया। उस खड्ग-प्रहारसे उसकी सूँड़के दो टुकड़े हो गये और वह भयानक चीत्कार करता तथा गण्डस्थलसे मद बहाता हुआ भूत-संतापनको छोड़कर जगत्को कम्पित करता हुआ भागा। बड़े-बड़े वीरोंको धराशायी करता हुआ और बारबार घंटे बजाता हुआ सीधे दैत्यपुरी चन्द्रावतीको चला गया। कोई भी बलपूर्वक उसे रोक न सका॥ ३६—४७॥

इस प्रकार हाथीके संग्रामभूमिसे भाग जानेपर वहाँ महान् कोलाहल मच गया। तब भूत-संतापनने श्रीकृष्ण-पुत्रके ऊपर तीखी धारवाला चक्र चलाया, जो ग्रीष्मऋतुके सूर्यकी भाँति उद्भासित हो रहा था। महाराज! उस घूमते चक्रको अपने ऊपर आया देख बलवान् भद्राकुमारने अपने चक्रद्वारा लीलापूर्वक उसके सौ टुकड़े कर डाले। तब उस महान् असुरने जठरगिरिका एक शिखर उखाड़कर आकाशमण्डलको निनादित करते हुए श्रीकृष्ण-पुत्रपर फेंका। राजेन्द्र! संग्रामजित्ने उस शिखरको बलपूर्वक दोनों हाथोंसे पकड़ लिया और उसीके द्वारा रणभूमिमें भूत-संतापन-पर प्रहार किया। तब दैत्यपुंगव भूत-संतापन समूचे जठरगिरिको उखाड़कर उसे हाथमें ले, संग्रामभूमिमें खड़ा हुआ 'अब मैं इसी पर्वतसे संग्राममें तुम्हारा काम तमाम कर दूँगा'—इस प्रकार मुखसे कहने लगा। यह देख श्रीहरिके पुत्र संग्रामजित्ने भी देवकूट नामक पहाड़ उखाड़ लिया और मुखसे कहा—'मैं भी इसीसे युद्धभूमिमें तेरे प्राण ले लूँगा'॥ ४८—५४॥

राजन्! यों कहकर वे उसके सामने खड़े हो गये। वह अद्भुत-सी घटना हुई। नरेश्वर! पर्वत फेंकते हुए भूत-संतापनपर बलवान् संग्रामजित्ने संग्राममें अपने

हाथके पर्वतसे प्रहार किया। भारी बोझसे युक्त जठर और देवकूट दोनों पर्वत दैत्यके मस्तकपर गिरे। उनसे दो वज्रोंके टकरानेका-सा भयानक शब्द हुआ। विदेहराज! दोनोंकी चोटसे गिरकर भूत-संतापन मृत्युका ग्रास बन गया और उसकी ज्योति संग्रामजित्‌में विलीन हो गयी। संग्रामजित्‌की सेनामें विजयसूचक दुन्दुभियाँ बजने लगीं और देवता उन भद्राकुमारके ऊपर फूल बरसाने लगे॥ ५५—५९॥

इस प्रकार श्रीगर्गसंहितामें विश्वजित्-खण्डके अन्तर्गत नारद-बहुलाश्व-संवादमें 'भूत-संतापन दैत्यका वध' नामक तैंतीसवाँ अध्याय पूरा हुआ॥ ३३॥

चौंतीसवाँ अध्याय

अनिरुद्धके हाथसे वृक दैत्यका वध

श्रीनारदजी कहते हैं—मिथिलेश्वर! संग्रामजित्‌के द्वारा उस महायुद्धमें भूत-संतापनके मारे जानेपर दैत्यसेनाओंमें महान् हाहाकार मच गया। तब शकुनि, वृक, कालनाभ और महानाभ तथा हरिश्मश्रु—ये पाँच वीर रणभूमिमें उतरे॥ १-२॥

श्रीकृष्णकुमार प्रद्युम्न शकुनिके साथ युद्ध करने लगे और अनिरुद्ध वृकके साथ। साम्ब कालनाभसे और दीप्तिमान् महानाभसे भिड़ गये। बलवान् वीर श्रीकृष्णकुमार भानु हरिश्मश्रु नामक असुरके साथ लड़ने लगे। सबके आगे थे धनुर्धरोंमें श्रेष्ठ अनिरुद्ध। वे अपने बाणोंद्वारा दैत्योंको उसी प्रकार विदीर्ण करने लगे, जैसे इन्द्र वज्रसे पर्वतोंका भेदन करते हैं। अनिरुद्धके बाणोंसे दैत्योंके पैर, कंधे और घुटने कट गये। वे सब-के-सब मूर्च्छित हो तेज हवाके उखाड़े हुए वृक्षोंकी भाँति पृथ्वीपर गिर पड़े। अनिरुद्धके तीखे बाणोंसे जिनके मेघडम्बर (हौदे), कुम्भस्थल और सूँड़ें छिन्न-भिन्न हो गयी थीं, दाँत टूट गये और कक्ष कट गये थे, वे हाथी रणभूमिमें उसी प्रकार गिरे, जैसे वज्रके आघातसे पर्वत ढह जाते हैं। हाथियोंके दो टुकड़े होकर पड़े थे और उनके ऊपर कश्मीरी झूल चमक रही थी। हाथियोंके विदीर्ण कुम्भस्थलोंसे इधर-उधर बिखरे हुए मोती चमक रहे थे। राजेन्द्र! वे बाणजन्य अन्धकारमें उसी प्रकार उद्दीप्त हो रहे थे, जैसे रातमें तारे चमचमाते हैं। अनिरुद्धके बाणोंसे प्रधर्षित कितने ही वीर मूर्च्छित होकर भूमिपर पड़े थे। वह दृश्य अद्‌भुत-सा प्रतीत होता था। कितने ही रथी भूमिपर गिरे थे और उनके रथ सूने खड़े थे। कुछ योद्धाओंके कटे हुए मस्तक ऐसे दिखायी देते थे जैसे हाथीके पेटमें कैथके फल॥ ३—१०½॥

राजेन्द्र! एक ही क्षणमें उस संग्रामके भीतर दैत्योंकी सेनाओंमें इतना अधिक रक्त गिरा कि उसकी भयानक नदी बह चली। हाथी उसमें ग्राहके समान जान पड़ते थे; ऊँटों एवं गधोंके धड़ एवं मुख आदि कच्छप जान पड़ते थे; रथ सूँसके समान प्रतीत होते थे, केश सेवारका भ्रम उत्पन्न करते थे और कटी हुई भुजाएँ सर्पिणी-सी जान पड़ती थीं। कटे हाथ उसमें मछलियाँ थे और मुकुट, रत्नहार एवं कुण्डल कंकड़-पत्थरका स्थान ले रहे थे। शस्त्र, शक्ति, छत्र, शङ्ख, चँवर और ध्वज वालुका-राशिके समान थे, रथोंके चक्के भँवरका भ्रम पैदा करते थे। दोनों ओरकी सेनाएँ ही उस रक्त-सरिताके दोनों तट थीं। नृपेश्वर! सौ योजनतक फैली हुई वह खूनकी नदी वैतरणीके समान भयंकर जान पड़ती थी। प्रमथ, भैरव, भूत, बेताल और योगिनीगण उस रण-मण्डलमें अट्टहास करते, नाचते और निरन्तर खप्परमें खून लेकर पीते थे। वे भगवान् रुद्रकी मुण्डमाला बनानेके लिये नरमुण्डोंका संग्रह भी करते थे। सिंहपर चढ़ी हुई भद्रकाली सैकड़ों डाकिनियोंके साथ आकर उस समराङ्गणमें दैत्योंको अपना ग्रास बनाती और अट्टहास करती थीं। विमानपर बैठी हुई विद्याधरियाँ, गन्धर्वकन्याएँ और अप्सराएँ क्षत्रियधर्ममें स्थित रहकर वीरगतिको प्राप्त हुए देवस्वरूप वीरोंका पतिरूपमें वरण करती थीं।

आकाशमें उन वीरोंको पतिरूपमें चुनते समय वे सुन्दरियाँ परस्पर कलह कर बैठती थीं। कोई कहतीं- 'ये मेरे योग्य हैं, तुमलोगोंके योग्य नहीं।' इस तरह वे विह्वल-चित्त हो विवाद कर रही थीं। कुछ वीर धर्ममें तत्पर रहकर समरकी रङ्गभूमिसे तनिक भी विचलित नहीं हुए, इसलिये वे सूर्यमण्डलका भेदन करके दिव्य विष्णुपदको जा पहुँचे। कुछ दैत्य अनिरुद्धको अपने शत्रुके रूपमें देखकर भाग खड़े हुए। कुछ असुर अपना-अपना युद्ध छोड़कर दसों दिशाओंमें पलायन कर गये॥ ११—२१½॥

उसी समय गधेपर चढ़ा हुआ भयंकर महादैत्य वृक गर्जना करता तथा बार-बार धनुष टंकारता हुआ युद्ध करने आया। उस रणदुर्मद दैत्यने भी दस बाण मारकर अनिरुद्धके प्रत्यञ्चासहित धनुषको काट दिया। धनुष कट जानेपर महाबली अनिरुद्धने दूसरा धनुष हाथ लिया और दस बाण मारकर वृकके कोदण्डको भी खण्डित कर दिया। इसपर वृकके होठ रोषसे फड़क उठे। उसने त्रिशूल उठाकर जीभ लपलपाते हुए धनुर्धरोंमें श्रेष्ठ अनिरुद्धसे कहा॥ २२—२५½॥

दैत्य बोला—तू पराक्रमी क्षत्रिय है और तूने आज मेरी सेनाका विनाश किया है, इसलिये मैं अभी तुझे मारे डालता हूँ। तू मेरा अद्‌भुत पराक्रम देख ले॥ २६॥

अनिरुद्धने कहा—दैत्य! जो लोग मुँहसे बढ़-बढ़कर बातें बनाते हैं, वे यहाँ कुछ नहीं कर पाते। मैं अभी तुम्हें मार डालूँगा। तुम मेरा उत्तम पराक्रम देखो। यदि मैं युद्धमें तुम्हें नहीं मार सकूँ तो मेरी शपथ सुन लो—मुझे ब्राह्मण, गौ, गर्भस्थ शिशु और बालकोंकी हत्याका सदा ही पाप लगे॥ २७-२८॥

नारदजी कहते हैं—राजन्! गधेपर बैठे हुए महादुष्ट वृकने भी शपथ खाकर धनुर्धरोंमें श्रेष्ठ अनिरुद्धपर त्रिशूलसे प्रहार किया। परंतु राजन्! प्रद्युम्ननन्दन अनिरुद्धने उस त्रिशूलको बायें हाथसे पकड़ लिया और सहसा उसीसे महाबली दैत्य वृकको घायल कर दिया। तब तो वह असुर क्रोधसे भर गया। उसने एक भारी गदा चलाकर सहसा अनिरुद्धके रथको बलपूर्वक चूर-चूर कर डाला। तब प्रद्युम्नकुमारने तीखी धारवाली तलवारसे शत्रुकी दोनों भुजाएँ उसी तरह काट डालीं, जैसे इन्द्रने वज्रसे शीघ्र ही पर्वतोंकी दोनों पाँखें काट दी थीं। तब वह बाहुविहीन दैत्य पैरोंसे पृथ्वीको कँपाता हुआ लपलपाती जीभसे युक्त भयंकर मुँह फैलाकर ऐसा दिखायी देने लगा, मानो वह सारे आकाशको ही पी जायगा। फिर विकराल दाढ़ोंवाले उस दैत्यराजने, जैसे मगरमच्छ किसी बड़े मत्स्यको निगल जाय, उसी प्रकार प्रद्युम्नकुमार अनिरुद्धको अपना ग्रास बना लिया॥ २९—३४½॥

महाराज! वे श्रीकृष्णके पौत्र थे, इसलिये दैत्यके पेटमें जानेपर भी श्रीकृष्णकी कृपासे मरे नहीं, मछलीके पेटमें पड़े हुए प्रद्युम्नकी भाँति बच गये। जैसे अघासुरके पेटमें जाकर भी श्रीकृष्ण और ग्वाल-बाल बच गये थे, जैसे वकासुरके उदरमें स्वयं श्रीकृष्ण नहीं मरे थे और जैसे वृत्रासुरके उदरमें जाकर भी इन्द्र बच गये थे, उसी प्रकार वृकासुरके पेटमें अनिरुद्धकी प्राण-रक्षा हो गयी॥ ३५-३६½॥

विदेहराज! उस समय यादवोंकी सेनामें हाहाकार मच गया। तब बलदेवके छोटे भाई बलवान् गदने गदा लेकर उसे महाबली वृक दैत्यके मस्तकपर मारा। दैत्यका सिर फट गया और उससे रक्तकी बूँदें टपकने लगीं। रक्तकी धारासे उस विशालकाय दैत्यकी उसी तरह शोभा हुई, जैसे गेरुमिश्रित जलकी धारासे विन्ध्याचल सुशोभित होता है॥ ३७-३९॥

तदनन्तर अर्जुनने अपनी तलवार लेकर अनायास ही उसके दोनों पैर काट डाले। पैर कट जानेपर वह पंख-कटे पर्वतकी भाँति धरतीपर गिर पड़ा। अनिरुद्ध अपनी तलवारसे उसका पेट फाड़कर बाहर निकल आये। जैसे इन्द्रने वज्रसे वृत्रासुरको मारा था, उसी प्रकार अनिरुद्धने अपनी तलवारसे उसका मस्तक काट डाला। उस समय यादव-सेनामें जय-जयकार होने लगी तथा देवताओं और मनुष्योंकी दुन्दुभियाँ बज उठीं। देवतालोग अनिरुद्धके ऊपर फूलोंकी वर्षा करने लगे। राजन्! यह अद्भुत वृत्तान्त मैंने तुमसे कह सुनाया; अब और क्या सुनना चाहते हो?॥ ४०—४३॥

इस प्रकार श्रीगर्गसंहितामें विश्वजित्‌खण्डके अन्तर्गत नारद-बहुलाश्व-संवादमें 'वृक दैत्यका वध' नामक चौंतीसवाँ अध्याय पूरा हुआ॥ ३४॥

पैंतीसवाँ अध्याय

साम्बद्वारा कालनाभ दैत्यका वध

बहुलाश्व बोले—मुने! आश्चर्य है, प्रद्युम्नकुमारने बड़ा अद्भुत युद्ध किया। महादैत्य वृकके मारे जानेपर फिर उस समराङ्गणमें क्या हुआ?॥ १॥

नारदजीने कहा—राजन्! वृकको मारा गया देख महान् असुर कालनाभ बार-बार धनुष टंकारता हुआ सूअरपर चढ़कर रणभूमिमें आया। उस असुरने समराङ्गणमें अक्रूरको बीस, गदको दस, अर्जुनको दस, सात्यकिको पाँच, कृतवर्माको दस, प्रद्युम्नको सौ, अनिरुद्धको बीस, दीप्तिमान्‌को पाँच और साम्बको सौ बाण मारकर उन सबको घायल कर दिया। उसके बाणोंकी चोटसे दो घड़ीके लिये वे सभी वीर व्याकुल हो गये। उन सबके घोड़े भी मारे गये तथा रथ रणभूमिमें चूर-चूर हो गये। उसके हाथकी फुर्ती देखकर रुक्मिणीनन्दन प्रसन्न हो गये। उन्होंने कालनाभको समराङ्गणमें साधुवाद देकर उसकी भूरि-भूरि प्रशंसा की॥ २—६ $\frac{१}{२}$॥

तत्पश्चात् प्रद्युम्नने अपना धनुष लेकर उसपर एक बाण रखा। कोदण्डसे छूटे हुए उस बाणने उस दैत्यके विशालकाय सूअरको ऊपर उठाकर लाख योजन दूर स्वर्गलोककी सीमातक ले जाकर घुमाते हुए आकाशसे भयंकर गर्जना करनेवाले समुद्रमें गिरा दिया। तत्पश्चात् साक्षात् भगवान् प्रद्युम्नने दूसरे बाणका संधान किया। उस बाणने भी महाबली कालनाभको ऊपर ले जाकर घुमाते हुए बलपूर्वक चन्द्रावतीपुरीमें पटक दिया। वहाँ गिरनेपर कालनाभके मनमें कुछ घबराहट हुई। वह दैत्यराज लाख भारकी बनी हुई भारी गदा हाथमें लेकर पुनः रणभूमिमें आ पहुँचा और यादव-सेनाका विनाश करने लगा॥ ७—११ $\frac{१}{२}$॥

वज्र-सदृश गदासे हाथी, रथ, घोड़े और पैदल वीरोंको वह बड़े वेगसे उसी प्रकार धराशायी करने लगा, जैसे आँधी वृक्षोंको गिरा देती है; किन्हींको दोनों हाथोंसे उठाकर वह बलपूर्वक आकाशमें फेंक देता था। राजन्! वे आकाशसे पृथ्वीपर वर्षाके ओलोंकी भाँति गिरते थे। तब जाम्बवतीकुमार साम्बने गदा लेकर महान् असुर कालनाभके मस्तकपर गहरी चोट पहुँचायी। रणमण्डलके भीतर गदाओंद्वारा उन दोनों वीरोंमें घोर युद्ध होने लगा। वे दोनों ही गदाएँ आगकी चिनगारियाँ छोड़ती हुई परस्पर टकराकर चूर-चूर हो गयीं। फिर वे दोनों वीर दूसरी गदाएँ लेकर युद्धके लिये खड़े हुए। उस समय कालनाभने जाम्बवतीकुमार साम्बसे कहा—'मैं एक प्रहारसे ही तुम्हारा काम तमाम कर सकता हूँ, इसमें संशय नहीं है।' तब उस रणभूमिमें साम्ब बोले—'पहले तुम मेरे ऊपर प्रहार करो।' तब कालनाभने साम्बके मस्तकपर गदासे चोट की, किंतु जाम्बवतीनन्दन साम्बने गदाके ऊपर गदा रोक ली और अपनी गदासे कालनाभ दैत्यकी छातीमें आघात किया। उस गदाकी चोटसे दैत्यकी छाती फट गयी और वह मुँहसे रक्त वमन करता हुआ प्राणशून्य हो वज्रके मारे हुए पर्वतकी भाँति पृथ्वीपर गिर पड़ा॥ १२—२०॥

नरेश्वर! तब तो जय-जयकार होने लगी और सत्पुरुष साम्बको साधुवाद देने लगे। देवताओं और मनुष्योंकी दुन्दुभियाँ एक साथ ही बज उठीं। देवतालोग साम्बकी सेनाके ऊपर फूल बरसाने लगे, विद्याधरियाँ नाचने लगीं और गन्धर्वगण सानन्द गीत गाने लगे॥ २१-२२॥

इस प्रकार श्रीगर्गसंहितामें विश्वजित्‌खण्डके अन्तर्गत नारद-बहुलाश्व-संवादमें 'कालनाभ दैत्यका वध' नामक पैंतीसवाँ अध्याय पूरा हुआ॥ ३५॥

छत्तीसवाँ अध्याय

दीप्तिमान्‌द्वारा महानाभका वध

नारदजी कहते हैं—राजन्! कालनाभ दैत्यके गिर जानेपर दैत्यसेनामें बड़ा भारी कोलाहल मचा। तब महानाभ नामक दैत्य ऊँटपर चढ़कर समराङ्गणमें आया। वह मायावी दैत्यराज मुँहसे आग उगलने लगा। उस आगसे दसों दिशाएँ प्रज्वलित हो उठीं और धरतीके वृक्ष जलने लगे। महाराज! वीरोंके कवच, पगड़ी, कटिबन्ध और अँगरखा आदि मूँजके फूल (भुआड़ी) तथा रूईके समान जल उठे। राजन्! समुद्रतटवर्ती नगरोंके बने हुए पीले, लाल, सफेद, काले, चितकबरे और सूक्ष्म झूलों तथा हेम-रत्नखचित कश्मीरी कालीनोंसहित बहुत-से हाथी उस समराङ्गण-में दावानलसे दग्ध होनेवाले वृक्षोंसहित पर्वतोंकी भाँति जल रहे थे। मस्तकपर धारण कराये गये रत्नों, चामरों, हारों और सुनहरे साज-बाजोंके साथ जलते हुए घोड़े उस युद्धभूमिमें दावाग्निसे दग्ध होनेवाले हरिणोंकी भाँति उछलते और चौकड़ी भरते थे॥ १—६॥

अपनी सेनाको भयसे व्याकुल देख श्रीकृष्णकुमार दीप्तिमान्‌ने उस मायामयी आगको बुझानेके लिये पार्जन्यास्त्रका संधान किया। फिर तो उस बाणसे प्रलयकालके मेघोंकी भाँति नील जलधर प्रकट हुए और भयंकर गर्जना करते हुए जलकी धाराएँ बरसाने लगे। महाराज! उस धारा-सम्पातसे भूतलपर पावस ऋतु प्रकट हो गयी। नर कोकिल, मादा कोकिल, मोर और सारस आदि पक्षी अपनी मधुर बोलियाँ बोलने लगे। मेढक भी टर-टर करने लगे। इन्द्रगोप (वीरबहूटी) नामक लाल रंगके झुंड-के-झुंड कीट जहाँ-तहाँ शोभित होने लगे। मैथिलेन्द्र! इन्द्रधनुष और विद्युन्मालासे आकाश उद्दीप्त दिखायी देने लगा॥ ७—१०॥

इस प्रकार उस आगके बुझ जानेपर महान् असुर महानाभने दीप्तिमान्‌के ऊपर बड़े रोषसे अपना तीखा त्रिशूल चलाया। सर्पकी भाँति अपनी ओर आते हुए उस त्रिशूलको रोहिणीपुत्र दीप्तिमान्‌ने युद्धभूमिमें तलवारसे उसी प्रकार काट डाला, जैसे गरुडने अपनी चोंचसे किसी नागके दो टुकड़े कर दिये हों। महानाभका वाहन उद्भट ऊँट उन्हें दाँतसे काटनेके लिये आगे बढ़ा। तब दीप्तिमान्‌ने समराङ्गणमें उसके ऊपर अपनी तलवारसे चोट की। खड्गसे उसकी गर्दन कट गयी और वह दो टूक हो पृथ्वीपर गिर पड़ा। महानाभके देखते-देखते उस ऊँटके प्राण-पखेरू उड़ गये। तब दैत्य महानाभ बड़े वेगसे हाथीपर जा चढ़ा और हाथमें शूल लेकर व्योममण्डलको अपनी गर्जना-से गुँजाता हुआ फिर युद्धके लिये आ गया। श्रीकृष्ण-नन्दन दीप्तिमान् चञ्चल और काले रंगके सिंधी घोड़ेपर चढ़कर विद्युत्‌के समान कान्तिमान् खड्गसे अद्‌भुत शोभा पाने लगे। उन्होंने घोड़ेके पेटमें एड़ लगायी और वह भूतलसे उछलकर हाथीके कुम्भस्थलपर इस प्रकार जा चढ़ा, मानो कोई सिंह पर्वतके शिखरपर बड़े वेगसे चढ़ गया हो॥ ११—१७॥

फिर श्रीकृष्णकुमार दीप्तिमान्‌ने तीखी धारवाले खड्गसे महानाभके मस्तकको सहसा धड़से अलग कर दिया। बाणवर्षा करती हुई उस दुरात्माकी सेनाका दीप्तिमान्‌ने अपनी तलवारसे उसी तरह संहार कर डाला, जैसे सिंह हाथियोंके झुंडको रौंद डालता है। कुछ दैत्य खड्गसे मारे गये, शेष रणभूमिसे पलायन कर गये। देवता दीप्तिमान्‌के मस्तकपर फूलोंकी वर्षा करने लगे, किंनर और गन्धर्व गाने लगे तथा अप्सराओंके समुदाय नृत्य करने लगे। ऋषियों, मुनियों और देवताओंने श्रीहरिके पुत्रका स्तवन किया॥ १८—२१॥

इस प्रकार श्रीगर्गसंहितामें विश्वजित्‌खण्डके अन्तर्गत नारद-बहुलाश्व-संवादमें 'महानाभका वध' नामक छत्तीसवाँ अध्याय पूरा हुआ॥ ३६॥

सैंतीसवाँ अध्याय

श्रीकृष्ण-पुत्र भानुके हाथसे हरिश्मश्रु दैत्यका वध

नारदजी कहते हैं—राजन्! महानाभ मारा गया, यह सुनकर तथा दैत्यसेना पलायन कर गयी—यह देखकर, मगरमच्छपर चढ़ा हुआ दैत्य हरिश्मश्रु समरभूमिमें आया। उस समय हरिश्मश्रु दैत्यके ओठ फड़क रहे थे, उसने यादवोंके सुनते हुए अत्यन्त कठोर वचन कहा॥१-२॥

हरिश्मश्रु बोला—अरे! तुम सब लोग मेरे शक्तिके सामने क्या हो? स्वल्प-पराक्रमी मनुष्य ही तो हो। दीनहीन होनेपर भी केवल अस्त्र-शस्त्रोंके बलपर जीतते हो। तुम-जैसे लोगोंमें पुरुषार्थ ही क्या है? यदि तुम्हारे दलमें कोई भी बलवान् हो तो मेरे साथ बिना अस्त्र-शस्त्रके मल्लयुद्ध करे, जिससे तुम्हारे पौरुषका पता लगे॥३-४॥

नारदजी कहते हैं—दैत्यकी ऐसी बात सुनकर और उसके अत्यन्त उद्भट शरीरको देखकर सब लोग परस्पर उसकी प्रशंसा करते हुए मौन रह गये—उसे कोई उत्तर न दे सके। तब सत्यभामाके बलवान् पुत्र भानु मन-ही-मन भगवान् श्रीकृष्णका स्मरण करते हुए रणभूमिमें अस्त्र-शस्त्र त्यागकर सहसा उसके सामने खड़े हो गये। राजन्! महाबली हरिश्मश्रु तिमिंगिल (मगरमच्छ) की पीठसे उतरकर भुजाओंपर ताल ठोंकता हुआ सयत्न होकर सामने खड़ा हो गया। जैसे दो हाथी वनमें दाँतोंद्वारा परस्पर प्रहार करते हों, उसी प्रकार वे दोनों वीर बाँहोंसे बाँह मिलाकर एक-दूसरेको बलपूर्वक ढकेलने लगे॥५—८॥

राजराजेन्द्र! उस दैत्यने भानुको अपनी भुजाओंसे सौ योजन पीछे उसी प्रकार ढकेल दिया, जैसे एक सिंह दूसरे सिंहको बलपूर्वक पछाड़ देता है। तब पुनः श्रीकृष्णकुमारने महान् असुर हरिश्मश्रुको बलपूर्वक सहसा सहस्र योजन पीछे ढकेल दिया। तत्पश्चात् दैत्यराज हरिश्मश्रुने अपनी बाँहको भानुके कंधेमें फँसाकर उन्हें अपनी कमरपर ले लिया और फिर घुटना पकड़कर उन्हें पृथ्वीपर पटक दिया। तब भानुने अपने बाहुबलसे उसे पीठपर ले लिया और उसकी जाँघें पकड़कर उस दैत्यको धरतीपर दे मारा। तदनन्तर वे दोनों पुनः उठकर भुजाओंपर ताल ठोंकते हुए खड़े हो गये। राजन्! वे दोनों फुर्ती दिखाते हुए गरुड और सर्पकी भाँति एक-दूसरेसे लड़ने लगे। दैत्यने अपने बाहुबलसे श्रीकृष्णनन्दन भानुके पैर पकड़कर उन्हें आकाशमें लाख योजन दूर फेंक दिया। आकाशसे गिरनेपर भानुको मन-ही-मन कुछ व्याकुलता हुई; किंतु जैसे शैल-शिखरसे गिरकर प्रह्लाद बच गये थे, उसी प्रकार श्रीहरिकी कृपासे भानुकी भी रक्षा हो गयी। तब श्रीकृष्णकुमारने हरिश्मश्रुकी लंबी दाढ़ी पकड़कर उसे घुमाया और आकाशमें लाख योजन दूर फेंक दिया। आकाशसे गिरनेपर उसके मनमें भी कुछ व्याकुलता हुई। फिर उसने दाढ़ीको अपने मुँहपर सँभालकर भानुको एक मुक्का मारा॥९—१७॥

राजन्! फिर दो घड़ीतक उन दोनोंमें मुक्का-मुक्कीका युद्ध चलता रहा। हरिश्मश्रुका अङ्ग-अङ्ग पिस उठा। तब उसने भानुके मस्तकपर बड़े वेगसे पत्थर मारा। तब तो भानुके क्रोधकी सीमा न रही। उन्होंने लाल आँखें करके एक वृक्ष उखाड़ा और उसे दैत्यके मस्तकपर दे मारा। हरिश्मश्रुने भी एक वृक्ष लेकर उसे भानुके मस्तकपर चलाया। उस समय उस महा-दैत्यके नेत्र लाल हो गये थे और वह क्रोधसे मूर्च्छित होकर अपना विवेक खो बैठा था। उसने एक हाथीकी सूँड़ पकड़कर उस हाथीके द्वारा ही भानुपर प्रहार किया। भानुने एक दूसरा हाथी लेकर उसके चलाये हुए हाथीको हाथमें पकड़ लिया और महादैत्य हरिश्मश्रुपर दृढ़तापूर्वक हाथीसे ही प्रहार किया। वह हाथी चीत्कार कर उठा। दैत्यने उस हाथीको लेकर धरतीपर पटक दिया और उसके दोनों दाँत उखाड़कर उन्हींसे भानुको चोट पहुँचायी। इसी समय भानुको सम्बोधित करके आकाशवाणी हुई—'इस दैत्यकी मृत्यु इसकी दाढ़ीमें ही है। यह महान् असुर

भगवान् शिवके दिये हुए वरदानसे अत्यन्त प्रबल हो गया है'॥ १८—२३ $\frac{1}{2}$ ॥

महाराज! आकाशवाणीका यह कथन सुनकर भानु क्रोधसे भरकर दौड़े। उन्होंने दोनों हाथोंसे दैत्यके पाँव पकड़कर बारंबार गर्जना करते हुए उसे घुमाया और सबके देखते-देखते भूपृष्ठपर उसी तरह पटक दिया, जैसे बालक कमण्डलुको गिरा देता है॥ २४-२५ $\frac{1}{2}$ ॥

फिर हाथोंसे बल लगाकर उसके मुँहसे दाढ़ी उखाड़ ली और महान् असुरके मस्तकपर एक मुक्का मारा। नृपेश्वर! फिर तो दैत्य हरिश्मश्रुकी तत्काल मृत्यु हो गयी और मनुष्यों तथा देवताओंके विजय-सूचक नगारे एक साथ ही बजने लगे। जय-जयकार-की ध्वनि सब ओर व्याप्त हो उठी और देवनायक नाचने लगे॥ २६—२८॥

राजन्! देवता प्रसन्न हो पुष्पवर्षा करने लगे। इस प्रकार मैंने तुमसे श्रीकृष्णके पुत्रोंके परम अद्भुत पराक्रमका वर्णन किया है। अब और क्या सुनना चाहते हो?॥ २९-३०॥

इस प्रकार श्रीगर्गसंहितामें विश्वजित्खण्डके अन्तर्गत नारद-बहुलाश्व-संवादमें 'हरिश्मश्रु दैत्यका वध' नामक सैंतीसवाँ अध्याय पूरा हुआ॥ ३७॥

अड़तीसवाँ अध्याय

प्रद्युम्न और शकुनिके घोर युद्धका वर्णन

बहुलाश्वने पूछा—मुनिश्रेष्ठ! हरिश्मश्रु आदि भाइयोंको मारा गया जानकर महान् असुर शकुनिने आगे क्या किया?॥ १॥

नारदजीने कहा—राजन्! हरिश्मश्रुके मारे जानेपर शकुनि क्रोधसे अचेत-सा हो गया। भ्राताओं-की मृत्युसे उत्पन्न हुए शोकमें डूबकर समराङ्गणमें दैत्योंको सम्बोधित करके उसने कहा॥ २॥

शकुनि बोला—हे पौलोम और कालकेयगण! तुम सब लोग मेरी बात सुनो। अहो! दैवका बल अद्भुत है, उसके कारण क्या उलट-फेर नहीं हो सकता? मेरे भाई कालनाभने पूर्वकालमें समुद्र-मन्थनके अवसरपर यमराजको जीत लिया था, परंतु दैववश वह भी यहाँ मनुष्योंके हाथसे मारा गया। शम्बरने साक्षात् सूर्यदेवको परास्त किया था, किंतु वह बालक श्रीकृष्णकुमारके हाथसे पराजित हुआ। उत्कच महाबलियोंमें भी महाबली था और इन्द्रपर भी विजय पा चुका था, परंतु वह भी बालकृष्णके हाथों मारा गया, यह बात मैंने नारदजीके मुखसे सुनी थी। पहले समुद्र-मन्थनके समय जिसने समस्त असुरोंके समक्ष अग्निदेवको पराजित किया था, वह मेरा भाई हृष्ट भी एक मनुष्यद्वारा मार गिराया गया। जिसके सामनेसे पूर्वकालमें वरुण देवता भी भयभीत हो युद्धसे पीठ दिखाकर भाग गये थे, उस भूत-संतापनको भी तुच्छ पराक्रमवाले मनुष्योंने मार डाला। जिसने पहले महायुद्धमें अपने पराक्रमद्वारा भगवान् शिवको संतुष्ट किया था, उस वृकको यहाँ युद्धमें तुच्छ वृष्णिवंशियोंने मार गिराया। मेरे भाई महानाभने देवलोकमें वायुको भी परास्त किया था, किंतु यहाँ इस समय उसको भी यदुकुलके मनुष्योंने मारा डाला। हा दैव! जिसने स्वर्गलोकमें बलवान् इन्द्रपुत्रको परास्त किया था, उस हरिश्मश्रुको भी यहाँ मानवोंने मार गिराया। इसलिये मैं शपथ खाकर कहता हूँ कि इस पृथ्वीको मैं यादवोंसे शून्य कर दूँगा॥ ३—११॥

जरासंध, शाल्व, बुद्धिमान् दन्तवक्र तथा शिशुपाल—ये मेरे मित्र हैं। सुतल लोकसे प्रचण्ड-पराक्रमी दानवोंको बुलाकर इन मित्रों तथा आप-लोगोंके साथ मैं देवताओंको जीतनेके लिये जाऊँगा और उस युद्धमें बाणासुर भी हमारे साथ होगा। प्रद्युम्न आदि जो उद्भट यादव हैं, उन दुरात्माओंको जीतकर और स्त्रियोंसहित देवताओंको बाँधकर मैं मेरुपर्वतकी गुफाके मुँहमें डाल दूँगा। गौ, ब्राह्मण, देवता, साधु, वेद, तपस्वी, यज्ञ, श्राद्ध, तितिक्षु तथा

नाना तीर्थोंका सेवन करनेवाले धर्मात्माओंको भी मैं निस्संदेह मार डालूँगा। फिर सुखपूर्वक विचरूँगा। देवताओंपर विजय पानेवाला महाबली पराक्रमी राजा कंस धन्य था। वह मेरा मित्र और परम सुहृद् था। खेदकी बात है कि आज वह इस भूतलपर विद्यमान नहीं है॥१२—१६½॥

नारदजी कहते हैं—राजन्! यों कहकर महाबली दानवराज दैत्य शकुनि युद्धमें सहसा प्रद्युम्नके सामने आ गया। लाख भार लोहेके समान सुदृढ़ एवं विशाल धनुष लेकर उसने उसकी प्रत्यञ्चाको टंकारित किया। उसका वह धनुष मयासुरका बनाया हुआ था। उस धनुषकी टंकार-ध्वनिसे दिग्गजोंके कान बहरे हो गये, अनेक पर्वत ढह गये और समुद्र अपनी मर्यादासे विचलित हो उठे। नरेश्वर! सारा ब्रह्माण्ड गूँज उठा और भूमण्डल काँपने लगा। उसकी प्रत्यञ्चाके घोर शब्दसे विह्वल हो योद्धाओंके ऊपर योद्धा गिर पड़े। हाथी रणभूमि छोड़कर भागने लगे और घोड़े युद्ध-भूमिमें उछलने-कूदने लगे॥१७—२१॥

इस प्रकार सब लोग अचानक भयसे घबराकर भागने लगे। तब महान् बल-पराक्रमसे युक्त गद आदि वीर रथपर बैठकर धनुषकी टंकार करते हुए वहाँ आये। शकुनिने संग्रामभूमिमें अर्जुनको दस बाण मारे। इससे रथसहित गाण्डीवधारी अर्जुन चार कोस दूर जाकर गिरे। रणदुर्मद शकुनिने गदके ऊपर बीस बाणोंसे प्रहार किया। राजन्! उसने गदको रथसहित व्योममण्डलमें फेंक दिया और जोर-जोरसे गर्जना करने लगा। राजन्! उस वीरने रथसहित धनुर्धरोंमें श्रेष्ठ अनिरुद्धको चालीस बाणोंसे बींध डाला और अपने सिंहनादसे आकाश-मण्डलको निनादित कर दिया। अनिरुद्धका घोड़ोंसहित रथ सोलह कोस दूर जा गिरा। विदेहराज! शकुनिने समराङ्गणमें साम्बको सौ बाण मारे। राजन्! साम्ब भी रथसहित आकाशमें जा समरभूमिसे बत्तीस योजन दूर मार्गपर जा गिरे॥२२—२७½॥

तत्पश्चात् प्रद्युम्नको सामने आया देख शकुनि क्रोधसे भर गया तथा उसने रणक्षेत्रमें सहसा बाण-समूहोंसे उन्हें घायल कर दिया। राजन्! प्रद्युम्नका रथ दो घड़ीतक चक्कर काटता हुआ सौ कोस दूर पृथ्वीपर इस प्रकार जा गिरा, मानो किसीके द्वारा कमण्डलु फेंक दिया गया हो। शकुनिका बल देखकर समस्त यादव चकित हो उठे। जैसे हाथी पहाड़से सिर टकराते हैं, उसी प्रकार समस्त यादव नाना प्रकारके अस्त्र-शस्त्रों-द्वारा उस दैत्यको घायल करने लगे। गद, अर्जुन, अनिरुद्ध एवं जाम्बवतीकुमार साम्ब अपने धनुषकी टंकार करते हुए पुनः युद्धभूमिमें आ गये। राजन्! तदनन्तर महाबाहु प्रद्युम्न वायुके समान वेगशाली रथपर बैठकर धनुषकी टंकार करते हुए युद्ध-मण्डलमें आ पहुँचे। शकुनिके धनुषकी प्रत्यञ्चा प्रलयकालके समुद्रोंके टकरानेके शब्द-जैसी भयंकर टंकार करती थी। श्रीकृष्णकुमारने दस बाण मारकर उसे काट दिया। फिर सहस्र बाणोंसे उसके सहस्र घोड़ोंको, सौ विशिखोंद्वारा उसके रथको और बीस बाण मारकर उसके सारथिको पृथ्वीपर गिरा दिया। तब उसने रथको उठाकर उसमें दूसरे घोड़े जोते और दूसरा सारथि बैठाकर वह दैत्यराज पुनः रथपर आरूढ़ हुआ। राजन्! तत्पश्चात् उसने प्रचण्ड पराक्रमसे युक्त कोदण्डपर प्रत्यञ्चा चढ़ायी। इसके बाद पीठपर पड़े हुए तरकससे सौ बाण खींचकर उसने धनुषपर रखे और कानतक खींचकर प्रद्युम्नसे कहा॥२८—३७॥

शकुनि बोला—तुम सब लोगोंमें मेरे मुख्य शत्रु तथा मदमत्त योद्धा हो, अतः पहले तुम्हारा ही वध करूँगा। तत्पश्चात् स्वस्थ तेजवाले यादवोंकी सारी सेनाका संहार कर डालूँगा॥३८॥

प्रद्युम्नने कहा—असुर! प्राणियोंकी आयु सदा कालके बलसे नष्ट होती या बीतती है। वह बारंबार छायाकी तरह आती-जाती है। जैसे बादलोंकी पङ्क्ति आकाशमें वायुकी शक्तिसे आती-जाती है, उसी तरह सुख-दुःख भी कालकी प्रेरणासे आता-जाता रहता है। जैसे किसान बोयी हुई खेतीको सींचता है और जब वह पक जाती है, तब स्वयं उसे हँसुएसे सब ओरसे काट लेता है, उसकी प्रकार दुर्जय काल अपनी ही रची हुई देहधारियोंकी श्रेणीको अपने गुणोंद्वारा पालता है और फिर समय आनेपर उसका संहार कर डालता है। जीव तो अहंकारसे मोहित होकर ही ऐसा मानता है कि

'मैं यह करूँगा, मैं यह करता हूँ; यह मेरा है और वह तेरा है; मैं सुखी हूँ, दुःखी हूँ और ये मेरे सुहृद् हैं' इत्यादि॥ ३९—४१॥

शकुनि बोला—नृपश्रेष्ठ! तुम धन्य हो, जो अपनी वाणीद्वारा ऋषि-मुनियोंका अनुकरण करते हो। तीन गुणोंके अनुसार पृथक्-पृथक् जो प्राणियोंका स्वभाव है, उसका उनके लिये त्याग करना कठिन होता है॥ ४२॥

नारदजी कहते हैं—मैथिलेन्द्र! युद्धस्थलमें इस प्रकार परस्पर सत्सङ्गकी बातें करते हुए प्रद्युम्न और शकुनि इन्द्र और वृत्रासुरकी भाँति युद्ध करने लगे। शकुनिके धनुषसे छूटे हुए विशिख सूर्यकी किरणोंके समान चमक उठे, परंतु श्रीकृष्णकुमारने एक ही बाणसे उन सबको काट दिया—ठीक उसी तरह, जैसे एक ही कटुवचनसे मनुष्य पुरानी मित्रताको भी खण्डित कर देता है। तब रण-दुर्मद शकुनिने लाख भारकी बनी भारी और विशाल गदा हाथमें लेकर प्रद्युम्नके मस्तक-पर दे मारी। साक्षात् भगवान् प्रद्युम्नने अपनी वज्र-सरीखी गदासे उसकी गदाके सौ टुकड़े कर दिये—उसी प्रकार जैसे कोई डंडा मारकर काँचके बर्तन टूक-टूक कर दे। तब रोषके आवेशसे युक्त हुए उस दैत्यने एक चमचमाता हुआ त्रिशूल हाथमें लिया और उच्च-स्वरसे गर्जना करते हुए उसके द्वारा प्रद्युम्नके मस्तकपर प्रहार किया। श्रीकृष्णकुमार प्रद्युम्नने भी त्रिशूल मारकर दैत्यके त्रिशूलके सौ टुकड़े कर डाले। इसके बाद रुक्मिणीनन्दनने एक तीखी बरछी लेकर शकुनिके ऊपर चलायी॥ ४३—४८॥

बरछीसे उसकी छाती छिद गयी। इससे उसके मनमें कुछ घबराहट हुई, तथापि उसने समराङ्गणमें प्रद्युम्नको परिघसे पीट दिया। तब बलवान् रुक्मिणी-कुमारने यमदण्ड लेकर दैत्यके उस अद्भुत परिघको उसके द्वारा चूर-चूर कर डाला। इतना ही नहीं, वेगपूर्वक चलाये हुए उस यमदण्डसे सहसा उसके घोड़ोंको, सारथिको और उस दिव्य रथको भी धराशायी कर दिया। नरेश्वर! सारथिके मर जानेपर और घोड़े-सहित रथ एवं परिघके भी चूर-चूर हो जानेपर उस महादैत्यने रोषपूर्वक खड्ग हाथमें लिया। मैथिल! जैसे गरुड किसी सर्पके दो टुकड़े कर दे, उसी प्रकार महावीर प्रद्युम्नने यमदण्डके द्वारा उसके खड्गके दो टुकड़े कर डाले। इसके बाद श्रीकृष्णकुमारने उसी यमदण्डसे दैत्यके कंधेपर प्रहार किया। उसके आघातसे शकुनिको तत्काल मूर्च्छा आ गयी। तदनन्तर क्रोधसे भरे हुए प्रद्युम्नने तत्काल दैत्य-सेनाके भीतर प्रवेश किया। जैसे दावानल जंगलको जलाता है, उसी प्रकार वे उस सेनाके बड़े-बड़े वीरोंको धराशायी करने लगे। माधव प्रद्युम्नने उस यमदण्डके द्वारा यमराजकी भाँति हाथियों, घोड़ों, रथों और उन आततायी दैत्योंको मार गिराया। दैत्योंके पैर, मुख, अङ्ग और भुजाएँ छिन्न-भिन्न हो गयीं। वे समस्त दैत्य और दानव कालके गालमें चले गये। भीम-पराक्रमी प्रद्युम्नको यमराजका रूप धारण किये देख कितने ही दैत्य युद्धभूमिसे अपना-अपना स्थान छोड़कर दसों दिशाओंमें भाग गये॥ ४९—५८॥

इस प्रकार श्रीगर्गसंहितामें विश्वजित्खण्डके अन्तर्गत नारद-बहुलाश्व-संवादमें 'शकुनि और प्रद्युम्नके युद्धका वर्णन' नामक अड़तीसवाँ अध्याय पूरा हुआ॥ ३८॥

उनतालीसवाँ अध्याय

शकुनिके मायामय अस्त्रोंका प्रद्युम्नद्वारा निवारण तथा उनके चलाये हुए श्रीकृष्णास्त्रसे युद्धस्थलमें भगवान् श्रीकृष्णका प्रादुर्भाव

नारदजी कहते हैं—महाराज! शकुनिने फिर उठकर जब अपनी सेनाका विनाश हुआ देखा, तब उसने लाख भारके समान भारी धनुष हाथमें लिया। राजन्! उस प्रचण्डविक्रमशाली कोदण्डपर तीखा बाण रखकर बलवान् दैत्यराज शकुनिने रणभूमिमें प्रद्युम्नसे कहा॥ १-२॥

शकुनि बोला—राजन्! इस भूतलपर कर्म ही प्रधान है। महत् कर्म ही साक्षात् गुरु तथा सामर्थ्यशाली ईश्वर है। यहाँ कर्मसे ही उच्चता और नीचता प्रकट होती है तथा उस कर्मसे ही विजय और पराजय होती है। जैसे सहस्रों गौओंके बीचमें छोड़ा हुआ बछड़ा सत्पुरुषोंके देखते-देखते अपनी माताको ढूँढ़ लेता है, वैसे ही जिसने भी शुभाशुभ कर्म किया है, उसके द्वारा किया हुआ कर्म सहस्रों मनुष्योंके होनेपर भी उस कर्ताको ही प्राप्त होता है। इसके अनुसार मैं सुदृढ़ कर्म करके उसके द्वारा अपने शत्रुस्वरूप तुमको अवश्य जीत लूँगा। इसके लिये मैंने शपथ खायी है। तुम भी शीघ्र ही इसका प्रतीकार करो, जिससे इस भूमिपर तुम्हारी पराजय न हो॥ ३—५॥

प्रद्युम्नने कहा—दैत्यराज! यदि तुम कर्मको प्रधान मानते हो तो यह भी जान लो कि कालके बिना उसका कोई फल नहीं होता। कर्म करनेपर भी उसके पाक या परिणाममें कभी-कभी विघ्न उपस्थित हो जाता है, अतः श्रेष्ठ विद्वान् पुरुषोंने सदा काल या समयको ही बलिष्ठ माना है। दैत्यराज! सुनो, कर्मके परिपाकका अवसर आनेपर भी कर्ताके बिना उसका फल कदापि नहीं प्राप्त होता। इसलिये श्रेष्ठ पुरुष कर्ताको ही प्रधान मानते हैं, कर्म और कालको नहीं। कुछ लोग योग (उपाय) को ही प्रधान मानते हैं; क्योंकि उसके बिना भूतलपर कोई भी कर्म और उसके फलकी सिद्धि नहीं हो सकती। काल, कर्म और कर्ताके रहते हुए भी योगके बिना सब व्यर्थ हो जाता है। योग, कर्म, कर्ता और कालके होते हुए भी विधिज्ञानके बिना सब व्यर्थ हो जाता है, जैसे परिणामके प्रकार आदिका विचार किये बिना फलका यथावत् साधन नहीं होता। योग, कर्म, कर्ता, काल और विधिज्ञानके होनेपर भी ब्रह्मपुरुषके बिना कुछ भी नहीं होता। इसलिये मैं उन परिपूर्णतम भगवान्‌को नमस्कार करता हूँ, जिनसे अखिल विश्वका ज्ञान होता है॥ ६—१०॥

शकुनि बोला—हे महाबाहु प्रद्युम्न! तुम तो साक्षात् ज्ञानके निधि हो, तुम्हारे दर्शनमात्रसे मनुष्य कृतार्थ हो जाता है। जो तुम्हारा सङ्ग पाकर प्रतिदिन तुमसे वार्तालाप करते हैं, उनकी महिमाका वर्णन करनेमें तो चार मुखवाले ब्रह्माजी भी समर्थ नहीं हैं॥ ११-१२॥

नारदजी कहते हैं—राजन्! यों कहकर मायावी और बलवान् दैत्यराज शकुनिने मयासुरसे सीखे हुए रौरवास्त्रका संधान किया। राजन्! उस अस्त्रसे बड़े-बड़े नाग, दंदशूक और विषैले बिच्छू करोड़ोंकी संख्यामें निकले। वे सब-के-सब बड़े विकराल और रौद्ररूपधारी थे। उनके द्वारा डसी हुई सारी सेना उनके फुफकारोंसे मतवाली हो गयी। यह देख परम बुद्धिमान् प्रद्युम्नने गरुडास्त्रका संधान किया। उस अस्त्रसे कोटि-कोटि गरुड, नीलकण्ठ, मोर तथा अन्य भयानक पक्षी उस दैत्यके देखते-देखते प्रकट हुए। उन पक्षियोंने उस युद्धमें नागों, दंदशूकों तथा बिच्छुओंको निगल लिया। फिर वे तीखी चोंच और बड़ी पाँखवाले पक्षी क्षणभरमें अदृश्य हो गये॥ १३—१७॥

राजन्! तब उस रणदुर्मद दैत्य शकुनिने भी राक्षसी, गान्धर्वी, गौह्यकी और पैशाची मायाका संधान किया। उन बाणोंसे निकले हुए विकराल और काले रूपवाले करोड़ों भूत और प्रेत वहाँ अङ्गारोंकी वर्षा करने लगे। उस तामसी और पैशाची मायाको जानकर युद्धाभिलाषी श्रीकृष्णकुमार मीनध्वज प्रद्युम्नने सत्त्वास्त्रका संधान किया। राजन्! उस बाणसे करोड़ों विष्णुपार्षद प्रकट हुए, जिन्होंने उस पैशाची मायाको वैसे ही नष्ट कर दिया, जैसे गरुड नागिनको नष्ट कर दे। तब उस मायावी दैत्यने पुनः गौह्यकी मायाका संधान किया, जिससे गर्जन-तर्जन करते हुए करोड़ों भयानक मेघ प्रकट हुए। ये मल, मूत्र, रक्त, मेदा, मज्जा और हड्डीकी वर्षा करने लगे। महाराज! उस गौह्यकी मायाको जानकर भगवान् प्रद्युम्न हरिने उसके विनाशके लिये बाणपर शूकरास्त्रका संधान किया। उस बाणसे घर्घर ध्वनि करनेवाले भगवान् यज्ञवाराहका प्राकट्य हुआ। वे वेगसे अपनी सटाएँ (गर्दनके बाल) हिलाकर तीखी दाढ़से बादलोंको विदीर्ण करते हुए उसी प्रकार शोभा पाने लगे, जैसे मत्त गजराज बाँसके वृक्षोंको तोड़ता-फोड़ता शोभा पाता है॥ १८—२५॥

तदनन्तर उस दैत्यने रणमण्डलमें गान्धर्वी माया

प्रकट की। युद्ध अदृश्य हो गया और वहाँ सोनेके करोड़ों महल खड़े हो गये। सत्पुरुषोंके देखते-देखते वे स्वर्णमय भवन वस्त्रों और अलंकारोंसे सज गये। वहाँ विद्याधरियाँ और गन्धर्व नाचने-गाने लगे। नरेश्वर! मृदङ्ग, ताल और वाद्योंके मोहक शब्दों तथा रागयुक्त हाव-भाव और कटाक्षोंद्वारा लोगोंको संतुष्ट करती हुई सोलह वर्षकी-सी अवस्थावाली कमलनयनी, मनोमोहिनी, सुन्दरी रमणियाँ वहाँ प्रकट हो गयीं। उनके रूप-लावण्य तथा रागसे जब समस्त वृष्णिवंशी पुरुष मोहित हो गये, तब उस मोहिनी गान्धर्वी मायाको जानकर उसके निवारणके लिये महाबली प्रद्युम्नने रणभूमिमें ज्ञानास्त्रका संधान किया॥ २६—३०॥

नृपेश्वर! उस समय ज्ञानोदय होनेपर सबके मोहका नाश हो गया। उस मायाके नष्ट हो जानेपर क्रोधसे भरे हुए मायावी दैत्यराज शकुनिने राक्षसी मायाका संधान किया। राजन्! फिर तो क्षणभरमें सारा आकाश पंखधारी पर्वतोंसे आच्छादित हो गया। पृथ्वीपर घोर अन्धकार छा गया, मानो प्रलयकालमें मेघोंकी घोर घटा घिर आयी हो। आकाशसे चारों ओर जले वृक्ष, प्रस्तर-खण्ड, हड्डियाँ, धड़, रक्त, गदाएँ, परिघ, खड्ग और मुसल आदि बरसने लगे। विदेहराज! पर्वत मेघोंके समान आकाशमें घूमने लगे। हाथियों और घोड़ोंको अपना भक्ष्य बनाते हुए सैकड़ों राक्षस और यातुधान हाथोंमें शूल लिये 'काट डालो, फाड़ डालो' इत्यादि कहते हुए दृष्टिगोचर होने लगे। रणमण्डलमें बहुत-से सिंह, व्याघ्र और वाराह दिखायी देने लगे, जो अपने नखोंद्वारा हाथियोंको विदीर्ण करते हुए उनके शरीरोंको चबा रहे थे। अपनी सेनाको पलायन करती देख महाबली प्रद्युम्नने उस राक्षसी मायाको जीतनेके लिये नरसिंहास्त्रका संधान किया। इससे साक्षात् रौद्ररूपधारी भगवान् नरसिंह हरि प्रकट हो गये, जिनके अयाल चमक रहे थे। जीभ लपलपा रही थी तथा बड़े-बड़े नख और पूँछ उनकी शोभा बढ़ाते थे। बाल हिल रहे थे, मुँह डरावना दिखायी देता था और वे हुंकारसे अत्यन्त भीषण प्रतीत होते थे। रणमण्डलमें सिंहनाद करते हुए वे खड़े हो गये। उनके उस सिंहनादसे सप्त पाताल और सातों लोकोंसहित सारा ब्रह्माण्ड गूँज उठा, दिग्गज विचलित हो गये, तारे खिसक गये और भूखण्ड-मण्डल काँपने लगा। वे अपने तीखे नखोंसे दैत्योंके देखते-देखते वृक्षोंसहित पर्वतोंको आकाशमें उठाकर उनकी सेनाके बीच भू-पृष्ठपर पटक देते थे। राक्षसोंको पकड़कर बड़े वेगसे फाड़ डालते थे। उन नरहरिने युद्धस्थलमें यातुधानोंको अपने पैरोंसे मसल डाला। सिंहों, व्याघ्रों और वाराहोंको तीखे नखोंसे विदीर्ण करके आकाशमें फेंक दिया। फिर वे भगवान् विष्णु वहीं अन्तर्धान हो गये॥ ३१—४३॥

इस प्रकार राक्षसी मायाके नष्ट हो जानेपर रुक्मिणी-नन्दन प्रद्युम्नने समराङ्गणमें विजयदायक मौलेन्द्र नामक शङ्ख बजाया। उस समय दुन्दुभियोंकी ध्वनिसे मिश्रित जय-जय घोष होने लगा। प्रद्युम्नके ऊपर देवतालोग फूल बरसाने लगे। अपनी मायाके नष्ट हो जानेपर दैत्यराज शकुनि रथ और सैनिकोंके साथ वहीं अदृश्य हो गया। इसके बाद उसने मय नामक दैत्यद्वारा सिखायी हुई दैतेयी माया प्रकट की। उस समय बिजलीकी कड़कके साथ हाथीकी सूँड़के समान मोटी जलधाराएँ बरसाते हुए सांवर्त्तक मेघगण सत्पुरुषोंके देखते-देखते आकाशमें छा गये। एक ही क्षणमें सारे समुद्र प्रचण्ड आँधीसे कम्पित और क्षुभित हो परस्पर टकराते हुए अपने भँवरोंसे समस्त भूमण्डलको आप्लावित करने लगे। उसमें यादवोंके आत्मीय जनोंसहित सारे वृक्ष डूब गये। यह देख समस्त यादव बहुत भयभीत हो गये तथा रामकृष्णके नामोंका कीर्तन करते हुए अपना सारा पराक्रम भूल गये। राजेन्द्र! एक ही क्षणमें वे सब लोग चुपचाप पराजित हो गये। तब महाबाहु प्रद्युम्नने प्रचण्ड पराक्रमके आश्रयभूत कोदण्डपर बाण रखकर उनके ऊपर सहसा श्रीकृष्णास्त्रका संधान किया॥ ४४—५१॥

मिथिलेश्वर! उस समय वहाँ कुशस्थली पुरीके प्रात:कालीन करोड़ों सूर्योंके समान कान्तिमान् उत्कृष्ट तेज:पुञ्ज स्वयं इस प्रकार प्रकट हुआ, मानो वह अपने अभीष्ट अर्थका मूर्तिमान् रूप हो। वह तेज दसों दिशाओंका अनुरञ्जन कर रहा था। उस परम तेजके

भीतर नूतन जलधरके समान श्याम छविसे सुशोभित, सुवर्णमय कमलकी रेणुके सदृश पीत-वसनसे समलंकृत, भ्रमरोंके गुञ्जारवसे निनादित, कुन्तलराशिधारी, वैजयन्तीमाला पहने, श्रीवत्सचिह्न एवं उत्तम कौस्तुभरत्नसे सुशोभित वक्षवाले, प्रफुल्ल पङ्कजके तुल्य विशाललोचन, चार भुजाधारी श्रीकृष्ण दृष्टिगोचर हुए। उनके मस्तकपर सुन्दर किरीट, कण्ठमें मनोहर हार तथा चरणोंमें नवल नूपुर शोभा दे रहे थे। कानोंमें नूतन सूर्यकी-सी कान्तिवाले सोनेके कुण्डल झलमला रहे थे॥ ५२—५४॥

इस प्रकार भगवान् श्रीकृष्णको देखकर यदुवंशी अत्यन्त हर्षसे खिल उठे। उन्होंने दोनों हाथ जोड़कर उन परमेश्वरको प्रणाम किया। मिथिलेश्वर! उस समय देवतालोग सब ओरसे फूल बरसाकर जोर-जोरसे जय-जयकार करने लगे। तत्काल आये हुए शार्ङ्गधनुषधारी भगवान् श्रीकृष्णने अपने शार्ङ्गधनुषसे छूटे हुए एक ही बाणसे लीला-पूर्वक शकुनिके प्रत्यञ्चासहित कोदण्डको रोष-पूर्वक खण्डित कर दिया। धनुष कट जानेपर तिरस्कृत हुआ शकुनि युद्ध छोड़कर अपने अस्त्र-शस्त्रोंका समूह ले आनेके लिये चन्द्रावतीपुरीको चला गया॥ ५५—५७॥

इस प्रकार श्रीगर्गसंहितामें विश्वजित्खण्डके अन्तर्गत नारद-बहुलाश्व-संवादमें 'श्रीकृष्णका आगमन' नामक उनतालीसवाँ अध्याय पूरा हुआ॥ ३९॥

चालीसवाँ अध्याय

शकुनिके जीवस्वरूप शुकका निधन

नारदजी कहते हैं—राजन्! शकुनिके चले जानेपर कमलनयन भगवान् श्रीकृष्णने प्रद्युम्न आदि समस्त यादवोंको बुलाकर इस प्रकार कहा॥ १॥

श्रीभगवान् बोले—पूर्वकालमें सुमेरु पर्वतके उत्तरभागमें इस शकुनि नामक दैत्यने चार युगोंतक निराहार रहकर तपस्याद्वारा भगवान् शिवको संतुष्ट किया। चार युग व्यतीत हो जानेपर साक्षात् महेश्वर-देवने प्रसन्न होकर दर्शन दिया और कहा—'वर माँगो।' दैत्य शकुनिने उनको प्रणाम किया। उसका रोम-रोम खिल उठा और नेत्रोंमें प्रेमके आँसू छलक आये। उसने दोनों हाथ जोड़कर गद्गद वाणीमें धीरेसे कहा—'प्रभो! यदि मैं मरूँ तो भूतलका स्पर्श होते ही फिर जी जाऊँ और आकाशमें भी हे देव! दो घड़ीतक मेरी मृत्यु न हो।' दैत्यके इस प्रकार कहनेपर भगवान् हरने उसे दोनों वर दे दिये और पिंजरेमें रखे हुए एक तोतेको देकर उस नतमस्तक दैत्यसे कहा—'निष्पाप दैत्य! यह तोता तुम्हारे जीवके तुल्य है। तुम इसकी सदा रक्षा करना। असुर! इसके मर जानेपर तुम्हें यह जानना चाहिये कि मेरी ही मृत्यु हो गयी है।' उसे इस प्रकार वर देकर रुद्रदेव अन्तर्धान हो गये। इसलिये दुर्गमें तोतेकी मृत्यु हो जानेपर शकुनिका वध होगा॥ २—८॥

नारदजी कहते हैं—यह कहकर वीरोंकी उस सभामें भगवान् देवकीनन्दनने गरुडको शीघ्र बुलाकर हँसते हुए मुखसे कहा॥ ९॥

श्रीभगवान् बोले—परम बुद्धिमान् गरुड! मेरी बात सुनो, तुम चन्द्रावतीपुरीको जाओ। वह पुरी सौ योजन विस्तृत है और दैत्योंकी सेनासे घिरी हुई है। सुवर्ण और रत्नोंसे मनोहर प्रतीत होनेवाले गगनचुम्बी महलों तथा विचित्र उपवनों एवं उद्यानोंसे सुशोभित है। बड़े-बड़े दैत्य उसकी शोभा बढ़ाते हैं। उसके प्रत्येक दुर्गमें और दरवाजोंपर दैत्यपुंगव उसकी रक्षा करते हैं (उस पुरीमें जाकर तुम शकुनिके महलके भीतर पिंजरेमें सुरक्षित तोतेको मार डालो)॥ १०-११ $\frac{१}{२}$॥

नारदजी कहते हैं—राजन्! उस पुरीको देखनेके लिये गरुडने सूक्ष्म रूप धारण कर लिया। वे दैत्योंसे अलक्षित रहकर, अट्टालिकाओं तथा तोलिकाओंका निरीक्षण करते हुए, उड़-उड़कर एक महलसे दूसरे

महलमें होते हुए शकुनिके भवनमें जा पहुँचे। दैत्यके जीवस्वरूप शुककी खोज करते हुए गरुडजी क्षणभर वहाँ खड़े रहे। उस समय दैत्यराज शकुनि वहाँ युद्धके लिये कवच धारण किये भाँति-भाँतिके अस्त्र-शस्त्र ले रहा था। उस वीरका हृदय क्रोधसे भरा हुआ था। राजन्! उसकी स्त्री मदालसा उसकी कमरमें दोनों हाथ डालकर बोली॥ १२—१५॥

मदालसाने कहा—राजन्! प्राणनाथ! तुम्हारे सारे सुहृद्, अनुकूल चलनेवाले भाई तथा उद्भट दैत्यप्रवर युद्धमें मारे गये। यादवोंके साथ युद्ध करनेके लिये न जाओ; क्योंकि उनके पक्षमें साक्षात् भगवान् श्रीहरि आ गये हैं। उन्हें तत्काल भेंट अर्पित करो, जिससे कल्याणकी प्राप्ति हो॥ १६-१७॥

शकुनि बोला—प्रिये! यादवोंने बलपूर्वक मेरे भाइयोंका वध किया है, अतः मैं अपनी सेनाओंद्वारा उन्हें अवश्य मारूँगा। भगवान् शिवके वरदानसे भूतलपर मेरी मृत्यु नहीं होगी। प्रिये! चन्द्रनामक उपद्वीपमें सुन्दर पतंग पर्वतपर इस समय मेरा जीवरूपी शुक विद्यमान है। शङ्खचूड़ नामक सर्प दिन-रात उसकी रक्षा करता है। इस बातको कोई नहीं जानता। फिर मेरी मृत्यु कैसे हो सकती है॥ १८—२०॥

नारदजी कहते हैं—राजन्! शुकविषयक वृत्तान्त सुनकर दिव्यवाहन गरुडने वहाँसे चन्द्रनामक उपद्वीपमें जानेका विचार किया। वेगसे उड़ते हुए गरुड समुद्रके तटपर जा पहुँचे और चन्द्रद्वीपकी खोज करते हुए आकाशमें विचरने लगे। शतयोजन विस्तृत एवं भयंकर गर्जना करनेवाले समुद्रपर दृष्टिपात करते हुए पक्षिराज गरुड लतावृन्दसे मनोरम सिंहलद्वीपमें पहुँच गये। वहाँके लोगोंसे गरुडने पूछा—'इस स्थानका क्या नाम है?' उत्तर मिला—'सिंहलद्वीप।' तब वहाँसे उड़ते हुए गरुड बड़े वेगसे त्रिकूटपर्वतके शिखरपर बसी हुई लङ्कामें जा पहुँचे। लङ्का जाकर वहाँसे भी उड़े और पाञ्चजन्यद्वीपमें चले गये। पाञ्चजन्यसागरके निकट पहुँचनेपर बलवान् पक्षिराज गरुडको बड़ी भूख लगी। इन्होंने हठात् तीखी चोंच-द्वारा बहुत-से मत्स्य पकड़ लिये। उन्हीं मत्स्योंमें एक बड़ा भारी मगर भी आ गया, जो दो योजन लंबा था। उसने गरुडका एक पैर पकड़ लिया और पानीके भीतर खींचने लगा। गरुड अपना बल लगाकर उसे किनारेकी ओर खींचने लगे। राजन्! उस समय दो घड़ीतक उन दोनोंमें खींचातानी चलती रही। गरुडका वेग बड़ा प्रचण्ड था। उन्होंने अपनी तीखी चोंचसे उस मगरकी पीठपर इस प्रकार चोट की, मानो यमराजने यमदण्डसे प्रहार किया हो। उसी समय वह मगरका रूप छोड़कर तत्काल एक महान् विद्याधर हो गया। उसने साक्षात् गरुडको मस्तक झुकाया और हँसते हुए कहा॥ २१—३०॥

विद्याधर बोला—मैं पूर्वकालमें हेमकुण्डल नामक प्रसिद्ध विद्याधर था। एक दिन देवमण्डलमें सम्मिलित हो मैं आकाशगङ्गामें स्नान करनेके लिये गया। वहाँ मुनिश्रेष्ठ ककुत्स्थ पहलेसे स्नान कर रहे थे। हँसी-हँसीमें उनका पैर पकड़कर मैं उन्हें जलके भीतर खींच ले गया। तब ककुत्स्थने मुझे शाप देते हुए कहा—'दुर्बुद्धे! तू मगर हो जा।' तब मैंने उन्हें अनुनय-विनयसे प्रसन्न किया। वे शीघ्र ही प्रसन्न हो गये और वर देते हुए बोले—'गरुडकी चोंचका प्रहार होनेपर तुम मगरकी योनिसे छूट जाओगे।' सुव्रत! आज आपकी कृपासे मैं ककुत्स्थ मुनिके शापसे छुटकारा पा गया॥ ३१—३४॥

नारदजी कहते हैं—यों कहकर जब हेमकुण्डल नामक विद्याधर स्वर्गलोकको चला गया, तब गरुड दोनों पाँखोंसे उड़कर वहाँसे व्योममण्डलमें पहुँच गये। वहाँसे वेगपूर्वक उड़ते हुए वे हरिण नामक उपद्वीपमें गये। वहाँ अपान्तरतमा नामक मुनि बड़ी भारी तपस्या करते थे। उनके आश्रममें जानेपर पक्षिराज गरुडकी एक पाँख टूटकर गिर गयी। उसे देखकर अपान्तरतमा नामक मुनि गरुडसे बोले—'पक्षिन्! मेरे मस्तकपर अपनी पाँख रखकर तुम सुखपूर्वक चले जाओ।' तब गरुड उनके मस्तकपर पाँख रखकर आगे बढ़ गये। अपने ही समान अनेकानेक चन्द्रोपम पंख गरुडने उनके सिरपर देखे। इससे उन्हें बड़ा विस्मय हुआ। तब अपान्तरतमा मुनि गरुडसे बोले—'पक्षिराज! जब-जब श्रीकृष्णका अवतार होता है, तब-तब सदा गरुडकी एक पाँख यहाँ

गिरती है। कल्प-कल्पमें श्रीकृष्णचन्द्रका अवतार होता है और तब-तब मेरे मस्तकपर गरुडका पंख गिरता है। इस प्रकार यहाँ अनन्त पंख पड़े हैं। जो सबके आदि-अन्त बताये जाते हैं, उन भगवान् श्रीकृष्णको मैं मस्तक झुकाकर प्रणाम करता हूँ॥ ३५—४१॥

नारदजी कहते हैं—यह सुनकर गरुड आश्चर्य-चकित हो उठे। उन्होंने उन मुनिवरको प्रणाम करके फिर अपनी उड़ान भरी और आकाशमण्डलमें होते हुए वे रमणकद्वीपमें चले गये। वहाँ सर्पोंसे बलि लेकर वे आवर्तकद्वीपमें गये और वहाँके सुधाकुण्डमें सुधाका पान करके बलवान् पक्षिराज शुक्रद्वीपमें जा पहुँचे। वहाँ उन्होंने मुझसे चन्द्रद्वीपका पता पूछा। फिर मेरे कहनेसे पक्षी गरुड उत्तर दिशाकी ओर गये। इस तरह वे खगेश्वर चन्द्रद्वीपके पर्वतपर जा पहुँचे। वहाँ विनतानन्दनने जलदुर्ग और अग्निदुर्ग देखा। मिथिलेश्वर! बलवान् पक्षिराजने सारे जलदुर्गको अपनी चोंचमें लेकर उसीसे अग्निदुर्गको बुझा दिया। वहाँ पर्वतीय कन्दराके द्वारपर जो लाखों दैत्य सोये थे, वे उठ खड़े हुए। उनके साथ दो घड़ीतक गरुडका युद्ध चलता रहा। पक्षिराजने युद्धमें अपने पंजोंसे कितने ही राक्षसोंको विदीर्ण कर डाला, किन्हींको पाँखोंसे मारकर धराशायी कर दिया। कुछ दैत्योंको चोंचसे पकड़कर बलवान् पक्षिराजने पर्वतके पृष्ठभागपर पटक दिया और फिर उठाकर बलपूर्वक आकाशमें फेंक दिया। कुछ मर गये और शेष दैत्य दसों दिशाओंमें भाग गये। इस तरह दैत्योंका संहार करके पक्षिराज गुफामें घुस गये॥ ४२—५०॥

वहाँ शङ्खचूड़ नामक सर्पके मस्तकपर उन्होंने अपने चमकीले पैरसे आघात किया। शङ्खचूड़ गरुडको देखकर अत्यन्त तिरस्कृत हो पिंजरेके तोतेको पानीमें फेंककर शीघ्र ही वहाँसे पलायन कर गया। राजन्! गरुडने पिंजरेसहित शुकको तत्काल अपनी चोंचमें लेकर आकाशमें उड़ते हुए युद्धस्थलमें जानेका विचार किया। तबतक भागे हुए दैत्योंका महान् कोलाहल आरम्भ हुआ। नरेश्वर! 'तोता ले गया, तोता ले गया'—इस प्रकार चिल्लाते हुए उन असुरोंकी आवाज आकाशमें और सम्पूर्ण दिशाओंमें फैल गयी और दैत्यकी सेनाओंके लोगोंने भी इस बातको सुना॥ ५१—५४॥

स्वर्ग, भूतल एवं समस्त ब्रह्माण्डमें 'तोता ले गया, तोता ले गया' की आवाज गूँज उठी। उसे सुनकर असुरोंसहित शकुनि सशङ्क हो गया। वह शूल लेकर तत्काल चन्द्रावतीपुरीसे उठा और 'गरुड तोतेको ले गये हैं'—यह सुनकर रोषपूर्वक उनका पीछा करने लगा। उसने गरुडको अपने शूलसे मारा, तो भी उन्होंने मुखसे तोतेको नहीं छोड़ा। वे सातों समुद्र और सातों द्वीपोंका निरीक्षण करते हुए आगे बढ़ते गये। दैत्यराज शकुनिने प्रत्येक दिशामें और आकाशके भीतर भी उनका पीछा किया। राजन्! नागान्तक गरुड आकाशमें भ्रमण करते हुए कोटि योजनतक चले गये। दैत्यके त्रिशूलकी मारसे वे क्षत-विक्षत हो गये, तथापि मुखसे तोतेको छोड़ नहीं सके॥ ५५—५८ $\frac{१}{२}$ ॥

राजन्! लाख योजन ऊँचे आकाशमें जानेपर पिंजरे सहित शुक पत्थरकी भाँति सुमेरुपर्वतके शिखरपर बड़े वेगसे गिरा। पिंजरा टूट गया और तोतेके प्राण-पखेरू उड़ गये। तदनन्तर गरुड उस महायुद्धमें श्रीकृष्णके पास चले गये। राजन्! दैत्य शकुनि खिन्न-चित्त हो चन्द्रावतीपुरीमें लौट गया॥ ५९—६१॥

इस प्रकार श्रीगर्गसंहितामें विश्वजित्खण्डके अन्तर्गत नारद-बहुलाश्व-संवादमें 'गरुडका आगमन' नामक चालीसवाँ अध्याय पूरा हुआ॥ ४०॥

इकतालीसवाँ अध्याय

शकुनिका घोर युद्ध, सात बार मारे जानेपर भी उसका भूमिके स्पर्शसे पुनः जी उठना; अन्तमें भगवान् श्रीकृष्णद्वारा युक्तिपूर्वक उसका वध

नारदजी कहते हैं—राजन्! शेष दैत्योंको लेकर नाना प्रकारके अस्त्र-शस्त्र धारण किये बलवान् वीर शकुनि, दिव्य मनोहर अश्व उच्चैःश्रवापर आरूढ़ हो, क्रोधसे अचेत-सा होकर, धनुषकी टंकार करता हुआ भगवान् श्रीकृष्णके भी सम्मुख युद्ध करनेके लिये आ गया॥ १-२॥

रणदुर्मद दैत्य शकुनि तथा उसकी सेनाका पुनः आगमन देख समस्त वृष्णिवंशियोंने अपने-अपने आयुध उठा लिये। उस समय दैत्योंका यादवोंके साथ घोर युद्ध हुआ। वीरोंके साथ वीर इस तरह जूझने लगे, जैसे सिंहोंके साथ सिंह लड़ रहे हों। राजन्! मेघकी गर्जनाके समान बारंबार कोदण्डकी टंकार करता हुआ शकुनि सबके आगे था। उसने नाराचोंद्वारा दुर्दिन उपस्थित कर दिया। बाणोंका अन्धकार छा जानेपर शार्ङ्गधनुष धारण करनेवाले भगवान् गरुडध्वज अपने उस धनुषसे उसी प्रकार सुशोभित हुए, जैसे इन्द्रधनुषसे मेघकी शोभा होती है। साक्षात् भगवान् श्रीकृष्णने अपने एक ही बाणसे लीलापूर्वक असुर शकुनिके बाण-समूहोंको काट डाला॥ ३—७॥

मिथिलेश्वर! युद्धमें अपने कोदण्डको कानतक खींचकर शकुनिने भगवान् श्रीकृष्णके हृदयमें दस बाण मारे। तब प्रलय-समुद्रके महान् आवर्तोंके भीषण संघर्षके समान गम्भीर नाद करनेवाली शकुनिके धनुषकी प्रत्यञ्चाको श्रीकृष्णने दस बाणोंसे काट डाला। नरेश्वर! मायावी दैत्य शकुनि सबके देखते-देखते सौ रूप धारण करके श्रीहरिके साथ युद्ध करने लगा। तब साक्षात् भगवान् श्रीकृष्ण एक सहस्र रूप धारण करके उस दैत्यके साथ युद्ध करने लगे, वह अद्भुत-सी बात हुई। बलवान् दैत्यराज शकुनिने मयासुरके बनाये हुए अग्नितुल्य तेजस्वी त्रिशूलको घुमाकर उसे श्रीहरिके ऊपर चला दिया। तब कुपित हुए परिपूर्णतम महाबाहु श्रीहरिने उस त्रिशूलको वैसे ही काट दिया, जैसे तीखी चोंचवाला गरुड किसी सर्पको टूक-टूक कर डाले॥ ८—१३॥

तदनन्तर क्रोधसे भरे हुए महाबाहु श्रीहरिने शकुनि-के मस्तकपर अपनी गदा चलायी तथा उस वज्रतुल्य गदाकी चोटसे उस दैत्यको घोड़ेसे नीचे गिरा दिया। गदाकी चोटसे पीड़ित हुआ दैत्य क्षणभरके लिये मूर्च्छित हो गया। फिर युद्धस्थलमें अपनी गदा लेकर वह माधवके साथ युद्ध करने लगा॥ १४-१५॥

उस समय रणमण्डलमें गदाओंद्वारा उन दोनोंके बीच घोर युद्ध हुआ। गदाओंके टकरानेका चट-चट शब्द वज्रके टकरानेकी भाँति सुनायी पड़ता था। श्रीकृष्णकी गदासे चूर-चूर होकर शकुनिकी गदा पृथ्वीपर गिर पड़ी। वह युद्धमें सबके देखते-देखते अङ्गारकी भाँति दहकने लगी। जैसे पर्वतकी कन्दरामें दो सिंह लड़ते हों, जैसे वनमें दो मतवाले हाथी जूझते हों, उसी प्रकार समराङ्गणमें वे दोनों—श्रीकृष्ण और शकुनि परस्पर युद्ध करने लगे। शकुनिने श्रीकृष्णको सौ योजन पीछे कर दिया और श्रीकृष्णने उसे भूतलपर सहस्र योजन पीछे ढकेल दिया। तब त्रिभुवननाथ श्रीहरिने उसे दोनों भुजाओंमें पकड़कर जाँघोंके धक्केसे जमीनपर वैसे ही पटक दिया, जैसे किसी बालकने कमण्डलु फेंक दिया हो। इससे उस दैत्यको कुछ व्यथा हुई। फिर उस युद्धदुर्मद दुराचारी शकुनिने जारुधि पर्वतको पकड़कर उसे श्रीकृष्णपर चला दिया। पर्वतको अपने ऊपर आता देख कमलनयन भगवान् श्रीकृष्णने पुनः उसे उसीकी ओर लौटा दिया। इस प्रकार जयशब्दका उच्चारण करते हुए वे दोनों एक-दूसरेपर उसी पर्वतके द्वारा प्रहार करते रहे। राजन्! उस पर्वतके आघातसे उन दोनोंने चन्द्रावती-पुरीको भी चूर्ण कर दिया॥ १६—२२ $\frac{1}{2}$ ॥

उस समय दैत्य शकुनिने अत्यन्त कुपित हो ढाल-तलवार उठा ली और महात्मा श्रीकृष्णके सामने

वह युद्धके लिये आ गया। तब भगवान् शार्ङ्गधरने अपना शार्ङ्गधनुष लेकर उसके ऊपर सहसा अर्धचन्द्र-मुख बाणका संधान किया, जो युद्धस्थलमें ग्रीष्मऋतुके सूर्यके समान उद्भासित हो उठा। शार्ङ्गधनुषसे छूटा हुआ वह दिव्य बाण दिङ्मण्डलको विद्योतित करता हुआ शकुनिका मस्तक काटकर भूमिका भेदन करके तललोकमें चला गया। उस समय दैत्य शकुनि प्राण-शून्य होकर युद्धस्थलमें गिर पड़ा। मिथिलेश्वर! भूमिका स्पर्श होते ही वह क्षणभरमें पुनः जीवित हो उठा। अपने कटे हुए मस्तकको अपने ही हाथसे धड़पर रखकर वह युद्ध करनेके लिये पुनः उठ खड़ा हुआ, वह अद्भुत-सी घटना हुई॥ २३—२७ $\frac{1}{2}$ ॥

इस प्रकार श्रीकृष्णके हाथसे सात बार मारे जाने-पर भी वह महान् असुर भूमिके स्पर्शसे जी उठा तथा राहुकी भाँति फिर उठ खड़ा हुआ। अब वह अकेले ही यादव-कुलका संहार करनेके लिये उद्यत हुआ। वनमें दावानलकी भाँति उस शक्तिशाली महादैत्यने तत्काल यादव-सेनामें प्रवेश किया। उसने घोड़ों और अस्त्र-शस्त्रोंसहित महावीर घुड़सवारोंको तथा मदमत्त हाथियोंको भुजाओंसे पकड़कर आकाशमें लाख योजन दूर फेंक दिया। किन्हीं हाथियोंका मुँह, किन्हींके दोनों कंधे तथा किन्हींके दोनों कक्ष पकड़कर फेंकता हुआ वह दैत्य कालाग्नि रुद्रके समान जान पड़ता था॥ २८—३१ $\frac{1}{2}$ ॥

उस दैत्यके दोनों पैरों और हाथोंने उस महासमरमें जब भारी आतङ्क उत्पन्न कर दिया और महात्मा श्रीकृष्णकी सेनामें जोरसे हाहाकार होने लगा, तब विश्वरक्षक साक्षात् भगवान् श्रीकृष्णने साधुपुरुषोंकी रक्षाके लिये अपने अस्त्र सुदर्शनचक्रका प्रयोग किया। उनके हाथसे छूटा हुआ तीखा सुदर्शनचक्र प्रलय-कालके कोटि सूर्योंकी दीप्तिमती प्रभासे प्रज्वलित हो उठा। उसने उस महायुद्धमें शकुनिके सुदृढ़ मस्तकको उसी तरह काट लिया, जैसे वज्रने वृत्रासुरका मस्तक काटा था। तबतक भगवान् श्रीकृष्णने महासमरमें मरे हुए शकुनिको बलपूर्वक आकाशमें फेंक दिया। फिर श्रीपतिने यादवोंसे कहा—'तुमलोग इसके शरीरको बाणोंसे ऊपर-ही-ऊपर फेंकते रहो॥ ३२—३५॥

नारदजी कहते हैं—राजन्! श्रीहरिकी ऐसी बात सुनकर समस्त यादवश्रेष्ठ वीर आकाशसे गिरते हुए उस दैत्यको चमकीले बाणोंसे ताड़ित करने लगे। राजन्! दीप्तिमान्के बाणोंसे आहत हो वह दैत्य लोगोंके देखते-देखते गेंदकी भाँति सौ योजन ऊपर चला गया। फिर साम्बके बाणका धक्का पाकर वह एक सहस्त्र योजन ऊपर चला गया। जब वह पुनः आकाशसे नीचे गिरने लगा, तब अर्जुनने अपने बाणसे उसपर चोट की। उस बाणसे वह दैत्यराज दस हजार योजन ऊपर चला गया। तदनन्तर जब वह नीचे आने लगा, तब अनिरुद्धके बाणने उसे लाख योजन ऊपर उछाल दिया। इसके बाद प्रद्युम्नके बाणसे वह दस लाख योजन ऊपर उठ गया। तत्पश्चात् उसे पुनः आकाशसे नीचे गिरते देख योगेश्वरेश्वर भगवान् श्रीकृष्णने उसपर बाण मारा, जिससे वह कोटि योजन ऊपर चला गया। इस प्रकार दो पहरतक वह दैत्य आकाशमें ही स्थित रह गया, उसे नीचे नहीं गिरने दिया॥ ३६—४१॥

तदनन्तर साक्षात् श्रीहरिने उसके ऊपर दूसरा बाण मारा। उस बाणने सम्पूर्ण दिशाओंमें उसको कोटि योजनतक घुमाकर समुद्रमें वैसे ही ला पटका, जैसे हवाने कमलके फूलको उड़ाकर नीचे डाल दिया हो। राजन्! इस प्रकार जब उस दैत्यकी मृत्यु हो गयी, तब उसके शरीरसे एक प्रकाशमान ज्योति निकली और वह चारों ओरसे परिक्रमा देकर भगवान् श्रीकृष्णमें विलीन हो गयी। उस समय भूतल और आकाशमें जय-जयकार होने लगी। विद्याधरियाँ और गन्धर्वकन्याएँ आनन्दमग्न हो आकाशमें नृत्य करने लगीं, किंनर और गन्धर्व यश गाने लगे तथा सिद्ध और चारण स्तुति सुनाने लगे। समस्त ऋषियों और मुनियोंने श्रीहरिकी भूरि-भूरि प्रशंसा की। ब्रह्मा, रुद्र, इन्द्र और सूर्य आदि सब देवता वहाँ आ गये और श्रीकृष्णके ऊपर फूलोंकी वर्षा करने लगे॥ ४२—४७॥

इस प्रकार श्रीगर्गसंहितामें विश्वजित्खण्डके अन्तर्गत नारद-बहुलाश्व-संवादमें 'शकुनि दैत्यका वध' नामक इकतालीसवाँ अध्याय पूरा हुआ॥ ४१॥

बयालीसवाँ अध्याय

श्रीकृष्णका यादवोंके साथ चन्द्रावतीपुरीमें जाकर शकुनि-पुत्रको वहाँका राज्य देना तथा शकुनि आदिके पूर्व जन्मोंका परिचय

नारदजी कहते हैं—राजन्! बचे हुए दैत्य रणभूमिसे भाग गये। यादवेन्द्र भगवान् श्रीहरि वीणा, वेणु, मृदङ्ग और दुन्दुभि आदि बाजे बजवाते और सूत, मागध एवं वन्दीजनोंके मुखसे अपने यशका गान सुनते हुए, पुत्रों तथा अन्य यादवोंके साथ सेनासे घिरकर शङ्ख, चक्र, गदा, कमल और शार्ङ्गधनुषसे सुशोभित हो, देवताओंसहित चन्द्रावतीपुरीमें गये। वहाँ अपने पतिके मारे जानेके कारण रानी मदालसा शकुनिके पुत्रको गोदमें लिये दुःखसे आतुर हो अत्यन्त करुणाजनक विलाप कर रही थी। उसके मुखपर अश्रुधारा बह रही थी और वह अत्यन्त दीन हो गयी थी। उसने तुरंत ही हाथ जोड़कर अपने बच्चेको श्रीकृष्णके चरणोंमें डाल दिया और भगवान्को नमस्कार करके कहा॥ १—५॥

मदालसा बोली—प्रभो! आदिदेव! आप भूतलका भार उतारनेके लिये यदुकुलमें अवतीर्ण हुए हैं। आप ही संसारके स्रष्टा हैं और प्रलयकाल आनेपर आप ही इसका संहार करेंगे; किंतु कभी आप गुणोंसे लिप्त नहीं होते। मैं आपकी अनुकूलता प्राप्त करनेके लिये आपके चरणोंमें प्रणाम करती हूँ। मेरा बेटा बहुत डरा हुआ है। आप इसकी रक्षा कीजिये। देव! इसके मस्तकपर अपना वरद हस्त रखिये। देवेश! जगन्निवास! मेरे पतिने आपका जो अपराध किया है, उसे क्षमा कीजिये॥ ६-७॥

नारदजी कहते हैं—राजन्! मदालसाके यों कहनेपर महामति भगवान् श्रीकृष्णने उस बालकके मस्तकपर अपने दोनों हाथ रखकर चन्द्रावतीका सारा राज्य उसे दे दिया। फिर कल्पपर्यन्तकी लंबी आयु देकर वैराग्यपूर्ण ज्ञान एवं अपनी भक्ति प्रदान की। तदनन्तर उस शकुनिकुमारको श्रीकृष्णने अपने गलेकी सुन्दर माला उतारकर दे दी। शकुनिने पहले युद्धमें इन्द्रसे जो उच्चैःश्रवा घोड़ा, चिन्तामणि रत्न, कामधेनु और कल्पवृक्ष छीन लिये थे, वे सब श्रीजनार्दनने प्रयत्नपूर्वक देवेन्द्रको लौटा दिये; क्योंकि भगवान् स्वयं ही गौओं, ब्राह्मणों, देवताओं, साधुओं तथा वेदोंके प्रतिपालक हैं॥ ८—११॥

बहुलाश्वने पूछा—देवर्षे! पूर्वकालमें ये महाबली शकुनि आदि दैत्य कौन थे और कैसे इन्हें मोक्षकी प्राप्ति हुई? इस बातको लेकर मेरे मनमें बड़ा आश्चर्य हो रहा है॥ १२॥

नारदजी कहते हैं—राजन्! पूर्वकालके ब्रह्मकल्पकी बात है, परावसु गन्धर्वोंका राजा था। उसके बड़े सुन्दर नौ औरस पुत्र हुए। वे सभी कामदेवके समान रूप-सौन्दर्यशाली, दिव्य भूषणोंसे विभूषित और गीत-वाद्य-विशारद थे तथा प्रतिदिन ब्रह्मलोकमें गान किया करते थे। उनके नाम थे—मन्दार, मन्दर, मन्द, मन्दहास, महाबल, सुदेव, सुघन, सौध और श्रीभानु। एक समय ब्रह्माजीने अपनी पुत्री वाग्देवता सरस्वतीको मोहपूर्वक देखा। विधाताके इस व्यवहार-को लक्ष्य करके परावसुके पुत्र मन-ही-मन हँसने लगे। सुरश्रेष्ठ ब्रह्माके प्रति अपराध करनेके कारण उन्हें तामसी योनिमें जाना पड़ा। श्वेतवाराहकल्प आनेपर वे नवों गन्धर्व हिरण्याक्षकी पत्नीके गर्भसे उत्पन्न हुए। उस समय उनके नाम इस प्रकार हुए—शकुनि, शम्बर, हृष्ट, भूत-संतापन, वृक, कालनाभ, महानाभ, हरिश्मश्रु तथा उत्कच। एक दिनकी बात है, अपने घरपर आये हुए अपान्तरतमा मुनिको नमस्कार करके उनकी विधिवत् पूजा करनेके पश्चात् उन सबने आदरपूर्वक इस प्रकार पूछा॥ १३—१९॥

दैत्य बोले—ब्रह्मन्! सुनिये। आप अपने मुँहसे कहते हैं कि कैवल्यके स्वामी साक्षात् भगवान् श्रीहरि हैं, वे भक्तवत्सल भगवान् भक्तोंको मोक्ष प्रदान करते हैं; परंतु हमलोग आसुरी-योनिमें पड़कर सदा कुसङ्गमें तत्पर रहनेवाले और दुष्ट हैं, हमने कभी भगवान्की

भक्ति नहीं की। अतः इस जन्ममें हमारा मोक्ष कैसे होगा। ब्रह्मन्! हमें परम कल्याणका उपाय बताइये; क्योंकि प्रभो! आप दीनजनोंके कल्याणके लिये ही जगत्में विचरते रहते हैं॥ २०—२२॥

अपान्तरतमाने कहा—दैत्यकुमारो! गुण पृथक्-पृथक् नहीं रहते, वे सब मिले-जुले होते हैं। अथवा जिसके जो गुण हैं, वे उससे विलग नहीं होते। अतः उन्हीं गुणोंके द्वारा जो गुणातीत मोक्षाधीश्वर परमात्मा श्रीहरिका भजन करते रहे हैं, वे दैत्य उन परमात्माको प्राप्त हो चुके हैं। ऐक्यसम्बन्ध, सौहार्द, स्नेह, भय, क्रोध तथा स्मय (अभिमान)—इन भावों या गुणोंको सदा श्रीकृष्णके प्रति प्रयुक्त करके वे दैत्यगण उन्हींमें लीन हो गये। उदाहरणतः भगवान् पृश्निगर्भके साथ एकता (एक कुल, कुटुम्ब या गोत्र) का सम्बन्ध माननेके कारण प्रजापतिगण मुक्त हो गये। भगवान्के प्रति सौहार्द स्थापित करनेसे कयाधूपुत्र प्रह्लादने भगवान्को पा लिया। श्रीहरिके प्रति स्नेहसे सुतपा मुनि, भयसे हिरण्यकशिपु, क्रोधसे तुम्हारे पिता हिरण्याक्ष तथा स्मय (अभिमान) से श्रुतियोंने योगीजनोंके लिये भी परम दुर्लभ पदको प्राप्त कर लिया। जिस किसी भावसे सम्भव हो, श्रीकृष्णमें मनको लगाये। ये देवतालोग भक्तियोगके द्वारा ही भगवान्में मन लगाकर उनका धाम प्राप्त करते हैं॥२३—२७॥

नारदजी कहते हैं—राजन्! यों कहकर अपान्तरतमा मुनि अन्तर्धान हो गये। तबसे शकुनि आदिने परिपूर्णतम श्रीहरिमें वैरभाव स्थापित किया। उन्होंने वैरभावसे ही परमेश्वर श्रीकृष्णको पा लिया। राजेन्द्र! इसमें कोई आश्चर्य न मानो। जैसे कीड़ा भ्रमरका चिन्तन करनेसे तद्रूप हो जाता है, उसी प्रकार भगवच्चिन्तन करनेवाला जीव भगवान्का सारूप्य प्राप्त कर लेता है॥ २८-२९॥

इस प्रकार श्रीगर्गसंहितामें विश्वजित्खण्डके अन्तर्गत नारद-बहुलाश्व-संवादमें 'शकुनि-पुत्रपर कृपा' नामक बयालीसवाँ अध्याय पूरा हुआ॥ ४२॥

तैंतालीसवाँ अध्याय

इलावृतवर्षमें राजा शोभनसे भेंटकी प्राप्ति; स्वायम्भुव मनुकी तपोभूमिमें मूर्तिमती सिद्धियोंका निवास; लीलावतीपुरीमें अग्निदेवसे उपायनकी उपलब्धि; वेदनगरमें मूर्तिमान् वेद, राग, ताल, स्वर, ग्राम और नृत्यके भेदोंका वर्णन

श्रीनारदजी कहते हैं—राजन्! इस प्रकार भद्राश्ववर्षपर विजय पाकर श्रीयादवेश्वर हरि यादव-सैनिकोंके साथ इलावृतवर्षको गये॥ १॥

मिथिलेश्वर! इलावृतवर्षमें ही रत्नमय शिखरोंसे सुशोभित, देवताओंका निवासस्थान, दीप्तिमान् स्वर्णमय पर्वत गिरिराजाधिराज 'सुमेरु' है, जो भूमण्डलरूपी कमलकी कर्णिकाके समान शोभा पाता है। उसके चारों ओर मन्दर, मेरु-मन्दर, सुपार्श्व तथा कुमुद—ये चार पर्वत शोभा पाते हैं। इन चारोंसे घिरा हुआ वह एक गिरिराज सुमेरु धर्म, अर्थ, काम और मोक्ष—इन चार पदार्थोंसे युक्त मनोरथकी भाँति शोभा पाता है॥ २-३॥

उस इलावृतवर्षमें जम्बूफलके रससे उत्पन्न होने-वाला जाम्बूनद नामक स्वतःसिद्ध स्वर्ण उपलब्ध होता है। वहाँ जम्बूरससे 'अरुणोदा' नामकी नदी प्रकट हुई है, जिसका जल पीनेसे इस भूतलपर कोई रोग नहीं होता। राजन्! वहाँ कदम्बवृक्षसे उत्पन्न 'कादम्ब' नामक मधुकी पाँच धाराएँ प्रवाहित होती हैं, जिनके पीनेसे मनुष्योंको कभी सर्दी-गरमी, विवर्णता (कान्तिका फीका पड़ना), थकावट तथा दुर्गन्ध आदि दोष नहीं प्राप्त होते। उन मधु-धाराओंसे कामपूरक नद प्रकट हुए हैं, जो मनुष्योंकी इच्छाके अनुसार रत्न, अन्न, वस्त्र, सुन्दर आभूषण, शय्या तथा आसन आदि जो-जो दिव्य फल हैं, उन सबको

अर्पित करते हैं। इसी प्रकार वहाँ सुप्रसिद्ध 'ऊर्ध्ववन' है, जहाँ भगवान् संकर्षण विराजते हैं, जिस वनमें भगवन् शिव स्वत: अपनी प्रेयसी ज्योतियोंके साथ रमण करते हैं तथा जिसमें गये हुए पुरुष तत्काल स्त्रीरूपमें परिणत हो जाते हैं। स्वर्णमय कमल, शीतल वसन्त वायु, केसरके वृक्ष, लवङ्ग-लताओंके समूह तथा देववृक्षोंकी सुगन्धके सेवनसे मदान्ध भ्रमर—ये सब इलावृतवर्षकी अत्यन्त शोभा बढ़ाते हैं। वैदूर्यमणिके अङ्कुरोंसे विचित्र लगनेवाली वहाँकी मनोहर स्वर्णमयी भूमिको देखते हुए भगवान् श्रीहरिने अलंकारमण्डित देवताओंसे पूर्ण इलावृतवर्षको जीतकर वहाँसे भेंट ग्रहण की॥ ४—९॥

पूर्वकालके सत्ययुगमें राजा मुचुकुन्दके जामाता शोभनने भारतवर्षमें एकादशीका व्रत करके जो पुण्य अर्जन किया, उसके फलस्वरूप देवताओंने उन्हें मन्दराचलपर निवास दे दिया। आज भी वह राजकुमार कुबेरकी भाँति रानी चन्द्राभागाके साथ वहाँ राज्य करता है। मिथिलेश्वर! वह परम सुन्दर शोभन भेंट लेकर देवप्रवर भगवान् श्रीकृष्णके सामने आया। यदुकुलतिलक श्रीहरिकी परिक्रमा करके शोभन उनके चरणारविन्दोंमें पड़ गया और भक्तिपूर्वक प्रणाम करके, उन परमात्माको शीघ्र ही भेंट देकर पुन: मन्दराचलको चला गया॥ १०—१२॥

बहुलाश्वने पूछा—देवर्षिप्रवर! राजा शोभनके चले जानेपर भगवान् मधुसूदनने आगे कौन-सा कार्य किया, यह बतलाइये॥ १३॥

श्रीनारदजीने कहा—राजन्! उस मन्दराचलके शिखरपर एक परम दिव्य सरोवर है, उसमें स्वर्णमय कमल खिलते हैं। यह देखकर किरीटधारी अर्जुनने माधव श्रीकृष्णसे पूछा—'देवकीनन्दन! सुवर्णमयी लताओं और स्वर्णमय कमलोंसे व्याप्त यह अद्‌भुत कुण्ड किसका है? मुझे बताइये॥ १४-१५॥

श्रीभगवान्‌ने कहा—स्वायम्भुव मनुके कुलमें उत्पन्न आदि राजाधिराज पृथुने यहाँ दिव्य तप किया था। उन्हींका यह अद्भुत दिव्य कुण्ड है। पार्थ! इसका जल पीकर मनुष्य सब पापोंसे मुक्त हो जाता है तथा इसमें स्नान करके नरेतर प्राणी भी मेरे परमधाममें पहुँच जाता है॥ १६-१७॥

श्रीनारदजी कहते हैं—राजन्! यहीं साक्षात् भगवान्‌ने एक तपोभूमिमें पदार्पण किया, जहाँ सदा आठों सिद्धियाँ मूर्तिमती होकर नृत्य करती हैं। उन सिद्धियोंको देखकर उद्धवने सनातन भगवान्‌से पूछा॥ १८ $\frac{1}{2}$ ॥

उद्धव बोले—भगवन्! मन्दराचलके समीप यह किसकी तपोभूमि है? प्रभो! यहाँ कौन-सी स्त्रियाँ मूर्तिमति होकर विराज रही हैं—कृपया यह बतायें॥ १९॥

श्रीभगवान्‌ने कहा—उद्धव! यहाँ पूर्वकालमें स्वायम्भुव मनुने तपस्या की थी। उन्हींकी यह सुन्दर तपोभूमि है, जो आज भी परम कल्याणकारिणी है। यहीं नारीरूपधारिणी आठ सिद्धियाँ सदा विद्यमान रहती हैं। यहाँ जो कोई भी आ जाय, उसे भी आठों सिद्धियाँ प्राप्त हो जाती हैं। यहाँ एक क्षण भी तपस्या करके मानव देवत्व प्राप्त कर लेता है। चतुर्मुख ब्रह्मा भी इस तपोभूमिके माहात्म्यका वर्णन करनेमें समर्थ नहीं हैं॥ २०—२२॥

श्रीनारदजी कहते हैं—राजन्! यों कहकर भगवान् श्रीकृष्ण अपनी सेनासे घिरे हुए और बारंबार दुन्दुभि बजवाते हुए उन अत्यन्त उत्कट प्रदेशोंमें गये, जहाँ पूर्वकालमें हिरण्यकशिपु दैत्यने तपस्या की थी और जहाँ लीलावती नामकी एक स्वर्णमयी नगरी है। उस लीलावतीके स्वामी साक्षात् वीतिहोत्र नामधारी अग्नि हैं, जो उत्तम व्रतका पालन करते हुए नित्य मूर्तिमान् होकर राज्य करते हैं। उन धनंजयदेवने भी परम पुरुष परमात्मा श्रीकृष्णचन्द्रको भेंट देकर उनकी उत्तम स्तुति की॥ २३—२६॥

इस प्रकार सारे इलावृतवर्षका दर्शन करते हुए देवाधिदेव भगवान् श्रीकृष्ण वेदनगरमें गये, जो जम्बूद्वीपका एक मनोरम स्थान है। उस नगरमें भगवान् निगम (वेद) सदा मूर्तिमान् होकर दिखायी देते हैं। उनकी सभामें सदा वीणा-पुस्तकधारिणी वाग्देवता वाणी (सरस्वती) सुन्दर एवं मङ्गलके अधिष्ठानभूत श्रीकृष्ण-चरितका गान करती है। नरेश्वर! उर्वशी और विप्रचित्ति आदि अप्सराएँ वहाँ नृत्य करती हैं।

और अपने हाव-भाव तथा कटाक्षोंद्वारा वेदेश्वरको रिझाती रहती हैं। मैं, विश्वावसु, तुम्बुरु, सुदर्शन तथा चित्ररथ—ये सब लोग वेणु, वीणा, मृदङ्ग, मुरुयष्टि आदि वाद्योंको खड़ताल एवं दुन्दुभिके साथ विधिवत् बजाया करते हैं। नरेश्वर! वहाँ ह्रस्व, दीर्घ, प्लुत, उदात्त, अनुदात्त, स्वरित तथा सानुनासिक और निरनुनासिक—इस अठारह* भेदोंके साथ स्तुतियाँ गायी जाती हैं। नरेश्वर! वेदपुरमें आठों ताल, सातों स्वर और तीनों ग्राम मूर्तिमान् होकर विराजते हैं॥ २७—३४॥

वेदनगरमें राग-रागिनियाँ भी मूर्तिमती होकर निवास करती हैं। भैरव, मेघमल्लार, दीपक, मालकोश, श्रीराग और हिन्दोल—ये सब राग बताये गये हैं। इनकी पाँच-पाँच स्त्रियाँ—रागिनियाँ हैं और आठ-आठ पुत्र हैं। नरेश्वर! वे सब वहाँ मूर्तिमान् होकर विचरते हैं। 'भैरव' भूरे रंगका है, 'मालकोश'का रंग तोतेके समान हरा है, 'मेघमल्लार' की कान्ति मोरके समान है। 'दीपक'का रंग सुवर्णके समान है और 'श्रीराग' अरुण रंगका है। मिथिलेश्वर! 'हिन्दोल'का रंग दिव्य हंसके समान शोभा पाता है॥ ३५—३८ $\frac{1}{2}$ ॥

बहुलाश्वने पूछा—मुनिश्रेष्ठ! ताल, स्वर, ग्राम और नृत्य—इनके कितने-कितने भेद हैं? इन सबका नामोल्लेखपूर्वक वर्णन कीजिये॥ ३९॥

नारदजीने कहा—राजन्! रूपक, चर्चरीक, परमठ, विराट, कमठ, मल्लक, झटित् और जुटा—ये आठ ताल हैं। राजन्! निषाद, ऋषभ, गान्धार, षड्ज, मध्यम, धैवत तथा पञ्चम—ये सात स्वर कहे गये हैं। माधुर्य, गान्धार और ध्रौव्य—ये तीन ग्राम माने गये हैं। रास, ताण्डव, नाट्य, गान्धर्व, कैंनर, वैद्याधर, गौह्यक और आप्सरस—ये आठ नृत्यके भेद हैं। ये सभी दस-दस हाव-भाव और अनुभावोंसे युक्त हैं। स्वरोंका बोध करानेवाला पद 'सा रे ग म प ध नि'—इस प्रकार हैं। राजन्! यह सब मैंने तुम्हें बताया, अब और क्या सुनना चाहते हो?॥ ४०—४४॥

इस प्रकार श्रीगर्गसंहितामें विश्वजित्खण्डके अन्तर्गत नारद-बहुलाश्व-संवादमें 'वेदनगरका वर्णन' नामक तैंतालीसवाँ अध्याय पूरा हुआ॥ ४३॥

चौवालीसवाँ अध्याय

रागिनियों तथा रागपुत्रोंके नाम और वेद आदिके द्वारा भगवान्‌का स्तवन

बहुलाश्वने पूछा—देवर्षे! रागिनियों और रागपुत्रोंके नाम मुझे बताइये; क्योंकि परावरवेत्ता विद्वानोंमें आप सबसे श्रेष्ठ हैं॥ १॥

नारदजीने कहा—राजन्! कालभेद, देशभेद और स्वरमिश्रित क्रियाके भेदसे विद्वानोंने गीतके छप्पन करोड़ भेद बताये हैं। नृपेश्वर! इन सबके अन्तर्भेद तो अनन्त हैं। आनन्दस्वरूप जो शब्दब्रह्ममय श्रीहरि हैं, इन्हींको तुम राग समझो। इसलिये भूतलपर इन सबके जो मुख्य-मुख्य भेद हैं, उन्हींका मैं तुम्हारे सामने वर्णन करूँगा॥ २-३ $\frac{1}{2}$ ॥

भैरवी, पिङ्गला, शङ्खी, लीलावती और आगरी—ये भैरवरागकी पाँच रागिनियाँ बतलायी गयी हैं। महर्षि, समृद्ध, पिङ्गल, मागध, बिलाबल, वैशाख, ललित और पञ्चम—ये भैरवरागके भिन्न-भिन्न आठ पुत्र बतलाये गये हैं। मिथिलेश्वर! चित्रा, जय-जयवन्ती, विचित्रा, व्रजमल्लारी, अन्धकारी—ये मेघमल्लार रागकी पाँच मनोहारिणी रागिनियाँ कही गयी हैं। श्यामकार, सोरठ, नट, उड्डायन, केदार, व्रजरहस्य, जलधार और विहाग—ये मल्लार रागके आठ पुत्र प्राचीन विद्वानोंने बताये हैं। कञ्चुकी, मञ्जरी, टोडी, गुर्जरी और शाबरी—ये दीपक रागकी पाँच रागिनियाँ विख्यात हैं। विदेहराज! कल्याण,

* 'अ इ उ ऋ'—इन स्वरोंमेंसे प्रत्येकके ह्रस्व, दीर्घ और प्लुत—ये तीन-तीन भेद होते हैं; फिर प्रत्येकके उदात्त, अनुदात्त तथा स्वरित—ये तीन भेद होनेसे नौ भेद हुए। फिर उन सबके सानुनासिक और निरनुनासिक भेद होनेसे अठारह भेद होते हैं।

शुभकाम, गौड़कल्याण, कामरूप, कान्हरा, रामसंजीवन, सुखनामा और मन्दहास—ये विद्वानोंद्वारा दीपक रागके आठ पुत्र कहे गये हैं। मिथिलेश्वर! गान्धारी, वेदगान्धारी, धनाश्री, स्वर्मणि तथा गुणागरी- ये पाँच रागमण्डलमें मालकोश रागकी रागिनियाँ कही गयी हैं। मेघ, मचल, मारुमाचार, कौशिक, चन्द्रहार, घुंघट , विहार तथा नन्द—ये मालकोश रागके आठ पुत्र बतलाये गये हैं॥ ४—१५ $\frac{1}{2}$ ॥

राजेन्द्र! बैराटी, कर्णाटी, गौरी, गौरावटी तथा चतुश्चन्द्रकाला—ये पुरातन पण्डितोंद्वारा कही गयी श्रीरागकी विख्यात पाँच रागिनियाँ हैं। महाराज! सारङ्ग, सागर, गौर, मरुत, पञ्चशर, गोविन्द, हमीर तथा गीर्भीर— ये श्रीरागके आठ मनोहर पुत्र हैं। वसन्ती, परजा, हेरी, तैलङ्गी और सुन्दरी—ये हिन्दोल रागकी पाँच रागिनियाँ प्रसिद्ध हैं। मैथिलेन्द्र! मङ्गल, वसन्त, विनोद, कुमुद, वीहित, विभास, स्वर तथा मण्डल—विद्वानोंद्वारा ये आठ हिन्दोल रागके पुत्र कहे गये हैं॥१६—२१॥

बहुलाश्वने पूछा—शब्दब्रह्मरूप श्रीहरिके साक्षात् स्वरूप महात्मा निगम (वेद) के, जो रागमण्डलमें हिन्दोलके नामसे विख्यात हैं, पृथक्-पृथक् अङ्ग इस भूतलपर कौन-कौन-से हैं—यह मुझे बताइये॥ २२-२३॥

श्रीनारदजीने कहा—राजन्! वेदस्वरूप श्रीहरिका मुख 'व्याकरण' कहा गया है, पिङ्गल-कथित 'छन्द:शास्त्र' उनका पैर बताया जाता है, 'मीमांसाशास्त्र' (कर्मकाण्ड) हाथ है, 'ज्योतिष-शास्त्र' को नेत्र बताया गया है। 'आयुर्वेद' पृष्ठदेश, 'धनुर्वेद' वक्ष:स्थल, 'गान्धर्ववेद' रसना और 'वैशेषिकशास्त्र' मन है। सांख्य बुद्धि, न्यायवाद अहंकार और वेदान्त महात्मा वेदका चित्त है। मिथिलेश्वर! रागरूप जो शास्त्र है, उसे वेदराजका विहारस्थल समझो। राजन्! ये सब बातें तुम्हें बतायीं। अब और क्या सुनना चाहते हो?॥ २४—२७॥

बहुलाश्वने पूछा—देवर्षे! उस वेदपुरमें जाकर साक्षात् भगवान् श्रीहरिने क्या किया, यह मुझे बताइये; क्योंकि आप साक्षात् दिव्यदर्शी हैं॥ २८॥

श्रीनारदजीने कहा—राजन्! यादवेश्वर श्रीकृष्ण जब वेदपुरमें आये, तब निगम (वेद) भी सरस्वतीके साथ भेंट लेकर आये। गन्धर्व, अप्सरा, ग्राम, ताल, स्वर तथा भेदोंसहित राग भी उनके साथ थे। उन्होंने हाथ जोड़कर भगवान्‌को प्रणाम किया। देवताओंके भी देवता साक्षात् भगवान् जनार्दन वेदपर प्रसन्न हो समस्त यादवोंके समक्ष उनसे बोले॥२९—३१॥

श्रीभगवान्‌ने कहा—निगम! तुम्हारे मनमें जो इच्छा हो, उसके अनुसार कोई वर माँगो। मेरे प्रसन्न होनेपर तीनों लोकोंमें भक्तोंके लिये कौन-सी वस्तु दुर्लभ है!॥३२॥

वेद बोले—देव! परमेश्वर! यदि आप प्रसन्न हैं तो यहाँ मेरे जो ये उत्तम पार्षद हैं, उन सबको अपने दिव्य रूपका दर्शन कराइये। अत्यन्त उद्दीप्त तेजवाले अपने निज धाम गोलोकमें आपका जो स्वरूप है तथा वृन्दावनमें और वहाँके रासमण्डलमें आपका जो रूप प्रकट होता है, उसीका ये सब लोग दर्शन करना चाहते हैं॥ ३३-३४॥

श्रीनारदजी कहते हैं—मैथिलेश्वर! वेदका कथन सुनकर साक्षात् परिपूर्णतम भगवान् श्रीकृष्णने श्रीराधाके साथ अपने परम दिव्य रूपका उन्हें दर्शन कराया। उस अनुपम सुन्दर रूपको देखकर सब लोग मूर्च्छित हो गये। अपना शरीर तथा सुख भुलाकर वे सभी सात्त्विक भावोंसे पूरित हो गये। राजन्! उस समय अत्यन्त हर्षसे उत्फुल्ल हो वे वाद्योंके मधुर शब्दोंके साथ सत्पुरुषोंके देखते-देखते भगवान्‌के समक्ष नाचने और गान करने लगे। मैथिलेश्वर! भगवान्‌का माधुर्यमय अद्भुत रूप जैसा सुना गया था, वैसा ही देखा गया और उसी प्रकार वेद आदिने (उसका नीचे दिये शब्दोंमें) वर्णन किया॥ ३५—३८॥

वेदने कहा—देव! आप सत्स्वरूप, ज्ञानमात्र, सत्-असत्से परे, व्यापक, सनातन, प्रशान्तरूप, विभवात्मक, सम, महत्, प्रकाशरूप, परम दुर्गम, परात्पर तथा अपने धाम (चिन्मय प्रकाश) द्वारा भ्रम एवं अज्ञानके अन्धकारको निरस्त करनेवाले **'ब्रह्म'**

हैं; आपको मैं प्रणाम करता हूँ[१] ॥ ३९ ॥

सरस्वती बोलीं—भगवन्! योगीलोग आपको परम ज्योतिःस्वरूप जानते हैं, वहीं भक्तजन आपको चिन्मय विग्रहसे युक्त बताते हैं। इस समय जो आपके चरणारविन्दयुगल देखे गये हैं, वे समस्त ज्योतियोंके अधीश्वर हैं। वे सदा मेरे लिये कल्याणकारी हों[२] ॥ ४० ॥

गन्धर्व बोले—प्रभो! श्याम और गौर तेजके रूपमें अपने ही प्रकाशसे प्रकाशित जो आपका तेजोमय स्वरूप है, वह आपने अपनी इच्छासे प्रकट किया है। उन्हीं युगल धामों (स्वरूपों) से आप नित्य उसी प्रकार पूर्णतया विराजित रहते हैं, जैसे मेघ श्याम वर्ण तथा बिजलीसे शोभा पाता है[३] ॥ ४१ ॥

अप्सराओंने कहा—जैसे तमाल सुवर्णमयी लतासे, मेघ विद्युन्मालासे तथा जैसे नील गिरिराज सोनेकी खानसे सुशोभित होता है, उसी प्रकार आप आदिपुरुष श्यामसुन्दर अपनी प्रेयसी श्रीराधारानीके नित्य साहचर्यसे शोभा पाते हैं[४] ॥ ४२ ॥

तीनों ग्राम बोले—जिनके चरणारविन्दोंके पावन परागको शिव, रमा (लक्ष्मी), ज्ञानीपुरुष तथा देवताओंसहित श्रीराधा अपने चित्तमें धारण करना चाहती हैं, माधवके उन चरण-कमलोंका सदा भजन करो[५] ॥ ४३ ॥

तालोंने कहा—जिनके कारण राजा बलि सत्स्वरूप होकर प्रतिष्ठित हुए, उन्हीं भगवान्‌को बलि अर्पित करनी चाहिये। अपने संतप्त चित्तरूपी गुफामें श्रीहरिके उस चरणको ही प्रतिष्ठित करके उसकी सेवा करो[६] ॥ ४४ ॥

गान (लय) बोले—संतजन जिनकी शरण लेकर दुःख-शोकको निकाल फेंकते हैं, श्रीराधा-माधवके उन दिव्य चरण-कमलोंको हम सदा हृदयमें धारण करें[७] ॥ ४५ ॥

स्वर बोले—जो शरद्-ऋतुके प्रफुल्ल पङ्कजकी शोभाको अत्यन्त तिरस्कृत कर देते हैं, मुनिरूपी भ्रमर जिनका आस्वादन करते हैं, जो वज्र, कमल और शङ्ख आदिके चिह्नोंसे सुशोभित हैं, जिनपर सोनेके नूपुर चमक रहे हैं तथा जिन्होंने भक्तोंके त्रिविध तापोंका उन्मूलन कर दिया है, श्रीराधावल्लभके उन चञ्चल-द्युतिशाली युगल चरणारविन्दोंको मैं हृदयमें धारण करता हूँ[८] ॥ ४६ ॥

इस प्रकार श्रीगर्गसंहितामें विश्वजित‌खण्डके अन्तर्गत नारद-बहुलाश्व-संवादमें 'वेदादिके द्वारा की गयी स्तुतिका वर्णन' नामक चौवालीसवाँ अध्याय पूरा हुआ॥ ४४॥

---

१. सज्ज्ञानमात्रं सदसत्परं बृहच्छश्वत् प्रशान्तं विभवं समं महत्।
त्वां ब्रह्म वन्दे वसु दुर्गमं परं सदा स्वधाम्ना परिभूतकैतवम्॥

२. महः परं त्वां किल योगिनो विदुः सविग्रहं तत्र वदन्ति सात्त्वताः।
दृष्टं तु यत्ते पदयोर्द्वयं मे क्षेमाय भूयान्महसामधीश्वरम्॥

३. श्यामं च गौरं विदितं स्वधाम्ना कृतं त्वया धाम निजेच्छया हि।
विराजसे नित्यमलं च ताभ्यां घनो यथा मेचकदामिनीभ्याम्॥

४. यथा तमालः कलधौतवल्ल्या घनो यथा चञ्चलया चकास्ति।
नीलोऽद्रिराजो निकपाश्मखन्या श्रीराधयाऽऽद्यस्तु तथा रमण्या॥

५. यस्य पदस्य परागं शम्भुरमाकविदेवैः। इच्छति चेतसि राधा तं भज माधवपादम्॥

६. येन बलिः सद्विहरेत्तद्बलिमेव हरेत्। तं भज पादं तु हरेश्चेतसि तप्ते कुहरे॥

७. उत्क्षिपन्ति बहिर्दुःखं सन्तो यच्छरणं गताः। राधामाधवयोर्दिव्यं दधान पदपङ्कजम्॥

८. शरद्विकचपङ्कजश्रियमतीव विद्वेषकं मिलिन्दमुनिलेहितं कुलिशकंजचिह्नावृतम्।
स्फुरत्कनकनूपुरं दलितभक्ततापत्रयं चलद्द्युति पदद्वयं हृदि दधामि राधापतेः॥

(गर्ग०, विश्वजित्०, ४४। ३९—४६)

पैंतालीसवाँ अध्याय

रागिनियों तथा राग-पुत्रोंद्वारा भगवान् श्रीकृष्णका स्तवन और उनका द्वारकापुरीके लिये प्रस्थान

श्रीनारदजी कहते हैं—राजन्! तदनन्तर भैरव आदि रागगण भगवान् श्रीहरिके सामने उपस्थित हुए और रूपके अनुरूप उनके प्रत्येक अवयवका दर्शन करके अत्यन्त हर्षित हुए। श्रीहरिके विग्रहमें जिस-जिस अङ्गपर उनकी दृष्टि पड़ती थी, वहीं-वहीं वह ठहर जाती थी। लावण्य-विशेषका अनुभव करके वह वहाँसे हटनेमें समर्थ नहीं होती थी। भगवान् श्रीकृष्णचन्द्रके उस अत्यन्त अद्भुत रूपका दर्शन करके वे भी पृथक्-पृथक् उसका गुणगान करने लगे॥ १—३॥

भैरव बोला—श्रीहरिके दोनों घुटनोंका चिन्तन करो, जिन्हें सदा अङ्कमें लेकर कमला अपने कमलोपम करोंसे उनकी सेवा करती हैं॥ ४॥

मेघमल्लारने कहा—सर्वव्यापी भगवान् श्रीकृष्णकी दोनों जाँघें, मानो कदलीखण्ड हैं, सोनेके खंभे हैं, तेजसे पूर्ण हैं, अनुपम शोभासे सम्पन्न हैं तथा पीताम्बरसे ढकी हुई हैं। उन दोनों वन्दनीय ऊरु-युगलका मैं ध्यान करता हूँ॥ ५॥

दीपक रागने कहा—भगवान्‌के कटिभागसे नीचे जो सम्पूर्ण चरण हैं, वे समस्त सुखोंको देनेवाले हैं तथा सुवर्णकी-सी कान्ति धारण करते हैं, उन सुप्रसिद्ध चरणोंका भजन करो॥ ६॥

मालकोश बोला—भगवान् श्रीहरिकी जो कमर है, वह केशके समान अत्यन्त पतली है और वह मनुष्योंकी दृष्टिका मान हर लेती है, अर्थात् उस कटिको देखनेमें दृष्टि समर्थ नहीं हो पाती; वह मन्द-मन्द समीरके चलनेपर भी अत्यन्त कम्पित होने या लचकने लगती है। इस प्रकार वह सबके चित्तको हर लेनेवाली है। मैं विनम्र मस्तकसे उसकी वन्दना करता हूँ॥ ७॥

श्रीराग बोला—राधिकावल्लभका जो नाभि-सरोवर है, उसका मैं अपने हृदयमें प्रतिदिन ध्यान करता हूँ। वह पुष्करकुण्डके समान शोभा पाता है। त्रिवलीरूप लहरोंसे उसकी मनोहरता बढ़ गयी है और वहाँकी रोमावलीने कामदेवके क्रीडा-काननको तिरस्कृत कर दिया है॥ ८॥

हिन्दोल रागने कहा—उदरमें जो त्रिवलीकी पंक्ति है, वह क्या अक्षरोंकी पंक्ति (वर्णमाला) है? अथवा पीपलके पत्तेपर मोहन-माला दिखायी देती है? क्या कमलदलपर कोई श्याम रेखा है या उदरमें यह रोमावलि फैली हुई है?॥ ९॥

भैरवरागकी रागिनियाँ बोलीं—श्रीकृष्ण हरिका जो पीताम्बर है, वह दीप्तिमान् इन्द्रधनुष तो नहीं है? सोनेके तारोंकी शिल्पकलाद्वारा वह मनोहर ढंगसे टँका हुआ है। उसका ही भजन करो, वह मनुष्योंका दुःख हर लेनेवाला है॥ १०॥

भैरवके पुत्रोंने कहा—भगवन्! आपकी चारों भुजाएँ चारों समुद्रोंके समान सम्पूर्ण विश्वको परिपूर्ण करनेवाली हैं, चार पदार्थोंके समान आनन्ददायिनी हैं, लोकरूपी चँदोवाके वितानमें दण्डका काम देती हैं तथा भूमिको धारण करनेमें दिग्गजोंके समान प्रतीत होती हैं॥ ११॥

मेघमल्लारकी रागिनियाँ बोलीं—सर्ववल्लभ भूमिपति भगवान् श्रीहरिके मधुर अधरका, हे मन! तू सदा चिन्तन कर। वह लाल रंगके बिम्बफलकी-सी कान्तिसे मण्डित है तथा नूतन जपाकुसुमके लाल दलोंकी भाँति उसका सुन्दर स्वरूप है॥ १२॥

मेघमल्लारके बेटे बोले—परमेश्वर! श्रीकृष्णकी जो निर्मल दन्त-पङ्क्ति है, उसका सदा ध्यान करो। उसने कपूर, केवड़ेके फूल, मोती, हीरे, श्रीखण्ड चन्दन, चन्द्रमा, चपला, अमृत तथा मल्लिका पुष्पोंकी कान्तिको पहलेसे ही तिरस्कृत कर दिया है॥ १३॥

दीपक रागकी रागिनियोंने कहा—भगवन्! निजजनोंकी रक्षा करनेमें समर्थ तथा अभीष्ट वस्तु देनेमें दक्ष जो आपके युगल नयनोंका कृपाकटाक्ष है, वह रात-दिन हमारी रक्षा करे। वह कटाक्ष कामदेवके बाणोंका परीक्षक है—उससे भी तीव्र शक्तिवाला है। उसने सम्पूर्ण लावण्यकी दीक्षा ले ली है, अर्थात् वह समस्त लावण्यकी राशि है। उसने अपनी उदारताके

सामने कल्पवृक्षको भी तिरस्कृत कर दिया है तथा उसके एक-दो नहीं, करोड़ों लक्ष्य हैं॥ १४॥

दीपके पुत्र बोले—क्या ये नूतन कमलके बीच दो कुलिङ्ग (गौरैया) पक्षी बैठे हैं या तीनों लोकोंके दुःखोंका नाश करनेके लिये दो तीखी तलवारें हैं या कामदेवके दो विजयशील धनुष हैं, अथवा परमात्मा श्रीकृष्णके मुखचन्द्रमें युगल भ्रूमण्डल शोभा पा रहे हैं॥ १५॥

मालकोशकी रागिनियोंने कहा—सुन्दर कपोलमण्डलपर दो चञ्चल कुण्डल नृत्य कर रहे हैं, मानो चन्द्रमण्डलमें दो नागिनें नाच रही हों, अथवा मकरन्दसे परिपूर्ण कमलपर भ्रमरावली मँड़रा रही हो॥ १६॥

मालकोशके पुत्र बोले—आकाश-मण्डलमें सूर्यदेव उदित हुए हैं या मेघमालामें बिजली चमक रही है अथवा यदुपति भगवान् श्रीकृष्णके गण्डमण्डल (कपोलद्वय) पर ज्योतिके खण्ड-सा कनक-निर्मित कुण्डल झलमला रहा है॥ १७॥

श्रीरागकी रागिनियाँ बोलीं—दो कुलिङ्ग किंवा दो खञ्जन पक्षियोंकी पंक्तियोंका परस्पर युद्ध हुआ। उनके मध्यमें बीच-बचाव करनेके लिये प्रफुल्ल कमलपर एक तोता निकट आ गया है, जो अरुण बिम्बफलको प्राप्त करनेकी इच्छासे वहाँ बैठा शोभा पाता है (यहाँ कुलिङ्ग या खञ्जन पक्षी भगवान्‌के दोनों नेत्र हैं, उनके बीचमें बैठा हुआ तोता नासिका है, प्रफुल्ल कमल मुख है और अरुण बिम्बफल अधर है)॥ १८॥

श्रीरागके पुत्र बोले—जिन्होंने अपनी कमरमें पीताम्बर बाँध रखा है, मस्तकपर मोर-मुकुट धारण किया है और ग्रीवाको एक ओर झुका दिया है, जो हाथमें लकुटी और वंशी लिये हैं तथा जिनके कानोंमें कुण्डल हिल रहे हैं, उन पटुतर नटवर-वेषधारी श्रीहरिका मैं भजन करता हूँ[1]॥ १९॥

हिन्दोलरागकी रागिनियाँ बोलीं—जिनकी श्याम कान्तिकी अलसीके फूलसे उपमा दी जाती है, जो यमुनाके तटपर कदम्ब-काननके मध्यभागमें विराजमान हैं तथा नयी अवस्थाकी गोपसुन्दरियोंके साथ विहार करते हुए शोभा पाते हैं, वे वनमाली हम सबके मङ्गलका विस्तार करें[2]॥ २०॥

हिन्दोलरागके पुत्रोंने कहा—हरे! भूतलपर मेरे समान पातकी नहीं है और आपके समान कोई पापाहारी भी नहीं है। इसलिये आपको जगन्नाथदेव मानकर मैं शरणमें आया हूँ। आपकी जैसी इच्छा हो, वैसा मेरे प्रति कीजिये॥ २१॥

नारदजीने कहा—राजन्! रागोंद्वारा किये गये उपर्युक्त ध्यानको जो सदा सुनता अथवा पढ़ता है, भक्तवत्सल भगवान् श्रीकृष्ण उसके नेत्रोंके समक्ष प्रकट हो जाते हैं। इस प्रकार वेद आदिको अपने स्वरूपका दर्शन कराके साक्षात् श्रीहरि उन सबके देखते-देखते चतुर्भुज शार्ङ्गपाणि बन गये॥ २२-२३॥

इस प्रकार श्रीकृष्णका दर्शन करके जब देवता-लोग अपने गणोंके साथ चले गये, तब सेनामें अपने पुत्र यदुकुलतिलक शम्बर-शत्रु प्रद्युम्नको स्थापित करके परात्पर भगवान् श्रीहरिने अपनी द्वारकापुरीमें जानेका विचार किया। मिथिलेश्वर! उनके रथपर मञ्जीर, घंटा और किङ्किणीकी मधुर ध्वनि होने लगी। सुन्दर कांस्यपात्र (झाँझ) की आवाज भी उसमें मिल गयी। दारुकने उस रथमें सुग्रीव आदि चञ्चल घोड़े जोत दिये। वह उत्तम रत्नयुक्त आभूषणोंसे सजाया गया था, उसके आगे वेद-मन्त्रोंका घोष भी होता था और उसके ऊपरका गरुडध्वज प्रभञ्जनके वेगसे फहरा रहा था। ऐसे रथके द्वारा वेदपुरीको छोड़कर परमात्मा श्रीहरि यादववृन्दसे मण्डित द्वारकापुरीको चले गये॥ २४—२७॥

इस प्रकार श्रीगर्गसंहितामें विश्वजित्खण्डके अन्तर्गत नारद-बहुलाश्व-संवादमें 'श्रीकृष्णके ध्यानका वर्णन' नामक पैंतालीसवाँ अध्याय पूरा हुआ॥ ४५॥

---

१. परिकरीकृतपीतपटं हरिं शिखिकिरीटनटीकृतकन्धरम्। लगुडवेणुकरं चलकुण्डलं पटुतरं नटवेषधरं भजे॥ (गर्ग०, विश्वजित्० ४५। १९)

२. अतसीकुसुमोपमेयकान्तिर्यमुनाकूलकदम्बमध्यवर्ती। नवगोपवधूविहारशाली वनमाली वितनोतु मङ्गलानि॥ (गर्ग०, विश्वजित्० ४५। २०)

छियालीसवाँ अध्याय

यादवों और गन्धर्वोंका युद्ध, बलभद्रजीका प्राकट्य, उनके द्वारा गन्धर्वसेनाका संहार, गन्धर्वराजकी पराजय, वसन्तमालती नगरीका हलद्वारा कर्षण; गन्धर्वराजका भेंट लेकर शरणमें आना और उनपर बलरामजीकी कृपा

नारदजी कहते हैं—राजन्! भगवान् श्रीकृष्णके द्वारकापुरीको चले जानेपर प्रद्युम्न अपने सैनिकोंके साथ कामदुघनदके समीप गये। वहाँ गन्धर्वोंकी मनोहारिणी हेमरत्नमयी वसन्तमालती नामकी नगरी है, जिसका विस्तार सौ योजनका है। लवङ्ग-लताओंके समूह, इलायची, केसर, जायफल, जावित्री, श्रीखण्ड चन्दन और पारिजातके वृक्ष उस पुरीकी शोभा बढ़ाते थे। मतवाले भ्रमरोंके गुञ्जारवसे निनादित, विचित्र पक्षियोंके कलरवसे मुखरित तथा गन्धर्वोंसे सुशोभित वह नगरी नागोंसे युक्त भोगवतीपुरीके समान शोभा पाती थी॥१—४॥

वहीं पतंग नामसे प्रसिद्ध महाबली गन्धर्वराज राज्य करते थे, जो बड़े पुण्यात्मा थे और जिनका बल-पौरुष देवराज इन्द्रके समान था। उन्होंने सुना कि दिग्विजयके लिये निकले हुए प्रद्युम्न आ रहे हैं, तब उन गन्धर्वराजने उद्‌भट गन्धर्वोंसे युक्त होकर युद्ध करनेका निश्चय किया। रथ, घोड़े, हाथी और पैदल दस करोड़ गन्धर्वोंके साथ राजा पतंग प्रद्युम्नके सामने युद्धके लिये आये। गन्धर्वों और यादवोंमें बड़ा भयंकर युद्ध हुआ। भालों, गदाओं, परिघों, मुद्गरों, तोमरों तथा ऋष्टियोंकी मार होने लगी। बाणोंसे अन्धकार फैल जानेपर अतिरथी बलवान् वीर पतंग धनुषको टंकारते हुए आगे बढ़े और मेघके समान गर्जना करने लगे। बलदेवजीके बलवान् अनुज गदने गदा लेकर गन्धर्वोंकी सेनाको वैसे ही धराशायी करना आरम्भ किया, जैसे देवराज इन्द्र वज्रसे पर्वतोंको ढहा देते हैं॥५—१०॥

गदकी गदाके प्रहारसे कितने ही गन्धर्व युद्धभूमिमें गिर गये, उनके रथ चूर-चूर हो गये और समस्त हाथियोंके कुम्भस्थल फट गये। कितने ही घुड़सवार वीर भी युद्धके मुहानेपर प्राणशून्य होकर पड़ गये। भुजाएँ कट जानेसे कितने ही गन्धर्व उत्तानमुख और औंधेमुख पड़े दिखायी देते थे। क्षणमात्रमें गन्धर्वोंकी सेनामें खूनकी नदी बह चली। प्रमथगण भगवान् रुद्रकी मुण्डमाला बनानेके लिये युद्धभूमिमें नरमुण्डोंका संग्रह करने लगे। सिंहपर चढ़ी हुई भद्रकाली सैकड़ों डाकिनियोंके साथ युद्धभूमिमें आकर खप्परमें खून भर-भरकर पीती दिखायी देने लगीं॥११—१४॥

इस तरह गदके द्वारा किये गये युद्धमें जब गन्धर्वगण पलायन करने लगे, तब गन्धर्वोंके राजा पतंग एक लाख गजसेनाके साथ वहाँ आ पहुँचे। मिथिलेश्वर! पतंगने आते ही गदकी छातीमें गदा मारी। गदने भी अपनी गदासे पतंगके वक्षपर बलपूर्वक चोट पहुँचायी। उन दोनोंमें दो घड़ीतक गदायुद्ध चलता रहा। उनकी दोनों गदाएँ आगकी चिनगारियाँ बिखेरती हुई चूर-चूर हो गयीं। रणदुर्मद पतंगने लाख भारकी भारी गदा लेकर तुरंत ही गदके मस्तकपर मारी। गदाके उस प्रहारसे गद क्षणभरके लिये मूर्च्छित हो गये। इस प्रकार महामना पतंगने जब घोर युद्ध किया, तब उसी समय द्वारकापुरीसे एक तेजपुञ्ज आ पहुँचा॥१५—१९$\frac{१}{२}$॥

समस्त यादवोंने करोड़ों सूर्योंके तुल्य तेजस्वी उस तेजपुञ्जको देखा। उसके भीतरसे गोरे अङ्गवाले महाबली भक्तवत्सल भगवान् बलदेव सहसा प्रकट हो गये। नीलाम्बरधारी बलशाली बलरामने कुपित हो गन्धर्वोंकी सारी सेनाको हलसे खींचकर मुसलसे मारना आरम्भ किया। बहुत-से रथों, हाथियों और घोड़ोंको उन्होंने कालके गालमें पहुँचा दिया। शस्त्र-धारियोंमें श्रेष्ठ वीर सब-के-सब चूर-चूर हुए पत्थरोंकी भाँति एक साथ ही भूतलपर बिखर गये। पतंग भी रथहीन हो भारी भयके कारण वहाँसे वसन्तमालती पुरीमें चले गये और पुनः यादवोंसे युद्ध करनेके लिये सेनाका व्यूह बनाने लगे॥२०—२४॥

नरेश्वर! सौ योजन विस्तृत गन्धर्वोंकी सम्पूर्ण वसन्तमालती नामकी महापुरीको हलसे उपाटकर कुपित हुए बलदेवजीने कामदुघनदमें गिरानेके लिये खींचा। उस नगरीके भवन धड़ाधड़ धराशायी होने लगे। फिर तो तत्काल वहाँ हाहाकार मच गया। अपनी नगरीको टेढ़ी या करवट लेती हुई नौकाकी भाँति डगमगाती देख पतंग सर्वथा पराभूत हो, तत्काल समस्त गन्धर्वोंके साथ हाथ जोड़, भेंट-सामग्रीके साथ वहाँ आ पहुँचा॥ २५—२७॥

उसने दो लाख ऐसे विमान बलदेवजीको भेंट किये, जो सुवर्णके समान कान्तिवाले तथा विविध रत्नोंसे जटित थे। मोतीकी बंदनवारें उनकी शोभा बढ़ाती थीं। विश्वकर्माने उन विमानोंको दस-दस योजन विस्तृत बनाया था। वे सभी विमान इच्छानुसार चलनेवाले तथा कोटि-कोटि कलशों एवं पताकाओंसे सुशोभित थे। उनसे सहस्रों सूर्योंके समान प्रकाश फैल रहा था। चार लाख गौएँ, दस अरब घोड़े, इलाइची, लवङ्ग, केसर और जायफलोंके साथ दिव्य अमृतफलोंसे भरे करोड़ों पात्र उपहारके रूपमें लाकर उन्होंने दिये। फिर वे नमस्कार करके तिरस्कृतकी भाँति हाथ जोड़कर बलरामजीसे बोले, उन्हें बलभद्रजीके प्रभावका पूरा परिचय मिल गया था॥२८—३१ $\frac{1}{2}$॥

पतंगने कहा—राम! महापराक्रमी बलराम! मैंने आपके पराक्रमको पहले नहीं जाना था, इसलिये अपराध कर बैठा। जिनके एक फनपर सारा भूमण्डल तिलके समान दिखायी देता है, उनके सामने कौन ठहर सकता है। भगवन्! कामपाल! देवाधिदेव! आपको नमस्कार है। साक्षात् अनन्त एवं शेषस्वरूप आप बलरामको बारंबार प्रणाम है। अच्युत देव! आपकी जय हो, जय हो। परात्पर! साक्षात् अनन्त! आपकी कीर्ति दिगन्ततक फैली हुई है। आप समस्त देवताओं, मुनीन्द्रों और फणीन्द्रोंसे श्रेष्ठ हैं। मुसलधारी! आप बलवान् हलधरको नमस्कार है*॥ ३२—३४॥

नारदजी कहते हैं—राजन्! पतंगके इस प्रकार स्तुति करनेपर महाबली बलभद्रजीका चित्त प्रसन्न हो गया। उन्होंने गन्धर्वको 'अब तुम मत डरो'—यों कहकर अभयदान दिया। तदनन्तर यादवेश्वर बलदेव अपने चरणोंमें पड़े हुए प्रद्युम्नको सेनाके संचालक-पदपर स्थापित करके, यादवोंसे प्रशंसित हो शीघ्र ही द्वारकापुरीको चले गये॥ ३५-३६॥

इस प्रकार श्रीगर्गसंहितामें विश्वजित्खण्डके अन्तर्गत नारद-बहुलाश्व-संवादमें 'वसन्तमालती नगरीका कर्षण' नामक छियालीसवाँ अध्याय पूरा हुआ॥ ४६॥

सैंतालीसवाँ अध्याय

यादव-सेनाके साथ शक्रसखका युद्ध और उसकी पराजय

नारदजी कहते हैं—राजन्! तदनन्तर महावीर प्रद्युम्न अपनी विजय-दुन्दुभि बजवाते हुए यादव-सैनिकोंके साथ मधुधारा नदीके तटपर गये। सुवर्ण-गिरिके किनारे कुबेरके सुन्दर वनमें, जो सुनहरे हंसों और काञ्चनी लतिकाओंसे सम्पन्न है, पहुँचे। मिथिलेश्वर! हिमालयकी गुफाएँ देवताओंके लिये दुर्गका काम देती हैं। वहाँ दानवोंकी पहुँच नहीं हो पाती। वहाँ गङ्गातटवर्ती बेंतकी झाड़ियाँ छायी रहती हैं। कभी-कभी दानवोंसे डरकर स्वर्गसे भागे हुए आठों लोकपालोंकी निधियाँ वहाँ निवास करती हैं॥ १—४॥

शक्रसख नामक देव-शिरोमणि उस प्रान्तके अधिपति हैं। प्रद्युम्नका आगमन सुनकर उन्होंने उनके साथ युद्ध करनेका विचार किया। प्रद्युम्नके भेजे हुए बुद्धिमानोंमें श्रेष्ठ साक्षात् उद्धव मार्गदर्शी लोगोंसे रास्ता पूछते हुए शक्रसखकी नगरीमें गये। सभामें पहुँचकर मन्त्रिप्रवर प्रभु उद्धवने राजा इन्द्रसखको नमस्कार

*जय जयाच्युत देव परात्पर स्वयमनन्त दिगन्तगतश्रुते। सुरमुनीन्द्रफणीन्द्रवराय ते मुसलिने बलिने हलिने नमः॥ (गर्ग०, विश्वजित्० ४६। ३४)

करके प्रद्युम्नकी कही हुई बातें विस्तारके साथ कह सुनायीं॥ ५—७॥

उद्धव बोले—यादवोंके इन्द्र, द्वारकापुरीके स्वामी राजाधिराज उग्रसेन जम्बूद्वीपके नरेशोंको जीतकर राजसूय यज्ञ करेंगे। उनके द्वारा दिग्विजयके लिये भेजे गये बलवान् रुक्मिणीनन्दन प्रद्युम्न अपने तेजसे भारत आदि वर्षोंको जीतकर आज ही इलावृतवर्षपर विजय पानेके लिये आये हैं। उन श्रीकृष्णकुमारका बल महान् है। यदि आप अपने कुलकी कुशल चाहते हों तो शीघ्र ही उन्हें भेंट दीजिये। सर्वज्ञोंमें श्रेष्ठ नरेश! यदि आप भेंट नहीं देंगे तो आपके साथ युद्ध अनिवार्य होगा॥ ८—१०$\frac{१}{२}$॥

शक्रसख बोले—दूत! सुनो। देवतालोग भी सदा मेरी पूजा करते हैं फिर मनुष्योंकी तो बात ही क्या है। मैं सिद्ध हूँ, महावीर हूँ और एक लाख हाथियोंके समान बलवान् हूँ। आठों लोकपालोंके आधिपत्यका रक्षक हूँ। कुबेरके समान कोशसे सम्पन्न तथा इन्द्रके समान उद्भट शक्तिशाली हूँ। उग्रसेनको ही मुझे उत्तम उपायन भेंट करना चाहिये। मैंने पहले कभी किसीको भेंट नहीं दी है, इसलिये मैं तुम्हारे यदुराजको भी भेंट नहीं दूँगा॥ ११—१३॥

उद्धव बोले—यादवोंके तेजसे जैसे कुबेरको तिरस्कार प्राप्त हुआ है और उन्हें भेंट देनी पड़ी है; जैसे चैत्रदेशके बलवान् राजा शृङ्गारतिलकने भेंट दी है; हरिवर्षके राजा शुभाङ्ग, उत्तराखण्डके स्वामी गुणाकर, दैत्योंके सखा राक्षसराज लङ्कापति संवत्सर, केतुमाल और शकुनि आदि बड़े-बड़े असुरोंने जैसे भेंट दी है, राजन्! उसी तरह उन्हींकी-सी दुर्दशामें पड़नेपर आप भी प्रद्युम्नको भेंट देंगे॥ १४—१६॥

नारदजी कहते हैं—राजन्! उद्धवकी उपर्युक्त बात सुनकर बलवान् शक्रसखने कुपित हो उद्धवको इस प्रकार उत्तर दिया—'भगवद्भक्त-शिरोमणे! सुनो। जबतक मैं भेंट दूँ, तबतक तुम यहीं ठहरो। अन्यथा तुम जाने नहीं पाओगे। महामते! मेरी यह बात सत्य है, सत्य है॥ १७-१८॥

उद्धव बोले—हम मन्त्रियोंमें श्रेष्ठ और श्रेष्ठ ज्ञान प्रदान करनेवाले हैं। जो हमारी शिक्षा नहीं मानते, उनका मङ्गल नहीं होता॥ १९॥

नारदजी कहते हैं—राजन्! इस प्रकार शक्रसखने उद्धवको वहाँ नजरबंद कर लिया। उद्धवके नहीं लौटनेसे यदुवंशी लोग चिन्तित हो गये। उन्हें देखे बिना उन सबके कई दिन बीत गये। तब मेरे मुखसे उद्धवजीके अवरोधका समाचार सुनकर भगवान् प्रद्युम्न हरि त्रिपुरासुरको जीतनेके लिये यात्रा करनेवाले महादेवजीके समान शक्रसखपर विजय पानेके लिये चले। उनके साथ समस्त यादव-बन्धु और सारी सेना थी। प्रद्युम्नजी सुवर्णादिकी गुफाके द्वारपर जा पहुँचे। दुन्दुभियोंकी ध्वनिसे मिश्रित वीर योद्धाओंके कोदण्डोंकी टंकारों, घोड़ोंके हिनहिनाहटकी आवाजों तथा हाथियोंकी चिग्घाड़ोंसे दसों दिशाएँ गूँज उठीं। सैनिकोंके पैरोंसे उड़ी हुई धूल भी सब ओर व्याप्त हो गयी। शक्रसखकी सेना यादवोंसे युद्ध करने लगी। भयंकर युद्ध होने लगा, व्योममण्डल अस्त्र-शस्त्रोंसे आच्छादित हो गया। नृपेश्वर! यह सब देखकर मेरुपर्वतके निवासी समस्त देवता भयभीत हो उठे॥ २०—२४॥

इसी समय क्रोधसे भरा और रथपर चढ़ा महाबली शक्रसख दस अक्षौहिणी सेनाके साथ आगे बढ़कर यादवोंके साथ युद्ध करने लगा। देवताओंका यादवोंके साथ तुमुल युद्ध छिड़ गया। राजन्! प्राकृत प्रलयके समय चारों समुद्रोंके टकरानेसे जैसी भीषण ध्वनि होती है, वैसा ही महान् कोलाहल वहाँ होने लगा। अस्त्र-शस्त्रोंसे वहाँ अन्धकार-सा छा गया। उस समय बलदेवके छोटे भाई रोहिणीनन्दन वीर सारण कवच धारण किये, हाथीपर बैठकर, बारंबार धनुषकी टंकार करते हुए सबसे आगे आ गये और अपने कोदण्डसे छूटे हुए बाणोंद्वारा शक्रसखकी सेनाका संहार करने लगे। सारणके बाणसमूहोंसे कितने ही वीरोंके दो-दो टुकड़े हो गये। युद्धभूमिमें बहुत-से रथ करवट लेकर वृक्षोंके समान धराशायी हो गये। उस समय जिनके कुम्भस्थल फट गये थे, उन हाथियोंके मोती इधर-उधर गिर रहे थे, बाणोंके अन्धकारमें वे बिखरे हुए मोती रात्रिकालमें तारागणोंके समान चमकने लगे। कटते हुए घोड़ों, पैदल योद्धाओं तथा हाथियोंसे वह

समराङ्गण भूतगणोंसे युक्त भूतनाथके क्रीडास्थल महाश्मशान-सा जान पड़ता था। सारणका बल देखकर सब देवता भाग चले। उनके कोदण्ड छिन्न-भिन्न हो गये, कवच चारों ओरसे फट गये॥ २५—३३॥

अपनी सेनाको पलायन करती देख बलवान् शक्रसख धनुष टंकारता हुआ वहाँ आ पहुँचा और बड़े जोरसे मेघकी भाँति गर्जना करने लगा। वीर धनुर्धर बलवान् शक्रसखने समराङ्गणमें अर्जुनको दस, साम्ब और अनिरुद्धको सौ-सौ, गदको दो सौ तथा सारणको एक सहस्र बाण मारे। उसके बाणोंकी मारसे रथी वीर दो-दो घड़ीतक उसी प्रकार चक्कर काटने लगे, जैसे कुम्हारके चाक घूम रहे हों। वह अद्भुत-सी बात हुई। उस तरह चक्कर काटनेसे घोड़े मृत्युके ग्रास बन गये, रथोंके बन्धन ढीले पड़ गये, रथियोंके मनमें खेद होने लगा और सारथि भी युद्धमें मूर्च्छित हो गये॥ ३४—३८॥

राजेन्द्र! उस समय जाम्बवतीनन्दन साम्ब दूसरे रथपर आरूढ़ हो बलपूर्वक धनुष टंकारते हुए आये। उन्होंने शक्रसखके धनुषको दस बाणोंसे छिन्न-भिन्न कर डाला। दो बाणोंसे उसके सारथिको और सौ बाणोंसे घोड़ोंको यमलोक भेजकर सहस्र बाणोंद्वारा उसके रथको भी चूर-चूर कर दिया। धनुषके कट जाने तथा घोड़ों और सारथिके मारे जानेपर रथहीन हुए शक्रसखने मतवाले गजराजपर आरूढ़ हो रोषपूर्वक शूल हाथमें ले लिया। बलवान् शक्रसखने उस शूलसे साम्बकी छातीमें चोट की। उस आघातसे साम्बका मन कुछ व्याकुल हो गया॥ ३९—४२॥

शक्रसखका हाथी एक-एक योजनका डग भरता था। उसका रंग कज्जलगिरिके समान काला था। उसकी ऊँचाई चार योजनकी थी। उसकी दो दाँत आधे योजनतक आगे निकले हुए थे। वह बड़े जोरसे चिग्घाड़ता था। उसके चार-चार योजन विस्तृत तीन सूँड़ें थीं। उनके द्वारा वह साँकलोंको गिराता, हाथियों और वीरोंको कुचलता तथा रथों और घोड़ोंको इधर-उधर दाँतों और पैरोंसे विनष्ट करता हुआ काल, अन्तक और यमके समान दिखायी देता था। शत्रुसे प्रेरित उस महान् गजराजको आते और विचरते हुए देख यादव-सैनिक भयभीत हो युद्धसे भाग चले॥ ४३—४६॥

उस समय बलदेवजीके छोटे भाई बलवान् गदने गदा लेकर उस वज्र-सरीखी गदासे उक्त गजराजके कुम्भस्थलपर बड़े जोरसे आघात किया। उस आघातसे उसका कुम्भस्थल फट गया और वह हाथी युद्धस्थलमें पंख कटे हुए पर्वतके समान ढह गया। वह अद्भुत-सी बात हुई॥ ४७-४८॥

तदनन्तर शक्रसखने ज्यों ही रोषपूर्वक गदा उठानेकी चेष्टा की, त्यों ही गदने अपनी गदासे उसकी छातीमें चोट पहुँचायी। उस आघातसे वह हाथीसहित गिर पड़ा और मूर्च्छित हो गया। फिर उठकर उसने युद्धस्थलमें दोनों हाथोंसे गदा उठायी। गद और शक्रसख दोनों इस प्रकार परस्पर गदायुद्ध करने लगे, जैसे रङ्गशालामें दो मल्ल और जंगलमें दो हाथी लड़ रहे हों। तब बलदेवके छोटे भाई बलवान् गदने अपनी दोनों भुजाओंसे उस वीरको उठा लिया और बलपूर्वक उसे सौ योजन ऊपर उसके नगरमें फेंक दिया। उस समय यादव-सेनामें जय-जयकार होने लगी, विजय-की दुन्दुभियाँ बज उठीं और सब लोग बारंबार गदकी प्रशंसा करने लगे॥ ४९—५३॥

इस प्रकार श्रीगर्गसंहितामें विश्वजित्खण्डके अन्तर्गत नारद-बहुलाश्व-संवादमें 'शक्रसखका युद्ध' नामक सैंतालीसवाँ अध्याय पूरा हुआ॥ ४७॥

अड़तालीसवाँ अध्याय

शक्रसखका प्रद्युम्नको भेंट अर्पण, प्रद्युम्नका लीलावतीपुरीके स्वयंवरमें सुन्दरीको प्राप्त करना तथा इलावृतवर्षसे लौटकर भारत एवं द्वारकापुरी में आना

श्रीनारदजी कहते हैं—राजन्! अपने नगरमें गिरकर शक्रसख अत्यन्त मूर्च्छित हो गया। फिर उस मूर्च्छासे वह उठा। उठनेपर भी एक क्षणतक उसे बड़ी घबराहट रही॥ १॥

तदनन्तर श्रीकृष्णकुमार प्रद्युम्नको परब्रह्म जानकर शक्रसख बड़ी उतावलीके साथ अपनी भेंट-सामग्री लेकर यादव-सेनाके समीप गया। ऐरावतकुलमें उत्पन्न हुए तीन सूँड़ और चार दाँतवाले श्वेत रंगके एक हजार मदवर्षी हाथी, सुवर्णगिरिपर उत्पन्न हुए दो योजन विस्तृत शरीरवाले तथा दिग्गजोंके समान उन्मत्त पर्वताकार एक करोड़ हाथी, जिनके मुख दिव्य थे और जिनकी गति भी दिव्य थी, करोड़ोंकी संख्यामें उपस्थित किये गये। राजन्! इन सबके साथ सोनेके बने हुए उत्तम दिव्य रथ भी थे, जिनकी संख्या सौ अरब थी। दस हजार विमान भेंटके लिये लाये गये, जो दो-दो योजन विस्तारसे सुशोभित थे। दस लाख कामधेनु गौएँ और एक हजार पारिजात वृक्ष प्रस्तुत किये गये। तड़ागोंमें परिपुष्ट हुए सीपके मोती, जो यन्त्रपर चढ़ाकर चमकाये गये थे तथा चमेलीके इत्रसे आर्द्र, शिरीष-कुसुमोंसे सज्जित तथा दूधके फेनकी तरह सफेद करोड़ों शय्याएँ लायी गयीं, जिनपर सुन्दर तकिये भी रखे गये थे। हाथीके दाँतकी बनी हुई उनकी पाटियाँ रत्नोंसे जटित थीं और उनके पायोंमें भी सुवर्ण तथा रत्न जड़े गये थे। विचित्र वितान (चँदोवे) और दीवारोंपर लगाये जानेवाले वस्त्र करोड़ोंकी संख्यामें भेंट किये गये। छूनेमें कोमल एवं चितकबरे आसन तथा विश्वकर्माद्वारा रचित बड़े-बड़े तकिये दिये गये, जो मोतियोंके गुच्छों और सुवर्णरत्न आदिके द्वारा खचित थे। वे सब सहस्रोंकी संख्यामें थे। हजारों परदे, करोड़ों पालकियाँ, छत्र, चँवर और दिव्य सिंहासनोंके साथ करोड़ों व्यजन, जो राजलक्ष्मीके भूषण थे, प्रस्तुत किये गये। कोटि द्रोण-अमृत, सुधर्मा सभा, सर्वतोभद्र मण्डल, सहस्रदल कमल, हीरे, पन्ने और मोती दिये गये। कोटि भार गोमेद और नीलम दिये गये, सहस्रों भार सूर्यकान्त, चन्द्रकान्त और वैदूर्य मणियोंके थे। कोटि भार स्यमन्तक मणियोंके लाये गये थे। नरेश्वर! पद्मराग मणिके भारोंकी संख्या एक अरब थी। जाम्बूनद सुवर्ण, हाटक सुवर्ण तथा सुवर्णगिरिसे प्राप्त सुवर्णोंके भी कोटि-कोटि भार प्रस्तुत किये गये॥ २—१६॥

मैथिलेश्वर! आठ लोकपालोंके आधिपत्यकी रक्षा करनेवाला शक्रसख अपना राज्य तथा देवताओंकी सम्पूर्ण निधियोंको भेंटके लिये लेकर उद्धवजीके साथ यादव-सेनाके पास गया और कुशलताके लिये वह अद्भुत भेंट अर्पित करके उसने प्रद्युम्नको हाथ जोड़कर प्रणाम किया। शम्बरशत्रु प्रद्युम्नने संतुष्ट होकर उसे रत्नमाला अर्पित की और उस राज्यपर उसीको पुनः स्थापित कर दिया। राजन्! सत्पुरुषोंका ऐसा ही स्वभाव होता है॥ १७—१९॥

इस प्रकार जिसने प्रद्युम्नको भेंट दी थी, उस शक्रसखको जीतकर वे सेनासहित आगे गये। अब उनके सैनिकोंकी छावनी अरुणोदा नदीके तटपर पड़ी। महामूल्य रत्नोंसे जटित चँदोवे सौ योजनतक तन गये। वहाँ दिव्य पताकाएँ फहराने लगीं और वहाँकी भूमिपर विजय-ध्वजकी स्थापना हो गयी। उन ध्वजा-पताकाओंके कारण वह शिविरसमूह उत्ताल तरंगोंसे युक्त महासागरकी भाँति शोभा पाने लगा॥ २०-२१ $\frac{1}{2}$ ॥

राजन्! इसी समय आकाशसे ऐरावतपर चढ़े हुए देवराज इन्द्र सहसा सेनासहित वहाँ उतर आये। देवताओंकी दुन्दुभियाँ भी उनके साथ-साथ बजती आयीं। यह देख सम्पूर्ण यादव-वीरोंने बड़े वेगसे अपने अस्त्र-शस्त्र उठा लिये। पुनः देवराज इन्द्रको पहचानकर समस्त नरेश बड़े प्रसन्न हुए। उस समय

इन्द्रने भरी सभामें प्रद्युम्नसे कहा—"महाबाहु नरेश! तुम परावरवेत्ताओंमें श्रेष्ठ हो, अतः मेरी बात सुनो। सुवर्णगिरिके शिखरोंपर लीलावती नामसे प्रसिद्ध एक सुन्दर पुरी है। वहाँ विद्याधरोंके राजा सुकृति राज्य करते हैं। उनकी एक सुन्दरी नामवाली कन्या है, जो सौ चन्द्रमाओंके समान रूप-लावण्यसे सुशोभित और परम सुन्दरी है। राजन्! उसके स्वयंवरमें समस्त लोकपाल और देवता दिव्यरूप धारण करके आये हैं; किंतु वह राजकन्या कहती है कि 'जिसको देखकर मैं मूर्च्छित हो जाऊँगी, वही मेरा पति होगा।' यह बात कहकर वह सुन्दर वर पानेकी इच्छा रखती है। तुम उस उत्सवमें भी अपने समस्त भाइयोंके साथ सहसा चलो और देववृन्दसे मण्डित उस सुन्दर स्वयंवरको देखो"॥ २२—२९॥

नारदजी कहते हैं—राजन्! यह सुनकर भगवान् प्रद्युम्न अपने यदुवंशी भाइयोंसहित देवेन्द्रके साथ सहसा लीलावतीपुरीमें गये। जहाँ स्वयंवर हो रहा था, वहाँका प्राङ्गण बड़ा विशाल था। जड़े गये रत्नोंके कारण उसकी मनोहरता बढ़ गयी थी। उस स्थानपर चन्दन, अगर, कस्तूरी और केसरके द्रवका छिड़काव किया गया था। मोतीकी बंदनवारों, बहुमूल्य वितानों और जाम्बूनद सुवर्णके आसनोंसे वह स्वयंवर-भवन साक्षात् दूसरे इन्द्रलोक-सा शोभा पाता था॥ ३०—३२॥

नरेश्वर! प्रद्युम्न उस स्वयंवरमें गये और सिंह जैसे किसी पर्वतके शिखरपर बैठता है, उसी प्रकार सबके देखते-देखते एक दिव्य आसनपर विराजमान हुए। मैथिल! वहाँ जितने प्रजापति, मुनि, देवता, रुद्रगण, मरुद्गण, आदित्यगण, वसुगण, अग्नि, दोनों अश्विनी-कुमार, यम, वरुण, सोम, कुबेर, इन्द्र, सिद्ध, विद्याधर, गन्धर्व, किंनर तथा अन्यान्य सभी समागत एवं रत्नाभरणोंसे विभूषित देव थे, उन्होंने प्रद्युम्नको आया देख अपने विवाहकी आशा छोड़ दी॥ ३३—३६॥

इसी समय सुन्दरी हाथमें रत्नमाला लिये अपने रूपलावण्यसे रति और रम्भाको भी तिरस्कृत करती हुई-सी निकली। वह वराङ्गी अङ्गना सरस्वती, लक्ष्मी तथा रूपवती शचीकी विडम्बना करती हुई-सी जान पड़ती थी। मैथिल! जिसे देखकर सब ओर समस्त सभासद् मोहको प्राप्त हो गये, वह लक्ष्मीके समान राजकुमारी सुन्दरी सब लोगोंके सामने अपने लिये योग्य वरकी इस प्रकार खोज करने लगी, मानो चपला नूतन जलधरको ढूँढ़ रही हो॥ ३७-३८॥

दिव्याम्बरधारी तथा प्रफुल्ल कमलदलके समान विशाल लोचनवाले नरलोकसुन्दर वीर प्रद्युम्नके पास पहुँचकर वह सुन्दरी विद्याधरी मूर्च्छित हो गयी। फिर थोड़ी ही देरमें उसे चेत हुआ। वह उठी और आनन्द-विभोर होकर प्रद्युम्नके गलेमें सुन्दर माला डालकर खड़ी रह गयी। मिथिलेश्वर! विद्याधरोंके राजा सुकृतिने अपनी पुत्री सुन्दरीको प्रद्युम्नके हाथमें दे दिया। सब ओर माङ्गलिक वाद्य बज उठे, किंतु इस वैवाहिक मङ्गलको देखकर देवतालोग सहन न कर सके। उन लोगोंने उस स्वयंवरको चारों ओरसे उसी प्रकार घेर लिया, जैसे प्रचण्ड मेघोंने सूर्यदेवको आच्छादित कर लिया हो। उन देवताओंको क्रोधके वशीभूत हो धनुष उठाये और युद्धके मदसे उद्धत हुए देख साक्षात् प्रद्युम्न हरिने भगवान् श्रीकृष्णके दिये हुए बाणसहित श्रेष्ठ धनुषको हाथमें लेकर यादवोंके साथ सिंहनाद किया। मिथिलेश्वर! उनके धनुषसे छूटे हुए चमकीले बाणोंद्वारा देवताओंके अस्त्र-शस्त्र छिन्न-भिन्न हो गये, उनके कवचोंकी धज्जियाँ उड़ गयीं। जैसे सूर्यकी किरणोंसे कुहासेके बादल फट जाते हैं, उसी प्रकार वे देवता दसों दिशाओंमें भाग खड़े हुए॥ ३९—४३॥

इस प्रकार साक्षात् भगवान् प्रद्युम्न स्वयंवर जीतकर और इलावृतखण्डपर विजय पाकर भारतवर्षको जानेके लिये उद्यत हुए। भाइयों, यादवों, सैनिकों तथा समस्त मन्त्रीजनोंके साथ विजय-दुन्दुभि बजवाते हुए वे भारत-खण्डमें आये। अनेक देशोंको देखते हुए जम्बूद्वीप विजयी बलवान् वीर श्रीकृष्णकुमार क्रमशः आनर्त-प्रदेशमें और द्वारकाके देशोंमें आये। प्रद्युम्नके द्वारा भेजे गये बुद्धिमानोंमें श्रेष्ठ साक्षात् उद्धवने राजसभामें पहुँचकर राजा उग्रसेनको तथा भगवान् श्रीकृष्णको प्रणाम किया। प्रत्येक वर्षमें क्या-क्या हुआ और जम्बूद्वीपपर किस तरह विजय मिली, वह सारा वृत्तान्त उद्धवजीने यथोचित रूपसे कह सुनाया॥ ४४—४८॥

तब राजा उग्रसेन श्रीकृष्ण-बलदेव एवं सम्पूर्ण वृद्धजनोंके साथ प्रद्युम्नको लानेके लिये निकले। गीतवाद्योंकी ध्वनि तथा वेद-मन्त्रोंके गम्भीर घोषके साथ मोतियों, खीलों और फूलोंकी वर्षापूर्वक मङ्गल-पाठ करते हुए लोग उनकी अगवानीके लिये आये। नरेश्वर! एक गजराजको आगे करके सोनेके कलश, गन्धर्व, अप्सराएँ, शङ्ख, दुन्दुभि, वेणु, गन्ध, अक्षत, सोनेके पात्र, फूल, धूप तथा जौके अङ्कुर साथ लिये राजा उग्रसेन प्रद्युम्नके सम्मुख आये॥ ४९—५२॥

मैथिल! श्रीकृष्णकुमारने यादव-बन्धुओंके साथ खड्ग ले जाकर महाराज उग्रसेनके सामने रख दिया और हाथ जोड़कर प्रणाम किया। मीन-केतन प्रद्युम्नने श्रीकृष्ण-बलरामको मस्तक झुकाकर समस्त वृद्धजनों-को प्रणाम करनेके अनन्तर शीघ्र जाकर श्रीगर्गाचार्यके चरणोंमें नमस्कार किया। राजा उग्रसेन भूरि-भूरि प्रशंसा करके, वैदिकमन्त्रों तथा ब्राह्मणोंके सहयोगसे विधिवत् पूजन करके, प्रद्युम्नको हाथीपर बिठाकर द्वारकापुरीमें गये। द्वारकामें सर्वत्र—घर-घरमें मङ्गल उत्सव हुआ। नरेश्वर! इस प्रकार मैंने तुम्हारी पूछी हुई सब बातें कहीं, अब और क्या सुनना चाहते हो?॥ ५३—५६॥

इस प्रकार श्रीगर्गसंहितामें विश्वजित्खण्डके अन्तर्गत नारद-बहुलाश्व-संवादमें 'प्रद्युम्नका द्वारका-गमन' नामक अड़तालीसवाँ अध्याय पूरा हुआ॥ ४८॥

उनचासवाँ अध्याय

राजसूय यज्ञमें ऋषियों, ब्राह्मणों, राजाओं, तीर्थों, क्षेत्रों, देवगणों तथा सुहृद्-सम्बन्धियोंका शुभागमन

बहुलाश्वने पूछा—विप्रवर! आप परावर-वेत्ताओंमें श्रेष्ठ हैं; अतः मुझे यह बताइये कि राजा उग्रसेनने किस प्रकार राजसूय यज्ञका विधिपूर्वक अनुष्ठान किया॥ १॥

नारदजीने कहा—राजन्! तदनन्तर समस्त धर्मात्माओंमें श्रेष्ठ राजा उग्रसेनने भगवान् श्रीकृष्णकी सहायतासे क्रतुराज राजसूयका सम्पादन किया। यदुकुलके आचार्य गर्गजीसे यत्नपूर्वक मुहूर्त पूछकर भाई-बन्धुओं तथा सुहृदोंको निमन्त्रण दिया। अत्यन्त भक्ति-भावसे बुलाये जानेपर ऋषि, मुनि तथा ब्राह्मण-सब लोग अपने पुत्रों और शिष्योंके साथ द्वारकामें आये॥ २—४॥

राजन्! साक्षात् वेदव्यास, शुकदेव, पराशर, मैत्रेय, पैल, सुमन्तु, दुर्वासा, वैशम्पायन, जैमिनि, भार्गव परशुराम, दत्तात्रेय, असित, अङ्गिरा, वामदेव, अत्रि, वसिष्ठ, कण्व, विश्वामित्र, शतानन्द, भारद्वाज, गौतम, कपिल, सनकादि, विभाण्ड, पतञ्जलि, द्रोणाचार्य, कृपाचार्य, प्राड्विपाक, मुनिश्रेष्ठ शाण्डिल्य तथा दूसरे-दूसरे मुनि वहाँ शिष्योंसहित पधारे। ब्रह्मा, शिव, इन्द्र, देवगण, रुद्रगण, आदित्यगण, मरुद्गण, समस्त वसुगण, अग्नि, दोनों अश्विनीकुमार, यम, वरुण, सोम, कुबेर, गणेश, सिद्ध, विद्याधर, गन्धर्व तथा किंनर आदिका शुभागमन हुआ। गन्धर्व-सुन्दरियाँ, अप्सराएँ और समस्त विद्याधरियाँ वहाँ आयीं। वेताल, दानव, दैत्य, प्रह्लाद, बलि, भीषण राक्षसोंके साथ लङ्कापति विभीषण तथा समस्त वानरोंके साथ वायुनन्दन हनुमान् पधारे। ऋक्षों और दाढ़वाले वन्य पशुओंके साथ बलवान् ऋक्षराज जाम्बवान्का आगमन हुआ। समस्त पक्षियोंके साथ बलवान् पक्षिराज गरुड आये। समस्त सर्पगणोंको साथ लिये बलवान् नागराज वासुकि पधारे। सम्पूर्ण कामधेनुओंके साथ गोरूपधारिणी पृथ्वीका आगमन हुआ। समस्त मूर्तिमान् पर्वतोंके साथ मेरु और हिमालय पधारे। गुल्मों, वृक्षों और लताओंके साथ प्रयागके वृक्षराज अक्षयवटका शुभागमन हुआ॥ ५—१५॥

महानदियोंके साथ श्रीगङ्गा और यमुना नदी आयीं। रत्नोंकी भेंटके साथ सातों समुद्र पधारे। ये सब-के-सब उग्रसेनके राजसूय यज्ञमें सहर्ष आये।

सात स्वर, तीन ग्राम, नौ अरण्य, महीतलमें नौ ऊसर, विख्यात चौदह गुह्य, तीर्थराज प्रयाग, पुष्कर, बदरिकाश्रम, सिद्धाश्रम, कुण्डों और समस्त सरोवरोंसहित विनशन (कुरुक्षेत्र), समस्त उपवनोंके साथ दण्डक आदि वन—ये सब-के-सब समग्र विमल क्षेत्रोंके साथ वहाँ उपस्थित हुए॥ १६—१९॥

व्रजसे श्रीमान् गिरिराज गोवर्धन, वृन्दावन, दूसरे-दूसरे वन, सरोवर तथा कुण्ड भी पधारे। रानी कीर्तिदा और गोपियोंके साथ गोपिकेश्वरी यशोदा साक्षात् पधारीं। अपने करोड़ों सखी-समूहोंके साथ शिबिकारुढ़ा श्रीराधाका भी शुभागमन हुआ। गोपियोंके सौ यूथ भी द्वारकामें सानन्द पधारे॥ २०—२२॥

जहाँ आजकल गोपी-भूमि है, वहीं उन्हें ठहराया गया। उन्हींके अङ्गरागसे वहाँ गोपीचन्दन प्रकट हुआ। जिसके अङ्गमें गोपीचन्दन लग जाता है, वह मनुष्य नरसे नारायण हो जाता है॥ २३॥

चारों वर्णोंके सभी लोग उस यज्ञमें उपस्थित हुए थे। प्रज्ञाचक्षु धृतराष्ट्र, कलिका अवतार साक्षात् दुर्योधन, शाल्व, भीष्म, कर्ण, कुन्तीपुत्र युधिष्ठिर, भीम, अर्जुन, नकुल, सहदेव, दमघोष, वृद्धशर्मा, महाराज जयसेन, धृष्टकेतु, भीष्मक, कोसलराज नग्नजित्, बृहत्सेन तथा तुम्हारे पितामह साक्षात् मिथिलेश्वर धृति तथा अन्य राजा, सुहृद्-सम्बन्धी, बन्धु-बान्धव अपनी रानियों तथा पुत्र-पौत्रोंके साथ उस यज्ञमें पधारे थे॥ २४—२८॥

इस प्रकार श्रीगर्गसंहितामें विश्वजित्खण्डके अन्तर्गत नारद-बहुलाश्व-संवादमें 'स्वजन-शुभागमन' नामक उनचासवाँ अध्याय पूरा हुआ॥ ४९॥

पचासवाँ अध्याय

राजसूय यज्ञका मङ्गलमय उत्सव; देवताओं, ब्राह्मणों तथा अतिथियोंका दान-मानसे सत्कार

नारदजी कहते हैं—राजन्! अर्थसिद्धिके द्वारभूत पिण्डारक क्षेत्रमें, जो रैवतक पर्वत और समुद्रके बीचमें स्थित है, यज्ञका आरम्भ हुआ। उस यज्ञमें जो कुण्ड बना, उसका विस्तार पाँच योजनका था। ब्रह्मकुण्ड एक योजनका और पाँच कुण्ड दो कोसमें बनाये गये। वे सभी कुण्ड मेखला, गर्त, विस्तार और वेदियोंके साथ सुन्दर ढंगसे निर्मित हुए थे। वहाँका महान् यज्ञस्तम्भ एक हजार हाथ ऊँचा था। सुवर्णमय यज्ञमण्डपका विस्तार पाँच योजन था, जो चँदोवों और बंदनवारोंसे सुशोभित था। केलेके खंभे उसकी शोभा बढ़ाते थे॥ १—४॥

भोज, वृष्णि, अन्धक, मधु, शूरसेन तथा दशार्ह वंशके यादवोंसे घिरे हुए राजा उग्रसेन देवताओंसे युक्त इन्द्रकी भाँति उस यज्ञमण्डपमें शोभा पाते थे। जैसे परमात्मा अपनी विभूतियोंसे शोभा पाता है, उसी प्रकार परिपूर्णतम भगवान् यज्ञावतार श्रीकृष्ण उस यज्ञमें अपने पुत्रों और पौत्रोंसे सुशोभित होते थे॥ ५—६॥

महान् सम्भारका संचय करके, गर्गाचार्यको गुरु बनाकर यदुराज उग्रसेनने क्रतुश्रेष्ठ राजसूय यज्ञकी दीक्षा ली। मैथिल! उस यज्ञमें दस लाख होता, दस लाख दीक्षित अध्वर्यु और पाँच लाख उद्गाता थे। अग्निकुण्डमें हाथीकी सूँड़के सामन मोटी घृतकी धारा गिरायी जाती थी, जिसे खा-पीकर अग्निदेवता अजीर्ण-रोगके शिकार हो गये। उन दिनों तीनों लोकोंमें कोई भी जीव भूखे नहीं रह गये। सब देवता सोमपान करके अजीर्णके रोगी हो गये॥ ७—१०॥

अपनी धर्मपत्नी रुचिमतीके साथ बलवान् यादव-राज उग्रसेनने पिण्डार तीर्थमें यज्ञका अवभृथ-स्नान किया। वे व्यास आदि मुनीश्वरोंके साथ वेद-मन्त्रोंके द्वारा विधिपूर्वक नहाये। जैसे दक्षिणासे यज्ञकी शोभा होती है, उसी तरह रानी रुचिमतीके साथ राजा उग्रसेनकी शोभा हुई। देवताओं तथा मनुष्योंकी दुन्दुभियाँ

बजने लगीं और देवता उग्रसेनके ऊपर फूल बरसाने लगे। सोनेके हारसे विभूषित चौदह लाख हाथी उग्रसेनने दान किये। सौ अरब घोड़े उन्होंने यज्ञान्तमें दक्षिणाके रूपमें दिये। बहुमूल्य हारों और वस्त्रोंके साथ करोड़ों नवरत्न मुनिवर गर्गाचार्यको भेंट किये। साथ ही उन्हें घर-गृहस्थीके उपकरण भी अर्पित किये। महामनस्वी यादवेन्द्र राजा उग्रसेनने उस यज्ञमें एक हजार हाथी, दस हजार घोड़े और बीस भार सुवर्ण ब्रह्मा बने हुए ब्राह्मणको दिये। जैसे राजा मरुत्तके यज्ञमें ब्राह्मणलोग दक्षिणासे इतने संतुष्ट हुए थे कि अपने-अपने सुवर्णमय पात्र भी छोड़कर चल दिये थे, उसी प्रकार महाराज उग्रसेनके इस यज्ञमें भी ब्राह्मण संतुष्ट तथा हर्षोत्फुल्ल होकर अपने घर लौटे। अपने-अपने भागको पाकर संतुष्ट हुए सब देवता स्वर्गलोकको चले गये। वंदीजनोंको भी बहुत द्रव्य दिया गया, जिससे जय-जयकार करते हुए वे अपने घर गये। राक्षस, दैत्य, वानर, दाढ़वाले पशु तथा पक्षी भी संतुष्ट होकर गये। समस्त नाग भी संतुष्टचित्त होकर अपने-अपने घर पधारे। गौएँ, पर्वत, वृक्ष-समुदाय, नदियाँ, तीर्थ तथा समुद्र—सबको अपना-अपना भाग प्राप्त हुआ और वे सब संतुष्ट होकर अपने-अपने स्थानको पधारे। जो राजा आमन्त्रित किये गये थे, उन्हें भी बहुत भेंट देकर दान-मानके द्वारा उनकी पूजा की गयी और वे सब संतुष्ट होकर अपने-अपने घर गये। नन्द आदि मुख्य-मुख्य गोपोंका पूजन स्वयं श्रीकृष्णने किया। वे सब लोग प्रेम और दानसे प्रसन्न हो व्रजको लौटे॥११—२२$\frac{१}{२}$॥

राजन्! इस प्रकार मैंने तुमसे राजसूय महायज्ञके मङ्गलमय उत्सवका वर्णन किया। जहाँ साक्षात् भगवान् श्रीकृष्ण हैं, वहाँ कौन-सा कार्य सफल नहीं होगा? जो मनुष्य सदा इस कथाको पढ़ते और सुनते हैं, उन्हें धर्म, अर्थ, काम और मोक्ष—चारों पदार्थोंकी प्राप्ति होती है। भगवान् श्रीकृष्ण पूर्ण परेश, परमेश्वर और पुराणपुरुष हैं; वे तुमको पवित्र करें। जो मनुष्य उनकी इस विचित्र कथाको सुनते हैं, वे अपने कुलको पवित्र कर देते हैं। विदेहराज! परमेश्वर श्रीहरिने यज्ञके बहाने समस्त भूतलका भार उतार दिया। जो यदुकुलमें चतुर्व्यूहरूप धारण करके प्रकट हुए, उन अनन्त-गुणशाली भुवनपालक परमेश्वरको नमस्कार है*॥ २३—२७॥

इस प्रकार श्रीगर्गसंहितामें विश्वजित्खण्डके अन्तर्गत नारद-बहुलाश्व-संवादमें उग्रसेनके महान् अभ्युदयके प्रसङ्गमें 'राजसूय-यज्ञोत्सवका वर्णन' नामक पचासवाँ अध्याय पूरा हुआ॥ ५०॥

॥ विश्वजित्खण्ड सम्पूर्ण ॥

---

*पूर्ण परेशः परमेश्वरः प्रभुः पुनातु वो यः पुरुषः पुराणः।
शृण्वन्ति ये तस्य कथां विचित्रां कुर्वन्ति तीर्थं स्वकुलं नरास्ते॥
छलेन यज्ञस्य हरिः परेश्वरो भारं विदेहेश भुवोऽवतारयत्।
योऽभूच्चतुर्व्यूहधरो यदोः कुले तस्मै नमोऽनन्तगुणाय भूभृते॥
(गर्ग०, विश्वजित्० ५०। २६-२७)

श्रीबलरामजी

श्रीगणेशाय नमः

श्रीबलभद्रखण्ड

पहला अध्याय

श्रीबलभद्रजीके अवतारका कारण

राजा बहुलाश्वने कहा—ब्रह्मन्! आपके श्रीमुखसे मैंने अमृतकी अपेक्षा भी परम मधुर, मङ्गलमय, परम अद्भुत विश्वजित्खण्डका श्रवण किया। महात्मा श्रीकृष्ण परिपूर्णतम भगवान् हैं, उनकी सोलह हजार पत्नियोंमेंसे प्रत्येकके दस-दस पुत्र हुए। मुनिवर! उनके फिर करोड़ों पुत्र और पौत्र उत्पन्न हुए। पृथ्वीके रजकण गिने जा सकते हैं, किंतु कोई विद्वान् कवि भी श्रीकृष्णके वंशजोंकी गणना करनेमें समर्थ नहीं है। महात्मा बलरामजीकी रेवती पत्नी थीं। उनके एक भी पुत्र नहीं हुआ। कृपापूर्वक इसका रहस्य बताइये॥ १—४॥

श्रीनारदजी कहने लगे—तुम्हारा प्रश्न बहुत सुन्दर है। भगवान् अच्युतके बड़े भाई भगवान् संकर्षण कामपाल हैं। उन बलरामजीकी कथा मैं तुम्हारे सामने भलीभाँति वर्णन करूँगा। दुर्योधनके गुरु प्राड्विपाक नामक मुनि योगियोंके और मुनियोंके अधीश्वर थे। वे एक दिन हस्तिनापुर पधारे। दुर्योधनने महान् आदरके साथ उनका विविध उपचारोंके द्वारा सम्यक् प्रकारसे पूजन किया। फिर वे महामूल्यवान् सिंहासनपर विराजित हुए। दुर्योधन उनकी वन्दना और प्रदक्षिणा करके, हाथ जोड़कर उनके सामने बैठ गया। फिर अपने मनके संदेहको स्मरण करके उनसे कहा—'भगवान् संकर्षण साक्षात् बलभद्रजीका इस भूमण्डलमें किस कारणसे और किनकी प्रार्थनासे शुभागमन हुआ? उन्होंने मेरे नगरको उलटाकर टेढ़ा कर दिया था। वे मेरे गुरु हैं। मुझको उन्होंने ही गदायुद्ध सिखलाया था। आप उनके प्रभावका विस्तारपूर्वक वर्णन कीजिये'॥ ५—९॥

प्राड्विपाक मुनिने कहा—कुरुसत्तम युवराज! यादवश्रेष्ठ बलभद्रजीका प्रभाव सुनो। उसके सुननेसे पापोंका सम्पूर्णतया विनाश हो जाता है। इसी द्वापरके अन्तकी बात है, राजाओंके रूपमें करोड़ों-करोड़ों दैत्यसेनाओंने उत्पन्न होकर पृथ्वीको भयानक भारसे दबा दिया। तब पृथ्वीने गौका रूप धारण करके स्वयम्भू ब्रह्माजीकी शरण ली। देवश्रेष्ठ ब्रह्माजीने सम्पूर्ण देवताओंके और शंकरजीके साथ श्रीवैकुण्ठ-नाथको आगे किया और भगवान् वामनदेवके बायें पैरके अँगूठेके नखसे कटे हुए ऊर्ध्व ब्रह्माण्डकटाहके छिद्रके द्वारा वे बाहर निकले। वहाँ ब्रह्माजी देवताओं-सहित ब्रह्मद्रव (श्रीगङ्गाजी) के समीप उपस्थित हुए और उसमें करोड़ों-करोड़ों ब्रह्माण्डोंको लुढ़कते देखा। तदनन्तर वे विरजा नदीके तटपर पहुँचे। इसके बाद देवताओंके साथ ब्रह्माने अनन्तकोटि सूर्योंकी ज्योतियोंके समान तेजोमण्डलके दर्शन किये। उन्होंने ध्यान और प्रणाम किया। वहाँ देवताओंसहित ब्रह्माजीको भगवान् संकर्षणके दर्शन हुए। उनके हजार मुख थे और उनका श्रीविग्रह अनन्त गुणोंसे लक्षित था। वे अनन्त भगवान् कुण्डलाकारमें विराजित थे। उन अनन्तकी गोदमें उन्हें वृन्दावन, यमुना नदी, गोवर्धन गिरि, कुञ्ज-निकुञ्ज, लता-बेलोंकी कतारें, भाँति-भाँतिके वृक्ष, गोपाल, गोपी और गोकुलसे परिपूर्ण सर्वलोकके द्वारा नमस्कृत परमसुन्दर गोलोकधामकी उपलब्धि हुई और वहाँ निकुञ्जेश्वर स्वयं भगवान्‌की अनुमति प्राप्त करके वे अन्तःपुरमें पहुँचे। वहाँ उस निजनिकुञ्जमें साक्षात् परिपूर्णतम भगवान् श्रीकृष्णचन्द्र विराजित थे, जो अनन्त ब्रह्माण्डोंके स्वामी हैं। उन राधापति भगवान्‌की श्यामसुन्दर कान्ति है। वे पीताम्बर पहने हुए हैं। उनके गलेमें वनमाला सुशोभित है और वे वंशी धारण किये हुए हैं। ध्वनि करते हुए स्वर्णके नूपुर, किङ्किणी, कड़े,

बाजूबंद, हार, उज्ज्वल आभापूर्ण कौस्तुभमणि तथा अँगूठियोंसे अलंकृत हैं। करोड़ों-करोड़ों बाल-सूर्योंके समान द्युतिवाले किरीट और कुण्डल उन्हें सुशोभित कर रहे हैं। उनका मुख-कमल अलकावलियोंसे समलंकृत है। ऐसे कमल-वदन भगवान्‌को ब्रह्मा आदि देवताओंने नमस्कार किया और पृथ्वीके भारका सारा वृत्तान्त उन्हें कह सुनाया। भगवान् श्रीकृष्णने उनकी सब बातोंको सुन-जानकर अपने निज जन समस्त देवताओंको पृथ्वीका भार हरण करनेके लिये यथायोग्य आदेश दिया और सहस्र मुखवाले भगवान् अनन्तसे वे यों कहने लगे—'हे अनन्त! तुम पहले वसुदेवजीकी पत्नी देवकीके गर्भमें जाकर फिर रोहिणीके उदरसे प्रकट होओ। तदनन्तर मैं देवकीके पुत्रके रूपमें आविर्भूत होऊँगा'॥ १०—१६॥

इस प्रकार श्रीगर्गसंहितामें श्रीबलभद्रखण्डके अन्तर्गत श्रीप्राड्विपाक मुनि और दुर्योधनके सवांदमें 'श्रीबलभद्रके अवतारका कारण' नामक पहला अध्याय पूरा हुआ॥ १॥

दूसरा अध्याय

श्रीबलभद्रजीके अवतारकी तैयारी

प्राड्विपाक मुनिने कहा—इस प्रकार भगवान् श्रीकृष्णके कहनेपर हजार मुखवाले अनन्त जानेके लिये तैयार होकर अपनी सभामें जाकर विराजित हुए। उसी समय सिद्ध, चारण और गन्धर्वोंने आकर अत्यन्त विनीत भावसे सिर झुकाकर उन्हें सब ओरसे नमस्कार किया। इसके बाद तालके चिह्नसे सुशोभित ध्वजा-वाले दिव्य रथमें घोड़े जोतकर सुमति नामक सारथि उनके सम्मुख उपस्थित हुआ। शत्रुकी सेनाका विदारण करनेवाला 'मुसल', दैत्योंका कचूमर निकालनेवाला 'हल' और ब्रह्ममय नामक 'कवच' भी उनके सामने आकर उपस्थित हो गया। तदनन्तर वहाँ सबके देखते-देखते बलभद्रजीकी सभामें श्रीशेषजी रमा-वैकुण्ठसे पधारे। उनके एक सहस्र फनोंपर मुकुट सुशोभित थे। सिद्ध-चारणगण तथा पाणिनि और पतञ्जलि आदि मुनि उनकी स्तुति कर रहे थे। ऐसे वे शेषजी आकर स्तुति करके संकर्षणके श्रीविग्रहमें विलीन हो गये। उसके बाद अजितवैकुण्ठसे सहस्र-वदन शेषजीका वहाँ शुभागमन हुआ। वे अजैकपाद, अहिर्बुध्न्य, बहुरूप, महद् आदि रुद्रोंसे घिरे हुए थे। भयंकर प्रेत और विनायक आदि उनके चारों ओर फैले थे। बलराम-सभामें आकर शेषनागने उनका स्तवन किया और स्तवन करनेके पश्चात् वे उन्हींके शरीरमें विलीन हो गये। तदनन्तर श्वेतद्वीपसे कुमुद और कुमुदाक्ष आदि प्रधान पार्षदोंके द्वारा सेवित, हजार फनोंके ऊपर विराजमान मुकुटोंसे सुशोभित, नीलाम्बरधारी, श्वेतपर्वतके समान प्रभावाले, नील कुन्तलकी कान्तिसे मण्डित, भयंकर रूपवाले शेषजी पधारे और वे भी सबके देखते-देखते अनन्तके देहमें विलीन हो गये। फिर उसी समय इलावृतवर्षसे शेषजी आये। भगवती पार्वतीकी दासी करोड़ों स्त्रियोंके यूथ उनकी सेवा कर रहे थे। मुकुट-मण्डित हजार मुखों-वाले शेषजी चमचमाते हुए किरीट, कुण्डल और बाजूबंदसे सुशोभित थे। सभामें आकर वे भी भगवान् अनन्तके श्रीविग्रहमें प्रवेश कर गये। तदनन्तर पातालके बत्तीस हजार योजन नीचेसे शेषजी आये। वे हजार मुखवाले शेषजी 'भगवान्‌की तामसी' कलासे सम्पन्न थे। उन्होंने अनन्त सूर्योंके समान प्रकाशमान किरीट धारण कर रखा था। व्यास, पराशर, सनक, सनन्दन, सनत्कुमार, नारद, सांख्यायन, पुलस्त्य, बृहस्पति और मैत्रेय आदि महर्षियोंकी संनिधिसे उनकी अपार शोभा हो रही थी। वासुकि, महाशङ्ख, श्वेत, धनंजय, धृतराष्ट्र, कुहक, कालिय, तक्षक, कम्बल, अश्वतर और देवदत्तादि नागराज उन्हें चँवर डुला रहे थे। कस्तूरी, अगर, केसर और चन्दनके द्वारा अनुलिप्त बहुत-सी नागकन्याएँ उनकी सेवा कर रही थीं। सिद्ध, चारण, गन्धर्व और विद्याधरोंके द्वारा उनका यशोगान

हो रहा था। हाटकेश्वर, त्रिपुर, बल, कालकेय, कलि और निवातकवचादि दैत्य उनके अनुयायी होकर आगे-आगे चल रहे थे। ग्यारह रुद्र व्यूहाकारसे उनके आगे-आगे और कस्तूरीमृग, कामधेनु तथा वरुण उनके पीछे चल रहे थे। वीणा, मृदङ्ग, ताल और दुन्दुभिके शब्द हो रहे थे। वे फणिधर गजराजके समान तीव्र गतिसे वहाँ पधारे। उनके एक फनपर यह सारा भूमण्डल सरसोंके दानेकी तरह प्रतीत हो रहा था। ऐसे शेषजी वहाँ आकर भगवान् महा अनन्तके श्रीविग्रहमें प्रविष्ट हो गये॥ १—८॥

सभाके सम्पूर्ण पार्षदोंने इस विचित्र लीलाको देखा और वे उन्हें परिपूर्णतम भगवान् समझकर सर्वथा अवनत और आश्चर्यचकित हो गये। तदनन्तर अनन्त-मुख महान् अनन्त भगवान् संकर्षणने सिद्धपार्षदोंसे कहा—'भूमिका भार हरण करनेके लिये मैं भूमण्डल-पर चलूँगा। इसलिये तुमलोग जाकर यादवकुलमें जन्म ग्रहण करो।' तदनन्तर वे सुमति सारथिसे बोले—'तुम बड़े बलवान् और शूरवीर हो। तुम यहाँ ही रहो। किसी प्रकारका शोक न करो। जिस समय युद्धाभिलाषी होकर मैं तुम्हें याद करूँगा, उसी समय तालचिह्नित दिव्य रथको लेकर तुम मेरे समीप आ जाना। हे हल और मुसल! मैं जब-जब तुम्हारा स्मरण करूँ, तब-तब तुम मेरे सामने प्रकट हो जाना। कवच! तुम भी वैसे ही प्रकट होना। हे पाणिनि आदि, व्यास आदि तथा कुमुद आदि मुनियो! ग्यारह रुद्रो! हे कोटि-कोटि रुद्रो! गिरिजापति श्रीशंकरजी! गन्धर्वो! वासुकि आदि नागराजो! निवातकवचादि दैत्यो! हे वरुण और कामधेनु! मैं भूमण्डलपर भारतवर्षमें यदुकुलमें अवतार लूँगा। तुम सब वहाँ सदा-सर्वदा मेरा दर्शन करना'॥ ९—१४॥

प्राड्विपाक मुनि कहने लगे—इस प्रकार आज्ञा पाकर वे सभी अपने-अपने स्थानोंको चले गये। उनके चले जानेके अनन्तर भगवान् अनन्तने नागकन्याओंके यूथसे कहा—'मैं तुम्हारा अभिप्राय जानता हूँ, तुम सभी तपस्याके द्वारा गोपोंके घर जन्म लेकर मेरा दर्शन करना। किसी समय कालिन्दीके तटपर मनोहर रासमण्डलमें तुम्हारे साथ रास करके मैं तुम्हारा मनोरथ पूर्ण करूँगा।' तदनन्तर निवातकवचोंके राजा कलिने हाथ जोड़कर प्रभुके चरण-कमलोंमें पुष्पाञ्जलि अर्पण की और भगवान्‌के चरणोंमें मस्तक टेककर कहा—भगवन्! मुझे आज्ञा दीजिये, मेरे लिये क्या काम होगा? आप जहाँ पधारेंगे, वहाँ ही मैं भी चलूँगा। पिताजी! आपके वियोगमें मुझे महान् दुःख होगा; आप भक्तवत्सल हैं, अतएव मुझे साथ ले चलिये।' इस प्रकार प्रार्थना सुनकर भगवान् अनन्तने प्रसन्न हो अपने भक्त कलिराजसे कहा—'तुम मेरे साथ सुखपूर्वक भारतवर्षमें चलो। तुम वहाँ कौरवकुलमें धृतराष्ट्रके पुत्र दुर्योधनके नामसे विख्यात चक्रवर्ती राजा बनो। मैं तुम्हारी सहायता करूँगा, तुम्हें गदायुद्ध सिखाऊँगा।' इस प्रकार कहनेपर उन्हें नमस्कार करके राजा कलि अपने स्थानपर चला गया। उसी कलि तुमने दुर्योधनके रूपमें जन्म लिया है। भगवान् विष्णुकी मायासे तुमको अपने स्वरूपकी स्मृति नहीं है॥ १५—२०॥

इस प्रकार श्रीगर्गसंहितामें श्रीबलभद्रखण्डके अन्तर्गत श्रीप्राड्विपाक मुनि और दुर्योधनके संवादमें 'बलभद्रजीके अवतारकी तैयारी' नामक दूसरा अध्याय पूरा हुआ॥ २॥

तीसरा अध्याय

ज्योतिष्मतीका उपाख्यान

प्राड्विपाक मुनिने कहा—तदनन्तर करोड़ों शारदीय चन्द्रमाओंकी कान्तिवाली स्वयं नागलक्ष्मी महान् रथपर सवार होकर वहाँ पधारीं। करोड़ों सखियाँ उनकी शोभा बढ़ा रही थीं। उन्होंने आकर स्वामी महान् अनन्त भगवान् संकर्षणसे कहा—भगवन्। मैं भी आपके साथ ही भूमण्डलपर चलूँगी। आपके

वियोगकी व्यथा मुझे इतना व्याकुल कर देगी कि मैं अपने प्राणोंको नहीं रख सकूँगी । नागलक्ष्मीका गला भर आया था। भगवान् अनन्तने जो समस्त जगत्के कारणके भी कारण हैं, भक्तोंका दुःख निवारण करना ही जिनका स्वभाव है और जिनका श्रीविग्रह ऐरावतके समान बृहत् सर्परूप है। अपनी प्रियाकी यह दशा देखकर कहा—हे रम्भोरु! तुम शोक मत करो। पृथ्वीपर जाकर रेवतीकी देहमें विलीन हो जाओ। फिर मेरी सेवामें उपस्थित हो जाओगी। यह सुनकर नागलक्ष्मी बोलीं—'रेवती कौन हैं, किनकी कन्या हैं और कहाँ रहती हैं—आप विस्तारसे मुझे बताइये।' यह सुनकर भगवान् अनन्तने मुसकराते हुए अपनी प्रियासे कहा— ॥ १—५ ॥

आदि सृष्टिकी बात है। कद्रूके गर्भसे कश्यपजीके पुत्ररूपमें मैं उत्पन्न हुआ था। भगवान् श्रीकृष्णकी आज्ञासे मैंने अखण्ड भूमण्डलको कमण्डलुके समान अपने एक फनपर धारण कर लिया और सब लोकोंसे नीचेके लोकमें जाकर मैं विराजित हो गया। मेरे इस प्रकार वहाँ स्थित होनेपर चक्षुष्के पुत्र अतिबल चाक्षुष नामक मनु सप्तद्वीपमय अखण्ड पृथ्वीमण्डलके सर्व-गुणसम्पन्न सम्राट् हुए, बड़े-बड़े मण्डलेश्वर राजा उनके चरणकमलोंपर अपने मस्तक घिसा करते थे। इन्द्रादि देवतागण भी उनका शासन मानते थे। प्रचण्ड धनुष-वाले वे चाक्षुष मनु शत्रुओंके समस्त बल-गर्वको चूर्ण करके स्थित थे। उन चाक्षुष मनुके सुद्युम्नादि अनेक पुत्र हुए। तदनन्तर मनुने यज्ञ किया और उनके यज्ञकुण्डसे ज्योतिष्मती नामकी एक कन्या उत्पन्न हुई। एक दिन चाक्षुष मनुने स्नेहवश अपनी उस कन्यासे पूछा—'बताओ, तुम कैसा वर चाहती हो?' तब कन्याने उत्तर दिया कि जो सबसे अधिक बलवान् हों, वे ही मेरे स्वामी बनें। यह सुनकर राजाने इन्द्रको सबसे अधिक बलवान् समझकर बुलाया। वज्रधारी इन्द्रके सामने आनेपर राजाने आदरपूर्वक उन्हें आसनपर बैठाया और कहा—आपकी अपेक्षा कोई और अधिक बलवान् है कि नहीं, यह आप सत्य-सत्य बताइये। नहीं तो स्मृति कहती है— पृथ्वी देवीने कहा है कि सत्यसे बढ़कर कोई धर्म नहीं है; मैं सब कुछ सहन कर सकती हूँ, परंतु मिथ्यावादी मनुष्यका भार मुझसे नहीं सहा जाता।' इन्द्रने कहा—'मैं बलवान् नहीं हूँ। वायु देवता मुझसे अधिक बलवान् हैं। मैं उन्हींकी सहायतासे कार्य किया करता हूँ।' यों कहकर इन्द्र चले गये। तब राजाने वायुका आवाहन किया और उनसे पूछा—'सच-सच बताइये, आपसे भी बढ़कर कोई बलवान् है?' वायु बोले—'पर्वत मुझसे बलवान् हैं; क्योंकि मेरा वेग उन्हें उखाड़ नहीं सकता। यह कहकर वायु चले गये। तब राजाने पर्वतोंको बुलाया और कहा—'सच बताइये, भूमण्डलमें आपसे अधिक बलवान् कौन है?' पर्वतोंने उत्तर दिया—'हमलोगोंको अपने ऊपर धारण करनेके कारण भूमण्डल हमसे अधिक बलवान् है।' पर्वत इतना कहकर चले गये। तब राजाने भूमण्डलको बुलाकर पूछा—'सत्य-सत्य बताओ, तुमसे भी अधिक कोई शक्ति सम्पन्न है या नहीं'॥ ६—१४॥

यह सुनकर भूमण्डलने कहा—'मुझसे अधिक बलवान् भगवान् संकर्षण हैं। वे नित्य अनन्त, अनन्त गुणोंके समुद्र हैं। वे आदिदेव हैं, वासुदेवरूप हैं, उनके हजार मुख हैं, उनका विग्रह गजराजके समान विशाल है, वे कैलासके सदृश उज्ज्वल प्रभावाले हैं, करोड़ों सूर्योंके समान उनकी ज्योति है। वे सुन्दरतामें करोड़ों कामदेवोंके गर्वको चूर्ण करनेवाले हैं। कमल-पत्रके समान उनके सुन्दर नेत्र हैं। वे दिव्य निर्मल कमल-कर्णिकाओंकी मालासे सुशोभित हैं, जिनके परिमलका पान करनेके लिये भ्रमरोंके यूथ गुंजार करते रहते हैं। सिद्ध, चारण, गन्धर्व और श्रेष्ठ विद्याधरोंके द्वारा जिनका यशोगान होता रहता है; देवता, दानव, सर्प और मुनिगण जिनका सदा आराधन करते हैं और जो सबसे ऊपर विराजमान हैं; जिनके एक मस्तकपर पर्वत, नदी, समुद्र, वन और करोड़ों-करोड़ों प्राणियोंसे अलंकृत अखण्ड भूमण्डल दिखायी देता है और तीनों लोकोंमें जिनका नाम-कीर्तन करनेसे त्रिलोकीका वध

* न हि सत्यात् परो धर्म इति होवाच भूरियम्। सर्वं वोढुमलं मन्ये ऋतेऽलीकपरं नरम्॥

(गर्ग०, श्रीबलभद्र०, ३। ११)

करनेवाला भी कैवल्य-मोक्षको प्राप्त करता है— ऐसे प्रभावसम्पन्न, समस्त कारणोंके कारण, सबके ईश्वर और सबसे अधिक शक्तिशाली भगवान् संकर्षण हैं। वे रसातलके मूलभागमें विराजमान हैं। उनसे बढ़कर दूसरा कोई नहीं है'॥ १५—१७॥

महानन्तने कहा—इस प्रकार भूमण्डलके चले जानेपर मेरे माधुर्य और प्रभावको जानकर ज्योतिष्मतीने पिताकी आज्ञा ली और मुझे प्राप्त करनेके लिये विन्ध्याचल पर्वतपर तप करने चली गयी। उसने लाख वर्षोंतक वहाँ तपस्या की। वह गर्मीके दिनोंमें पञ्चाग्निके बीचमें बैठकर तप करती, वर्षामें निरन्तर जल-धाराको सहन करती और सर्दीके दिनोंमें कण्ठ-पर्यन्त ठंडे जलमें डूबी रहती। वह तपस्याके कालमें नीचे जमीनपर ही सोया करती॥१८-१९॥

इस प्रकार श्रीगर्गसंहितामें श्रीबलभद्रखण्डके अन्तर्गत श्रीप्राड्विपाक मुनि और दुर्योधनके संवादमें 'ज्योतिष्मतीका उपाख्यान' नामक तीसरा अध्याय पूरा हुआ॥ ३॥

चौथा अध्याय

रेवतीका उपाख्यान

श्रीमहानन्तने कहा—तदनन्तर सैकड़ों चन्द्रमाओंके समान कान्तिवाली, तपस्यामें संलग्न, नवयौवना, सुन्दरी ज्योतिष्मतीपर इन्द्र, यम, कुबेर, अग्नि, वरुण, सूर्य, चन्द्रमा, मङ्गल, बुध, बृहस्पति, शुक्र और शनैश्चरकी दृष्टि पड़ीं। उसके रूपको देखकर उनके अंदर उसे प्राप्त करनेकी इच्छा उद्दीप्त हो उठी और वे सम्मोहितचित्त हो गये। तब उन्होंने ज्योतिष्मतीके आश्रमपर आकर कहा—'सुन्दरी! रम्भोरु! तुम्हें धन्य है। तुम किसके लिये तप कर रही हो? तुम्हारी अवस्था अभी तपके योग्य नहीं है। तुम अपने मनका अभिप्राय हमलोगोंके सामने प्रकट करो।' यह सुनकर ज्योतिष्मती बोली कि 'हजार मुखवाले भगवान् अनन्त मेरे स्वामी हों, मैं इसीलिये तप कर रही हूँ।' ज्योतिष्मतीकी यह बात सुनकर इन्द्रादि देवता हँस पड़े और अलग-अलग अपनी बात कहनेको तैयार हो गये। उनमें सबसे पहले इन्द्र यों बोले॥ १-२॥

इन्द्रने कहा—सर्पराजको स्वामी बनानेके लिये तुम व्यर्थ ही तप कर रही हो। मैं देवताओंका राजा हूँ। मैंने सौ अश्वमेध यज्ञ किये हैं और मैं स्वयं तुम्हारे सामने उपस्थित हूँ। तुम मुझे वरण कर लो॥ ३॥

यमराज बोले—मैं सारे जगत्के प्राणियोंका दण्डविधान करनेवाला यमराज हूँ। तुम मुझे वरण कर लो और पितृलोकमें मेरी सबसे श्रेष्ठ पत्नी होकर रहो॥ ४॥

कुबेरने कहा—वरानने! मैं सम्पूर्ण धनका स्वामी हूँ। तुम मुझे राजाधिराज समझो और संकर्षणके प्रति प्रीति छोड़कर शीघ्र मुझे पतिरूपमें वरण कर लो॥ ५॥

अग्निदेव बोले—विशाललोचने! मैं सम्पूर्ण यज्ञोंमें प्रतिष्ठित समस्त देवताओंका मुखरूप हूँ। अन्य सभीके प्रति वासनाका त्याग करके तुम मुझे भजो॥ ६॥

वरुणने कहा—भामिनी! मैं जलचरोंका स्वामी एवं लोकपाल हूँ। मेरे हाथमें सदा पाश रहता है। सातों समुद्रोंका ऐश्वर्य मेरा ही वैभव है। यह समझकर तुम मुझे पतिरूपमें वरण करो॥ ७॥

सूर्यदेवता बोले—हे चाक्षुषात्मजे! मैं जगत्का नेत्र हूँ। मेरी प्रचण्ड किरणें सर्वत्र व्याप्त रहती हैं। अतएव पातालमें रहनेवाले अनन्तका त्याग करके तुम स्वर्गके आभूषणरूप मुझको वरण करो॥ ८॥

चन्द्रमाने कहा—मैं ओषधियोंका अधीश्वर, नक्षत्रोंका राजा, अमृतकी खान एवं ब्राह्मणश्रेष्ठ हूँ और कामिनियोंको बल प्रदान करनेवाला हूँ। हे गजगामिनी! तुम मेरी उपासना करो॥ ९॥

मङ्गल बोले—यह पृथ्वी मेरी माता है और साक्षात् उरुक्रम भगवान् मेरे पिता हैं। मेरा नाम मङ्गल

है। हे कल्याणी! संसारके विपुल कल्याणकी कामना करनेवाली तुम मुझे अपना पति बनाओ॥१०॥

बुधने कहा—मैं बुद्धिमान्, शूरवीर और कामिनियोंके रसको बढ़ानेवाला बुध हूँ। तुम सब देवताओंका परित्याग करके मेरे साथ आनन्दका अनुभव करो॥११॥

बृहस्पति बोले—मैं देवताओंका आचार्य, बुद्धिमान्, वाणीका स्वामी साक्षात् बृहस्पति हूँ। हे शुभे! यह समझकर तुम मेरी उपासना करो॥१२॥

शुक्रने कहा—मैं दैत्योंका गुरु, भृगुके वंशमें उत्पन्न साक्षात् कवि हूँ। महाप्राज्ञे! तुम अपने कल्याणकी बात सोचकर मेरी भामिनी बन जाओ॥१३॥

शनि बोले—कल्याणी! मैं सबसे अधिक बलवान् हूँ। देवताओंके ऊपर भी मेरा प्रभाव है। अपनी दृष्टिसे सारे संसारको भस्म कर डालनेकी मुझमें शक्ति है। अतएव सारी चिन्ताओंका त्याग करके तुम मुझे पतिरूपमें वरण कर लो॥१४॥

भगवान् महानन्तने कहा—इन सबकी बात सुनते ही ज्योतिष्मतीके नेत्र लाल हो गये, उनका अधर काँपने लगा और भौंहें टेढ़ी हो गयीं। क्रोधकी आग भड़क उठी। फिर उन्होंने मेरा स्मरण किया और अत्यन्त क्रोधके आवेशमें आ गयीं। ज्योतिष्मतीके क्रोधसे ब्रह्मलोकसे लेकर पाताल एवं भूमण्डल-सहित सारा ब्रह्माण्ड काँप उठा। सब ओर महान् भय छा गया॥१५-१६॥

यह देखते ही शापके भयसे काँपते हुए इन्द्रादि देवताओंने सब दिशाओंसे पूजनकी सामग्री ली और ज्योतिष्मतीके चरण-कमलोंपर गिरकर वे 'बचाओ! बचाओ!!' पुकारने लगे। इन्द्रादि देवताओंके द्वारा इस प्रकार शान्त करनेका प्रयत्न करनेपर भी ज्योतिष्मतीने उन्हें पृथक्-पृथक् शाप दे दिया॥१७॥

ज्योतिष्मती बोली—शनि! तू दुष्ट है, मुझे छलनेके लिये यहाँ आया है। तू अभी पङ्गु हो जा। तेरी नीची दृष्टि हो जाय। तू अत्यन्त काला-कलूटा और दुबला-पतला हो जा, निन्दनीय काले उड़द खाया कर और काले तिलका तेल पिया कर। शुक्र! तू अभी एक आँखसे काना हो जा। बृहस्पति! तू स्त्रीभावको प्राप्त हो जा। बुध! तेरा वार (दिन) निष्फल हो जाय। बुधवारको किसीके कुछ कहने और कहीं यात्रा करनेपर सफलता नहीं मिलेगी। मङ्गल! तू बंदरके समान मुखवाला हो जा। चन्द्रमा! तेरे राजयक्ष्माका रोग हो जाय। सूर्य! तेरे दाँत टूट जायँ। वरुण! तू जलंधर रोगका शिकार हो जा। अग्नि ! तू सब कुछ खानेवाला बन जा। कुबेर! तेरा पुष्पक विमान छिन जाय। यमराज! बलवान् राक्षस युद्धमें तेरा मान-भङ्ग करें और तू शक्तिशाली राक्षसोंसे युद्धमें हार जा। देवाधम इन्द्र! तू मुझे हरनेके लिये आया है और अपने मुँहसे तूने परमात्माकी निन्दा की है। स्वर्गमें किसी राजाके द्वारा तेरी पत्नी शची हर ली जायगी, वह स्वर्ग-सुखका भोग करेगा और तू वहाँसे भगा दिया जायगा। अरे स्वर्गके राजा! किसी राक्षसके द्वारा युद्धमें तेरी हार होगी। तू पाशमें बाँधा जायगा और वे लङ्कापुरीमें ले जाकर तुझे अन्धकारपूर्ण कारागारमें डाल देंगे॥१८—२३॥

भगवान् महानन्त बोले—तदनन्तर ज्योतिष्मतीके द्वारा शापको प्राप्तकर देवताओंके बीच इन्द्र कुपित हो गये और इन्द्रने भी ज्योतिष्मतीको शाप दे दिया—'हे क्रोधकारिणी! संकर्षणको पतिके रूपमें प्राप्त करके भी इस जन्म अथवा दूसरे जन्ममें अथवा कभी तुम्हारे घरमें पुत्रोत्सव नहीं होगा।' इन्द्र ज्योतिष्मतीके तेजसे बड़े तिरस्कृत हो गये थे। उन्होंने इस प्रकार कहकर सारे देवताओंके साथ स्वर्गकी यात्रा की। ज्योतिष्मती फिर तपस्यामें लग गयी॥२४॥

तदनन्तर सारे जगत्के कारणभूत ब्रह्माजीकी दृष्टि ज्योतिष्मतीके तपकी ओर गयी और वे हंसपर सवार होकर ब्रह्मविद् ब्राह्मण और ब्राह्मी आदि शक्तियोंके साथ अपने भवनसे वहाँ पधारे। आकाशमें ही स्थित हुए ब्रह्माने उसको सम्बोधन करके कहा—'ज्योतिष्मती, चाक्षुष मनुकी पुत्री! तुम्हारा तप सफल हो गया। इस तपमें तुम सिद्ध हो गयी। मैं तुमपर अत्यन्त प्रसन्न हूँ। तुम वर माँगो'॥२५-२६॥

ब्रह्माजीकी बात सुनकर ज्योतिष्मती कण्ठपर्यन्त जलसे बाहर निकली। उसने ब्रह्माजीको प्रणाम किया,

उनका स्तवन किया और वह हाथ जोड़कर कहने लगी—'भगवन्! यदि निश्चय ही आप मुझपर प्रसन्न हैं तो हजार मुखवाले भगवान् संकर्षण मेरे पति हों, यह मुझे वर दीजिये।' देवश्रेष्ठ ब्रह्माजीने यह सुनकर उत्तरमें कहा—'पुत्री! तुम्हारा मनोरथ दुर्लभ है, तथापि मैं उसे पूर्ण करूँगा। आजसे ही वैवस्वत मन्वन्तर प्रारम्भ हुआ है। इसकी सत्ताईस चतुर्युगी बीत जानेपर भगवान् संकर्षण तुम्हारे पति होंगे।' यह सुनकर ज्योतिष्मतीने ब्रह्माजीसे कहा—'देवदेव भगवन्! यह तो बड़ा लंबा समय है। आप सब कुछ करनेमें समर्थ हैं, अतएव मेरा मनोरथ शीघ्र पूर्ण कीजिये। नहीं तो, जैसे मैंने देवताओंको शाप दिया है, वैसे ही आपको भी शाप दे दूँगी।'

ज्योतिष्मतीके इस प्रकार कहनेपर ब्रह्माजी शापके भयसे डर गये और क्षणभर विचार करनेके बाद बोले—'राजकुमारी! तुम आनर्त देशके राजा रेवतके यहाँ कन्या बनो। वे राजा कुशस्थलीमें वर्तमान हैं। फिर इसी जन्ममें तुम्हारा मनोरथ पूर्ण हो जायगा। किसी कारणसे सत्ताईस चतुर्युगीका समय एक घड़ीके समान बीत जायगा।' ज्योतिष्मतीको इस प्रकार वर देकर ब्रह्माजी वहीं अन्तर्धान हो गये॥ २७—३०॥

तदनन्तर ज्योतिष्मतीने आनर्त देशमें कुशस्थलीके राजा रेवतकी पत्नीसे जन्म धारण किया। उस समय उसका नाम रेवती रखा गया। वह रूप, गुण और उदारतासे सुशोभित, नूतन कमलके समान नेत्रवाली रेवती विवाहके योग्य हो गयी॥ ३१॥

एक दिन राजा रेवत अन्तःपुरमें अपनी भार्याके साथ बैठे थे। उन्होंने स्नेहवश कन्यासे कहा—'तुम कैसा वर चाहती हो, बताओ।' यह सुनकर उसी समय रेवतीने कहा—'जो सबमें बलवान् हैं, वही मेरे पति हों'॥ ३२॥

यह सुनकर राजा रेवत कन्याको लेकर, अपनी भार्याके साथ दीर्घायु बलवान् वरकी खोजके लिये रथपर सवार हो सभी लोकोंको लाँघते हुए ब्रह्मलोकको गये। वहाँ घड़ीभर ठहरे। इतनेमें ही पृथ्वीलोकके सत्ताईस चतुर्युगोंका समय पूरा हो गया। महानन्तने नागलक्ष्मीसे कहा—'रम्भोरु! वह रेवती अब भी ब्रह्मलोकमें ही है। तुम उसकी देहमें प्रवेश कर जाओ और आवेशावतारिणी बनो। तदनन्तर द्वारकामें जाकर मेरे साथ आनन्दका उपभोग करना'॥ ३३-३४॥

प्राड्विपाक मुनि बोले—नागलक्ष्मीने महानन्तके इन वचनोंको सुनकर अपने स्वामी भगवान् संकर्षणकी आज्ञा ली और ब्रह्मलोकमें जाकर रेवतीके विग्रहमें आविष्ट हो गयी॥ ३५॥

कौरवेन्द्र दुर्योधन! तदनन्तर भगवान् संकर्षण पृथ्वीका भार हरण करनेके लिये सर्वलोकनमस्कृत गोलोकधामसे पृथ्वीपर अवतीर्ण हुए। यही भगवान् बलभद्रजीका आगमन-वृत्तान्त है। मैंने यह तुमको सुनाया है। यह समस्त पापोंका नाश करनेवाला और परम मङ्गलमय है। युवराज! अब आगे तुम क्या सुनना चाहते हो?॥ ३६॥

इस प्रकार श्रीगर्गसंहितामें श्रीबलभद्रखण्डके अन्तर्गत श्रीप्राड्विपाक मुनि और दुर्योधनके संवादमें 'रेवती-उपाख्यान' नामक चौथा अध्याय पूरा हुआ॥ ४॥

पाँचवाँ अध्याय

श्रीबलराम और श्रीकृष्णका प्राकट्य

दुर्योधनने कहा—मुनिराज! पूर्वजन्ममें मैं भगवान् संकर्षणका भक्त था, अतः मैं धन्य हूँ। आपने मुझे यह स्मरण करा दिया। साथ ही भगवान् वासुदेवकी प्रभावयुक्त परम अद्भुत महिमा भी आपने सुनायी। अब यह बतलानेकी कृपा कीजिये कि भगवान् बलराम और श्रीकृष्णचन्द्रने पृथ्वीपर अवतीर्ण होकर अपने पिताकी नगरी मथुरासे व्रजमें कैसे गमन किया और व्रजवासियोंसे वे गुप्तरूपमें किस प्रकार रहे॥ १॥

प्राड्विपाक मुनि बोले—यादवोंकी पुरी मथुरामें राजा उग्रसेन थे। एक समय उनके बड़े भाई देवककी कन्या देवकीसे वसुदेवजीका विवाह हुआ। विवाहके उपरान्त वर-वधूकी विदाईके समय उग्रसेननन्दन कंस स्वयं वसुदेव-देवकीका रथ चलाने लगा। उसी समय आकाशवाणी हुई—'अरे निर्बोध! तू जिसका रथ चला रहा है, उसीका आठवाँ गर्भ तेरा विनाश करेगा।' यह सुनते ही कालनेमि-तनय महान् दैत्य कंस हाथमें तलवार लेकर बहिन देवकीका वध करनेको तैयार हो गया। उसी क्षण वसुदेवजीने कंसको समझाकर कहा कि 'तुम इसका वध मत करो। जिनसे तुमको और मुझको भी भय हो रहा है, देवकीके गर्भसे उत्पन्न वे जितने पुत्र होंगे, मैं सबको लाकर तुम्हें दे दूँगा।' वसुदेवजीकी बातपर विश्वास करके कंसने देवकी, वसुदेव दोनोंको कारागारमें बंद करवा दिया और वह निश्चिन्त हो गया।

तदनन्तर देवकीके पहला पुत्र उत्पन्न हुआ। वसुदेवजीने उसे तुरंत लाकर कंसको दे दिया। कंसने समझा, वसुदेवजी बड़े सत्यवादी हैं। अतएव उसने लड़केका वध नहीं किया। इसके उपरान्त उसके यहाँ नारदजी पधारे और उन्होंने कहा—'जैसे अङ्कोंकी टेढ़ी चाल है, वैसे ही देवताओंकी चाल भी उलटी होती है। सम्भव है, इधर-उधरसे गिननेपर यही लड़का आठवाँ माना जाय और तुम्हारा शत्रु बने। विशेष बात तो यह है कि सारे यादवोंके रूपमें देवता ही अवतीर्ण हैं और वे सभी तुम्हारा वध चाहते हैं।' नारदजीसे इस प्रकारकी बात सुनी, तबसे कंस देवकीसे उत्पन्न प्रत्येक लड़केको मारने लगा। उस समय कंसके भयसे यादवोंमें भगदड़ मच गयी और वे महान् कष्टोंका अनुभव करने लगे। तदनन्तर देवकीके सातवें गर्भमें भगवान् अनन्तका आगमन हुआ। वसुदेवजीकी एक दूसरी पत्नी रोहिणी भी कंसके भयसे नन्दबाबाके यहाँ गोकुलमें रहा करती थी। भगवान् श्रीकृष्णकी आज्ञा पाकर योगमाया भगवान् अनन्तको देवकीके उदरसे खींचकर वसुदेव-पत्नी रोहिणीके गर्भमें स्थापित करनेको तैयार हो गयीं॥ २—७॥

वहाँ ये श्लोक हैं—

देवक्याः सप्तमे गर्भे हर्षशोकविवर्धने।
व्रजं प्रणीते रोहिण्यामनन्ते योगमायया॥
अहो गर्भः क्व विगत इत्यूचुर्माथुरा जनाः॥ ८॥
अथ व्रजे पञ्चदिनेषु भाद्रे
स्वातौ च षष्ठ्यां च सिते बुधे च।
उच्चैर्ग्रहैः पञ्चभिरावृते च
लग्ने तुलाख्ये दिनमध्यदेशे॥ ९॥
सुरेषु वर्षत्सु च पुष्पवर्षं
घनेषु मुञ्चत्सु च वारिबिन्दून्।
बभूव देवो वसुदेवपत्न्यां
विभासयन् नन्दगृहं स्वभासा॥ १०॥
नन्दोऽपि कुर्वन् शिशुजातकर्म
ददौ द्विजेभ्यो नियुतं गवां च।
गोपान् समाहूय सुगायकानां
रावैर्महामङ्गलमाततान ॥ ११॥

देवकीका सातवाँ गर्भ एक ही साथ हर्ष और शोक बढ़ानेवाला था। योगमायाने उसे व्रजमें ले जाकर रोहिणीके गर्भमें स्थापित कर दिया। तब मथुराके लोगोंने कहा—'अहो! देवकीका गर्भ कहाँ चला गया? बड़े आश्चर्यकी बात है।' उसके पाँच दिन बाद भाद्रपद मासके शुक्लपक्षकी षष्ठी तिथिको, जो स्वाति नक्षत्र और बुधवारसे युक्त थी, मध्याह्नके समय, तुला लग्नमें, जब पाँच ग्रह उच्चके होकर स्थित थे, व्रजमें वसुदेवपत्नी रोहिणीके गर्भसे अपने तेजके द्वारा नन्द-भवनको उद्भासित करते हुए महात्मा बलरामजी प्रकट हुए। उस समय मेघोंने जलबिन्दु बरसाये और देवताओंने पुष्पोंकी वृष्टि की। नन्दजीने शिशुका जातकर्म-संस्कार करवाया। ब्राह्मणोंको दस लाख गौएँ दानमें दीं, फिर गोपोंको बुलाकर अच्छे-अच्छे गायकोंके संगीतके साथ महामहोत्सव मनाया॥ ८—११॥

तदनन्तर देवकीके आठवें गर्भसे अर्द्धरात्रिके समय परिपूर्णतम भगवान् श्रीकृष्णचन्द्र अवतीर्ण हुए। उसी समय इधर नन्दरानी यशोदाजीके गर्भसे कन्याके रूपमें योगमाया प्रकट हुईं। योगमायाके प्रभावसे सारा जगत् सो गया था। तब भगवान् श्रीकृष्णकी आज्ञासे वसुदेवजी श्रीकृष्णचन्द्रको लेकर यमुनाके उस पार वृन्दावनमें पहुँच गये और यशोदाके शयनागारमें जाकर उन्होंने यशोदाकी गोदमें बालक श्रीकृष्णको सुला दिया और कन्याको लेकर वे अपने स्थानपर

लौट आये। इसके बाद कारागारमें बालककी रुदन-ध्वनि सुनायी पड़ी। शत्रुके भयसे डरा हुआ कंस तुरंत आ पहुँचा और उसने तत्काल उत्पन्न हुई उस कन्याको उठा लिया एवं उसे एक शिलापर पटक दिया। ठीक उसी समय कंसके हाथसे छूटकर कन्या बड़े जोरसे उछली और ऊपर आकाशमें जाकर योगमायाके रूपमें परिणत हो गयी। सिद्ध, चारण, गन्धर्व और मुनिगण उनका स्तवन कर रहे थे। योगमायाने कंससे कहा—'रे दुष्ट! तेरा पूर्वका शत्रु कहीं उत्पन्न हो चुका है। तू इन बेचारे दीन वसुदेव-देवकीको व्यर्थ ही क्यों कष्ट दे रहा है?' इस प्रकार कहकर वे योगमाया विन्ध्याचलको चली गयीं।

देवीके इन वचनोंसे कंस बड़े आश्चर्यमें पड़ गया। फिर उसने देवकी और वसुदेवको तो छोड़ दिया और पूतना आदि दैत्योंको बुलाकर आज्ञा दी कि 'दस दिनके अंदर पैदा हुए जितने भी बालक हों, सबको मार डालो।' कंसकी आज्ञा पाकर दैत्यगण बालकोंका वध करने लगे। इधर नन्दने भी पुत्र-जन्म सुनकर महान् उत्सव मनानेकी योजना की। हे कुरुराज! इस प्रकार कंसके भयके बहाने भगवान् बलराम और श्रीकृष्ण व्रजमें पधारे। वे अपनी मायासे ही वहाँ गुप्तरूपमें रहे और व्रजवासियोंपर कृपा करनेके लिये व्रजमें प्रकट होते ही विविध प्रकारकी अद्भुत बाल-लीला करने लगे। अब तुम क्या सुनना चाहते हो?॥ १२—१६॥

इस प्रकार श्रीगर्गसंहितामें श्रीबलभद्रखण्डके अन्तर्गत श्रीप्राड्विपाक मुनि और दुर्योधनके संवादमें 'श्रीबलराम और श्रीकृष्णका प्राकट्य' नामक पाँचवाँ अध्याय पूरा हुआ॥ ५॥

छठा अध्याय

प्राड्विपाक मुनिके द्वारा श्रीराम-कृष्णकी व्रजलीलाका वर्णन

दुर्योधनने पूछा—मुनिराज! भगवान् अनन्त श्रीबलरामजी और अनन्त-लीलाकारी भगवान् श्रीकृष्णने भूमण्डलपर अवतार लेकर विचरण किया। अब संक्षेपमें यह बतानेकी कृपा कीजिये कि व्रजमें, मथुरामें, द्वारकामें और अन्यत्र उन्होंने क्या-क्या लीलाएँ कीं?॥ १॥

प्राड्विपाक मुनिने उत्तर दिया—दुर्योधन! भगवान् श्रीकृष्णने प्रकट होते ही अद्भुत लीला आरम्भ कर दी। उन्होंने पूतनाको मोक्ष प्रदान किया, शकटासुर और तृणावर्तका उद्धार किया, (माताको) विश्वरूप दिखलाया, दधिकी चोरी की, अपने श्रीमुखमें ब्रह्माण्डके दर्शन करवाये, यमलार्जुन वृक्षोंको उखाड़ा और दुर्वासाजीको मायाका प्रभाव दिखलाया। श्रीमद्गर्गाचार्यजीके द्वारा राधाकृष्ण नामकी सुन्दरता और महिमाका वर्णन कराया। ब्रह्माजीने वृषभानु-राजनन्दिनी राधिकाके साथ भाण्डीर-वनके रास-मण्डलमें श्रीकृष्णका विवाह करवाया। तत्पश्चात् श्रीकृष्ण, बलराम दोनोंने वृन्दावन जाकर वत्सासुर और वकासुर आदि दानवोंका संहार किया, गोपालोंके साथ गायें चराते हुए वृन्दावनमें विचरण किया। फिर तालवनमें गधेके समान रेंकनेवाला जो धेनुकासुर दैत्य रहता था, उसने अपनी दुलत्ती चलाकर बलरामजीको चोट पहुँचानेकी चेष्टा की। तब शक्तिशाली बलदेवजी-ने दोनों हाथोंसे उसे पकड़कर ताड़के वृक्षपर दे मारा। वह फिर उठकर सामने आया तो बलरामजीने उसे पुनः जमीनपर दे पटका। फलतः उसका सिर फूट गया और वह मूर्च्छित हो गया। तब बलरामजीने शीघ्र ही उसके एक मुक्का मारा, जिससे उसके प्राण-पखेरू उड़ गये। तदनन्तर श्रीकृष्णने कालियनागका दमन, दावाग्नि-पान आदि लीलाएँ कीं, फिर श्रीराधिकाजीके प्रति प्रेमप्रकाश करके उनके प्रेमकी परीक्षा ली, वृन्दावनमें विहार किया, हाव-भावयुक्त दानलीला

और मानलीला, शङ्खचूडादिका वध और शिवासुरि-उपाख्यान इत्यादिके प्रवचनकी बहुत-सी लीलाएँ कीं।

तदनन्तर एक समय गोवर्धन-पूजा की गयी। इन्द्रने यज्ञ-भागसे वञ्चित होनेपर कुपित होकर सांवर्तक आदि मेघोंके द्वारा व्रजमण्डलपर घोर वर्षा आरम्भ कर दी। सारे व्रजवासी भयसे व्याकुल हो गये। भगवान् श्रीकृष्णने उनको आतुर देखकर—'डरो मत' यों कहकर अभय दान दिया। फिर उन्होंने गिरिराज गोवर्धनको उखाड़कर, जैसे बालक छत्रक (कुकुरमुत्ता) को उठा लेता है, ठीक वैसे ही गोवर्धनको अपने एक हाथपर रख लिया। सात वर्षकी अवस्थावाले श्रीकृष्ण पूरे सात दिनोंतक पर्वतको हाथपर उठाये बिना हिले-डुले अविचल खड़े रहे। तब तो सम्पूर्ण देवताओंके साथ इन्द्र भयभीत हो गये और उन्होंने अत्यन्त नम्रताके साथ मुकुट झुकाकर भगवान् श्रीकृष्णके मङ्गलमय युगल चरणोंमें प्रणाम किया, उनकी स्तुति की और अभिषेक किया। तदनन्तर कामधेनु सुरभि और देवता तथा मुनियोंके साथ वे स्वर्गको चले गये। गोवर्धन-धारणकी इस अद्भुत लीलाको देखकर सभी गोप अत्यन्त विस्मित हो गये। फिर श्रीकृष्णने खेतमें मोती आदिके बीज बोकर मोती उपजानेका चमत्कारमय ऐश्वर्य गोपोंको दिखलाया॥ २—८॥

तदनन्तर भगवान् श्रीकृष्णने श्रुतिरूपा, ऋषिरूपा, मैथिली, कोसलदेशनिवासिनी, अयोध्यावासिनी, यज्ञसीता, पुलिन्दका, रमावैकुण्ठवासिनी तथा श्वेतद्वीपनिवासिनी, ऊर्ध्ववैकुण्ठवासिनी अजितपद-वासिनी, श्रीलोकाचलनिवासिनी, दिव्या, अदिव्या, त्रिगुणावृत्ति, भूमि, गोपी, देवश्री, जालंधरी, बार्हिष्मती, पुरन्ध्री, अप्सरा, सुतलवासिनी और नागेन्द्रकन्या आदि गोपीयूथोंके साथ पृथक्-पृथक् रास-मण्डलकी रचना की॥ ९॥

एक समय श्रीबलरामजीके साथ श्रीकृष्णचन्द्र भाण्डीरवनमें गोपबालकोंके साथ गौएँ चराने गये। वहाँ जाकर एक-दूसरेको ढोने और ढोवानेका खेल करने लगे। उस समय वहाँ प्रलम्बासुर नामक एक दैत्य गोप-बालकका वेश धारणकर खेलमें शामिल हो गया, बलरामजी उसपर विजयी हुए। अतः उन्हें पीठपर चढ़ाकर वह चलने लगा। वह गिरिराजके समान विशाल देहवाला असुर मथुराकी ओर जाना चाहता था कि उस असुरकी पीठपर सवार अमित-पराक्रमी श्रीबलदेवजीने, रोषमें भरकर जैसे इन्द्र किसी पर्वतपर प्रहार करे, वैसे ही उसके मस्तकपर मुष्टि-प्रहार किया। उस प्रहारसे वज्रकी चोट खाये हुए पहाड़की तरह असुरका सिर टूक-टूक हो गया और उसी क्षण वह भूमिपर गिर पड़ा॥ १०-११॥

एक समय गरमीके दिनोंमें सभी गौएँ और गोपाल किसी मूँजके वनमें जा पहुँचे। इतनेमें ही वहाँ बड़े जोरकी प्रलयाग्निके समान दावाग्नि जल उठी और वह चारों तरफ फैल गयी। तब गोपालगण 'हे राम! हे कृष्ण! हम शरणागत गोपालोंकी रक्षा करो, रक्षा करो।' यों पुकार उठे। भगवान्ने तुरंत कहा—'डरो मत। तुम सब अपनी-अपनी आँखें मूँद लो।' यों कहकर भगवान् उस भीषण दावाग्निको पी गये। तदनन्तर गोपाल और गायोंके साथ भगवान् श्रीकृष्ण भाण्डीरवनसे यमुनाके तटपर पधारे और अशोकवनमें यज्ञदीक्षित द्विजोंकी पत्नियोंके द्वारा लाया हुआ भोजन ग्रहण किया। इसके बाद एक दिन व्रजमें नन्दबाबाको वरुण देवताने अपहरण कर लिया, तब भगवान्ने वरुणका मान-भङ्ग करके नन्द आदि गोपोंको सम्पूर्ण लोकोंके द्वारा नमस्कृत वैकुण्ठके दर्शन कराये। इसके अनन्तर एक दिन अम्बिका-काननमें सरस्वती नदीके तटपर सुदर्शन नामक सर्प नन्दजीको निगलने लगा। तब भगवान् श्रीकृष्णने अखिल लोकपालोंके द्वारा वन्दनीय अपने चरणकमलका उससे स्पर्श कराया। चरण-स्पर्श प्राप्त होते ही वह सर्प-शरीरसे मुक्त हो गया। एक समय श्रीकृष्ण बलरामजीके साथ गोप-बालकोंको लिये आँखमिचौनी और चोर-साहुकारका खेल खेल रहे थे। उसी समय कंसका सखा व्योमासुर चोरके रूपमें वहाँ आया। भगवान् श्रीकृष्णने अपनी प्रचण्ड दोनों भुजाओंसे उसे पकड़कर दसों दिशाओंमें घुमाते हुए पृथ्वीपर पटक दिया। इसी प्रकार कंसका भेजा हुआ अरिष्टासुर बैलके रूपमें आया। भगवान्ने उसके दोनों सींग पकड़कर उसे भी धराशायी कर

दिया। तब नारदजीने जाकर कंसको श्रीकृष्णकी ये सारी लीलाएँ सुनायीं। सुनकर कंसने केशीको भेजा, भगवान् श्रीकृष्णचन्द्रने उसके मुँहमें अपनी भुजा प्रवेश कराकर उसके मर्मको भेद डाला। श्रीकृष्णने इस प्रकार बलरामजीके साथ व्रज-मण्डलमें अनेक अद्‌भुत लीलाओंकी रचना की॥ १२—१७॥

इस प्रकार श्रीगर्गसंहितामें श्रीबलभद्रखण्डके अन्तर्गत श्रीप्राड्‌विपाक मुनि और दुर्योधनके संवादमें 'श्रीरामकृष्णकी व्रजलीलाका वर्णन' नामक छठा अध्याय पूरा हुआ॥ ६॥

सातवाँ अध्याय

श्रीराम-कृष्णकी मथुरा-लीलाका वर्णन

प्राड्‌विपाक मुनि बोले—युवराज दुर्योधन! भगवान् बलरामजी और श्रीकृष्णचन्द्रने मथुरामें जो-जो लीलाएँ कीं, उनका संक्षेपमें वर्णन कर रहा हूँ; सुनो। कुछ समयके पश्चात् कालनेमिकुमार कंसने बलराम और श्रीकृष्णको बुलानेके लिये अक्रूरजीको भेजा। अक्रूरजी व्रजमें पधारे। श्रीकृष्णको मथुरा जानेके लिये प्रस्तुत देखकर गोपियाँ विरहसे आतुर हो गयीं। भगवान्ने उन सबको अलग-अलग बुलाकर आश्वासन दिया। फिर बलरामजीसहित स्वयं रथपर सवार होकर अक्रूरजीके साथ मथुराकी ओर चले। जाते समय रास्तेमें यमुनाजी पड़ीं। उसके जलमें भगवान्ने अक्रूरको अपने तेज या धामके दर्शन कराये। तदनन्तर पूर्वाह्णके समय वे मथुरामें जा पहुँचे और अपराह्णकालतक मथुरापुरीको सब ओरसे देखते रहे। लीलारूपमें मनुष्यका वेष धारण किये हुए श्रीराम-कृष्ण साक्षात् पुराण-पुरुष हैं। मथुरा नगरीके सभी नर-नारियोंके मनमें उनके दर्शनका आनन्द प्राप्त करनेकी अभिलाषा उत्पन्न हो गयी और वे अपना सारा काम-धाम छोड़कर, जैसे नदियाँ समुद्रकी ओर दौड़ती हैं, वैसे ही उनकी ओर दौड़ पड़े। कोटि-कोटि कामदेवोंका दर्प चूर्ण करनेवाले भगवान् राम-कृष्णने अपना सौन्दर्य सबको दिखलाया और उन सबका मन हरण करते हुए वे स्वेच्छासे विचरण करने लगे॥ १—३॥

तदनन्तर राजमार्गमें भगवान्ने धोबी और रँगरेजसे कपड़ोंकी याचना की; परंतु उन्होंने जब वस्त्र नहीं दिये, तब सबके देखते-देखते ही हाथोंसे प्रहार करके धोबी और रँगरेज दोनोंको उस जीवनसे मुक्त कर दिया। तदनन्तर भगवान्‌को एक दर्जी मिला। उसने वस्त्रोंके द्वारा उनको सजाया और भगवान्ने उसे अपना सारूप्य प्रदान कर दिया। फिर कुब्जा सैरन्ध्री मिली। वह तीन जगहसे टेढ़ी थी। चन्दन-ग्रहण करनेके बहाने भगवान्ने उसको सीधी कर दिया। वह तीनों लोकोंमें सुन्दरी बन गयी। तत्पश्चात् वहाँके वैश्य व्यापारियोंसे बातचीत की और कुछ बच्चोंको साथ लेकर, जहाँ कंसका धनुष रखा था, उस स्थानपर वे जा पहुँचे। वह धनुष स्वर्णसे मण्डित था और सात ताड़ वृक्षोंके बराबर उसकी लंबाई थी। हजारों पुरुषोंके द्वारा भी वह उठाया नहीं जा सकता था। वह धनुष अष्टधातुसे बना हुआ था, अत्यन्त भारी था और उसका बोझ लाख भारके समान था। कंसने वह धनुष परशुरामजी-से प्राप्त किया था। वह वैष्णव (भगवान् विष्णुसे सम्बन्ध रखनेवाला) धनुष साक्षात् भगवान् शेषके समान कुण्डलाकार था। भगवान् श्रीकृष्णने उसे देखा और बलपूर्वक उठा लिया; फिर सब लोगोंके देखते-देखते ही लीलापूर्वक उस धनुषको चढ़ाया और कानतक तानकर ले गये। तदनन्तर दोनों भुजाओंका सहारा लगाकर उसको बीचसे उसी प्रकार तोड़ डाला, जैसे हाथी अपनी सूँड़से गन्नेको तोड़ देता है। धनुषके टूटनेकी भयानक ध्वनिसे पातालसहित सप्तलोकमय सारा ब्रह्माण्ड गूँज उठा। तारे और दिग्गजगण अपने स्थानसे विचलित हो चले। इतना ही नहीं, सारा भूमण्डल दो घड़ीतक थालीकी तरह काँपता रह गया॥ ४—७॥

अपराह्णके समय रङ्गशालाके द्वारपर कुवलयापीड़ हाथी दिखायी दिया। भगवान्‌ने उसके समीप आकर बाललीलाके रूपमें क्षणभर उसके साथ युद्ध किया, तदनन्तर उसकी सूँड़को पकड़कर उसे इधर-उधर घुमाया और फिर वैसे ही जमीनपर पटक दिया, जैसे बालक कमण्डलुको पटक दे। कुवलयापीड़ हाथीका इस प्रकार वध करके श्रीबलराम और कृष्णचन्द्र कंस-रचित रङ्गभूमिमें पहुँचे और उन्होंने वहाँपर बैठे हुए सभी लोगोंको उनके अपने-अपने भावके अनुसार यथायोग्य दर्शन दिये। फिर अखाड़ेमें पहुँचकर मल्लयुद्धके लिये जा डटे और कंसके सामने सब लोगोंके देखते-देखते ही भगवान् बलराम और कृष्णचन्द्रने चाणूर, मुष्टिक, कूट, शल और तोशलको धराशायी कर दिया। श्रीकृष्णके इन कार्योंको देखकर कंस दुर्वचनोंके द्वारा उनका तिरस्कार करने लगा। इसी बीच भगवान् श्रीकृष्ण कूदकर उस कटुभाषी कंसके अत्यन्त ऊँचे मञ्चपर चढ़ गये। तुरंत मृत्युके समान श्रीकृष्णको सामने आया देखकर कंस मञ्चसे उठा और भगवान्‌की भर्त्सना करते हुए उसने उसी क्षण ढाल और तलवारको हाथमें उठा लिया। श्रीकृष्णने तुरंत ढाल-तलवार लिये हुए कंसको, जैसे गरुड अपनी चोंचसे विषधर सर्पको पकड़ ले, वैसे ही बलपूर्वक अपनी प्रचण्ड भुजाओंसे पकड़ लिया। पर गरुडकी चोंचसे जिस प्रकार सर्प छूटकर निकल भागे, उसी प्रकार कंस भगवान्‌के भुज-बन्धनसे निकल गया और ढाल-तलवार लेकर फिर लड़नेके लिये तैयार हो गया। भगवान् श्रीकृष्ण और कंस—दोनों मञ्चपर आ गये और वेगपूर्वक एक-दूसरेपर आक्रमण करते हुए वैसे ही सुशोभित हुए, जैसे पर्वतपर दो सिंह लड़ते हुए शोभित हों। तदनन्तर कंस उछलकर सौ हाथ ऊपर आकाशमें चला गया, तब भगवान् श्रीकृष्णने भी वैसे ही उछलकर बाजकी तरह उसे पकड़ लिया। कंस पुनः श्रीकृष्णके हाथोंसे छूटकर निकल भागा, तब त्रिलोकको धारण करनेवाले श्रीकृष्णने फिर अपने प्रचण्ड भुजदण्डोंसे उसको पकड़ लिया और इधर-उधर घुमाते हुए महाकाशसे उसे मञ्चपर पटक दिया। जैसे बिजली गिरनेसे वृक्ष टूट जाता है, उसी प्रकार कंसके गिरते ही मञ्चके खंभे टूट गये। वज्रके समान कठोर शरीरवाला वह कंस नीचे गिर पड़ा। एक बार उसे कुछ व्याकुलता हुई; परंतु वह फिर सहसा उठा और महात्मा श्रीकृष्णके साथ जूझने लगा। भगवान् श्रीकृष्णने अपनी भुजाओंसे पकड़कर उसे मञ्चपर पटक दिया और वे उसकी छातीपर चढ़ बैठे। तब उन्होंने उसके सिरको पकड़कर केश खींचते हुए, जैसे पर्वतसे कोई चट्टानको गिराये, वैसे ही उसे मञ्चसे नीचे अखाड़ेमें गिरा दिया। तदनन्तर सबके आधार-स्वरूप अनन्त-पराक्रमशाली सनातन पुरुष भगवान् स्वयं वेगपूर्वक मञ्चसे कूदकर कंसके ऊपर जा पड़े। इस प्रकार दोनोंके गिरनेसे पृथ्वी कुछ नीचे धँस गयी और सारा भूमण्डल तीन घड़ीतक थालीकी तरह काँपता रह गया। कंसके प्राण निकल गये। सबके देखते-देखते ही जैसे भूमिपर पड़े हुए गजराजको सिंह खींच रहा हो, वैसे ही वे कंसके शरीरको घसीटने लगे। राजाओंमें हाहाकार मच गया। लोग कहने लगे—'अहो! कैसे आश्चर्यकी बात है कि वैरभावसे स्मरण करनेवाला कंस भी उन प्रभुके सारूप्यको वैसे ही प्राप्त हो गया, जैसे कीड़ा भृङ्गीके रूपमें परिणत हो जाता है॥ ८—१५॥

कंसकी मृत्यु देखकर उसके छोटे भाई तत्काल ढाल-तलवार लेकर वहाँ आ डटे। उनपर बलभद्रजी-की दृष्टि पड़ी और उन्होंने मुद्गर उठाकर सब ओरसे प्रहार करते हुए सबको धराशायी कर दिया। तब देवताओंकी दुन्दुभियाँ बज उठीं। सर्वत्र जय-जयकारकी ध्वनि होने लगी। देवताओंने पुष्पोंकी वर्षा की। विद्याधरियाँ नृत्य करने लगीं और विद्याधर, गन्धर्व तथा किंनर भगवान्‌का यशोगान करने लगे। तदनन्तर भगवान् श्रीकृष्णने सबको आश्वासन देकर माता-पिताको बन्धनमुक्त किया और उग्रसेनको राज्य सौंप दिया। फिर यज्ञोपवीत-संस्कार सम्पन्न होनेपर सांदीपनि मुनिके समीप जाकर समस्त विद्याओंका अध्ययन किया। दक्षिणारूपमें मरे हुए गुरुपुत्रोंको लाकर प्रदान किया, शङ्खासुरका वध किया। फिर वे मथुरामें आकर निवास करने लगे। व्रजकी व्यथाको दूर करनेके लिये भगवान्‌ने उद्धवको वहाँ भेजा।

फिर स्वयं वहाँ जाकर रासमण्डलमें श्रीराधा और गोपियोंको अपने दर्शन कराये। रासमें ऋभु ऋषिको मुक्ति दी, फिर मथुरामें मथुरानरेशके सदृश कार्य करते हुए विराजमान हुए। बलरामजीने भी कोलासुरका वध करके मथुरापुरीमें शुभागमन किया। इस प्रकार भगवान् श्रीकृष्ण और बलरामकी हजारों-हजारों पवित्र और विचित्र लीलाएँ मथुरामें सम्पन्न हुईं॥ १६-१७॥

इस प्रकार श्रीगर्गसंहितामें श्रीबलभद्रखण्डके अन्तर्गत श्रीप्राड्विपाक मुनि और दुर्योधनके संवादमें 'श्रीराम-कृष्णकी मथुरा-लीलाका वर्णन' नामक सातवाँ अध्याय पूरा हुआ॥ ७॥

आठवाँ अध्याय

श्रीराम-कृष्णकी द्वारका-लीलाका वर्णन

प्राड्विपाक मुनिने कहा—युवराज दुर्योधन! अब भगवान् श्रीबलराम और श्रीकृष्णकी द्वारका-लीलाओंको संक्षेपमें सुनो। धृतराष्ट्र-तनय! जब कंसका देहावसान हो गया, तब उसके न रहनेपर भी उसके साथ अन्तरङ्ग मैत्रीका निर्वाह करनेके लिये जरासंध आया। भगवान्‌ने उसपर विजय प्राप्त की। तदनन्तर समुद्रके बीचमें द्वारका-दुर्गका निर्माण किया। फिर एक ही रात्रिमें अपने सारे बन्धु-बान्धवोंको वहाँ भेजकर उनके रहनेकी व्यवस्था की। कालयवनके आनेपर मुचुकुन्दद्वारा उसका वध करवाया। तदनन्तर बलरामजी और श्रीकृष्ण दोनों प्रवर्षण पर्वतपर गये और वहाँसे द्वारकाको प्रस्थान किया॥ १॥

ब्रह्मलोकसे लौटे हुए राजा रेवतने रत्न आदि आभूषणोंसे अलंकृत कन्या रेवतीको लेकर आगमन किया और प्रतापी बलरामजीके हाथोंमें उसे सविधि समर्पण कर दिया। फिर राजा रेवत तप करनेके लिये बदरिकाश्रमको चले गये। उसके बाद श्रीकृष्णने कुण्डिनपुर जाकर शत्रुओंके देखते-देखते रुक्मिणीजीका हरण किया एवं जाम्बवती, सत्यभामा, कालिन्दी, मित्रविन्दा, नाग्नजिती, भद्रा और लक्ष्मणाका एवं भौमासुरका वध करके सोलह हजार एक सौ राजकन्याओंका पाणिग्रहण किया। राजन्! भीष्मककुमारी रुक्मिणीके गर्भसे भगवान् श्रीकृष्णके प्रथम पुत्र प्रद्युम्न हुए। ये कामदेवके अवतार अपने पिता श्रीकृष्णके समान ही सुन्दर थे। इनसे अनिरुद्धका जन्म हुआ, जो ब्रह्माके अवतार हैं॥ २—४॥

तत्पश्चात् एक समय राजा उग्रसेनके यहाँ राजसूय यज्ञका प्रस्ताव हुआ और दिग्विजयके लिये प्रद्युम्नजीने बीड़ा उठा लिया। यादवों तथा अपने भाइयोंके साथ उन्होंने विजययात्रा आरम्भ की और जम्बूद्वीपके नौ खण्डोंपर विजय प्राप्त करके कामदुघ नदके समीप पहुँचे। वहाँ वसन्तमालती नामक नगरीके स्वामी गन्धर्वराज पतंगके साथ उनका युद्ध हुआ। गदा-युद्ध आरम्भ होनेपर बलदेवजीके छोटे भाई गदने गदाके द्वारा गदाधारी पतंगपर प्रहार किया। पतंगने भी गदाके द्वारा बड़े वेगसे गदके हृदयपर आघात किया। इस प्रकार दो घड़ीतक दोनोंका युद्ध होनेके पश्चात् पतंगकी गदाके प्रहारसे क्षणभरके लिये गदको मूर्च्छा आ गयी। उस समय हाहाकार मच गया और इसी बीच करोड़ों सूर्योंके समान तेजस्वी बलभद्रजी वहाँ प्रकट हो गये। उन्होंने गन्धर्वोंकी सारी सेनाको हलकी नोकके द्वारा खींच लिया और उसके ऊपर कठोर मुसलका प्रहार करना आरम्भ कर दिया। इससे पतंगकी सारी सेना—शूरवीर योद्धा, हाथी और रथ सभी चूर-चूर हो गये। तब तो रथहीन पतंग भयभीत होकर अपने नगरको चला गया और यादवोंसे युद्ध करनेके लिये फिरसे व्यूहाकार सेना सजाने लगा। बलभद्रजीको जब इसका पता लगा, तब वे अत्यन्त क्रुद्ध होकर गन्धर्वोंकी वसन्तमालती नामकी उस विशाल नगरीको, जिसका विस्तार सौ योजनमें था, हलके द्वारा उखाड़ लिया और कामदुघ नदमें डुबा

देनेके लिये उसे खींचने लगे। नगरीके महलों और घरोंका गिरना-ढहना आरम्भ हो गया। चारों ओर हाहाकार मच उठा। सारी नगरी समुद्रमें चक्कर खाती हुई टेढ़ी नावकी तरह घूमने लगी। यह देखकर गन्धर्व-राज पतंग भयभीत हो गये और अपने गन्धर्व भाई-बन्धुओंके साथ हाथ जोड़कर बलभद्रजीके समीप उपस्थित हुए। उन्होंने विश्वकर्माके द्वारा निर्मित दो लाख विमान, चार लाख हाथी, एक करोड़ घोड़े और दस करोड़ स्वर्ण तथा दिव्य रत्नोंका भार बलदेवजीकी सेवामें समर्पण किया और प्रदक्षिणा करके उनको प्रणाम किया॥ ५—९॥

फिर साम्बको छुड़ानेके लिये बलरामजी यहाँ तुम्हारे हस्तिनापुरमें पधारे और तुम सबके सामने ही उन्होंने हलकी नोकसे तुम्हारे नगरको उखाड़ लिया और गङ्गामें डुबोनेके लिये खींचने लगे। फिर नाग- कन्या गोपियोंके साथ रास-मण्डलमें यमुनाजीको भी उन्होंने अपने हलकी नोकसे खींचा। तदनन्तर, एक समयकी बात है, नारदजीकी प्रेरणासे भौमासुरका सखा और सुग्रीवका मन्त्री द्विविद नामक बंदर युद्ध करनेके लिये आया। रैवतक पर्वतपर बलरामजीके साथ चार घड़ीतक उसका युद्ध हुआ। वह वृक्ष और शिलाओंके द्वारा बलरामजीपर प्रहार कर रहा था। उसी स्थितिमें बलरामजीने मुसलके द्वारा उसके मस्तकपर चोट पहुँचायी; पर वह मरा नहीं और फिरसे बलरामजीको मुक्का मारकर दौड़ा। भगवान् अच्युतके बड़े भाई बलरामजीने अपने दोनों हाथोंसे उसे पकड़ लिया और रैवतक पर्वतपर दे मारा, फिर उसके हृदयमें बड़े जोरसे मुष्टि-प्रहार किया। तब बंदर नीचे गिर गया। उसके गिरनेसे वृक्षसहित सारा पर्वत कमण्डलुकी तरह काँपने लगा॥ १०-११॥

प्रिय दुर्योधन! तदनन्तर पाण्डवोंके साथ तुम-लोगोंके युद्धका उद्योग सुनकर बलरामजी तीर्थयात्राके बहाने नागरिकों और ब्राह्मणोंको साथ लेकर द्वारकाकी प्रदक्षिणा करके पुरीसे बाहर निकले। फिर उन्होंने सिद्धाश्रम और प्रभासमें स्नान किया। पश्चिम दिशामें स्थित सरस्वती, प्रतिस्रोता, सैन्धवारण्य, जम्बूमार्ग, उत्पलावर्त, अर्बुद (आबू), हेमवन्त और सिन्धुनदमें पृथक्-पृथक् स्नान किया। तदनन्तर बिन्दुसर, त्रितकूप, सुदर्शन, अत्रितीर्थ, औशनस, आग्नेय, वायव, सौदास, गुहतीर्थ और श्राद्धदेव आदि तीर्थोंमें स्नान किया। तदनन्तर उत्तर दिशामें जाकर कैलास, करवीर, महायोग, गणेश, कौबेर, प्राग्ज्योतिष, रङ्गवल्ली, सीताराम आदि क्षेत्र, चैत्रदेश, वसन्ततिलक, दशार्ण, भद्र, कूर्मतीर्थ, पुष्पमाला, चित्रवण, चन्द्रकान्त, नैश्रेयस, मनु पर्वत, चक्षु, कामशालिनी, कामवन, वेदक्षेत्र सीता, पृथुतीर्थ, तपोभूमि, लीलावती, वेदनगर, गान्धर्व, शक्र, भीमरथी, श्रीजाह्नवी, कालिन्दी, हरिद्वार, कुरुक्षेत्र, मथुरा और पुष्कर आदि तीर्थोंमें स्नान किया। फिर वहाँसे संभलग्राम और सूकरक्षेत्र (सौरौं) में गये। इस प्रकार तीर्थोंकी यात्रा करते हुए साक्षात् संकर्षण श्रीबलरामजी नैमिषारण्यमें पहुँचे॥ १२-१३॥

बलरामजीको आया देखकर शौनकादि मुनियोंने खड़े होकर उनको प्रणाम किया और उनकी अर्चा की। वहाँ वेदव्यासजीके शिष्य रोमहर्षणजी विराजमान थे। वे खड़े नहीं हुए। बलरामजीने यह देखकर हाथमें जो कुशा लिये हुए थे, उसीकी नोकसे मुनिको निहत कर दिया। यह देखकर सब मुनि हाहाकार करने लगे। बलरामजीने यह सब देखा। समस्त लोकोंको पवित्र करनेवाले होनेपर भी उन्होंने लोक-संग्रहके लिये अपनी शुद्धिकी कामनासे बारह महीनेतक तीर्थ-स्नान करनेका व्रत ले लिया। वहाँ इल्वलका पुत्र बल्वल नामक दैत्य रहता था। वह नैमिषारण्यमें पर्वोंके अवसरपर भयानक आँधीके साथ-साथ धूलकी तथा दुर्गन्धपूर्ण पीब, रुधिर, विष्ठा, मूत्र, मदिरा और मांस आदिकी वर्षा करता। उसकी जीभ सदा लपलपाया करती, वज्रके समान दृढ़ उसके अङ्ग थे। कज्जलगिरिके समान उसकी काली आकृति थी और तपाये हुए ताँबेके समान मूँछ-दाढ़ीवाला वह असुर बड़ा ही भयानक दीख पड़ता था। ऋषि-ब्राह्मणोंकी शान्तिके लिये उस भयानक असुरको बलरामजीने आकाशमें खींचकर उसके मस्तकपर मुसलके द्वारा प्रहार किया। मुसलकी चोट लगते ही उसके प्राण निकल गये और वह आकाशसे कमण्डलुकी तरह नीचे गिर पड़ा।

तदनन्तर प्रसन्नतासे खिले हुए मुखवाले मुनियोंने बलरामजीका स्तवन किया, उनको बड़े-बड़े आशीर्वाद दिये और जिस प्रकार वृत्रासुरका वध करनेवाले इन्द्रका देवतालोगोंने अभिषेक किया था, उसी प्रकार बलरामजीका अभिषेक किया। तदनन्तर मुनियोंसे आज्ञा लेकर बलरामजीने सरयू, कौशिकी (कोसी), मानसरोवर, गण्डकी और गौतमी आदि तीर्थोंमें स्नान किया। फिर अयोध्या, नन्दिग्राम, बर्हिष्मती और ब्रह्मावर्त आदि तीर्थोंमें स्नान करके वे तीर्थराज प्रयागमें पधारे और वहाँ दस हजार हाथियोंका दान किया। तदनन्तर चित्रकूट, विन्ध्याचल, काशी, विपाशा, शोण, मिथिला और गया आदि तीर्थोंमें स्नान करके गङ्गा-सागर-संगमपर गये और वहाँ स्वर्णके सींगोंसे और सुन्दर वस्त्रोंसे सुशोभित सौ करोड़ गौएँ ब्राह्मणोंको दान दीं। प्रत्येक गौपर स्वर्ण और रत्नोंका भार पृथक् रूपसे लदा हुआ था। तदनन्तर वहाँसे दक्षिण दिशामें जाकर क्रमशः महेन्द्रादि पर्वत, सप्त गोदावरी, वेणी, पम्पा, भीमरथी, स्कन्दक्षेत्र, श्रीशैल, वेङ्कट, काञ्ची, कावेरी, श्रीरङ्ग, ऋषभाद्रि, समुद्रसेतु, कृतमाला, ताम्रपर्णी, मलयाचल, कुलाचल, दक्षिणसिन्धु, फाल्गुनतीर्थ, पंचाप्सर, गोकर्ण, शूर्पारक, तापी, पयोष्णी, निर्विन्ध्या, दण्डक, रेवा, माहिष्मती और अवन्तिका आदि तीर्थोंका स्वयं भगवान् संकर्षणने सेवन किया। तत्पश्चात् तुम्हारी सहायताके लिये विशसन (कुरुक्षेत्र) में पधारेंगे। यह मैंने बलभद्रजीका परम पावन तीर्थयात्रा-चरित्र तुम्हारे सामने वर्णन किया। कौरवेन्द्र! यह सम्पूर्ण पापोंका नाश करनेवाला, सर्वकल्याणकारी पवित्र प्रसङ्ग है। अब तुम और क्या सुनना चाहते हो?॥ १४—१८॥

इस प्रकार श्रीगर्गसंहितामें श्रीबलभद्रखण्डके अन्तर्गत श्रीप्राड्विपाक मुनि और दुर्योधनके संवादमें 'श्रीराम-कृष्णकी द्वारका-लीलाका वर्णन' नामक आठवाँ अध्याय पूरा हुआ॥ ८॥

नवाँ अध्याय

श्रीबलरामजीकी रासलीलाका वर्णन

दुर्योधनने पूछा—भगवन् मुनिसत्तम! भगवान् बलभद्रजीने नागकन्या गोपियोंके साथ यमुनाजीके तटपर कब विहार किया था?॥ १॥

प्राड्विपाक मुनि बोले—एक समयकी बात है, व्रजके सुहृद्-बन्धुओंको देखनेकी बलरामजीके मनमें बड़ी उत्कण्ठा पैदा हो गयी। तब वे अपने तालध्वजसे युक्त रथपर सवार होकर द्वारकासे निकले और गौओं, गोपालों तथा गोपियोंसे भरे गोकुलमें जा पहुँचे। नन्दराज और यशोदाजी भी बहुत दिनोंसे उन्हें देखनेके लिये उत्कण्ठित थे, अतएव उन्होंने उनको हृदयसे लगा लिया। फिर बलभद्रजी गौओं, गोपियों और गोपालोंसे मिले और पूरे वसन्तके दो महीने उन्होंने वहाँ निवास किया। पहले जिन नागकन्याओंके गोपी होनेका वर्णन आ चुका है, उन्होंने गर्गाचार्यजीसे बलभद्रजीका पञ्चाङ्ग* प्राप्त करके उसे सिद्ध किया था। उसीके प्रभावसे बलभद्रजीने प्रसन्न होकर कालिन्दीके तटपर उनके साथ रासमण्डलमें रास-क्रीड़ा की। उस दिन चैत्रकी पूर्णिमा थी। अरुण वर्णके पूर्ण चन्द्र उदित होकर सारे वनको अपनी रंग-विरंगी किरणोंसे रञ्जित कर रहे थे। शीतल पवन कमलके मकरन्द और परागको लिये सर्वत्र मन्द गतिसे प्रवाहित हो रहा था। आनन्ददायिनी यमुना अपनी चञ्चल लहरियोंसे निर्मल पुलिनभूमिको व्याप्त कर रही थी। कुञ्जोंकी प्राङ्गण-भूमि विविध निकुञ्ज-पुञ्जोंसे सुशोभित तथा चमचमाते हुए सुन्दर पल्लवों और पुष्पोंके परागसे आवृत थी। मोर और कोयल मधुर स्वरमें कूँज रहे थे और मधुपान-मत्त मधुकरोंकी मधुर-ध्वनिसे मुखरित व्रज-भूमि अत्यन्त शोभाको प्राप्त हो रही थी।

बलरामजीके पैरोंमें नूपुरकी मधुर ध्वनि हो रही थी। चमकती हुई मणियोंके कड़े, करधनी, केयूर,

* जिसमें पद्धति, पटल, स्तोत्र, कवच और सहस्रनाम—साधनके ये पाँच अङ्ग होते हैं, उसे 'पञ्चाङ्ग' कहते हैं।

हार, किरीट और कुण्डलोंसे वे अलंकृत थे। उनके वदनपर कमल-दलकी छटा छा रही थी। वे नीलाम्बर धारण किये हुए थे। उनके विमल कमल-दलके समान नेत्र थे। ऐसे श्रीबलदेवजी यक्षिणियोंके साथ यक्षराजकी भाँति रासमण्डलमें गोपियोंके द्वारा घिरे हुए विराजित थे॥ २—५॥

तदनन्तर वरुणके द्वारा प्रेरित वारुणी देवी वृक्षोंके कोटरोंसे प्रकट होकर बहने लगीं। उस पुष्पासवकी सुगन्धसे सारा वन सुगन्धमय हो गया। मधुके लोभसे मधुकर-पुञ्ज मधुर गुञ्जार करने लगा। वारुणि-पानसे मद-विह्वल, कमल-दलके समान विशाल और अरुण नेत्रवाले बलदेवजीके अङ्ग प्रेमावेशसे चञ्चल हो उठे। तदनन्तर लीला-विहारजन्य श्रमके कारण जलकणकी भाँति पसीनेकी बूँदें उनके मुखपर प्रकट हो गयीं और उन्होंने कपोलोंपर रचित चित्रकारीको धो दिया। तदनन्तर गजराजकी-सी चालवाले और गजेन्द्र ऐरावतकी सूँड़के समान विशाल भुजाओंवाले बलदेवजी गोपियोंके साथ वैसे ही क्रीड़ा करने लगे, जैसे उन्मत्त मातङ्ग हथिनियोंके साथ करता है। उनके सिंहस्कन्धतुल्य कंधेपर हल और हाथमें मुसल सुशोभित था। करोड़ों-करोड़ों पूर्ण चन्द्रमाओंकी प्रभाके समान उनका तेज छिटक रहा था। देदीप्यमान रत्नोंके मञ्जीर, चञ्चल नूपुर, मधुर शब्द करती हुई स्वर्णमयी किङ्किणी, कड़े, ताटङ्क, हार, श्रीकण्ठ, अँगूठियाँ और सिरपर दिव्य मणिभूषण सुशोभित थे। काली नागिनको लजानेवाली कृष्ण अलकावलीकी वेणीसे युक्त और कपोलोंपर चित्रित मनोहर पत्रावलियोंसे सुशोभित गोप-सुन्दरियोंके साथ अखिल भुवनपति भगवान् बलरामजी वहाँ विराजित होकर रास-विहार करने लगे॥ ६॥

फिर यमुनाके किनारे वनमें विचरण और क्रीड़ा करते हुए बलदेवजीके मुख-कमलपर पसीनेकी बूँदें दिखायी देने लगीं। तब उन्होंने स्नान तथा जल-क्रीड़ा करनेके लिये दूरसे ही यमुनाजीको पुकारा, परंतु यमुना नहीं आयीं। फिर तो बलदेवजीने क्रोधमें भरकर हलकी नोकसे यमुनाजीको खींच लिया और कहा—'आज मैंने तुमको बुलाया, किंतु तुम मेरा अपमान करके नहीं आयी। तुम मनमाना बर्ताव करनेवाली हो। अच्छा, अभी इस मुसलके द्वारा मैं तुम्हारे सौ टुकड़े कर देता हूँ।' यमुनाजीको जब बलरामजीने इस प्रकार डाँटा, तब वे अत्यन्त भयभीत होकर उनके चरणकमलोंपर गिर पड़ीं और बोलीं—'हे लोकाभिराम राम! हे संकर्षण! बलभद्र! हे महाबाहो!! मैं आपके असीम बल-पराक्रमको नहीं जानती थी। आपके एक ही मस्तकपर सारा भूखण्ड-मण्डल सरसोंके समान पड़ा रहता है। मैं आपके परम प्रभावसे अनभिज्ञ हूँ और आपकी शरणमें आयी हूँ। आप भक्तवत्सल हैं। मुझे छोड़ दीजिये।' इस प्रकार प्रार्थना करनेपर गोपराज बलभद्रजीने यमुनाको छोड़ दिया और हथिनियोंके साथ गजराजकी भाँति वे गोपियोंके साथ जलक्रीड़ा करने लगे। तदनन्तर उनके यमुनासे बाहर निकलनेपर यमुनाजीने आकर उन्हें बहुत-से नील वस्त्र और स्वर्ण तथा रत्नोंके आभूषण भेंट किये। दुर्योधन! बलरामजीने उन सब वस्त्राभूषणोंको पृथक्-पृथक् गोपियोंमें बाँट दिया और स्वयं नीलाम्बर तथा नवीन रत्नोंसे निर्मित स्वर्णमालाको धारण करके ऐरावतकी भाँति विराजमान हो गये। कौरवेन्द्र! इस प्रकार क्रीड़ारत यादवश्रेष्ठ बलरामजीने वसन्त ऋतुकी रात्रिको व्यतीत किया। जिस प्रकार हस्तिनापुरको देखनेपर भगवान् बलरामजीके पराक्रमका दर्शन होता है, उसी प्रकार आजतक यमुनाजी टेढ़े मार्गसे प्रवाहित होती हुई उनकी शक्तिको सूचित कर रही हैं। भगवान् बलरामजीके इस रासलीलाके प्रसङ्गको जो मनुष्य सुनता अथवा सुनाता है, वह सारे पापोंसे मुक्त होकर परमानन्द-पदको प्राप्त होता है। युवराज! अब क्या सुनना चाहते हो?॥ ७—११॥

इस प्रकार श्रीगर्गसंहितामें श्रीबलभद्रखण्डके अन्तर्गत श्रीप्राड्विपाक मुनि और दुर्योधनके संवादमें 'श्रीबलरामजीकी रासलीलाका वर्णन' नामक नवाँ अध्याय पूरा हुआ॥ ९॥

दसवाँ अध्याय

श्रीबलभद्रजीकी पूजा-पद्धति और पटल

दुर्योधनने कहा—भगवन्! आप सर्वज्ञ हैं। यह बतानेकी कृपा कीजिये कि गोपियोंके यूथको श्रीगर्गाचार्यजीने बलभद्र-पञ्चाङ्ग किस प्रकार प्रदान किया था॥ १॥

प्राड्विपाक मुनि बोले—कुरुराज! एक बार गर्गजी यमुना-स्नान करनेके लिये गर्गाचलसे चलकर व्रजपुरमें पधारे। यमुनाजीकी तटकी ललित लताएँ पवनके प्रवाहसे हिल रही थीं। पुष्पोंके सौरभसे मत्त हुए भ्रमरोंके समूह गुंजार कर रहे थे। इस प्रकारके यमुना-तटपर एक निकुञ्जके नीचे एकान्तमें श्रीगर्गाचार्य भगवान् बलराम और श्रीकृष्णका ध्यान करने लगे। उस समय गोपियोंने आकर उनको प्रणाम किया। उनको स्मरण हो आया कि हम पूर्वजन्मकी नागेन्द्र-कन्याएँ हैं। तब उन्होंने बलभद्रजीको प्राप्त करनेके लिये गर्गजीसे सेवाका साधन पूछा। कन्याओंकी इस अनुपम भक्तिको देखकर उनके उद्देश्यकी सिद्धिके लिये गर्गजीने उनको पद्धति, पटल, स्तोत्र, कवच और सहस्रनाम—यह पञ्चाङ्ग साधन प्रदान किया। अब बताओ, तुम और क्या सुनना चाहते हो?॥ २॥

दुर्योधनने कहा—ब्रह्मन् गुरुदेव! आप भक्तवत्सल हैं, मैं आपको नमस्कार करता हूँ। आप कृपया बलरामजीकी 'पद्धति' का वर्णन कीजिये, जिसे जानकर मैं सिद्धि प्राप्त कर सकूँ ॥ ३॥

प्राड्विपाक मुनि बोले—राजसत्तम! जिससे महाप्रभु बलरामजी प्रसन्न हो जाते हैं, उस बलभद्र-पद्धतिके नियम सुनो। वे भगवान् बलरामजी सहस्र-मुखवाले हैं। समस्त भुवनोंके अधीश्वर हैं। बहुत-से दान और तीर्थ-सेवनसे उनकी प्राप्ति नहीं हो सकती। वे तो केवल 'अनन्य-भक्ति' से प्राप्त होते हैं। श्रीहरिके बड़े भाई उन बलरामजीकी भक्ति सत्सङ्गके द्वारा शीघ्र प्राप्त हो सकती है। जिनमें प्रेमलक्षणा-भक्तिका उदय हो जाता है, वे ही सिद्ध पुरुष हैं। ब्राह्ममुहूर्तमें उठते ही भगवान् राम-कृष्णके नामोंका उच्चारण करे, फिर गुरुदेवको और पृथ्वीको (मनसे) प्रणाम करके पृथ्वी-पर पैर रखे। तदनन्तर स्नान-आचमन करके निर्जनमें कुशासनपर बैठ जाय, दोनों हाथ गोदमें रख ले और अपनी नासिकाके अग्रभागपर दृष्टि जमाकर परमदेव सनातन हरि भगवान् श्रीबलरामजीका ध्यान करे। उनका गौरवर्ण है। उन्होंने नीलाम्बर धारण कर रखा है। वे वनमालासे विभूषित हैं। बड़ी मनमोहन मूर्ति है। ऐसे हलधर भगवान् बलरामजीको प्रसन्न करनेके लिये नित्य उनका ध्यान करना चाहिये। साधकको चाहिये कि वह बाहर-भीतरसे पवित्र हो, मौन-धारण करे और क्रोधका त्याग करके तीनों कालमें संध्या-वन्दन करे। मनमें कोई कामना, लोभ और मोह न रहे। सत्यभाषण करे। जितेन्द्रिय होकर एक बार मात्र पायसका भोजन करे। दो बार जलपान करे। पवित्र रेशमी वस्त्र पहने और जमीनपर शयन करे। इस प्रकार छः शत्रुओंपर विजय प्राप्त कर एकाग्र मनसे भजन करनेपर सम्पूर्ण कारणोंके कारण परिपूर्णतम साक्षात् भगवान् श्रीसंकर्षणजी सदाके लिये प्रसन्न हो जाते हैं। महाबाहु कौरवराज! इस प्रकार मैंने महात्मा बलभद्रजीकी 'पद्धति' का वर्णन किया, अब तुम और क्या सुनना चाहते हो?॥ ४—१४॥

दुर्योधनने कहा—मुनिराज! अब देवदेव बलरामजीका 'पटल' सुनाइये, जिसका साधन करके मैं सदा उनके चरण-कमलोंकी सेवा कर सकूँ॥ १५॥

प्राड्विपाक मुनि बोले—भगवान् बलरामजीका पटल महान् गोपनीय और सिद्धि प्रदान करनेवाला है। इसे पहले ब्रह्माजीने एकान्त स्थानमें महात्मा नारदजीको दिया था। पहले प्रणव (ॐ) लिखकर फिर कामबीज (क्लीं) लिखना चाहिये। तत्पश्चात् 'कालिन्दीभेदन' और 'संकर्षण'—इन दो पदोंको चतुर्थ्यन्त लिखकर अन्तमें स्वाहा जोड़ देना चाहिये। यों करनेपर **'ॐ क्लीं कालिन्दीभेदनाय संकर्षणाय स्वाहा'**—यह मन्त्र बन जाता है। यह षोडशाक्षर

मन्त्रराज ब्रह्माजीके द्वारा कहा गया है। मनुष्यको व्रत लेकर इस मन्त्रका एक लाख सोलह हजार जप करना चाहिये। इस प्रकार करनेपर साधक इस लोक और परलोकमें परम सिद्धिको प्राप्त कर लेता है, इसमें कोई संदेह नहीं। मन्त्र-जपके बाद विशेष रूपसे महापूजा करनी चाहिये। (उसका विधान यह है—) राजन्! मनोरम स्थण्डिलपर कर्णिकास्थित केसरोंसे उज्ज्वल बत्तीस दलोंवाला एक सुन्दर पाँच रंगका कमल अङ्कित करे। उसपर मङ्गलमय स्वर्ण-सिंहासन रखे। उसके ऊपर बलरामजीकी परम श्रेष्ठ मूर्तिको पधराकर उनकी भलीभाँति पूजा करे। '**ॐ नमो भगवते पुरुषोत्तमाय वासुदेवाय संकर्षणाय सहस्त्रवदनाय महानन्ताय स्वाहा**'—इस मन्त्रसे शिखा-बन्धन करे। तत्पश्चात् श्रीबलरामजीको सब दिशाओंमें प्रणाम करके उनके सम्मुख अत्यन्त विनयपूर्वक बैठ जाय। फिर '**ॐ जय जयानन्त बलभद्र कामपाल तालाङ्क कालिन्दीभञ्जन आविराविर्भूय मम सम्मुखो भव।**' इसको पढ़कर आवाहन करे॥ १६—२२॥

तदनन्तर '**नमस्तेऽस्तु सीरपाणे हलमुसलधर रौहिणेय नीलाम्बर राम रेवतीरमण नमस्तेऽस्तु।**' इस मन्त्रके द्वारा आसन, पाद्य, अर्घ्य, स्नानीय, यज्ञोपवीत, वस्त्र, भूषण, गन्ध, अक्षत, पुष्प, मधुपर्क, धूप, दीप, नैवेद्य, पुष्पाञ्जलि आदि उपचार प्रदान करे। अनन्तर '**ॐ विष्णवे मधुसूदनाय वामनाय त्रिविक्रमाय श्रीधराय हृषीकेशाय पद्मनाभाय दामोदराय संकर्षणाय वासुदेवाय प्रद्युम्नायानिरुद्धायाधोक्षजाय पुरुषोत्तमाय श्रीकृष्णाय नमः।**'

—इस मन्त्रके द्वारा पाद, गुल्फ, जानु, ऊरु, कटि, उदर, पार्श्व, पीठ, भुजा, कंधे, अधर, नेत्र और मस्तक आदि सर्वाङ्गकी पृथक्-पृथक् पूजा करे। इसके बाद शङ्ख, चक्र, गदा, पद्म, असि, धनुष, वेत्र, हल, मुसल, कौस्तुभ, वनमाला, श्रीवत्स, पीताम्बर, नीलाम्बर, वंशी, वेत्र, गरुडाङ्क और तालाङ्क ध्वजसे चिह्नित रथ, दारुक, सुमति, कुमुद, कुमुदाक्ष और श्रीदामा—इन शब्दोंके पहले ॐ और अन्तमें चतुर्थी विभक्ति लगाकर अन्तमें 'नमः' शब्द जोड़ दे। इससे '**ॐ शङ्खाय नमः**', '**ॐ चक्राय नमः**'—ऐसा रूप बन जायगा। इन मन्त्रोंके द्वारा सबका पूजन करे। इसी प्रकार कमलके सब ओर अपने-अपने स्थानपर विष्वक्सेन, वेदव्यास, दुर्गा, गणेश, दिक्पाल और नवग्रह आदिका भी पृथक्-पृथक् पूजन करना चाहिये। तदनन्तर परिसमूहन आदि स्थालीपाकके विधानसे अग्निदेवकी पूजा करके पूर्वोक्त '**ॐ क्लीं कालिन्दीभेदनाय संकर्षणाय स्वाहा।**'—इस मन्त्रसे पचीस हजार आहुतियाँ दे। फिर इसी प्रकार '**ॐ नमो भगवते वासुदेवाय**'—इस द्वादशाक्षर मन्त्रसे आठ हजार और चतुर्व्यूहसंज्ञक '**ॐ नमो भगवते तुभ्यं वासुदेवाय साक्षिणे। प्रद्युम्नायानिरुद्धाय नमः संकर्षणाय च॥**'—इस मन्त्रसे आठ हजार आहुतियाँ दे। इसके बाद अग्निकी प्रदक्षिणा करे और आचार्यको नमस्कार करके उन्हें मूल्यवान् वस्त्र, स्वर्णके आभूषण, ताम्रपात्र, सवत्सा गौ और स्वर्ण आदि दक्षिणा देकर प्रसन्न करे। फिर ब्राह्मणोंका पूजन-सत्कार करके उनको तथा नगरवासी जनोंको भोजन कराये। तत्पश्चात् आचार्यको प्रणाम करे। जो पुरुष इस पटल-पद्धतिके अनुसार श्रीबलरामजीका स्मरणपूजन करता है, वह इस लोक और परलोकमें विविध सिद्धियों और समृद्धियोंके द्वारा सुसम्पन्न होता है। हे राजन्! भगवान् बलरामजीका यह गोपनीय और सर्वसिद्धिप्रद 'पटल' तुमको सुना दिया, अब और क्या सुनना चाहते हो?॥ २३—२५॥

इस प्रकार श्रीगर्गसंहितामें श्रीबलभद्रखण्डके अन्तर्गत श्रीप्राड्विपाक मुनि और दुर्योधनके संवादमें 'श्रीबलभद्रजीकी पूजा-पद्धति और पटल' नामक दसवाँ अध्याय पूरा हुआ॥ १०॥

ग्यारहवाँ अध्याय

श्रीबलराम-स्तोत्र

दुर्योधनने कहा—महामुनि प्राड्विपाकजी! अब भगवान् श्रीबलरामजीका वह स्तोत्र, जो साक्षात् समस्त सिद्धियोंको प्रदान करनेवाला है, कृपापूर्वक मुझसे कहिये॥ १॥

प्राड्विपाक मुनि बोले—राजन्! बलरामजीका स्तोत्र श्रीवेदव्यासजीके द्वारा प्रणीत है, यह मनुष्योंको समस्त सिद्धियाँ और मोक्ष भी प्रदान करनेवाला है। इस शुभ स्तवराजको तुम सुनो॥ २॥

"देवादिदेव! भगवन्! कामपाल! आपको नमस्कार। हे बलरामजी! आप साक्षात् अनन्त और शेषजी हैं, आपको नमस्कार। आप पृथ्वीको धारण करनेवाले, परिपूर्ण ब्रह्म, स्वयं प्रकाशमान, हाथमें हल लिये हुए, हजार मस्तकोंसे युक्त संकर्षण हैं। आपको नित्य मेरे नमस्कार हैं। पुरुषश्रेष्ठ बलरामजी! आप भगवान् अच्युतके बड़े भाई हैं, रेवतीके स्वामी हैं, हल आपका शस्त्र है और आप प्रलम्बासुरका संहार करनेवाले हैं। आप मेरी रक्षा करें। भगवान् बलराम, बलभद्र और तालध्वजको मेरे बार-बार नमस्कार हैं। आप गौरवर्ण हैं, नीलाम्बर धारण किये हुए हैं, रोहिणीके कुमार हैं; आपको नमस्कार। आप धेनुकासुर, मुष्टिकासुर, कूट, बल्वल, रुक्मी, कूपकर्ण और कुम्भाण्डके शत्रु और उनके संहारक हैं। आप कालिन्दीका भेदन करनेवाले, हस्तिनापुरका आकर्षण करनेवाले, द्विविद वानरका वध करनेवाले, यादवोंके राजा और व्रज-मण्डलको सुशोभित करनेवाले हैं। आपने कंसके भाइयोंका वध किया है, आप सबके स्वामी और तीर्थोंमें भ्रमण करनेवाले हैं। आप दुर्योधनके साक्षात् गुरु हैं। प्रभो! मेरी रक्षा कीजिये, रक्षा कीजिये। हे अच्युत! आपकी जय हो, जय हो। हे परात्पर देव! आप स्वयं अनन्त एवं दिशा-विदिशाओंमें कीर्तित हैं। आप देवता, मुनि और सर्पोंके स्वामियोंमें श्रेष्ठ हैं। हल तथा मुसलको धारण करनेवाले भगवान् बलरामजीको मेरे नमस्कार हैं। जो मनुष्य इस स्तवराजका निरन्तर पाठ करता है, वह श्रीहरिके परमपदको प्राप्त होता है। जगत्‌में वह शत्रुका शमन करनेवाले सम्पूर्ण बलोंसे सम्पन्न हो जाता है और उसे धन तथा स्वजन प्रचुररूपसे प्राप्त रहते हैं॥ ३—११॥

इस प्रकार श्रीगर्गसंहितामें श्रीबलभद्रखण्डके अन्तर्गत श्रीप्राड्विपाक मुनि और दुर्योधनके संवादमें 'श्रीबलरामस्तोत्र' नामक ग्यारहवाँ अध्याय पूरा हुआ॥ ११॥

---

* दुर्योधन उवाच—

स्तोत्रं श्रीबलदेवस्य प्राड्विपाक महामुने। वद मां कृपया साक्षात् सर्वसिद्धिप्रदायकम्॥

प्राड्विपाक उवाच—

स्तवराजं तु रामस्य वेदव्यासकृतं शुभम्। सर्वसिद्धिप्रदं राजञ्शृणु कैवल्यदं नृणाम्॥
देवादिदेव भगवन् कामपाल नमोऽस्तु ते। नमोऽनन्ताय शेषाय साक्षाद्रामाय ते नमः॥
धराधराय पूर्णाय स्वधाम्ने सीरपाणये। सहस्रशिरसे नित्यं नमः संकर्षणाय ते॥
रेवतीरमण त्वं वै बलदेवोऽच्युताग्रज। हलायुध प्रलम्बघ्न पाहि मां पुरुषोत्तम॥
बलाय बलभद्राय तालाङ्काय नमो नमः। नीलाम्बराय गौराय रौहिणेयाय ते नमः॥
धेनुकारिर्मुष्टिकारिः कूटारिर्बल्वलान्तकः। रुक्म्यरिः कूपकर्णारिः कुम्भाण्डारिस्त्वमेव हि॥
कालिन्दीभेदनोऽसि त्वं हस्तिनापुरकर्षकः। द्विविदारिर्यादवेन्द्रो व्रजमण्डलमण्डनः॥
कंसभ्रातृप्रहन्तासि तीर्थयात्राकरः प्रभुः। दुर्योधनगुरुः साक्षात् पाहि पाहि प्रभो त्वतः॥
जय जयाच्युत देव परात्पर स्वयमनन्त दिगन्तगतश्रुत। सुरमुनीन्द्रफणीन्द्रवराय ते मुसलिने बलिने हलिने नमः॥
यः पठेत् सततं स्तवनं नरः स तु हरेः परमं पदमाव्रजेत्। जगति सर्वबलं त्वरिमर्दनं भवति तस्य धनं स्वजनं धनम्॥

(गर्ग०, बलभद्र० ११। १—११)

बारहवाँ अध्याय

श्रीबलराम-कवच

दुर्योधनने कहा—महामुने! धीमान् गर्गाचार्यने गोपियोंको जो सब तरहसे रक्षा करनेवाला दिव्य कवच दिया था, आप उसे मुझको प्रदान कीजिये॥ १॥

प्राड्विपाक मुनि बोले—मनुष्य जलमें स्नान करके रेशमी वस्त्र धारण करे, कुशासनपर बैठे और हाथमें कुशकी पवित्री पहनकर मन्त्रका शोधन करे। तदनन्तर अच्युताग्रज भगवान् बलरामजीका स्मरण करके उन्हें प्रणाम करे। फिर मनको एकाग्र करके मन्त्ररूपी कवचको धारण करे॥ २॥

जो भगवान् गोलोकधामके अधिपति हैं, जिनका कीर्तन परम पवित्र है, वे परमेश्वर शत्रुओंसे मेरी रक्षा करें। जिनके मस्तकपर भूमण्डल सरसोंकी तरह प्रतीत होता है, वे भगवान् भूमण्डलमें मेरी रक्षा करें। हलधरभगवान् सेनामें और युद्धमें सदा मेरी रक्षा करें। मुसलधारी भगवान् दुर्गमें और आदिदेव भगवान् संकर्षण वनमें मेरी रक्षा करें। यमुनाके प्रवाहको रोकनेवाले भगवान् जलमें और नीलाम्बरधारी भगवान् अग्निमें निरन्तर मेरी रक्षा करें। भगवान् राम वायु (आँधी) में मेरी रक्षा करें। शून्य (आकाश) में भगवान् बलदेव और महान् समुद्रमें अनन्तवपु भगवान् मेरी सदा रक्षा करें। पर्वतोंपर भगवान् वासुदेव मेरी रक्षा करें। घोर विवादमें हजार मस्तकवाले प्रभु, रोगमें श्रीरोहिणीनन्दन तथा विपत्तिमें भगवान् कामपाल मेरी रक्षा करें। धेनुकासुरके शत्रु भगवान् काम (कामना) से मेरी सदा रक्षा करें। द्विविदपर प्रहार करनेवाले भगवान् क्रोधसे, बल्वलके शत्रु भगवान् लोभसे और जरासंधके शत्रु भगवान् मोहसे सदा मेरी रक्षा करें। भगवान् वृष्णिधुर्य प्रातःकालके समय, भगवान् मथुरापुरी-नरेश पूर्वाह्ण (प्रहर दिन चढ़े), गोपसखा मध्याह्नमें और स्वराट् भगवान् पराह्ण (दिनके पिछले पहर) में सदा मेरी रक्षा करें। भगवान् फणीन्द्र सायंकालमें तथा परात्पर प्रदोषके समय मेरी सदा रक्षा करें। मध्यरात्रि और प्रत्यूषकालके समय भगवान् दुरन्तवीर्य मेरी सदा रक्षा करें। कोनोंमें रेवतीपति, दिशाओंमें प्रलम्बासुरके शत्रु, नीचे यदूद्वह, ऊपर बलभद्र और दूर अथवा पास सब दिशाओंमें भगवान् बलदेवजी मेरी सदा रक्षा करें। भीतरसे पुरुषोत्तम और बाहरसे महाबल नागेन्द्रलील मेरी सदा रक्षा करें और पूर्ण परमेश्वर महान् हरि स्वयं सदा-सर्वदा मेरे हृदयमें निवास करते हुए उत्कृष्ट रूपमें सदा मेरी रक्षा करें॥ ३—११॥

श्रीबलभद्रजीके इस उत्तम कवचको देव तथा असुरोंके भयका नाश करनेवाला, पापरूप ईंधनको जलानेके लिये साक्षात् अग्निरूप और विघ्नोंके घटका विनाश करनेवाला सिद्धासनरूप समझे* ॥१२॥

इस प्रकार श्रीगर्गसंहितामें श्रीबलभद्रखण्डके अन्तर्गत श्रीप्राड्विपाक मुनि और दुर्योधनके संवादमें 'श्रीबलरामकवच' नामक बारहवाँ अध्याय पूरा हुआ॥ १२॥

---

*दुर्योधन उवाच—

गोपीभ्यः कवचं दत्तं गर्गाचार्येण धीमता। सर्वरक्षाकरं दिव्यं देहि मह्यं महामुने॥

प्राड्विपाक उवाच—

स्नात्वा जले क्षौमधरः कुशासनः पवित्रपाणिः कृतमन्त्रमार्जनः।
स्मृत्वाथ नत्वा बलमच्युताग्रजं संधारयेद् वर्म समाहितो भवेत्॥
गोलोकधामाधिपतिः परेश्वरः परेषु मां पातु पवित्रकीर्तनः।
भूमण्डलं सर्षपवद् विलक्ष्यते यन्मूर्ध्नि मां पातु स भूमिमण्डले॥
सेनासु मां रक्षतु सीरपाणिर्युद्धे सदा रक्षतु मां हली च।
दुर्गेषु चाव्यान्मुसली सदा मां वनेषु संकर्षण आदिदेवः॥
कलिन्दजावेगहरो जलेषु नीलाम्बरो रक्षतु मां सदाग्नौ।
वायौ च रामोऽवतु खे बलश्च महार्णवेऽनन्तवपुः सदा माम्॥

तेरहवाँ अध्याय

बलभद्र-सहस्रनाम

दुर्योधनने कहा—महामुने प्राड्विपाकजी! भगवान् बलभद्रके सहस्रनामको, जो देवताओंके लिये भी गोपनीय—अज्ञात है, मुझसे कहिये॥ १॥

प्राड्विपाक मुनि बोले—साधु, साधु! महाराज! तुम्हारा यश सर्वथा निर्मल है। तुमने जिसके लिये प्रश्न किया है, वह परम देवदुर्लभ सहस्रनाम गर्गजीके द्वारा कथित है। उन दिव्य सहस्रनामोंका वर्णन मैं तुम्हारे सामने कर रहा हूँ। गर्गाचार्यजीने यमुनाजीके मङ्गलमय तटपर यह सहस्रनाम गोपियोंको प्रदान किया था॥ २॥

विनियोग

'ॐ अस्य श्रीबलभद्रसहस्रनामस्तोत्रमन्त्रस्य गर्गाचार्यऋषिः, अनुष्टुप् छन्दः, संकर्षणः परमात्मा देवता, बलभद्र इति बीजम्, रेवतीरमण इति शक्तिः, अनन्त इति कीलकम्, बलभद्रप्रीत्यर्थे जपे विनियोगः'॥ ३॥

(इस बलभद्रसहस्रनामस्तोत्ररूपी मन्त्रके गर्गाचार्य ऋषि हैं, अनुष्टुप् छन्द है, परमात्मा संकर्षण देवता हैं, बलभद्र बीज है, रेवतीरमण शक्ति है, अनन्त कीलक है, श्रीबलभद्रकी प्रीतिके लिये इसका विनियोग है॥ ३॥)

इसको पढ़कर सहस्रनाम पाठके लिये विनियोगका जल छोड़ दे। तत्पश्चात् इस प्रकार ध्यान करे—

ध्यान

स्फुरदमलकिरीटं किङ्किणीकङ्कणार्हं
चलदलककपोलं कुण्डलश्रीमुखाब्जम्।
तुहिनगिरिमनोज्ञं नीलमेघाम्बराढ्यं
हलमुसलविशालं कामपालं समीडे॥ ४॥

जिनका निर्मल किरीट दमक रहा है, जो करधनी तथा कङ्कणोंसे अलंकृत हैं, चञ्चल अलकावलीसे जिनके कपोल सुशोभित हैं, जिनका मुख-कमल कुण्डलोंसे देदीप्यमान है, जो हिमाचल गिरिके समान मनोहर उज्ज्वल हैं तथा नीलाम्बर धारण किये हुए हैं। विशाल हल-मुसल धारण करनेवाले उन भगवान् कामपाल बलभद्रजीका मैं स्तवन करता हूँ॥ ४॥

सहस्रनाम आरम्भ

१. ॐ बलभद्र, २. रामभद्र, ३. राम, ४. संकर्षण, ५. अच्युत, ६. रेवतीरमण, ७. देव, ८. कामपाल, ९. हलायुध॥ ५॥

१०. नीलाम्बर, ११. श्वेतवर्ण, १२. बलदेव, १३. अच्युताग्रज, १४. प्रलम्बघ्न, १५. महावीर, १६. रौहिणेय, १७. प्रतापवान्॥ ६॥

श्रीवासुदेवोऽवतु पर्वतेषु सहस्रशीर्षा च महाविवादे।
रोगेषु मां रक्षतु रौहिणेयो मां कामपालोऽवतु वा विपत्सु॥
कामात् सदा रक्षतु धेनुकारिः क्रोधात् सदा मां द्विविदप्रहारी।
लोभात् सदा रक्षतु बल्वलारिर्मोहात् सदा मां किल मागधारिः॥
प्रातः सदा रक्षतु वृष्णिधुर्यः प्राह्णे सदा मां मथुरापुरेन्द्रः।
मध्यंदिने गोपसखः प्रपातु स्वराट् पराह्णेऽवतु मां सदैव॥
सायं फणीन्द्रोऽवतु मां सदैव परात्परो रक्षतु मां प्रदोषे।
पूर्णे निशीथे च दुरन्तवीर्यः प्रत्यूषकालेऽवतु मां सदैव॥
विदिक्षु मां रक्षतु रेवतीपतिर्दिक्षु प्रलम्बारिरधो यदूद्वहः।
ऊर्ध्वं सदा मां बलभद्र आरात् तथा समन्ताद् बलदेव एव हि॥
अन्तः सदाव्यात् पुरुषोत्तमो बहिर्नागेन्द्रलीलोऽवतु मां महाबलः।
सदान्तरात्मा च वसन् हरिः स्वयं प्रपातु पूर्णः परमेश्वरो महान्॥
देवासुराणां भयनाशनं च हुताशनं पापचयैन्धनानाम्।
विनाशनं विघ्नघटस्य विद्धि सिद्धासनं वर्मवरं बलस्य॥

(गर्ग०, बलभद्र० १२। १—१२)

१८. तालाङ्क, १९. मुसली, २०. हली, २१. हरि, २२. यदुवर, २३. बली, २४. सीरपाणि, २५. पद्मपाणि, २६. लगुडी, २७. वेणुवादन॥ ७॥

२८. कालिन्दीभेदन, २९. वीर, ३०. बल, ३१. प्रबल, ३२. ऊर्ध्वग, ३३. वासुदेवकला, ३४. अनन्त, ३५. सहस्त्रवदन, ३६. स्वराट्॥ ८॥

३७. वसु, ३८.वसुमती, ३९. भर्ता, ४०. वासुदेव, ४१. वसूत्तम, ४२. यदूत्तम, ४३. यादवेन्द्र, ४४. माधव, ४५. वृष्णिवल्लभ॥ ९॥

४६. द्वारकेश, ४७. माथुरेश, ४८. दानी, ४९. मानी, ५०. महामना, ५१. पूर्ण, ५२. पुराण, ५३. पुरुष, ५४. परेश, ५५. परमेश्वर॥ १०॥

५६. परिपूर्णतम, ५७. साक्षात् परम, ५८. पुरुषोत्तम, ५९. अनन्त, ६०. शाश्वत, ६१. शेष, ६२. भगवान्, ६३. प्रकृतेः पर॥ ११॥

६४. जीवात्मा, ६५. परमात्मा, ६६. अन्तरात्मा, ६७. ध्रुव, ६८. अव्यय, ६९. चतुर्व्यूह, ७०. चतुर्वेद, ७१. चतुर्मूर्ति, ७२. चतुष्पद॥ १२॥

७३. प्रधान, ७४. प्रकृति, ७५. साक्षी, ७६. संघात, ७७. संघवान्, ७८. सखी, ७९. महामना, ८०. बुद्धिसख, ८१. चेत, ८२. अहंकार, ८३. आवृत॥ १३॥

८४. इन्द्रियेश, ८५. देवता, ८६. आत्मा, ८७. ज्ञान, ८८. कर्म, ८९. शर्म, ९०. अद्वितीय, ९१. द्वितीय, ९२. निराकार, ९३. निरञ्जन॥ १४॥

९४. विराट्, ९५. सम्राट्, ९६. महौघ, ९७. आधार, ९८. स्थास्नु, ९९. चरिष्णुमान्, १००. फणीन्द्र, १०१. फणिराज, १०२. सहस्र फणमण्डित॥ १५॥

१०३. फणीश्वर, १०४. फणी, १०५. स्फूर्ति, १०६. फूत्कारी, १०७. चीत्कर, १०८. प्रभु, १०९. मणिहार, ११०. मणिधर, १११. वितली, ११२. सुतली, ११३. तली॥ १६॥

११४. अतली, ११५. सुतलेश, ११६. पाताल, ११७. तलातल, ११८. रसातल, ११९. भोगितल, १२०. स्फुरद्दन्त, १२१. महातल॥ १७॥

१२२. वासुकि, १२३. शङ्खचूडाभ, १२४. देवदत्त, १२५. धनंजय, १२६. कम्बलाश्व, १२७. वेगतर, १२८. धृतराष्ट्र, १२९. महाभुज॥ १८॥

१३०. वारुणीमदमत्ताङ्ग, १३१. मदघूर्णित-लोचन, १३२. पद्माक्ष, १३३. पद्ममाली, १३४. वनमाली, १३५. मधुश्रवा॥ १९॥

१३६. कोटिकंदर्पलावण्य, १३७. नागकन्या-समर्चित, १३८. नूपुरी, १३९. कटिसूत्री, १४०. कटकी, १४१. कनकाङ्गदी॥ २०॥

१४२. मुकुटी, १४३. कुण्डली, १४४. दण्डी, १४५. शिखण्डी, १४६. खण्डमण्डली, १४७. कलि, १४८. कलिप्रिय, १४९. काल, १५०. निवातकवचेश्वर॥ २१॥

१५१. सहारकृत्, १५२. रुद्रवपु, १५३. कालाग्नि, १५४. प्रलय, १५५. लय, १५६. महाहि, १५७. पाणिनि, १५८. शास्त्रकार, १५९. भाष्य-कार, १६०. पतञ्जलि॥ २२॥

१६१. कात्यायन, १६२. फक्किकाभू, १६३. स्फोटायन, १६४. उरंगम, १६५. वैकुण्ठ, १६६. याज्ञिक, १६७. यज्ञ, १६८. वामन, १६९. हरिण, १७०. हरि॥ २३॥

१७१. कृष्ण, १७२. विष्णु, १७३. महाविष्णु, १७४. प्रभविष्णु, १७५. विशेषवित्, १७६. हंस, १७७. योगेश्वर, १७८. कूर्म, १७९. वाराह, १८०. नारद, १८१. मुनि॥ २४॥

१८२. सनक, १८३. कपिल, १८४. मत्स्य, १८५. कमठ, १८६. देवमङ्गल, १८७. दत्तात्रेय, १८८. पृथु, १८९. वृद्ध, १९०. ऋषभ, १९१. भार्गवोत्तम॥ २५॥

१९२. धन्वन्तरि, १९३. नृसिंह, १९४. कल्कि, १९५. नारायण, १९६. नर, १९७. रामचन्द्र, १९८. राघवेन्द्र, १९९. कोसलेन्द्र, २००. रघूद्वह॥ २६॥

२०१; काकुत्स्थ, २०२. करुणासिन्धु, २०३. राजेन्द्र, २०४. सर्वलक्षण, २०५. शूर, २०६. दाशरथि, २०७. त्राता, २०८. कौसल्यानन्दवर्द्धन॥ २७॥

२०९. सौमित्रि, २१०. भरत, २११. धन्वी, २१२. शत्रुघ्न, २१३. शत्रुतापन, २१४. निषङ्गी,

२१५. कवची, २१६. खड्गी, २१७. शरी, २१८. ज्याहतकोष्ठक ॥ २८ ॥

२१९. बद्धगोधाङ्गुलित्राण, २२०. शम्भु-कोदण्डभञ्जन, २२१. यज्ञत्राता, २२२. यज्ञभर्ता, २२३. मारीचवधकारक ॥ २९ ॥

२२४. असुरारि, २२५. ताडकारि, २२६. विभीषणसहायकृत्, २२७. पितृवाक्यकर, २२८. हर्षी, २२९. विराधारि, २३०. वनेचर ॥ ३० ॥

२३१. मुनि, २३२. मुनिप्रिय, २३३. चित्र-कूटारण्यनिवासकृत्, २३४. कबन्धहा, २३५. दण्डकेश, २३६. राम, २३७. राजीवलोचन ॥ ३१ ॥

२३८. मतङ्ग, २३९. वनसंचारी, २४०. नेता, २४१. पञ्चवटीपति, २४२. सुग्रीव, २४३. सुग्रीवसखा, २४४. हनुमत्प्रीतमानस ॥ ३२ ॥

२४५. सेतुबन्ध, २४६. रावणारि, २४७. लङ्कादहनतत्पर, २४८. रावण्यरि, २४९. पुष्पकस्थ, २५०. जानकीविरहातुर ॥ ३३ ॥

२५१. अयोध्याधिपति, २५२. श्रीमान्, २५३. लवणारि, २५४. सुरार्चित, २५५. सूर्यवंशी, २५६. चन्द्रवंशी, २५७. वंशीवाद्यविशारद ॥ ३४ ॥

२५८. गोपति, २५९. गोपवृन्देश, २६०. गोप, २६१. गोपीशतावृत, २६२. गोकुलेश, २६३. गोप-पुत्र, २६४. गोपाल, २६५. गोगणाश्रय ॥ ३५ ॥

२६६. पूतनारि, २६७. वकारि, २६८. तृणावर्त-निपातक, २६९. अघारि, २७०. धेनुकारि, २७१. प्रलम्बारि, २७२. व्रजेश्वर ॥ ३६ ॥

२७३. अरिष्टहा, २७४. केशिशत्रु, २७५. व्योमासुरविनाशकृत्, २७६. अग्निपान, २७७. दुग्धपान, २७८. वृन्दावनलता, २७९. आश्रित ॥ ३७ ॥

२८०. यशोमतीसुत, २८१. भव्य, २८२. रोहिणीलालित, २८३. शिशु, २८४. रासमण्डल-मध्यस्थ, २८५. रासमण्डलमण्डन ॥ ३८ ॥

२८६. गोपिकाशतयूथार्थी, २८७. शङ्खचूड-वधोद्यत, २८८. गोवर्द्धनसमुद्धर्ता, २८९. शत्रुजित्, २९०. व्रजरक्षक ॥ ३९ ॥

२९१. वृषभानुवर, २९२. नन्द, २९३. आनन्द, २९४. नन्दवर्द्धन, २९५. नन्दराजसुत, २९६. श्रीश, २९७. कंसारि, २९८. कालियान्तक ॥ ४० ॥

२९९. रजकारि, ३००. मुष्टिकारि, ३०१. कंसकोदण्डभञ्जन, ३०२. चाणूरारि, ३०३. कूट-हन्ता, ३०४. शलारि, ३०५. तोशलान्तक ॥ ४१ ॥

३०६. कंसभ्रातृनिहन्ता, ३०७. मल्लयुद्ध-प्रवर्तक, ३०८. गजहन्ता, ३०९. कंसहन्ता, ३१०. कालहन्ता, ३११. कलङ्कहा ॥ ४२ ॥

३१२. मागधारि, ३१३. यवनहा, ३१४. पाण्डु-पुत्रसहायकृत्, ३१५. चतुर्भुज, ३१६. श्यामलाङ्ग, ३१७. सौम्य, ३१८. औपगविप्रिय ॥ ४३ ॥

३१९. युद्धभृत्, ३२०. उद्धवसखा, ३२१. मन्त्री, ३२२. मन्त्रविशारद, ३२३. वीरहा, ३२४. वीरमथन, ३२५. शङ्खधर, ३२६. चक्रधर, ३२७. गदाधर ॥ ४४ ॥

३२८. रेवतीचित्तहर्ता, ३२९. रेवतीहर्ष-वर्द्धन, ३३०. रेवतीप्राणनाथ, ३३१. रेवतीप्रिय-कारक ॥ ४५ ॥

३३२. ज्योति, ३३३. ज्योतिष्मतीभर्ता, ३३४. रैवताद्रिविहारकृत्, ३३५. धृतिनाथ, ३३६. धनाध्यक्ष, ३३७. दानाध्यक्ष, ३३८. धनेश्वर ॥ ४६ ॥

३३९. मैथिलार्चितपादाब्ज, ३४०. मानद, ३४१. भक्तवत्सल, ३४२. दुर्योधनगुरु, ३४३. गुर्वी, ३४४. गदाशिक्षाकर, ३४५. क्षमी ॥ ४७ ॥

३४६. मुरारि, ३४७. मदन, ३४८. मन्द, ३४९. अनिरुद्ध, ३५०. धन्विनांवर, ३५१. कल्पवृक्ष, ३५२. कल्पवृक्षी, ३५३. कल्पवृक्षवन-प्रभु ॥ ४८ ॥

३५४. स्यमन्तकमणि, ३५५. मान्य, ३५६. गाण्डीवी, ३५७. कौरवेश्वर, ३५८. कूष्माण्ड-खण्डनकर, ३५९. कूपकर्णप्रहारकृत् ॥ ४९ ॥

३६०. सेव्य, ३६१. रेवतजामाता, ३६२. मधुसेवित, ३६३. माधवसेवित, ३६४. बलिष्ठ, ३६५. पुष्टसर्वाङ्ग, ३६६. हृष्ट, ३६७. पुष्ट, ३६८. प्रहर्षित ॥ ५० ॥

३६९. वाराणसीगत, ३७०. क्रुद्ध, ३७१. सर्व, ३७२. पौण्ड्रकघातक, ३७३. सुनन्दी,

३७४. शिखरी, ३७५. शिल्पी, ३७६. द्विविदाङ्ग-निषूदन॥ ५१॥

३७७. हस्तिनापुरसंकर्षी, ३७८. रथी, ३७९. कौरवपूजित, ३८०. विश्वकर्मा, ३८१. विश्वधर्मा, ३८२. देवशर्मा, ३८३. दयानिधि॥ ५२॥

३८४. महाराज, ३८५. छत्रधर, ३८६. महा-राजोपलक्षण, ३८७. सिद्धगीत, ३८८. सिद्धकथ, ३८९. शुक्लचामरवीजित॥ ५३॥

३९०. ताराक्ष, ३९१. कीरनास, ३९२. बिम्बोष्ठ, ३९३. सुस्मितच्छवि, ३९४. करीन्द्र, ३९५. करदोर्दण्ड, ३९६. प्रचण्ड, ३९७. मेघमण्डल॥ ५४॥

३९८. कपाटवक्षा, ३९९. पीनांस, ४००. पद्म-पाद, ४०१. स्फुरद्द्युति, ४०२. महाविभूति, ४०३. भूतेश, ४०४. बन्धमोक्षी, ४०५. समीक्षण॥ ५५॥

४०६. चैद्यशत्रु, ४०७. शत्रुसंध, ४०८. दन्तवक्रनिषूदक, ४०९. अजातशत्रु, ४१०. पापघ्न, ४११. हरिदाससहायकृत्॥ ५६॥

४१२. शालबाहु, ४१३. शाल्वहन्ता, ४१४. तीर्थयायी, ४१५. जनेश्वर, ४१६. नैमिषारण्य-यात्रार्थी, ४१७. गोमतीतीरवासकृत्॥ ५७॥

४१८. गण्डकीस्नानवान्, ४१९. स्रग्वी, ४२०. वैजयन्तीविराजित, ४२१. अम्लान, ४२२. पङ्कज-धर, ४२३. विपाशी, ४२४. शोणसंप्लुत॥ ५८॥

४२५. प्रयागतीर्थराज, ४२६. सरयू, ४२७. सेतुबन्धन, ४२८. गयाशिर, ४२९. धनद, ४३०. पौलस्त्य, ४३१. पुलहाश्रम॥ ५९॥

४३२. गङ्गासागरसङ्गार्थी, ४३३. सप्तगोदावरी-पति, ४३४. वेणी, ४३५. भीमरथी, ४३६. गोदा, ४३७. ताम्रपर्णी, ४३८. वटोदका॥ ६०॥

४३९. कृतमाला, ४४०. महापुण्या, ४४१. कावेरी, ४४२. पयस्विनी, ४४३. प्रतीची, ४४४. सुप्रभा, ४४५. वेणी, ४४६. त्रिवेणी, ४४७. सरयूपमा॥ ६१॥

४४८. कृष्णा, ४४९. पम्पा, ४५०. नर्मदा, ४५१.गङ्गा, ४५२. भागीरथी, ४५३. नदी, ४५४. सिद्धाश्रम, ४५५. प्रभास, ४५६. बिन्दु, ४५७. बिन्दुसरोवर॥ ६२॥

४५८. पुष्कर, ४५९. सैन्धव, ४६०. जम्बू, ४६१. नरनारायणाश्रम, ४६२. कुरुक्षेत्रपति, ४६३. राम, ४६४. जामदग्न्य, ४६५. महामुनि॥ ६३॥

४६६. इल्वलात्मजहन्ता, ४६७. सुदामा, ४६८. सौख्यदायक, ४६९. विश्वजित्, ४७०. विश्वनाथ, ४७१. त्रिलोकविजयी, ४७२. जयी॥ ६४॥

४७३. वसन्तमालतीकर्षी, ४७४. गद, ४७५. गद्य, ४७६. गदाग्रज, ४७७. गुणार्णव, ४७८. गुण-निधि, ४७९. गुणपात्री, ४८०. गुणाकर॥ ६५॥

४८१. रङ्गवल्ली, ४८२. जलाकार, ४८३. निर्गुण, ४८४. सगुण, ४८५. बृहत्, ४८६. दृष्ट, ४८७. श्रुत, ४८८. भवत्, ४८९. भूत, ४९०. भविष्यत्, ४९१. अल्पविग्रह॥ ६६॥

४९२. अनादि, ४९३. आदि, ४९४. आनन्द, ४९५. प्रत्यग्धामा, ४९६. निरन्तर, ४९७. गुणातीत, ४९८. सम, ४९९. साम्य, ५००. समदृक्, ५०१. निर्विकल्पक॥ ६७॥

५०२. गूढ, ५०३. व्यूढ, ५०४. गुण, ५०५. गौण, ५०६. गुणाभास, ५०७. गुणावृत, ५०८. नित्य, ५०९. अक्षर, ५१०. निर्विकार, ५११. क्षर, ५१२. अजस्रसुख, ५१३. अमृत॥ ६८॥

५१४. सर्वग, ५१५. सर्ववित्, ५१६. सार्थ, ५१७. समबुद्धि, ५१८. समप्रभ, ५१९. अक्लेद्य, ५२०. अच्छेद्य, ५२१. आपूर्ण, ५२२. अशोष्य, ५२३. अदाह्य, ५२४. अनिवर्तक॥ ६९॥

५२५. ब्रह्म, ५२६. ब्रह्मधर, ५२७. ब्रह्मा, ५२८. ज्ञापक, ५२९. व्यापक, ५३०. कवि, ५३१. अध्यात्म, ५३२. अधिभूत, ५३३. अधिदैव, ५३४. स्वाश्रय, ५३५. अश्रय॥ ७०॥

५३६. महावायु, ५३७. महावीर, ५३८. चेष्टा, ५३९. रूपतनुस्थित, ५४०. प्रेरक, ५४१. बोधक, ५४२. बोधी, ५४३. त्रयोविंशतिकगण॥ ७१॥

५४४. अंशांश, ५४५. नरावेश, ५४६. अवतार, ५४७. भूपरिस्थित, ५४८. मह, ५४९. जन, ५५०. तप, ५५१. सत्य, ५५२. भू, ५५३. भुव, ५५४. स्व॥ ७२॥

५५५. नैमित्तिक, ५५६. प्राकृतिक, ५५७. आत्यन्तिकमय लय, ५५८. सर्ग, ५५९. विसर्ग, ५६०. सर्गादि ५६१. निरोध, ५६२. रोध, ५६३. ऊतिमान् ॥ ७३ ॥

५६४. मन्वन्तरावतार, ५६५. मनु, ५६६. मनु-सुत, ५६७. अनघ, ५६८. स्वयम्भू, ५६९. शाम्भव, ५७०. शंकु, ५७१. स्वायम्भुवसहायकृत् ॥ ७४ ॥

५७२. सुरालय, ५७३. देवगिरि, ५७४. मेरु, ५७५.हेम, ५७६. अर्चित, ५७७. गिरि, ५७८. गिरीश, ५७९. गणनाथ, ५८०. गौरी, ५८१. ईश, ५८२. गिरिगह्वर ॥ ७५ ॥

५८३. विन्ध्य, ५८४. त्रिकूट, ५८५. मैनाक, ५८६. सुवेल, ५८७. पारिभद्रक, ५८८. पतंग, ५८९. शिशिर, ५९०. कङ्क, ५९१. जारुधि, ५९२. शैलसत्तम ॥ ७६ ॥

५९३. कालञ्जर, ५९४. बृहत्सानु, ५९५. दरीभृत्, ५९६. नन्दिकेश्वर, ५९७. संतान, ५९८. तरुराज, ५९९. मन्दार, ६००. पारिजातक ॥ ७७ ॥

६०१. जयन्तकृत्, ६०२. जयन्ताङ्ग, ६०३. जयन्ती, ६०४. दिग्, ६०५. जयाकुल, ६०६. वृत्रहा, ६०७. देवलोक, ६०८. शशी, ६०९. कुमुदबान्धव ॥ ७८ ॥

६१०. नक्षत्रेश, ६११. सुधा, ६१२. सिन्धु, ६१३. मृग, ६१४. पुष्य, ६१५. पुनर्वसु, ६१६. हस्त, ६१७. अभिजित्, ६१८. श्रवण, ६१९. वैधृत, ६२०. भास्करोदय ॥ ७९ ॥

६२१. ऐन्द्र, ६२२. साध्य, ६२३. शुभ, ६२४. शुक्ल, ६२५. व्यतीपात, ६२६. ध्रुव, ६२७. सित, ६२८. शिशुमार, ६२९. देवमय, ६३०. ब्रह्मलोक, ६३१. विलक्षण ॥ ८० ॥

६३२. राम, ६३३. वैकुण्ठनाथ, ६३४. व्यापी, ६३५. वैकुण्ठनायक, ६३६. श्वेतद्वीप, ६३७. अजितपद, ६३८. लोकालोकचलाश्रित ॥ ८१ ॥

६३९. भूमि, ६४०. वैकुण्ठदेव, ६४१. कोटि-ब्रह्माण्डकारक, ६४२. असंख्यब्रह्माण्डपति, ६४३. गोलोकेश, ६४४. गवां पति ॥ ८२ ॥

६४५. गोलोकधामधिषण, ६४६. गोपिका-कण्ठभूषण, ६४७. ह्रीधर, ६४८. श्रीधर, ६४९. लीलाधर, ६५०. गिरिधर, ६५१. धुरी ॥ ८३ ॥

६५२. कुन्तधारी, ६५३. त्रिशूली. ६५४. बीभत्सी, ६५५. घर्घरस्वन, ६५६. शूलार्पितगज, ६५७. सूच्यर्पितगज, ६५८. गजचर्मधर, ६५९. गजी ॥ ८४ ॥

६६०. अन्त्रमाली, ६६१. मुण्डमाली, ६६२. व्याली, ६६३. दण्डकमण्डलु, ६६४. वेतालभृत्, ६६५. भूतसंघ, ६६६. कूष्माण्डगणसंवृत ॥ ८५ ॥

६६७. प्रमथेश, ६६८. पशुपति, ६६९. मृडानी, ६७०. ईश, ६७१. मृड, ६७२. वृष, ६७३. कृतान्त-संघारि, ६७४. कालसंघारि, ६७५. कूट, ६७६. कल्पान्तभैरव ॥ ८६ ॥

६७७. षडानन, ६७८. वीरभद्र, ६७९. दक्षयज्ञ-विघातक, ६८०. खर्पराशी, ६८१. विषाशी, ६८२. शक्तिहस्त, ६८३. शिवा, ६८४. अर्थद ॥ ८७ ॥

६८५. पिनाकटंकारकर, ६८६. चलज्झंकार-नूपुर, ६८७. पण्डित, ६८८. तर्क-विद्वान्, ६८९. वेदपाठी, ६९०. श्रुतीश्वर ॥ ८८ ॥

६९१. वेदान्तकृत्, ६९२. सांख्यशास्त्री, ६९३. मीमांसी, ६९४. कणनामभाक्, ६९५. काणादि, ६९६. गौतम, ६९७. वादी. ६९८. वाद, ६९९. नैयायिक, ७००. नय ॥ ८९ ॥

७०१. वैशेषिक, ७०२. धर्मशास्त्री, ७०३. सर्व-शास्त्रार्थतत्त्वग, ७०४. वैयाकरणकृत्, ७०५. छन्द ७०६. वैयास, ७०७. प्राकृति, ७०८. वच ॥ ९० ॥

७०९. पाराशरीसंहितावित्, ७१०. काव्यकृत्, ७११. नाटकप्रद, ७१२. पौराणिक, ७१३, स्मृति-कर, ७१४. वैद्य , ७१५. विद्याविशारद ॥ ९१ ॥

७१६. अलंकार, ७१७. लक्षणार्थ, ७१८. व्यङ्ग्यवित्, ७१९. ध्वनिवित्, ७२०. ध्वनि, ७२१. वाक्यस्फोट, ७२२. पदस्फोट, ७२३. स्फोटवृत्ति, ७२४. रसार्थवित् ॥ ९२ ॥

७२५. शृङ्गार, ७२६. उज्ज्वल , ७२७. स्वच्छ, ७२८. अद्भुत, ७२९. हास्य, ७३०. भयानक, ७३१. अश्वत्थ, ७३२. यवभोजी, ७३३. यवक्रीत, ७३४. यवाशन ॥ ९३ ॥

७३५. प्रह्लादरक्षक, ७३६. स्निग्ध, ७३७. ऐलवंशविवर्धन, ७३८. गताधि, ७३९. अम्बरीषाङ्ग, ७४०. विगाधि, ७४१. गाधीनां वर ॥ ९४ ॥

७४२. नानामणिसमाकीर्ण, ७४३. नानारत्न विभूषण, ७४४. नानापुष्पधर, ७४५. पुष्पी, ७४६. पुष्पधन्वा, ७४७. प्रपुष्पित ॥ ९५ ॥

७४८. नानाचन्दनगन्धाढ्य, ७४९. नानापुष्प-रसार्चित, ७५०. नानावर्णमय, ७५१. वर्ण, ७५२. सदा नानावस्त्रधर ॥ ९६ ॥

७५३. नानापद्माकर, ७५४. कौशी, ७५५. नानाकौशेयवेषधृक्, ७५६. रत्नकम्बलधारी, ७५७. धौतवस्त्रसमावृत ॥ ९७ ॥

७५८. उत्तरीयधर, ७५९. पूर्ण, ७६०. घन-कञ्चुकवान्, ७६१. संघवान्, ७६२. पीतोष्णीष, ७६३. सितोष्णीष, ७६४. रक्तोष्णीष, ७६५. दिगम्बर ॥ ९८ ॥

७६६. दिव्याङ्ग, ७६७. दिव्यरचन, ७६८. दिव्यालोकविलोकित, ७६९. सर्वोपम, ७७०. निरुपम, ७७१ गोलोकाङ्कीकृताङ्गन ॥ ९९ ॥

७७२. कृतस्वोत्सङ्गगोलोक, ७७३. कुण्डली, ७७४. भूत, ७७५. आस्थित, ७७६. माथुर, ७७७. मथुरा, ७७८. आदर्शी, ७७९. चलत्खञ्जन-लोचन ॥ १०० ॥

७८०. दधिहर्ता, ७८१. दुग्धहर, ७८२. नवनीत सिताशन, ७८३. तक्रभुक्, ७८४. तक्रहारी, ७८५. दधिचौर्यकृतश्रम ॥ १०१ ॥

७८६. प्रभावतीबद्धकर, ७८७. दामी, ७८८. दामोदर, ७८९. दमी, ७९०. सिकताभूमिचारी, ७९१. बालकेलि, ७९२. व्रजार्भक ॥ १०२ ॥

७९३.धूलिधूसरसर्वाङ्ग, ७९४. काकपक्षधर, ७९५. सुधी, ७९६. मुक्तकेश, ७९७. वत्सवृन्द, ७९८. कालिन्दीकूलवीक्षण ॥ १०३ ॥

७९९.जलकोलाहली, ८००. कूली, ८०१. पङ्कप्राङ्गणलेपक, ८०२. श्रीवृन्दावनसंचारी, ८०३. वंशीवटतटस्थित ॥ १०४ ॥

८०४. महावननिवासी , ८०५. लोहार्गलवनाधिप, ८०६. साधु, ८०७. प्रियतम, ८०८. साध्य, ८०९. साध्वीश, ८१०. गतसाध्वस ॥ १०५ ॥

८११. रङ्गनाथ, ८१२. विट्ठलेश, ८१३. मुक्तिनाथ, ८१४. अघनाशक, ८१५. सुकीर्ति, ८१६. सुयशा, ८१७. स्फीत, ८१८. यशस्वी, ८१९. रङ्गरञ्जन ॥ १०६ ॥

८२० रागषट्क, ८२१. रागपुत्र, ८२२. रागिणी, ८२३. रमणोत्सुक, ८२४. दीपक, ८२५. मेघमल्लार, ८२६. श्रीराग, ८२७. मालकोशक ॥ १०७ ॥

८२८. हिन्दोल, ८२९. भैरवाख्य, ८३०. स्वर-जातिस्मर, ८३१. मृदु, ८३२. ताल, ८३३. मान, ८३४. प्रमाण, ८३५. स्वरगम्य, ८३६. कलाक्षर ॥ १०८ ॥

८३७. शमी, ८३८. श्यामी, ८३९. शतानन्द, ८४०. शतयाम, ८४१. शतक्रतु, ८४२. जागर, ८४३. सुप्त, ८४४. आसुप्त, ८४५. सुषुप्त, ८४६. स्वप्न, ८४७. उर्वर ॥ १०९ ॥

८४८. ऊर्ज, ८४९. स्फूर्ज, ८५०. निर्जर, ८५१. विज्वर, ८५२. ज्वरवर्जित, ८५३. ज्वरजित्, ८५४. ज्वरकर्ता, ८५५. ज्वरयुक्त, ८५६. त्रिज्वर, ८५७. ज्वर ॥ ११० ॥

८५८. जाम्बवान्, ८५९. जम्बुकाशङ्की, ८६०. जम्बूद्वीप, ८६१. द्वीपारिहा, ८६२. शाल्मलि, ८६३. शाल्मलिद्वीप, ८६४. प्लक्ष, ८६५. प्लक्षवनेश्वर ॥ १११ ॥

८६६. कुशधारी, ८६७. कुश, ८६८. कौशी, ८६९. कौशिक, ८७०. कुशविग्रह, ८७१. कुशस्थलीपति, ८७२. काशीनाथ, ८७३. भैरवशासन ॥ ११२ ॥

८७४. दाशार्ह, ८७५. सात्वत, ८७६ वृष्णि, ८७७. भोज, ८७८. अन्धकनिवासकृत्, ८७९. अन्धक, ८८०. दुन्दुभि, ८८१. द्योत, ८८२. प्रद्योत, ८८३. सात्वतां पति ॥ ११३ ॥

८८४. शूरसेन, ८८५. अनुविषय, ८८६. भोजेश्वर, ८८७. वृष्णीश्वर, ८८८. अन्धकेश्वर, ८८९. आहुक, ८९०. सर्वनीतिज्ञ, ८९१. उग्रसेन, ८९२. महोग्रवाक् ॥ ११४ ॥

८९३. उग्रसेनप्रिय, ८९४. प्रार्थ्य, ८९५. प्रार्थ, ८९६. यदुसभापति, ८९७ सुधर्माधिपति, ८९८. सत्व, ८९९. वृष्णिचक्रावृत, ९००. भिषक् ॥ ११५ ॥

९०१. सभाशील, ९०२. सभादीप, ९०३. सभाग्नि , ९०४. सभारवि, ९०५. सभाचन्द्र, ९०६. सभाभास, ९०७. सभादेव, ९०८. सभापति ॥ ११६ ॥

९०९. प्रजार्थद, ९१०. प्रजाभर्ता, ९११. प्रजा-पालनतत्पर, ९१२. द्वारकादुर्गसंचारी, ९१३. द्वारकाग्रहविग्रह ॥ ११७ ॥

९१४. द्वारकादु:खसंहर्ता, ९१५. द्वारकाजन-मङ्गल, ९१६. जगन्माता, ९१७. जगत्त्राता, ९१८. जगद्भर्ता, ९१९. जगत्पिता ॥ ११८ ॥

९२०. जगद्बन्धु, ९२१. जगद्धाता, ९२२. जगन्मित्र, ९२३. जगत्सख, ९२४. ब्रह्मण्य-देव, ९२५. ब्रह्मण्य ९२६. ब्रह्मपादरजो दधत् ॥ ११९ ॥

९२७. ब्रह्मपादरज:स्पर्शी, ९२८. ब्रह्मपाद-निषेवक, ९२९. विप्राङ्घ्रिजलपूताङ्ग, ९३०. विप्रसेवापरायण ॥ १२० ॥

९३१. विप्रमुख्य, ९३२. विप्रहित, ९३३. विप्रगीतमहाकथ, ९३४. विप्रपादजलार्द्राङ्ग, ९३५. विप्रपादोदकप्रिय ॥ १२१ ॥

९३६. विप्रभक्त, ९३७. विप्रगुरु, ९३८. विप्र, ९३९. विप्रपदानुग, ९४०. अक्षौहिणीवृत, ९४१. योद्धा, ९४२. प्रतिमापञ्चसंयुत ॥ १२२ ॥

९४३. चतुर, ९४४. अङ्गिरा, ९४५. पद्मवर्ती, ९४६. सामन्तोद्धृतपादुक, ९४७. गजकोटि-प्रयायी, ९४८. रथकोटिजयध्वज ॥ १२३ ॥

९४९. महारथ, ९५०. अतिरथ, ९५१. जैत्रस्यन्दनमास्थित, ९५२. नारायणास्त्री, ९५३. ब्रह्मास्त्री, ९५४. रणश्लाघी, ९५५. रणोद्भट ॥ १२४ ॥

९५६. मदोत्कट, ९५७. युद्धवीर, ९५८. देवासुर-भयंकर, ९५९. करिकर्णमरुत्प्रेजत्कुन्तल-व्याप्तकुण्डल ॥ १२५ ॥

९६०. अग्रग, ९६१. वीरसम्मर्द, ९६२. मर्द्दल, ९६३. रणदुर्मद, ९६४. भटप्रतिभट, ९६५ प्रोच्य, ९६६. बाणवर्षी, ९६७. इषुतोयद ॥ १२६ ॥

९६८. खड्गखण्डितसर्वाङ्ग, ९६९. षोडशाब्द, ९७०. षडक्षर, ९७१. वीरघोष, ९७२. अक्लिष्टवपु, ९७३. वज्राङ्ग ९७४. वज्रभेदन ॥ १२७ ॥

९७५. रुग्णवज्र, ९७६. भग्नदन्त, ९७७. शत्रु-निर्भर्त्सनोद्यत, ९७८. अट्टहास, ९७९. पट्टधर, ९८०. पट्टराज्ञीपति, ९८१. पटु ॥ १२८ ॥

९८२. कल, ९८३. पटहवादित्र, ९८४. हुंकार, ९८५. गर्जितस्वन, ९८६. साधु, ९८७. भक्तपराधीन, ९८८. स्वतन्त्र, ९८९. साधुभूषण ॥ १२९ ॥

९९०. अस्वतन्त्र, ९९१. साधुमय, ९९२. मनाक्साधुग्रस्तमना, ९९३. साधुप्रिय, ९९४. साधुधन, ९९५. साधुज्ञाति, ९९६. सुधा-घन ॥ १३० ॥

९९७. साधुचारी, ९९८. साधुचित्त ९९९. साधुवश्य, १०००. शुभास्पद।

इस प्रकार भगवान् बलभद्रजीके एक सहस्र-नामोंका वर्णन किया गया ॥ १३१ ॥

माहात्म्य अध्ययन

यह सहस्रनाम मनुष्योंको सब प्रकारकी सिद्धि और चतुर्वर्ग (अर्थ, धर्म, काम, मोक्ष) फल प्रदान करनेवाला है। जो इसका सौ बार पाठ करता है, वह इस लोकमें विद्यावान् होता है। इस सहस्रनामका पाठ करनेसे मनुष्य लक्ष्मी, वैभव, सद्वंशमें जन्म, रूप, बल तथा तेज—सब कुछ प्राप्त करता है। गङ्गाजी एवं यमुनाजीके तटपर अथवा देवालय (देवमन्दिर) में इसके एक हजार पाठ करनेसे जबर्दस्ती सिद्धि मिलती है। इसके पाठसे पुत्रकी कामनावालेको पुत्र तथा धनार्थीको धन प्राप्त होता है। बन्धनमें पड़ा मनुष्य उससे मुक्त हो जाता है और रोगीका रोग चला जाता है। जो मनुष्य पुरश्चरणकी विधिसे पद्धति, पटल, स्तोत्र, कवचसहित इस सहस्रनामका दस हजार बार पाठ करता है तथा होम, तर्पण, गोदान तथा ब्राह्मणका पूजनरूप कर्म विधिवत् करता है, वह समस्त

भूमण्डलका स्वामी चक्रवर्ती राजा होता है। वह अनेक सामन्त राजाओंसे घिरा रहता है। मदकी गन्धसे विह्वल भ्रमर मतवाले हाथियोंके कानोंकी चपेटसे आहत हो उड़ते हुए उसके द्वारपर जाकर उसकी शोभा बढ़ाते रहते हैं। राजेन्द्र! यदि कोई मनुष्य निष्कामभावसे रेवती-रमण भगवान् बलभद्रजीकी प्रसन्नताके लिये इस सहस्रनामका पाठ करता है तो वह जीवन्मुक्त हो जाता है। अच्युताग्रज बलभद्रजी सदा-सर्वदा उसके घरमें निवास करते हैं। हे महाराज! घोर पापी मनुष्य भी यदि इस सहस्रनामका पाठ करता है तो उसके मेरुके समान सारे पाप कट जाते हैं और वह इस लोकमें सम्पूर्ण सुखोंका उपभोग करके अन्तमें परात्पर गोलोकधामको प्रयाण कर जाता है*॥१३२—१४१॥

नारदजी कहते हैं—अच्युताग्रज श्रीबलभद्रजीके इस पञ्चाङ्गको सुनकर धृतिमान् दुर्योधनने सेवा-भाव तथा परम भक्तिके साथ प्राड्विपाक मुनिकी पूजा की। तदनन्तर मुनीन्द्र प्राड्विपाकजीने दुर्योधनको आशीर्वाद देकर उनकी अनुमति प्राप्त कर हस्तिनापुरसे अपने आश्रमको गमन किया। परमब्रह्म परमात्मा भगवान् अनन्त श्रीबलभद्रजीकी कथाको जो पुरुष सुनता अथवा सुनाता है, वह आनन्दमय बन जाता है। नृपेन्द्र! मैं आपके सामने इन सब मनोरथोंको पूर्ण करनेवाले बलभद्रखण्डका वर्णन कर चुका। जो मनुष्य इसका श्रवण करता है, वह भगवान् श्रीहरिके शोकरहित अखण्ड आनन्दमय धामको प्राप्त हो जाता है॥१४२—१४४॥

इस प्रकार श्रीगर्गसंहितामें श्रीबलभद्रखण्डके अन्तर्गत प्राड्विपाक-दुर्योधन-संवादमें 'श्रीबलभद्रसहस्रनाम' नामक तेरहवाँ अध्याय पूरा हुआ॥ १३॥

॥ श्रीबलभद्रखण्ड सम्पूर्ण ॥

---

* इति नाम्नां सहस्रं तु बलभद्रस्य कीर्तितम् ॥

सर्वसिद्धिप्रदं नृणां चतुर्वर्गफलप्रदम्। शतवारं पठेद्यस्तु स विद्यावान् भवेदिह॥
इन्दिरां च विभूतिं चाभिजनं रूपमेव च। बलमोजश्च पठनात्सर्वं प्राप्नोति मानवः॥
गङ्गाकूलेऽथ कालिन्दीकूले देवालये तथा। सहस्रावर्तपाठेन बलात् सिद्धिः प्रजायते॥
पुत्रार्थी लभते पुत्रं धनार्थी लभते धनम्। बन्धात्प्रमुच्यते बद्धो रोगी रोगान्निवर्तते॥
अयुतावर्तपाठे च पुरश्चर्याविधानतः। होमतर्पणगोदानविप्रार्चनकृतोद्यमात् ॥
पटलं पद्धतिं स्तोत्रं कवचं तु विधाय च। महामण्डलभर्ता स्यान्मण्डितो मण्डलेश्वरैः॥
मत्तेभकर्णप्रहिता मदगन्धेन विह्वला। अलंकरोति तद्द्वारं भ्रमद्भृङ्गावली भृशम्॥
निष्कारणः पठेद्यस्तु प्रीत्यर्थं रेवतीपतेः। नाम्नां सहस्रं राजेन्द्र स जीवन्मुक्त उच्यते॥
सदा वसेत्तस्य गृहे बलभद्रोऽच्युताग्रजः। महापातक्यपि जनः पठेन्नामसहस्रकम्॥
छित्त्वा मेरुसमं पापं मुक्त्वा सर्वसुखं त्विह। परात्परं महाराज गोलोकं धाम याति हि॥

(गर्गसंहिता, बलभद्र० १३। १३२—१४१)

श्रीगणेशाय नमः

श्रीविज्ञानखण्ड

पहला अध्याय

द्वारकामें वेदव्यासजीका आगमन और उग्रसेनद्वारा उनका स्वागत-पूजन

राजा बहुलाश्वने कहा—मुने! भगवान् श्रीकृष्णचन्द्रके उस भक्तिमार्गका, जो सर्वश्रेष्ठ है तथा जिसके प्रभावसे मैं भी भक्त बन जाऊँ, वर्णन कीजिये॥ १॥

नारदजी बोले—राजन्! वेदव्यासजीके मुखसे सुने हुए भक्तिमार्गका मैं वर्णन करता हूँ। यह वह मार्ग है, जिसपर चलनेसे भक्तवत्सल भगवान् श्रीकृष्ण प्रसन्न हो जाते हैं॥ २॥

जनकजी! अपने भुजदण्डोंके बलसे उद्धत इन्द्रपर विजय प्राप्त करके भगवान् श्रीकृष्णने द्वारकामें सुधर्मा नामकी दिव्य सभाकी प्रतिष्ठा की थी। राजन्! विश्वकर्माके द्वारा रचे गये वैदूर्य-मणिके खंभोंकी करोड़ों पंक्तियाँ उसके मण्डपकी शोभा बढ़ाती थीं। वहाँकी भूमि पद्मराग-मणिसे जड़ी गयी थी। उसपर मूँगेकी दीवालोंसे कई विभाग बने थे, जिनपर रंग-बिरंगे चँदोवे शोभा दे रहे थे और मोतियोंकी झालरें लटकायी हुई थीं। उसकी दीवालें सिंहासनके आकारकी थीं। उनपर काले मेघमें कौंधनेवाली बिजलीका-सा प्रकाश फैलानेवाले जाम्बूनद सुवर्णके करोड़ों चमचमाते हुए कलश सुशोभित थे। वहाँ प्रातः-कालीन सूर्यकी भाँति चमकनेवाले रत्नमय केयूर, करधनी, कङ्कण और नूपुरोंसे सैकड़ों चन्द्रमाओंकी प्रभाको छिटकानेवाली गन्धर्वोंकी स्त्रियाँ हर्षमें भरकर गान किया करती थीं और सुमधुर वाद्योंके साथ विद्याधरियाँ परस्पर लाग-डाँट रखती हुई नृत्य करती थीं। उसके चारों कोनोंमें मनोहर देववृक्षोंसहित नन्दन, सर्वतोभद्र, ध्रौव्य एवं चैत्ररथ नामक वन सुशोभित थे। महाराज! उस सभाप्रदेशके अन्तर्गत स्वच्छ जलवाले लाखों सरोवर तथा भ्रमरोंसे भरपूर बहुत-से हजार दलवाले कमल दिखायी पड़ते थे। इस प्रकारकी वह सुधर्मा सभा ध्वजा एवं पताकाओंसे अलंकृत तथा दस योजनके विस्तारवाली थी। पाँच योजनकी उसकी ऊँचाई थी। उसमें गया हुआ पुरुष अपनेको सर्वश्रेष्ठ समझता है। जिसे वहाँका सिंहासन उपलब्ध हो जाता, वह तो 'मैं इन्द्र हूँ'—यों कल्पना करने लगता है। त्रिलोकीमें जितने चातुर्य गुण हैं, वे सभी उस पुरुषके शरीरमें आकर रहने लगते हैं। वहाँ जितनी देर मनुष्य ठहरता है, उतनी देरतक शोक-मोह, जरा-मृत्यु तथा भूख-प्यास—ये छः प्रकारकी ऊर्मियाँ (विकार) उसके पास नहीं फटकतीं। महाराज! जितने मनुष्य वहाँ प्रवेश करते हैं, उतनी ही बड़ी वह सभा अपने प्रभावसे दिखायी देने लगती है। जनकजी! यादवोंकी संख्या छप्पन करोड़ थी। अनुचरोंसहित वे सभी उक्त सभा-भवनके आँगनके एक चौथाई भागमें ही समाये हुए दीख पड़ते थे। महाराज! जहाँ साक्षात् परिपूर्णतम भगवान् श्रीकृष्णचन्द्र ही विराजमान रहते थे, उस सभाका वर्णन कौन कर सकता है।

उस सभामें एक दिन महाराज उग्रसेन विराजमान थे। करोड़ों यादव उन्हें घेरे हुए थे। सूत, मागध और वन्दियोंद्वारा महाराजका यशोगान हो रहा था। साक्षात् पराशरकुमार मुनिवर वेदव्यासजी आकाशमार्गसे वहाँ पधारे। उनके शरीरकी कान्ति मेघके समान श्यामल थी और वे बिजलीके समान पीली जटा धारण किये हुए थे। उन्हें देखकर यदुराज तुरंत उठ खड़े हुए और उन्होंने हाथ जोड़कर मुनिको प्रणाम किया। फिर उन्हें आसनपर बिठाकर तथा पूजाके उपचार समर्पित कर वे मुनिके सामने खड़े हो गये॥ ३—१९॥

राजा उग्रसेन बोले—ब्रह्मन्! आज आपके यहाँ पधारनेपर मेरा जन्म, महल तथा धर्माचरण—सब कुछ सफल हो गया। भगवन्! आप जैसे सदा

आनन्दस्वरूप महानुभावोंकी कुशल तो स्वयं श्रीकृष्णचन्द्रको अभीष्ट है। फिर भी अपनी कुशल कहिये, जिससे मैं निश्चिन्त हो जाऊँ। प्रभो! आपके समान साधुपुरुष जहाँ-जहाँ जाते हैं, वहाँ-वहाँ लौकिकी और पारलौकिकी दोनों प्रकारकी सिद्धियाँ रहती ही हैं। मुनीवर व्यासजी! जहाँ संत पुरुष एक क्षण भी निवास करते हैं, वहाँ स्वयं श्रीहरि रहते हैं; ब्रह्मन्! फिर लौकिक गुणोंकी तो बात ही क्या है। मुनिवर! मैंने पूर्व जन्ममें कौन-सा पुण्य अथवा यज्ञ किया था, जिसके फल-स्वरूप मुझे द्वारकाका राज्य प्राप्त हो गया। यही नहीं, आपके समान बड़े-बड़े ब्राह्मण देवता मेरे महलोंमें प्रतिदिन पधारते रहते हैं। इससे मैं अनुमान करता हूँ कि मैंने निस्संदेह सबसे बड़ा पुण्य किया है॥ २०—२५॥

व्यासजीने कहा—महाराज! तुम धन्य हो तथा तुम्हारी निर्मल बुद्धिको भी धन्यवाद है। राजन्! पूर्वजन्ममें तुमने सबसे बड़ा पुण्य किया था। राजन्! तुम्हारा नाम मरुत्त था। मनमें किसी भी प्रकारकी कामना न रखकर तुमने विश्वजित् नामका यज्ञ किया था। उससे भगवान् श्रीहरि प्रसन्न हुए। तुम्हारे निष्कामभावसे तुम्हें यह परम सौभाग्य प्राप्त हुआ है। श्रीकृष्णचन्द्र साक्षात् परिपूर्णतम भगवान् श्रीहरि ही हैं। अनन्त ब्रह्माण्ड उनके अधीन हैं और वे परात्पर प्रभु गोलोकके स्वामी हैं। वे परम स्वतन्त्र होनेपर भी भक्तिके वशीभूत हो तुम्हारे महलोंमें विराजते हैं। यदुराज! यही बड़ी विचित्र बात है कि भजन करने-वालोंको भगवान् मुक्ति दे देते हैं, किंतु भक्तिका साधन कभी नहीं देते। राजन्! इसीलिये भक्तियोगको बहुत दुर्लभ समझो॥ २६—३०॥

इस प्रकार श्रीगर्गसंहितामें श्रीविज्ञानखण्डके अन्तर्गत नारद-बहुलाश्व-संवादमें 'द्वारकामें श्रीवेदव्यासका आगमन' नामक पहला अध्याय समाप्त हुआ॥ १॥

दूसरा अध्याय

व्यासजीके द्वारा गतियोंका निरूपण

राजा उग्रसेन बोले—आपके द्वारा किये गये वर्णनको सुनकर मैं कृतकृत्य हो गया तथा आनन्दसे भर गया हूँ। आपने मेरे ऊपर बड़ी कृपा की। मेरे मनमें उठे हुए संदेहको दूर करनेमें आप ही समर्थ हैं। ब्रह्मन्! सकाम कर्मोंकी क्या गति होती है, उनका क्या लक्षण है और उनके कितने भेद हैं? इसे तत्त्वतः कहनेकी कृपा कीजिये॥ १-२॥

व्यासजीने कहा—राजन्! गुणोंके साथ सम्बन्धसे सभी कर्म सकाम हो जाते हैं, वे ही फलका त्याग कर देनेपर निष्काम हो जाते हैं। यदुराज! जो सकाम कर्म है, उसे बन्धन समझो। जो निष्काम कर्म होता है, वह मोक्ष देनेवाला है। अतएव वह परम मङ्गलमय होता है। सत्त्व, रज और तम—इन तीन गुणोंकी उत्पत्ति प्रकृतिसे होती है। जैसे भगवान् विष्णुसे सारे पदार्थ व्याप्त हैं, उसी प्रकार गुणोंसे सम्पूर्ण विश्व ओतप्रोत है। सत्त्वगुणकी स्थितिमें जिनके प्राण निकलते हैं, वे स्वर्गलोकमें जाते हैं, रजोगुणमें प्रयाण करनेवाले नरलोकके अधिकारी होते हैं तथा तमोगुणकी अधिकतामें मरनेवालेको नरककी यातना भोगनी पड़ती है। जो गुणोंके सम्बन्धसे रहित होते हैं, वे श्रीकृष्णको प्राप्त होते हैं।

राजन्! जिन्होंने वनवासी होकर पञ्चाग्नियोंका सेवनरूप तप किया है, वे निष्पाप होकर सप्तर्षियोंके लोकमें चले जाते हैं। जो संन्यास-आश्रमके नियमोंका पालन करनेवाले त्रिदण्डधारी हैं तथा जिन्होंने इन्द्रिय एवं मनके स्वभावपर विजय पा ली है, वे सत्यलोकके यात्री होते हैं। जो निर्मल चित्तवाले ऊर्ध्वरेता योगिराज अष्टाङ्गयोगका सेवन करते हैं, वे उसके प्रभावसे जनलोक अथवा महर्लोकमें जाते हैं—इसमें कुछ भी संदेह नहीं है। यज्ञका अनुष्ठान करनेवाला पुरुष बहुत वर्षोंतक इन्द्रलोकमें वास पाता है। दानशील व्यक्ति चन्द्रलोकको और व्रतशील पुरुष सूर्यलोकको जाता

है। तीर्थोंकी यात्रा करनेवाले अग्निलोकको, सत्यप्रतिज्ञ वरुणलोकको, विष्णुके उपासक वैकुण्ठलोकको तथा शिवकी आराधना करनेवाले शिवलोकको प्रयाण करते हैं। जो सुख, ऐश्वर्य और संतानकी कामनासे नित्य पितरोंका पूजन करते हैं, वे दक्षिण-मार्गसे अर्यमाके साथ पितृलोकको चले जाते हैं। इसी प्रकार पाँच देवोंकी उपासना करनेवाले स्मार्तलोग स्वर्ग-लोकके अधिकारी होते हैं, प्रजापतियोंके उपासक दक्ष आदि प्रजापतियोंके लोकको जाते हैं, भूतोंको पूजने-वाले भूतलोकको और यक्षोंको पूजनेवाले यक्षलोकमें प्रयाण करते हैं। राजन्! जो जिसके भक्त होते हैं, वे उसीके लोकमें जाते हैं—इसमें कुछ भी संदेह नहीं है। राजन्! वैसे ही बुरे सङ्गके वशीभूत होकर पापमें रचे-पचे रहनेवाले लोग यमलोकमें जाते हैं, जो दारुण नरकोंसे घिरा हुआ है। महामते! ब्रह्मलोकपर्यन्त जितने भी लोक हैं, उनमें जानेपर पुनरागमन होता है। राजन्! इससे तुम समझ लो कि सम्पूर्ण लोक पुनरावर्ती हैं। सकाम-कर्मियोंकी यही गमनागमनरूप गति होती है। जबतक जीवके पुण्य समाप्त नहीं होते, तबतक वह स्वर्गलोकमें विहार करता है। पुण्यके शेष हो जानेपर उसे न चाहनेपर भी कालकी प्रेरणासे नीचे गिरना पड़ता है। अतः हे महाबाहु यादवेन्द्र! कर्ममें फलका त्याग कर देना चाहिये। मनुष्यको चाहिये कि वह ज्ञान और वैराग्यसे युक्त होकर निष्काम भक्त हो जाय। फिर प्रेमलक्षणा भक्तिके द्वारा भगवान् श्रीहरिके भक्तजनोंका प्रीतिपात्र बनकर भगवान् श्रीकृष्णचन्द्रके चरण-कमलोंकी, जो अभय प्रदान करनेवाले हैं और जो परमहंसोंद्वारा सेवित हैं, उपासना करनी चाहिये। जो हठपूर्वक समस्त लोकोंका संहार करनेवाली है, वह मृत्यु भी उस भगवद्धाममें पहुँच जानेपर शान्त हो जाती है॥ ३—२१ ॥

राजा उग्रसेन बोले—भगवन्! समस्त लोकोंको पुनरावर्ती कहा गया है। इस बातसे उन सभी लोकोंके प्रति मेरे अन्तःकरणमें निस्संदेह विराग उत्पन्न हो गया है। ब्रह्मन्! जहाँ जाकर प्राणी वापस नहीं लौटता और जो सबसे परे है, भगवान् श्रीकृष्णचन्द्रका वह परम धाम कहाँपर है—यह मुझे बतानेकी कृपा कीजिये॥ २२-२३ ॥

श्रीव्यासजीने कहा—जहाँ गये हुए प्राणी वहाँसे लौटते नहीं, भगवान् श्रीकृष्णचन्द्रका वह धाम ब्रह्माण्डोंके बाहर है। विज्ञजन उसे ही उत्तम 'गोलोकधाम' कहते हैं। जीव-समूहसे भरा हुआ पचास करोड़ योजनमें विस्तृत यह ब्रह्माण्ड है। इसके आगे इससे दुगुनी अर्थात् सौ करोड़ योजनके विस्तार-वाली ब्रह्मद्रव नामकी जलराशि है, जिसमें यह ब्रह्माण्ड परमाणुके समान दिखायी पड़ता है। उसमें इसके अतिरिक्त करोड़ों ब्रह्माण्ड और हैं। उसके उस पार वह गोलोक है, जहाँ न सूर्यका प्रकाश है, न चन्द्रमाका और न अग्निका ही। काम, क्रोध, लोभ और मोहकी वहाँ गति नहीं है। वहाँ न शोक है, न बुढ़ापा है, न मृत्यु है और न पीड़ा है। वहाँ प्रकृति और काल भी नहीं हैं, फिर गुणोंका तो प्रवेश वहाँ हो ही कैसे सकता है। जो स्वयं अनिर्वाच्य है, वह शब्दब्रह्म (वेद) भी उस लोकका वर्णन करनेमें असमर्थ हैं। भगवान् श्रीकृष्णके तेजसे प्रकट हुए अनेक पार्षद वहाँ रहते हैं। राजन्! जो इन्द्रियों तथा मनपर विजय पाये हुए अकिंचन भक्त हैं, अर्थात् सांसारिक प्राणिपदार्थोंमें जिनका कहीं कुछ भी ममत्व नहीं रह गया है, जो सबमें समान भाव रखनेवाले हैं, जो भगवान् श्रीकृष्णके चरण-कमलोंके मकरन्द-रसमें सदा निमग्न रहते हैं तथा जो प्रेमलक्षणा भक्तिसे युक्त एवं सर्वदाके लिये कामनासे सर्वथा रहित हो गये हैं, वे ही समस्त लोकोंको लाँघकर उस उत्तम भगवद्धाममें जाते हैं—इसमें तनिक भी संदेह नहीं है॥ २४—३१ ॥

इस प्रकार श्रीगर्गसंहितामें श्रीविज्ञानखण्डके अन्तर्गत नारद-बहुलाश्व-संवादमें 'व्यासजीके द्वारा गतियोंका निरूपण' नामक दूसरा अध्याय समाप्त हुआ॥ २॥

तीसरा अध्याय

सकाम एवं निष्काम भक्तियोगका वर्णन

राजा उग्रसेनने कहा—ब्रह्मन्! गुण और कर्मकी गति आपके श्रीमुखसे मैं सुन चुका। सभी लोक आवागमनसे युक्त हैं, यह भी भलीभाँति निश्चित हो गया। निष्कामभावसे साक्षात् श्रीहरिका सेवन करनेपर भक्तोंको वह उत्तम धाम, जो दिव्य एवं दूसरोंके लिये दुर्लभ है, मिलता है—यह भी सुन लिया। आप वर्णन करनेवालोंमें सर्वश्रेष्ठ हैं। अब मुझे यह बताइये कि भक्तियोग, जिसके प्रभावसे भक्तवत्सल भगवान् प्रसन्न हो जाते हैं, कितने प्रकारका है?॥ १—३॥

श्रीव्यासजी बोले—द्वारकानरेश! तुम धन्य हो। तुम श्रीहरिके प्रेमी हो तथा भगवान् श्रीकृष्ण तुम्हारे इष्टदेव हैं। तुमने भक्तियोगके सम्बन्धमें प्रश्न किया है, इससे तुम्हारी वह निर्मल बुद्धि भी धन्य है। यादव! जिसे सुनकर संसारका संहार करनेवाला घोर पापी भी शुद्ध हो जाता है, उस भक्तियोगका वर्णन विस्तारपूर्वक तुम्हें सुनाता हूँ। राजन्! सगुण और निर्गुण—भेदसे भक्तियोग दो प्रकारका है। सगुणके अनेक भेद हैं और निर्गुणका एक ही लक्षण है। देह-धारियोंके गुणानुसार सगुण भक्तिके विभिन्न प्रकार होते हैं। उन गुणोंसे युक्त तीन तरहके भक्त होते हैं। उनका वर्णन अलग-अलग सुनो। जो भेद-दृष्टि रखनेवाला क्रोधी पुरुष हिंसा, दम्भ और मात्सर्यका आश्रय लेकर श्रीहरिकी भक्ति करता है, उसे 'तामस भक्त' कहा गया है। राजन्! जो यश, ऐश्वर्य तथा इन्द्रियोंके विषयोंको लक्ष्य करके यत्नपूर्वक श्रीहरिकी उपासना करता है, उसकी गणना 'राजसिक' भक्तोंमें है। जो कर्मक्षयका उद्देश्य लेकर अभेद-दृष्टिसे मोक्षके लिये भगवान् विष्णुकी उपासना करता है, वह भक्त 'सात्त्विक' कहा जाता है। महामते! अर्थार्थी, आर्त, जिज्ञासु और ज्ञानी—ये चार प्रकारके पुरुष भगवान् विष्णुका भजन करते हैं। इन्होंने स्वयं अपना कल्याण कर लिया है। यों भक्तियोगके अनेक प्रकार हैं। भक्तियोगके द्वारा जो श्रीहरिका पूजन करते हैं, वे सकामी भक्त भी बड़े सुकृती-पुण्यात्मा हैं॥ ४—१२॥

इसी प्रकार अब निर्गुण भक्तियोगका लक्षण सुनो। जैसे गङ्गाजीका जल स्वाभाविक ही समुद्रकी ओर प्रवाहित होता है, उसी प्रकार श्रवणमात्रसे साक्षात् परिपूर्णतम एवं सम्पूर्ण कारणोंके भी कारण भगवान् श्रीकृष्णके प्रति बिना ही कारण मनकी गति अविच्छिन्न एवं अखण्डितरूपसे प्रवाहित होने लगे, इसे 'निर्गुण-भक्ति' कहा गया है। मानद! अब निर्गुण भक्तोंके लक्षण सुनो। भगवान्के उन भक्तोंकी अखण्ड भूमण्डलके राज्य, ब्रह्माके पद, इन्द्रासन, पातालके स्वामित्व तथा योगकी सिद्धियोंमें भी स्पृहा नहीं रहती। यादवेश्वर! भगवदनुरागका आनन्द उनपर छाया रहता है, इसीलिये वे भगवान्के द्वारा दिये जानेपर भी सालोक्य मुक्तिको कभी स्वीकार नहीं करते। दूर रहनेपर जैसा प्रेम होता है, समीप आनेपर वैसा नहीं होता, यह सोचकर वे निष्काम भक्त भगवान्के विरहमें व्याकुल रहना पसंद करते हैं, अतः सामीप्य मुक्तिकी भी इच्छा नहीं करते। किन्हीं भक्तोंको भगवान् सारूप्य मुक्ति देते हैं, किंतु निरपेक्ष होनेके कारण भक्त उसे भी स्वीकार नहीं करते। समानत्वकी अभिमति होनेपर भी केवल भगवान्की सेवाके प्रति ही उनकी उत्कण्ठा बनी रहती है। ऐसे भक्त एकत्व (सायुज्य) अथवा ब्रह्मके साथ एकतारूप कैवल्यको भी कभी नहीं लेते। उनका अभिप्राय यह है कि यदि ऐसा हो जाय तो स्वामी और सेवकके धर्ममें अन्तर ही क्या रह जायगा। जो निरपेक्ष भक्त होते हैं, उनकी सबमें समान दृष्टि रहती है। उनका स्वभाव शान्त होता है और वे किसीसे वैर नहीं रखते। उनकी यह धारणा है कि कैवल्यसे लेकर सांसारिक समस्त पदोंका ग्रहण करना सकामभावके ही अन्तर्गत है। जिस प्रकार फूलोंकी गन्धको नासिका ही जानती है, आँखको उसका ज्ञान नहीं होता, ठीक वैसे ही निरपेक्षतारूप महान् आनन्दको भगवान्के निष्काम भक्त ही जानते हैं। जैसे रसको बनानेवाला हाथ रसके स्वादसे सदा अनभिज्ञ ही रहता है, उसी प्रकार सकामी भक्त कभी भी उस आनन्दको नहीं जान सकते। अतएव राजन्! इस भक्तियोगको ही तुम परम श्रेष्ठ पद समझो। अब निष्काम भक्तोंकी

उपासना-पद्धतिका तुम्हारे सामने वर्णन करता हूँ, उसका स्वरूप है—भगवान् विष्णुका स्मरण, उनके नाम-गुणोंका कीर्तन, श्रवण, चरणोंकी सेवा, अर्चन, वन्दन, दास्य, सख्य और अपनेको भगवान्‌के चरणोंमें निवेदित कर देना। राजन्! जो निरन्तर भगवान्‌की प्रेमलक्षणा भक्ति करते हैं, वे भगवद्भावकी भावना करनेवाले भक्त जगत्‌में दुर्लभ हैं॥१३—२६॥

जो बड़ोंके प्रति सम्मान, छोटोंके प्रति सब तरहसे दया तथा अपनी बराबरीवालोंके साथ मित्रताका बर्ताव करते हैं, सम्पूर्ण जीवोंपर जिनकी सदा दया रहती है, जो भगवान् श्रीकृष्णके चरण-कमलोंके मधुकर हैं, जिन्हें भगवान् श्रीकृष्णके दर्शनकी लालसा बनी रहती है, जो अपने विदेशस्थ स्वामीको याद करनेवाली स्त्रीकी भाँति भगवान् श्रीकृष्णको याद करते रहते हैं, भगवान् श्रीकृष्णके स्मरणसे जिनका रोम-रोम पुलकित हो उठता है, नेत्रोंसे आनन्दकी धारा बहने लगती है, भगवान्‌के विरहमें कभी-कभी जिनके शरीरका रंग बदल जाता है, जो मधुर वाणीसे 'श्रीकृष्ण! गोविन्द! हरे! की रट लगाये रहते हैं तथा रात-दिन भगवान् श्रीहरिमें जिनकी लगन लगी रहती है, वे ही भागवतोत्तम—भगवान्‌के उत्तम भक्त हैं॥२७—३०॥

इस प्रकार श्रीगर्गसंहितामें श्रीविज्ञानखण्डके अन्तर्गत नारद-बहुलाश्व-संवादमें 'सकाम-निष्काम भक्तियोगका वर्णन' नामक तीसरा अध्याय पूरा हुआ॥३॥

चौथा अध्याय

भक्त-संतकी महिमाका वर्णन

श्रीव्यासजी बोले—जो आकाश, वायु, जल, अग्नि, पृथ्वी तथा ग्रह-नक्षत्रों एवं तारागणोंमें भगवान् श्रीकृष्णकी झाँकी करते हुए बार-बार हर्षित होते हैं, करोड़ों कामदेवोंको मोहित करनेवाले—राधानायक सर्वात्मा नन्दनन्दन श्रीकृष्णचन्द्र उन भक्तोंके सामने बोलते हुए दृष्टिगोचर होने लगते हैं। सदा आनन्द-स्वरूप उन भगवान्‌का दर्शन प्राप्त करके वे अत्यन्त हर्षसे भर जाते हैं और ठहाका मारकर हँसने लगते हैं। वे कभी बोलते और कभी दौड़ लगाया करते हैं। कभी गाते, कभी नाचते और कभी चुप हो रहते हैं। भगवान् विष्णुके वे उत्तम भक्त कृतकृत्य हो गये रहते हैं। वे भगवान् श्रीकृष्णके स्वरूप ही होते हैं। उनके दर्शन-मात्रसे मनुष्य कृतार्थ हो जाता है। काल अथवा यमराज—कोई भी उन्हें दण्ड देनेमें समर्थ नहीं होता। ऐसे भक्तोंके वामभागमें कौमोदकी गदा, दक्षिणमें सुदर्शन चक्र, आगे शार्ङ्ग धनुष, पीछे बादलकी भाँति गर्जनेवाला पाञ्चजन्य शङ्ख, नन्दन नामकी महान् तलवार, शतचन्द्र नामक ढाल और अनेकों तीखे बाण—भगवान्‌के ये सभी प्रधान-प्रधान आयुध रात-दिन सजग होकर उनकी रक्षा किया करते हैं। इसी प्रकार महान् कमल उनके ऊपर बारंबार छाया करनेके लिये प्रस्तुत रहता है। उन संतपुरुषोंके श्रमको गरुडजी पंखोंकी हवासे दूर करते रहते हैं। जहाँ-जहाँ उपर्युक्त इन महात्मा पुरुषोंका गमन होता है, वहाँ-वहाँ स्वयं श्रीहरि पधारते हैं और अपने शोभायुक्त चरण-कमलोंके परागसे उस भू-भागको तीर्थ बना देते हैं। जहाँ संतजन एक क्षण भी ठहरते हैं, वहाँ तीर्थोंका निवास हो जाता है। यदि उस स्थानपर किसी पापीका भी देहावसान हो जाय तो उसे भगवान् विष्णुका परमपद प्राप्त हो जाता है। जिन्हें भगवान् श्रीकृष्ण इष्ट हैं, उनको दूरसे ही देखकर आधि-व्याधि, भूत, प्रेत और पिशाच दसों दिशाओंमें भाग खड़े होते हैं। अनपेक्ष साधु पुरुषोंको नदी, नद, पर्वत, समुद्र तथा दूसरे व्यवधान भी सब जगह मार्ग दे देते हैं। जो साधु हैं, ज्ञानमें निष्ठा रखनेवाले हैं, जिनका विषयोंसे विराग हो चुका है, जिनकी जगत्‌में किसीसे शत्रुता नहीं होती—ऐसे महात्मा पुरुषोंका दर्शन पुण्यहीन मनुष्योंके लिये अत्यन्त कठिन है। भगवान् श्रीकृष्णका भक्त जिस कुलमें उत्पन्न होता है, वह कुल स्वयं मलिन ही क्यों न हो, उसे तुम ब्राह्मणवंशकी भाँति अत्यन्त निर्मल

समझो। राजन्! भगवान् श्रीकृष्णका भक्त तो अपने पितृकुलके दस पुरुषोंको तार देता है। इतना ही नहीं, उसके मातृ-कुल तथा पत्नीकुलकी भी दस-दस पीढ़ियाँ नरकयातना एवं पापोंके बन्धनसे मुक्त हो जाती हैं। महात्मा पुरुषोंके सम्बन्धी, पोष्यवर्ग, नौकर, सुहृज्जन, शत्रु, भार ढोनेवाले, घरमें रहनेवाले पक्षी, चीटियाँ, मच्छर तथा कीट-पतङ्ग भी—सभी पावन बन जाते हैं। देवेश्वर भगवान् श्रीकृष्णका भक्त ऐसे देशमें भी, जो ब्राह्मणके रहने योग्य नहीं है तथा जिसमें कृष्णसार मृग नहीं दिखायी देते अथवा सौवीर, कीकट, मगध एवं म्लेच्छोंके देशमें रहनेपर भी लोगोंको पवित्र करनेवाला होता है। राजन्! जो संत पुरुषोंसे सम्बन्ध रखनेवाले हैं, वे ज्ञानयोग, धर्म, तीर्थ एवं यज्ञसे वर्जित होते हुए भी भगवान् श्रीहरिके मन्दिर (धाम) में चले जाते हैं। इस प्रकार भगवान् श्रीकृष्णके भक्तोंकी महिमा मैंने कह सुनायी। इसके वर्णनसे ही मनुष्योंको चारों पदार्थ उपलब्ध हो जाते हैं। अब आगे क्या सुनना चाहते हो?॥ १—२०॥

राजा उग्रसेनने पूछा—भगवान् श्रीकृष्णचन्द्र साक्षात् परिपूर्णतम परमात्मा हैं। दुरात्मा दन्तवक्रकी ज्योति उनमें लीन हो गयी—ऐसी बात सुनी गयी है। विप्रवर! यह महान् आश्चर्यकी बात है; क्योंकि महात्मा पुरुषोंको प्राप्त होने योग्य सायुज्य-पद अन्य किसी साधारण व्यक्तिको, और वह भी एक शत्रुको, कैसे सुलभ हो गया?॥ २१-२२॥

श्रीव्यासजी बोले—राजन्! 'यह मेरा है और यह मैं हूँ'—यह विषमता त्रिगुणात्मक प्राणियोंमें रहती है; क्योंकि वे काम-क्रोधादिमें रचे-पचे रहते हैं। परम प्रभु श्रीहरिके अंदर ऐसी भावना नहीं होती। जो किसी भी भावसे भगवान्में अपना मन लगाता है, उसे श्रीहरिकी सरूपता उपलब्ध हो जाती है—ठीक उसी प्रकार, जैसे कीड़ा भृङ्गीके रूपमें परिणत हो जाता है। सांख्ययोगके साधनके बिना भी मनुष्य स्नेह, काम, भय, क्रोध, एकता तथा सुहृदताका भाव रखकर भगवान्में तन्मयता प्राप्त कर लेते हैं। राजन्! नन्द-यशोदा आदिने तथा वसुदेव आदि दूसरे-दूसरे लोगोंने स्नेहसे और गोपियोंने कामभावसे भगवान्को प्राप्त किया, न कि ब्रह्मभावनासे। कारण यह है कि वे भगवान्के रूप, गुण एवं माधुर्यभावमें अपना मन भलीभाँति लगाये रहते थे। तुम्हारे पुत्र कंसको भयके कारण उनका सायुज्य प्राप्त हुआ। इस दन्तवक्रको और शिशुपाल आदि दूसरोंको क्रोधसे, तुम सभी यादवोंको एकता—सजातीयताके भावसे तथा हम-लोगोंको सुहृदतासे भगवान् सुलभ हुए हैं। अतएव किसी भी उपायसे भगवान् श्रीकृष्णमें मन लगाना चाहिये। रात-दिन स्मरण करते रहना—यह शत्रुके लिये ही सम्भव है; और कहीं ऐसा नहीं होता। यही कारण है कि दैत्यगण भगवान् श्रीहरिमें शत्रुभाव किया करते हैं॥ २३—२९॥

इस प्रकार श्रीगर्गसंहितामें श्रीविज्ञानखण्डके अन्तर्गत नारद-बहुलाश्व-संवादमें 'भक्त संतकी महिमाका वर्णन' नामक चौथा अध्याय पूरा हुआ॥ ४॥

पाँचवाँ अध्याय

भक्तिकी महिमाका वर्णन

श्रीव्यासजीने कहा—राजन्! वत्सासुर, अघासुर, धेनुकासुर, वकासुर, पूतना, केशी, कालयवन, अरिष्टासुर, प्रलम्बासुर, द्विविद नामक बंदर, बल्वल, शङ्ख और शाल्व—इन सभीने जब प्रकृति और पुरुषसे परे प्रभुको प्राप्त कर लिया, तब फिर भक्तिभाव रखनेवाले उन्हें प्राप्त कर लें, इसमें कहना ही क्या है। राजन्! पूर्वकालकी बात है—अत्यन्त बलशाली मधु और कैटभ नामके दानव, इसी प्रकार हिरण्याक्ष और हिरण्यकशिपु तथा रावण और कुम्भकर्ण भी भगवान् विष्णुके साथ वैर ठानकर उनके परमपदको प्राप्त हो गये। फिर जो सदा सत्सङ्गसे प्रेम करते थे तथा अत्यन्त आदरणीय भगवान्के शोभायुक्त

चरण-कमलोंके मकरन्द एवं परागमें जिनका मन लुभाया रहता था—ऐसे प्रह्लाद, बाणासुर, राजा बलि, शङ्खचूड़ एवं विभीषण आदि किस-किसने भगवान् विष्णुके धामको नहीं प्राप्त किया? देवर्षि नारद, बृहस्पति, वसिष्ठ, पराशर आदि तथा सांख्यायन, असित, शुकदेव एवं सनक प्रभृति निष्काम भक्त—जो कमल-लोचन भगवान्के चरण-कमलोंके मकरन्दके प्रधान भ्रमर कहे जाते हैं—भूमण्डलमें बिना ही स्वार्थके भ्रमण करते रहते हैं। यति, उत्कल, अङ्ग, भरत, अर्जुन, जनकजी, गाधि, प्रियव्रत, यदु आदि एवं अम्बरीष तथा अन्य निष्काम भक्त एवं श्रेष्ठ परमहंस गण भगवान् श्रीकृष्णकी अमृतमयी कथाके पानसे मस्त हुए घूमते हैं। मन्दोदरी, मतङ्गमुनिकी शिष्या भक्तिमती शबरी, तारा, अत्रिमुनिकी प्रिया साध्वी अनसूया, अहल्या, कुन्ती और द्रुपदराजकुमारी द्रौपदी—ये सभी प्रशंसनीय भक्त-महिलाएँ हो चुकी हैं। परमहंसोंके समान ही इनकी भी ख्याति है। सुग्रीव, अङ्गद, हनुमान्, जाम्बवान्, गरुड, जटायु, काकभुशुण्डि आदि तिर्यक् योनियोंके संत, कुब्जा, वायक, सुदामा माली तथा गुह आदि भी भक्तोंका सङ्ग पाकर श्रीहरिके उत्तम भक्त बन गये। धर्म, तप, योग, सांख्य, यज्ञ, तीर्थ-यात्रा, यम-नियम, चान्द्रायण आदि व्रत, वेदपाठ, दक्षिणा, पूजा अथवा दान—भक्तिके बिना ये कोई भी भगवान् श्रीकृष्णको वशमें नहीं कर सकते। यज्ञ, व्रत, स्वाध्याय, तप, तीर्थ, योग, पूजा, नियमादि और सांख्ययोग—इनसे जो फल मिलता है, वह सब-का-सब इस संसारमें भक्तिसे सुलभ है। इतना ही नहीं, भक्तिसे जिस पदकी उपलब्धि होती है, वह इन साधनोंसे कभी उपलब्ध नहीं हो सकता। यह भक्ति जगत्भरके पापोंसे अधमोंका उद्धार करनेवाली, जगत्से तारने-वाली, संसाररूपी महासागरके भव-जल-प्रवाहसे उबारनेवाली, विषयसेवनके द्वारा संचित कर्मोंका नाश करनेवाली तथा परात्पर परम प्रभु भगवान्का पद प्रदान करनेवाली है। यह भक्ति भगवान् श्रीकृष्णके दर्शन-रूपी रसके प्रति औत्सुक्यसे सुशोभित परम उत्सव मनानेके लिये वसन्तपञ्चमीके समान है। साथ ही यह प्रचुर फल एवं पल्लवोंके भारसे झुकी हुई वसन्त-कालीन दिव्य लताके समान सदा शोभा पाती है। मोहरूपी काले बादलके बीच चमकती हुई बिजलीकी भाँति यह भक्ति शास्त्रोंमें छिपे हुए रहस्योंके वचनोंको प्रकट करनेवाली ज्योतिके समान है। इसे विजयरूप कार्तिककी दीपावली तथा सर्वजयी गुणोंपर विजय पानेके लिये विजयादशमी भी कह सकते हैं। सांख्य और योग जिसके अगल-बगलमें लगे हुए डंडे हैं, सैकड़ों गुणों और भावोंके भेद जिसकी कीले हैं, नवधा भक्तिके श्रवणकीर्तन आदि जो नौ भेद हैं, वे ही जिसके बीचके दण्ड (पैर टिकनेके पाये) हैं, भगवद्धामको पहुँचानेवाली ऐसी यह सरल सीढ़ी है॥१—१३॥

इस प्रकार श्रीगर्गसंहितामें श्रीविज्ञानखण्डके अन्तर्गत नारद-बहुलाश्व-संवादमें 'भक्तिकी महिमाका वर्णन' नामक पाँचवाँ अध्याय पूरा हुआ॥ ५॥

छठा अध्याय

मन्दिर-निर्माण तथा विग्रहप्रतिष्ठा एवं पूजाकी विधि

राजा उग्रसेनने पूछा—मुने! गृहस्थ कर्म-ग्रहसे ग्रस्त रहता है। ऐसी कौन-सी विधि है, जिसके द्वारा यह कर्मासक्त गृहस्थ महात्मा श्रीकृष्णकी सेवा कर सके? उसे कहनेकी कृपा कीजिये। (साथ ही यह भी बताइये कि) जिसके जीवनमें भक्तिका अङ्कुर ही नहीं है अथवा है तो वह बढ़ता नहीं, ऐसे व्यक्तिसे स्वयं श्रीहरि किस प्रकार प्रसन्न हो सकते हैं॥ १-२॥

श्रीव्यासजी बोले—यदि भक्तिका अङ्कुर न हो तो सत्पुरुषोंका सङ्ग करना चाहिये। सत्सङ्गसे वह अङ्कुर उत्पन्न हो सकता है और वेगसे बढ़ भी जाता है। राजन्! भगवान् श्रीकृष्णके सेवनकी विधि, जिसके प्रभावसे यह गृहस्थ भी शीघ्र भगवान् श्रीकृष्णको प्राप्त

कर सकता है और जो अत्यन्त सुलभ है, वह तुम्हें मैं बतलाता हूँ। जिनकी आचार्यके सत्कुलमें उत्पत्ति हुई हो तथा जो भगवान् श्रीकृष्णके ध्यानमें तत्पर हों, उनको गुरु बनाकर मनुष्य सिद्धि पाता है। मनुष्यको चाहिये कि वह ऐसे गुरुसे महात्मा श्रीकृष्णकी सेवा-विधि सीखे। जो भगवान् विष्णुकी दीक्षासे रहित है, उसका सब कुछ निष्फल हो जाता है। गुरुहीन मानवका दर्शन करनेपर पुरुषका पुण्य नष्ट हो जाता है॥ ३—७॥

सनातन भगवान् श्रीहरिका मन्दिर उत्तरमुख बनवाना चाहिये। उसमें ऊँचा आसन स्थापित करके उसके ऊपर कलशसे सुशोभित पीठ स्थापित करे। उसमें तीन सीढ़ी बनाये, जिनके नाम सत्, चित् एवं आनन्द रखे। आसनको मूल्यवान् वस्त्रसे ढककर उसपर रूईकी गद्दी बिछा दे। उसके आसपास तकिये लगाकर उन्हें स्वर्णके तारोंसे निर्मित वस्त्रसे ढक दे। दीवालोंपर भाँति-भाँतिके चित्र अङ्कित करे और भीतर पर्दा लगा दे। सब ओर मण्डप बनाये तथा तोरण-बंदनवार, झरोखे, जलके फुहारे तथा जालियोंसे मन्दिरको खूब सजाया जाय। मन्दिरके आँगनमें चाँदीके सुन्दर सभामण्डप बनाये जायँ। वहाँ आँगनके बीच तुलसीजीका मनोहर चबूतरा हो। मन्दिरके बाहरी द्वारपर दो हाथी बनवाने चाहिये। राजन्! वैसे ही बनावटी दो सिंह भी बैठा दे। मन्दिरका शिखर सोनेका हो। शिखरपर उसके नीचे चक्र बनवा दे। मन्दिरके द्वारपर अगल-बगल श्रीहरिके मङ्गलमय नाम लिखने चाहिये। दीवालपर एक ओर गदा, पद्म, शङ्ख और शार्ङ्गधनुष अङ्कित कराये। बायीं ओर तरकस और दाहिनी तरफ केवल बाणकी चित्रकारी बनवाये। मन्दिरके पिछले भागमें शतचन्द्र नामक ढाल, नन्दक नामवाली तलवार, हल और मुसल प्रयत्नपूर्वक अङ्कित कराये। सिंहासनकी पीठपर गोपियों तथा गौओंको, उसकी सीढ़ीपर गोपालोंको और किवाड़पर 'जय' एवं 'विजय' लिखे। देहलीपर कल्पवृक्ष, खंभोंपर मनोहर लताएँ, जहाँ-तहाँ दीवालोंपर पापनाशिनी गङ्गा, यमुना, वृन्दावन, गोवर्द्धन, चीरहरण तथा रासमण्डल आदिके लीलाचित्र अङ्कित कराये। फिर प्रयत्न करके चित्रकूट, पञ्चवटी, राम एवं रावणका युद्ध अङ्कित कराये, किंतु उसमें जानकी-हरणका प्रसङ्ग अङ्कित न कराया जाय। दसों अवतारोंके चित्र, नरनारायणाश्रम (बदरिकाश्रम), सातों पुरियाँ, तीनों ग्राम, नौ वन और नौ ऊसर भूमिके चित्र अङ्कित कराये। बुद्धिमान् पुरुष इस प्रकारके चित्रोंको अङ्कित कराके मन्दिरका निर्माण कराये। तदनन्तर उसमें भगवान् श्रीकृष्णके विग्रहकी स्थापना करे। श्रीकृष्णकी किशोर अवस्था हो और वे हाथमें बाँसुरी लिये उसे बजाना ही चाहते हों तथा उनका दाहिना पैर टेढ़ा हो—इस प्रकारका रूप सेवाके लिये सर्वोत्तम माना गया है। भक्त परम भक्तिके साथ इस प्रकारके विग्रहस्वरूपकी शीघ्र ही गुरुके द्वारा मन्दिरमें प्रतिष्ठा करा दे और फिर अत्यन्त भावके साथ सेवामें तत्पर हो जाय। जीभको भगवान्‌के प्रसादके रसमें, नासिकाको तुलसीदलकी सुगन्धमें और कानोंको भगवान्‌के कथा-श्रवणमें लगा दे। इस प्रकार सेवा-परायण हो जाय। भागवतोत्तम पुरुषोंका कहना है कि जो भावको जाननेवाला पुरुष रात-दिन श्रीकृष्णकी सेवा करता है, वही प्रेम-लक्षणसम्पन्न उत्तम भक्त है। राजन्! एक हजार अश्वमेध और सौ राजसूय यज्ञ भगवान् श्रीकृष्णके सेवनकी सोलहवीं कलाके एक अंशके बराबर भी नहीं हैं। जो मनुष्य श्रीकृष्णचन्द्रकी लीलाकथा तथा सेवाके उपदेशकका भी दर्शन कर लेता है, वह करोड़ों जन्मके किये हुए पापोंसे छूट जाता है—इसमें कोई संशय नहीं है। देहावसान हो जानेपर उसे ले जानेके लिये श्यामसुन्दरके समान मनोहर विग्रहवाले भगवान्‌के पार्षद गोलोकसे रथ लेकर दौड़े आते हैं॥ ८—२८॥

इस प्रकार श्रीगर्गसंहितामें श्रीविज्ञानखण्डके अन्तर्गत नारद-बहुलाश्व-संवादमें 'मन्दिरनिर्माण तथा विग्रह-प्रतिष्ठा एवं पूजाकी विधि' नामक छठा अध्याय पूरा हुआ॥ ६॥

सातवाँ अध्याय

नित्यकर्म और पूजा-विधिका वर्णन

श्रीवेदव्यासजी बोले—राजन्! ब्राह्ममुहूर्तमें उठकर भगवान् गोविन्द, गुरुदेव और कश्यप आदि ऋषियोंके नामोंका बारंबार उच्चारण करे। तत्पश्चात् वह हरिभक्त भूमिको प्रणाम करके जमीनपर पैर रखे। फिर वह सकाम भक्त आचमन करके तत्काल आनन्द-पूर्वक आसनपर बैठ जाय। हाथोंको गोदमें रखकर श्वास रोककर (गुरुदेवका) ध्यान करे—'भगवान् गुरुदेव ज्ञानमुद्रा धारण किये हुए हैं, उनका स्वरूप अत्यन्त शान्त है और वे स्वस्तिकासनसे विराज रहे हैं।' यों गुरुदेवका ध्यान करनेके पश्चात् भक्त एकाग्र-मन होकर भगवान् श्रीकृष्णचन्द्रका ध्यान करे—'श्रीकृष्णचन्द्रकी अवस्था किशोर है, श्यामल श्रीविग्रह है, जो करोंमें वंशी एवं बेंतसे विभूषित, अत्यन्त ही मनोहर है।' इस प्रकार श्रीहरिका ध्यान करनेके पश्चात् बाहर चला जाय। महाराज! गृहस्थ पुरुष कैसे पवित्र होता है—अब उस विधानको पूरा-पूरा सुनो॥ १—५॥

मिट्टी लेकर '**अश्वक्रान्ते**' इत्यादि मन्त्रसे शौचके अन्तमें एक बार लिङ्गमें, तीन बार गुदामें, दस बार बायें हाथमें, सात बार दोनों हाथोंमें तथा तीन-तीन बार प्रत्येक पैरमें मिट्टी और जल लगाकर शुद्धि करे। ब्रह्मचारी और वानप्रस्थको इससे दूना करना चाहिये। भगवान्की सेवा करनेवाले संन्यासीकी शुद्धि इससे चौगुना करनेपर होती है। रोगी और पथिकोंकी इसके आधेसे तथा शूद्र एवं स्त्रीका उससे भी आधेसे पवित्र होनेका विधान है। शौचकर्मसे रहित मनुष्यकी सारी क्रियाएँ निष्फल हो जाती हैं। मुखकी शुद्धि भी होनी चाहिये; क्योंकि मुखशुद्धिसे रहित मनुष्यको मन्त्र फल देनेवाले नहीं होते। 'वनस्पते! तुम मेरे लिये आयु, बल, वीर्य, यश, पुत्र, पशु, धन, ब्रह्मज्ञान और प्रज्ञा प्रदान करो।'*—इस मन्त्रका उच्चारण करके दातुन ग्रहण करे। बबूल, दूधवाले वृक्ष, कपास, निर्गुण्डी, आँवला, वट, एरंड और दुर्गन्धयुक्त वृक्ष दातुन-के लिये निषिद्ध हैं। फिर हाथ जोड़े हुए '**हरितहय**' इस मन्त्रके उच्चारणपूर्वक भगवान् सूर्यको प्रणाम करे। तदनन्तर स्वस्थचित्त हो प्रह्लाद आदि भगवान् श्रीहरिके भक्तोंको प्रणाम करे। तुलसीकी मिट्टी लगाकर स्नान करे। स्नान करते समय 'श्रीगङ्गाष्टक' और 'यमुनाष्टक' का सविधि पाठ करना चाहिये। अयोध्या, मथुरा, मायावती (हरद्वार), काशी, काञ्ची, अवन्तिका (उज्जैन) और द्वारावतीपुरी (द्वारका)—ये सात पुरियाँ मोक्ष देनेवाली हैं। (अतः इनका भी स्मरण करना चाहिये।) महायोगमें शालग्राम, हरिमन्दिरमें सम्भलग्राम और कोसलमें नन्दिग्राम—ये तीन ग्राम कहे गये हैं (इन तीन ग्रामोंका स्मरण करे)। दण्डकारण्य, सैन्धवारण्य, जम्बूमार्ग, पुष्कल, उत्पलावर्त, नैमिषारण्य, कुरुजाङ्गल, अर्बुद और हेमन्त—ये नौ अरण्य माने गये हैं। इन सभी तीर्थोंके नाम बारंबार उच्चारण करके स्नान करे। स्नानके बाद उत्तम रेशमी (अहिंसायुक्त) वस्त्र पहने। बारह तिलक और आठ मुद्राएँ धारण करे। फिर संध्या करके पवित्र हो मौन होकर भगवान् श्रीकृष्णके मन्दिरमें जाय॥ ६—१९॥

घण्टा-ताली बजाकर, 'जय हो, जय हो' इत्यादि शब्दोंका उच्चारण करते हुए कहे—

'उत्तिष्ठोत्तिष्ठ गोविन्द योगनिद्रां विहाय च।'

'भगवान् गोविन्द! योगनिद्राका परित्याग करके उठिये—उठिये राजन्! भगवान्को उठानेका यह (स्मार्त) मन्त्र है। इसका उच्चारण करके श्रीहरिको जगाये। तत्पश्चात् मङ्गल-आरती लेकर भगवान्के मुखपर घुमाये। तदनन्तर देश एवं कालके प्रभावको जाननेवाला तथा भावका ज्ञाता वह भक्त (तदनुकूल ही) भगवान्को स्नान कराकर मङ्गलमय वस्त्राभूषणोंके द्वारा भगवान्का शृंगार करे। पश्चात् आरती करके भगवान्को अन्नभोग अर्पण करे। भाँति-भाँतिके

---

*आयुर्बलं यशो वर्चः प्रजाः पशुवसूनि च। ब्रह्मप्रज्ञां च मेधां च त्वं नो देहि वनस्पते॥

रसमय उत्तम भोज्य पदार्थोंका महाभोग निवेदन करके महाभोगकी आरती करे। तदनन्तर भगवान्‌को शयन कराये। इसके बाद तुलसीकी गन्धसे युक्त परम प्रसादको नित्यप्रति स्वयं ग्रहण करे। जो नित्य इस प्रकार भगवान्‌की पूजा करता है, वह कृतार्थ हो जाता है—इसमें कोई संदेह नहीं है। इसके बाद विधिवत् मध्याह्नका राजभोग निवेदन करके राजभोगकी आरती करे। फिर भगवान्‌को शयन कराये। दिनकी चार घड़ी शेष रहनेपर यथाविधि शङ्ख बजाकर श्रीहरिको उठाये; तदनन्तर संध्याकी आरती करके दूध आदि निवेदन करे। प्रदोषकाल आनेपर प्रदोषकी आरती करे। रातमें उत्तम मिष्टान्नका भोग लगाकर श्रीहरिको शयन कराये। राजेन्द्र! यह राजसेवा है—राजाओंके लिये ही इस प्रकारकी सेवाका विधान है। अतः इसका नाम 'राजसी' है॥ २०—२८॥

भगवान् श्रीकृष्णकी सेवामें दत्तचित्त हो सम्यक् प्रकारसे लगा हुआ मनुष्य अपने सौ कुलोंको तारकर आत्यन्तिक परमपदको प्राप्त होता है। श्रीकृष्ण-जन्माष्टमी, रामनवमी, राधाष्टमी, अन्नकूट, वामन-द्वादशी, नृसिंहचतुर्दशी तथा अनन्तचतुर्दशी—इन अवसरोंपर भगवान् श्रीकृष्णकी महापूजा करनी चाहिये॥ २९-३०॥

इस प्रकार श्रीगर्गसंहितामें श्रीविज्ञानखण्डके अन्तर्गत नारद-बहुलाश्व-संवादमें 'नित्यकर्म और पूजा-विधिका वर्णन' नामक सातवाँ अध्याय पूरा हुआ॥ ७॥

आठवाँ अध्याय

पूजा-विधिका वर्णन

श्रीव्यासजी बोले—तदनन्तर स्नान एवं नित्य-नैमित्तिक क्रियाका सम्पादन करके शुद्ध स्थण्डिलपर पाँच रंगोंसे युक्त मण्डल बनाये। वेदकी ऋचाओंद्वारा विधिवत् मङ्गलमय दिव्य उज्ज्वल कमलकी रचना करे। उसमें बत्तीस दल हों और वह केसर और कर्णिकासे युक्त हो। राजन्! कर्णिकाके ऊपर श्रीहरिका सुन्दर सिंहासन स्थापित करके उसपर राधा, रमा, भूदेवी और विरजाकी स्थापना करे। उन देवियोंके मध्यमें साक्षात् पुरुषोत्तम भगवान् श्रीकृष्णको प्रतिष्ठित करे। कमलके आठ दलोंमें राधिकाजीकी मङ्गलमयी आठ सुन्दरी सखियाँ रहें। इसके बाद आठ दलोंमें भगवान् श्रीकृष्णके सखाओंकी स्थापना करे। इसी प्रकार सोलह दलोंपर सखियोंके दो-दो समुदाय रहें। फिर बुद्धिमान् पुरुष कमलके समीप शङ्ख, चक्र, गदा, पद्म, नन्दक नामक तलवार, शार्ङ्गधनुष, बाण, हल, मुसल, कौस्तुभमणि, वनमाला, श्रीवत्स, नीलाम्बर, पीताम्बर, वंशी और बेंत—इन सबको स्थापित करे। फिर उसके पार्श्वमें तालध्वज एवं गरुडध्वजसे युक्त रथ, सुमति एवं दारुक नामवाले सारथि, गरुड, कुमुद, नन्द, सुनन्द, चण्ड, प्रचण्ड, बल, महाबल और कुमुदाक्षकी विद्वान् पुरुष यत्नपूर्वक स्थापना करे। इसी प्रकार सब दिशाओंमें पृथक्-पृथक् दिक्पालोंको पधराना चाहिये। फिर वहीं विष्वक्सेन, शिव, ब्रह्मा, दुर्गा, लक्ष्मी, गणेश, नवग्रह, वरुण तथा षोडश मातृकाओंको आसन दे। कमलके अगले भागमें वेदीपर पण्डितजन वीतिहोत्रकी स्थापना करें। इसके बाद आवाहन करके आसन, पद्य, विशेषार्घ्य, स्नान, यज्ञोपवीत, वस्त्र, चन्दन, अक्षत, मधुपर्क, फूल, धूप, दीप, आभूषण, स्वादिष्ट नैवेद्य, आचमन, ताम्बूल और दक्षिणा समर्पण करे। प्रदक्षिणा और प्रार्थना करके आरती करे। फिर नमस्कार करे। हर एक कर्मके लिये अलग-अलग विधान है—आवाहनमें पुष्प, आसनमें दो कुशा और पाद्यमें श्यामदूर्वा और अपराजिताका उपयोग करे। यादव! अर्घ्यके सुन्दर गन्धवाले पुष्प रखने चाहिये। राजन्! स्नानके जलमें चन्दन, खस, कपूर, कुङ्कुम और अगुरु मिलावे। महामते! इसी प्रकारका जल स्नानके लिये उत्तम होता है। मधुपर्कमें आँवला एवं कमल, धूपमें

अष्टगन्ध और दीपमें कपूर देना चाहिये। पीले रंगका यज्ञोपवीत, वस्त्रमें पीताम्बर, भूषणके स्थानपर सोना और गन्धके स्थानमें कुङ्कुम तथा चन्दन देने चाहिये। फूलोंमें तुलसीकी मञ्जरी, अक्षतोंमें चावल और नैवेद्यमें नाना प्रकारके पक्वान्न और षट्रस भोजन-पदार्थ उत्तम माने गये हैं। जलमें केवल गङ्गाजल और यमुनाजल। राजन्! भोजनोपरान्त आचमनके जलमें जायफल और कङ्कोल मिला दे। ताम्बूलमें लौंग और इलायची मिला दे। दक्षिणाके स्थानपर सुवर्ण अर्पण करे। प्रदक्षिणाके प्रकरणमें घूमना और आरतीमें गौका घृत लेना योग्य है। महाराज! प्रार्थनामें भगवान् श्रीहरिकी प्रेमलक्षण-युक्त भक्ति करना और नमस्कारके स्थानपर अत्यन्त नम्र होकर साष्टाङ्ग दण्डवत् प्रणाम करना चाहिये। तदनन्तर पूजकको चाहिये कि वह पवित्र होकर द्वादशाक्षर मन्त्रसे शिखा बाँध ले और पूजाकी सभी सामग्रियाँ आगे रखकर भगवान्के सामने बैठ जाय॥ १—२४॥

इस प्रकार श्रीगर्गसंहितामें श्रीविज्ञानखण्डके अन्तर्गत नारद-बहुलाश्व-संवादमें 'पूजा-विधिका वर्णन' नामक आठवाँ अध्याय पूरा हुआ॥ ८॥

नवाँ अध्याय

पूजोपचार तथा पूजन-प्रकारका वर्णन

श्रीव्यासजी बोले—महाराज! पूजन-सामग्री अर्पण करनेके सुन्दर मन्त्र वेदमें कहे गये हैं। मैं तुम्हारे लिये उनका वर्णन करता हूँ। एकाग्र-मन होकर सुनो॥ १॥

(मन्त्रोंका उच्चारण करते हुए पूजा करनी चाहिये। मन्त्र अर्थसहित निम्नलिखित हैं।)

आवाहन—**गोलोकधामाधिपते रमापते**
गोविन्द दामोदर दीनवत्सल।
राधापते माधव सात्वतां पते
सिंहासनेऽस्मिन् मम सम्मुखो भव॥

गोविन्द! आप गोलोकधामके स्वामी हैं। दीनोंपर दया करना आपका स्वभाव है। दामोदर! आप लक्ष्मी एवं राधिकाजीके प्राणनाथ हैं। यादवोंके अधीश्वर हैं। माधव! इस सिंहासनपर मेरे सामने आप विराजमान होइये॥ २॥

आसन—**श्रीपद्मरागस्फुरदूर्ध्वपृष्ठं**
महार्हवैडूर्यखचित्पदाब्जम्।
वैकुण्ठ वैकुण्ठपते गृहाण
पीतं तडिद्धाटककुम्भखण्डम्॥

वैकुण्ठपते! इस आसनके ऊपरकी पीठपर नीलम चमक रहा है। पायोंमें वैदूर्यमणि (पुखराज) जड़ी गयी है। यह बिजलीके समान चमकती हुई सुवर्णकी कलशियोंसे युक्त है। कृपया आप इसे ग्रहण कीजिये॥ ३॥

पाद्य—**परं स्थितं निर्मलरौक्मपात्रे**
समाहृतं बिन्दुसरोवराद्धि।
योगेश देवेश जगन्निवास
गृहाण पाद्यं प्रणमामि पादौ॥

देवेश! स्वच्छ सुवर्णके पात्रमें बिन्दुसरोवरसे लाकर उत्तम जल रखा गया है। योगेश! आप जगत्के अधिष्ठाता हैं। मैं आपके चरणोंको प्रणाम करता हूँ। आप इस पाद्यको स्वीकार करें॥ ४॥

अर्घ्य—**जलजचम्पकपुष्पसमन्वितं**
विमलमर्घ्यमनर्घदरस्थितम्।
प्रतिगृहाण रमारमण प्रभो
यदुपते यदुनाथ यदूत्तम॥

रमा-रमण प्रभो! यदुपते! यदुनाथ! यदूत्तम! कमल तथा चम्पाके पुष्पोंसे समन्वित तथा शङ्खमें भरे हुए इस निर्मल उत्तम अर्घ्यको ग्रहण करें॥ ५॥

स्नान—**काश्मीरपाटीरविमिश्रितेन**
सुमल्लिकोशीरवता जलेन।

स्नानं कुरु त्वं यदुनाथ देव
गोविन्द गोपालक तीर्थपाद॥

गोविन्द! आप यादवोंके स्वामी तथा गौओंकी रक्षा करनेवाले हैं। आपके चरण तीर्थस्वरूप हैं। भगवन्! केसर, चन्दन, चमेली और खससे सुवासित यह जल है। आप इससे स्नान कीजिये॥ ६॥

मधुपर्क—**मध्याह्नचण्डार्कभवश्रमापहं**
सिताङ्गसम्पर्कमनोहरं परम्।
गृहाण विष्णो मधुपर्कमेनं
संदृश्य पीताम्बर सात्वतां पते॥

यदुपते! आप पीताम्बर धारण करनेवाले हैं। आपके लिये मधुपर्क तैयार है। यह मध्याह्नके प्रचण्ड मार्तण्डके उत्तापजनित श्रमको दूर करनेवाला है। मिश्रीके मिल जानेसे यह अत्यन्त मनोहर हो गया है। भगवन्! आप इसकी ओर दृष्टि डालकर इसे स्वीकार करनेकी कृपा करें॥ ७॥

वस्त्र—**विभो सर्वतः प्रस्फुरत् प्रोज्ज्वलं च**
स्फुरद्रश्मिशून्यं परं दुर्लभं च।
स्वतो निर्मितं पद्मकिञ्जल्कवर्णं
गृहाणाम्बरं देव पीताम्बराख्यम्॥

प्रभो! 'पीताम्बर' नामक वस्त्र प्रस्तुत है। इसकी प्रभा अत्यन्त उज्ज्वल है, इसकी किरणें सब ओर छिटक रही हैं। परम दुर्लभ यह वस्त्र अपने-आप बना हुआ है। कमलके केसर-जैसा इसका रंग है। कृपया आप इसे ग्रहण करें॥ ८॥

यज्ञोपवीत—**सुवर्णाभमापीतवर्णं सुमन्त्रैः**
परं प्रोक्षितं वेदविन्निर्मितं च।
शुभं पञ्चकार्येषु नैमित्तिकेषु
प्रभो यज्ञ यज्ञोपवीतं गृहाण॥

भगवन्! सुवर्णके समान चमचमाता हुआ हलके पीले वर्णका यह यज्ञोपवीत है। उत्तम मन्त्रोंद्वारा भलीभाँति इसका प्रोक्षण हुआ है। वेदज्ञ ब्राह्मणोंने इसकी रचना की है। पाँच नैमित्तिक कर्मोंमें इसका उपयोग कल्याणदायक होता है। प्रभो! आप इसे ग्रहण कीजिये॥ ९॥

आभूषण—**कनकरत्नमयं मयनिर्मितं**
मदनरुक्कदनं सदनं रुचाम्।
उषसि पूषसुवर्णविभूषणं
सकललोकविभूषण गृह्यताम्॥

अखिललोकविभूषण! सोने एवं रत्नोंसे बना हुआ यह सुवर्णमय भूषण उपस्थित है। यह मयके हाथकी कारीगरी है। कामदेवकी कान्तिको फीका करनेवाला यह प्रभाका भंडार है। भगवन्! प्रातः-कालीन सूर्यके समान चमचमाता यह भूषण आप स्वीकार कीजिये॥ १०॥

गन्ध—**संध्येन्दुशोभं बहुमङ्गलं श्री**
काश्मीरपाठीरकपङ्कयुक्तम्।
स्वमण्डनं गन्धचयं गृहाण
समस्तभूमण्डलभारहारिन्॥

सायंकालके चन्द्रमाके समान शोभायमान, अनेक मङ्गलोंको देनेवाला, केसर एवं कपूरसे युक्त यह गन्ध-राशि आपका अलंकार है। सम्पूर्ण लोकोंके भारको दूर करनेवाले भगवन्! आप इसे ग्रहण कीजिये॥ ११॥

अक्षत—**ब्रह्मावर्ते ब्रह्मणा पूर्वमुप्तान्**
ब्राह्मैस्तोयैः सिञ्चितान् विष्णुना च।
रुद्रेणाराद् रक्षितान् राक्षसेभ्यः
साक्षाद् भूमन्नक्षतांस्त्वं गृहाण॥

पहले ब्रह्माने ब्रह्मावर्त देशमें जिन्हें बोया था, भगवान् विष्णुने वेदमय जलसे जिनका सेचन किया तथा शंकरजीने समीप आकर राक्षसोंसे जिनकी रक्षा की, भगवन्! उन अक्षतोंको स्वयं आप ग्रहण कीजिये॥ १२॥

पुष्प—**मन्दारसंतानकपारिजात-**
कल्पद्रुमश्रीहरिचन्दनानाम्।
गृहाण पुष्पाणि हरे तुलस्या
मिश्राणि साक्षान्नवमञ्जरीभिः॥

भगवन्! मन्दार, संतानक, पारिजात, कल्पवृक्ष और हरिचन्दनके ये पुष्प उपस्थित हैं। नूतन मञ्जरियोंके साथ तुलसीपत्रोंका भी इनमें सम्मिश्रण हुआ है, आप इन्हें ग्रहण करें॥ १३॥

धूप—**लवङ्गपाटीरजचूर्णमिश्रं**
मनुष्यदेवासुरसौख्यदं च।
सद्यः सुगन्धीकृतहर्म्यदेशं
द्वारावतीभूप गृहाण धूपम्॥

द्वारकाधीश! जो लौंग एवं मलयागिरिके चूर्णसे मिश्रित है, देवता, दानव एवं मनुष्योंको आनन्दित करनेकी जिसमें शक्ति है तथा जो तत्काल महलोंको सुगन्धित बनानेवाला है, ऐसे धूपको आप ग्रहण कीजिये॥१४॥

दीप—**तमोहारिणं ज्ञानमूर्तिं मनोज्ञं**
लसद्वर्तिकर्पूरपूरं गवाज्यम्।
जगन्नाथ देव प्रभो विश्वदीप
स्फुरज्ज्योतिषं दीपमुख्यं गृहाण॥

प्रभो! आप जगत्के स्वामी एवं विश्वको प्रकाशित करनेवाले हैं। अन्धकारका नाश करनेवाला ज्ञानस्वरूप यह प्रधान दीप आपके लिये तैयार है, जो बत्तियोंसे सजाया हुआ अत्यन्त मनोहर जान पड़ता है। यह गायके घीसे पूर्ण है। साथ ही इसमें कपूर भी छोड़ा गया है। भगवन्! इस प्रकार चमचमाती हुई लौवाले इस दीपको स्वीकार करें॥१५॥

नैवेद्य—**रसैः शरैर्वेदविधिव्यवस्थितं**
रसै रसाढ्यं च यशोमतीकृतम्।
गृहाण नैवेद्यमिदं सुरोचकं
गव्यामृतं सुन्दर नन्दनन्दन॥

नन्दनन्दन! षड्रससे युक्त एवं वेदोक्त विधिसे तैयार किया हुआ नैवेद्य आपके लिये उपस्थित है। यह रसोंसे भरपूर है और यशोदाजीने इसे बनाया है। स्वादिष्ट होनेके साथ गोघृतके प्रयोगसे यह अमृतमय बन गया है। अतः इसे आप ग्रहण कीजिये॥१६॥

जल—**गङ्गोत्तरीवेगबलात् समुद्धृतं**
सुवर्णपात्रेण हिमांशुशीतलम्।
सुनिर्मलाम्भो ह्यमृतोपमं जलं
गृहाण राधावर भक्तवत्सल॥

भक्तवत्सल! गङ्गोत्तरीकी धारासे यत्नपूर्वक प्राप्त किया हुआ यह अमृतमय जल है, जो हिमालयके टुकड़ेकी भाँति शीतल है। यह सुवर्णके पात्रमें रखा गया है और इससे अति निर्मल आभा निकल रही है। राधावर! आप इसे स्वीकार कीजिये॥१७॥

आचमन—**राधापते श्रीविरजापते प्रभो**
श्रियःपते सर्वपते च भूपते।
कङ्कोलजातीफलपुष्पवासितं
परं गृहाणाचमनं दयानिधे॥

राधापते! आप भगवती विरजाके स्वामी हैं। सर्वेश्वर! आप लक्ष्मीजीके प्राणनाथ एवं भूमण्डलके अधीश्वर हैं। दयानिधे! कङ्कोल, जायफल और पुष्पोंसे सुवासित यह उत्तम आचमनीय प्रस्तुत है। प्रभो! इसे ग्रहण कीजिये॥१८॥

ताम्बूल—**जातीफलैलासुलवङ्गनाग-**
वल्लीदलैः पूगफलैश्च संयुतम्।
मुक्तासुधाखादिरसारयुक्तं
गृहाण ताम्बूलमिदं रमेश॥

रमेश! जायफल, इलायची, लौंग, नागकेसर, सुपारी, मोतीकी भस्म और खैरके सारसे युक्त यह ताम्बूल स्वीकार कीजिये॥१९॥

दक्षिणा—**नाकपालवसुपालमौलिभि-**
र्वन्दिताङ्घ्रियुगल प्रभो हरे।
दक्षिणां परिगृहाण माधव
लोकदक्षवर दक्षिणापते॥

प्रभो! नाकपाल और वसुपालोंके मुकुटोंसे आपके युगल चरण-कमलकी पूजा हुई है। आप दक्षिणाके पति हैं। प्राणियोंको धन प्रदान करनेमें आप बड़े कुशल हैं। भगवन्! आप यह दक्षिणा ग्रहण करें॥२०॥

नीराजन—**प्रस्फुरत्परमदीप्तिमङ्गलं**
गोघृताक्तनवपञ्चवर्तिकम्।
आर्तिकं परिगृहाण चार्तिहन्
पुण्यकीर्तिविशदीकृतावने॥

आर्तिहन्! श्रेष्ठ प्रकाशसे युक्त दीप्तिमयी यह मङ्गलमय आरती है। गायके घीसे भीगी हुई चौदह बत्तियाँ इसमें लगी हैं। अपनी पवित्र कीर्तिका विस्तार करनेवाले भगवन्! आप इसे ग्रहण कीजिये॥२१॥

नमस्कार—**नमोऽस्त्वनन्ताय सहस्रमूर्तये**
सहस्रपादाक्षिशिरोरुबाहवे।
सहस्रनाम्ने पुरुषाय शाश्वते
सहस्रकोटीयुगधारिणे नमः॥

जो अनन्त हैं, जिनके हजारों विग्रह हैं, जिनके चरण, जंघा, बाहु, ऊरु, मस्तक एवं नेत्रोंकी संख्या भी

हजारोंकी है, जो नित्य हैं, जिनके हजारों नाम हैं तथा जो करोड़ों युगोंको धारण करनेवाले हैं, उन परम पुरुष भगवान्‌के लिये मेरा नमस्कार है॥ २२॥

प्रदक्षिणा—**समस्ततीर्थयज्ञदानपूर्तकादिजं फलम्।**
लभेत् परस्य शाश्वतं करोति यः प्रदक्षिणाम्॥

जो मनुष्य परम प्रभु भगवान्‌की प्रदक्षिणा करता है, उसके लिये सम्पूर्ण तीर्थ, यज्ञ, दान तथा पूर्त (कुँआ, बावली, पोखरा आदि खुदवाने, बगीचा लगवाने आदिसे उत्पन्न हुआ) फल सुलभ हो जाता है॥ २३॥

प्रार्थना—**हरे मत्समः पातकी नास्ति भूमौ**
तथा त्वत्समो नास्ति पापापहारी।
इति त्वं च मत्वा जगन्नाथ देव
यथेच्छा भवेत्ते तथा मां कुरु त्वम्॥

भगवन्! जगत्‌में मेरे समान कोई पापी नहीं है और आपके समान कोई पापका हरण करनेवाला भी नहीं है। प्रभो! यह समझकर, हे जगन्नाथ! फिर आपको जो उचित जान पड़े, वैसा ही मेरे साथ कीजिये॥ २४॥

स्तुति—**संज्ञानमात्रं सदसत्परं मह-**
च्छश्वत्प्रशान्तं विभवं समं महत्।
त्वां ब्रह्म वन्दे हि सुदुर्गमं परं
सदा स्वधाम्ना परिभूतकैतवम्॥

जो चेतनास्वरूप हैं, सत् एवं असत्‌से परे हैं, जो नित्य हैं, जिनका विराट्‌रूप है, जो शान्तमूर्ति हैं, ऐश्वर्यस्वरूप हैं, सर्वत्र सम हैं, जिन्हें पाना अत्यन्त कठिन है तथा जिन्होंने अपने तेजसे मायाको सदा तिरस्कृत कर रखा है, उन आप परम ब्रह्मकी मैं वन्दना करता हूँ॥ २५॥

महामते! इस प्रकार इन मन्त्रोंद्वारा देवेश्वर भगवान्‌की पूजा करे। फिर श्रीविष्णुको प्रणाम करके यत्नपूर्वक उनके सर्वाङ्गका पूजन करना चाहिये। फिर—

ॐ नमो नारायणाय पुरुषाय महात्मने।
विशुद्धसत्वधीस्थाय महाहंसाय धीमहि॥ (२७)

—इस मन्त्रका उच्चारण करके प्राणायाम करे। तदनन्तर भगवान् विष्णु, मधुसूदन, वामन, त्रिविक्रम, श्रीधर, हृषीकेश, पद्मनाभ, दामोदर, संकर्षण, वासुदेव, प्रद्युम्न, अनिरुद्ध, अधोक्षज और भगवान् पुरुषोत्तम श्रीकृष्णके लिये मेरा नमस्कार है। (यों नमस्कार करना चाहिये।)

इसी प्रकार पैर, गुल्फ, जानु, ऊरु, कटि, उदर, पीठ, भुजा, कंधे, कान, नाक, अधर, नेत्र और भगवान्‌के सिरमें मैं अलग-अलग पूजा करता हूँ—यों कहकर सर्वाङ्ग-पूजा करनी चाहिये।

फिर सखी, सखा, शङ्ख, चक्र, गदा, पद्म, असि, धनुष, बाण, हल, मुसल, कौस्तुभमणि, वनमाला, श्रीवत्स, पीताम्बर, नीलाम्बर, वंशी, बेंत आदि तथा तालध्वज एवं गरुडध्वजसे युक्त रथ, दारुक और सुमति सारथि, गरुड, कुमुद, नन्द, सुनन्द, चण्ड, महाबल, कुमुदाक्ष आदि एवं विष्वक्सेन, शिव, ब्रह्मा, दुर्गा, गणेश, दिक्पाल, वरुण, नवग्रह और षोडश-मातृकाओंका आवाहन करे। इनके नामके साथ ॐकार लगाकर चतुर्थ्यन्तका प्रयोग करके **'नमः'** शब्द जोड़ दे। तत्पश्चात् मन्त्रोंद्वारा इन सबका पूजन करे।

ॐ नमो वासुदेवाय नमः संकर्षणाय च।
प्रद्युम्नायानिरुद्धाय सात्वतां पतये नमः॥

—इस मन्त्रसे सौ बार आहुति देनी चाहिये। फिर भगवान्‌की प्रदक्षिणा करके महाभोग निवेदित करे। तत्पश्चात् पृथ्वीपर साष्टाङ्ग दण्डवत् प्रणाम करके यह मन्त्र पढ़े—**'ध्येयं सदा'** इत्यादि। (इसका भाव यह है—) जो निरन्तर ध्यान करने योग्य हैं, जिनके प्रभावसे अपमानित नहीं होना पड़ता, जो मनोरथको पूर्ण करनेवाले हैं, जो तीर्थोंके आधार हैं, शिव एवं ब्रह्माजीने जिनका स्तवन किया है, जो शरण देनेमें कुशल हैं, भृत्योंका दुःख दूर करना जिनका स्वभाव है, जो प्रणतजनोंका पालन करनेवाले तथा संसाररूपी समुद्रके लिये जहाज हैं, भगवान् पुरुषोत्तम! आपके उन चरण-कमलोंको मैं प्रणाम करता हूँ॥ २६—३०॥

राजन्! इस प्रकार भक्त भगवान्‌को प्रणाम करके भगवद्भक्तोंके साथ विधिवत् पुनः आरती करे। उस समय विवेकी पुरुषको चाहिये कि घड़ी, घण्टा, वीणा, बाँसुरी, करताल और मृदङ्ग आदि बाजोंके साथ भगवान्‌का कीर्तन करे। उस समय भगवद्भक्तजन

प्रेममें विह्वल हुए भगवान्‌के सामने नाचते हैं, उनके जय-जयकारकी ध्वनि प्रकट करते रहते हैं। और वे भगवान्‌की सुन्दर लीला-कथाका गान करने लगते हैं। तदनन्तर प्रभुको पुनः नमस्कार करके सूर्यके समान उज्ज्वल मन्दिरमें महात्मा श्रीकृष्णचन्द्रको भलीभाँति शयन कराये॥ ३१—३४॥

राजन्! इस प्रकार जो दत्तचित्त होकर भगवान् श्रीकृष्णकी सेवा करता है, उसे स्वर्गके रहनेवाले देवतालोग प्रणाम किया करते हैं। महाराज! वह श्रीहरिका भक्त भी मृत्युके अवसरपर स्वर्गमें पैर रखकर भगवान्‌के परमधाम गोलोकको, जो योगियोंके लिये भी दुर्लभ है, चला जाता है। यह भगवान् श्रीकृष्णचन्द्रकी सेवाका विधान है। मैंने इसका वर्णन कर दिया। यह मनुष्योंको चारों पदार्थ देनेवाला है। अब तुम फिर क्या सुनना चाहते हो?॥ ३५—३७॥

इस प्रकार श्रीगर्गसंहितामें श्रीविज्ञानखण्डके अन्तर्गत नारद-बहुलाश्व-संवादमें 'पूजोपचार तथा पूजन-प्रकारका वर्णन' नामक नवाँ अध्याय पूरा हुआ॥ ९॥

दसवाँ अध्याय

परमात्माका स्वरूप-निरूपण

राजा उग्रसेनने कहा—आप भगवान् श्रीकृष्णके स्वरूप हैं। आपने मेरे ऊपर बड़ी कृपा की। आपके श्रीमुखसे साक्षात् भगवान् श्रीकृष्णकी पूजा-पद्धति विस्तारपूर्वक मैंने सुन ली। इससे मैं सफल-जीवन हो गया। अहो! प्राणियोंमें बड़ी मूर्खता भरी हुई है। वे लोभ, मोह और मदके कारण मतवाले हो गये हैं। इसीसे उन्हें विराग उत्पन्न नहीं होता और न कभी वे भगवान्‌का भजन ही करते हैं। भगवन्! जगत्‌की यह मोहिका शक्ति बड़ी अद्भुत है। प्रभो! यह मोह कैसे उत्पन्न हुआ और किस प्रकार इसकी निवृत्ति होगी, यह बतानेकी कृपा कीजिये॥ १—३॥

श्रीव्यासजी बोले—जिस प्रकार जलमें कई चन्द्रमा दिखायी पड़ते हैं, जलके चञ्चल वेगसे वे दृष्टिगोचर होते हैं, किंतु वास्तवमें हैं कुछ नहीं, बिलकुल प्रतिबिम्ब मात्र हैं, ठीक वैसे ही परम प्रभुकी प्रतिबिम्बरूपी यह माया फैली हुई है। उसीके प्रभावसे 'मेरा और मैं' का भाव उत्पन्न हो जानेपर संसार कायम हो जाता है। माया, काल, अन्तःकरण और देहसे गुणोंकी उत्पत्ति होती है। मनुष्य इनके द्वारा विपरीत कर्म करता हुआ बन्धनमें पड़ जाता है। इन्द्रियोंका ही यह प्रभाव है कि दर्पणमें बालक, बालूमें जल और रस्सीमें साँपका भान होने लगता है। राजन्! यह जगत् मोहमय है। इसमें रजोगुण और तमोगुण कूट-कूटकर भरे हैं। कभी-कभी सत्त्वगुणका भी प्रादुर्भाव होता है। यह मनका विलास है, विकारमात्र है और भ्रमरूप है। अलातचक्रके समान यह शीघ्रतापूर्वक परिवर्तित होता रहता है— इस प्रकार जानो। 'मैंने यह कर दिया, यह करता हूँ और यह करूँगा; यह मेरा है, यह तेरा है; मैं सुखी हूँ, मैं दुःखमें पड़ गया; लोग मुझसे बिना कारण प्रेम करनेवाले हैं'—इस प्रकार मनुष्य कहता रहता है। मेरा तो यह मत है कि मनुष्य अहंकारके कारण सुध-बुध खो बैठा है॥ ४—७॥

राजा उग्रसेनने पूछा—ब्रह्मन्! कृपापूर्वक मुझ-से परमात्माके लक्षणोंका वर्णन कीजिये। साथ ही यह भी बताइये कि विद्वानोंने पूजा-पद्धतिमें भगवान् श्रीकृष्णके लक्षण कितने प्रकारके बतलाये हैं?॥ ८॥

श्रीव्यासजी बोले—सनातन प्रभु जन्म और मरणसे रहित हैं। शोक और मोह उनके पास भी नहीं फटकते। युवावस्था तथा बुढ़ापा आदिका कोई भेद उनमें नहीं है। अहंकार-मद, दुःख-सुख, भय, रोग, क्षुधा, पिपासा, कामना, रति और मानसिक व्याधि—इनके वे अविषय हैं। मुनीश्वरोंने जिस आत्माको पहचाना है, वह निरीह है, बिना देहका है, सर्वत्र उसकी गति है, वह अहंकारशून्य है, शुद्धबल है,

उसमें सभी गुण रहते हैं, वह स्वतः सबसे परे है, निष्कल एवं स्वयं मङ्गलरूप है और ज्ञानका साकार विग्रह है। वह आत्मा इस जगत्‌के सो जानेपर भी जागता रहता है। यह देहधारी मनुष्य उसे नहीं जानता किंतु वह सबको जानता रहता है। वही आद्यपुरुष है। वह सबको देखता है; किंतु यह प्राणी उसका साक्षात्कार नहीं कर पाता। उस स्वच्छ एवं मलसे रहित आत्माकी मैं उपासना करता हूँ॥ ९—११॥

जिस प्रकार घटसे आकाश, काष्ठसे अग्नि एवं धूलसे पवन व्याप्त नहीं होता तथा रंगोंसे स्वच्छ स्फटिकमणिमें किसी प्रकारकी विरूपता नहीं आती, ठीक वैसे ही यह सनातन पुरुष गुणोंके रहते हुए भी उनसे लिपायमान नहीं होता। वह 'सत्' शब्दसे वाच्य परमात्मा लक्षणा, व्यञ्जना, वाक्‌चातुरी, अर्थों, पदस्फोटपरायण शब्दों तथा सर्वोत्तम गुणियोंके द्वारा भी ज्ञानका विषय नहीं होता; फिर लौकिक प्राणी तो उसे जान ही कैसे सकता है? भूमण्डलपर उसे कितने लोग 'कर्ता', कितने 'कर्म', कितने 'काल', कितने 'परम सुन्दर' तथा कितने 'विचार' कहते हैं। परंतु वेदान्तज्ञानी तो उसे 'ब्रह्म' ही कहते हैं। उस परब्रह्मको कालसे उत्पन्न होनेवाले गुण स्पर्श नहीं करते। माया, इन्द्रिय, चित्त, मन, बुद्धि और महत्तत्त्व भी उसका ग्रहण नहीं कर सकते, वेद वर्णन नहीं कर पाता तथा अग्निमें चिनगारीकी भाँति उसमें सभी प्राणी विलीन हो जाते हैं। वही परमात्मा सर्वोपरि विराजमान है। जिन्हें संत-जन हिरण्यगर्भ, परमात्मतत्त्व और भगवान् वासुदेव कहते हैं, उन्हीं श्रेष्ठतम देवके स्वरूपका विचार करके मोह छोड़कर आसक्तिरहित होकर विचरे॥ १२—१६॥

जिस प्रकार एक ही चन्द्रमा अनेक जलपात्रोंमें अलग-अलग दीखता है तथा एक ही अग्नि अनन्त काष्ठोंमें वर्तमान है, उसी प्रकार एक ही परम प्रभु भगवान् अपने द्वारा बनाये हुए विभिन्न जीवोंके भीतर एवं बाहर विराज रहे हैं। जिस प्रकार सूर्योदय हो जानेपर रात्रिसम्बन्धी अन्धकार नष्ट हो जाता है और घरकी वस्तुएँ मनुष्योंके दृष्टिगोचर होने लगती हैं, ठीक वैसे ही ज्ञानका प्रादुर्भाव होते ही अज्ञानरूपी अन्धकार भाग जाता है। फिर तो शरीरमें ही मनुष्यको ब्रह्मकी उपलब्धि हो जाती है। जैसे इन्द्रियोंकी प्रवृत्तियाँ अलग-अलग हैं, उनके भेदसे गुणोंके एक ही विषयमें नाना अर्थकी प्रतीति होती है, उसी प्रकार अनन्त परम प्रभु भगवान्‌का तेजोमय स्वरूप एक ही है, जब कि मुनियोंके शास्त्र अनेक हैं, जिनके कारण उसका भेद-पूर्वक वर्णन किया गया है। जो पुरुषोत्तम भगवान् श्रीकृष्णचन्द्र साक्षात् श्रीहरि हैं, अपने भक्तोंपर कृपा करना जिनका स्वभाव बन गया है, जो कैवल्यनाथ हैं तथा जिन्होंने राजा नृगका उद्धार किया है, उन स्वयं पूर्णब्रह्म परमेश्वरको मैं प्रणाम करता हूँ॥ १७—२०॥

श्रीनारदजी कहते हैं—इस प्रकार कहकर भगवान् वेदव्यासजीने राजा उग्रसेनसे जानेके लिये स्वीकृति ली। तत्पश्चात् सम्पूर्ण यादवोंके देखते-देखते वे वहीं अन्तर्धान हो गये। मैंने भगवान् श्रीहरिके प्रति भक्ति बढ़ानेवाला यह 'विज्ञानखण्ड' तुम्हें कह सुनाया। इसका विस्तृत वर्णन किया गया है। इसे श्रोतागणोंको मोक्ष प्रदान करनेवाला कहा गया है। गर्गाचार्यने इसका वर्णन किया है। अतएव गर्गसंहिता नामसे इस ग्रन्थकी प्रसिद्धि हुई है। यह संहिता सम्पूर्ण दोषोंको हरनेवाली, परम पवित्र तथा चारों प्रकारके मनोरथोंको देनेवाली है। (अबतक) गोलोक, वृन्दावन, गिरिराज, माधुर्य, मथुरा, द्वारका, विश्वजित्, बलभद्र तथा विज्ञान—इन नौ खण्डोंमें इसका वर्णन हुआ है। महाराज! जिस प्रकार नौ उत्तम रसोंसे भगवान् श्रीकृष्णचन्द्रका श्रीविग्रह विभूषित है तथा भारत आदि नौ वर्षोंसे पृथ्वी अत्यन्त सुशोभित है, ठीक वैसे ही इन नौ खण्डोंद्वारा मुनिप्रणीत यह 'गर्गसंहिता' निरन्तर शोभा पा रही है। जिस प्रकार भगवान् श्रीकृष्णकी अँगुलियोंमें तपाये हुए सुवर्णकी मुद्रिका नौ रत्नोंसे अलंकृत है, वैसे ही चतुर्वर्गफलको देनेवालीके रूपमें यह गर्गसंहिता सर्ग और विसर्ग आदि नौ अङ्गोंसे सुशोभित है। महाराज! जो पुरुष भक्तिपूर्वक निरन्तर मुनिप्रणीत गर्गसंहिताका श्रवण करते हैं, उन्हें संसारमें प्रचुर सुख मिलता है और अन्तमें वे गोलोकधामको चले जाते हैं। यदि वन्ध्या स्त्री भी अनेक पुत्रोंकी उत्कट लालसासे युक्त हो

पीताम्बरधर भगवान् श्रीकृष्णकी वन्दना करके इस संहिताका श्रवण करे तो वह शीघ्र ही अपने घरके आँगनमें बहुत-से बालकोंको घुमाती हुई निरन्तर उनके साथ-साथ घूमने लगती है। इस कथाको सुनकर रोगी मनुष्य रोगोंसे, भयभीत पुरुष भयसे तथा बन्धनप्राप्त पुरुष बन्धनसे मुक्त हो जाता है। निर्धनको विपुल सम्पत्ति मिल जाती है और मूर्ख तुरंत ही पण्डित हो सकता है। जो धनाढ्य राजा कार्तिकके महीनेमें मुनिप्रणीत 'गर्गसंहिता' का श्रवण करता है, निस्संदेह वह चक्रवर्ती राजा हो जायगा और बड़े-बड़े राजालोग उसकी चरणपादुकाको उठाकर रखेंगे। वह मनकी चालके समान तेज चलनेवाले सिन्धुदेशवासी घोड़ों और विन्ध्यगिरिपर उत्पन्न होनेवाले विशाल हाथियोंसे सम्पन्न होगा। वैतालिक आदि उसका यशोगान करेंगे और वारवधूजन उसकी सेवा करेंगी। जिसके सोनेके सींग हों, ताँबेकी पीठ हो, चाँदीके खुर हों और जिसे आभूषणोंसे सजाया गया हो—जो प्रत्येक खण्डको सुननेके बाद ऐसी दो गौओंका दान करता है, उसके सभी मनोरथ पूर्ण हो जाते हैं। जनकजी! वही यदि निष्कामभावसे समूची 'गर्गसंहिता' का श्रवण करता है तो भक्तवत्सल भगवान् श्रीकृष्ण उसके हृदय-कमलपर सदा निवास करने लगते हैं॥ २१—३३॥

श्रीगर्गजी बोले—ब्रह्मन्! इस प्रकार कहकर दिव्यदर्शी भगवान् नारद मुनि राजा बहुलाश्वसे अनुमति लेकर सबके देखते-देखते आकाशमें चले गये। तब महाराज बहुलाश्वने भगवान् श्रीहरिकी इस संहिताको सुनकर श्रीकृष्णचन्द्रमें मन लगाये हुए अपनेको भलीभाँति कृतकृत्य समझ लिया। ब्रह्मन्! तुम्हारे प्रश्न करनेपर मैंने यह संहिता कही है। किन्हींके द्वारा सुनने अथवा पाठ करानेसे भी यह करोड़ यज्ञोंका फल देनेवाली होती है॥ ३४—३६॥

श्रीशौनकजीने कहा—मुनिवर! आपका सङ्ग मिल जानेपर मैं धन्य एवं कृतार्थ हो गया। साथ ही भगवान् श्रीकृष्णमें प्रेम बढ़ानेवाली यह उत्तम भक्ति भी मुझे प्राप्त हो गयी। जो मुनियोंके विशाल हृदयरूपी मानसरोवरमें विचरनेवाले राजहंस हैं, सम्पूर्ण आनन्दोंसे पूर्ण मधुर नाद करनेवाली जिनकी बाँसुरी है, जिनकी कला संसारमें फैली हुई है, जिन्होंने शूरसेनके वंशमें अवतार धारण किया है तथा संत पुरुषोंने जिनकी प्रशंसा गायी है, वे अपने बाहुबलसे कंसका वध करनेवाले भगवान् श्रीकृष्ण तुम्हारी रक्षा करें। इस प्रकार मुनिवर गर्गाचार्यने सम्पूर्ण मुनियोंको आशीर्वाद दिया। साथ ही उनसे आज्ञा माँगी और प्रसन्नमन हो, जानेके लिये तैयार हो गये। फिर सर्ग-विसर्ग आदि नौ अङ्गोंसे युक्त 'गर्ग-संहिता' का, जो स्वर्ग प्रदान करनेवाली तथा चारों पदार्थोंको देनेमें कुशल है, प्रतिपादन करके गर्गजी गर्गाचलपर चले गये। मैं भगवान् श्रीराधापतिके उन युगल चरण-कमलोंको अपने हृदयमें स्थापित करता हूँ, जो शरद्-ऋतुके विकसित कमलोंकी शोभा धारण करनेके कारण उनके अत्यन्त द्वेषपात्र हो रहे हैं, मुनिरूपी भ्रमर जिनका निरन्तर सेवन करते हैं, जो वज्र और कमलके चिह्नोंसे आवृत हैं, जिनपर सोनेके नूपुर चमक रहे हैं, जिन्होंने भक्तोंके तापका सदा ही निवारण किया है तथा जिनकी दिव्य ज्योति छिटक रही है॥ ३७—४०॥

इस प्रकार श्रीगर्गसंहितामें श्रीविज्ञानखण्डके अन्तर्गत नारद-बहुलाश्व-संवादमें 'परमात्माका स्वरूप-निरूपण नामक' दसवाँ अध्याय पूरा हुआ॥ १०॥

॥ श्रीमद्‌गर्गसंहिता, विज्ञानखण्ड सम्पूर्ण ॥

[श्रीगर्ग-संहिताके नौ खण्ड पूरे हो गये। 'अश्वमेध' का प्रसङ्ग शेष रह गया, उसे सुनानेके लिये महर्षि गर्गाचार्यजी पुनः कथाका आरम्भ करेंगे और अश्वमेधखण्ड सुनायेंगे। तब गर्गसंहिता पूर्ण होगी।]

पारिजात हरण

श्रीहरिः

ॐ दामोदर हृषीकेश वासुदेव नमोऽस्तु ते

श्रीगर्ग-संहिता

(अश्वमेधखण्ड)

पहला अध्याय

अश्वमेध-कथाका उपक्रम; गर्ग-वज्रनाभ-संवाद

नारायणं नमस्कृत्य नरं चैव नरोत्तमम्।
देवीं सरस्वतीं व्यासं ततो जयमुदीरयेत्॥ १॥
नमः श्रीकृष्णचन्द्राय नमः संकर्षणाय च।
नमः प्रद्युम्नदेवायानिरुद्धाय नमो नमः॥ २॥

सर्वव्यापी भगवान् नारायण, नरश्रेष्ठ नर, उनकी लीलाकथाको भाषामें अभिव्यक्त करनेवाली वाग्देवता सरस्वती तथा भगवदीय लीलाओंका विस्तारसे वर्णन करनेवाले मुनिवर वेदव्यासको प्रणाम करके जय (इतिहास-पुराण आदि) का उच्चारण करे। भगवान् श्रीकृष्णचन्द्रको नमस्कार, संकर्षणको भी नमस्कार, प्रद्युम्नदेवको नमस्कार तथा अनिरुद्धको भी नमस्कार है॥ १-२॥

श्रीगर्गजी कहते हैं—एक समयकी बात है, ऋषियोंकी सभामें रोमहर्षण सूतके पुत्र उग्रश्रवाजी पधारे। उन्हें आया हुआ देख शौनकजीने उन्हें प्रणाम किया और (कुशल-प्रश्नके अनन्तर) अभिवादन-पूर्वक इस प्रकार कहा॥ १॥

शौनक बोले—महामते! आपके मुखसे मैंने सम्पूर्ण शास्त्र, पुराण तथा श्रीहरिके नाना प्रकारके निर्मल लीलाचरित्र सुने। पूर्वकालमें गर्गाचार्यजीने मेरे सामने गर्गसंहिता सुनायी थी, जिसमें श्रीराधा और माधवकी महिमाका अनेक प्रकारसे और अधिकाधिक वर्णन हुआ है। सूतनन्दन! आज मैं पुनः आपसे सब दुःखोंको हर लेनेवाली श्रीकृष्णकी कथा सुनना चाहता हूँ। आप सोच-विचारकर वह कथा मुझसे कहिये॥ २—४॥

श्रीगर्गजी कहते हैं—शौनकजीके साथ अठासी हजार ऋषियोंने भी जब यही जिज्ञासा व्यक्त की, तब रोमहर्षणकुमार सूतने भगवान् श्रीकृष्णके चरणारविन्दोंका स्मरण करके इस प्रकार कहा॥ ५॥

सौति बोले—अहो शौनकजी! आप धन्य हैं, जिनकी बुद्धि इस प्रकार श्रीकृष्णचन्द्रके युगल-चरणारविन्दोंका मकरन्दपान करनेके लिये लालायित है। वैष्णवजनोंका समागम प्राप्त हो, इसे देवतालोग श्रेष्ठ बताते हैं; क्योंकि वैष्णवोंके सङ्गसे भगवान् श्रीकृष्णकी वह कथा सुननेको मिलती है, जो समस्त पापोंका विनाश करनेवाली है। श्रीकृष्णचन्द्रका चरित्र समस्त कल्मषोंका निवारण करनेवाला है। उसको थोड़ा-थोड़ा ब्रह्माजी जानते हैं और थोड़ा-ही-थोड़ा भगवान् उमावल्लभ शिव। मेरे-जैसा कोई मच्छर उसे क्या जान सकेगा? भगवान् वासुदेवकी लीला-कथा एक समुद्र है, जिसमें डूबकर मोहित ब्रह्मा आदि देवता भी कुछ कह नहीं सकेंगे। (फिर मुझ-जैसा मनुष्य क्या कह सकता है?) यादवराज भूपालशिरोमणि उग्रसेन-के यज्ञप्रवर अश्वमेधका अनुष्ठान देखकर लौटे हुए गर्गाचार्यने एक दिन अपने मनका उद्गार इस प्रकार प्रकट किया—'यादवेश्वर! राजा उग्रसेन धन्य हैं, जिन्होंने भगवान् श्रीकृष्णकी आज्ञासे द्वारकापुरीमें क्रतुश्रेष्ठ अश्वमेधका सम्पादन किया। उस यज्ञको देखकर मुझे बड़ा आश्चर्य हुआ है। मैंने अपनी संहितामें परिपूर्णतम भगवान् श्रीकृष्णकी प्रत्यक्ष देखी-सुनी लीला-कथाओंका ठीक वैसा ही वर्णन

किया है। उस संहितामें मैंने अश्वमेध यज्ञकी कथाका उल्लेख नहीं किया है, अतः अब पुनः उस अश्वमेधकी ही कथा कहूँगा। कलियुगमें उस कथाके श्रवणमात्रसे भगवान् श्रीकृष्ण मनुष्योंको शीघ्र ही भोग तथा मोक्ष प्रदान करते हैं'॥ ६—१४॥

शौनक! ऐसा कहकर श्रीगर्गमुनिने श्रीकृष्णभक्ति-से प्रेरित हो उग्रसेनके अश्वमेध यज्ञकी कथा कही। 'अश्वमेधचरित्र' का उन्होंने एक सुन्दर नाम रख दिया—'सुमेरु।' मुने! ऐसा करके भगवान् गर्गाचार्य कृतकृत्य हो गये। यादवकुलके परम गुरु तथा बुद्धिमानोंमें श्रेष्ठ श्रीगर्गमुनिने आठ दिनोंतक अश्वमेध यज्ञकी कथा कही; फिर वे नरेश्वर वज्रसे मिलनेके लिये श्रीहरिकी मथुरापुरीमें आये। ज्ञानिशिरोमणि गर्गमुनिको वहाँ आकाशसे उतरा देख वज्रनाभने द्विजोंके साथ उठकर उन्हें नमस्कार किया। बैठनेके लिये सोनेका सिंहासन देकर उन्होंने गुरुजीके दोनों चरण-कमल पखारे और फूल-मालाओंसे मुनिका पूजन करके उन्हें मिष्टान्न निवेदन किया। सोलह वर्षकी अवस्था और सुपुष्ट शरीरवाले विशालबाहु श्यामसुन्दर कमलनयन वज्रनाभने गुरुके चरणोदकको लेकर सिरपर रखा और दोनों हाथ जोड़कर उनसे इस प्रकार कहा। वज्रनाभ सौ सिंहोंके समान उद्भट शक्तिशाली थे॥ १५—२१॥

वज्रनाभने कहा—ब्रह्मन्! आपको नमस्कार है। आपका स्वागत है। हम आपकी क्या सेवा करें? मैं आपको भगवत्स्वरूप मानता हूँ। आप ब्रह्मर्षियोंमें परम श्रेष्ठ हैं। गुरु ब्रह्मा हैं, गुरु रुद्र हैं, गुरु ही बृहस्पति हैं तथा गुरुदेव साक्षात् नारायण हैं; उन श्रीगुरुको नमस्कार है। मुनिश्रेष्ठ! मनुष्योंके लिये आपका दर्शन दुर्लभ है। देव! विशेषतः हम-जैसे विषयासक्त चित्तवाले लोगोंके लिये तो वह अत्यन्त दुर्लभ है। गर्गाचार्य! मेरे कुलके आचार्य! तेजस्विन्! योगभास्कर! आपके दर्शनमात्रसे हम कुटुम्बसहित पवित्र हो गये॥ २२—२५॥

यदुकुलतिलक राजा वज्रनाभका वचन सुनकर मुनीन्द्रवर्य महान् महात्माने श्रीहरिके चरणारविन्द-का चिन्तन करते हुए तत्काल नृपेश्वर वज्रनाभसे प्रसन्नतापूर्वक कहा— 'युवराज! महाराज! यदु-वंशशिरोमणे! तुमने सब सत्कर्म ही किया है; पृथ्वीपर रहनेवाले सब लोगोंका पालन किया है। वत्स! तुमने भूतलपर धर्मको स्थापित किया है। विष्णुरात (दिल्लीपति परीक्षित्) तुम्हारे मित्र होंगे तथा अन्य नरेश भी तुम्हारे वशमें रहेंगे। नृपश्रेष्ठ! तुम धन्य हो, तुम्हारी मथुरापुरी धन्य है, तुम्हारी सारी प्रजाएँ धन्य हैं तथा तुम्हारी व्रजभूमि धन्य है। तुम श्रीकृष्ण, बलराम, प्रद्युम्न तथा अनिरुद्धका भजन करते हुए उत्तम भोग भोगो। नरेश्वर! निश्शङ्क होकर राज्य करो'॥ २६—३०॥

उग्रश्रवा सूत कहते हैं—गर्गजीकी यह बात सुनकर नृपश्रेष्ठ राजा वज्रनाभ श्रीकृष्ण, संकर्षण, पितामह प्रद्युम्न तथा पिता अनिरुद्धका विरहावस्थामें स्मरण करके गद्गदकण्ठ हो गये। उनका मुख आँसुओंकी धारासे परिपूर्ण हो गया। गर्गने देखा, राजा वज्रनाभ दुःखी हो नीचेकी ओर मुख किये भूमिपर खड़े हैं। यह देख उन्हें बड़ा आश्चर्य हुआ और वे उनका दुःख शान्त करते हुए-से बोले॥ ३१-३२ $\frac{1}{2}$॥

गर्गने पूछा—राजेन्द्र! क्यों रो रहे हो? मेरे रहते तुम्हें क्या भय है? तुम अपने दुःखका समस्त कारण मेरे सामने कहो॥ ३३ $\frac{1}{2}$॥

उनकी यह बात सुनकर भी राजा दुःखमग्न होनेके कारण कुछ बोल न सके। जब गुरुने पुनः पूछा तो वे गद्गदवाणीमें इस प्रकार बोले॥ ३४ $\frac{1}{2}$॥

राजाने कहा—देव! श्रीकृष्ण-संकर्षण आदि समस्त यादव मुझे यहाँ छोड़ परलोकमें चले गये, यह सोचकर ही मैं दुःखी हो गया। ब्रह्मन्! स्वामी, अमात्य, मित्र, राष्ट्र (जनपद), कोष, दुर्ग और सेना—राजाके ये सातों अङ्ग मुझ एकाकीके लिये प्रीतिकारक नहीं होते हैं। मैंने भगवान् श्रीकृष्णका चरित्र न तो देखा है और न किसीसे सुना ही है; आप वह चरित्र मुझसे कहिये। मैंने अपनी आँखोंसे तो केवल यादवोंका संहार ही देखा है, अतः मेरा दुःख दूर नहीं हो रहा है। चतुर्व्यूह-रूपधारी श्रीहरिने पहले जिस पुरीको सुशोभित किया था, वह भी समुद्रमें डूब गयी और भगवान् श्रीकृष्ण भी भक्तिके परमधाम गोलोकको

चले गये। शिष्यवत्सल गुरुदेव! आप ही बताइये, अब मैं किसके लिये जीवित रहूँ। आज ही वनको जाता हूँ। मेरे मनमें राज्य करनेकी इच्छा नहीं है॥ ३५—३९॥

सूतजी कहते हैं—यदुकुलशिरोमणि वज्रनाभकी यह बात सुनकर मुनिश्रेष्ठ महात्मा गर्गने उनकी प्रशंसा की और उनका दु:ख शान्त करते हुए-से वे संतुष्ट गर्गमुनि राजा वज्रनाभसे बोले॥ ४०॥

गर्गने कहा—वृष्णिवंशतिलक! मेरी बात सुनो; यह शोकका विनाश करनेवाली है। समस्त पापोंको हरनेवाली, पवित्र तथा शुभ है। तुम सावधानीके साथ इसे श्रवण करो। पूर्वकालमें जो भगवान् श्रीकृष्णचन्द्र कुशस्थली (द्वारका) पुरीमें विराजते थे, वे सदा और सर्वत्र विराजमान हैं। भूपते! अब तुम भक्तिभावसे उनको देखो। आज मैं तुम्हें भगवान्‌की वह कथा सुनाऊँगा, जो भोग और मोक्ष प्रदान करनेवाली है। वसुधानाथ! श्रीकृष्ण तथा बलरामजीकी वह उत्तम कथा तुम सुनो॥ ४१—४३॥

सूतजी कहते हैं—विप्रवर शौनक! ऐसा कहकर भगवान् गर्गने वज्रनाभको नौ दिनोंतक अपनी पवित्र संहिता सुनायी॥ ४४॥

इस प्रकार श्रीमद्‌गर्गसंहितामें अश्वमेध-चरित्र-सुमेरु-प्रसङ्गमें 'गर्ग-वज्रनाभ-संवाद' नामक पहला अध्याय पूरा हुआ॥ १॥

दूसरा अध्याय

श्रीकृष्णावतारकी पूर्वार्द्धगत लीलाओंका संक्षेपसे वर्णन

सूतजी कहते हैं—इस प्रकार गर्गमुनिके मुखसे श्रीगर्गसंहिताकी कथा सुनकर राजा वज्रनाभ मन-ही-मन बड़े प्रसन्न हुए। उन्होंने गुरु गर्गाचार्यके चरणोंमें प्रणाम करके उनसे इस प्रकार कहा—'प्रभो! मुनिश्रेष्ठ! आज मैंने आपके मुखारविन्दसे जो भगवान् श्रीकृष्णचन्द्रका चारु चरित्र सुना है, उससे मेरे सारे दु:ख दूर हो गये। कृपानाथ! मैं इस कथा-श्रवणसे अतृप्त रह गया हूँ; अत: मेरा मन पुन: श्रीहरिके यशको सुननेके लिये उत्सुक है। आप कृपापूर्वक श्रीकृष्णके परम उत्तम चरित्रका वर्णन कीजिये। मुने! द्वारकामें महाराज उग्रसेनने पहले अश्वमेध यज्ञका अनुष्ठान किया था, उसके विषयमें कुछ बातें मैंने पूर्वकालमें सुनी थीं। आप उस अश्वमेध यज्ञका ही सम्पूर्ण चरित्र या वृत्तान्त मुझसे कहिये। मुनीश्वर! करुणामय गुरुजन अपने सेवापरायण शिष्यों तथा पुत्रोंसे उनके पूछे बिना भी गूढ़ रहस्यकी बातें बता दिया करते हैं'॥ १—५॥

सूतजी कहते हैं—यदुकुलगुरु गर्गमुनि वज्रनाभका ऐसा वचन सुनकर बड़े प्रसन्न हुए और श्रीहरिके युगलचरणारविन्दोंका स्मरण करते हुए उन राजाधिराजसे इस प्रकार बोले॥ ६॥

गर्गजीने कहा—यादवश्रेष्ठ! तुम धन्य हो; क्योंकि भगवान् श्रीकृष्णचन्द्रके चरणोंमें तुम्हारी ऐसी अविचल भक्ति हुई है, जो दूसरे मनुष्योंके लिये दुर्लभ है। वह भक्ति तुम्हें सहज सुलभ है, यह बड़े सौभाग्यकी बात है। राजन्! इस विषयमें मैं तुमसे प्राचीन इतिहास बता रहा हूँ, उसे सुनो। उसका श्रवण कर लेनेमात्रसे मनुष्य समस्त पापोंसे छुटकारा पा जाता है। राजन्! द्वापरमें पापियोंके भारसे पीड़ित हुई वसुन्धराने ब्रह्माजीके सामने अपना दु:ख प्रकट किया। उसे सुनकर ब्रह्माजी श्रीहरिकी शरणमें गये और वहाँ उन्होंने पृथ्वीका सारा कष्ट कह सुनाया। वह सब सुनकर श्रीराधिकावल्लभ श्रीकृष्णने वसुधाको आश्वासन दिया और देवताओंके सहयोगसे उसका भार उतारनेका निश्चय किया॥ ७—१०॥

तदनन्तर मथुरामें वसुदेवका देवकीके साथ विवाह हुआ; फिर कंसको सावधान करनेवाली आकाशवाणी हुई। देवकीके पुत्रसे अपने वधकी बात जानकर कंसने क्रमश: उसके छ: पुत्र मार डाले। नरेश्वर! कंसको भय होने लगा और उस भयके आवेशमें उसे सर्वत्र कृष्ण-ही-कृष्ण दीखने लगे। इसके बाद भगवान्‌ने योगमायाको आज्ञा दी, जिसके अनुसार उसने देवकीके

गर्भका संकर्षण करके रोहिणीके गर्भमें उसे स्थापित कर दिया और स्वयं वह यशोदाके गर्भसे कन्याके रूपमें प्रकट हुई। इधर भगवान् देवकीके गर्भमें आविष्ट हुए और ब्रह्मा आदि देवताओंने आकर उनकी स्तुति की। फिर श्रीकृष्णका प्राकट्य हुआ। भगवान्‌के बालकृष्णरूपकी दिव्य झाँकीका वर्णन ऋषि वेद-व्यासद्वारा किया गया है। वसुदेवने भगवान्‌के उस दिव्य रूपका स्तवन किया। जगदीश्वर श्रीकृष्णने देवकी और वसुदेवके पूर्वजन्म-सम्बन्धी पुण्यकर्मोंका वर्णन किया। तदनन्तर भगवदीय आज्ञाके अनुसार वसुदेवजी बालकृष्णको गोकुल पहुँचा आये और वहाँसे यशोदाकी कन्या उठा लाये। कंसने उस कन्या-को पत्थरपर दे मारा; परंतु वह आकाशमें उड़ गयी और कंसको यह बताती गयी कि 'तेरा काल कहीं प्रकट हो चुका है।' कंसका निकट जाकर वसुदेव-देवकीको सान्त्वना देना और पत्नीसहित वसुदेवको बन्धनमुक्त कर देना आदि बातें घटित हुईं। कंसने दैत्योंकी सभामें दुष्टतापूर्ण मन्त्रणा की और साधुपुरुषों तथा बालकोंके प्रति उपद्रव प्रारम्भ करवाया॥ ११—१४॥

व्रजमें श्रीकृष्णका प्राकट्य होनेपर व्रजराज नन्दके भवनमें महान् उत्सव मनाया गया। नन्दरायजी राजा कंसको भेंट देनेके लिये मथुरा गये और वहाँ वसुदेवजीके साथ उनकी भेंट हुई। उधर गोकुलमें विषमिश्रित स्तनपान करानेके लिये आयी हुई पूतनाके प्राणोंको भगवान् उसके दूधके साथ ही पी गये। उसके मरे हुए विकराल शरीरको देखकर मथुरासे लौटे हुए नन्दादि गोपोंको बड़ा विस्मय हुआ। उसके बाद एक दिन श्रीकृष्णके पैरोंका हलका-सा आघात पाकर दूध-दहीके मटकोंसे भरा हुआ छकड़ा उलट गया। बवंडर-रूपधारी 'तृणावर्त' नामक दैत्यका शिशु श्रीकृष्णके हाथों वध हुआ। एक दिन मैया यशोदा बाल-कृष्णको लाड़-प्यार कर रही थीं। इतनेमें ही उन्हें जँभाई आयी और उनके मुखमें माताको सम्पूर्ण विश्वका दर्शन हुआ। तदनन्तर बलराम और श्रीकृष्णके नामकरण-संस्कार हुए। फिर व्रजभूमिमें इन दोनों भाइयोंकी बालक्रीड़ा होने लगी। गोपाङ्गनाओंके घरोंमें घुसकर धूर्ततापूर्ण व्यवहार—दही-माखन चुरानेके खेल चलने लगे। प्रसङ्गवश किसी दिन मिट्टी खा ली और माताको मुखमें सम्पूर्ण विश्वका दर्शन कराया। नन्द और यशोदाको श्रीकृष्णके लालन-पालनका सुख कैसे सुलभ हुआ, इस प्रसङ्गमें उन दोनोंके पूर्वजन्मसम्बन्धी सौभाग्यवर्धक सत्कर्मकी चर्चा हुई। माखनकी चोरी, रस्सीसे कमरमें बलपूर्वक बाँधा जाना, 'यमलार्जुन' नामक वृक्षोंका भङ्ग होना, उनके शापकी निवृत्ति, उन दोनोंके द्वारा भगवान्‌की स्तुति, बालक्रीड़ा, उपनन्द आदिकी मन्त्रणा, वहाँसे वृन्दावन-गमन, वहाँ समवयस्क ग्वालबालोंके साथ बछड़े चराना, उसी प्रसङ्गमें वत्सासुर, वकासुर और अघासुरका वध, सखाओंके साथ श्रीहरिका यमुनातटपर प्रशंसापूर्वक भोजन, ब्रह्माजीके द्वारा बछड़ों और ग्वालबालोंका हरण, श्रीकृष्णका स्वयं ग्वालबाल और बछड़े बन जाना, ब्रह्माका जाना और फिर मोह निवृत्त होनेपर लौटकर भगवान्‌की स्तुति करना, श्रीकृष्णका गोप-बालकोंके साथ विहार तथा व्रजमें गमन, गोचारणके प्रसङ्गमें बड़ी-बड़ी क्रीडाएँ, धेनुकासुर आदिका वध, संध्याके समय व्रजमें आगमन तथा श्रीकृष्णका गोपीजनोंके नेत्रोंमें महान् उत्सव प्रदान करना आदि वृत्तान्त घटित हुए॥ १५—२३॥

कालियनागके विषसे दूषित जलको पीनेसे मरे हुए गोपोंको श्रीहरिने जिलाया; कालियनागका दमन किया। उस समय नागपत्नियोंने भगवान्‌की स्तुति की और उनके साथ वार्तालाप किया। फिर इस बातका वर्णन किया कि यमुनाके ह्रदमें कालियनागका सम्बन्ध कैसे हुआ? तदनन्तर मुञ्जाटवीमें फैली हुई दावाग्निको पीकर भगवान्‌ने किस प्रकार गोप-गोपियोंके जीवनकी रक्षा की, इस बातका प्रतिपादन हुआ है। खेल-खेलमें ही प्रलम्बासुरका वध, दावानलसे गौओंकी रक्षा, वर्षा-वर्णन, शरद्-वर्णन, गोपीगीत, गोकुलकी गोप- किशोरियोंद्वारा कात्यायनीव्रतका अनुष्ठान, उनके वस्त्रोंका अपहरण, वृन्दावनके सौभाग्यका वर्णन, ग्वालबालोंका भगवान्‌से भोजन माँगना और भगवान्‌का उन्हें ब्राह्मणोंके यज्ञमें भेजना, ब्राह्मण-पत्नियोंपर भगवान्‌का कृपा-प्रसाद, ब्राह्मणोंका अपनी मूढ़ताके लिये पश्चात्ताप, इन्द्रके यज्ञकी प्रथा मिटाकर

गोवर्द्धनपूजनका क्रम चलाना, कुपित हुए इन्द्रद्वारा की गयी घोर वृष्टिसे व्रजवासियोंकी रक्षाके लिये भगवान्‌का गोवर्द्धन पर्वतको छत्रकी भाँति धारण करना, देवराज इन्द्रके गर्वको चूर्ण करना, महर्षि गर्गके द्वारा नन्दरायके यहाँ उत्पन्न श्रीकृष्ण-बलरामके भावी जातकोक्त फलका वर्णन, गोपोंकी शङ्का, भगवान्‌के द्वारा उसका निवारण, इन्द्रधेनु सुरभिके द्वारा भगवान्‌का गोविन्द-पदपर अभिषेक और स्तवन, नन्दजीको वरुणलोकसे छुड़ाकर लाना, गोपोंको वैकुण्ठलोकमें ले जाकर उसका दर्शन कराना, पाँच अध्यायोंमें रातमें होनेवाली रासक्रीड़ाका वर्णन, नन्दका अजगरके मुखसे उद्धार, शङ्खचूडका वध, गोपियोंके युगलगीत, अरिष्टासुरका वध, कंस और नारदका संवाद, कंस और अक्रूरकी बातचीत, श्रीकृष्णके द्वारा केशीका वध, नारद-ऋषिका श्रीकृष्णसे वार्तालाप, व्योमासुरका वध, अक्रूरका गोकुलमें आगमन, व्रजके दर्शनजनित आनन्दसे उनके शरीरका पुलकित होना, अन्तःकरण-का हर्षसे खिल उठना, रोमाञ्च होना, गद्गदवाणीमें बोलना, बलराम और श्रीकृष्णके साथ उनकी बातचीत, उनके द्वारा कंसकी चेष्टाओंका वर्णन, बलराम और श्रीकृष्णका मथुराको प्रस्थान, गोपीजनोंका विलाप, मथुरागमन, मार्गमें ही यमुनाके ह्रदमें प्रविष्ट हुए अक्रूरको भगवान् श्रीकृष्णका दर्शन, उनके द्वारा श्रीकृष्णकी स्तुति, फिर उन सबका मथुरा-पुरीमें आगमन, नगरका दर्शन, नगरकी सम्पत्तिका वर्णन, रजकका शिरश्छेदन, दर्जीको वरदान, सुदामा मालीको वरदान, कुब्जाको श्रीकृष्णका दर्शन, कंसके धनुषका भञ्जन, उसके सैनिकोंका वध, कंसको दुर्निमित्तोंका दिखायी देना, कंसका रंगोत्सव, कुवलयापीड़ नामक हाथीका युद्धमें मारा जाना, पुरवासियोंको बलराम और श्रीकृष्णका दर्शन, उनके प्रति नागरिकोंके मनमें प्रेमकी वृद्धि, रंगशालामें मल्लोंका मारा जाना, बन्धुओंसहित कंसका वध, श्रीकृष्ण-बलरामद्वारा माता-पिताको आश्वासन तथा समस्त सुहृदोंको तोषदान, उग्रसेनका राजाके पदपर अभिषेक, नन्द आदि गोपोंको व्रजभूमिकी ओर लौटाना, श्रीकृष्ण-बलरामका किंचित् द्विजाति-संस्कार, गुरुके घर जाकर विद्याध्ययन, उनके मरे हुए पुत्रको यमलोकसे लाकर लौटाना, इसी प्रसङ्गमें 'पञ्चजन' नामक दैत्यका वध, पुनः श्रीकृष्णका मथुरा-आगमन, मधुपुरीमें महान् उत्सव, उद्धवको व्रजमें भेजना, गोपियोंका विलाप, उद्धवद्वारा उन्हें सान्त्वना-प्रदान, व्रजवासियोंसे मिलनेके लिये श्रीकृष्णका नन्दके गोकुलमें आना, फिर कोल-दैत्यका वध, कुब्जा-मिलन, अक्रूरको हस्तिनापुर भेजना तथा पाण्डवोंके प्रति विषमतापूर्ण बर्ताव रोकनेके लिये धृतराष्ट्रको समझाना इत्यादि प्रसङ्गोंका वर्णन किया गया है॥ २४—४२॥

इस प्रकार श्रीगर्गसंहितामें अश्वमेध-चरित्र-सुमेरुमें 'श्रीकृष्णकी लीलाओंका वर्णन' नामक दूसरा अध्याय पूरा हुआ॥ २॥

तीसरा अध्याय

जरासंधके आक्रमणसे लेकर पारिजात-हरणतककी श्रीकृष्णलीलाओंका संक्षिप्त वर्णन

गर्गजी कहते हैं—राजन्! अपने दामाद कंसके वधका समाचार सुनकर राजा जरासंध संतप्त हो उठा। उसने कई अक्षौहिणी सेनाएँ लेकर मथुरापुरीपर अनेक बार आक्रमण किया और उसकी समस्त सेनाओंका श्रीकृष्ण और बलरामने संहार कर डाला। उभय पक्षकी सेनाओंमें बारंबार युद्धका अवसर आनेपर श्रीकृष्णने विश्वकर्माद्वारा समुद्रमें 'द्वारका' नामक दुर्गकी रचना करवायी। इसी बीचमें कालयवनका भी आक्रमण हुआ और मुचुकुन्दद्वारा उसका वध करवाकर भगवान्‌ने उनके मुखसे अपना स्तवन सुना; फिर उन्हें वर देकर बदरिकाश्रम भेज दिया और वहाँसे लौटकर म्लेच्छ सैनिकोंका वध करके उन सबका धन द्वारकापुरीमें पहुँचानेकी व्यवस्था की। इतनेमें ही घमंडी राजा जरासंध आ पहुँचा। भगवान् किसी विशेष

अभिप्रायसे अबकी बार युद्ध छोड़कर उसके सामनेसे पलायन कर गये। 'रैवत' नामवाले राजाने द्वारकापुरीमें आकर अपनी कन्या रेवती बलदेवजीके हाथमें समर्पित कर दी। एक समय राजकुमारी रुक्मिणीका प्रेम-संदेश सुनकर भगवान् श्रीकृष्ण कुण्डिनपुरमें गये और वहाँ अम्बिकादेवीके मन्दिरसे अपनी प्रेयसी रुक्मिणीका अपहरण करके, वहाँके समस्त राजाओंको जीतकर द्वारकापुरीको निकल गये। तब राजाओंने चेदिराज शिशुपालको सान्त्वना दी और उसे चुपचाप घर लौट जानेको कहा। तत्पश्चात् एक विशेष प्रतिज्ञाके साथ रुक्मी युद्धके मैदानमें उतरा। श्रीकृष्णने पहले तो उसके साथ युद्ध किया; फिर उसे रथमें बाँधकर उसका मुण्डन कर दिया। इससे रुक्मिणीको बड़ा दुःख हुआ। बलरामजीने समझा-बुझाकर उन्हें शान्त किया और बलरामजीके ही कहनेसे रुक्मीको बन्धनसे छुटकारा मिला। इसके बाद द्वारकापुरीमें पहुँचकर श्रीकृष्णका रुक्मिणीके साथ बड़े आनन्दसे विधिपूर्वक विवाह-संस्कार सम्पन्न हुआ॥ १—६॥

तत्पश्चात् प्रद्युम्नकी उत्पत्ति कही गयी। उनका सूतिकागारसे अपहरण हुआ। मायावतीके कथनसे अपने पूर्व-वृत्तान्तको जानकर प्रद्युम्नने शम्बरासुरका वध किया, फिर वे अपने घर लौट आये। इससे द्वारकावासियोंको बड़ा संतोष हुआ। सत्राजित् नामक यादवने भगवान् सूर्यकी कृपासे स्यमन्तकमणि प्राप्त की। उसे एक दिन श्रीहरिने माँगा। उसी मणिको अपने गलेमें बाँधकर सत्राजित्के छोटे भाई प्रसेनजित् शिकार खेलनेके लिये वनमें गये। वहाँ एक सिंहने उनको मार डाला। इससे श्रीहरिपर कलङ्क आया। उसका मार्जन करनेके लिये भगवान् श्रीकृष्ण वनमें ऋक्षराजकी गुफामें गये। वहाँ उन दोनोंमें घोर युद्ध हुआ। जाम्बवान्ने यह जानकर कि 'ये कोई साधारण मनुष्य नहीं, साक्षात् भगवान् हैं' इन्हें अपनी कन्या जाम्बवती समर्पित कर दी। भगवान्को जाम्बवान्की गुफासे जो मणि प्राप्त हुई थी, उसे उन्होंने सत्राजित्के यहाँ पहुँचा दिया। सत्राजित्ने अपनी बेटी सत्यभामाका विवाह श्रीकृष्णके साथ कर दिया और दहेजमें वह मणि उन्हें दे दी॥ ७—१०$\frac{1}{2}$॥

तदनन्तर एक दिन बलरामजीके साथ श्रीकृष्णने हस्तिनापुरकी यात्रा की। इसी बीचमें अक्रूर और कृतवर्माकी प्रेरणासे शतधन्वाने सत्राजित्को मार डाला। यह समाचार पाते ही श्रीकृष्णने तत्काल शतधन्वाको भी मौतके घाट उतार दिया। बलरामजी मिथिलामें रहकर दुर्योधनको गदायुद्धकी शिक्षा देने लगे। इधर भगवान् श्रीकृष्ण अक्रूरको मणि देकर स्वयं इन्द्रप्रस्थ चले गये। वहाँ उन्हें कालिन्दीकी प्राप्ति हुई। उसके साथ श्रीहरिने अपनी द्वारकापुरीमें विवाह किया। इसी प्रकार मित्रविन्दा और सत्याके साथ भी उनका विवाह हुआ। तदनन्तर भद्रा और लक्ष्मणाका भी श्रीहरिके साथ विवाह हुआ। एक समय श्रीकृष्णने देवराज इन्द्रको जीतकर उनके पारिजातको ले लिया और उसे द्वारकापुरीमें लाकर अपनी प्रिया सत्यभामाको दे दिया॥ ११—१५॥

वज्रनाभने पूछा—मुने! भगवान् श्रीकृष्णने देवराज इन्द्रको जीतकर उनके कल्पवृक्ष या पारिजातको लाकर जो अपनी प्रिया सत्यभामाको दिया, उसका क्या कारण है? यह सारी कथा मुझे विस्तारपूर्वक सुनाइये॥ १६॥

श्रीगर्गजीने कहा—किसी समय देवर्षि नारद स्वर्गसे पारिजातका एक फूल लेकर द्वारकापुरीमें आये। वह फूल लेकर श्रीकृष्णने अपनी पटरानी श्रीरुक्मिणीजीके हाथमें दे दिया। इससे सत्यभामाको बड़ा दुःख हुआ। वे कोपभवनमें चली गयीं। श्रीकृष्ण वहाँ जाकर कुपित हुई सत्यभामासे मिले और बोले— 'तुम दुःख न मानो, मैं तुम्हें पारिजातका वृक्ष ही लाकर दे दूँगा।' उसी समय इन्द्रने आकर श्रीकृष्णके समक्ष भौमासुरकी सारी चेष्टाएँ बतायीं। यह सुनकर भगवान्ने हाथ जोड़ इन्द्रकी ओर देखते हुए कहा॥ १७—१९॥

श्रीकृष्ण बोले—'वृत्रसूदन! देखिये, मेरी प्रिया सत्यभामा दुःखी होकर रो रही है। इसका यह रोदन पारिजात वृक्षके लिये ही है। बताइये, मैं क्या करूँ? हरे! यदि आप सत्यभामाके लिये पारिजात वृक्ष दे देंगे तो मैं सेनासहित भौमासुरका संहार कर डालूँगा, इसमें संशय नहीं है।' श्रीकृष्णकी यह बात सुनकर देवराज इन्द्र जोर-जोरसे हँसते हुए बोले॥ २०-२१॥

इन्द्रने कहा—श्रीकृष्ण! तुम नरकासुरका वध करके नन्दनवनमें जो-जो पारिजातके वृक्ष हैं, उन सबको स्वत: ले लेना॥ २२॥

'एवमस्तु' कहकर भगवान् श्रीकृष्ण सत्यभामाके साथ गरुडके कंधेपर आरूढ़ हो प्राग्ज्योतिषपुरकी ओर चल दिये। जब इन्द्र स्वर्गको लौट गये, तब सत्यभामाने स्वयं श्रीहरिसे कहा॥ २३ $\frac{1}{2}$॥

सत्यभामा बोली—'जगत्पते! आप पहले इन्द्र-से वृक्षराज पारिजातको ले लें। हरे! अपना काम निकल जानेपर इन्द्र आपका प्रिय कार्य नहीं करेंगे।' प्रियाकी यह बात सुनकर प्रियतमने उससे कहा॥ २४-२५॥

श्रीकृष्ण बोले—यदि मेरे माँगनेपर अमरेश्वर इन्द्र पारिजात नहीं देंगे तो मैं पुरन्दरकी छातीपर, जहाँ शचीदेवी चन्दनका अनुलेप लगाती हैं, गदासे चोट करूँगा॥ २६॥

—ऐसा कहकर भगवान् श्रीकृष्ण भौमासुरके नगरमें गये। वह नगर नाना प्रकारके सात दुर्गों और बड़े-बड़े असुरोंसे आवेष्टित था। श्रीकृष्णने गदा, चक्र और बाण आदिसे उन सातों दुर्गोंका भेदन कर दिया। मुरु दैत्य और उसके पुत्र अस्त्र-शस्त्र लेकर नगरकी रक्षामें नियुक्त थे। श्रीकृष्णने उन सबको कालके गालमें डाल दिया। तदनन्तर सेनासहित नरक अस्त्र-शस्त्रोंकी वर्षा करता हुआ सामने आया। श्रीहरिने चक्र चलाकर नरकासुरके दो टुकड़े कर डाले तथा गरुडके द्वारा उसकी सारी सेनाका संहार कर डाला। भौमासुर-को मारकर यदुकुलतिलक जगन्नाथने उसके सारे उत्तम रत्न ग्रहण कर लिये॥ २७—२९ $\frac{1}{2}$॥

वहाँ उन्होंने कुमारी कन्याओंका एक विशाल समुदाय देखा। उनकी संख्या सोलह हजार एक सौ थी। वे दैत्यों, सिद्धों तथा नरेशोंकी कुमारियाँ थीं। श्रीहरिने उन सबको अपनी द्वारकापुरीमें भेज दिया। फिर वे इन्द्रकी मणि और छत्र लेकर तथा देवमाता अदितिके दोनों कुण्डल प्राप्त करके पारिजात वृक्ष लानेके लिये इन्द्रपुरीकी ओर चले॥ ३०—३२॥

इस प्रकार श्रीगर्गसंहिताके अन्तर्गत अश्वमेधचरित्र-सुमेरुमें 'श्रीकृष्णकी कथाका वर्णन' नामक तीसरा अध्याय पूरा हुआ॥ ३॥

चौथा अध्याय

पारिजातहरण

श्रीगर्गजी कहते हैं—राजन्! स्वर्गमें जाकर इन्द्रको उनका छत्र और मणि देकर श्रीकृष्णने माता अदितिको उनके दोनों कुण्डल अर्पित कर दिये। उसके बाद अपना अभिप्राय व्यक्त किया। श्रीहरिके अभिप्रायको जानकर भी जब इन्द्रने पारिजात वृक्ष नहीं दिया, तब माधवने देवताओंको पराजित करके पारिजातको बलपूर्वक अपने अधिकारमें ले लिया॥ १-२॥

सूतजी कहते हैं—शौनक! यह कथा सुनकर यादवनरेश वज्रको बड़ा विस्मय हुआ। श्रीहरिके गुणोंमें श्रद्धा रखते हुए उन्होंने पुन: अपने गुरुसे पूछा—'ब्रह्मन्! इन्द्र तो देवताओंके राजा हैं। वे यह जानते हैं कि श्रीकृष्ण साक्षात् परमेश्वर श्रीहरि हैं, तथापि उन्होंने भगवान्के प्रति अपराध कैसे किया? यह ठीक-ठीक बताइये। इन्द्रकी चेष्टाको सत्यभामाने पहले ही भाँप लिया था और श्रीकृष्णके सामने सुस्पष्ट बता भी दिया था। अत: इस प्रसङ्गको सुननेके लिये मेरे मनमें बड़ी उत्कण्ठा है। आप इन्द्र और माधवके इस युद्धका मेरे समक्ष विस्तारपूर्वक वर्णन कीजिये॥ ३—५॥

श्रीगर्गजी बोले—राजन्! अदितिने भगवान् श्रीकृष्णकी स्तुति की और इन्द्रने भी पारिजात ले जानेके लिये स्वीकृति दे दी, तब भगवान् श्रीकृष्ण नन्दनवनमें गये और वहाँ बहुत-से पारिजात वृक्षोंका अवलोकन करने लगे। उन सबके बीचमें एक महान् वृक्ष था, जो बहुत-सी मञ्जरियोंके पुञ्जको धारण किये अनुपम शोभा पा रहा था। कहते हैं, वह वृक्ष क्षीरसागरके मन्थनसे प्रकट हुआ था। उससे कमलकी-सी सुगन्ध

निकल रही थी। वह देवताओंके लिये सुखद वृक्ष ताँबेके समान रंगवाले नूतन पल्लवोंसे परिवेष्टित था। वह सुन्दर दिव्य वृक्ष उस वनका विभूषण था और उसकी छाल सुनहले रंगकी थी॥ ६—८॥

उस पारिजात वृक्षको देखकर मानिनी सत्यभामाने माधवसे कहा—'श्रीकृष्ण! इस सम्पूर्ण वनमें यही वृक्ष सबसे श्रेष्ठ है। अत: मैं इसीको पसंद करती हूँ।' प्रियाके इस प्रकार कहनेपर जगदीश्वर श्रीकृष्णने हँसते हुए पारिजात वृक्षको उखाड़कर लीलापूर्वक गरुडकी पीठपर रख लिया। उसी समय क्रोधसे भरे हुए समस्त वनपाल धनुष-बाण धारण किये उठे और फड़कते हुए ओठोंसे श्रीकृष्णको सम्बोधित करके इस प्रकार कहने लगे—'ओ मनुष्य! यह इन्द्रवल्लभा महारानी शचीका वृक्ष है। तुमने क्यों इसका अपहरण किया है? अपनी इच्छासे अकस्मात् हम सबको तिनकेके समान समझकर—हमारा अपकार करके तुम कहाँ जाओगे? पूर्वकालमें समुद्र-मन्थनके समय देवताओंने इन्द्राणीकी प्रसन्नताके लिये इस वृक्षको उत्पन्न किया है। इसे लेकर तुम सकुशल नहीं रह सकोगे। जिन्होंने पहले समस्त पर्वतोंके पंख काट गिराये थे, उन वृत्रासुरनिषूदन वीर महेन्द्रको जीतकर ही तुम इस वृक्षको ले जा सकोगे। अत: महावीर! पारिजातको यहीं छोड़कर चले जाओ। हम देवराज इन्द्रके अनुचर हैं, इसलिये यह वृक्ष तुम्हें नहीं ले जाने देंगे। जब साक्षात् पुरन्दर यह पारिजात वृक्ष तुम्हें दे देंगे, तब हम नहीं रोकेंगे। उस दशामें हम केवल वनके रक्षक होंगे। इस वृक्षके नहीं'॥ ९—१६॥

वनरक्षकोंका यह भाषण सुनकर सत्यभामा रोषसे तमतमा उठीं। नरेश्वर! श्रीहरि तो चुप रह गये, किंतु सत्यभामा निर्भय होकर उन रक्षकोंसे बोलीं॥ १७॥

सत्याने कहा—यदि यह पारिजात अमृत-मन्थनके समय समुद्रसे प्रकट हुआ है, तब तो यह सामान्यत: सम्पूर्ण लोकोंकी सम्पत्ति है। तुम्हारी शची अथवा देवराज इन्द्र इस पारिजातके कौन होते हैं? उन्हें अकेले इसपर अपना स्वत्व जतानेका क्या अधिकार है? समुद्रसे प्रकट हुई वस्तुको अकेले देवराज इन्द्र कैसे ले सकते हैं? वनरक्षको! जैसे अमृत, जैसे चन्द्रमा और जैसे लक्ष्मी समस्त संसारकी साधारण सम्पत्ति हैं, उसी प्रकार यह पारिजात वृक्ष भी। यदि अपने पतिके बाहुबलका भारी घमंड लेकर शची झूठे ही इसे अपने वशमें रोक रखना चाहती हैं तो जाओ, कह दो, क्षमा करनेकी आवश्यकता नहीं है; उनसे जो कुछ करते बने, कर लें। सत्यभामा पारिजात वृक्षका अपहरण करवा रही है। तुम शीघ्र जाकर उस पुलोम दानवकी पुत्रीको मेरी यह बात कह सुनाओ। जिसका एक-एक अक्षर अत्यन्त गर्व और उद्दण्डतासे भरा हुआ है, वह यह वचन सत्यभामा कहती है। यदि तुम पतिकी प्राणवल्लभा हो और यदि पतिदेव तुम्हारे वशमें हैं तो पारिजातका अपहरण करनेवाले मेरे पतिके हाथसे इस वृक्षको रोक लो। मैं तुम्हारे पति इन्द्रको भी जानती हूँ। तुम सब देवता क्या हो? यह सब मैं अच्छी तरह समझती हूँ तथापि मैं मानुषी होकर भी तुम्हारे इस पारिजातका अपहरण करवा रही हूँ। (तुम रोक सको तो, रोको)॥ १८—२३$\frac{१}{२}$॥

श्रीगर्गजी कहते हैं—श्रीकृष्णवल्लभाकी यह बात सुनकर बेचारे वनरक्षक सन्न हो गये। उन्होंने इन्द्राणीके निकट जाकर उनकी कही हुई सारी बातें ज्यों-की-त्यों सुना दीं। रक्षकोंकी बात सुनकर शचीको बड़ा रोष हुआ। देवराज इन्द्र श्रीकृष्णको रोकनेके लिये नहीं जा रहे थे; अत: वे खीझकर बोलीं॥ २४-२५$\frac{१}{२}$॥

शचीने कहा—देवराज! तुम वज्रधारी हो। पाकशासन और वृत्रासुरके विनाशक हो। तुम्हें तिनकेके समान समझकर अत्यन्त बलशाली माधवने अपनी प्रियतमा सत्यभामाके लिये मेरा पारिजात ले लिया है; अत: तुम उस वृक्षराजको उनके हाथसे छुड़ाओ—छीन लो। श्रीकृष्ण सत्यभामाके वशमें रहनेवाले हैं—वे नारीके हाथके खिलौने हैं। तुम महासमरमें उन्हें पराजित करके पारिजातको अपने अधिकारमें कर लो। तुमने पूर्वकालमें वज्रसे पर्वतोंके पंख काट डाले हैं, अत: भय छोड़कर देवताओंकी सेना साथ ले युद्धके लिये जाओ॥ २६—२८$\frac{१}{२}$॥

शचीकी यह बात सुनकर नमुचिसूदन इन्द्रने भयभीत होनेके कारण जब युद्धके लिये मन नहीं उठाया, तब कोपभरी पत्नीने उन्हें बारंबार प्रेरित किया,

तब इन्द्र मदमत्त हो क्रोधपूर्वक श्रीकृष्णकी निन्दा करते हुए बोले॥ २९-३० $\frac{१}{२}$ ॥

इन्द्रने कहा—सुमुखि! जिसने तुम्हारा पारिजात लिया है, उसे युद्धभूमिमें सौ पर्ववाले वज्रसे मैं निश्चय ही मार गिराऊँगा॥ ३१ $\frac{१}{२}$ ॥

राजन्! ऐसा कहकर इन्द्र ऐरावत हाथीपर आरूढ़ हुए। उस हाथीके तीन शुण्डा-दण्ड थे। उसकी पीठपर लाल रंगका कम्बल या कालीन शोभा पाता था। चार दाँत उस गजराजकी शोभा बढ़ाते थे। वह सुन्दर हाथी अपनी श्वेत प्रभाके कारण हिमालय पर्वतके समान प्रतीत होता था। सोनेकी साँकलसे उसके पाँवकी बड़ी शोभा होती थी। वह महान् गजराज देवताओंसे घिरा हुआ था। उस समय यम, अग्नि और वरुण आदि समस्त मरुद्गण देवराजके साथ हो गये। ग्यारह रुद्र, बारह सूर्य, आठ वसु, कुबेर आदि लोकपाल, विद्याधर, गन्धर्व, साध्यगण तथा पितृगण आदि तैंतीस करोड़ देवता इन्द्रका अनुसरण करनेके लिये आये। ये सब-के-सब कुपित हो श्रीकृष्णके सम्मुख युद्ध करनेके लिये पधारे थे। इनमेंसे कुछ देवताओंको तो देवराज इन्द्रने अपनी सहायताके लिये बुलवाया था और कुछको देवर्षि नारदजीने स्वयं प्रेरणा देकर भेजा था। इन्द्र हाथमें वज्र लेकर खड़े हुए। साथ ही दूसरे-दूसरे देवता परिघ, खड्ग, गदा, शूल और फरसे लेकर युद्धके लिये तैयार हो गये॥ ३२—३८॥

इस प्रकार श्रीगर्गसंहिताके अन्तर्गत अश्वमेधचरित्र-सुमेरुमें 'पारिजात-हरण' नामक चौथा अध्याय पूरा हुआ॥ ४॥

पाँचवाँ अध्याय

देवराज और उनकी देवसेनाके साथ श्रीकृष्णका युद्ध तथा विजयलाभ; पारिजातका द्वारकापुरीमें आरोपण

श्रीगर्गजी कहते हैं—राजन्! श्रीकृष्णचन्द्रने जब देखा कि देवराज इन्द्र गजराज ऐरावतपर विराजमान हो देवताओंसे घिरकर युद्धके लिये उपस्थित हैं, तब उन्होंने स्वयं शङ्ख बजाया और उसकी ध्वनिसे सम्पूर्ण दिशाओंको भर दिया। साथ ही वज्रोपम बाण-समूहोंकी वर्षा प्रारम्भ कर दी। उस समय दिशाओं और आकाशको बहुसंख्यक बाणोंसे व्याप्त देख समस्त देवता चक्रधारी श्रीकृष्णचन्द्रके ऊपर बाणोंकी वृष्टि करने लगे। नरेश्वर! भगवान् श्रीकृष्णने देवताओंके छोड़े हुए एक-एक अस्त्र-शस्त्रके अपने बाणोंद्वारा लीलापूर्वक सहस्र-सहस्र टुकड़े कर डाले। पाशधारी वरुणके नागपाशको सर्पभोजी गरुड काट डालते थे। यमराजके चलाये हुए लोकभयंकर दण्डको भगवान् श्रीकृष्णने गदाके आघातसे अनायास ही भूमिपर गिरा दिया। फिर चक्रका प्रहार करके कुबेरकी शिबिकाको तिल-तिल करके काट डाला। सूर्यदेवको क्रोधपूर्ण दृष्टिसे देखकर श्रीकृष्णने हतप्रतिभ कर दिया। महान् अग्नि देवको सामने आया देख श्रीहरिने मुखसे पी लिया। तदनन्तर रुद्रगणोंके द्वारा छोड़े गये त्रिशूलोंको श्रीहरिने रोषपूर्वक चक्रसे छिन्न-भिन्न कर डाला और भुजाओंसे मार-मारकर रुद्रोंको धराशायी कर दिया। भूपते! तदनन्तर मरुद्गण, साध्यदेव और विद्याधरोंने माधवके ऊपर बाणसमूहोंकी वर्षा आरम्भ की। बाणोंकी वर्षा करती हुई समस्त देवसेनाको सामने आयी देख सत्यभामाको युद्धस्थलमें बड़ा भारी भय हो गया। उन्हें डरी हुई देख गोविन्दने कहा—'सत्ये! भय न करो। मैं यहाँ आयी हुई सारी देवसेनाका संहार कर डालूँगा, इसमें संशय नहीं है'॥ १—११॥

—ऐसा कहकर कुपित हुए भगवान् श्रीकृष्णने शार्ङ्गधनुषसे छूटे हुए बाणोंद्वारा देवताओंको उसी प्रकार मार भगाया, जैसे सिंह अपने पञ्जोंकी मारसे सियारोंको खदेड़ देता है। तदनन्तर कंसनिषूदन श्रीकृष्णने कुपित होकर गरुडसे कहा—'विनता-नन्दन! तुमने इस रणमण्डलमें युद्ध नहीं किया।' यह सुनकर विष्णुरथ गरुडने कुपित हो पत्नीसहित श्रीकृष्णको कंधेपर धारण किये हुए ही पञ्जों और

पंखोंसे तत्काल युद्ध आरम्भ कर दिया। वे अपनी चोंचसे देवताओंको चबाते और घायल करते हुए युद्धभूमिमें विचरने लगे। गरुडकी मार खाकर देवता-लोग इधर-उधर भागने लगे। राजन्! इन्द्र और उपेन्द्र दोनों महाबली वीर एक-दूसरेपर बाणोंकी वर्षा करते हुए जलकी धारा बरसानेवाले दो मेघोंके समान शोभा पाते थे। राजेन्द्र! उस समय गरुड ऐरावत हाथीके साथ युद्ध करने लगे। हाथीने अपने दाँतोंके आघातसे गरुडको चोट पहुँचायी और गरुडने भी अपनी चोंच और पंखोंकी मारसे ऐरावतको छिन्न-भिन्न कर डाला॥ १२—१७ $\frac{1}{2}$ ॥

यदुकुलतिलक श्रीकृष्ण अकेले ही समस्त देवताओं तथा वज्रधारी इन्द्रके साथ जूझ रहे थे। भगवान् श्रीकृष्ण इन्द्रपर और इन्द्र मधुसूदन श्रीकृष्णपर क्रोधपूर्वक बाणोंकी वर्षा करने लगे। वे दोनों एक-दूसरेको जीतनेकी इच्छा लिये जूझ रहे थे। जब सारे अस्त्र-शस्त्र और बाण कट गये, तब इन्द्रने तत्काल ही वज्र उठा लिया और भगवान् श्रीकृष्णने चक्र हाथमें ले लिया। देवेश्वरको वज्र और नरेश्वर श्रीकृष्णको चक्र हाथमें लिये देख उस समय चराचर प्राणियोंसहित तीनों लोकोंमें हाहाकार मच गया। वज्रधारी इन्द्रके चलाये हुए वज्रको भगवान् श्रीकृष्णने बायें हाथसे पकड़ लिया, परंतु अपना चक्र उनपर नहीं छोड़ा। केवल इतना ही कहा—'खड़ा रह, खड़ा रह।' इन्द्रके हाथमें वज्र नहीं था। गरुडने उनके वाहनको क्षत-विक्षत कर दिया था। वे लज्जित और भयभीत होकर भागने लगे। उन्हें इस दशामें देखकर सत्यभामा हँसने लगीं॥ १८—२३॥

राजन्! उधर शचीने जब देखा कि इन्द्र युद्धमें पीठ दिखाकर चले आये, तो वे रोषसे आगबबूला हो गयीं और फटकारकर बोलीं—'देवेश्वर! आप देवताओंकी विशाल सेनाके साथ रहकर माधवके साथ युद्ध कर रहे थे, तथापि उन्होंने अकेले ही रणक्षेत्रमें आपको पराजित कर दिया। अतः आपके बल-पराक्रमको धिक्कार है। देवाधम! तुम चुपचाप तमाशा देखो। मैं स्वयं युद्धस्थलमें जाकर श्रीकृष्ण-को परास्त करूँगी और पारिजातको छुड़ा लाऊँगी, इसमें संदेह नहीं'॥ २४-२५ $\frac{1}{2}$ ॥

श्रीगर्गजी कहते हैं—राजन्! ऐसा कहकर क्रोधसे भरी हुई शची शीघ्र ही शिविकापर आरूढ़ हो युद्धकी इच्छासे प्रस्थित हुईं। फिर समस्त देवता उनके साथ युद्धके मैदानमें गये। शचीको आयी देख श्रीकृष्णके मनमें युद्धके लिये उत्साह नहीं हुआ। तब सत्यभामाके अधर रोषसे फड़कने लगे। वे श्रीहरिसे बोलीं—'प्रभो! अब मैं शचीके साथ युद्ध करूँगी।' उनकी बात सुनकर श्रीकृष्णने हँसते हुए सुदर्शन चक्र उनके हाथमें दे दिया और स्वयं पारिजातको गरुडपर रखकर उसे पकड़ लिया। जब श्रीहरिप्रिया सत्यभामा क्रोधपूर्वक युद्ध करनेपर उतर आयीं, तब ब्रह्माण्डमें सर्वत्र महान् कोलाहल मच गया। नरेश्वर! ब्रह्मा और इन्द्र आदि सब देवता भयभीत हो गये। राजन्! उसी समय इन्द्रकी प्रेरणासे देवगुरु बृहस्पतिजी वहाँ आये। आकर उन्होंने युद्धकी इच्छा रखनेवाली पुलोमपुत्री शचीको रोका॥ २६—३१ $\frac{1}{2}$ ॥

श्रीबृहस्पति बोले—शची! मेरी बात सुनो। यह अनेक प्रकारकी बुद्धि और विचार देनेवाली है। श्रीकृष्ण तो साक्षात् भगवान् हैं और बुद्धिमती सत्यभामा साक्षात् लक्ष्मी। देवेन्द्रवल्लभे! तुम उनके साथ कैसे युद्ध करोगी? अतः इन्द्रके प्रति अवहेलना छोड़कर घरको लौट चलो। सत्यभामाको पारिजात देकर समस्त देवताओंकी भयसे रक्षा करो। जिनके भयसे हवा चलती है, जिनके डरसे आग जलती और जलाती है, जिनके भयसे मृत्यु सर्वत्र विचरती है, जिनके डरसे सूर्यदेव तपते हैं तथा ब्रह्मा, शिव एवं इन्द्र जिनसे सदा भयभीत रहते हैं, उन श्रीकृष्णको जो भौमासुरका वध करके यहाँ आये हैं, तुम अच्छी तरह नही जानतीं॥ ३२—३६॥

श्रीगर्गजी कहते हैं—देवगुरुकी यह बात सुनकर शची लज्जित हो सत्यभामा और श्रीकृष्णको नमस्कार करके अपने-आपको धिक्कारती हुई घरको लौट गयीं। तत्पश्चात् लज्जित हुए इन्द्रको नमस्कार करते देख श्रीकृष्णप्रिया सत्यभामाने कहा—'देवेन्द्र! अपने हाथसे वज्रके निकल जानेसे लज्जाका अनुभव न करो। द्वन्द्व-युद्धमें दोमेंसे एककी पराजय

अवश्यम्भावी है।' उनका यह कथन सुनकर पाकशासन बोले॥ ३७—३९॥

इन्द्रने कहा—देवि! जिस आदि और मध्यसे रहित परमात्मामें यह सम्पूर्ण जगत् विद्यमान है, जिनसे इसकी उत्पत्ति हुई है तथा जिन सर्वभूतमय परमेश्वरसे ही इसका संहार होनेवाला है, उन सृष्टि, पालन और संहारके कारणभूत परमेश्वरसे पराजित हुए पुरुषको लज्जा कैसे हो सकती है? जो समस्त भुवनोंकी उत्पत्तिके स्थान हैं, जिनकी अत्यन्त सूक्ष्म मूर्ति—जिनका निर्गुण-निराकार शरीर कुछ और ही है, अर्थात् अनिर्वचनीय होनेके कारण जिसका शब्दोंद्वारा प्रतिपादन नहीं हो सकता, जो समस्त ज्ञातव्य तत्त्वोंके जानकार हैं, ऐसे सर्वज्ञ महात्मा ही जिनके उस स्वरूपको जान पाते हैं, दूसरे लोग उसे कदापि नहीं जानते हैं, उन्हीं अजन्मा, नित्य, सनातन परमेश्वरको, जो स्वेच्छासे ही जगत्के उपकारके लिये मानव-शरीर धारण करके विराज रहे हैं, कौन जीत सकता है?॥ ४०-४१॥

सत्यभामासे ऐसा कहकर इन्द्र चुप हो गये, तब भगवान् श्रीकृष्ण हँसकर गम्भीर वाणीमें बोले—'शक्र! आप देवताओंके राजा हैं और हमलोग भूतलवासी मनुष्य। मैंने यहाँ आकर जो अपराध किया है, उसे क्षमा कर दें। देवराज! यह रहा आपका पारिजात, इसे इसके योग्य स्थानपर ले जाइये। मैंने तो सत्यभामाके कहनेसे इसको ले लिया था। आपने मुझपर जिसका प्रहार किया था, वह वज्र यह रहा; इसे ग्रहण कीजिये। शुनासीर! यह आपका ही अस्त्र है और आपके वैरियोंपर प्रयुक्त होकर यह उनका निवारण कर सकता है॥ ४२—४५॥

इन्द्रने कहा—श्रीकृष्ण! अपने विषयमें 'मैं मनुष्य हूँ'—ऐसा कहकर आप क्यों मुझे मोहमें डाल रहे हैं? हम जानते हैं, आप जगदीश्वर हैं। हम आपके सूक्ष्म स्वरूपको नहीं जानते। नाथ! आप जो हों, सो हों, जगत्के उद्धारकार्यमें आप लगे हुए हैं। गरुडध्वज! आप जगत्के कण्टकोंका शोधन करते हैं। श्रीकृष्ण! इस पारिजातको आप द्वारकापुरीमें ले जाइये। जब आप मनुष्यलोकको त्याग देंगे, तब यह भूतलपर नहीं रहेगा। गोविन्द! उस समय यह स्वयं ही स्वर्गलोकमें आ जायगा॥ ४६—४८ $\frac{1}{2}$॥

श्रीगर्गजी कहते हैं—राजन्! यह विनययुक्त वचन सुनकर वज्रधारीको उनका वज्र लौटाकर, देवेश्वरोंसे अपनी स्तुति सुनते हुए द्वारकानाथ श्रीकृष्ण द्वारकामें लौट आये। वहाँके आकाशमें स्थित होकर उन्होंने शङ्ख बजाया। नरेश्वर! उस शङ्खध्वनिसे उन्होंने द्वारकावासियोंके हृदयमें आनन्द उत्पन्न किया और गरुडसे उतरकर सत्यभामाके साथ महलमें आये। उन्होंने सत्यभामाके गृहोद्यानमें पारिजातको आरोपित कर दिया। उसपर स्वर्गीय पक्षी निवास करते थे और वहींके भ्रमर उसके सुगन्धित मकरन्दका पान करते थे। माधवने माधवमासमें एक ही मुहुर्तके भीतर अलग-अलग घरोंमें उन समस्त राजकन्याओंके साथ धर्मतः विवाह किया, जिन्हें वे प्राग्ज्योतिषपुरसे द्वारकामें लाये थे। उनकी रानियोंकी संख्या सोलह हजार एक सौ आठ थी। परिपूर्णतम श्रीहरिने उतने ही रूप बनाकर उनके साथ विवाह किया। उन अमोघगति परमेश्वरने जितनी अपनी भार्याएँ थीं, उनमेंसे प्रत्येकके गर्भसे दस-दस पुत्र उत्पन्न किये॥ ४९—५५॥

इस प्रकार श्रीगर्गसंहिताके अन्तर्गत अश्वमेधखण्डमें 'पारिजातका आनयन' नामक पाँचवाँ अध्याय पूरा हुआ॥ ५॥

छठा अध्याय

श्रीकृष्णके अनेक चरित्रोंका संक्षेपसे वर्णन

श्रीगर्गजी कहते हैं—राजन्! अब मैं पुनः तुम्हारे समक्ष श्रीहरिके यशका संक्षेपसे वर्णन करूँगा। एक समय भगवान् श्रीकृष्णने रुक्मिणीके साथ अद्भुत हास्यविनोद किया था। अनिरुद्धके विवाहमें उन्होंने अपने भाई बलरामजीके द्वारा रुक्मिणीके भाई रुक्मीका वध करा दिया। बाणासुरकी पुत्री ऊषाने एक स्वप्न देखा

और उसकी चर्चा अपनी सखी चित्रलेखासे की। चित्रलेखाने श्रीहरिके पौत्र अनिरुद्धका अपहरण कर लिया। कन्याके अन्तःपुरमें पाये जानेके कारण बाणासुरने उन्हें कारागारमें डाल दिया। फिर तो बाणासुरके साथ यादवोंका घोर युद्ध हुआ। साक्षात् भगवान् श्रीकृष्ण तथा शंकरजीमें युद्ध छिड़ गया। उस समय माहेश्वर-ज्वर और वैष्णव-ज्वर भी आपसमें लड़ गये। पराजित हुए माहेश्वर-ज्वरने भगवान् श्रीकृष्णकी स्तुति की॥ १—३॥

भगवान् श्रीकृष्णके द्वारा जब बाणासुरकी भुजाओंका छेदन होने लगा, तब उस असुरकी जीवन-रक्षाके लिये रुद्रदेवने भगवान्का स्तवन किया। अनिरुद्धको ऊषाकी प्राप्ति हुई। यादव-बालकोंके समक्ष भगवान्ने राजा नृगकी कथा कही और उनका उद्धार किया। बलरामजीने एक समय व्रजकी यात्रा की, उस समय दीर्घकालके बाद उन्हें देखकर गोपियोंने विलाप किया। गोपियोंद्वारा उनका स्तवन भी किया गया। बलरामजीने वृन्दावन-विहारके लिये यमुनाजी-की धाराको हलके अग्रभागसे खींच लिया। भगवान् श्रीकृष्णके द्वारा काशिराज पौण्ड्रकका वध किया गया। काशिराजके पुत्रोंने पुरश्चरण करके कृत्या उत्पन्न की, जिसने द्वारकापर आक्रमण किया। फिर सुदर्शनचक्रने कृत्याको जलाकर काशीपुरीको भी दग्ध कर दिया। रैवतक पर्वतपर बलरामने 'द्विविद' नामक वानरका वध किया। दुर्योधन आदिने जब साम्बको हस्तिनापुर-के बन्धनागारमें बंद कर दिया, तब वहाँ बलरामजीका पराक्रम प्रकट हुआ। उग्रसेनके राजसूय यज्ञमें श्रीहरिने शकुनिका वध किया। देवर्षि नारदने द्वारकामें भगवान् श्रीकृष्णकी गृहस्थजनोचित लीलाओंका दर्शन किया॥ ४—७॥

भगवान् श्रीकृष्णकी दिनचर्या, बंदी राजाओंके द्वारा भेजे गये दूतके मुखसे श्रीहरिकी स्तुति, भगवान्का यादवों तथा उद्धवके साथ इन्द्रप्रस्थगमन, गिरिव्रजमें भीमसेनके द्वारा जरासंधका वध, जरासंधपुत्र सहदेव-का राज्याभिषेक, बन्धनमुक्त हुए राजाओंद्वारा श्रीकृष्णकी स्तुति, राजसूय यज्ञमें श्रीहरिकी अग्रपूजा, शिशुपालका वध, दुर्योधनके अभिमानका खण्डन, प्रद्युम्न और शाल्वका सत्ताईस दिनोंतक युद्ध, श्रीकृष्णका द्वारकामें आगमन, शाल्व, दन्तवक्र और उसके भाई विदूरथका श्रीकृष्णके हाथसे लीलापूर्वक वध आदि वृत्तान्त घटित हुए॥ ८—११॥

राजन्! तदनन्तर कौरवोंने हस्तिनापुरमें कपट-द्यूतका आयोजन करके उसमें भाइयों और भार्या-सहित युधिष्ठिरको हराया तथा वे अपनी माता कुन्ती-को विदुरके घरमें रखकर वनको चले गये। वहाँ जाकर उन्होंने बहुत दिनोंतक विभिन्न वन्यप्रदेशोंमें निवास किया। तत्पश्चात् दुर्योधन राजा बन बैठा और बड़ी प्रसन्नताके साथ पृथ्वीका पालन करने लगा; परंतु पाण्डुपुत्र युधिष्ठिरके चले जानेपर प्रजाजनोंने उसका अभिनन्दन नहीं किया। वनमें रहकर कष्ट उठानेवाले पाण्डवोंसे एक दिन बलराम और श्रीकृष्ण मिले और दोनोंने उन्हें धीरज बँधाया। पाण्डवोंसे मिलकर श्रीकृष्ण द्वारका लौट आये। उन्होंने उग्रसेन-की सुधर्मा-सभामें कौरवोंकी सारी कुचेष्टाएँ कह सुनायीं। वह सब सुनकर समस्त यादव विस्मित होकर बोले॥ १२—१६ $\frac{1}{2}$॥

यादवोंने कहा—अहो! राजा धृतराष्ट्रने यह क्या किया? उन्होंने दीन-दयनीय भतीजोंको कपट-द्यूतमें जीतकर अधर्मपूर्वक घरसे निकाल दिया। राज्यलोलुप कौरव अपने अधर्मसे नष्ट हो जायँगे और भगवान् पाण्डवोंको राज्य-सम्पत्ति प्रदान करेंगे॥ १७-१८ $\frac{1}{2}$ ॥ ॥

श्रीगर्गजी कहते हैं—नृपेश्वर! यादवोंकी यह बात सुनकर भगवान् श्रीकृष्ण सायंकाल अपने घरमें आये और माताको प्रणाम किया। पुत्रको आया और प्रणाम करता देख देवकीने प्रसन्नतापूर्वक शुभ आशीर्वाद दिया और उस सती-साध्वी देवीने बड़े प्यारसे उनको भोजन कराया। तत्पश्चात् श्रीकृष्ण अपनी रानियोंके महलमें आये और प्रियाजनोंसे पूजित हो वहीं शयन किया॥ १९—२२॥

इस प्रकार श्रीगर्गसंहिताके अंतर्गत अश्वमेधखण्डमें 'श्रीकृष्णचरित्र-वर्णन' नामक छठा अध्याय पूरा हुआ॥ ६॥

सातवाँ अध्याय

देवर्षि नारदका ब्रह्मलोकसे आगमन; राजा उग्रसेनद्वारा उनका सत्कार; देवर्षिद्वारा अश्वमेध यज्ञकी महत्ताका वर्णन; श्रीकृष्णकी अनुमति एवं नारदजीद्वारा अश्वमेध यज्ञकी विधिका वर्णन

श्रीगर्गजी कहते हैं—राजन्! एक समय देवर्षि नारद बलराम और श्रीकृष्णसे मिलनेके लिये अपनी वीणा बजाते और श्रीकृष्णलीलाओंका गान करते हुए ब्रह्मलोकसे चलकर समस्त लोकोंको देखते हुए भूतलपर आये। वे सूर्यदेवके समान तेजस्वी जान पड़ते थे। उनके साथ तुम्बुरु भी थे। पिङ्गलवर्णकी जटाओंका भार उनके मस्तककी शोभा बढ़ा रहा था। उनकी अङ्गकान्ति कुछ-कुछ श्याम थी, नेत्र मृगोंके नयनोंके समान विशाल थे, भालदेशमें केसरके तिलक शोभा दे रहे थे। वे पीले रंगके धौतवस्त्र तथा रेशमी पीताम्बर धारण किये हुए थे। रंगवल्लीकी माला और गोपीचन्दनसे मण्डित देवर्षि पंद्रह वर्षकी-सी अवस्था-से अत्यन्त सुशोभित होते थे॥ १—४॥

राजा उग्रसेन सुधर्मा-सभामें देवराजके दिये सिंहासनपर विराजमान थे। देवर्षिको आया देख वे उठकर खड़े हो गये और चरणोंमें प्रणाम करके उन्हें बैठनेके लिये सिंहासन दिया। फिर उनके चरण पखार-कर उत्तम विधिसे पूजन किया और चरणोदक मस्तक-पर रखकर राजा उग्रसेन नारदजीसे बोले॥ ५-६॥

श्रीउग्रसेनने कहा—देवर्षे! आपके दर्शनसे आज मेरा जन्म सफल हो गया, मेरा सदन सार्थक हो गया और मेरा तन-मन एवं जीवन कृतार्थ हो गया। जो काम तथा क्रोधसे रहित हैं, उन देवर्षिशिरोमणि महात्मा भगवान् नारदको नमस्कार है। प्रभो! आज्ञा कीजिये, आप किस प्रयोजनसे यहाँ पधारे हैं?॥ ७-८ $\frac{१}{२}$॥

देवताओंके समान देदीप्यमान दिखायी देनेवाले देवर्षि नारद राजाका यह विनययुक्त वचन सुनकर मनही-मन श्रीहरिसे प्रेरित हो उन नृपश्रेष्ठसे बोले॥ ९ $\frac{१}{२}$॥

नारदने कहा—यादवराज! महाराज! पृथ्वी-नाथ! तुम धन्य हो; तुम्हारे भक्तिभावके कारण ही भगवान् श्रीकृष्ण बलरामजीके साथ इस भूतलपर निवास करते हैं। तुमने पूर्वकालमें मेरे ही कहनेसे क्रतुश्रेष्ठ राजसूय यज्ञका अनुष्ठान किया था, जो भगवान् श्रीकृष्णकी कृपासे द्वारकापुरीमें सुखपूर्वक सम्पादित हुआ था। उस यज्ञके अनुष्ठानसे तीनों लोकोंमें तुम्हारी कीर्ति फैल गयी थी। राजसूय तथा अश्वमेध—इन दो यज्ञोंका सम्पादन चक्रवर्ती नरेशोंके लिये अत्यन्त कठिन होता है। परंतु राजेन्द्र! तुम हरिभक्तसम्राट् हो; अतः तुम्हारे लिये दोनों सुलभ हैं। नरेश्वर! दोनों यज्ञोंमेंसे एक—राजसूय यज्ञको तो तुमने और राजा युधिष्ठिरने भगवान् श्रीकृष्णकी आज्ञासे पूर्ण कर लिया है। युधिष्ठिरके बाद द्वापरके अन्तमें यज्ञप्रवर अश्वमेधका अनुष्ठान भारतवर्षमें दूसरे किसी भी राजाने नहीं किया है। वह यज्ञ समस्त पापोंका नाश करनेवाला तथा मोक्षदायक है। द्विजघाती, विश्वहन्ता तथा गोहत्यारे भी अश्वमेध यज्ञसे शुद्ध हो जाते हैं; इसलिये सम्पूर्ण यज्ञोंमें अश्वमेधको सर्वश्रेष्ठ बताया जाता है। नृपश्रेष्ठ! जो निष्कामभावसे अश्वमेध यज्ञका अनुष्ठान करता है, वह भगवान् गरुडध्वजके उस परमधाममें जाता है, जो सिद्धोंके लिये भी दुर्लभ है॥ १०—१७॥

नरेश्वर! देवर्षिका यह वचन सुनकर राजा उग्रसेनने यज्ञप्रवर अश्वमेधके अनुष्ठानका विचार किया। उसी समय बलरामसहित श्रीकृष्णको अपने निकट आया देख राजा उग्रसेनने उनका पूजन करके उन्हें आसनपर बिठाया और देवर्षिके साथ इस प्रकार कहा॥ १८-१९॥

उग्रसेन बोले—देवदेव! जगन्नाथ! जगदीश्वर! जगन्मय! वासुदेव! त्रिलोकीनाथ! मेरी बात सुनिये। हरे! मेरे बेटे कंसने बड़े-बड़े असुरोंके साथ मिलकर बिना अपराधके सहस्रों बालक मार डाले हैं। गोविन्द! उस पापीकी मुक्ति कैसे होगी? बालघाती कंस किस लोकमें गया है, यह मुझे बताइये।

जगदीश्वर! उसके पापसे मैं भी डर गया हूँ। पुत्रके पापसे पिता निश्चय ही नरकमें पड़ता है। इसी प्रकार पिताके पापसे पुत्रको नरकमें गिरना पड़ता है। अतः माधव! कृपापूर्वक बताइये, मैं कंसके उद्धारके लिये किस उपायका अवलम्बन करूँ? जगत्पते! आज नारदजीने जो बात बतायी है, उसे सुनिये—'ब्रह्म-हत्यारा, विश्वघाती तथा गोघातक भी अश्वमेध यज्ञके अनुष्ठानसे शुद्ध हो जाता है।' उस यज्ञमें मेरा मन लग गया है। यदि आप आज्ञा दें तो मैं उसका अनुष्ठान करूँ॥ २०—२५ $\frac{1}{2}$ ॥

श्रीगर्गजी कहते हैं—उग्रसेनकी यह बात सुनकर मदनमोहन भगवान् श्रीकृष्ण मन-ही-मन बड़े प्रसन्न हुए और पृथ्वीको भारसे पीड़ित देख इस प्रकार विचार करने लगे—"अहो! मैंने अनेक बार पृथ्वीका भार उतारा है, तथापि वह भार भूमण्डलमें अबतक है ही। उसका निवारण अश्वमेध यज्ञसे ही होगा। विदूरथके वधके अवसरपर मैंने यह प्रतिज्ञा की थी कि 'अब मैं युद्धके मैदानमें शत्रुओंको अपने हाथसे नहीं मारूँगा'। इस कारण स्वयं तो युद्धके लिये नहीं जाऊँगा; परंतु अपने पुत्रों तथा अन्य यदुवंशियोंको अवश्य युद्धके लिये भेजूँगा। अश्वमेध तो एक बहाना होगा। मैं उसीकी आड़में सम्पूर्ण पृथ्वीको जीतनेका प्रयास करूँगा।" राजन्! मन-ही-मन ऐसा सोचकर भगवान् श्रीकृष्ण सुधर्मा-सभामें हँसते हुए उग्रसेनसे बोले॥ २६—३० $\frac{1}{2}$ ॥

श्रीकृष्णने कहा—महाराज! कंस मेरे हाथसे मारा गया है, अतः निश्चय ही वैकुण्ठधामको गया है और वहाँ मेरे-जैसा स्वरूप धारण करके नित्य निवास करता है। राजेन्द्र! प्रतिदिन मेरा दर्शन करनेके कारण तुम भी पापरहित हो, तथापि तुम अश्वमेध यज्ञका अनुष्ठान अवश्य करो। पापनाश या कंसके उद्धारके लिये नहीं, अपने यशके विस्तारके लिये करो। भूपाल! इस यज्ञसे भूतलपर तुम्हारी विशाल कीर्ति फैलेगी॥ ३१—३३ ॥

राजन्! अनायास ही महान् कर्म करनेवाले भगवान् श्रीकृष्णका यह कथन सुनकर उस समय राजा उग्रसेन बड़े प्रसन्न हुए और यह उत्तम वचन बोले॥ ३४॥

राजाने कहा—गोविन्ददेव! अब मैं यज्ञोंमें श्रेष्ठ अश्वमेधका अनुष्ठान अवश्य करूँगा और वह आपकी कृपासे शीघ्र पूर्ण हो जायगा। अब आप अश्वमेधका सारा विधिविधान मुझे विस्तारपूर्वक बताइये॥ ३५ $\frac{1}{2}$ ॥

राजाका यह वचन सुनकर विस्तृत यशवाले भगवान् श्रीकृष्ण बोले—'यदुकुलतिलक महाराज! अश्वमेध यज्ञकी विधि आप देवर्षि नारदजीसे पूछिये। ये सब कुछ जानते हैं, अतः आपके सामने उसका वर्णन करेंगे।' राजन्! श्रीहरिका यह वचन सुनकर यदुराज उग्रसेन आनन्दमग्न हो गये। नरेश्वर! उन्होंने सभामें बैठे हुए देवर्षिसे इस प्रकार पूछा—'देवर्षे! अश्वमेध यज्ञमें घोड़ा कैसा होना चाहिये? उसमें भाग लेनेवाले श्रेष्ठ द्विजोंकी संख्या कितनी होनी चाहिये? ब्रह्मन्! उसमें दक्षिणा कैसी हो तथा मुझ यजमानको किस तरहके व्रतका पालन करना चाहिये, यह सब बताइये'॥ ३६—३९ ॥

उग्रसेनकी यह बात सुनकर देवताओंके समान दर्शनीय देवर्षि नारद श्रीकृष्णके ऊपर प्रेमपूर्ण दृष्टि डालकर मुसकराते हुए-से बोले॥ ४० ॥

श्रीनारदजीने कहा—महाराज! विज्ञ पुरुषोंका कथन है कि इस यज्ञमें चन्द्रमाके समान श्वेत वर्णवाले अश्वका उपयोग होना चाहिये। उसका मुख लाल हो, पूँछ पीले रंगकी हो तथा वह देखनेमें मनोहर, सर्वाङ्ग-सुन्दर एवं दिव्य हो। उसके कान श्यामवर्णके तथा नेत्र सुन्दर होने चाहिये। नरेश्वर! चैत्र मासकी पूर्णिमा तिथिको वह अश्व स्वच्छन्द विचरनेके लिये छोड़ा जाना चाहिये। बड़े-बड़े वीर योद्धा एक वर्षतक साथ रहकर उस उत्तम अश्वकी रक्षा करें। जबतक वह अपने नगरमें न लौट आवे, तबतक उसकी प्रयत्नपूर्वक रक्षा की जानी चाहिये। यजमान उतने कालतक धैर्यसे रहें और प्रयत्नपूर्वक अपने उद्देश्यकी सिद्धिके लिये प्रयत्न करे। वह अश्व जहाँ-जहाँ मूत्र और पुरीष करे, वहाँ-वहाँ ब्राह्मणोंद्वारा हवन कराना तथा एक सहस्र गौओंका दान करना चाहिये। सोनेके पत्रपर अपने नाम और बलपराक्रमका सूचक वाक्य लिखकर उस अश्वके भालमें बाँध देना चाहिये तथा जगह-जगह यह

घोषणा करानी चाहिये—'समस्त राजालोग सुनें, मैंने यह अश्व छोड़ा है। यदि कोई राजा मेरे श्यामकर्ण अश्वको अभिमानवश बलपूर्वक पकड़ लेगा, उसे बलात् परास्त किया जायगा।' नरेश्वर! इस यज्ञके आरम्भमें बीस हजार ऐसे ब्राह्मणोंके वरण करनेका विधान है, जो वेदोंके विद्वान्, सम्पूर्ण शास्त्रोंके तत्त्वज्ञ, कुलीन और तपस्वी हों॥ ४१—४८॥

अब मैं इस यज्ञमें दी जानेवाली दक्षिणाके विषयमें बताता हूँ। तुम समर्थ हो, अतः सुनो। महाराज! अश्वमेध यज्ञमें ब्राह्मणोंकी दीर्घ दक्षिणा इस प्रकार है—प्रत्येक द्विजको एक हजार घोड़े, सौ हाथी, दो सौ रथ, एक-एक सहस्र गौ तथा बीस-बीस भार सुवर्ण देने चाहिये। यह यज्ञके प्रारम्भकी दक्षिणा है। यज्ञ समाप्त होनेपर भी इतनी ही दक्षिणा देनी चाहिये। असिपत्र-व्रतका नियम लेकर ब्रह्मचर्यपालनपूर्वक रात्रिमें पत्नीके साथ भूतलपर एक साथ शयन करना चाहिये। महाराज! एक वर्षतक ऐसे व्रतका पालन आवश्यक है। दीनजनोंको अन्न एवं बहुत धन देना चाहिये। राजेन्द्र! इस विधिसे यह यज्ञ पूर्ण होगा। असिपत्र-व्रतसे युक्त होनेपर यह यज्ञ बहुसंख्यक पुत्ररूपी फल प्रदान करनेवाला है। भीष्मके बिना दूसरा कौन ऐसा मनुष्य है, जो कामदेवको जीत सके। इसलिये भीरु हृदयके लोग इस कठिन एवं अद्भुत व्रतका पालन नहीं करते हैं। नृपश्रेष्ठ! यदि आपमें कामदेवको जीतनेकी शक्ति हो तो आप गर्गाचार्यको बुलाकर यज्ञका आरम्भ कर दीजिये॥ ४९—५६॥

इस प्रकार श्रीगर्गसंहिताके अन्तर्गत अश्वमेधखण्डमें 'यज्ञ-सम्बन्धी उद्योग वर्णन' नामक सातवाँ अध्याय पूरा हुआ॥ ७॥

आठवाँ अध्याय

यज्ञके योग्य श्यामकर्ण अश्वका अवलोकन

श्रीगर्गजी कहते हैं—देवर्षि नारदजीका सुस्पष्ट अक्षरोंसे युक्त यह वचन सुनकर राजर्षि उग्रसेन चकित हो गये। उन्होंने हँसते हुए-से उनसे कहा॥ १॥

राजा बोले—मुने! मैं अश्वमेध यज्ञ करूँगा। आप इस यज्ञके योग्य अश्वको मेरी अश्वशालामें जाकर देखिये। बहुत-से अश्वोंके बीचमेंसे उसको छाँट लीजिये॥ २॥

राजाकी यह बात सुनकर 'बहुत अच्छा' कहकर देवर्षि नारद यज्ञके योग्य अश्व देखनेके लिये भगवान् श्रीकृष्णके साथ अश्वशालामें गये। वहाँ जाकर उन्होंने धूम्रवर्ण, श्यामवर्ण, कृष्णवर्ण और पद्मवर्णके बहुत-से मनोहर अश्व देखे। फिर वहाँसे दूसरी अश्वशालामें गये। वहाँ दूध, जल, हल्दी, केसर तथा पलाशके फूलकी-सी कान्तिवाले बहुत-से अश्व दृष्टिगोचर हुए। कई घोड़े चितकबरे रंगके थे। कितनोंके अङ्ग स्फटिक शिलाके समान स्वच्छ थे। वे सभी मनके समान वेगशाली थे। कितने ही अश्व हरे और ताँबेके समान वर्णवाले थे। कुछ घोड़ोंके रंग कुसुम्भ-जैसे और कुछके तोतेके पाँख-जैसे थे। कोई इन्द्रगोपके समान लाल थे, कोई गौरवर्णके थे तथा कितने ही पूर्ण चन्द्रमाके समान धवल कान्तिवाले और दिव्य थे। बहुत-से अश्व सिन्दूरी रंगके थे। कितनोंकी कान्ति प्रज्वलित अग्निके समान जान पड़ती थी। कितने ही अश्व प्रातःकालिक सूर्यके समान अरुणवर्णके थे। नरेश्वर! ऐसे घोड़ोंको देखकर नारदजीको बड़ा आश्चर्य हुआ। वे श्रीकृष्णसहित राजा उग्रसेनसे हँसते हुए-से बोले॥ ३—८॥

नारदजीने कहा—महाराज! आपके सभी घोड़े बड़े सुन्दर हैं। ऐसे अश्व पृथ्वीपर अन्यत्र नहीं हैं। स्वर्गलोक और रसातलमें भी ऐसे घोड़े नहीं दिखायी देते। यह श्रीकृष्णकी कृपा है, जिससे आपकी अश्वशालामें ऐसे-ऐसे अश्व शोभा पाते हैं। परंतु इन सबमें एक भी ऐसा अश्व नहीं दिखायी देता, जो श्यामकर्ण हो॥ ९-१०॥

श्रीगर्गजी कहते हैं—देवर्षिका यह वचन सुनकर राजा उग्रसेन दुःखी हो गये। वे मन-ही-मन

सोचने लगे कि 'अब मेरा यज्ञ कैसे होगा' राजाको उदास देख भगवान् मधुसूदन हँसते हुए शीघ्र ही मेघके समान गम्भीर वाणीमें बोले॥ ११-१२॥

श्रीकृष्णने कहा—राजन्! मेरी बात सुनिये और सारी चिन्ता छोड़कर मेरी अश्वशालामें चलकर श्यामकर्ण घोड़ेको देखिये॥ १३॥

—यह सुनकर नृपश्रेष्ठ उग्रसेन श्रीकृष्ण और देवर्षि नारदके साथ उनकी अश्वशालामें गये। वहाँ जाकर उन्होंने यज्ञके योग्य सहस्रों श्यामकर्ण घोड़े देखे, जिनकी पूँछ पीली, अङ्गकान्ति चन्द्रमाके समान उज्ज्वल तथा गति मनके समान तीव्र थी। उन सबके मुख तपाये हुए सुवर्णके समान जान पड़ते थे। ऐसे शुभ-लक्षणसम्पन्न सर्वाङ्गसुन्दर और दिव्य अश्व देखकर राजाको बड़ा विस्मय हुआ। वे महान् हर्षसे उल्लसित हो श्रीकृष्णको मस्तक झुकाकर बोले॥ १४—१६ $\frac{१}{२}$ ॥

राजाने कहा—जगन्नाथ! आज मैंने यहाँ बहुत-से श्यामकर्ण घोड़े देखे। भला, आपके भक्तोंके लिये इस भूतलपर कौन-सी वस्तु दुर्लभ होगी। श्रीकृष्ण! जैसे पूर्वकालमें प्रह्लाद और ध्रुवका मनोरथ पूर्ण हुआ था, उसी प्रकार आपकी कृपासे मेरा भी मनोरथ अवश्य पूर्ण होगा॥ १७-१८ $\frac{१}{२}$ ॥

राजन्! ऐसा सुनकर शार्ङ्गधनुष धारण करनेवाले श्रीहरि राजासे इस प्रकार बोले॥ १९॥

श्रीकृष्णने कहा—नृपश्रेष्ठ! आप मेरी आज्ञासे इन चन्द्रके समान कान्तिमान् श्यामवर्ण अश्वोंमेंसे एकको लेकर यज्ञ आरम्भ कीजिये॥ २०॥

श्रीगर्गजी कहते हैं—श्रीहरिका यह आदेश सुनकर राजा उनसे बोले—'प्रभो! अब मैं क्रतुश्रेष्ठ अश्वमेधका अनुष्ठान करूँगा।' ऐसा कहकर वे श्रीकृष्ण और नारदजीके साथ राजसभामें गये। वहाँ तुम्बुरुसहित नारदजी श्रीकृष्णसे विदा ले राजाको आशीर्वाद देकर ब्रह्मलोकको चले गये॥ २१-२२॥

इस प्रकार श्रीगर्गसंहिताके अन्तर्गत अश्वमेधखण्डमें 'श्यामकर्ण अश्वका अवलोकन' नामक आठवाँ अध्याय पूरा हुआ॥ ८॥

नवाँ अध्याय

गर्गाचार्यका द्वारकापुरीमें आगमन तथा अनिरुद्धका अश्वमेधीय अश्वकी रक्षाके लिये कृतप्रतिज्ञ होना

श्रीगर्गजी कहते हैं—राजन्! तदनन्तर द्वारकापुरीमें देवर्षिप्रवर नारदजीके चले जानेपर राजाधिराज उग्रसेनने मुझे बुलानेके लिये अपने दूतोंको भेजा। उग्रसेनके वे दूत मेरे सामने आकर इस प्रकार बोले॥ १ $\frac{१}{२}$ ॥

दूतोंने कहा—देवदेव! ब्रह्मन्! भूदेव-शिरोमणे! मुने! कृपया हमारी सारी बातें विस्तारपूर्वक सुनिये—मुनीश्वर! द्वारकामें भगवान् श्रीकृष्णकी इच्छासे आपके बुद्धिमान् शिष्य महाराज उग्रसेनने क्रतुश्रेष्ठ अश्वमेधके अनुष्ठानका निश्चय किया है, मुने! उस यज्ञ-महोत्सवमें आप शीघ्र पधारें॥ २—४॥

उन दूतोंका यह कथन सुनकर मैं गर्गाचलसे द्वारकापुरीकी ओर चला। नृपश्रेष्ठ! उस यज्ञको देखनेके लिये मेरे मनमें बड़ा कौतूहल था। तदनन्तर आनर्तदेशमें दूरसे ही मुझे द्वारकापुरी दिखायी दी, जो नाना प्रकारके वृक्षों तथा अनेकानेक उपवनोंसे सुशोभित थी। बहुत-से सरोवर, बावलियाँ तथा नाना प्रकारके पक्षी उस पुरीकी शोभा बढ़ा रहे थे। नृपेश्वर! वहाँके सरोवरमें नीलकमल, रक्तकमल, श्वेतकमल और पीतकमल खिले हुए थे। कुमुद और शुक पुष्प भी उनकी शोभा बढ़ाते थे। बिल्व, कदम्ब, बरगद, साखू, ताड़, तमाल, बकुल (मौलसिरी), नागकेसर, पुन्नाग, कोविदार, पीपल, जम्बीर (नीबू), हरसिंगार, आम, आमड़ा, केवड़ा, गोस्तनी, कदली, जामुन, श्रीफल, पिण्ड-खर्जूर, खदिर, पत्रबिन्दु, अगर-तगर, चन्दन, रक्तचन्दन, पलाश, कपित्थ, पाकर, बेंत, बाँस, मल्लिका, जूही, मोदनी (मोगरा), मदनबाण, सूर्यमुखी, प्रियावंश, गुल्मवंश, खिले हुए कर्णिकार

(कनेर), सहस्त्र कन्दुक, अगस्त्य पुष्प, सुदर्शन, चन्द्रक, कुन्द, कर्णपुष्प, दाडिम (अनार), अनुजीर (अञ्जीर), नागरंग (नारंगी), आडुकी, सीताफल, पूगीफल, बादाम, तूल, राजादन, एला, सेवती, देवदारु तथा इसी तरहके अन्यान्य छोटे और बड़े वृक्षोंसे श्रीहरिकी नगरी द्वारका शोभा पा रही थी। राजेन्द्र! वहाँ मोर, सारस और शुक कलरव करते थे। हंस, परेवा, कबूतर, कोयल, मैना, चकवा, खञ्जरीट तथा चटक (गौरैया) आदि समस्त सुन्दर पक्षियोंके समुदाय वहाँ वैकुण्ठसे आये थे, जो मधुर वाणीमें 'कृष्ण, कृष्ण, कृष्ण' गा रहे थे॥ ५—१७॥

राजन्! इस तरह चलते-चलते मैंने द्वारकापुरी देखी, जो ताँबे, चाँदी और सुवर्णके बने हुए तीन दुर्गों (परकोटों) से घिरी हुई थी। दिव्य वृक्षोंसे परिपूर्ण रैवतक पर्वत (गिरनार), समुद्र तथा खाईका काम देनेवाली गोमती—इन सबसे घिरी हुई श्रीकृष्णनगरी द्वारकापुरी अत्यन्त रमणीय दिखायी देती थी। उस पुरीमें मङ्गलमय उत्सवकी सूचक बन्दनवारें लगी थीं। वहाँ सोनेके महल शोभा पाते थे और सदा हृष्ट-पुष्ट रहनेवाले लोगोंसे वह पुरी भरी हुई थी। सोनेके हाट-बाजारों तथा सुन्दर ध्वजा-पताकाओंसे द्वारका-पुरीकी अनुपम शोभा हो रही थी। वहाँ बहुत-से ऊँचे-ऊँचे विष्णु-मन्दिर तथा शिव-मन्दिर दृष्टिगोचर होते थे। बड़े-बड़े शौर्यसम्पन्न यादव-वीर उस पुरीकी शोभा थे। सहस्रों विमान, सैकड़ों चौराहे तथा चितकबरे कलश उस पुरीकी शोभामें चार चाँद लगा रहे थे। सड़कों, अश्वशालाओं, गजशालाओं, गोशालाओं तथा अन्यान्य शालाओंसे सुशोभित द्वारकापुरीकी सड़कोंपर सुन्दर चाँदीके पत्र जड़े गये थे। उस पुरीमें नौ लाख सुन्दर महल थे। परमात्मा श्रीकृष्णके सोलह हजार एक सौ आठ भव्य भवनोंसे द्वारकापुरी वेष्टित-सी दिखायी देती थी। राजन्! उस नगरीके द्वार-द्वारपर नियुक्त करोड़ों शूरवीर सब प्रकारके अस्त्र-शस्त्र लिये दिन-रात रक्षा करते थे। वहाँके सब लोग घर-घरमें भगवान् श्रीकृष्ण और बलरामके यश गाते और नाम तथा लीलाओंका कीर्तन सुनते थे। इस प्रकार सब कुछ देखता हुआ मैं सुधर्मा-सभामें गया। खड़ाऊँपर चढ़ा था और तुलसीकी मालासे 'कृष्ण' नामका जप कर रहा था। राजर्षि उग्रसेन मुझे आया देख बड़े प्रसन्न हुए और इन्द्रके सिंहासनसे उठकर खड़े हो गये। भूपाल! उनके साथ छप्पन करोड़ अन्य यादव भी थे। उन्होंने नमस्कार करके मुझे सिंहासनपर बिठाया और मेरी पूजा की। समस्त यादवोंके समीप मेरे दोनों चरण धोकर राजाधिराज उग्रसेनने चरणोदकको सिरपर चढ़ाया और कहा॥ १८—३०॥

उग्रसेन बोले—विप्रेन्द्र! मैं देवर्षि नारदके मुखसे जिसके महान् फलका वर्णन सुन चुका हूँ, उस 'अश्वमेध' नामक यज्ञका आपकी आज्ञासे अनुष्ठान करूँगा। जिनके चरणोंकी सेवा करके पूर्ववर्ती भूपालोंने जगत्को तिनकेके समान मानकर अपने मनोरथके महासागरको पार कर लिया था, वे भगवान् श्रीकृष्ण यहाँ साक्षात् विद्यमान हैं॥ ३१-३२॥

श्रीगर्गजी (मैं) ने कहा—महाराज! यादव-नरेश! आपने बहुत उत्तम निश्चय किया है। अश्वमेध यज्ञ करनेसे आपकी कीर्ति तीनों लोकोंमें फैल जायगी। नृपेश्वर! अश्वकी रक्षाके लिये कौन जायगा, इस बातका निश्चय कर लीजिये; क्योंकि भूमण्डलमें आपके शत्रु बहुतअधिक हैं। पूरे एक वर्षतक आपको असिपत्र-व्रतका पालन करना होगा, तभी यह श्रेष्ठ यज्ञ सकुशल सम्पन्न हो सकेगा। पूर्वकालमें राजसूय यज्ञके अवसरपर प्रद्युम्नने समस्त भूमण्डलपर विजय पायी थी। इस बार अश्वकी रक्षाके लिये क्या आप पुनः उन्हींकी नियुक्ति करेंगे॥ ३३—३६॥

मेरी बात सुनकर राजा चिन्तामें पड़ गये और वहाँ बैठे हुए भगवान् श्रीकृष्णकी ओर, जो मनुष्योंके समस्त दुःख दूर करनेवाले हैं, देखने लगे। राजाको चिन्तामग्न देख, भगवान्ने तत्काल पानका बीड़ा लेकर हँसते हुए कहा॥ ३७-३८॥

भगवान् श्रीकृष्ण बोले—हे बलवान्! युद्ध-कुशल समग्र यादववीरो! महाराज उग्रसेनके सामने मेरी बात सुनो—'जो मनस्वी एवं महारथी वीर भूमण्डलके समस्त राजाओंसे अश्वमेध यज्ञ-सम्बन्धी अश्वको छुड़ा लेनेमें समर्थ हो, वह इस पानके बीड़ेको ग्रहण करे॥ ३९-४०॥

श्रीहरिका यह वचन सुनकर युद्धकुशल यादव-वीर अभिमानशून्य हो बार-बार एक-दूसरेका मुँह देखने लगे। भगवान् श्रीकृष्णके सुन्दर हाथमें वह पानका बीड़ा एक घड़ीतक रखा रह गया; ऐसा लगता था मानो कमलके फूलपर तोता बैठा हो। जब सब लोग चुप रह गये, तब धनुष धारण किये ऊषापति महात्मा अनिरुद्धने महाराज उग्रसेनको नमस्कार करके वह पानका बीड़ा ले लिया और श्रीकृष्णके चरणोंमें मस्तक झुकाकर तत्काल इस प्रकार कहा॥ ४१—४३॥

श्रीअनिरुद्ध बोले—जगदीश्वर! मैं समस्त राजाओंसे श्यामकर्णकी रक्षा करूँगा। आप मुझे इस कार्यमें नियुक्त कीजिये। दीनवत्सल गोविन्द! यदि मैं घोड़ेका पालन नहीं कर सकूँ तो उस दशामें मुझ दीनकी यह प्रतिज्ञा सुनिये—'क्षत्रिय, वैश्य और शूद्र किसी ब्राह्मणीके साथ व्यभिचार करनेसे जिस दुःखदायिनी दुर्गतिको प्राप्त होते हैं, निश्चय वही गति मुझे भी मिले। देव! जो ब्राह्मणको गुरु बनाकर पीछे उसकी सेवा नहीं करता है, वह जिस गतिको प्राप्त होता है, अवश्य वही गति मैं भी पाऊँ'॥ ४४—४७॥

श्रीगर्गजी कहते हैं—राजन्! अनिरुद्धका वह ओजस्वी वचन सुनकर समस्त यादव आश्चर्यचकित हो गये। भगवान् श्रीकृष्ण बड़े प्रसन्न हुए। उन्होंने तत्काल अपने पौत्रके सिरपर हाथ रखा। अनिरुद्ध सुधर्मा-सभामें हाथ जोड़कर खड़े थे। उस समय श्रीहरिने सबके समक्ष मेघके समान गम्भीर वाणीमें उनसे कहा॥ ४८-४९॥

श्रीकृष्ण बोले—अनिरुद्ध! तुम एक वर्षतक अश्वमेधीय अश्वकी समस्त राजाओंसे रक्षा करते हुए फिर यहाँ लौट आओ॥ ५०॥

इस प्रकार श्रीगर्गसंहिताके अन्तर्गत अश्वमेधचरित्रमय सुमेरुमें 'गर्गजीका आगमन' नामक नवाँ अध्याय पूरा हुआ॥ ९॥

दसवाँ अध्याय

उग्रसेनकी सभामें देवताओंका शुभागमन; अनिरुद्धके शरीरमें चन्द्रमा और ब्रह्माका विलय तथा राजा और रानीकी बातचीत

श्रीगर्गजी कहते हैं—भगवान् श्रीकृष्ण इस प्रकार कह ही रहे थे कि हंसपर बैठे हुए भगवान् ब्रह्मा महादेवजीके साथ द्वारकापुरीमें आ पहुँचे। राजन्! तदनन्तर इन्द्र, कुबेर, यम, वरुण, वायु, अग्नि, निर्ऋति और चन्द्रमा—ये लोकपाल श्रीकृष्ण-दर्शनकी इच्छासे वहाँ आये। फिर बारह आदित्य, वेताल, मरुद्गण, विश्वेदेव, साध्यगण, गन्धर्व, किंनर, विद्याधर तथा बहुत-से ऋषि-मुनि भी श्रीकृष्णके दर्शनके लिये आये। राजा उग्रसेनके साथ भगवान् श्रीकृष्णने वहाँ पधारे हुए देवताओंसे विधिपूर्वक मिलकर उन सबका समादर किया। जब सब देवता अपने-अपने आसन-पर विराजमान हो गये, तब लीलाके लिये नरदेह धारण करनेवाले भगवान् श्रीहरिने उन सबकी भूरि-भूरि प्रशंसा की। तदनन्तर श्रीहरिके पार्श्वभागमें बैठे हुए ब्रह्माजी इन्द्रसे प्रेरित हो बलरामसहित जगदीश्वर श्रीकृष्णसे बोले॥ १—७॥

ब्रह्माजीने कहा—श्रीकृष्ण! आपका पौत्र अनिरुद्ध अभी बालक है। भूमण्डलके राजाओंसे श्यामकर्ण अश्वकी रक्षाका कार्य बहुत कठिन है। हरे! यह इस दुष्कर कार्यको कैसे कर सकेगा? अतः आप इसे अश्वकी रक्षाके लिये न भेजिये; क्योंकि इस कार्यमें विघ्न बहुत हैं। गोविन्द! आप चाहे प्रद्युम्नको भेजिये, चाहे बलरामजीको भेजिये अथवा स्वयं जाकर अश्वकी रक्षा कीजिये। ब्रह्माजीकी यह बात सुनकर श्रीहरि हँसते हुए-से बोले॥ ८—१०॥

श्रीभगवान् बोले—अनिरुद्ध हठपूर्वक जा रहा है। इस विषयमें वह मेरा निषेध नहीं मानता है, अतः आप स्वयं उसके पास जाकर यत्नपूर्वक उसे मना कीजिये॥ ११॥

श्रीगर्गजी कहते हैं—श्रीकृष्णकी यह बात

सुनकर ब्रह्माजी चन्द्रमाको साथ लेकर प्रद्युम्ननन्दन अनिरुद्धको रोकनेके लिये गये। ब्रह्मा और चन्द्रमा ज्यों-ही अनिरुद्धजीके समीप गये। त्यों-ही अनिरुद्धके श्रीविग्रहमें वे तत्काल विलीन हो गये, यह देख शिव और इन्द्र आदि सब देवता विस्मयमें पड़ गये। समस्त यादवों, मुनियों और उग्रसेन आदि नरेशोंको भी महान् आश्चर्य हुआ। वज्रनाभ! सब लोग तुम्हारे पिताकी स्तुति करने लगे। इसीलिये मनीषी मुनि तुम्हारे पिता अनिरुद्धको पूर्णतम परमात्मा बताते हैं॥ १२—१५॥

राजन्! तदनन्तर राजा उग्रसेन सभासे उठकर मन-ही-मन श्रीकृष्णको प्रणाम करके यज्ञ-सम्बन्धी कौतुकसे युक्त हो सुन्दर रत्नोंसे जटित अपने अन्त:पुरमें गये। वह अन्त:पुर अपने वैभवसे देवराज इन्द्रके भवनको भी लज्जित कर रहा था। वहाँ जाकर नृपश्रेष्ठ उग्रसेनने वस्त्राभूषणोंसे विभूषित, दासियोंसे सेवित तथा श्वेत चामरोंसे वीजित शचीके समान मनोहर मुखवाली रानी रुचिमतीको देखा, जो पर्यङ्कपर विराजमान थीं। नरेश्वर! अपने पति यादवराज उग्रसेनको वहाँ आया देख रानी सहसा उठकर खड़ी हो गयीं। उन्होंने यथोचित रीतिसे महाराजका समादर किया, तब पर्यङ्कपर बैठकर वृष्णिवंशियोंके स्वामी राजा उग्रसेन हँसते हुए मेघके समान गम्भीर वाणीमें अपनी परमप्रिया रुचिमतीसे बोले—'प्रिये! मैं भगवान् श्रीकृष्णकी आज्ञासे आज अश्वमेध यज्ञका आरम्भ करूँगा, जिसके प्रतापसे मनुष्य मनोवाञ्छित फल पा लेता है'॥ १६—२१॥

श्रीगर्गजी कहते हैं—राजाकी यह बात सुनकर पुत्रशोकसे संतप्त हुई दीन-दु:खी रानीने अपने पुत्रोंका स्मरण करते हुए राजाधिराज उग्रसेनसे कहा॥ २२॥

रानी बोली—महाराज! मैं पुत्रोंके दर्शनसे वञ्चित हूँ; अत: मुझे ये सारी सम्पत्तियाँ, जो देवताओंके लिये भी प्रार्थनीय हैं, नहीं रुचती हैं। आप सुखपूर्वक यज्ञका अनुष्ठान कीजिये (मुझे इससे कोई मतलब नहीं है)। नृपेश्वर! जब इस यज्ञके प्रतापसे सुन्दर पुत्र प्राप्त होता हो, तब तो मैं प्रसन्नचित्त होकर इसके अनुष्ठानमें आपके साथ रहूँगी॥ २३-२४॥

रानीकी यह बात सुनकर राजाका मन उदास हो गया। जैसे श्राद्धदेव मनु अपनी पत्नी श्रद्धासे वार्तालाप करते हैं, उसी प्रकार वे पुन: अपनी प्रियासे बोले॥ २५॥

राजाने कहा—भद्रे! मैं जो कहता हूँ, उसे ध्यान देकर सुनो। पुत्रोंकी कामना बहुत दु:खदायिनी होती है। अत: उसे छोड़कर तुम साक्षात् मुक्तिदाता परात्पर परमात्मा श्रीकृष्णका भजन करो। मैं बूढ़ा हो गया और तुम भी वृद्धा हुई। फिर पुत्र कैसे होगा? इसलिये बन्धनके कारणभूत अज्ञानजनित शोकको त्याग दो॥ २६-२७॥

राजन्! यादवराज उग्रसेनका यह विज्ञानप्रद उत्तम वचन सुनकर रानी रुचिमती अपने यदुकुलतिलक पतिसे बोली॥ २८॥

रुचिमतीने कहा—राजन्! यदि इस यज्ञके प्रतापसे मनोवाञ्छित फल प्राप्त होता है तो मेरी भी एक मनोवाञ्छा है। मैं चाहती हूँ कि मेरे मारे गये पुत्र यहाँ आवें और मैं उन्हें देखूँ। यदि आप मेरे सामने ऐसी बात कहें कि 'मरे हुए लोगोंका दर्शन कैसे हो सकता है?' तो इसका उत्तर भी मेरे ही मुँहसे सुन लें। राजेन्द्र! भगवान् श्रीकृष्णने अपने गुरुको गुरु-दक्षिणाके रूपमें उनके मरे हुए पुत्रको लाकर दे दिया था, उसी प्रकार मैं भी अपने पुत्रोंको सामने आया देखना चाहती हूँ॥ २९—३१॥

श्रीगर्गजी कहते हैं—रानीकी बात सुनकर महायशस्वी महाराज उग्रसेनने मुझको और श्रीकृष्णको अन्त:पुरमें बुलवाया। हम दोनोंके जानेपर उन्होंने बड़ा भारी स्वागत-सत्कार किया। हम दोनोंका पूजन करके राजाने हमसे अपना सारा अभिप्राय निवेदन किया। उग्रसेनकी कही हुई बात सुनकर मैंने श्रीहरिको कुछ कहनेके लिये प्रेरणा दी। नृपेश्वर! जैसे उपेन्द्र इन्द्रसे बोलते हैं, उसी प्रकार उस समय उन्होंने राजासे कहा॥ ३२-३३$\frac{१}{२}$॥

श्रीभगवान् बोले—राजन्! सुनिये; पूर्वकालमें आपके जो-जो पुत्र संग्राममें मारे गये हैं, वे सब-के-सब दिव्य देह धारण करके स्वर्गलोकमें देवताके समान विद्यमान हैं। अत: नृपश्रेष्ठ! आप पुत्रशोक छोड़कर धैर्यपूर्वक क्रतुश्रेष्ठ अश्वमेधका अनुष्ठान

कीजिये। यज्ञके अन्तमें मैं आपको आपके सभी पुत्रोंके दर्शन कराऊँगा॥ ३४—३६॥

श्रीकृष्णका यह कथन सुनकर पृथ्वीपति उग्रसेन बड़े प्रसन्न हुए और अपनी प्रियाको सुन्दर वचनोंद्वारा आश्वासन दे, श्रेष्ठ पुरुषोंके साथ सुधर्मा-सभामें गये। श्रीकृष्णसहित राजा उग्रसेनको आया देख दिक्पालों तथा बलराम और शिव आदि देवताओंने प्रणाम किया। वज्रनाभ! राजा उग्रसेनके उत्तम तपका मैं क्या वर्णन करूँ। इन्हें श्रीकृष्ण आदि सब लोग प्रणाम करते रहे हैं। यादवराज भी समस्त देवताओंको नमस्कार करके लज्जित हो कुछ सोचकर इन्द्रके दिये हुए दिव्य सिंहासनपर नहीं बैठे। तब भगवान् श्रीकृष्णने उसी क्षण हाथ पकड़कर अपने भक्त नरेशको उस इन्द्रके सिंहासनपर बिठाया॥ ३७—४१॥

इस प्रकार श्रीगर्गसंहिताके अन्तर्गत अश्वमेधखण्डमें 'राजा-रानीका संवाद' विषयक दसवाँ अध्याय पूरा हुआ॥ १०॥

ग्यारहवाँ अध्याय

ऋत्विजोंका वरण-पूजन; श्यामकर्ण अश्वका आनयन और अर्चन; ब्राह्मणोंको दक्षिणादान; अश्वके भालदेशमें बँधे हुए स्वर्णपत्रपर गर्गजीके द्वारा उग्रसेनके बल-पराक्रमका उल्लेख तथा अनिरुद्धको अश्वकी रक्षाके लिये आदेश

श्रीगर्गजी कहते हैं—तदनन्तर सुधर्मा-सभामें वासुदेवसे प्रेरित हो राजा उग्रसेनने वहाँ पधारे हुए ऋत्विजोंको मस्तक झुकाकर प्रणाम करके प्रसन्न किया और विधिवत् उन सबका वरण किया। पराशर, व्यास, देवल, च्यवन, असित, शतानन्द, गालव, याज्ञवल्क्य, बृहस्पति, अगस्त्य, वामदेव, मैत्रेय, लोमश, कवि (शुक्राचार्य), मैं (गर्ग), क्रतु, जैमिनि, वैशम्पायन, पैल, सुमन्तु, कण्व, भृगु, परशुराम, अकृतव्रण, मधुच्छन्दा, वीतिहोत्र, कवष, धौम्य, आसुरि, जाबालि, वीरसेन, पुलस्त्य, पुलह, दुर्वासा, मरीचि, एकत, द्वित, त्रित, अङ्गिरा, नारद, पर्वत, कपिलमुनि, जातूकर्ण्य, उतथ्य, संवर्त, ऋष्यशृङ्ग, शाण्डिल्य, प्राड्विपाक, कहोड, सुरत, मनु, कच, स्थूलशिरा, स्थूलाक्ष, प्रति-मर्दन, बकदाल्भ्य, कौण्डिन्य, रैभ्य, द्रोण, कृप, प्रकटाक्ष, यवक्रीत, वसुधन्वा, मित्रभू, अपान्तरतमा, दत्तात्रेय, महामुनि मार्कण्डेय, जमदग्नि, कश्यप, भरद्वाज, गौतम, अत्रि, मुनि वसिष्ठ, विश्वामित्र, पतञ्जलि, कात्यायन, पाणिनि और वाल्मीकि आदि ऋत्विजोंका यादवराज उग्रसेनने पूजन किया। नरेश्वर! वे सभी निमन्त्रित ऋत्विज बड़े प्रसन्न होकर राजासे बोले॥ १—११॥

मुनियोंने कहा—देव-दानव-वन्दित महाराज उग्रसेन! तुम यज्ञ आरम्भ करो। श्रीकृष्णकी कृपासे वह अवश्य पूर्ण होगा॥ १२॥

उन महर्षियोंका यह वचन सुनकर अन्धककुलके स्वामी राजा उग्रसेनकी सम्पूर्ण इन्द्रियाँ संतुष्ट हो गयीं। उन्होंने यज्ञकी सारी सामग्री एकत्र की। तदनन्तर ब्राह्मणोंने सोनेके हलोंसे यज्ञकी भूमि जोती तथा पिण्डारक तीर्थके समीप विधिपूर्वक राजाको यज्ञकी दीक्षा दी। चार योजनतककी विशाल भूमिको जोतकर राजाने वहाँ यज्ञके लिये मण्डप बनवाये। योनि और मेखलासे युक्त मध्यकुण्डका निर्माण करके उसमें विधिपूर्वक अग्निकी स्थापना की। वज्रनाभ! मेरे कहनेसे राजा उग्रसेनने अनेक रत्नोंसे विभूषित और ध्वजा-पताकाओंसे मण्डित सभामण्डप बनवाया। उस सभाभवनको देखकर श्रीकृष्णने अपने पुत्रसे कहा॥ १३—१७ $\frac{1}{2}$॥

श्रीकृष्ण बोले—प्रद्युम्न! मेरी बात सुनो और सुनकर तत्काल उसका पालन करो। जाओ, शस्त्रधारी शूरवीरोंके साथ यत्नपूर्वक अश्वमेधीय अश्वको यहाँ ले आओ॥ १८ $\frac{1}{2}$॥

श्रीगर्गजी कहते हैं—श्रीहरिका यह आदेश सुनकर धनुर्धरोंमें श्रेष्ठ प्रद्युम्न 'बहुत अच्छा' कहकर घोड़ा लानेके लिये घुड़सालमें गये। नरेश्वर! तदनन्तर

श्रीकृष्णने उस अश्वकी रक्षाके लिये अपने पुत्र भानु और साम्ब आदिको अश्वशालामें भेजा। अश्वशालामें जाकर बलवान् रुक्मिणीनन्दन प्रद्युम्नने सोनेकी साँकलोंमें बँधे हुए सहस्रों श्यामकर्ण अश्व देखकर उनमेंसे एक यज्ञके योग्य अश्वको अपने हाथसे हँसते हुए अनायास ही बन्धनमुक्त कर दिया। बन्धनसे छूटनेपर वह अश्व धीरे-धीरे अश्वशालासे बाहर निकला। उसका मुख लाल, पूँछ पीली और कान श्यामवर्णके थे। मुक्ताफलोंकी मालाओंसे सुशोभित वह दिव्य अश्व अत्यन्त मनोहर दिखायी देता था। वह श्वेत छत्रसे युक्त और चामरोंसे अलंकृत था। उसके आगे, पीछे और बीचमें उपस्थित श्रीहरिके पुत्र उस अश्वराजकी उसी प्रकार सेवा करते थे, जैसे समस्त देवता श्रीहरिकी। अन्यान्य मण्डलेश्वरोंसे भी सुरक्षित हुआ वह अश्व भूतलको अपनी टापोंसे खोदता हुआ सभामण्डपके पास आया। राजन्! श्यामकर्ण अश्वको वहाँ आया देख राजा उग्रसेनने प्रसन्न होकर मुझे आवश्यक विधिका सम्पादन करनेके लिये भेजा। तब मैंने रानी रुचिमतीसहित महाराज उग्रसेनको योग्य आसनपर बिठाकर पिण्डारक तीर्थमें धर्मके अनुसार समस्त प्रयोग करवाया। राजा उग्रसेन चैत्रमासकी पूर्णिमाको मृगचर्म धारण किये यज्ञके लिये दीक्षित हुए। राजन्! उन्होंने मेरी आज्ञासे 'असिपत्र-व्रत' का नियम लिया। नरेश्वर! मैं यादवेन्द्रकुलका पूर्वगुरु होनेके कारण उस यज्ञमें समस्त ब्राह्मणोंका आचार्य बनाया गया॥ १९—३०½ ॥

तदनन्तर भगवान् श्रीकृष्णकी आज्ञासे समस्त ब्राह्मण वेदमन्त्रोंका उच्चारण करते हुए अपने-अपने आसनपर बैठे। उन सबने गणेश आदि देवताओंका पृथक्-पृथक् पूजन किया। राजन्! फिर सब मुनियोंने अश्वकी स्थापना करके उसपर केसर, चन्दन, फूल माला और चावल चढ़ाये, धूप निवेदित किये। सुधा*-कुण्डलिका आदिका नैवेद्य लगाया और आरती आदिके द्वारा उस अश्वकी विधिपूर्वक पूजा करके राजाको दानके लिये प्रेरित किया। उनका यह आदेश सुनकर उग्रसेनने शीघ्रतापूर्वक पहले मुझे धनका दान किया। एक लाख घोड़े, एक हजार हाथी, दो हजार रथ, एक लाख दुधारू गाय और सौ भार सुवर्ण—इतनी दक्षिणा राजाने मुझको दी। राजन्! तदनन्तर निमन्त्रित ब्राह्मणोंको महाराज उग्रसेनने जो शास्त्रोक्त दक्षिणा दी, उसका वर्णन सुनो। प्रत्येकको एक हजार घोड़े, दो सौ हाथी, दो सौ रथ और बीस भार सुवर्ण—इतनी दक्षिणा दी गयी। तत्पश्चात् जो अनिमन्त्रित ब्राह्मण आये थे, उनको नमस्कार करके राजाने विधिपूर्वक एक हाथी, एक रथ, एक गौ, एक भार सुवर्ण और एक घोड़ा—इतनी दक्षिणा प्रत्येक ब्राह्मणके लिये दी॥ ३१—३९ ॥

इस प्रकार दान करके घोड़ेके ललाटपर, जो कुङ्कुम आदिके कारण अत्यन्त कमनीय दिखायी देता था, राजाने सोनेका पत्र बाँधा। उस पत्रपर मैंने सभामण्डपमें समस्त यादवोंके समक्ष महाराज उग्रसेनके बढ़े-चढ़े बल-पराक्रम तथा प्रतापका इस प्रकार उल्लेख किया॥ ४०-४१ ॥

"चन्द्रवंशके अन्तर्गत यदुकुलमें राजा उग्रसेन विराजमान हैं, जिनके आदेशका इन्द्र आदि देवता भी अनुसरण करते हैं। भक्तपालक भगवान् श्रीकृष्ण जिनके सहायक हैं और उन्हींकी भक्तिसे बँधकर वे श्रीहरि सदा द्वारकापुरीमें निवास करते हैं। उन्हींकी आज्ञासे चक्रवर्ती राजाधिराज उग्रसेन अपने यशका विस्तार करनेके लिये हठात् अश्वमेध यज्ञका अनुष्ठान करते हैं। उन्होंने ही यह अश्वोंमें श्रेष्ठ शुभलक्षण-सम्पन्न श्यामकर्ण घोड़ा छोड़ा है। इस अश्वके रक्षक हैं, श्रीकृष्णके पौत्र अनिरुद्ध, जिन्होंने 'वृक' दैत्यका वध किया था। वे हाथी, घोड़े, रथ और पैदल-वीरोंकी चतुरङ्गिणी सेनाओंके साथ हैं। इस भूतलपर जो-जो राजा राज्य करते हैं और अपनेको शूरवीर मानते हैं, वे इस स्वर्णपत्रशोभित अश्वमेधीय अश्वको अपने बलसे रोकें। धर्मात्मा अनिरुद्ध अपने बाहुबल और पराक्रमसे हठपूर्वक अनायास ही राजाओंद्वारा पकड़े गये इस अश्वको छुड़ा लेंगे। जो धनुर्धर नरेश इस अश्वको नहीं पकड़ सकें, वे अनिरुद्धजीके चरणोंमें प्रणाम करके सकुशल लौट जायँ"॥ ४२—४८ ॥

जब इस प्रकार स्वर्णपत्रपर लिख दिया गया, तब

* मिष्टान्न (इमरती या जलेबी आदि) एक मधुर खाद्य पदार्थका नाम।

श्रेष्ठ यदुवंशी वीरोंने शङ्ख बजाये। झाँझ, मृदङ्ग, नगाड़े और गोमुख आदि बाजे बज उठे। गन्धर्वगण श्रीकृष्ण और बलदेवके मङ्गलमय चरित्रोंका गान करने लगे और अप्सराएँ भी वहाँ आनन्दविभोर होकर नृत्य करने लगीं। तदनन्तर भगवान् श्रीकृष्णने अत्यन्त प्रसन्न होकर यादवराज उग्रसेनके सामने ही वहाँ खड़े हुए प्रद्युम्नकुमार अनिरुद्धको उस यज्ञ-सम्बन्धी अश्वके सर्वथा संरक्षणका आदेश दिया॥ ४९—५१॥

इस प्रकार श्रीगर्गसंहिताके अन्तर्गत अश्वमेधचरित्र-सुमेरुमें 'अश्वका पूजन' नामक ग्यारहवाँ अध्याय पूरा हुआ॥ ११॥

बारहवाँ अध्याय

अश्वमोचन तथा उसकी रक्षाके लिये सेनापति अनिरुद्धका विजयाभिषेक

श्रीगर्गजी कहते हैं—तदनन्तर राजा उग्रसेनने द्वारकापुरीमें, जिसके ऊपर विधिपूर्वक चामर बँधे हुए थे, उस अश्वका पूजन करके वेदमन्त्रोंके उद्घोषके साथ उसे छोड़ा। वह अश्वराज भी सुधाकुण्डलिका (इमरती या जलेबी आदि) खाकर, सोनेकी मालाओं तथा कुङ्कुमसे सुशोभित हो उस स्थानसे निकला। उस अश्वकी रक्षाके लिये उद्यत हुए वृकहन्ता अनिरुद्धसे राजाधिराज उग्रसेनने अश्वरक्षाके विषयमें आदरपूर्वक कहा॥ १—३॥

श्रीउग्रसेन बोले—श्रीकृष्णपौत्र प्रद्युम्नकुमार! तुमने अश्वकी रक्षाके लिये स्वेच्छासे जो बात कही थी, उसे शीघ्र पूर्ण करो। पहले मेरे राजसूय यज्ञके समय तुम्हारे पिता प्रद्युम्नने पृथ्वीपर विजय पायी थी। तुम उन्हींके महान् बलवान् एवं शूरवीर पुत्र हो। तुमने शकुनिके भाई महादैत्य वृकका वध किया था। समस्त राजाओंको जीता था और भीष्मको भी युद्धमें संतुष्ट कर दिया था। अहो! चन्द्रमा और ब्रह्माजी जिनके भीतर विलीन हो गये, उनकी महिमाका क्या वर्णन किया जाय। इसीलिये समस्त ऋषि-मुनि तुम्हें 'परिपूर्ण' कहते हैं। अत: तुम वीर-सेनासे घिरे हुए आगे बढ़ो और समस्त राजाओंसे अश्वमेधीय अश्वकी रक्षा करो। जो बालक, रथहीन, भयभीत, शरणागत, दीनचित्त, सुप्त, प्रमत्त और उन्मत्त हो, उन्हें युद्धमें न मारना। प्रद्युम्ननन्दन! श्रीकृष्णके प्रतापसे तुम्हारा मार्ग निर्विघ्न हो और तुम घोड़े तथा सेनाके साथ पुन: यहाँ सकुशल लौट आओ॥ ४—१०॥

श्रीगर्गजी कहते हैं—राजाकी यह उत्तम बात सुनकर अनिरुद्ध बोले—'बहुत अच्छा'। फिर उन्होंने अश्वकी रक्षाके लिये चित्तको एकाग्र किया। तदनन्तर उन ब्राह्मण ऋत्विजोंने श्रीकृष्णचन्द्रकी आज्ञासे तत्काल अनिरुद्धको मन्त्रपाठपूर्वक स्नान करवाया और प्रसन्नतापूर्वक उनकी अर्चना की। अनिरुद्धका तिलक करके राजाने उन्हें विधिपूर्वक भेंट दी और युद्धके लिये एक खड्ग हाथमें दिया। शूरसेनने उन्हें रत्नोंकी माला दी। वसुदेवजीने दो कुण्डल प्रदान किये। बलरामने कवच और श्रीहरिने चक्र दिये। प्रद्युम्नने अनिरुद्धको श्रीकृष्णका दिया हुआ धनुष प्रदान किया। राजेन्द्र! इतना ही नहीं, उन्होंने अपने दोनों तरकस भी दे दिये, जिनमें कभी बाण समाप्त नहीं होते थे। भगवान् शंकरने अपने त्रिशूलसे एक दूसरा त्रिशूल उत्पन्न करके दे दिया। उद्धवने किरीट और देवकने पीताम्बर दिया। वरुणने नागपाश तथा शक्तिधारी स्कन्दने शक्ति दी। वायुदेवने दो दिव्य व्यजन भेंट किये। यमराजने अपना दण्ड दे दिया। कुबेरने हीरेका हार और अर्जुनने परिघ अर्पित किया। भद्रकालीने एक भारी गदा दी। सूर्यदेवने एक माला भेंट की। पृथ्वीदेवीने दो योगमयी पादुकाएँ दीं। गणेशजीने दिव्य कमल प्रदान किया। अक्रूरने विजयदायक दक्षिणावर्त शङ्ख दिया। द्वारकामें देवराज इन्द्रने अनिरुद्धको एक विजयशील महादिव्य रत्नमय रथ प्रदान किया, जो मनके समान वेगशाली था। उस रथका निर्माण साक्षात् विश्वकर्माने किया था। उसमें एक हजार घोड़े जुते हुए थे। एक हजार पहिये लगे थे। वह सुवर्णसे सम्पन्न था। ब्रह्माण्डके बाहर और

भीतर सर्वत्र उसकी गति थी। वह छत्रसे सुशोभित था। उसमें स्वर्णनिर्मित सैकड़ों ध्वजा-पताकाएँ शोभा दे रही थीं। उससे मेघकी गर्जनाके समान उद्घोष होता था। उस रथमें घंटों और मंजीरोंकी ध्वनि व्याप्त थी। उस समय शङ्ख और दुन्दुभियाँ बज उठीं। झाँझ और वीणा आदि भी बजने लगे। मृदङ्गोंके शब्द और वंशीके मधुर रागोंके साथ जय-जयकारकी ध्वनि सब ओर छा गयी। वेद-मन्त्रोंका घोष होने लगा। लावा, फूल और मोतियोंकी वर्षा होने लगी। देवतालोग अनिरुद्धके ऊपर दिव्य पुष्प बरसाने लगे॥ ११—२४॥

इस प्रकार श्रीगर्गसंहिताके अन्तर्गत अश्वमेधखण्डमें 'अनिरुद्धका विजयाभिषेक' नामक बारहवाँ अध्याय पूरा हुआ॥ १२॥

तेरहवाँ अध्याय

अनिरुद्धका अन्तःपुरसे आज्ञा लेकर अश्वकी रक्षाके लिये प्रस्थान; उनकी सहायताके लिये साम्बका कृतप्रतिज्ञ होना; लक्ष्मणाका उन्हें सम्मुख युद्धके लिये प्रोत्साहन देना; श्रीकृष्णके भाइयों और पुत्रोंका भी श्रीकृष्णकी आज्ञासे प्रस्थान करना तथा यादवोंकी चतुरङ्गिणी सेनाका विस्तृत वर्णन

श्रीगर्गजी कहते हैं—राजन्! तदनन्तर गुरुजनोंको नमस्कार करके अनिरुद्ध देवकी, रोहिणी, रुक्मिणी, सत्यभामा तथा अन्य सम्पूर्ण श्रीहरि-वल्लभाओंसे आज्ञा लेनेके लिये अन्तःपुरमें गये। वहाँ उन सबकी आज्ञा ले, अपनी माता रति तथा रुक्मवती-को प्रणाम करके उनसे बोले—'मैं अश्वकी रक्षा करनेके लिये जाता हूँ। इसके लिये महाराजने मुझे आज्ञा दी है। मेरे साथ अन्य बहुत-से यदुवंशी वीर जा रहे हैं'॥ १-२॥

राजन्! अनिरुद्धका यह कथन सुनकर माताओंने उन्हें हृदयसे लगा लिया और गद्गदकण्ठसे उन प्रणत प्रद्युम्नकुमारको जानेकी आज्ञा देते हुए आशीर्वाद प्रदान किया। माताओंको नमस्कार करके वे अपनी पत्नियोंके महलोंमें गये। अपने पतिको आया देखकर ऊषा आदि तीनों पत्नियोंने उनका समादर किया। परंतु विरहकी सम्भावनासे उन सबका मन उदास हो गया। अनिरुद्ध उन प्यारी पत्नियोंको आश्वासन दे राजसभामें लौट आये॥ ३—५॥

राजेन्द्र! उसके बाद यज्ञ-सम्बन्धी अश्वकी रक्षाके लिये यात्राके निमित्त ऋषि-मुनियोंने अनिरुद्धके उद्देश्यसे मङ्गलपाठ किया। फिर वे समस्त महर्षियों, गुरुजनों, महाराज उग्रसेन, शूरसेन, वसुदेव, बलराम, श्रीकृष्ण, अपने पिता प्रद्युम्न तथा अन्यान्य पूजनीय यादवोंको प्रणाम करके समस्त नागरिकोंद्वारा पूजित हुए। नरेश्वर! उन्होंने हाथोंमें धनुषबाण लिये, अँगुलियोंमें गोधाके चर्मसे बने हुए दस्ताने पहन लिये, कवच-कुण्डल धारण किये और पैरोंमें जूते पहनकर सिंहके समान पराक्रमी महावीर अनिरुद्धने ढाल, तलवार, किरीट एवं शक्ति ले, सोनेके बने हुए आभूषण धारण किये। फिर वे इन्द्रके दिये हुए दिव्य रथके द्वारा अपनी पुरीसे बाहर निकले। उस समय गाजे-बाजेकी आवाज और वेदमन्त्रोंके घोषके साथ यात्रा करते हुए अनिरुद्धपर चारों ओरसे चँवर डुलाये जा रहे थे। समस्त पुरवासी उनकी इस यात्राको देख रहे थे॥ ६—११॥

तदनन्तर भगवान् श्रीकृष्णचन्द्रने उनके साथ जानेके लिये उद्धव आदि मन्त्री तथा भोज, वृष्णि, अन्धक, मधु, शूरसेन और दशार्णकुलमें उत्पन्न वीर योद्धा भेजे। तदनन्तर राजा उग्रसेनने यदुवंशी वीरोंको सम्बोधित करके पूछा—'यादवो! बताओ, युद्धमें अनिरुद्धकी सहायता करनेके लिये कौन जायगा?' उग्रसेनकी यह बात सुनकर जाम्बवतीकुमार साम्बने सबके देखते-देखते राजाको नमस्कार करके यह बात कही॥ १२—१४॥

साम्ब बोले—राजेन्द्र! मैं महासमरमें सदा संनद्ध रहकर शत्रुओंसे अनिरुद्धकी रक्षा एवं सहायता करूँगा। यदि समराङ्गणमें मैं इनकी रक्षा न करूँ तो महाराज! उस दशामें मुझ सत्यवादीकी यह प्रतिज्ञा सुन लीजिये—'मनुष्य त्याग देनेयोग्य दशमीविद्धा एकादशीका व्रत करके जिस गतिको प्राप्त होता है, मुझे भी निश्चय वही गति मिले। गोहत्यारों और ब्रह्महत्यारों-की जो गति होती है, वही गति यदि मैं यह रक्षणकार्य न कर सकूँ, तो मेरी भी हो'॥ १५—१८॥

श्रीगर्गजी कहते हैं—ऐसी बात कहकर साम्ब वहाँसे अन्तःपुरमें गये। वहाँ माता जाम्बवतीको प्रणाम करके उन्होंने सारा अभिप्राय निवेदन किया। उनकी बात सुनकर माताने विरहकी अनुभूति करके बेटेको हृदयसे लगा लिया और आशीर्वाद दिया। तदनन्तर समस्त माताओंको नमस्कार करके वे पत्नीके घरमें गये। उन्हें आते देख शुभलक्षणा लक्ष्मणा बैठनेके लिये आसन दे आँसुओंसे कण्ठ अवरुद्ध हो जानेके कारण कुछ भी नहीं बोली। साम्बने उसे आश्वासन दे अपना अभिप्राय कह सुनाया। सुनकर विरहकी सम्भावनासे खिन्नचित्त हो वह पतिसे बोली॥ १९—२२॥

लक्ष्मणाने कहा—पतिदेव! आपको अनिरुद्ध-के अश्वकी सदा रक्षा करनी चाहिये। आप युद्धका अवसर आये तो सम्मुख होकर युद्ध करें। रणभूमिसे कभी विमुख न हों। आपके सहस्रों भाई हैं और उन सबकी सहस्रों मानवती स्त्रियाँ हैं। नाथ! यदि युद्धमें आपकी पराजय सुनकर वे आपकी प्रियतमा होनेके कारण मेरी ओर देखकर मुस्करा देंगी तो उस समय दुःखके कारण मेरी मृत्यु हो जायगी॥ २३—२५॥

लक्ष्मणाकी यह बात सुनकर साम्ब हँसते हुए अपनी प्राणवल्लभासे बोले॥ २५ $\frac{1}{2}$॥

साम्बने कहा—भद्रे! युद्धभूमिमें मेरा सामना करनेके लिये यदि सारी त्रिलोकी उमड़ आये तो भी तुम सुनोगी कि मैंने उन सबका विदलन (संहार) कर दिया है। शुभे! यदि शूरवीर साम्ब रणभूमिसे विमुख हो जाय तो वह अपने पापसे वेद और ब्राह्मणोंका निन्दक माना जाय। उस दशामें मैं फिर तुम्हारे इस चन्द्रोपम मुखका दर्शन नहीं करूँगा॥ २६—२८॥

श्रीगर्गजी कहते हैं—इस प्रकार अपनी पहली प्रियाको आश्वासन दे साम्बने दूसरी प्रियाको भी धीरज बँधाया। फिर वे अभिमन्यु और सुभद्रासे मिलकर घरसे निकले। धनुष और तलवार ले यात्राके लिये सुसज्जित साम्ब रथपर बैठे और यादवोंसे घिरे हुए उस उपवनमें गये, जहाँ अनिरुद्ध विद्यमान थे। तदनन्तर श्रीकृष्णने अपने गद आदि समस्त भाइयोंको और भानु तथा दीप्तिमान् आदि सभी पुत्रोंको भेजा। वे सब-के-सब शौर्यसम्पन्न और युद्धकुशल थे। उन्होंने धनुष धारण करके कवच बाँध लिया और चतुरङ्गिणी सेनाके साथ करोड़ोंकी संख्यामें वे नगरसे बाहर निकले। उनके दिव्य रथ ताल, हंस, मीन, मयूर और सिंहके चिह्नवाले ध्वजोंसे सुशोभित थे। उन रथोंका अङ्ग-प्रत्यङ्ग सुवर्णमण्डित था। प्रत्येक रथमें चार-चार घोड़े जुते थे। वे सभी रथ बहुत ऊँचे और देवताओंके विमानोंके समान सुशोभित थे। उनमें छत्र और चँवर लगे हुए थे। उन रथोंके ऊपर सोनेके कलश थे, जो सूर्यके समान चमक रहे थे। उनमें जालीदार बन्दनवारें लगायी गयी थीं। ऐसे रथोंद्वारा श्रीकृष्णके सभी पुत्र कुशस्थलीसे बाहर निकले॥ २९—३४ $\frac{1}{2}$॥

राजन्! तदनन्तर सोनेके हौदोंसे सुशोभित हाथी निकले, जिनके मुखपर गोमूत्र, सिन्दूर और कस्तूरीसे पत्ररचना की गयी थी। वे हाथी अञ्जन, कोयले और सजल जलधरोंके समान काले थे। सबके गण्डस्थलसे मद झर रहे थे। उनके श्वेत दाँत कमलकी नालके समान जान पड़ते थे। मृगद्वीपजातिके हाथी अत्यन्त ऊँचे होनेके कारण पर्वताकार दिखायी देते थे। उनके घंटे बज रहे थे और वे अत्यन्त उद्भट जान पड़ते थे। ऐरावतकुलमें उत्पन्न हाथी श्वेत वर्णके थे। उनके तीन-तीन शुण्डदण्ड और चार-चार दाँत थे। उन सबको भगवान् श्रीकृष्ण भौमासुरकी राजधानीसे लाये थे। वे सब-के-सब पुरीसे बाहर निकले। एक लाख हाथी ऐसे थे, जिनकी पीठपर ध्वज फहरा रहे थे और उनके ऊपर एक लाख दुन्दुभियाँ रखी गयी थीं। लाख हाथी ऐसे थे, जिनपर कोई महावत नहीं बैठे थे। वे भी सुनहरी झूलोंसे अलंकृत थे। तदनन्तर एक करोड़

गजराज ऐसे निकले, जिनके ऊपर शूरवीर योद्धा सवार थे। जैसे समुद्रमें मगर विचरते हैं, उसी प्रकार उस सेनामें वे गजराज इधर-उधर घूमते विराज रहे थे। वे अपने शुण्डदण्डोंसे गुल्मोंको उखाड़कर आकाशमें फेंकते थे और मदकी धारासे पृथ्वीको भिगोते हुए पैरोंके आघातसे उसे कम्पित-सी कर रहे थे। अपने मस्तकोंकी टक्करसे महलों, दुर्गों और पर्वतशिखरोंको भी वे धराशायी करनेमें समर्थ थे। वे महाबली गजराज शत्रुओंकी सारी सेनाको कुचल देनेवाले थे। उनपर पड़ी हुई झूलें नीली, पीली, काली, सफेद और लाल थीं। वे सोनेकी साँकलोंसे युक्त थे और बड़ी शोभा पाते थे॥ ३५—४३॥

राजन्! तत्पश्चात् जिन्हें नारदजीने अश्वशालामें देखा था, वे सभी अश्व सोनेके हारोंसे अलंकृत हो नगरसे बाहर निकले। कोई घोड़े बड़े चञ्चल थे, किन्हींका वर्ण धुएँके रंगका था और वे देखनेमें बड़े मनोहर थे। किन्हींके रंग काले और किन्हींके श्याम थे। कोई-कोई कमलके समान कान्तिवाले थे। उन सबके कंधे बड़े सुन्दर थे। कुछ घोड़े दूधके समान सफेद थे। कितने ही पानीके समान प्रतीत होते थे। किन्हींकी कान्ति हल्दीके समान पीली थी। कोई केसरिया रंगके थे और कुछ घोड़े पलाशके फूलके समान लाल थे। किन्हींके अङ्ग चितकबरे थे और किन्हींके स्फटिकमणिके समान स्वच्छ। वे सभी मनके समान वेगशाली थे। कोई हरे, कोई ताँबेके समान रंगवाले, कोई कुसुम्भकी-सी कान्तिवाले और कोई तोतेकी पाँखके समान प्रभावाले थे। कोई वीरबहूटीके समान लाल, कोई गौर और कोई पूर्ण चन्द्रमाके समान उज्ज्वल थे। वे सभी अश्व दिव्य थे। किन्हींके अङ्ग सिन्दूरके समान रंगवाले थे। कोई प्रज्वलित अग्नि और कोई बाल सूर्यके समान कान्तिमान् थे। राजन्! ये घोड़े सभी देशोंसे द्वारकापुरीमें श्रीकृष्णके प्रतापसे आये थे। वे सभी उस दिन यात्राके लिये निकले॥ ४४—४९॥

श्रीकृष्णकी अश्वशालामें जो घोड़े विद्यमान थे, वे वैकुण्ठवासी तथा श्वेतद्वीपनिवासी थे। उनमेंसे कोई मयूरके समान कान्तिवाले थे और कोई नील-कण्ठके समान। किन्हींके वर्ण बिजलीके समान दीप्तिमान् थे और किन्हींके गरुडके समान। वे सभी अश्व दिव्य पंखोंसे अलंकृत थे। उनकी शिखाओंमें मणि प्रकाशित होती थी। वे श्वेत चामरोंसे अलंकृत थे। मुक्ताफलोंकी मालाओं तथा लाल रंगके वस्त्रोंसे विभूषित थे। उन सबका सुवर्णसे शृङ्गार किया गया था। उनकी पूँछ और मुखपट्टसे दिव्य प्रभा फैल रही थी। वे सर्वाङ्गसुन्दर दिव्य अश्व सहस्रोंकी संख्यामें बाहर निकले॥ ५०—५३॥

नरेश्वर! श्रीकृष्णके ये अश्व अपने पैरोंसे भूमिका स्पर्श नहीं करते थे। वे वायु और मनके समान वेगशाली, चञ्चल और मनोहर थे। राजन्! वे पानीके बबूलोंपर चल सकते थे, कच्चे सूतोंपर दौड़ सकते थे। कितने ही ऐसे थे, जो मकड़ीके जालों और पारदपर भी चलनेमें समर्थ थे। नृपेश्वर! वे समुद्रोंके जलपर भी निराधार चलते देखे जाते थे। राजन्! कुछ म्लेच्छ देशोंमें उत्पन्न अश्व भी वहाँ मौजूद थे, जो उस यात्रामें पुरीसे बाहर निकले। राजन्! उनमें कोटि-कोटि अश्व ऐसे थे, जो प्रतिदिन सौ योजन अविराम गतिसे दौड़ सकते थे। नरेश्वर! भगवान् श्रीकृष्णके घोड़े गड्ढे, दुर्गम भूमि, नदी, ऊँचे-ऊँचे महल तथा पर्वत आदिको भी लाँघ जाते थे। उन सभी घोड़ोंपर वीर योद्धा सवार थे॥ ५४—५७॥

इसके बाद द्वारकापुरीसे समस्त पैदल-सैनिक बाहर निकले। वे धनुष और कवचसे सुसज्जित शूरवीर तथा महान् बल-पराक्रमसे सम्पन्न थे। उनके कद ऊँचे थे। ढाल और तलवार धारण किये वे योद्धा लोहेके कवचसे मण्डित थे। हाथीके समान हृष्ट-पुष्ट शरीरवाले थे और युद्धमें बहुत-से शत्रुओंपर विजय पानेकी शक्ति रखते थे, इस प्रकार पुरीसे बाहर निकली हुई यादवोंकी उस विशाल सेनाको देखकर देवता, दैत्य और मनुष्य सबको महान् विस्मय हुआ॥ ५८—६०॥

इस प्रकार श्रीगर्गसंहिताके अन्तर्गत अश्वमेधखण्डमें 'यादव-सेनाका निर्गमन' नामक तेरहवाँ अध्याय पूरा हुआ॥ १३॥

चौदहवाँ अध्याय

अनिरुद्धका सेनासहित अश्वकी रक्षाके लिये प्रयाण; माहिष्मतीपुरीके राजकुमारका अश्वको बाँधना तथा अनिरुद्धका राजा इन्द्रनीलसे युद्धके लिये उद्यत होना

श्रीगर्गजी कहते हैं—नरेश्वर! तदनन्तर राजा उग्रसेनकी आज्ञासे अनिरुद्धसे मिलनेके लिये वसुदेव, बलराम, श्रीकृष्ण, प्रद्युम्न तथा अन्य सब यादव रथोंद्वारा नगरसे बाहर निकले। वहाँ जाकर उन्होंने सेनासे घिरे हुए अनिरुद्धको देखा। भगवान् श्रीकृष्णने पहले राजसूय यज्ञके अवसरपर प्रद्युम्नको जिस नीतिका उपदेश दिया था, वही सारी नीति उस समय अनिरुद्धसे कह सुनायी॥ १—३॥

राजन्! भगवान् श्रीकृष्णका वह उपदेश सुनकर अनिरुद्ध आदि समस्त यादवोंने प्रसन्नतापूर्वक उसे शिरोधार्य किया। तत्पश्चात् मुनिवर गर्ग, अन्यान्य मुनिवृन्द वसुदेव, बलराम, श्रीकृष्णचन्द्र तथा प्रद्युम्नको अनिरुद्धने प्रणाम किया। वसुदेव, बलराम, श्रीकृष्ण और प्रद्युम्न आदि यादव अनिरुद्धको शुभाशीर्वाद देकर रथोंद्वारा पुरीमें लौट आये। नरेश्वर! अनिरुद्धका अश्व देश-देशमें गया; किंतु श्रीकृष्णके भयसे कोई भूपाल उसे पकड़नेका साहस न कर सके। जहाँ-जहाँ वह घोड़ा गया, वहाँ-वहाँ सैनिकोंसहित अनिरुद्ध उसके पीछे शत्रुओंको जीतनेके लिये गये॥ ४—८॥

इस प्रकार विभिन्न राज्योंका अवलोकन करता हुआ अनिरुद्धका वह अश्व नर्मदाके तटपर विराजमान माहिष्मतीपुरीको गया। उस पुरीमें चारों वर्णोंके लोग भरे थे और वह प्रस्तरनिर्मित दुर्गसे मण्डित थी। भगवान् शंकरके गगनचुम्बी मन्दिर उस पुरीकी शोभा बढ़ाते थे। पाँच योजन विस्तृत माहिष्मतीपुरी राजा इन्द्रनीलसे परिपालित थी। शाल, ताल, तमाल, वट, बिल्व और पीपल आदि वृक्ष उसकी श्रेयवृद्धि कर रहे थे। बहुत-से पोखरे और बावड़ियाँ वहाँ शोभा पाती थीं, जिनमें पक्षी कलरव करते थे। ऐसी नगरीको वहाँके उपवनमें पहुँचकर अश्वने देखा। राजा इन्द्रनीलके बलवान् पुत्रका नाम नीलध्वज था। वह सहस्रों वीरोंके साथ शिकार खेलनेके लिये पुरीसे बाहर निकला॥ ९—१३॥

उस राजकुमारने भालमें बँधे हुए पत्रके साथ श्यामकर्ण घोड़ेको देखा, जो फूलोंसे भरे उपवनमें कदम्बके नीचे खड़ा था। उसकी अङ्ग-कान्ति गायके दूधकी भाँति श्वेत थी। अनेक चामरोंसे अलंकृत वह अश्व वहाँ घूमता हुआ आ गया था। उसके शरीरपर स्त्रियोंके कुङ्कुमलिप्त हाथोंके छाप शोभा दे रहे थे तथा वह मोतीकी मालाओंसे मण्डित था। उस घोड़ेको देख राजकुमार नीलध्वजने अपने वाहनसे उतरकर बड़े हर्षके साथ खेल-खेलमें ही उसके सिरका बाल पकड़ लिया। उसके भालमें यादवराज उग्रसेनने जो पत्र लगा दिया था, उसको राजकुमार पढ़ने लगा। उसमें लिखा था—'द्वारकाके अधिपति, राजा उग्रसेन समस्त शूरवीरोंके शिरोमणि हैं। उनके समान महायशस्वी और चक्रवर्ती राजा दूसरा कोई नहीं है। उन्होंने पत्रसहित इस अश्वराजको स्वतन्त्र विचरनेके लिये छोड़ा है। अनिरुद्ध इसका पालन करते हैं। जो राजा अपनेको सबल समझते हों, वे इसे पकड़ें; अन्यथा अनिरुद्धके चरणोंमें प्रणाम करके लौट जायँ।' यह अभिप्राय देखकर राजकुमार क्रोधसे बोल उठा—'क्या अनिरुद्ध ही धनुर्धर हैं? हमलोग धनुर्धर नहीं हैं? मेरे पिताजीके रहते हुए कौन इस प्रकार वीरताका गर्व कर सकता है?'॥ १४—२०½॥

श्रीगर्गजी कहते हैं—राजन्! ऐसा कहकर राजकुमार घोड़ेको लेकर राजाके पास गया और उसने पिताके आगे उस घोड़ेका वृत्तान्त कह सुनाया। पुत्रका वचन सुनकर महाबली महामानी शिवभक्त राजा नीलने अपने पुत्रसे इस प्रकार कहा॥ २१-२२½॥

इन्द्रनील बोले—बेटा! पहले क्रतुश्रेष्ठ राजसूयके अवसरपर समर्थ होते हुए मैंने अपने कुबुद्धि मन्त्रीके कहनेसे प्रद्युम्नको कुछ भेंट दे दी थी। अब पुनः घोड़ेकी रक्षा करता हुआ अनिरुद्ध आ धमका है। अहो! दैवबल कैसा अद्भुत है? उससे कौन-सा उलट-फेर नहीं हो सकता है? अभी थोड़े ही दिन हुए

द्वारिकामें वृष्णिवंशी बढ़ गये। अतः आज मैं अनिरुद्ध आदि समस्त यादवोंको परास्त करूँगा। उस मानीको श्यामकर्ण अश्व कदापि नहीं लौटाऊँगा। मैंने भक्ति-भावसे भगवान् शंकरको संतुष्ट किया है। वे युद्धमें मेरी रक्षा करेंगे॥ २३—२६$\frac{1}{2}$॥

ऐसा कहकर माहिष्मतीपुरीके वीरनरेशने सोनेकी रस्सीसे घोड़ेको बाँध लिया और सेनासहित जाकर युद्ध करनेका निश्चय किया। नरेश्वर! इतनेमें ही घोड़ेको देखते हुए सौ अक्षौहिणी सेनाके साथ अनिरुद्ध नर्मदाके तटपर आ पहुँचे। राजन्! साम्ब, मधु, बृहद्बाहु, चित्रभानु, वृक, अरुण, संग्रामजित्, सुमित्र, दीप्तिमान्, भानु, वेदबाहु, पुष्कर, श्रुतदेव, सुनन्दन, विरूप, चित्रबाहु, न्यग्रोध तथा कवि—ये अनिरुद्धके सहायक भी वहाँ आ गये। गद, सारण, अक्रूर, कृतवर्मा, उद्धव और युयुधान नामवाले सात्यकि—ये सब वृष्णिवंशी शूरवीर भी अनिरुद्धकी सहायता करनेके लिये आ पहुँचे। वे भोज, वृष्णि तथा अन्धक आदि यादव नर्मदाके तटपर खड़े हो श्यामकर्ण अश्व-को न देखनेके कारण बड़े आश्चर्यमें पड़े और आपसमें इस प्रकार कहने लगे—'मित्रो! महाराज उग्रसेनके पत्रसहित अश्वको कौन ले गया, जिससे वह श्यामकर्ण अश्व यहाँ हमें दिखायी नहीं देता है? पहले राजसूय यज्ञके अवसरपर मानव, दैत्य और देवताओंने तथा नौ खण्डोंके अधिपतियोंने भी परास्त होकर जिनके लिये भेंट दी थी, उन्हींके प्रचण्ड शासनका तिरस्कार करके जिस कुबुद्धि नरेशने अभिमानवश अश्वका अपहरण किया है, वह चोर है। उसे चोरीका दण्ड मिलना चाहिये।' सबके मुँहसे यही बात सुनकर और सामने पुरीकी ओर देखकर रुक्मवतीनन्दन अनिरुद्ध मन्त्रि-प्रवर उद्धवसे बोले॥ २७—३७$\frac{1}{2}$॥

अनिरुद्धने कहा—नर्मदा नदीके तट पर यह किस राजाकी नगरी शोभा पाती है? मालूम होता है कि हमारा अश्व अवश्य इसी नगरीमें गया है॥ ३८$\frac{1}{2}$॥

अनिरुद्धका यह वचन सुनकर श्रीकृष्ण-सखा उद्धव अत्यन्त प्रसन्न होकर बोले॥ ३९॥

उद्धवने कहा—यह राजा इन्द्रनीलकी नगरी है और इसका शुभ नाम 'माहिष्मतीपुरी' है। इसमें रहने-वाले सभी वर्णोंके लोग भगवान् महेश्वरके पूजनमें रत रहते हैं। वृष्णिकुलवल्लभ! इस राजाने पूर्वकालमें नर्मदाके तटपर बारह वर्षोंतक नर्मदेश्वरकी पूजा की थी। उनके षोडशोपचार पूजनसे भगवान् शिव प्रसन्न हो गये और उन्हें दर्शन देकर वर माँगनेके लिये प्रेरित करने लगे। भगवान् शिवका वचन सुनकर माहिष्मतीपुरीके पालक नरेशने हाथ जोड़ गद्गद वाणीमें उन रुद्रदेवसे कहा—'ईशान! आप सम्पूर्ण जगत्के गुरु तथा नर्मदेश्वर हैं। मैं आपको नमस्कार करता हूँ। आप सकाम पुरुषोंके कामनापूरक कल्पवृक्ष हैं। महेश्वर! आप दाता हैं। मैं आपसे यह वर चाहता हूँ कि आप सदा देवता, दैत्य और मनुष्योंसे प्राप्त होनेवाले भयसे मेरी रक्षा करें।' राजाकी यह बात सुनकर भगवान् शंकरने प्रसन्न हो 'तथास्तु' कह दिया। राजेन्द्र! ऐसा कहकर वे वहाँसे अन्तर्धान हो गये। कन्दर्पनन्दन! इस कारण भगवान् रुद्रके वरसे प्रभावित वह शूरवीर नरेश युद्ध किये बिना तुम्हें अश्व नहीं लौटायेगा॥ ४०—४७$\frac{1}{2}$॥

उद्धवजीका यह कथन सुनकर बलवान् अनिरुद्धने समस्त यादवोंके समक्ष धैर्यपूर्वक कहा॥ ४८॥

अनिरुद्ध बोले—मन्त्रिप्रवर! सुनिये, आपने यह बताया है कि इस राजाके सहायक साक्षात् भगवान् शिव हैं। परंतु जैसे इनपर शिवकी कृपा है, उसी प्रकार मेरे ऊपर भगवान् श्रीकृष्ण कृपा रखते हैं॥ ४९॥

—ऐसा कहकर यादवोंसहित वीर रुक्मवती-कुमारने अश्वको बन्धनसे मुक्त करनेके लिये राजा इन्द्रनीलको जीतनेका विचार किया। जब प्रद्युम्नकुमार अनिरुद्ध कवच बाँधकर खड़े हुए तब समस्त यादव-योद्धा परिघ, खड्ग, गदा, धनुष और फरसे लेकर युद्धके लिये संनद्ध हो गये॥ ५०-५१॥

इस प्रकार श्रीगर्गसंहिताके अन्तर्गत अश्वमेधखण्डमें 'अनिरुद्धका प्रयाण' नामक चौदहवाँ अध्याय पूरा हुआ॥ १४॥

पंद्रहवाँ अध्याय

अनिरुद्ध और साम्बका शौर्य; माहिष्मती-नरेशपर इनकी विजय

श्रीगर्गजी कहते हैं—तदनन्तर इन्द्रनीलका पुत्र महाबली नीलध्वज तीन अक्षौहिणी सेना साथ लेकर यादवोंको जीतनेके लिये अपने नगरसे बाहर निकला। वह अपने पिताजीकी बात सुनकर यदुवंशियोंके प्रति अत्यन्त रोषसे भरा था। उस राजकुमारको आया देख श्रीकृष्ण-पौत्र अनिरुद्ध धनुष हाथमें लेकर अकेले ही उसके साथ युद्ध करनेके लिये गये, मानो इन्द्र वृत्रासुरपर विजय पानेके लिये प्रस्थित हुए हों। संग्राम-भूमिमें जाकर अनिरुद्ध शत्रुओंके ऊपर तत्काल बाण-समूहोंकी वर्षा करने लगे। इससे उन सबके हृदयमें त्रास छा गया। फिर तो नीलध्वजके समस्त सैनिक भयभीत हो रणभूमिसे भागने लगे और प्रद्युम्नकुमारने विजयसूचक अपना शङ्ख बजाया॥ १—४॥

अपनी सेनाको भागती देख बलवान् नीलध्वज धनुष टंकारता हुआ शीघ्र ही संग्राममण्डलमें आया। उसने धनुषकी प्रत्यञ्चासे अपनी सेनाको पुनः युद्धमें लौटनेके लिये प्रेरित किया। अनिरुद्धको शत्रुओंके बीचमें घिरा हुआ देख साम्बके रोषकी सीमा न रही। वे एक अक्षौहिणी सेनासे घिरे रोषपूर्वक धनुष टंकारते हुए वहाँ आ पहुँचे। उन्होंने बीस बाणोंसे नीलध्वजको और पाँच-पाँच बाणोंसे रथों, हाथियों, घोड़ों और पैदलोंको घायल कर दिया। साम्बके बाणोंकी चोट खाकर वे सब-के-सब धराशायी हो गये। हाथीके ऊपर हाथी, रथोंके ऊपर रथ, घोड़ोंपर घोड़े और पैदल मनुष्योंपर मनुष्य गिरने लगे। क्षणभरमें वहाँकी भूमिपर रक्तकी धारा बह चली। हाथी, घोड़े, रथ और पैदल छिन्न-भिन्न होकर वहाँ पड़े थे॥ ५—१०॥

राजन्! फिर अपनी सेनामें भगदड़ मची हुई देख नीलध्वज जिसके मनमें यादवोंको जीतनेकी बड़ी इच्छा थी, धनुष लेकर बाणोंकी वर्षा करता हुआ शत्रु-सेनाके सम्मुख आया। राजन्! युद्धस्थलमें पहुँचकर रोषसे भरे हुए उस राजकुमारने दस बाणोंसे साम्बके धनुषको उसी तरह काट दिया, जैसे कोई दुर्वचन द्वारा प्रेम-सम्बन्धको छिन्न-भिन्न कर दे। बलवान् इन्द्रनील-कुमारने चार बाणोंसे साम्बके चारों घोड़े मार दिये, दो बाणोंसे उनके रथकी ध्वजा काट गिरायी, सौ बाणोंसे रथकी धज्जियाँ उड़ा दीं और एक बाणसे सारथिको कालके गालमें भेज दिया॥ ११—१३॥

इस प्रकार साम्बको रथहीन करके राजकुमार नीलध्वजने पुनः सामने आयी हुई साम्बकी सेनाको बाणोंसे घायल करना आरम्भ किया। इतनेमें ही नीलध्वजकी सारी सेना भी लौट आयी और युद्ध-स्थलमें यादवोंकी विशाल वाहिनीको तीखे बाणोंसे घायल कर दिया। फिर तो रणक्षेत्रमें दोनों सेनाओंके बीच घमासान युद्ध होने लगा। खड्ग, परिघ, बाण, गदा और तीखी शक्तियोंद्वारा उभयपक्षके सैनिक परस्पर प्रहार करने लगे। साम्ब दूसरे रथपर आरूढ़ हो सुदृढ़ धनुषपर प्रत्यञ्चा चढ़ाकर रणक्षेत्रमें आये। वे बड़े बलवान् थे। उन्होंने सौ बाण मारकर नीलध्वजके रथको चूर-चूर कर दिया। मानद नरेश! उसका धनुष भी कट गया, तब उस रथहीन राजकुमारने गदा उठाकर क्रुद्ध हो युद्धस्थलमें बड़े वेगसे साम्बपर धावा किया। उसी समय साम्ब भी सहसा रथसे उतरकर गदा लिये नीलध्वजका सामना करनेके लिये रोषपूर्वक आगे बढ़े। साम्बको आया देख राजकुमारने उनपर गदासे चोट की, परंतु फूलकी मालासे चोट करनेपर जैसे हाथी विचलित नहीं होता उसी प्रकार साम्ब उस प्रहारसे विचलित न हो सके। तदनन्तर साम्बने अपनी गदासे राजकुमारपर आघात किया। उनके उस प्रहारसे राजकुमार रणभूमिमें गिर पड़ा और मूर्च्छित हो गया। फिर तो उसके सैनिक हाहाकार करते हुए भाग चले॥ १४—२१ $\frac{1}{2}$॥

तब अत्यन्त क्रोधसे भरे हुए राजा इन्द्रनील स्वयं युद्धके लिये आये। उनके साथ दो अक्षौहिणी सेना थी और वे अपने धनुषसे बाणोंकी वर्षा कर रहे थे। उन्हें आया देख बलवान् धनुर्धर वीर श्रीकृष्णकुमार मधुने

अपने बाणोंकी मारसे इन्द्रनीलको रथहीन कर दिया। साथ ही अर्जुनके प्रिय शिष्य युयुधान सात्यकिने समराङ्गणमें आयी हुई इन्द्रनीलकी सेनाको अपने बाणोंद्वारा उसी प्रकार क्षत-विक्षत कर दिया जैसे किसीने कटुवचनोंसे मित्रताको छिन्न-भिन्न कर दिया हो। तदनन्तर यादवोंके छोड़ देनेपर राजा इन्द्रनील माहिष्मतीपुरीको लौट गये। वे दुःखसे व्याकुल हो रहे थे। उन्होंने पुरीमें पहुँचकर अपने स्वामी भगवान् शिवका स्मरण किया। तब भगवान् शिवने उन्हें परम उत्तम साक्षात् दर्शन देकर उनसे सारा वृत्तान्त पूछा। शिवजीकी बात सुनकर राजाने उनके समक्ष सारा वृत्तान्त निवेदन किया। इस प्रकार इन्द्रनीलका कथन सुनकर प्रमथोंके स्वामी भगवान् शिव बोले॥ २२—२७॥

शिवने कहा—राजेन्द्र! तुम शोक न करो। मेरा वरदान भी मिथ्या नहीं होगा। देवता, दैत्य और मनुष्य सब मिलकर भी तुम्हें जीतनेमें समर्थ नहीं हैं। महाराज! ये जो श्रीकृष्णके पुत्र हैं; ये उन्हींके अंशसे उत्पन्न हुए हैं। ये न तो देवता हैं, न दैत्य हैं और न मनुष्य ही हैं। नरेश्वर। इनसे पराजित होनेके कारण तुम मनमें दुःखी न होओ। भूपाल! तुम्हें श्रीकृष्णका अपराध नहीं करना चाहिये। राजन्! इसलिये तुम शीघ्र ही विधिपूर्वक इन समागत यादव वीरोंको अश्वमेधका घोड़ा लौटा दो; इससे तुम्हारा भला होगा॥ २८—३१॥

—ऐसा कहकर भगवान् रुद्र अदृश्य हो गये। उनके मुखसे जगदीश्वर भगवान् श्रीकृष्णका माहात्म्य जानकर राजाको बड़ी प्रसन्नता हुई। वे यज्ञका घोड़ा बहुत-से रत्न, सौ भार सुवर्ण, एक हजार मतवाले हाथी, एक लाख घोड़े और दस हजार रथ लेकर नीलध्वजके साथ जहाँ अनिरुद्ध थे, वहाँ उन्हें नमस्कार करनेके लिये गये। राजाके साथ और भी बहुत-से लोग थे। अनिरुद्धके निकट जाकर राजाने विधिपूर्वक सारी वस्तुएँ निवेदित कीं और प्रणाम करके इस प्रकार कहा॥ ३२—३५॥

इन्द्रनील बोले—श्रीकृष्ण, बलराम और महात्मा प्रद्युम्नको नमस्कार है। यदुकुलतिलक अनिरुद्धको बारंबार नमस्कार है। दैत्यसूदन! मुझे आज्ञा दीजिये, मैं आपकी क्या सेवा करूँ॥ ३६ $\frac{1}{2}$॥

तब अनिरुद्धने उनसे कहा—नृपश्रेष्ठ! आप मेरे साथ रहकर मेरे इस अश्वको एक मित्रका अश्व मानकर शत्रुओंके हाथसे इसकी रक्षा कीजिये॥ ३७ $\frac{1}{2}$॥

श्रीगर्गजी कहते हैं—नरेश्वर! अनिरुद्धकी यह बात सुनकर राजाने 'बहुत अच्छा' कहकर उनकी बात मान ली और नीलध्वजको राज्य देकर स्वयं यादव-सेनाके साथ जानेका निश्चय किया॥ ३८-३९॥

इस प्रकार श्रीगर्गसंहिताके अन्तर्गत अश्वमेधखण्डमें 'अनिरुद्धकी विजयका वर्णन' नामक पंद्रहवाँ अध्याय पूरा हुआ॥ १५॥

सोलहवाँ अध्याय

चम्पावतीपुरीके राजाद्वारा अश्वका पकड़ा जाना; यादवोंके साथ हेमाङ्गदके सैनिकोंका घोर युद्ध; अनिरुद्ध और श्रीकृष्णपुत्रोंके शौर्यसे पराजित राजाका उनकी शरणमें आना

श्रीगर्गजी कहते हैं—राजन्! वहाँसे छूटनेपर वह अश्व सब देशोंका अवलोकन करता हुआ उशीनर-जनपदके अन्तर्गत चम्पावतीपुरीमें जा पहुँचा। राजा हेमाङ्गदसे परिपालित वह पुरी विशाल दुर्गसे मण्डित थी। उसके भीतर चारों वर्णोंके लोग निवास करते थे। वह पुरी गगनचुम्बी प्रासादोंसे परिवेष्टित थी। वहाँ पुण्यात्मा राजा हेमाङ्गद महान् शूरवीरोंसे घिरे रहकर अपने पुत्र हंसकेतुके साथ राज्य करते थे। नरेश्वर! उन्होंने यादवोंकी अवहेलना करके महात्मा अनिरुद्धके उस अश्वको अनायास ही पकड़ लिया। मानद! राजा हेमाङ्गदने सोनेकी जंजीरसे घोड़ेको बाँधकर नगरके सभी दरवाजोंमें कपाट और अर्गला आदि दे दिये तथा यादवोंके विनाशके लिये दुर्गकी दीवारोंपर दो लाख शतघ्नियाँ (तोपें) लगवा दीं और युद्धका ही निश्चय किया। तत्पश्चात् सेनासहित अनिरुद्ध घोड़ेकी राह देखते हुए वहाँ आ पहुँचे। उन्होंने चम्पावतीके उपवनमें

डेरा डाल दिया। वहाँ घोड़ेको न देखकर प्रद्युम्नकुमारने श्रीकृष्णचन्द्रके सखा उद्धवसे इस प्रकार पूछा॥ १—८॥

अनिरुद्ध बोले—मन्त्रिप्रवर! यह किसकी नगरी है? कौन मेरा घोड़ा ले गया है? महामते! आप जानते होंगे; सोच-विचारकर बताइये॥ ९॥

उनका यह प्रश्न सुनकर बुद्धिमानोंमें श्रेष्ठ उद्धवने शत्रुओंके वृत्तान्तको समझकर यह बात कही॥ १०॥

उद्धव बोले—द्वारकानाथ! इस नगरीका नाम 'चम्पावती' है। यहाँ अपने पुत्र हंसध्वजके साथ राजा हेमाङ्गद राज्य करते हैं। उन्होंने ही तुम्हारा घोड़ा पकड़ा है। यह राजा बड़ा शूरवीर है। युद्ध किये बिना यज्ञका घोड़ा नहीं देगा। यह नगरमें ही रहकर भुशुण्डियोंद्वारा दीर्घकालतक युद्ध करेगा। वह नरेश युद्धके लिये नगरसे बाहर नहीं निकलेगा। अतः नरेश्वर! तुम्हारी जैसी इच्छा हो वैसा करो॥ ११—१३ $\frac{1}{2}$॥

उद्धवजीकी यह बात सुनकर अनिरुद्ध रोषपूर्वक बोले॥ १४॥

अनिरुद्धने कहा—सत्पुरुषोंमें श्रेष्ठ उद्धवजी! दुर्गमें रहकर युद्धमें लगे हुए इन बहुसंख्यक शत्रुओंको लोहेकी बनी हुई शक्तिके समान बाणोंद्वारा मैं आधे पलमें मार गिराऊँगा॥ १५॥

उद्धवजीकी पूर्वोक्त बात सुनकर इस प्रकार रोषमें भरे हुए यदुकुलतिलक अनिरुद्ध उस पुरीका विध्वंस करनेके लिये शीघ्र ही गये और कोटि-कोटि बाणोंकी वर्षा करने लगे। अन्धकवंशी वीरोंके बाणसमूहोंसे उस पुरीमें कोलाहल मच गया। वीर हंसध्वज आदि समस्त शत्रु शङ्कित हो गये। तदनन्तर राजाके कहनेसे उन वीरोंने साहसपूर्वक दुर्गकी दीवारोंपर चढ़कर बाहर जमे हुए यादव-सैनिकोंको देखा। यदुकुलके श्रेष्ठ वीरोंको कवच आदिसे सुसज्जित देख वे सब-के-सब भयभीत हो उठे। यादव-योद्धा अस्त्र-शस्त्रोंसे परिमण्डित हो शस्त्रोंकी वृष्टि कर रहे थे। हेमाङ्गदके सैनिकोंने उनपर चारों ओरसे शतघ्नियोंद्वारा आग बरसाना आरम्भ किया। वे इस निश्चयपर पहुँच गये कि हम सभी शत्रुओंको मौतके घाट उतार देंगे, घोड़ेको कदापि नही लौटायेंगे॥ १६—२०॥

उस समय अनिरुद्धकी सेनामें महान् हाहाकार मच गया। शतघ्नियोंसे ताड़ित हो समस्त वृष्णिवंशी वीर विह्वल हो गये। उनके सारे अङ्ग क्षत-विक्षत हो गये। कितने ही योद्धा युद्धसे भाग चले। राजन्! कुछ सैनिक मूर्च्छित हो गये और कितने ही अपने प्राणोंसे हाथ धो बैठे। कोई युद्धमें जल गये और कोई भस्मीभूत हो गये। कितने ही लोगोंके हाथ-पैर और भुजाएँ कट गयीं। कुछ लोग शस्त्रहीन होकर गिर पड़े। कितनोंके कवच जल गये। कितने ही हाय-हाय करने लगे और कितने ही योद्धा बलराम तथा श्रीकृष्णके नाम ले-लेकर पुकारने लगे। उस युद्धक्षेत्रमें शतघ्नियोंकी मार खाकर सारे अङ्ग जर्जर हो जानेके कारण कितने ही हाथी भागते हुए गिर पड़े और मूर्च्छित होकर मर गये। संग्राममें उछलते-भागते हुए घोड़े शरीर छिन्न-भिन्न हो जानेके कारण मौतके मुखमें चले गये। कितने ही रथ चूर-चूर होकर धराशायी हो गये। सारी यादव-सेना आगकी लपेटमें आकर भयानक दिखायी देने लगी॥ २१—२६ $\frac{1}{2}$॥

यह सब देखकर अनिरुद्ध संग्राम-भूमिमें श्रीहरि-का स्मरण करते हुए कुछ सोचने लगे। तब श्रीकृष्ण-कृपासे ऊषावल्लभ अनिरुद्धको कर्तव्यबुद्धि सूझ गयी। उन्होंने शार्ङ्गधनुष लेकर तरकससे बाण निकाला और उसे धनुषपर रखकर उसमें पर्जन्यास्त्रका संधान किया। उस बाणके छूटते ही यादवसेनाके ऊपर मेघ छा गये। नरेश्वर! उन मेघोंने यादव-सैनिकोंकी रक्षा करते हुए भूरि-भूरि जलकी वर्षा की और चारों ओर फैली हुई आगको बुझा दिया। तब वृष्णिवंशी सैनिकोंके अङ्ग-अङ्ग शीतल हो गये। वे आगके भयसे छूट गये और अनिरुद्धकी प्रशंसा करते हुए पुनः युद्धके लिये उठ खड़े हुए। उन सबको सम्बोधित करके अनिरुद्धने कहा—'मैं पंखवाले घोड़ेपर चढ़कर अकेला ही शत्रुओंके राजाको जीतनेके लिये चम्पावतीपुरीमें प्रवेश करूँगा'॥ २७—३२॥

श्रीगर्गजी कहते हैं—राजन्! अनिरुद्धकी यह बात सुनकर समस्त कृष्णकुमार साम्ब आदि अठारह महारथी उनसे बोल उठे॥ ३३॥

हरिपुत्रोंने कहा—राजन्! तुम शत्रुओंकी नगरी-में न जाओ। हम सब लोग उस आततायी नरेशको

जीतनेके लिये वहाँ जायँगे॥ ३४॥

—ऐसा कहकर रोषसे भरे हुए वे सब वीर हरिपुत्र सहसा पाँखवाले घोड़ोंपर चढ़कर दुर्गके परकोटेको लाँघते हुए चम्पावतीपुरीमें जा पहुँचे। वे सभी धनुर्धर, कवचधारी और युद्धकुशल थे। उन्होंने जाते ही सर्पाकार बाणोंसे शत्रुओंको मारना आरम्भ किया॥ ३५-३६॥

नरेश्वर! वे शत्रु भी राजाकी आज्ञासे सहसा युद्धके लिये धनुष धारण किये क्रोधपूर्वक आ पहुँचे। उनकी संख्या एक करोड़ थी। रोषसे भरे और अस्त्र-शस्त्र उठाये उन बहुसंख्यक वीरोंको वहाँ आया देख साम्ब, मधु, बृहद्बाहु, चित्रभानु, वृक अरुण, संग्रामजित्, सुमित्र, दीप्तिमान्, भानु, वेदबाहु, पुष्कर, श्रुतदेव, सुनन्दन, विरूप, चित्रबाहु, न्यग्रोध और कवि—इन समस्त श्रीकृष्णपुत्रोंने बाणोंद्वारा मारना आरम्भ किया। राजेन्द्र! फिर तो उस नगरीमें वीरोंके रक्तसे भयंकर नदी प्रकट हो गयी, जो नगरद्वारसे बाहर निकली। राजन्! उस घोर नदीको बहकर आती देख अनिरुद्ध शङ्कित हो गये। उनका मुँह सूख गया और वे रोषपूर्वक बोले—'अहो! क्या मेरे पिताके सभी भाई मारे गये, जिसके कारण यह घोर नदी प्रकट हो हम सबको बहा ले जानेके लिये इधर ही आ रही है? मैं इस नदीको अपने अग्निमय बाणोंद्वारा सोख लूँगा, इसमें संशय नहीं है। अपने पर्वतोपम गजराजोंद्वारा इस नगरीको ढहवा दूँगा॥ ३७—४४॥

तदनन्तर अनिरुद्धके आदेशसे महावतोंसे प्रेरित हो बड़े-बड़े ऊँचे मदोन्मत्त और कज्जलगिरिके समान काले लाखों हाथी अपनी सूँड़ोंसे छोटे-छोटे वृक्षों एवं गुल्मोंको उखाड़-उखाड़कर उस नगरमें फेंकने लगे। वे अपने पैरोंके आघातसे पृथ्वीको कम्पित करते हुए नगरके ऊपर जा चढ़े। नरेश्वर! वहाँ पहुँचकर उन समस्त गजराजोंने अपने कुम्भ-स्थलोंसे रोषपूर्वक सब ओरसे शीघ्र ही उस पुरीको ढाह दिया। सारे कपाट टूट-टूटकर गिर गये। द्वारोंकी सुदृढ़ शृङ्खलाएँ छिन्न-भिन्न हो गयीं। पुरीके दुर्गकी पथरीली दीवारें उन हाथियोंने तोड़ गिरायीं। नृपश्रेष्ठ! श्रीहरिके गजराजोंने किवाड़ों, अर्गलाओं और दुर्गको धराशायी करके पुरीमें पहुँचकर शत्रुओंके घरोंको गिराना आरम्भ किया। उस समय चम्पावतीमें महान् हाहाकार मच गया। राजा आदि सब लोग भयभीत हो बड़े आश्चर्यमें पड़ गये। तब पराजित हुए राजा हेमाङ्गद फूलोंके हारसे अपने दोनों हाथ बाँधकर 'पाहिमाम्' कहते हुए हरिपुत्रोंके सम्मुख आये। उन नरेशको आया हुआ देख रणभूमिमें धर्मवेत्ता साम्बने भाइयोंको तथा दीनजनोंकी हत्या करनेवाले महावतों-को भी रोका। सबको रोककर वे राजासे इस प्रकार बोले॥ ४५—५२½॥

साम्बने कहा—राजन्! आओ, तुम्हारा भला हो। मेरा घोड़ा लेकर अनिरुद्धके समीप चलो, तब तुम्हारे लिये श्रेष्ठ परिणाम निकलेगा॥ ५३½॥

साम्बकी यह बात सुनकर राजा यज्ञका घोड़ा लिये हरिपुत्रोंके साथ पुरीसे बाहर निकले। राजन्! पुत्रके साथ अनिरुद्धके निकट जाकर राजाने घोड़ा और उसके साथ एक करोड़ स्वर्णमुद्राएँ भी अर्पित कीं। राजेन्द्र! तदनन्तर नीतिवेत्ता दीनवत्सल अनिरुद्धने पुष्पमालासे बँधे हुए उनके दोनों हाथ खोलकर इस प्रकार कहा—'नृपश्रेष्ठ! मेरे साथ चलकर श्रीकृष्ण-की प्रसन्नताके लिये शत्रु-राजाओंसे इस घोड़ेकी रक्षा करो'॥ ५४—५७॥

अनिरुद्धकी बात सुनकर बुद्धिमानोंमें श्रेष्ठ राजा हेमाङ्गदने अपने पुत्रको राज्य देकर प्रसन्नतापूर्वक उनके साथ जानेका विचार किया॥ ५८॥

इस प्रकार श्रीगर्गसंहिताके अन्तर्गत अश्वमेधखण्डमें 'चम्पावती-विजय-वर्णन' नामक सोलहवाँ अध्याय पूरा हुआ॥ १६॥

सत्रहवाँ अध्याय

स्त्री-राज्यपर विजय और वहाँकी कुमारी रानी सुरूपाका अनिरुद्धकी प्रिया होनेके लिये द्वारकाको जाना

श्रीगर्गजी कहते हैं—तदनन्तर वहाँसे छूटनेपर परम उज्ज्वल अङ्गोंवाला अनिरुद्धका अश्व यदुकुलके प्रमुख वीरोंके साथ उशीनर-जनपदसे बड़े-बड़े वीरोंको देखता हुआ धीरे-धीरे बाहर निकला। राजन्! इस प्रकार विचरता हुआ वह श्रेष्ठ अश्व प्रत्येक राज्यमें गया और बहुत-से नरेशोंने उसको पकड़ा तथा छोड़ा। राजा इन्द्रनील और हेमाङ्गदको पराजित हुआ सुनकर अन्य मण्डलेश्वर नरेश अपने यहाँ आनेपर भी उस घोड़ेको पकड़नेका साहस न कर सके॥ १—३॥

नृपश्रेष्ठ! बहुत-से वीरविहीन देशोंका अवलोकन करके वह श्रेष्ठ घोड़ा स्वेच्छासे घूमता हुआ स्त्रीराज्य-में जा पहुँचा। वहाँ कोई 'सुरूपा' नामवाली सुन्दरी राजकन्या राज्य करती थी। कहते हैं, वहाँ कोई पुरुष राजा जीवित नहीं रहता। वज्रनाभ! उस देशमें किसी स्त्रीको पाकर जो कामभावसे उसका सेवन करता है, वह एक वर्षके बाद कदापि जीवित नहीं रहता॥ ४—६॥

स्त्रीराज्यके नगरमें फूलोंसे भरा हुआ एक सुन्दर उद्यान था, जहाँ लवङ्ग-लताएँ फैली थीं और इलायचीकी सुगन्ध भीनी रहती थी। पक्षियों और भ्रमरोंकी मीठी बोली वहाँ गूँज रही थी। उस नगरमें पहुँचकर घोड़ा उस उद्यानमें एक इमली वृक्षके नीचे खड़ा हो गया। वहाँकी सब स्त्रियोंने देखा, बड़ा मनोहरश्यामकर्ण घोड़ा खड़ा है। वहाँके ब्राह्मण, क्षत्रिय, वैश्य और शूद्र भी उसे देखनेके लिये गये। नरेश्वर! उस घोड़ेको देखकर स्त्रियोंने अपनी स्वामिनीसे उसकी चर्चा की। वह चर्चा सुनकर रानी छत्र और चँवरसे वीजित हो रथपर बैठीं और करोड़ों स्त्रियोंके साथ उस घोड़ेको देखनेके लिये गयीं। घोड़ेको देखकर और उसके भालमें बँधे हुए पत्रको पढ़कर रानीको बड़ा रोष हुआ। उन्होंने नगरमें घोड़ेको बाँधकर उसके प्रतिपालकोंके साथ युद्ध करनेका निश्चय किया। कोई स्त्रियाँ हाथीपर, कोई रथपर और कोई घोड़ेपर आरूढ़ हो कवच बाँधकर अस्त्र-शस्त्रोंसे सम्पन्न हो युद्धके लिये आयीं। वे सब स्त्रियाँ कुपित हो अस्त्र-शस्त्रोंकी वर्षा करती हुई आयीं। उन्हें देखकर अनिरुद्धने हेमाङ्गदसे पूछा॥ ७—१३॥

अनिरुद्ध बोले—राजन्! ये कौन-सी स्त्रियाँ हैं, जो युद्ध करनेके लिये आयी हैं। जिस उपायसे यहाँ मेरा कल्याण हो, वह विस्तारपूर्वक बताइये॥ १४॥

हेमाङ्गदने कहा—नृपेश्वर! इस देशमें रानी राज्य करती है; क्योंकि राजा यहाँ जीवित नहीं रहता है। इसीलिये वह स्त्रियोंसे घिरी हुई आयी है। आपके घोड़ेको पकड़कर वह संग्राम करनेके लिये उपस्थित है॥ १५॥

यह सुनकर अनिरुद्ध राजासे इस प्रकार बोले॥ १५ $\frac{1}{2}$॥

अनिरुद्धने कहा—राजन्! यहाँपर स्त्री राज्य क्यों करती है तथा राजा क्यों जीवित नहीं रहता है? यह बात विस्तारपूर्वक बतलाइये; क्योंकि आप सब कुछ जानते हैं॥ १६-१७॥

अनिरुद्धकी यह बात सुनकर राजा हेमाङ्गदने अपने गुरु याज्ञवल्क्यजीके चरणारविन्दोंका चिन्तन करते हुए कहा—'यादवेन्द्र! इस विषयका प्राचीन इतिहास मैंने चम्पापुरीमें पहले गुरुवर याज्ञवल्क्यजीके मुखसे सुना था, वही तुमसे कहूँगा; ध्यान देकर सुनो॥ १८-१९॥

राजन्! प्राचीन सत्ययुगकी बात है, इस देशमें 'नारीपाल' नामसे विख्यात एक मण्डलेश्वर राजा हुए थे। उनके मोहिनी नामवाली पत्नी थी, जिसका जन्म सिंहलद्वीपमें हुआ था। वह पद्मिनी नायिका थी। उसकी चाल हंसके समान थी और मुख पूर्णचन्द्रके समान मनोहर था। राजा उसके सौन्दर्यके महासागरमें डूबकर यह भी नहीं जान पाते थे कि कब दिन बीता

और कब रात समाप्त हुई? वे सैकड़ों वर्षोंतक उसके साथ रमण करते रहे। काममोहित होनेके कारण वे प्रजाजनोंका न्याय भी नहीं करते थे। राजन्! उस समय सारी प्रजा दु:खसे पीड़ित हो रही थी। यादवेश्वर! प्रजाजनोंका पारस्परिक कलहसे विनाश होता देख राजवल्लभा मोहिनी अपनी शक्तिके अनुसार सारी प्रजाका न्यायकार्य स्वयं ही सँभालने लगी। एक दिन उस नरेशसे मिलनेके लिये महामुनि अष्टावक्र उनके अन्त:पुरमें आये। राजाका मन स्त्रीमें ही आसक्त रहता था। वे मुनिको आया देख जोर-जोरसे हँसने लगे और बोले—'यह कुरूप यहाँ कैसे आ गया?'॥ २०—२६॥

तब मुनि रुष्ट होकर बोले—'अरे! ओ मूर्ख नपुंसक! मेरी बात सुन ले, तू स्त्रियोंके हाथका खिलौना होकर मुनियोंका अपमान क्यों कर रहा है? तुम्हारे देशमें सदा स्त्रियाँ राज्य करेंगी। इस राज्यमें पुरुष-राजा जीवित नहीं रहेगा। अत: तू अभी इस राजभवनसे निकल जा। इस देशमें स्त्रीको पाकर जो प्रतिदिन उसका सेवन करेगा, वह एक वर्ष बीतनेके बाद निस्संदेह जीवित नहीं रहेगा'॥ २७—२९॥

श्रीगर्गजी कहते हैं—राजन्! ऐसा कहकर मुनिश्रेष्ठ अष्टावक्र अपने आश्रमको चले गये। मुनिके चले जानेपर राजा उनके शापसे नपुंसक हो गये। 'यह सब दुर्दशा मुनिने ही की है'—ऐसा जानकर राजा अत्यन्त दीन एवं दु:खसे व्याकुल हो गये और स्वयं ही अपनी निन्दा करने लगे॥ ३०-३१॥

नारीपाल बोले—अहो! स्त्रीके वशीभूत रहनेवाले मुझ मन्दभाग्यने यह क्या किया? मुनियोंकी पूजा छोड़कर नरककी राह पकड़ ली। आज मुझ दुष्ट पापात्मापर यमदूतोंकी दृष्टि पड़ी है। अब मैं वैतरणीमें गिराये जानेयोग्य हो गया हूँ। इस दशामें देखकर मुझे कौन अपने तेजसे इस कष्टसे छुड़ायेगा?॥ ३२-३३॥

ऐसा उद्गार प्रकट करके राजा घर छोड़कर वन-वनमें विचरने लगे। वे मुक्तिदाता भगवान् विष्णुके भजनमें लग गये और अन्तमें उन्होंने श्रीहरिका पद प्राप्त कर लिया। उस शापके भयसे राजालोग इस देशमें राज्य नहीं करेंगे; केवल नारियाँ ही यहाँ शासन करेंगी, इसमें संशय नहीं है॥ ३४-३५॥

श्रीगर्गजी कहते हैं—अनिरुद्ध और हेमाङ्गद इस प्रकार बातचीत कर ही रहे थे कि रोषसे भरी हुई वहाँकी पुंश्चली नारियाँ इनके पास आ गयीं और क्रोधपूर्वक अपने धनुषोंसे बाणोंकी वर्षा करने लगीं। उन स्त्रियोंको देखकर अनिरुद्ध विस्मित हो गये और 'मैं स्त्रियोंके साथ युद्ध कैसे करूँगा'—ऐसा कहते हुए वे भयभीत-से हो गये। उसी समय मण्डलेश्वरी सुरूपा स्त्रियोंके साथ उनके निकट आ गयीं और अनिरुद्धको देखकर बोली॥ ३६—३८॥

रानीने कहा—वीर! रणभूमिमें खड़े हो जाओ, खड़े हो जाओ। मेरे साथ युद्ध करो। तुम तो बहुत बड़ी सेनाके साथ हो। फिर युद्धस्थलमें व्यर्थ सोचमें क्यों पड़ गये हो? तुम बड़े मानी हो। मैं इस समराङ्गणमें वृष्णिवंशी योद्धाओंसहित तुमको पराजित करके अपना क्रीड़ामृग बनाऊँगी; क्योंकि तुम्हें देखकर मैं मदन-ज्वरसे पीड़ित हो गयी हूँ॥ ३९-४०॥

उसकी यह बात सुनकर अनिरुद्ध भयसे विह्वल हो गये। वे सब कुछ जान गये और दीन वाणीमें उस मण्डलेश्वरीसे बोले—'रानी! तुम सर्वदेवेश्वर भगवान् श्रीकृष्णचन्द्रके अश्वको यज्ञके लिये अपनी ही इच्छासे मुझे लौटा दो। सुमुखि! मैं तुम्हारे साथ युद्ध नहीं करूँगा; अत: तुम श्रीहरिके दर्शनके लिये द्वारका जाओ। भद्रे! जिनके नामका स्मरण करके मनुष्य कृतकृत्य हो जाता है, साक्षात् उन्हींके दर्शनका कैसा महान् फल है। यह तुम्हें क्या बताऊँ!' वार्तालापमें चतुर अनिरुद्धके इस प्रकार समझानेपर उसे पूर्वजन्मकी वार्ताका स्मरण हो आया और वह अनिरुद्धसे उसी प्रकार बोली—जैसे ब्रह्माजीसे मोहिनी बोली थी॥ ४१—४५॥

सुरूपाने कहा—देव! मैं पूर्वजन्ममें स्वर्गकी एक प्रसिद्ध अप्सरा थी। मेरा नाम 'मोहिनी' था। मेरे अङ्ग कमलके समान प्रफुल्ल एवं सुगन्धित थे। मेरे नेत्र भी कमलदलके समान विकसित एवं विशाल थे। एक दिनकी बात है—पद्मयोनि ब्रह्माजी हंसपर आरूढ़ हो कहीं जा रहे थे। उन्हें देखकर मैं उनके निकट गयी और बोली—'आप मुझे अङ्गीकार करें।'

जब ब्रह्माजीने मुझे ग्रहण नहीं किया, तब मैं शाप देकर 'ककुद्मती' नदीके तटपर गयी और वहाँ दुष्कर तपस्या करने लगी। मेरी तपस्यासे ब्रह्माजी संतुष्ट हो गये। वे तपस्याके अन्तमें मेरे पास आये और प्रसन्नचित्त हो मुझ तपस्विनीसे बोले—'वर माँगो।' उनका यह कथन सुनकर मैं (मोहिनी) बोली—'देवदेव! आपको नमस्कार है। लोकेश! मैं यही वर माँगती हूँ कि आप मुझ दीन तपस्विनीका वरण करें। मैं दु:खित होकर आपकी शरणमें आयी हूँ। यदि आप मुझे ग्रहण नहीं करेंगे तो मैं तपस्यासे क्षीण हुए इस शरीरको रोषपूर्वक त्याग दूँगी।' मेरी यह बात सुनकर ब्रह्माजीने कहा—''भामिनि! शोक न करो। भद्रे! दूसरे जन्ममें तुम्हारा मनोरथ पूर्ण होगा। मैं द्वारकामें श्रीहरिका सुन्दर पौत्र होऊँगा। उस समय मेरा नाम 'अनिरुद्ध' होगा और तुम स्त्रीराज्यकी रानी होओगी। भद्रे! उस समय मैं तुम्हें ग्रहण करूँगा। मेरी यह बात झूठी नहीं है।'', यह सुनकर मैं इस भूतलपर उत्पन्न हुई। यादवश्रेष्ठ! आप साक्षात् ब्रह्माजी हैं और मेरे लिये ही यहाँ पधारे हैं॥ ४६—५४ $\frac{१}{२}$ ॥

श्रीगर्गजी कहते हैं—सुरूपाका यह कथन सुनकर समस्त यादव आश्चर्यचकित हो गये। तब धर्मात्मा अनिरुद्धने उससे यह निर्मल वचन कहा॥ ५५ $\frac{१}{२}$ ॥

अनिरुद्ध बोले—भद्रे! तुम श्रीद्वारकाको जाओ। मैं वहाँ अपनी प्रियाके रूपमें तुम्हें ग्रहण करूँगा। इस समय तो मैं राजाओंसे अश्वकी रक्षा करते हुए उसीके साथ जाऊँगा॥ ५६॥

तदनन्तर सुरूपा अनिरुद्धकी आज्ञासे अपनी श्रेष्ठ मन्त्रिणी प्रमिलाको राज्यपर स्थापित करके घोड़ा लौटाकर स्वयं द्वारकाको चली गयी॥ ५७॥

इस प्रकार श्रीगर्गसंहिताके अन्तर्गत अश्वमेधखण्डमें 'स्त्रीराज्यपर विजय' नामक सत्रहवाँ अध्याय पूरा हुआ॥ १७॥

अठारहवाँ अध्याय

राक्षस भीषणद्वारा यज्ञीय अश्वका अपहरण तथा विमानद्वारा यादव-वीरोंकी उपलङ्कापर चढ़ाई

श्रीगर्गजी कहते हैं—राजन्! तदनन्तर अनिरुद्धके प्रयाससे छूटा हुआ वह दुग्धके समान उज्ज्वल यज्ञसम्बन्धी अश्व स्वेच्छासे सिंहलद्वीपके निकट विचरने लगा। वह प्याससे पीड़ित था। घोड़ेने देखा, सामने ही बहुतसे वृक्षोंद्वारा आवृत और जलसे भरी हुई एक बावड़ी है। उसे देख, वह स्वयं जाकर उसका पानी पीने लगा। बावड़ीमें अश्वको देखकर एक 'भीषण' नामवाले राक्षसने उसके भालमें लगे हुए पत्रको पढ़ा और बड़ी प्रसन्नतासे उस घोड़ेको पकड़ लिया। उसी समय सब यादव, जिनकी दृष्टि घोड़ेपर ही लगी हुई थी, वहाँ आ पहुँचे। आकर उन्होंने देखा—'यज्ञके अश्वको एक राक्षसने पकड़ रखा है।' तब वे युद्धशाली यादव उस राक्षससे बोले॥ १—४ $\frac{१}{२}$ ॥

यादवोंने कहा—अरे! तू कौन है? जैसे सिंहकी वस्तुको सियार ले जाय, उसी तरह यादवेन्द्र महाराज उग्रसेनके घोड़ेको लेकर तू कहाँ जायगा? धूर्त! खड़ा रह, खड़ा रह। हमारे साथ धैर्यपूर्वक युद्ध कर! हम घोड़ेको तेरे हाथसे छुड़ा लेंगे तथा रणभूमिमें तेरा वध कर डालेंगे। भाइयोंसहित शकुनि, नरकासुर, बाणासुर और कलङ्क—ये समस्त राक्षस-राज हमारे हाथसे मारे जा चुके हैं। तू तो उनके सामने तिनकेके तुल्य है। अत: हम युद्धमें तुझे कुछ भी नहीं गिनेंगे। तू घोड़ा देकर चला जा, चला जा, नहीं तो हम तुझे मार डालेंगे॥ ५—८ $\frac{१}{२}$ ॥

उनका यह भाषण सुनकर देवताओंको भी भयभीत करनेवाले भीषणने शूल, गदा और खड्ग लेकर बड़े रोषके साथ उन सबसे कहा॥ ९ $\frac{१}{२}$ ॥

भीषण बोला—अरे! तुमलोग क्या मेरा सामना कर सकते हो। मनुष्य तो हमारे भोजन हैं। वे राक्षसोंके सामने कौन-सा पुरुषार्थ प्रकट करेंगे? पहले जब

यादवराजने 'विश्वजित् यज्ञ' किया था, तब मैं राक्षसोंको लानेके लिये लङ्का चला गया था। उन्हें लेकर जब मैं अपनी पुरीमें लौटा तो नारदजीके मुखसे सुना कि वह यज्ञ पूरा हो गया। अब तुमलोगोंने पुनः अश्वमेध यज्ञ करनेका प्रयास व्यर्थ ही किया है। तुमलोगोंमें कौन ऐसे वीर हैं, जो मेरे पकड़े हुए घोड़ेको छुड़ा सकें! अतः घोड़ेकी आशा छोड़कर तुमलोग जाओ, चले जाओ। नहीं तो मेरे चार लाख अनुयायी राक्षस तुम सबको खा जायँगे। इस स्थानसे बारह योजन दूर समुद्रमें मेरी बनायी हुई पुरी है, जिसका नाम 'उपलङ्का' है। जैसे भोगवतीपुरी सर्पोंसे भरी रहती है, उसी प्रकार उपलङ्का निशाचरगणोंसे परिपूर्ण है॥ १०—१६॥

राजन्! ऐसा कहकर घोड़ा लिये आकाशमार्गसे वह सहसा अपनी पुरीको चला गया और समस्त यादव शोक करने लगे। तब अनिरुद्ध कहने लगे— 'भोजराजके इस अश्वको जिसे निशाचर ले गया है, हम कैसे छुड़ायेंगे'॥ १७-१८॥

उनका यह वचन सुनकर नीतिकुशल साम्ब आदि उनसे बोले—राजन्! चिन्ता छोड़ो। हमारे रहते तुम्हें क्या भय है? तुम्हारी सेनामें पंखदार घोड़े हैं, विमान हैं और बाण हैं। दोनों लोकोंपर विजय पानेवाले शौर्य-सम्पन्न महान् वीर विद्यमान हैं। राजन्! हमलोग घोड़ोंसे यात्रा करेंगे अथवा बाणोंसे पुल बाँधकर जायँगे; या भगवान् विष्णुके दिये हुए विमानसे शत्रुओंकी नगरीपर आक्रमण करेंगे। सबकी बात सुनकर धनुर्धारियोंमें श्रेष्ठ अनिरुद्धने मन्त्रिप्रवर उद्धवको बुलाकर इस प्रकार पूछा॥ १९—२२॥

अनिरुद्ध बोले—मन्त्रिवर! श्यामकर्ण हमारे हाथसे चला गया। अब हम क्या करें? भगवान्ने आपके आदेशानुसार ही कार्य करनेकी आज्ञा दी थी; अतः आप कोई उपाय बताइये। मेरे सब चाचा लोग जो उपाय बता रहे हैं, वह आपने भी सुना है। यदि आपकी भी आज्ञा हो जाय तो मैं वह सब करूँ॥ २३-२४॥

अनिरुद्धकी यह बात सुनकर उद्धवजी लज्जित होकर बोले—भैया! मैं तो श्रीकृष्णका और विशेषतः उनके पुत्रों तथा पौत्रोंका भी सदा दास हूँ। निरन्तर आज्ञामें रहनेवाला सेवक हूँ। मैं क्या बताऊँगा। जो तुम्हारी और इन सबकी इच्छा हो, वह करो। निश्चय ही वह सफल होगी॥ २५-२६॥

तब अनिरुद्धने कहा—यादवो! मैं भगवान् विष्णुके दिये हुए विमानद्वारा दस अक्षौहिणी सेनाके साथ दैत्यनगरी (उपलङ्का) में जाऊँगा। सारण, कृतवर्मा तथा सत्यकपुत्र युयुधान—ये लोग अक्रूरके साथ यहीं रहकर शेष सेनाकी रक्षा करें॥ २७-२८॥

ऐसा कहकर अनिरुद्ध श्रीहरिके अठारह पुत्रों, उद्धव, गद और विशाल सेनाके साथ भगवान् विष्णुके दिये हुए विमानपर आरूढ़ हुए। श्रीकृष्णके पौत्र तथा यादव-वीरोंसे युक्त वह सूर्य-बिम्बके समान तेजस्वी विमान अपनी शक्तिसे चालित होकर उसी प्रकार शोभा पाने लगा, जैसे पूर्वकालमें कुबेरका विमान पुष्पक श्रीराम और कपिराजोंसे युक्त होकर सुशोभित होता था॥ २९-३०॥

इस प्रकार श्रीगर्गसंहिताके अन्तर्गत अश्वमेधखण्डमें 'विमानपर आरोहण' नामक अठारहवाँ अध्याय पूरा हुआ॥ १८॥

उन्नीसवाँ अध्याय

यादवों और निशाचरोंका घोर युद्ध; अनिरुद्ध और भीषणकी मूर्च्छा तथा चेतना एवं रणभूमिमें बकका आगमन

श्रीगर्गजी कहते हैं—राजन्! तदनन्तर रुक्मवतीकुमार अनिरुद्ध कुबेरके समान विमानद्वारा विशाल सेनाके साथ उपलङ्कामें गये। नरेश्वर! वहाँ जाकर यादवोंसहित अनिरुद्धने विषधर सर्पके समान विषाक्त बाणोंद्वारा उस नगरीका और वहाँके वन-उपवनोंका विध्वंस आरम्भ कर दिया। वहाँके क्रीडा-स्थानों, द्वारों, भवनों, अट्टालिकाओं, छज्जों तथा गोपुरोंपर उस विमानके अग्रभागसे अस्त्र-शस्त्रोंकी वर्षा

होने लगी। मुसल, शक्ति, परिघ, बाण और शिलाएँ भी निरन्तर पड़ने लगीं। राजन्! वहाँ प्रचण्ड वायु चलने लगी और सम्पूर्ण दिशाएँ धूलसे आच्छादित हो गयीं। इस प्रकार यादवोंद्वारा की गयी अस्त्र-वर्षासे अत्यन्त पीड़ित हुई भीषणकी वह नगरी कहीं भी कल्याण (परित्राण) नहीं पा रही थी। उसकी वही दशा हो गयी थी, जैसे पूर्वकालमें शाल्वदेशीय योद्धाओंके आक्रमणसे द्वारकापुरीकी हुई थी॥ १—५॥

नृपश्रेष्ठ! उस समय उस नगरीमें हाहाकार मच गया। भीषण आदि असुर भयसे विह्वल हो गये। सारी नगरीको पीड़ित देख राक्षसराज भीषण 'डरो मत'—इस प्रकार अभयदान दे राक्षसोंके साथ बाहर निकला। फिर तो उसकी पुरीमें निशाचरोंके साथ यादवोंका घोर युद्ध होने लगा। ठीक उसी तरह, जैसे पहले लंकामें वानरों और राक्षसोंमें युद्ध हुआ था। वृष्णिवंशी योद्धाओंके बाणसमूहोंसे कंधे कट जानेके कारण राक्षस आँधीके उखाड़े हुए वृक्षोंकी भाँति समुद्रमें गिरने लगे। कुछ निशाचर औंधे मुँह उस पुरीमें ही धराशायी हो गये। राजन्! कोई उतान होकर गिरे और कोई तत्काल पञ्चत्वको प्राप्त हो गये। वहाँ उन राक्षसोंके रक्तसे एक भयंकर दूषित नदी प्रकट हो गयी, जो महावैतरणीकी भाँति दुष्पार थी। वहाँ यादवोंका बल देखकर भीषणको बड़ा विस्मय हुआ। उसने टेढ़ी आँखोंसे यादवोंकी ओर देखकर कहा—'तुमलोगोंने निर्बलोंकी भाँति आकाशमें खड़े होकर युद्ध किया है। तुमलोग जो व्यर्थ वीरताका अभिमान करते हो, वह प्रशंसाके योग्य नहीं है। तुमलोगोंके शरीरोंमें यदि शक्ति हो तो सुनो—पृथ्वीपर उतर आओ और मेरे साथ युद्ध करो।' उसकी यह बात सुनकर करुणामय प्रद्युम्नकुमार भूतलपर विमान उतारकर उस महान् असुरसे बोले॥ ६—१५॥

अनिरुद्धने कहा—महान् असुर! बहुत विचार करनेसे क्या होगा? तुम महासमरमें भय छोड़कर शीघ्र मेरे साथ युद्ध करो॥ १६॥

उनकी यह बात सुनकर भयंकर पराक्रमी भीषणने अपने धनुषसे पाँच नाराच बाण अनिरुद्धके ऊपर चलाये। अनिरुद्धने उन्हें देखकर अपने बाणोंद्वारा उन नाराचोंके दो-दो टुकड़े कर दिये और खेल-खेलमें ही एक बाणसे उसके धनुषको काट दिया। भीषणने भी दूसरा धनुष लेकर उसपर प्रत्यञ्चा चढ़ायी और सर्पाकार सौ बाणोंद्वारा प्रद्युम्नकुमारको घायल कर दिया। उनका रथ खण्डित हो गया, सारथि मारा गया, सब घोड़े भी कालके गालमें चले गये और अनिरुद्ध मूर्च्छित हो गये। उस समय अपने सेनानायकको घिरा हुआ देख समस्त वृष्णिवंशी यादवोंके अधर-पल्लव रोषसे फड़क उठे और वे बाणोंकी वर्षा करते हुए वहाँ आ पहुँचे। उन बहुसंख्यक वीरोंको आया देख उस असुरने रोषपूर्वक धनुषको रखकर गदासे ही उन सबको मार गिराया, जैसे सिंह अपनी दाढ़ोंसे ही मृगोंको कुचल देता है। गदाकी मारसे पीड़ित हो यादव-सैनिक भूतलपर गिर पड़े। उनके सारे अङ्ग छिन्न-भिन्न हो गये थे। कितने ही योद्धा रणक्षेत्रमें धराशायी हो गये॥ १७—२३॥

तब बलरामजीके छोटे भाई गदने अपनी गदा लेकर समरभूमिमें राक्षस भीषणके मस्तकपर प्रहार किया। राजन्! गदाके उस प्रहारसे व्यथित हो वज्रके मारे हुए पर्वतकी भाँति वह असुर वसुधाको कम्पित करता हुआ पृथ्वीपर गिर पड़ा। भीषणका सिर फट गया था। उसे मूर्च्छित होकर पड़ा देख वे असुर शस्त्र धारण किये गदको मारनेके लिये आ पहुँचे। परंतु नरेश्वर! नृसिंहने जैसे अपनी दाढ़से हाथियोंको मार गिराया था, उसी प्रकार बलरामके छोटे भाई गदने अपनी वज्र-सरीखी गदासे उन सब असुरोंको धराशायी कर दिया॥ २४—२७॥

इसके बाद अनिरुद्ध होशमें आकर खड़े हो गये और क्षणभरमें धनुष लेकर बोल उठे—'मेरा शत्रु दुष्ट भीषण कहाँ गया, कहाँ गया?' श्रीहरिके पौत्रको खड़ा हुआ देख यादवपुंगव जय-जयकार करने लगे और समस्त देवताओंको भी बड़ा हर्ष हुआ॥ २८-२९॥

तदनन्तर नारदजीसे सूचना पाकर भीषणका पिता निशाचर 'बक' जंगलसे कुपित होकर वहाँ आया। महाराज! वह कज्जलगिरिके समान काला और ताड़के बराबर ऊँचा था। उसकी जीभ लपलपा रही थी, नेत्र भयंकर हो गये थे तथा वह त्रिशूल और गदा

लिये हुए था। एक हाथीको बायें हाथसे पकड़कर मुँहसे चबाता हुआ वह राक्षस रक्तसे नहा गया था और बड़े भारी पिशाचके समान दिखायी देता था। उसके दोनों पैर ताड़के बराबर बड़े थे। वह उनकी धमकसे भूतलको कम्पित कर रहा था। देवताओंके हृदयमें भय उत्पन्न करनेवाला वह निशाचर जनताके लिये काल-सा दिखायी देता था। उसको आते देख वहाँ सब यादव आतङ्कित हो गये और श्रीकृष्णचन्द्रके चरणारविन्दोंका स्मरण करते हुए वे सब आपसमें इस प्रकार कहने लगे॥ ३०—३४॥

यादव बोले—मित्रो! बताओ, यह कौन हमारे निकट आ पहुँचा है? इसका रूप बड़ा ही बीभत्स है और यह कालके समान निर्भय प्रतीत होता है॥ ३५॥

इस प्रकार जब सब लोग बोलने लगे तो वहाँ महान् कोलाहल छा गया। बकको देखकर वे सब निशाचर प्रसन्न हो गये। राजन्! भीषणको मूर्च्छित देख राक्षसराज बक संग्राममें बारंबार 'हा दैव! हा दैव!' कहता हुआ शोकमग्न हो गया॥ ३६-३७॥

नरेश्वर! तत्पश्चात् दो घड़ीमें मूर्च्छा त्यागकर भीषण उठा और कहने लगा—'मेरे भयसे गद कहाँ भाग गया?' अपने पुत्रको उठा देख उस नरभक्षी राक्षसको बड़ा हर्ष हुआ। वह बोलनेमें बहुत कुशल था। उसने बेटेको हृदयसे लगाकर उत्तम वचनोंद्वारा उसे आश्वासन दिया। महाराज! पिताको सहायताके लिये आया देख भीषणने प्रसन्नचित्त होकर उन्हें प्रणाम किया॥ ३८—४०॥

इस प्रकार श्रीगर्गसंहिताके अन्तर्गत अश्वमेधखण्डमें 'बकका आगमन' नामक उन्नीसवाँ अध्याय पूरा हुआ॥ १९॥

बीसवाँ अध्याय

बक और भीषणकी पराजय तथा यादवोंका घोड़ा लेकर आकाशमार्गसे लौटना

श्रीगर्गजी कहते हैं—राजन्! तदनन्तर असुरोंके बीचमें खड़े होकर राक्षस बकने भीषणसे युद्धका अभिप्राय (कारण) पूछा—'बेटा! इन तिनकोंके समान यादवोंके साथ किसलिये युद्ध हुआ था, जिससे तुम मूर्च्छित हो गये और बहुत-से राक्षस मारे गये? यह तो बड़े आश्चर्यकी बात है'॥ १-२॥

राजन्! बकके इस प्रकार पूछनेपर भीषणने मुँह नीचे करके अश्वमेधके घोड़ेको पकड़ लानेके सम्बन्धमें सारी बात बतायी। पुत्रकी बात सुनकर बकने अपनी गदा ले ली और यादव-सेनामें उसी प्रकार प्रवेश किया, जैसे जंगलमें दावानल प्रकट हो जाता है। जैसे सिंह सोये हुए मृगोंको रौंद डालता है, उसी प्रकार सामने आये हुए यादवोंको बकने दोनों पैरोंसे, हाथोंसे, भुजाओंसे और गदाके आघातसे कुचल डाला। वह घोड़ोंको पकड़कर आकाशमें फेंक देता था, हाथियों तथा रथोंकी भी यही दशा करता था। बलवान् बक युद्धमें मनुष्योंको अपना भक्ष्य बनाता हुआ जोर-जोरसे गर्जना करने लगा। यदुकुलतिलक वज्रनाभ! उस राक्षसकी गर्जनासे लोकोंसहित सम्पूर्ण विश्व गूँज उठा। भूमण्डलकी जनमण्डली बहरी हो गयी। उसके इस विपरीत युद्धसे समस्त यादव हाहाकार करने लगे और मनमें अत्यन्त खिन्न हो गये। उस दुरात्मा राक्षससे अपनी सेनाको अत्यन्त पीड़ित होती देख प्रचण्ड पराक्रमी जाम्बवतीनन्दन साम्बने पाँच नाराच ले अपने धनुषपर रखकर तत्काल ही बकको लक्ष्य करके छोड़े। मानद नरेश! वे बाण उसके शरीरको विदीर्ण करते हुए तत्काल भूतलमें घुस गये और भोगवती गङ्गाका जल पीने लगे॥ ३—११॥

राजन्! उन बाणोंके आघातसे बक पृथ्वीको कम्पित करता हुआ गिर पड़ा, किंतु पुनः उठकर मेघगर्जनाके समान सिंहनाद करने लगा। तब पुनः जाम्बवतीकुमारने उसे पाँच बाण मारे। उन बाणोंके आघातसे चक्कर काटता हुआ बक लङ्कामें जा गिरा। नरेश्वर! वहाँसे आकर उस राक्षसने अग्निके समान प्रज्वलित तीन शिखाओंवाले त्रिशूलको लेकर साम्बपर दे मारा, जैसे किसीने फूलसे हाथीपर आघात किया

हो। त्रिशूलको आते देख साम्बने शीघ्र बाण मारकर अनायास ही युद्धस्थलमें उसके टुकड़े-टुकड़े कर डाले, जैसे गरुडने किसी नागको छिन्न-भिन्न कर डाला हो। महाराज! तब रणदुर्मद बकने भारी गदा लेकर साम्बके घोड़ों और सारथिको मार डाला। फिर रथ और पताकाको भी चूर-चूर करके वह साम्बसे बोला—'तुम दूसरे रथपर बैठकर मेरे साथ युद्ध करो। इस समय तुम रथहीन हो, इसलिये रणभूमिमें मैं अधर्म या अन्यायसे तुम्हें नहीं मारूँगा'॥ १२—१७$\frac{१}{२}$॥

उस दैत्यके ऐसा कहनेपर हँसते हुए साम्बने किंचित् कुपित होकर बककी कपाट-जैसी छातीपर शीघ्र ही गदासे आघात किया। युद्धस्थलमें उस गदासे आहत हुआ बक मन-ही-मन कुछ व्याकुल हो उठा। फिर वह साम्बकी कोई परवा न करके यादव-सेनामें जा घुसा। वहाँ पहुँचकर उस निशाचरने गदाके आघातसे बहुतसे हाथियों, घोड़ों, रथों और मनुष्योंको उसी तरह मार गिराया, जैसे मृगराज सिंह मृगोंके समुदायको धराशायी कर देता है। नृपेश्वर! उस समय यादव-सेनामें हाहाकार मच गया। राजन्! यह देख रुक्मवतीनन्दन अनिरुद्ध रोषपूर्वक एक अक्षौहिणी सेनाके साथ वहाँ आये और सबको अभय देते हुए बोले॥ १८—२२॥

अनिरुद्धने कहा—रे मूढ़! तू वीरपुरुषका सामना छोड़कर क्या युद्ध करेगा? निशाचर! भयभीतोंको मारनेसे तेरी प्रशंसा नहीं होगी। यदि तेरे शरीरमें शक्ति है तो मेरी बात सुन। मेरे सामने आकर यत्नपूर्वक युद्ध कर॥ २३-२४॥

राजन्! इस प्रकार अनिरुद्धकी बात सुनकर बकासुर रोषसे सर्पकी भाँति फुफकारता हुआ उनके सामने शीघ्र युद्धके लिये आया। युद्धस्थलमें उसे आया देख धनुर्धरोंमें श्रेष्ठ अनिरुद्धने रोषपूर्वक उसे दस नाराच मारे। वे बाण शीघ्र ही उसके शरीरको छेदकर बाहर निकले और फिर भीषणको भी विदीर्ण करते हुए भूतलमें समा गये। तब भीषणसहित बक मूर्च्छित हो वज्रसे आहत हुए पर्वतके समान पृथ्वी-पर गिर पड़ा। उस समय यादव-सेनामें जय-जयकार होने लगा। दुन्दुभियाँ बज उठीं, नगाड़े पीटे जाने लगे और शङ्खों तथा गोमुखोंकी ध्वनि होने लगी। अपने दोनों स्वामियोंको गिरा हुआ देख समस्त राक्षसोंका हृदय क्रोधसे भर गया। वे यादवोंको मारनेके लिये एक साथ ही उनपर टूट पड़े। फिर तो समराङ्गणमें दोनों सेनाओंके बीच घोर युद्ध होने लगा। बाण, खड्ग, गदा, शक्ति और भिन्दिपालोंद्वारा परस्पर आघात-प्रत्याघात होने लगे। राजन्! राक्षसोंके तीव्र बलको देखकर श्रीहरिके साम्ब आदि अठारह पुत्र तीखे बाणोंद्वारा उनपर प्रहार करने लगे। वहाँ उन सबके बाणसमूहोंसे घायल हो बहुत-से राक्षस युद्धस्थलमें सदाके लिये सो गये। कुछ तो मौतके मुखमें पड़ गये और कुछ जीवित रहनेकी इच्छासे मैदान छोड़कर भाग गये॥ २५—३३॥

राजन्! तदनन्तर दो घड़ीके बाद उठकर भयंकर असुर बक तत्काल ही अपने शत्रु अनिरुद्धके सम्मुख गया। वहाँ जाकर बकने अपने हाथमें एक भारी गदा लेकर उसे अनिरुद्धके सिरपर फेंका और कहा—'लो अब तुम मारे गये।' महाराज! उस गदाको अपने ऊपर आती देख अनिरुद्धने यमदण्डसे उसे उसी तरह चूर-चूर कर दिया, जैसे कटुवचनसे मित्रता नष्ट कर दी जाती है। तब क्रोधसे भरा हुआ बक अपना मुखमण्डल फैलाकर अनिरुद्धको खा जानेके लिये उनकी ओर दौड़ा, मानो राहुने कहीं चन्द्रमापर ग्रहण लगानेके लिये आक्रमण किया हो। उसे निकट आया देख धनुर्धरोंमें श्रेष्ठ अनिरुद्धने फिर यमदण्ड उठाकर उससे उसके ऊपर आघात किया। राजन्! उस आघातसे बकका मस्तक फट गया और वह मुखसे रक्त वमन करता तथा पृथ्वीको कँपाता हुआ मूर्च्छित होकर गिर पड़ा॥ ३४—३९॥

वज्रनाभ! पिताको मूर्च्छित हुए देख भीषणने रणक्षेत्रमें परिघ लेकर यादवोंका संहार आरम्भ किया। तब बलवान् अनिरुद्धने रोषपूर्वक नागपाशसे भीषणको बाँधकर उसी प्रकार खींचा, जैसे गरुड सर्पको खींचते हैं। वरुणके पाशसे बँधकर उसने हतोत्साह होकर अपना मुँह नीचे कर लिया। उसे पराजित और बलहीन देख साम्ब बोले—"असुरेन्द्र! तुम्हारा भला हो। तुम अपनी पुरीमें जाकर शीघ्र विधिपूर्वक अनिरुद्धके यज्ञ-सम्बन्धी घोड़ेको

लौटा दो। अनिरुद्ध महात्मा श्रीकृष्ण हरिके पौत्र हैं। ये घोड़ेकी रक्षाके बहाने मनुष्योंको अपने स्वरूपका दर्शन करानेके लिये विचर रहे हैं। देवता, दैत्य और मनुष्य सभी आकर इनके चरणोंमें मस्तक झुकाते हैं। ये मनुष्योंके समस्त पापोंका नाश करनेवाले हैं। तुम इन्हें श्रीकृष्णके समान ही समझो। राक्षस! 'तुम युद्धमें श्रीकृष्णसे पराजित हुए हो'—ऐसा समझकर दुःख और चिन्ता त्याग दो और हमलोगोंके साथ श्रीकृष्णका दर्शन करनेके लिये चलो''॥ ४०—४६॥

श्रीगर्गजी कहते हैं—राजन्! साम्बके इस प्रकार समझाने और वरुणपाशसे मुक्त कर दिये जानेपर भीषणने पुरीमें जाकर वहाँसे द्रव्यराशिके साथ घोड़ा लाकर अनिरुद्धको लौटा दिया। तब अनिरुद्धने उससे भी अश्वकी रक्षाके लिये चलनेका अनुरोध किया। नरेश्वर! उनके इस प्रकार अनुरोध करनेपर भीषणने कुछ सोच-विचारकर उत्तर दिया॥ ४७-४८॥

भीषणने कहा—'मेरे असुरपालक पिता जब सचेत हो जायँगे, तब मैं उनकी आज्ञा लेकर आऊँगा, इसमें संशय नहीं है।' भीषणके ऐसा कहनेपर प्रद्युम्नपुत्र अनिरुद्धने यादवसेनाके साथ यज्ञके घोड़ेको विमान-पर चढ़ा लिया और स्वयं भी उसपर आरूढ़ हो, वे आकाशमार्गसे चल दिये॥ ४९-५०॥

इस प्रकार श्रीगर्गसंहिताके अन्तर्गत अश्वमेधखण्डमें 'उपलङ्कापर विजय' नामक बीसवाँ अध्याय पूरा हुआ॥ २०॥

इक्कीसवाँ अध्याय

भद्रावतीपुरी तथा राजा यौवनाश्वपर अनिरुद्धकी विजय

श्रीगर्गजी कहते हैं—तदनन्तर विमानपर बैठे हुए ऊषावल्लभ अनिरुद्ध अपनी विजय-दुन्दुभि बजवाते हुए आकाशमार्गसे शीघ्र ही अपनी सेनाके पास आ गये। उन सबको आया देख अक्रूर आदि यादवोंने मिलकर सारा कुशलसमाचार पूछा और उन लोगोंने सब कुछ बता दिया॥ १-२॥

तत्पश्चात् मूर्च्छा त्यागकर बक सहसा उठ खड़ा हुआ। वहाँ यादवोंको न देखकर उसने पुत्रसे रोषपूर्वक उनके चले जानेका कारण पूछा। तब भीषणने पितासे समस्त वृत्तान्त कह सुनाया। उसकी बात सुनकर रोषसे बकके ओठ फड़कने लगे और वह कुपित होकर बोला—'मैं जानता हूँ, जैसे सिंहके डरसे हरिण भागते हैं, उसी प्रकार यादव मेरे भयसे विमानद्वारा भागकर कुशस्थलीको चले गये हैं। इसलिये मैं पृथ्वीको यादवोंसे सूनी कर दूँगा, इसमें संशय नहीं है। अब मैं कृष्णकी द्वारकामें जाकर समस्त यादवोंका संहार करूँगा'॥ ३—६॥

भीषणने कहा—महाराज! क्रोधको रोकिये, यह समय हमारे अनुकूल नहीं है। जब दैव प्रसन्न होगा, तब हम यादवोंको जीतेंगे॥ ७॥

श्रीगर्गजी कहते हैं—राजन्! पुत्रके इस प्रकार समझानेपर बकासुर चुप हो गया और वन-जन्तुओंको खाता हुआ वनमें विचरने लगा॥ ८॥

नृपेन्द्र! तदनन्तर अश्वका विधिपूर्वक अभिषेक करके श्रेष्ठ ब्राह्मणोंको दान दे, विजयी प्रद्युम्नपुत्र अनिरुद्धने पुनः विजययात्राके लिये उसको छोड़ा। प्रद्युम्नकुमारके छोड़नेपर वह अश्व धैवत स्वरसे हिनहिनाता और बहुतसे वीरयुक्त देशोंका दर्शन करता हुआ भद्रावतीपुरीमें जा पहुँचा॥ ९-१०॥

राजेन्द्र! भद्रावतीपुरी अनेक उपवनोंसे सुशोभित थी। पर्वत, दुर्गसे घिरी हुई थी तथा रजतमय मन्दिर उसकी शोभा बढ़ाते थे। बड़े-बड़े वीर पुरुष उसमें निवास करते थे। राजा यौवनाश्व उस पुरीके रक्षक थे। लोहेके बने हुए कपाटोंसे वह पुरी अत्यन्त दृढ़ थी। उसमें जाकर वह अश्व राजाके सम्मुख खड़ा हो गया। राजाने उसे पकड़ा और सब बात जानकर वे क्रोधपूर्वक युद्ध करनेके लिये सेनासहित पुरीसे बाहर निकले। महाबली यौवनाश्वको सेनासहित सामने आया देख प्रद्युम्नकुमार अनिरुद्धने श्रीकृष्णभक्त मन्त्री उद्धवको बुलाकर पूछा॥ ११—१४॥

अनिरुद्धने कहा—मन्त्रीजी! यह सेनाके साथ कौन हमारे सम्मुख आया है? इसने अश्वका अपहरण किया है और यह हमारे शत्रुओंमें मुख्य है; अतः इसके विषयमें आप सारी बातें बताइये॥ १५॥

उद्धव बोले—सत्पुरुषोंमें श्रेष्ठ अनिरुद्ध! इस राजाका नाम 'यौवनाश्व' है। यह मरुधन्व देशके स्वामीका पुत्र है और अपने पिताके दिवंगत होनेपर यहाँ राज्य करता है। महाराज! अभी यह सोलह वर्षकी अवस्थाका है। अपने दुष्ट मन्त्रीके कहनेसे यह युद्ध अवश्य करेगा; परंतु आप इसका वध कदापि न करें॥ १६-१७॥

यह सुनकर 'बहुत अच्छा' कहकर अनिरुद्ध युद्ध-स्थलमें यौवनाश्वके साथ उसी प्रकार युद्ध करने लगे, जैसे सिंह हाथीसे लड़ रहा हो। ऊषापति अनिरुद्धने यौवनाश्वकी तीन अक्षौहिणी सेनाका संहार करके उसे रथहीन कर दिया और राजकुमारसे यह उत्तम बात कही॥ १८-१९॥

अनिरुद्ध बोले—राजन्! मुझे घोड़ा लौटा दो, अन्यथा मेरे साथ युद्ध करो॥ १९$\frac{1}{2}$॥

उनकी यह बात सुनकर और उन्हें श्रीकृष्णका पौत्र जान राजाको बड़ा भय हुआ। उसने अनिरुद्धको विधिपूर्वक यज्ञका घोड़ा समर्पित कर दिया और उनसे निमन्त्रित हो उस राजाने हाथ जोड़कर कहा॥ २०-२१॥

यौवनाश्व बोला—नृपेश्वर! जब द्वारकामें यज्ञ होगा, उस समय मैं भगवान् श्रीकृष्ण-चन्द्रके चरणारविन्दोंका दर्शन करनेके लिये आऊँगा॥ २२॥

तदनन्तर अनिरुद्धने उसे उसके राज्यपर प्रतिष्ठित कर दिया। यौवनाश्वने उनके चरणोंमें प्रणाम किया और विजयी अनिरुद्धने उस श्रेष्ठ घोड़ेको पुनः विजयके लिये छोड़ा॥ २३॥

इस प्रकार श्रीगर्गसंहिताके अन्तर्गत अश्वमेधखण्डमें 'भद्रावतीपर विजय' नामक इक्कीसवाँ अध्याय पूरा हुआ॥ २१॥

बाईसवाँ अध्याय

यज्ञके घोड़ेका अवन्तीपुरीमें जाना और वहाँ अवन्तीनरेशकी ओरसे सेनासहित यादवोंका पूर्ण सत्कार होना

श्रीगर्गजी कहते हैं—महाराज! यदुकुलतिलक वीरवर अनिरुद्धका वह घोड़ा अनेक जनपदोंका अवलोकन करता हुआ 'राजपुर' जनपदमें जा पहुँचा। मार्गमें सफरा (शिप्रा) नदीका दर्शन करके वह अवन्तिका (उज्जयिनी) के उपवनमें जा खड़ा हुआ। उसी समय श्रीकृष्णके गुरु महात्मा विप्रवर सान्दीपनि स्नान करनेके लिये घरसे चलकर वहाँ आये। उन्होंने तुलसीकी माला पहन रखी थी। कंधेपर धौत वस्त्र रख छोड़ा था और मुखसे वे श्रीकृष्ण-नामका जप कर रहे थे। उन्होंने वहाँ पानी पीते हुए श्वेत एवं श्यामकर्ण घोड़ेको, जिसके भालदेशमें पत्र बँधा हुआ था, देखा। देखकर पूछा—'किस नृपेश्वरने इस यज्ञके घोड़ेको छोड़ा है?'॥ १—३॥

नरेश्वर! वहाँ राजकुमार बिन्दुको स्नान करते देख उन्हें घोड़ेके विषयमें जानकारी प्राप्त करनेके लिये जाकर प्रेरित किया। महाराज! तब राजाधिदेवीके वीरपुत्र बिन्दुने अन्य बहुत-से वीरोंके साथ जाकर सहसा उस घोड़ेको पकड़ा और उसका भलीभाँति निरीक्षण करके लौटकर गुरु सान्दीपनिको प्रणाम कर उसके विषयमें बताया। तत्पश्चात् गुरुके आदेशसे प्रसन्न हो राजकुमार घोड़ा लेकर आये और हर्षपूर्वक गुरुजीको दिखलाने लगे। सान्दीपनिने भालपत्र पढ़कर प्रसन्नतापूर्वक राजाको बताया॥ ४—६॥

सान्दीपनि बोले—राजन्! इसे राजा उग्रसेनका घोड़ा समझो। प्रद्युम्नकुमार अनिरुद्ध इसकी रक्षामें आये हैं। यह अश्व अपने इच्छानुसार घूमता हुआ यहाँ-तक आ गया है। अब अनिरुद्ध भी यहाँ आयेंगे। उनके साथ और भी बहुत-से युद्धशाली यादव-वीर

पधारेंगे। घोड़ेका निरीक्षण करते हुए तुम्हारी बहिन मित्रविन्दाके पुत्र भी आयेंगे। तुम्हें यहाँ श्रीकृष्ण-चन्द्रके सभी पुत्रोंका आदर-सत्कार करना चाहिये। मेरे कहनेसे तुम युद्धका विचार छोड़कर घोड़ा उन्हें लौटा देना॥ ७—९॥

गुरुका यह कथन सुनकर धनुर्धर शूरवीर राजकुमार वहाँ चुप रह गया। उसका मन घोड़ेको पकड़ ले जानेका था। उसी समय यादव-सेनाका कोलाहल सुनायी पड़ा, जो समस्त लोकोंके मानका मर्दन करनेवाला था। दुन्दुभियोंका महानाद, धनुषोंकी टंकार, हाथियोंका चीत्कार, घोड़ोंकी हिनहिनाहट, रथोंका झणत्कार, वीरोंकी गर्जना तथा शतघ्नियोंका महानाद—इन सबका तुमुल शब्द समस्त लोकोंके लिये भयदायक था। उसे सुनकर राजकुमार बिन्दुको बड़ा विस्मय हुआ। इतनेमें ही रथियों, हाथियों और घोड़ोंके साथ भोज, वृष्णि, अन्धक, मधु, शूरसेन तथा दशार्हवंशके समस्त यादव वहाँ आ पहुँचे। वे सेनाकी धूलिसे आकाशको व्याप्त तथा पैरोंकी धमकसे पृथ्वीको कम्पित करते हुए आये और सब-के-सब पूछने लगे—'यज्ञका घोड़ा कौन ले गया, कहाँ गया?'॥ १०—१५॥

उस समय समस्त अन्वेषकोंने पुष्पवाले वृक्षोंसे व्याप्त अत्यन्त अद्भुत उपवनमें चामर बँधे हुए घोड़ेको देखा, जिसे राजकुमार बिन्दुने अनायास ही पकड़ लिया था। देखकर सबने अनिरुद्धके निकट जाकर इसकी सूचना दी। सूचना पाकर धर्मज्ञ अनिरुद्ध विस्मित हुए। उन्होंने हँसते हुए बिन्दुके पास उद्धवजीको भेजा। महाराज! उस समय अवन्तीपुरीमें महान् कोलाहल छा गया। वहाँ एकत्र हुई भयंकर सेनाको देखकर सब लोग भयभीत हो उठे थे। इसी समय अपने भाईकी खोज-खबर लेनेके लिये भयभीत अनुबिन्दु एक करोड़ वीरोंके साथ अपनी पुरीसे बाहर निकला। वह दुग्धराशिके समान धवल एवं भालपत्रसे युक्त यज्ञ-सम्बन्धी अश्वको वहाँ अपने भाईके द्वारा पकड़ा गया देख उसे मना करता हुआ बोला॥ १६—२१॥

अनुबिन्दुने कहा—भैया! भगवान् श्रीकृष्ण जिनके देवता हैं, उन यादवोंका यह घोड़ा है। आप उनके साथ जो हमारा सम्बन्ध है, उसके बहाने या अपने कुलकी कुशलताके लिये इस घोड़ेको छोड़ दीजिये। यादवोंकी यह सेना तो देखिये। भैया! पहले जो राजसूय यज्ञ हुआ था, उसमें इन यादवोंने देवता, दैत्य, मनुष्य और असुर—सबपर विजय पायी थी॥ २२-२३॥

अनुबिन्दुकी यह बात सुनकर बड़ा भाई बिन्दु हार मान गया। उसने घोड़ेपर चढ़कर आये हुए उद्धवजीसे कहा॥ २४॥

बिन्दु बोला—मन्त्रिवर! मैंने मित्रोंके साथ मिलनके लिये घोड़ेको पकड़ रखा है। अत: आप सब लोगोंको निमन्त्रित किया जाता है। आज आपलोग यहीं ठहरें॥ २५॥

राजन्! यह सुनकर उद्धव बिन्दुकी सराहना करके बड़े प्रसन्न हुए और अनिरुद्धके निकट जाकर उन्होंने सब समाचार बताया। नरेश्वर! उद्धवजीका कथन सुनकर अनिरुद्धका मन प्रसन्न हो गया। उन्होंने सेनासहित अवन्तीपुरीमें शिप्रा नदीके तटपर पड़ाव डाल दिया। महाराज! वहाँ दस योजन दूरतकके भूभागमें रंग-बिरंगे अनेक शिविर पड़ गये। सभी सुवर्णकलशोंसे युक्त थे। वे सुन्दर शिविर वहाँ अद्भुत शोभा पा रहे थे। राजकुमार बिन्दुने वहाँ आये हुए सब लोगोंका भक्ष्य, भोज्य, लेह्य और चोष्य—इन चारों प्रकारके भोजनोंद्वारा आतिथ्य-सत्कार किया। इसी तरह अवन्ती नरेशने सेनावर्ती पशुओंको भी घास-पात और अन्न आदि प्रदान किये। उन्होंने वृष्णिवंशी वीरोंका इस प्रकार स्वागत-सत्कार किया। राजाधि-देवी, उनके पति तथा दोनों राजकुमार—सब-के-सब श्रीहरिके समस्त पुत्रोंको देखकर बड़े प्रसन्न हुए॥ २६—३१॥

तदनन्तर रातमें प्रद्युम्नपुत्र अनिरुद्धने अपने बाबाके गुरु सान्दीपनि मुनिको बुलाकर उनके चरणोंमें प्रणाम किया। उन्हें आसन देकर बैठाया और उत्तम रीतिसे उनका पूजन करके कहा—'भगवन्! द्वारकामें भगवान् श्रीकृष्णकी आज्ञासे चक्रवर्ती यदुकुलतिलक महाराज उग्रसेन अश्वमेध यज्ञ कर रहे हैं। ब्रह्मन्!

मुनिश्रेष्ठ! आप मुझपर कृपा करके उस श्रेष्ठ यज्ञमें अपने पुत्रसहित अवश्य पधारें।' अनिरुद्धका यह वचन सुनकर श्रीकृष्ण-दर्शनके अभिलाषी सान्दीपनि मुनिने वहाँ चलनेका निश्चय किया॥ ३२—३५॥

इस प्रकार श्रीगर्गसंहिताके अन्तर्गत अश्वमेधखण्डमें 'अवन्तिकागमन' नामक बाईसवाँ अध्याय पूरा हुआ॥ २२॥

तेईसवाँ अध्याय

अनिरुद्धके पूछनेपर सान्दीपनिद्वारा श्रीकृष्ण-तत्त्वका निरूपण; श्रीकृष्णकी परब्रह्मता एवं भजनीयताका प्रतिपादन करके जगत्से वैराग्य और भगवान्के भजनका उपदेश

श्रीगर्गजी कहते हैं—राजन्! तत्पश्चात् वहाँ श्रीकृष्णपौत्र अनिरुद्धने मनमें कुछ संदेह लेकर सान्दीपनि मुनिसे उसी प्रकार प्रश्न किया, जैसे देवराज इन्द्र देवगुरु बृहस्पतिसे अपने मनका संदेह पूछा करते हैं॥ १॥

अनिरुद्ध बोले—'भगवन्! मुने! मुझे उस सारतत्त्वका उपदेश दीजिये, जिससे मैं जगत्के स्वप्न-तुल्य सुखोंको त्यागकर नित्यानन्द-स्वरूपमें रमण करूँ।' राजन्! अनिरुद्धके इस प्रकार पूछनेपर सान्दीपनि मुनि हँसते हुए उसी प्रकार उन्हें उपदेश देने लगे, जैसे पूर्वकालमें राजा पृथुके पूछनेपर सनत्कुमार-ने उन्हें प्रसन्नतापूर्वक उपदेश दिया था॥ २-३॥

सान्दीपनि बोले—लोकेश! तुम्हीं श्रीहरिके नाभिकमलसे उत्पन्न हुए आदिदेव हो; अतः तुम्हारे सामने मैं सारतत्त्वकी बात क्या कह सकूँगा। राजन्! तथापि तुम्हारे वचनका गौरव मानकर समस्त दीनचेता मनुष्योंके कल्याणके लिये कुछ कहूँगा। नरेश्वर! तुमने जो कुछ पूछा है, वह सब मेरे मुखसे सुनो। भगवान् श्रीकृष्णचन्द्रके चरणोंका सेवन ही सारतत्त्व है, जिन चरणोंके पूजनमात्रसे ध्रुवजीने ध्रुवपद प्राप्त कर लिया। प्रह्लाद, अम्बरीष, गय और यदुने भी अक्षयपद प्राप्त किया। राजेन्द्र! इसलिये तुम भी मनसे यत्नपूर्वक श्रीकृष्णकी सेवा करो; क्योंकि यही सब साधनोंका सारभूत है। तुम सब लोग इस जगत्में बड़े सौभाग्यशाली हो; क्योंकि श्रीकृष्णके वंशमें उत्पन्न हुए हो, उनके कुटुम्बी और सम्बन्धी हो। श्रीहरिके प्रिय होनेके कारण तुम सब-के-सब जीवन्मुक्त हो। तुम यादवोंमेंसे कोई तो श्रीकृष्णको अपना बेटा समझते हैं, कोई भाई मानते हैं और कोई उन्हें पिता एवं मित्रके रूपमें जानते हैं। यदि उनका यह भाव सुदृढ़ रहा तो उनके लिये इससे बढ़कर उत्तम कर्तव्य और क्या होगा॥ ४—१०॥

अनिरुद्धने पूछा—मुने! इस जगत्का आदि-भूत सनातन कर्ता कौन है, जिससे पूर्वकालमें इसका प्राकट्य हुआ था, इस बातका मुझसे विस्तारपूर्वक वर्णन कीजिये। महर्षे! भगवान् जगदीश्वर प्रत्येक युगमें किस-किस रूपसे धर्मका अनुष्ठान करते हैं, यह हम सब लोगोंको बताइये॥ ११-१२॥

सान्दीपनि बोले—यदुकुलतिलक अनिरुद्ध! जिनसे जगत्की उत्पत्ति और संहार होते रहते हैं, वह ईश्वर, परब्रह्म एवं भगवान् एक ही है। नृपश्रेष्ठ! युग-युगमें (प्रत्येक कल्पमें) ये दक्ष आदि प्रजापति उन्हींसे प्रकट होते हैं और फिर उन्हींमें लीन हो जाते हैं। विद्वान् पुरुष इस विषयमें कभी मोहित नहीं होता। राजन्! श्रीकृष्ण साक्षात् परब्रह्म हैं। जिनसे यह सारा जगत् प्रकट हुआ है, जो स्वयं ही जगत्स्वरूप हैं तथा जिनमें ही इस जगत्का लय होगा। वह ब्रह्म परमधाम है। वही सत्-असत्से परे परमपद है। यह सम्पूर्ण चराचर जगत् उससे भिन्न नहीं है। वही मूल प्रकृति है और वही व्यक्तरूपवाला संसार है। उसीमें सबका लय होता है और उसीमें सबकी स्थिति है। जिनसे प्रकृति और पुरुष प्रकट होते हैं, जिनसे चराचर जगत्का प्रादुर्भाव हुआ है तथा जो इस सकल दृश्य-प्रपञ्चके कारण हैं, वे परमात्मा श्रीकृष्ण मुझपर प्रसन्न हों। राजेन्द्र! चारों युगोंमें वे ही श्रीविष्णुरूपसे पालनरूप व्यापारका संचालन करते हैं। वे जिस

प्रकार युगव्यवस्था करते हैं, वह सुनो। सत्ययुगमें समस्त भूतोंके हितमें तत्पर रहनेवाले वे सर्वभूतात्मा श्रीहरि कपिल आदिका स्वरूप धारण करके उत्तम ज्ञान प्रदान करते हैं। त्रेतामें चक्रवर्ती सम्राट्के रूपमें प्रकट हो वे ही प्रभु दुष्टोंका निग्रह करते हुए तीनों लोकोंका परिपालन करते हैं। द्वापरमें वेदव्यासका स्वरूप धारण करके वे विभु एक वेदके चार वेद करके फिर शाखा-प्रशाखारूपसे उसके सैकड़ों भेद करते हैं। फिर उसका बहुत विस्तार कर देते हैं। इस प्रकार वेदोंका व्यास (विस्तार) करके कलियुगके अन्तमें वे श्रीहरि पुनः कल्किरूपसे प्रकट होते हैं और वे प्रभु दुष्टोंको सन्मार्गमें स्थापित करते हैं। इस प्रकार अनन्तात्मा श्रीकृष्ण ही सम्पूर्ण जगत्की सृष्टि, पालन और अन्तमें संहार करते हैं। उनसे भिन्न दूसरे किसीसे ये सृष्टि आदि कार्य नहीं सम्पादित होते हैं। उन सच्चिदानन्दस्वरूप श्रीहरिको नमस्कार है, जिनसे यह प्राकृत या जड जगत् भिन्न है। समस्त लोकोंके आदिकारण वे श्रीकृष्ण ही सबके ध्येय हैं। वे अविनाशी परमात्मा मुझपर प्रसन्न हों।

तस्मान्नृपेन्द्र हरिपौत्र मनोमयं च
सर्वं विहाय जगतश्च सुखं च दुःखम्।
मोक्षप्रदं सुरवरं किल सर्वदं त्वं
द्वारावतीनरपतिं भज कृष्णचन्द्रम्॥ २६॥

इसलिये नृपेन्द्र! हरिपौत्र! जगत्के सम्पूर्ण मनोमय सुख-दुःखको छोड़कर तुम मोक्षदाता देवेश्वर एवं सब कुछ देनेवाले द्वारावतीनरेश भगवान् श्रीकृष्ण-चन्द्रका भजन करो। इस प्रकार जो भक्तियुक्त पुरुष भगवान् श्रीकृष्णके इस वृत्तसारका वर्णन करता और सुनता है, उसकी बुद्धि निर्मल हो जाती है। उसे कभी आत्माके विषयमें मोह नहीं होता। वह भगवत्स्मरणमें संलग्न रहकर अविचल भक्तिकी योग्यता प्राप्त कर लेता है॥ १३—२७॥

इस प्रकार श्रीगर्गसंहिताके अन्तर्गत अश्वमेधखण्डमें 'वैराग्य-कथन' नामक तेईसवाँ अध्याय पूरा हुआ॥ २३॥

चौबीसवाँ अध्याय

अनुशाल्व और यादव-वीरोंमें घोर युद्ध

श्रीगर्गजी कहते हैं—राजन्! सान्दीपनि मुनिका यह वचन सुनकर अनिरुद्धको बड़ी प्रसन्नता हुई। उन्होंने भगवान् श्रीकृष्णचन्द्रके चरणोंमें अपना मन लगाकर उन मुनीश्वरसे कहा—'प्रभो! आपके उपदेशरूपी खड्गसे मेरा मोहरूपी शत्रु नष्ट हो गया। अब आप आज ही अपने पुत्रके साथ श्रीकृष्णपुरी द्वारकाको पधारिये'॥ १-२॥

उनकी यह बात सुनकर सान्दीपनि मुनि प्रसन्नता-पूर्वक श्रीकृष्णके दिये हुए पुत्रके साथ रथपर बैठकर द्वारकापुरीको गये। द्वारकापुरीमें बलराम और श्रीकृष्णने बड़े आदरके साथ उन्हें ठहराया। समस्त यादवों तथा भोजराज उग्रसेनने विधिपूर्वक उनका पूजन किया॥ ३-४॥

इधर प्रद्युम्नकुमार अनिरुद्धने सोनेकी साँकलमें बँधे हुए अत्यन्त उज्ज्वल श्यामकर्ण अश्वको विजय-यात्राके लिये खोल दिया। वह घोड़ा राजाधिराज उग्रसेनदेवका वैभव सूचित करता हुआ वेगपूर्वक आगे बढ़ा और उस 'राजपुर'में चला गया, जहाँ शाल्वका भाई राजा अनुशाल्व नित्य राज्य करता था। स्वेच्छानुसार वहाँ पहुँचे हुए उस अश्वको अनुशाल्वने पकड़ लिया और उसके भालमें बँधे हुए पत्रको बाँचा। बाँचकर उसे बड़ा हर्ष हुआ। सारा अभिप्राय समझकर रोषसे उसके ओठ फड़कने लगे। वह टेढ़ी आँखोंसे देखता हुआ अपने सैनिकोंसे बोला—'बड़े सौभाग्यकी बात है कि मेरे सारे शत्रु स्वयं यहाँ आ गये। मैं उन सबको मार डालूँगा, जिन्होंने मेरे भाईका वध किया है'॥ ५—९॥

—'ऐसा कहकर और यादवोंको तिनकेके समान मानकर दस अक्षौहिणी सेनाके साथ वह नगरसे बाहर निकला। उसी समय समस्त वृष्णिवंशियोंने देखा, सामने विशाल सेना आयी है और बाणवर्षा कर रही है, तब उन्होंने भी बाण बरसाना आरम्भ किया। उस रणक्षेत्रमें दोनों सेनाओंके बीच खड्ग, बाण, शक्ति और भिन्दिपालोंद्वारा घोर युद्ध होने लगा। अनुशाल्वकी

सेना भाग चली। यह देख महाबली अनुशाल्वने उसे रोका और सिंहनाद करते हुए रथके द्वारा वह स्वयं युद्धके मैदानमें आया। उसे आया देख श्रीकृष्णनन्दन दीप्तिमान् उसके साथ युद्ध करनेके लिये तत्काल सामने जा पहुँचे। दीप्तिमान्को युद्धभूमिमें देखकर अनुशाल्व अमर्षसे भर गया और अपने धनुषसे चलाये गये दस बाणोंद्वारा उनपर आघात किया। मानो किसी बाघने हाथीपर पंजे मार दिये हों। उन बाण-समूहोंसे ताड़ित होनेपर दीप्तिमान्की भुजा क्षत-विक्षत हो खूनसे लथपथ हो गयी। उन्होंने तत्काल धनुष उठाकर रोषपूर्वक दस बाण हाथमें लिये। उन बाणोंको कोदण्डपर रखकर दीप्तिमान्ने छोड़ा। राजन्! वे बाण अनुशाल्वके शरीरको विदीर्ण करके बाहर निकल गये, जैसे अनेक गरुड घोंसले छोड़कर सहसा बाहर चले गये हों। उन बाणोंसे घायल हुआ अनुशाल्व रणभूमिमें मूर्च्छित हो गया; तब उसके समस्त सैनिकोंके ओठ रोषसे फड़कने लगे और वे चित्र-विचित्र शस्त्रों और बाणोंद्वारा युद्धस्थलमें दीप्तिमान्पर चोट करने लगे। उस समय श्रीहरिके पुत्र भानुने आकर जैसे भानु (सूर्य) कुहासेके बादलोंको नष्ट कर देता है, उसी प्रकार अपने बाणोंद्वारा समस्त शत्रुओंको छिन्न-भिन्न कर दिया। फिर तो अनुशाल्वके सारे सैनिक भाग चले। नरेश्वर! उसी समय अनुशाल्वके 'प्रचण्ड' नामक मन्त्रीने कुपित हो समराङ्गणमें सत्यभामाकुमार भानुपर शक्तिसे प्रहार किया। वह शक्ति भानुकी छाती छेदकर धरतीमें समा गयी और वे भी रणक्षेत्रमें मूर्च्छित होकर रथसे नीचे गिर पड़े॥ १०—२२$\frac{१}{२}$॥

ऐसा कौतुक देख साम्ब वहाँ रोषसे जल उठे। वे शीघ्र ही हाथमें कोदण्ड लिये रथके द्वारा वहाँ आ पहुँचे। साम्बने सौ बाण मारकर प्रचण्डके ध्वज, सारथि और घोड़ोंसहित सम्पूर्ण रथको चूर्ण-चूर्ण कर डाला। रथ नष्ट हो जानेपर रणदुर्मद प्रचण्ड गदा लेकर अपने शत्रु साम्बको मारनेके लिये उसी प्रकार आया, जैसे पतंग अग्निपर टूट पड़ा हो। उसे आया देख साम्बने चन्द्रमा और सूर्यके समान तेजस्वी एक ही बाणसे समरभूमिमें उसका मस्तक काट दिया। नृपेश्वर! उस समय उसकी सेनामें हाहाकार मच गया॥ २३—२७॥

तदनन्तर अनुशाल्व दो घड़ीमें मूर्च्छा त्यागकर उठ खड़ा हुआ। उसने देखा मेरा मन्त्री साम्बके हाथसे युद्धमें मारा गया। यह देख उस राजाने रथपर आरूढ़ हो कवच बाँधकर धनुष और खड्ग लेकर धावा किया तथा समरमें चार बाणोंद्वारा साम्बके चार घोड़ों, दो बाणोंसे उसके ध्वज, तीन बाणोंसे सारथि, पाँच बाणोंसे धनुष तथा तीस बाणोंसे रथकी धज्जियाँ उड़ा दीं। धनुष कट गया, रथ नष्ट हो गया और घोड़े तथा सारथि मारे गये, तब जाम्बवतीकुमार साम्ब दूसरे रथपर आरूढ़ हो शोभा पाने लगे। तदनन्तर उन्होंने कुपित हो धनुष लेकर युद्धस्थलमें सौ बाणोंद्वारा अपने शत्रुपर प्रहार किया, मानो गरुडने अपने पंखोंकी मारसे सर्पको चोट पहुँचायी हो। उस प्रहारसे अनुशाल्वका भी रथ टूट गया, घोड़े कालके गालमें चले गये, सारथि दिवंगत हो गया और स्वयं अनुशाल्व रणभूमिमें मूर्च्छित हो गया। तब उसके समस्त सैनिक गीधकी पाँखोंसे युक्त और विषधर सर्पके समान तीखे चमकीले बाणोंद्वारा रोषपूर्वक साम्बपर प्रहार करने लगे॥ २८—३४॥

युद्धस्थलमें साम्बको अकेला देख कृष्णपुत्र मधु रोषसे भर गया और वह कबूतरके समान रंगवाले घोड़ेपर चढ़कर युद्धस्थलमें आ पहुँचा। राजेन्द्र! साम्बके साथ मिलकर मधु सारे दुष्ट शत्रुओंको तलवारकी चोटसे मौतके घाट उतारता हुआ आधे पहरतक समराङ्गणमें विचरता रहा। तत्पश्चात् अनुशाल्वने मूर्च्छासे उठकर अपनी पराजय देख, जलसे आचमनकर शुद्ध हो, समस्त शत्रुओंको मार डालनेका निश्चय किया। उसने मयासुरसे ब्रह्मास्त्रकी शिक्षा पायी थी, किंतु उसका निवारण करना वह नहीं जानता था। तथापि प्राणसङ्कट प्राप्त होनेपर उसने रोषपूर्वक ब्रह्मास्त्रका संधान किया। उस अस्त्रका दारुण और महान् तेज तीनों लोकोंको दग्ध करता हुआ-सा बारह सूर्योंके समान अन्तरिक्षमें फैलने लगा। उसके दुस्सह तेजसे जलते हुए समस्त यादव प्रद्युम्नकुमार अनिरुद्धके पास गये और कहने लगे— 'नरहरे! महात्मन्! इस दुःखसे हमारी रक्षा कीजिये।' राजन्! तब रुक्मवतीकुमार वीर अनिरुद्धने उन सबको अभय दे, समराङ्गणमें रोषपूर्वक ब्रह्मास्त्र चलाकर उस

ब्रह्मास्त्रको शान्त कर दिया॥ ३५—४१॥

तब अनुशाल्वने आग्नेयास्त्र चलाया। उस अस्त्रके प्रभावसे आकाशमण्डल अग्निसे व्याप्त हो गया। सारी भूमि आगसे जलने लगी, मानो खाण्डववन आगकी लपटोंमें आ गया हो। यह देख बलवान् अनिरुद्धने फिर वारुणास्त्रका प्रयोग किया। उससे प्रचण्ड मेघ उत्पन्न हो गये और उनकी बरसायी हुई जलधाराओंसे वह आग बुझ गयी। उस समय महामेघोंद्वारा वर्षा ऋतुका आगमन जानकर मेंढक, कोकिल, मोर और सारस आदि बार-बार बोलकर अपनी आन्तरिक प्रसन्नता प्रकट करने लगे। तब मायावी अनुशाल्वने वायव्यास्त्रका प्रयोग किया। यह देख अनिरुद्ध सब ओर पर्वतास्त्रद्वारा युद्ध करने लगे॥ ४२—४५॥

इसके बाद अनुशाल्वने हजार भारसे युक्त भारी गदा हाथमें लेकर युद्धस्थलमें शूरवीरोंके मुकुटमणि अनिरुद्धसे क्रुद्ध होकर कहा—'राजेन्द्र! तुम्हारी सेनामें कोई ऐसा वीर नहीं है, जो गदा युद्धमें कुशल हो। यदि कोई है तो उसे शीघ्र मेरे सामने लाओ'॥ ४६-४७॥

उसका यह वचन सुनकर महान् गदाधारी गद अनिरुद्धके देखते-देखते आगे होकर बोले—'दैत्यराज! इस सेनामें बहुत-से ऐसे वीर हैं, जिन्हें सम्पूर्ण शस्त्रोंमें निपुणता प्राप्त है। घमंड न करो; क्योंकि तुम रणक्षेत्रमें अकेले हो। असुर! यदि तुम मेरी बात नहीं मानते हो तो पहले मेरे साथ गदायुद्ध कर लो, फिर दूसरोंको देखना'॥ ४८—५०॥

नरेश्वर! ऐसा कहकर गदने लाख भारकी सुदृढ़ गदा हाथमें ली और उसके द्वारा अनुशाल्वके मस्तकपर तथा छातीमें चोट की। अनुशाल्वने भी समराङ्गणमें गदपर गदासे आघात किया। फिर तो वे दोनों क्रोधसे मूर्च्छित हो एक-दूसरेपर अपनी-अपनी गदासे चोट करने लगे। इतनेमें ही गदने अनुशाल्वको उठा लिया और उसे सौ बार घुमाकर आकाशमें फेंक दिया। अनुशाल्व पृथ्वीपर गिर पड़ा। राजेन्द्र! तदनन्तर उसने भी रोहिणीकुमार गदको पकड़कर धरतीपर खूब रगड़ा। वह एक अद्भुत-सा दृश्य था। तत्पश्चात् गदने एक हाथीको पकड़कर अनुशाल्वके ऊपर फेंका। अनुशाल्वने अपने ऊपर आते हुए हाथीको हाथमें ले लिया और पुनः उसे गदपर ही दे मारा। वे दोनों परस्पर घुटनों और मुक्कोंके घोर प्रहारोंद्वारा चोट पहुँचाने लगे। दोनों दोनोंके द्वारा धरतीपर रौंदे गये। फिर दोनों ही गिरकर मूर्च्छित हो गये॥ ५१—५६॥

इस प्रकार श्रीगर्गसंहिताके अन्तर्गत अश्वमेधखण्डमें 'राजपुर विजय' नामक चौबीसवाँ अध्याय पूरा हुआ॥ २४॥

पचीसवाँ अध्याय

अनुशाल्वद्वारा प्रद्युम्नको उपहारसहित अश्वका अर्पण तथा बल्वल दैत्यके द्वारा उस अश्वका अपहरण

श्रीगर्गजी कहते हैं—उन दोनोंका युद्ध देखकर यादव परस्पर कहने लगे—'अनुशाल्व धन्य है।' शत्रुसैनिक आपसमें चर्चा करने लगे कि 'गद महान् वीर हैं।' वे सब इस प्रकार बात कर ही रहे थे कि गद वहीं सचेत होकर उठे और बोल पड़े—'मेरा शत्रु मुझपर प्रहार करके रणक्षेत्रसे कहाँ गया! कहाँ गया?'॥ १-२॥

—ऐसा कहकर उन्होंने अनुशाल्वको हाथसे पकड़कर रोषपूर्वक खींचा और अनिरुद्धके निकट बड़े वेगसे दे मारा। अनुशाल्व औंधे मुँह गिरा और मूर्च्छित हो गया। यह देख अनिरुद्धने स्वयं पानी छिड़ककर और व्यजन डुलवाकर उसे होश कराया। उसी समय असुरेश्वर अनुशाल्व मूर्च्छासे जाग उठा और अपने सामने मेघके समान श्यामवर्णवाले परम-सुन्दर श्रीकृष्णपौत्रको देखकर उन्हें प्रणाम करके बोला—'श्रीकृष्णपौत्र अनिरुद्ध! आपने मेरे प्राणोंकी रक्षा की है, अतः मैंने जो अपराध किया है उसे क्षमा कर दें। सच्चिदानन्दस्वरूप भगवान् वासुदेवको

नमस्कार है। संकर्षणको प्रणाम है। प्रद्युम्नको नमस्कार है और आप अनिरुद्धको भी प्रणाम है*। आप अपना घोड़ा लीजिये और मैं भी इसकी रक्षाके लिये आपके साथ चलूँगा'॥ ३—७ $\frac{१}{२}$॥

ऐसा कह उसने नगरमें जाकर अनिरुद्धको घोड़ा लौटा दिया। साथ ही दस हजार हाथी, एक लाख घोड़े, पचास हजार रथ तथा एक सहस्र शिविकाएँ उन्हें भेंट कीं। नृपश्रेष्ठ! इनके अतिरिक्त राजा अनुशाल्वने एक हजार ऊँट, एक सहस्र गवय (वनगाय अथवा घड़रोज), पिंजड़ेमें बंद दो हजार सिंह, एक हजार शिकारी कुत्ते, एक सहस्र शिविर (तम्बू-कनात), एक लाख रुनझुन शब्द करती हुई धनुषकी प्रत्यञ्चाएँ, दस हजार परदे, एक लाख दुधारू गौएँ, सहस्र भार सुवर्ण, चार सहस्र भार चाँदी और एक भार मोती अनिरुद्धको अर्पित किये। तब अनिरुद्धने अत्यन्त प्रसन्न हो उसे मणिमय हार भेंट किया॥ ८—१३॥

अनुशाल्व अपने राज्यपर श्रेष्ठ सचिवको स्थापित कर यादवोंके साथ स्वयं भी अन्यान्य देशोंको गया। भूपते! तत्पश्चात् छूटा हुआ मणिमय और सुवर्णमय आभूषणोंसे विभूषित वह अश्व वीरोंसे भरे दूसरे-दूसरे देशोंका दर्शन करता हुआ भ्रमण करने लगा। 'अनुशाल्व हार गया, यौवनाश्व तथा भीषण भी परास्त हो गये'—यह सुनकर अन्यान्य मण्डलेश्वर नरेशोंने अपने यहाँ आनेपर भी उस घोड़ेको नहीं पकड़ा। महाराज! इस तरह घूमते हुए उस घोड़ेके छः मास बीत गये और उतने ही शेष रह गये॥ १४—१७॥

नरेश्वर! मणिपुरके राजा तथा रत्नपुरके भूपालने घोड़ेको पकड़ा; किंतु अनिरुद्धके भयसे उसको छोड़ दिया। राजन्! वह श्रेष्ठ अश्व शूरवीरोंसे रहित समस्त राष्ट्रोंको छोड़कर प्राची दिशामें गया, जहाँ दैत्यराज बल्वल निवास करता था। यह दैत्य नारदजीके मुखसे यज्ञ-सम्बन्धी घोड़का समाचार सुनकर नैमिषारण्यमें होनेवाले यज्ञका विनाश करके वहाँसे शीघ्र ही अपने नगरको लौटा। रास्तेमें उसने देखा, वह यज्ञ-सम्बन्धी घोड़ा प्रयागतीर्थमें त्रिवेणीका जल पी रहा है। राजन्! उसे देखते ही बल्वलने भगवान् श्रीकृष्णकी कोई परवा न करके उसे शीघ्र ही जा पकड़ा। उसी समय समस्त वृष्णिवंशी योद्धा दण्डकारण्यका दर्शन करते हुए चर्मण्वती नदी पार करके चित्रकूटमें आ पहुँचे। वहाँ श्रीरामक्षेत्रमें दान करके अश्वको देखते हुए उसके पीछे लगे वे सब लोग तीर्थराज प्रयागमें आ गये॥ १८—२३॥

राजन्! वहाँ पहुँचकर उन श्रेष्ठतम यादव-वीरोंने देखा कि 'पत्रसहित अश्वको दुरात्मा असुर बल्वलने बलपूर्वक पकड़ रखा है।' बल्वल नील अञ्जनके ढेरकी भाँति दिखायी पड़ता था। उसके शरीरकी ऊँचाई दो योजनकी थी। उस उग्र दैत्यके नेत्र अङ्गारके समान जान पड़ते थे। उसकी दाढ़ी-मूँछ तपायी हुई ताम्रशिखाके समान दिखायी देती थी। बड़ी-बड़ी दाढ़ और उग्र भ्रुकुटिके कारण उसका मुख भयंकर प्रतीत होता था। वह ब्राह्मणद्रोही असुर अपनी जीभ लपलपा रहा था और उसमें दस हजार हाथियोंके समान बल था। उसे देखते ही यादवोंके अधर-पल्लव रोषसे फड़क उठे और वे बोले—'अरे! तू कौन है? हमारा यह यज्ञपशु लेकर तू कहाँ जायगा? अतः इसे शीघ्र छोड़ दे, नहीं तो हमलोग युद्धमें तुझे मार डालेंगे।' यह सुनकर उस असुरने कहा—'मनुष्यो! मेरी बात सुनो'॥ २४—२८॥

बल्वलने कहा—मैं देवताओंको दुःख देनेवाला दैत्य बल्वल हूँ, जिसके सामने सारे मनुष्य भयसे व्याकुल हो जाते हैं॥ २९॥

यह सुनकर यादवोंने बल्वलको बाणोंसे मारना आरम्भ किया। नरेश्वर! उनके बाणोंकी चोट खाकर बल्वल घोड़ेसहित सहसा अन्तर्धान हो गया॥ ३०॥

इस प्रकार श्रीगर्गसंहिताके अन्तर्गत अश्वमेधखण्डमें 'बल्वलके द्वारा अश्वका अपहरण' नामक पचीसवाँ अध्याय पूरा हुआ॥ २५॥

---

* ॐ नमो वासुदेवाय नमः संकर्षणाय च। प्रद्युम्नाय नमस्तुभ्यमनिरुद्धाय ते नमः॥ (२५। ७)

छब्बीसवाँ अध्याय

नारदजीके मुखसे बल्वलके निवासस्थानका पता पाकर यादवोंका अनेक तीर्थोंमें स्नान-दान करते हुए कपिलाश्रमतक जाना और वहाँ कपिल मुनिको प्रणाम करके सागरके तटपर सेनाका पड़ाव डालना

श्रीगर्गजी कहते हैं—राजन्! यज्ञपशुके अपहृत हो जानेपर समस्त यादवगण शोक करने लगे कि 'हम कहाँ जायँ और इस पृथ्वीपर क्या करें?' अनिरुद्ध आदि सब लोगोंको उस समय कोई उपाय नहीं सूझा। नरेश्वर! तब श्रीनारदरूपधारी भगवान् वहाँ आ पहुँचे। देवर्षि नारदको आया देख यादवोंसहित अनिरुद्धने आसनपर बैठाकर उनका पूजन किया और बड़े प्रसन्न होकर वे उन मुनीश्वरसे बोले॥ १—३॥

अनिरुद्धने कहा—भगवन्! वक्ताओंमें श्रेष्ठ मुने! दुरात्मा दैत्य बल्वल हमारा घोड़ा लेकर कहाँ चला गया है? यह सब मुझे बताइये। आपका दर्शन दिव्य है। आप सूर्यदेवकी भाँति तीनों लोकोंमें विचरते हैं। त्रिभुवनके भीतर वायुके समान विचरण करनेवाले आप सर्वज्ञ तथा आत्मसाक्षी हैं। इसलिये सब बात मुझसे कहिये। अनिरुद्धका यह प्रश्न सुनकर नारदजी माधव प्रद्युम्नकुमारसे बोले॥ ४-५॥

नारदजीने कहा—नृपेश्वर! बल्वलने तुम्हारे घोड़ेको समुद्रके बीचमें बसे हुए 'पाञ्चजन्य' नामक उपद्वीपमें ले जाकर रख दिया है। उसका मित्र या बन्धु शकुनि यादवोंके हाथसे मारा गया था, अत: यादवोंका वध करनेके लिये उसने यह कार्य किया है। वह महान् असुर सुतललोकसे दैत्यसमूहोंको बुलाकर वहाँ राज्य करता है। भगवान् शिवका वरदान पाकर वह घमंडसे भरा रहता है॥ ६—८॥

यह सुनकर अनिरुद्धने शङ्कित होकर पूछा॥ ८$\frac{1}{2}$॥

अनिरुद्ध बोले—देवर्षे! चन्द्रमौलि भगवान् शिवने उस दैत्यको कौन-सा श्रेष्ठ वर प्रदान किया है? उसके किस कार्यसे शिवजी संतुष्ट हो गये थे॥ ९$\frac{1}{2}$॥

तब मुनिवर नारदने कहा—प्रद्युम्नकुमार! मेरी बात सुनो। एक समय उस दैत्यने कैलास पर्वतपर एक पैरसे खड़े रहकर बारह वर्षोंतक अत्यन्त कठोर तप किया। उस तपस्यासे संतुष्ट होकर महादेवजीने कहा—'वर माँगो'। उनकी बात सुनकर वह बोला—'सदाशिव! आपको नमस्कार है। कृपानिधान! देव! महासमरमें आप मेरी रक्षा करें।' नरेश्वर! तब 'तथास्तु' कहकर महादेवजी वहीं अन्तर्धान हो गये। फिर वह दैत्य पाञ्चजन्य उपद्वीपमें बलपूर्वक राज्य करने लगा। वह युद्धके बिना स्वत: तुम्हें घोड़ा नहीं देगा॥ १०—१४॥

तब अनिरुद्ध कहने लगे—मुनिश्रेष्ठ! मैं सेना-सहित दुष्ट बल्वलको मारकर घोड़ा छुड़ा लूँगा। यदि यह भगवान् शिवके वरदानसे युद्ध करेगा तो मुझे विश्वास है कि शिवजी युद्धमें उस श्रीकृष्णद्रोही दुष्टकी रक्षा नहीं करेंगे॥ १५-१६॥

—ऐसा कहकर अनिरुद्धने विजययात्राके लिये सहसा समस्त यादवोंको आज्ञा दी। नृपेश्वर! नारदजीके हृदयमें युद्ध देखनेका कौतूहल था। वे अनिरुद्धसे विदा ले आकाशमार्गसे उस स्थानपर गये। समस्त यादव तत्काल तीर्थराजमें विधिवत् स्नान-दान करके रोषपूर्वक युद्धयात्राके लिये सुसज्जित हो गये॥ १७—१९॥

राजन्! वे हाथियों, घोड़ों तथा रथोंके द्वारा उस उपद्वीपमें गये। प्रतिदिन दो लाख सिपाही उनके जानेके लिये मार्ग तैयार करते थे। वे भिन्दिपालोंकी सहायतासे सर्वत्र सेनाके लिये पहले ही मार्ग तैयार कर देते थे, जिसपर रथ, हाथी और घोड़े सुखसे यात्रा करते थे। राजेन्द्र! उस निष्कण्टक मार्गमें पैदल सिपाही भी तीव्रगतिसे चलते थे। यादव-सेनाके भारसे पीड़ित हो शेषनाग मन-ही-मन कहते थे—'न जाने भूतलपर क्या हो गया है?'॥ २०—२२$\frac{1}{2}$॥

नरेश्वर! अनिरुद्ध सेनाके आगे होकर अलक्षित

भावसे चलते थे। वे अश्वकी रक्षाके बहाने पापियोंका विनाश-सा करते थे। राजन्! प्रद्युम्नकुमार अनिरुद्ध अश्वकी रक्षाके लिये जहाँ-जहाँ गये, वहाँ-वहाँ वे श्रीकृष्णके समग्र यशका गान सुनते थे। जो लोग श्रीकृष्ण और बलरामकी प्रशंसा करते थे। उनको वे रत्न, वस्त्र और आभूषण बाँटते थे। उनकी सेनाओंमें जो कुछ भी उत्तम धन था, वह सब श्रीकृष्णकथासे आकृष्टचित्त हो वे प्रसन्नतापूर्वक दे डालते थे॥ २३—२६ $\frac{1}{2}$॥

राजन्! इस प्रकार श्रीहरिका यशोगान सुनते और काशी तथा गया आदि तीर्थोंको देखते हुए वहाँ अनेक प्रकारके दान दे, वे पूर्वदिशाकी ओर चले गये। यादवोंकी ऐसी भयंकर सेना देखकर गिरि-व्रजपुरके स्वामी जरासंधपुत्र सहदेव शङ्कित हो गये। वे नाना प्रकारके रत्नोंकी भेंट ले, भयसे विह्वल हो, दोनों हाथ जोड़कर अनिरुद्धके चरणोंमें गिर पड़े। शरणागतवत्सल अनिरुद्धने सहदेवको प्रसन्नतापूर्वक रत्नमयी माला भेंट की और उन्हें उनके राज्यपर स्थापित करके शीघ्र ही श्रेष्ठ वृष्णिवंशी वीरोंके साथ वे कपिलाश्रमको गये। उन श्रेष्ठ यादव-वीरने वहाँ गङ्गा-सागर-सङ्गममें स्नान किया और सिद्ध मुनीन्द्र कपिलका दर्शन करके सेनासहित उनके चरणोंमें मस्तक झुकाया। राजन्! उस स्थानसे दक्षिण दिशामें समुद्रके तटपर महलों-के समान ऊँचे-ऊँचे शिविर लग गये। राजेन्द्र! उन शिविरोंमें अनुयायियोंसहित अनिरुद्ध आदि शूरवीर और विजयाभिलाषी समस्त यादवोंने निवास किया॥ २७—३४॥

इस प्रकार श्रीगर्गसंहिताके अन्तर्गत अश्वमेधखण्डमें 'अश्वके लिये उपद्वीपमें गमन' नामक छब्बीसवाँ अध्याय पूरा हुआ॥ २६॥

सत्ताईसवाँ अध्याय

यादवोंद्वारा समुद्रपर बाणमय सेतुका निर्माण

श्रीगर्गजी कहते हैं—महाराज! तत्पश्चात् यादवराज अनिरुद्धने उद्धवजीको बुलाकर गम्भीर वाणीमें पूछा—'साधुशिरोमणे! पाञ्चजन्य द्वीप कितनी दूर है, जिसमें उस दैत्यने मेरा घोड़ा ले जाकर रखा है?'॥ १-२॥

उनका यह प्रश्न सुनकर श्रीकृष्णके मन्त्री, सुहृद् और सखा उद्धव मन-ही-मन श्रीकृष्णचरणारविन्दोंका चिन्तन करके यदुकुलनन्दन अनिरुद्धसे बोले—''भगवन्! सर्वज्ञ! प्रभो! लोकेश! मैं आपकी बातका गौरव रखनेके लिये मार्गमें जैसा सुना है, वैसा बता रहा हूँ। नृपेश्वर! तीस योजन विस्तृत सागरके उस पार दक्षिण दिशामें 'पाञ्चजन्य' नामक उपद्वीप है॥ ३—५॥

उद्धवकी बात सुनकर बलवान्, धैर्यशाली तथा धनुर्धरोंमें श्रेष्ठ अनिरुद्ध रोष और उत्साहसे भरकर श्रेष्ठ यादव-वीरोंसे बोले॥ ६॥

अनिरुद्धने कहा—श्रेष्ठतम वीर यादवो! मैं समुद्रके पार जाऊँगा। इसलिये तुमलोग शीघ्र ही बाणोंद्वारा समुद्रके ऊपर सेतुका निर्माण करो॥ ७॥

उनकी यह बात सुनकर युद्धकुशल यादव परस्पर हँसते हुए समुद्रके ऊपर बाणोंकी वर्षा करने लगे। तब समस्त जलचर जन्तु तीखे बाणोंसे घायल हो चीत्कार करते हुए चारों दिशाओंमें भाग चले। देवर्षि नारद आकाशमें खड़े होकर यह सब कौतुक देख रहे थे। वे बड़े जोरसे बोले—'तुमलोगोंमेंसे किसीके बाण अभी समुद्रके पारतक नहीं पहुँचे हैं'॥ ८-९ $\frac{1}{2}$॥

नरेश्वर! उस समय नारदजीकी बात सुनकर अक्रूर, हृदीक, युयुधान, सात्यकि, उद्धव, बलवान् कृतवर्मा और सारण आदि वीरों तथा हेमाङ्गद, इन्द्रनील और अनुशाल्व आदि भूपालोंका घमण्ड चूर-चूर हो गया। तब बलवान् अनिरुद्धने श्रीकृष्ण-चरणारविन्दोंका चिन्तन करके शार्ङ्गधनुषके तुल्य कोदण्ड लेकर उसके द्वारा दिव्य बाण छोड़े। उन

बाणोंको देखकर देवर्षि बोले—'अनिरुद्धके बाण समुद्रके पार जाकर उसकी तटवर्ती भूमिमें प्रविष्ट हो गये हैं'॥ १०—१४॥

राजन्! देवर्षिका यह वचन सुनकर साम्ब और दीप्तिमान् आदि यादवोंने भी बाण छोड़े। उनके भी वे बाण समुद्रके उस पार पहुँच गये। महाराज! यों करोड़ों बाण घुसते चले गये। यह देख समस्त धनुर्धर आश्चर्यचकित हो गये। इस प्रकार सब यादवोंने जलके ऊपर आकाशमें तीस योजन लंबा और एक योजन चौड़ा पुल तैयार कर दिया। चार पहरमें इतना बड़ा पुल बाँधकर अनिरुद्ध आदि यादव रात्रिके समय अपने शिविरोंमें सोये। अतः परमात्मा श्रीकृष्णके शूरवीर पुत्र-पौत्रोंके, जो श्रीकृष्णके ही प्रतिबिम्ब हैं, बलका मैं क्या वर्णन करूँ?॥ १५—१९॥

इस प्रकार श्रीगर्गसंहिताके अन्तर्गत अश्वमेधखण्डमें 'सेतु-बन्धन' नामक सत्ताईसवाँ अध्याय पूरा हुआ॥ २७॥

अट्ठाईसवाँ अध्याय

यादवोंका पाञ्चजन्य उपद्वीपमें जाना; दैत्योंकी परस्पर मन्त्रणा; मयासुरका बल्वलको घोड़ा लौटा देनेके लिये सलाह देना; परंतु बल्वलका युद्धके निश्चयपर ही अडिग रहना

श्रीगर्गजी कहते हैं—नृपेन्द्र! प्रातःकाल शौचादिकर्म करके यदुनन्दन अनिरुद्ध यादवोंके साथ! उसी प्रकार सागरके उस पार गये, जैसे पूर्वकालमें कपियोंके साथ श्रीरामचन्द्रजी गये थे। वहाँ जाकर उन अनिरुद्ध आदि यादवोंने पाञ्चजन्य उपद्वीप देखा, जिसका विस्तार सौ योजन था। राजेन्द्र! उस उपद्वीपमें आसुरी पुरी शोभा पाती थी, जो बीस योजनतक फैली हुई थी। उसमें दैत्योंके समुदाय निवास करते थे। पुंनाग, नागकेसर, चम्पा, तिलक, देवदारु, अशोक, पाटल, आम, मन्दार, कोविदार, निम्ब, जम्बू, कदम्ब, प्रियाल, पनस (कटहल), साल, ताल, तमाल, मल्लिका, जाति (चमेली), जूही, नीप, मौलश्री, चम्पक तथा मदन नामवाले वृक्ष एवं पुष्प उस रमणीय नगरीकी शोभा बढ़ाते थे। उसमें रत्नोंके महल बने हुए थे॥ १—६॥

यादवोंका आगमन सुनकर दुष्ट बल्वलने महात्मा यादवोंकी सेनाकी गणना करनेके लिये मायावी मयको भेजा। उसने तोतेका रूप धारण करके वहाँ जाकर सब यादवोंको देखा और लौटकर अत्यन्त विस्मित हो पुरीके भीतर बल्वलसे कहा॥ ७-८॥

मय बोला—दैत्यराज! बलवान् वृष्णिवंशी योद्धाओंकी गणना कौन कर सकता है? जहाँ वे प्रद्युम्नपुत्र अनिरुद्ध लाख-लाख करोड़ सैनिकोंके साथ सुशोभित हैं। समस्त यादव समुद्रके ऊपर बाणोंसे सेतुका निर्माण करके तुम्हारे ऊपर चढ़ आये हैं। राजन् देखो, उनकी सेना देवताओंको भी विस्मयमें डालनेवाली है। दैत्यराज! मैं बूढ़ा हो गया, परंतु आजतक सागरके ऊपर बाणोंका बना हुआ पुल न तो देखा था और न सुना ही था। आज तुम्हारे सामने ही यह देखनेको मिला है। रघुकुलशिरोमणि श्रीरामने पूर्वकालमें लङ्काके निकट जो सेतु-निर्माण किया था, वह पत्थरों और वृक्षोंसे बनाया गया था और उनके नामके प्रतापसे पानीके ऊपर प्रस्तर ठहर सके थे। वह सारा सेतु मैंने प्रत्यक्ष देखा था; परंतु आज जो देखा है, वह तो बहुत ही अद्भुत है। राजन्! पूर्वकालमें श्रीकृष्णने कंस आदि तथा शकुनि आदि दैत्योंको युद्धमें मारा था और समस्त राजाओंको परास्त कर दिया था। श्रीकृष्ण तो साक्षात् भगवान् हैं। पूर्वकालमें ब्रह्माजीके प्रार्थना करनेपर वे अपने भक्तोंकी रक्षाके लिये गोलोकसे भूमिपर पधारे हैं। वे दुष्ट पापियोंका विनाश करनेके लिये कुशस्थलीमें विराजमान हैं। इसीलिये अनिरुद्ध आदि महाबली समस्त श्रेष्ठ यादव भीषण, बक तथा अन्य नरेशोंको परास्त करके यहाँ आये हैं। श्रीकृष्णके पुत्र, पौत्र तथा जाति-भाई श्रेष्ठ यादव आकाशको भी जीतनेका हौसला रखते हैं, फिर भूतलपर विजय पानेकी तो बात ही क्या? अतः बल्वल! तुम मरनेसे बचे

हुए दैत्योंकी भलाई और अपने कुलकी कुशलताके लिये अनिरुद्धको घोड़ा लौटा दो। देवद्रोही दैत्योंको सुख मिले, इस उद्देश्यसे अनिरुद्धको घोड़ा देकर श्रीकृष्णचन्द्रका भजन करते हुए तपस्यासे प्राप्त हुए अपने राज्यको भोगो॥ ९—१९॥

इस प्रकार शुभ वचनोंसे समझाये जानेपर भी बल्वल श्रीकृष्णसे विमुख हो लंबी साँस खींचकर मयसे रोषपूर्वक बोला॥ २०॥

बल्वलने कहा—दैत्य! तुम बिना युद्धके ही कैसे भयभीत हो रहे हो, और मेरे सामने ऐसी बात बोल रहे हो जो शूरवीरोंके लिये हास्यजनक है। तुम बुढ़ापेके कारण बुद्धि और बल दोनोंसे हीन हो गये हो; इसलिये इस समय मैं तुम्हारी बात नहीं मान सकता। यद्यपि श्रीकृष्ण साक्षात् भगवान् हैं और ये यादव श्रीकृष्णके ही वंशज हैं, तथापि मैं शिवजीका भक्त हूँ। मेरे सामने ये क्या पुरुषार्थ करेंगे? इसलिये तुम भय न करो। तुम्हारी मायाएँ कहाँ चली गयीं? मैं तो तुम्हारे सहारे ही युद्ध करने जा रहा हूँ। अनिरुद्ध बड़े शूरवीर हैं तो क्या हमलोग शौर्यसे सम्पन्न नहीं हैं? मेरे रहते इस भूमण्डलमें यादवोंका यह बड़ा भारी गर्व क्या है? मेरे धनुषसे छूटे हुए सायकोंद्वारा अनिरुद्ध अपनी वीरताके गर्वका फल प्राप्त करें। दैत्यप्रवर! आज रणभूमिमें मेरे तीखे बाण मानी अनिरुद्धको उसके कवच छिन्न-भिन्न करके रक्तसे लथपथ कर देंगे। आज योगिनियोंके झुंड मनुष्योंकी खोपड़ियोंसे जी भरकर रक्तपान करें। वैरियोंके कच्चे मांसको चबाकर आज महाकाली संतुष्ट हो जाय। अपने महान् कोदण्ड-से करोड़ों भल्लोंकी वर्षा करते हुए मुझ वीरके बाहुबलको समस्त सुभट प्रत्यक्ष देखें॥ २१—३०॥

बल्वलकी यह बात सुनकर महाबुद्धिमान् मायावी मय श्रीकृष्णके माहात्म्यको जाननेके कारण उस मदान्ध दैत्यसे इस प्रकार बोला॥ ३१॥

मयने कहा—जब तुम रणक्षेत्रमें श्रीकृष्णके पुत्रों एवं यादवोंको जीत लोगे तब तुम्हें परास्त करनेके लिये श्रीकृष्ण अथवा बलराम यहाँ पदार्पण करेंगे॥ ३२॥

मयकी बात सच्ची और हितकारक थी तो भी कालपाशसे बँधे हुए उस महादैत्यने उसे सुनकर भी नहीं स्वीकार किया; उलटे वह रोषसे जल उठा॥ ३३॥

बल्वलने कहा—बलराम और श्रीकृष्ण मेरे शत्रु हैं। समस्त वृष्णिवंशी यादव मेरे वैरी हैं। जिन्होंने मेरे मित्रोंको मारा है, मैं उन सबको मौतके घाट उतार दूँगा। यहाँ यादवोंका वध करके पीछे मैं भी यज्ञ करूँगा और उस यज्ञके दिग्विजय-प्रसङ्गमें मैं द्वारकापुरीपर विजय पाऊँगा॥ ३४-३५॥

मय बोला—दैत्यराज! घमंड न करो। यह कालरूपी घोड़ा तुम्हारे नगरमें आया है। अबतक मरनेसे जो बच गये हैं, उन महान् असुरोंको मरवा डालनेके लिये ही इसका यहाँ पदार्पण हुआ है। असुरेश्वर! अनिरुद्धके समस्त बाण इसी क्षण तुम्हारी पुरीको छिन्न-भिन्न तथा शूरवीरोंसे हीन कर डालेंगे, इसमें संशय नहीं है। जिन्होंने हिरण्याक्ष आदि दैत्यों तथा रावण आदि निशाचरोंको कालके गालमें भेजा था, वे ही श्रीकृष्ण यदुकुलमें अवतीर्ण हुए हैं, ऐसा मैंने सुना है। बल्वल! इस छोटेसे राज्यके अभिमान-में आकर तुम उन्हें नहीं जानते हो। मेरे कहनेसे घोड़ा अनिरुद्धको दे दो। यह हमारे लिये युद्धका समय नहीं है॥ ३६—३९॥

बल्वल बोला—मैं तुम्हारी बात समझता हूँ। तुम यादवोंके साथ युद्ध नहीं करोगे। इसलिये पूर्व-कालमें जैसे रावणका भाई विभीषण श्रीरामके पास चला गया था, उसी प्रकार तुम भी अनिरुद्धके पास चले जाओ॥ ४०॥

श्रीगर्गजी कहते हैं—राजन्! बल्वलकी यह बात सुनकर मायावियोंमें श्रेष्ठ मयने वहाँ अपने मानसिक दुःखको दूर करनेके लिये इस प्रकार विचार किया—'पूर्वकालमें वैरभावसे भगवच्चिन्तन करनेके कारण बहुत-से निशाचर और दैत्य वैकुण्ठधामको जा पहुँचे। अतः जो भी उस भावको अपने हृदयमें स्थान देता है, उसकी अवश्य उत्तम गति होती है।' ऐसा विचार करके मयासुरने सहसा उस महान् असुरसे कहा॥ ४१-४२ $\frac{1}{2}$॥

मयासुर बोला—बल्वल! तुम महान् वीर हो। अब मैं तुझे युद्धसे नहीं रोकूँगा। तुम रणभूमिमें जाकर युद्ध करो और अपने सायकोंसे यादवोंको मार

डालो। अब मैं भी तुम्हारे कहनेसे संग्रामभूमिमें जाकर युद्ध ही करूँगा॥ ४३ $\frac{1}{2}$ ॥

—ऐसा कहकर बल्वलको हर्षप्रदान करता हुआ मयासुर मौन हो गया। राजन्! तब ऊर्ध्वकेश, नद, सिंह और कुशाम्ब आदि चार मन्त्रियोंने अत्यन्त कुपित होकर बल्वलसे कहा॥ ४४-४५॥

मन्त्री बोले— दैत्यराज! पहले हमलोग समस्त श्रेष्ठ यादवोंका वध करनेके लिये युद्धके मुहानेपर जायँगे; क्योंकि हमें बहुत दिनोंसे संग्राम करनेका अवसर नहीं मिला है। राजेन्द्र! चिन्ता मत करो। हमलोग मयदैत्यके साथ रहकर कोटि-कोटि मनुष्योंको क्षणभरमें मार गिरायेंगे॥ ४६-४७॥

श्रीगर्गजी कहते हैं— नृपश्रेष्ठ! उन मन्त्रियोंका भाषण सुनकर बल्वलको बड़ी प्रसन्नता हुई। उस रणकोविद दैत्यने उन्हें युद्ध करनेके लिये आज्ञा दे दी॥ ४८॥

इस प्रकार श्रीगर्गसंहिताके अन्तर्गत अश्वमेधखण्डमें 'दैत्योंकी मन्त्रणाका वर्णन' नामक अट्ठाईसवाँ अध्याय पूरा हुआ॥ २८॥

उन्तीसवाँ अध्याय

यादवों और असुरोंका घोर संग्राम तथा ऊर्ध्वकेश एवं अनिरुद्धका द्वन्द्व युद्ध

श्रीगर्गजी कहते हैं— राजेन्द्र! तदनन्तर ऊर्ध्वकेश आदि चार मन्त्री कवच बाँधकर करोड़ों दैत्योंकी सेनाके साथ युद्धके लिये नगरसे बाहर निकले। नरेश्वर! वे सब-के-सब धनुर्धर तथा विद्याधरोंके समान शौर्यसम्पन्न थे। लोहेका कवच बाँधकर खड्ग, शूल, गदा, परिघ, मुद्गर, एकघ्नी, दशघ्नी, शतघ्नी, भुशुण्डी, भाले, भिन्दिपाल, चक्र, सायक, शक्ति आदि सम्पूर्ण अस्त्र-शस्त्रोंसे सुसज्जित थे। हाथी, घोड़े, रथ, नीलगाय, गाय, भैंस, मृग, ऊँट, गधे, सूअर, भेड़िये, सिंह, सियार, बड़े-बड़े गीध, शङ्ख, चील, मगर और तिमिङ्गल—इन वाहनोंपर चढ़कर वे रणकर्कश दैत्य युद्धके मैदानमें उतरे। उस समय शङ्ख और दुन्दुभियों-के नादसे, वीरोंकी सिंहगर्जनासे और शतघ्नियों (तोपों) की आवाजसे धरती बार-बार हिलने लगी॥ १—६ $\frac{1}{2}$ ॥

असुरोंकी ऐसी भयंकर सेना देखकर महेन्द्र, कुबेर आदि सब देवता भयभीत हो गये। जिन्होंने अनेक बार भूतलपर विजय पायी थी, वे बलवान् यादव भी दैत्योंकी सेना देखकर मन-ही-मन विषादका अनुभव करने लगे। पहले प्रद्युम्नने राजसूय यज्ञके अवसरपर चन्द्रावती नगरीमें जो यादवोंके प्रति नीति और धैर्य बढ़ानेवाली बात कही थी, वह सब प्रद्युम्नकुमारने पुनः उनके समक्ष दुहरायी॥ ७—१०॥

श्रीगर्गजी कहते हैं— राजन्! यह सुनकर यादवोंने तुरंत अस्त्र-शस्त्र उठा लिये। उन्होंने जीते जाने और माँगनेकी अपेक्षा मौतको श्रेष्ठ माना। फिर तो दैत्योंका यादवोंके साथ उस 'पाञ्चजन्य' नामक उपद्वीपमें घोर युद्ध होने लगा। ठीक उसी तरह, जैसे पहले लङ्कामें निशाचरोंका वानरोंके साथ युद्ध हुआ था॥ ११-१२॥

वहाँ युद्धमें रथियोंके साथ रथी, पैदलोंके साथ पैदल, घोड़ोंके साथ घोड़े और हाथियोंके साथ हाथी-सभी आपसमें जूझने लगे। राजन्! उस महासमरमें कितने ही मतवाले हाथियोंने अपने शुण्डदण्डसे रथोंको चकनाचूर कर दिया तथा घोड़ों और पैदल-वीरोंको मार गिराया। घोड़ों और सारथियों सहित रथोंको सूँड़में लपेटकर वे धरतीपर गिरा देते और फिर बलपूर्वक उठाकर आकाशमें फेंक देते थे। राजन्! कितने ही क्षत-विक्षत गजराज समराङ्गणसे बाहर भाग रहे थे। उन्होंने कितनोंको अपनी सुदृढ़ सूँड़ोंसे विदीर्ण करके दो पैरोंसे मसल डाला। नृपेश्वर! वीर सवारोंसहित घोड़े वहाँ दौड़ते हुए रथोंको लाँघ जाते और उछलकर हाथियोंपर चढ़ जाते थे। वे सिंहकी भाँति युद्धमें महावत और हाथीसवारको रौंदते जाते थे। महाबली अश्व उछलते हुए हाथियोंकी सेनामें घुस जाते और उनके सवार खड्गप्रहार करके बहुत-से

शत्रुओंको विदीर्ण कर डालते थे। नटोंकी भाँति कभी तो घोड़ोंकी पीठपर नहीं दिखायी देते और कभी दिखायी देते थे। कितने ही वीर खड्गोंसे घोड़ोंके दो टुकड़े कर डालते और कितने ही हाथियोंके दाँत पकड़कर उनके कुम्भस्थलोंपर चढ़ जाते थे। कितने ही घुड़सवार योद्धा भी तलवारोंको बड़े वेगसे चलाकर शत्रुसेनाको विदीर्ण करते हुए बाहर निकल जाते थे, जैसे हवा कमलोंके वनमें समाकर अनायास ही निकल जाती है॥ १३—२१॥

उन दोनों सेनाओंमें बाणों, गदाओं, परिघों, खड्गों, शूलों और शक्तियोंद्वारा अद्भुत तथा रोमाञ्चकारी तुमुल युद्ध होने लगा। उस युद्धके मैदानमें हाथी चिग्घाड़ते और घोड़े जोर-जोरसे हिनहिनाते थे। बहुत-से पैदल वीर हाय-हाय करते और रथोंकी नेमियाँ (पहियोंके ऊपरी भाग) घरघराहट पैदा करती थीं। सेनाके पैरोंकी धूलराशिसे आकाश अन्धा-सा हो गया था। वहाँ समराङ्गणमें कोई अपना-पराया नहीं सूझता था। परस्पर बाणसमूहोंकी वर्षासे कितने ही वीरोंके दो-दो टुकड़े हो गये थे। युद्धस्थलमें टेढ़े हुए रथ वृक्षोंकी भाँति गिर पड़ते थे। वीरोंके ऊपर वीर और घोड़ोंके ऊपर घोड़े गिरे थे। उस युद्धके मैदानमें शूरवीरोंके भयंकर कबन्ध उछल रहे थे। वे उस महासमरमें खड्गहस्त हो घोड़ों और वीरोंको धराशायी कर रहे थे। वहाँ शस्त्रोंके प्रहारसे घना अन्धकार छा गया था। हाथियोंके कुम्भस्थल फट जानेसे उनके भीतरी छिद्रसे गोल-गोल मोती गिर रहे थे, मानो रातमें आकाशसे तारागण बिखर रहे हों॥ २२—२७॥

तदनन्तर दोनों सेनाओंमें रक्तकी नदी बह चली और वेतालगण भगवान् शिवकी माला बनानेके लिये कटे हुए मुण्डोंका संग्रह करने लगे। सिंहवाहिनी महाकाली डाकिनियोंके साथ युद्धस्थलमें आकर खप्परसे रक्तपान करती हुई दिखायी देती थीं। डाकिनियाँ भी वहाँ अपने बच्चोंको गरम-गरम रक्त पिलातीं और 'मत रोओ, चुप रहो'—ऐसा कहती हुई उनके नेत्र पोंछती थीं। विद्याधरियाँ, गन्धर्वियाँ और अप्सराएँ आकाशमें खड़ी हो, क्षत्रियधर्ममें स्थित रहकर वीरगतिको पानेवाले देवरूपधारी शूरवीरोंका वरण करती थीं; उनमें परस्पर पतिके लिये झगड़ा हो जाता था। वे आकाशमें विह्वलचित्त होकर एक-दूसरीसे कहतीं—'यह वीर तो मेरे ही योग्य है, तुम्हारे योग्य नहीं'॥ २८—३२॥

राजन्! कितने ही धर्मपरायण शूरवीर युद्धभूमिसे विचलित नहीं हुए और वीरगतिको प्राप्त हो सूर्यमण्डलका भेदन करके विष्णुधाममें चले गये। नरेश्वर! कितने ही वीर उस महायुद्धको देखकर रणभूमिसे भागते हुए मारे गये। वे यमलोकके तप्त-बालुकावाले मार्गसे नरकमें गये। इस प्रकार समस्त यदुकुलशिरोमणि वीरोंने महान् दैत्यवीरोंका संहार कर डाला। इसी तरह उस महायुद्धमें दानवोंने भी नाना प्रकारके शस्त्रोंद्वारा यादव-सैनिकोंको भी कालके गालमें भेज दिया॥ ३३—३५॥

राजन्! करोड़ोंकी संख्यामें युद्धके लिये आये हुए समस्त दैत्य उस समराङ्गणमें मृत्युके ग्रास बन गये तथा सहस्रों यादव भी रणभूमिमें मारे गये। जब वहाँ बाण-वर्षासे अन्धकार छा गया, तब धनुर्धरोंमें श्रेष्ठ अनिरुद्ध ऊर्ध्वकेशके साथ उसी प्रकार युद्ध करने लगे, जैसे वृत्रासुरके साथ इन्द्रने किया था। नृपेश्वर! नदके साथ गद, सिंहके साथ वृक और कुशाम्बके साथ साम्ब उस समराङ्गणमें लोहा लेने लगे। इस प्रकार उनमें परस्पर बड़ा भारी तुमुल युद्ध छिड़ गया॥ ३६—३८ $\frac{1}{2}$॥

महाराज! उस समय बारंबार धनुष टंकारते हुए ऊर्ध्वकेशने युद्धस्थलमें प्रद्युम्नकुमारको दस नाराच मारे। परंतु श्रेष्ठ धनुर्धर रुक्मवतीनन्दन भगवान् अनिरुद्धने उन सबको काट गिराया। तब ऊर्ध्वकेशने पुनः उनके कवचपर दस बाण मारे। वे सभी सोनेके पंखोंसे विभूषित थे और अनिरुद्धका कवच काटकर उनके शरीरमें घुस गये थे। फिर उसने चार बाणोंसे उनके चार घोड़ोंको मार गिराया। बीस बाणोंद्वारा प्रत्यञ्चासहित उनके धनुषको खण्डित कर दिया। राजेन्द्र! बल्वलके उस बलवान् सेवकने जब अनिरुद्धके रथको बेकार कर दिया, तब वे उस रथको छोड़कर दूसरे रथपर आरूढ़ हो गये। नृपश्रेष्ठ! वह रथ इन्द्रका दिया हुआ था। उसपर चढ़कर महान् वीर अनिरुद्धने 'प्रतिशार्ङ्ग' नामक धनुष हाथमें लिया।

श्रीकृष्णके दिये हुए उस कोदण्डपर एक बाण रखकर रोषसे भरे हुए प्रद्युम्नकुमारने हाथकी फुर्ती दिखाकर ऊर्ध्वकेशके रथपर चलाया। उस सायकने ऊर्ध्वकेश-के रथको ऊपर ले जाकर दो घड़ीतक घुमाया। फिर जैसे कोई बालक शीशेका बर्तन पटक देता है, उसी प्रकार उसे आकाशसे पृथ्वीपर गिरा दिया। ऊर्ध्वकेश-का रथ अङ्गारकी तरह बिखर गया। नृपश्रेष्ठ! सारथिसहित उसके घोड़े भी उसके सामने ही पञ्चत्वको प्राप्त हो गये। ऊर्ध्वकेश आकाशसे गिरनेके कारण समराङ्गणमें मूर्च्छित हो गया॥ ३९—४७॥

इस प्रकार श्रीगर्गसंहिताके अन्तर्गत अश्वमेधखण्डमें 'यादवों तथा असुरोंके संग्रामका वर्णन' नामक उन्तीसवाँ अध्याय पूरा हुआ॥ २९॥

तीसवाँ अध्याय

ऊर्ध्वकेश और अनिरुद्धका तथा नद और गदका घोर युद्ध; ऊर्ध्वकेश और नदका वध

श्रीगर्गजी कहते हैं—महाराज! तब ऊर्ध्वकेश मूर्च्छासे उठकर, दूसरे रथपर आरूढ़ हो ज्यों-ही अनिरुद्धके सामने संग्रामके लिये आया, त्यों-ही उन्होंने अपने तीखे नाराचोंसे उसके रथके टुकड़े-टुकड़े कर डाले। नरेश्वर! रथको टूटा देख उसने पुनः दूसरे रथका आश्रय लिया। परंतु प्रद्युम्नकुमारने रणभूमिमें तत्काल ही बाण मारकर उसके उस रथको भी खण्डित कर दिया। इस प्रकार समराङ्गणमें ऊर्ध्वकेशके नौ रथ अनिरुद्धके द्वारा तोड़े गये॥ १—३॥

तब उस दैत्यने कुपित होकर रणक्षेत्रमें अनिरुद्धपर तीव्रगतिसे शक्तिका प्रहार किया। उस शक्तिको अपने ऊपर आती देख वीर अनिरुद्धने अनेक नाराचोंसे उसके दस टुकड़े कर डाले। तब युद्धस्थलमें सुवर्ण-मय रथपर आरूढ़ हो ऊर्ध्वकेश अनिरुद्धका सामना करनेके लिये बड़े वेगसे आया। आते ही हर्षोत्साहसे भरकर उसने अनिरुद्धको पाँच बाणोंसे घायल कर दिया। उन बाणोंके आघातसे अनिरुद्धको बड़ी वेदना हुई। तब कुपित हुए अनिरुद्धने धनुष उठाकर सहसा हाथकी फुर्ती दिखाते हुए ऊर्ध्वकेशकी छातीमें विचित्र पाँखवाले दस बाण मारे। उन अत्यन्त दारुण बाणोंने उसका रक्त पी लिया और पीकर उसी प्रकार पृथ्वीपर गिर पड़े, जैसे झूठी गवाही देनेवालोंके पूर्वज नरकमें गिरते हैं॥ ४—८॥

तदनन्तर पुनः कुपित हुए ऊर्ध्वकेशने 'खड़ा रह, खड़ा रह'—ऐसा कहते हुए दस बाणोंद्वारा अनिरुद्धके मस्तकपर प्रहार किया। राजेन्द्र! वे दसों बाण अनिरुद्धकी पगड़ीमें गड़ गये और वृक्षकी दस शाखाओंके समान शोभा पाने लगे। नृपश्रेष्ठ! जैसे फूलोंद्वारा प्रहार करनेपर हाथीको कोई पीड़ा नहीं होती, उसी प्रकार युद्धस्थलमें उन बाणोंके आघातसे रुक्मवतीकुमार अनिरुद्धको व्यथा नहीं हुई। माधव अनिरुद्धने अत्यन्त रोषसे भरकर विचित्र पाँखवाले तथा सुवर्णमय पंखवाले सौ बाण अपने धनुषपर रखकर प्रत्यञ्चा खींचकर छोड़े। राजन्! वे बाण ऊर्ध्वकेशके सारे अङ्गोंका भेदन करके रक्तरञ्जित हो शीघ्र ही नीचे गिर गये; ठीक उसी तरह, जैसे श्रीकृष्ण-भक्तिसे विमुख मनुष्य अधोगतिको प्राप्त होते हैं। उन बाणसमूहोंसे आहत होनेपर युद्धस्थलमें ऊर्ध्वकेशके प्राणपखेरू उड़ गये। नृपश्रेष्ठ! उस समय दैत्यसेनामें हाहाकार मच गया। यादवोंकी सेनामें 'जय हो, जय हो' की ध्वनि गूँज उठी और देवतालोग अनिरुद्धके ऊपर फूलोंकी वर्षा करने लगे। यादवराज! ऊर्ध्वकेश उस युद्धस्थलसे दिव्य देह धारण करके विमानपर आरूढ़ हो पुण्यात्माओंके निवासस्थान स्वर्गलोकमें चला गया॥ ९—१६॥

भाईको मारा गया देख नद शोकसे भर गया। हाथीपर बैठे हुए उस दैत्यने गजराजपर विराजमान गदको लक्ष्य करके अनेक बाण छोड़े। उन बाणोंको अपने ऊपर आया देख महान् धनुर्धर गदने अनिरुद्धके देखते-देखते एक ही बाणसे उन सबको काट दिया।

भाईके शोकमें डूबे हुए नदने अत्यन्त कुपित होकर संग्राममें अपने बाणोंके प्रहारसे रोहिणीनन्दन गदको गजहीन कर दिया—उनके हाथीको मार गिराया। सैकड़ों बाणोंके आघातसे उस हाथीके अङ्ग-अङ्ग विदीर्ण हो गये थे, इसलिये वह पञ्चत्वको प्राप्त हो गया और गद उसके साथ ही भूमिपर गिर पड़े। वह अद्भुत-सी घटना घटित हुई। तब गद क्रोधसे जल उठे और रणभूमिमें गदा लेकर शत्रुको मारनेके लिये उसी तरह आगे बढ़े, जैसे वनमें एक सिंह दूसरे सिंहपर आक्रमण करता है॥ १७—२१ ॥

राजन्! आते ही नदके हाथीने गदको अपनी सूँड़में लपेटकर आकाशमें सौ योजन ऊपर फेंक दिया। आकाशसे गिरनेपर गदने उठकर हाथीके शुण्डदण्डको पकड़ लिया और उसे घुमाकर पृथ्वीपर दे मारा। उस हाथीकी युद्धस्थलमें तत्काल मृत्यु हो गयी। यह देखकर महान् असुर नदको आश्चर्य हुआ। उसने गदकी प्रशंसा करके एक भारी गदा हाथमें ली और शीघ्र ही गदाधारी वीर गदको युद्धके लिये ललकारा। प्रजानाथ! इसी प्रकार गदने भी दैत्य नदका अपने साथ संग्रामके लिये आह्वान किया। नदने गदको उत्तर दिया—'यादव! तू मनुष्य है। अत: तेरे साथ युद्ध करनेमें मुझे लज्जाका अनुभव हो रहा है। भला तू कैसे मेरे साथ युद्ध करेगा? पहले तू मुझपर प्रहार कर। पीछे मेरे प्रहारसे तू जीवित नहीं रह सकेगा'॥ २२—२६ $\frac{1}{2}$ ॥

यह सुनकर गदने उससे उसी प्रकार बात की, जैसे देवराज इन्द्रने वृत्रासुरसे वार्तालाप किया था॥ २७॥

गद बोले—दैत्य! जो मुँहसे बड़ी-बड़ी बातें बनाते हैं, वे कुछ कर नहीं पाते। जो शूरवीर हैं, वे रणभूमिमें डींग नहीं हाँकते हैं; अपना पराक्रम दिखाते हैं॥ २८॥

राजेन्द्र! यह सुनकर नद कुपित हो उठा। उसने गर्जना करते हुए अपनी भारी और विशाल गदा गदकी छातीपर दे मारी। गदाकी चोट खाकर भी वीरवर गद युद्धभूमिमें उसी प्रकार विचलित नहीं हुए, जैसे मदोन्मत्त हाथी किसी बालकद्वारा फूलसे मारे जानेपर उसकी कोई परवाह नहीं करता। दानव लज्जित हो गया था। उसकी ओर देखकर वीरशिरोमणि गदने कहा—'परंतप! यदि तुम वीर हो तो मेरा भी एक प्रहार सहन कर लो'॥ २९—३१॥

—ऐसा कहकर गदने गदासे उसके ललाटपर भारी चोट पहुँचायी। धर्मज्ञ नदने भी कुपित होकर गदके कंधेपर गदा मारी। वे दोनों वीर गदायुद्धमें कुशल थे और इस प्रकार भारी आघात करते हुए एक-दूसरेको मार डालनेकी इच्छासे गदायुद्धमें लगे रहे। दोनों परस्परके आघातसे खिन्न हो क्रोधसे भरकर विजयके प्रयत्नमें तत्पर रहे। परंतु वहाँ उनमेंसे कोई भी न तो हारता था और न उत्साहहीन ही होता था। भालपर, कंधेपर, मस्तकपर, वक्ष:स्थलमें तथा सम्पूर्ण अङ्गोंमें आघात लगनेसे वे लहूलुहान हो रक्तसे भीग गये थे और दो खिले हुए पलाश वृक्षोंके समान दिखायी पड़ते थे। समराङ्गणमें गदाओंद्वारा उन दोनोंका महान् युद्ध चल रहा था। उनकी दोनों गदाएँ आगकी चिनगारियाँ छोड़ती हुई परस्पर चूर-चूर हो गयीं। तब उन दोनों—गद यादव और नद दैत्यमें घोर बाहुयुद्ध होने लगा। उस समय रोषसे भरे हुए बलराम-के छोटे भाई गदने नदको अपनी बाँहोंसे पकड़कर उसी तरह पृथ्वीपर दे मारा, जैसे सिंहराज किसी भैंसे-को पटक देता है। तब दैत्यने गदकी छातीमें मुक्केसे प्रहार किया। लगे हाथ गदने भी उसके मस्तकपर एक बँधा हुआ मुक्का जड़ दिया। मुक्कों, घुटनों, पैरों, तमाचों और भुजाओंसे वे दोनों एक-दूसरेपर प्रहार कर रहे थे और दोनों ही रोषसे अपने अधरपल्लव दबाये हुए थे। तब समरभूमिमें दैत्यने कुपित हो बलपूर्वक गदका एक पैर पकड़ लिया और घुमाकर उन्हें धरतीपर दे मारा। उसी समय रोषसे जलते हुए गदने भी उठकर शत्रुका एक पैर पकड़कर उसे घुमाते हुए हाथीके पृष्ठभागपर पटक दिया॥ ३२—४१ $\frac{1}{2}$ ॥

राजन्! दैत्यने फिर उठकर रोहिणीकुमारको जा पकड़ा और बलपूर्वक आकाशमें उन्हें सौ योजन ऊपर फेंक दिया। वहाँसे गिरनेपर भी वज्रके समान अङ्गवाले गदको कोई चोट नहीं पहुँची; किंचिन्मात्र मनमें व्याकुलता हुई। फिर उन्होंने उस दैत्यको भी एक सहस्र योजन ऊपर उछाल दिया। उतनी ऊँचाईसे

गिरनेपर भी वह दैत्य फिर उठकर युद्ध करने लगा। गद नदको और नद गदको पारस्परिक आघातोंद्वारा चोट पहुँचाते रहे। नृपेश्वर! भयंकर घूँसोंकी मारसे उन दोनोंमें महान् युद्ध छिड़ा हुआ था। दोनोंमें लाठा-लाठी, मुक्का-मुक्की, केशा-केशि (झोंटा-झोंटी) नखा-नखि (बकोटा-बकोटी) और दाँता-दाँती होने लगी। इस प्रकार घोर युद्ध छिड़ा हुआ था। इस तरह जूझते हुए वे दोनों योद्धा बारंबार मारा-मारी कर रहे थे। एक-दूसरेके वधकी इच्छासे दोनों आपसमें इस प्रकार गुँथ गये कि पैरपर पैर, छातीपर छाती, हाथ पर हाथ और मुँहपर मुँह सट गया था। बलपूर्वक आक्रमणके शिकार होकर वे दोनों गिरे और मूर्च्छित हो गये। नरेश्वर! उन दोनोंका ऐसा युद्ध देखकर दानव और यादव बोलने लगे—'गद धन्य है, नद धन्य है॥ ४२—४९॥

गदको गिरा देख अनिरुद्ध शोकमें डूब गये। उन्होंने जल छिड़कर और व्यजन डुलाकर गदको होशमें लानेकी चेष्टा की। राजेन्द्र! वे तत्काल क्षणभरमें उठकर खड़े हो गये और बोल उठे—'कहाँ नद है, कहाँ नद है! वह मेरे भयसे युद्ध छोड़कर भाग तो नहीं गया?' लोगोंने देखा वह दानव वहाँ मूर्च्छित होकर प्राणशून्य हो गया था। फिर तो यादव और देवतालोग जय-जयकार करने लगे॥ ५०—५२॥

इस प्रकार श्रीगर्गसंहिताके अन्तर्गत अश्वमेधखण्डमें 'ऊर्ध्व-केश और नदका वध' नामक तीसवाँ अध्याय पूरा हुआ॥ ३०॥

इकतीसवाँ अध्याय

वृकद्वारा सिंहका और साम्बद्वारा कुशाम्बका वध

श्रीगर्गजी कहते हैं—राजन्! अपनी सेनाकी पराजय होती देख गदहेपर चढ़ा हुआ 'सिंह' नामक दैत्य रोषसे आगबबूला हो उठा और रथपर बैठे हुए वृकपर बाणोंद्वारा प्रहार करने लगा। नरेश्वर! उन बाणोंको अपने ऊपर आया देख युद्धस्थलमें श्रीकृष्ण-नन्दन वृकने खेल-खेलमें ही बाण मारकर उन्हें काट गिराया। सिंहने फिर बाण मारे और श्रीकृष्णकुमारने फिर उन्हें काट डाला॥ १-२$\frac{1}{2}$॥

राजन्! फिर तो रणक्षेत्रमें असुरराज सिंहके क्रोधकी सीमा न रही। उसने धनुषपर आठ बाण रखे। उनमेंसे चार बाणोंद्वारा उस वीरने वृकके घोड़ोंको यमलोक पहुँचा दिया, एक बाणसे हँसते हुए उसने वेगपूर्वक उनके रथकी बहुत ही ऊँची और भयंकर ध्वजा काट डाली और एक बाणसे सारथिका सिर धड़से अलग करके पृथ्वीपर गिरा दिया। फिर एक बाणसे रोषपूर्वक रणभूमिमें उनके प्रत्यञ्चासहित धनुषको काट दिया और एक बाणसे उस वेगशाली दैत्यने वृककी छातीमें चोट पहुँचायी॥ ३—६॥

उसके उस अद्भुत कर्मको देखकर सब वीरोंको बड़ा आश्चर्य हुआ। उसी समय वृकने सहसा उस दैत्यपर शक्तिसे आघात किया। वह शक्ति उसके शरीरको छेदकर और गदहेको भी विदीर्ण करके बाहर निकल गयी। राजन्! जैसे साँप बिलमें घुस जाता है, उसी प्रकार वह शक्ति सिंहको घायल करके धरतीमें समा गयी। गदहा तो वहीं मर गया और दैत्य भी तत्काल पृथ्वीपर गिर पड़ा। परंतु वह दैत्य पुनः उठकर सिंहके समान जोर-जोरसे गर्जना करने लगा। उसने वृकके ऊपर एक शिखारहित शूल लेकर चलाया। अपने ऊपर आते हुए उस शूलको वृकने समराङ्गणमें अपने हाथसे पकड़ लिया। राजन्! फिर उसी शूलसे अत्यन्त कुपित हुए कृष्णकुमारने शत्रुपर आघात किया। सिंहका शरीर विदीर्ण हो गया। वह हाय-हाय करता हुआ पृथ्वीपर गिरा और मर गया। उसी समय समराङ्गणमें दानवोंका महान् हाहाकार प्रकट हुआ। देवताओंने फूलोंकी वर्षा की और श्रेष्ठ यादव-वीर 'जय-जयकार' करने लगे॥ ७—१२॥

तब क्रोधसे भरे हुए कुशाम्बने युद्धके मैदानमें रथपर आरूढ़ हो शीघ्र आकर साम्ब आदि समस्त

यादवोंको अपने सायकोंद्वारा बींधना आरम्भ किया। उसके बाणोंसे छिन्न-भिन्न होकर बहुत-से विशाल गजराज धराशायी हो गये, रथ उलट गये और युद्धमें बहुत-से घोड़ोंकी गर्दनें कट गयीं तथा बहुत-से पैदल योद्धा बिना सिर और भुजाओंके हो गये। राजन्! इस प्रकार कुशाम्ब अनेक वीरोंको मारता-काटता हुआ युद्धभूमिमें विचरने लगा। उसका ऐसा पराक्रम देखकर युद्धकुशल जाम्बवतीनन्दन साम्बने युद्धके लिये कुशाम्बको ललकारा॥ १३—१६॥

साम्ब बोले—वीर! आओ और सहसा मेरे साथ युद्ध करो। दूसरे करोड़ों दीन मनुष्योंको डरानेसे क्या लाभ होगा?॥ १७॥

—ऐसा कहते हुए साम्बकी ओर देखकर बलवान् कुशाम्ब हँसने लगा। उसने साम्बकी छातीमें आठ बाण मारे। श्रीहरिके पुत्र साम्ब उसकी इस धृष्टताको सहन न कर सके। उन्होंने अपने कोदण्डपर सात बाणोंका संधान करके उनके द्वारा उस शत्रुभूत दानवकी छातीमें गहरी चोट पहुँचायी। दोनों ही युद्धके लिये रोषावेशसे भरे थे और दोनों ही अपनी-अपनी जीत चाहते थे। संग्रामभूमिमें वे दोनों योद्धा स्कन्द तथा तारकासुरके समान शोभा पाते थे। युद्धस्थलमें साम्बने कुशाम्बपर और कुशाम्बने साम्बपर आपसमें सर्पसदृश बाणोंकी वर्षा आरम्भ की। कुशाम्बने अपने धनुषपर सौ चमकीले बाणोंका संधान करके उनके द्वारा साम्बको रथहीन कर दिया और उनके धनुषको भी काट डाला। जब धनुष कट गया, रथ टूट गया तथा घोड़े और सारथि मारे गये, तब साम्ब दूसरे रथपर आरूढ़ हुए तथा कुपित हो धनुष हाथमें लेकर बोले॥ १८—२३॥

साम्बने कहा—दैत्य! ऐसा विशाल पराक्रम प्रकट करके अब तुम कहाँ जाओगे? क्षणभर संग्राम-भूमिमें ठहरकर मेरा उत्तम पराक्रम देख लो॥ २४॥

—ऐसा कहकर साम्बने अपने कोदण्डपर एक उग्र सायकका संधान किया और उसे दिव्य-मन्त्रसे अभिमन्त्रित करके कुशाम्बके रथपर छोड़ दिया। उस बाणसे आहत हो कुशाम्बका रथ घोड़े और सारथि-सहित अलातचक्रकी भाँति भूतलपर चक्कर काटने लगा। चक्कर काटते-काटते वह शीघ्र ही एक योजनतक चला गया। रथसहित दैत्यको घूमते देख जाम्बवतीनन्दन साम्बके मुखपर हास्यकी छटा छा गयी और वे धनुषपर एक बाण रखकर बोले॥ २५—२७॥

साम्बने कहा—असुरेश्वर! तुम्हारे-जैसे महान् वीर, जो देवेन्द्रके तुल्य पराक्रमी हैं, स्वर्गलोकमें रहनेके योग्य हैं। इस धरतीपर उनकी शोभा नहीं होती है। अतः मेरे इस दूसरे बाणसे रथसहित तुम सदेह स्वर्गमें चले जाओ। यह तुम्हारे ऊपर मेरी बड़ी कृपा होगी॥ २८-२९॥

—ऐसा कहकर साम्बने आकाशमें पहुँचानेवाला दिव्यास्त्र छोड़ा। नरेश्वर! उस बाणसे रथसहित कुशाम्ब चक्कर काटता हुआ धरतीसे ऊपरको उठा और बहुत-से लोकोंको लाँघकर सूर्यमण्डलमें जा पहुँचा। वहाँ पहुँचकर घोड़े और सारथिसहित उसका रथ सूर्यकी ज्वालामें जल गया तथा उस दैत्यका शरीर भी तत्काल दग्ध होकर पृथ्वीपर आसुरी पुरीमें बल्वलके समीप गिर पड़ा। उस पापी दानवके गिरने और मर जानेपर समस्त दैत्य भयभीत हो हाहाकार करने लगे। उस समय यादवोंकी सेनामें बार-बार दुन्दुभियाँ बजने लगीं। देवता साम्बके रथपर सानन्द पुष्पवर्षा करने लगे॥ ३०—३४॥

इस प्रकार श्रीगर्गसंहिताके अन्तर्गत अश्वमेधखण्डमें 'सिंह और कुशाम्बका वध' नामक इकतीसवाँ अध्याय पूरा हुआ॥ ३१॥

बत्तीसवाँ अध्याय

मयको बल्वलका समझाना; बल्वलकी युद्धघोषणा; समस्त दैत्योंका युद्धके लिये निर्गमन; विलम्बके कारण सैन्यपालके पुत्रका वध तथा दुःखी सैन्यपालको मन्त्रिपुत्रोंका विवेकपूर्वक धैर्य बँधाना

श्रीगर्गजी कहते हैं—राजन्! तदनन्तर सोनेके सिंहासनपर बैठे और शोकमें डूबे हुए दैत्य बल्वलसे मय उसी प्रकार बोला, जैसे कुम्भश्रुति अपने ज्येष्ठ बन्धुसे बात कर रहा हो॥ १॥

नरेश्वर! आज तुमने यादवोंका बल देख लिया। दैत्यसमूहोंसहित तुम्हारे चार मन्त्री मारे गये। अब तुम्हारे नगरमें प्रमुख लोगोंमेंसे तुम बचे हो और मैं। दैत्यराज! अब तुम्हारी जैसी इच्छा हो, वैसा करो॥ २-३॥

बल्वल बोला—अब मैं यादवोंका शीघ्र विनाश करनेके लिये रणभूमिमें जाऊँगा। तुम मेरे महलमें छिपे रहो। हरि श्रीकृष्ण तो पहले 'नन्दका पुत्र' कहा जाता था। अब यह निर्लज्ज वसुदेव उसे अपना पुत्र मानता है। वह गोपियोंके घरसे माखन, दूध, घी, दही और तक्र आदि चुराया करता था। रासमण्डलमें रसिया बनकर नाचता था। अब जरासंधके भयसे उसने समुद्रकी शरण ली है। जिसने अपने मामाको मारा है, वह क्या पुरुषार्थ करेगा॥ ४—७॥

बल्वलकी यह बात सुनकर मयको बड़ा क्रोध हुआ। वह बोला॥ ७ $\frac{1}{2}$॥

मयने कहा—ओ निन्दक! जिससे ब्रह्मा, शिव, माया (दुर्गा) और इन्द्र भी डरते हैं, ऐसे सबको भय देनेवाले नित्य निर्भय श्रीकृष्णकी तू निन्दा कर रहा है। जो मूर्ख अज्ञानवश और कुसङ्गके कारण श्रीकृष्णकी निन्दा करता है, वह तबतक कुम्भीपाकमें पड़ा रहता है, जबतक ब्रह्माजीकी आयु पूरी नहीं हो जाती*। जिन्होंने चण्डपाल और शिशुपालकी मण्डलीका खण्डन किया है, जो दानवोंके दलका दमन करने-वाले हैं, उन परमात्मा मदनमोहन माधवका तू अपने कुलकी कुशलताके लिये भजन कर॥ ८—११॥

मयका यह वचन सुनकर बल्वल परम ज्ञानको प्राप्त हो गया। राजेन्द्र! उसने क्षणभर विचार करके हँसते हुए-से कहा॥ १२॥

बल्वल बोला—मैं जानता हूँ कि भगवान् श्रीकृष्ण सम्पूर्ण विश्वके पालक हैं, बलरामजी साक्षात् भगवान् शेषनाग हैं, प्रद्युम्न कामदेवके अवतार हैं और यहाँ आये हुए अनिरुद्ध साक्षात् ब्रह्माजी हैं। इन्हींके हाथसे हमारा वध होनेवाला है, यह सोचकर ही मैंने इस अश्वका अपहरण किया है। उनके बाणोंसे मारा जाकर यदि मैं मृत्युको प्राप्त होऊँगा, तो शीघ्र ही सुखपूर्वक भगवान् विष्णुके परमपदको चला जाऊँगा। पहले भी बहुत-से दानव तथा राक्षस वैरभावसे भगवान्का भजन करके वैकुण्ठधाममें जा चुके हैं। अतः मैं भी उसी वैरभावका आश्रय ले रहा हूँ॥ १३—१५॥

—ऐसा कह कवच धारण करके दानवशिरोमणि बल्वलने तुरंत ही अपने सेनापतिको बुलाया और इस प्रकार कहा—"सेनापते! तुम प्रयत्नपूर्वक ढिंढोरा पिटवाकर इस पुरीमें मेरा यह आदेश प्रसारित कर दो कि 'वीरोंमेंसे जो लोग भी बच गये हैं, वे अनिरुद्धके साथ युद्धके लिये चलें।' जो मेरी आज्ञा नहीं मानेंगे, वे बेटे अथवा भाई ही क्यों न हों, युद्ध किये बिना वधके योग्य समझे जायँगे"॥ १६—१८॥

बल्वलका ऐसा आदेश सुनकर सेनापतिने गली-गली और घर-घरमें डंका बजाकर बड़े वेगसे उसकी आज्ञा घोषित कर दी। ढिंढोरेके साथ की गयी इस घोषणाको सुनकर समस्त दैत्य भयसे आतुर हो गये और शीघ्र ही सब प्रकारके अस्त्र-शस्त्र लेकर वे

---

* कृष्णं निन्दति यो मूढो ह्यज्ञानाच्च कुसङ्गतः। कुम्भीपाके स पतति यावद्वै ब्रह्मणो वयः॥

(अ० ३२। १०)

बल्वलके सभाभवनमें आ गये। तब सबसे पहले सैन्यपाल लाख दैत्योंसे घिरकर, कवच और धनुषसे सुसज्जित हो, रथके द्वारा नगरसे बाहर निकला। दुर्नेत्र, दुर्मुख, दुःस्वभाव और दुर्मद—ये मन्त्रियोंके चार पुत्र भी युद्धके लिये निकले॥ १९—२२॥

बल्वलके साथ महामत्त गजराज, चपल अङ्गवाले तुरङ्ग तथा देवविमानोंके समान आकारवाले रथ थे। विद्याधरोंके समान पैदल योद्धा भी साथ चल रहे थे। इस चतुरङ्गिणी सेनाके साथ तत्काल मयके दिये हुए एवं इच्छानुसार चलनेवाले यानपर बैठकर बल्वल स्वयं युद्धके लिये प्रस्थित हुआ। उसके साथ चार लाख बड़े-बड़े असुर थे। सैन्यपालका पुत्र भूखा था और घरपर भोजन कर रहा था, इसलिये युद्धके निमित्त शीघ्र नहीं निकल सका। सेनामें उसे नहीं आया देख बल्वलके सैनिकोंने डरते-डरते दैत्यराजसे उसके अनुपस्थित होनेकी बात बतायी। तब बल्वलके आदेशसे कई वीर गये और उसे रोषपूर्वक रस्सियोंसे बाँधकर राजाके सामने ले आये। इस सफलतासे उनके मुख और नेत्र खिल उठे थे॥ २३—२७॥

सैन्यपालके पुत्रको देखकर प्रचण्ड शासक बल्वलने बहुत फटकारा और वेगपूर्वक उसके मुखपर भुसुण्डी मार दी। सैन्यपालके पुत्रका वध हुआ देख सब दैत्य भयभीत हो उठे। सैन्यपाल संग्राममें अपने पुत्रको मार दिया गया सुनकर दुःखसे आतुर हो हाथोंसे माथा पीटता हुआ रथसे गिर पड़ा। वह पुत्रके दुःखसे दुःखी हो अत्यन्त विलाप करने लगा—'हा पुत्र! हा वीर! मुझ वृद्ध पिताको छोड़कर रणक्षेत्रमें शतघ्नीके मार्गसे तुम स्वर्गको चले गये। मेरा दर्शनतक नहीं किया। बेटा! तुम राजाके शासनसे युद्ध किये बिना ही कहाँ चले गये?' इस तरह विलाप करता हुआ सैन्यपाल समराङ्गणमें रो रहा था। तब मन्त्रियोंके पुत्रोंने शोकमग्न सैन्यपालके सामने आकर कहा॥ २८—३२½॥

मन्त्रिपुत्र बोले—सेनापते! तुम तो शूरवीर हो, रणभूमिमें आकर रोदन न करो। शोक करनेपर भी जो मर गया, वह तुम्हारे पास लौटकर नहीं आयेगा। मृत्यु जीवधारियोंके पीछे जन्मकालसे ही लगी रहती है। वही इस समय प्राप्त हुई है। धीर पुरुष मृत्युके लिये शोक नहीं करते हैं। मूर्खलोग ही मृत पुरुषके लिये सदा शोकमें डूबे रहते हैं। कोई गर्भमें मर जाते हैं, किसीकी जन्म लेते ही मृत्यु हो जाती है, कोई बचपनमें और कोई जवानीमें ही काल-कवलित हो जाते हैं, कोई-कोई ही बुढ़ापेमें मरते हैं। कोई शस्त्रसे, कोई अस्त्रसे, कोई दुःखसे और कोई ऊँचे स्थानसे गिरनेके कारण मृत्युके वशीभूत होते हैं। दैववश कर्मके अधीन हुए सभी जीव एक दिन मृत्युको प्राप्त होंगे। कौन किसका पिता और पुत्र है? अथवा कौन किसकी माता या प्रियतमा पत्नी है। विधाता कर्मके अनुसार प्राणियोंमें संयोग और वियोग कराया करता है। संयोगमें बड़ा आनन्द मिलता है और वियोगमें प्राण-संकटकी घड़ी आ जाती है। ऐसी अवस्था सदा मूर्खों-की ही हुआ करती है। आत्माराम पुरुष निश्चय ही हर्ष-शोकके वशीभूत नहीं होते हैं। तुम दुःखी होकर जब अपने प्राणोंका त्याग कर रहे हो तो आत्मघाती बनोगे। इसका परिणाम यह होगा कि नरकमें पड़ोगे और फिर जन्म लोगे, इसमें संशय नहीं है। इसलिये इस महा-समरमें तुम श्रेष्ठ यादव-वीरोंके साथ युद्ध करो। क्षत्रियवृत्तिवाले लोगोंके लिये धर्मयुद्धसे बढ़कर परम कल्याणका साधन दूसरा कोई नहीं है। जो समराङ्गणमें धर्मयुद्ध करते हुए शत्रुके सामने वीरगतिको प्राप्त होते हैं, वे समस्त लोकोंको लाँघकर भगवान् विष्णुके परम धाममें चले जाते हैं॥ ३३—४१½॥

श्रीगर्गजी कहते हैं—राजन्! उन दैत्योंके इस प्रकार समझानेपर सैन्यपालने सब शोक त्याग दिया तथा रोषसे भरकर वहाँ आये हुए समस्त वीरोंका निरीक्षण किया। संग्रामभूमिमें सबपर दृष्टिपात करके रोषसे जलते हुए सैन्यपालने शीघ्र ही यह बात कही॥ ४२-४३॥

इस प्रकार श्रीगर्गसंहिताके अन्तर्गत अश्वमेधखण्डमें 'सैन्यपालके पुत्रका वध' नामक बत्तीसवाँ अध्याय पूरा हुआ॥ ३२॥

तैंतीसवाँ अध्याय

श्रीकृष्णकी कृपासे दैत्यराजकुमार कुनन्दनके जीवनकी रक्षा

सैन्यपालने कहा—यहाँ सभी रणदुर्मद धनुर्धर वीर तो आ गये हैं, केवल राजाके पुत्र युवराज इस रणभूमिमें नहीं दिखायी देते हैं। वे मेरे बेटेको मरवाकर घरमें बैठे क्या कर रहे हैं? क्या वे भुशुण्डीके मुँहमें पड़कर मेरे पुत्रके ही रास्तेपर नहीं जायँगे?॥ १-२॥

ऐसा कहकर रोषसे आँखें लाल किये सैन्यपाल बड़े हर्षके साथ राजकुमारको पकड़नेके लिये शीघ्र ही पुरीमें जा पहुँचा। उस राजकुमारने रातमें भोजनके बीचमें ही मदिरा पीकर शयन किया था; अतः मदमत्त होनेके कारण वह राजाकी आज्ञाको भूल गया था। ढिंढोरेपर की गयी घोषणा सुनकर उसकी पत्नी भयसे विह्वल हो रो पड़ी और अपने पति राजकुमारको जगाने लगी—"हे वीर! उठो! उठो! उठो! प्रातःकाल हो गया। नगाड़ेकी आवाजके साथ तुम्हारे पिताका यह शासन पुरीमें सुनायी देता है—'जो युद्धके लिये नहीं जायँगे, वे पुत्र आदि ही क्यों न हों, वधके योग्य होंगे'। इसलिये शीघ्र जाओ और पिताका दर्शन करो"॥ ३—७॥

अपनी प्यारी पत्नीके जगानेपर उसको कुछ होश हुआ। जब बल्वलकी सेना चली गयी, तब उसकी पत्नीने उसे पुनः जगाया। तब निद्रा त्यागकर राजकुमार उठा और तुरंत धनुष-बाण लेकर मन-ही-मन भगवान् शिव तथा गणेशजीका स्मरण करता हुआ रथके द्वारा युद्धके लिये चला। राजकुमारको आया देख सैन्यपालने रोषपूर्वक पूछा—'तुमने दैत्यराजके शासनका किस बलसे और क्यों उल्लङ्घन किया है? वह मुझे बताओ। मेरा बेटा भी तुम्हारे ही समान विलम्ब करके शीघ्र रणभूमिमें नहीं पहुँचा था, इसलिये बल्वलने उसे शतघ्नीके मुँहपर खड़ा करके मार डाला; अतः पिताके पास चलो। तुम्हारे पिता बड़े सत्यवादी हैं। उन्होंने तुम्हें पकड़ लानेके लिये मुझे भेजा है; अतः वे शीघ्र ही तुम्हें मार डालेंगे'॥ ८—१२॥

सैन्यपालकी तीखी बात सुनकर भयके कारण राजकुमारका मुँह सूख गया। वह दुःखी सुधन्वाकी भाँति पिताके पास गया। दैत्य-समुदायसे घिरे हुए उसके पिता अनिरुद्धको जीतनेके लिये उत्सुक हो रोषपूर्वक रथपर बैठे थे। उनके पास जाकर राजकुमारने पिताका दर्शन किया। पिताको देखकर उनके चरणोंमें मस्तक झुकाकर राजकुमार लज्जित तथा भयसे विह्वल हो गया। दानवेन्द्रके सामने वह पृथ्वीपर नीचे मुँह किये खड़ा था। बल्वल कुपित हो दाँतोंसे दाँत पीसता हुआ बोला—'अरे! अपने विनाशके लिये तूने मेरी आज्ञाका उल्लङ्घन क्यों किया? तेरे इस अपराधके कारण मैं तुझे दण्ड दूँगा। निश्चय ही तू डरकर रणक्षेत्रसे प्राण बचानेके लिये घरमें जा घुसा था। कुनन्दन! तू पुत्र नहीं, कुपुत्र है, शत्रुके समान है और अत्यन्त मलिन है। मैं तुझे त्यागकर शतघ्नीके मुखसे अभी मार डालूँगा'॥ १३—१७॥

अपने बेटेसे ऐसा कहकर वीर बल्वल दुःखसे आँसू बहाने लगा और मन-ही-मन खिन्न होकर बोला—'हाय! मैंने ऐसी प्रतिज्ञा क्यों की? अहो! सैन्यपालके बेटेको मैंने बिना अपराधके ही मार डाला; उसी पापसे मेरा पुत्र भी मरेगा, इसमें संशय नहीं है। यदि अपने वीर पुत्रको मैं बलपूर्वक मृत्युके मुखसे छुड़ा लूँगा तो मेरे समस्त सैनिक मुझे गाली देंगे और मुझपर हँसेंगे।' दैत्यराजको इस प्रकार शोकमग्न, दुःखी अपने पुत्रके लिये खिन्नचित्त देखकर रोष और अमर्षसे भरा हुआ सैन्यपाल हँसता हुआ बोला॥ १८—२१॥

सैन्यपालने कहा—राजन्! पहले अपने इस पुत्र कुनन्दनको शीघ्र मार डालो। इसके बाद यादवोंका दानवोंके साथ संग्राम होगा। दैत्येन्द्र! तुम सत्यवादी हो और यह कर्म अत्यन्त दारुण है। यदि दुःखके कारण तुम इसे नहीं करोगे तो तुम्हें नरकमें जाना पड़ेगा। भूपाल! कोसलपति राजा दशरथने सत्यकी रक्षाके लिये श्रीराम-जैसे बेटेको त्याग दिया। सत्यके बन्धनमें बँधे हुए हरिश्चन्द्रने अपनी प्यारी पत्नीको, पुत्रको और अपने-आपको भी बेच दिया था। बलिने

सत्यके कारण सारी पृथ्वी दे डाली। विरोचनने अपना जीवन दे दिया। राजा शिबिने अपकीर्तिका तथा दधीचिने अपने शरीरका त्याग कर दिया था। जैसे गुरु वसिष्ठने पृषध्रको तथा राजा रन्तिदेवने भोजनको त्याग दिया था, उसी प्रकार दैत्यराज! तुम भी आज्ञा भङ्ग करनेवाले इस पुत्रका मोह छोड़कर इसे मार डालो। तुमने पहले जो यह प्रतिज्ञा की थी कि 'मैं अपनी आज्ञाका उल्लङ्घन करनेवाले बेटे और भाईको भी तत्काल मार डालूँगा, फिर दूसरेकी तो बात ही क्या है?' उस देशमें निवास करना चाहिये, जहाँ राजा सत्यवादी हो। उस देशमें कदापि नहीं रहना चाहिये, जहाँका राजा मिथ्यावादी हो॥ २२—२८॥

श्रीगर्गजी कहते हैं—सैन्यपालकी बात सुनकर बल्वलने खिन्नचित्त हो अपने उस पुत्रका भी वध करनेके लिये उसीको आज्ञा दे दी। तदनन्तर बल्वल दुःखी हो यादवोंके सामने गया। इधर सैन्यपालने राजकुमारके आगे उसके पिताकी दी हुई आज्ञा सुना दी। यह सुनकर कुनन्दनने उसे शीघ्र ही इस प्रकार उत्तर दिया॥ २९-३०$\frac{१}{२}$॥

राजपुत्र बोला—सेनापते! तुम पराधीन हो; इसलिये तुम्हें राजाकी आज्ञाका अवश्य पालन करना चाहिये। परशुरामजीने अपने पिताकी आज्ञासे माताका मस्तक काट लिया था। सैन्यपाल! मैं निश्चिन्त हूँ। मैंने धर्मकार्यका पालन कर लिया है। अब मुझे मृत्युसे कोई भय नहीं है। तुम मुझे शतघ्नीमें झोंक दो॥ ३१-३२$\frac{१}{२}$॥

—ऐसा कहकर राजकुमारने अपना किरीट, भुजबंद, मोतियोंका हार, सुवर्णमयी माला तथा कुण्डल और कड़े आदि सब आभूषण ब्राह्मणोंको दान कर दिये। उन ब्राह्मणोंने बड़े दुःखसे उस राजकुमारको आशीर्वाद दिया॥ ३३-३४॥

तदनन्तर स्नान करके, अपने शरीरमें तीर्थकी मिट्टी पोतकर, मुखमें तुलसीदल और कण्ठमें तुलसीकी माला पहनकर राजकुमार 'श्रीकृष्ण! हे राम!'—इस प्रकार कहता हुआ भगवान्का स्मरण करने लगा। राजेन्द्र! सैन्यपालने बलपूर्वक उसकी दोनों भुजाएँ पकड़ लीं और रोषपूर्वक उसे शतघ्नीके मुखमें डाल दिया। उसी समय हाहाकार मच गया। समस्त सैनिक फूट-फूटकर रोने लगे। बल्वल भी रो उठा और वहाँ खड़े हुए ब्राह्मण भी रोदन करने लगे। शतघ्नीमें बारूद भरकर उसमें ताँबेके गोले डाल दिये गये और वह अग्नियुक्त होकर तप गयी। उस दशामें उस भयंकर शतघ्नीको देखकर राजकुमार कुनन्दन सर्वव्यापी परमेश्वर श्रीकृष्णको याद करके आँसू बहाता हुआ यह निर्मल वचन बोला॥ ३५—४०॥

'जिनके नेत्र प्रफुल्लित कमलदलके समान विशाल हैं, दाँतोंकी पङ्क्ति शङ्ख और चन्द्रमाके समान उज्ज्वल है, जो नरेन्द्रके वेषमें रहते हैं तथा जिनके चरणारविन्दोंकी इन्द्रादि देववृन्द भी वन्दना करते हैं, उन श्रीकृष्ण मुकुन्द हरिका आज मैं प्राणान्तकालमें चिन्तन करता हूँ। हे श्रीकृष्ण! हे गोविन्द! हे हरे! हे मुरारे! हे द्वारकानाथ श्रीकृष्ण गोविन्द! हे व्रजेश्वर श्रीकृष्ण गोविन्द! तथा हे पृथ्वीपालक श्रीकृष्ण गोविन्द! आप भयसे मेरी रक्षा कीजिये। गोविन्द! आपके स्मरणसे हाथी ग्राहके संकटसे छूट गया था। स्वायम्भुव मनु, प्रह्लाद, अम्बरीष, ध्रुव, आनर्तराज कक्षीवान् भी भयसे मुक्त हुए थे। बहुला सिंहके चंगुलसे छूटी थी। रैवत और चन्द्रहासकी भी आपकी शरणमें जानेसे रक्षा हुई थी, इसी प्रकार मैं भी आपकी शरणमें आया हूँ।* अहो! यदि युद्ध किये बिना पहले ही मेरी मृत्यु हो जाती है तो यह उचित नहीं है। अभी मैंने युद्धस्थलमें अपने बाणोंद्वारा अनिरुद्धको संतुष्ट नहीं किया। यादवोंको संतोष नहीं दिलाया। श्रीकृष्णके पुत्रोंके दर्शन नहीं किये। शार्ङ्गधनुषसे

---

*कृष्णं मुकुन्दमरविन्ददलायताक्षं शङ्खेन्दुकुन्ददशनं नरनाथवेषम्। इन्द्रादिदेवगणवन्दितपादपद्मं प्राणप्रयाणसमये च हरिं स्मरामि॥
श्रीकृष्ण गोविन्द हरे मुरारे श्रीकृष्ण गोविन्द कुशस्थलीश। श्रीकृष्ण गोविन्द व्रजेश भूप श्रीकृष्ण गोविन्द भयात् प्रपाहि॥
स्मरणात्तव गोविन्द ग्राहान्मुक्तो मतङ्गजः। स्वायम्भुवश्च प्रह्लादो ह्यम्बरीषो ध्रुवस्तथा॥
आनर्त्तश्चैव कक्षीवान् मृगेन्द्राद् बहुला तथा। रैवतश्चन्द्रहासश्च तथाहं शरणं गतः॥
(अ० ३३। ४१—४४)

छूटे हुए बाणोंद्वारा अपने इस शरीरके टुकड़े-टुकड़े नहीं करवाये। ऐसी दशामें शूरवीर कुनन्दनकी यह चोरके समान गति हो गयी! भगवन्! मैं आपका भक्त हूँ। मेरी दुर्गति देखकर समस्त पापिष्ठ मुझपर हँसते हैं। जिसे भूमिपर देखकर यमराज भी पलायन कर जाते हैं, विघ्न डालनेवाले विनायकगण मर जाते हैं, उस पूजनीय एवं निरङ्कुश कृष्णभक्त मुझ कुनन्दनको शतघ्नी कैसे मार डालेगी'॥ ४१—४८॥

श्रीगर्गजी कहते हैं—राजन्! वह शूरवीर कुनन्दन जब ऐसी बात कह रहा था, उसी समय सैन्यपालकी आज्ञासे किसीने शतघ्नीको छोड़ा। छोड़नेके साथ ही हाहाकार मच गया। नरेश्वर! उस समय श्रीकृष्णचन्द्रके स्मरणसे एक विचित्र बात हो गयी। शतघ्नी शीतल हो चुकी थी और आगकी ज्वाला बुझ गयी थी। राजसिंह! यह आश्चर्य देखकर वहाँ खड़े हुए राजा आदि सब लोग बड़े विस्मित हुए। तब सैन्यपाल बोला—'शतघ्नीकी बारूद सूखी पड़ी है और उसमें गोले भी ज्यों-के-त्यों हैं, किंतु राजकुमार वहाँ नहीं है। इससे सिद्ध है कि वह रणक्षेत्रमें मारा नहीं गया है'॥ ४९—५२॥

उसकी बात सुनकर वीरगण रुष्ट होकर बोले—'यह परम बुद्धिमान् पापशून्य शूरवीर राजकुमार भगवान् श्रीकृष्णका भक्त है। इसलिये भगवान्ने ही उसे दुःखसे बचाया है। अब फिर तुम्हें इसका वध नहीं करना चाहिये॥ ५३ $\frac{1}{2}$ ॥

उन वीरोंकी बात सुनकर सैन्यपालको बड़ा रोष हुआ। उसने जब पुनः दृष्टिपात किया तो राजकुमार शतघ्नीके मुखमें बैठा दिखायी दिया। उसके अश्रुभरे नेत्र बंद थे और वह 'कृष्ण, कृष्ण' जप रहा था। उसे देखकर उस दुष्ट सैन्यपालने फिर उसे मारनेके लिये शतघ्नी दाग दी। किंतु उस समय शतघ्नी फट गयी और उससे वज्रपातके समान शब्द हुआ। शतघ्नीके गोलेसे सैन्यपालकी मृत्यु हो गयी और उसकी ज्वालासे उसका अनुसरण करनेवाले सैनिक जल गये। कोई 'हाय-हाय' करते हुए भागे, कोई धड़ाकेकी आवाजसे बहरे हो गये और कितने ही धुएँसे घबरा गये। नृपेश्वर! उस समय सबने राजकुमारको निर्भय देखा। देखकर बल्वल आदि सभी वीर जय-जयकार करने लगे॥ ५४—५९॥

दैत्य बोले—जिसकी रक्षा श्रीकृष्ण करते हैं, उसे कौन मनुष्य मार सकता है? जो भक्तका वध करनेके लिये आता है, वह दैवयोगसे आप ही नष्ट हो जाता है। जिन्होंने भयसे इस राजकुमारकी रक्षा की है, उन भक्तवत्सल श्रीकृष्णको हम सब लोग नमस्कार करते हैं*॥ ६०-६१॥

इस प्रकार श्रीगर्गसंहिताके अन्तर्गत अश्वमेधखण्डमें 'राजकुमारके जीवनकी रक्षा' नामक तैंतीसवाँ अध्याय पूरा हुआ॥ ३३॥

चौंतीसवाँ अध्याय

दैत्यों और यादवोंका घोर युद्ध; बल्वल, कुनन्दन तथा अनिरुद्धके अद्भुत पराक्रम

श्रीगर्गजी कहते हैं—राजन्! तत्पश्चात बल्वलने बड़ी प्रसन्नताके साथ पुत्रको रथपर चढ़ाया और उसके साथ ही अपनी सेना लेकर बड़ी उतावलीके साथ वह युद्धके लिये चला। उसके समस्त सैनिक नाना प्रकारके शस्त्र लिये हुए थे। वे अनेक प्रकारके वाहनोंपर बैठे थे तथा भाँति-भाँतिके कवचोंसे सुसज्जित हो नाना प्रकारके रूपोंमें बड़े भयंकर दिखायी देते थे। वे गजराजके समान हृष्ट-पुष्ट शरीरवाले और सिंहके समान पराक्रमी थे। वे पृथ्वीको कम्पित करते हुए वृष्णिवंशी यादवोंके सम्मुख गये। उन बहुत-से दैत्योंको आया हुआ देख अनिरुद्ध शङ्कित हो गये और उन्होंने समस्त यादवोंकी रक्षाके लिये चक्रव्यूहकी

*यं च रक्षति श्रीकृष्णस्तं को भक्षति मानवः। भक्तं हन्तु चागतो यः स विनश्यति दैवतः॥
तस्मात् कृष्णसमो नास्ति येनायं रक्षितो भयात्। सर्वे वयं नमस्यामस्तं कृष्णं भक्तवत्सलम्॥
(अ० ३३। ६०-६१)

रचना की। चारों ओरसे शूरवीर यादव सब प्रकारके अस्त्र-शस्त्र लिये हाथी, घोड़े और रथोंद्वारा खड़े होकर बड़ी शोभा पाने लगे। राजन्! उनके मध्यभागमें इन्द्रनील आदि राजा खड़े हुए। उनके बीचमें अक्रूर और कृतवर्मा आदि अच्छे वीर स्थित हुए। राजेन्द्र! उनके बीचमें गद आदि श्रीकृष्णके भाई विराजित हुए। उनके मध्यभागमें साम्ब और दीप्तिमान आदि महान् वीर खड़े हुए॥ १—७॥

पृथ्वीनाथ! इस प्रकार चक्रव्यूह बनाकर उसके बीचोबीच प्रद्युम्नकुमार अनिरुद्ध कवच धारण करके खड़े हुए। नरेश्वर! वहाँ सागरके तटपर यादवोंके साथ दानवोंका बड़ा घोर युद्ध हुआ, मानो अनेक समुद्रोंके साथ बहुत-से दूसरे समुद्र जूझ रहे हों। उस संग्रामस्थलमें रथी रथियोंके साथ, हाथी-सवार हाथी-सवारोंके साथ, अश्वारोही अश्वारोहियोंके साथ और पैदल-वीर पैदल-वीरोंके साथ परस्पर युद्ध करने लगे। राजन्! तीखे बाणों, ढाल-तलवारों, गदाओं, ऋष्टियों, पाशों, फरसों, शतघ्नियों और भुशुण्डियोंद्वारा यादव-वीर बल्वलके सैनिकोंका वध करने लगे। उनकी मार खाकर भयभीत हो वे सब-के-सब अपना-अपना रणस्थल छोड़कर भाग चले। सैनिकोंके पैरोंसे उड़ी हुई बहुत-सी धूलराशिने आकाश और सूर्यको ढक दिया। सब ओर अन्धकार फैल गया और उस अँधेरेमें समस्त महादैत्य युद्धसे पीठ दिखाकर पलायन करने लगे। यादवोंके सायकोंसे घायल होकर उन असुरोंमेंसे कितने ही कुएँमें गिर गये, कई औंधे मुँह होकर गड्ढेमें गिर पड़े और कितने ही पोखरे तथा बावलीमें डूब गये। अपनी सेनामें भगदड़ मची देख बल्वल रोषसे भर गया और चारों मन्त्रिकुमारों तथा अपने पुत्रके साथ यादवोंका सामना करनेके लिये आया। उस महासमरमें बल्वलके साथ अनिरुद्ध, दुर्नेत्रके साथ बृहद्बाहु, दुर्मुखके साथ बलवान् अरुण, दुःस्वभावके साथ न्यग्रोध, दुर्मदके साथ कवि तथा कुनन्दनके साथ श्रीकृष्णपुत्र सुनन्दन युद्ध करने लगे॥ ८—१७॥

राजेन्द्र! इस प्रकार वहाँ देवताओंको भी विस्मयमें डाल देनेवाला संग्राम छिड़ गया। कार्तिकमासके सम्पूर्ण दिन वहाँ युद्धमें ही व्यतीत हो गये। राजन्! बारंबार अपना धनुष टंकारते हुए बल्वलने कुपित हो रणभूमिमें इन्द्रनीलको तीन और हेमाङ्गदको छः बाण मारे। अनुशाल्वको दस, अक्रूरको दस, गदको बारह, युयुधानको पाँच, कृतवर्माको पाँच, उद्धवको दस और प्रद्युम्नको सौ बाणोंद्वारा समराङ्गणमें उस असुरने घायल कर दिया। उसके बाणोंके आघातसे रथोंसहित वे सभी वीर दो घड़ीतक चक्कर काटते रहे। रणभूमिमें उनके घोड़े मर गये तथा रथ चूर-चूर हो गये। मानद नरेश! उसके हाथकी फुर्ती देखकर अनिरुद्ध आदि समस्त यादव चकित हो गये। फिर वे सब-के-सब दूसरे रथोंपर आरूढ़ हुए॥ १८—२३॥

राजन्! उधर बल्वल भी दूसरे-दूसरे वीरोंको देखनेके लिये चला। तब क्रोधसे लाल आँखें किये अनिरुद्धने कहा—'ओ दैत्य! मेरे सामने खड़ा रह, खड़ा रह। पराक्रम दिखाकर तू कहाँ जायगा? मेरे तीखे बाणोंको भी देख ले।' अनिरुद्धकी यह बात सुनकर दैत्य युवराज कुनन्दन बल्वलके देखते-देखते शीघ्र ही बोल उठा॥ २४—२६॥

राजपुत्रने कहा—प्रद्युम्ननन्दन! रणभूमिमें दैत्यराजको देखनेकी योग्यता तुममें नहीं है। इसलिये पहले इस युद्धस्थलमें तुम मेरा बल देख लो॥ २७॥

अनिरुद्ध बोले—दैत्यकुमार! तू अभी बालक है। युद्ध करनेकी योग्यता नहीं रखता है। अतः अपने घर जाकर कृत्रिम खिलौनोंसे खेल॥ २८॥

राजकुमारने कहा—आज तुम यहाँ बड़े-बड़े वीरोंके साथ मुझ बालकका खेल देखो। यदि घर जाकर खेलूँगा तो वहाँ कोई नहीं देखेगा॥ २९॥

—ऐसा कहकर कुनन्दनने अपने प्रचण्ड कोदण्ड-पर सौ सायक रखे और उनके द्वारा अपना बल दिखाते हुए उसने रथपर बैठे हुए अनिरुद्धको घायल कर दिया। उन बाणोंके आघातसे सारथि, घोड़े तथा रथके साथ वे स्वयं भी आकाशमार्गसे चक्कर काटते हुए कपिलाश्रममें जा गिरे। अनिरुद्धके चले जानेपर तत्काल हाहाकार मच गया॥ ३०-३१ $\frac{१}{२}$ ॥

तब रणस्थलमें कुपित हुए साम्ब आदि यादव उस दैत्यकुमारको मारनेके लिये आये। उन बहुसंख्यक योद्धाओंको आया देख युवराजको बड़ा हर्ष हुआ।

उस बलवान् वीरने युद्धस्थलमें साम्बको दस, मधुको पाँच, बृहद्बाहुको तीन, चित्रभानुको पाँच, वृकको दस, अरुणको सात, संग्रामजित्को पाँच, सुमित्रको तीन, दीप्तिमानको तीन, भानुको पाँच, वेदबाहुको पाँच, पुष्करको सात, श्रुतदेवको आठ, सामने खड़े हुए सुनन्दनको बीस, विरूपको दस, चित्रबाहुको नौ, न्यग्रोधको दस तथा कविको नौ तीखे बाणोंद्वारा घायल कर दिया। साथ ही उस मानी कुनन्दनने बड़ी प्रसन्नता-के साथ विजयसूचक शङ्खध्वनि की। उसके बाणोंसे रथ और घोड़ोंसहित चक्कर काटते हुए कोई एक योजनपर गिरे, कोई पाँच कोसपर और कोई दो योजनपर॥ ३२—३९॥

नृपश्रेष्ठ! उस समय यादव-सेनामें हाहाकार होने लगा। सब यादव बलराम और श्रीकृष्णका नाम ले-लेकर रोने लगे। उस समय गद आदि सब योद्धा तथा इन्द्रनील आदि राजा क्रोधसे भरे हुए आये और तीखे बाणोंकी वर्षा करने लगे। उन सभी वीरोंको आया देख महाबली राजकुमारने सायकोंसे उन्हें बींध डाला। वे सब-के-सब रणभूमिमें मूर्च्छित हो गये। राजन्! तत्पश्चात् बल्वलकुमारने अपने बाणसमूहोंद्वारा यादव-वीरोंको मारना आरम्भ किया। उसके आघातसे बहुसंख्यक योद्धा पञ्चत्वको प्राप्त हो गये। संग्राम-भूमिमें उसके बाणसमूहोंद्वारा रक्तकी नदी प्रकट हो गयी, जिसमें जीवित हाथी डूबकर मर जाते थे। उस समय यादव-सेना तथा आकाशमें 'हाय-हाय'की आवाज गूँजने लगी। इन्द्र और वरुण आदि देवता भी आश्चर्यचकित हो भयभीत हो गये। अपनी विजय देखकर समस्त असुरोंके मुखपर प्रसन्नता छा गयी॥ ४०—४५ $\frac{1}{2}$ ॥

श्रीगर्गजी कहते हैं—उधर कपिलमुनिने देखा कि अनिरुद्ध मूर्च्छित पड़े हैं। इनका रथ नष्ट हो गया है तथा बाणोंसे इनका वक्षःस्थल विदीर्ण हो गया है। तब उन कृपालु मुनिने अपने तपोबलसे हाथद्वारा स्पर्श करके अनिरुद्धको चैतन्ययुक्त कर दिया। तदनन्तर यदुकुलतिलक अनिरुद्धने उठकर उन सिद्ध महर्षिको नमस्कार किया और समस्त यादवोंको हर्ष प्रदान करते हुए वे सेतुमार्गसे रणक्षेत्रमें आ गये॥ ४६—४८॥

राजन्! तत्पश्चात् दूसरे रथपर आरूढ़ हो बलवान् अनिरुद्धने 'प्रतिशार्ङ्ग' नामक धनुष उठाया और रोषपूर्वक दैत्य-राजकुमारके रथपर एक बाण मारा। उस बाणने सारथि और घोड़ोंसहित उसके रथको लेकर आकाशमें चार मुहूर्त (आठ घड़ी) तक चक्कर कटाया। उस समय समस्त दानवों और वृष्णिवंशी वीरोंने यह प्रत्यक्ष देखा कि रथसहित कुनन्दन आकाशमें चक्कर काट रहा है। उसके बाद साम्ब आदि वीर दूसरे रथोंपर आरूढ़ हो वेगपूर्वक आये। साथ ही अनुशाल्व आदि समस्त धनुर्धर भी तत्काल आ पहुँचे॥ ४९—५२॥

इस प्रकार श्रीगर्गसंहिताके अन्तर्गत अश्वमेधखण्डमें 'दैत्यों और यादवोंके युद्धका वर्णन' नामक चौंतीसवाँ अध्याय पूरा हुआ॥ ३४॥

पैंतीसवाँ अध्याय

बल्वलके चारों मन्त्रिकुमारोंका वध; बल्वलद्वारा मायामय युद्ध तथा अनिरुद्धके द्वारा उसकी पराजय

श्रीगर्गजी कहते हैं—महाराज! तदनन्तर उस संग्राममें अनुशाल्व दुर्मुखसे, इन्द्रनील दुरात्मा दुर्नेत्रसे, हेमाङ्गद दुर्मदसे और सारण दुःस्वभावसे युद्ध करने लगे। इस प्रकार रणक्षेत्रमें परस्पर द्वन्द्व युद्ध होने लगा। सारणने बड़े वेगसे अपनी गदाद्वारा दैत्य दुःस्वभावको मार डाला। हेमाङ्गदने युद्धस्थलमें दुर्मदको तीन बाणोंसे पीट दिया। दुर्मदने भी रणक्षेत्रमें हेमाङ्गदको अपने बाणोंसे घायल किया। फिर हेमाङ्गदने शक्तिद्वारा उस दैत्यका वध कर डाला। इन्द्रनीलने खेल-खेलमें ही दुर्नेत्रको अपने बाणोंसे

कालके गालमें भेज दिया। अनुशाल्वने बाण मारकर दुर्मुखके रथको चौपट कर डाला। फिर दुर्मुखने भी दूसरे रथपर आरूढ़ हो बाणोंद्वारा अनुशाल्वको रथहीन कर दिया। तब अनुशाल्वने एक परिघ लेकर युद्ध-स्थलमें दुर्मुखको मार डाला। इस प्रकार दुर्नेत्र, दुःस्वभाव, दुर्मुख और दुर्मदके मारे जानेपर शेष दैत्य प्राण बचानेके लिये भाग चले॥ १—६ १/२ ॥

राजन्! इसी समय राजकुमार कुनन्दन आकाशसे चक्कर काटता हुआ गिरा और मुँहसे रक्त वमन करता हुआ रणक्षेत्रमें मूर्च्छित हो गया। उसका रथ अङ्गारकी भाँति बिखर गया और घोड़े तत्काल मर गये। पुत्रको मूर्च्छित हुआ देख बल्वल कुपित हो उठा। उसने अनिरुद्धपर बड़े वेगसे धनुषद्वारा दस बाण चलाये। उन दसों बाणोंको आया देख रुक्मवतीकुमार अनिरुद्धने अपने तेज धारवाले सुवर्णभूषित सायकों-द्वारा काट डाला। तब रोषसे भरे हुए दैत्य बल्वलने पुनः धनुषपर बाणका संधान करके अनिरुद्धसे इसी प्रकार कहा, जैसे पहले युद्धमें प्रद्युम्नसे शकुनिने कहा था॥ ७—११ ॥

बल्वल बोला—'यदुकुलके प्रमुख वीर! तुम युद्धके अभिमानी और धनुर्धर हो। आज इस बाणसे समरभूमिमें तुम्हें मार डालूँगा। मैं झूठ नहीं बोलता। यदि जीवित रहनेकी इच्छा हो तो अपने प्राणोंकी रक्षा करो।' उसकी बात सुनकर अनिरुद्धने भी अपने कोदण्डपर एक बाण रखा और जैसे प्रद्युम्नने शकुनिको उत्तर दिया था, उसी प्रकार बल्वलसे हँसते हुए कहा॥ १२-१३ ॥

अनिरुद्ध बोले—कौन प्राणी किसके द्वारा मारा जाता है और कौन किससे रक्षित होता है? सदा काल ही सबको मारता है और वही संकटसे सबकी रक्षा करता है। 'मैं करूँगा, मैं कर्ता हूँ, संहर्ता हूँ और पालक भी मैं ही हूँ'—जो ऐसी बात कहता है, वह कालसे ही विनाशको प्राप्त होता है।* मैं तुमको नहीं जीत सकूँगा और तुम भी मुझे नहीं जीत सकोगे। विश्वात्मा कालरूपी जगदीश्वर ही तुमको और मुझको जीतेंगे। दानव! न जाने वे कालपुरुष किसको जय अथवा पराजय देते हैं। मैं तो अपनी विजयके लिये उन कालदेवताकी ही मनसे वन्दना करता हूँ। अतः तुम भी अपने मनसे कालको ही बलवानोंमें श्रेष्ठ समझो और मेरी बात मानकर अपने बड़े भारी अज्ञानको त्यागकर युद्ध करो॥ १४—१८ ॥

अनिरुद्धकी यह बात सुनकर बल्वलको आश्चर्य हुआ। उनके वचनोंसे संतोष प्राप्त करके उसने प्रसन्नतापूर्वक उनसे कहा—ठीक उसी तरह, जैसे वृत्रासुरने देवराज इन्द्रसे वार्तालाप किया था॥ १९ ॥

बल्वल बोला—यदुकुलतिलक! इस भूतल-पर 'कर्म' ही प्रधान है। कर्म ही गुण और ईश्वर है। कर्मसे ही लोगोंको ऊँची और नीची स्थिति प्राप्त होती है। जैसे बछड़ा हजारों गायोंके बीचमें अपनी माताको ढूँढ़ लेता है, उसी प्रकार जिसने शुभ या अशुभ कर्म किया है, उसका वह 'कर्म' विद्यमान रहकर फल-प्रदानके समय उसको खोज लेता है। अतः मैं अपने सुदृढ़ कर्मके द्वारा संग्रामभूमिमें तुमपर विजय पाऊँगा। मैंने तो प्रतिज्ञा कर ली। अब तुम तुरंत उसका प्रतीकार करो॥ २०—२२ ॥

अनिरुद्धने कहा—दैत्य! तुम 'कर्म'को प्रधान मानते हो, परंतु कालके बिना उसका कोई फल नहीं मिलता; जैसे भोजन बना लेनेपर भी कभी-कभी उसकी प्राप्तिमें विघ्न पड़ जाता है। पाकके विभिन्न प्रकार हैं। उनकी सिद्धिके लिये जो पाकका निर्माण किया जाता है, वह बिना कर्ताके सम्भव नहीं होता। अतः बहुत-से विद्वान् 'कर्म' और 'काल' की अपेक्षा 'कर्ता'को ही श्रेष्ठ बताते हैं। वह 'कर्ता' भगवान् श्रीकृष्णचन्द्र ही हैं, जो गोलोकधामके स्वामी तथा परात्पर परमेश्वर हैं। उन्होंने ही ब्रह्मा, विष्णु तथा शिव आदि समस्त देवताओंकी सृष्टि की है† ॥ २३—२५ ॥

बल्वल बोला—श्रीकृष्णपौत्र! तुम धन्य हो और अपने वचनोंद्वारा ऋषियोंका अनुकरण करते हो।

* कः केन हन्यते जन्तुस्तथा कः केन रक्ष्यते। हनिष्यति सदा कालस्तथा रक्षति दुःखतः॥
अहं करोमि कर्ताहं हर्ताहं पालकोऽप्यहम्। यो वदेच्चेदृशं वाक्यं स विनश्यति कालतः॥ (अ० ३५।१४-१५)

† स कर्ता कृष्णचन्द्रस्तु गोलोकेशः परात्परः। येन वै निर्मिताः सर्वे ब्रह्मविष्णुशिवादयः॥ (अ० ३५। २५)

तुम तीनों गुणोंसे अतीत हो, तथापि प्राणियोंके लिये अपने स्वभावका परित्याग दुष्कर होता है। यादवश्रेष्ठ! अब सावधान होकर अपने ऊपर प्राप्त होनेवाले मेरे इस प्राणसंहारी बाणको देखो और अपना मन युद्धमें ही लगाये रखो॥ २६-२७॥

—ऐसा कहकर बल्वलने अपने बाणद्वारा मयासुरकी माया प्रकट की। उस समय घोर अन्धकार छा गया। कोई भी दिखायी नहीं देता था। बहुत-से लोगोंको यह भी पता नहीं चलता था कि 'कौन अपना है और कौन पराया'। योद्धाओंके ऊपर ऊँचे पर्वतोंके समान शिलाएँ गिर रही थीं। बरसती हुई जलधाराओं-के कारण चारों ओरसे सब लोग व्याकुल हो गये थे। बिजलियाँ चमकतीं और बादल जोर-जोरसे गर्जना करते थे। वे बादल गरम-गरम रक्तकी और मलमिश्रित जलकी वर्षा करते थे। आकाशसे रुण्ड और मुण्ड गिर रहे थे। उस समय समस्त श्रेष्ठ यादव संग्राममें परस्पर व्याकुल और भयातुर हो वहाँसे पलायन करने लगे। तब अनिरुद्धने उस संग्रामभूमिमें भगवान् श्रीकृष्णके युगल-चरणारविन्दोंका चिन्तन करके लीलापूर्वक मोहनास्त्रद्वारा उस मायाको नष्ट कर दिया। उस समय सारी दिशाएँ प्रकाशित हो गयीं। सूर्यमण्डलका घेरा समाप्त हो गया। बादल जैसे आये थे, वैसे ही विलीन हो गये और चपलाएँ शान्त हो गयीं॥ २८—३४॥

राजन्! माया दूर हो जानेपर वह प्रचण्ड पराक्रमी मायावी दैत्य दानवोंके साथ सामने दिखायी दिया। उसने नाना प्रकारके अस्त्र-शस्त्र ले रखे थे। बल्वलने कुपित होकर यादवोंके वधके लिये ब्रह्मास्त्रका प्रयोग किया, परंतु अनिरुद्धने पुनः ब्रह्मास्त्र चलाकर उस ब्रह्मास्त्रको शान्त कर दिया। इससे बल्वलका क्रोध उद्दीप्त हो उठा। उसने युद्धमें विजय पानेके लिये अत्यन्त मोहमें डालनेवाली 'गान्धर्वी माया' प्रकट की। नृपश्रेष्ठ! अब वहाँ गन्धर्वनगर दिखायी देने लगा। संग्रामका कोई चिह्न नहीं दीखता था। करोड़ों सुवर्णमय महल दृष्टिगोचर होने लगे। उस नगरमें बहुत-सी गन्धर्व-सुन्दरियाँ वीणा, ताल और मृदङ्गकी ध्वनिके साथ नृत्य करती हुई मधुर कण्ठसे गीत गाने लगीं। कन्दुककी क्रीडाओं, हाव-भाव और कटाक्षों तथा कटि और वेणीके प्रदर्शनोंद्वारा वे कमलनयनी सुन्दरियाँ सब लोगोंका मनोरञ्जन करने लगीं। उनका सौन्दर्य देखकर यादव-वीर कामवेदनासे विह्वल हो गये और अस्त्र-शस्त्रोंको भूमिपर डालकर आपसमें कहने लगे—'हम सब लोग कहाँ आ गये? दैवयोगसे स्वर्गलोकमें तो नहीं पहुँच गये, जहाँ मनको मोह लेनेवाली अति सुन्दरी कलकण्ठी सुराङ्गनाएँ नृत्य करती हैं? इनके लावण्य-जलधिमें मग्न होकर हम कामवेदनासे व्याकुल हो रहे हैं। हमारी विजय कैसे होगी? यहाँ रणक्षेत्र तो दिखायी ही नहीं देता है'॥ ३५—४३॥

जब सब लोग इस प्रकार बातें कर रहे थे, उसी समय क्रोधसे भरा हुआ बल्वल तलवार हाथमें लेकर समस्त यादवोंको शीघ्र मार डालनेके लिये आया। आकर उसने उस तलवारसे सहस्रों मोहित यादव-वीरोंको युद्धस्थलमें मार डाला और वे पृथ्वीपर गिर पड़े। यह देखकर अनिरुद्धने रोषपूर्वक उससे कहा—'अरे! क्या तुम संग्रामभूमिमें अधर्म-युद्ध करोगे, जिसकी सभी श्रेष्ठ पुरुषोंने निन्दा की है? मोहितोंको मारनेसे तुम्हारी प्रशंसा नहीं होगी। यदि तुम्हारे शरीरमें शक्ति है तो आओ मेरे साथ युद्ध करो'॥ ४४—४६ $\frac{१}{२}$॥

अनिरुद्धकी यह बात सुनकर बलके घमंडसे भरा हुआ बल्वल पैदल ही ढाल और तलवार लिये गर्जना करता हुआ अनिरुद्धपर चढ़ आया। उसे आते देख प्रद्युम्नपुत्र अनिरुद्ध रोषपूर्वक रथसे कूद पड़े और जैसे देवराज इन्द्र अपने वज्रसे पर्वतको विदीर्ण करते हैं, उसी प्रकार उन्होंने कालदण्डसे उस दैत्यपर प्रहार किया। उस आघातसे दैत्यकी छाती फट गयी और वह पृथ्वीको कम्पित करता हुआ गिर पड़ा तथा चार दिनोंतक संग्रामभूमिमें मूर्च्छित पड़ा रहा। उस समय उस दैत्यके गिरते ही सारी माया स्वतः शान्त हो गयी। युद्धस्थल दिखायी देने लगा और वहाँ खड़े हुए यादव आश्चर्यसे चकित हो गये॥ ४७—५०॥

इस प्रकार श्रीगर्गसंहिताके अन्तर्गत अश्वमेधखण्डमें 'अनिरुद्धकी विजय' नामक पैंतीसवाँ अध्याय पूरा हुआ॥ ३५॥

छत्तीसवाँ अध्याय

श्रीकृष्णपुत्र सुनन्दनद्वारा दैत्यपुत्र कुनन्दनका वध

श्रीगर्गजी कहते हैं—राजन्! इसी समय कुनन्दन भी मूर्च्छा त्यागकर रथारूढ़ हो क्रोधपूर्वक धनुषसे बाणोंकी वर्षा करता हुआ युद्धस्थलमें आया। शत्रुवीरोंका नाश करनेवाले वीर अनिरुद्ध उसको आया देख रोषसे आगबबूला हो उठे तथा अपने सेवकोंसे उसकी बात पूछने लगे। सेवकोंने कहा—'महाराज! यह बल्वलनन्दन कुनन्दन है और आपके साथ युद्ध करनेके लिये आया है।' यह सुनकर अनिरुद्ध बोले—'मैं कुनन्दनको मार डालूँगा।' उसी समय श्रीकृष्णपुत्र सुनन्दनने उनसे कहा॥ १—४॥

सुनन्दन बोले—राजन्! यह दैत्यपुत्र क्या है? तथा इसकी यह थोड़ी-सी सेना क्या बिसात रखती है? प्रभो! मैं आपके प्रतापसे इसको जीत लूँगा। अत: मैं ही युद्धके लिये जाता हूँ। राजन्! मेरी प्रतिज्ञा सुनिये। यह आपके लिये आनन्ददायिनी होगी—'यदि मैं अधिक संग्रामकुशल कुनन्दनको न जीत लूँ तो श्रीकृष्णके चरणारविन्दोंके मकरन्दका आस्वादन करनेसे विरत रहनेवाले मनुष्योंको जो पाप लगता है, वही मुझे भी लगे। यदि मैं इस दानवको परास्त न कर दूँ तो भवबन्धन हर लेनेवाले गुरु और पिताकी सेवासे विमुख पुरुषको जो पाप लगता है, वही मुझे भी लगे'॥ ५—८॥

पृथ्वीनाथ! सुनन्दनकी इस प्रतिज्ञाको सुनकर अनिरुद्ध मन-ही-मन बड़े प्रसन्न हुए और उन्होंने उस वीरको युद्धके लिये आदेश दे दिया। इस प्रकार अनिरुद्धकी आज्ञा पाकर श्रीकृष्णनन्दन सुनन्दन कवच धारण कर अकेले ही उस स्थानपर गये, जहाँ बल्वल-नन्दन कुनन्दन विद्यमान था। कुनन्दन सुनन्दनको युद्धके लिये आया देख रोषपूर्वक उनकी अगवानीके लिये आगे बढ़ा; क्योंकि वह वीरोंमें श्रेष्ठ, रथी एवं शूरशिरोमणि था। राजसिंह! रथपर बैठे और धनुष धारण किये वे दोनों वीर एक-दूसरेसे मिलकर दमन और पुष्कलके समान शोभा पाने लगे। दोनोंके अङ्ग सायकोंसे विदीर्ण हो रहे थे। दोनों ही खूनसे लथपथ दिखायी देते थे तथा दोनों ही बड़े वेगसे करोड़ों बाणोंका संधान करते ओर छोड़ते थे। पृथ्वीनाथ! वे कब बाण लेते हैं, धनुषपर रखते हैं और कब छोड़ते हैं, यह किसीको ज्ञात नहीं होता था। वे दोनों महान् शूरवीर धनुषको खींचकर कुण्डलाकार किये दिखायी देते थे। दैत्य राजकुमारने शोभाशाली भ्रामकास्त्रके द्वारा सुनन्दनके रथको भूतलपर कुम्हारके चाककी भाँति घुमाया। उनका रथ दो घड़ीतक चक्कर काटनेके बाद घोड़ोंसहित सुस्थिर हो गया। तब श्रीकृष्णकुमारने कुनन्दनके रथपर बाण मारा। उस बाणसे आहत हो वह रथ घोड़ोंसहित आकाशमें जाकर मतवाले हाथीकी भाँति चक्कर काटने लगा और पृथ्वीपर गिर पड़ा। गिरते ही शीशेके बर्तनकी भाँति चूर-चूर हो गया। रथ, घोड़े और सारथिके नष्ट हो जानेपर कुनन्दन उठा और दूसरे रथपर आरूढ़ हो ज्यों-ही सामने आया, त्यों-ही कृष्णनन्दन सुनन्दनने बहुत-से बाण मारकर उसके रथकी धज्जियाँ उड़ा दीं। इस तरह उस रणभूमिमें दैत्यकुमारके सात रथ नष्ट हो गये॥ ९—१९॥

नरेश्वर! तब कुनन्दन एक विचित्र यानमें बैठकर युद्धस्थलमें श्रीकृष्णपुत्रका सामना करनेके लिये वेगपूर्वक आया। आते ही कुनन्दनने सुनन्दनको युद्धस्थलमें दस बाण मारे। उन बाणोंसे घायल होनेपर उन्हें बड़ी वेदना हुई। तब कुपित हुए बलवान् कृष्णकुमारने धनुष उठाकर दस सायक हाथमें ले उन्हें कुनन्दनकी छातीको लक्ष्य करके छोड़ा। राजन्! वे बाण उस दैत्यका रक्त पीकर उसी तरह पृथ्वीपर गिर पड़े, जैसे झूठी गवाही देनेवालेके पितर नरकमें गिरते हैं। कुनन्दन सुनन्दनको और सुनन्दन कुनन्दनको उस महासमरमें विशाल बाणोंद्वारा परस्पर घायल करने लगे॥ २०—२४॥

इस प्रकार उन दोनोंके शरीर बाणोंके आघातसे क्षत-विक्षत हो गये थे। दोनों रक्तसे नहा गये थे और दोनों ही धनुष लिये रोषपूर्वक एक-दूसरेको बाण मारते हुए घोर युद्ध कर रहे थे। उस समराङ्गणमें कुनन्दन और सुनन्दन कुशाम्ब और साम्बके समान शोभा पाते थे। तदनन्तर कृष्णकुमार वीर सुनन्दनने सुवर्णनिर्मित

कोदण्डपर अर्धचन्द्राकार बाण रखकर शीघ्र ही कुनन्दनसे कहा॥ २५-२६॥

सुनन्दन बोले—वीर! मेरी बात सुनो। मैं इस बाणके द्वारा इसी क्षण तुम्हारा मस्तक काट लूँगा। यदि बलवान् हो तो अपने सिरकी रक्षा करो। यदि इस रण-क्षेत्रमें तुम मेरी कही बातको सत्य नहीं मानते तो तुम्हारी मृत्युकी सूचना देनेवाली मेरी इस प्रतिज्ञाको सुन लो—'जो सती-साध्वी, पतिव्रता तथा गुरुपत्नीको कामभावसे दूषित करता है, वह यमराजके समीप जिस यातनामें डाला जाता है, वही यातना मुझे भी मिले; यदि मेरी प्रतिज्ञा सत्य न हो। जो सामर्थ्य रहते हुए गुरु और पिताका पालन नहीं करता, उसका पाप मुझे ही लगे, यदि रणभूमिमें मैं तुझे मार न डालूँ'॥ २७—३०$\frac{1}{2}$॥

सुनन्दनकी यह बात सुनकर दैत्य रोषसे जल उठा और बोला॥ ३१॥

दैत्य राजकुमारने कहा—मैं शत्रुके सम्मुख संग्राममें मरनेसे नहीं डरता। मृत्यु तो सभी प्राणियोंकी होती ही है; परंतु तुम इस समय संग्राममें मेरे वधके लिये जो भी महान् बाण छोड़ोगे, उसे मैं अपने बाणसे उसी क्षण शीघ्र काट दूँगा, इसमें संशय नहीं है। जो लोग अभिमानवश इस पृथ्वीपर एकादशीको अन्न खाते हैं तथा माता, भौजाई, बहिन और बेटीके साथ पाप करते हैं, उन सबका पाप मुझे ही लगे, यदि मैं तुम्हारे बाणको न काट डालूँ॥ ३२—३४॥

यह सुस्पष्ट बात सुनकर सुनन्दनके मनमें शङ्का हो गयी। अत: वे भी श्रीकृष्णका स्मरण करते हुए फिर बोले॥ ३५॥

सुनन्दनने कहा—यदि मैंने छल-कपट छोड़कर सच्चे मनसे श्रीकृष्णके युगल-चरणारविन्दोंका सेवन किया हो तो मेरी बात सत्य हो। वीर! यदि मैं अपनी पत्नीको छोड़कर दूसरी किसी स्त्रीको कामभावसे न देखता होऊँ तो इस सत्यके प्रभावसे संग्रामभूमिमें मेरा यह कथन अवश्य सत्य हो॥ ३६-३७॥

—ऐसा कहकर सुनन्दनने महाकाल और अग्निके समान एक तीखे सायकको मन्त्रसे अभिमन्त्रित करके छोड़ा। उस बाणको छूटा हुआ देख दैत्य राजकुमारने अपने बाणसे तत्काल काट दिया; ठीक उसी तरह, जैसे पक्षिराज गरुड अपने पंखसे सर्पके दो टुकड़े कर डालते हैं। राजन्! उस बाणके कटते ही तुरंत हाहाकार मच गया। लोकोंसहित पृथ्वी डोलने लगी और वे देवता भी विस्मयमें पड़ गये। बाणका नीचेवाला आधा भाग तो कटकर गिर पड़ा, किंतु फलयुक्त पूर्वार्ध भागने उस दैत्यके मस्तकको उसी तरह काट गिराया, जैसे हाथी किसी वृक्षके स्कन्ध (मोटी डाली) को तोड़ डालता है॥ ३८—४१॥

उसके किरीट और कुण्डलोंसे युक्त मस्तकको कटकर गिरा देख समस्त दैत्य दु:खी होकर हाय-हाय करने लगे। कुनन्दनके धड़ने युद्धस्थलमें शीघ्र उठकर खड्गसे, घूँसोंसे और लातोंकी मारसे बहुत-से शत्रुओंको मौतके घाट उतार दिया। तत्पश्चात् यादव-सेनामें बार-बार दुन्दुभि बजने लगी और सुनन्दनके ऊपर देवताओंने फूलोंकी वर्षा की॥ ४२—४४॥

इस प्रकार श्रीगर्गसंहिताके अन्तर्गत अश्वमेधखण्डमें 'दैत्यपुत्रके वधका वर्णन' नामक छत्तीसवाँ अध्याय पूरा हुआ॥ ३६॥

सैंतीसवाँ अध्याय

भगवान् शिवका अपने गणोंके साथ बल्वलकी ओरसे युद्धस्थलमें आना और शिवगणों तथा यादवोंका घोर युद्ध; दीप्तिमान्‌का शिवगणोंको मार भगाना और अनिरुद्धका भैरवको जृम्भणास्त्रसे मोहित करना

वज्रनाभने पूछा—ब्रह्मन्! कुनन्दनके मारे जाने और बल्वलके रणभूमिमें मूर्च्छित हो जानेपर करुणामय भगवान् शिवने उसकी सहायता क्यों नहीं की! भगवान् शिव वहाँ आये क्यों नहीं? दैत्योंने घोड़ेको कैसे छोड़ा? और यज्ञ किस तरह पूर्ण हुआ?—ये सब बातें विस्तारपूर्वक मुझे बतानेकी कृपा करें॥ १-२॥

सौति कहते हैं—ब्रह्मन्! वज्रनाभका यह प्रश्न सुनकर ज्ञानियोंमें श्रेष्ठ गर्गजी सम्पूर्ण कथाका स्मरण करके उन यादवशिरोमणिसे बोले॥ ३॥

श्रीगर्गजीने कहा—राजन्! जब बल्वल मूर्च्छित हो गया और शूरवीर कुनन्दन मारा गया, तब देवर्षि नारदकी प्रेरणासे भगवान् शिवने बड़ा कोप किया। नरेश्वर! भक्तोंकी रक्षा करनेवाले शिव क्रोध-पूर्वक नन्दीपर आरूढ़ हो, मस्तकपर जटाजूटके भीतर चन्द्रलेखा धारण किये, सर्पोंके हार और मुण्डमालासे अलंकृत हो, सारे अङ्गमें भस्म रमाये भयंकररूपसे आये। दस बाँह, पाँच मुख और पंद्रह नेत्रोंसे युक्त रुद्रदेव सिंहके चर्मका वस्त्र धारण किये मदमस्त एवं भयकारक प्रतीत होते थे। उनके हाथोंमें त्रिशूल, पट्टिश, धनुष, बाण, कुठार, पाश, परिघ और भिन्दिपाल शोभा दे रहे थे। वे सहस्रों सूर्योंके तुल्य तेजस्वी और समस्त भूतगणोंसे आवृत थे। अनिरुद्ध आदि समस्त श्रेष्ठ वृष्णिवंशी वीरोंका युद्धस्थलमें वध करनेके लिये वे बड़ी उतावलीके साथ कैलाससे पृथ्वीतलको कम्पित करते हुए आये॥ ४—९॥

नरेश्वर! उस समय आकाश और भूतलपर बड़ा हंगामा मचा। देवता, दैत्य और मनुष्य सभी विस्मित और भयभीत हो उठे। समस्त गणों और परिवारके साथ प्रलयंकर शंकरको रोषपूर्वक आया देख यादवोंको बड़ा भय हो गया। अनिरुद्धका मुँह भयके कारण निस्तेज हो गया। समराङ्गणमें वे दुःखी हो गये और उनका हृदय काँपने लगा। उस समय क्रोधसे भरे हुए गिरीशने हाथमें त्रिशूल लेकर समस्त यादवोंसे यह निष्ठुर बात कही॥ १०—१३॥

शंकर बोले—कहाँ गये अनिरुद्ध और कहाँ गये सुनन्दन? मेरे भक्त कुनन्दनका वध करके साम्ब आदि यादव कहाँ चले गये? मेरे भक्त दैत्यशिरोमणि बल्वलको मूर्च्छित करके और उसके सेवकोंको युद्धमें मारकर वृष्णिवंशी जायँगे कहाँ? मैं युद्धस्थलमें अपने भक्तोंके इन सभी शत्रुओंको मार डालूँगा। मैं, विष्णु और ब्रह्मा—ये सभी संकटसे भक्तजनोंकी रक्षा करते हैं॥ १४—१६॥

श्रीगर्गजी कहते हैं—राजन्! ऐसा कहकर रुद्रदेवने अनिरुद्धके पास भैरवको भेजा और कहा—'शूर! तुम समराङ्गणमें विजयी प्रद्युम्नकुमार अनिरुद्धसे युद्ध करनेके लिये जाओ।' फिर उन्होंने सुनन्दनसे युद्ध करनेके लिये नन्दीको रोषपूर्वक भेजा, गदसे लोहा लेनेके लिये वीरभद्रको और साम्बसे लड़नेके लिये मयूरवाहन कार्तिकेयको प्रेरित किया। उन विरूपाक्ष शिवने भानुके साथ युद्ध करनेके लिये भृङ्गीको आदेश दिया और अन्य यादव-सैनिकोंसे जूझनेके लिये भूतों और प्रेतोंको प्रेषित किया। भगवान् रुद्रकी आज्ञा पाकर वे भूत, प्रेत, विनायक, भैरव, प्रमथ, वेताल, ब्रह्मराक्षस, उन्माद और कूष्माण्ड करोड़ोंकी संख्यामें युद्धमें आये। भूत यादवोंको अंगारोंसे मारने लगे। विनायक पट्टिशोंसे, भैरव शूलोंसे और प्रमथ खट्वाङ्गोंसे प्रहार करने लगे। ब्रह्मराक्षस मनुष्यों और घोड़ोंको पकड़कर खा जाते थे। यातुधान समराङ्गणमें मनुष्योंके मुण्ड चबाते और बेताल खप्परोंमें रक्त ले-लेकर पीते थे। पिशाच वहाँ नाचते और प्रेत गीत गाते थे। वे बारंबार योद्धाओंके मस्तकोंको गेंदकी भाँति इधर-उधर फेंकते थे। अट्टहास करते हुए चारों ओर दौड़ते और हाथियों तथा रथारोहियोंको रणमण्डलमें चबाते हुए दिखायी देते थे। पिशाचिनी और डाकिनियाँ युद्धस्थलमें अपने बालकोंको रक्त पिलातीं और 'रोओ मत'—ऐसा कहती हुई उनकी आँखें पोंछती थीं। उन्माद और कूष्माण्ड स्वर्गगामी शूरवीरोंके मुण्डोंकी मालाएँ तैयार करके भगवान् शंकरको भेंट करते थे॥ १७—२७॥

नृपेश्वर! उस समय यादव-सेनामें हाहाकार मच गया। भयसे भागते हुए घोड़े, हाथी और पैदल-वीर सहस्रोंकी संख्यामें युद्धक्षेत्रमें गिरकर मृत्युको प्राप्त हो गये। शिवगणोंका ऐसा बल देखकर श्रीकृष्ण-कुमार दीप्तिमान्ने अपने धनुषपर अत्यन्त अद्भुत बाणोंका संधान करके छोड़ना आरम्भ किया। राजन्! वे तीखे बाण कोटि-कोटि भूतों, प्रेतों और विनायकोंके शरीरमें उसी तरह घुसने लगे, जैसे वनमें मोर प्रवेश करते हैं। बाणोंसे विदीर्ण होकर समस्त भूतगण भागने लगे। कोई युद्धस्थलमें गिर गये और कोई मर गये। कितने ही बाणोंका आघात लगनेसे पहले ही धराशायी

हो गये॥ २८—३२॥

प्रेतगणोंके पलायन कर जानेपर भैरव क्रोधसे भर गये। वे कुत्तेपर सवार हो, त्रिशूल हाथमें लिये कालकी भाँति आ पहुँचे। नरेश्वर! उन कालभयंकर भैरवको देखकर कोई भी उनके साथ जूझनेके लिये तैयार नहीं हुआ। केवल अनिरुद्ध उनके साथ युद्ध करने लगे। अनिरुद्धने युद्धस्थलमें भैरवको पाँच बाण मारे। भैरवने भी परिघके प्रहारसे उनके उत्तम रथको चूर-चूर कर दिया। फिर अनिरुद्धने भी दूसरे रथपर आरूढ़ हो अपने सुदृढ़ धनुषपर प्रत्यञ्चा चढ़ाकर मायावी भैरवको रणभूमिमें दस बाणोंद्वारा घायल कर दिया। उन बाणोंसे आहत हो भैरवको कुछ मूर्च्छा-सी आ गयी। फिर उन्होंने अग्निके समान प्रज्वलित तीन शिखाओंवाला त्रिशूल अनिरुद्धपर फेंका। शूलको आया देख प्रद्युम्नकुमारने अपने बाणोंद्वारा उसके टुकड़े-टुकड़े कर डाले। अपने त्रिशूलको छिन्न-भिन्न हुआ देख बलवान् रुद्रकुमार भैरवने मायाद्वारा अपने मुखसे अग्निकी सृष्टि की। उस अग्निसे भूमि, वृक्ष और दसों दिशाएँ जलने लगीं। पैदल-वीरों, रथारोहियों, घोड़ों तथा हाथियोंके शरीर सुन्दर फूलवाले सेमरकी रूईके समान जलने लगे। कितने ही वीर आगकी ज्वालाकी लपेटमें आ गये और कितने ही भस्म हो गये। सारी सेना अग्निज्वालासे व्याप्त हो गयी। कितने ही योद्धा भगवान् श्रीकृष्णका चिन्तन करने लगे॥ ३३—४१॥

अपनी सेनाको भयसे व्याकुल देख और भैरवकी रची हुई मायाको जानकर धनुर्धरोंमें श्रेष्ठ अनिरुद्धने अपने धनुषपर एक बाण रखा। उस सायकको पर्जन्यास्त्रसे अभिमन्त्रित करके श्रीकृष्णके चरणारविन्दोंका चिन्तन करते हुए शीघ्र ही आकाशमें छोड़ दिया॥ ४२-४३॥

राजन्! उस बाणके छूटते ही मेघ प्रकट होकर पानी बरसाने लगे। आग बुझ गयी और ऐसा प्रतीत होने लगा, मानो वर्षाकाल आ गया हो। मोर, कोयल, चातक, सारस और मेढक आदि बोलने लगे। यत्र-तत्र इन्द्रगोप (वीरबहुटी नामक कीड़े) शोभा पाने लगे। आकाश इन्द्रधनुष और बिजलीकी चमकसे दीप्तिमान् हो उठा। अपना प्रयास निष्फल हुआ देख भैरवने अपने मुखसे भैरव-गर्जना की। जिससे सबका मन संत्रस्त हो उठा। उस भैरवनादसे समस्त लोकों और पातालोंसहित सारा ब्रह्माण्ड गूँज उठा। दिग्गज विचलित हो उठे, तारे टूटने लगे और उनसे भूखण्ड-मण्डल चमक उठा। उसी समय समस्त मनुष्य बहरे हो गये और गिर गये॥ ४४—४८॥

फिर सर्पोंसे विभूषित भैरवने क्रुद्ध हो हाथसे हाथ-को दबाते, दाँतोंसे ओठको चबाते, जीभ लपलपाते और लाल-लाल नेत्रोंसे देखते हुए यदुकुल-तिलक अनिरुद्धको तिनकेके समान समझकर एक तीखा फरसा हाथमें लिया। उसी समय रणनीतिमें कुशल अनिरुद्धने जृम्भणास्त्रका प्रयोग करके भैरवको उसी प्रकार मोहाच्छन्न कर दिया, जैसे भगवान् श्रीकृष्णने बाणासुर-विजयके अवसरपर भगवान् शंकरको मोहित कर दिया था। राजन्! उस अस्त्रके प्रभावसे अनिरुद्धके देखते-देखते भैरव रणभूमिमें गिर पड़े और जँभाई लेते हुए निद्रासुखका आस्वादन करने लगे॥ ४९—५२॥

इस प्रकार श्रीगर्गसंहिताके अन्तर्गत अश्वमेधखण्डमें 'भैरव-मोहन' नामक सैंतीसवाँ अध्याय पूरा हुआ॥ ३७॥

अड़तीसवाँ अध्याय

नन्दिकेश्वरद्वारा सुनन्दनका वध; भगवान् शिवके त्रिशूलसे आहत हुए अनिरुद्धकी मूर्च्छा; साम्बद्वारा शिवकी भर्त्सना; साम्ब और शिवका युद्ध तथा रणक्षेत्रमें भगवान् श्रीकृष्णका शुभागमन

श्रीगर्गजी कहते हैं—राजन्! भैरवको निद्रित देख मृत्युञ्जय शिव कुपित हो उठे। उन्होंने वीरमानी अभिमन्युपर आक्रमण करनेके लिये अपने वृषभ नन्दिकेश्वरको प्रेरित किया। वृषभ उसी समय क्रोधसे भरकर दोनों सींगों, दाँतों और पिछले पैरोंसे यादवोंपर प्रहार करता हुआ सेनामें विचरने लगा। उसने सामने खड़े हुए सुनन्दनपर अपने एक सींगसे शीघ्र ही आघात किया। उस सींगके आघातसे सुनन्दनका वक्ष विदीर्ण हो गया और वे पञ्चत्वको प्राप्त हो गये॥ १—३॥

तब हाथीपर बैठे हुए अनिरुद्ध धनुष लिये, कवच बाँधकर 'मत डरो, मत डरो'—ऐसा कहते हुई अत्यन्त क्रोधपूर्वक वहाँ आये। श्रीकृष्णपुत्र वीर सुनन्दनको वहाँ मारा गया देख अनिरुद्धको बड़ा दुःख हुआ। वे शोकमें डूबकर काँपने लगे। उस महावीरके मारे जानेपर शोकमें पड़े हुए अनिरुद्धसे शिवजीने कहा—'महाबली अनिरुद्ध! तुम रणक्षेत्रमें शोक न करो। युद्धमें भाग जाना शूरवीरोंके लिये अकीर्तिकारक माना गया है। इसलिये तुम भी संग्रामस्थलमें मेरे साथ यत्नपूर्वक युद्ध करो। मेरे सामने युद्धकी अभिलाषासे आये हुए तुम्हारे भी प्राण जानेवाले ही हैं। तुम उनकी रक्षा करो'॥ ४—७ $\frac{1}{2}$॥

श्रीगर्गजी कहते हैं—राजन्! भगवान् शिवकी यह बात सुनकर यदुकुलतिलक अनिरुद्धने शोक त्याग दिया और शिवजीके मस्तकपर पाँच बाण मारे। वे पाँचों बाण महेश्वरके जटाजूटमें उलझ गये और गीधके पंखोंसे युक्त वनस्पतिकी शाखाके समान दिखायी देने लगे। तब रुद्रदेवने अपने कोदण्डपर एक बाण रखा और उसके द्वारा सहसा अनिरुद्धके धनुषकी प्रत्यञ्चा काट दी। अनिरुद्धने फिर शीघ्र ही अपने सुदृढ़ धनुषकी प्रत्यञ्चा चढ़ा ली और एक सायकद्वारा शंकरजीके धनुषकी प्रत्यञ्चाको भी खण्डित कर दिया। तब उन दोनोंमें अद्भुत एवं रोमाञ्चकारी युद्धका समाचार सुनकर विमानपर बैठे हुए इन्द्र आदि देवता कौतूहलवश वहाँ आ गये और आकाशमें स्थित हो वह युद्ध देखकर भयसे विह्वल हो परस्पर कहने लगे॥ ८—१३॥

देवता बोले—ये दोनों त्रिभुवनकी सृष्टि और संहार करनेवाले हैं। इसलिये रणमण्डलमें इन दोनोंका युद्ध निष्फल है। कौन इस युद्धको जीतेगा और किसकी पराजय होगी? (यह कैसे कहा जा सकता है)॥ १४ $\frac{1}{2}$॥

श्रीगर्गजी कहते हैं—राजन्! तदनन्तर तीन दिनोंतक उन दोनोंमें बड़ा भारी युद्ध हुआ। फिर रुद्रदेवने धनुषपर प्रत्यञ्चा चढ़ाकर रोषपूर्वक ब्रह्मास्त्रका संधान किया, जो वहाँ तीनों लोकोंका प्रलय करनेमें समर्थ था। परंतु अनिरुद्धने ब्रह्मास्त्रसे ब्रह्मास्त्रका, वज्रास्त्रसे पर्वतास्त्रका और पर्जन्यास्त्रसे आग्नेयास्त्रका निवारण कर दिया। तब पिनाकधारी शिव अत्यन्त क्रोधके कारण प्रज्वलित-से हो उठे। उन्होंने तीन शिखाओंवाले त्रिशूलसे प्रद्युम्ननन्दन अनिरुद्धपर आघात किया। वह त्रिशूल अनिरुद्धको विदीर्ण करके हाथीको भी चीरता हुआ निकल गया और उन दोनोंके बीचमें ऊपरको पुङ्खभाग तथा नीचेको मुख किये स्थित हो गया। हाथीकी तत्काल मृत्यु हो गयी और युद्धस्थलमें अनिरुद्ध भी मूर्च्छित हो गये। वे दोनों रणभूमिमें वक्षःस्थल विदीर्ण हो जानेके कारण एक-दूसरेसे लगे हुए ही गिर पड़े। उस समय हाहाकार मच गया। सब यादव रोने लगे। जैसे यमराजके आगे पापी डर जाते हैं, उसी प्रकार रुद्रदेवके आगे सब यादव भयभीत हो गये। अनिरुद्ध मृतकके समान मूर्च्छित होकर गिर पड़े हैं, यह समाचार सुनकर साम्ब शङ्कित हो स्कन्दको छोड़कर वहाँ गये। यादववीरको

मूर्च्छित हुआ देख साम्बके नेत्रोंसे अश्रुधारा बह चली और वे धनुष हाथमें लेकर क्रोधपूर्वक शिवसे बोले—"रुद्र! संग्राममें अनिरुद्ध तथा वीर सुनन्दनको मारकर तुम दानवोंका पालन कैसे करोगे? मैंने पहले वेदमें और भागवत-शास्त्रमें ब्राह्मणोंके मुँहसे सुन रखा था कि शिव वैष्णव हैं और वे सदा 'श्रीकृष्ण' संज्ञक परब्रह्मका भजन-सेवन करते हैं। आज प्रद्युम्नकुमारके धराशायी होनेपर वह सब कुछ व्यर्थ हो गया। सुनन्दन श्रीकृष्णके पुत्र हैं, किंतु उन्हें भी तुमने युद्धमें मार डाला। महेश्वर! शिव! तुम व्यर्थ युद्ध करते हो। तुम्हें धिक्कार है। तुम श्रीकृष्णसे विमुख हो; अतः मैं रणभूमिमें क्षुरप्रों तथा सायकोंद्वारा तुम्हें शीघ्र ही मार गिराऊँगा। तुम खड़े रहो, खड़े रहो"॥ १५—२७ $\frac{१}{२}$ ॥

साम्बकी यह बात सुनकर भगवान् शंकर प्रसन्न हो गये और इस प्रकार बोले॥ २८॥

शिवने कहा—यादवश्रेष्ठ! तुम धन्य हो। तुम मुझसे जो कुछ कह रहे हो, वह सब सत्य है। देव-दानव-वन्दित ये भगवान् श्रीकृष्णचन्द्र मेरे स्वामी हैं। किंतु वीर! जब कुनन्दन मारा गया तथा रणक्षेत्रमें बल्वल मूर्च्छित हो गया, तब मैं उसकी सहायताके लिये, अथवा यों कहो कि भक्तकी रक्षाके लिये यहाँ आ गया। मैं अपने दिये हुए वचनको सत्य करनेके लिये आया हूँ और भक्तका प्रिय करनेकी इच्छासे समराङ्गणमें किंचित् कुपित होकर युद्ध करता हूँ॥ २९—३१॥

भगवान् भूतनाथ शिव जब इस प्रकार कह रहे थे, तभी रोषसे भरे हुए साम्बने बड़ी शीघ्रताके साथ अपने धनुषसे छूटे हुए क्षुरप्रों एवं सायकोंद्वारा उन्हें घायल कर दिया। उन बाणोंसे आहत होनेपर भी रुद्रदेवको थोड़ीसी भी वेदना नहीं हुई, जैसे फूलोंसे मारनेपर गजराजको कुछ पता नहीं चलता है। अब शिवने अपना धनुष उठाया और युद्धमें जाम्बवतीकुमारको अनेक तीखे बाण मारे। साम्ब शिवको और शिव साम्बको परस्पर घायल करने लगे। उन दोनोंका युद्ध देखकर देवता ऐसा मानने लगे कि अब समस्त लोकोंका संहार होनेवाला है। राजन्! पृथ्वीपर और आकाशमें महान् कोलाहल मच गया। समस्त वृष्णि-वंशी भयभीत हो अपने रक्षक भगवान् श्रीकृष्णका स्मरण करने लगे॥ ३२—३६॥

तब यादवोंपर महान् विपत्ति आयी हुई जानकर श्रीयदुकुलपालक शत्रुसूदन घोड़े और सारथिसे युक्त रथके द्वारा वहाँ आ पहुँचे। उनकी अङ्गकान्ति श्याम थी। मस्तकपर किरीट शोभा पा रहा था। नेत्र नूतन नील कमलकी शोभा छीन लेते थे। करोड़ों नवीन सूर्यकी कान्ति धारण किये भगवान् श्यामसुन्दर हाथोंमें कौमोदकी गदा, शङ्ख, चक्र, पद्म, धनुष, बाण और खड्ग लिये हुए थे। श्रीवत्सचिह्न, कौस्तुभमणि, पीताम्बर तथा वनमालासे अलंकृत श्रीहरि नीली अलकों तथा कुण्डल, कङ्कण आदि आभूषणोंसे विभूषित हो, करोड़ों कामदेवोंके समान शोभा पा रहे थे। जैसे राजहंस मुखसे मुक्ताफल गिरा रहे हों, उसी प्रकार श्वेत फेनकणोंको उगलनेवाले सुग्रीव आदि अत्यन्त वेगशाली तथा सुन्दर सामगान करनेवाले घोड़ोंसे उनका रथ जुता हुआ था।* जैसे सर्दीसे डरे हुए लोग सूर्यका उदय देखकर सुखी हो जाते हैं, उसी प्रकार यादव अपने स्वामी श्रीकृष्णका शुभागमन देखकर हर्षसे विह्वल हो गये। उस समय यादव-सेनामें जय-जयकार होने लगा। आकाशमें स्थित हुए देवता फूलोंकी वृष्टि करने लगे। भगवान् श्रीकृष्णको अपनी सहायताके लिये आया जान साम्ब हर्षसे उत्फुल्ल हो उठे और धनुष त्यागकर उनके चरणोंमें गिर पड़े॥ ३७—४३॥

इस प्रकार श्रीगर्गसंहिताके अन्तर्गत अश्वमेधखण्डमें 'अनिरुद्ध आदिकी सहायताके लिये श्रीकृष्णका आगमन' नामक अड़तीसवाँ अध्याय पूरा हुआ॥ ३८॥

---

*श्यामः किरीटी नवकञ्जनेत्रो नवार्ककोटिद्युतिमादधानः। कौमोदकीशङ्खरथाङ्गपद्मकोदण्डबाणैर्नियुतोऽसिधारी ॥
श्रीवत्सचिह्नेन तु कौस्तुभेन पीताम्बरेणापि च मालयाढ्यः। नीलालकैः कुण्डलकङ्कणाद्यैर्विभूषितः कोटिमनोजतुल्यः॥
समुद्गलद्भिः सितफेनशीकरान् मुक्ताफलानीव च राजहंसकैः। सुग्रीवमुख्यैरतिवेगवत्तरैर्हयैर्युतः सुन्दरसामगायनैः॥
(अध्याय ३८। ३८—४०)

उन्तालीसवाँ अध्याय

भगवान् शंकरद्वारा श्रीकृष्णका स्तवन; शिव और श्रीकृष्णकी एकता; श्रीकृष्णद्वारा सुनन्दन, अनिरुद्ध एवं अन्य सब यादवोंको जीवनदान देना तथा बल्वलद्वारा यज्ञ-सम्बन्धी अश्वका लौटाया जाना

श्रीगर्गजी कहते हैं—भगवान् श्रीकृष्णको वहाँ उपस्थित देख महादेवजी भयभीत एवं शङ्कितचित्त हो गये और धनुष तथा त्रिशूल आदि त्यागकर उन श्रीपतिसे भक्तिपूर्वक बोले॥ १॥

शंकरने कहा—सच्चिदानन्दस्वरूप सर्वत्र व्यापक विष्णुदेव! मेरे अविनयको दूर कीजिये। मनको दबाइये और विषयोंकी मृगतृष्णा शान्त कीजिये। प्राणियोंके प्रति मेरे हृदयमें दयाका विस्तार कीजिये और मुझे संसार-सागरसे उबारिये। देवनदी गङ्गा जिनकी मकरन्दराशि है, जिनका मनोहर सौरभ-समूह सच्चिदानन्दमय है तथा जो भवबन्धनके भय एवं खेदका छेदन करनेवाले हैं, श्रीपतिके उन चरणारविन्दोंकी मैं वन्दना करता हूँ। प्रभो! परमार्थदृष्टिसे आपमें और मुझमें कोई भेद न होनेपर भी मैं ही आपका हूँ, आप मेरे नहीं हैं; क्योंकि समुद्रकी ही तरङ्गें हुआ करती हैं, तरङ्गोंका समुद्र कहीं नहीं होता। हे गोवर्धनपर्वत धारण करनेवाले! हे पर्वत-भेदी इन्द्रके अनुज! हे दानव-कुलके शत्रु! तथा हे सूर्य और चन्द्रमाको नेत्रोंके रूपमें धारण करनेवाले परमेश्वर! आप प्रभुका दर्शन हो जानेपर क्या इस संसारका तिरस्कार नहीं हो जाता है? परमेश्वर! मैं भवतापसे भीत हूँ और आप मत्स्य आदि अवतारोंद्वारा अवतारी होकर वसुधाका पालन करते हैं, अतः मेरा भी पालन कीजिये। दामोदर! गुणोंके मन्दिर! सुन्दर वदनारविन्द! गोविन्द! भवसागरको मथ डालनेके लिये मन्दराचलरूप श्रीकृष्ण! आप मेरे बड़े भारी भयको भगाइये। नारायण! करुणामय! मैं आपके युगल-चरणोंकी शरण लूँ। यह छः पदोंवाली स्तुतिरूपिणी षट्पदी (भ्रमरी) मेरे मुखरूपी कमलमें सदा निवास करे*॥ २—८॥

भगवान् शंकरके इस प्रकार स्तुति करनेपर बलरामके छोटे भाई श्रीकृष्णने प्रसन्न होकर अपने चरणोंमें झुके हुए चन्द्रशेखर शिवसे सारा अभिप्राय पूछा॥ ९॥

श्रीकृष्ण बोले—शिव! मेरे कुबुद्धि पुत्रने तुम्हारा क्या अपराध किया था, जिससे तुमने युद्धमें उसे मार डाला और अनिरुद्धको मूर्च्छित कर दिया? किसलिये यदुकुलका विनाश किया? तुम युद्धस्थलमें आये ही क्यों? और आये भी तो युद्ध क्यों करने लगे? यह सब बात विस्तारपूर्वक मुझे बताओ॥ १०-११॥

श्रीकृष्णका यह कथन सुनकर प्रमथनाथ शिव लज्जित हो गये और कुछ सोच-विचारकर उन मधुसूदनसे बोले॥ १२॥

शंकरजीने कहा—देवदेव! जगन्नाथ! राधिकावल्लभ! जगन्मय! करुणाकर! मैं निर्लज्ज हूँ, अपराधी हूँ। आप मेरी रक्षा कीजिये, रक्षा कीजिये। देव! क्या आप नहीं जानते, मैं आपके सामने क्या कहूँगा? प्रभो! आपकी मायासे मोहित होकर मैं भक्तकी रक्षा करनेके लिये यहाँ आया था; आप मेरे इस सारे अपराधको क्षमा कर दीजिये। हरे! 'मैं ही सम्पूर्ण जगत्का शासक हूँ' इस अभिमानसे मैंने युद्धस्थलमें, जिनके श्रीकृष्ण ही देवता हैं, उन शूरवीर

---

* ॐ अविनयमपनय विष्णो दमय मनः शमय विषयमृगतृष्णाम्। भूतदयां विस्तारय तारय संसारसागरतः॥
दिव्यधुनीमकरन्दे परिमलपरिभोगसच्चिदानन्दे। श्रीपतिपदारविन्दे भवभयखेदच्छिदे वन्दे॥
सत्यपि भेदापगमे नाथ तवाहं न मामकीनस्त्वम्। सामुद्रो हि तरङ्गः क्वचन समुद्रो न तारङ्गः॥
उद्धतनग नगभिदनुज दनुजकुलामित्र मित्रशशिदृष्टे। दृष्टे भवति प्रभवति न भवति किं भवतिरस्कारः॥
मत्स्यादिभिरवतारैरवतारवतावता सदा वसुधाम्। परमेश्वर परिपाल्यो भवता भवतापभीतोऽहम्॥
दामोदर गुणमन्दिर सुन्दरवदनारविन्द गोविन्द। भवजलधिमथनमन्दर परमं दरमपनय त्वं मे॥
नारायण करुणामय शरणं करवाणि तावकौ चरणौ। इति षट्पदी मदीये वदनसरोजे सदा वसतु॥
(अ० ३९। २—८)

वृष्णिवंशियोंको मारा है। श्रीकृष्ण! यही कारण है कि संत पुरुष परमवाञ्छित महान् ऐश्वर्यको स्वयं छोड़कर आपके निर्भय चरणकमलका सदा चिन्तन करते हैं। मनुष्योंको सुख और दुःख तभीतक प्राप्त होते हैं, जबतक उनका मन श्रीकृष्णमें नहीं लगता है। श्रीकृष्णमें मन लग जानेपर वह दुर्जय भक्तियोगरूपी खड्ग प्राप्त होता है, जो मनुष्योंके कर्मरूपी वृक्षोंका मूलोच्छेद कर डालता है। जो लोग मेरी भक्तिके बलसे घमंडमें आकर आप मेरे स्वामी यदुकुलतिलकका अपमान करते हैं, वे सब निश्चय ही नरकमें जायँगे* ॥ १३—१९ ॥

—ऐसा कहकर भगवान् शंकर चुप हो नेत्रोंमें आँसू भरकर भक्तिभावसे श्रीकृष्णके युगलचरणारविन्दोंमें दण्डकी भाँति प्रणत हो गये। भगवान् श्रीकृष्णने रुद्रदेवको उठाकर अपने पास खड़ा किया और उन्हें आश्वासन देकर, मिलकर उनकी ओर सुधाभरी दृष्टिसे देखा ॥ २०-२१ ॥

तत्पश्चात् श्रीकृष्ण बोले—शिव! सभी देवता अपने भक्तका पालन करते हैं। तुमने भी यदि भक्तका पालन किया तो इसमें कौन-सा निन्दित कर्म कर डाला? तुम मेरे हृदयमें हो और मैं तुम्हारे हृदयमें। हम दोनोंमें कोई अन्तर नहीं है। खोटी बुद्धिवाले मूढ़ पुरुष ही हम दोनोंमें अन्तर या भेद देखते हैं। सदाशिव! मेरे भक्त तुमको नमस्कार करते हैं और तुम्हारे भक्त मुझको। जो मेरी इस बातको नहीं मानते हैं, वे नरकमें पड़ेंगे† ॥ २२—२४ ॥

—ऐसा कहकर भगवान् श्रीकृष्णने युद्धस्थलमें मारे गये अपने पुत्र सुनन्दनको अमृतवर्षिणी दृष्टिसे देखकर जीवित कर दिया। तत्पश्चात् अनिरुद्धके हृदय-से शूलको धीरे-धीरे खींचा और उन्हें भी जीवनदान दिया। इसके बाद सर्वसमर्थ परमेश्वर श्रीकृष्णने युद्ध-स्थलमें मारे गये समस्त यादवोंको सुधावर्षिणी दृष्टिसे देखकर जीवित कर दिया। इतनेमें ही दुन्दुभिनादके साथ देवता उत्साहसूचक पुष्पवर्षा करने लगे। ऐसा करके उन्होंने भगवान् गरुडध्वजको प्रसन्न किया। सम्पूर्ण त्रिलोकीके नेता भगवान् श्रीकृष्णको आया देख वे श्रेष्ठ यादव वेगपूर्वक उठकर खड़े हो गये और प्रसन्नताके साथ जय-जयकार करने लगे ॥ २५—२९ ॥

तदनन्तर महादेवजीसे सुरक्षित हो बल्वल उठा और रोषपूर्वक कहने लगा—'अनिरुद्ध कहाँ गया?' तब शंकरजीने अपने शुभ वचनोंद्वारा उस दैत्यको समझाया और श्रीकृष्णकी महिमाको जानकर वह महामनस्वी दैत्य आनन्दित हो गया। राजन्! तदनन्तर गोविन्दको प्रणाम और उनकी स्तुति करके दैत्य बल्वलने बहुत-सी द्रव्यराशिके साथ घोड़ा लौटा दिया ॥ ३०—३२ ॥

इसके बाद यज्ञके घोड़ेको साथ लेकर भगवान् श्रीकृष्ण पुत्र-पौत्रोंके साथ सेतुमार्गसे समुद्रके तटपर आये। वहाँसे वे पश्चिम दिशाकी ओर चले गये। भगवान् श्रीकृष्णके चले जानेपर रुद्रदेव बल्वलको उसके राज्यपर स्थापित करके अपने गणों और भैरवके साथ कैलासको चले गये। जो लोग भगवान् श्रीकृष्ण-के इस चरित्रको अपने घरपर सुनते हैं, भगवान् श्रीकृष्ण उनकी सदा सहायता करेंगे ॥ ३३—३५ ॥

इस प्रकार श्रीगर्गसंहिताके अन्तर्गत अश्वमेधखण्डमें 'अनिरुद्ध-विजय-वर्णन' नामक उन्तालीसवाँ अध्याय पूरा हुआ ॥ ३९ ॥

---

*देवदेव जगन्नाथ राधिकेश जगन्मय। पाहि पाहि कृपाकारिन्त्रिस्त्रपं मां कृतागसम्॥
त्वं न जानासि किं देव कथयिष्यामि किं त्वहम्। भक्तस्य पालनं कर्तुं मायया तव मोहितः॥
अहमागतवान् देव त्वं सर्वं क्षन्तुमर्हसि। शास्ताहं सर्वलोकस्य मानादिति मया हरे॥
मारिताः संगरे शूरा वृष्णयः कृष्णदेवताः। तस्मात् संतः स्वयं त्यक्त्वा परमैश्वर्यमीप्सितम्॥
ध्यायन्ते सततं कृष्ण पादाब्जं ते निरापदम्। सुखं दुःखं नृणां तावद् यावत्कृष्णे न मानसम्॥
कृष्णे मनसि संजातो भक्तिखड्गो दुरत्ययः। नराणां कर्मवृक्षाणां मूलच्छेदं करोति यः॥
मद्भक्तिबलदर्पिष्ठ मत्प्रभुं त्वां यदूत्तमम्। न मन्यन्ते च ते सर्वे यास्यन्ति निरयं ध्रुवम्॥ (अ० ३९। १३—१९)

†ममासि हृदये त्वं तु भवतो हृदये ह्यहम्। आवयोरन्तरं नास्ति मूढाः पश्यन्ति दुर्धियः॥
त्वां नमन्ति च मद्भक्तास्त्वद्भक्ता मां सदाशिव। ये न मन्यन्ति मद्वाक्यं यास्यन्ति नरकं च ते॥ (अ० ३९। २३-२४)

चालीसवाँ अध्याय

यज्ञ-सम्बन्धी अश्वका व्रजमण्डलमें वृन्दावनके भीतर प्रवेश; श्रीदामाका उसे बाँधकर नन्दजीके पास ले जाना; नन्दजीका समस्त यादवों और श्रीकृष्णसे सानन्द मिलना; यादव-सेनाका वृन्दावनमें और श्रीकृष्णका नन्दपत्तनमें निवास

श्रीगर्गजी कहते हैं—राजन्! श्रीकृष्णके द्वारा मुक्त हुआ पत्र और चामरोंसे विभूषित वह अश्व सम्पूर्ण देशोंका नेत्रोंसे अवलोकन करता हुआ आगे बढ़ा। नरेश्वर बल्वलको पराजित हुआ सुनकर अनेक देशोंके नरेश भगवान् श्रीकृष्णके भयसे अपने यहाँ आये हुए अश्वको पकड़ न सके। राजेन्द्र! इस प्रकार आगे-आगे जाता हुआ यदुवीर उग्रसेनका अश्व एक महीनेमें भारतवर्षके अन्तर्गत व्रजमण्डलमें जा पहुँचा। राजन्! वहाँसे यमुनाको पारकर वृन्दावनका दर्शन करते हुए वह श्रेष्ठ अश्व एक तमाल वृक्षके नीचे खड़ा हो गया। वहाँ दूब चरते हुए घोड़ेको देखकर बहुत-से ग्वाल-बाल गौएँ चराना छोड़कर कौतूहलवश उसके पास आ गये और ताली पीटने लगे। राजन्! इस प्रकार जब सब ग्वाल-बाल घोड़ेको देख रहे थे, उसी समय गोपनायक श्रीदामा वहाँ आये और उन्होंने वहाँ विचरते हुए उस चञ्चल अश्वको अनायास ही पकड़ लिया। गाय बाँधनेवाली रस्सीको घोड़ेके गलेमें बाँधकर वे अन्य गोपोंके साथ 'किसने इसको छोड़ा है'—यह बातचीत करते हुए नन्दरायके निकट गये। उस घोड़ेको आया देख नन्दरायजीको भी बड़ी प्रसन्नता हुई। उन्होंने उसके भालमें बँधे हुए पत्रको बाँचकर गद्गद-वाणीमें सब लोगोंसे कहा—'यह उग्रसेनका घोड़ा है, जो मेरे गाँवमें आ गया है। मेरे प्रपौत्र अनिरुद्ध सब ओरसे इसका पालन करते हैं। मैं मित्रोंसे मिलनेके लिये इस यज्ञ-सम्बन्धी अश्वको ग्रहण करता हूँ। इसके बाद श्रीकृष्णकी-सी आकृतिवाले प्रियकारी प्रपौत्र अनिरुद्धको देखूँगा।' ऐसा कहकर और यशोदाके सामने सारा अभिप्राय बताकर नन्दरायजी अनिरुद्धको देखनेके लिये अन्यान्य गोपोंके साथ नन्दगाँवसे बाहर निकले॥ १—११॥

नृपेश्वर! उसी समय भोज, वृष्णि तथा अन्धक आदि कुलोंके समस्त यादव घोड़ेके पीछे लगे वहाँ आ पहुँचे। नृपेन्द्र! गङ्गासागरसे लौटते समय मार्गमें नैपाल तीर्थ, मिथिला, अयोध्या, बर्हिष्मती, कान्य-कुब्ज (कन्नौज), बलभद्रजीके स्थान (दाऊजी), गोकुल (महावन), सूर्यकन्या यमुना तथा जहाँ भगवान् केशवदेव विराजते हैं, उस मथुरापुरीका भी दर्शन करते हुए श्रीकृष्णसहित सब लोग वृन्दावन होते हुए नन्दगाँवमें आये। नन्दग्रामको दूरसे देखकर रथारूढ़ नन्दनन्दन श्रीकृष्ण सबसे आगे होकर यादवोंके साथ वहाँ आये। निकट पहुँचकर श्रीहरिने सामने देखा—पिता नन्दरायजी एक सुसज्जित गजराजको आगे रखकर गोपोंके साथ खड़े हैं। नृपेश्वर! तरह-तरहके बाजे बजवाते, शङ्खनाद कराते, जय-जयकारकी ध्वनि फैलाते नन्दरायजी फूलोंके हार, मङ्गल कलश तथा बाजा आदिसे विभूषित थे। राजन्! उस समय नन्दजीका दर्शन करके उद्धव आदि समस्त यादवोंने उनको नमस्कार किया। सबके नेत्रोंमें हर्षके आँसू छलक आये थे॥ १२—१८॥

उसी समय नन्दरायका दाहिना अङ्ग फड़क उठा। नरेश्वर! वह उत्तम शकुन देखकर वे मन-ही-मन कहने लगे—'क्या मैं आज अपने नेत्रोंसे प्रियवादी श्रीकृष्णको देखूँगा? क्योंकि प्रियकी सूचना देने-वाला मेरा दाहिना नेत्र फड़क रहा है। यदि श्रीकृष्ण मेरे नेत्रोंके समक्ष आ जायँ तो आज मैं ब्राह्मणोंको वस्त्राभूषणोंसे अलंकृत एक लाख गौएँ दान दूँगा'॥ १९—२१॥

नरेश्वर! ऐसा संकल्प करके जब नन्दजी चुप हुए, तभी व्रजवासियोंके मुखसे उन्होंने अपने पुत्रके शुभागमनका समाचार सुना। श्रीकृष्णका आगमन सुनकर विरहमें डूबे हुए नन्दराय उन श्रीहरिको देखनेके लिये रोते हुए-से सबके आगे चलने लगे। वे गद्गद

वाणीसे बार-बार कह रहे थे—'हे कृष्ण! हे कृष्ण! हे कृष्णचन्द्र! तुम कहाँ चले गये थे? क्या मुझ दुखियाको नहीं देखते हो'॥ २२—२४॥

पिताको देखकर पितृवत्सल श्रीकृष्ण रथसे कूदकर तत्काल उनके चरणोंमें गिर पड़े। श्रीनन्दरायने सुदीर्घकालके बाद आये हुए अपने पुत्रको उठाया और उन्हें छातीसे लगाकर वे नेत्रोंके जलसे नहलाने लगे। श्रीकृष्णचन्द्र भी करुणासे आकुल हो नेत्रोंसे अश्रुधारा बहाने लगे। तत्पश्चात् प्रेममें डूबे हुए श्रीदामा आदि मित्रोंको देखकर प्रेमपरिप्लुत श्रीकृष्णने उन सबको बारी-बारीसे अपने हृदयसे लगाया। अहो! इस भूतलपर कौन ऐसा मनुष्य है, जो भक्तोंके माहात्म्यका वर्णन कर सके? एक ओरसे नन्द आदि गोप रो रहे थे और दूसरी ओरसे श्रीकृष्ण आदि यादव। सब लोग विरहसे व्याकुल होनेके कारण परस्पर कुछ बोल नहीं पाते थे। श्रीकृष्णके मुखपर आँसुओंकी अविरल धारा बह रही थी। उन्होंने गद्गद वाणीसे प्रेमानन्दमें डूबे हुए समस्त गोपोंको आश्वासन दिया। उन सबने साक्षात् परिपूर्णतम जगदीश्वर श्रीकृष्णको वैसा ही देखा, जैसा वे मथुरा जाते समय दिखायी दिये थे॥ २५—३१॥

नूतन जलधरके समान उनकी श्याम कान्ति थी। वे किशोर अवस्थाके बालक-से प्रतीत होते थे। उनके नेत्र शरत्कालके प्रभातमें खिले हुए कमलोंकी कान्तिको छीने लेते थे। उनका मुख अपनी छबिसे शरत्पूर्णिमाके शोभासम्पन्न पूर्ण चन्द्रमण्डलकी छबिको आच्छादित किये लेता था। करोड़ों कामदेवोंका लावण्य उनके लावण्यमें विलीन हो गया था। लीला-जनित आनन्दसे वे और भी सुन्दर प्रतीत होते थे। अधरोंपर मुस्कराहट और हाथोंमें मुरली लिये द्विभुज श्रीकृष्ण अत्यन्त मनोहर दिखायी देते थे। विद्युत्की-सी पीतकान्तिसे सुशोभित वस्त्र तथा मीनाकार कुण्डल धारण किये भगवान् श्रीहरिका सारा अङ्ग चन्दनसे अनुलिप्त तथा कौस्तुभमणिसे दीप्तिमान् था। घुटनोंतक लटकती हुई मालतीसुमनोंकी माला और वनमालासे वे विभूषित थे। मस्तकपर मोरपंखका मुकुट तथा उत्तम रत्नोंका बना हुआ किरीट जगमगा रहा था। ओठ परिपक्व बिम्बाफलसे भी अधिक लाल थे तथा ऊँची नासिकासे उनका मुखमण्डल अद्भुत शोभा पा रहा था। राजेन्द्र! श्रीकृष्णके ऐसे रूपामृतका, आनन्दमें डूबे हुए व्रजवासी नेत्रोंसे पान कर रहे थे, मानो साधारण मानव वसुधापर सुलभ हुई सुधाका पान कर रहे हों*॥ ३२—३७॥

राजन्! तत्पश्चात् प्रेमरसमें डूबे हुए नन्दरायजीने बड़ी प्रसन्नताके साथ अनिरुद्धको और साम्ब आदि समस्त यादवोंको शुभाशीर्वाद दिया। इसके बाद समस्त यादवों और पुत्र-पौत्रोंसे घिरे हुए महाबुद्धिमान् नन्दजी अपनी पुरीमें प्रविष्ट हुए। उस समय उनके मनका सम्पूर्ण दुःख दूर हो गया था। द्वारपर पहुँचते ही श्रीकृष्ण रथसे कूद पड़े और साम्ब आदिके साथ माताको आनन्द प्रदान करते हुए तुरंत उनके भवनमें जा पहुँचे। माता यशोदा घरके द्वारतक आ गयी थीं। वे रो रही थीं और उनका गला रुँध गया था। उस दशामें उन्हें देखकर श्रीकृष्ण फूट-फूटकर रोते हुए माताके चरणोंमें पड़ गये। माता यशोदाने अपने प्राणोंसे भी प्यारे पुत्रको छातीसे लगाकर उन्हें गद्गद कण्ठसे आशीर्वाद दिया। नन्द, उपनन्द, छहों वृषभानु तथा वृषभानुवर—ये सब लोग श्रीकृष्णको देखनेके लिये आये। यादवोंसहित श्रीकृष्णने वहाँ पधारे हुए गोपोंसे विधिपूर्वक मिलकर उन सबका समादर किया। उन सबने प्रसन्नमुख होकर श्रीकृष्णकी कुशल

*नवीननीरदश्यामं किशोरवयसं शिशुम्। शरत्प्रभातकमलकान्तिमोचनलोचनम्॥
शरत्पूर्णेन्दुशोभाढ्यं शोभास्वाच्छादनाननम्। कोटिमन्मथलावण्यं लीलानन्दितसुन्दरम्॥
सस्मितं मुरलीहस्तं द्विभुजं ह्यतिसुन्दरम्। तडिद्वस्त्रधरं देवं मत्स्यकुण्डलिनं हरिम्॥
चन्दनोक्षितसर्वाङ्गं कौस्तुभेन विराजितम्। आजानुमालतीमालावनमालाविभूषितम्॥
मयूरपिच्छचूडं च सद्रत्नमुकुटोज्ज्वलम्। पक्वबिम्बाधिकोष्ठं च नासिकोन्नतशोभनम्॥
एवं कृष्णस्य राजेन्द्र रूपं नेत्रैर्व्रजौकसः। पपुरानन्दसंमग्नाः पीयूषं मानवा इव॥
(अ० ४०। ३२—३७)

पूछी और भगवान् श्रीकृष्णने भी उन सबका उत्तम कुशल-समाचार पूछा॥ ३८—४५॥

नृपेश्वर! तत्पश्चात् वृन्दावनमें यमुनाके तटपर महात्मा अनिरुद्धकी सेनाके सारे शिविर लग गये। अनिरुद्ध, साम्ब और उद्धव आदिने तो शिविरोंमें ही निवास किया, किंतु भगवान् श्रीकृष्ण नन्दनगरमें ही ठहरे। राजन्! श्रीकृष्णसहित नन्दरायजीने वहाँ पधारे हुए समस्त यादव-सैनिकोंको भोजन दिया और पशुओंके लिये भी चारे-दाने आदिका प्रबन्ध कर दिया॥ ४६—४८॥

इस प्रकार श्रीगर्गसंहिताके अन्तर्गत अश्वमेधखण्डमें 'व्रजमण्डलमें प्रवेश' नामक चालीसवाँ अध्याय पूरा हुआ॥ ४०॥

इकतालीसवाँ अध्याय

श्रीराधा और श्रीकृष्णका मिलन

श्रीगर्गजी कहते हैं—राजन्! संध्याके समय श्रीराधाने नन्दनन्दन श्रीकृष्णको बुलवाया। उनका आमन्त्रण पाकर नित्य एकान्तस्थलमें, जहाँ शीतल कदलीवन था, श्रीकृष्ण वहाँ गये। कदलीवनमें एक मेघ-महल बना था, जिसमें चन्दनपङ्कका छिड़काव हुआ था। केलेके पत्तोंसे सज्जित होनेके कारण वह भवन बड़ा मनोहर लगता था। अपनी विशालतासे सुशोभित उस मेघभवनमें यमुनाजलका स्पर्श करके बहती हुई वायु पानीके फुहारे बिखेरती रहती थी। श्रीराधिकाका ऐसा सुन्दर सारा मेघमन्दिर उनके विरह-दुःखकी आगसे सदा भस्मीभूत हुआ-सा प्रतीत होता था। नरेश्वर! गोलोकमें प्राप्त हुए श्रीदामाके शापसे वृषभानुनन्दिनीको श्रीकृष्णविरहका दुःख भोगना पड़ रहा था। उस दशामें भी वे वहाँ अपने शरीरकी रक्षा इसलिये कर रही थीं कि किसी-न-किसी दिन श्रीकृष्ण यहाँ आयेंगे॥ १—४॥

सखीके मुखसे जब यह संवाद मिला कि श्रीकृष्ण अपने विपिनमें पधारे हैं, तब श्रीवृषभानुनन्दिनी उन्हें लानेके लिये अपने श्रेष्ठ आसनसे तत्काल उठकर खड़ी हो गयीं और सहेलियोंके साथ दरवाजेपर आयीं। व्रजेश्वरी श्यामाने व्रजवल्लभ श्यामसुन्दर श्रीकृष्णको उनका कुशल-समाचार पूछते हुए आसन दिया और क्रमशः पाद्य, अर्घ्य आदि उपचार अर्पित किये। नरेश्वर! परिपूर्णतमा श्रीराधाने परिपूर्णतम श्रीकृष्णका दर्शन पाकर विरहजनित दुःखको त्याग दिया और संयोग पाकर वे हर्षोल्लाससे भर गयीं। उन्होंने वस्त्र, आभूषण और चन्दनसे अपना शृङ्गार किया। प्राणनाथ श्रीकृष्णके कुशस्थली चले जानेके बादसे श्रीराधाने कभी शृङ्गार धारण नहीं किया था। इस दिनसे पहले उन्होंने कभी पान नहीं खाया, मिष्टान्न भोजन नहीं किया, शय्यापर नहीं सोयीं और कभी हास-परिहास नहीं किया था। इस समय सिंहासनपर विराजमान मदनमोहनदेवसे श्रीराधाने हर्षके आँसू बहाते हुए गद्गद कण्ठसे पूछा॥ ५—१०॥

श्रीराधा बोलीं—हृषीकेश! तुम तो साक्षात् गोकुलेश्वर हो; फिर गोकुल और मथुरा छोड़कर कुशस्थली क्यों चले गये? इसका कारण मुझे बताओ। नाथ! तुम्हारे वियोगसे मुझे एक-एक क्षण युगके समान जान पड़ता है। एक-एक घड़ी एक-एक मन्वन्तरके तुल्य प्रतीत होती है और एक दिन मेरे लिये दो परार्धके समान व्यतीत होता है। देव! किस कुसमयमें मुझे दुःखदायी विरह प्राप्त हुआ, जिसके कारण मैं तुम्हारे सुखदायी चरणारविन्दोंका दर्शन नहीं कर पाती हूँ। जैसे सीता श्रीरामको और हंसिनी मानसरोवरको चाहती है, उसी तरह मैं तुम मानदाता रासेश्वरसे नित्यमिलनकी इच्छा रखती हूँ। तुम तो सर्वज्ञ हो, सब कुछ जानते हो। मैं तुमसे अपना दुःख क्या कहूँ? नाथ! सौ वर्ष बीत गये, किंतु मेरे वियोगका अन्त नहीं हुआ॥ ११—१५॥

राजन्! अपने परम प्रियतम स्वामी श्यामसुन्दरसे ऐसा वचन कहकर स्वामिनी श्रीराधा विरहावस्थाके दुःखोंको स्मरण करके अत्यन्त खिन्न हो फूट-फूटकर

रोने लगीं। प्रियाको रोते देख प्रियतम श्रीकृष्णने अपने वचनोंद्वारा उनके मानसिक क्लेशको शान्त करते हुए यह प्रिय बात कही॥ १६-१७॥

श्रीकृष्ण बोले—प्रिये राधे! यह शोक शरीरको सुखा देनेवाला है; अतः तुम्हें शोक नहीं करना चाहिये। हम दोनोंका तेज एक है, जो दो रूपोंमें प्रकट हुआ है; इस बातको ऋषि-महर्षि जानते हैं। जहाँ मैं हूँ, वहाँ सदा तुम हो और जहाँ तुम हो, वहाँ सदा मैं हूँ। हम दोनोंमें प्रकृति और पुरुषकी भाँति कभी वियोग नहीं होता। राधे! जो नराधम हम दोनोंके बीचमें भेद देखते हैं, वे शरीरका अन्त होनेपर अपनी उस दोषदृष्टिके कारण नरकोंमें पड़ते हैं।[1] श्रीराधिके! जैसे चकई प्रतिदिन प्रातःकाल अपने प्यारे चक्रवाकको देखती है, उसी तरह आजसे तुम भी मुझे सदा अपने निकट देखोगी। प्राणवल्लभे! थोड़े ही दिनोंके बाद मैं समस्त गोप-गोपियोंके और तुम्हारे साथ अविनाशी ब्रह्मस्वरूप श्रीगोलोकधाममें चलूँगा॥ १८—२२॥

श्रीगर्गजी कहते हैं—राजन्! माधवकी यह बात सुनकर गोपियोंसहित श्रीराधिकाने प्रसन्न हो प्यारे श्यामसुन्दरका उसी प्रकार पूजन किया, जैसे रमादेवी रमापतिकी पूजा करती हैं। नरेश्वर! श्रीराधिकाने पुनः श्रीकृष्णसे रासक्रीडाके लिये प्रार्थना की। तब प्रसन्न हुए रासेश्वरने वृन्दावनमें रास करनेका विचार किया॥ २३-२४॥

इस प्रकार श्रीगर्गसंहिताके अन्तर्गत अश्वमेधखण्डमें 'श्रीराधा-कृष्णका मिलन' नामक इकतालीसवाँ अध्याय पूरा हुआ॥ ४१॥

बयालीसवाँ अध्याय

रासक्रीडाके प्रसङ्गमें श्रीवृन्दावन, यमुना-पुलिन, वंशीवट, निकुञ्जभवन आदिकी शोभाका वर्णन; गोपसुन्दरियों, श्यामसुन्दर तथा श्रीराधाकी छबिका चिन्तन

श्रीगर्गजी कहते हैं—राजन्! हेमन्त-ऋतुके प्रथम मासमें पूर्णिमाकी रातको राधिकावल्लभ श्यामसुन्दरने वृन्दावनमें पहलेकी ही भाँति सबको वशमें कर लेनेवाली वंशी बजायी। वह वंशीध्वनि सबके मनको आकृष्ट करती हुई सब ओर फैल गयी। उसे सुनकर गोपसुन्दरियाँ प्रेमवेदनासे पीड़ित एवं त्रस्त हो गयीं। मेघोंकी गतिको रोकती, तुम्बुरुको बार-बार आश्चर्यमें डालती, सनक-सनन्दन आदिके ध्यानमें बाधा पहुँचाती, ब्रह्माजीको विस्मित करती, उत्कण्ठावलियोंसे राजा बलिको भी चपल बनाती, नागराज शेषमें चञ्चलता लाती तथा ब्रह्माण्डकटाहकी भित्तियोंका भेदन करती हुई वह वंशीध्वनि सब ओर फैल गयी[2]॥ १—३॥

राजेन्द्र! इतनेमें ही चराचर प्राणियोंके सूर्यकिरण-जनित संतापका मार्जन करते हुए चन्द्रमाका उदय हुआ; जैसे परदेशसे आया हुआ प्रियतम अपनी प्रियाके विरह-शोकको दूर कर देता है। दूसरोंको मान देनेवाले नरेश! उसी समय यमुनाने दिव्य रूप धारण किया। वृन्दावन, गिरिराज और व्रजभूमिका स्वरूप भी दिव्य हो गया। श्यामवर्णा यमुनानदीका उत्कर्ष बहुत बढ़ गया। वहाँ मणियोंमें श्रेष्ठ रत्न, मोती, माणिक्य, शुभ्ररत्न (हीरा), हरितरत्न (पन्ना) आदिसे निर्मित

१-तेजश्चैकं द्विधाभूतमावयोर्ऋषयो विदुः॥
यत्राहं त्वं सदा तत्र यत्र त्वं ह्यहमेव च। वियोग आवयोर्नास्ति मायापुरुषयोर्यथा॥
भेदं हि चावयोर्मध्ये ये पश्यन्ति नराधमाः। देहान्ते नरकान् राधे ते प्रयान्ति स्वदोषतः॥
(अध्याय ४१। १८—२०)

२-रुन्धन्नम्बुभृतश्चमत्कृतिपरं कुर्वन्मुहुस्तुम्बुरु ध्यानादन्तरयन् सनन्दनमुखान् विस्मापयन् वेधसम्।
औत्सुक्याद् बलिभिर्बलिं चटुलयन् भोगीन्द्रमाघूर्णयन् भिन्दन्नण्डकटाहभित्तिमभितो बभ्राम वंशीध्वनिः॥
(अध्याय ४२। ३)

करतोलिकाओंसे, जो वैदूर्य, नीलम, हरिन्मणि, इन्द्रनील, वज्रमणि और पीतमणियोंसे निर्मित सोपानों एवं रत्नमण्डपोंसे युक्त थीं, यमुनाजीकी अतिशय शोभा हो रही थी। यमुना-नदी वहाँ श्रीकृष्णसदनमें लौटती हुई सब नदियोंसे उत्कृष्ट शोभा पा रही थीं। स्वच्छन्द उछलते हुए मत्स्यगणोंके साथ बहती तथा सुन्दर श्याम अङ्गसे पापराशिका हरण करती हुई वे अपनी ऊँची-ऊँची चञ्चल लहरों तथा प्रफुल्ल कमलोंसे सुशोभित थीं॥ ४—७॥

उस गोवर्धनगिरिका भजन-सेवन करो। जो शत-शत चन्द्रमाओंके प्रकाशसे युक्त है, मन्दार और चन्दन लताओंसे वेष्टित कल्पवृक्ष जहाँ अद्भुत शोभा पाते हैं, जहाँ रासमण्डल तथा मणिमय मण्डप विद्यमान हैं तथा जिसके शिखरपर करोड़ों मञ्जुल निकुञ्ज कुटीर दीप्तिमान् हैं। यमुनाजीके तटप्रदेश, नीरराशि तथा तीरके सम्पर्कमें आकर मन्दगतिसे प्रवाहित होनेवाली अत्यन्त सुगन्धित वायुसे कम्पित वृन्दावनका सारा भाग सुवासित है तथा श्रीखण्ड, कुङ्कुमयुक्त मृत्तिका एवं अगुरुसे चर्चित होकर वह वन परम कल्याणमय जान पड़ता है। वसन्त-ऋतुमें सुलभ नूतन पल्लवों और फूलोंके रंगोंसे सेवित वृन्दावन मन्दार, चन्दन, चम्पा, कदम्ब, निरम्ब, अमड़ा, आम, कटहल, अगुरु, नारंगी, श्रीफल, ताड़, पीपल, बरगद और नवल नारियलसे सुशोभित है। खजूर, श्रीफल (बेल) और लवङ्गलताएँ उस वनकी शोभा बढ़ाती थीं। अंजीर, साल, तमाल, कदम्ब, सन्तान (कल्पवृक्ष), कुन्द, बेर, केला और मोतियोंसे वह सम्पन्न था। सेमल, मौलसिरी, केतकी और शिरीष आदि वृक्ष उसके वैभव थे॥ ८—११॥

नृपेन्द्र! सत्पुरुषोंके मनको मोद प्रदान करनेवाली लता-बल्लरी और कमलोंके समूहसे जिसकी आभा मनोहारिणी प्रतीत होती है, वह तुलसी-लतासे सम्पन्न श्रेष्ठ वृन्दावन श्रीमल्लिका, अमृतलता और मधुमयी माधवी-लताओंसे सुशोभित है। व्रजमण्डलके मध्य-भागमें तुम ऐसे वृन्दावनका चिन्तन करो। यमुनाके तटपर मधुर कण्ठवाले विहङ्गमोंसे युक्त वंशीवट शोभा पाता है। उसका पुलिन बालुकाओंसे सम्पन्न है। श्रीपाटल, महुआ, पलाश, प्रियाल, गूलर, सुपारी, दाख और कपित्थ (कैथ) आदि वृक्ष यमुनातटकी शोभा बढ़ाते हैं। कोविदार (कचनार), पिचुमन्द (नीम), लताजाल, अर्जुन (सरल), देवदारु, जामुन, सुन्दर बेंत, नरकुल, कुब्जक, स्वर्णयूथी, पुन्नाग, नागकेसर, कुटज और कुरबकसे भी वह आवृत है। चक्रवाक, सारस, तोते, श्वेत राजहंस, कारण्डव और जलकुक्कुट यमुनातटपर सदा कल-कूजन किया करते हैं। दात्यूह (पपीहा), कोयल, कबूतर, नीलकण्ठ और नाचते हुए मोरोंके कलरवसे मुखरित यमुनापुलिनका तुम सदा स्मरण करो॥ १२—१६॥

श्यामा, चकोर, खञ्जरीट, सारिका (मैना), पारावत (परेवा), भ्रमर, तीतर, तीतरी, कनकलता, मधुलता, मधुयुक्त जूही—इन सबसे जो आवेष्टित है, हरिण, मर्कट और मर्कटियाँ जहाँ सदा विचरती रहती हैं और पद्मरागमणिके शिखर जिसकी शोभा बढ़ाते हैं, वह वृन्दावनका निकुञ्जभवन, श्रीकौस्तुमणि और इन्द्रनील मणियोंसे अलंकृत है। वहाँ कोटि-कोटि चन्द्रमण्डलकी शोभासे युक्त सुनहरे चँदोवे लगे हैं, जो रेशमके सूतसे निर्मित हुए हैं। उस निकुञ्ज-भवनका द्वार मणिमय बन्दनवारोंसे विलसित है। मोतियोंकी झालरोंसे युक्त सुवर्णके समान पीली पताकाएँ वहाँ फहराती रहती हैं। कबूतर और हंस आदि पक्षी उसे घेरे रहते हैं। मन्दार, कुन्द, कनेर, जूही और नूतन चम्पाके फूलोंकी विचित्र मालाओंसे उस निकुञ्ज-भवनकी सुन्दर सजावट की गयी है। नागकेसर, कमल और हरिचन्दनके पल्लवोंकी मालाओंसे तथा श्रीमालती, कुरबक तथा काञ्चनयूथिकाके फूलोंके हारोंसे आवृत वह निकुञ्ज-भवन कामदेवके मनको भी मोह लेनेवाला है। वहाँ दीवारोंपर सुन्दर रत्नमय दर्पण लगे हैं और श्वेत चामर उस भवनकी शोभा बढ़ाते हैं। नूतन पल्लवों और पुष्पोंसे अलंकृत सिंहासनों, शय्यासनोंमें सुवर्ण और मूँगेके पाये लगे हैं, जिनसे उस भवनकी अनुपम शोभा होती है। श्रीचन्दन और अगुरुके जल, सुगन्धित पुष्पोंकी मकरन्दराशि तथा कस्तूरीके सौरभसे आमोदित केसरपङ्कसे उस भवनमें सब ओर छिड़काव किया गया है। हिलते हुए वसन्त-

वृक्षोंके पल्लवोंसे जिनका अनुमान होता है, ऐसे शीतल तथा गजराजकी-सी गतिवाले मन्द-मन्द समीरणसे उस भवनका सर्वाङ्ग सुगन्धसे भीना हुआ था। वहाँके वृक्षोंकी शाखाएँ अत्यन्त नम्र—झुकी हुई थीं तथा अधिकाधिक पुष्पसमूहोंसे वह अलंकृत था। श्रीहरिके ऐसे निकुञ्ज-भवनका तुम चिन्तन करो॥ १७—२२॥

नरेश्वर! श्रीहरिके वेणुवादनसे निकला हुआ गीत अत्यन्त प्रेमोन्मादकी वृद्धि करनेवाला था। उसे सुनकर समस्त व्रजसुन्दरियोंका मन प्रियतम श्रीकृष्णके वशमें हो गया। वे घरका सारा काम-काज छोड़कर व्रजमें चली आयीं। राजन्! जिन्हें पतियोंने रोक लिया, वे भी प्रियतम श्रीकृष्णके द्वारा हृदय हर लिये जानेके कारण स्थूल शरीर छोड़कर तत्काल श्रीकृष्णके पास चली गयीं। जिसपर सुनहरा दुकूल बिछा हुआ था, उस सिंहासनपर, उसके मध्यभागमें श्यामसुन्दर नन्दनन्दन श्रीसुन्दरी राधिकाके साथ बैठे थे। उनके गलेमें मकरन्दपूरित मालतीकी माला शोभा पा रही थी। उनकी अङ्गकान्ति श्याम थी। वे प्रातःकालके सूर्यके समान दीप्तिमान् किरीटसे सुशोभित थे। उनकी प्रभा चारों ओर फैल रही थी। अधरसे लगी हुई श्रीमुरलीके कारण उन श्रीहरिकी मनोहरता और भी बढ़ गयी थी। वहाँ आयी हुई व्रजसुन्दरियोंने कोटि-कोटि कामदेवके समूहोंको मोहित करनेवाले पीताम्बरधारी श्यामसुन्दरको देखा॥२३—२६॥

राजन्! मीनाकार कुण्डलधारी प्रिया-प्रियतम श्रीहरिको देखकर गोपियाँ तत्काल मूर्च्छित हो गयीं। उनके अङ्गोंमें किसी प्रकारकी चेष्टा नहीं दिखायी देती थी। तब श्रीकृष्णने अमृतके समान मधुर वचनोंद्वारा उन सबको सान्त्वना दी—धीरज बँधाया। तब समस्त गोपसुन्दरियाँ उस वनप्रान्तमें चेतनाको प्राप्त हुईं। गद्गद वाणीसे श्रीकृष्णकी स्तुति करके डरी हुई-सी उन गोपसुन्दरियोंने विरहजनित दुःखका परित्याग कर प्राणवल्लभ गोविन्दकी ओर बड़े प्यारसे देखा। मालतीवनसे व्याप्त दिव्य वृक्षों एवं दिव्य लताओंके जालसे मण्डित तथा भ्रमरोंकी गुञ्जारोंसे मुखरित शोभाशाली वृन्दावनमें साक्षात् मदनमोहनदेव श्रीहरि गोपाङ्गनाओंके साथ विचरने लगे। अपने हस्तकमलसे श्रीराधिकाके करकमलको पकड़कर हँसते हुए साक्षात् भगवान् नन्दनन्दन यमुनाजीके तटपर आये। यमुनाके किनारे शोभायमान निकुञ्ज-भवनमें श्रीकृष्ण विराजमान हुए। राजन्! मधुपतिके उस भवनमें श्रीकृष्णचन्द्रके चरणारविन्दोंके चिन्तनमें संलग्न हुई गोपाङ्गनाओंके पैरोंमें झनकारते हुए नूपुरोंकी ध्वनिके साथ खनखनाते हुए हाथके कंगनों, पाँवके मञ्जीरों और कटिप्रदेशकी रत्ननिर्मित चञ्चल किंकिणियोंके मधुर रवको तुम मनके कानोंसे सुनो॥ २७—३३॥

मन्द-मन्द मुसकानकी कान्तिसे उन गोपसुन्दरियोंके कोमल कपोल-प्रान्त सुस्पष्ट चमकते या चमत्कारपूर्ण शोभा धारण करते थे। शोभामयी दन्तपङ्क्तिसे विद्युद्विलास-सा प्रकट करनेवाली उन सखियोंके वेष बड़े मनोहर थे। कोटीर रत्नके हार और हरितमणिके बाजूबंदसे विभूषित तथा सूर्यमण्डलके समान दीप्तिमान् कुण्डलोंसे मण्डित हुई उन गोपसुन्दरियोंमें कोई-कोई युवती 'मुग्धा' बतायी गयी है। कोई तरुणी 'मध्या' और कोई सुन्दरी 'प्रगल्भा' नायिका थी। कोई तरुणी '**तरुं नयति**—इति तरुणी।'—इस व्युत्पत्तिके अनुसार तरुको भी विनयकी शिक्षा देती थी। कोई सखी उस सुन्दर वनमें अपने मधुर हासकी छटा बिखेरती थी और कोई मदमत्त होकर चलती थी। कोई उसे भी हाथसे ठोंककर आगे दौड़ जाती थी और कोई उसको भी पकड़कर उस निकुञ्ज-भवनमें कमलके फूलोंसे पीटती थी। कोई किसीके ढीले या टूटते हुए सुवर्णहारको हँसी-हँसीमें खींच लेती और कोई उस वन-विहारमें इस तरह मतवाली होकर दौड़ती कि उसके बँधे हुए केशपाश खुल जाते थे। उस निकुञ्ज-भवनमें श्रीजाह्नवी (गङ्गा), मधु-माधवी, शीला, रमा, शशिमुखी, विरजा, सुशीला, चन्द्रानना, ललिता, अचला, विशाखा और माया आदि असंख्य गोपियाँ थीं। मैंने यहाँ थोड़ी-सी गोपाङ्गनाओंके ही नाम बताये हैं। वहाँकी मणिमयी भूमियोंपर कोई लीलाछत्र लेकर और कोई अतिमौक्तिक लता (मौगरा आदि) के फूलोंकी मालाएँ लेकर चलती थी। कितनी ही सखियाँ चामर, व्यजन,

दण्ड और फहराती हुई पीली पताकाएँ लिये चल रही थीं। कुछ गोपाङ्गनाएँ वहाँ श्रीहरि (नटवर नन्दकिशोर) का वेष धारण करके नाचती थीं। कोई हाथमें वीणा लेकर बजाती, कोई हाथसे ताल देती और कोई मृदङ्गवादनकी कला दिखाती थी। कितनी ही सखियाँ वृषभानुनन्दिनीका-सा वेष धारण किये, केयूर और कुण्डलोंसे अलंकृत हो वंशी लेकर बजातीं और कई मणिमण्डित बेंतकी छड़ी हाथमें लेकर चलती थीं। सुन्दर हाव-भाव, रस और तालसे युक्त मन्द मुसकानके रससे सिक्त तथा झंकारते हुए नूपुरोंके शब्दसे युक्त विशद कटाक्षों, भौंहोंके कुटिल विलासों एवं संगीत-नृत्यकलाके ज्ञानोंद्वारा गोपाङ्गनाएँ वहाँ श्रीराधा तथा माधवको सतत संतुष्ट कर रही थीं। यमुनाके तटपर उस निकुञ्ज-भवनमें वंशीवटके पासकी वनभूमिके निकट नटवरवेषधारी नन्दनन्दन श्रीकृष्ण श्रीराधाके साथ गिरिराजकी घाटीमें विचर रहे हैं। इस झाँकीमें तुम उनका चिन्तन करो॥ ३४—४१॥

श्रीपद्मरागमणिके समान अरुण आभावाले चमकीले नखोंसे जिनके चरणारविन्द उद्दीप्त जान पड़ते हैं, जो अपने पैरोंमें झंकारते हुए नूपुर धारण किये हुए हैं, जिनके सम्पूर्ण अङ्गदेशसे दिव्य दीप्ति झर रही है, जो विचरणकालमें अपने लाल-लाल पादतलोंसे भूप्रदेशको अरुण रंगसे रञ्जित कर रहे हैं, शोभाशाली चरणपरागकी सुन्दर कान्ति बिखेरते हुए इधर-उधर टहल रहे हैं, जिनका युगल जानुदेश लक्ष्मीजीके करकमलोंद्वारा सब ओरसे लालित होता—दुलारा जाता है, जिनके रम्भाके समान जाँघोंपर पीताम्बर शोभा पाता है, जिनका उदरभाग अत्यन्त कृश है, नाभिसरोवर रोमावलिरूपी भ्रमरोंसे सुशोभित है, जो उदरमें त्रिवेणीमयी तीन रेखा धारण करते हैं, जिनका वक्षःस्थल भृगुके चरणचिह्न तथा कौस्तुभमणिसे अलंकृत है, श्रीवत्सचिह्न एवं हारोंसे अत्यन्त रुचिर दिखायी देता है, जिनके श्रीअङ्गोंकी कान्ति नूतन मेघमालाके समान नील है, जो रेशमी पीताम्बर धारण करते हैं, जिनके विशाल भुजदण्ड हाथीकी सूँड़के समान प्रतीत होते हैं, जो रत्नमय बाजूबंद और मणिमय कंगन धारण करते हैं, जिनके एक हाथमें दिव्य कमल है तथा दूसरे हाथमें दिव्य शङ्ख कमलपर विराजित राजहंसके समान शोभा पाता है, जो शङ्खाकार ग्रीवासे सुन्दर दिखायी देते हैं, जिनके कपोलोंका मध्यभाग अत्यन्त शोभाशाली है, चिबुक (ठोढ़ी) का भाग गहरा है और दाँत कुन्दके समान चमकीले हैं, पके हुए बिम्बफलको अपनी अरुणिमासे लज्जित करनेवाले अधर मन्द मुसकानकी छटासे छबिमान हैं, नासिका तोतेकी चोंचके समान नुकीली है और जिनके वचनोंसे मानो अमृत झरता रहता है, कटाक्ष अत्यन्त चञ्चल हैं, नेत्र प्रफुल्ल कमलदलके समान मनोहर हैं, जिनकी प्रत्येक लीला उनके प्रति प्रेमकी वृद्धि करनेवाली है और भ्रूमण्डल मानो मन्द-मुस्कानरूपी प्रत्यञ्चासे युक्त कामदेवके धनुष हैं, जिनके मस्तकपर धारित रत्नमय किरीट विद्युत्की छटाको विलज्जित कर रहा है तथा जो मार्तण्डमण्डलके समान कान्तिमान् कुण्डलोंसे मण्डित हैं, जिनके अधरपर वंशी विराजमान है, काली-काली घुँघराली अलकें चञ्चल भुजङ्गके समान जान पड़ती हैं, जिनका मुख सजल पद्मपत्रके समान स्वेद बिन्दुओंसे विलसित है, जो करोड़ों कामदेवोंके घनीभूत सौन्दर्याभिमानको हर लेनेवाले हैं, जिनका श्रीविग्रह पतला है तथा जो वृन्दावनमें वंशीवटके समीप विचर रहे हैं, उन राधावल्लभ नटवर नन्दकिशोरका तुम सब प्रकारसे भजन-सेवन करो*॥ ४२—४७॥

---

*श्रीपद्मरागनखदीप्तिपदारविन्दं झङ्कारनूपुरधरं स्फुरदङ्गदेशम्। कुर्वन्तमेव तु पदारुणभूमिदेशं श्रीमत्परागसुरुचालमितस्ततस्तु॥
लक्ष्मीकराब्जपरिलालितजानुदेशं रम्भोरुपीतवसनं तु कृशोदराभम्। रोमावलिभ्रमरनाभिसरस्त्रिरेखं काञ्चीधरं भृगुपदं मणिकौस्तुभाढ्यम्॥
श्रीवत्सहाररुचिरं नवमेघनीलं पीताम्बरं करिकरस्फुटबाहुदण्डम्। रत्नाङ्गदं च मणिकङ्कणपद्महस्तं श्रीराजहंसवरकन्धरशोभमानम्॥
श्रीकम्बुकण्ठललितं विलसत्कपोलं मध्यं तु निम्नचिबुकं किल कुन्ददन्तम्। बिम्बाधरं स्मितलसच्छुकचञ्चुनासं पीयूषकल्पवचनं प्रचलत्कटाक्षम्॥
श्रीपुण्डरीकदलनेत्रमनङ्गलीलं भ्रूमण्डलस्मितगुणावृतकामचापम्। विद्युच्छटोच्छलितरत्नकिरीटकोटिं मार्तण्डमण्डलविकुण्डलमण्डिताभम्॥
वंशीधरं त्वहिविलोलगुडालकाढ्यं राधापतिं सजलपद्ममुखं चलन्तम्। कंदर्पकोटिघनमानहरं कृशाङ्गं वंशीवटे नटवरं भज सर्वथा त्वम्॥
(अध्याय ४२।४२—४७)

जिनके लाल-लाल नखचन्द्रोंसे युक्त चरणारविन्द-की शोभा कुछ-कुछ लाल दिखायी देती है, मञ्जीर और नूपुरोंकी झङ्कारके साथ जिनके कटिप्रदेशकी किंकिणी खनकती रहती है, घुँघुरू और सोनेके कंगनोंके मधुर शब्दसे शोभित होनेवाली तथा तरुपुञ्जोंके निकुञ्जमें विराजमान उन श्रीराधारानीका मैं ध्यान करता हूँ। श्रीराधाके शरीरपर नीले रंगके वस्त्र शोभा पाते हैं, जो सुनहरे किनारोंके कारण सूर्यकी किरणोंके समान चमक रहे हैं। यमुनातटपर प्रवाहित होनेवाली वायुकी गतिसे वे वस्त्र चञ्चल हो गये हैं—उड़ रहे हैं और अत्यन्त सूक्ष्म (महीन) होनेके कारण बहुत ही ललित (सुन्दर) दीख पड़ते हैं। ऐसे वस्त्रोंसे सुशोभित, अतिशय गौरवर्णा एवं मनोहर मन्द हासवाली रासेश्वरी श्रीराधाका भजन करो। जिनके बहुमूल्य मणिमय अङ्गद तथा रत्नमय हार प्रात:काल-के सूर्यमण्डलकी भाँति दीप्तिमान् हैं, जो कानोंके ताटङ्क (बाली) और कण्ठमें सुशोभित मणिराज कौस्तुभके कारण अत्यन्त मनोहर छबि धारण करती हैं, जिनके गलेमें रत्नमयी कण्ठमाला तथा फूलोंके चौदह लड़ोंके हार शोभा पाते हैं तथा जो रत्ननिर्मित मुद्रिकासे ललित (अत्यन्त आकर्षक) प्रतीत होती हैं, उन व्रजराज नन्दनन्दनकी पत्नी श्रीराधाका स्मरण करो। जिनके मस्तकपर चूड़ामणिकी कान्तिसे लसित अर्धचन्द्राकार भूषण जगमगा रहा है, कण्ठगत आभूषणों और मुख-मण्डलमें की गयी पत्ररचनासे जिनका रूप-सौन्दर्य विचित्र (अद्भुत) जान पड़ता है, जो श्रीपट्टसूत्र और मणिमय पट्टसूत्रोंद्वारा निर्मित दो लड़ोंकी चञ्चल माला धारण करती हैं तथा जिन्होंने अपने एक हाथमें प्रकाशमान सहस्रदल कमलको धारण कर रखा है, उन श्रीराधाका भजन करो। श्रीयुक्त भुजाओंके मणिमय कंगनोंसे कुचमण्डलमें विलसित रत्नमय हारकी दीप्ति द्विगुणित हो उठती है, सुन्दर नासिकाके नकबेसर आदि आभूषण समूचे कपोलमण्डलको उद्भासित करते हैं। उत्तम यौवनावस्थाके अनुरूप उनकी मन्द-मन्द गति है। सिरपर बँधी हुई सुन्दर वेणी नागिनके समान शोभा पाती है। खिली हुई चम्पाके फूलोंकी-सी अङ्गोंकी पीत-गौर आभा है तथा मुखकी शोभा संध्याकालमें उदित करोड़ों चन्द्रमाओंकी कान्तिको तिरस्कृत करती है, ऐसी श्रीराधाका भजन करो। जो सुन्दर हावभावसे सुशोभित, नव विकसित नीलकमलके समान नेत्रवाली, मन्द मुसकानकी कान्तिमती कलाको प्रकाशित करनेवाली तथा चञ्चल कटाक्षोंके कारण कमनीय हैं, जिनकी कुन्तलराशिकी श्याम आभा बड़ी मनोहर है तथा जो पारिजातके हारोंके मधुर मकरन्दपर लुभायी हुई भ्रमरीके गुञ्जारवसे सुशोभित हैं, उन श्रीकृष्णवल्लभा राधाका चिन्तन करो। श्रीखण्डचन्दन, केसरपङ्क तथा अगुरुमिश्रित जलसे जिनका अभिषेक हुआ है, भालदेशमें जो कुङ्कुमकी वेणी धारण करती हैं तथा जिनके मुख-मण्डलमें रुचिर पत्ररचनाके रूपमें विचित्र चित्र चित्रित किया गया है, कल्पवृक्षके पत्रोंके समान जिनकी रुचिर गौर कान्ति है तथा जो नेत्रोंमें पूर्णरूपसे अञ्जनकी शोभा धारण करती हैं, उन गजगामिनी, पद्मिनी नायिका रासेश्वरी श्रीराधाका भजन करो*॥ ४८—५४॥

ऐसी रतिसे भी अधिक सुन्दर श्रीराधाको साथ लेकर श्रीकृष्ण निकुञ्जवनकी शोभा देखनेके लिये

---

*आरक्तरक्तनखचन्द्रपदाब्जशोभां मञ्जीरनूपुररणत्कटिकिङ्किणीकाम्।
श्रीघण्टिकाकनककङ्कणशब्दयुक्तां राधां दधामि तरुपुञ्जनिकुञ्जमध्ये॥
नीलाम्बरैः कनकरश्मितटस्फुरद्भिः श्रीभानुजातटमरुद्गतिचञ्चलाङ्गैः।
सूक्ष्मस्वरूपललितैरतिगौरवर्णां रासेश्वरीं भज मनोहरमन्दहासाम्॥
बालार्कमण्डलमहाङ्गदरत्नहारां ताटङ्कतोरणमणीन्द्रमनोहराभाम्।
श्रीकण्ठभालसुमनोनवपंचदाम्नीं रत्नाङ्गुलीयललितां व्रजराजपत्नीम्॥
चूडामणिद्युतिलसत्स्फुरदर्धचन्द्रं ग्रैवेयकालपनपत्रविचित्ररूपाम्।
श्रीपट्टसूत्रमणिपट्टचलद्द्विदाम्नीं स्फूर्जत्सहस्रदलपद्मधरां भजस्व॥
श्रीबाहुकङ्कणलसत्कुचरत्नदीप्तिं श्रीनासिकाभरणभूषितगण्डदेशाम्।
सद्यौवनालसगतिं कलसर्पवेणीं संध्येन्दुकोटिवदनां स्फुटचम्पकाभाम्॥

जब जा रहे थे, तब वहाँ गोपाङ्गनाएँ मणिमय छत्र धारण किये, मनोहर चँवर लिये तथा फहराती हुई पताकाएँ ग्रहण किये उनके साथ-साथ दौड़ने लगीं। आदिपुरुष नन्दनन्दन उत्तम धैवत और मध्यम आदि स्वरोंसे छः राग तथा उनका अनुगमन करनेवाली छत्तीसों रागिनियोंका ललित वंशीरवके द्वारा गान करते हुए चल रहे थे, ऐसे श्रीकृष्णका ध्यान करो। जो शृङ्गार, वीर, करुण, अद्भुत, हास्य, रौद्र, बीभत्स और भयानक रसोंसे नित्य युक्त हैं, व्रजवधुओंके मुखारविन्दके भ्रमर हैं और जिनके युगल चरण योगीश्वरोंके हृदयकमलमें सदा प्रकाशित होते हैं, उन भक्तप्रिय भगवान्‌का भजन करो। जो समस्त क्षेत्रोंमें क्षेत्रज्ञरूपसे निवास करते हैं, आदिपुरुष हैं, अधियज्ञ-स्वरूप हैं, समस्त कारणोंके भी कारणेश्वर हैं, प्रकृति और पुरुषमेंसे पुरुषरूप हैं तथा जिन्होंने अपने तेजसे यहाँ समस्त छल-कपट—काम-कैतवको निरस्त कर दिया है, उन सर्वेश्वर श्रीकृष्ण हरिका भजन करो। शिव, धर्म, इन्द्र, शेष, ब्रह्मा, सिद्धिदाता गणेश तथा अन्य देवता आदि भी जिनकी ही स्तुति करते हैं; श्रीराधा, लक्ष्मी, दुर्गा, भूदेवी, विरजा, सरस्वती आदि तथा सम्पूर्ण वेद सदा जिनका भजन करते हैं, उन श्रीहरिका मैं भजन करता हूँ॥ ५५—५९॥

इस प्रकार श्रीगर्गसंहिताके अन्तर्गत अश्वमेधखण्डमें 'रासक्रीडा-विषयक' बयालीसवाँ अध्याय पूरा हुआ॥ ४२॥

तैंतालीसवाँ अध्याय

श्रीकृष्णका श्रीराधा और गोपियोंके साथ विहार तथा मानवती गोपियोंके अभिमानपूर्ण वचन सुनकर श्रीराधाके साथ उनका अन्तर्धान होना

श्रीगर्गजी कहते हैं—राजन्! वृक्षों, लताओं और भ्रमरोंसे व्याप्त तथा शीतल-मन्द पवनसे वीजित वृन्दावनमें मुरलीके छिद्रोंको मुखोद्गत समीरसे भरते—वेणु बजाते हुए नन्दनन्दन श्रीहरि बारंबार देवताओंका मन मोहने लगे। तदनन्तर वेणुगीत सुनकर प्रेमविह्वला कीर्तिनन्दिनी श्रीराधाने प्रियतम नन्दनन्दनको दोनों बाँहोंमें भर लिया। गोकुलचन्द्र श्रीकृष्णने गोकुलकी चकोरी राधाको प्रेमपूर्वक निहारते हुए फूलोंकी सेजपर उनके मनको लुभाते हुए उनके साथ आनन्दमयी दिव्य क्रीडा की। श्रीकृष्णके साथ विहारका सुख पाकर स्वामिनी श्रीराधा ब्रह्मानन्दमें निमग्न हो गयीं। उन्होंने स्वामीको वशमें कर लिया और वे परमानन्दका अनुभव करने लगीं॥ १—४॥

राजन्! प्रेमानन्द प्रदान करनेवाले रमणीय रमावल्लभ श्रीहरिको गोपरामाओंने रासमण्डलमें सब ओरसे पकड़ लिया। उनमें सौ यूथोंकी युवतियाँ विद्यमान थीं। नरेश्वर! रमणीय नन्दनन्दन श्रीहरिने रासमण्डलमें जितनी व्रजसुन्दरियाँ थीं, उतने ही रूप धारण करके उनके साथ विहार किया। जैसे संत पुरुष ब्रह्मका साक्षात्कार करके परमानन्दमें निमग्न हो जाते हैं, उसी प्रकार वे वृन्दावनविहारिणी समस्त गोप-सुन्दरियाँ बाँकेविहारीके साथ विहारका सुख पाकर ब्रह्मानन्दमें डूब गयीं। श्रीवल्लभ श्यामसुन्दरने अपने शोभाशाली युगलकरकमलोंद्वारा उन सम्पूर्ण व्रज-वनिताओंको अपने हृदयसे लगाया; क्योंकि उन्होंने अपनी भक्तिसे भगवान्‌को वशमें कर लिया था। उन गोपसुन्दरियोंके मुखोंपर पसीनेकी बूँदें छा रही थीं। व्रजवल्लभ श्रीकृष्णने बड़े प्यारसे अपने पीताम्बरद्वारा

सद्भावभावसहितां नवपद्मनेत्रां स्फूर्जत्स्मितद्युतिकलां प्रचलत्कटाक्षाम्।
कृष्णप्रियां ललितकुन्तलकुन्तलाभां मन्दारहारमधुरभ्रमरीरवाढ्याम्॥
श्रीखण्डकुङ्कुममृदागुरुवारिसिक्तां श्रीबिन्दुकीरुचिरपत्रविचित्रचित्राम्।
संतानपत्ररुचिरामलमश्रुनाभां रासेश्वरीं गजगतिं भज पद्मिनीं ताम्॥
(अध्याय ४२। ४८—५४)

उन पसीनोंको पोंछा। उन गोपाङ्गनाओंकी तपस्याके फलका मैं क्या वर्णन कर सकता हूँ? उन्होंने सांख्य, योग, तप, उपदेश-श्रवण, तीर्थसेवन तथा गान आदिके बिना ही केवल प्रेममूलक कामनासे श्रीहरिको प्राप्त कर लिया॥ ५—१०॥

तदनन्तर समस्त गोपियाँ अभिमानमें आकर परस्पर ओछी बातें करने लगीं; क्योंकि वे श्रीकृष्णके विहार-सुखसे पूर्णतः परितृप्त थीं। वे कहने लगीं—'सखियो! पहले श्रीकृष्ण हमलोगोंको छोड़कर मथुरापुरी चले गये थे, जानती हो क्यों? क्योंकि वे स्वयं परम सुन्दर हैं; अतः नगरमें परमसुन्दरी रूपवती स्त्रियोंको देखने गये थे। परंतु वहाँ जानेपर भी उन्हें मनके अनुरूप सुन्दरियाँ नहीं दिखायी दीं। तब वे फिर वहाँसे द्वारका चले गये। जब वहाँ भी सुन्दरियाँ नहीं दृष्टिगोचर हुईं, तब उन्होंने एक सुन्दरी राजकुमारीके साथ विवाह किया। वह थी—भीष्मकराजनन्दिनी रुक्मिणी! किंतु उसे भी रूपवती न मानकर इन्होंने पुनः बहुत-से विवाह किये। सोलह हजार स्त्रियाँ घरमें ला बिठायीं। किंतु सखियो! उन सबको भी मनके अनुकूल रूपवती न पाकर बारंबार शोक करते हुए श्यामसुन्दर श्रीकृष्ण पुनः हमें देखनेके लिये व्रजमें आये हैं। अरी वीर! सर्वद्रष्टा परमेश्वर हमारे रूप देखकर उसी तरह प्रसन्न हुए हैं, जैसे पहले रासमें हुआ करते थे। इसलिये हमलोग त्रिभुवनकी समस्त सुन्दरियोंमें श्रेष्ठ, सुलोचना, चन्द्रमुखी तथा नित्य सुस्थिरयौवना मानी गयी हैं। हमारे समान रूपवती स्वर्गलोककी देवाङ्गनाएँ भी नहीं हैं; क्योंकि हमने अपने कटाक्षोंद्वारा श्रीकृष्णको शीघ्र ही वशमें कर लिया और कामुक बना दिया। अहो! जिस हंसने पहले मोती चुग लिये हैं, वही दुःखपूर्वक दूसरी वस्तु कैसे खायगा? हर जगह मोती नहीं सुलभ होते। वे तो केवल मानसरोवरमें ही मिलते हैं; उसी प्रकार भूतलपर सर्वत्र सुन्दरी स्त्रियाँ नहीं होतीं। यदि कहीं हैं तो इस व्रजमें ही हैं॥ ११—२०॥

श्रीगर्गजी कहते हैं—राजन्! जगदीश्वर श्रीकृष्ण आत्माराम हैं। वे उन मानवती गोपसुन्दरियोंका ऐसा कथन सुनकर श्रीराधाके साथ वहीं अन्तर्धान हो गये। नरेश्वर! निर्धन मनुष्य भी धन पाकर अभिमानसे फूल उठता है; फिर जिसको साक्षात् नारायण प्राप्त हो गये, उसके लिये क्या कहना है॥ २१-२२॥

इस प्रकार श्रीगर्गसंहिताके अन्तर्गत अश्वमेधखण्डमें 'रासक्रीडाविषयक' तैंतालीसवाँ अध्याय पूरा हुआ॥ ४३॥

चौवालीसवाँ अध्याय

गोपियोंका श्रीकृष्णको खोजते हुए वंशीवटके निकट आना और श्रीकृष्णका मानवती राधाको त्यागकर अन्तर्धान होना

वज्रनाभ बोले—ब्रह्मन्! मैंने आपके मुखसे श्रीकृष्णका अद्भुत चरित्र सुना। भगवान्‌के अदृश्य हो जानेपर गोपियोंने क्या किया? उन्होंने गोपाङ्गनाओं-को कैसे दर्शन दिया? मुनिश्रेष्ठ! मुझ श्रद्धालु भक्तको वह सारा प्रसङ्ग सुनाइये। संसारमें वे लोग धन्य हैं, जो सदा अपने कानोंसे श्रीकृष्णकी कथा सुनते हैं, मुखसे श्रीकृष्णचन्द्रके नाम जपते हैं, हाथोंसे प्रतिदिन श्रीकृष्णकी सेवा करते हैं, नित्यप्रति उनका ध्यान और दर्शन करते हैं तथा प्रतिदिन उन भगवान्‌का चरणोदक पीते और प्रसाद खाते हैं। मुनिप्रवर! इस भावसे श्रम करके जो लोग जगदीश्वर श्रीकृष्णका भजन करते हैं, वे उनके परमधाममें जाते हैं। मुने! जो शारीरिक सौख्यसे उन्मत्त होकर संसारमें नाना प्रकारके भोग भोगते हैं और श्रवण-मनन आदि साधन नहीं करते, वे शरीरका अन्त होनेपर भयंकर यमदूतों-द्वारा पकड़े जाते हैं और जबतक सूर्य तथा चन्द्रमाकी स्थिति है, तबतकके लिये कालसूत्र नरकमें डाल दिये जाते हैं*॥ १—७॥

---

*धन्यास्ते ये हि शृण्वन्ति कर्णे कृष्णकथां सदा॥
मुखेन कृष्णचन्द्रस्य नामानि प्रजपन्ति हि। हस्तैः श्रीकृष्णसेवां वै ये प्रकुर्वन्ति नित्यशः॥

सूतजी कहते हैं—इस प्रकार प्रश्न करनेवाले राजा वज्रनाभकी प्रशंसा करके मुनीश्वर गर्गजी गद्गदवाणीसे उन्हें श्रीहरिका चरित्र सुनाने लगे॥ ८॥

श्रीगर्गजी बोले—राजन्! श्रीकृष्णके अन्तर्धान हो जानेपर समस्त गोपाङ्गनाएँ उन्हें न देखकर उसी तरह संतप्त हो उठीं, जैसे हरिणियाँ यूथपति हरिणको न पाकर दु:खमग्न हो जाती हैं। 'भगवान् श्रीहरि अन्तर्धान हो गये'—यह जानकर समस्त गोपसुन्दरियाँ पूर्ववत् यूथ बनाकर चारों ओर वन-वनमें उनकी खोज करने लगीं। परस्पर मिलकर वे समस्त वृक्षोंसे पूछने लगीं—'वृक्षगण! नन्दनन्दन श्रीकृष्ण हमको अपने कटाक्ष-बाणसे घायल करके कहाँ चले गये? यह बात हमें बता दो; क्योंकि तुम सब लोग इस वनके स्वामी हो। सूर्यनन्दिनि यमुने! तुम्हारे पुलिनके प्राङ्गणमें प्रतिदिन गौएँ चराते हुए जो तरह-तरहकी लीलाएँ किया करते थे, वे गोपाल श्रीकृष्ण कहाँ चले गये? यह हमें बताओ। सैकड़ों शिखरोंसे सुशोभित होनेके कारण 'शतशृङ्ग' नामसे विख्यात गोवर्द्धन! तुम गिरिराज हो। तुम्हें पूर्वकालमें इन्द्रके कोपसे व्रजवासियोंकी रक्षा करनेके लिये श्रीनाथजीने अपने बायें हाथपर धारण किया था। तुम श्रीहरिके औरस पुत्र हो; इसलिये वे कभी तुमको छोड़ते नहीं हैं। अत: तुम्हीं बताओ, वे नन्दनन्दन हमें वनमें छोड़कर कहाँ गये और इस समय कहाँ हैं? हे मयूर! हरिण! गौओ! मृगो! तथा विहङ्गमो! क्या तुमने काली-काली घुँघराली अलकोंसे सुशोभित किरीटधारी श्रीकृष्णको देखा है? बताओ! वे हमारे मनमोहन इस समय कहाँ, किस वनमें हैं?'॥ ९—१६॥

श्रीगर्गजी कहते हैं—राजन्! इन वचनोंद्वारा पूछे जानेपर भी वे कठोर तीर्थवासी प्राणी कोई उत्तर नहीं दे रहे थे; क्योंकि वे सभी मोहके वशीभूत थे॥ १७॥

इस प्रकार श्रीकृष्णचन्द्रका पता पूछती हुई समस्त गोपसुन्दरियाँ 'कृष्ण! कृष्ण!' पुकारते कृष्णमयी हो गयीं। वे कृष्णस्वरूपा गोपाङ्गनाएँ वहाँ श्रीकृष्णके लीला-चरित्रोंका अनुकरण करने लगीं। फिर वे यमुनाकी रेतीमें गयीं और वहाँ उन्हें श्रीहरिके पदचिह्न दिखायी दिये। वज्र , ध्वज और अङ्कुश आदि चिह्नोंसे उपलक्षित महात्मा श्रीकृष्णके चरण देखती और उनका अनुसरण करती हुई व्रजाङ्गनाएँ तीव्र गतिसे आगे बढ़ीं। वे श्रीकृष्णकी चरणरेणु लेकर अपने मस्तकपर रखती जाती थीं। इतनेमें ही अन्य चिह्नोंसे उपलक्षित दूसरे पदचिह्न भी उनके दृष्टिपथमें आये। उन चरण-चिह्नोंको देखकर वे आपसमें कहने लगीं—'मालूम होता है, प्रियतम श्यामसुन्दर प्रियाके साथ गये हैं' इस तरह बात करती और चरणचिह्न देखती हुई वे गोपाङ्गनाएँ तालवनमें जा पहुँचीं। नरेश्वर! व्रजेश्वरी श्रीराधाके साथ व्रजमें आगे-आगे जाते हुए व्रजेन्द्र श्रीकृष्ण पीछे आती हुई गोपियोंका कोलाहल सुनकर स्वामिनी श्रीलाड़िलीजीसे बोले—'करोड़ों चन्द्रमाओंके समान कान्ति धारण करनेवाली प्रियतमे! जल्दी-जल्दी चलो। तुमको और मुझको साथ ले जानेके लिये व्रजसुन्दरियाँ सब ओरसे यहाँ आ पहुँची हैं॥ १८—२४॥

नरेश्वर! तब प्रियाजीने पहले प्रियतम श्याम-सुन्दरका फूलोंसे शृङ्गार किया। शृङ्गार करके वृन्दावनमें उन्हें पूर्ववत् दिव्य सुन्दर बना दिया। इसके बाद नन्दनन्दनने बहुत-से पुष्प लाकर उनके द्वारा प्रियाको भी दिव्य शृङ्गार धारण कराया। जैसे पूर्वकालमें उन्होंने भाण्डीरवनमें प्रियाका शृङ्गार किया था, उसी प्रकार उन्होंने पहले तो उनके केश सँवारे; फिर उनमें फूलोंके गजरे लगा दिये। इसके बाद प्राणवल्लभाके अङ्ग-अङ्गमें अनुरूप अनुलेपन एवं अङ्गराग धारण कराये। फिर पानका बीड़ा खिलाया। श्यामसुन्दरके द्वारा सुन्दर शृङ्गार धारण कराये जानेपर गौरसुन्दरी श्रीराधा अत्यन्त सुन्दरी हो गयीं। सुन्दरताकी पराकाष्ठाको पहुँच गयीं॥ २५—२७॥

नित्यं कुर्वन्ति कृष्णस्य ध्यानं दर्शनमेव च। पादोदकं प्रसादं च ये प्रभुञ्जन्ति नित्यशः॥
इतीदृशेन भावेन श्रमेण जगदीश्वरम्। ये भजन्ति मुनिश्रेष्ठ ते प्रयान्ति हरेः पदम्॥
संसारे ये प्रभुञ्जन्ति भोगान्नानाविधान् मुने। श्रवणादीन्न कुर्वन्ति देहसौख्येन दुर्मदाः॥
ते चान्ते यमदूतैश्च गृहीताश्च भयानकैः। पतिताः कालसूत्रे वै यावद्रविनिशाकरौ॥ (अध्याय ४४। २—७)

महाराज! इसके बाद प्रमोदपूरित रमावल्लभ श्रीकृष्णने एक फूलके वृक्षके नीचे पुष्पमयी शय्या तैयार करके उसके ऊपर प्रियतमाके साथ प्रेममयी दिव्य क्रीडा की। वृन्दावन, गिरिराज, गोवर्धन, यमुना-पुलिन, नन्दीश्वरगिरि, बृहत्सानुगिरि और रोहितपर्वतपर तथा व्रजमण्डलके बारह वनोंमें सर्वत्र प्राणवल्लभाके साथ विचरण करके प्रियतम श्यामसुन्दर वंशीवटके नीचे आकर खड़े हुए थे। राजेन्द्र! वहाँ स्वामिनीसहित श्रीगोपीजनवल्लभ माधवने 'कृष्ण, कृष्ण' का कीर्तन करती हुई गोपियोंका महान् कोलाहल सुना। फिर वे प्रियासे प्रेमपूर्वक बोले—'प्रियतमे! जल्दी-जल्दी चलो!' श्रीकृष्णका यह कथन सुनकर श्रीराधा मानवती होकर बोलीं॥ २८—३२॥

श्रीराधाने कहा—दीनवत्सल! अब मैं चलने-फिरनेमें असमर्थ हो गयी हूँ। आजतक कभी घरसे नहीं निकली थी। मैं दुर्बल हूँ। अतः तुम्हारा जहाँ मन हो, वहाँ स्वयं मुझे ले चलो॥ ३३॥

उनका यह कथन सुनकर रामानुज श्रीकृष्ण रामाशिरोमणि श्रीराधिकाको अपने पीताम्बरसे हवा करने लगे; क्योंकि वे पसीने-पसीने हो गयी थीं। फिर वे उन्हें हाथसे पकड़कर कहने लगे—'रानी! जिसमें तुम्हें सुख मिले, उसी तरह चलो।' श्रीहरिके इस प्रकार कहनेपर उन्होंने अपने-आपको सबसे अधिक श्रेष्ठ मानकर मन-ही-मन सोचा—'ये प्रियतम अन्य समस्त सुन्दरियोंको छोड़कर रात्रिमें इस एकान्त स्थलमें मेरी सेवा करते हैं।' मनमें ऐसा सोचकर वे श्रीहरिसे कुछ नहीं बोलीं। व्रजेश्वरी राधा चुपचाप आँचलसे मुँह ढककर श्यामसुन्दरकी ओर पीठ करके खड़ी हो गयीं। तब श्रीहरिने उनसे फिर कहा—'प्रिये! मेरे साथ चलो। भद्रे! तुम शापवश वियोगसे पीड़ित हो; इसलिये मैं तुम्हारा सदा साथ दे रहा हूँ। पीछे लगी हुई समस्त गोपियोंको छोड़कर तुम्हारी सेवा करता हूँ। तुम चाहो तो मेरे कंधेपर बैठकर सुखपूर्वक एकान्त स्थलमें चलो'॥ ३४—३८$\frac{1}{2}$॥

राजन्! मानी श्यामसुन्दरने अपनी मानवती प्रियासे ऐसा कहकर जब देखा कि 'ये कंधेपर चढ़नेको उत्सुक हैं' तब वे आत्माराम पुरुषोत्तम अपनी लीला दिखाते हुए उन्हें छोड़कर अन्तर्धान हो गये। नरेश्वर! भगवान्के अन्तर्धान हो जानेपर वधू राधिकाका सारा मान जाता रहा। वे शोकसे संतप्त हो उठीं और दुःखसे आतुर होकर रोने लगीं। तब श्रीराधाका रोदन सुनकर समस्त गोपसुन्दरियाँ वंशीवटके तटपर तुरंत आ पहुँचीं। आकर उन्होंने श्रीराधाको बहुत दुःखी देखा। वे सब गोपियाँ व्यजन और चँवर लेकर श्रीराधाके अङ्गोंपर हवा करने लगीं। उन्हें प्रेमपूर्वक केसरमिश्रित जलसे नहलाकर वे फूलोंके मकरन्दों तथा चन्दनद्रवके फुहारोंसे उनके अङ्गोंपर छींटा देने लगीं। परिचर्या-कर्ममें कुशल गोपकिशोरियोंने मीठे वचनों-द्वारा श्रीराधाको आश्वासन दिया। उनके मुखसे उन्हींके अभिमानके कारण गोविन्दके चले जानेकी बात सुनकर उन सम्पूर्ण मानवती गोपियोंको बड़ा विस्मय हुआ। नरेश्वर! वे सब-की-सब मान त्यागकर यमुना-पुलिनपर आयीं और श्रीकृष्णके लौट आनेके लिये मधुर स्वरसे उनके गुणोंका गान करने लगीं॥ ३९—४५॥

इस प्रकार श्रीगर्गसंहिताके अन्तर्गत अश्वमेधखण्डमें 'रासक्रीडाविषयक' चौवालीसवाँ अध्याय पूरा हुआ॥ ४४॥

पैंतालीसवाँ अध्याय

गोपाङ्गनाओंद्वारा श्रीकृष्णकी स्तुति करते हुए उनका आह्वान और श्रीकृष्णका उनके बीचमें आविर्भाव

गोपियाँ बोलीं—जो अपने अधरबिम्बकी लालिमासे मूँगेको लज्जित करते हैं और मधुर मुरली-नादसे विनोद मानते—आनन्द पाते हैं, जिनका मुखारविन्द नीलकमलके समान कोमल तथा श्याम है, उन गोपकुमार श्यामसुन्दरकी हम उपासना करती हैं। जिनकी अङ्गकान्ति साँवली है, जो वनविहारके रसिक

हैं, जिनका अङ्ग-अङ्ग कोमल है, जिनके नेत्र प्रफुल्ल कमलदलके समान सुन्दर एवं विशाल हैं, जो भक्तजनोंकी अभीष्ट कामना पूर्ण कर देते हैं, व्रज-सुन्दरियोंके नेत्रोंको शीतल करनेवाले हैं, उन मनमोहन श्रीकृष्णका हम भजन करती हैं। जिनके लोचनाञ्चल विशेष चञ्चल हैं और कोमल अधर अर्धविकसित कमलकी शोभा धारण करते हैं, जिनके हाथोंकी अँगुलियाँ और मुख बाँसुरीसे सुशोभित हैं, उन वेणुवादनरसिक माधवका हम चिन्तन करती हैं। जिनके दाँत किंचित् अङ्कुरित हुई कुन्दकलिकाके समान उज्ज्वल हैं, जो व्रजभूमिके भूषण हैं, अखिल भुवनके लिये मङ्गलमयी शोभासे सम्पन्न हैं, जो अपने शब्द और सौरभसे मनको हर लेता है, श्रीहरिके उस सुन्दर वेषको ही हम गोपाङ्गनाएँ खोज रही हैं। जिनकी आकृति देवताओंद्वारा पूजित होती हैं, जिनके चरणारविन्दोंके अमृतका मुनीश्वरगण नित्य-निरन्तर सेवन करते रहते हैं, वे कमलनयन भगवान् श्याम-सुन्दर नित्य हम सबका कल्याण करें। जो गोपोंके साथ मल्लयुद्धका आयोजन करते हैं, जिन्होंने युद्धमें बड़े-बड़े चतुर जवानोंको परास्त किया है तथा जो सम्पूर्ण योगियोंके भी आराध्य-देवता हैं, उन श्रीहरिका हम सदैव सेवन करती हैं। उमड़ते हुए नूतन मेघके समान जिनकी आभा है, जिनका लोचनाञ्चल प्रफुल्ल कमलकी शोभाको छीने लेता है, जो गोपाङ्गनाओंके हृदयको देखते-देखते चुरा लेते हैं तथा जिनका अधर नूतन पल्लवोंकी शोभाको तिरस्कृत कर देता है, उन श्यामसुन्दरकी हम उपासना करती हैं। जो अर्जुनके रथकी शोभा है, समस्त संचित पापोंको तत्काल खण्डित कर देनेवाला है और वेदकी वाणीका जीवन है, वह निर्मल श्यामल तेज हमारे मनमें सदा स्फुरित होता रहे। जिनकी दृष्टि-परम्परा गोपिकाओंके वक्ष:स्थल और चञ्चल लोचनोंके प्रान्तमें पड़ती रहती है तथा जो बाल-क्रीडाके रसकी लालसासे इधर-उधर घूमते रहते हैं, उन माधवका हम दिन-रात ध्यान करती हैं। जिनके मस्तकपर नीलकण्ठ (मोर) के पंखका मुकुट शोभा पाता है, जिनके अङ्ग-वैभव (कान्ति) को नीलमेघकी उपमा दी जाती है, जिनके नेत्र नील कमलदलके समान शोभा पाते हैं, उन नील केश-पाशधारी श्यामसुन्दरका हम भजन करती हैं। व्रजकी युवतियाँ जिनके लीला-वैभवका सदा गान करती हैं, जो कोमल स्वरमें मुरली बजाया करते हैं तथा जो मनोऽभिराम सम्पदाओंके धाम हैं, उन सब सारस्वरूप कमलनयन श्रीकृष्णका हम भजन करती हैं। जो मनपर मोहनी डालनेवाले और उत्तम शार्ङ्गधनुषधारी हैं, जो मानवती गोपाङ्गनाओंको छोड़कर निकल गये हैं तथा नारद आदि मुनि जिनका सदा भजन-सेवन करते हैं, उन नन्दगोपनन्दनका हम भजन करती हैं। जो श्रीहरि असंख्य रमणियोंसे घिरे रहकर रासमण्डलमें सबपर विजय पाते हैं, उन्हीं प्रियतम श्यामसुन्दरको वनमें राधासहित दुःख उठाती हुई हम व्रजवनिताएँ ढूँढ़ रही हैं। देवदेव! व्रजराजनन्दन! हरे! हमें पूर्णरूपसे दर्शन दीजिये, जो सब दुःखोंको हर लेनेवाला है। हम आपकी क्रीत दासियाँ हैं। आप पूर्ववत् हमारी ओर देखकर हमें अपनाइये। जिन्होंने एकार्णवके जलसे इस भूमण्डलका उद्धार करनेके लिये परम उत्तम सम्पूर्ण यज्ञवाराहस्वरूप धारण किया था और अपनी तीखी दाढ़से 'हिरण्याक्ष' नामक दैत्यको विदीर्ण कर डाला था, वे भगवान् श्रीहरि ही हम सबका उद्धार करनेमें समर्थ हों। जिन्होंने वेनकी दाहिनी बाँहसे स्वेच्छापूर्वक पृथुरूपमें प्रकट हो देवताओंसहित मनुकी सम्मतिसे इस पृथ्वीका दोहन किया और मत्स्यरूप धारण करके वेदोंकी रक्षा की, वे ही भगवान् श्रीकृष्ण इस अशुभ वेलामें हम गोपियोंके लिये शरणदाता हों। अहो! जिन परम प्रभुने समुद्र-मन्थनके समय कच्छपरूप धारण करके बड़े भारी पर्वत मन्दराचलको अपनी पीठपर ढोया था और नृसिंहरूप धारण करके अपने भक्तके प्राण लेनेको उद्यत हुए असुर हिरण्यकशिपुको प्राणदण्डसे दण्डित किया, वे ही श्रीहरि हम सबको परम आश्रय देनेवाले हों। जिन्होंने राजा बलिको छला—तीन पग भूमिके ब्याजसे त्रिलोकीका राज्य उनसे छीन लिया तथा देवद्रोहियोंका दलन करके मुनिजनोंपर अनुग्रह करते हुए भूमण्डलपर विचरण किया, जो यदुकुलतिलक बलरामजीके रूपमें प्रकट हुए हैं और जिन्होंने उसी रूपसे कौरवपुरी

हस्तिनापुरको हलसे खींचते हुए उसे गङ्गाजीमें डुबा देनेका विचार किया था, वे भगवान् श्रीकृष्ण सर्वथा हमारे रक्षक हों। जिन्होंने गिरिराज गोवर्द्धनको उठाकर व्रजके पशुओंका उद्धार किया तथा व्रजपति नन्दरायकी, अन्यान्य गोपजनोंकी तथा हम गोपाङ्गनाओंकी भी रक्षा की थी, फिर आगे चलकर जिन्होंने कौरवोंद्वारा उत्पन्न किये गये संकटसे द्रुपदराजकुमारी पाञ्चालीके प्राण बचाये—भरी सभामें उसकी लज्जा रखी, उन्हींके चरणारविन्दोंमें हमारा सदा अनन्य अनुराग बना रहे। जिन परमपुरुष यदुवंशविभूषणने समस्त पाण्डवोंकी विषसे, लाक्षागृहकी महाभयंकर अग्निसे, बड़े-बड़े अस्त्रोंसे तथा अनेकानेक विपत्तियोंसे पूर्णतः रक्षा की, उन्हींके चरण हम सबके लिये शरण हों। हम उस बालरूपिणी देवमूर्तिकी वन्दना करती हैं, जो वनमाला, मोरपंख तथा परमसुन्दर केशपाश धारण करती है, वृन्दावनके फूलोंके आभूषण पहनती है, शिलासे उत्पन्न अगुरु एवं कस्तूरी आदिके द्वारा रचित विचित्र तिलकसे अलंकृत होती है, सदा भक्तजनोंके मनको अपनी ओर खींचती रहती है, लीलामृत तथा वेणुनादामृतके वितरणके लिये जो एकमात्र रसिक है, जिसकी आकृति लावण्यलक्ष्मीमयी है तथा अङ्गकान्ति बाल तमालके समान नीली है*॥ १—२१॥

श्रीगर्गजी कहते हैं—राजन्! यों रोती हुई गोपसुन्दरियोंके इस प्रकार भक्तिपूर्वक आह्वान करनेपर रेवतीरमण बलरामके छोटे भाई श्यामसुन्दर श्रीकृष्ण उनके बीचमें प्रकट हो गये॥ २२॥

इस प्रकार श्रीगर्गसंहिताके अन्तर्गत अश्वमेधखण्डमें 'श्रीरासक्रीडाके प्रसङ्गमें श्रीकृष्णका आगमन' नामक पैंतालीसवाँ अध्याय पूरा हुआ॥ ४५॥

---

*गोप्य ऊचुः

अधरबिम्बविडम्बितविद्रुमं मधुरवेणुनिनादविनोदितम्। कमलकोमलनीलमुखाम्बुजं तमपि गोपकुमारमुपास्महे॥
श्यामलं विपिनकेलिलम्पटं कोमलं कमलपत्रलोचनम्। कामदं व्रजविलासिनीदृशां शीतलं मतिहरं भजामहे॥
तं विसंचलितलोचनाञ्चलं साभिकुडालितकोमलाधरम्। वंशवल्गितकराङ्गुलीमुखं वेणुनादरसिकं भजामहे॥
ईषदङ्कुरितदन्तकुड्मलं भूषणं भुवनमङ्गलश्रियम्। घोषसौरभमनोहरं हरेर्वेषमेव मृगयामहे वयम्॥
अस्तु नित्यमरविन्दलोचनःश्रेयसे हि तु सुरार्चिताकृतिः। यस्य पादसरसीरुहामृतं सेव्यमानमनिशं मुनीश्वरैः॥
गोपकै रचितमल्लसंगरं संगरे जितविदग्धयौवनम्। चिन्तयामि मनसा सदैव तं दैवतं निखिलयोगिनामपि॥
उल्लसन्नवपयोदमेव तं फुल्लतामरसलोचनाञ्चलम्। बल्लवीहृदयपश्यतोहरं पल्लवाधरमुपास्महे वयम्॥
यद्धनंजयरथस्य मण्डनं खण्डनं तदपि संचितैनसाम्। जीवनं श्रुतिगिरां सदामलं श्यामलं मनसि मेऽस्तु तन्महः॥
गोपिकास्तनविलोललोचनप्रान्तलोचनपरम्परावृतम्। बालकेलिरसलालसम्भ्रमं माधवं तमनिशं विभावये॥
नीलकण्ठकृतपिच्छशेखरं नीलमेघतुलिताङ्गवैभवम्। नीलपङ्कजपलाशलोचनं नीलकुन्तलधरं भजामहे॥
घोषयोषिदनुगीतवैभवं कोमलस्वरितवेणुनिस्वनम्। सारभूतमभिरामसम्पदां धाम तामरसलोचनं भजे॥
मोहनं मनसि शार्ङ्गिणं परं निर्गतं किल विहाय मानिनीः। नारदादिमुनिभिश्च सेवितं नन्दगोपतनयं भजामहे॥
श्रीहरिस्तु रमणीभिरावृतो यस्तु वै जयति रासमण्डले। राधया सह वने च दुःखितास्तं प्रियं हि मृगयामहे वयम्॥
देवदेव व्रजराजनन्दन देहि दर्शनमलं च नो हरे। सर्वदुःखहरणं च पूर्ववत् संनिरीक्ष्य तव शुल्कदासिकाः॥
क्षितितलोद्धरणाय दधार यः सकलयज्ञवराहवपुः परम्। दितिसुतं विददार च दंष्ट्रया स तु सदोद्धरणाय क्षमोऽस्तु नः॥
मनुमपाद्रुचिजो दिविजैः सह वसु दुदोह धरामपि यः पृथुः। श्रुतिमपाद्धृतमत्स्यवपुः परं स शरणं किल नोऽस्त्वशुभक्षणे॥
अवहदब्धिमहो गिरिमूर्जितं कमठरूपधरः परमस्तु यः। असुहरं नृहरिः समदण्डयत् स च हरिः परमं शरणं च नः॥
नृपबलिं छलयन् दलयन्नरीन् मुनिजनाननुगृह्य चचार यः। कुरुपुरं च हलेन विकर्षयन् यदुवरः स गतिर्मम सर्वथा॥
व्रजपशून् गिरिराजमथोद्धरन् व्रजपगोपजनं च जुगोप यः। द्रुपदराजसुतां कुरुकश्मलाद् भवतु तच्चरणाब्जरतिश्च नः॥
विषमहाग्निमहास्त्रविपद्गणात् सकलपाण्डुसुताः परिरक्षिताः। यदुवरेण परेण च येन वै भवतु तच्चरणः शरणं च नः॥
मालां बर्हिमनोज्ञकुन्तलभरां वन्यप्रसूनोषितां शैलेयागुरुक्लृप्तचित्रतिलकां शश्वन्मनोहारिणीम्।
लीलावेणुरवामृतैकरसिकां लावण्यलक्ष्मीमयीं बालां बालतमालनीलवपुषं वन्दामहे देवताम्॥
(अध्याय ४५। १—२१)

छियालीसवाँ अध्याय

श्रीकृष्णके आगमनसे गोपियोंको उल्लास; श्रीहरिके वेणुगीतकी चर्चासे श्रीराधाकी मूर्च्छाका निवारण; श्रीहरिका श्रीराधा आदि गोपसुन्दरियोंके साथ वन-विहार, स्थल-विहार, जल-विहार, पर्वत-विहार और रासक्रीडा

श्रीगर्गजी कहते हैं—राजन्! श्रीकृष्णको आया देख वे सब गोपसुन्दरियाँ हर्षसे उल्लसित होकर उठीं और दुःख त्यागकर जय-जयकार करने लगीं। श्रीराधा मूर्च्छामें ही पड़ी थीं। उनकी अवस्था देख गोपाङ्गनाओंके प्रार्थना करनेपर श्रीहरि उन्हें होशमें लानेके लिये उस व्रजभूमिमें वंशीनाद करने लगे। तब भी राधिका नहीं उठीं। यह देख श्रीराधावल्लभ हरि उन्हें बार-बार वेणुगीत सुनाने लगे। राजन्! वह गीत सुनकर श्रीराधा उठीं; किंतु वियोगजनित दुःखका स्मरण करके माधवके देखते-देखते फिर मूर्च्छित हो गयीं। तब श्रीकृष्णके वेणुगीतसे प्रसन्न हुई चन्द्रानना नामवाली सखी उनका आदेश पाकर तत्काल चन्द्रावलीके प्रति श्रीराधाको ही सम्बोधित करके बोलीं— ॥ १—५ ॥

चन्द्राननाने कहा—हे राधे! जो श्रीकृष्णचन्द्र पहले तुम्हारे मानसे रूठकर चले गये थे, वे मानो एक युगके बाद फिर आ गये हैं। उन्हीं देवकीनन्दनने तुम्हारे समस्त दुःखोंका नाश करनेके लिये निकट बैठकर वेणु बजाते हुए गीत गाया है। रासके रमणीय प्राङ्गणमें छुंग-छुंग ध्वनिके साथ मधुर स्वरमें मृदङ्ग बजाया जा रहा है और देवाङ्गनाओंसे सेवित देवकी-नन्दन माधव नृत्य करते हुए वेणुगीत सुना रहे हैं। वे मनोहर सुवर्णकी-सी कान्तिवाले पीताम्बरसे सुशोभित हैं। उनके वक्षःस्थलमें वैजयन्तीकी मालाएँ शोभा दे रही हैं। उन देवकीनन्दनने नन्दके वृन्दावनमें गोपिका-मण्डलीके मध्यमें विराजमान होकर वेणु बजाते हुए गीत गाया है। मनोहर चन्द्रावलीके लोचनोंसे चुम्बित, गोप, गौओं तथा गोपाङ्गनाओंके वल्लभ और कंस-वंशरूपी वनको जलानेके लिये दावानलरूप देवकी-नन्दनने वेणु बजाते हुए गीत गाया है। गोपबालिकाएँ ताली बजाकर ताल दे रही हैं और उस ताल-लीलाके लयके साथ-साथ जो अपनी भ्रूलताओंका विभ्रम-विलास प्रदर्शित कर रहे हैं, वे देवकीनन्दन गोपाङ्गनाओंके गीतोंकी ओर ध्यान देकर स्वयं भी वेणु बजाते हुए गा रहे हैं। देवि! जो तुम्हारे प्रेमी हैं, उन परमसुन्दर नन्दराजकुमार देवकीनन्दनने मुकुट, माला, बाजूबंद, करधनी और कुण्डल आदि आभूषणोंसे विभूषित हो तुम्हारी प्रसन्नताके लिये वेणुगीत आरम्भ किया है। जिन श्रीराधावल्लभने सत्यभामाके भयसे स्वर्गीय पारिजात उखाड़कर उनके आँगनमें लगा दिया है, गोपाङ्गनाओं और देवाङ्गनाओंके कामपूरक उन देवकीनन्दनने वेणुद्वारा गीत गाया है। जिन्होंने ऋक्षराजको जीतकर उनके यहाँसे स्यमन्तकमणि ले आकर भयभीतकी भाँति भूमिनाथ उग्रसेनको अर्पित की थी, वे ही रासेश्वर देवकीनन्दन आज रासमण्डलमें पधारकर वेणुके स्वरोंमें गीत गा रहे हैं* ॥ ६—१३ ॥

---

*कृष्णचन्द्रः पुरा निर्गतो मानतो ह्यागतः सोऽपि राधे युगान्ते पुनः। नाशयन् सर्वदुःखानि ते संनिधौ संजगौ वेणुना देवकीनन्दनः॥
छुङ्गछुङ्गेति नादं मृदङ्गे कलं वाद्यमाने सुरस्त्रीजनैः सेवितः। रासरम्याङ्गणे नृत्यकृन्माधवः संजगौ वेणुना देवकीनन्दनः॥
चारुचामीकराभासिवासा विभुर्वैजयन्तीभराभासितोरः स्थलः। नन्दवृन्दावने गोपिकामध्यगः संजगौ वेणुना देवकीनन्दनः॥
चारुचन्द्रावलीलोचनाचुम्बितो गोपगोवृन्दगोपालिकावल्लभः। कंसवंशाटवीदाहदावानलः संजगौ वेणुना देवकीनन्दनः॥
बालिकातालिकाताललीलालयासङ्गसंदर्शितभ्रूलताविभ्रमः। गोपिकागीतदत्तावधानः स्वयं संजगौ वेणुना देवकीनन्दनः॥
मौलिमालाङ्गदैः किङ्किणीकुण्डलैर्भूषितो नन्दनो नन्दराजस्य च। प्रीतिकृत् सुन्दरो देवि प्रीत्या तव संजगौ वेणुना देवकीनन्दनः॥
पारिजातं समुद्धृत्य राधावरो रोषयामास भामाभयादङ्गणे। वल्लवीवृन्दवृन्दारिकाकामुकः संजगौ वेणुना देवकीनन्दनः॥
ऋक्षराजं विनिर्जित्य नीत्वा मणिं संददौ भीतवद् भूमिनाथाय च। सोऽपि रासे समागत्य रासेश्वरः संजगौ वेणुना देवकीनन्दनः॥

(अध्याय ४६। ६—१३)

श्रीगर्गजी कहते हैं—राजन्! वेणु बजानेवाले श्यामसुन्दरकी महिमाका वर्णन सुनकर प्रिया श्रीराधा प्रसन्न होकर उठीं और उन्होंने प्रियतमका गाढ़ आलिङ्गन किया। तत्पश्चात् वृन्दावनाधीश्वर गोविन्द वृन्दावनमें वृन्दावनवासिनी प्राणवल्लभाके साथ उस वनके वृक्षोंकी शोभा देखते हुए विहार करने लगे। नृपश्रेष्ठ! तदनन्तर व्रजकी युवतियोंने सब ओरसे श्रीकृष्णको उसी तरह जा पकड़ा, जैसे वर्षाकालमें चपलाएँ मेघको घेर लेती हैं। राजन्! वहाँ जितनी गोपियाँ विद्यमान थीं, उतने ही रूप धारण करके श्यामसुन्दर उन सबके साथ यमुनापुलिनपर आये। जैसे पूर्वकालमें श्रुतियाँ भगवान्से मिलकर प्रसन्न हुई थीं, उसी प्रकार गोपाङ्गनाएँ श्यामसुन्दरके साथ परम आनन्दका अनुभव करने लगीं। उन्होंने श्रीकृष्णचन्द्रको अपने-अपने वस्त्रोंका आसन दिया। राजन्! उस आसनपर श्रीराधारमण नन्दनन्दन राधाके साथ बैठे। अहो! उन गोपसुन्दरियोंने अपनी भक्तिसे भगवान्को वशमें कर लिया था। श्रीकृष्णने गोलोकमें जैसा रूप दिखाया था, वैसा ही त्रिभुवनमोहन रूप उन्होंने उस समय राधा-सहित गोपाङ्गनाओंके समक्ष प्रकट किया। गोकुलचन्द्रका वह परम अद्भुत सुन्दर रूप देखकर गोपसुन्दरियाँ ब्रह्मानन्दमें निमग्न हो अपने-आपमें भूल गयीं॥ १४—२१॥

उनके साथ स्थलमें विहार करके उनकी भक्तिके वशीभूत हुए श्यामसुन्दरने श्रीराधा और गोपाङ्गनाओंके साथ यमुनाके जलमें प्रवेश किया। भगवान्ने वहाँ उन व्रजसुन्दरियोंके साथ उसी प्रकार विहार किया, जैसे स्वर्गमें देवराज इन्द्र अप्सराओंके साथ मन्दाकिनीके जलमें करते हैं। राजन्! माधव माधवीको और माधवी माधवको जलमें परस्पर भिगोने लगे। वे दोनों बड़ी उतावलीके साथ एक-दूसरेपर पानी उछालते थे। नरेश्वर! गोपाङ्गनाओंकी वेणी और केशपाशसे गिरे हुए फूलोंसे यमुनाजीकी वैसी ही विचित्र शोभा हुई, जैसे अनेक रंगोंके छापसे छपी हुई नीली पगड़ी शोभा पाती है। विद्याधरियाँ और देवाङ्गनाएँ फूल बरसाने लगीं। उनकी साड़ियोंकी नीवी ढीली पड़ गयी और वे प्रेमावेशसे व्याकुल हो मोहको प्राप्त हो गयीं॥ २२—२६॥

राजेन्द्र! तदनन्तर जल-विहार समाप्त करके श्यामसुन्दर लीलापूर्वक यमुनाजलसे बाहर निकले और गोवर्द्धन पर्वतपर गये। नृपेश्वर! उनकी सहचरी गोपियाँ भी उनके साथ-साथ गयीं। किन्हींके हाथोंमें व्यजन थे और कितनी ही चँवर डुलाती चल रही थीं। किन्हींके हाथोंमें पानके बीड़े थे। बहुत-सी गोपियाँ दर्पण लिये चलती थीं। कितनोंके हाथोंमें नाना प्रकारके आभूषणोंके पात्र थे और कितनी ही पुष्पभार लिये जा रही थीं। कुछ गोपियोंके हाथोंमें चन्दनके पात्र थे और कुछ विविध प्रकारके बर्तनोंका भार ढो रही थीं। कोई महावर लिये जाती थीं और कोई वस्त्र। किन्हींके हाथोंमें मृदंग थे, तो कोई झाँझ लिये हुए थीं। कोई मुरयष्टिधारिणी थीं तो कोई वीणाधारिणी। कोई करताल लिये चलती थीं और कोई गीत गाती जा रही थीं। छत्तीसों राग-रागिनियाँ व्रजसुन्दरियोंका रूप धारण करके उस यूथमें सम्मिलित हो गयी थीं। जो गोपियाँ पूर्वकालमें श्रीराधाके साथ गोलोकसे भारत-वर्षमें आयी थीं, वे श्रीराधावल्लभके समीप गान तथा नृत्य कर रही थीं॥ २७—३३॥

उन सबके बीचमें वेणुसे गीत गाते और त्रिलोकीको मोहित करते हुए मदनमोहन श्रीकृष्ण हरि नृत्य करने लगे। रासमण्डलमें बाजों, करधनियों, कड़ों, कंगनों और नूपुरोंकी झनकारोंसे युक्त गीतमिश्रित शब्दकी तुमुल ध्वनि होने लगी। राजन्! देवता और देवाङ्गनाएँ श्रीहरिका रास देखकर आकाशमें प्रेमवेदनासे पीड़ित हो मूर्च्छित हो गयीं। चन्द्रमाकी चाँदनीमें चतुर चञ्चल श्रीकृष्ण नृत्यकी गतिसे चलते हुए गोपाङ्गनारूपी चन्द्रावलीसे घिरकर उसी तरह शोभा पाते थे, जैसे विद्युन्मालासे आवेष्टित मेघ सुशोभित हो रहा हो। उस पर्वतपर महान् गिरिधर श्यामसुन्दरने फूलोंके हार, महावर, काजल और कमलपत्र आदिके द्वारा श्रीराधाका शृङ्गार किया। श्रीराधिकाने भी कुङ्कुम, अगुरु और चन्दन आदिके द्वारा श्रीकृष्णके मुखमण्डलमें सुन्दर कमलपत्रकी रचना की। तब मुसकराती हुई राधाने मन्दहासकी छटासे युक्त भगवान्के मुखकी ओर देखते हुए उन्हें प्रसन्नतापूर्वक पानका बीड़ा दिया। प्रियतमाके

दिये हुए उस ताम्बूलको नन्दनन्दन श्रीहरिने बड़े प्रेमसे खाया। फिर श्रीकृष्णद्वारा अर्पित ताम्बूलको श्रीराधिकाने भी प्रसन्नतापूर्वक ग्रहण किया। पतिपरायणा सती श्रीराधाने भक्तिभावसे प्रेरित हो श्रीकृष्णके चबाये हुए ताम्बूलको हठात् लेकर शीघ्र अपने मुँहमें रख लिया। तब भगवान्‌ने भी प्रियाके द्वारा चबाये हुए ताम्बूलको उनसे माँगा; किंतु श्रीराधाने नहीं दिया। वे भयभीत होकर उनके चरणकमलमें गिर पड़ीं॥ ३४—४३॥

पद्मा, पद्मावती, नन्दी, आनन्दी, सुखदायिनी, चन्द्रावली, चन्द्रकला तथा वन्द्या—ये गोपाङ्गनाएँ श्रीहरिकी प्राणवल्लभा हैं। श्रीहरिने वसन्त-ऋतुके वैभवसे भरे वृन्दावनमें उन सबके साथ नाना प्रकारका शृङ्गार धारण किया। वे कामदेवसे भी अधिक मनोहर लगते थे। कुछ गोपियाँ श्रीकृष्णका अधरामृत पान करती थीं और कितनी ही उन परमात्मा श्रीकृष्णको अपने बाहुपाशमें बाँध लेती थीं। फिर तो मदनमोहन भगवान् श्रीकृष्ण गोपाङ्गनाओंके वक्षःस्थलमें लगे हुए केसरोंसे लिप्त होकर सुनहरे रंगके हो गये और अनुपम शोभा पाने लगे॥ ४४—४७॥

राजेन्द्र! फिर सुन्दर कदलीवनमें गोपीजनोंके साथ श्रीगोपीजनवल्लभने रास किया। नरेश्वर! इस प्रकार रासमण्डलमें नित्यानन्दमय श्यामसुन्दरके साथ गोपियोंकी वह हेमन्त-ऋतुकी रात एक क्षणके समान व्यतीत हो गयी॥ ४८-४९॥

इस प्रकार रास करनेके पश्चात् नन्दनन्दन श्रीहरि नन्दभवनको चले गये। श्रीराधा वृषभानुपुरमें लौट गयीं तथा अन्यान्य गोपाङ्गनाएँ भी अपने-अपने घरको चली गयीं। नृपेश्वर! व्रजके गोप श्रीहरिकी इस रासवार्ताको बिलकुल नहीं जान सके। उन्हें अपनी-अपनी स्त्रियाँ अपने पास ही सोती प्रतीत हुईं। राधामाधवके इस परम उत्तम शृङ्गारचरित्रको जो लोग पढ़ते और सुनते हैं, वे अक्षय धाम गोलोकको प्राप्त होंगे॥ ५०—५२॥

इस प्रकार श्रीगर्गसंहिताके अन्तर्गत अश्वमेधखण्डमें 'रासक्रीडाकी पूर्ति' नामक छियालीसवाँ अध्याय पूरा हुआ॥ ४६॥

सैंतालीसवाँ अध्याय

श्रीकृष्णसहित यादवोंका व्रजवासियोंको आश्वासन देकर वहाँसे प्रस्थान

श्रीगर्गजी कहते हैं—राजेन्द्र! श्रीकृष्णका यह चरित्र शास्त्रोंमें गुप्तरूपसे वर्णित है, जिसे मैंने तुम्हारे सामने प्रस्तुत किया है। अब तुम भगवान्‌के अन्य चरित्रोंको विस्तारपूर्वक सुनो। इस प्रकार श्रीकृष्ण नन्दनगरमें आठ दिनोंतक रहकर सब लोगोंको आनन्द प्रदान करते रहे। इसके बाद पुनः उन्होंने वहाँसे जानेका विचार किया॥ १-२॥

श्रीकृष्णकी माता यशोदा अपने प्राणोंसे भी प्यारे पुत्रको जानेके लिये उद्यत देख पहलेकी ही भाँति उच्चस्वरसे रोदन करने लगीं। नृपेश्वर! वहाँ गोपियोंके भी नेत्र आँसुओंसे भर आये और वे घर-घरमें पहलेके दुःखोंको याद करके करुणभावसे रोदन करने लगीं। सान्त्वना देनेमें कुशल श्रीहरिने जितनी व्रजाङ्गनाएँ थीं, उतने ही रूप धारण करके उन सबको पृथक्-पृथक् आश्वासन दिया तथा श्रीराधाको भी धीरज बँधाया। इसके बाद भगवान् माता यशोदासे बोले—"मैया! शोक न करो। मैं इस उत्तम अश्वमेध यज्ञका अनुष्ठान पूरा करवाकर शीघ्र ही यहाँ आऊँगा। यदि तुम नहीं विश्वास करती हो तो मेरी यह बात सुन लो—'मैया! आजसे तुम प्रतिदिन मुझे पुत्ररूपमें अपने पास ही देखोगी।' मैं भक्तिभावसे स्मरण करनेपर कालके भयका भी नाश करनेवाला हूँ"॥ ३—७॥

इस प्रकार यशोदाजीको आश्वासन देकर नेत्रोंमें आँसू भरे श्रीहरि नन्दसदनसे बाहर निकले और गोपोंके साथ अपने पोते अनिरुद्धकी सेनामें गये। नृपश्रेष्ठ! अनिरुद्धकी सेनामें पहुँचकर साक्षात् नारायण श्रीहरिने यादवोंको घोड़ा छोड़नेके लिये आज्ञा दी। श्रीकृष्णचन्द्रसे प्रेरित होकर उनके पौत्र अनिरुद्धने यत्नपूर्वक अश्वका पूजन किया और पुनः पूर्ववत् विजययात्राके लिये उसे छोड़ दिया॥ ८—१०॥

अनिरुद्ध आदि सब यादव नेत्रोंमें आँसू भरे नन्दको नमस्कार करके बड़े कष्टसे वहाँसे जानेके लिये अपने-अपने वाहनोंपर आरूढ़ हुए। श्रीकृष्णके पुत्र और पौत्र सबके आकार उन्हींके समान सुन्दर थे। श्रीकृष्णके साथ उन सब यादवोंको जानेके लिये उद्यत देख, गोविन्दके विरहसे व्याकुल हो, वे गोपगण वहाँ फूट-फूटकर रोने लगे। पहलेके विरहजनित दुःखोंको याद करके उनके कण्ठ, ओठ और तालु सूख गये थे। नन्दराजके नेत्रोंमें भी आँसू छलक रहे थे। वे दुःखसे पीड़ित हो सूखे हुए मुँहसे कुछ बोल न सके; केवल रोदन करने लगे। श्रीकृष्ण भी आँसू बहाते हुए 'मैं फिर आऊँगा'—ऐसा कहकर सबसे पृथक्-पृथक् मिले और सबको आश्वासन दिया॥ ११—१५ ॥

उन्होंने कहा—गोपालगण! चैत्रमासमें जब द्वारकापुरीमें यज्ञ आरम्भ होगा, तब मैं तुम सबको बुलवाऊँगा, इसमें संशय नहीं है। मेरे मित्र गोपगण! तुम सब लोग प्रतिदिन गोकुलमें मुझ गोपालको देखोगे। अतः अभी यहीं व्रजमण्डलमें निवास करो॥ १६-१७ ॥

इस प्रकार आश्वासन दे, उनके दिये हुए उपहारको लेकर, नन्दजीको प्रणाम करके श्रीहरि वृष्णिवंशियोंके साथ रथपर बैठकर, वहाँसे चल दिये। नन्द आदि दुखी गोप श्रीकृष्णचन्द्रके चरणकमलमें लगे हुए मनको पुनः हटानेमें असमर्थ हो केवल शरीरसे गोकुलको लौटे। नरेश्वर! उस दिनसे प्रेममग्न गोप और गोपीगण योगियोंके लिये भी परम दुर्लभ श्रीकृष्णको अपने समीप देखने लगे॥ १८—२० ॥

इस प्रकार श्रीगर्गसंहिताके अन्तर्गत अश्वमेधखण्डमें 'यादवोंका व्रजसे अन्यत्र गमन' नामक सैंतालीसवाँ अध्याय पूरा हुआ॥ ४७ ॥

अड़तालीसवाँ अध्याय

अश्वका हस्तिनापुरीमें जाना; उसके भालपत्रको पढ़कर दुर्योधन आदिका रोषपूर्वक अश्वको पकड़ लेना तथा यादव-सैनिकोंका कौरवोंको घायल करना

श्रीगर्गजी कहते हैं—राजन्! तदनन्तर यमुना नदीको पार करके वह अश्व आस-पासके देशोंका निरीक्षण करता हुआ कुरुदेशकी राजधानीमें गया, जहाँ बलवान् विचित्रवीर्यकुमार चक्रवर्ती राजा धृतराष्ट्र राज्य करते थे। वहाँ उस अश्वने अनेकानेक उपवनों, तड़ागों और सरोवरोंसे युक्त सुन्दर कौरव-नगरको देखा॥ १-२ ॥

नरेश्वर! वह नगर दुर्गसे तथा गङ्गारूपिणी खाईसे घिरा हुआ था। वहाँ सोने-चाँदीके महल थे और बड़े-बड़े शूरवीर वहाँ निवास करते थे। राजन्! उस कौरवनगरसे वनवासी मृगोंका शिकार करनेके लिये सुयोधन निकला। वह वीरजनोंसे युक्त हो रथपर बैठा था। उसने उस यज्ञ-सम्बन्धी घोड़ेको भालपत्रसहित देखा। महाराज! दुर्योधन बड़ा मानी था। घोड़ेको देखकर उसे बड़ी प्रसन्नता हुई। उसने रथसे उतरकर अनायास ही घोड़ेको पकड़ लिया। कर्ण, भीष्म, कृपाचार्य, द्रोणाचार्य, भूरि और दुःशासन आदिके साथ उसने हर्षित होकर उसका भालपत्र पढ़ा। उसमें लिखा था—'चन्द्रवंशके अन्तर्गत यादवकुलमें राजा उग्रसेन विराजते हैं। इन्द्र आदि देवता भी जिनकी आज्ञाके पालक हैं, भक्तपरिपालक भगवान् श्रीकृष्ण उनके सहायक हैं। वे उन्हींकी भक्तिसे आकृष्ट हो द्वारकापुरीमें निवास करते हैं। उन्हींकी आज्ञासे राजाधिराज चक्रवर्ती उग्रसेन हठपूर्वक अपने यशके विस्तारके लिये अश्वमेध यज्ञ करते हैं। उन्होंने यह श्रेष्ठ और शुभ लक्षणोंसे सम्पन्न घोड़ा छोड़ा है। उस घोड़ेके रक्षक हैं श्रीकृष्णपौत्र अनिरुद्ध, जो वृक दैत्यका वध करनेवाले हैं। हाथी, घोड़े, रथ और पैदल-वीरोंकी अनेक चतुरङ्गिणी सेनाओंके साथ अनिरुद्ध अश्वकी रक्षामें चल रहे हैं। जो राजा इस पृथ्वीपर राज्य करते

हैं और अपनेको शूरवीर मानते हैं, वे भालपत्रसे शोभित इस यज्ञ-सम्बन्धी अश्वको बलपूर्वक ग्रहण करें। धर्मात्मा अनिरुद्ध राजाओंद्वारा पकड़े गये उस अश्वको अपने बाहुबल और पराक्रमसे अनायास ही हठपूर्वक छुड़ा लेंगे। जो घोड़ेको न पकड़ सकें, वे धनुर्धर अनिरुद्धके चरणोंमें नतमस्तक होकर चले जायँ'॥ ३—१३॥

श्रीगर्गजी कहते हैं—उस पत्रको बाँचकर वे शत्रुभूत कौरव क्रुद्ध हो उठे। उन मानियोंके नेत्र लाल हो गये और वे परस्पर कहने लगे॥ १४॥

कौरव बोले—अहो! इन धृष्ट यादवोंने घोड़ेके भालपत्रमें क्या लिख रखा है? क्या यादवोंके सामने कोई राजा ही नहीं है? पूर्वकालमें अपने राजसूय यज्ञमें हमने जिन यादवोंको परास्त किया है, वे ही मूर्ख अब फिर अश्वमेध करने चले हैं। इसलिये हम इन सबको जीतेंगे। घोड़ेको कदापि वापस नहीं देंगे। यादवोंको जीतनेके पश्चात् हमलोग स्वयं अश्वमेध यज्ञ करेंगे। कौन है उग्रसेन? क्या है कृष्ण? और वह घोड़ेकी रक्षा करनेवाला भी कौन है? समस्त यादवोंके साथ आकर ये लोग हमारे सामने क्या पौरुष दिखायेंगे? कृष्ण आदि समस्त यदुवंशी जरासंधके डरसे मथुरापुरी छोड़कर समुद्रकी शरणमें गये हैं। वे हमलोगोंके ही भयसे युद्ध छोड़कर भाग खड़े हुए हैं। पहले हमलोगोंने कृपा करके इन यादवोंको राज्य दे दिया और अब वे कृतघ्न यादव अपनेको चक्रवर्ती मानने लगे हैं। पाण्डवोंका मान रखनेके लिये हमने पहले यादवोंको नहीं मारा था; किंतु वे पाण्डव भी हमारे शत्रु ही हैं। अतः हमने उन्हें देशनिकाला दे दिया है। इन भागे हुए यादवोंको आज युद्धमें पराजित करके हम उग्रसेनको सहसा उनके चक्रवर्तीपनका मजा चखायेंगे॥ १५—२२॥

राजन्! वे समस्त श्रीकृष्णविमुख कौरव लक्ष्मी और राजवैभवके घमंडमें आकर ऐसी बातें कहने लगे। फिर सबने शीघ्र ही नाना प्रकारके अस्त्र-शस्त्र ले लिये और उस घोड़ेको नगरमें प्रवेश कराया। इसके बाद वे वहीं ठहर गये। अश्वके दूर चले जानेपर श्रीकृष्णकी प्रेरणासे साम्ब तुरंत ही मार्ग प्रदान करनेवाली गहरी यमुना नदीको पार करके दस अक्षौहिणी सेना पीछे लिये, कवच बाँध, अक्रूर और युयुधान आदिके साथ रोषपूर्वक हस्तिनापुरकी ओर गये। इस प्रकार वे समस्त यादव हस्तिनापुरके निकट आ पहुँचे। उन्होंने देखा—घोड़ा चुरानेवाले कौरव सामने खड़े हैं। श्रीकृष्ण ही जिनके आराध्यदेव हैं तथा जो लोक और परलोक दोनोंपर विजय पानेके इच्छुक हैं, उन बलवान् यादवोंने कौरवोंको देखकर उन सबको तिनकेके समान समझते हुए कहा—'अहो! किसने हमारे घोड़ेको बाँधा है? किसके ऊपर आज यमराज प्रसन्न हुए हैं और कौन युद्धस्थलमें नाराचोंद्वारा बड़ी भारी पीड़ा प्राप्त करनेके लिये उत्सुक है? अहो! जिनके चरणोंमें देवता और दानव भी वन्दना करते हैं, जो पहले राजसूय यज्ञ कर चुके हैं, जिनकी समानता करनेवाला संसारमें दूसरा कोई नहीं है तथा जो नरेशोंके भी ईश्वर हैं, उन वृष्णिकुलतिलक चक्रवर्ती राजाधिराज उग्रसेनको क्या वे राजा नहीं जानते, जो अपने ही विनाशके लिये घोड़ेको पकड़ रहे हैं? हेमाङ्गद, इन्द्रनील, बक, भीषण और बल्वल—इन समस्त नरेशोंको हमने संग्रामभूमिमें पराजित किया है'॥ २३—३२॥

यादवोंकी यह बात सुनकर कौरवोंके अधर क्रोधसे फड़क उठे। वे यादवोंकी ओर टेढ़ी आँखोंसे देखते हुए उन्हें इस प्रकार उत्तर देने लगे॥ ३३॥

कौरवोंके अनुगामी बोले—हमलोगोंने ही घोड़ेको पकड़ा है। तुमलोग हमारा क्या कर लोगे? हम अपने सायकोंद्वारा तुम सब यादवोंको यमलोक पहुँचा देंगे। उग्रसेन कितने दिनोंसे श्रीकृष्णके हाथसे राज्य पाकर घमंड करने लगा है? हम उसे बाँधकर स्वयं राज्य करेंगे। अनिरुद्ध हमारे भयसे कहाँ भाग गया है? बताओ, हम युद्धमें अपने बाणोंद्वारा उसकी पूजा करेंगे, इसमें संशय नहीं है॥ ३४—३६॥

श्रीगर्गजी कहते हैं—राजन्! कौरवोंकी यह बात सुनकर यादव क्रोधसे मूर्च्छित हो उठे। उन्होंने कौरवसैनिकोंके मुखोंपर धनुषसे अनेक बाण फेंके। उन बाणोंसे कितने ही कौरवोंकी जीभें कट गयीं, किन्हींके दाँत टूट गये और किन्हींके मुख छिन्न-भिन्न

हो गये। वे अधिक मात्रामें रक्तवमन करते हुए घायल हो अपना क्षत-विक्षत मुँह लिये शीघ्र ही दुर्योधनके पास गये और पूछनेपर बताया कि यादवोंने हमारी यह दुर्दशा की है॥ ३७—३९॥

इस प्रकार श्रीगर्गसंहिताके अन्तर्गत अश्वमेधखण्डमें 'कौरवोंद्वारा श्यामकर्ण अश्वका अपहरण' नामक अड़तालीसवाँ अध्याय पूरा हुआ॥ ४८॥

उनचासवाँ अध्याय

यादवों और कौरवोंका घोर युद्ध

श्रीगर्गजी कहते हैं—राजन्! भीष्म, द्रोण और कृप आदिके साथ दुर्योधनने अपने वीरोंके भग्न हुए मुखोंको देखकर क्रोधपूर्वक कहा—'आश्चर्यकी बात है कि नीच यादव स्वयं मौतके मुखमें चले आये। क्या वे मूर्ख महाराज धृतराष्ट्रके महान् बलको नहीं जानते हैं?'॥ १-२॥

—ऐसा कहकर दुर्योधनने घोड़े, हाथी, रथ और पैदल वीरोंसे युक्त अपनी चतुरङ्गिणी सेना युद्धमें यादवोंका सामना करनेके लिये भेजी। वह विशाल सेना दस अक्षौहिणियोंके द्वारा भूतलको कम्पित करती और शत्रुओंको डराती हुई बलपूर्वक आगे बढ़ी। उसे आती देख वीरोंसे विभूषित जाम्बवतीनन्दन साम्बने बड़े हर्ष और उत्साहसे अपनी सेनाको युद्धके लिये प्रेरणा दी॥ ३—५॥

तब समस्त कौरव अपनी रक्षाके लिये क्रौञ्चव्यूहका निर्माण करके उसीमें सब-के-सब खड़े हो गये। उसके मुखभागमें भीष्म खड़े हुए और ग्रीवाभागमें आचार्य द्रोण। दोनों पंखोंकी जगह कर्ण तथा शकुनि स्थित हुए और पुच्छभागमें दुर्योधन। उस क्रौञ्चव्यूहके मध्यभागमें चतुरङ्गसैनिकोंके साथ कौरवोंकी विशाल वाहिनी खड़ी हुई। यादवोंने जब शत्रुओंके लिये दुर्जय उस क्रौञ्चव्यूहका निर्माण हुआ देखा, तब वे युद्धसे शङ्कित हो उस क्रौञ्चव्यूहपर दृष्टि रखते हुए साम्बसे बोले—'तुम भी यत्नपूर्वक व्यूह बना लो।' साम्ब युद्धकी कलामें बड़े निपुण थे। उन्होंने अपने सैनिकोंकी व्यूह-रचना-विषयक बात सुनकर भी कौरवोंको कुछ न गिनते हुए रणक्षेत्रमें व्यूहका निर्माण नहीं किया॥ ६—१०॥

नरेश्वर! जब दोनों ओरकी सेनाएँ युद्ध करनेके लिये आगे बढ़ीं, तब दो घड़ीतक सारी पृथ्वी जोर-जोरसे काँपती रही। दोनों सेनाओंमें तत्काल रणभेरियाँ बज उठीं और शङ्खनाद होने लगे। सब ओर जगह-जगह धनुषोंकी टंकारें सुनायी देने लगीं। वहाँ हाथी चिग्घाड़ते और घोड़े हिनहिनाते थे। शूरवीर सिंहनाद करते और रथोंकी नेमियाँ (पहिये) घरघराहट उत्पन्न करती थीं। सैनिकोंकी पदधूलिसे युद्धस्थलमें अन्धकार छा गया। आकाश मलिन हो गया और वहाँ सूर्यका दीखना बंद हो गया। फिर तो दोनों सेनाओंमें घोर घमासान युद्ध होने लगा। समराङ्गणमें उभय पक्षके सैनिक एक-दूसरेपर बाणों, गदाओं, परिघों, शतघ्नियों, शक्तियों तथा तीखे बाणोंका प्रहार करने लगे। गजारोही गजारोहियोंसे, रथी रथियोंसे, घुड़सवार घुड़सवारोंसे तथा पैदल-योद्धा पैदलोंसे जूझने लगे॥ ११—१६॥

बाणोंसे अन्धकार छा जानेपर धनुर्धर वीर साम्ब बाणवर्षा करते हुए रणक्षेत्रमें भीष्मके साथ और अक्रूर कर्णके साथ युद्ध करने लगे। युयुधान शकुनिके साथ, सारण द्रोणाचार्यके साथ तथा सात्यकि संग्राम-भूमिमें दुर्योधनके साथ शीघ्रतापूर्वक लड़ने लगे। बली दुःशासनके साथ और कृतवर्मा भूरिके साथ भिड़ गये। इस प्रकार उनमें परस्पर भयंकर द्वन्द्वयुद्ध होने लगा। तब साम्बने अत्यन्त कुपित होकर अपने सुदृढ़ धनुषपर प्रत्यञ्चा चढ़ायी और शूरवीरोंके हृदयमें कम्प उत्पन्न करते हुए टंकार-ध्वनि की। उन्होंने पहले श्रीकृष्णको नमस्कार करके दस बाण छोड़े। अपने ऊपर आये हुए उन बाणोंको भीष्मने अपने सायकोंसे

काट डाला। तब रणक्षेत्रमें साम्बने सिंहनाद करके पुनः दस सुवर्णमय बाण भीष्मके कवचपर मारे। चार सायकोंद्वारा उनके चारों घोड़ोंको यमलोक भेज दिया तथा दस बाणोंसे उनके प्रत्यञ्चासहित कोदण्डको खण्डित कर दिया। धनुष कट जाने तथा घोड़ों और सारथिके मारे जानेपर रथहीन हुए भीष्मने सहसा उठकर बड़े रोषसे गदा हाथमें ली। तब साम्बने कहा—'आप पैदल हैं, अतः आपके साथ मैं युद्ध कैसे करूँगा? मैं युद्धस्थलमें आपको दूसरा रथ दूँगा। कुरुश्रेष्ठ! आप समराङ्गणमें मुझसे सशस्त्र रथ लीजिये और मुझ मूढ़ निर्लज्जपर विजय पाइये। आप वृद्ध होनेके कारण मेरे लिये सदा पूजनीय ही हैं'॥ १७—२६॥

यह सुनकर क्रोधसे भीष्मका अधर फड़कने लगा। वे दाँतोंसे दाँत पीसते और जीभसे ओठ चाटते हुए आँखें लाल करके साम्बसे बोले—'तुम्हारे दिये हुए रथपर बैठकर जब मैं युद्ध करूँगा तो मेरी अपकीर्ति होगी तथा मुझे पाप और नरक ही प्राप्त होगा। प्रतिग्रह तो ब्राह्मण लेते हैं। हमलोग तो दाता माने गये हैं। हमने पहले कृपा करके ही यादवोंको राज्य दिया था।' उनकी बात सुनकर साम्बने रोषपूर्वक उत्तर दिया—'भूतलपर किसी चक्रवर्ती शासकको विद्यमान देख मण्डलेश्वर राजालोग भयके कारण उन्हें अपना राज्य दे डालते हैं। (किंतु ऐसा करके वे दाता नहीं माने जाते।)'॥ २७—३०$\frac{१}{२}$॥

नरेश्वर! साम्बका यह वचन सुनकर शूरशिरोमणि भीष्मने अपनी भारी गदासे साम्बके वक्षःस्थलपर प्रहार किया। उस गदाकी चोटसे व्यथित हो साम्ब मूर्च्छित हो गये। सारथिने उन्हें रथपर सँभालके लिटा दिया और उनके जीवनके लिये आशङ्कित हो वह उन्हें रणक्षेत्रसे बाहर हटा ले गया। नृपेश्वर! उसी समय यादव-सेनामें भारी कोलाहल मचा। भीष्म दूसरे रथपर आरूढ़ हो, कवच बाँध, शरासन हाथमें ले, मार्गमें यादवोंको मारते हुए शीघ्र ही दुर्योधनके पास जा पहुँचे। राजेन्द्र! उस संग्राममें सात्यकिने गीधकी पाँख लगे हुए चमकीले बाणोंद्वारा दुर्योधनको रथहीन कर दिया। रथहीन होनेपर भी दुर्योधन वेगपूर्वक दूसरे रथपर जा चढ़ा और विषधर सर्पके समान बाणोंद्वारा उसने अपने उस शत्रुको भी रथहीन कर दिया। नरेश्वर! शीघ्र पराक्रम प्रकट करनेवाले सात्यकिने भी दूसरे रथपर आरूढ़ हो एक बाण मारकर दुर्योधनके रथको चार कोस दूर फेंक दिया। आकाशसे उसका रथ भूतलपर गिरा और सारथि तथा घोड़ोंसहित अंगारके समान बिखर गया। उस रथसे गिरनेपर दुर्योधनको तत्काल मूर्च्छा आ गयी। तब अत्यन्त कुपित हुए द्रोणाचार्यने अपने शत्रु सारणको समराङ्गणमें छोड़कर अग्निमय बाणसे सात्यकिपर प्रहार किया। उस बाणसे सात्यकिका रथ घोड़ों और सारथिसहित जलकर भस्म हो गया और सात्यकि भी बाणकी ज्वालासे अङ्ग-अङ्ग झुलस जानेके कारण मूर्च्छित हो गये॥ ३१—४०॥

राजन्! तब कुपित हुआ कृतवर्मा समराङ्गणमें भूरिको परास्त करके द्रोणके ऊपर अधिक रुष्ट हो सिंहनाद करता हुआ आया। उस वीरने आते ही युद्धक्षेत्रमें रोषपूर्वक बाणोंकी वर्षा करके आचार्य द्रोणको शस्त्रहीन एवं रथहीन कर दिया और उनका कवच भी काट डाला। तब कर्ण अत्यन्त कुपित हो उठा और उसने रणाङ्गणमें अक्रूरको छोड़कर कृतवर्माके ऊपर उसी प्रकार शक्तिसे प्रहार किया, जैसे स्वामी कार्तिकेयने तारकासुरको शक्तिसे चोट पहुँचायी थी। वह शक्ति कृतवर्माके शरीरका भेदन करके धरतीमें घुस गयी। हृदय विदीर्ण हो जानेके कारण कृतवर्मा भूमिपर गिर पड़ा॥ ४१—४४॥

राजेन्द्र! तब युयुधानने युद्धमें क्रोधपूर्वक शकुनिको परास्त करके रथद्वारा कर्णके ऊपर चढ़ाई की। उन्होंने आते ही अपने शरासनसे दस सायक छोड़े। उन सायकोंको अपने ऊपर आया देख कर्णने उनपर अपने सायकोंद्वारा प्रहार किया। संग्रामभूमिमें उन दोनोंके बाण परस्पर रगड़ उठे और चिनगारियाँ बरसाते हुए अलातचक्रकी भाँति आकाशमें घूमने लगे। पृथ्वीनाथ! तब युयुधानने क्रोध करके कर्णके कवचपर काकपक्षयुक्त तीखे बाण मारे। राजन्! वे बाण कर्णके कवचपर न लगकर उसी तरह पृथ्वीपर गिर गये जैसे पापी स्वर्गमें न जाकर नरकमें ही गिरते

हैं। युयुधान बड़े विस्मयमें पड़ गये और कर्णने हँसकर युद्धस्थलमें नाना प्रकारके शस्त्रोंसे योजित बाणोंद्वारा उन्हें रथहीन कर दिया। यह देख बलीने युद्धस्थलमें दुःशासनको मूर्च्छित करके अग्नितुल्य तेजस्वी रथके द्वारा कर्णपर आक्रमण किया। भास्कर-नन्दन कर्णने बलीको आया देख पवनास्त्रयुक्त बाणसे उन्हें रथसहित दूर फेंक दिया। बली एक योजन दूर जा गिरे। इतनेमें ही साम्ब रोषपूर्वक कौरवोंको मारते और बाणोंद्वारा अन्धकार प्रकट करते हुए फिर वहाँ आ पहुँचे॥ ४५—५३॥

इस प्रकार श्रीगर्गसंहिताके अन्तर्गत अश्वमेधखण्डमें 'यादवों और कौरवोंके संग्रामका वर्णन' नामक उनचासवाँ अध्याय पूरा हुआ॥ ४९॥

पचासवाँ अध्याय

कौरवोंकी पराजय और उनका भगवान् श्रीकृष्णसे मिलकर भेंटसहित अश्वको लौटा देना

श्रीगर्गजी कहते हैं—नृपेश्वर! उसी समय भोज, वृष्णि और अन्धक आदि समस्त यादव तथा मथुरा और शूरसेन-प्रदेशके महासंग्रामकर्कश एवं बलवान् योद्धा यमुनाजीको पार करके पैरोंकी धूलिसे आकाशको व्याप्त और पृथ्वीको कम्पित करते हुए वहाँ आ पहुँचे। घोड़ेको सब ओर देखते और खोजते हुए महाबलवान् श्रीकृष्ण आदि और अनिरुद्ध आदि महावीर भी आ गये। वृष्णिवंशियोंने दूरसे ही वहाँ युद्धका भयंकर महाघोष, कोदण्डोंकी टंकार, शतघ्नियोंकी गूँजती हुई आवाज, शूरोंकी सिंहगर्जना, शस्त्रोंके परस्पर टकरानेके चट-चट शब्द, कोलाहल और हाहाकार सुना। सुनकर वे बड़े ही विस्मित हुए। जब उन्हें मालूम हुआ कि यादवोंका कौरवोंके साथ घोर युद्ध छिड़ गया है तो अनिष्टकी शङ्का मनमें लिये अनिरुद्ध और श्रीकृष्ण आदि यदुकुलशिरोमणि महापुरुष बड़े वेगसे वहाँ आये। नरेश्वर! 'अनिरुद्ध आदिके साथ हमारी सहायता करनेके लिये सेनासहित श्रीकृष्ण आ पहुँचे हैं', यह देखकर साम्ब आदिने उनको प्रणाम किया। श्रीकृष्णके पधारनेपर रणभेरियाँ बजने लगीं, शङ्ख और गोमुखोंके शब्द गूँज उठे, आकाशमें स्थित देवता फूलोंकी वर्षा तथा भूतलपर विद्यमान यादव जय-जयकार करने लगे। 'समराङ्गण-में सौ अक्षौहिणी सेनाके साथ भूतलको कम्पित करते हुए महाबली अनिरुद्ध आ पहुँचे हैं। यह देख कौरव योद्धा भयसे भागने लगे। प्रलयकालके समुद्रकी भाँति उमड़ती हुई अन्धकवंशियोंकी उस विशाल वाहिनीको देखकर वैश्यलोग डरके मारे भाग गये। घर-घरमें अर्गला लग गयी। ब्राह्मण, क्षत्रिय, वैश्य, शूद्र और स्त्रीसमुदाय दुर्योधनको कोसते और गाली देते हुए घरसे निकल गये तथा रोदन करने लगे॥ १—११॥

तदनन्तर मूर्च्छा छोड़कर दुःशासनका बड़ा भाई दुर्योधन तत्काल सोकर उठे हुएके समान जाग उठा। उस समय यादव सेनापर उसकी दृष्टि पड़ी। यादवोंकी वह विशाल सेना देखते ही दुर्योधन आशङ्कित हो गया और डरके मारे पैदल ही अपने नगरमें चला गया। कर्ण, भीष्म, कृपाचार्य, द्रोणाचार्य, भूरि और दुर्योधन आदिने सभाभवनमें जाकर धृतराष्ट्रको नमस्कार करके सारा हाल कह सुनाया। अपने पक्षकी पराजय यादवोंकी विजय तथा श्रीकृष्णका शुभागमन सुनकर राजाने विदुरसे पूछा॥ १२—१५॥

धृतराष्ट्र बोले—वीर! सौ अक्षौहिणी सेना लेकर क्रोधसे भरे हुए वासुदेव श्रीकृष्ण यहाँ चढ़ आये हैं। ऐसी दशामें हमलोग क्या करें। यह बताओ!॥ १६॥

महाराज धृतराष्ट्रकी यह बात सुनकर विदुर ठहाका मारकर हँस पड़े और बोले॥ १६ $\frac{1}{2}$॥

विदुरने कहा—महाराज! पहले तो अकेले बलरामजी ही कुपित होकर आये थे, जिन्होंने हस्तिनापुरीको हलसे खींचकर गङ्गाकी ओर झुका

दिया। अब उन्हींके भाई आ पहुँचे हैं, जिन्होंने देवकीके हृदय-कमल-कोषसे अवतार ग्रहण किया है। वे श्रीकृष्ण साक्षात् श्रीहरि हैं। राजन्! जिन्होंने युद्धमें कंस और शकुनि आदि बहुत-से दैत्योंको मार गिराया तथा अनेकानेक नरेशों एवं देवताओंको भी परास्त किया है। इसलिये महाराज! देखिये, हमारे लिये यह युद्धका समय नहीं है। आप कौरवोंद्वारा श्यामकर्ण अश्व श्रीकृष्णको लौटा दीजिये। इससे कौरवों और यादवोंका विनाशकारी युद्ध नहीं होगा॥ १७—२०½ ॥

अपने भाई विदुरके इस प्रकार समझानेपर बुद्धिमान् राजा धृतराष्ट्रने कौरवोंसे यह देशकालोचित बात कही॥ २१½ ॥

धृतराष्ट्र बोले—तुमलोग श्रीकृष्णके निकट जाकर घोड़ा लौटा दो। देवाधिदेव श्रीहरिके सामने युद्ध करना तुम्हारे बलबूतेके बाहर है। श्रीहरि यादवों-की सहायताके लिये कुपित होकर आये हैं, तुम धीरेसे उनके निकट जाकर उन्हें प्रसन्न करो॥ २२-२३½ ॥

कौरवेन्द्रका ऐसा आदेश सुनकर समस्त कौरव भयभीत हो गये। वे गन्ध, अक्षतसहित दिव्य वस्त्र और नाना प्रकारके रत्न आदि विविध उपचार लेकर बलराम और श्रीकृष्णके पवित्र नामोंका कीर्तन करते हुए सब-के-सब श्रीकृष्णके दर्शनार्थ पैदल ही गये। कौरवोंको आया देख यादव क्रोधसे भर गये और उन्होंने शीघ्र ही युद्धके लिये नाना प्रकारके अस्त्र-शस्त्र ले लिये। तब समस्त कौरवोंने उनसे कहा—हमलोग युद्धके लिये नहीं आये हैं। हम भगवान् श्रीकृष्णका शुभ दर्शन करेंगे, जो समस्त दुःखोंका नाश करनेवाला है॥ २४—२८ ॥

उनकी यह बात सुनकर यादवोंको आश्चर्य हुआ। उन्होंने कौरवोंकी वह सारी चेष्टा भगवान् श्रीकृष्णको बतायी। नरेश्वर! तब श्रीकृष्णकी आज्ञा पाकर उन श्रेष्ठ यादव वीरोंने निहत्थे आये हुए कौरवोंको प्रेमपूर्वक बुलाया। श्रीकृष्णके बुलानेपर वे उनके पास गये। उन सबके मुख लज्जासे नीचेको झुके हुए थे। उन्होंने पृथक्-पृथक् प्रणाम करके कहा॥ २९—३१ ॥

सबसे पहले आचार्य द्रोण बोले—जगदीश्वर श्रीकृष्ण! भद्र! मेरी रक्षा कीजिये। आपकी मायासे मोहित हुए इन कौरवोंको भी बचाइये[1] ॥ ३२ ॥

कृपाचार्य बोले—मधुसूदन! कैटभनाशन लोकनाथ मेरे जन्मका यही फल है, यही हमारी प्रार्थनीय वस्तु है और यही मुझपर आपका अनुग्रह है कि आप मुझे अपने भृत्यके भृत्यके परिचारकके दासके—दासके दासका—दास मानकर इसी रूपमें याद रखें[2] ॥ ३३ ॥

कर्णने कहा—माधव! मेरा धन अपने भक्तके लिये क्षीण हो, अर्थात् उन्हींके काम आवे। मेरा यौवन अपनी ही पत्नीके उपयोगमें आवे तथा मेरे प्राण अपने स्वामीके कार्यमें ही चले जायँ और अन्तमें आप मेरे लिये प्राप्तव्य वस्तुके रूपमें शेष रहें[3] ॥ ३४ ॥

भूरि बोले—वरद! नाथ! हम आपसे कोई ऐसी वस्तु माँग रहे हैं जो दूसरोंसे नहीं मिल सकती। यदि आपकी मुझपर सुमुखी दिव्य दृष्टि है तो वही दीजिये। देव! हमने आज विवश होकर आपके सामने यह अञ्जलि बाँधी है। जन्मान्तरमें भी मेरी यह अञ्जलि आपके सामने इसी प्रकार बँधी रहे[4] ॥ ३५ ॥

दुर्योधनने कहा—मैं धर्मको जानता हूँ, किंतु उसमें मेरी प्रवृत्ति नहीं है। मैं पापको भी समझता हूँ, किंतु उससे निवृत्त नहीं हो पाता हूँ। कोई देवता मेरे हृदयमें बैठकर मुझे जिस काममें लगाता है, मैं वही काम करता हूँ। मधुसूदन! यन्त्रके गुण-दोषसे

१. पूर्वं द्रोण उवाचाथ कृष्ण भद्र जगत्पते। रक्ष मां कौरवान् रक्ष मायया तव मोहितान्॥ ३२॥

२. कृपाचार्य उवाच—

मज्जन्मनः फलमिदं मधुकैटभारे मत्प्रार्थनीयमदनुग्रह एष एव। त्वद्भृत्यभृत्यपरिचारकभृत्यभृत्यभृत्यस्य भृत्य इति मां स्मर लोकनाथ॥

३. कर्ण उवाच—

भक्तस्यार्थे धनं क्षीणं स्वदारागतयौवनम्। स्वामिकार्ये गताः प्राणा अन्ते तिष्ठन्तु माधवः॥ ३४॥

४. भूरिरुवाच—

याचामहे वरद किंचिदनन्यलभ्यं नाथ प्रसीद सुमुखी यदि दिव्यदृष्टिः। अस्माभिरञ्जलिरयं विवशैर्निबद्ध एषैव मे भवतु देव भवान्तरेऽपि॥ ३५॥

प्रभावित न होकर मुझे क्षमा कीजिये। मैं यन्त्र हूँ और आप यन्त्री हैं (गुण-दोषका उत्तरदायी यन्त्री ही होता है, यन्त्र नहीं।), अतः आप मुझे दोष न दीजियेगा[१] ॥ ३६-३७ ॥

भीष्म बोले—योगीन्द्र! जिन्हें गोपियोंने रागान्ध होकर चूमा है, योगीन्द्र और भोगीन्द्र शेषनाग जिनका मनसे सेवन करते हैं तथा जो कुछ-कुछ लाल कमलके समान कोमल हैं, उन्हीं आपके इन चरणोंके लिये मेरी यह अञ्जलि जुड़ी हुई है[२] ॥ ३८ ॥

विदुरने कहा—जो लोग छोटे बालककी भाँति ब्रह्मका परिपालन करते हैं, अर्थात् जैसे माता-पिता बच्चेकी सदा सँभाल रखते हैं, उसी तरह जो निरन्तर ब्रह्म-चिन्तनमें लगे रहते हैं, उनके शुभाशुभ कर्म वैसे ही हैं, जैसे बेचनेवालोंकी वस्तुएँ। तात्पर्य यह है कि जैसे बिकी हुई वस्तुपर विक्रेताका स्वत्व नहीं होता उसी प्रकार अपने द्वारा किये गये शुभाशुभ कर्मपर ब्रह्मनिष्ठ पुरुष अहंता-ममताका भाव नहीं रखते हैं। (अतः उनके वे कर्म बन्धनकारक नहीं होते हैं।) ब्रह्म कैसा है? इसके उत्तरमें इतना ही कहा जा सकता है कि वह दैत्य, देवता और मुनियोंके लिये मनसे भी अगम्य है। वेद 'नेति-नेति' कहकर उसका वर्णन करता है। किंतु उसको जान नहीं पाता। (प्रभो! वह ब्रह्म आप ही हैं)[३] ॥ ३९ ॥

श्रीगर्गजी कहते हैं—राजन्! शरणमें आये हुए कौरवोंके इस प्रकार प्रार्थना करनेपर भगवान् श्रीकृष्ण प्रसन्न हो मेघके समान गम्भीर वाणीमें उनसे बोले ॥ ४० ॥

श्रीकृष्णने कहा—आर्य पुरुषो! मेरी बात सुनिये। मैं नारदजीसे प्रेरित होकर यहाँ युद्ध रोकनेके लिये ही आया हूँ। मेरे पुत्र निरङ्कुश (स्वच्छन्द) हो गये हैं, अतः मेरी आज्ञा नहीं मानते हैं। ये बड़े-बड़े लोगोंका अपराध कर बैठते हैं, जो बड़ा भारी दोष है। आपलोग धन्य और माननीय हैं कि हमसे मिलनेके लिये आये हैं। मेरे पुत्रोंने जो कुछ किया है वह सब आपलोग क्षमा कर दें। वीरो! उग्रसेनका घोड़ा आपलोग कृपापूर्वक छोड़ दें और इसकी रक्षा करनेके लिये आपलोग भी चलें, अवश्य चलें। यादव और कौरव तो मित्र हैं। पहलेसे चले आते हुए प्रेम-सम्बन्धको दृष्टिमें रखकर इन्हें आपसमें कलह नहीं करना चाहिये ॥ ४१—४५ ॥

इस प्रकार भगवान् श्रीकृष्णने जब मीठे वचनोंद्वारा संतोष प्रदान किया तब कौरवोंने बड़ी प्रसन्नताके साथ बहुमूल्य भेंट सामग्रीसहित अश्वको लौटा दिया। राजन्! घोड़ा लौटाकर अन्य सब कौरव तो मन-ही-मन खेदका अनुभव करते हुए अपने नगरमें चले गये। परंतु भीष्मजीने यादव सेनाके साथ अश्वकी रक्षाके लिये जानेका विचार किया ॥ ४६-४७ ॥

इस प्रकार श्रीगर्गसंहिताके अन्तर्गत अश्वमेधखण्डमें 'हस्तिनापुर-विजय' नामक पचासवाँ अध्याय पूरा हुआ ॥ ५० ॥

---

१. दुर्योधन उवाच—
जानामि धर्मं न च मे प्रवृत्तिर्जानामि पापं न च मे निवृत्तिः।
केनापि देवेन हृदिस्थितेन यथा नियुक्तोऽस्मि तथा करोमि ॥ ३६ ॥
यन्त्रस्य गुणदोषेण क्षम्यतां मधुसूदन।
अहं यन्त्रो भवान् यन्त्री मम दोषो न दीयताम् ॥ ३७ ॥

२. भीष्म उवाच—
रागान्धगोपीजनचुम्बिताभ्यां योगीन्द्रभोगीन्द्रनिषेविताभ्याम्।
आताम्रपङ्केरुहकोमलाभ्यां ताभ्यां पदाभ्यामयमञ्जलिर्मे ॥ ३८ ॥

३. विदुर उवाच—
आस्तेऽतिविक्रयकृतां सुकृतानि तानि ये ब्रह्म बालमिव तत्परिपालयन्ति।

इक्यावनवाँ अध्याय

यादवोंका द्वैतवनमें राजा युधिष्ठिरसे मिलकर घोड़ेके पीछे-पीछे अन्यान्य देशोंमें जाना तथा अश्वका कौन्तलपुरमें प्रवेश

श्रीगर्गजी कहते हैं—नृपेश्वर! तत्पश्चात् भगवान् श्रीकृष्ण यादवोंकी रक्षा करके सबसे मिल-जुलकर रथके द्वारा कुशस्थलीपुरीको चल दिये। उनके चले जानेपर अनिरुद्धने अश्वका यत्नपूर्वक पूजन किया और विजययात्राके लिये पुनः उसे बन्धनमुक्त कर दिया। छूटनेपर वह घोड़ा अनेकानेक देशोंको देखता हुआ तीव्र गतिसे आगे बढ़ा। राजेन्द्र! उसके पीछे वृष्णिवंशी यादव भी वेगपूर्वक चले। दुर्योधनकी पराजय सुनकर दूसरे-दूसरे भूपाल महाबली श्रीकृष्णके भयसे अपने राज्यमें आनेपर भी उस घोड़ेको पकड़ न सके॥ १—४॥

तदनन्तर यज्ञका वह घोड़ा इधर-उधर देखता-सुनता हुआ द्वैतवनमें जा पहुँचा, जहाँ राजा युधिष्ठिर भाइयों और पत्नीके साथ वनवास करते थे। उस द्वैतवनमें भीमसेन प्रतिदिन हाथियोंके समुदायोंके साथ उसी तरह क्रीडा करते थे, जैसे बालक खिलौनोंसे खेलता है। उन्होंने वहाँ उस घोड़ेको देखा। वह वन बड़ा ही विशाल और घना था। बरगद, पीपल, बेल, खजूर, कटहल, मौलसिरी, छितवन, तिन्दुक, तिलक, साल, तमाल, बेर, लोध, पाटल, बबूल, सेमर, बाँस और पलाश आदि वृक्षोंसे भरा था। उस दुर्जर-निर्जन वनमें, जहाँ सूअर, हिरण, व्याघ्र, भेड़िये और सर्प रहते थे, जहाँ झींगुरोंकी झीनी झनकार गूँजती रहती थी, जिसमें गीध और चील आदि पक्षी रहा करते थे, बाँबीसे आधा शरीर निकाले हुए अगणित सर्प भरे थे; सियार, वानर, भैंसे, नीलगाय, आदि जिसे वनकी शोभा बढ़ाते थे तथा राजन्! गवय, हाथी, भालू, बिलाव और वनमानुष आदिके रहनेसे जो बड़ा भयंकर प्रतीत होता था, उस वनमें उस घोड़ेको आया हुआ देख भयानक पराक्रमी भीमसेनने उसका केश पकड़ लिया। नरेश्वर! भालपत्रसहित उस अश्वको अनायास ही काबूमें करके 'किसने इसे छोड़ा है'—ऐसी बात कहते हुए वे उसे लेकर धीरे-धीरे आश्रमकी ओर चले॥५—१३$\frac{1}{2}$॥

राजन्! उसी समय उस वनमें यज्ञ-सम्बन्धी अश्वका बड़े कष्टसे अवलोकन करते हुए अनिरुद्ध आदि समस्त यादव वहाँ आ पहुँचे। घोड़ेको पकड़ा गया देख वे आपसमें कहने—'अहो! यह वनेचर तो भीमसेनके समान दिखायी देता है। बड़ी-बड़ी बाँहें, अत्यन्त पुष्ट शरीर, बहुत ऊँचा कद, लाल आँखें और महान् गौरवर्ण—सब उन्हींके समान हैं। यह कठिनाइयोंको झेलनेमें समर्थ है। इसके सारे अङ्गमें धूल लिपटी हुई है तथा इसने भीमकी ही भाँति गदा भी ले रखी है।' परस्पर ऐसी बातें कहते हुए वे सब लोग फिर उस वनेचरसे बोले॥१४—१७॥

'अरे भाई! तुम कौन हो? राजाधिराजके इस अश्वको लेकर कहाँ जाओगे? अतः शीघ्र इसे छोड़ दो, नहीं तो हमलोग तुम्हें बाणोंसे मारेंगे'॥१८॥

उनकी यह बात सुनकर भीमने घने जंगलमें घोड़ेको बाँध दिया और दस हजार भार लोहेकी बनी हुई अपनी भारी गदा लेकर वे उनके सामने गये। पराक्रमी भीमने संग्राममें यादव-सैनिकोंको गदासे मारना आरम्भ किया। भीमकी चोट जिनपर पड़ गयी, वे सब यादव वहीं ढेर हो गये। उस वनेचरका पराक्रम देख अनिरुद्ध कुपित हो उठे। उन्होंने अपने उस शत्रुके ऊपर एक हजार मतवाले हाथी हाँक दिये। वे हाथी क्या थे, दिग्गज थे और पर्वतके शिखरके समान दिखायी देते थे। उन्होंने भीमसेनको पृथ्वीपर पटक दिया और दाँतोंसे दबाना आरम्भ किया। यह देख भीमसेन सहसा उठकर खड़े हो गये और क्रोधसे उनके ओठ फड़कने लगे। उन्होंने अपनी वज्र-सरीखी गदासे उन मतवाले हाथियोंको पीटना आरम्भ किया। किन्हींको उठाकर आकाशमें फेंक दिया और कितनोंको वहीं पृथ्वीपर दे मारा। कुछ हाथियोंको उन्होंने पैरोंसे

मसल दिया और कितनोंको उठाकर दूसरे हाथियोंपर फेंक दिया। फिर तो सारे हाथी भयसे व्याकुल हो भागने लगे॥ १९—२४$\frac{1}{2}$॥

तब अत्यन्त कुपित हो गदाधारी गद वहाँ आ पहुँचे। निकट जाकर उन्होंने भीमसेनको पहचान लिया। फिर भी मनमें शङ्का बनी रही। अतः उन्होंने नमस्कार करके पूछा—'हे वीर! तुम कौन हो? यह मेरे सामने ठीक-ठीक बताओ'॥ २५-२६॥

वे बोले—'हे गद! मैं भीमसेन हूँ। हमारे शत्रु दुर्योधनने हमें जुएमें जीतकर नगरसे निकाल दिया। यहाँसे एक योजनकी दूरीपर भाइयोंसहित युधिष्ठिर वनवास करते हैं। देखो न, यह भगवान्‌की कैसी विचित्र माया है। वनमें निवास करते हुए आठ वर्ष बीत गये हैं। अभी चार वर्ष शेष हैं। इसके बाद हमें पुनः एक वर्षतक अज्ञातवास करना होगा। अर्जुन इन्द्रके बुलानेसे स्वर्गलोकमें गये हैं। मैं नहीं जानता कि वे इस भूतलपर कबतक लौटेंगे। गद! तुम हमें यादवोंका कुशल-समाचार बताओ। यह किस राजाका घोड़ा है? और तुमलोग किसलिये यहाँ आये हो?' ऐसा कहकर भीमसेन दुर्योधनके दिये हुए क्लेशोंको याद करके दुःखी हो अश्रुधारा बहाते हुए रोने लगे॥ २७—३२॥

उनकी ये बातें सुनकर गद भी दुःखी हो गये और भीमको आश्वासन देकर उन्होंने सारी बातें विस्तारपूर्वक कह सुनायीं। वह सब सुनकर भीमसेनको बड़ी प्रसन्नता हुई और वे अनिरुद्ध आदि श्रेष्ठ यादव-वीरोंको साथ लेकर धर्मनन्दन युधिष्ठिरके समीप गये। राजन्! यादवोंका आगमन सुनकर अजातशत्रु युधिष्ठिरको बड़ा हर्ष हुआ और वे नकुल आदिके साथ उनकी अगवानीके लिये आश्रमसे बाहर निकले। नरेश्वर! समस्त यादवोंने उनके चरणोंमें प्रणाम किया और युधिष्ठिरने उन्हें उत्तम आशीर्वाद दे बड़ी प्रसन्नताके साथ उन सबको द्वैतवनमें ठहराया। राजा युधिष्ठिरने सूर्यदेवकी दी हुई बटलोईके प्रभावसे वहाँ आये हुए सब अतिथियोंको यथायोग्य उनकी रुचिके अनुरूप भोजन दिया। परंतप! वहाँ एक रात रहकर प्रातःकाल प्रद्युम्नकुमार अनिरुद्ध पाण्डवोंको यज्ञका निमन्त्रण दे, घोड़ेको मुक्त कराकर यादवोंके साथ वहाँसे शीघ्र चल दिये और घोड़ेके पीछे-पीछे सारस्वत-देशोंमें गये॥ ३३—३९॥

राजन्! बहुत-से वीर-विहीन देशोंको छोड़कर वह अश्वराज इच्छानुसार विचरता हुआ कौन्तलपुरमें गया। महाराज! उस नगरमें 'चन्द्रहास' नामक वैष्णव राजा राज्य करता था, जो केरल-देशके राजाका पुत्र था और कुलिन्दने उसका पालन किया था। वह भगवान् श्रीकृष्णके प्रसादसे वहाँ राज्य करता था। राजन्! भक्त चन्द्रहासकी कथा 'जैमिनी महाभारत' में वर्णित है। नारदजीने अर्जुनके सामने चन्द्रहासके जीवनवृत्तका विस्तारपूर्वक वर्णन किया था। उस कौन्तलपुरमें सब लोग श्रीकृष्णके भक्त होकर रहते हैं। वे सब-के-सब ब्राह्मणभक्त, पुण्य-परायण, परस्त्रीपराङ्मुख, अपनी ही पत्नीमें अनुराग रखनेवाले तथा सतत श्रीकृष्णकी समाराधनामें संलग्न रहनेवाले थे। वे गोविन्दकी गाथाएँ और पुराण-कथा सुनते तथा बड़े आनन्दसे श्रीराधा और माधवके नाम जपते थे। वहाँके द्विज दो ऊर्ध्वपुण्ड्र तिलक धारण करते, तुलसीकी मालाएँ पहनते और गोपीचन्दन, केसर तथा हरिचन्दनसे चर्चित रहते थे। वे सब ललाटमें श्याम-बिन्दु धारण करते, उनमेंसे कोई-ही-कोई ऐसे थे, जो श्रीतिलक लगाते थे। वहाँके सभी वैष्णव बारह तिलक और आठ मुद्राएँ धारण करते थे। ब्राह्मण आदि वर्णके गृहस्थलोग प्रतिदिन प्रातःकाल गोपीचन्दनसे युक्त शीतल मुद्रा धारण करते थे। कोई-कोई विरक्त और संन्यासी साधु अग्निसंस्कारके लिये तप्तमुद्रा धारण करते थे। उस नगरमें इधर-उधर देखता हुआ वह घोड़ा राजभवनमें जा पहुँचा, जहाँ राजा चन्द्रहास चन्द्रमाके समान शोभा पाता था॥ ४०—५०॥

इस प्रकार श्रीगर्गसंहिताके अन्तर्गत अश्वमेधखण्डमें 'अश्वका कौन्तलपुरमें गमन' नामक इक्यावनवाँ अध्याय पूरा हुआ॥ ५१॥

बावनवाँ अध्याय

श्यामकर्ण अश्वका कौन्तलपुरमें जाना और भक्तराज चन्द्रहासका बहुत-सी भेंट-सामग्रीके साथ अश्वको अनिरुद्धकी सेवामें अर्पित करना और वहाँसे उन सबका प्रस्थान

श्रीगर्गजी कहते हैं—राजन्! वहाँ आये हुए घोड़ेको देखकर व्रजचन्द्र श्रीकृष्णके दास राजा चन्द्रहासने उसे तत्काल पकड़ लिया और प्रसन्नतापूर्वक उसके भालपत्रको पढ़ा। नरेश्वर! उस पत्रको पढ़कर उस महाभगवद्भक्त नरेशने कहा—'अहो! बड़े सौभाग्यकी बात है कि मैं आज भगवान् श्रीकृष्णके पौत्रको अपने नेत्रोंसे देखूँगा। पता नहीं, पूर्वकालमें मेरे द्वारा कौन-सा ऐसा पुण्य बन गया है, जिससे मुझे श्रीकृष्णतुल्य यदुकुलतिलक अनिरुद्धके दर्शनका अवसर मिल रहा है। मैंने आजतक मायासे मानव-शरीर धारण करनेवाले भगवान् श्रीकृष्णका दर्शन नहीं किया है। इसलिये मैं प्रद्युम्नकुमारके साथ द्वारका जाऊँगा और वहाँ श्रीकृष्ण, बलराम, प्रद्युम्न तथा उन महाराज उग्रसेनका भी दर्शन करूँगा, जो भगवान् श्रीकृष्णसे भी पूजित हैं॥ १—४ $\frac{1}{2}$ ॥

—ऐसा कहकर राजा चन्द्रहास गन्ध, पुष्प, अक्षत आदि उपचार, दिव्य वस्त्र, दिव्य रत्न और उस घोड़ेको भी साथ लेकर माला-तिलकसे सुशोभित समस्त पुरजनोंसहित अनिरुद्धका दर्शन करनेके लिये नगरसे बाहर निकला। गीत और बाजोंकी मङ्गलमयी ध्वनिके साथ राजा पैदल ही गया॥ ५—७॥

नरेश्वर! नागरिकोंसहित राजाको आया देख अनिरुद्धको बड़ी प्रसन्नता हुई। वे मन्त्री उद्धवजीसे पूछने लगे॥ ८॥

अनिरुद्धने कहा—महामन्त्रिन्! यह कौन राजा है, जो समस्त पुरवासियोंके साथ हमसे मिलनेके लिये आया है? आप इसका वृत्तान्त हमें बतावें॥ ९॥

उद्धव बोले—प्रद्युम्नकुमार! यह केरलके राजाका पुत्र 'चन्द्रहास' नामक नरेश है। इसके माता-पिता बचपनमें ही परलोकवासी हो गये; अतः कुलिन्दने इसका पालन किया है। यह बाल्यावस्थासे ही भगवान् श्रीकृष्णका भक्त है और उन्होंने ही इसकी रक्षा की है। दुष्टबुद्धिवाले मन्त्रीकी पुत्रीके साथ इसने विवाह किया है। कुन्तल-देशके राजा इसे अपना राज्य देकर वनमें चले गये थे। उस राजाका वृत्तान्त मैंने द्वारकामें श्रीकृष्णके ही मुखसे सुना था। उसे दर्शन देनेके लिये भगवान् श्रीकृष्ण स्वयं यहाँ पधारेंगे॥ १०—१२ $\frac{1}{2}$ ॥

उद्धवकी यह बात सुनकर यादवप्रवर अनिरुद्ध चकित हो गये। समस्त पुरवासियोंसे घिरे हुए राजा चन्द्रहासने अनिरुद्धके निकट जाकर श्यामकर्ण घोड़ा दिया और प्रसन्नतापूर्वक बहुत धन-राशि भी भेंट की। पचास हजार हाथी, एक लाख रथ, एक करोड़ घोड़े, एक हजार स्वर्ण मुद्राएँ, एक हजार गवय, एक हजार शिबिकाएँ, दस लाख धेनु, दस हजार प्रत्यञ्चा, एक करोड़ भर सोना, चार करोड़ भर चाँदी और एक लाख आभूषण—उस राजाने माधव अनिरुद्धको भेंटमें दिये॥ १३—१७॥

चन्द्रहासने कहा—जो समस्त देवताओंमें श्रेष्ठ, श्रीकृष्णपौत्र, लोकेश्वर, प्रद्युम्नपुत्र, यदुकुलतिलक तथा पूर्ण परमात्मदेव हैं, उन अनिरुद्धको बारंबार मेरा नमस्कार है॥ १८॥

भक्तका यह वचन सुनकर प्रसन्न हुए प्रद्युम्नकुमारने उसकी प्रशंसा करके उसे एक देदीप्यमान रत्नमाला अर्पित की। राजेन्द्र! चन्द्रहासने अपने राज्यपर मन्त्रीको नियुक्त करके अपने नगरसे यादवोंके साथ जानेका विचार किया। वे समस्त श्रेष्ठ यादव उस नगरमें एक रात रहकर प्रातःकाल चन्द्रहासके साथ वहाँसे प्रस्थित हो गये। भालपत्रसे सुशोभित घोड़ा उनके आगे-आगे चला और सैकड़ों आवर्तों (भँवरों) से व्याप्त 'सप्तवती' के पास जा पहुँचा। वह नदी अपनी तरङ्गोंसे तटभूमिको तोड़ रही थी। उसका वेग बहुत प्रबल था और उसे पार करना सबके लिये कठिन था। उसके किनारे बहुत-सी नौकाएँ बँधी थीं। उस नदीका दर्शन करके वीर प्रद्युम्ननन्दन अनिरुद्धने सौ अक्षौहिणी सेनाके साथ उसके पार जानेका विचार

किया॥ १९—२३ $\frac{1}{2}$ ॥

नृपश्रेष्ठ! अनिरुद्ध पहले साम्ब आदिसे घिरकर हाथीपर सवार हुए और नाव छोड़कर उन्होंने नदीके जलमें प्रवेश किया। पहले तो उसका जल उस सेनासे मथित होकर गँदला हो गया। फिर वह नदी पङ्किल भूमिमात्र रह गयी। यह विचित्र घटना घटित हुई। समस्त यादव हँसते हुए बड़े विस्मयमें पड़ गये॥ २४—२६॥

तदनन्तर वह घोड़ा धीरे-धीरे आगे बढ़ा और जाते-जाते जहाँ सिन्धु नदी एवं समुद्रके मध्यमें नारायण-सरोवर है, वहाँ पहुँच गया। वह प्यासते व्याकुल हो रहा था। उसने उस तीर्थका जल पिया। इतनेमें ही अनिरुद्ध आदि समस्त यादव वहाँ आ गये। उन्हें मार्गमें धर्मद्वेषी नीच म्लेच्छोंसे लोहा लेना पड़ा और उन्हें परास्त करके वे वहाँ आये थे। वहाँ घोड़ेको देखकर उन सबने नारायण-सरोवरमें स्नान किया॥ २७—२९॥

इस प्रकार श्रीगर्गसंहिताके अन्तर्गत अश्वमेधखण्डमें बावनवाँ अध्याय पूरा हुआ॥ ५२॥

तिरपनवाँ अध्याय

उद्धवकी सलाहसे समस्त यादवोंका द्वारकापुरीकी ओर प्रस्थान तथा अनिरुद्धकी प्रेरणासे उद्धवका पहले द्वारकापुरीमें पहुँचकर यात्राका वृत्तान्त सुनाना

श्रीगर्गजी कहते हैं—महाराज! राजा उग्रसेनका घोड़ा बड़े-बड़े वीर नरेशोंका दर्शन करता तथा भारतवर्षमें विचरता हुआ अन्यान्य राज्योंमें गया। प्रजानाथ! इस तरह भ्रमण करते हुए उस अश्वको बहुत काल व्यतीत हो गया और फाल्गुनका महीना आ पहुँचा, जो सबको घरकी याद दिलानेवाला है। फाल्गुन मास आया हुआ देख अनिरुद्ध शङ्कित हो गये और बुद्धिमानोंमें श्रेष्ठ मन्त्रिप्रवर उद्धवसे बोले॥ १—३॥

अनिरुद्धने कहा—मन्त्रिप्रवर! यादवराज उग्रसेन चैत्रमें ही यज्ञ करेंगे। हमलोग क्या करें? अब अधिक दिन शेष नहीं रह गये हैं। इस भूतलपर अश्वका अपहरण करनेवाले राजा कितने शेष रह गये हैं, मैं सुनना चाहता हूँ। आप शीघ्र उनके नाम बतावें॥ ४-५॥

उद्धव बोले—हरे! अब भूतलपर या आकाशमें अश्वका अपहरण करनेवाले शूरवीर शेष नहीं रह गये हैं। इसलिये अब तुम सोनेके हारोंसे अलंकृत द्वार-वाली यादवोंकी द्वारकापुरीको चलो॥ ६॥

उनकी यह बात सुनकर अनिरुद्धको बड़ा हर्ष हुआ। राजन्! अनिरुद्धने अश्वके आगे भी उद्धवजीकी कही हुई बात दोहरायी। इस प्रकार अनिरुद्धका कथन सुनकर वह सर्वज्ञ अश्व उसी तरह शीघ्रतापूर्वक द्वारका-को चल दिया, जैसे लङ्कासे लौटे हुए हनुमान्‌जी बड़े वेगसे किष्किन्धापुरीमें आये थे। नरेश्वर! उसके पीछे-पीछे भानु और साम्ब आदि शूरवीर वायु तथा मनके समान वेगशाली घोड़ोंद्वारा दौड़ने लगे। उन सब लोगों-ने अश्वके अपहरणकी आशङ्कासे उसको पकड़कर सोनेकी रस्सियोंसे बाँध दिया और उसे सेनाके बीचमें करके अपनी पुरीकी ओर प्रस्थान किया॥ ७—१०॥

गाजे-बाजेकी आवाजके साथ दुन्दुभियाँ बजवाते, पृथ्वीको कम्पित करते तथा दुष्ट शत्रुओंके मनमें त्रास भरते हुए यादवगण आगे बढ़ रहे थे। यादवोंके साथ जाते हुए उस घोड़ेको देखकर नारदजी नया कलह या विवाद खड़ा करनेके लिये दूतकी भाँति इन्द्रके पास गये। उनके सामने घोड़ेका वृत्तान्त उन्होंने विस्तारपूर्वक कहा। राजेन्द्र! वह वृत्तान्त सुनकर इन्द्रने उस घोड़ेको चुरा ले जानेका विचार किया। वे शीघ्र ही अदृश्य होकर अश्वको देखनेके लिये भूतलपर आये। अहो! भगवान् विष्णुकी मायासे सब देवता भी मोहित रहते हैं। कुबेर, ब्रह्मा और इन्द्र आदि भी जब भगवान्‌की मायासे मोहित हो जाते हैं, तब भूतलके साधारण मनुष्योंकी तो बात ही क्या है? इन्द्रने वहाँ जाकर वृष्णिवंशियोंकी सम्पूर्ण सेनाका निरीक्षण किया। वह सेना प्रलय कालके समुद्रकी भाँति भयंकर तथा करोड़ों

शूरवीरोंसे भरी हुई थी। यादवोंकी उस उद्भट एवं विशाल सेनाको देखकर इन्द्र डर गये। राजन्! श्रीकृष्णके भयसे देवेन्द्र अविलम्ब इन्द्रावतीपुरीको लौट गये। यह भगवान् श्रीकृष्णकी कृपा थी, जिससे उन्होंने युद्धकी आशा छोड़कर चुपचाप बैठ रहनेकी नीति अपनायी॥ ११—१७॥

अनेक चतुरङ्गिणी टुकड़ियोंसे युक्त हो यात्रा करती हुई महात्मा अनिरुद्धकी वह विशाल सेना हाथियों, रथों, घोड़ों और पैदल वीरोंके द्वारा स्वर्गलोकमें इन्द्रकी सेनाके समान सुशोभित हो रही थी। सम्पूर्ण हाथी अलग हो गये। रथ, घोड़े और पैदल भी अलग-अलग होकर चलने लगे। श्रीकृष्णके पुत्रगण हर्षोल्लाससे भरकर द्वारकाके पथका अनुसरण कर रहे थे। वे जम्बूद्वीपके विजेता थे और लोक-परलोक—दोनोंपर विजय पाना चाहते थे। राजन्! वे श्रेष्ठ यादव अग्रगामी वाहन—श्यामकर्ण अश्वको आगे करके भाँति-भाँतिके बाजे बजाते तथा नाच-गान आदि उत्सव करते हुए जा रहे थे॥ १८—२१॥

नरेश्वर! साम्ब आदि श्रीकृष्णपुत्रों तथा इन्द्रनील एवं चन्द्रहास आदि सहस्रों भूपालोंसे विभूषित हो अनिरुद्धने आनर्तदेशमें प्रवेश करके साम्बकी अनुमतिसे उद्धवजीको द्वारका भेजा। अभी वह पुरी वहाँसे दो योजन दूर थी। उनके द्वारा इस प्रकार प्रेरित हो उद्धवजी उन रुक्मवतीकुमार अनिरुद्धको नमस्कार करके शीघ्र ही एक शिबिकापर आरूढ़ हुए और हर्षपूर्वक पुरीकी ओर चल दिये, जहाँ मुनियोंसे घिरे हुए महाराज उग्रसेन सभामण्डपसे भूषित श्रेष्ठ पिण्डारक क्षेत्रमें निवास करते थे। राजन्! जहाँ वसुदेव आदि, बलराम और श्रीकृष्ण आदि तथा बलवान् प्रद्युम्न आदि प्रतिदिन यज्ञकी रक्षा करते थे, वहाँ उद्धवजी राजसभामें गये। उन्होंने यादवेन्द्र उग्रसेनको प्रणाम करके वसुदेव, बलराम, श्रीकृष्ण तथा प्रद्युम्न आदि समस्त उत्तम यादवोंको यथायोग्य प्रणाम किया और उनके सामने खड़े हो गये। उन्हें देखकर सबका मन प्रसन्न हो गया। फिर उनके पूछने-पर उद्धवने सब वृत्तान्त बताया॥ २२—२८॥

उद्धव बोले—राजेन्द्र! आपका श्यामकर्ण अश्व निर्विघ्न लौट आया। अनिरुद्ध आदि श्रेष्ठ यादव भी कुशलपूर्वक आ गये हैं। गोविन्दकी कृपासे राजा इन्द्रनील और हेमाङ्गद आये हैं। स्त्रीराज्यकी साम्राज्ञी सुरूपा भी आ पहुँची है। भीषणसहित बक भी युद्धमें परास्त हुआ है। बिन्दु और अनुशाल्व—ये दो वीर अपने-अपने नगरसे पधारे हैं। 'पाञ्चजन्य' नामक उपद्वीपमें असुरोंसहित बल्वलको जीत लिया गया है। उस युद्धमें भगवान् शंकरने रुष्ट होकर अनिरुद्ध और सुनन्दनका वध कर दिया था तथा और भी बहुतसे यादव मार डाले थे; किंतु भगवान् श्रीकृष्णने वहाँ पहुँचकर समस्त यादवोंको जीवनदान दिया। अतः यह ध्यान देनेयोग्य है कि श्रीकृष्णकी कृपासे ही हम सब लोग सकुशल लौटे हैं। समस्त कौरव परास्त हो गये और भीष्मजी हमारे साथ ही यहाँ पधारे हैं। हमने द्वैतवनमें दुःखपीड़ित पाण्डवोंको देखा और व्रजमें श्रीकृष्णविरहसे व्याकुल गोपगणोंका भी दर्शन किया। जो बाल्यावस्थासे ही भगवान् श्रीकृष्णका भक्त है, वह राजा चन्द्रहास भी हमारे साथ यहाँ आया है। और भी बहुत-से भूपाल आपके भयसे यहाँ आये हैं॥ २९—३६॥

श्रीगर्गजी कहते हैं—महाराज! उद्धवजीके मुखसे इस प्रकार श्रीकृष्णके गुणोंका गान सुनकर यादवेश्वर उग्रसेन प्रेमसे विह्वल हो कुछ बोल न सके। वे आनन्दके महासागरमें मग्न हो गये। उन्होंने उद्धवको मणिमय हार दिया। रत्न, वस्त्र, शिबिका, हाथी, घोड़े और रथ भी दिये। तब भगवान् श्रीकृष्णने शीघ्र ही उठकर हर्षोल्लाससे पूरित हो भरी सभामें मित्र उद्धवसे मिलकर उन्हें हृदयसे लगा लिया। इसके बाद हर्षसे भरे हुए उग्रसेनने गोविन्दसे कहा—'श्रीकृष्ण! तुम यादवोंके साथ अनिरुद्धको ले आनेके लिये जाओ'॥ ३७—४०॥

इस प्रकार श्रीगर्गसंहितामें अश्वमेधखण्डके अन्तर्गत 'उद्धवका आगमन' नामक तिरपनवाँ अध्याय पूरा हुआ॥ ५३॥

चौवनवाँ अध्याय

वसुदेव आदिके द्वारा अनिरुद्धकी अगवानी; सेना और अश्वसहित यादवोंका द्वारकापुरीमें लौटकर सबसे मिलना तथा श्रीकृष्ण और उग्रसेन आदिके द्वारा समागत नरेशोंका सत्कार

श्रीगर्गजी कहते हैं—नरेश्वर! तदनन्तर उग्रसेनके आदेशसे वसुदेव आदि समस्त श्रेष्ठ यादव विजय-यात्रासे लौटे हुए अनिरुद्धको लानेके लिये द्वारकापुरीसे निकले। वे हाथी, घोड़ों, रथों और शिबिकाओंपर बैठे थे। नृपेश्वर! उनके साथ बलदेव, श्रीकृष्ण आदि, प्रद्युम्न आदि तथा उद्धव आदि हाथीपर आरूढ़ हो श्यामकर्ण अश्वको देखनेके लिये निकले। नृपश्रेष्ठ! श्रीकृष्ण और बलरामकी माताएँ, देवकी आदि नारियाँ विचित्र शिबिकाओंपर बैठकर नगरसे निकलीं भगवान् श्रीकृष्णकी जो रुक्मिणी और सत्यभामा आदि पटरानियाँ तथा सोलह हजार अन्य रानियाँ थीं, वे सब-की-सब शिबिकाओंपर आरूढ़ हो उन लोगोंके साथ गयीं। नृपेश्वर! बहुत-सी कुमारियाँ हाथियोंपर बैठकर लावा, मोती और फूलोंकी वर्षा करनेके लिये शीघ्रतापूर्वक गयीं। पनिहारिनें (पानी ढोनेवाली स्त्रियाँ) जलसे भरे हुए कलश लेकर निकलीं। सौभाग्यवती ब्राह्मणपत्नियाँ गन्ध, पुष्प, अक्षत और दूर्वाङ्कुर लेकर गयीं। रूपवती वाराङ्गनाएँ सब प्रकारके शृङ्गारोंसे सुशोभित हो श्रीहरिके गुणोंका गान करती हुईं नृत्य करनेके लिये निकलीं। समस्त यादव शङ्खनाद, दुन्दुभियोंके शब्द और वेदमन्त्रोंके घोषके साथ एक गजराजको आगे करके गर्गाचार्य आदि मुनियोंसहित अपनी पुरीकी शोभा निहारते हुए गये। द्वारकापुरी ध्वजा-पताकाओंसे अलंकृत थी। उसकी सड़कोंपर सुगन्धित जलका छिड़काव किया गया था। पुरीका प्रत्येक भवन केलेके खम्भों और बन्दनवारोंसे शोभित था। रत्नमय दीपों और भाँति-भाँतिके चँदोवोंसे द्वारकापुरी उद्दीप्त हो रही थी। वहाँकी दिव्य नारियाँ और दिव्य पुरुष सुनहरे रंगके पीताम्बर धारण किये नगरकी शोभा बढ़ाते थे। पक्षियोंके कलरव और अगुरुकी गन्धसे व्याप्त धूमजालसे श्रीकृष्णकी वह नगरी इन्द्रकी अमरावतीपुरीके समान सुशोभित थी॥ १—११॥

इस तरह नगरीकी शोभा-सज्जाका अवलोकन करते हुए यादव शीघ्र उस स्थानपर जा पहुँचे, जहाँ श्यामकर्ण अश्वसहित अनिरुद्ध सेनासे घिरे हुए विराजमान थे। उन गुरुजनोंको आये देख अनिरुद्ध अपने रथसे उतर गये और यज्ञ-सम्बन्धी अश्वको आगे करके अन्यान्य नरेशोंके साथ पैदल ही चलने लगे। पहले उन्होंने यदुकुलके आचार्य गर्गमुनिको नमस्कार किया। तत्पश्चात् वसुदेव, बलराम, श्रीकृष्ण और अपने पिता प्रद्युम्नको प्रणाम करके वह अश्व उन्हें अर्पित कर दिया। उन सब लोगोंने प्रसन्न होकर प्रेमपूर्ण हृदयसे अनिरुद्धको शुभाशीर्वाद दिया और कहा—'वत्स! तुमने बड़ा अच्छा किया कि समस्त शत्रुनरेशोंको जीतकर यज्ञ-सम्बन्धी अश्वको एक वर्षके भीतर ही यहाँ वापस ला दिया'॥ १२—१५ $\frac{१}{२}$॥

उन सबका यह वचन सुनकर अनिरुद्ध मेरी ओर देखते हुए बोले—'विप्रवर! आपकी कृपासे ही मार्ग-मार्गमें और प्रत्येक युद्धमें बहुत-से शत्रुओंद्वारा पकड़ा जानेपर भी यह अश्व उनसे छुड़ा लिया गया है। गुरुके अनुग्रहसे ही मनुष्य सुखी होता है। इसलिये अपनी शक्तिके अनुसार विधिपूर्वक गुरुदेवका पूजन करना चाहिये॥ १६—१८॥

इसके बाद अन्य सब भूपाल बलराम और श्रीकृष्णके समीप आये तथा सब लोगोंने प्रसन्न एवं प्रेममग्न होकर अलग-अलग बारी-बारीसे उनके चरणोंमें प्रणाम किया। उन समस्त भूपालोंको नतमस्तक देख बलरामसहित श्रीकृष्णने चन्द्रहास, भीष्म, बिन्दु, अनुशाल्व, हेमाङ्गद और इन्द्रनील आदि सबको बड़े हर्षके साथ हृदयसे लगाया। अतः श्रीकृष्णभक्तसे बढ़कर दूसरा कोई इस भूतलपर नहीं है॥ १९—२१॥

नृपेश्वर! तदनन्तर उस यात्रासे विजयी होकर लौटे हुए अनिरुद्धको हाथीपर बिठाकर वसुदेवजी समस्त यादवों तथा मुदित पुत्र-पौत्रोंके साथ प्रसन्नतापूर्वक कुशस्थलीपुरीमें गये। उस समय देवाङ्गनाएँ उन सबके ऊपर फूलों और मकरन्दोंकी वर्षा करने लगीं तथा हाथियोंपर बैठी हुई कुमारियोंने खीलों और मोतियोंकी वृष्टि की। वे सब लोग नृत्य, वाद्य, गीत और वेदमन्त्रोंके घोषसे सुशोभित हो, जिसकी सड़कोंपर छिड़काव किया गया था, उस द्वारकापुरीकी शोभा निहारते हुए पिण्डारकक्षेत्रमें गये। सब राजा यादवोंके उस देवदुर्लभ वैभवको देखकर आश्चर्यचकित हो अपने-अपने वैभवकी निन्दा करने लगे। उन्होंने यज्ञस्थलको भी देखा, जो घीकी सुगन्धसे भरे धूमजाल तथा ब्राह्मणोंके मन्त्रघोषसे व्याप्त था। फिर वहाँ असिपत्र-व्रतधारी यदुकुलतिलक महाराज उग्रसेनको भी उन्होंने देखा, जो देवराज इन्द्रके समान तेजस्वी, जितेन्द्रिय, हृष्ट-पुष्ट और दीप्तिमान् थे। वे कुशासनपर बैठे बड़े सुन्दर लग रहे थे। उन्होंने नियम-निर्वाहके लिये आभूषण उतार दिये थे। हाथमें मृगका शृङ्ग ले रखा था और अपनी रानीके साथ मृगछालापर ही वे विराजमान थे, जो उक्त कुशासनके ऊपर बिछा था। महाराज उग्रसेन घृत, गन्ध और अक्षत आदिसे यज्ञ-मण्डपमें अग्निकी पूजा कर रहे थे। उनके साथ ऋषि-मुनि बैठे थे और उनके नेत्र धुआँ लगनेके कारण लाल हो गये थे॥ २२—२९॥

अनिरुद्ध आदि यादवोंने वाहनोंसे उतरकर यज्ञ-सम्बन्धी अश्वको आगे करके बड़ी प्रसन्नताके साथ महाराजको पृथक्-पृथक् प्रणाम किया। इसके बाद यादवराज श्रीउग्रसेनने उन समस्त नरेशों और यादवोंका अपनी शक्तिके अनुसार यथायोग्य सम्मान किया। तत्पश्चात् अनिरुद्धने शीघ्रतापूर्वक नमस्कार करके, दोनों हाथ जोड़कर सबके सुनते हुए उन जम्बू-द्वीपके स्वामी महाराज उग्रसेनसे कहा॥ ३०—३२॥

अनिरुद्ध बोले—महाराज! इनकी ओर देखिये। ये नरपतियोंमें श्रेष्ठ राजा इन्द्रनील बड़े प्रेमसे आपके चरणोंमें पड़े हैं; आप देवताकी भाँति इन्हें उठाइये। हेमाङ्गद, अनुशाल्व, बिन्दु, श्रीचन्द्रहास तथा ये देवव्रत भीष्मजी भी आपके समीप आये हैं; आप इनपर दृष्टिपात कीजिये। ये मेरे रक्षक जाम्बवतीनन्दन साम्ब पधारे हैं; इनकी ओर देखिये। श्रीरुद्रदेवने इनको और मुझको भी मार डाला था, किंतु परमात्मा श्रीकृष्णने हमें जीवनदान दिया। इसी तरह रुद्रद्वारा मारे गये और श्रीकृष्ण-कृपासे जीवित हुए, इन सुनन्दनपर भी दृष्टिपात कीजिये और अन्य समस्त यादवोंको भी देखिये, जो श्रीकृष्ण-कृपासे ही यहाँ लौटकर आये हैं। निर्विघ्न लौटे हुए इस यज्ञके घोड़ेको ग्रहण कीजिये तथा आपने युद्धके लिये जो तलवार दी थी, उसको भी ले लीजिये। आपको नमस्कार है॥ ३३—३७॥

अनिरुद्धका यह वचन सुनकर यादवराज उग्रसेन बड़े प्रसन्न हुए। उन्होंने उनकी प्रशंसा करके अन्यान्य नरेशोंको भी यथायोग्य आशीर्वाद दिया। फिर समस्त नरेशोंका पूजन करके वे देवव्रत भीष्मसे बोले—'भीष्मजी! आइये और मेरे साथ हृदय-से-हृदय लगाकर मिलिये।' यों कहकर यदुकुलतिलक उग्रसेनने उठकर उनका गाढ़ आलिङ्गन किया। इसके बाद दान-मानसे सम्मानित हुए वे राजा तथा यादव बड़ी प्रसन्नताके साथ द्वारकापुरीके विभिन्न गृहोंमें निवास करने लगे॥ ३८—४० $\frac{1}{2}$॥

नरेश्वर! तदनन्तर अनिरुद्धको साम्ब आदिके साथ आया देख देवकी, रोहिणी, रुक्मिणी तथा रुक्मवती आदि पूजनीया स्त्रियोंने उन्हें हृदयसे लगाकर बड़े हर्षका अनुभव किया। राजन्! सुरूपा, रोचना और ऊषा—इन सबको भी बड़ी प्रसन्नता हुई। साम्बकी प्रशंसा सुनकर दुर्योधनकी पुत्री लक्ष्मणा नेत्रोंसे आनन्दके आँसू बहाती हुई अत्यन्त हर्षका अनुभव करने लगी। नृपश्रेष्ठ! सेनासहित अनिरुद्धके लौट आनेसे द्वारकाके घर-घरमें मङ्गलोत्सव मनाया जाने लगा॥ ४१—४४॥

इस प्रकार श्रीगर्गसंहिताके अन्तर्गत अश्वमेधखण्डमें 'यज्ञ-सम्बन्धी अश्वका द्वारकामें आगमन' नामक चौवनवाँ अध्याय पूरा हुआ॥ ५४॥

पचपनवाँ अध्याय

व्यासजीका मुनि-दम्पति तथा राज-दम्पतियोंको गोमतीका जल लानेके लिये आदेश देना; नारदजीका मोह और भगवान्‌द्वारा उस मोहका भञ्जन; श्रीकृष्णकी कृपासे रानियोंका कलशमें जल भरकर लाना

श्रीगर्गजी कहते हैं—राजन्! तत्पश्चात् आठ द्वारोंसे युक्त, फहराती हुई पताकाओंसे सुशोभित, अग्निकुण्डोंसे सम्पन्न और आठ याज्ञिकोंसे युक्त रमणीय यज्ञमण्डपमें, जहाँ पलाश, बेल तथा बहुवारके यूप शोभा दे रहे थे, अनेकानेक वेदिकाओं तथा चषालों (यज्ञस्तम्भोंके ऊपर लगे हुए काष्ठमय वलयों) से जो विभूषित था तथा जिसमें स्रुवा, मृगचर्म, कुश, मूसल और उलूखल आदि वस्तुएँ संकलित थीं और इनके अतिरिक्त भी जहाँ बहुत-सी सामग्रियों और नाना प्रकारकी वस्तुओंका संग्रह किया गया था, राजर्षि उग्रसेन वेदोंके पारंगत महर्षियों तथा यादवोंके साथ वैसी ही शोभा पा रहे थे, जैसे अमरावतीपुरीमें देवराज इन्द्र देवताओंके साथ सुशोभित होते हैं॥ १—४॥

भगवान् श्रीकृष्णचन्द्रके आमन्त्रणपर नन्द आदि गोप, वृषभानुवर आदि श्रेष्ठ पुरुष तथा श्रीदामा आदि ग्वाल-बाल द्वारकापुरीमें आये। यशोदा, राधिका तथा अन्य सब व्रजाङ्गनाएँ शिबिकाओं और रथोंपर आरूढ़ हो प्रसन्नतापूर्वक कुशस्थलीमें आयीं। बुलावा जानेपर अपने पुत्रों और कौरवोंके साथ राजा धृतराष्ट्र भी वहाँ आये। अन्यान्य नरेश भी निमन्त्रण पाकर कुशस्थलीमें पधारे। श्रीकृष्णसे आमन्त्रित हो युधिष्ठिर, भीमसेन, अर्जुन, नकुल तथा सहदेव अपनी पत्नी द्रौपदीके साथ वनसे वहाँ आये। श्रीकृष्णने नारदजीको भेजकर इन्द्र आदि आठ दिक्पालों, आठ वसुओं, बारह आदित्यों, चारों सनत्कुमारों, ग्यारह रुद्रों, मरुद्गणों, वेतालों, गन्धर्वों, किंनरों, विश्वेदेवों, समस्त साध्यगणों, विद्याधरों, देवताओं, देवपत्नियों, गन्धर्वियों और अप्सराओंको बुलवाया॥ ५—११॥

राजन्! वे सब लोग श्रीकृष्णदर्शनकी अभिलाषासे द्वारकामें पधारे। कैलाससे सर्वमङ्गला पार्वतीके साथ भगवान् शिव भी बुलाये गये। सुतललोकसे दैत्य-समुदायके साथ प्रह्लाद और बलि आये। विभीषण, भीषण, मय और बल्वलका भी वहाँ आगमन हुआ। दंष्ट्राधारी वनजन्तुओंके साथ जाम्बवान्, वानरोंके साथ हनुमान्, पक्षियोंके साथ पक्षिराज गरुड तथा सर्पोंके साथ नागराज वासुकि भी वहाँ पधारे। महाराज! धेनुओंके साथ धेनुरूपधारिणी धरा देवी भी उपस्थित हुईं। पर्वतोंके साथ मेरु और हिमालय, वृक्षोंके साथ बरगद, रत्नयुक्त रत्नाकर (समुद्र), नदियोंके साथ स्वर्धुनी (गङ्गा), समस्त तीर्थोंके साथ तीर्थराज प्रयाग और पुष्कर—ये सब आमन्त्रित होकर बड़ी प्रसन्नताके साथ उस यज्ञमें आये। फिर श्रीकृष्णके आवाहनपर व्रजभूमि भी वहाँ आ गयी॥ १२—१७॥

श्रीकृष्णका यज्ञोत्सव देखनेके लिये यमराजकी बहिन यमुनाजी भी आयीं॥ १७ $\frac{1}{2}$॥

उन सबको आया देख राजा उग्रसेनने बड़ी प्रसन्नताके साथ उन्हें यथायोग्य स्थानोंमें ठहराया। किन्हींको शिविरोंमें, किन्हींको मन्दिरोंमें, किन्हींको विमानोंमें और किन्हींको उपवनोंमें आवासस्थान दिया गया। उस यज्ञमें मैंने वेदव्यासजीको आचार्य बनाया और बकदाल्भ्यको ब्रह्मा तथा पहले जिन लोगोंको निमन्त्रित किया गया था, वे दिव्य ऋषि-महर्षि ऋत्विज् बनाये गये। नरेश्वर! इसके बाद यज्ञमें श्रीकृष्णकी इच्छासे अनिरुद्ध ब्रह्माका, चन्द्रमाका और अपना भी पृथक्-पृथक् रूप धारण करके तीन रूपोंमें सुशोभित हुए। प्रद्युम्नकुमारकी यह लीला देखकर देवता, यादव

और भूपगण आश्चर्यचकित हो परस्पर एक-दूसरेके कानमें इसी बातकी चर्चा करने लगे॥ १८—२१½ ॥

व्यासजीने राजासे कहा—यादवश्रेष्ठ! मेरी बात सुनो। यहाँ जो राजा और ब्राह्मण यथायोग्य स्थानपर अलग-अलग बैठे हैं, इनमेंसे चौंसठ दम्पति गोमतीके तटपर मेरे आदेशके अनुसार यथोचित जल लानेके लिये जायँ। अदितिके साथ कश्यप, अरुन्धतीके साथ वसिष्ठ, कृपीके साथ द्रोणाचार्य, अनुसूयाके साथ अग्नि, रुक्मिणीके साथ श्रीकृष्णचन्द्र, रेवतीके साथ बलराम, मायावतीके साथ प्रद्युम्न, ऊषाके साथ अनिरुद्ध, सुभद्राके साथ अर्जुन, लक्ष्मणाके साथ साम्ब और अपनी-अपनी भार्याओंके साथ हेमाङ्गद आदि राजा भी जायँ॥ २२—२६½ ॥

श्रीगर्गजी कहते हैं—राजन्! इस प्रकार व्यासजीके कहनेसे सपत्नीक ब्राह्मण और राजा पल्लव बाँधकर गोमतीका जल लानेके लिये गये। देवकी, रोहिणी, कुन्ती, गान्धारी और यशोदाको आगे करके रुक्मिणीसहित श्रीकृष्णने कलश उठाया। इसी प्रकार रेवतीके साथ बलराम तथा जो भी सपत्नीक भूपाल थे—उन सबने फूल और पल्लवोंसहित सोने-चाँदीके कलश लेकर गोमती-तटको प्रस्थान किया। उस भीड़में रुक्मिणीके साथ श्रीकृष्णको जाते देख नारदजी झगड़ा लगानेके लिये सत्यभामाके भवनमें गये। भगवान्‌की उस भार्याको घरमें अकेली देख उसके द्वारा आगमनका कारण पूछे जानेपर वे बोले॥ २७—३१ ॥

नारदजीने कहा—सत्राजितनन्दिनी! मैं देखता हूँ, इस घरमें तुम्हारा कोई आदर नहीं है। श्रीकृष्ण रुक्मिणीके साथ गोमतीका जल लानेके लिये गये हैं। बहुत-से लोग तुम्हारे पास याचना करने आते हैं। तुम स्वर्गसे पारिजात वृक्ष अपने यहाँ लानेमें सफल हुई हो। श्रीकृष्णके संकल्पको सिद्ध करनेवाली, स्यमन्तक मणिसे मण्डित तथा मानिनी हो। ऐसी तुम परमसुन्दरीको, जो गरुडपर यात्रा कर चुकी है, छोड़कर श्रीकृष्ण रुक्मिणीके साथ शोभा देखनेके लिये चले गये। मा सत्यभामिनि! जिसके पुत्र प्रद्युम्न हैं और जिसके पौत्र अनिरुद्ध हैं, वह रुक्मिणी अपनी बात, मान और गौरवका सर्वोपरि प्रदर्शन करती है॥ ३२—३५ ॥

श्रीगर्गजी कहते हैं—'महाराज! मेरे प्राणनाथ रुक्मिणीके साथ गये हैं'—यह बात सुनकर सत्यभामाको बड़ा रोष हुआ। वे दुःखी होकर रोने लगीं। इसी समय नारदजीकी चेष्टा जानकर भगवान् श्रीकृष्ण एक रूपसे तत्काल सत्यभामाके भवनमें चले आये। उन सर्वज्ञ परमेश्वरने वहाँ आते ही यह बात कही—'प्रिये! मैं उस समाज (जुलूस) में रुक्मिणीके साथ नहीं गया। भोजन करनेके लिये आ गया हूँ। केवल भौजीके साथ भैया बलरामजी गये हैं'॥ ३६—३९ ॥

उनकी यह बात सुनकर सत्यभामा प्रसन्न हो गयी और नारदजी भयभीत होकर उठे तथा दूसरे भवनमें चले गये। जाम्बवतीके घरमें जाकर उसके आगे सारा समाचार कहा। सुनकर वह हँसने लगी और बोली—'मुनिजी महाराज! झूठ मत बोलिये, श्रीनाथजी तो भोजन करके घरमें सो रहे हैं।' यह सुनकर डरे हुए नारदजी तुरंत वहाँसे निकलकर मित्रविन्दाके घरमें जा पहुँचे और चारों ओर देखते हुए बोले॥ ४०—४२½ ॥

नारदजीने कहा—मैया! जहाँ राजा और रानियोंका समाज जुटा है, वहाँ नहीं गयीं क्या? घरमें क्यों बैठी हो? वहाँ रमावल्लभ श्रीकृष्ण गोमतीका जल लानेके लिये जा रहे हैं। वे अपने साथ रुक्मिणी, सत्यभामा तथा जाम्बवतीको भी ले जायँगे॥ ४३-४४ ॥

मित्रविन्दा बोली—देवर्षिजी! केशवकी तो सभी प्यारी हैं। वे जिसको भी छोड़कर चले जायँगे, वही जीवित नहीं रह सकेगी। उधर घरमें देखिये, श्रीकृष्ण अपने पोतेको लाड़ लड़ा रहे हैं॥ ४५ ॥

तब मुनि उठकर श्रीकृष्णपत्नियोंके सभी घरोंमें चक्कर लगाते रहे, परंतु उन सबमें उन्हें श्रीकृष्णकी उपस्थिति जान पड़ी। फिर सोच-विचारकर देवर्षि श्रीराधाको यह समाचार देनेके लिये गोपाङ्गनाओंके महलोंमें गये; परंतु वहाँ श्रीराधा तथा गोपियोंके साथ नन्दनन्दन चौपड़ खेलते दिखायी दिये। उन्हें देखकर देवर्षिने ज्योंही वहाँसे खिसक जानेका विचार किया, त्योंही श्रीकृष्णने तुरंत उन्हें हाथसे पकड़ लिया और वहीं बैठाया। फिर विधिवत् उनकी पूजा

करके वे बोले॥ ४६—४९॥

श्रीकृष्ण बोले—विप्रवर! तुम यह क्या कर रहे हो? व्यर्थ ही मोहित होकर इधर-उधर घूम रहे हो। मैंने अपनी पत्नियोंके घर-घरमें तुम्हें देखा है। मुनिश्रेष्ठ! तुम्हारे ही डरसे मैंने अनेक रूप धारण किये हैं। तुम ब्राह्मण हो; इसलिये तुम्हें दण्ड तो नहीं दूँगा, परंतु प्रार्थना अवश्य करूँगा। मैं सबका देवता हूँ और ब्राह्मण मेरे देवता हैं। जो मूढ़ मानव ब्राह्मणोंसे द्रोह करते हैं, वे मेरे शत्रु हैं। जो लोग ब्राह्मणोंको मेरा स्वरूप समझकर उनका पूजन करते हैं, वे इहलोकमें सुख भोगते हैं और अन्तमें मेरे परमधाममें चले जायँगे।* देवर्षे! तुम मेरी पुरीमें मेरी ही मायासे मोहित हो गये, यह सोचकर खेद न करना; क्योंकि ब्रह्मा तथा रुद्र आदि सब देवता मेरी मायासे मोहित हो जाते हैं॥ ५०—५४॥

भगवान्‌का यह वचन सुनकर, उनसे प्रशंसित हो वे महामुनि चुपचाप ऋत्विजोंसे भरे हुए यज्ञमण्डपमें चले आये॥ ५५॥

उधर वे श्रीकृष्ण आदि राजा और रुक्मिणी आदि स्त्रियाँ नाना प्रकारके बाजों-गाजोंके साथ गोमतीके तटपर गयीं। भगवान् गोविन्दके यशका गान करने-वाली झुंड-की-झुंड स्त्रियोंके कड़ों और नूपुरोंका मधुर मनोहर शब्द वहाँ गूँजने लगा। मेरे साथ मुनिवर व्यासने जल-सम्बन्धी देवताओंका पूजन करवाकर जलसे भरा हुआ एक घड़ा अनुसूयाजीके हाथमें दिया। तत्पश्चात् रेवती आदि सभी स्त्रियोंने कलश पकड़े, किंतु उनके कोमल हाथोंसे वे सभी कलश नहीं उठ सके। जो फूलोंके भारसे पीड़ित हो जाती हैं, वे कोमलाङ्गी स्त्रियाँ कलशका बोझ कैसे उठा सकती हैं? तब वे राजरानियाँ एक-दूसरेकी ओर देखकर हँसने लगीं और बोलीं—'अब हमलोग कलशके बिना यज्ञमण्डपमें कैसे जायँगी।' उस समय रुक्मिणी आदि सभी स्त्रियोंने मन-ही-मन श्रीकृष्णसे प्रार्थना की—'हे श्रीकृष्ण! हे जगन्नाथ! हे भक्तोंके कष्टका निवारण करनेवाले चक्रधारी देव! आप सर्वशक्तिमान् हैं। इस सङ्कटमें हमारी रक्षा कीजिये।' इस प्रकार कहती हुई उन स्त्रियोंने जब कलशमें हाथ लगाये, तब वे सभी भारहीन हो गये। उन्होंने रत्नों तथा मोतियोंसे विभूषित अपने-अपने मस्तकपर उन कलशोंको उठाकर रख लिया और अपने पतियोंके साथ वे शीघ्रतापूर्वक यज्ञमण्डपमें चली आयीं, जहाँ भेरी, शङ्ख और पणव आदि बाजे बज रहे थे। गोमतीका जल लाकर उन सबने उस स्थानपर पहुँचा दिया, जहाँ श्यामकर्ण अश्वके साथ यादवराज उग्रसेन विराजमान थे॥ ५६—६५॥

इस प्रकार श्रीगर्गसंहिताके अन्तर्गत अश्वमेधखण्डमें 'गोमतीके जलका आनयन' नामक पचपनवाँ अध्याय पूरा हुआ॥ ५५॥

छप्पनवाँ अध्याय

राजाद्वारा यज्ञमें विभिन्न बन्धु-बान्धवोंको भिन्न-भिन्न कार्योंमें लगाना; श्रीकृष्णका ब्राह्मणोंके चरण पखारना; घीकी आहुतिसे अग्निदेवको अजीर्ण होना; यज्ञपशुके तेजका श्रीकृष्णमें प्रवेश; उसके शरीरका कर्पूरके रूपमें परिवर्तन; उसकी आहुति और यज्ञकी समाप्तिपर अवभृथस्नान

श्रीगर्गजी कहते हैं—महाराज! महात्मा राजा उग्रसेनके यज्ञमें उनकी परिचर्यामें प्रेमके बन्धनसे बँधे हुए समस्त बन्धु-बान्धव लगे रहे। उन यादवराजने विभिन्न कर्मोंमें सगे-सम्बन्धी भाई-बन्धुओंको लगाया। भीमसेन रसोईघरके अध्यक्ष बनाये गये। धर्मराज युधिष्ठिरको धर्मपालन-सम्बन्धी कर्ममें नियुक्त

*सर्वेषां चैव देवोऽहं मम देवाश्च ब्राह्मणाः। ये द्रुह्यन्ति द्विजान् मूढाः सन्ति ते मम शत्रवः॥
ये पूजयन्ति विप्रांश्च मम भावेन भूजनाः। ते भुञ्जन्ति सुखं चात्र ह्यन्ते यास्यन्ति तत्पदम्॥
(अध्याय ५५। ५२-५३)

किया गया। राजाने सत्पुरुषोंकी सेवा-शुश्रूषामें अर्जुनको, विभिन्न द्रव्योंको प्रस्तुत करनेमें नकुलको, पूजन कर्ममें सहदेवको और धनाध्यक्षके स्थानमें दुर्योधनको नियुक्त किया। दानकर्ममें दानी कर्णको, परोसनेके कार्यमें द्रौपदीको तथा रक्षाके कार्यमें श्रीकृष्णके अठारह महारथी पुत्रोंको लगाया॥ १—४॥

तत्पश्चात् भूपालने युयुधान, विकर्ण, हृदीक, विदुर, अक्रूर और उद्धवको भी अनेक कर्मोंमें लगाकर श्रीकृष्णसे पूछा—'देव! आप कौन-सा कार्य अपने हाथमें लेंगे?' उनकी बात सुनकर श्रीकृष्णने कहा—'राजन्! मैं तो ब्राह्मणोंके चरण पखारनेका कार्य करूँगा। इन्द्रप्रस्थमें भी मैंने यही काम किया था।' यह सुनकर ब्रह्मा आदि देवता और भूतलके मनुष्य हँसने लगे॥ ५—७॥

श्रीगर्गजी कहते हैं—राजन्! ऐसा कहकर साक्षात् भगवान् श्रीकृष्णने तपस्वी ऋषि-मुनियोंके चरण धोकर उन सबको यथायोग्य आसनोंपर बिठाया। नये-नये वस्त्र पहन, बारह तिलक लगा, दिव्य आभूषणोंसे विभूषित हो नाना मतोंकी मालाएँ—अनेक प्रकारकी कलाओंसे निर्मित पुष्पहार धारण किये। अनेक आसनोंपर बैठे हुए वे ब्राह्मण पानके बीड़े चबाकर यज्ञमण्डपमें देवताओंके समान शोभा पाने लगे॥ ८—१०॥

तदनन्तर विभिन्न वस्तुओंके प्रयोजनवाले अर्थी, भिक्षुक, विरक्त और भूखे—ये सभी दूर देशसे आकर वहाँ याचना करने लगे—'नरेश्वर! हमें अन्न दो, अन्न दो, अन्न दो। उपानह, पात्र, वस्त्र तथा कम्बल दो'॥ ११-१२॥

मुनिवृन्दों तथा राजाओंसे भरे हुए उग्रसेनके उस यज्ञमें उन याचकोंकी वह करुण याचना सुनकर यदुकुलतिलक महाराजने बड़े हर्ष और उत्साहके साथ उन्हें सोना, चाँदी, वस्त्र, बर्तन, हाथी, घोड़े, रथ, गौ, छत्र और शिबिका आदि प्रदान किये। जिनको-जिनको जो-जो वस्तु प्रिय थी, उनको-उनको राजाने वही वस्तु दी॥ १३-१४½॥

यज्ञकर्ममें दीक्षित असिपत्रव्रतधारी राजा उग्रसेन स्नान करके रानी रुचिमतीके साथ बड़ी शोभा पा रहे थे। वेदशास्त्रोंमें विशारद व्यास और गर्ग आदि बीस हजार ब्राह्मण वह श्रेष्ठ यज्ञ करा रहे थे। नृपश्रेष्ठ! अग्निकुण्डमें हाथीकी सूँड़के समान मोटी घृतकी धारा गिर रही थी और ब्रह्मवादी मुनि उसे गिरवा रहे थे। श्रीकृष्णकी कृपासे उस यज्ञमें अग्निदेवको अजीर्ण हो गया। वे सबके सुनते हुए राजासे बोले—'मैं प्रसन्न हूँ, मैं प्रसन्न हूँ। अब मुझे पशु प्रदान करो।'—यज्ञसभामें अग्निका यह वचन सुनकर मुनियोंसहित यादवेन्द्र उग्रसेन सोनेके यूपमें सुवर्णमयी डोरीसे बँधे हुए उस घोड़ेसे बोले॥ १५—२०॥

उग्रसेनने कहा—हे अश्व! तुम अग्निदेवकी बात सुनो। यज्ञमें घीसे तृप्त होनेपर भी अग्निदेव तुझ विशुद्ध यज्ञपशुको अपना आहार बनायेंगे॥ २१॥

राजाकी बात सुनकर श्यामकर्ण अश्वने प्रसन्न हो श्रीकृष्णकी ओर देखते और अपनी स्वीकृति सूचित करते हुए सिर हिलाया। × × × ×

तत्पश्चात् घोड़ेके शरीरसे एक ज्योति प्रकट हुई, जो सबके देखते-देखते मधुसूदन श्रीकृष्णमें समा गयी। इसके बाद घोड़ेका शरीर कर्पूर होकर गिर पड़ा। मानो भगवान् शंकरके शरीरसे विभूति झड़ गयी हो। उस अद्भुत कर्पूरराशिको देखकर और उसकी सुगन्धसे यज्ञशाला तथा द्वारकापुरीको सुवासित हुई जानकर वे व्यास आदि महर्षि अत्यन्त हर्षित हो, यज्ञकर्ममें संलग्न राजासे बोले—'नृपश्रेष्ठ! बड़े सौभाग्यकी बात है कि तुम्हारा यह उत्तम यज्ञ सफल हो गया। अब हम इस कर्पूरसे ही हवन करेंगे और तुम भी करो'॥ २२—३३॥

—ऐसा कहकर समस्त ऋत्विजोंने उस यज्ञकुण्डमें उसी क्षण पहले यज्ञेश्वरके उद्देश्यसे घनसार (कर्पूर) की आहुतियाँ दीं। राजा वज्रनाभ! जहाँ चतुर्व्यूहरूपधारी साक्षात् परमेश्वर परमात्मा श्रीकृष्ण अपने पुत्र और पौत्रोंके साथ विराजमान थे, वहाँ कौन-सी वस्तु दुर्लभ थी? उस यज्ञमें मैंने महेन्द्रसे कहा—'भगवन् शक्र! इस यज्ञमें कर्पूरकी आरती ग्रहण कीजिये। आइये, राजा उग्रसेनकी दी हुई इस आहुतिको स्वीकार कीजिये; अब आगे कलियुगमें यह दुर्लभ हो जायगी'॥ ३४—३६½॥

मेरी बात सुनकर इन्द्रने मुस्कराते हुए कहा—

'महर्षियो! जब कौरव-पाण्डव-युद्धमें कौरवकुलका क्षय होगा और धर्मराज युधिष्ठिर हस्तिनापुरमें उत्तम अश्वमेध यज्ञ करेंगे, उस समय ब्राह्मणोंकी दी हुई ऐसी आहुति मैं पुनः ग्रहण करूँगा। आप इसे दुर्लभ क्यों बता रहे हैं?'॥ ३७-३८॥

नृपश्रेष्ठ! इन्द्रका यह वचन सुनकर सब मुनीश्वरोंने इसे सच माना और उस यज्ञमें सम्पूर्ण देवताओंके लिये आहुतियाँ दीं। दूसरे लोगोंने यह नहीं समझा कि इन्द्रने क्या कहा है। '**अग्नये स्वाहा**'—इस मन्त्रसे सभी देवताओंके लिये ब्राह्मणोंने आहुतियाँ दीं। उस कर्पूरके होमसे भी समस्त चराचर विश्व प्रसन्न हो गया। राजा उग्रसेन उस महान् यज्ञमें उऋण हो गये॥ ३९—४१॥

तदनन्तर श्रेष्ठ ब्राह्मणों, श्रीकृष्ण आदि यादवों तथा अन्य भूपालोंके साथ महाराज उग्रसेनने यज्ञकी समाप्तिपर पिण्डारक तीर्थमें अवभृथस्नान किया। वेदोक्त-विधिसे पत्नीसहित स्नान करके, रेशमी वस्त्र धारणकर राजा उसी प्रकार शोभा पाने लगे, जैसे दक्षिणाके साथ यज्ञदेवता सुशोभित होते हैं। उस समय देवताओं तथा मनुष्योंकी दुन्दुभियाँ बज उठीं। सब देवता राजा उग्रसेनके ऊपर फूलोंकी वर्षा करने लगे। इसके बाद स्वधा-पान कराकर और पुरोडासका प्राशन करवाकर व्यासजीने सब लोगोंको क्रमशः यज्ञशेष पुरोडासका प्रसाद बाँटा। गाजे-बाजेके साथ बन्दीजनोंने प्रसन्नतापूर्वक राजा उग्रसेनकी स्तुति की। फिर देवकी आदि स्त्रियोंने उनकी आरती उतारी। आरतीके बाद प्रसन्न हुए महाराजने उन सब स्त्रियोंको नाना प्रकारके रत्न, वस्त्र और अलंकार दिये॥ ४२—४७॥

इस प्रकार श्रीगर्गसंहिताके अन्तर्गत अश्वमेधखण्डमें 'यज्ञकी पूर्ति होनेपर राजाका अभिषेक' नामक छप्पनवाँ अध्याय पूरा हुआ॥ ५६॥

सत्तावनवाँ अध्याय

ब्राह्मणभोजन, दक्षिणा-दान, पुरस्कार-वितरण, सम्बन्धियोंका सम्मान तथा देवता आदि सबका अपने-अपने निवास-स्थानको प्रस्थान

श्रीगर्गजी कहते हैं—राजन्! तदनन्तर श्रीकृष्ण और भीमसेनके साथ यादवराज उग्रसेनने ब्राह्मणों और राजाओंसे प्रार्थना करके उन्हें भाँति-भाँतिके पदार्थ भोजन कराये। उन्होंने ब्राह्मणोंको निमन्त्रित करके उत्तम शष्कुली (पूड़ी), खीर, भात, अच्छी दाल और कढ़ी, हलुआ, मालपूआ तथा सुन्दर फेणिका आदि विशेष अन्न परोसकर भलीभाँति भोजन कराया। शिखरिणी (सिखरन), घृतपूर (घेवर), सुशक्तिका (अच्छी-अच्छी साग-सब्जी), सुपटिनी (चटनी आदि), दधिकूप (दहीबड़ा) लप्सी तथा गोल, सुन्दर और चन्द्रमाके समान उज्ज्वल सोहारी आदिको बड़े, लड्डू और पापड़के साथ परोसा। उन ब्राह्मणोंमेंसे कुछ तो फलाहारी थे, कुछ सूखे पत्ते खानेवाले थे, कोई केवल जल पीकर रहनेवाले और कोई दूर्वाके रसका आस्वादन करनेवाले (दुर्वासा) थे। कोई हवा पीकर रहनेवाले जन्मकालसे ही तपस्वी थे। कितने तो भोजनों (भोज्यपदार्थों) के नामतक नहीं जानते थे। जब उनके सामने भाँति-भाँतिके भोजन परोसे गये, तब उन्हें देखकर वे बड़े विस्मित हुए। कोई भातको मालतीके फूल समझने लगे, कई लड्डुओंको गूलरके फल मानने लगे, किन्हींने खीर और फेणिका देखकर उसे चन्द्रमाका बिम्ब समझा, कई ब्राह्मणोंने पापड़ फेणिकाको देखकर उन्हें पलाशके पत्ते समझा और 'मधुशीर्षक' नामक मिष्टान्नको आमका फल मान लिया, चटनी और लप्सी देखकर कितने ही ऋषि उन्हें घिसा हुआ चन्दन समझने लगे, कितने ही मुनिश्रेष्ठ मीठा चूरन या शक्कर देखकर बालू समझने लगे। इस प्रकारकी भावना मनमें लेकर वे सब ब्राह्मण वहाँ भोजन कर रहे थे। कोई दूध पीते और कोई दाखका रस। कोई-कोई ब्राह्मण आमका रस पीते हुए जोर-

जोरसे हँसते और लोट जाते थे॥ १—१०॥

तब भीमसेनके साथ भगवान् श्रीकृष्ण सानन्द हँसते हुए वहाँ बैठे तपस्वी ब्राह्मणोंके साथ परिहास करने लगे—'मुनियो! आप जल्दीसे इन भोजनोंके नाम तो बताइये। आप जिनके नाम बतावेंगे, वे ही भोजन भीमसेनके साथ मैं आपके सामने प्रस्तुत करूँगा'॥ ११-१२॥

श्रीकृष्ण और भीमसेनकी बात सुनकर वे मुनिश्रेष्ठ कुछ बोल न सके; केवल आनन्दित होकर परस्पर एक-दूसरेका मुँह देखने लगे। तैलङ्ग, कर्णाटकी, गुजराती, गौड़ और सनाढ्य आदि अनेक जातिके विभिन्न ब्राह्मणशिरोमणियोंका राजाधिराज उग्रसेनने सुवर्ण, वस्त्र तथा रत्नराशियोंद्वारा पूजन करके उनके चरणोंमें मस्तक झुकाया॥ १३-१४॥

नरेश्वर! यज्ञके अन्तमें राजा उग्रसेनने सबसे पहले मुझे एक लाख घोड़े, एक हजार हाथी, दो हजार रथ, एक लाख धेनु और सौ भार सुवर्ण—इतनी दक्षिणा विधिपूर्वक दी। मुझसे आधी दक्षिणा बकदाल्भ्य और व्यासजीको दी। तत्पश्चात् उग्रसेनने निमन्त्रित ब्राह्मणोंमेंसे प्रत्येकको प्रसन्नतापूर्वक एक हजार घोड़े, सौ हाथी, दो सौ रथ, एक हजार धेनु और बीस भार सुवर्ण—इतनी दक्षिणा दी। राजन्! फिर हर्षसे भरे यादवराजने प्रत्येक ब्राह्मणको एक हाथी, एक रथ, एक गौ, एक घोड़ा, एक भार सुवर्ण और दो भार चाँदी—इतनी-इतनी दक्षिणा दी॥ १५—२०॥

उस महान् यज्ञके अवसरपर श्रीकृष्णपुरी द्वारका भूतलपर उसी तरह सुशोभित हुई, जैसे स्वर्गमें अमरावतीपुरी। उस समय मागध, सूत, बन्दीजन, गायक और वाराङ्गनाएँ राजद्वारपर आयीं। फिर तो मृदङ्ग, वीणा, मुरयष्टि, वेणु, ताल, शङ्ख, आनक और दुन्दुभिकी ध्वनियों तथा संगीत, नृत्य एवं वाद्यगीतोंके शब्दोंसे युक्त महान् उत्सव होने लगा। वाराङ्गनाएँ मधुर कण्ठसे गाने लगीं, सुन्दर तालोंके साथ नृत्य करने लगीं। संगीत और गीतके अक्षरोंके साथ सामवेदके गीत गूँज उठे। नर्तकियाँ अपने कुसुम्भ रंगके वस्त्र हिलाती हुई संगीत और नृत्यके साथ सब ओर प्रकाशित हो उठीं। उस उत्सवमें जो बन्दीजन, मागध और गायक आये थे, उन्हें अपने निकट आनेपर राजाने बहुत-सा सुवर्ण और रत्न दिये तथा जो अप्सराएँ आयी थीं, उनको भी बहुमूल्य पुरस्कार समर्पित किया। सूतों, मागधों और समस्त बंदीजनोंको भी अश्वमेधसे प्रसन्न हुए राजाने बहुत धन दिया। जैसे बादल पानी बरसाता है, उस तरह महाराज उग्रसेन धनकी वृष्टि कर रहे थे॥ २१—२५॥

तत्पश्चात् यादवराज भूपालशिरोमणि उग्रसेनने अपने यहाँ आये हुए प्रत्येक राजाको एक लाख घोड़े, एक हजार हाथी, सौ-सौ शिबिकाएँ, कुण्डल, कड़े और तीस भार सुवर्ण सानन्द भेंट किये। इससे दूना उपहार महाराजने गद आदि समस्त यादवों तथा नन्द आदि गोपोंको दिया। यशोदा आदि गोपाङ्गनाओं, देवकी आदि यदुकुलकी स्त्रियों तथा रुक्मिणी और राधिका आदि श्रीहरिकी पटरानियोंको भी राजाने बहुत-से दिव्य वस्त्र और अलंकार देकर सबको संतुष्ट किया। अन्तमें राजाने फिर प्रसन्न होकर मुझ गर्गाचार्यको सौ ग्राम दिये। वह सब मैंने क्रमशः वहाँके ब्राह्मणोंको बाँट दिया। इसके बाद राजाने श्रीकृष्ण और बलभद्रका वस्त्र, आभूषण, तिलक, पुष्पहार और नीराजना आदि उपचारोंसे पूजन किया॥ २६—३१॥

राजन्! तब श्रीकृष्ण हँसते हुए बोले— महाराज! इस महायज्ञमें समर्थ होते हुए भी आपने मुझे कुछ नहीं दिया॥ ३२॥

यह सुनकर राजा बोले— जगदीश्वर! माधव! आप बलरामजीके साथ शीघ्र ही यथोक्त दक्षिणा ग्रहण कीजिये॥ ३३॥

—ऐसा कहकर हर्षसे उल्लसित और प्रेमसे विह्वल हुए राजाने राजसूय तथा अश्वमेध—दोनों यज्ञोंका सारा फल श्रीकृष्णके हाथमें दे दिया। उस समय द्वारकामें जय-जयकार होने लगी। तत्काल संतुष्ट हुए समस्त देवता फूलोंकी वर्षा करने लगे॥ ३४-३५॥

तदनन्तर सम्पूर्ण देवता प्रसन्न हो अपना-अपना भाग लेकर स्वर्गलोकको चले गये। इसी तरह राक्षस, दैत्य, दाढ़वाले पशु, पक्षी, वानर, बिलमें रहनेवाले सर्प आदि जीव, पर्वत, गौ, वृक्ष-समुदाय, नदियाँ, तीर्थ

और समुद्र—सभी अपना-अपना भाग ले, संतुष्ट हो, अपने-अपने निवासस्थानको चले गये। जो-जो राजा वहाँ आये थे, वे सब दान-मानसे पूजित हो सेनाओं-द्वारा भूतलको कम्पित करते हुए अपनी-अपनी राजधानीको लौट गये। राजन्! नन्द आदि समस्त गोप और यशोदा आदि व्रजाङ्गनाएँ श्रीकृष्णसे पूजित हो उनके विरहजनित कष्टका अनुभव करती हुई व्रजको चली गयीं। इस प्रकार यादवराज उग्रसेन श्रीहरिकी कृपासे मनोरथके दुस्तर महासागरको पार करके निश्चिन्त हो गये॥ ३६—४०॥

इस प्रकार श्रीगर्गसंहिताके अन्तर्गत अश्वमेधखण्डमें 'विश्व भोज्यदक्षिणाका वर्णन' नामक सत्तावनवाँ अध्याय पूरा हुआ॥ ५७॥

अट्ठावनवाँ अध्याय

श्रीकृष्णद्वारा कंस आदिका आवाहन और उनका श्रीकृष्णको ही परमपिता बताकर इस लोकके माता-पितासे मिले बिना ही वैकुण्ठलोकको प्रस्थान

श्रीगर्गजी कहते हैं—राजन्! इसके बाद महात्मा श्रीकृष्णके आवाहन करनेपर कंस आदि नौ भाई सब-के-सब वैकुण्ठसे शीघ्र ही वहाँ आ गये। उनको आया देख वहाँ सब लोगोंको बड़ा विस्मय हुआ। द्वारकामें पहुँचकर उन कंस आदि सब भाइयोंने बारी-बारीसे श्रीकृष्ण, बलराम, प्रद्युम्न और अनिरुद्धको प्रणाम किया॥ १-२ $\frac{1}{2}$ ॥

नरेश्वर! सुधर्मा-सभामें इन्द्रके सिंहासनपर रानी रुचिमतीके साथ बैठे हुए महाराज उग्रसेनने अपने कंस आदि पुत्रोंको श्रीकृष्णस्वरूप एवं चार भुजाधारी देखा। देखकर उन्हें बड़ी प्रसन्नता हुई। वे शङ्ख, चक्र, गदा और पद्मसे विभूषित थे तथा पीताम्बर धारण किये श्रीकृष्णके पास खड़े थे। राजाने अपने उन पुत्रोंको निकट बुलाया। तब भगवान् श्रीकृष्णने मन्द मुस्कानके साथ कंस आदिसे कहा—'देखो, वे दोनों तुम्हारे माता-पिता हैं और तुम्हें देखनेके लिये उत्सुक हैं। वीरो! तुम उनके निकट जाकर भक्तिभावसे नमन करो'॥ ३—६ $\frac{1}{2}$ ॥

भगवान् श्रीकृष्णका यह वचन सुनकर उन्हींके किंकरभावको प्राप्त हुए वे कंस, न्यग्रोध आदि सब भाई बड़े हर्षसे भरकर बोले॥ ७ $\frac{1}{2}$ ॥

कंस आदिने कहा—नाथ! आपकी मायासे संसारचक्रमें घूमते हुए हमें ऐसे पिता और ऐसी माताएँ बहुत प्राप्त हो चुकी हैं। 'श्रीहरि ही जीवमात्रके वास्तविक पिता हैं'—ऐसी सनातन श्रुति है। अतः हमलोग आपके निकट रहकर अब दूसरे किसी माता-पिताको नहीं देखेंगे। पूर्वकालमें युद्धके अवसरपर हमने बलरामसहित आपका दर्शन किया था। उसके बाद द्वारकामें प्रद्युम्न और अनिरुद्धजीका प्रादुर्भाव हुआ, जिन्हें हमलोगोंने नहीं देखा था। अतः चतुर्व्यूहरूपमें आपका दर्शन करनेके लिये हमलोग यहाँ आये हैं। अहो! बड़े सौभाग्यकी बात है कि आज हमलोगोंने श्रीकृष्ण, बलभद्र, प्रद्युम्न और अनिरुद्ध—इन चारों परिपूर्णतम महापुरुषोंका दर्शन किया। हम नहीं जानते कि किस पूर्वपुण्यके प्रभावसे इन परिपूर्णतम चतुर्व्यूहस्वरूप परमात्माका, जो बड़े-बड़े संतोंके लिये भी दुर्लभ हैं, हमें दर्शन मिला है। हे संकर्षण! हे श्रीकृष्ण! हे प्रद्युम्न! और हे ऊषावल्लभ अनिरुद्ध! हम मूढ़ हैं, कुबुद्धि हैं। आप हमारे अपराधको क्षमा करें। गोविन्द! अब वैकुण्ठमें पधारिये। आपका वह सुन्दर धाम आपके बिना सूना लग रहा है। आपके रहनेसे द्वारकापुरी वैकुण्ठसे भी अधिक वैभवशालिनी और धन्य हो गयी है। ब्रह्मा, इन्द्र, अग्नि, सूर्य, शिव, मरुद्गण, यम, कुबेर, चन्द्रमा तथा वरुण आदिने जिनका पूजन किया है, आपके उन्हीं चरणारविन्दोंका हम सदा भजन करते हैं। बड़े-बड़े मुनीश्वर, लक्ष्मी, देवता, भक्तजन तथा सात्वतवंशियोंने गन्ध, चन्दन, धूप, लावा, अक्षत, दूर्वाङ्कुर और सुपारी आदिसे जिनका

भलीभाँति पूजन किया है, आपके उन्हीं चरणारविन्दोंका हम सदा भजन करते हैं॥ ८—१७॥

श्रीगर्गजी कहते हैं—नरेश्वर! ऐसा कहकर वे कंस आदि सब भाई सबके देखते-देखते वैकुण्ठ-धामको चले गये तथा पत्नीसहित राजा उग्रसेन आश्चर्यसे चकित रह गये॥ १८॥

इस प्रकार श्रीगर्गसंहिताके अन्तर्गत अश्वमेधखण्डमें 'कंसादिका दर्शन' नामक अट्ठावनवाँ अध्याय पूरा हुआ॥ ५८॥

उनसठवाँ अध्याय

गर्गाचार्यके द्वारा राजा उग्रसेनके प्रति भगवान् श्रीकृष्णके सहस्त्रनामोंका वर्णन

श्रीगर्गजी कहते हैं—राजन्! तब राजा उग्रसेनने पुत्रकी आशा छोड़कर सम्पूर्ण विश्वको मनका संकल्प-मात्र जानकर व्यासजीसे अपना संदेह पूछा—'ब्रह्मन्! किस प्रकारसे लौकिक सुखका परित्याग करके मनुष्य परब्रह्म परमात्मा श्रीकृष्णका भजन करे, यह मुझे विश्वासपूर्वक बतानेकी कृपा करें॥ १-२॥

व्यासजी बोले—महाराज उग्रसेन! मैं तुम्हारे सामने सत्य और हितकर बात कह रहा हूँ, इसे एकाग्रचित्त होकर सुनो। राजेन्द्र! तुम श्रीराधा और श्रीकृष्णकी उत्कृष्ट आराधना करो। इन दोनोंके पृथक्-पृथक् सहस्त्र नाम हैं। उनके द्वारा तुम दोनोंका भक्तिभावसे भजन करो। भूपते! राधाके सहस्त्र नामको ब्रह्मा, शंकर, नारद और कोई-कोई मेरे-जैसे लोग भी जानते हैं॥ ३—५॥

उग्रसेनने कहा—ब्रह्मन्! मैंने पूर्वकालमें सूर्यग्रहणके अवसरपर कुरुक्षेत्रके एकान्त दिव्य शिविरमें नारदजीके मुखसे 'राधिकासहस्त्रनाम' का श्रवण किया था; परंतु अनायास ही महान् कर्म करने-वाले भगवान् श्रीकृष्णके सहस्त्र नामको मैंने नहीं सुना है। अतः कृपा करके मेरे सामने उसीका वर्णन कीजिये, जिससे मैं कल्याणका भागी हो सकूँ॥ ६-७॥

श्रीगर्गजी कहते हैं—उग्रसेनकी यह बात सुनकर महामुनि वेदव्यासने प्रसन्नचित्त होकर उनकी प्रशंसा की और श्रीकृष्णकी ओर देखते हुए कहा॥ ८॥

व्यासजी बोले—राजन्! सुनो। मैं तुम्हें श्रीकृष्णका सुन्दर सहस्त्रनामस्तोत्र सुनाऊँगा, जिसे पहले अपने परमधाम गोलोकमें इन भगवान् श्रीकृष्णने श्रीराधाके लिये प्रकट किया था॥ ९॥

श्रीभगवान् बोले—प्रिये! यह सहस्त्रनाम-स्तोत्र, जो अभी बताया जायगा, गोपनीय रहस्य है। इसे हर एकके सामने प्रकट कर दिया जाय तो सदा हानि ही उठानी पड़ेगी। अधिकारीके सामने प्रकट किया गया यह स्तोत्र सम्पूर्ण सुखोंको देनेवाला, मोक्षदायक, कल्याणस्वरूप, उत्कृष्ट परमार्थरूप और समस्त पुरुषार्थोंको देनेवाला है। श्रीकृष्णसहस्त्रनाम मेरा रूप है। जो इसका पाठ करेगा, वह मेरा स्वरूप होकर ही प्रसिद्ध होगा। कहीं किसी शठ और दाम्भिकको इसका उपदेश कदापि नहीं देना चाहिये। जो करुणासे भरा हुआ तथा गुरुके चरणोंमें निरन्तर भक्ति रखनेवाला है, उस संतोंके सेवक और मद एवं क्रोधसे रहित मुझ श्रीकृष्णके भक्तको ही इसका उपदेश देना चाहिये॥ १०—१२॥

विनियोग

ॐ अस्य श्रीकृष्णसहस्त्रनामस्तोत्रमन्त्रस्य नारायण ऋषिर्भुजङ्गप्रयातं छन्दः श्रीकृष्णचन्द्रो देवता वासुदेवो बीजम् श्रीराधाशक्तिः मन्मथः कीलकम् श्रीपूर्णब्रह्मकृष्णचन्द्रभक्तिजन्यफल-प्राप्तये जपे विनियोगः।

इस 'श्रीकृष्णसहस्त्रनामस्तोत्रमन्त्र'के नारायण ऋषि हैं, भुजङ्गप्रयात छन्द है, श्रीकृष्णचन्द्र देवता हैं, वासुदेव बीज, श्रीराधा शक्ति और मन्मथ कीलक है। श्रीपूर्णब्रह्म कृष्णचन्द्रकी भक्तिजन्य फलकी प्राप्तिके लिये इसका विनियोग किया जाता है।

ध्यान

शिखिमुकुटविशेषं नीलपद्माङ्गदेशं
विधुमुखकृतकेशं कौस्तुभापीतवेशम्।

मधुररवकलेशं शं भजे भ्रातृशेषं
व्रजजनवनितेशं माधवं राधिकेशम्॥

जिनके मस्तकपर मोरपंखका मुकुट विशेष शोभा देता है, जिनका अङ्गदेश (सम्पूर्ण शरीर) नील कमलके समान श्याम है, चन्द्रमाके समान मनोहर मुखपर कुञ्चित केश सुशोभित हैं, कौस्तुभमणिकी सुनहरी आभासे जिनका वेश कुछ पीतवर्णका दिखायी देता है (अथवा जो पीताम्बरधारी हैं) जो मीठी धुनमें मुरली बजा रहे हैं, कल्याणस्वरूप हैं, शेषावतार बलराम जिनके भाई हैं तथा जो व्रजवनिताओंके वल्लभ हैं,उन राधिकाके प्राणेश्वर माधवका मैं भजन (चिन्तन) करता हूँ॥ १३॥

१. **हरिः**=भक्तोंके पाप-तापका हरण करनेवाले, २. **देवकीनन्दनः**=अपने आविर्भावसे माता देवकी एवं यशोदाको आनन्द प्रदान करनेवाले, ३. **कंसहन्ता**=कंसका वध करनेवाले, ४. **परात्मा**=परमात्मा, ५. **पीताम्बरः**=पीतवस्त्रधारी, ६. **पूर्णदेवः**=परिपूर्ण-देवता श्रीकृष्ण, ७. **रमेशः**=रमावल्लभ, ८. **कृष्णः**=सबको अपनी ओर आकर्षित करनेवाले, ९. **परेशः**=सर्वोत्कृष्ट ब्रह्मा आदि देवताओंके भी नियन्ता, १०. **पुराणः**=पुरातन पुरुष या अनादिसिद्ध, ११. **सुरेशः**=देवताओंपर भी शासन करनेवाले, १२. **अच्युतः**=अपनी महिमा या मर्यादासे कभी च्युत न होनेवाले, १३. **वासुदेवः**=वसुदेवनन्दन अथवा सबके अन्तःकरणमें निवास करनेवाले देवता, चार व्यूहोंमें-से प्रथम व्यूहस्वरूप, १४. **देवः**=प्रकाशस्वरूप परम देवता॥ १४॥

१५. **धराभारहर्ता**=पृथ्वीका भार हरण करनेवाले, १६. **कृती**=कृतकृत्य अथवा पुण्यात्मा, १७. **राधिकेशः**=राधाप्राणवल्लभ, १८. **परः**=सर्वोत्कृष्ट, १९. **भूवरः**=पृथ्वीके स्वामी, २०. **दिव्यगोलोकनाथः**=दिव्यधाम गोलोकके स्वामी, २१. **सुदाम्नस्तथा राधिकाशापहेतुः**=सुदामा तथा राधिकाके पारस्परिक शापमें कारण, २२. **घृणी**=दयालु, २३. **मानिनी-मानदः**=मानिनीको मान देनेवाले, २४. **दिव्यलोकः**= दिव्यधामस्वरूप॥ १५॥

२५. **लसद्गोपवेशः**=सुन्दर गोपवेषधारी, २६. **अजः**=अजन्मा, २७. **राधिकात्मा**=राधिकाके आत्मा अथवा राधिका हैं आत्मा जिनकी, वे, २८. **चलत्कुण्डलः**=हिलते हुए कुण्डलोंसे सुशोभित, २९. **कुन्तली**=घुँघराली अलकोंसे शोभायमान, ३०. **कुन्तलस्त्रक्**=केशराशिमें फूलोंके हार धारण करनेवाले, ३१. **कदाचिद् राधया रथस्थः**=कभी-कभी राधिकाके साथ रथमें विराजमान, ३२. **दिव्यरत्नः**= दिव्यमणि—कौस्तुभ धारण करनेवाले अथवा अखिल जगत्के दिव्यरत्नस्वरूप, ३३. **सुधासौधभूचारणः**=चूनेसे लिपे-पुते छतकी महलपर घूमनेवाले, ३४. **दिव्यवासाः**=दिव्य वस्त्रधारी॥ १६॥

३५. **कदा वृन्दकारण्यचारी**=कभी-कभी वृन्दावनमें विचरनेवाले, ३६. **स्वलोके महारत्नसिंहासनस्थः**=अपने धाममें महामूल्यवान् एवं विशाल रत्नमय सिंहासनपर विराजमान, ३७. **प्रशान्तः**=परम शान्त, ३८. **महाहंसभैश्चामरैर्वीज्यमानः**=महान् हंसोंके समान श्वेत चामरोंसे जिनके ऊपर हवा की जाती है, ऐसे भगवान्, ३९. **चलच्छत्रमुक्तावलीशोभमानः**=हिलते हुए श्वेतच्छत्र तथा मुक्ताकी मालाओंसे शोभित होनेवाले॥ १७॥

४०. **सुखी**=आनन्दस्वरूप, ४१. **कोटिकंदर्पलीलाभिरामः**=करोड़ों कामदेवोंके समान ललित लीलाओंके कारण अतिशय मनोहर, ४२. **क्वणन्नूपुरालंकृताङ्घ्रिः** =झंकारते हुए नूपुरोंसे अलंकृत चरणवाले, ४३. **शुभाङ्घ्रिः**=शुभ लक्षणसम्पन्न पैरवाले, ४४. **सुजानुः**=सुन्दर घुटनोंवाले, ४५. **रम्भाशुभोरुः**=केलेके समान परम सुन्दर ऊरुयुगल (जाँघ) वाले, ४६. **कृशाङ्गः**=दुबले-पतले, ४७. **प्रतापी**=तेजस्वी एवं प्रतापशाली, ४८. **इभशुण्डासुदोर्दण्डखण्डः**=हाथीकी सूँड़के समान सुन्दर भुजदण्डमण्डलवाले॥ १८॥

४९. **जपापुष्पहस्तः**=अड़हुलके फूलके समान लाल-लाल हथेलीवाले, ५०. **शातोदरश्रीः**=पतली कमरकी शोभासे सम्पन्न, ५१. **महापद्मवक्षःस्थलः**=वक्षःस्थलमें प्रफुल्ल विशाल कमलकी मालासे अलंकृत, अथवा जिनका हृदयकमल विशाल है, ऐसे, ५२. **चन्द्रहासः**=जिनके हँसते समय चन्द्रमाकी

चाँदनीकी-सी छटा छिटक जाती है, ऐसे, **५३. लसत्कुन्ददन्तः**=शोभामयी कुन्दकलिकाके समान उज्ज्वल दाँतवाले, **५४. बिम्बाधरश्रीः**=जिनके अधरकी शोभा पक्व बिम्ब-फलसे अधिक अरुण है, ऐसे, **५५. शरत्पद्मनेत्रः**=शरत्कालके प्रफुल्ल कमलके सदृश नेत्रवाले, **५६. किरीटोज्ज्वलाभः**=कान्तिमान् किरीटकी उज्ज्वल आभा धारण करनेवाले॥ १९॥

५७. सखीकोटिभिर्वर्तमानः=करोड़ों सखियोंके साथ रहकर शोभा पानेवाले, **५८. निकुञ्जे प्रियाराधया रासस्क्तः**=निकुञ्जमें प्राणवल्लभा श्रीराधाके साथ रास-लीलामें तत्पर, **५९. नवाङ्गः**=अपने दिव्य अङ्गोंमें नित्य नूतन रमणीयता धारण करनेवाले, **६०. धराब्रह्मरुद्रादिभिः प्रार्थितः सन् धराभारदूरीक्रियार्थं प्रजातः**=पृथ्वी, ब्रह्मा तथा रुद्र आदि देवताओंकी प्रार्थना सुनकर भूमिका भार दूर करनेके लिये अवतार ग्रहण करनेवाले॥ २०॥

६१. यदुः=यादवकुलके प्रवर्तक राजा यदु जिनकी विभूति हैं, वे, **६२. देवकीसौख्यदः**=देवकीको सुख देनेवाले, **६३. बन्धनच्छित्**=भवबन्धनका उच्छेद करनेवाले अथवा अवतारकालमें माता-पिताके बन्धनको काट देनेवाले, **६४. सशेषः**=शेषावतार बलरामजीके साथ विराजमान, **६५. विभुः**=व्यापक अथवा सर्वसमर्थ, **६६. योगमायी**=योगमायाके प्रवर्तक तथा स्वामी, **६७. विष्णुः**=व्यापक या वैकुण्ठनाथ विष्णुस्वरूप, **६८. व्रजे नन्दपुत्रः**=व्रज-मण्डलमें नन्दनन्दनके रूपमें लीला करनेवाले, **६९. यशोदासुताख्यः**=यशोदाजीके पुत्ररूपमें विख्यात, **७०. महासौख्यदः**=महान् सौख्य प्रदान करनेवाले, **७१. बालरूपः**=शिशुरूपधारी, **७२. शुभाङ्गः**=सुन्दर एवं शुभ लक्षणसम्पन्न शरीरवाले॥ २१॥

७३. पूतनामोक्षदः=पूतनाको मोक्ष देनेवाले, **७४. श्यामरूपः**=श्याम मनोहर रूपवाले, **७५. दयालुः**=कृपालु, **७६. अनोभञ्जनः**=शकट-भङ्ग करनेवाले, **७७. पल्लवाङ्घ्रिः**=नूतन पल्लवोंके समान कोमल एवं अरुण चरणवाले, **७८. तृणावर्तसंहारकारी**=तृणावर्तका संहार करनेवाले, **७९. गोपः**=गोपालरूप, **८०. यशोदायशः**=यशोदाके यशरूप, **८१. विश्वरूपप्रदर्शी**=माताको अपने मुखमें (तथा अर्जुन, धृतराष्ट्र और उत्तङ्कको) सम्पूर्ण विश्वरूपका दर्शन करानेवाले॥ २२॥

८२. गर्गदिष्टः=गर्गजीके द्वारा जिनका नामकरण-संस्कार एवं भावी फलादेश किया गया, ऐसे, **८३. भाग्योदयश्रीः**=भाग्योदयसूचक शोभासे सम्पन्न, **८४. लसद्बालकेलिः**=सुन्दर बालोचित क्रीडा करनेवाले, **८५. सरामः**=बलरामजीके साथ विचरनेवाले, **८६. सुवाचः**=मनोहर बात करनेवाले, **८७. क्वणन्नूपुरैः शब्दयुक्**=खनकते हुए नूपुरोंसे शब्दयुक्त, **८८. जानुहस्तैर्व्रजेशाङ्गणे रिङ्गमाणः**=घुटनों और हाथोंके बलपर व्रजराजनन्दके आँगनमें रेंगने या चलनेवाले॥ २३॥

८९. दधिस्पृक्=दहीका स्पर्श (दान) करनेवाले, **९०. हैयंगवीदुग्धभोक्ता**=ताजा माखन खानेवाले और दूध पीनेवाले, **९१. दधिस्तेयकृत्**=व्रजाङ्गनाओंको सुख देनेके लिये दहीकी चोरी-लीला करनेवाले, **९२. दुग्धभुक्**=दूधका भोग आरोगनेवाले, **९३. भाण्डभेत्ता**=दही-दूध आदिके मटके फोड़नेवाले, **९४. मृदं भुक्तवान्**=मिट्टी खानेवाले, **९५. गोपजः**=नन्दगोपके पुत्र, **९६. विश्वरूपः**=सम्पूर्ण विश्व जिनका रूप है, ऐसे, **९७. प्रचण्डांशुचण्डप्रभामण्डिताङ्गः**=सूर्यकी प्रखर किरणोंसे सुशोभित शरीरवाले॥ २४॥

९८. यशोदाकरैर्बन्धनप्राप्तः=यशोदाके हाथों ओखलीमें बाँधे गये, **९९. आद्यः**=आदिपुरुष या सबके आदिकारण, **१००. मणिग्रीवमुक्तिप्रदः**=कुबेरपुत्र मणिग्रीव और नलकूबरका शापसे उद्धार करनेवाले, **१०१. दामबद्धः**=यशोदाद्वारा रस्सीसे बाँधे गये, **१०२. कदा व्रजे गोपिकाभिः नृत्यमानः**=कभी व्रजमें गोपिकाओंके साथ नृत्य करनेवाले, **१०३. कदा नन्दसन्नन्दकैर्लाल्यमानः**=कभी नन्द और सन्नन्द आदिके द्वारा लाड़ लड़ाये जानेवाले॥ २५॥

१०४. कदा गोपनन्दाङ्कः=कभी गोपराज नन्दकी गोदमें समोद विराजमान, **१०५. गोपालरूपी**=ग्वाल- रूपधारी, **१०६. कलिन्दाङ्गजाकूलगः**=कलिन्द-नन्दिनी यमुनाके तटपर विहार करनेवाले, **१०७. वर्तमानः**=नित्य सत्तावाले, **१०८. घनैर्मारुतैश्छन्न-**

भाण्डीरदेशे नन्दहस्ताद् राधया गृहीतो वरः=एक समय प्रचण्ड वायु और घने बादलोंसे आच्छादित भाण्डीरवनके प्रदेशमें नन्दजीके हाथसे श्रीराधाद्वारा गृहीत वरस्वरूप॥ २६॥

१०९. **गोलोकलोकागते महारत्नसंघैर्युते कदम्बावृते निकुञ्जे राधिकासद्विवाहे ब्रह्मणा प्रतिष्ठानगतः**=गोलोक-धामसे आये महान् रत्नसमूहोंसे शोभित तथा कदम्ब-वृक्षोंसे आवृत निकुञ्जमें राधिकाजीके साथ विवाहके अवसरपर ब्रह्माजीके द्वारा सादर स्थापित, ११०. **साममन्त्रैः पूजितः**=सामवेदके मन्त्रोंद्वारा पूजित॥ २७॥

१११. **रसी**=विविध रसोंके अधिष्ठान, परम रसिक, ११२. **मालतीनां वनेऽपि प्रियाराधया सह राधिकार्थं रासयुक्**=मालती-वनमें भी प्रियतमा राधिकाके साथ उन्हींको सुख पहुँचानेके लिये रास-विलासमें संलग्न, ११३. **रमेशः धरानाथः**=लक्ष्मीके पति और पृथ्वीके स्वामी, ११४. **आनन्ददः**=आनन्द प्रदान करनेवाले, ११५. **श्रीनिकेतः**=रमानिवास, ११६. **वनेशः**=वृन्दावनके स्वामी, ११७. **धनी**=सीमातीत धन और ऐश्वर्यके स्वामी, ११८. **सुन्दरः**=अप्रतिम सौन्दर्यकी निधि, ११९. **गोपिकेशः**=गोपाङ्गनाओंके प्राणवल्लभ॥ २८॥

१२०. **कदा राधया नन्दगेहे प्रापितः**=किसी समय राधिकाद्वारा नन्दके घरमें पहुँचाये गये, १२१. **यशोदाकरैर्लालितः**=यशोदाके हाथों दुलारे गये, १२२. **मन्दहासः**=मन्द-मन्द मनोरम हाससे सुशोभित, १२३. **क्वापि भयी**=कहीं-कहीं डरे हुएकी भाँति लीला करनेवाले, १२४. **वृन्दारकारण्यवासी**=वृन्दावनमें निवास करनेवाले, १२५. **महामन्दिरे वासकृत्**=नन्दरायके विशाल भवनमें रहनेवाले, १२६. **देवपूज्यः**=देवताओंके पूजनीय॥ २९॥

१२७. **वने वत्सचारी**=वनमें बछड़े चरानेवाले, १२८. **महावत्सहारी**=महान् बछड़ेका रूप धारण करके आये हुए वत्सासुरके विनाशक, १२९. **बकारिः**=बकासुरके शत्रु, १३०. **सुरैः पूजितः**=देवगणोंद्वारा सम्मानित, १३१. **अघारिनामा**=अघासुरका वध करके 'अघारि' नामसे प्रसिद्ध, १३२. **वने वत्सकृत्**=वनमें नूतन बछड़ोंकी सृष्टि करनेवाले, १३३. **गोपकृत्**=नूतन ग्वाल-बालोंका निर्माण करनेवाले, १३४. **गोपवेशः**= ग्वालवेषधारी, १३५. **कदा ब्रह्मणा संस्तुतः**=किसी समय ब्रह्माजीके मुखसे अपना गुणगान सुननेवाले, १३६. **पद्मनाभः**=एकार्णवके जलमें अपनी नाभिसे कमल प्रकट करनेवाले॥ ३०॥

१३७. **विहारी**=वृन्दावनमें विचरण करनेवाले और भक्तोंके साथ नाना प्रकार विहार करनेवाले, १३८. **तालभुक्**=ताड़का फल खानेवाले, १३९. **धेनुकारिः**=धेनुकासुरके शत्रु, १४०. **सदा रक्षकः**= सदा सबके रक्षक, १४१. **गोविषार्तिप्रणाशी**=यमुनाजीका विषाक्त जल पीनेसे गौओंके भीतर व्याप्त विषजनित पीड़ाका नाश करनेवाले, **कलिन्दाङ्गजाकूलगः**=कलिन्द-कन्या यमुनाके तटपर जानेवाले, १४२. **कालियस्य दमी**=कालियनागका दमन करनेवाले, १४३. **फणेषु नृत्यकारी**=कालियनागके फणोंपर नृत्य करनेवाले, १४४. **प्रसिद्धः**=सर्वत्र प्रसिद्धिको प्राप्त॥ ३१॥

१४५. **सलीलः**=लीलापरायण, १४६. **शमी**=स्वभावतः शान्त, १४७. **ज्ञानदः**=ज्ञानदाता, १४८. **कामपूरः**=कामनाओंके पूरक, १४९. **गोपयुक्**=गोपोंके साथ विराजमान, १५०. **गोपः**=गोपस्वरूप या गौओंके पालक, १५१. **आनन्दकारी**=आनन्ददायिनी लीला प्रस्तुत करनेवाले, १५२. **स्थिरः**=स्थैर्ययुक्त, १५३. **अग्निभुक्**= दावानलको पी जानेवाले, १५४. **पालकः**=रक्षक, १५५. **बाललीलः**=बालकों-जैसी क्रीडा करनेवाले, १५६. **सुरागः**=मुरलीके स्वरोंमें सुन्दर राग गानेवाले, १५७. **वंशीधरः**=मुरलीधारी, १५८. **पुष्पशीलः**=स्वभावतः फूलोंका शृङ्गार धारण करनेवाले॥ ३२॥

१५९. **प्रलम्बप्रभानाशकः**=बलरामरूपसे प्रलम्बासुरकी प्रभाके नाशक, १६०. **गौरवर्णः**=गोरे वर्णवाले बलराम, १६१. **बलः**=बलस्वरूप या बलभद्र, १६२. **रोहिणीजः**=रोहिणीनन्दन, १६३. **रामः**=बलराम, १६४. **शेषः**=शेषके अवतार, १६५. **बली**=बलवान्, १६६. **पद्मनेत्रः**=कमलनयन,

१६७. कृष्णाग्रजः=श्रीकृष्णके बड़े भाई, **१६८. धरेशः**=धरणीधर, **१६९. फणीशः**=नागराज, **१७०. नीलाम्बराभः**=नीलवस्त्रकी शोभासे युक्त॥ ३३॥

महासौख्यदः=महान् सौख्य देनेवाले, **१७१. अग्निहारकः**=मुञ्जाटवीमें लगी हुई आगको हर लेनेवाले, **१७२. व्रजेशः**=व्रजके स्वामी, **१७३. शरद्ग्रीष्मवर्षाकरः**=शरद्, ग्रीष्म और वर्षा प्रकट करनेवाले, **१७४. कृष्णवर्णः**=श्यामसुन्दर, **१७५. व्रजे गोपिकापूजितः**=व्रजमण्डलमें गोप-सुन्दरियोंद्वारा पूजित, **१७६. चीरहर्ता**=चीरहरणकी लीला करनेवाले **१७७. कदम्बे स्थितः**=चीर लेकर कदम्बपर जा बैठनेवाले, **१७८. चीरदः**=गोपकिशोरियोंके माँगनेपर उन्हें चीर लौटा देनेवाले, **१७९. सुन्दरीशः**=सुन्दरी गोपकुमारियोंके प्राणेश्वर॥ ३४॥

१८०. क्षुधानाशकृत् =ग्वाल-बालोंकी भूख मिटानेवाले, **१८१. यज्ञपत्नीमनःस्पृक्**=यज्ञ करनेवाले ब्राह्मणोंकी पत्नियोंके मनका स्पर्श करनेवाले—उनके मन-मन्दिरमें बस जानेवाले, **१८२. कृपाकारकः**=दया करनेवाले, **१८३. केलिकर्ता**=क्रीडापरायण, **१८४. अवनीशः**=भूस्वामी, **१८५. व्रजे शक्रयाग-प्रणाशः**=व्रजमण्डलमें इन्द्रयागकी परम्पराको मिटा देनेवाले, **१८६. अमिताशी**=गोवर्धन-पूजामें समर्पित अपरिमित भोजन-राशिको आरोग लेनेवाले, **१८७. शुनासीरमोहप्रदः**=इन्द्रको मोह प्रदान करनेवाले अथवा उनके मोहका खण्डन करनेवाले, **१८८. बालरूपी**=बालरूपधारी॥ ३५॥

१८९. गिरेः पूजकः=गिरिराज गोवर्धनकी पूजा करनेवाले, **१९०. नन्दपुत्रः**=नन्दरायजीके बेटे, **१९१. अगध्रः**=गिरिवरधारी, **१९२. कृपाकृत्**=कृपा करनेवाले, **१९३. गोवर्धनोद्धारिनामा**='गोवर्धनोद्धारी' नामवाले, **१९४. वातवर्षाहरः**=आँधी और वर्षाके कष्टको हर लेनेवाले, **१९५. रक्षकः**=व्रजवासियोंकी रक्षा करनेवाले, **१९६. व्रजाधीश-गोपाङ्गनाशङ्कितः**=व्रजराज नन्द और गोपाङ्गनाओंसे डरनेवाले, अथवा गोवर्धन उठानेके अलौकिक कर्मको देखकर व्रजराज नन्द तथा गोपियोंको जिनके प्रति यह शङ्का हुई थी कि ये साधारण गोप नहीं, साक्षात् नारायण हो सकते हैं, इस तरहकी शङ्काके पात्र॥ ३६॥

१९७. अगेन्द्रोपरि शक्रपूज्यः=गिरिराज गोवर्धन-के ऊपर इन्द्रके द्वारा पूजनीय, **१९८. प्राक्स्तुतः**=पहले जिनका स्तवन हुआ है, ऐसे, **१९९. मृषा-शिक्षकः**=अपने ऊपर शङ्का करनेवाले नन्दादि गोपोंको व्यर्थकी बातोंसे बहला देनेवाले, **२००. देवगोविन्द-नामा**='गोविन्ददेव' नाम धारण करनेवाले, **२०१. व्रजाधीशरक्षाकरः**=व्रजराज नन्दकी रक्षा करनेवाले (उन्हें वरुणलोकसे छुड़ाकर लानेवाले), **२०२. पाशिपूज्यः**=पाशधारी वरुणके द्वारा पूजनीय, **२०३. अनुगैर्गोपजैः दिव्यवैकुण्ठदर्शी**=अनुगामी ग्वालबालोंके साथ जाकर उन्हें दिव्य वैकुण्ठधामका दर्शन करानेवाले॥ ३७॥

२०४. चलच्चारुवंशीक्वणः=मनोहर वंशीकी ध्वनिको चारों ओर फैलानेवाले, **२०५. कामिनीशः**=गोप-सुन्दरियोंके प्राणेश्वर, **२०६. व्रजे कामिनी-मोहदः**=व्रजकी कामिनियोंको मोह प्रदान करनेवाले, **२०७. कामरूपः**=कामदेवसे भी सुन्दर रूपवाले, **२०८. रसाक्तः**=रसमग्र, **२०९. रसी रासकृत्**=रासक्रीडा करनेवाले रसोंके निधि, **२१०. राधिकेशः**=राधिकाके स्वामी, **२११. महामोहदः**=महान् मोह प्रदान करनेवाले, **२१२. मानिनीमानहारी**=मानिनियों-के मान हर लेनेवाले॥ ३८॥

२१३. विहारी वरः=विहारशील श्रेष्ठ पुरुष, **२१४. मानहृत**=मान हर लेनेवाले, **२१५. राधिकाङ्गः**=श्रीराधिका जिनकी वामाङ्गस्वरूपा हैं, वे, **२१६. धराद्वीपगः**=भूमण्डलके सभी द्वीपोंमें जानेवाले, **२१७. खण्डचारी**=विभिन्न वनखण्डोंमें विचरनेवाले, **२१८. वनस्थः**=वनवासी, **२१९. प्रियः**=सबके प्रियतम, **२२०. अष्टवक्रर्षिद्रष्टा**=अष्टावक्र ऋषिका दर्शन करनेवाले, **२२१. सराधः**=राधिकाके साथ विचरनेवाले, **२२२. महामोक्षदः**=महामोक्ष प्रदान करनेवाले, **२२३. प्रियार्थं पद्महारी**=प्रियतमाकी प्रसन्नताके लिये कमलका फूल लानेवाले॥ ३९॥

२२४. वटस्थः=वटवृक्षपर विराजमान, **२२५. सुरः**=देवता, **२२६. चन्दनाक्तः**=चन्दनसे चर्चित, **२२७. प्रसक्तः**=श्रीराधाके प्रति अधिक अनुरक्त,

२२८. राधया व्रजं ह्यागतः=श्रीराधाके साथ व्रज-मण्डलमें अवतीर्ण, **२२९. मोहिनीषु महामोहकृत्**=मोहिनियोंमें महामोह उत्पन्न करनेवाले, **२३०. गोपिका-गीतकीर्तिः**=गोपिकाओंद्वारा गायी गयी कीर्तिवाले, **२३१. रसस्थः**=अपने स्वरूपभूत रसमें स्थित, **२३२. पटी**=पीताम्बरधारी, **२३३. दुःखिता- कामिनीशः**=दुखिया नारियोंके रक्षक ॥ ४० ॥

२३४. वने गोपिकात्यागकृत्=वनमें गोपियोंका त्याग करनेवाले, **२३५. पादचिह्नप्रदर्शी**=वनमें ढूँढ़ती हुई गोपिकाओंको अपना चरणचिह्न प्रदर्शित करनेवाले, **२३६. कलाकारकः**=चौंसठ कलाओंके कलाकार, **२३७. काममोही**=अपने रूप-लावण्यसे कामदेवको भी मोहित करनेवाले, **२३८. वशी**=मन और इन्द्रियोंको वशमें रखनेवाले, **२३९. गोपिकामध्यगः**=गोपाङ्गनाओंके बीचमें विराजमान, **२४०. पेशवाचः**=मधुरभाषी, **२४१. प्रियाप्रीतिकृत्**=प्रिया श्रीराधासे प्रेम करनेवाले अथवा प्रियाकी प्रसन्नताके लिये कार्य करनेवाले, **२४२. रासरक्तः**=रासके रंगमें रँगे हुए, **२४३. कलेशः**=सम्पूर्ण कलाओंके स्वामी ॥ ४१ ॥

२४४. रसारक्तचित्तः=रसमग्र चित्तवाले, **२४५. अनन्तस्वरूपः**=अनन्त रूपवाले अथवा शेषनाग-स्वरूप, **२४६. स्त्रजासंवृतः**=आजानुलम्बिनी वनमाला धारण करनेवाले, **२४७. वल्लवीमध्यसंस्थः**=गोपाङ्गनामण्डलके मध्य बैठे हुए, **२४८. सुबाहुः**=सुन्दर बाँहवाले, **२४९. सुपादः**=सुन्दर चरणवाले, **२५०. सुवेशः**=सुन्दर वेशवाले, **२५१. सुकेशो व्रजेशः**=सुन्दर केशवाले व्रजमण्डलके स्वामी, **२५२. सखा**=सख्य-रतिके आलम्बन, **२५३. वल्लभेशः**=प्राणवल्लभा श्रीराधाके हृदयेश, **२५४. सुदेशः**=सर्वोत्कृष्ट देशस्वरूप ॥ ४२ ॥

२५५. क्वणत्किङ्किणीजालभृत्=झनकारती हुई किङ्किणीकी लड़ोंको धारण करनेवाले, **२५६. नूपुराढ्यः**=चरणोंमें नूपुरोंकी शोभासे सम्पन्न, **२५७. लसत्कङ्कणः**=कलाइयोंमें सुन्दर कंगन धारण करनेवाले, **२५८. अङ्गदी**=बाजूबंदधारी, **२५९. हारभारः**=हारोंके भारसे विभूषित, **२६०. किरीटी**=मुकुटधारी, **२६१. चलत्कुण्डलः**=कानोंमें हिलते हुए कुण्डलोंसे सुशोभित, **२६२. अङ्गुलीयस्फुरत्कौस्तुभः**=हाथोंमें अँगूठीके साथ वक्षःस्थलपर जगमगाती हुई कौस्तुभमणि धारण करनेवाले, **२६३. मालतीमण्डिताङ्गः**=मालतीकी मालासे अलंकृत शरीरवाले ॥ ४३ ॥

२६४. महानृत्यकृत्=महारास-नृत्य करनेवाले, **२६५. रासरङ्गः**=रासरंगमें तत्पर, **२६६. कलाढ्यः**=समस्त कलाओंसे सम्पन्न, **२६७. चलद्धारभः**=हिलते हुए रत्नहारकी छटा छिटकानेवाले, **२६८. भामिनी-नृत्ययुक्तः**=भामिनियोंके साथ नृत्यमें संलग्न, **२६९. कलिन्दाङ्गजाकेलिकृत्** =कलिन्दनन्दिनी यमुनाजीके जलमें क्रीडा करनेवाले, **२७०. कुङ्कुमश्रीः**=केसर-कुङ्कुमकी शोभासे सम्पन्न, **२७१. सुरैर्नायिका-नायकैर्गीयमानः**=नायिकाओंके नायक, अर्थात् अपनी प्राणवल्लभाओंके साथ सुशोभित देवताओंद्वारा जिनके यशका गान किया जाता है, वे ॥ ४४ ॥

२७२. सुखाढ्यः=स्वरूपभूत सुखसे सम्पन्न, **२७३. राधापतिः**=राधिकाके प्राणवल्लभ, **२७४. पूर्ण-बोधः**=पूर्ण ज्ञानस्वरूप, **२७५. कटाक्षस्मिती**=कुटिल कटाक्षके साथ मन्द मुस्कान-शोभा प्रकट करनेवाले, **२७६. वल्गितभ्रूविलासः**=नचायी हुई भौंहोंके विलाससे शोभायमान, **२७७. सुरम्यः**=अत्यन्त रमणीय, **२७८. अलिभिः कुन्तलालोलकेशः**=मँडराते भ्रमरोंसे युक्त कुछ हिलते घुँघराले केशवाले, **२७९. स्फुरद्बर्ह-कुन्दस्त्रजाचारुवेशः**=फरफराते हुए मोरपंखके मुकुट और कुन्दकुसुमोंकी मालासे मनोहर वेषवाले ॥ ४५ ॥

२८०. महासर्पतो नन्दरक्षापराङ्घ्रिः=जिनके चरण महान् अजगरके भयसे नन्दकी रक्षा करनेवाले हैं, वे, **२८१. सदा मोक्षदः**=सतत मोक्ष प्रदान करनेवाले, **२८२. शङ्खचूडप्रणाशी**='शङ्खचूड़' नामक यक्षको मार भगानेवाले, **२८३. प्रजारक्षकः**=प्रजाजनोंके प्रतिपालक, **२८४. गोपिकागीयमानः**=गोपाङ्गनाओंद्वारा जिनके यशका गान किया जाता है, वे, **२८५. कुद्मिप्रणाशप्रयासः**=अरिष्टासुरके वधके लिये प्रयास करनेवाले, **२८६. सुरेज्यः**=देवताओंके पूजनीय ॥ ४६ ॥

२८७. **कलिः**=कलिस्वरूप, २८८. **क्रोधकृत्**=दुष्टोंपर क्रोध करनेवाले, २८९. **कंसमन्त्रोपदेष्टा**=नारदरूपसे कंसको मन्त्रोपदेश करनेवाले, २९०. **अक्रूरमन्त्रोपदेशी**= अक्रूरको अपने नाम-मन्त्रका उपदेश करनेवाले अथवा उनको मन्त्रणा देनेवाले, २९१. **सुरार्थः**=देवताओंका प्रयोजन सिद्ध करनेवाले, २९२. **बली केशिहा**=केशीका नाश करनेवाले महान् बलवान्, २९३. **पुष्पवर्षामलश्रीः**=देवताओंद्वारा जिनपर पुष्पवर्षा की गयी है, वे भगवान्, २९४. **अमलश्रीः**=उज्ज्वल शोभासे सम्पन्न, २९५. **नारदादेशतो व्योमहन्ता**=नारदजीके कहनेसे व्योमासुरका वध करनेवाले॥ ४७॥

२९६. **अक्रूरसेवापरः**=नन्द-व्रजमें आये हुए अक्रूरकी सेवामें संलग्न, २९७. **सर्वदर्शी**=सबके द्रष्टा, २९८. **व्रजे गोपिकामोहदः**=व्रजमें गोपाङ्गनाओंको मोहित करनेवाले, २९९. **कूलवर्ती**=यमुनाके तटपर विद्यमान, ३००. **सतीराधिकाबोधदः**=मथुरा जाते समय सती राधिकाको बोध (आश्वासन) देनेवाले, ३०१. **स्वप्नकर्ता**=श्रीराधिकाके लिये सुखमय स्वप्नकी सृष्टि करनेवाले, ३०२. **विलासी**=लीला-विलास-परायण, ३०३. **महामोहनाशी**=महामोहके नाशक, ३०४. **स्वबोधः**=आत्मबोधस्वरूप॥ ४८॥

३०५. **व्रजे शापतस्त्यक्तराधासकाशः**=व्रजमें शापवश राधाके समीप निवासका त्याग करनेवाले, ३०६. **महामोहदावाग्निदग्धापतिः**=श्रीकृष्णविषयक महामोहरूप दावानलसे दग्ध होनेवाली श्रीराधाके पालक या प्राणरक्षक, ३०७. **सखीबन्धनान्मोचिताक्रूरः**=सखियोंके बन्धनसे अक्रूरको छुड़ानेवाले, ३०८. **आरात् सखीकङ्कणैस्ताडिताक्रूररक्षी**=निकट आयी हुई सखियोंके कंगनोंकी मारसे पीड़ित अक्रूरकी रक्षा करनेवाले॥ ४९॥

३०९. **व्रजे राधयारथस्थः**=व्रजमें राधाके साथ रथपर विराजमान, ३१०. **कृष्णचन्द्रः**=श्रीकृष्णचन्द्र, ३११. **गोपकैः सुगुप्तो गमी**=ग्वाल-बालोंके साथ अत्यन्त गुप्तरूपसे मथुराकी यात्रा करनेवाले, ३१२. **चारुलीलः**=मनोहर लीलाएँ करनेवाले, ३१३. **जलेऽक्रूरसंदर्शितः**=यमुनाके जलमें अक्रूरको अपने रूपका दर्शन करानेवाले, ३१४. **दिव्यरूपः**=दिव्यरूपधारी, ३१५. **दिदृक्षुः**=मथुरापुरी देखनेके इच्छुक, ३१६. **पुरीमोहिनीचित्तमोही**=मथुरापुरीकी मोहिनी स्त्रियोंके भी चित्तको मोह लेनेवाले॥ ५०॥

३१७. **रङ्गकारप्रणाशी**=कंसके रंगकार या धोबीको नष्ट करनेवाले, ३१८. **सुवस्त्रः**=सुन्दर वस्त्रधारी, ३१९. **स्रजी**=माली सुदामाकी दी हुई माला धारण करनेवाले, ३२०. **वायकप्रीतिकृत्**=दर्जीको प्रसन्न करनेवाले, ३२१. **मालिपूज्यः**=मालीके द्वारा पूजित, ३२२. **महाकीर्तिदः**=मालीको महान् सुयश प्रदान करनेवाले, ३२३. **कुब्जाविनोदी**=कुब्जाके साथ हास-विनोद करनेवाले, ३२४. **स्फुरच्चण्ड-कोदण्डरुग्णः**=कंसके कान्तिमान् कोदण्डका खण्डन (धनुष-भङ्ग) करनेवाले, ३२५. **प्रचण्डः**=प्रचण्ड (महान् बलवान्) दिखायी देनेवाले॥ ५१॥

३२६. **भटार्त्तिप्रदः**=कंसके मल्ल योद्धाओंको पीड़ा देनेवाले, ३२७. **कंसदुःस्वप्नकारी**=कंसको बुरे सपने दिखानेवाले, ३२८. **महामल्लवेशः**=महान् मल्लोंके समान वेष धारण करनेवाले, ३२९. **करीन्द्र-प्रहारी**=गजराज कुवलयापीड़पर प्रहार करनेवाले, ३३०. **महामात्यहा**=महावतोंको मारनेवाले, ३३१. **रङ्गभूमिप्रवेशी**=कंसकी मल्लशालामें प्रवेश करनेवाले, ३३२. **रसाढ्यः**=नौ रसोंसे सम्पन्न (भिन्न-भिन्न द्रष्टाओंको विभिन्न रसोंके आलम्बनके रूपमें दिखायी देनेवाले), ३३३. **यशःस्पृक्**=यशस्वी, ३३४. **बलीवाक्पटुश्रीः**=अनन्त शक्तिसे सम्पन्न और बातचीत करनेमें प्रवीण ऐश्वर्यवान्॥ ५२॥

३३५. **महामल्लहा**=बड़े-बड़े मल्ल चाणूर और मुष्टिक आदिका वध करनेवाले, ३३६. **युद्धकृत्**=युद्ध करनेवाले, ३३७. **स्त्रीवचोऽर्थी**=रंगोत्सव देखनेके लिये आयी हुई स्त्रियोंके वचनोंको सुननेकी इच्छावाले, ३३८. **धरानायकः कंसहन्ता**=कंसका हनन करने-वाले भूतलके स्वामी, ३३९. **प्राग्यदुः**=पूर्ववर्ती राजा यदुस्वरूप, ३४०. **सदापूजितः**=सदा सबसे पूजित, ३४१. **उग्रसेनप्रसिद्धः**=उग्रसेनकी प्रसिद्धिके कारण, ३४२. **धराराज्यदः**=उग्रसेनको भूमण्डलका राज्य

देनेवाले, **३४३. यादवैर्मण्डिताङ्गः**=यादवोंसे सुशोभित शरीरवाले ॥ ५३ ॥

३४४. गुरोः पुत्रदः=गुरुको पुत्र प्रदान करनेवाले, **३४५. ब्रह्मविद्**=ब्रह्मवेत्ता, **३४६. ब्रह्मपाठी**=वेदपाठ करनेवाले, **३४७. महाशङ्खहा**=महान् राक्षस शङ्खासुरका वध करनेवाले, **३४८. दण्डधृक्पूज्यः**=दण्डधारी यमराजके लिये पूजनीय, **३४९. व्रजे उद्धव-प्रेषिता**=व्रजमें वहाँका समाचार जाननेके लिये उद्धवको भेजनेवाले, **३५०. गोपमोही**=अपने रूप, गुण और सद्भावसे गोपगणोंको मोह लेनेवाले, **३५१. यशोदाघृणी**=मैया यशोदाके प्रति अत्यन्त कृपालु, **३५२. गोपिकाज्ञानदेशी**=गोपाङ्गनाओंको ज्ञानोपदेश करनेवाले ॥ ५४ ॥

३५३. सदा स्नेहकृत्=सदा स्नेह करनेवाले, **३५४. कुब्जया पूजिताङ्गः**=कुब्जाके द्वारा पूजित अङ्गवाले, **३५५. अक्रूरगेहंगमी**=अक्रूरके घर पधारने-वाले, **३५६. मन्त्रवेत्ता**=मन्त्रणाके मर्मज्ञ, **३५७. पाण्डवप्रेषिताक्रूरः**= पाण्डवोंका समाचार लानेके लिये अक्रूरको भेजनेवाले, **३५८. सुखी सर्वदर्शी**=सौख्ययुक्त, सबके साक्षी अथवा सर्वज्ञ, **३५९. नृपानन्द-कारी**=राजा उग्रसेनको आनन्द देनेवाले ॥ ५५ ॥

३६०. महाक्षौहिणीहा=जरासंधकी तीस अक्षौहिणी सेनाका विनाश करनेवाले, **३६१. जरासंध-मानोद्धरः**=जरासंधका मान भङ्ग करनेवाले, **३६२. द्वारकाकारकः**=द्वारकापुरीका निर्माण करनेवाले, **३६३. मोक्षकर्ता**=भव-बन्धनसे छुटकारा दिलाने-वाले, **३६४. रणी**=युद्धके लिये सदा उद्यत, **३६५. सार्वभौमस्तुतः**=सत्ययुगके चक्रवर्ती राजा मुचुकुन्दने जिनकी स्तुति की, ऐसे, **३६६. ज्ञानदाता**=मुचुकुन्दको ज्ञान प्रदान करनेवाले, **३६७. जरासंध-संकल्पकृत्**=एक बार अपनी पराजयका अभिनय करके जरासंधके संकल्पकी पूर्ति करनेवाले, **३६८. धावदङ्घ्रिः**=पैदल भागनेवाले ॥ ५६ ॥

३६९. नगादुत्पतन्द्वारकामध्यवर्ती=प्रवर्षणगिरिसे उछलकर द्वारकापुरीके बीच विराजमान, **३७०. रेवती-भूषणः**=बलरामरूपसे रेवतीके सौभाग्यभूषण, **३७१. तालचिह्नो यदुः**=तालके चिह्नसे युक्त ध्वजा-वाले यदुवीर, **३७२. रुक्मिणीहारकः**=रुक्मिणीका अपहरण करनेवाले, **३७३. चैद्यभेद्यः**=चेदिराज शिशुपाल जिनका वध्य है, वे, **३७४. रुक्मिरूपप्रणाशी**=रुक्मीकी आधी मूँछ मूँड़कर उसे कुरूप बनानेवाले, **३७५. सुखाशी**=स्वरूपभूत आनन्दके आस्वादक ॥ ५७ ॥

३७६ अनन्तः=शेषनागस्वरूप, **३७७. मारः**=कामदेवावतार, **३७८. कार्ष्णिः**=कृष्णकुमार प्रद्युम्न, **३७९. कामः**=कामदेव, **३८०. मनोजः**=काम, **३८१. शम्बरारिः**=शम्बरासुरके शत्रु कामदेव, **३८२. रतीशः**= रतिके स्वामी, **३८३. रथी**=रथारूढ़, **३८४. मन्मथः**=मनको मथ देनेवाले, **३८५. मीनकेतुः**=मत्स्यचिह्न ध्वजासे युक्त, **३८६. शरी**=बाणधारी, **३८७. स्मरः**=काम, **३८८. दर्पकः**=कामदेव, **३८९. मानहा**=मानमर्दन करनेवाले, **३९०. पञ्चबाणः**=पञ्चबाणधारी कामदेव (ये सब नाम प्रद्युम्नस्वरूप श्रीहरिके पर्यायवाची हैं) ॥ ५८ ॥

३९१. प्रियः सत्यभामापतिः=सत्यभामाके प्रिय पति, **३९२. यादवेशः**=यादवोंके स्वामी, **३९३. सत्राजित्प्रेमपूरः**=सत्राजित्के प्रेमको पूर्ण करनेवाले, **३९४. प्रहासः**=उत्कृष्ट हासवाले, **३९५. महारत्नदः**=महारत्न स्यमन्तकको ढूँढ़कर ला देनेवाले, **३९६. जाम्बवद्युद्धकारी**=जाम्बवान्से युद्ध करनेवाले, **३९७. महाचक्रधृक्**=महान् सुदर्शनचक्र धारण करनेवाले, **३९८. खड्गधृक्**='नन्दक' नामक खड्ग धारण करनेवाले, **३९९. रामसंधिः**=बलरामजीके साथ संधि करनेवाले ॥ ५९ ॥

४००. विहारस्थितः=लीलाविहारपरायण, **४०१. पाण्डवप्रेमकारी**=पाण्डवोंसे प्रेम करनेवाले, **४०२. कलिन्दाङ्गजामोहनः**=कालिन्दीके मनको मोह लेनेवाले, **४०३. खाण्डवार्थी**=खाण्डव-वनको अग्निदेवके लिये अर्पित करनेके इच्छुक, **४०४. फाल्गुनप्रीतिकृत् सखा**=अर्जुनपर प्रेम रखनेवाले उनके सखा, **४०५. नग्नकर्ता**=खाण्डव-वनको जलाकर नग्न (शून्य) करनेवाले, **४०६. मित्रविन्दापतिः**='मित्रविन्दा' नामवाली अवन्तीदेशकी राजकुमारीके पति, **४०७. क्रीडनार्थी**=क्रीडा या खेलके

इच्छुक॥ ६०॥

४०८. नृपप्रेमकृत्=राजा नग्नजित्से प्रेम करनेवाले, **४०९. सप्तरूपो गोजयी**=सात रूप धारण करके सात बिगड़ैल बैलोंको एक ही साथ नाथकर काबूमें कर लेनेवाले, **४१०. सत्यापतिः**= नग्नजित्कुमारी सत्याके पति, **४११. पारिवर्ही**=राजा नग्नजित्के द्वारा दिये दहेजको ग्रहण करनेवाले, **४१२. यथेष्टम्**=पूर्ण, **४१३. नृपैः संवृतः**=सत्याको लेकर लौटते समय मार्गमें युद्धार्थी राजाओंद्वारा घेर लिये जानेवाले, **४१४. भद्रापतिः**=भद्राके स्वामी, **४१५. मधोर्विलासी**=मधुमास चैत्रकी पूर्णिमाको रासविलास करनेवाले, **४१६. मानिनीशः**=मानिनी जनोंके प्राणवल्लभ, **४१७. जनेशः**=प्रजाजनोंके स्वामी॥ ६१॥

४१८. शुनासीरमोहावृतः=इन्द्रके प्रति मोह (स्नेह एवं कृपाभाव) से युक्त, **४१९. सत्सभार्यः**=सती भार्यासे युक्त, **४२०. सताक्ष्यः**=गरुडपर आरूढ़, **४२१. मुरारिः**=मुर दैत्यका नाश करनेवाले, **४२२. पुरीसंघभेत्ता**=भौमासुरकी पुरीके दुर्गसमुदायका भेदन करनेवाले, **४२३. सुवीरः शिरःखण्डनः**= श्रेष्ठवीर असुरोंका मस्तक काटनेवाले, **४२४. दैत्यनाशी**=दैत्योंका नाश करनेवाले, **४२५. शरी भौमहा**= सायकधारी होकर भौमासुरका वध करनेवाले, **४२६. चण्डवेगः**=प्रचण्ड वेगशाली, **४२७. प्रवीरः**= उत्कृष्ट वीर॥ ६२॥

४२८. धरासंस्तुतः=पृथ्वीदेवीके मुखसे अपना गुणगान सुननेवाले, **४२९. कुण्डलच्छत्रहर्ता**=अदिति-के कुण्डल और इन्द्रके छत्रको भौमासुरकी राजधानीसे लेकर उसे स्वर्गलोकतक पहुँचानेवाले, **४३०. महारत्नयुक्**=महान् मणिरत्नोंसे सम्पन्न, **४३१. राजकन्या-अभिरामः**=सोलह हजार राजकुमारियोंके सुन्दर पति, **४३२. शचीपूजितः**=स्वर्गमें इन्द्रपत्नी शचीके द्वारा सम्मानित, **४३३. शक्रजित्**=पारिजातके लिये होने-वाले युद्धमें इन्द्रको जीतनेवाले, **४३४. मानहर्ता**= इन्द्रका अभिमान चूर्ण कर देनेवाले, **४३५. पारिजातापहारी रमेशः**=पारिजातका अपहरण करनेवाले रमावल्लभ॥ ६३॥

४३६. गृही चामरैः शोभितः=गृहस्थरूपमें रहकर श्वेत चँवर डुलाये जानेके कारण अतिशय शोभायमान, **४३७. भीष्मककन्यापतिः**=राजा भीष्मककी पुत्री रुक्मिणीके पति, **४३८. हास्यकृत्**=रुक्मिणीके साथ परिहास करनेवाले, **४३९. मानिनीमानकारी**=मानिनी रुक्मिणीको मान देनेवाले, **४४०. रुक्मिणीवाक्पटुः**= रुक्मिणीको अपनी बातोंसे रिझानेमें कुशल, **४४१. प्रेमगेहः**= प्रेमके अधिष्ठान, **४४२. सतीमोहनः**= सतियोंको भी मोह लेनेवाले, **४४३. कामदेवापरश्रीः**=दूसरे कामदेवके समान मनोरम सुषमासे सम्पन्न॥ ६४॥

४४४. सुदेष्णः='सुदेष्ण' नामक श्रीकृष्ण-पुत्र, **४४५.सुचारुः**=सुचारु, **४४६. चारुदेष्णः**=चारुदेष्ण, **४४७. चारुदेह** :=चारुदेह, **४४८. बली चारुगुप्तः**= बली, चारुगुप्त, **४४९. सुती भद्रचारुः**=पुत्रवान् भद्रचारु, **४५०. चारुचन्द्रः**=चारुचन्द्र , **४५१. विचारुः**= विचारु, **४५२. चारुः**=चारु, **४५३. रथी पुत्ररूपः**=रथी पुत्रस्वरूप॥ ६५॥

४५४. सुभानुः=सुभानु, **४५५. प्रभानुः**=प्रभानु, **४५६. चन्द्रभानुः**=चन्द्रभानु, **४५७. बृहद्भानुः**= बृहद्भानु, **४५८. अष्टभानुः**=अष्टभानु, **४५९. साम्बः**= साम्ब, **४६०. सुमित्रः**=सुमित्र, **४६१. क्रतुः**=क्रतु, **४६२. चित्रकेतुः**=चित्रकेतु, **४६३. वीरः अश्वसेनः**=वीर अश्वसेन, **४६४. वृषः**=वृष, **४६५. चित्रगुः**= चित्रगु, **४६६. चन्द्रबिम्बः**=चन्द्रबिम्ब॥ ६६॥

४६७. विशङ्कुः=विशङ्कु, **४६८. वसुः**=वसु, **४६९. श्रुतः**=श्रुत, **४७०. भद्रः**=भद्र, **४७१. सुबाहुः वृषः**=उत्तम भुजाओं-युक्त वृष, **४७२. पूर्णमासः**= पूर्णमास, **४७३. सोमः वरः**=श्रेष्ठ सोम, **४७४. शान्तिः**= शान्ति, **४७५. प्रघोषः**=प्रघोष, **४७६. सिंहः**=सिंह, **४७७. बलः ऊर्ध्वगः**=बल और ऊर्ध्वग, **४७८. वर्धनः**= वर्धन, **४७९. उन्नादः**=उन्नाद॥ ६७॥

४८०. महाशः=महाश, **४८१. वृकः**=वृक, **४८२. पावनः**=पावन, **४८३. वह्निमित्रः**=वह्निमित्र, **४८४. क्षुधिः**=क्षुधि, **४८५. हर्षकः**=हर्षक, **४८६. अनिलः**=अनिल, **४८७. अमित्रजित्**:= अमित्रजित्, **४८८. सुभद्रः**=सुभद्र, **४८९. जयः**=जय, **४९०. सत्यकः**=सत्यक, **४९१. वामः**=वाम, **४९२. आयुः**=

आयु, **यदुः**=यदु, **४९३. कोटिशः पुत्रपौत्रैः प्रसिद्धः**= इस प्रकार करोड़ों पुत्र-पौत्रोंसे प्रसिद्ध॥ ६८॥

४९४. हली दण्डधृक्=ईषादण्डधारी हलधर बलराम, **४९५. रुक्महा**=रुक्मीका वध करनेवाले, **४९६. अनिरुद्धः**=किसीके द्वारा रोके न जा सकनेवाले, **४९७. राजभिर्हास्यगः**=अनिरुद्धके विवाहमें द्यूत-क्रीड़ाके समय राजाओंने जिनकी हँसी उड़ायी, वे, **४९८. द्यूतकर्ता**=विनोदके लिये द्यूत-क्रीड़ामें भाग लेनेवाले बलरामजी, **४९९. मधुः**=मधुवंशमें अवतीर्ण, **५००. ब्रह्मसूः**=ब्रह्माजीके अवतार अनिरुद्ध, **५०१. बाणपुत्रीपतिः**=बाणासुरकी कन्या ऊषाके स्वामी, **५०२. महासुन्दरः**=अतिशय सौन्दर्यशाली, **५०३. कामपुत्रः**=प्रद्युम्नके पुत्र अनिरुद्धरूप, **५०४. बलीशः**=बलवानोंके ईश्वर॥ ६९॥

५०५. महादैत्यसंग्रामकृद् यादवेशः=बड़े-बड़े दैत्योंके साथ युद्ध करनेवाले यादवोंके स्वामी, **५०६.पुरीभञ्जनः**=बाणासुरकी नगरीको नष्ट-भ्रष्ट करनेवाले, **५०७. भूतसंत्रासकारी**=भूतगणोंको संत्रस्त कर देनेवाले, **५०८. मृधे रुद्रजित्**=युद्धमें रुद्रको जीतनेवाले, **५०९. रुद्रमोही**=जृम्भणास्त्रके प्रयोगसे रुद्रदेवको मोहित करनेवाले, **५१०. मृधार्थी**= युद्धाभिलाषी, **५११. स्कन्दजित्**=कुमार कीर्तिकेयको परास्त करनेवाले, **५१२. कूपकर्णप्रहारी**='कूपकर्ण' नामक प्रमथगणपर प्रहार करनेवाले॥ ७०॥

५१३. धनुर्भञ्जनः=धनुष भङ्ग करनेवाले, **५१४. बाणमानप्रहारी**=बाणासुरके अभिमानको चूर्ण कर देनेवाले, **५१५. ज्वरोत्पत्तिकृत्**=ज्वरकी उत्पत्ति करनेवाले, **५१६. ज्वरेण संस्तुतः**= रुद्रके ज्वरद्वारा जिनकी स्तुति की गयी, वे, **५१७. भुजाछेदकृत्**=बाणासुरकी बाँहोंको काट देनेवाले, **५१८. बाणसंत्रासकर्ता**=बाणासुरके मनमें त्रास उत्पन्न कर देनेवाले, **५१९. मृडप्रस्तुतः**= भगवान् शिवके द्वारा स्तुत, **५२०. युद्धकृत्**= युद्ध करनेवाले, **५२१. भूमिभर्त्ता**=भूमण्डलका भरण-पोषण करनेवाले, अथवा भूदेवीके पति॥ ७१॥

५२२. नृगं मुक्तिदः=राजा नृगका उद्धार करनेवाले, **५२३. यादवानां ज्ञानदः**=यादवोंको ज्ञान देनेवाले, **५२४. रथस्थः**=दिव्य रथपर आरूढ़, **५२५. व्रजप्रेमपः**=व्रजविषयक प्रेमके पालक अथवा व्रजवासियोंके प्रेमरसका पान करनेवाले, **५२६. गोपमुख्यः**=गोपशिरोमणि, **५२७. महासुन्दरीक्रीडितः**=अपनी प्रेयसी परम सुन्दरियोंके साथ क्रीडा करनेवाले बलरामजी, **५२८. पुष्पमाली**=पुष्पमालाओंसे अलंकृत, **५२९. कलिन्दाङ्गजाभेदनः**= कालिन्दीकी धाराको फोड़कर अपनी ओर खींच लानेवाले, **५३०. सीरपाणिः**=हाथमें हल धारण करनेवाले॥ ७२॥

५३१. महादम्भिहा=बड़े-बड़े दम्भी-पाखण्डियोंका दमन करनेवाले, **५३२. पौण्ड्रमानप्रहारी**=पौण्ड्रकके घमंडको चूर्ण कर देनेवाले, **५३३. शिरश्छेदकः**= उसके मस्तकको काट देनेवाले, **५३४. काशिराजप्रणाशी**=काशिराजका नाश करनेवाले, **५३५. महाअक्षौहिणीध्वंसकृत्**=शत्रुओंकी विशाल अक्षौहिणी सेनाका विनाश करनेवाले, **५३६. चक्रहस्तः**=चक्रपाणि, **५३७. पुरीदीपकः**=काशीपुरीको जलानेवाले, **५३८. राक्षसीनाशकर्ता**=राक्षसीके नाशक॥ ७३॥

५३९. अनन्तः=शेषनागरूप, **५४०. महीध्रः**= धरणीको धारण करनेवाले, **५४१. फणी**=फणधारी, **५४२. वानरारिः**='द्विविद' नामक वानरके शत्रु, **५४३. स्फुरद्गौरवर्णः**=प्रकाशमान गौरवर्णवाले, **५४४. महापद्मनेत्रः**=प्रफुल्ल कमलके समान विशाल नेत्रवाले, **५४५. कुरुग्रामतिर्यग्गतिः**=कौरवोंके निवासस्थल हस्तिनापुरको गङ्गाकी ओर तिरछी दिशामें खींच लेनेवाले, **५४६. गौरवार्थं कौरवैः स्तुतः**= जिनका गौरव प्रकट करनेके लिये कौरवोंने स्तुति की, वे बलरामजी, **५४७. ससाम्बः पारिबर्ही**=साम्बके साथ कौरवोंसे दहेज लेकर लौटनेवाले॥ ७४॥

५४८. महावैभवी=महान् वैभवशाली, **५४९. द्वारकेशः**=द्वारकानाथ, **५५०. अनेकः**=अनेक रूपधारी, **५५१. चलन्नारदः**=नारदजीको विचलित कर देनेवाले, **५५२. श्रीप्रभादर्शकः**=अपनी लक्ष्मी तथा प्रभावको दिखानेवाले, **५५३. महर्षिस्तुतः**=महर्षियोंसे संस्तुत, **५५४. ब्रह्मदेवः**=ब्राह्मणोंको देवता माननेवाले अथवा ब्रह्माजीके आराध्यदेव, **५५५. पुराणः**=

पुराणपुरुष, **५५६. सदा षोडशस्त्रीसहस्थितः**=सर्वदा सोलह हजार पत्नियोंके साथ रहनेवाले॥ ७५॥

५५७. गृही=आदर्श गृहस्थ, **५५८. लोक-रक्षापरः**=समस्त लोकोंकी रक्षामें तत्पर, **५५९. लोकरीतिः**=लौकिक रीतिका अनुसरण करनेवाले, **५६०. प्रभुः**=अखिल विश्वके स्वामी, **५६१. उग्रसेनावृतः**=उग्र सेनाओंसे घिरे हुए, **५६२. दुर्गयुक्तः**=दुर्गसे युक्त, **५६३. राजदूतस्तुतः**=जरासंधके बंदी राजाओंद्वारा भेजे गये दूतने जिनकी स्तुति की, वे, **५६४. बन्धभेत्ता स्थितः**=बन्दी राजाओंके बन्धन काटकर उनके लिये मुक्तिदाताके रूपमें स्थित नित्य विद्यमान, **५६५. नारदप्रस्तुतः**=नारदजीके द्वारा संस्तुत, **५६६. पाण्डवार्थी**= पाण्डवोंका अर्थ सिद्ध करनेवाले॥ ७६॥

५६७. नृपैर्मन्त्रकृत्=राजाओंके साथ सलाह करनेवाले, **५६८. उद्धवप्रीतिपूर्णः**=उद्धवकी प्रीतिसे परिपूर्ण, **५६९. पुत्रपौत्रैर्वृतः**=पुत्र-पौत्रोंसे घिरे हुए, **५७०. कुरुग्रामगन्ता घृणी**=कुरुग्राम—इन्द्रप्रस्थमें जानेवाले दयालु, **५७१. धर्मराजस्तुतः**=धर्मराज युधिष्ठिरसे संस्तुत, **५७२. भीमयुक्तः**=भीमसेनसे सप्रेम मिलनेवाले, **५७३. परानन्ददः**=परमानन्द प्रदान करनेवाले, **५७४. धर्मजेन मन्त्रकृत्**=धर्मराज युधिष्ठिरसे सलाह करनेवाले॥ ७७॥

५७५. दिशाजित् बली=दिग्विजय बलवान्, **५७६. राजसूयार्थकारी**=युधिष्ठिरके राजसूय यज्ञ-सम्बन्धी कार्यको सिद्ध करनेवाले, **५७७. जरासंधहा**= जरासंधका वध करनेवाले, **५७८. भीमसेनस्वरूपः**= भीमसेनस्वरूप, **५७९. विप्ररूपः**=ब्राह्मणका रूप धारण करके जरासंधके पास जानेवाले, **५८०. गदा-युद्धकर्ता**=भीमरूपसे गदायुद्ध करनेवाले, **५८१. कृपालुः**=दयालु, **५८२. महाबन्धनच्छेदकारी**= बड़े-बड़े बन्धनोंको काट देनेवाले अथवा महान् भवबन्धनका उच्छेद करनेवाले॥ ७८॥

५८३. नृपैः संस्तुतः=जरासंधके कारागारसे मुक्त राजाओंद्वारा संस्तुत, **५८४. धर्मगेहमागतः**=धर्मराजके घरमें आये हुए, **५८५. द्विजैः संवृतः**=ब्राह्मणोंसे घिरे हुए, **५८६. यज्ञसम्भारकर्ता**=यज्ञके उपकरण जुटानेवाले, **५८७. जनैः पूजितः**=सब लोगोंसे पूजित, **५८८. चैद्यदुर्वाक्क्षमः**=चेदिराज शिशुपालके दुर्वचनोंको सह लेनेवाले, **५८९. महामोक्षदः**= उसे महान् मोक्ष देनेवाले, **५९०. अरेः शिरश्छेदकारी**= सुदर्शन चक्रसे शत्रु शिशुपालका सिर काट लेनेवाले॥ ७९॥

५९१. महायज्ञशोभाकरः=युधिष्ठिरके महान् यज्ञकी शोभा बढ़ानेवाले, **५९२. चक्रवर्ती नृपानन्दकारी**= राजाओंको आनन्द प्रदान करनेवाले सार्वभौम सम्राट्, **५९३. सुहारी विहारी**=सुन्दर हारसे सुशोभित विहार-परायण प्रभु, **५९४. सभासंवृतः**=सभासदोंसे घिरे हुए, **५९५. कौरवस्य मानहृत्**= कुरुराज दुर्योधनका मान हर लेनेवाले, **५९६. शाल्वसंहारकः**=राजा शाल्वका संहार करनेवाले, **५९७. यानहन्ता**=शाल्वके सौभ विमानको तोड़ डालनेवाले॥ ८०॥

५९८. सभोजः=भोजवंशियोंसहित, **५९९. वृष्णिः**=वृष्णिवंशी, **६००. मधुः**=मधुवंशी, **६०१. शूरसेनः**=शूरवीर सेनासे संयुक्त, अथवा शूरसेनवंशी, **६०२. दशार्हः**=दशार्हवंशी, **६०३. यदुः अन्धकः**=यदुवंशी तथा अन्धकवंशी, **६०४. लोकजित्**= लोकविजयी, **६०५. द्युमन्मानहारी**=द्युमान्का मान हर लेनेवाले, **६०६. वर्मधृक्**=कवचधारी, **६०७. दिव्य-शस्त्री**=दिव्य आयुधधारी, **६०८. स्वबोधः**=आत्म-बोधस्वरूप, **६०९. सदा रक्षकः**=साधुपुरुषोंकी सदा रक्षा करनेवाले, **६१०. दैत्यहन्ता**=दैत्योंका वध करनेवाले॥ ८१॥

६११. दन्तवक्त्रप्रणाशी=दन्तवक्त्रका नाश करनेवाले, **६१२. गदाधृक्**=गदाधारी, **६१३. जगत्तीर्थयात्राकरः**=सम्पूर्ण जगत्की तीर्थयात्रा करनेवाले बलरामजी, **६१४. पद्महारः**=कमलकी माला धारण करनेवाले, **६१५. कुशी सूतहन्ता**=कुश हाथमें लेकर रोमहर्षण सूतका वध करनेवाले, **६१६. कृपाकृत्**=कृपा करनेवाले, **६१७. स्मृतीशः**= धर्मशास्त्रोंके स्वामी, **६१८. अमलः**=निर्मल स्वरूप, **६१९. बल्वलाङ्गप्रभाखण्डकारी**=बल्वलकी अङ्ग-

कान्तिको खण्डित करनेवाले॥ ८२॥

६२०. **भीमदुर्योधनज्ञानदाता**=भीमसेन और दुर्योधनको ज्ञान देनेवाले, ६२१. **अपरः**=जिनसे बढ़कर दूसरा कोई नहीं है, ऐसे, ६२२. **रोहिणी-सौख्यदः**=माता रोहिणीको सुख देनेवाले, ६२३. **रेवतीशः**=रेवतीके पति बलरामजी, ६२४. **महादानकृत्**=बड़े भारी दानी, ६२५. **विप्र-दारिद्र्यहा**=सुदामा ब्राह्मणकी दरिद्रता दूर कर देनेवाले, ६२६. **सदा प्रेमयुक्**=नित्य प्रेमी, ६२७. **श्रीसुदाम्नः सहायः**=श्रीसुदामाके सहायक ॥ ८३ ॥

६२८. **सरामः भार्गवक्षेत्रगन्ताः**=बलरामसहित, परशुरामजीके शूर्पारकक्षेत्रकी यात्रा करनेवाले, ६२९. **श्रुते सूर्योपरागे सर्वदर्शी**=विख्यात सूर्यग्रहणके अवसरपर सबसे मिलनेवाले, ६३०. **महासेनयाऽऽ-स्थितः**=विशाल सेनाके साथ विद्यमान, ६३१. **स्नान-युक्तः महादानकृत्**=सूर्य-ग्रहणपर्वपर स्नान करके महान् दान करनेवाले, ६३२. **मित्रसम्मेलनार्थी**=मित्रोंके साथ मिलनेके लिये इच्छुक अथवा मित्र सम्मेलनरूप प्रयोजनवाले॥ ८४॥

६३३. **पाण्डवप्रीतिदः**=पाण्डवोंको प्रीति प्रदान करनेवाले, ६३४. **कुन्तिजार्थी**=कुन्ती और उनके पुत्रोंका अर्थ सिद्ध करनेवाले, ६३५. **विशालाक्ष-मोहप्रदः**=विशालाक्षको मोहमें डालनेवाले, ६३६. **शान्तिदः**=शान्ति देनेवाले, ६३७. **सखी-कोटिभिः गोपिकाभिः सहवटे राधिकाऽऽराधनः**=सखीस्वरूप कोटिशः गोपकिशोरियोंके साथ वटके नीचे श्रीराधिकाकी आराधना करनेवाले, ६३८. **राधिका-प्राणनाथः**=श्रीराधाके प्राणेश्वर॥ ८५ ॥

६३९. **सखीमोहदावाग्निहा**=सखियोंके मोहरूपी दावानलको नष्ट करनेवाले, ६४०. **वैभवेशः**=वैभवके स्वामी, ६४१. **स्फुरत्कोटिकंदर्पलीलाविशेषः**=कोटि-कोटि कान्तिमान् कामदेवोंसे भी बढ़कर लीला-विशेष प्रकट करनेवाले, ६४२. **सखीराधिकादुःखनाशी**=सखियोंसहित श्रीराधाके दुःखका नाश करनेवाले, ६४३. **विलासी**=विलासशाली, ६४४. **सखी-मध्यगः**=सखियोंकी मण्डलीमें विराजमान, ६४५. **शापहा**=शाप दूर करनेवाले, ६४६. **माधवीशः**=माधवी श्रीराधाके स्वामी॥ ८६॥

६४७. **शतं वर्षविक्षेपहृत्**=सौ वर्षोंकी वियोग-व्यथाको हर लेनेवाले, ६४८. **नन्दपुत्रः**=नन्दकुमार, ६४९. **नन्दवक्षोगतः**=नन्दकी गोदमें बैठनेवाले, ६५०. **शीतलाङ्गः**=शीतल शरीरवाले, ६५१. **यशोदा-शुचः स्नानकृत्**=यशोदाजीके प्रेमाश्रुओंसे नहानेवाले, ६५२. **दुःखहन्ता**=दुःख दूर करनेवाले, ६५३. **सदा गोपिकानेत्रलग्नः व्रजेशः**=नित्यनिरन्तर गोपाङ्गनाओंके नेत्रमें बसे रहनेवाले व्रजेश्वर॥ ८७॥

६५४. **देवकीरोहिणीभ्यां स्तुतः**=देवकी और रोहिणीसे संस्तुत, ६५५. **सुरेन्द्रः**=देवताओंके स्वामी, ६५६. **रहो गोपिकाज्ञानदः**=एकान्तमें गोपिकाओंको ज्ञान देनेवाले, ६५७. **मानदः**=मान देनेवाले अथवा मानका खण्डन करनेवाले, ६५८. **पट्टराज्ञीभिः आरात् संस्तुतः धनी**=पटरानियोंद्वारा निकट और दूरसे भी संस्तुत परम ऐश्वर्यसे सम्पन्न, ६५९. **सदा लक्ष्मणा-प्राणनाथः**=सदैव लक्ष्मणाके प्राणवल्लभ॥ ८८॥

६६०.**सदा षोडशस्त्रीसहस्त्रस्तुताङ्गः**=सोलह हजार रानियोंद्वारा जिनके श्रीविग्रहकी सदा स्तुति की गयी है, वे, ६६१. **शुकः**=शुकमुनिस्वरूप, ६६२. **व्यासदेवः**=व्यासदेवरूप, (इसी प्रकार अन्य ऋषियोंके नामोंमें भी स्वरूप जोड़ लेना चाहिये) ६६३. **सुमन्तुः**=सुमन्तु, ६६४. **सितः**=सित, ६६५. **भरद्वाजकः**=भरद्वाज, ६६६. **गौतमः**=गौतम, ६६७. **आसुरिः**=आसुरि, ६६८. **सद्वसिष्ठः**=श्रेष्ठ वसिष्ठ मुनि, ६६९. **शतानन्दः**=शतानन्द, ६७०. **आद्यः रामः**=आद्य रामके रूपमें प्रसिद्ध परशुराम॥ ८९॥

६७१. **पर्वतो मुनिः**=पर्वतमुनि, ६७२. **नारदः**=नारदमुनि, ६७३. **धौम्यः**=धौम्यमुनि, ६७४. **इन्द्रः**=इन्द्रमुनि, ६७५. **असितः**=असित, ६७६. **अत्रिः**=अत्रि, ६७७. **विभाण्डः**=विभाण्ड, ६७८. **प्रचेताः**=प्रचेता, ६७९. **कृपः**=कृप, ६८०. **कुमारः**=सनत्कुमार, ६८१. **सनन्दः**=सनन्दन, ६८२. **याज्ञवल्क्यः**=याज्ञवल्क्य, ६८३. **ऋभुः**=ऋभु, ६८४. **अङ्गिराः**=अङ्गिरा, ६८५. **देवलः**=देवल, ६८६. **श्रीमृकण्डः**=श्रीमृकण्ड॥ ९०॥

६८७. **मरीचिः**=मरीचि, ६८८. **क्रतुः**=क्रतु,

६८९. **और्वकः**=और्व, ६९०. **लोमशः**=लोमश, ६९१. **पुलस्त्यः**=पुलस्त्य, ६९२. **भृगुः**=भृगु, ६९३. **ब्रह्मरातः**=ब्रह्मरात, **वसिष्ठः**=वसिष्ठ, ६९४. **नरः-नारायणः**=नर-नारायण, ६९५. **दत्तः**=दत्तात्रेय, ६९६. **पाणिनिः**=व्याकरण-सूत्रकार पाणिनि, ६९७. **पिङ्गलः**=छन्दःसूत्रकार महर्षि पिङ्गल, ६९८. **भाष्यकारः**=महाभाष्यकार पतञ्जलि॥ ९१॥

६९९. **कात्यायनः**=वार्तिककार कात्यायन, ७००. **विप्रपातञ्जलिः**=ब्राह्मण पतञ्जलि, ७०१. **गर्गः**=यदुकुलके आचार्य गर्ग, ७०२. **गुरुः**=बृहस्पति, ७०३. **गीष्पतिः**=वाचस्पति बृहस्पति, ७०४. **गौतमीशः**=गौतमीके स्वामी, ७०५. **मुनिः जाजलिः**=महर्षि जाजलि, ७०६. **कश्यपः**=कश्यप, ७०७. **गालवः**=गालव, ७०८. **द्विजः सौभरिः**=ब्रह्मर्षि सौभरि, ७०९. **ऋष्यशृङ्गः**=ऋष्यशृङ्ग, ७१०. **कण्वः**=कण्व॥ ९२॥

७११. **द्वितः**=द्वित, ७१२. **एकतः**=एकत, ७१३. **जातूद्भवः**=जातूकर्ण्य, ७१४. **घनः**=घन, ७१५. **कर्दमस्य-आत्मजः**=कर्दमपुत्र कपिल, ७१६. **कर्दमः**=कपिलके पिता महर्षि कर्दम, ७१७. **भार्गवः**=भृगुपुत्र च्यवन, ७१८. **कौत्स्यः**=कौत्स्य, ७१९. **आरुणिः**=आरुणि, ७२०. **शुचिः पिप्पलादः**=पवित्र पिप्पलाद मुनि, ७२१. **मृकण्डस्य पुत्रः**=मार्कण्डेय॥ ९३॥

७२२. **पैलः**=पैल, ७२३. **जैमिनिः**=जैमिनि, ७२४. **सत् सुमन्तुः**=सत्सुमन्तु, ७२५. **वरो गाङ्गलः**=श्रेष्ठ गाङ्गल मुनि, ७२६. **स्फोटगेहः फलादः**=फल खानेवाले स्फोटगेह, ७२७. **सदापूजितः ब्राह्मणः**=नित्यपूजित ब्राह्मणस्वरूप, ७२८. **सर्वरूपी**=सर्वरूपधारी, ७२९. **महामोहनाशः मुनीशः**=महान् मोहका नाश करनेवाले मुनीश्वर, ७३०. **प्रागमरः**=पूर्वदेवता जो उपेन्द्रावतारमें देवतारूपमें थे॥ ९४॥

७३१. **मुनीशस्तुतः**=मुनीश्वरोंद्वारा संस्तुत, ७३२. **शौरिविज्ञानदाता**=वसुदेवजीको ज्ञान देनेवाले, ७३३. **महायज्ञकृत्**=महान् यज्ञ करनेवाले, ७३४. **आभृथस्नानपूज्यः**=यज्ञान्तमें किये जानेवाले अवभृथस्नानके द्वारा पूजनीय, ७३५. **सदा दक्षिणादः**=सदा दक्षिणा देनेवाले, ७३६. **नृपैः पारिबर्ही**=राजाओंसे भेंट लेनेवाले, ७३७. **व्रजानन्ददः**=व्रजको आनन्द देनेवाले, ७३८. **द्वारकागेहदर्शी**=द्वारकापुरीके भवनोंको देखनेवाले॥ ९५॥

७३९. **महाज्ञानदः**=महान् ज्ञान प्रदान करनेवाले, ७४०. **देवकीपुत्रदः**=देवकीको उनके मरे हुए पुत्र लाकर देनेवाले, ७४१. **असुरैः पूजितः**=असुरोंसे पूजित, ७४२. **इन्द्रसेनादृतः**=राजा बलिसे सम्मानित, ७४३. **सदाफाल्गुनप्रीतिकृत्**=अर्जुनसे सदा प्रेम करनेवाले, ७४४. **सत्सुभद्राविवाहे द्विपाश्वप्रदः**=सुभद्राके शुभ विवाहमें दहेजके रूपमें हाथी, घोड़े देनेवाले, ७४५. **मानयानः**=वरपक्षको सम्मानित करनेवाले अथवा मानयुक्त वाहन अर्पित करनेवाले॥ ९६॥

७४६. **भुवं दर्शकः**=भूमण्डलको देखने और दिखानेवाले, ७४७. **मैथिलेन प्रयुक्तः**=मिथिलापति राजा बहुलाश्व तथा मिथिलानिवासी ब्राह्मण श्रुतदेवसे एक ही समय दर्शन देनेके लिये प्रार्थित, ७४८. **आशु ब्राह्मणैः सह राज्ञा स्थितः ब्राह्मणैश्च स्थितः**=उसी क्षण एक ही साथ राजा बहुलाश्वके साथ विराजमान तथा श्रुतदेव ब्राह्मणके साथ ब्राह्मणोंमें विराजमान, ७४९. **मैथिले कृती**=मैथिल राजा और मैथिल ब्राह्मणके प्रति कर्तव्यका पालन करनेवाले, ७५०. **लोकवेदोपदेशी**=लोक और वेदका उपदेश करनेवाले, ७५१. **सदा वेदवाक्यैः स्तुतः**=सदा वेदवचनोंद्वारा स्तुत, ७५२. **शेषशायी**=शेषनागकी शय्यापर शयन करनेवाले॥ ९७॥

७५३. **अमरेषु ब्राह्मणैः परीक्षावृतः**=भृगु आदि ब्राह्मणोंने परीक्षा करके सब देवताओंमें श्रेष्ठरूपसे जिनका वरण किया है, ७५४. **भृगुप्रार्थितः**=भृगुसे प्रार्थित, ७५५. **दैत्यहा**=दैत्यनाशक, ७५६. **ईशरक्षी**=भस्मासुरको भस्म करके शिवजीकी रक्षा करनेवाले, ७५७. **अर्जुनस्य सखा**=अर्जुनके मित्र, ७५८. **अर्जुनस्यापि मानप्रहारी**=अर्जुनका भी अभिमान भङ्ग करनेवाले, ७५९. **विप्रपुत्रप्रदः**=ब्राह्मणको पुत्र प्रदान करनेवाले, ७६०. **धामगन्ता**=ब्राह्मणके पुत्रोंको लानेके लिये अपने दिव्यधाममें जानेवाले॥ ९८॥

७६१. **माधवीभिर्विहारस्थितः**=अपनी भार्या

स्वरूपा मधुकुलकी स्त्रियोंके साथ समुद्रमें जल-विहार करनेवाले, ७६२. **कलाङ्गः**=कलाएँ जिनके अङ्ग हैं, वे, ७६३. **महामोहदावाग्निदग्धाभिरामः**=महामोहमय दावानलसे दग्ध (नष्ट) हुए लोगोंके भी मनको आकर्षित करनेवाले, ७६४. **यदुः उग्रसेनः नृपः**=यदु, उग्रसेन, नृपति, ७६५. **अक्रूरः**=अक्रूर अथवा क्रूरता-रहित, ७६६. **उद्धवः**=उद्धव अथवा उत्सवरूप, ७६७. **शूरसेनः**=शूरसेन, ७६८. **शूरः**=शूर॥ ९९॥

७६९. **हृदीकः**=कृतवर्माके पिता हृदीक (समस्त यादव भगवत्स्वरूप या भगवान्‌की विभूति हैं, इसलिये इन नामोंमें इनकी गणना की गयी है), ७७०. **सत्राजितः**=सत्राजित्, ७७१. **अप्रमेयः**=प्रमाणातीत, ७७२. **गदः**=बलरामजीके छोटे भाई गद, ७७३. **सारणः**=सारण, ७७४. **सात्यकिः**=सत्यकपुत्र, ७७५. **देवभागः**= देवभाग, ७७६. **मानसः**=मानस, ७७७. **संजयः**=संजय, ७७८. **श्यामकः**=श्यामक, ७७९. **वृकः**=वृक, ७८०. **वत्सकः**= वत्सक, ७८१. **देवकः**=देवक, ७८२.**भद्रसेनः**=भद्रसेन॥ १००॥

७८३.**नृप अजातशत्रुः**=राजा युधिष्ठिर, ७८४.**जयः**=जय (अर्जुन), ७८५. **माद्रीपुत्रः**=नकुल-सहदेव, ७८६. **भीष्मः**=दुर्योधन आदिके पितामह देवव्रत, ७८७. **कृपः**=कृपाचार्य, ७८८. **बुद्धिचक्षुः**= प्रज्ञाचक्षु धृतराष्ट्र, ७८९. **पाण्डुः**=पाण्डवोंके पिता राजा पाण्डु, ७९०. **शांतनुः**=भीष्मके पिता राजा शांतनु, ७९१. **देवो बाह्लीकः**=देवस्वरूप बाह्लीक, ७९२. **भूरिश्रवाः**=भूरिश्रवा, ७९३. **चित्रवीर्यः**=विचित्रवीर्य, ७९४. **विचित्रः**=विचित्र या चित्राङ्गद॥ १०१॥

७९५. **शलः**=शल, ७९६. **दुर्योधनः**=जिसके साथ युद्ध करना कठिन हो, वह राजा दुर्योधन, ७९७. **कर्णः**=कर्ण, ७९८. **सुभद्रासुतः**=सुभद्राकुमार अभिमन्यु, ७९९. **प्रसिद्धः विष्णुरातः**=भगवान् श्रीकृष्णने जिन्हें जीवनदान दिया था, वे सुप्रसिद्ध राजा परीक्षित्, ८००. **जनमेजयः**=परीक्षित्‌के पुत्र राजा जनमेजय, ८०१. **पाण्डवः**=पाँचों पाण्डव, ८०२. **कौरवः**=कुरुकुलमें उत्पन्न क्षत्रियसमुदाय, ८०३. **सर्वतेजाः हरिः**=सम्पूर्ण तेजसे सम्पन्न एवं भक्तोंके चित्तका हरण करनेवाले भगवान् श्रीकृष्ण, ८०४. **सर्वरूपी**=सर्वस्वरूप॥ १०२॥

राधया व्रजं ह्यागतः=श्रीराधाके साथ व्रजमें अवतीर्ण, ८०५. **पूर्णदेवः**=परिपूर्णतम परमात्मा, ८०६. **वरः**=सबके वरणीय, ८०७. **रासलीलापरः**=रासक्रीडापरायण, ८०८. **दिव्यरूपी**=दिव्य रूपवाले, ८०९. **रथस्थः**=रथपर विराजमान, ८१०. **नवद्वीपखण्डप्रदर्शी**=जम्बूद्वीपके नौ खण्डोंको देखने-दिखानेवाले, ८११. **महामानदः**=बहुत सम्मान देनेवाले अथवा महामानका खण्डन करनेवाले, ८१२. **गोपजः**=गोपनन्दन, ८१३. **विश्वरूपः**=स्वयं ही विश्वके रूपमें प्रकाशमान॥ १०३॥

८१४. **सनन्दः**=सनन्द, ८१५. **नन्दः**=नन्द, ८१६. **वृषः**=वृषभानु, ८१७. **वल्लवेशः**=गोपेश्वर, ८१८. **सुदामा**= 'श्रीदामा' नामक गोप, ८१९. **अर्जुनः**=अर्जुन गोप, ८२०. **सौबलः**=सुबल, ८२१. **सकृष्णः स्तोकः**=स्तोककृष्ण, ८२२. **अंशुकः**=अंशुक, ८२३. **सद्विशालर्षभाख्यः**=विशाल और ऋषभ नामक दो सखाओंवाले, ८२४. **सुतेजस्विकः**=श्रेष्ठ तेजस्वी, ८२५. **कृष्णमित्रो वरूथः**=श्रीकृष्णके सखा वरूथ॥ १०४॥

८२६. **कुशेशः**=कुशेश्वर, ८२७. **वनेशः**=वनेश्वर, ८२८. **वृन्दावनेशः**=वृन्दावनेश्वर, ८२९. **माथुरेशाधिपः**=मथुरामण्डलके राजाधिराज, ८३०. **गोकुलेशः**=गोकुलके स्वामी, ८३१. **सदा गोगणः**=सदा गौओंके समुदायके साथ रहनेवाले, ८३२. **गोपतिः**=गोस्वामी, ८३३. **गोपिकेशः**=गोपाङ्गना-वल्लभ, ८३४. **गोवर्धनः**=गौओंकी वृद्धि करनेवाले; गिरिराज गोवर्धन अथवा गोवर्धन नामधारी गोप, ८३५. **गोपतिः**=गौओंके पालक, ८३६. **कन्यकेशः**=गोपकिशोरियोंके प्राणवल्लभ॥ १०५॥

८३७. **अनादिः**=जिनका कोई आदिकारण नहीं तथा जो सबके आदि हैं, वे, ८३८. **आत्मा**=अन्तर्यामी परमात्मा, ८३९. **हरिः**=श्यामवर्ण श्रीकृष्ण, ८४०. **परः पूरुषः**=परम पुरुष, ८४१. **निर्गुणः**=प्राकृत गुणोंसे अतीत, ८४२. **ज्योतिरूपः**=ज्योतिर्मय विग्रहवाले, ८४३. **निरीहः**=चेष्टा या कामनासे रहित, ८४४. **सदा निर्विकारः**=सतत विकारशून्य, ८४५. **प्रपञ्चात्परः**=

सकल दृश्य-प्रपञ्चसे परे विराजमान, **८४६. ससत्यः**= सत्ययुक्त अथवा सत्या—सत्यभामासे संयुक्त, **८४७. पूर्णः**=परिपूर्ण, **८४८. परेशः**=परमेश्वर, **८४९. सूक्ष्मः**=सूक्ष्मस्वरूप॥ १०६॥

८५०. द्वारकायां नृपेण अश्वमेधस्य कर्ता= द्वारकामें राजा उग्रसेनके द्वारा अश्वमेध यज्ञका अनुष्ठान करनेवाले, **८५१. अपि पौत्रेण भूभारहर्ता**=पुत्र एवं पौत्रके सहयोगसे भूमिका भार उतारनेवाले, **८५२. पुनः श्रीव्रजे राधया रासरङ्गस्य कर्ता हरिः**= पुनः श्रीव्रजमें श्रीराधिकाके साथ रास-रङ्ग करनेवाले श्रीहरि, **६५३. गोपिकानां च भर्ता**=श्रीराधा तथा अन्य गोपकिशोरियोंके पति॥ १०७॥

८५४. सदैकः=सदा एकमात्र अद्वितीय, **८५५. अनेकः**=अनेक रूपोंमें प्रकट, **८५६. प्रभापूरिताङ्गः**= प्रकाशपूर्ण अङ्गवाले, **८५७. योगमायाकरः**=योगमायाके उद्भावक, **८५८. कालजित्**=कालविजयी, **८५९. सुदृष्टिः**= उत्तम दृष्टिवाले, **८६०.महत्तत्त्वरूपः**=महत्तत्त्वस्वरूप, **८६१. प्रजातः**=उत्कृष्ट अवतारधारी, **८६२. कूटस्थः**= कूटस्थ (निर्विकार), **८६३. आद्याङ्कुरः**=विश्ववृक्षके प्रथम अङ्कुर, ब्रह्मा, **८६४. वृक्षरूपः**=विश्ववृक्षरूप॥ १०८॥

८६५. विकारस्थितः=विकारों (कार्यों) में भी कारणरूपसे विद्यमान, **८६६. वैकारिकस्तैजसस्तामसश्च अहंकारः**=वैकारिक, तैजस और तामस (अथवा सात्त्विक, राजस, तामस) त्रिविध अहंकाररूप, **८६७. नभः**=आकाशस्वरूप, **८६८. दिक्**=दिशास्वरूप, **८६९. समीरः**=वायुरूप, **८७०. सूर्यः**=सूर्यस्वरूप, **८७१. प्रचेतोऽश्विवह्निः**=वरुण, अश्विनीकुमार एवं अग्निस्वरूप, **८७२. शक्रः**=इन्द्र, **८७३. उपेन्द्रः**=भगवान् वामन, **८७४. मित्रः**=मित्रदेवता॥ १०९॥

८७५. श्रुतिः=श्रवणेन्द्रिय **८७६. त्वक्**= त्वगिन्द्रिय, **८७७. दृक्**=नेत्रेन्द्रिय, **८७८. घ्राणः**=नासिकेन्द्रिय, **८७९. जिह्वा**=रसनेन्द्रिय, **८८०. गिरः**=वागिन्द्रिय, **८८१. भुजा**=हस्तस्वरूप, **८८२. मेढ्रकः**= जननेन्द्रियरूप, **८८३. पायुः**='पायु' नामक कर्मेन्द्रिय (गुदा) रूप, **८८४. अङ्घ्रिः**='चरण' नामक कर्मेन्द्रियरूप, **८८५. सचेष्टः**=चेष्टाशील, **८८६.धरा**=पृथ्वी, **८८७. व्योम**=आकाश, **८८८. वाः**= जल, **८८९. मारुतः**=वायु, **८९०. तेजः**=अग्नि (पञ्चभूतरूप), **८९१. रूपम्**=रूप, **८९२. रसः**= रस, **८९३. गन्धः**=गन्ध, **८९४. शब्दः**=शब्द, **८९५. स्पर्शः**=स्पर्श-विषयरूप॥ ११०॥

८९६. सचित्तः=चित्तयुक्त, **८९७. बुद्धिः**=बुद्धि, **८९८. विराट्**=विराट्, **८९९. कालरूपः**=काल-स्वरूप, **९००. वासुदेवः**=सर्वव्यापी भगवान्, **९०१. जगत्कृत्**=संसारके स्रष्टा, **९०२. अण्डेशयानः**= ब्रह्माण्डके गर्भमें शयन करनेवाले ब्रह्माजी, **९०३. सशेषः**=शेषके साथ रहनेवाले (अर्थात् शेष-शय्याशायी), **९०४. सहस्रस्वरूपः**=सहस्रों स्वरूप धारण करनेवाले, **९०५. रमानाथः**=लक्ष्मीपति, **९०६. आद्योऽवतारः**=ब्रह्मारूपमें जिनका प्रथम बार अवतार हुआ, वे श्रीहरि॥ १११॥

९०७. सदा सर्गकृत्=विधाताके रूपमें सदा सृष्टि करनेवाले, **९०८. पद्मजः**=दिव्य कमलसे उत्पन्न ब्रह्मा, **९०९. कर्मकर्ता**=निरन्तर कर्म करनेवाले, **९१०. नाभिपद्मोद्भवः**=नारायणके नाभिकमलसे प्रकट ब्रह्मा, **९११. दिव्यवर्णः**=दिव्य कान्तिसे सम्पन्न, **९१२. कविः**= त्रिकालदर्शी अथवा विश्वरूप काव्यके निर्माता आदिकवि, **९१३. लोककृत्**=जगत्स्रष्टा, **९१४. कालकृत्**=कालके निर्माता, **९१५. सूर्यरूपः**= सूर्यस्वरूप, **९१६. अनिमेषः**=निमेषरहित, **९१७. अभवः**= जन्मरहित, **९१८. वत्सरान्तः**=संवत्सरके लयस्थान **९१९. महीयान्**=महान्से भी अत्यन्त महान्॥ ११२॥

९२०. तिथिः=तिथिस्वरूप, **९२१. वारः**=दिन, **९२२.नक्षत्रम्**=नक्षत्र, **९२३. योगः**=योग, **९२४. लग्नः**=लग्नस्वरूप, **९२५. मासः**=मासस्वरूप, **९२६. घटी**=अर्धमुहूर्तरूप, **९२७. क्षणः**=क्षणरूप, **९२८. काष्ठिका**=काष्ठा, **९२९. मुहूर्तः**=दो घड़ीका समय, **९३०. यामः**=प्रहर, **९३१. ग्रहाः**=ग्रहस्वरूप, **९३२. यामिनी**=रात्रिरूप, **९३३. दिनम्**=दिनरूप, **९३४. ऋक्षमालागतः**= नक्षत्रपङ्क्तियोंमें गमन करने-वाले ग्रहरूप, **९३५. देवपुत्रः**=वसुदेवनन्दन॥ ११३॥

९३६. कृतः=सत्ययुगरूप, **९३७. त्रेतयाः**=त्रेता **९३८. द्वापरः**=द्वापररूप, **९३९. असौकलिः**=यह कलियुग, **९४०. युगानां सहस्त्रम्**=सहस्त्रचतुर्युग (ब्रह्माजीका एक दिन), **९४१. मन्वन्तरम्**=मन्वन्तर-काल, **९४२. लयः**=संहाररूप, **९४३. पालनम्**=पालनकर्मस्वरूप, **९४४. सत्कृतिः**=उत्तम सृष्टिरूप, **९४५. परार्द्धम्**=परार्द्धकालरूप, **९४६. सदोत्पत्तिकृत्**=सदा सृष्टि करनेवाले, **९४७. द्व्यक्षरः ब्रह्मरूपः**=दो अक्षरवाला 'कृष्ण' नामक ब्रह्मस्वरूप॥ ११४॥

९४८. रुद्रसर्ग[१]ः=रुद्रसर्ग, **९४९. कौमारसर्ग[२]ः**=कौमारसर्ग, **९५०. मुनेः सर्गकृत्**=मुनिसर्गके कर्ता, **९५१. देवकृत्**=देवसर्गके रचयिता, **९५२. प्राकृतः**=प्राकृतसर्गरूपी, **९५३. श्रुतिः**=वेद, **९५४. स्मृतिः**=धर्मशास्त्र, **९५५. स्तोत्रम्**=स्तुति, **९५६. पुराणम्**=पुराण, **९५७. धनुर्वेदः**=धनुर्वेद, **९५८. इज्या**=यज्ञ, **९५९. गान्धर्ववेदः**=गान्धर्ववेद (संगीतशास्त्र)॥ ११५॥

९६०. विधाता=ब्रह्मा, **९६१. नारायणः**=विष्णु, **९६२. सनत्कुमारः**=सनत्कुमार आदि, **९६३. वराहः**=वराहावतार, **नारदः**=देवर्षि नारदरूप, **९६४. धर्मपुत्रः**=धर्मके पुत्र नर-नारायण आदि, **९६५. मुनिः कर्दमस्यात्मजः**=कर्दमकुमार कपिल मुनि, **९६६. सयज्ञो दत्तः**=यज्ञस्वरूप और दत्तात्रेय, **९६७. अमरो नाभिजः**=अविनाशी ऋषभदेव, **९६८. श्रीपृथुः**=श्रीमान् राजा पृथु॥ ११६॥

९६९. सुमत्स्यः=सुन्दर मत्स्यावतार, **९७०. कूर्मः**=कच्छपावतार, **९७१. धन्वन्तरिः**=धन्वन्तरि-अवतार, **९७२. मोहिनी**=मोहिनी नारीका अवतार, **९७३. प्रतापी नारसिंहः**=प्रतापी नृसिंहावतार, **९७४. द्विजो वामनः**=ब्राह्मणजातीय वामनावतार, **९७५. रेणुकापुत्ररूपः**=परशुरामरूप, **९७६. श्रुतिस्तोत्रकर्ता मुनिः व्यासदेवः**=वेदोंके विभाजक तथा स्तोत्र आदिके निर्माता मुनिवर व्यासदेव॥ ११७॥

९७७. धनुर्वेदभाग् रामचन्द्रावतारः=धनुर्वेदके ज्ञाता श्रीरामचन्द्रावतार, **९७८. सीतापतिः**=जनकनन्दिनी सीताके पति, **९७९. भारहृत्**=भूभार हरण करनेवाले, **९८०. रावणारिः**=रावणके शत्रु, **९८१. नृपः सेतुकृत्**= समुद्रपर पुल बाँधनेवाले नरेश, **९८२. वानरेन्द्रप्रहारी**= वानरराज (बालि) को मारनेवाले, **९८३. महायज्ञकृत्**=महान् अश्वमेध यज्ञ करनेवाले श्रीराम, **९८४. प्रचण्डः राघवेन्द्रः**=प्रचण्ड-पराक्रमी रघुनाथजी॥ ११८॥

९८५. बलः कृष्णचन्द्रः=बलरामसहित साक्षात् भगवान् श्रीकृष्ण, **९८६. कल्किः**='कल्कि' नामक अवतार, **कलेशः**=कलाओंके स्वामी, **९८७. प्रसिद्धो बुद्धः**=प्रसिद्ध बुद्धावतार, **९८८. हंसः**=हंसावतार, **९८९. अश्वः**=हयग्रीवावतार, **९९०. ऋषीन्द्रोऽजितः**=ऋषिप्रवर पुलहपुत्र अजित, **९९१. देववैकुण्ठनाथः**=देवलोक तथा वैकुण्ठलोकके अधिपति, **९९२. अमूर्तिः**=निराकार, **९९३. मन्वन्तरस्यावतारः**=मन्वन्तरावतार॥ ११९॥

९९४. गजोद्धारणः=गज और ग्राहके युद्धमें हाथीको उबारनेवाले हरि-अवतार, **९९५. ब्रह्मपुत्रः श्रीमनुः**=ब्रह्माजीके पुत्र श्रीस्वायम्भुव मनु, **९९६. दानशीलः**=दानशील, **९९७. दुष्यन्तजो नृपेन्द्रः**=दुष्यन्तकुमार महाराज भरत, **९९८. संदृष्टः श्रुतः भूतः एवं भविष्यत् भवत्**=दृष्ट, श्रुत, भूत, भविष्यत् एवं वर्तमानस्वरूप, **९९९. स्थावरो जङ्गमः**=स्थावरजङ्गमरूप, **१०००. अल्पं च महत्**=अल्प और महान्॥ १२०॥

इस प्रकार श्रीभुजङ्गप्रयात छन्दमें कहे गये राधिकावल्लभ श्रीकृष्णके सहस्त्रनामोंका जो द्विज सर्वदा भक्तिभावसे पाठ करता है, वह कृतार्थ एवं श्रीकृष्णस्वरूप हो जाता है। यह श्रवणमात्रसे बहुत बड़ी पापराशिका भेदन कर डालता है। वैष्णवोंके लिये तो यह सदा प्रिय तथा मङ्गलकारी है। आश्विन मासकी रासपूर्णिमाके दिन, श्रीकृष्णकी जन्माष्टमीमें, चैत्रकी रासपूर्णिमाके दिन तथा भाद्रपद मासमें राधाष्टमीके दिन जो भक्तियुक्त पुरुष इस सहस्त्रनामका पूजन करके पाठ करता है, वह प्रशस्त होकर चारों प्रकारके मोक्षसुखका अनुभव करता है। जो श्रीकृष्णपुरी मथुरामें, वृन्दावनमें,

१. रुद्रोंकी सृष्टि। २. सनत्कुमार आदिकी सृष्टि।

व्रजमें, गोकुलमें, वंशीवटके निकट, अक्षयवटके पास अथवा सूर्यपुत्री यमुनाके तटपर इस सहस्रनामका पाठ करता है, वह भक्त पुरुष गोलोकधाममें जाता है। जो भूमण्डलमें, सर्वत्र, किसी भी स्थानमें, घरमें या वनमें भक्तिभावसे इस स्तोत्रके पाठद्वारा भगवान्‌का भजन करता है, उस भक्तको भगवान् श्रीहरि एक क्षणके लिये भी नहीं छोड़ते। श्रीकृष्णचन्द्र माधव उसके वशीभूत हो जाते हैं। भक्त पुरुषोंके लिये यह सहस्रनामस्तोत्र प्रयत्नपूर्वक सदा गोपनीय है, सदा गोपनीय है, सदा गोपनीय है। यह न तो सबके समक्ष प्रकाशनके योग्य है और न कभी किसी लम्पटको इसका उपदेश ही देना चाहिये। इस सहस्रनामकी पुस्तक जिस घरमें भी रहती है, वहाँ राधिकानाथ आदिपुरुष श्रीकृष्ण सदा निवास करते हैं तथा उस घरमें छहों गुण और बारहों सिद्धियाँ तीसों शुभलक्षणात्मक गुणोंके साथ स्वयं पहुँच जाती हैं॥ १२१—१२७॥

इस प्रकार श्रीगर्गसंहिताके अन्तर्गत अश्वमेधखण्डमें 'श्रीकृष्णसहस्रनामका वर्णन' नामक उनसठवाँ अध्याय पूरा हुआ॥ ५९॥

साठवाँ अध्याय

कौरवोंके संहार, पाण्डवोंके स्वर्गगमन तथा यादवोंके संहार आदिका संक्षिप्त वृत्तान्त; श्रीराधा तथा व्रजवासियोंसहित भगवान् श्रीकृष्णका गोलोकधाममें गमन

श्रीगर्गजी कहते हैं—राजन्! व्यासजीके मुखसे इस प्रकार श्रीकृष्णसहस्रनामका निरूपण सुनकर यादवेन्द्र उग्रसेनने उनकी पूजा करके भगवान् श्रीकृष्णमें भक्तिपूर्वक मन लगाया॥ १॥

तदनन्तर भगवान् श्रीकृष्णने मिथिलामें जाकर राजा बहुलाश्व तथा श्रुतदेवको दर्शन दिया। इसके बाद वे द्वारकापुरीको लौट आये। तत्पश्चात् समस्त पाण्डव अपनी पत्नी द्रौपदीके साथ द्वारकासे निकलकर वन-वनमें विचरने लगे। नरेश्वर! वनवास और अज्ञातवासका कष्ट भोगकर वे सब सेनासहित विराट-नगरमें एकत्र हुए। इधर श्रीकृष्णके प्रार्थना करनेपर भी समस्त कौरवोंने पाण्डवोंको उनके राज्यके आधेके-आधेका आधा भी नहीं दिया। तब पाण्डवों और कौरवोंमें युद्ध होना अनिवार्य हो गया। यह जानकर श्रीकृष्णने हथियार न उठानेकी प्रतिज्ञा कर ली और बलरामजी तीर्थयात्राको चले गये। उसी यात्रामें उन्होंने रोमहर्षण सुत और बल्वलको मार डाला। इसके बाद समस्त कौरव और पाण्डव धर्मक्षेत्र कुरुक्षेत्रमें प्रविष्ट हो परस्पर युद्ध करने लगे। श्रीकृष्णकी कृपासे पाण्डवोंकी विजय हुई तथा पापी और अपराधी सब कौरव महाभारत-युद्धमें मारे गये॥ २—८॥

नरेश्वर! तदनन्तर धर्मराज युधिष्ठिरने नौ वर्षोंतक राज्य किया। इस बीचमें उन्होंने तीन अश्वमेध यज्ञ किये, जिससे वे ज्ञाति-बन्धुओंके वधके दोषसे शुद्ध हुए। राजन्! इसके बाद एक दिन द्वारकामें श्रीकृष्णकी इच्छासे ही समस्त यादवोंके लिये ब्रह्मर्षियोंका महान् शाप प्राप्त हुआ। शापके पश्चात् भगवान् श्रीकृष्णने शरणागत भक्त उद्धवको अश्वत्थवृक्षके नीचे परम उत्तम श्रीमद्भागवतधर्मका उपदेश दिया। कुछ दिनोंके बाद यादवोंमें परस्पर संग्राम छिड़ गया। वे प्रभासक्षेत्रमें नाना प्रकारके शस्त्रोंद्वारा एक-दूसरेपर प्रहार करके मारे गये। बलरामजी मानव-शरीरको छोड़कर अपने धामको चले गये। वहाँ देवताओंको आया देख श्रीकृष्ण अन्तर्धान हो गये। व्रजमें जाकर श्रीहरि नन्द, यशोदा, राधिका तथा गोपियोंसहित गोपोंसे मिले और उन प्रेमी भगवान्ने अपने प्रियजनोंसे प्रेमपूर्वक इस प्रकार कहा॥ ९—१४॥

श्रीकृष्ण बोले—नन्द और यशोदे! अब तुम मुझमें पुत्रबुद्धि छोड़कर समस्त गोकुलवासियोंके साथ मेरे परमधाम गोलोकको जाओ। अब आगे सबको दु:ख देनेवाला घोर कलियुग आयेगा, जिसमें मनुष्य प्राय: पापी हो जायँगे; इसमें संशय नहीं है। उस समय परस्पर सम्पर्क स्थापित करनेके लिये स्त्री-पुरुषका तथा वर्णका कोई नियम नहीं रह जायगा। इसलिये जरा

और मृत्युको हर लेनेवाले मेरे उत्तम गोलोकमें तुमलोग शीघ्र चले जाओ॥ १५—१७॥

श्रीकृष्ण इस प्रकार कह ही रहे थे कि गोलोकसे एक परम अद्भुत रथ उतर आया, जिसे गोपोंने बड़ी प्रसन्नताके साथ देखा। उसका विस्तार पाँच योजनका था और ऊँचाई भी उतनी ही थी। वह वज्रमणि (हीरे) के समान निर्मल और मुक्ता-रत्नोंसे विभूषित था। उसमें नौ लाख मन्दिर थे और उन घरोंमें मणिमय दीप जल रहे थे। उस रथमें दो हजार पहिये लगे थे और दो ही हजार घोड़े जुते हुए थे। उस रथपर महीन वस्त्रका आच्छादन (परदा) पड़ा था। करोड़ों सखियाँ उसे घेरे हुए थीं॥ १८—२०½॥

राजन्! इसी समय श्रीकृष्णके शरीरसे करोडों कामदेवोंके समान सुन्दर चार भुजाधारी 'श्रीविष्णु' प्रकट हुए, जिन्होंने शङ्ख और चक्र धारण कर रखे थे। वे जगदीश्वर श्रीमान् विष्णु लक्ष्मीके साथ एक सुन्दर रथपर आरूढ़ हो शीघ्र ही क्षीरसागरको चल दिये। इसी प्रकार 'नारायण' रूपधारी भगवान् श्रीकृष्ण हरि महालक्ष्मीके साथ गरुडपर बैठकर वैकुण्ठधामको चले गये। नरेश्वर! इसके बाद श्रीकृष्ण हरि 'नर और नारायण'—दो ऋषियोंके रूपमें अभिव्यक्त हो मानवोंके कल्याणार्थ बदरिकाश्रमको गये॥ २१—२४½॥

तदनन्तर साक्षात् परिपूर्णतम जगत्पति भगवान् श्रीकृष्ण श्रीराधाके साथ गोलोकसे आये हुए रथपर आरूढ़ हुए। नन्द आदि समस्त गोप तथा यशोदा आदि व्रजाङ्गनाएँ सब-के-सब वहाँ भौतिक शरीरोंका त्याग करके दिव्यदेहधारी हो गये। तब गोपाल भगवान् श्रीहरि नन्द आदिको उस दिव्य रथपर बिठाकर गोकुलके साथ शीघ्र ही गोलोकधामको चले गये। ब्रह्माण्डोंसे बाहर जाकर उन सबने विरजा नदीको देखा। साथ ही शेषनागकी गोदमें महालोक गोलोक दृष्टिगोचर हुआ, जो दुःखोंका नाशक तथा परम सुखदायक है॥ २५—२८½॥

उसे देखकर गोकुलवासियोंसहित श्रीकृष्ण उस रथसे उतर पड़े और श्रीराधाके साथ अक्षयवटका दर्शन करते हुए उस परमधाममें प्रविष्ट हुए। गिरिवर शतशृङ्ग तथा श्रीरासमण्डलको देखते हुए वे कतिपय द्वारोंसे सुशोभित श्रीमद्वृन्दावनमें गये, जो बारह वनोंसे संयुक्त तथा कामपूरक वृक्षोंसे भरा हुआ था। यमुना नदी उसे छूकर बह रही थी। वसन्त-ऋतु और मलयानिल उस वनकी शोभा बढ़ा रहे थे। वहाँ फूलोंसे भरे कितने ही कुञ्ज और निकुञ्ज थे। वह वन गोपियों और गोपोंसे भरा था। जो पहले सूना-सा लगता था, उस श्रीगोलोकधाममें श्रीकृष्णके पधारनेपर जय-जयकारकी ध्वनि गूँज उठी॥ २९—३३॥

तदनन्तर द्वारकामें यदुकुलकी पत्नियाँ—देवकी आदि सभी स्त्रियाँ दुःखसे व्याकुल हो चितापर चढ़कर पतिलोकको चली गयीं। जिनके गोत्र नष्ट हो गये थे, उन यादव-बन्धुओंका पारलौकिक कृत्य अर्जुनने किया। वे गीताके ज्ञानसे अपने मनको शान्त करके बड़े दुःखसे सबका अन्त्येष्टि-संस्कार कर सके। जब अर्जुनने अपने निवासस्थान हस्तिनापुरमें जाकर राजा युधिष्ठिरको यह सब समाचार बताया तब वे पत्नी और भाइयोंके साथ स्वर्गलोकको चले गये॥ ३४—३६॥

नृपश्रेष्ठ! इधर समुद्रने रैवतक पर्वतसहित श्रीरुक्मिणीवल्लभ श्रीकृष्णके निवास-गृहको छोड़ शेष सारी द्वारकापुरीको अपने जलमें डुबाकर आत्मसात् कर लिया। आज भी द्वारकाके समुद्रमें श्रीहरिका यह घोष सुनायी पड़ता है कि 'ब्राह्मण विद्यावान् हो या विद्याहीन, वह मेरा ही शरीर है' (**अविद्यो वा सविद्यो वा ब्राह्मणो मामकी तनुः**)॥ ३७-३८॥

कलियुगके प्रारम्भिक कालमें ही श्रीहरिके अंशावतार विष्णुस्वामी महासागरमें जाकर श्रीहरिकी प्रतिमाको प्राप्त करेंगे और द्वारकापुरीमें उसकी स्थापना कर देंगे। नृपेश्वर! कलियुगमें उन द्वारकानाथका जो मनुष्य वहाँ जाकर दर्शन करते हैं, वे सब कृतार्थ हो जाते हैं। जो श्रीहरिके गोलोकधाम पधारनेका चरित्र सुनते हैं तथा यादवों और गोपोंकी मुक्तिका वृत्तान्त पढ़ते हैं, वे सब पापोंसे मुक्त हो जाते हैं॥ ३९—४१॥

इस प्रकार श्रीगर्गसंहिताके अन्तर्गत अश्वमेधखण्डमें 'श्रीराधा और श्रीकृष्णका गोलोकारोहण' नामक साठवाँ अध्याय पूरा हुआ॥ ६०॥

इकसठवाँ अध्याय

भगवान्‌के श्यामवर्ण होनेका रहस्य; कलियुगकी पापमयी प्रवृत्ति; उससे बचनेके लिये श्रीकृष्णकी समाराधना तथा एकादशी-व्रतका माहात्म्य

वज्रनाभने पूछा—ब्रह्मन्! नारायणस्वरूप भगवान् श्रीकृष्ण तो प्रकृतिसे परे हैं, फिर उनका रूप श्याम कैसे हुआ? यह मुझे विस्तारपूर्वक बताइये। विप्रवर! आप-जैसे मुनि श्रीकृष्णदेव श्रीहरिके चरित्रको जैसा जानते हैं, वैसा हम-जैसे लोग कर्मसे मोहित होनेके कारण नहीं जान पाते॥ १-२॥

सूतजी कहते हैं—मुने! वज्रनाभका यह वचन सुनकर उनसे प्रशंसित हो, उन तत्त्वज्ञ तथा कृपालु मुनिने तत्त्वज्ञान करानेके लिये इस प्रकार कहा॥ ३॥

गर्गजी बोले—राजन्! 'शृङ्गाररस' का रूप भरतादि मुनीश्वरोंने 'श्याम' बताया है। उसके देवता श्रीकृष्ण हैं। लावण्यकी राशि तथा उज्ज्वल होनेके कारण श्रीहरिका सुन्दर रूप उस तरह श्याम है, जैसे मेघोंकी घटाका रूप दूरसे श्याम दिखायी देता है, जैसे नदका जल कुण्डविशेषमें श्याम दृष्टिगोचर होता है तथा जैसे महान् आकाशका रूप श्यामल प्रतीत होता है; परंतु जल या आकाश उज्ज्वल ही है, कृष्णवर्ण कदापि नहीं है। इसी प्रकार उज्ज्वल लावण्यसिन्धु श्रीकृष्ण श्यामसुन्दर दिखायी देते हैं। जैसे उत्कृष्ट श्वेत वस्त्रमें दूसरेको भावनानुसार श्याम आभा दृष्टिगोचर होती है, उसी प्रकार करोड़ों कामदेवोंकी लीलाका आधार होनेके कारण संतजन श्रीहरिका श्यामरूप बताते हैं॥ ४—६॥

वज्रनाभने पूछा—मुनिश्रेष्ठ! आपके इस वचनसे मेरे मनका संदेह दूर हो गया। ब्रह्मन्! अब आगे चलकर भूतलपर घोर कलियुग आनेवाला है। मुने! उसमें मनुष्य कैसे होंगे, यह बताइये! आप भविष्यको भी जानते हैं; अतः मैं आपसे पूछता हूँ और आपको प्रणाम करता हूँ॥ ७-८॥

श्रीगर्गजीने कहा—राजन्! कलियुगके दस हजार वर्ष बीतनेतक भगवान् जगन्नाथ भूतलपर स्थित रहते हैं (उसके बाद सर्वत्र विद्यमान होते हुए भी अविद्यमानकी भाँति उसके ऊपर नियंत्रण करना छोड़ देते हैं)। उसके आधे समय (पाँच हजार वर्ष) तक गङ्गाजीके जलमें उसकी अधिष्ठात्री देवी गङ्गाका निवास रहेगा। उसके आधे समय (ढाई हजार वर्षों) तक ग्रामदेवता रहेंगे (उसके बाद उनका प्रभाव कम हो जायगा)। तदनन्तर कलिसे मोहित होकर सब लोग पापी हो जायँगे; अतः नरकोंमें गिरेंगे। सबकी आयु बहुत कम हो जायगी। ब्राह्मण ब्राह्मणसे मूल्य लेकर उसे अपनी कन्या देंगे। क्षत्रियलोग अत्यन्त लोलुप होकर अपनी पुत्रीको मार डालेंगे। वैश्य ब्राह्मणके धनका हरण करनेमें तत्पर हो झूठा व्यापार करेंगे। शूद्रलोग म्लेच्छोंके सङ्गसे ब्राह्मणोंको दूषित करेंगे। ब्राह्मण शास्त्रज्ञानसे शून्य, क्षत्रिय राज्याधिकारसे वञ्चित, वैश्य निर्धन तथा शूद्र अपने स्वामीको दुःख देनेवाले होंगे। सब लोग धर्म-कर्मसे दूर रहकर दिनमें ही मैथुन करेंगे। स्त्रियाँ स्वेच्छाचारिणी और पुरुष योनिलम्पट होंगे। देवताओं, पितरों तथा ऋत्विजोंका, भगवान् विष्णुका, वैष्णवजनोंका, तुलसीका तथा गौओंका पूजन एवं सेवा-सत्कार कलिमोहित मनुष्य प्रायः नहीं करेंगे। लोग वेश्याओंमें, परस्त्रियोंमें तथा पराये धनमें आसक्त होंगे। प्रायः सब मनुष्य शूद्रके समान एक वर्ण हो जायँगे। निरन्तर ओले और पत्थरोंकी वर्षासे पृथ्वी सस्यहीन होगी। खेती-बारी चौपट हो जायगी। वृक्षोंमें फल नहीं लगेंगे। नदियोंका पानी सूख जायगा। प्रजा राजाको मारेगी और राजा प्रजाको॥ ९—१८॥

राजा वज्रनाभने पूछा—विप्रेन्द्र! आप भूत और भविष्यके ज्ञाताओंमें सर्वश्रेष्ठ हैं। अतः मुझे यह बताइये कि 'कलियुगमें जीवोंकी मुक्ति किस उपायसे होगी?'॥ १९॥

गर्गजीने कहा—राजा युधिष्ठिर, विक्रमादित्य, शालिवाहन, विजयाभिनन्दन, राजा नागार्जुन तथा

भगवान् कल्कि ये संवत्सरके प्रवर्तक होंगे। ये ही भूपाल पदपर प्रतिष्ठित हो कलिमें धर्मकी स्थापना करेंगे। राजा युधिष्ठिर तो हो चुके। शेष राजा भविष्य-कालमें यथा समय होंगे। वे चक्रवर्ती होकर अधर्मका नाश करेंगे। वामन, ब्रह्मा, शेषनाग और सनकादि—ये भगवान् विष्णुके आदेशसे धर्मकी स्थापना एवं रक्षाके लिये कलियुगमें ब्राह्मण होंगे। वामनके अंशसे विष्णुस्वामी और ब्रह्माजीके अंशसे मध्वाचार्य होंगे। शेषनागका अंश रामानुजाचार्यके रूपमें प्रकट होगा तथा सनकादिका अंश निम्बार्काचार्यके रूपमें। ये कलियुगमें सम्प्रदायके प्रवर्तक आचार्य होंगे। ये चारों विक्रम संवत्सरके प्रारम्भिक कालमें ही होंगे और इस भूतलको अपने सम्पर्कसे पावन बनायेंगे। सम्प्रदायविहीन मन्त्र निष्फल माने गये हैं; अतः सभी मनुष्योंको सम्प्रदायके मार्गसे ही चलना चाहिये। इन सम्प्रदायोंमें पापोंका नाश करनेवाली श्रीकृष्ण-कथा होती है। ब्राह्मणोंमें श्रेष्ठ नारायणपरायण वैष्णवजन इन कथाओंका प्रवचन एवं प्रसार करते हैं। सत्ययुगमें किसीके किये हुए पापसे सारा देश लिप्त होता है। त्रेतामें ग्राम, द्वापरमें कुल और कलियुगमें केवल कर्ता ही उस पापसे लिप्त होता है। सत्ययुगमें ध्यान, त्रेतामें यज्ञोंद्वारा यजन और द्वापरमें भगवान्‌की अर्चना करके मनुष्य जिस पुण्यफलका भागी होता है, उसीको कलियुगमें केवल 'केशव'का नाम-कीर्तन करके मनुष्य पा लेता है। सत्ययुगमें जो सत्यकर्म दस वर्षोंमें सफल होता है,वह त्रेतामें एक ही वर्षमें, द्वापरमें एक ही मासमें तथा कलियुगमें केवल एक दिन-रातमें सफल हो जाता है। सब धर्मोंसे रहित घोर कलियुग प्राप्त होनेपर जो मानव भगवान् वासुदेवकी आराधनामें तत्पर रहते हैं, वे निस्संदेह कृतार्थ हो जाते हैं। नरेश्वर! मनुष्योंमें वे लोग निश्चय ही सौभाग्यशाली और कृतार्थ हैं, जो कलियुगमें श्रीहरिके नामोंका स्मरण करते और कराते हैं। 'कृष्' शब्द 'सर्व' का वाचक है और 'ण'कार 'आत्मा' का। इसलिये जो सर्वात्मा परब्रह्म है, वही 'कृष्ण' कहा गया है। परब्रह्मस्वरूप, वेदोंका सारतत्त्व तथा परात्पर वस्तु 'कृष्ण'—ये दो अक्षर ही सम्यक्‌रूपसे जपनेके योग्य हैं। इससे बढ़कर दूसरा कोई तत्त्व नहीं है, नहीं है। कामासक्त मनुष्य तभीतक गर्भवासकी यन्त्रणा झेलता है, तभीतक यमयातना भोगता है तथा गृहस्थ मनुष्य तभीतक भोगार्थी रहता है, जबतक वह श्रीकृष्णकी सेवा नहीं करता है। विषय, भोगोपकरण और बन्धु-बान्धव (—ये सभी इस भूतलपर विनाशशील हैं, यह बात सत्य है,) तथापि यदि इन्हें स्वयं छोड़ दिया जाय तो ये सुखदायक होते हैं; परंतु यदि दूसरोंने इन्हें छुड़वा दिया तो इनका वियोग दुःख देनेवाला होता है। यदि दैववश महापुरुषोंकी निन्दा सुन लेनेपर विज्ञ पुरुष भगवान् श्रीकृष्णका स्मरण कर लेता है तो वह सब पापोंसे मुक्त हो जाता है; अन्यथा रौरव नरकमें पड़ता है। देवता काष्ठ, पत्थर या सोनेकी प्रतिमामें नहीं हुआ करता है; जहाँ भी मनुष्यका भगवद्भाव हो जाय, वहीं श्रीहरि विद्यमान हैं। इसलिये मनुष्य भाव ही करे या करावे। जिसने एक बार भी 'कृष्ण'—इन दो अक्षरोंका उच्चारण कर लिया, उसने मोक्षतक पहुँचनेके लिये कमर कस ली। रोगी होना, सत्पुरुषोंसे वैर बाँधना, दूसरोंको ताप देना, ब्राह्मण और वेदकी निन्दा करना, अत्यन्त क्रोधी होना और कटुवचन बोलना—ये सब नरकगामी मनुष्यके लक्षण हैं। जो इस जीव-जगत्‌में स्वर्गलोकसे लौटकर आये हैं, उनमें ये चार चिह्न सदा रहते हैं—१-दानका प्रसङ्ग, २-मधुर वचन, ३-देव-पूजा और ४-ब्राह्मणोंका सत्कार*॥ २०—४१॥

राजाने पूछा—ब्रह्मन्! व्रतोंमें कौन-सा व्रत श्रेष्ठ

*कृते तु लिप्यते देशो त्रेतायां ग्राम एव च। द्वापरे च कुलं प्रोक्तं कलौ कर्त्तैव लिप्यते॥
ध्यायन् कृते यजन् यज्ञैस्त्रेतायां द्वापरेऽर्चयन्। यदाप्नोति तदाप्नोति कलौ संकीर्त्य केशवम्॥
कृते यद्दशभिर्वर्षैस्त्रेतायां हायनेन च। द्वापरे चैकमासेन ह्यहोरात्रेण तत्कलौ॥
घोरे कलियुगे प्राप्ते सर्वधर्मविवर्जिते। वासुदेवपरा मर्त्यास्ते कृतार्था न संशयः॥
ते सभाग्या मनुष्येषु कृतार्था नृप निश्चितम्। स्मरन्ति स्मारयन्ते ये हरेर्नामानि वै कलौ॥
कृषिश्च सर्ववचनो णकारश्चात्मवाचकः। सर्वात्मा च परं ब्रह्म तेन कृष्णः प्रकीर्तितः॥

है, उत्तम तीर्थोंमें कौन महान् है और पूजनीय देवताओंमें कौन मुख्य है? यह मुझे बताइये॥ ४२॥

गर्गजीने कहा—यदुनन्दन! व्रतोंमें 'एकादशी' सबसे श्रेष्ठ है। तीर्थोंमें भागीरथी 'गङ्गा', दैवभक्तोंमें 'वैष्णव', देवताओंमें 'भगवान् विष्णु' और पूजनीयोंमें 'श्रीगुरु' सबसे महान् हैं। जो इस बातको नहीं मानते हैं, वे 'कुम्भीपाक' नरकमें गिरते हैं॥ ४३-४४॥

राजा बोले—मुने! गुरुदेव! एकादशीका तथा अन्य भागीरथी आदिका माहात्म्य कृपा करके मुझसे कहिये; आपको नमस्कार है॥ ४५॥

गर्गजीने कहा—यदुनन्दन! मैं सब कुछ बताता हूँ, सुनो। एकादशीके दिन अन्न तथा फल कुछ भी नहीं खाना चाहिये। नृपश्रेष्ठ! जो शास्त्रोक्त विधिसे प्रसन्नतापूर्वक एकादशी-व्रतका पालन करता है, उसके लिये वह सदा फलदायिनी होती है॥ ४६-४७॥

वज्रनाभ बोले—महर्षे! जो मनुष्य एकादशीको फलाहार करते हैं, उनकी क्या गति होती है? यह हमें विस्तारपूर्वक बताइये॥ ४८॥

गर्गमुनिने कहा—उपवास करनेसे एकादशी-व्रतका शास्त्रोक्त फल पूरा-पूरा मिलता है, फलाहार करनेसे आधा मिलता है और पानी पीकर रहनेसे सम्पूर्णकी अपेक्षा कुछ-कुछ कम फल प्राप्त होता है। नृपेश्वर! गेहूँ आदि सब अन्नोंको त्यागकर एकादशीके दिन मनुष्य प्रसन्नतापूर्वक फलाहार करे। राजन्! जो नराधम एकादशीको अन्न खाता है, वह इस लोकमें चाण्डालके समान है और मरनेपर उसे दुर्गति प्राप्त होती है। राजेन्द्र! दही, दूध, मिठाई, कूट, ककड़ी, बथुआ, कमलगट्टा, आम, सीताफल, गङ्गाफल, नीबूका पत्ता, अनार, सिंघाड़ा, नारंगी, सेंधानमक, अमड़ा, अदरक, तूल, बेर, जामुन, आँवला, परवल, त्रिकुश, रतालु, सकरकन्द, गन्ना और दाख आदि तथा अन्यान्य पवित्र फल एकादशीको एक बार खाने चाहिये। दिनका तीसरा पहर व्यतीत होनेपर एक सेर फलका आधा भाग तो ब्राह्मणको दान कर देना चाहिये और आधा अपने लिये भोजनके काममें लेना चाहिये। एकादशीको एक बार फल खाय और दो बार पानी पीये। भगवान् विष्णुका पूजन करके रातमें जागरण करे। जो मनुष्य एकादशीको दो बार या तीन बार फलाहार करता है, उसको कोई फल नहीं मिलता। पंद्रह दिनोंतक अन्न खानेसे जो पाप लगता है, वह सब-का-सब एकादशीके उपवाससे नष्ट हो जाता है। भोजनका ब्राह्मणको दान करके स्वयं उपवास करे और एकादशीका माहात्म्य सुने। ऐसा करके मनुष्य सब पापोंसे मुक्त हो जाता है। एकादशीके व्रतसे धनार्थी धन पाता है, पुत्रार्थीको पुत्र प्राप्त होता है और मोक्षार्थी मोक्ष पा लेता है॥ ४९—६१॥

इस प्रकार श्रीगर्गसंहिताके अन्तर्गत अश्वमेधखण्डमें 'एकादशीका माहात्म्य' नामक इकसठवाँ अध्याय पूरा हुआ॥ ६१॥

संजप्य ब्रह्म परमं वेदसारं परात्परम्। परं नास्तीति नास्तीति 'कृष्ण' इत्यक्षरद्वयम्॥
तावद्गर्भे वसेत् कामी तावती यमयातना। तावद्गृही च भोगार्थी यावत्कृष्णं न सेवते॥
नश्वरो विषय: सत्यं भोगश्च बन्धवो भुवि। स्वयं त्यक्ता: सुखायैव दु:खाय त्याजिता: परै:॥
श्रुत्वा दैवान्महन्निन्दां श्रीकृष्णस्मरणाद् बुध:। मुच्यते सर्वपापेभ्यो नान्यथा रौरवं व्रजेत्॥
न काष्ठे विद्यते देवो न शिलायां न काञ्चने। यत्र भावस्तत्र हरिस्तस्माद्भावं हि कारयेत्॥
सकृदुच्चरितं येन 'कृष्ण' इत्यक्षरद्वयम्। बद्ध: परिकरस्तेन मोक्षाय गमनं प्रति॥
सरोगता साधुजनेषु वैरं परोपतापो द्विजवेदनिन्दा। अत्यन्तकोप: कटुका च वाणी नरस्य चिह्नं नरके गतस्य॥
स्वर्गागतानामिह जीवलोके चत्वारि चिह्नानि सदा वसन्ति। दानप्रसङ्गो मधुरा च वाणी देवार्चनं ब्राह्मणपूजनं च॥

(अ० ६१। २८—४१)

बासठवाँ अध्याय

गुरु और गङ्गाकी महिमा; श्रीवज्रनाभद्वारा कृतज्ञता-प्रकाशन और गुरुदेवका पूजन तथा श्रीकृष्णके भजन-चिन्तन एवं गर्गसंहिताका माहात्म्य

श्रीगर्गजी कहते हैं—राजन्! जिसने पूर्वजन्ममें अक्षय तप किया है, इस लोकमें उसीकी गुरुके प्रति भक्ति होती है। जो समर्थ होकर भी गुरुकी सेवा नहीं करता, अपने गुरुको नहीं मानता, वह सदा 'कुम्भीपाक' नरकमें गिरता है। जो गुरुके प्रति भक्ति न रखनेवाले पुरुषको अपने सामने आया हुआ देख लेता है, उसे गोहत्याका पाप लगता है। वह गङ्गा और यमुनामें स्नान करके उस पापसे शुद्ध होता है। शिष्यको जहाँ-जहाँ जितना द्रव्य उपलब्ध होता है, उसका दशांश भाग गुरुका समझना चाहिये। हमारे घरके द्रव्यमें भी इसी तरह दशांश भाग गुरुका है। जो शिष्य बलपूर्वक उसे भोगता है, गुरुको अलगसे निकालकर नहीं देता है, वह 'महारौरव' नरकमें जाता है और सब सुखोंसे वञ्चित हो जाता है॥ १—५॥

राजन्! जो नित्य श्रीहरिमें नवधाभक्ति करते हैं, वे अनायास ही संसार-सागरको पार कर जाते हैं। ज्ञाति (कुटुम्बीजन), विद्या, महत्त्व, रूप और यौवन—इसका यत्नपूर्वक परित्याग करे; क्योंकि ये पाँच भक्तिमार्गके कण्टक हैं। राजेन्द्र! जो भक्तिभावसे भगवान् श्रीकृष्णका प्रसाद और चरणोदक लेते हैं, वे इस पृथ्वीको पावन करनेवाले होते हैं, इसमें संशय नहीं है। गङ्गा पापका, चन्द्रमा तापका और कल्पवृक्ष दीनताके अभिशापका अपहरण करता है, परंतु सत्सङ्ग पाप, ताप और दैन्य—तीनोंका तत्काल नाश कर देता है। मनुष्योंके पितृगण पिण्ड पानेकी इच्छासे तभीतक संसारमें चक्कर लगाते हैं, जबतक कि उनके कुलमें कृष्णभक्त पुत्र जन्म नहीं लेता। वह कैसा गुरु, कैसा पिता, कैसा बेटा, कैसा मित्र, कैसा राजा और कैसा बन्धु है, जो श्रीहरिमें मन नहीं लगा देता? जो विद्या, धन, गृह तथा कुलका अभिमान रखनेवाले हैं तथा रूप आदि विषय एवं स्त्री-पुत्रोंमें नित्यबुद्धि रखते हैं और जो फलकी कामनासे अन्य देवताओंकी ओर देखते रहते हैं, भगवान् केशवका भजन नहीं करते हैं, वे जीते-जी मरे हुएके समान हैं*॥ ६—१२॥

नृपश्रेष्ठ! यह मैंने तुम्हारे सामने श्रीकृष्णचरित्रका 'सुमेरु' कहा है, जो श्रीकृष्णके लीलाचरित्रोंसे व्याप्त है। नृपसिंह! इसके श्रवणमात्रसे शोक, मोह और भयका निवारण करनेवाली श्रीकृष्णभक्ति मनुष्योंको प्राप्त हो जाती है। मनुष्य केवल इस चरित्रके श्रवण और पठनसे भी मनोवाञ्छित फल—धन-धान्य, पुत्र, भक्ति तथा शत्रुसंहार प्राप्त कर लेता है। राजेन्द्र! इसलिये तुम शीघ्र ही भक्तिभावसे घर या वनमें रहकर, सारे विश्वको मनके संकल्पका विलासमात्र जानकर शीघ्र ही जगदीश्वर श्रीकृष्णके भजनमें लग जाओ। नरवीर! तुम्हारी आयु हेमन्त-ऋतुकी रात्रिके समान उत्तरोत्तर बढ़ती रहे और हेमन्त-ऋतुके सूर्यकी भाँति लोगोंको तुम्हारा दर्शन सदा प्रिय लगे। तुम शत्रुओंके लिये हेमन्त-ऋतुके जलकी भाँति सदा अत्यन्त दुस्सह बने रहो और तुम्हारे शत्रु हेमन्त-ऋतुके कमलकी भाँति सदा नष्ट होते रहें॥ १३—१७॥

सूतजी कहते हैं—यह सुनकर राजा वज्रनाभ श्रीकृष्णके माहात्म्यका स्मरण करते हुए हर्षसे

---

*भक्त्या कृष्णस्य राजेन्द्र प्रसादं चरणोदकम्। ये गृह्णन्ति भवेयुर्भूपावना नात्र संशयः॥
गङ्गा पापं शशी तापं दैन्यं कल्पतरुर्हरेत्। पापं तापं तथा दैन्यं सद्यः साधुसमागमः॥
तावद् भ्रमन्ति संसारे पितरः पिण्डतत्पराः। यावद् वंशे सुतः कृष्णभक्तियुक्तो न जायते॥
स किं गुरुः स किं तातः स किं पुत्रः स किं सखा। स किं राजा स किं बन्धुर्न दद्याद् यो हरौ मतिम्॥
विद्याधनागारकुलाभिमानिनो रूपादिदारासुतनित्यबुद्धयः। दृष्ट्वान्यदेवान् फलकामिनश्च श्रीवन्मृतास्ते न भजन्ति केशवम्॥
(अ० ६२। ८—१२)

उल्लसित तथा प्रेमसे विह्वल हो गये। वे गुरुके चरणोंमें प्रणाम करके बोले॥ १८॥

राजाने कहा—भगवन्! आप करुणामय गुरुदेवके मुखसे श्रीकृष्णका माहात्म्य सुनकर मैं धन्य और कृतार्थ हो गया। श्रीकृष्णमें मेरा मन लग गया॥ १९॥

सूतजी कहते हैं—ऐसा कहकर नृपश्रेष्ठ वज्रनाभने गन्ध, अक्षत, पुष्पहार तथा जालीदार सुवर्णकी मालासे गुरु गर्गाचार्यका पूजन किया। शौनक! उन्होंने घोड़े, हाथी, रथ, शिबिकाएँ, भव्य भवन, चाँदी, सोनेके भार, रत्न और ग्राम देकर गुरुका पूजन किया और स्वयं हर्षसे भरे हुए उन्होंने उनको प्रणाम और परिक्रमा करके उनकी नीराजना (आरती) आदि की॥ २०—२२॥

तदनन्तर गर्गाचार्यजीने उठकर वज्रनाभको आशीर्वाद दिया और भूपालसे वन्दित हो दक्षिणाके साथ वहाँसे चले गये। यमुनाके तटपर 'विश्रामघाट' नामक तीर्थमें पहुँचकर मुनीश्वरने मथुरावासी ब्राह्मणोंको सारा धन बाँट दिया। तदनन्तर गर्गजीके कहनेसे वज्रनाभने मथुरामें उसी प्रकार अश्वमेध यज्ञ किया, जैसे हस्तिनापुरके राजा युधिष्ठिरने किया था। इसके बाद मथुरामें 'दीर्घविष्णु' और 'केशवदेव' के, वृन्दावनमें 'गोविन्ददेव'के, गिरिराज गोवर्धनपर 'हरिदेवजी'के, गोकुलमें 'गोकुलेश्वर'के और गोकुलसे एक योजन दूर 'बलदाऊजी'के अर्चाविग्रहोंकी उन्होंने स्थापना की। ये श्रीहरिकी छः प्रतिमाएँ राजा वज्रनाभके द्वारा स्थापित की गयी हैं। वज्रने हर्षसे भरकर लोगोंके कल्याणके लिये व्रजमण्डलमें बलदाऊजीकी पाँच अन्य प्रतिमाएँ भी स्थापित कीं॥ २३—२८॥

कलियुगके चार हजार पाँच सौ वर्ष व्यतीत होनेपर गिरिराजके ऊपर श्रीनाथजीका प्रादुर्भाव होगा। उस प्रतिमाका व्रजमें सूर्यके स्वरूपभूत श्रीविष्णुस्वामी पूजन करेंगे। तदनन्तर वल्लभ आदि अन्य गोकुलवासी गोस्वामी उन्हींके शिष्य होकर श्रीनाथजीकी पूजा करेंगे॥ २९-३०॥

मुनिगणो! श्रीमद्भागवतके श्रवणसे राजा परीक्षित्की मुक्ति हुई देख वज्रनाभने वैराग्यके कारण अपने राज्यको त्याग देनेका विचार किया। इसके बाद औपगवपुत्र परम वैष्णव उद्धवजी अपने मस्तकपर श्रीकृष्णकी चरणपादुका धारण किये नर-नारायणके आश्रमसे वहाँ आये। राजाने प्रत्युत्थान और आसन आदि उपचारोंसे उद्धवजीकी पूजा करके उनके चरणोंमें मस्तक झुकाया। तत्पश्चात् उद्धवजीने बड़ी प्रसन्नताके साथ वज्रनाभके सामने श्रीमद्भागवतकी कथा सुनायी। उद्धवजीद्वारा भागवत-कथा सुनकर वज्रको बड़ा हर्ष हुआ और वे बोले—'तात! पहले राजा परीक्षित्की सभामें मैंने यह कथा सुनी थी। शुकदेवने व्यासजीकी समाधिभाषाका वहाँ वर्णन किया था। फिर आपने भी वह कथा सुनायी। अब मैं पूर्णतः कृतार्थ हो गया'॥ ३१—३५॥

—ऐसा कहकर वज्रनाभ प्रतिबाहुको अपना राज्य दे विमानद्वारा गोलोकधामको चले गये। उनके साथ उद्धवजी भी गये। मथुराके दक्षिण भागमें वज्रनाभपुत्र प्रतिबाहुने धर्मपूर्वक राज्य किया और उत्तरभागमें परीक्षित्पुत्र जनमेजयने॥ ३६-३७॥

शौनकजी! अब आगे बड़ा दारुण कलियुग आयेगा, परंतु एक निर्वाह दिखायी देता है, जिससे सम्पूर्ण पापोंका नाश हो जायगा। जबतक श्रीमद्भागवतशास्त्र रहेगा, जबतक गोकुलमें गोस्वामी-लोग रहेंगे और जबतक गोवर्धन तथा गङ्गानदीकी स्थिति रहेगी, तबतक कलियुगका कोई (विशेष) प्रभाव नहीं पड़ेगा। मुने! जैसे भारतके नौ खण्डोंमें जम्बूद्वीपके मध्यभागमें कमलपुष्पकी भाँति सुवर्णमय यह मेरुगिरि शोभा पाता है, उसी प्रकार महामुनि गर्गकी 'गोलोकखण्डसंहिता' में यह 'अश्वमेध' का चरित्र मध्यभागमें सुमेरुकी भाँति विराजमान है। इसके श्रवणमात्रसे ब्रह्महत्यारा, स्त्रीहन्ता, राजहन्ता, पितृहन्ता और गोहत्यारा भी समस्त पातकोंसे मुक्त हो जाता है। इसके सुननेमात्रसे ब्राह्मण विद्याको, क्षत्रिय राज्यको, वैश्य धनको और शूद्र धर्मको प्राप्त करता है। जैसे नदियोंमें गङ्गा श्रेष्ठ हैं, देवताओंमें भगवान् श्रीकृष्ण श्रेष्ठ हैं तथा तीर्थोंमें तीर्थराज प्रयाग उत्तम है, उसी प्रकार समस्त संहिताओंमें यह अश्वमेधखण्डकी संहिता सर्वोत्तम है। इसका श्रवण करनेमात्रसे श्रेष्ठ मनुष्यको

बड़ी तृप्ति प्राप्त होती है। मुने! जैसे भागवतके अध्ययनसे दूसरे शास्त्रोंमें आसक्ति नहीं होती, उसी प्रकार इसके स्वाध्यायसे भी कहीं अन्यत्र आसक्ति नहीं रहती है। अतः महर्षियो! भक्तोंका दुःख हर लेनेवाले परमात्मा श्रीकृष्णके चरणारविन्दका अपने कल्याणके लिये भजन करें॥ ३८—४६॥

श्रीगर्गजी कहते हैं—शौनक आदि मुनियोंने इस प्रकार श्रीहरिके चरित्रको सुनकर प्रसन्नचित्त हो सूतपुत्र उग्रश्रवाकी भूरि-भूरि प्रशंसा की। करुणानिधे! नारायण! मैं संसारसागरमें डूबकर अत्यन्त दयनीय एवं दुःखी हो गया हूँ। कालरूपी ग्राहने मेरे अङ्ग-अङ्गको जकड़ लिया है। आप मेरा उद्धार कीजिये; आपको नमस्कार है। साधुशिरोमणि! गुरुदेव! आप अनाथोंके वल्लभ हैं, हमलोगोंपर अनुग्रह कीजिये। जैसे जगदीश्वर तीनों लोकोंको अभय देते हैं, उसी प्रकार आप मुझे भी अनुग्रह प्रदान करें। श्रीगुरुदेवकी कृपा और श्रीमदनमोहनजीकी सेवाके पुण्यसे जैसा मेरी वाणीसे बन सका है, वैसा श्रीहरिका चरित्र मैंने कहा है। वाल्मीकि आदि तथा वेदव्यास आदि महर्षियो! आप मेरी इस तुच्छ कवितापर दृष्टिपात करें और मेरे अपराधको क्षमा कर दें। जो व्रजके पालक, नूतन जलधरके समान श्याम रंगवाले, देवताओंके स्वामी, भक्तोंकी पीड़ा दूर करनेवाले तथा परमार्थस्वरूप हैं, उन अनन्तदेव श्रीराधावल्लभ माधव श्रीकृष्णको मैं मस्तक झुकाकर मनसे और भक्तिभावसे प्रणाम करता हूँ*। मेरे आत्मा श्रीकृष्णके इस चरित्र-मेरुमें सत्ताईस सौ सत्तासी श्लोक हैं, जिनमें उनके लीला-चरित्रोंका गान किया गया है॥ ४७—५३॥

इस प्रकार श्रीगर्गसंहितामें अश्वमेधखण्डके अन्तर्गत 'सुमेरु-सम्पूर्ति' नामक बासठवाँ अध्याय पूरा हुआ॥ ६२॥

॥ यह गर्गसंहिता सम्पूर्ण हुई ॥

शुभं भूयात्

---

*श्रीमाधवं व्रजपतिं नवमेघगात्रं राधापतिं सुरपतिं मुरलीधरं च।
भक्तार्तिहं च परमार्थमनन्तदेवं कृष्णं नमामि मनसा शिरसा च भक्त्या॥

(अ० ६२। ५२)

भगवान् शिव-पार्वती

॥ श्रीराधाकृष्णाभ्यां नमः ॥

गर्गसंहिता-माहात्म्य

पहला अध्याय

गर्गसंहिताके प्राकट्यका उपक्रम

जो श्रीकृष्णको ही देवता (आराध्य) माननेवाले वृष्णिवंशियोंके आचार्य तथा कवियोंमें सर्वश्रेष्ठ हैं, उन महात्मा श्रीमान् गर्गजीको नित्य बारंबार नमस्कार है॥ १॥

शौनकजी बोले—ब्रह्मन्! मैंने आपके मुखसे पुराणोंका उत्तम-से-उत्तम माहात्म्य विस्तारपूर्वक सुना है, वह श्रोत्रेन्द्रियके सुखकी वृद्धि करनेवाला है। अब गर्गमुनिकी संहिताका जो साररूप माहात्म्य है, उसका प्रयत्नपूर्वक विचार करके मुझसे वर्णन कीजिये। अहो! जिसमें श्रीराधा-माधवकी महिमाका विविध प्रकारसे वर्णन किया गया है, वह गर्गमुनिकी भगवल्लीला-सम्बन्धिनी संहिता धन्य है॥ २—४॥

सूतजी कहते हैं—अहो शौनक! इस माहात्म्यको मैंने नारदजीसे सुना है। इसे सम्मोहन-तन्त्रमें शिवजीने पार्वतीसे वर्णन किया था। कैलास पर्वतके निर्मल शिखरपर, जहाँ अलकनन्दाके तटपर अक्षयवट विद्यमान है, उसकी छायामें शंकरजी नित्य विराजते हैं। एक समयकी बात है, सम्पूर्ण मङ्गलोंकी अधिष्ठात्री देवी गिरिजाने प्रसन्नतापूर्वक भगवान् शंकरसे अपनी मनभावनी बात पूछी, जिसे वहाँ उपस्थित सिद्धगण भी सुन रहे थे॥ ५—७॥

पार्वतीने पूछा—नाथ! जिसका आप इस प्रकार ध्यान करते रहते हैं, उसके उत्कृष्ट चरित्र तथा जन्म-कर्मके रहस्यका मेरे समक्ष वर्णन कीजिये। कष्टहारी शंकर! पूर्वकालमें मैंने साक्षात् आपके मुखसे श्रीमान् गोपालदेवके सहस्रनामको सुना है। अब मुझे उनकी कथा सुनाइये॥ ८-९॥

महादेवजी बोले—सर्वमङ्गले! राधापति परमात्मा गोपालकृष्णकी कथा गर्गसंहितामें सुनी जाती है॥ १०॥

पार्वतीने पूछा—शंकर पुराण और संहिताएँ तो अनेक हैं, परंतु आप उन सबका परित्याग करके गर्ग-संहिताकी ही प्रशंसा करते हैं, उसमें भगवान्की किस लीलाका वर्णन है, उसे विस्तारपूर्वक बतलाइये। पूर्वकालमें किसके द्वारा प्रेरित होकर गर्गमुनिने इस संहिताकी रचना की थी? देव! इसके श्रवणसे कौन-सा पुण्य होता है तथा किस फलकी प्राप्ति होती है? प्राचीनकालमें किन-किन लोगोंने इसका श्रवण किया है? प्रभो! यह सब मुझे बताइये॥ ११—१३॥

सूतजी कहते हैं—अपनी प्रिया पार्वतीका ऐसा कथन सुनकर भगवान् महेश्वरका चित्त प्रसन्न हो गया। उस समय वे सभामें विराजमान थे। वहीं उन्होंने गर्गद्वारा रचित कथाका स्मरण करके उत्तर देना आरम्भ किया॥ १४॥

महादेवजी बोले—देवि! राधा-माधवका तथा गर्गसंहिताका भी विस्तृत माहात्म्य प्रयत्नपूर्वक श्रवण करो। यह पापोंका नाश करनेवाला है। जिस समय भगवान् श्रीकृष्ण भूतलपर अवतीर्ण होनेका विचार कर रहे थे, उसी अवसरपर ब्रह्माके प्रार्थना करनेपर उन्होंने पहले-पहल राधासे अपने चरित्रका वर्णन किया था। तदनन्तर गोलोकमें शेषजीने (कथा-श्रवणके लिये) प्रार्थना की। तब भगवान्ने प्रसन्नतापूर्वक पुनः अपनी सम्पूर्ण कथा उनके सम्मुख कह सुनायी। तत्पश्चात् शेषजीने ब्रह्माको और ब्रह्माने धर्मको यह संहिता प्रदान की। सर्वमङ्गले! फिर अपने पुत्र नर-नारायणद्वारा आग्रहपूर्ण प्रार्थना किये जानेपर धर्मने एकान्तमें उनको इस अमृतस्वरूपिणी कथाका पान कराया था। पुनः नारायणने धर्मके मुखसे जिस कृष्ण-चरित्रका श्रवण किया था, उसे सेवापरायण नारदसे कहा। तदनन्तर प्रार्थना किये

जानेपर नारदने नारायणके मुखसे प्राप्त हुई सारी-की-सारी श्रीकृष्णसंहिता गर्गाचार्यको कह सुनायी। यों श्रीहरिकी भक्तिसे सराबोर परम ज्ञानको सुनकर गर्गजीने महात्मा नारदका पूजन किया। पर्वतनन्दिनि! तब नारदने भूत-भविष्य-वर्तमान—तीनों कालोंके ज्ञाता गर्गसे यों कहा॥ १५—२२॥

नारदजी बोले—गर्गजी! मैंने तुम्हें संक्षेपसे श्रीहरिकी यशोगाथा सुनायी है। यह वैष्णवोंके लिये परम प्रिय है। अब तुम इसका विस्तारपूर्वक वर्णन करो। विभो! तुम ऐसे परम अद्भुत शास्त्रकी रचना करो, जो सबकी कामनाओंको पूर्ण करनेवाला, निरन्तर कृष्णभक्तिकी वृद्धि करनेवाला तथा मुझे परम प्रिय लगे। विप्रेन्द्र! मेरी आज्ञा मानकर कृष्णद्वैपायन व्यासने श्रीमद्भागवतकी रचना की, जो समस्त शास्त्रोंमें परम श्रेष्ठ है। ब्रह्मन्! जिस प्रकार मैं भागवतकी रक्षा करता हूँ, उसी तरह तुम्हारे द्वारा रचित शास्त्रको राजा बहुलाश्वको सुनाऊँगा॥ २३—२६॥

इस प्रकार श्रीसम्मोहन-तन्त्रमें पार्वती-शंकर-संवादमें 'श्रीगर्गसंहिताका माहात्म्य' विषयक प्रथम अध्याय पूरा हुआ॥ १॥

दूसरा अध्याय

नारदजीकी प्रेरणासे गर्गद्वारा संहिताकी रचना; संतानके लिये दुःखी राजा प्रतिबाहुके पास महर्षि शाण्डिल्यका आगमन

महादेवजीने कहा—देवर्षि नारदका कथन सुनकर महामुनि गर्गाचार्य विनयसे झुककर हँसते हुए यों कहने लगे॥ १॥

गर्गजी बोले—ब्रह्मन्! आपकी कही हुई बात यद्यपि सब तरहसे अत्यन्त कठिन है—यह स्पष्ट है, तथापि यदि आप कृपा करेंगे तो मैं उसका पालन करूँगा॥ २॥

सर्वमङ्गले! यों कहे जानेपर भगवान् नारद हर्षातिरेकसे अपनी वीणा बजाते और गाते हुए ब्रह्मलोकमें चले गये। तदनन्तर गर्गाचलपर जाकर कविश्रेष्ठ गर्गने इस महान् अद्भुत शास्त्रकी रचना की। इसमें देवर्षि नारद और राजा बहुलाश्वके संवादका निरूपण हुआ है। यह श्रीकृष्णके विभिन्न विचित्र चरित्रोंसे परिपूर्ण तथा सुधा-सदृश स्वादिष्ट बारह हजार श्लोकोंसे सुशोभित है। गर्गजीने श्रीकृष्णके जिस महान् चरित्रको गुरुके मुखसे सुना था, अथवा स्वयं अपनी आँखों देखा था, वह सारा-का-सारा चरित्र इस संहितामें सजा दिया है। वह कथा 'श्रीगर्गसंहिता' नामसे प्रचलित हुई। यह कृष्णभक्ति प्रदान करनेवाली है। इसके श्रवणमात्रसे सभी कार्य सिद्ध हो जाते हैं॥ ३—७ $\frac{1}{2}$॥

इस विषयमें एक प्राचीन इतिहासका वर्णन किया जाता है, जिसके सुनते ही सम्पूर्ण पाप नष्ट हो जाते हैं। वज्रके पुत्र राजा प्रतिबाहु हुए, जो प्रजा-पालनमें तत्पर रहते थे। उस राजाकी प्यारी पत्नीका नाम मालिनी देवी था। राजा प्रतिबाहु पत्नीके साथ कृष्णपुरी मथुरामें रहते थे। उन्होंने संतानकी प्राप्तिके लिये विधानपूर्वक बहुत-सा यत्न किया। राजाने सुपात्र ब्राह्मणोंको बछड़े-सहित बहुत-सी गायोंका दान दिया तथा प्रयत्नपूर्वक भरपूर दक्षिणाओंसे युक्त अनेकों यज्ञोंका अनुष्ठान किया। भोजन और धनद्वारा गुरुओं, ब्राह्मणों और देवताओंका पूजन किया, तथापि पुत्रकी उत्पत्ति न हुई। तब राजा चिन्तासे व्याकुल हो गये। वे दोनों पति-पत्नी नित्य चिन्ता और शोकमें डूबे रहते थे। इनके पितर (तर्पणमें) दिये हुए जलको कुछ गरम-सा पान करते थे। 'इस राजाके पश्चात् जो हमलोगोंको तर्पणद्वारा तृप्त करेगा—ऐसा कोई दिखायी नहीं पड़ रहा है। इस राजाके भाई-बन्धु, मित्र, अमात्य, सुहृद् तथा हाथी, घोड़े और पैदल-सैनिक—किसीको भी इस बातकी कोई चिन्ता नहीं है।'—इस बातको याद करके राजाके पितृगण अत्यन्त दुःखी हो जाते थे। इधर राजा प्रतिबाहुके मनमें निरन्तर निराशा छायी रहती थी॥ ८—१५ $\frac{1}{2}$॥

(वे सोचते रहते थे कि) 'पुत्रहीन मनुष्यका जन्म निष्फल है। जिसके पुत्र नहीं है, उसका घर सूना-सा लगता है और मन सदा दुःखाभिभूत रहता है। पुत्रके बिना मनुष्य देवता, मनुष्य और पितरोंके ऋणसे उऋण नहीं हो सकता। इसलिये बुद्धिमान् मनुष्यको चाहिये कि वह सभी प्रकारके उपायोंका आश्रय लेकर पुत्र उत्पन्न करे। उसीकी भूतलपर कीर्ति होती है और परलोकमें उसे शुभगति प्राप्त होती है। जिन पुण्यशाली पुरुषोंके घरमें पुत्रका जन्म होता है, उनके भवनमें आयु, आरोग्य और सम्पत्ति सदा बनी रहती है।' राजा अपने मनमें यों लगातार सोचा करते थे, जिससे उन्हें शान्ति नहीं मिलती थी। अपने सिरके बालोंको श्वेत हुआ देखकर वे रात-दिन शोकमें निमग्न रहते थे॥ १६—२०॥

एक समय मुनीश्वर शाण्डिल्य स्वेच्छापूर्वक विचरते हुए प्रतिबाहुसे मिलनेके लिये उनकी राजधानी मधुपुरी (मथुरा) में आये। उन्हें देखकर राजा सहसा अपने सिंहासनसे उठ पड़े और उन्हें आसन आदि देकर सम्मानित किया। पुनः मधुपर्क आदि निवेदन करके हर्षपूर्वक उनका पूजन किया। राजाको उदासीन देखकर महर्षिको परम विस्मय हुआ। तत्पश्चात् मुनीश्वरने स्वस्तिवाचनपूर्वक राजाका अभिनन्दन करके उनसे राज्यके सातों[१] अङ्गोंके विषयमें कुशल पूछी। तब नृपश्रेष्ठ प्रतिबाहु अपनी कुशल निवेदन करनेके लिये बोले॥ २१—२४॥

राजाने कहा—ब्रह्मन्! पूर्वजन्मार्जित दोषके कारण इस समय मुझे जो दुःख प्राप्त है, अपने उस कष्टके विषयमें मैं क्या कहूँ? भला, आप-जैसे ऋषियोंके लिये क्या अज्ञात है? मुझे अपने राष्ट्र तथा नगरमें कुछ भी सुख दृष्टिगोचर नहीं हो रहा है। मैं क्या करूँ? कहाँ जाऊँ? किस प्रकार मुझे पुत्रकी प्राप्ति हो। 'राजाके बाद जो हमारी रक्षा करे—ऐसा हमलोग किसीको नहीं देख रहे हैं।' इस बातको स्मरण करके मेरी सारी प्रजा दुःखी है। ब्रह्मन्! आप तो साक्षात् दिव्यदर्शी हैं; अतः मुझे ऐसा उपाय बतलाइये, जिससे मुझे वंशप्रवर्तक दीर्घायु पुत्रकी प्राप्ति हो जाय॥ २५—२८॥

महादेवजी बोले—देवि! उस दुःखी राजाके इस वचनको सुनकर मुनिवर्य शाण्डिल्य राजाके दुःखको शान्त करते हुए-से बोले॥ २९॥

इस प्रकार श्रीसम्मोहन-तन्त्रमें पार्वती-शंकर-संवादमें 'गर्गसंहिताका माहात्म्य' विषयक दूसरा अध्याय पूरा हुआ॥ २॥

तीसरा अध्याय

राजा प्रतिबाहुके प्रति महर्षि शाण्डिल्यद्वारा गर्गसंहिताके माहात्म्य और श्रवण-विधिका वर्णन

शाण्डिल्यने कहा—राजन्! पहले भी तो तुम बहुत-से उपाय कर चुके हो, परंतु उनके परिणामस्वरूप एक भी कुलदीपक पुत्र उत्पन्न नहीं हुआ। इसलिये अब तुम पत्नीके साथ शुद्ध-हृदय होकर विधिपूर्वक 'गर्ग-संहिता' का श्रवण करो। राजन्! यह संहिता धन, पुत्र और मुक्ति प्रदान करनेवाली है। यद्यपि यह एक छोटा-सा उपाय है, तथापि कलियुगमें जो मनुष्य इस संहिताका श्रवण करते हैं, उन्हें भगवान् विष्णु पुत्र, सुख आदि सब प्रकारकी सुख-सम्पत्ति दे देते हैं॥ १—३ $\frac{1}{2}$॥

नरेश! गर्गमुनिकी इस संहिताके नवाह-पारायणरूप यज्ञसे मनुष्य सद्यःपावन हो जाते हैं। उन्हें इस लोकमें परम सुखकी प्राप्ति होती है तथा मृत्युके पश्चात् वे गोलोकपुरीमें चले जाते हैं। इस कथाको सुननेसे रोगग्रस्त मनुष्य रोग-समूहोंसे, भयभीत भयसे और बन्धनग्रस्त बन्धनसे मुक्त हो जाता है। निर्धनको धन-धान्यकी प्राप्ति हो जाती है तथा मूर्ख शीघ्र ही पण्डित हो जाता है। इस कथाके श्रवणसे ब्राह्मण विद्वान्, क्षत्रिय विजयी, वैश्य खजानेका स्वामी तथा

१. राजा, अमात्य, राष्ट्र, दुर्ग, कोष, दण्ड या बल और सुहृद्—ये राज्यके सात अङ्ग माने गये हैं।

शूद्र पापरहित हो जाता है। यद्यपि यह संहिता स्त्री-पुरुषोंके लिये अत्यन्त दुर्लभ है, तथापि इसे सुनकर मनुष्य सफलमनोरथ हो जाता है। जो निष्कारण अर्थात् कामनारहित होकर भक्तिपूर्वक मुनिवर गर्गद्वारा रचित इस सम्पूर्ण संहिताको सुनता है, वह सम्पूर्ण विघ्नोंपर विजय पाकर देवताओंको भी पराजित करके श्रेष्ठ गोलोकधामको चला जाता है॥ ४—७॥

राजन्! गर्गसंहिताकी प्रबन्ध-कल्पना परम दुर्लभ है। यह भूतलपर सहस्रों जन्मोंके पुण्यसे उपलब्ध होती है। श्रीगर्गसंहिताके श्रवणके लिये दिनोंका कोई नियम नहीं है। इसे सर्वदा सुननेका विधान है। इसका श्रवण कलियुगमें भुक्ति और मुक्ति प्रदान करनेवाला है। समय क्षणभङ्गुर है; पता नहीं कल क्या हो जाय; इसलिये संहिता-श्रवणके लिये नौ दिनका नियम बतलाया गया है। भूपाल! श्रोताको चाहिये कि वह ज्ञानपूर्वक ब्रह्मचर्यका पालन करते हुए एक बार एक अन्नका या हविष्यान्नका भोजन करे अथवा फलाहार करे। उसे विधानके अनुसार मिष्टान्न, गेहूँ अथवा जौकी पूड़ी, सेंधा नमक, कंद, दही और दूधका भोजन करना चाहिये। नृपश्रेष्ठ! विष्णुभगवान्‌के अर्पित किये हुए भोजनको ही प्रसादरूपमें खाना चाहिये। बिना भगवान्‌का भोग लगाये आहार नहीं ग्रहण करना चाहिये। श्रद्धापूर्वक कथा सुननी चाहिये; क्योंकि यह कथा-श्रवण सम्पूर्ण कामनाओंको पूर्ण करनेवाला है। बुद्धिमान् श्रोताको चाहिये कि वह पृथ्वीपर शयन करे और क्रोध तथा लोभको छोड़ दे। इस प्रकार गुरुके श्रीमुखसे कथा सुनकर वह सम्पूर्ण मनोवाञ्छित फल प्राप्त कर लेता है। जो गुरु-भक्तिसे रहित, नास्तिक, पापी, विष्णुभक्तिसे रहित, श्रद्धाशून्य तथा दुष्ट हैं, उन्हें कथाका फल नहीं मिलता॥ ८—१५॥

विद्वान् श्रोताको चाहिये कि वह अपने परिचित ब्राह्मण, क्षत्रिय, वैश्य और शूद्र—सभीको बुलाकर शुभ मुहूर्तमें अपने घरपर कथाको आरम्भ कराये। भक्तिपूर्वक केलेके खंभोंसे मण्डपका निर्माण करे। सबसे पहले पञ्चपल्लवसहित जलसे भरा हुआ कलश स्थापित करे। फिर पहले-पहल गणेशकी पूजा करके तत्पश्चात् नवग्रहोंकी पूजा करे। तदनन्तर पुस्तककी पूजा करके विधिपूर्वक वक्ताकी पूजा करे और उन्हें सुवर्णकी दक्षिणा दे। असमर्थ होनेपर चाँदीकी भी दक्षिणा दी जा सकती है। पुनः कलशपर श्रीफल रखकर मिष्टान्न निवेदन करना चाहिये। तत्पश्चात् भक्तिपूर्वक तुलसीदलोंद्वारा भलीभाँति पूजन करके आरती उतारनी चाहिये। राजन्! कथासमाप्तिके दिन श्रोताकी प्रदक्षिणा करनी चाहिये॥ १६—२०॥

जो परस्त्रीगामी, धूर्त, वकवादी, शिवकी निन्दा करनेवाला, विष्णु-भक्तिसे रहित और क्रोधी हो, उसे 'वक्ता' नहीं बनाना चाहिये। जो वाद-विवाद करनेवाला, निन्दक, मूर्ख, कथामें विघ्न डालनेवाला और सबको दुःख देनेवाला हो, वह 'श्रोता' निन्दनीय कहा गया है। जो गुरु-सेवापरायण, विष्णुभक्त और कथाके अर्थको समझनेवाला है तथा कथा सुननेमें जिसका मन लगता है, वह श्रोता श्रेष्ठ कहा जाता है। जो शुद्ध, आचार्य-कुलमें उत्पन्न, श्रीकृष्णका भक्त, बहुत-से शास्त्रोंका जानकार, सदा सम्पूर्ण मनुष्योंपर दया करनेवाला और शङ्काओंका उचित समाधान करनेवाला हो, वह उत्तम वक्ता कहा गया है॥ २१—२४॥

द्वादशाक्षर मन्त्रके जपद्वारा कथाके विघ्नोंका निवारण करनेके लिये यथाशक्ति अन्यान्य ब्राह्मणोंका भी वरण कराना चाहिये। विद्वान् वक्ताको तीन प्रहर (९ घंटे) तक उच्च स्वरसे कथा बाँचनी चाहिये। कथाके बीचमें दो बार विश्राम लेना उचित है। उस समय लघुशङ्का आदिसे निवृत्त होकर जलसे हाथ-पैर धोकर पवित्र हो ले। साथ ही कुल्ला करके मुख-शुद्धि भी कर लेनी चाहिये। राजन्! नवें दिनकी पूजा-विधि विज्ञानखण्डमें बतलायी गयी है। उस दिन उत्तम बुद्धिसम्पन्न श्रोता पुष्प, नैवेद्य और चन्दनसे पुस्तककी पूजा करके पुनः सोना, चाँदी, वाहन, दक्षिणा, वस्त्र, आभूषण और गन्ध आदिसे वक्ताका पूजन करे। नरेश! तत्पश्चात् यथाशक्ति नौ सहस्र या नौ सौ या निन्यानबे अथवा नौ ब्राह्मणोंको निमन्त्रित करके खीरका भोजन कराये। तब कथाके फलकी प्राप्ति होती है। कथा-विश्रामके समय विष्णु-भक्तिसम्पन्न स्त्री-पुरुषोंके साथ भगवन्नाम-कीर्तन भी करना चाहिये। उस समय झाँझ, शङ्ख, मृदङ्ग आदि बाजोंके

साथ-साथ बीच-बीचमें जय-जयकारके शब्द भी बोलने चाहिये। जो श्रोता श्रीगर्गसंहिताकी पुस्तकको सोनेके सिंहासनपर स्थापित करके उसे वक्ताको दान कर देता है, वह मरनेपर श्रीहरिको प्राप्त करता है। राजन्! इस प्रकार मैंने तुम्हें गर्गसंहिताका माहात्म्य बतला दिया, अब और क्या सुनना चाहते हो? अरे, इस संहिताके श्रवणसे ही भुक्ति और मुक्तिकी प्राप्ति देखी जाती है॥ २५—३४॥

इस प्रकार श्रीसम्मोहन-तन्त्रमें पार्वती-शंकर-संवादमें 'श्रीगर्गसंहिताके माहात्म्य तथा श्रवणविधिका वर्णन' नामक तीसरा अध्याय पूरा हुआ॥ ३॥

चौथा अध्याय

शाण्डिल्य मुनिका राजा प्रतिबाहुको गर्गसंहिता सुनाना; श्रीकृष्णका प्रकट होकर राजा आदिको वरदान देना; राजाको पुत्रकी प्राप्ति और संहिताका माहात्म्य

महादेवजी बोले—प्रिये! मुनीश्वर शाण्डिल्यका यह कथन सुनकर राजाको बड़ी प्रसन्नता हुई। उसने विनयावनत होकर प्रार्थना की—'मुने! मैं आपके शरणागत हूँ। आप शीघ्र ही मुझे श्रीहरिकी कथा सुनाइये और पुत्रवान् बनाइये'॥ १॥

राजाकी प्रार्थना सुनकर मुनिवर शाण्डिल्यने श्रीयमुनाजीके तटपर मण्डपका निर्माण करके सुखदायक कथा-पारायणका आयोजन किया। उसे सुनकर सभी मथुरावासी वहाँ आये। महान् ऐश्वर्य-शाली यादवेन्द्र श्रीप्रतिबाहुने कथारम्भ तथा कथा-समाप्तिके दिन ब्राह्मणोंको उत्तम भोजन कराया तथा बहुत-सा धन दान दिया। तत्पश्चात् राजाने मुनिवर शाण्डिल्यका भलीभाँति पूजन करके उन्हें रथ, अश्व, द्रव्यराशि, गौ, हाथी और ढेर-के-ढेर रत्न दक्षिणामें दिये। सर्वमङ्गले! तब शाण्डिल्यने मेरे द्वारा कहे हुए श्रीमान् गोपालकृष्णके सहस्रनामका पाठ किया, जो सम्पूर्ण दोषोंको हर लेनेवाला है। कथा समाप्त होनेपर शाण्डिल्यकी प्रेरणासे राजेन्द्र प्रतिबाहुने भक्तिपूर्वक व्रजेश्वर श्रीमान् मदनमोहनका ध्यान किया। तब श्रीकृष्ण अपनी प्रेयसी राधा तथा पार्षदोंके साथ वहाँ प्रकट हो गये। उन साँवरे-सलोनेके हाथमें वंशी और बेंत शोभा पा रहे थे। उनकी छटा करोड़ों कामदेवोंको मोहमें डालनेवाली थी[१]। उन्हें सम्मुख उपस्थित देखकर महर्षि शाण्डिल्य, राजा तथा समस्त श्रोताओंके साथ तुरंत ही उनके चरणोंमें लोट पड़े और पुनः विधि-पूर्वक स्तुति करने लगे॥ २—७॥

शाण्डिल्य बोले—प्रभो! आप वैकुण्ठपुरीमें सदा लीलामें तत्पर रहनेवाले हैं। आपका स्वरूप परम मनोहर है। देवगण सदा आपको नमस्कार करते हैं। आप परम श्रेष्ठ हैं। गोपालनकी लीलामें आपकी विशेष अभिरुचि रहती है—ऐसे आपका मैं भजन करता हूँ। साथ ही आप गोलोकाधिपतिको मैं नमस्कार करता हूँ[२]॥ ८॥

प्रतिबाहु बोले—गोलोकनाथ! आप गिरिराज गोवर्धनके स्वामी हैं। परमेश्वर! आप वृन्दावनके अधीश्वर तथा नित्य विहारकी लीलाएँ करनेवाले हैं। राधापते! व्रजाङ्गनाएँ आपकी कीर्तिका गान करती रहती हैं। गोविन्द! आप गोकुलके पालक हैं। निश्चय ही आपकी जय हो[३]॥ ९॥

रानी बोली—राधेश! आप वृन्दावनके स्वामी

१.वंशीवेत्रधरः श्यामः कोटिमन्मथमोहनः॥ (गर्ग०, माहात्म्य-अध्याय ४। ६)

२.वैकुण्ठलीलाप्रवरं मनोहरं नमस्कृतं देवगणैः परं वरम्।
गोपाललीलाभियुतं भजाम्यहं गोलोकनाथं शिरसा नमाम्यहम्॥ (गर्ग०, माहात्म्य-अध्याय ४। ८)

३.गोलोकनाथ गिरिराजपते परेश वृन्दावनेश कृतनित्यविहारलीला।
राधापते व्रजवधूजनगीतकीर्ते गोविन्द गोकुलपते किल ते जयोऽस्तु॥ (गर्ग०, माहात्म्य-अध्याय ४। ९)

तथा पुरुषोत्तम हैं। माधव! आप भक्तोंको सुख देनेवाले हैं! मैं आपकी शरण ग्रहण करती हूँ[१]॥१०॥

समस्त श्रोताओंने कहा—हे जगन्नाथ! हमलोगोंका अपराध क्षमा कीजिये! श्रीनाथ! राजाको सुपुत्र तथा हमलोगोंको अपने चरणोंकी भक्ति प्रदान कीजिये[२]॥११॥

महादेवजीने कहा—देवि! भक्तवत्सल भगवान् इस प्रकार अपनी स्तुति सुनकर उन सभी प्रणतजनोंके प्रति मेघके समान गम्भीर वाणीसे बोले॥१२॥

श्रीभगवान्ने कहा—मुनिवर शाण्डिल्य! तुम राजा तथा सभी लोगोंके साथ मेरी बात सुनो—'तुमलोगोंका कथन सफल होगा।' ब्रह्मन्! इस संहिताके रचयिता गर्गमुनि हैं, इसी कारण यह 'गर्गसंहिता' नामसे प्रसिद्ध है। यह सम्पूर्ण दोषोंको हरनेवाली, पुण्यस्वरूपा और चतुर्वर्ग—धर्म, अर्थ, काम, मोक्षके फलको देनेवाली है। कलियुगमें जो-जो मनुष्य जिस-जिस मनोरथकी अभिलाषा करते हैं, श्रीगर्गाचार्यकी यह गर्गसंहिता सभीकी उन-उन कामनाओंको पूर्ण करती है'॥१३—१५॥

शिवजीने कहा—देवि! ऐसा कहकर माधव राधाके साथ अन्तर्धान हो गये। उस समय शाण्डिल्य मुनिको तथा राजा आदि सभी श्रोताओंको परम आनन्द प्राप्त हुआ। प्रिये! तदनन्तर मुनिवर शाण्डिल्यने दक्षिणामें प्राप्त हुए धनको मथुरावासी ब्राह्मणोंमें बाँट दिया। फिर राजाको आश्वासन देकर वे भी अन्तर्हित हो गये॥१६-१७॥

तत्पश्चात् रानीने राजाके समागमसे सुन्दर गर्भ धारण किया। प्रसवकाल आनेपर पुण्यकर्मके फलस्वरूप गुणवान् पुत्र उत्पन्न हुआ। उस समय राजाको महान् हर्ष प्राप्त हुआ। उन्होंने कुमारके जन्मके उपलक्ष्में ब्राह्मणोंको गौ, पृथ्वी, सुवर्ण, वस्त्र, हाथी, घोड़े आदि दान दिये और ज्यौतिषियोंसे परामर्श करके अपने पुत्रका 'सुबाहु' नाम रखा। इस प्रकार नृपश्रेष्ठ प्रतिबाहु सफलमनोरथ हो गये। राजा प्रतिबाहुने श्रीगर्गसंहिताका श्रवण करके इस लोकमें सम्पूर्ण सुखोंका उपभोग किया और अन्तकाल आनेपर वे गोलोकधामको चले गये, जहाँ पहुँचना योगियोंके लिये भी दुर्लभ है। श्रीगर्गसंहिता स्त्री, पुत्र, धन, सवारी, कीर्ति, घर, राज्य, सुख और मोक्ष प्रदान करनेवाली है। मुनीश्वरो! इस प्रकार भगवान् शंकरने पार्वतीदेवीसे सारी कथा कहकर जब विराम लिया, तब पार्वतीने पुनः उनसे कहा॥१८—२३॥

पार्वतीजी बोलीं—नाथ! जिसमें माधवका अद्भुत चरित्र सुननेको मिलता है, उस श्रीगर्गसंहिताकी कथा मुझे बतलाइये। यह सुनकर भगवान् शंकरने हर्षपूर्वक अपनी प्रिया पार्वतीसे गर्गसंहिताकी सारी कथा कह सुनायी। पुनः साक्षात् शंकरने आगे कहा—'सर्वमङ्गले! तुम मेरी यह बात सुनो—गङ्गातटसे अर्ध योजन (चार मील) की दूरीपर बिल्वकेश वनमें जो सिद्धपीठ है, वहाँ कलियुग आनेपर गोकुलवासी वैष्णवोंके मुखसे श्रीमद्भागवत आदि संहिताओंकी कथा तुम्हें बारंबार सुननेको मिलेगी'॥२६-२७॥

सूतजी कहते हैं—शौनक! इस प्रकार महादेवजीके मुखसे इस महान् अद्भुत इतिहासको सुनकर भगवान्की वैष्णवी माया पार्वती परम प्रसन्न हुईं। मुने! उन्होंने बारंबार श्रीहरिकी कथा सुननेकी इच्छासे कलियुगके प्रारम्भमें अपनेको बिल्वकेश वनमें प्रकट करनेका निश्चय किया। इसी कारण वे लक्ष्मीका रूप धारण करके 'सर्वमङ्गला' नामसे वहाँ गङ्गाके दक्षिण तटपर प्रकट होंगी। मुने! श्रीगर्गसंहिताका जो माहात्म्य मैंने कहा है, इसे जो सुनता है अथवा पढ़ता है, वह पाप और दुःखोंसे मुक्त हो जाता है॥२८—३१॥

इस प्रकार श्रीसम्मोहन-तन्त्रमें पार्वती-शंकर-संवादमें 'श्रीगर्गसंहिता-माहात्म्यविषयक' चौथा अध्याय पूरा हुआ॥४॥

॥ गर्गसंहिता-माहात्म्य सम्पूर्ण ॥

१.वृन्दावनेश राधेश पुरुषोत्तम माधव। भक्तानां त्वं तु सुखदस्त्वमहं शरणं गता॥ (गर्ग०, माहात्म्य, अध्याय ४। १०)

२.श्रीनाथ हे जगन्नाथ अपराधं क्षमस्व नः। सुपुत्रं देहि भूपायास्मभ्यं भक्तिं स्वपादयोः॥ (गर्ग०, माहात्म्य, अध्याय ४। ११)

गीताप्रेस, गोरखपुरसे प्रकाशित पुराण-साहित्य

श्रीमद्भागवतमहापुराण, व्याख्यासहित (कोड 26, 27) ग्रन्थाकार—श्रीमद्भागवत भारतीय वाङ्मयका मुकुटमणि है। भगवान् शुकदेवद्वारा महाराज परीक्षित्को सुनाया गया भक्तिमार्गका तो मानो सोपान ही है। इसके प्रत्येक श्लोकमें श्रीकृष्ण-प्रेमकी सुगन्धि है। यह सम्पूर्ण ग्रन्थरत्न मूलके साथ हिन्दी-अनुवाद, पूजन-विधि, भागवत-माहात्म्य, आरती, पाठके विभिन्न प्रयोगोंके साथ दो खण्डोंमें उपलब्ध है। पत्राकारकी तरह बेड़िया **(कोड 1951, 1952)** सचित्र, सजिल्द, **(कोड 1552, 1553)** गुजराती, **(कोड 1678, 1735)** सानुवाद, मराठी, **(कोड 1739, 1740)**, कन्नड़, **(कोड 1577, 1744)** बँगला, **(कोड 1966, 1967, 1968)** तमिल, **(कोड 2172, 2173, 2174)** मलयालम्, **(कोड 1831, 1832)** ओड़िआ, **(कोड 1975, 1976)** तेलुगु, **(कोड 564, 565)** अंग्रेजी-अनुवाद, **(कोड 25)** केवल हिन्दी बृहदाकार, बड़े टाइपमें, **(कोड 1945)** (वि० सं०) केवल हिन्दी **(कोड 1930)** सामान्य संस्करण, केवल हिन्दी, **(कोड 1608)** केवल गुजराती, **(कोड 1776)** मराठी अनुवाद, **(कोड 1949)** कन्नड़-अनुवाद, **(कोड 2007)** तेलुगु-अनुवाद, **(कोड 29)** मूल, मोटा टाइप, संस्कृत, ग्रन्थाकार **(कोड 1573)** मूल, मोटा टाइप, तेलुगु, ग्रन्थाकार **(कोड 124)** मूल मझला आकार, **(कोड 1855)** विशिष्ट सं० मूल, मझला भी।

श्रीशिवमहापुराण, (सचित्र, मूल, संस्कृत श्लोक-हिन्दी-व्याख्या सहित) [कोड 2223, 2224] ग्रन्थाकार—इस पुराणमें परात्पर ब्रह्म शिवके कल्याणकारी स्वरूपका तात्त्विक विवेचन, रहस्य, महिमा और उपासनाका विस्तृत वर्णन है। **(कोड 2124, 2154)** हिन्दी-व्याख्यासहित, **(कोड 2020)** मूल मात्रम्, सचित्र, सजिल्द, विशिष्ट संस्करण **(कोड 1468, 789)** संक्षिप्त मोटा टाइप सामान्य सं०, हिन्दी एवं **(कोड 1286)** गुजराती, **(कोड 1937)** बंगला, **(कोड 1926)** कन्नड़, **(कोड 975)** तेलुगुमें भी उपलब्ध।

संक्षिप्त पद्मपुराण (कोड 44) ग्रन्थाकार—इस पुराणमें भगवान् विष्णुकी विस्तृत महिमाके साथ, भगवान् श्रीराम तथा श्रीकृष्णके चरित्र, विभिन्न तीर्थोंका माहात्म्य, शालग्रामका स्वरूप, तुलसी-महिमा, गीता माहात्म्य, विष्णुसहस्रनाम, उपासना-विधि तथा विभिन्न व्रतोंका सुन्दर वर्णन है। सचित्र, सजिल्द। **(कोड 2078)** गुजरातीमें भी उपलब्ध।

संक्षिप्त मार्कण्डेयपुराण (कोड 539) ग्रन्थाकार—भगवतीकी विस्तृत महिमाका परिचय देनेवाले इस पुराणमें दुर्गासप्तशतीकी कथा एवं माहात्म्य, हरिश्चन्द्रकी कथा, मदालसा-चरित्र, अत्रि-अनसूयाकी कथा, दत्तात्रेय-चरित्र आदि अनेक सुन्दर कथाओंका विस्तृत वर्णन है। सचित्र, सजिल्द। **(कोड 2069)** गुजराती, **(कोड 2989)** तेलुगुमें भी उपलब्ध।

श्रीविष्णुपुराण, अनुवादसहित (कोड 48) ग्रन्थाकार—इसके प्रतिपाद्य भगवान् विष्णु हैं, जो सृष्टिके आदिकारण, नित्य, अक्षय, अव्यय तथा एकरस हैं। इसमें आकाश आदि भूतोंका परिमाण, समुद्र, सूर्य आदिका परिमाण, पर्वत, देवतादिकी उत्पत्ति, मन्वन्तर, कल्प-विभाग, सम्पूर्ण धर्म एवं देवर्षि तथा राजर्षियोंके चरित्रका विशद वर्णन है। सचित्र, सजिल्द **(कोड 1364)** केवल हिन्दी **(कोड 2040)** बँगला, **(कोड 2006)** गुजराती अनुवादमें भी उपलब्ध।

संक्षिप्त नारदपुराण (कोड 1183) ग्रन्थाकार—इसमें सदाचार-महिमा, वर्णाश्रम धर्म, भक्ति तथा भक्तके लक्षण, देवपूजन, तीर्थ-माहात्म्य, दान-धर्मके माहात्म्य और भगवान् विष्णुकी महिमाके साथ अनेक भक्तिपरक उपाख्यानोंका विस्तृत वर्णन किया गया है। सचित्र, सजिल्द। **(कोड 2131)** गुजरातीमें भी उपलब्ध।

संक्षिप्त स्कन्दपुराण (कोड 279) ग्रन्थाकार—यह पुराण कलेवरकी दृष्टिसे सबसे बड़ा है तथा इसमें लौकिक और पारलौकिक ज्ञानके अनन्त उपदेश भरे हैं। इसमें भगवान् शिवकी महिमा, सती-चरित्र, शिव-पार्वती-विवाह, कार्तिकेय-जन्म, तारकासुर-वध एवं धर्म, सदाचार, योग, ज्ञान तथा भक्तिके सुन्दर विवेचनके साथ-साथ अनेक साधु-महात्माओंके सुन्दर चरित्र पिरोये गये हैं। सचित्र, सजिल्द। **(कोड 2036)** गुजरातीमें भी उपलब्ध।

संक्षिप्त ब्रह्मपुराण (कोड 1111) ग्रन्थाकार—इस पुराणमें सृष्टिकी उत्पत्ति, पृथुका पावन चरित्र, सूर्य एवं चन्द्रवंशका वर्णन, श्रीकृष्णचरित्र, कल्पान्तजीवी मार्कण्डेय मुनिका चरित्र, तीर्थोंका माहात्म्य एवं अनेक भक्तिपरक आख्यानोंकी सुन्दर चर्चा की गयी है। सचित्र, सजिल्द। **(कोड 2169)** गुजरातीमें भी उपलब्ध।

संक्षिप्त गरुडपुराण—(कोड 1189) ग्रन्थाकार—इस पुराणके अधिष्ठातृ देव भगवान् विष्णु हैं। इसमें ज्ञान, भक्ति, वैराग्य, सदाचार, निष्काम कर्मकी महिमाके साथ यज्ञ, दान, तप, तीर्थ आदि शुभ कर्मोंमें सर्व-साधारणको प्रवृत्त करनेके लिये अनेक लौकिक एवं पारलौकिक फलोंका वर्णन किया गया है। सचित्र, सजिल्द। **(कोड 1981)** गुजरातीमें भी उपलब्ध।

संक्षिप्त श्रीवराहपुराण (कोड 1361) ग्रन्थाकार—इस पुराणमें भगवान् श्रीहरिके वराह-अवतारकी मुख्य कथाके साथ-साथ अनेक तीर्थ, व्रत, यज्ञ, दान आदिका विस्तृत वर्णन किया गया है। सचित्र, सजिल्द।

संक्षिप्त ब्रह्मवैवर्तपुराण (कोड 631) ग्रन्थाकार—इस पुराणमें चार खण्ड हैं—ब्रह्मखण्ड, प्रकृतिखण्ड, श्रीकृष्णजन्मखण्ड और गणेशखण्ड। इसमें भगवान् श्रीकृष्णकी लीलाओंका विस्तृत वर्णन, अनेक रोचक एवं रहस्यमयी कथाएँ, श्रीराधाकी गोलोक-लीला तथा अवतार-लीलाका सुन्दर विवेचन किया गया है। सचित्र, सजिल्द। **(कोड 2165)** गुजरातीमें भी उपलब्ध।

वामनपुराण, अनुवादसहित (कोड 1432) ग्रन्थाकार—यह पुराण मुख्यरूपसे त्रिविक्रम भगवान् विष्णुके दिव्य माहात्म्यका व्याख्याता है। इसमें भगवान् वामन, नर-नारायण, भगवती दुर्गाके उत्तम चरित्रके साथ-साथ भक्त प्रह्लाद तथा श्रीदामा आदि भक्तोंके बड़े रम्य आख्यान हैं। सचित्र, सजिल्द।

अग्निपुराण, केवल हिन्दी-अनुवाद (कोड 1362) ग्रन्थाकार—इसमें परा-अपरा विद्याओंका वर्णन, महाभारतके सभी पर्वोंकी संक्षिप्त कथा, रामायणकी संक्षिप्त कथा, मत्स्य, कूर्म आदि अवतारोंकी कथाएँ, वास्तु-पूजा, विभिन्न देवताओंके मन्त्र आदि अनेक उपयोगी विषयोंका अत्यन्त सुन्दर प्रतिपादन किया गया है। सचित्र, सजिल्द।

मत्स्यमहापुराण, अनुवादसहित (कोड 557)—यह पुराण मत्स्यावतारके रूपमें भगवान् विष्णुकी लीलाओंका सुन्दर परिचायक है। इसमें मत्स्यावतारकी कथा, सृष्टि-वर्णन, मन्वन्तर तथा पितृवंश-वर्णन, ययाति-चरित्र, राजनीति, यात्राकाल, स्वप्नशास्त्र, शकुन-शास्त्र आदि अनेक विषयोंका सरल वर्णन किया गया है। सचित्र, सजिल्द।

कूर्मपुराण, अनुवादसहित (कोड 1131)—इस पुराणमें भगवान्‌के कूर्मावतारकी कथाके साथ-साथ सृष्टि वर्णन, वर्ण, आश्रम और उनके कर्तव्यका वर्णन, युगधर्म, मोक्षके साधन, तीर्थ-माहात्म्य, २८ व्यासोंकी कथाएँ, ईश्वर-गीता, व्यास-गीता आदि विविध विषयोंका अत्यन्त सुन्दर प्रतिपादन किया गया है। विभिन्न दृष्टियोंसे इस पुराणका पठन-पाठन सबके लिये कल्याणकारी है। सचित्र, सजिल्द।

संक्षिप्त श्रीमद्देवीभागवत-मोटा टाइप (कोड 1133) ग्रन्थाकार—यह पुराण परम पवित्र वेदकी प्रसिद्ध श्रुतियोंके अर्थसे अनुमोदित, अखिल शास्त्रोंके रहस्यका स्रोत तथा आगमोंमें अपना प्रसिद्ध स्थान रखता है। यह सर्ग, प्रतिसर्ग, वंश, वंशानुकीर्ति, मन्वन्तर आदि पाँचों लक्षणोंसे पूर्ण है। पराम्बा भगवतीके पवित्र आख्यानोंसे युक्त इस पुराणका पठन-पाठन तथा अनुष्ठान भक्तोंके त्रितापोंका शमन करनेवाला तथा सिद्धियोंका प्रदाता है। सचित्र, सजिल्द **(कोड 1897, 1898)** अनुवादसहित, **(कोड 1770)** मूलमात्रम, **(कोड 1326)** गुजराती, **(कोड 1989)** कन्नड़, **(कोड 982)** तेलुगु में भी उपलब्ध।

नरसिंहपुराण, अनुवादसहित (कोड 1113) ग्रन्थाकार—इस पुराणमें दशावतारकी कथाएँ एवं सात काण्डोंमें भगवान् श्रीरामके पावन चरित्रके साथ-साथ सदाचार, राजनीति, वर्णधर्म, आश्रम-धर्म, योग-साधना आदिका सुन्दर विवेचन किया गया है। इसके अतिरिक्त इसमें भगवान् नरसिंहकी विस्तृत महिमा, अनेक कल्याणप्रद उपाख्यानोंका वर्णन, भौगोलिक वर्णन, सूर्य-चन्द्रादिसे उत्पन्न राजवंशोंका वर्णन तथा अनेक स्तुतियोंका उल्लेख है। सचित्र, सजिल्द। **(कोड 2218)** गुजरातीमें भी उपलब्ध।

महाभारत-खिलभाग हरिवंशपुराण, अनुवादसहित (कोड 38) ग्रन्थाकार—हरिवंशपुराण वेदार्थ-प्रकाशक महाभारत ग्रन्थका अन्तिम पर्व है। पुत्र-प्राप्तिकी कामनासे हरिवंशपुराणके श्रवणकी परम्परा भारतवर्षमें चिरकालसे प्रचलित है। भगवान् श्रीकृष्णसे सम्बन्धित अगणित कथाएँ इसमें ऐसी हैं, जो अन्यत्र दुर्लभ हैं। धार्मिक जन-सामान्यके कल्याणार्थ इसके अन्तमें सन्तानगोपाल-मन्त्र, अनुष्ठान-विधि, सन्तान-गोपाल-यन्त्र तथा संतान-गोपालस्तोत्र भी संगृहीत हैं। सचित्र, सजिल्द। **(कोड 1589)** केवल हिन्दी **(कोड 2098)** गुजरातीमें भी।

महाभागवत [देवीपुराण], अनुवादसहित (कोड 1610) ग्रन्थाकार—इस पुराणमें मुख्य रूपसे भगवती महाशक्तिके माहात्म्य एवं उनके विभिन्न चरित्रोंका विस्तृत वर्णन है। इसमें मूल प्रकृति भगवतीके गङ्गा, पार्वती, लक्ष्मी, सरस्वती, तुलसी आदि रूपोंमें विवर्तित होनेके मनोरम आख्यान हैं। सचित्र, सजिल्द।

लिङ्गमहापुराण, अनुवादसहित (कोड 1985) संस्कृत श्लोक एवं हिन्दी टीका—यह पुराण भगवान् शिवकी उपासना एवं महिमाका विस्तृत परिचायक है। इसमें शैवदर्शन, पाशुपतयोग, लिङ्ग-स्वरूप, लिङ्ग-माहात्म्य, लिङ्गार्चन एवं योगाचार्यों तथा शिव भक्तोंकी कथाओंका सरस वर्णन है। सचित्र, सजिल्द। **(कोड 2227)** गुजरातीमें भी उपलब्ध।